Tratado de Oncologia

EURIDICE MARIA DE ALMEIDA FIGUEIREDO

Residência Médica em Cirurgia Oncológica no Instituto Nacional de Câncer (INCA/MS/RJ)
Mestrado em Medicina pela Pontifícia Universidade Católica do Rio de Janeiro (PUC)
Doutorado em Medicina pela Universidade Federal do Rio de Janeiro (UFRJ)
Chefe do Serviço de Ginecologia Oncológica do Instituto Nacional de Câncer – 2001
Chefe do Serviço de Ginecologia Oncológica do Hospital Mário Kröeff – Rio de Janeiro, RJ
Professora Titular de Ginecologia Oncológica do Instituto de Pós-Graduação Médica Carlos Chagas
Membro Titular da *International Gynecologic Cancer Society (IGCS)*
Membro Titular da *European Society of Gynaecological Oncology*
Membro Fundadora da Sociedade Brasileira de Ginecologia Oncológica
Membro Titular da Sociedade Brasileira de Mastologia (TEMA)
Membro Titular do Colégio Brasileiro de Cirurgia
Perceptorship in Surgical Gynecologic Lasers-Revenswood Hospital Medical Center – Chicago
Diretora do Hospital do Câncer II do Instituto Nacional de Câncer – 1998
MBA – Pós-Graduação em Administração Hospitalar pela Pontifícia Universidade Católica do Rio de Janeiro (PUC)
Presidente da Associação dos Ex-Residentes Médicos do Instituto Nacional de Câncer (AERINCA)

MAURO MONTEIRO CORREIA

Residência Médica em Cirurgia Oncológica no Instituto Nacional de Câncer (INCA/MS/RJ)
Residência Médica em Cirurgia Geral na UFRJ
Pós-Graduação em Endoscopia Oncológica pela UFF (INCA)
Fellow Bolsista em Cirurgia Hepatobiliopancreática pela *MSKCC* – Nova Iorque
Mestrado e Doutorado em Cirurgia pela UFRJ
Pós-Doutorado pela *Wakefield Clinic* – Nova Iorque
Cirurgião da Seção de Cirurgia Abdominopélvica do INCA
Coordenador do Grupo Hepatobiliar do INCA
Coordenador das Clínicas Cirúrgicas da UNIGRANRIO, RJ
Presidente Emérito do Capítulo Brasileiro da *International HPB Association*

ALEXANDRE FERREIRA OLIVEIRA

Residência Médica em Cirurgia Oncológica no Instituto Nacional de Câncer (INCA/MS/RJ)
Coordenador do Comitê Brasileiro das Ligas Acadêmicas de Cancerologia (COBRALC)
Chefe do Serviço de Oncologia do Hospital Universitário da Universidade Federal de Juiz de Fora (UFJF), MG
Professor Adjunto II e Coordenador da Disciplina de Clínica Cirúrgica VI/Oncologia da
Faculdade de Medicina da Universidade Federal de Juiz de Fora (UFJF), MG
Professor Titular do Estágio de Clínica Cirúrgica da Faculdade de Medicina da Universidade Antônio Carlos de Andrade – Juiz de Fora, MG
Professor Adjunto da Disciplina de Clínica Médica II/Oncologia da Faculdade de Medicina SUPREMA
Pesquisador Convidado da Universidade do Kansas
Doutorado em Ciências da Saúde com Concentração em Clínica Cirúrgica pela Universidade Estadual de São Paulo (USP) – Ribeirão Preto (2005)
Segundo Tesoureiro da Sociedade Brasileira de Cirurgia Oncológica (SBCO) – 2010/2011
Membro da Comissão de Título de Especialista em Cancerologia (TECA)/Cirurgia Oncológica pela Sociedade Brasileira de Cancerologia (SBC) – 2011
Membro do Conselho Consultivo do INCA (2011) e 1º Suplente (2007/2012/2013)
Residência Médica em Cirurgia Geral pelo Hospital Universitário da Universidade Federal de Juiz de Fora (UFJF), MG
Título de Especialista em Cirurgia Geral pelo Colégio Brasileiro de Cirurgiões (CBC)
Membro da Comissão Permanente de Título de Especialista em Cirurgia Geral do Colégio Brasileiro de Cirurgiões (CBC) – 2012/2013
Membro Titular da AERINCA, SBCO, CBC e IHPBA
Membro Efetivo da Sociedade Brasileira de Cancerologia (SBC)
Presidente da Regional de Minas Gerais da Sociedade Brasileira de Cirurgia Oncológica (SBCO) – 2007/2009

AERINCA

TRATADO DE ONCOLOGIA

EURIDICE MARIA DE ALMEIDA FIGUEIREDO

MAURO MONTEIRO CORREIA

ALEXANDRE FERREIRA OLIVEIRA

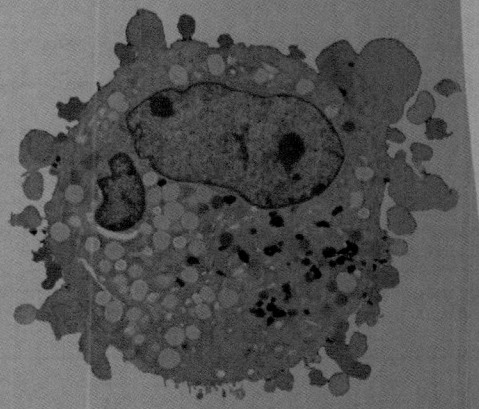

Volume II

REVINTER

Tratado de Oncologia
Copyright © 2013 by Livraria e Editora Revinter Ltda.

Volume I – ISBN 978-85-372-0538-9
Volume II – ISBN 978-85-372-0537-2
Coleção – ISBN 978-85-372-0540-2

Todos os direitos reservados.
É expressamente proibida a reprodução
deste livro, no seu todo ou em parte,
por quaisquer meios, sem o consentimento,
por escrito, da Editora.

Contato com os autores:
EURIDICE MARIA DE ALMEIDA FIGUEIREDO
euridicef@gmail.com

MAURO MONTEIRO CORREIA
mmauro.monteiro@gmail.com

ALEXANDRE FERREIRA OLIVEIRA
alexfer.oliveira@ig.com.br

CIP-BRASIL. CATALOGAÇÃO-NA-PUBLICAÇÃO
SINDICATO NACIONAL DOS EDITORES DE LIVROS, RJ
F489t
v. 2

Figueiredo, Euridice Maria de Almeida
　Tratado de oncologia/Euridice Maria de Almeida Figueiredo, Mauro Monteiro Correia, Alexandre Ferreira Oliveira. - 1. ed. - Rio de Janeiro: Revinter, 2013.
　　il.

　Inclui bibliografia e índice
　ISBN 978-85-372-0537-2 (v. 2) - 978-85-372-0540-2 (Obra completa)

　1. Oncologia. I. Correia, Mauro Monteiro. II. Oliveira, Alexandre Ferreira. III. Título.

13-02217　　　　　　　　CDD: 616.994
　　　　　　　　　　　　CDU: 616-006

A precisão das indicações, as reações adversas e as relações de dosagem para as drogas citadas nesta obra podem sofrer alterações.
Solicitamos que o leitor reveja a farmacologia dos medicamentos aqui mencionados.
A responsabilidade civil e criminal, perante terceiros e perante a Editora Revinter, sobre o conteúdo total desta obra, incluindo as ilustrações e autorizações/créditos correspondentes, é do(s) autor(es) da mesma.

Livraria e Editora REVINTER Ltda.
Rua do Matoso, 170 – Tijuca
20270-135 – Rio de Janeiro – RJ
Tel.: (21) 2563-9700 – Fax: (21) 2563-9701
livraria@revinter.com.br – www.revinter.com.br

Prefácio

É com grande satisfação que escrevo o prefácio desta publicação, reunindo artigos de colegas médicos cancerologistas – que tiveram sua formação especializada, em diferentes épocas, no Instituto Nacional de Câncer (INCA), um dos institutos do Ministério da Saúde – os quais, hoje, são profissionais de prestígio nas diversas especialidades que compõem a Cancerologia.

O livro *Tratado de Oncologia* é a concretização de um grande desejo da Associação dos Ex-Residentes Médicos do INCA (AERINCA) de publicar uma obra que abordasse a cancerologia como um todo, servindo, também, de referência para a comunidade universitária. A publicação está organizada em blocos temáticos, como prevenção, cuidados paliativos, diagnóstico e tratamento do câncer, além de políticas de saúde e epidemiologia.

No capítulo das políticas de saúde, o câncer é abordado no contexto das doenças crônicas. Ano passado, o Ministério da Saúde lançou o Plano de Ações para Enfrentamento das Doenças Crônicas Não Transmissíveis (DCNT), que prevê um conjunto de medidas para reduzir em 2% ao ano a taxa de mortalidade prematura por enfermidades como câncer, diabetes e doenças cardiovasculares, como infarto e acidente vascular encefálico.

O Plano, que reúne ações para os próximos 10 anos, é a resposta brasileira a uma preocupação mundial: estima-se que 63% das mortes no mundo, em 2008, tenham ocorrido por DCNT, sendo um terço delas em pessoas com menos de 60 anos. No Brasil, as DCNT concentram 72% do total de óbitos, segundo dados de 2009 do Sistema de Informação de Mortalidade, porcentual que representa mais de 742 mil mortes por ano. As que mais matam são as doenças cardiovasculares (31,3%), o câncer (16,2%), as doenças respiratórias crônicas (5,8%) e o diabetes melito (5,2%).

Diante da nossa meta de qualificar o atendimento à população e reduzir o tempo de espera, o Ministério da Saúde ampliou os recursos para a assistência oncológica no SUS. Também houve um aumento de 40% no número de cirurgias oncológicas, que passou de 67 mil (2003) para 94 mil (2011), também dobrou o número de procedimentos quimioterápicos, saltando de 1,2 milhão (2003) para 2,4 milhões (2011).

O lançamento desta publicação, além de ser um marco na literatura científica brasileira, pretende contribuir para a melhora da qualidade de vida de pacientes atendidos em hospitais públicos e privados que compõem o SUS.

Alexandre Rocha Padilha
Ministro da Saúde e Presidente do Conselho Nacional de Saúde

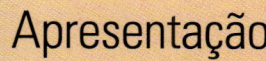
Apresentação

Caros Leitores,

É com especial satisfação, e porque não dizer orgulho, que apresentamos este *Tratado de Oncologia*, resultado de um trabalho conjunto de colegas que tiveram a mesma formação em Residência Médica no Instituto Nacional de Câncer.

Desde a concepção desta iniciativa, pareceu-nos inovador integrar autores e experiências de diferentes regiões do país e de distintas épocas, a escrever capítulos compartilhados, valendo-nos do avanço da tecnologia da comunicação.

Assim, o presente *Tratado de Oncologia* está dividido em grupos, pela sua topografia, para facilitar a busca por sua área de interesse e a melhor compreensão do leitor, tendo a sua abrangência desde o diagnóstico tumoral, com especial destaque no que concerne à biologia molecular e à terapêutica alvo.

Norteou todo o conteúdo a preocupação em demonstrar os conhecimentos mais relevantes da especialidade com base nas melhores evidências científicas, sem deixar de considerar as questões ainda controversas na atualidade. Para tal, recebemos, também, a colaboração de estimados colegas de outras especialidades, em alguns capítulos, que muito contribuíram para a concretização desta obra.

Como Presidente da Associação dos Ex-Residentes Médicos do Instituto Nacional de Câncer, tenho o privilégio de apresentar aos leitores este Tratado, com um sentimento de dever cumprido, por ter contribuído para a realização deste sonho tão esperado por todos nós.

Merece registro, com respeito e saudade, a figura de meu antecessor, Dr. Geraldo Matos de Sá, que não está mais entre nós, que muito trabalhou para que, formados na melhor matriz técnica e humana, pudéssemos progredir e fazer a diferença no meio médico nacional, quer no exercício da medicina, quer na produção científica.

Estamos, portanto, cumprindo o nobre objetivo na sociedade de transmitir aos mais novos a nossa experiência e estimular o ensino da Cancerologia. A estes, dedicamos os ensinamentos contidos nesta obra, como fruto de um trabalho desenvolvido em equipe, com todo o compromisso de ensinar, unidos por relações de amizade e apreço entre os autores.

Grande é, portanto, a minha satisfação em poder apresentar este Tratado, após tantos anos de trabalho nesta instituição e testemunhar o brilho dos profissionais aqui formados, espalhados por todo o país, formando uma grande rede de especialistas em câncer que alcança diversas gerações de profissionais com a mesma visão de pioneirismo e aperfeiçoamento em suas respectivas áreas.

É para nós também um momento histórico, pois pela primeira vez podemos mostrar a força formadora de profissionais do mais alto nível, a partir de uma instituição pública e governamental, geradora de ensino, pesquisa e assistência, com o melhor olhar para o paciente, que é nosso compromisso maior.

Euridice Maria de Almeida Figueiredo
Coordenadora
Presidente da Associação dos Ex-Residentes Médicos do Instituto Nacional de Câncer (AERINCA)

Ernani Francisco de Sena Sampaio
Vice-Presidente da Associação dos Ex-Residentes Médicos do Instituto Nacional de Câncer (AERINCA)

Apresentação

A AERINCA é uma sociedade civil sem fins lucrativos, com personalidade jurídica própria, fundada em 14 de dezembro de 1978, cuja finalidade é congregar médicos ex-residentes do INCA, com o objetivo de realizar atividades de aprimoramento e congraçamento na área da Cancerologia.

Na qualidade de membros da diretoria, fomos convocados pela presidente, Dra. Euridice Maria de Almeida Figueiredo, a desenvolver um projeto de amplitude nacional que unisse, mais uma vez, os ex-residentes médicos do Instituto Nacional de Câncer. Qual fosse o projeto, ele deveria ter por objetivo principal propiciar a merecida visibilidade aos colegas que se encontram dispersos pelo grande território nacional, realizando a atenção oncológica fora dos grandes centros e das grandes instituições, com o auxílio de nomes consagrados e convidados. Nossa última grande atividade havia sido a realização do "V Simpósio Nacional de Cancerologia Dra. Maria Luíza Pessoa Cavalcanti", em comemoração aos 30 anos de fundação da AERINCA, em 2008. Surgiram várias ideias e prevaleceu a de que escreveríamos um livro, no formato de um manual de oncologia, ideia esta que foi ampliada pelo Professor Dr. Alexandre Ferreira Oliveira para um *Tratado de Oncologia*. Assim foi que, resumidamente, deu-se a criação deste Livro, que se torna um marco na Cancerologia nacional.

Ao final, foi muito gratificante conviver com nossos colegas, contribuir nesta tarefa e ver o trabalho enfim realizado. Aceitem as nossas desculpas por alguns erros, das mais diversas naturezas. A todos os que contribuíram e a todos os que gostariam de ter contribuído e não o puderam fazer, o nosso muito obrigado.

Antecipadamente, eu me penitencio perante todos os colaboradores que são possuidores de grande experiência e vasto currículo. Por motivos de padronização, escolhemos somente os quatro principais títulos de cada um para constar nos créditos dos autores.

Por fim, prevaleceram o resultado positivo, o objetivo alcançado, a união e o espírito dos ex-residentes médicos do Instituto Nacional de Câncer.

Mauro Monteiro Correia
Coordenador

Apresentação

O câncer é a segunda causa de morte no mundo, sendo superado apenas pelas doenças cardiovasculares. Nós, cancerologistas, assim como todos os profissionais de saúde envolvidos no tratamento do câncer, temos como meta não apenas aplicar a melhor forma de tratamento para redução da mortalidade e morbidade, mas, também, atuarmos efetivamente na prevenção, rastreamento, reabilitação e melhora da qualidade de vida destes pacientes.

Este Tratado nasceu de uma ideia, a princípio, de congregação de ex-residentes do Instituto Nacional de Câncer (INCA). Era para ser um "Manual", mas este projeto se estendeu e agregou vários profissionais de saúde envolvidos no tratamento do câncer, que trabalham nas áreas de ensino, pesquisa e assistência em oncologia no Brasil e no exterior. Contamos com o valioso apoio do INCA e de várias Sociedades que militam nesta área (SBC, SBCO, SBOC, SBRT, SBM, SOBRAGON, SBCCP, ANM, FAF, CBC e Capítulo Brasileiro da IHPBA).

A divisão do Tratado foi feita em 13 áreas, sendo cada uma delas composta de um ou dois coordenadores responsáveis por diversos colaboradores. Esperamos, em nome de todos os autores e coordenadores de área, que esta obra sirva como referência e estímulo ao estudo desta doença, que, segundo a Organização Mundial de Saúde (OMS), em 2030, será a principal causa de morte no mundo.

Alexandre Ferreira Oliveira
Coordenador

Nota do Editor

Ao receber o gentil convite dos editores desta magnífica obra para escrever uma nota sobre minhas experiências no INCA, quase não pude conter a emoção e a alegria.

Um misto de nostalgia, saudades e muitas lembranças boas tomam conta de mim ao recordar os sete anos em que, literalmente, vivi dentro do INCA, no início da minha vida profissional como vendedor de livros médicos.

Quem me levou ao INCA pela primeira vez foi a Dra. Lena Bulcão... Ela havia encomendado um volume de uma série tradicional, publicada pelo MD Anderson Cancer Center, na Livraria Luso-Espanhola e Brasileira, onde eu trabalhava como vendedor, em 1974. Quando o Sr. José Cerqueira, meu patrão, perguntou a todos os vendedores quem poderia entregar o pedido no INCA, no dia seguinte pela manhã, ninguém quis e eu, que nada recusava, ofereci-me. Ao entregar-lhe a publicação, perguntou-me por que não ia ao INCA periodicamente oferecer livros aos médicos, já que não havia livreiro no local. Aceitei o convite, o que foi uma excelente decisão e início de uma fase muito importante, tanto na minha vida profissional quanto pessoal!

Entre tantas boas recordações daqueles tempos, ficou gravado em minha mente o episódio em que os Drs. Francisco Monteiro e José Peixoto, como "representantes" dos residentes, exigiram que eu permanecesse trabalhando no quarto andar, Centro de Estudos, por meio de um abaixo-assinado, alegando que minha presença diária no local era imprescindível, pois não tinham tempo para procurar e adquirir a literatura médica necessária à sua formação fora do INCA.

Na época, eu tinha sido proibido pela administração de entrar nas dependências do hospital, sendo acusado de dormir/morar/habitar na residência médica e almoçar/jantar no refeitório do hospital. Sou obrigado a confessar que a primeira parte é verdadeira. Durante mais de dois anos, frequentava o INCA diariamente e dormia no sexto andar, na residência médica, para poder estudar à noite, no Centro da cidade, pois morava em Anchieta, subúrbio distante. No entanto, a segunda parte é injusta, pois a comida do refeitório não era lá estas coisas; sempre preferi o "sanduba" do Vieira Souto, servido pelo nosso amigo Fidélis, o "mago dos talheres".

Todos os residentes eram meus amigos, principalmente os nordestinos, grande maioria dos que entravam como R1. Eu sempre os ajudava, emprestando algum dinheiro, apesar de também enfrentar dificuldades, quando chegavam meio assustados ao Rio e tinham que esperar de três a quatro meses para receber o primeiro salário, no início do ano. Praticamente tudo o que recebiam, quando pagavam os atrasados, era para me reembolsar os empréstimos.

Trabalhei no INCA até 1980, quando passei o ponto para o Henrique, que naquela época já trabalhava comigo e até hoje lá está.

Gostaria de aproveitar esta oportunidade para homenagear todos os médicos e profissionais do INCA, durante a minha "jornada" lá, nas pessoas de dois amigos muito especiais: Dr. Ary Frauzino e Dr. João Luis Campos Soares.

Também não posso deixar de lembrar, neste momento, de outros tantos amigos queridos que já se foram, e de homenageá-los na pessoa do inesquecível Gothardo Lima, nosso grande parceiro, cearense, torcedor fanático do Ceará e do Botafogo, com quem tive o imenso prazer de conversar por telefone em novembro passado, em Fortaleza, pouco tempo antes que partisse.

Por fim, quero registrar meu orgulho e satisfação em publicar esta obra institucional inédita, que reúne os mais importantes nomes do INCA. Trata-se do mais atual tratado sobre a especialidade, cujo conteúdo irretocável é apresentado com a melhor qualidade gráfica disponível no mercado editorial.

Parabéns aos coordenadores, autores e colaboradores do TRATADO DE ONCOLOGIA – AERINCA – INCA 2013/2014.

O meu MUITO OBRIGADO ao INCA! E a todos com quem convivi naqueles sete anos...

Sergio Duarte Dortas
Diretor – Editora Revinter

Agradecimentos

Aos meus pais, *in memoriam*, Raimundo e Euridice que me ensinaram a lutar e moldaram o meu caráter.

Ao meu marido Jurandyr, que incentiva as minhas conquistas.
Às minhas filhas Joana e Juliana, companheiras de trabalho, pelo apoio e afeto.
Euridice Figueiredo

Agradeço aos Drs. Jurandir Dias, Leslie Blumgart, Marcos Moraes e Richard Stubbs. Em memória de Archimedes, Bernardino, Sena e Miracy. À Beth, Helena, Bernard, Ercília, Selma, Maíra e Onézio, meu mais profundo amor e gratidão.
Mauro Monteiro

À minha filha Vitória e à minha esposa Viviane, pelo amor incondicional.
Aos meus pais Luiz Jorge e Vicentina, pela educação e estímulo.
Alexandre Ferreira

Aos coordenadores de área, autores e colaboradores dos capítulos,
pela dedicação e grandeza das informações.
A toda a equipe da Revinter, nas figuras dos irmãos Sergio e Laércio, nossos sinceros agradecimentos pela confiança e dedicação na elaboração deste Tratado.
Euridice, Mauro e Alexandre

Introdução

Escrever sobre o valor da Residência Médica do INCA remete-nos à construção histórica deste campo de conhecimento da medicina, que se tem modificado intensamente com a velocidade que a sociedade moderna exige, seja no âmbito tecnológico, seja no âmbito epidemiológico, pelo desafio atual que nos impõem as doenças crônicas.

O resgate histórico permite-nos inferir que atuar, ensinar, aprender e acompanhar a evolução da oncologia faz parte do perfil dos médicos que escolhem uma das três especialidades que compõem a oncologia, quais sejam a cancerologia clínica, cirúrgica e radioterápica. Percebemos, também, que o Instituto Nacional de Câncer é a história viva da construção deste perfil.

Senão, vejamos: Bodstein relata-nos em seu livro *História das Políticas de Controle do Câncer no Brasil* (1985) a forma como as políticas de câncer foram idealizadas e construídas. Ele diz que, em meados da década de 1930, o incipiente debate sobre a criação de uma campanha nacional sobre o câncer tomou corpo e despertou interesse na área médica.

No Governo de Getúlio Vargas, o Dr. Mário Kröeff, após várias tentativas frustradas, convenceu o presidente de que o Brasil estava "atrasado" em relação ao diagnóstico e tratamento do câncer e que a capital precisava ter o seu Serviço de Cancerologia. Em conjuntura política favorável, ainda na década de 1930, foi construído o Instituto Nacional de Câncer, de onde se desenvolveu a forma específica de apreensão das práticas oncológicas. Médicos e acadêmicos de medicina começaram a chegar ao Instituto para aprender oncologia. Até os dias atuais, o Instituto nunca abdicou desta função que nasceu com ele, com o objetivo de formar recursos humanos em oncologia.

Em 1942, o Dr. Kröeff foi aos Estados Unidos e importou de lá o modelo das sessões clínicas para discussão de casos de câncer. Este fato é importante, porque se configurou como rotina até os dias atuais. Este modelo é atualmente chamado de Planejamento da Terapia, em que o cirurgião oncológico, o oncologista-clínico e o radioterapeuta se reúnem para organizar a terapêutica dos pacientes. Uma das marcas dos oncologistas é a constante atualização e a relação estreita com a pesquisa, fato que talvez não seja tão frequente no cotidiano dos médicos em geral. Os oncologistas em formação são "contaminados" e tornam-se ávidos por novidades oncológicas, seja de novos procedimentos ou medicamentos.

Até 1952 não havia equipes especializadas em oncologia. Todos eram cirurgiões gerais e operavam tumores malignos. Os médicos que se dedicavam às práticas oncológicas não tinham titulações específicas. Embora houvesse preocupação com o ensino da oncologia por parte das lideranças médicas, poucos Serviços hospitalares recebiam alunos ou médicos para aprendê-la.

Olhando a história, inferimos que esta prática só se apreendia em instituições especializadas porque não havia um movimento de se internalizar nas escolas médicas este conhecimento. Alguns médicos aperfeiçoavam-se fora do Brasil, trazendo procedimentos e práticas, e os introduziam diretamente nos Serviços, sob a égide do "moderno e avançado". Nomes como o Professor Mário Kröeff ou Antonio Candido Camargo, entre outros, introduziram, a seu modo, a prática oncológica no Brasil.

O aprendizado mantinha-se na relação do tipo mestre-discípulo, embora o conteúdo aprendido fosse reconhecido cientificamente. Os estudantes tornavam-se estagiários dos Serviços e, depois de formados, especializavam-se dentro do mesmo local. Alguns tornavam-se membros do *staff* e começavam a ensinar a especialidade. Esta técnica prática e experimental, este perfil de cuidar e pesquisar e o desconhecimento sobre muitos aspectos do câncer que persiste ainda hoje são a marca do agir médico atual, demonstrando um pouco do arcabouço da especialização em oncologia, que parte da angústia do desconhecimento sobre a doença até o tratamento atual, passando pela dificuldade de diagnósticos dos médicos não especialistas.

Dentro dos registros oficiais da Instituição, a capacitação para médicos foi oficializada em 1951 e começou com a Cancerologia Cirúrgica, com quatro médicos. Nacionalmente, a residência médica foi regulamentada em 1977 pelo governo federal (Geisel). O INCA foi credenciado em 1981. Desde os primórdios desta capacitação dos médicos para o exercício da oncologia, o INCA tem buscado coerência entre os métodos didático-pedagógicos, articulação teoria e prática, ensino-trabalho e capacidade de construir conhecimento significativo que se traduzam em práticas éticas no cuidado oncológico na esfera pública ou na esfera privada.

Esta intenção já se observa em maio de 1968, quando foi oficializada a Campanha Nacional de Combate ao Câncer nos moldes da Lei Orgânica das Campanhas. Seu objetivo agora fixado por lei era, principalmente: "Intensificar e coordenar, em todo o território nacional, as atividades públicas e privadas de prevenção, diagnóstico precoce, assistência médica, formação de técnicos especializados, pesquisas, educação, ação social e recuperações relacionadas com neoplasias malignas em todas as suas formas clínicas, com a finalidade de reduzir-lhe a incidência".

Percebemos que, dentro da lei que oficializava a Campanha Nacional, afirma-se a questão do ensino e pesquisa. Então, junto com o nascimento do Instituto e com a primeira ação concreta para organizar a área, lá está a formação médica como prioridade.

Embora tenha passado por turbulências políticas em alguns períodos de sua história, o Instituto nunca se desobrigou de formar recursos humanos para a área de atenção oncológica, incluindo-se aí o período em que foi transferido para o Ministério da Educação (em 22 de maio de 1969 houve a cessão do Instituto à Fundação de Medicina e Cirurgia do Rio de Janeiro, retornando na década de 1970 para o Ministério da Saúde).

O Instituto, mesmo nas vicissitudes políticas, não deixou de ser considerado uma instituição-chave para a política de combate ao câncer no país.

A atuação médica no Instituto fortalecia a prática voltada para os altos padrões tecnológicos e sua formação médica acompanhava todos os movimentos técnicos, políticos e assistenciais.

Nas décadas de 1980 e 1990, após uma reorganização político-administrativa, o Instituto foi ratificado como formulador de políticas e principal formador de recursos humanos para a área de oncologia. Houve, nos anos de 1990, uma inflexão na assistência oncológica, voltando-se efetivamente para as questões de saúde pública. Suas formulações políticas para a área ganharam força de portarias no Ministério da Saúde.

Hoje, apenas os procedimentos oncológicos por ele institucionalizados são reconhecidos pelo SUS, e a formação médica oferecida continua sendo uma das mais procuradas no país.

No final da década de 1990, o Instituto aproximou-se dos estados, buscando construir ações conjuntas, mais amarradas, indo ao encontro das necessidades nacionais. De 2000 a 2005, a busca de parcerias com os estados consolidou-se, e parceiras no âmbito da educação médica estreitaram-se por meio de convênios de cooperação técnica.

Atualmente, o Instituto Nacional de Câncer (INCA) é o órgão e a instância técnica do Ministério da Saúde responsável pela integração nacional das ações de assistência, pesquisa, prevenção e ensino em Oncologia, mantendo como fator predominante, para o cumprimento de sua missão, a formação de profissionais altamente qualificados na área da Oncologia, por intermédio dos programas de Residência Médica Oncológica e Especialização Oncológica na área Médica e em outras áreas da Saúde.

O Ministério da Saúde, considerando a complexidade da assistência em oncologia, determinou, na portaria 3.535/98 e 113/99, que os profissionais médicos possuam formação profissional qualificada. A portaria 1.289 de julho de 2002 complementa estabelecendo que o serviço de cirurgia oncológica deve ter um responsável médico habilitado em Cancerologia – Oncologia Cirúrgica, devendo esta habilitação ser comprovada pelos respectivos Conselhos Federal e Regionais de Medicina.

O mesmo ocorreu em relação aos serviços de Oncologia Clínica e os serviços que atendem exclusivamente crianças. Estas ações nos fazem crer no valor da Residência Médica no INCA visando à formação médica qualificada principalmente para o SUS.

Nestes 75 anos, o INCA tem ampliado seu escopo de especialidades e modelos de capacitação. Outras áreas do conhecimento médico foram incorporando-se aos nossos cursos como a anestesiologia, a cirurgia plástica e a radiologia. Outras foram adaptando-se às novas especialidades surgidas como, por exemplo, a mastologia. A formação de qualidade guindou-nos à condição de Hospital de Ensino por meio da portaria interministerial. Fato que ao mesmo tempo nos orgulha e nos desafia, "provocando-nos" e instigando a novas práticas que nos mantenham nesta categoria.

Atualmente, o Brasil possui 18 Instituições que oferecem programas de cancerologia cirúrgica, 44 que oferecem programas de cancerologia clínica e 14 que oferecem programas de residência médica em radioterapia. Podemos afirmar que todas elas foram fomentadas e organizadas por ex-residentes do INCA. Acompanhando a história de pioneirismo e empreendedorismo do INCA, a seleção para o ingresso dos médicos aos programas de formação do INCA vem aperfeiçoando-se ao longo do tempo. Com a reorganização de Residência Médica em geral e principalmente a partir dos anos de 1980, o INCA passou a promover processo seletivo aberto a todos os médicos brasileiros. Atualmente, a área médica oferece 28 cursos de residência médica e 9 de aperfeiçoamento nos moldes *fellow* além de aperfeiçoamentos e atualizações. Recebemos, também, residentes de outras Instituições para estágios em áreas especializadas.

De 1951 até 2012, formamos aproximadamente 1.234 médicos residentes (total de todas as especialidades inseridas nos nossos programas de residência médica). Sendo aproximadamente 373 cirurgiões oncológicos, 217 oncologistas clínicos e 148 radioterapeutas.

Participar desta história de lutas e conquistas marca todos aqueles que por aqui passaram, passam e passarão na condição de residentes. A cada cerimônia de formatura, percebemos a importância e o desafio de manter o INCA como Instituição formadora de qualidade de oncologistas e áreas afins e marcar a vida profissional de cada egresso pelo orgulho de ser INCA.

Cabe aqui um registro de louvor por esta obra e pelo papel agregador que historicamente há mais de três décadas vem desempenhando a Associação dos Ex-Residentes Médicos do Instituto Nacional de Câncer (AERINCA), mantendo a tradição e a presença em todos os setores no cenário nacional.

Luiz Antonio Santini
Diretor do Instituto Nacional de Câncer (2005)

Sheila P. S. Souza
Coordenadora da Residência Médica do INCA

Coordenadores de Áreas

PRINCÍPIOS GERAIS
Sérgio Alexandre de Almeida dos Reis

RADIOLOGIA
André Noronha Arvellos

TECIDO ÓSSEO E CONECTIVO
José Francisco Neto Rezende

CIRURGIA DE CABEÇA E PESCOÇO
Terence Pires de Farias e Fernando Luiz Dias

ONCOLOGIA TORÁCICA
Aureliano Mota Cavalcanti de Sousa

SISTEMA DIGESTÓRIO E RETROPERITÔNIO
Mauro Monteiro Correia

MASTOLOGIA
Sandra Marques Silva Gioia e Euridice Maria de Almeida Figueiredo

GINECOLOGIA
Solange Maria Diniz Bizzo e Euridice Maria de Almeida Figueiredo

UROLOGIA
Antonio Augusto Ornellas

PEDIATRIA
Ricardo Vianna de Carvalho

SISTEMA NERVOSO CENTRAL
Paulo Niemeyer Filho

HEMATOLOGIA
Adriana Scheliga

CUIDADOS PALIATIVOS
Magda Côrtes Rodrigues Rezende e Cláudia Naylor

Prefácio
Princípios Gerais

Nos últimos 200 anos, verificou-se um expressivo aumento da sobrevida do ser humano. O homem tem vivido mais e com uma qualidade de vida melhor, porém traz junto de si, também, o aumento das doenças crônico-degenerativas, entre elas o câncer.

A necessidade de conhecimento desta doença multifatorial, desde seus aspectos epidemiológicos, passando pela prevenção e, em especial, os tratamentos, sejam eles, cirúrgicos, clínicos e radioterápicos, levam-nos a acreditar que o ensino médico da cancerologia precisa ser mais valorizado.

A graduação médica, infelizmente, não contempla de forma efetiva o ensino da cancerologia, passando, então, esta responsabilidade para a residência médica, que vem formando os especialistas nesta área. É importante salientar que em nosso País existe um déficit de cancerologistas para atendimento à população.

Diante do que aqui foi exposto, é com júbilo e esperança que o lançamento de um tratado de oncologia vem ocupar uma lacuna no conhecimento desta área médica, visto que o respectivo livro discorre desde dados epidemiológicos, prevenção, políticas públicas, até tecnologias mais recentes que foram incorporadas ao diagnóstico, estadiamento e tratamentos do câncer.

Congratulamo-nos, Sociedade Brasileira de Cancerologia e todos os cancerologistas brasileiros com os editores deste Tratado, não só por terem conseguido aglutinar uma plêiade de colegas do mais alto nível científico, como também pelo êxito atingido na coordenação do livro.

A obra, agora entregue à comunidade científica brasileira, vem enriquecer o acervo do conhecimento da cancerologia.

Dr. Robson Freitas de Moura
Cancerologista
Presidente da Sociedade Brasileira de Cancerologia

Prefácio
Radiologia

Nas últimas décadas e, sobretudo, nos últimos anos, os métodos de imagem adquiriram enorme importância para a Oncologia, acompanhando os significativos avanços tecnológicos e o desenvolvimento de tratamentos mais eficazes e com menos efeitos colaterais. Esta importância deve-se ao fato de os métodos de imagem estarem sempre presentes na abordagem do paciente com câncer, seja no rastreamento, no diagnóstico, no estadiamento, na avaliação de resposta, no seguimento pós-terapêutico ou no manejo das complicações. Há alguns anos, saímos de uma época na qual predominava a avaliação morfológica para entrarmos em uma nova era, a da medicina personalizada. O conceito de terapia-alvo vem exigindo dos métodos de imagem uma avaliação mais detalhada da doença, incluindo aspectos funcionais, metabólicos e biomoleculares. Estes aspectos são importantes para a tomada de decisão e para o planejamento terapêutico, impactando, muitas vezes, em uma melhor qualidade de vida e aumento da sobrevida.

É evidente que o câncer é a doença do século, tornando-se uma das principais causas de mortes naturais no mundo e em nosso País. É preciso preparar os profissionais da área de saúde para este desafio. Os avanços tecnológicos e o aumento do número dos casos de câncer decorrentes da melhor expectativa de vida e envelhecimento da população tornam este desafio ainda mais relevante.

Nesta obra, os capítulos destinados aos métodos de imagem trazem para o leitor o que há de mais atual na utilização destas ferramentas e as contribuições mais relevantes para o manejo do paciente com câncer. Os capítulos foram escritos por radiologistas oncológicos e a presença de belas ilustrações são alguns dos diferenciais que tornam a leitura mais atraente.

Como atual Coordenador da Comissão de Oncologia do Colégio Brasileiro de Radiologia (CBR), não poderia deixar de destacar a iniciativa exemplar da AERINCA em criar um *Tratado de Oncologia* nacional. Pelo caráter multidisciplinar, compartilhar os conhecimentos contidos nesta obra com aqueles que lidam com Oncologia significa contribuir com o aperfeiçoamento destes profissionais e com uma melhor abordagem do paciente oncológico.

Marcos Duarte Guimarães
Coordenador de Oncologia do Colégio Brasileiro de Radiologia

Prefácio
Pele, Tecido Ósseo e Conectivo

Para escrever este Prefácio a pedido dos editores, relutei um pouco, pois não gostaria de me referir ao conteúdo que compõe os temas, tendo em vista serem bastante divulgados e de consenso no meio oncológico.

Como se trata de um livro editado pela Associação dos Ex-Residentes Médicos do Instituto Nacional de Câncer (AERINCA), achava que deveria contar um pouco da história da Seção de Tecido Ósseo e Conectivo (TOC), como havia sido o seu início e quantos nomes ilustres a compuseram, tornando-a um setor individualizado no Instituto. Quero agradecer a estas grandes figuras que exerceram suas atividades na Seção, anteriormente e durante a minha residência médica (1973-1976), por a terem mantido coesa e em destaque no INCA. Não posso nominá-los, para não cometer injustiças, pois a memória pode me falhar. Assim, agradeço em nome de todos os ex-residentes do INCA que passaram pela TOC.

Logo que entrei no INCA como residente, apaixonei-me pela especialidade. Mais tarde, em 1991, tive a oportunidade de assumir a liderança da Seção, após a aposentadoria do meu grande mestre, Jaime Brandão de Marsillac, onde me encontro até a presente data, com a importante colaboração dos colegas de *staff* e residentes.

Hoje percebo o quanto os residentes que passaram pela TOC foram e são importantes, pois conseguiram me despertar para o prazer de transmitir conhecimentos sobre esta área da Oncologia. Destes colegas tenho muitas recordações, apesar de nem sempre manter contato, porque se encontram espalhados pelo País afora.

Por alguma sábia razão, os colegas e os dirigentes que nos antecederam destinaram à TOC o tratamento das neoplasias da pele, entre elas os melanomas, e de tumores raros como os sarcomas de partes moles e dos ossos. As neoplasias dos tecidos ósseo e conectivo, localizadas em outros locais, são tratadas nas seções do Instituto responsáveis pelas diversas regiões topográficas: cabeça e pescoço, abdome, tórax etc.

Como os tecidos conectivos no organismo humano são os responsáveis pelo estabelecimento e a manutenção da forma do corpo, por meio da matriz que conecta e une os tecidos, este foi o modelo que adotamos desde o início da nossa liderança. Ao longo destes anos, a TOC, por meio dos seus membros, aprendeu muito e buscou transmitir conhecimentos aos seus discentes, em um ambiente de camaradagem e coesão, semelhante à oferecida pelo tecido conectivo no organismo.

Assim, agradeço a todos os que passaram pela Seção de Tecido Ósseo e Conectivo do INCA, aos que hoje a compõem e aos que estão editando este compêndio que, tenho certeza, será um instrumento de grande utilidade no controle do câncer no Brasil.

José Francisco Neto Rezende
Chefe da Seção de Tecido Ósseo e Conectivo do INCA

Prefácio
Cabeça e Pescoço

Ao ler os capítulos do livro *Tratado de Oncologia*, dedicados aos ex-residentes da especialidade de Cabeça e Pescoço, veio à minha memória toda a trajetória da Residência Médica do que na época era um simples Hospital do Câncer Regional, onde fui residente *staff*, Chefe de Serviço, Diretor do Hospital do Câncer e Diretor-Geral do INCA.

A residência médica começou oficialmente na década de 1960, com o afluxo de médicos de todo o país recomendados pelos Hospitais de Câncer Filantrópicos Regionais.

O Serviço de Cabeça e Pescoço notabilizou-se na época por cirurgias alargadas com reconstruções precárias. Mais tarde, dois ex-residentes, Geraldo Sá e Jacob Kligerman, com grande esforço, após estágio no exterior, introduziram um novo conceito em reconstrução, trazendo para o Serviço retalhos a distância (retalho delto-peitoral, retalho miocutâneo e retalho frontal) e, a seguir, já na década de 1980, as reconstruções microcirúrgicas (Mário Galvão).

Neste mesmo período, nos anos 1980, introduzimos o conceito da multidisciplinaridade do tratamento de câncer de cabeça e pescoço e de trabalhos prospectivos randomizados. É de se ressaltar que este trabalho teve continuidade até hoje pelos ex-residentes que se tornaram *staff*.

Dois ex-residentes tornaram-se diretores do INCA: Geraldo Sá e Jacob Kligerman.

Os residentes que lá se formavam e que voltaram aos seus estados tornaram-se líderes e disseminaram conhecimentos entre seus pares, fazendo com que a especialidade fosse conhecida e respeitada. Tive a felicidade de participar e ser testemunha de todo este processo. Este livro conta a sua evolução.

Agradeço à Doutora Euridice Figueiredo pelo esforço e dedicação que tornou possível este livro que honra os ex-residentes deste Instituto.

Jacob Kligerman
Diretor do Instituto Nacional de Câncer (1998)

Prefácio
Oncologia Torácica

O atendimento ao paciente com câncer torácico necessita de uma equipe multidisciplinar, envolvendo os conhecimentos em diagnóstico, métodos de imagem, patologia e diversas modalidades de tratamento e, mais recentemente, a biologia molecular.

Este livro será de grande utilidade para clínicos gerais, pneumologistas, cirurgiões de tórax, oncologistas clínicos, radioterapeutas, intensivistas, enfermeiros, fisioterapeutas; enfim, toda a equipe de saúde multidisciplinar que se propõe a participar do atendimento aos pacientes com câncer torácico em qualquer uma das fases de sua doença. O formato do livro destina-se ao conhecimento de informações clínicas as quais a equipe necessita para cuidar melhor do paciente durante toda a evolução da doença.

A proposta da AERINCA em editar este livro de atualização em oncologia é merecedora de elogios. A obra mostra os conhecimentos dos ex-residentes do INCA tornando acessível para todos os profissionais da área de saúde o excelente aprendizado que tiveram durante seu treinamento na Instituição. Ressalta, inclusive, uma visão multidisciplinar sobre os cuidados com os pacientes, ajudando a banir os preconceitos em relação à doença, que, infelizmente, ainda estão presentes em alguns profissionais aos quais a população tem acesso.

Walter Roriz de Carvalho
Diretor do Instituto Nacional de Câncer (1986)

Prefácio
Sistema Digestório

A Cancerologia, nestes últimos anos, tem apresentado avanços como uma especialidade de peso, e se consolidado por meio dos seus especialistas, pela exigência de uma formação longa e detalhada, pelos seus conhecimentos específicos, bem como pelos resultados apresentados de sobrevida e qualidade de vida, que oferecem aos pacientes com as neoplasias malignas.

O anseio dos especialistas para as neoplasias malignas no sistema digestório é incentivar a prevenção para que se possa operar mais precocemente esta patologia com a finalidade de cura.

A nossa missão ultrapassa os nossos conhecimentos científicos, pois buscamos, além da perfeição da técnica cirúrgica, a renovação dos ensinamentos, com busca incessante de novas técnicas para o manuseio desta patologia.

Estamos sempre na expectativa de adquirir e transmitir ensinamentos.

Estes capítulos aqui escritos são uma verdadeira demonstração de como estamos sempre em movimento, pois representam várias gerações de especialistas formados na mesma matriz – INCA –, em diferentes épocas, com exemplos vivenciados pela dedicação e competência de seus preceptores, levando assim, nesta obra, a uma cadeia de colaboradores experientes que muito contribuirão pela grandeza de informações.

Esta simbiose entre os jovens e os antigos especialistas demonstra uma perfeita sintonia de conhecimentos galgados pela evolução dos tempos.

Não existem diferenças; somente o tempo de formação. Não podemos esquecer os nossos antecessores nas figuras do Dr. Luiz Carlos Oliveira Jr. (criador do Serviço de Abdome), Dr. Mário Kröeff, Professores Jorge de Marsillac, Dr. Ari Frauzino.

Foi então aí o início do ensino da Cancerologia, que visava angariar novos adeptos e possíveis sucessores, de modo que o plano de combate permanente e sem tréguas ao câncer não sofresse uma solução de continuidade e se estendesse por todo o Brasil. É esta, portanto, a missão da AERINCA.

Médicos-Cancerologistas do Serviço de Abdome do INCA

Prefácio
Mastologia

A despeito dos inquestionáveis esforços dos governos, a Mama continua sendo o alvo da maioria dos casos de Câncer em mulheres.

A estatística mundial mais recente mostrou que 1,4 milhão de casos novos surgiram em 2008 em todo o mundo. Inúmeros fatores são descritos para justificar tal número, que continua crescendo perigosamente. É evidente que a Medicina vem evoluindo no combate a esta patologia e parece não estar longe a data na qual este mal será controlado.

Entretanto, sua liderança persiste há algumas décadas; 52.680 casos novos de Câncer de Mama em nosso País em 2012. Isto corresponde a 27,9% dos casos de câncer neste ano.

A literatura médica continua enriquecendo-nos no tratamento deste mal, mas inquestionavelmente há muito a percorrer.

Sinto-me realmente envaidecido por ter sido designado pela dinâmica Presidente da AERINCA, Professora Euridice Figueiredo, para apresentar este capítulo.

Tive a incalculável honra de conviver intimamente com o Pai da Mastologia em nosso País. Foi o mestre Alberto Lima de Morais Coutinho quem implantou, com imensurável esforço, esta especialidade no Brasil.

Acompanhei a luta aguerrida dos defensores da ideia. No Rio de Janeiro, ressalto os nomes de Adayr Eiras de Araújo e de Jorge Sampaio de Marsillac. Conscientemente, cometi a injustiça de não relacionar outros, então mais jovens, igualmente aguerridos defensores deste ideal.

Com incontida honra saúdo a AERINCA, que vem congregando um batalhão de Ex-Residentes do INCA que regam o crescimento da Cancerologia no Brasil e em países latino-americanos. Com modéstia, mas muita emoção, dirijo meus pensamentos a um passado longínquo, muito rico em minha vida; refiro-me aos 2 anos de minha Residência no Instituto Nacional de Câncer.

Hiram Silveira Lucas
Diretor do Instituto Nacional de Câncer (1979)

Prefácio
Ginecologia

Temos hoje a Ginecologia Oncológica como uma especialidade que tem evoluído nestes longos anos, pela prevalência estatística dos tumores ginecológicos, pelas pesquisas desenvolvidas, pelos aprimoramentos técnicos e pela necessidade de oferecer com eficiência às pacientes um tratamento específico e diferenciado.

Colaboram nesta obra, *Tratado de Oncologia*, especialistas renomados que, de forma efetiva, em seus capítulos, solidificam os conhecimentos e experiências, consolidando a especialidade escolhida.

Tendo sido a pioneira na residência médica do INCA, em Cirurgia Oncológica, sinto-me feliz em ser a escolhida para fazer esta introdução, abrindo os ensinamentos da Ginecologia Oncológica com este prefácio. Nestes meus longos anos – culminando hoje com o meu cinquentenário médico –, receber este presente é ser testemunha do crescimento da maioria dos oncologistas ginecológicos dos quais participei em sua formação, o que para mim é um motivo de orgulho.

Parabenizo a Associação dos Ex-Residentes Médicos do INCA pela iniciativa de atualizar os conhecimentos nas diversas especialidades médicas oncológicas, neste livro, solidificando os ensinamentos adquiridos na residência médica do INCA e transmitindo suas experiências a futuros especialistas.

A Ginecologia Oncológica tem-se expandido por meio da formação de novos serviços especializados, criados em diferentes instituições, demonstrando sua importância na assistência às pacientes portadoras de câncer genital.

É prazeroso vivenciar a evolução e o aprimoramento da Ginecologia Oncológica em nosso País, em face dos bons resultados de sobrevida e cura das pacientes, pela alta qualidade dos especialistas com os quais me congratulo.

Parabenizo cada autor que contribuiu de maneira específica para a realização deste livro, fruto de um sonho da AERINCA, na figura da Presidente Euridice Figueiredo.

Maria Luiza Pessoa Cavalcanti
Chefe do Serviço de Ginecologia Oncológica do INCA (1970)

Prefácio
Urologia

É com grande satisfação que apresento os capítulos da Seção de Urologia. A iniciativa da AERINCA através deste livro permite-nos divulgar a nossa experiência com pesquisa e tratamento do câncer urológico, adquiridos ao longo dos anos.

Quero, primeiramente, agradecer à Dra. Euridice Maria de Almeida Figueiredo, presidente da AERINCA, aos Drs. Mauro Monteiro Correia e Sérgio Alexandre Almeida Reis, coordenadores, e ao Dr. Alexandre Ferreira Oliveira, editor do projeto, pela oportunidade que nos foi oferecida.

A Urologia Oncológica abrange 12 capítulos, nas diversas patologias, dando ênfase tanto à abordagem clínica quanto aos aspectos moleculares dos tumores. Para tão árdua tarefa contei, na parte clínica, com a colaboração de colegas do Instituto Nacional de Câncer, do Hospital Mário Kröeff, do Instituto de Pós-Graduação Médica Carlos Chagas e do Hospital Souza Aguiar. Com ajuda dos autores, aos quais agradeço, foi possível a complementação da parte clínica. Em relação à videolaparoscopia, contei com a colaboração do Dr. Marcos Tobias-Machado, professor da Universidade do ABC, São Paulo, um amigo com uma mente inovadora, sempre pronto para desenvolver novas técnicas menos invasivas para tratar os pacientes.

Para coordenar a parte da pesquisa básica, convidei a Dra. Gilda Alves, do Laboratório de Genética Aplicada, Serviço de Hematologia do Instituto Nacional de Câncer, que contou, também, com a colaboração de outros colegas de equipe, de pesquisadores e de doutores: Maria Helena Ornellas, Paulo Ornellas, Ana Sheila Cypriano, Vanessa Sandim e Mariana Chantre.

Espero que o nosso trabalho seja útil tanto para aqueles que lidam com a prática clínica no tratamento do câncer urológico, quanto para aqueles que fazem a ponte entre a pesquisa clínica e a básica, e que induzam os colegas mais novos a publicar seus artigos e experiências da vida acadêmica.

Quando tiverem dificuldades para seguir seus ideais, pensem na frase de Nietzsche: "O idealista é incorrigível: se é expulso do seu céu, faz um ideal do seu inferno".

Antonio Augusto Ornellas
Chefe do Serviço de Urologia do Hospital Mario Kröeff

Prefácio
Pediatria

Nas últimas cinco décadas, houve um importante progresso no tratamento do câncer infantojuvenil. Atualmente, cerca de 85% das crianças e adolescentes acometidos pela doença em países desenvolvidos podem ser curados, se o câncer for diagnosticado precocemente e os pacientes tratados em centros especializados.

O câncer infantojuvenil representa um problema de saúde pública no Brasil, uma vez que em 2012 as estimativas foram de 11.530 novos casos de câncer em crianças e adolescentes até os 19 anos. Excluindo-se causas externas, o grupo das neoplasias representa a principal causa de morte por doença entre 5 e 18 anos.

O câncer nesta faixa etária apresenta particularidades que o diferenciam da doença no adulto, seja nos tipos de tumores mais frequentes, na biologia da doença, ou nos aspectos psicológicos e do desenvolvimento do organismo da criança e dos adolescentes nas diferentes idades. Apesar da relativa baixa incidência em relação aos tumores de adultos, o câncer tem grande importância como doença, pois a chance de cura é grande, assim como os anos de vida ganhos vencendo a doença.

O diagnóstico precoce e o encaminhamento para tratamento em centros especializados são fundamentais para a obtenção da cura com qualidade de vida. Entretanto, ainda hoje, um grande número de crianças com câncer chega aos centros de tratamento com a doença em estado avançado. Estes pacientes muitas vezes já perderam a chance de cura, mesmo utilizando toda a tecnologia disponível na atualidade. O diagnóstico feito em fases iniciais permite um tratamento menos intenso, quando a carga da doença é menor, com maiores possibilidades de cura e menores sequelas da doença ou do tratamento.

Uma cadeia de cuidados é deflagrada quando um paciente com câncer é visto por um profissional até que sejam feitos o diagnóstico e o tratamento efetivo da doença. A capacitação dos médicos da rede e de profissionais de saúde da família é de fundamental importância para o diagnóstico precoce do câncer infantojuvenil. Há necessidade do estabelecimento de um fluxo de encaminhamento aos serviços de atenção terciária.

No centro de tratamento de câncer, o paciente deverá receber cuidado oncológico adequado, iniciando com diagnóstico e estadiamento corretos, e acesso a toda terapia prescrita. O planejamento do tratamento oncológico deve ser individualizado, considerando as características da doença em cada paciente.

O trabalho realizado por equipes multidisciplinares especializadas na atenção à criança é um fator determinante para o êxito do tratamento.

Outros ganhos são a introdução precoce dos cuidados paliativos, que devem ser iniciados ao diagnóstico do câncer infantojuvenil; a interação da bioética e ética aplicada para solucionar conflitos inerentes ao tratamento e suas vertentes; bem como o acompanhamento da criança a longo prazo, para pacientes com mais de 5 anos de controle após o tratamento.

Sem dúvida, os conhecimentos obtidos com estudos do tumor de Wilms, retinoblastoma e hepatoblastoma abriram portas para novos conceitos. Os adquiridos com estudos do neuroblastoma, a possibilidade de transplante de medula em tumores sólidos, vem somar às evoluções tecnológicas. Este universo da oncologia pediátrica é um campo evolutivo e estimulante, que a cada fronteira além do desenvolvimento técnico-assistencial permite a integração sistemática da pesquisa básica, laboratorial e clínica, obtendo procedimentos que proporcionam e culminam em um tratamento mais eficaz e seguro.

Os estudos clínicos em oncologia pediátrica constituem, portanto, um fator fundamental para a melhora do resultado do tratamento. Como o número de casos de câncer pediátrico é relativamente pequeno, é necessária a participação em estudos clínicos cooperativos multi-institucionais, o que permite responder às questões científicas com maior rapidez, possibilitando desenvolver novos tratamentos em tempo mais hábil. Visamos não só a cura, mas, também, a identificação dos tratamentos mais eficazes, diminuindo as sequelas e dando às crianças maior possibilidade de reintegração social.

Nos países em desenvolvimento, vários fatores podem aumentar o risco e as vulnerabilidades dos pacientes, interferindo nas chances de cura. Consequentemente, tão importantes quanto o tratamento oncológico são todas as medidas de suporte clínico, bem como o auxílio psicossocial e econômico, para promover a aderência ao tratamento.

Gostaria de parabenizar a AERINCA por introduzir temas pediátricos neste Tratado e, por conseguinte, difundir a oncologia pediátrica, melhorando o diagnóstico e o tratamento das crianças e dos adolescentes com câncer.

Sima Esther Ferman
Chefe do Seviço de Pediatria Clínica do Instituto Nacional de Câncer

Prefácio
Sistema Nervoso Central

Os tumores cerebrais, apesar de sua frequência e gravidade, nunca despertaram maior interesse dos jovens neurocirurgiões. Em grande parte, decorrente da malignidade e da evolução devastadora dessas lesões, que produziam a sensação de frustração e o questionamento sobre a validade do tratamento oferecido. Muitos anos se passaram desde que Bailey e Cushing, em 1926, classificaram os tumores cerebrais, relacionando o tipo histológico com o prognóstico clínico. Todas as possibilidades cirúrgicas foram tentadas, sem sucesso, chegando-se ao extremo com Dandy, em 1923, com a retirada de todo um hemisfério cerebral na tentativa de salvar o paciente com glioblastoma multiforme. Após 18 meses, o paciente faleceu com recidiva da lesão no hemisfério oposto. A sobrevida destes pacientes permaneceu nesta faixa, apesar do advento da rádio e da quimioterapia, com pequenas variações estatísticas.

A descoberta da dupla-hélice, em 1953, por Watson e Crick, e o sequenciamento do genoma humano, em 2003, iniciaram nova era na biologia e na medicina, que não seria mais baseada apenas na anatomia e na fisiologia.

O desenvolvimento da genética molecular conseguiu, finalmente, abrir uma perspectiva de tratamento para os gliomas cerebrais e despertar o interesse que faltava, surgindo uma nova subespecialidade na neurocirurgia, a especialidade das novidades, a especialidade do momento: o neurocirurgião oncológico, o cirurgião de glioma.

Os artigos de biologia molecular neuro-oncológica ocupam a maior parte das revistas especializadas; a gliomagênesis começa a ser desvendada e os tumores a serem tratados racionalmente, individualmente, e não mais seguindo um protocolo geral.

Curiosamente, esta nova subespecialidade é apoptótica, com morte programada, pois a cura ou o controle desta doença não será alcançada pelas mãos do cirurgião. Entretanto, a cirurgia ainda é o carro-chefe no tratamento desses tumores, definindo prognóstico e qualidade de vida destes pacientes.

No bloco a seguir, juntamos a experiência de vários colegas de diferentes áreas relacionadas com o assunto, que é amplo, fascinante e desafiador.

Paulo Niemeyer Filho
Diretor do Instituto de Neurocirurgia da Santa Casa da Misericórdia do Rio de Janeiro

Prefácio
Hematologia

As neoplasias hematológicas são definidas essencialmente de acordo com quatro parâmetros: as características clínicas da doença, a sua morfologia à microscopia, a imunofenotipagem e as características moleculares (citogenéticas). Como em outros tipos de tumores, nas neoplasias hematológicas as células patológicas compartilham as mesmas características com as células normais de origem (como linhagem celular e sua maturidade).

A classificação da Organização Mundial da Saúde (OMS) classifica as neoplasias hematológicas em de origem de células B maduras, células T maduras e células NK (*natural killer*). Nesta classificação encontram-se os Linfomas Não Hodgkin, Mieloma Múltiplo e Linfomas Hodgkin. A quarta e última edição, publicada em 2009, apresenta as mais recentes atualizações dessas neoplasias.

Os Linfomas Não Hodgkin, de uma forma geral, são descritos como de alto grau (ou agressivos), sendo o Linfoma Difuso de Grandes Células o mais frequente (LDGC) e linfomas de baixo grau (ou indolentes), com o Linfoma Folicular representando a maioria. A 5ª neoplasia mais frequente entre os adultos, os linfomas são tratados com intenção curativa em mais de 70% dos casos.

Já as Leucemias são classificadas em Mieloides e Linfoides, e subdivididas em agudas e crônicas. Com fisiopatologia, apresentação e desfecho distintos, as leucemias são um vasto capítulo das neoplasias hematológicas. As leucemias nas crianças e nos adultos diferem em apresentação, prognóstico, resposta terapêutica e desfecho clínico.

Em 2009, a OMS publicou importantes alterações na classificação das neoplasias mieloides e linfoides, assim como adicionou entidades anteriormente não reconhecidas, que só puderam ser identificadas graças aos recentes avanços no campo da citogenética.

No decorrer, abordaremos as principais características clínicas, morfológicas e moleculares, bem como as diferentes terapias para as principais neoplasias hematológicas.

Espero que tenhamos contribuido para a compreensão das neoplasias hematológicas.

Adriana Scheliga
Oncologista Clínica do INCA

Prefácio
Cuidados Paliativos

A primeira vez que ouvi falar, no Brasil, em Cuidados Paliativos para o paciente com câncer avançado e sem real possibilidade de cura foi em 1989.

O fim do ano estava chegando, e o Brasil tinha um novo presidente. Após muitos anos de ditadura, tínhamos um presidente eleito pelo voto popular. O clima era de esperança. Fui convidado pelo novo governo, por intermédio do meu ex-residente Luiz Romero, para escrever o Programa Nacional de Controle do Câncer. Havia pouca experiência em programas deste tipo.

Ouvi muitas pessoas, fiz muitas entrevistas com gente competente e recebi muitas indicações de amigos. Alguns viam naquele convite uma oportunidade de resolver os seus anseios pessoais – uns com espírito público, outros não. Quando chegou o momento de ter de tomar uma decisão e definir a minha equipe de trabalho, finalmente fiz a escolha.

Foi uma decisão venturosa e, no final, muito vitoriosa – o núcleo que ia me ajudar e orientar seria formado por Magda Rezende e Ernani Saltz. Os dois trabalhavam no Programa de Oncologia (Pro-Onco) da Campanha Nacional de Combate ao Câncer e vinham organizando a atenção oncológica no País.

Discutimos os grandes planos para a estrutura do programa e atribuímos ao INCA a missão de ser o principal órgão de controle da Política Nacional. Graças a essa decisão, e depois de muita luta, o governo atendeu às recomendações do grupo, e a estrutura administrativa do Ministério foi modificada. O INCA passou a ser um Departamento ligado à Secretaria de Assistência à Saúde, despachando diretamente com o ministro.

Se nós tivemos algum sucesso nesta empreitada, devemo-lo à equipe liderada por Magda e Ernani. Dedicação, honestidade, amor à causa pública, organização e foco no presente com um olhar no futuro – foram os principais atributos. Devo a eles a experiência mais importante da minha vida profissional. Hoje continuam na sua missão e são meus grandes amigos.

A atenção ao paciente no fim de sua vida foi um dos tópicos importantes que tratamos e estudamos quando todas as tentativas terapêuticas foram frustradas e o câncer está vencendo a batalha. Magda convenceu-me da propriedade de encararmos este problema.

O paciente com doença terminal, no Brasil, ainda é completamente ignorado pelos sistemas de saúde, público e privado. Continuam supermedicados, sofrendo de dor, sem respeito, sem carinho e sem dignidade. A ele restam duas alternativas: ser completamente ignorado, ou ser submetido a "tratamentos" que só acrescentam sintomas em quem já tem muitos, afastando a possibilidade de aproveitar o pouco de vida junto à família e aos amigos.

Cecily Saunders, em 1967, fundou, em Londres, o *St. Christopher's Hospice*. Até hoje, é o maior exemplo e o templo da filosofia de cuidados com o paciente terminal. O conceito de *hospice* significa que uma população enorme de pacientes, quase morrendo e completamente ignorados, bem como suas famílias, estão sendo redescobertos e tratados com dignidade e respeito.

O cuidado com o paciente terminal transporta-nos para a infância, quando a maioria dos nossos entes queridos era assistida pela família, nos seus últimos dias de vida. Ainda hoje me lembro da morte do meu querido avô, como uma lembrança enriquecedora de carinho, afeto e união familiar.

O mundo atual, de forma incompreensível, nega a doença incurável e terminal, e aceita que o "melhor" cuidado seja feito nas unidades fechadas (UTIs) frias, barulhentas, invasivas, onde o paciente fica afastado do carinho da família.

O *Hospice* significa esperança para os últimos momentos da nossa vida.

Em agosto de 1998, concluímos a construção da unidade de Cuidados Paliativos – o INCA IV. Um projeto idealizado e acompanhado em cada etapa por Magda, e mantido com o auxílio da Fundação do Câncer. Hoje, a unidade atende em torno de 400 famílias, com seus entes queridos, em casa, e oferece todo o suporte necessário.

Eu me apaixonei pela causa.

Agradeço à Magda pelo envolvimento inicial, às equipes que implantaram a Unidade e à Cláudia Naylor, pela continuação deste maravilhoso trabalho.

Marcos Fernando de Oliveira Moraes
Diretor do Instituto Nacional de Câncer (1990)

Colaboradores

ADEMAR LOPES
Livre-Docente em Oncologia pela Universidade de São Paulo (USP)
Diretor do Departamento de Cirurgia Pélvica do
Hospital A. C. Camargo – São Paulo, SP
Presidente da Sociedade Brasileira de Cirurgia Oncológica (SBCO)

ADRIANA DE SOUZA SÉRGIO FERREIRA
Residência Médica em Radioterapia no
Instituto Nacional de Câncer (INCA/MS/RJ)
Mestrado em Saúde Coletiva pela
Universidade Federal de Juiz de Fora (UFJF)
Médica do Serviço de Oncologia do Hospital Universitário da
Universidade Federal de Juiz de Fora (UFJF)
Chefe do Serviço de Radioterapia da ASCOMCER de Juiz de Fora

ADRIANA MARIA KAKEHASI
Mestrado e Doutorado pela Universidade Federal de
Minas Gerais (UFMG)
Professora Adjunta do Departamento do Aparelho Locomotor da
Faculdade de Medicina da Universidade Federal de Minas Gerais (UFMG)

ADRIANA SCHELIGA
Residência Médica em Oncologia no
Instituto Nacional de Câncer (INCA/MS/RJ)
Médica do Serviço de Oncologia do HC I/INCA
Pós-Graduação *Stricto Sensu* pelo INCA
Mestrado em Oncologia Clínica

ADRIANO DE CARVALHO NASCIMENTO
Residência Médica em Anatomia Patológica no
Instituto Nacional de Câncer (INCA/MS/RJ)

AGNALDO SOARES LIMA
Professor Adjunto do Departamento de Cirurgia da
Faculdade de Medicina da UFMG
Coordenador do Grupo de Transplante de Fígado do
Hospital das Clínicas (UFMG)
Doutorado em Gastroenterologia pela Faculdade de Medicina da UFMG
Mestre do Capítulo de Minas Gerais do
Colégio Brasileiro de Cirurgiões (CBC)

AGNER ALEXANDRE MOREIRA
Professor-Assistente de Clínica Médico-Cirúrgica da
Faculdade de Medicina de Juiz de Fora (FAME) – UNIPAC
Cirurgião Pediátrico do Hospital Albert Sabin – Juiz de Fora, MG
Cirurgião Pediátrico do Hospital Regional João Penido (FHEMIG) –
Juiz de Fora, MG
Médico-Legista da Polícia Civil de Minas Gerais

ALCIONE A. LINHARES
Graduação em Enfermagem pela Universidade Federal Fluminense (UFF)
Especialização em Estomaterapia pela
Universidade Federal de Taubaté – São Paulo
Mestrado em Enfermagem Oncológica pela
Universidade Estadual do Rio de Janeiro (UERJ)
Docente na Graduação de Enfermagem na
Universidade Estadual do Rio de Janeiro (UERJ)
Estomaterapeuta do Centro de Reabilitação Edjane Amorim
(INCA/MS/RJ)

ALESSANDRA ZANEI BORSATTO
Residência em Enfermagem em Oncologia no
Instituto Nacional de Câncer (INCA/MS/RJ)
Enfermeira do INCA/Hospital do Câncer IV –
Unidade de Cuidados Paliativos
Preceptora do Programa de Residência Multiprofissional em
Oncologia – Enfermagem
Especialização *latu sensu* em Estomaterapia pela UERJ

ALEX BRUNO DE CARVALHO LEITE
Residência Médica em Cirurgia Oncológica no
Instituto Nacional de Câncer (INCA/MS/RJ)
Cirurgião Oncológico da Santa Casa de Belo Horizonte, MG

ALEXANDER MOL PAPA
Residência Médica em Oncologia Clínica no
Instituto Nacional de Câncer (INCA/MS/RJ)
Oncologista do Hospital das Clínicas da
Universidade Federal de Minas Gerais (UFMG)
Oncologista Assistente dos Hospitais Vera Cruz e Lifecenter
Membro da Sociedade Americana de Oncologia (ASCO)

ALEXANDRE BOUKAI
Residência Médica em Oncologia Clínica no
Instituto Nacional de Câncer (INCA/MS/RJ)
Oncologista Clínico do INCA
Oncologista Clínico – Clínicas Oncológicas Integradas (COI), RJ

ALEXANDRE CALABRIA DA FONTE
Residência Médica em Radiologia e Diagnóstico por Imagem no
Hospital A. C. Camargo – São Paulo, SP
Mestrado em Oncologia pelo Hospital A. C. Camargo – São Paulo
Especialização em TC e RM pelo Hospital São Luiz – São Paulo, SP
Membro Titular do Colégio Brasileiro de Radiologia (CBR)

ALEXANDRE CÉSAR VIEIRA DE SALES
Residência Médica em Oncologia Clínica no
Instituto Nacional de Câncer (INCA/MS/RJ)
Preceptor de Residência Médica em Cancerologia Clínica IMIP, PE
Mestrado em *Health Professionals Education* pela
Universidade de Maastricht – Holanda
Tutor de Medicina da Faculdade Pernambucana de Saúde FPS/IMIP

ALEXANDRE FERREIRA OLIVEIRA
Residência Médica em Cirurgia Oncológica no
Instituto Nacional de Câncer (INCA/MS/RJ)
Professor Adjunto e Chefe do Serviço de Oncologia do
Hospital Universitário da Universidade Federal de Juiz de Fora
Doutorado em Cirurgia pela USP – Ribeirão Preto, SP
Pesquisador Convidado da Universidade do Kansas – EUA

ALEXSANDRO SAURINE FARIAS
Residência Médica em Cirurgia Oncológica no
Instituto Nacional de Câncer (INCA/MS/RJ)
Cirurgião do Serviço de Cirurgia Geral do
Hospital Municipal Souza Aguiar/SMSDC/RJ
Professor-Assistente de Cirurgia Geral da Unigranrio

ALFREDO GUILHERME HAACK COUTO
Anestesiologista do Serviço de Anestesia do
Instituto Nacional de Câncer (INCA/MS/RJ)
Residência Médica em Anestesiologia na
Universidade Federal do Rio de Janeiro (UFRJ)
Título Superior em Anestesiologia pela
Sociedade Brasileira de Anestesiologia (SBA)

ALINE VALADÃO BRITTO GONÇALVES
Residência Médica em Mastologia no
Instituto Nacional de Câncer (INCA/MS/RJ)
Mastologista da Clínica CEMISE – Aracaju, SE
Mestrado em Ciências da Saúde pela
Universidade Federal de Sergipe (UFS)
Títulos de Especialista em Mastologia e em Ginecologia-Obstetrícia
pela Associação Médica Brasileira (AMB)

ALLEX JARDIM DA FONSECA
Residência Médica em Oncologia Clínica no
Instituto Nacional de Câncer (INCA/MS/RJ)
Oncologista Clínico da Unidade de Alta Complexidade em
Oncologia de Roraima – Boa Vista, RR
Mestrado em Economia pela Universidade Federal do Rio Grande do Sul
Professor Colaborador do Curso de Medicina da UFRR

ALVARO HENRIQUE INGLES GARCES
Residência Médica em Oncologia Clínica no
Instituto Nacional de Câncer (INCA/MS/RJ)

AMARINO CARVALHO DE OLIVEIRA JR.
Radiologista Intervencionista do
Instituto Nacional de Câncer (INCA/MS/RJ)
Chefe do Serviço de Radiologia do
Hospital Pró-Cardíaco – Rio de Janeiro, RJ

AMILCAR SABINO DAMAZO
Graduação em Ciências Biológicas pela UNESP –
São José do Rio Preto, SP
Mestrado e Doutorado em Ciências pela UNIFESP-EPM
Professor da Faculdade de Medicina da
Universidade Federal de Mato Grosso (UFMT)

ANA CAROLINA MARON AYRES
Especialização em Endoscopia Digestiva em Oncologia pelo
Instituto Nacional de Câncer (INCA/MS/RJ)

ANA CAROLINA PASTL PONTES
Residência Médica em Cirurgia de Cabeça e Pescoço no
Instituto Nacional de Câncer (INCA/MS/RJ)
Pós-Graduação em Cirurgia de Cabeça e Pescoço pela PUC-Rio

ANA CAROLINA STEPANSKI
Residência Médica em Pediatria Oncológica no
Instituto Nacional de Câncer (INCA/MS/RJ)
Residência Médica em Pediatria no
Hospital Federal dos Servidores do Estado do Rio de Janeiro
Título de Especialista em Oncologia Pediátrica pela
Sociedade Brasileira de Oncologia Pediátrica (SOBOPE)

ANA CÉLIA BAPTISTA KOIFMAN
Professora da Universidade Federal do Estado do Rio de Janeiro
Doutorado em Medicina (Radiologia) pela
Universidade Federal do Rio de Janeiro

ANA CRISTINA DE SÁ LOPES
Especialização em Cirurgia Oncológica do
Tecido Ósseo e Conectivo pelo
Instituto Nacional de Câncer (INCA/MS/RJ)
Subchefe do Centro de Oncologia Ortopédica do
Instituto Nacional de Traumatologia e Ortopedia (INTO/MS/RJ)

ANA CRISTINA PINHO MENDES PEREIRA
Residência Médica em Anestesiologia no
Instituto Nacional de Câncer (INCA/MS/RJ)
Coordenadora da Residência Médica em Anestesiologia do INCA
Presidente da Sociedade de Anestesiologia do
Estado do Rio de Janeiro (SAERJ)
Título Superior em Anestesiologia pela
Sociedade Brasileira de Anestesiologia (TSA/SBA)

ANA KARLA ARAÚJO CAVALCANTI DE ALBUQUERQUE
Residência Médica em Anatomia Patológica no
Instituto Nacional de Câncer (INCA/MS/RJ)

ANA LUCIA AMARAL EISENBERG
Residência Médica em Anatomia Patológica no
Instituto Nacional de Câncer (INCA/MS/RJ)

ANA LUÍSA CHAVES LAGO
Residência Médica em Cirurgia de Cabeça e Pescoço no
Instituto Nacional de Câncer (INCA/MS/RJ)
Pós-Graduação em Cirurgia de Cabeça e Pescoço pela PUC-Rio
Cirurgiã de Cabeça e Pescoço do Hospital Federal de
Bonsucesso e da Polícia Militar do Rio de Janeiro

ANA LUIZA MIRANDA CARDONA MACHADO
Residência Médica em Cirurgia Oncológica no
Instituto Nacional de Câncer (INCA/MS/RJ)
Especialista em Cancerologia pela
Sociedade Brasileira de Cancerologia (SBC)
Cirurgiã Oncológica do Hospital Santa Rita de Cássia – Vitória, ES

ANA PAULA DE ALMEIDA BARBOSA
Pós-Graduação em Neurocirurgia Pediátrica pelo
Instituto Fernandes Figueira
World Federation Post-Graduate Course in Pediatric Neurosurgery

ANA PAULA ORNELLAS DE SOUZA VICTORINO
Residência Médica em Oncologia no
Instituto Nacional de Câncer (INCA/MS/RJ)
Médica-Pesquisadora da Coordenação de Pesquisa Clínica e
Incorporação Tecnológica do INCA
Oncologista do Grupo COI – Clínicas Oncológicas Integradas, RJ
Oncologista do Hospital dos Servidores do
Estado do Rio de Janeiro

ANA SHEILA CYPRIANO
Mestranda do Instituto de Biofísica Carlos Chagas Filho da
Universidade Federal do Rio de Janeiro
Desenvolve Projeto de Polimorfismos Genéticos
Associados ao Câncer de Próstata em Parceria com o
Instituto Nacional de Câncer (INCA/MS/RJ)

ANDERSEN CHARLES DAROS
Residência Médica em Patologia na
Secretaria de Estado de Saúde do Distrito Federal, DF
Especialização em Bioética (UNB) e em
Direito Sanitário (Fiocruz de Brasília)
Mestrado em Gerontologia pela Universidade Católica de Brasília (UCB)
Doutorando em Ciências e Tecnologias em Saúde pela
Universidade de Brasília (UNB)

ANDERSON CESAR DALLA BENETTA
Residência Médica em Cirurgia Oncológica no
Hospital Universitário Evangélico de Curitiba
Cirurgião Oncológico da Unidade de Alta Complexidade em
Oncologia de Roraima – Boa Vista, RR
Professor Colaborador do Curso de Medicina da UFRR

ANDERSON FONTES
Especialização em Oncologia Torácica pelo
Instituto Nacional de Câncer (INCA/MS/RJ)
Cirurgião Torácico do Instituto Nacional de Cardiologia/MS
Titular da Sociedade Brasileira de Cirurgia Torácica (SBCT)

ANDRÉ FIGUEIREDO BRELINGER
Residência Médica em Radiologia e Diagnóstico por Imagem no
Hospital A. C. Camargo – São Paulo, SP

ANDRÉ LEONARDO DA SILVA PAES
Residência Médica em Cirurgia Oncológica no INCA
Especialização em Endoscopia Digestiva pelo HUCFF
Membro da Sociedade Brasileira de Endoscopia Digestiva (SOBED)

ANDRÉ LEONARDO DE CASTRO COSTA
Residência Médica em Cirurgia de Cabeça e Pescoço no
Instituto Nacional de Câncer (INCA/MS/RJ)
Cirurgião de Cabeça e Pescoço do
Hospital do Câncer Aristides Maltez – Salvador, BA
Pós-Graduação em Cirurgia de Cabeça e Pescoço pela PUC-Rio
Membro Titular da Sociedade Brasileira de
Cirurgia de Cabeça e Pescoço (SBCCP)
Membro Titular da Sociedade Brasileira de Cirurgia Oncológica (SBCO)

ANDRÉ MACIEL DA SILVA
Residência Médica em Cirurgia Oncológica no
Instituto Nacional de Câncer (INCA/MS/RJ)
Chefe do Serviço de Cirurgia Geral do Hospital Federal do Andaraí, RJ
Cirurgião Oncológico do Serviço de Cirurgia Abdominopélvica do
Instituto Nacional de Câncer (INCA/MS/RJ)
Membro Titular da Sociedade Brasileira de Cirurgia Oncológica (SBCO)

ANDRÉ MÁRCIO MURAD
Professor Adjunto e Doutor-Coordenador do Serviço de Oncologia do
Hospital das Clínicas da Universidade Federal de Minas Gerais
(UFMG) e do Hospital Lifecenter
Membro da Sociedade Americana de Oncologia (ASCO)
Membro da Sociedade Brasileira de Oncologia (SBOC)

ANDRÉ NORONHA ARVELLOS
Residência Médica em Radiologia e Diagnóstico por Imagem no
Instituto Nacional de Câncer (INCA/MS/RJ)
Mestrado em Saúde pela Universidade Federal de Juiz de Fora (UFJF)
Membro Titular do Colégio Brasileiro de Radiologia (CBR)
Radiologista da Clínica Ultrimagem – Juiz de Fora, MG

ANDRÉ PERDICARIS
Residência Médica em Oncologia Cirúrgica no
Instituto Nacional de Câncer (INCA/MS/RJ)
Titular da Sociedade Brasileira de Cancerologia (SBC)
Professor Titular de Oncologia na Faculdade de Medicina da
Universidade Metropolitana de Santos (UNIMES)
Pós-Doutorado na Área de Educação pela Unicamp

ANDRÉA DISCACIATI DE MIRANDA
Residência Médica em Oncologia Cirúrgica no
Instituto Nacional de Câncer (INCA/MS/RJ)
Mastologista da Clínica Cettro
(Centro de Tratamento Oncológico) – Brasília, DF
Mastologista da Clínica da Mama – Brasília, DF

ANDREA PETRELLI
Mestrado em Radiologia pela Universidade Federal do Rio de Janeiro
Professora de Pós-Graduação da PUC-Rio
Membro Titular do Colégio Brasileiro de Radiologia (CBR)

ANDRÉIA CRISTINA DE MELO
Residência Médica em Oncologia Clínica no
Instituto Nacional de Câncer (INCA/MS/RJ)
Oncologista da Coordenação de Pesquisa Clínica e
Incorporação Tecnológica do INCA e do
Grupo Brasileiro de Tumores Ginecológicos
Mestrado em Oncologia e Doutoranda em Oncologia pelo INCA

ANDREIA SALARINI MONTEIRO
Pneumologista da Seção de Cirurgia Torácica do
Instituto Nacional de Câncer (INCA/MS/RJ)
Pneumologista do Instituto Nacional de
Traumatologia e Ortopedia (INTO/MS/RJ)
Especialista em Pneumologia e Broncoscopia pela
Sociedade Brasileira de Pneumologia e Tisiologia (SBPT)/AMB

ANDRESSA NUNES STARLING VIEIRA
Graduanda de Medicina da Universidade Federal de Juiz de Fora (UFJF)

ANGELA MARIA FAUSTO SOUZA
Médica e Responsável pela Cirurgia Plástica do
Instituto Nacional Fernandes Figueira (Fiocruz)
Membro Titular da Sociedade Brasileira de Cirurgia Plástica (SBCP)
Membro Titular do Colégio Brasileiro de Cirurgiões (CBC)

ANGÉLICA NOGUEIRA-RODRIGUES
Residência Médica em Oncologia Clínica no
Instituto Nacional de Câncer (INCA/MS/RJ)
Oncologista da Coordenação de Pesquisa Clínica e
Incorporação Tecnológica do INCA e do
Grupo Brasileiro de Tumores Ginecológicos
Mestrado em Saúde da Mulher pela UFMG
Doutoranda em Oncologia pelo INCA
Coordenadora Técnico-Científica do CACON – Centro-Oeste de MG

ANNA LÚCIA CALAÇA RIVOLI
Residência Médica em Anestesiologia no
Instituto Nacional de Câncer (INCA/MS/RJ)
Preceptora da Residência Médica em Anestesiologia do INCA

ANTONINHO RICARDO SABBI
Residência Médica em Cirurgia Oncológica no
Instituto Nacional de Câncer (INCA/MS/RJ)
Médico do Instituto de Oncologia – Foz do Iguaçu, PR
Membro Titular da Sociedade Brasileira de Mastologia (SBM)
Membro Emérito da Sociedade Brasileira de Cancerologia (SBC)

ANTONIO AUGUSTO ORNELLAS
Médico-Especialista em Urologia do
Instituto Nacional de Câncer (INCA/MS/RJ)
Professor Titular do Curso de Especialização em
Urologia Oncológica do Instituto de
Pós-Graduação Médica Carlos Chagas
Mestrado em Medicina (Cirurgia Gastroenterológica) pela
Universidade Federal Fluminense (UFF)
Doutorado em Medicina (Clínica Cirúrgica) pela
Universidade de São Paulo

ANTÔNIO AUGUSTO RIBEIRO DIAS PIRES
Residência Médica em Cirurgia Oncológica no
Instituto Nacional de Câncer (INCA/MS/RJ)

ANTONIO CARLOS ACCETTA
Residência Médica em Oncologia Cirúrgica no
Instituto Nacional de Câncer (INCA/MS/RJ)
Cirurgião Oncológico do Serviço de Cirurgia Abdominopélvica do INCA
Mestrado em Cirurgia Abdominal pela UFRJ
Professor de Cirurgia da Universidade Federal Fluminense (UFF)

ANTÔNIO CARLOS RODRIGUES DO NASCIMENTO
Bolsista do Programa de Treinamento Profissional em Cancerologia da
Universidade Federal de Juiz de Fora (UFJF)
Graduado em Medicina pela Universidade Federal de
Juiz de Fora (UFJF)

ANTONIO FELIPE SANTA MARIA COQUILLARD AYRES
Residência Médica em Cirurgia Oncológica no
Instituto Nacional de Câncer (INCA/MS/RJ)
Mestrando pela Pós-Graduação em
Videoendoscopia Digestiva na UNIRIO

ANTONIO FORTES DE PÁDUA FILHO
Residência Médica em Oncologia Cirúrgica no
Instituto Nacional de Câncer (INCA/MS/RJ)
Professor Adjunto da Universidade Federal do Piauí
Chefe da Clínica de Ginecologia e Mastologia do
Hospital São Marcos – Associação Piauiense de Combate ao Câncer
Titular da Sociedade Brasileira de Mastologia (TEMA)

ANTONIO MARCIO CORDEIRO TEODORO SILVA
Médico do Departamento de Medicina e Programa de Mestrado em Genética da Pontifícia Universidade Católica de Goiás – Goiânia, GO

ANTÔNIO SCAFUTO SCOTTON
Professor Adjunto de Reumatologia da
Universidade Federal de Juiz de Fora (UFJF)
Mestrado em Reumatologia pela UNIFESP
Supervisor do Programa de Residência Médica em
Reumatologia do Hospital Universitário (HU/UFJF)
Reumatologista da Reumatocenter – Juiz de Fora, MG

ARISSA IKEDA SUZUKI
Residência Médica em Pediatria Oncológica no
Instituto Nacional de Câncer (INCA/MS/RJ)
Mestrado em Oncologia Pediátrica pelo INCA
Título de Especialista em Cancerologia Pediátrica pela
Sociedade Brasileira de Oncologia Pediátrica (SOBOPE)
Título de Especialista em Pediatria pela Sociedade de Pediatria do
Estado do Rio de Janeiro (SOPERJ)

ARNALDO MARQUES
Cirurgião do Hospital Lourenço Jorge/SMSDC/RJ

AROVEL DE OLIVEIRA JUNIOR
Médico-Assistente do Serviço de Cirurgia Pediátrica Oncológica do
Instituto Nacional de Câncer (INCA/MS/RJ)
Residência Médica em Cirurgia Pediátrica no
Hospital Municipal Souza Aguiar/SMSDC/RJ
Residência Médica em Cirurgia Geral no Hospital Silvestre, RJ

ARTHUR ACIOLLY ROSA
Residência Médica em Radioterapia no
Instituto Nacional de Câncer (INCA/MS/RJ)
Chefe do Serviço de Radioterapia do Grupo Delfin
Médico-Assistente Titular dos Serviços de Radioterapia do
Hospital Português da Bahia e do Hospital São Rafael – Salvador, BA
Membro Titular da Sociedade Brasileira de Radioterapia (SBRT) e do
Colégio Brasileiro de Radiologia (CBR)

AUDREY TIEKO TSUNODA
Residência Médica em Cirurgia Oncológica no
Instituto Nacional de Câncer (INCA/MS/RJ)
Médica do Hospital de Câncer de Barretos, SP
Diretora Médica do Laboratório de Cirurgia Experimental do
IRCAD – Barretos (AMITS)
Doutoranda em Oncologia pela FMUSP

AURELIANO MOTA CAVALCANTI DE SOUSA
Residência Médica em Cirurgia Oncológica no
Instituto Nacional de Câncer (INCA/MS/RJ)
Cirurgião Torácico do INCA
Cirurgião Torácico do Instituto Nacional de
Traumatologia e Ortopedia (INTO/MS/RJ)
Especialista em Cirurgia Torácica pela
Sociedade Brasileira de Cirurgia Torácica (SBCT)

BARTOLOMEU CAVALCANTI DE MELO JUNIOR
Residência Médica em Cirurgia de Cabeça e Pescoço no
Instituto Nacional de Câncer (INCA/MS/RJ)
Cirurgião de Cabeça e Pescoço do
Hospital Real Português de Beneficência de Pernambuco
Cirurgião de Cabeça e Pescoço do Centro de Oncologia da
Universidade de Pernambuco (CEON-UPE)
Pós-Graduação em Cirurgia de Cabeça e Pescoço pela PUC-Rio

BERNARDO CACCIARI PERIASSÚ
Residência Médica em Cirurgia de Cabeça e Pescoço no
Instituto Nacional de Câncer (INCA/MS/RJ)
Cirurgião de Cabeça e Pescoço
Pós-Graduação em Cirurgia de Cabeça e Pescoço pela PUC-Rio
Membro Titular da Sociedade Brasileira de
Cirurgia de Cabeça e Pescoço (SBCCP)

BERNARDO GIUSEPPE AGOGLIA
Fellow do Istituto Europeo di Oncologia – Milão, Itália
Membro Integrante – Cirurgiões Torácicos Associados –
Rio de Janeiro, RJ
Cirurgião Torácico do Hospital Municipal Souza Aguiar e do
Hospital Naval Marcílio Dias – Rio de Janeiro, RJ

BETTINA WOLFF
Residência Médica em Radioterapia no
Instituto Nacional de Câncer (INCA/MS/RJ)
Médica-Rádio-Oncologista do INCA
Médica-Rádio-Oncologista da Oncotech, RJ
Membro Titular do Colégio Brasileiro de Radiologia (CBR)

BIANCA OHANA
Residência Médica em Cirurgia Plástica no
Instituto Nacional de Câncer (INCA/MS/RJ)
Membro Associada da Sociedade Brasileira de Cirurgia Plástica (SBCP)
Membro da *Internacional Society of Aesthetic Plastic Surgery*
Fellow da *American Society of Plastic Surgery*

BIAZI RICIERI ASSIS
Residência Médica em Cirurgia Oncológica no
Instituto Nacional de Câncer (INCA/MS/RJ)

BRENO DAUSTER PEREIRA E SILVA
Especialização em Uro-Oncologia pelo
Instituto Nacional de Câncer (INCA/MS/RJ)
Fellow de Laparoscopia da *McGill University*
Membro Titular da Sociedade Brasileira de Urologia (SBU)
Membro Titular da Sociedade Brasileira de
Videocirurgia (SOBRACIL)

BRUNO ALBUQUERQUE DE SOUSA
Residência Médica em Cirurgia de Cabeça e Pescoço no
Instituto Nacional de Câncer (INCA/MS/RJ)
Pós-Graduação em Cirurgia de Cabeça e Pescoço pela PUC-Rio

BRUNO AZEVEDO
Cirurgião do Serviço de Cirurgia Oncológica (UNACON) do
Hospital São Vicente – Curitiba, PR

BRUNO DE ARAÚJO LIMA FRANÇA
Residência Médica em Oncologia Clínica na
Universidade Estadual de Campinas (Unicamp)
Residência Médica em Clínica Médica na
Universidade Estadual de Campinas (Unicamp)
Estágio (Período de 1 Ano) em Transplante de Medula Óssea pela
Universidade Estadual de Campinas (Unicamp)
Graduação em Medicina pela
Universidade Federal do Rio de Janeiro (UFRJ)

BRUNO DE ÁVILA VIDIGAL
Residência Médica em Oncologia Cirúrgica no
Instituto Nacional de Câncer (INCA/MS/RJ)
Cirurgião Oncológico Formado pelo INCA
Membro da Sociedade Brasileira de Cirurgia Oncológica (SBCO)
Membro do Colégio Brasileiro de Cirurgiões (CBC)

BRUNO LUÍS DE CASTRO ARAÚJO
Residência Médica em Anestesia no Serviço de Anestesia do
Instituto Nacional de Câncer (INCA/MS/RJ)
Anestesiologista do INCA

BRUNO MARCONDES KOZLOWSKI
Residência Médica em Cirurgia Oncológica no
Instituto Nacional de Câncer (INCA/MS/RJ)
Cirurgião do Serviço de Ginecologia Oncológica do
HC II/INCA/MS/RJ
Médico do Serviço de Ginecologia Oncológica do
Hospital Mário Kröeff – Rio de Janeiro, RJ

BRUNO PINHEIRO COSTA
Residência Médica em Oncologia Clínica no
Instituto Nacional de Câncer (INCA/MS/RJ)
Oncologista Clínico do Hospital Federal de Bonsucesso –
Rio de Janeiro, RJ
Oncologista Clínico da Clínica Oncotech – Rio de Janeiro, RJ

BRUNO ROBERTO BRAGA AZEVEDO
Membro Titular da Sociedade Brasileira de Cancerologia (SBC)
Membro Titular da Sociedade Brasileira de Cirurgia Oncológica (SBCO)
Cirurgião Oncológico do Serviço de Oncologia do
Hospital São Vicente (FUMEF) – Curitiba, PR

BRUNO TERRA CORRÊA
Residência Médica em Hematologia no
Instituto Nacional de Câncer (INCA/MS/RJ)
Hematologista da Unidade de Alta Complexidade em Oncologia
(UNACON) – Itabuna, BA
Hematologista da Santa Casa de Misericórdia de Itabuna, BA

CARLOS AUGUSTO MARTINEZ MARINS
Residência Médica em Cirurgia Oncológica no
Instituto Nacional de Câncer (INCA/MS/RJ)
Cirurgião do Serviço de Cirurgia do
Hospital Federal dos Servidores do Estado do Rio de Janeiro
Membro Titular do Colégio Brasileiro de Cirurgiões (CBC)

CARLOS AUGUSTO VASCONCELOS DE ANDRADE
Residência Médica em Oncologia Clínica no
Instituto Nacional de Câncer (INCA/MS/RJ)
Oncologista Clínico do INCA
Diretor-Médico do Centro de Tratamento Oncológico
(Oncoclínica) – Rio de Janeiro, RJ

CARLOS CHAVES FALOPPA
Médico Titular do Departamento de Ginecologia Oncológica do
Hospital A. C. Camargo – São Paulo, SP
Mestrado em Oncologia pela Fundação Antônio Prudente do
Hospital A. C. Camargo – São Paulo, SP

CARLOS EDUARDO PINTO
Residência Médica em Oncologia Cirúrgica no
Instituto Nacional de Câncer (INCA/MS/RJ)
Cirurgião Coodenador do Grupo de Esôfago do INCA
Mestrado e Doutorado em Cirurgia Abdominal pela UFRJ
Titular da Sociedade Brasileira de Cirurgia Oncológica (SBCO)

CARLOS EDUARDO RAMALHO BARROS
Residência Médica em Radiologia no
Instituto Nacional de Câncer (INCA/MS/RJ)

CARLOS EDUARDO RODRIGUES SANTOS
Residência Médica em Oncologia Cirúrgica no
Instituto Nacional de Câncer (INCA/MS/RJ)
Cirurgião Oncológico do INCA
Mestrado e Doutorado em Oncologia pelo INCA
Presidente do Capítulo Brasileiro da
International Hepato-Pancreato-Biliary Association (CB-IHPBA)

CARLOS FREDERICO FREITAS DE LIMA
Residência Médica em Oncologia Cirúrgica no
Instituto Nacional de Câncer (INCA/MS/RJ)
Membro Titular do Colégio Brasileiro de Cirurgiões (CBC)
Mestrado em Cirurgia pela Universidade Federal Fluminense (UFF)
MBA pela UFRJ-COPPEAD

CARLOS GIL FERREIRA
Residência Médica em Oncologia Clínica no
Instituto Nacional de Câncer (INCA/MS/RJ)
Coordenador de Pesquisa Clínica do INCA
Diretor de Educação e Pesquisa do Instituto COI

CARLOS HENRIQUE MARQUES DOS SANTOS
Professor Adjunto da Universidade Federal de Mato Grosso do Sul
Titular da Sociedade Brasileira de Coloproctologia (SBC)
Titular do Colégio Brasileiro de Cirurgiões (CBC)

CARLOS MANOEL MENDONÇA DE ARAÚJO
Residência Médica em Radioterapia no
Instituto Nacional de Câncer (INCA/MS/RJ)
Chefe do Departamento de Radioterapia do INCA
Doutorado em Medicina pela
Universidade Federal do Rio de Janeiro
Presidente da Sociedade Brasileira de Radioterapia (SBRT)

CARLOS RENATO MARTINS DA SILVA
Residência Médica em Oncologia Cirúrgica no
Instituto Nacional de Câncer (INCA/MS/RJ)
Mastologista do INCA
Mastologista da Clínica Bambina Oncos – Rio de Janeiro, RJ

CARLOS RICARDO CHAGAS
Doutorado em Medicina pela
Universidade Federal do Rio de Janeiro
Presidente da Sociedade Brasileira de Mastologia (SBM) – 2008-2010
Titular da Sociedade Brasileira de Mastologia (TEMA)

CARMENCITA SANCHES LANG
Especialização em Clínica Médica pelo
Hospital de Clínicas da Universidade Federal do Paraná
Especialização em Oncologia Clínica pelo
Hospital Erasto Gaertner – Curitiba, PR
Especialização em Cuidados Paliativos pela
Universidade de El Salvador – Argentina
Oncologista Clínica do Hospital Regional de
Mato Grosso do Sul (HRMS)

CAROLINE MARIA GOMES MAGALHÃES
Residência Médica em Cirurgia Oncológica no
Instituto Nacional de Câncer (INCA/MS/RJ)
Médica do Serviço de Ginecologia Oncológica do
Hospital Regional do Vale do Paraíba – São Camilo, SP

CÉLIA MARIA PAIS VIÉGAS
Residência Médica em Radioterapia no
Instituto Nacional de Câncer (INCA/MS/RJ)
Subchefe do Departamento de Radioterapia do INCA
Mestrado em Biociências Nucleares pela
Universidade do Estado do Rio de Janeiro
Doutorado em Radioterapia pela UFRJ

CHRISTIANE MARIA MEURER ALVES
Especialização em Oncologia Clínica pelo
Hospital Felício Rocho de Belo Horizonte
Membro Titular da Sociedade Brasileira de Oncologia Clínica (SBOC)
Mestrado em Saúde Coletiva pela
Universidade Federal de Juiz de Fora (UFJF)
Especialização em Clínica Médica pelo
Hospital Felício Rocho de Belo Horizonte

CIANE MENDES DAYUBE
Pós-Graduação em Ginecologia Oncológica pelo
Instituto de Pós-Graduação Médica Carlos Chagas – Rio de Janeiro, RJ
Médica do Serviço de Ginecologia Oncológica do
Hospital Mário Kröeff – Rio de Janeiro, RJ
Especialização em Patologia do Trato Geniturinário e Colposcopia
Pós-Graduação em Videoendoscopia Ginecológica e
Cirurgia Minimamente Invasiva pelo
Instituto Fernandes Figueira (IFF-Fiocruz)

CIBELE DE AQUINO BARBOSA
Residência Médica em Cirurgia Oncológica no
Instituto Nacional de Câncer (INCA/MS/RJ)
Cirurgiã Oncológica do Instituto Nacional de Câncer (INCA/MS/RJ)
Cirurgiã do Hospital Federal dos Servidores do Estado do Rio de Janeiro

CIBELLI NAVARRO ROLDAN MARTIN
Residência Médica em Hematologia no
Instituto Nacional de Câncer (INCA/MS/RJ)
Professora Colaboradora do Curso de Medicina da
Universidade Federal de Roraima
Mestranda em Ciências da Saúde pela
Universidade Federal de Roraima
Coordenadora na Unidade de Oncologia do Estado de Roraima

CINTHYA STERNBERG
Pesquisadora e Chefe do Laboratório de
Pesquisa Translacional da Coordenação de
Pesquisa Clínica do Instituto Nacional de Câncer (INCA/MS/RJ)
Doutorado em Biofísica pelo Instituto de Biofísica da
Universidade Federal do Rio de Janeiro
Pós-Doutorado pelo *Eric Roland Center for Neurodegenerative
Diseases* – Universidade Hebraica de Jerusalém e pelo
Cancer and Vascular Biology Research Center, Rappaport
Faculdade de Medicina – Technion, Israel
Membro da Associação Americana para Pesquisa do Câncer (AACR)

CIRO PAZ PORTINHO
Especialização em Microcirurgia Reconstrutiva pelo
Instituto Nacional de Câncer (INCA/MS/RJ)
Residência Médica em Cirurgia Plástica no
Hospital de Clínicas de Porto Alegre (HCPA)
Mestrado em Medicina pela Universidade Federal do Rio Grande do Sul
Membro da Equipe de Cirurgia Craniomaxilofacial do
Complexo Hospitalar Santa Casa de Porto Alegre

CLARA FERNANDA AGUIAR GOMES
Radiologista do Instituto Nacional de Câncer (INCA/MS/RJ)
Pós-Graduação em Radiologia e Diagnóstico por Imagem no
Hospital Universitário Pedro Ernesto –
Universidade Estadual do Rio de Janeiro (UERJ)

CLARISSA SERÓDIO DA ROCHA BALDOTTO
Residência Médica em Oncologia Clínica no
Instituto Nacional de Câncer (INCA/MS/RJ)
Oncologista Clínica do INCA
Mestrado em Oncologia pelo INCA
Oncologista das Clínicas Oncológicas Integradas (COI), RJ

CLÁUDIA NAYLOR
Residência Médica em Cirurgia Oncológica no
Instituto Nacional de Câncer (INCA/MS/RJ)
Diretora do Hospital do Câncer IV –
Unidade de Cuidados Paliativos do INCA
Mestrado em Ciências Médicas pela Unicamp
Fellow em Oncologia pela *Eisenhower Fellowships Program* – EUA
Estágio no St. Christopher's Hospice – Inglaterra

CLAUDIO CALAZAN
Residência Médica em Oncologia Clínica no
Instituto Nacional de Câncer (INCA/MS/RJ)
Chefe do Serviço de Oncologia Clínica do
Hospital do Câncer II/INCA
Mestrado em Epidemiologia pela UFRJ
Membro Titular da Sociedade Brasileira de Oncologia Clínica (SBOC)

CLÁUDIO CORTEZ
Residência Médica em Cirurgia Plástica no
Instituto Nacional de Câncer (INCA/MS/RJ)
Membro Titular da Sociedade Brasileira de Cirurgia Plástica (SBCP)

CONCEIÇÃO APARECIDA MACHADO DE SOUZA CAMPOS
Residência Médica em Radioterapia no
Instituto Nacional de Câncer (INCA/MS/RJ)
Doutorado em Oncologia pelo Hospital A. C. Camargo – São Paulo
ESTRO Fellow
UICC Fellow

CRISLEY GUENIN
Residência Médica na Clínica da Dor do
Instituto Nacional de Câncer (INCA/MS/RJ)
Especialista em Anestesiologia (AMB/SBA)
Certificado de Atuação na Área de Dor (AMB/SBA/ABN)
Pós-Graduação em Anestesiologia Pediátrica no
Instituto Fernandes Figueira (IFF-Fiocruz)
Anestesiologista e Coordenadora da Clínica da Dor do
Hospital Alcides Carneiro da Faculdade de Medicina de Petrópolis da
CET Dr. Álvaro Aguiar Júnior

CRISTHIANE DA SILVA PINTO
Especialização em Cuidados Paliativos Oncológicos pelo INCA
Médica do Instituto Nacional de Câncer (INCA/MS/RJ) –
Hospital do Câncer IV – Unidade de Cuidados Paliativos
Médica-Especialista em Clínica Médica pela
Sociedade Brasileira de Clínica Médica (SBCM)
Especialização em Bioética pela Fiocruz

CRISTIANE ROCHA LIMA
Residência Médica em Oncologia Clínica no
Instituto Nacional de Câncer (INCA/MS/RJ)
Médica-Oncologista do Serviço de Oncologia Clínica do
Hospital do Câncer II

CRISTIANO GUEDES DUQUE
Residência Médica em Oncologia Clínica no
Instituto Nacional de Câncer (INCA/MS/RJ)
Oncologista Clínico do Instituto Nacional de Câncer (INCA/MS/RJ)

CRISTIANO LUNA
Mestrado em Radiologia pela Universidade Federal do Rio de Janeiro
Professor-Assistente em Ginecologia da Universidade Gama Filho
Médico-Assistente em Ginecologia da 28ª Enfermaria da
Santa Casa da Misericórdia do Rio de Janeiro
Membro Titular da Sociedade Brasileira de Radiologia (SBR)

CRISTINA BARBOSA LEITE PIRFO
Residência Médica no Serviço de Oncologia do
Hospital das Clínicas da Universidade Federal de Minas Gerais
Membro das Sociedades Brasileira de Oncologia (SBOC)

CRISTINA CANTARINO
Coordenadora do Centro de Tratamento de Tabagismo do
Instituto Nacional de Câncer (INCA/MS/RJ)
Membro da Comissão de Tabagismo da
Sociedade Brasileira de Pneumologia e Tisiologia (SBPT)
Pneumologista

DANIEL CESAR
Residência Médica em Cirurgia Oncológica no
Instituto Nacional de Câncer (INCA/MS/RJ)

DANIEL DAMAS DE MATOS
Residência Médica em Cirurgia Oncológica no
Instituto Nacional de Câncer (INCA/MS/RJ)
Titular da Sociedade Brasileira de Cirurgia Oncológica (SBCO)
Coordenador de Cirurgia de Partes Moles do
Instituto de Cirurgia Oncológica e Digestiva do
Distrito Federal (ICOD-DF)

DANIEL DE CARVALHO ZUZA
Residência Médica em Cirurgia Oncológica no
Instituto Nacional de Câncer (INCA/MS/RJ)
Residência Médica em Cirurgia do Tecido Ósseo e Conectivo no INCA

DANIEL DUTRA CAVALCANTI
Doutorando na Faculdade de Medicina da Universidade de São Paulo
Fellow em Neurocirurgia da Base do Crânio e
Microcirurgia Vascular do *Barrow Neurological Institute* – Phoeniz, EUA
Neurocirurgião da Santa Casa da Misericórdia do Rio de Janeiro
Neurocirurgião do Hospital Municipal Pedro II – Rio de Janeiro

DANIEL FERNANDES
Residência Médica em Cirurgia Oncológica no
Instituto Nacional de Câncer (INCA/MS/RJ)
Cirurgião Oncológico do Instituto Nacional de Câncer (INCA/MS/RJ)

DANIEL HAMPL
Pós-Graduando em Urologia Oncológica pelo
Instituto de Pós-Graduação Médica Carlos Chagas
Médico do Serviço de Urologia do
Hospital Souza Aguiar/SMSDC/RJ
International Observership em Urologia Oncológica pela
University of Texas MD Anderson Cancer Center

DANIEL HENCHENHORN
Residência Médica em Oncologia Clínica no
Instituto Nacional de Câncer (INCA/MS/RJ)
Chefe do Serviço de Oncologia Clínica do INCA

DANIEL LOURENÇO LIRA
Residência Médica em Cirurgia Oncológica no
Instituto Nacional de Câncer (INCA/MS/RJ)
Médico do Hospital São Francisco de Paula – Rio de Janeiro, RJ

DANIELA DE OLIVEIRA WERNECK RODRIGUES
Mestrado em Ciências da Saúde pelo Instituto de Previdência dos
Servidores do Estado de Minas Gerais (IPSEMG)
Professora da Disciplina de Hematologia da Faculdade de Medicina da
Universidade Presidente Antônio Carlos (UNIPAC) e da
Faculdade de Ciências Médicas e da Saúde de Juiz de Fora (SUPREMA)
Membro Titular da Sociedade Brasileira de
Hematologia e Hemoterapia (SBHH)
Consultora *Ad Hoc* do Ministério de Planejamento e Gestão na
Área de Gestão Pública

DANIELE THEOBALD
Residência Médica em Anestesiologia no Serviço de Anestesia do
Instituto Nacional de Câncer (INCA/MS/RJ)
Anestesiologista do INCA
Anestesiologista do Hospital dos
Servidores do Estado do Rio de Janeiro

DANIELLE ORLANDI GOMES
Residência Médica em Mastologia no
Instituto Nacional de Câncer (INCA/MS/RJ)
Residência Médica em Ginecologia e Obstetrícia no
Hospital Federal dos Servidores do Estado do Rio de Janeiro
Médica Mastologista do Hospital do Câncer
Aldenora Belo, São Luiz – Maranhão
Titular da Federação Brasileira de Ginecologia e Obstetrícia (TEGO)

DARLEN RODRIGUES VIEIRA
Residência Médica em Cirurgia Plástica Reconstrutora e
Microcirurgia no Instituto Nacional de Câncer (INCA/MS/RJ)
Membro Especialista pela Sociedade Brasileira de
Cirurgia Plástica (SBCP)
Chefe do Serviço de Cirurgia Plástica do
Hospital Geral do Exército de Juiz de Fora, MG
Membro Associado da *American Society of Plastic Surgeons (ASPS)*

DÉBORA DE WYLSON FERNANDES GOMES DE MATTOS
Residência Médica em Oncologia Pediátrica no
Instituto Nacional de Câncer (INCA/MS/RJ)
Título de Especialista em Oncologia Pediátrica pela
Sociedade Brasileira de Oncologia Pediátrica (SOBOPE)
Pós-Graduação em Bioética pela Fundação Oswaldo Cruz (Fiocruz)
Residência Médica em Hematologia e Hemoterapia no
Hospital Federal dos Servidores do Estado do Rio de Janeiro
Fellowship no *St Jude's Children Research Hospital* em Oncologia Pediátrica

DEBORAH CARVALHO MALTA
Médica com Doutorado em Saúde Coletiva
Professora Adjunta da Escola de Enfermagem da UFMG
Coordenadora-Geral de Vigilância de Doenças e Agravos
Não Transmissíveis do Ministério da Saúde

DEBORAH CORDEIRO LANNES
Pneumologista do Serviço de Cirurgia Torácica do
Instituto Nacional de Câncer (INCA/MS/RJ)
Especialização em Pneumologia

DÊNIO JOSÉ DE SOUZA BISPO
Residência Médica em Cirurgia de Cabeça e Pescoço no
Instituto Nacional de Câncer (INCA/MS/RJ)
Cirurgião de Cabeça e Pescoço Atuante no Estado de Sergipe
Pós-Graduação em Cirurgia de Cabeça e Pescoço pela PUC-Rio

DENISE BANDEIRA RODRIGUES
Cirurgiã Oncológica do
Instituto Nacional de Câncer (INCA/MS/RJ)
Cirurgiã Geral do Hospital Federal dos
Servidores do Estado do Rio de Janeiro

DIEGO GOMES CANDIDO REIS
Residência Médica em Oncologia Clínica no
Instituto Nacional de Câncer (INCA/MS/RJ)
Mestrando em Medicina Interna pela
Universidade Federal do Rio de Janeiro
*Clinical Research Fellow at the European Organization for
Research and Treatment of Cancer*

DIEGO TRABULSI LIMA
Residência Médica em Mastologia no
Instituto Nacional de Câncer (INCA/MS/RJ)
Residência Médica em Ginecologia e Obstetrícia no
Hospital Federal dos Servidores do Estado do Rio de Janeiro
Médico Mastologista do Hospital do Câncer
Aldenora Belo, São Luiz – Maranhão
Titular da Federação Brasileira de Ginecologia e Obstetrícia (TEGO)

DILON PINHEIRO OLIVEIRA
Residência Médica em Mastologia no
Instituto Nacional de Câncer (INCA/MS/RJ)
Professor Titular de Mastologia do
Instituto de Pós-Graduação Médica Carlos Chagas
Mestrado e Doutorado pela Universidade Federal Fluminense
Título de Especialização em Mastologia (TEMA)

DÓRIO JOSÉ COELHO DA SILVA
Residência Médica em Cirurgia de Cabeça e Pescoço no
Instituto Nacional de Câncer (INCA/MS/RJ)
Pós-Graduação em Cirurgia de Cabeça e Pescoço pela PUC-Rio
Cirurgião de Cabeça e Pescoço Atuante em Vitória, ES

EDMAR LOPES DA SILVA NETO
Residência Médica em Cirurgia Oncológica no
Instituto Nacional de Câncer (INCA/MS/RJ)
Cirurgião Oncológico do Serviço de
Cirurgia Abdominopélvica do INCA
Médico do Serviço de Ginecologia Oncológica do
Hospital Mário Kröeff – Rio de Janeiro, RJ

EDUARDO AMARAL MOURA SÁ
Residência Médica em Cirurgia Oncológica no
Instituto Nacional de Câncer (INCA/MS/RJ)
Cirurgião Oncológico do Hospital Bom Samaritano –
Governador Valadares, MG
Cirurgião Oncológico do Núcleo de Especialistas em
Oncologia de Governador Valadares, MG

EDUARDO CAMARGO MILLEN
Mastologista do Instituto Nacional de Câncer (INCA/MS/RJ)
Mestrado e Doutorado em Ginecologia pela UNIFESP
Fellowship Instituto Europeu de Oncologia – Milão
Professor Adjunto de Ginecologia da
Faculdade de Medicina de Volta Redonda, RJ
Secretário-Geral da Sociedade Brasileira de Mastologia (SBM)

EDUARDO DICKE
Residência Médica em Cancerologia Clínica na
Universidade Estadual de Campinas (Unicamp)
Membro da Sociedade Brasileira de Oncologia Clínica (SBOC)
Professor da Universidade de Cuiabá (UNIC)
Residência Médica em Clínica Médica na
Universidade Federal de Mato Grosso (UFMT)

EDUARDO JORGE FERREIRA DE MEDEIROS
Residência Médica em Oncologia Clínica no
Instituto Nacional de Câncer (INCA/MS/RJ)
Oncologista Clínico da Clínica Oncotech, RJ

EDUARDO LINHARES
Residência Médica em Cirurgia Oncológica pelo
Instituto Nacional de Câncer (INCA/MS/RJ)
Cirurgião e Ex-Chefe do Serviço de Cirurgia Abdominopélvica do INCA
Mestrado e Doutorado em Cirurgia pela
Universidade Federal do Rio de Janeiro (UFRJ)
Presidente da Sociedade Brasileira de
Cirurgia Oncológica (SBCO) – 2006-2009

EID GONÇALVES COÊLHO
Mastologista do Hospital São Marcos –
Associação Piauiense de Combate ao Câncer
Titular da Sociedade Brasileira de Cancerologia (TECA)
Titular da Sociedade Brasileira de Mastologia (TEMA)
Membro do Colégio Brasileiro de Cirurgiões (CBC)

ELIETE FARIAS AZEVEDO
Especialização em Enfermagem em Oncologia pelo
Instituto Nacional de Câncer (INCA/MS/RJ)
Enfermeira do INCA – Hospital do Câncer IV –
Unidade de Cuidados Paliativos
Mestrado em Ciências da Saúde – EERP/USP

ELLYETE DE OLIVEIRA CANELLA
Radiologista do Instituto Nacional de Câncer (INCA/MS/RJ)
Mestrado em Radiodiagnóstico pela
Universidade Federal do Rio de Janeiro (UFRJ)
Membro da Comissão de Mamografia do
Colégio Brasileiro de Radiologia (CBR)
Radiologista da Rede D'Or

EMANUEL BASTOS TORQUATO
Cirurgião Torácico do Instituto Nacional de Câncer (INCA/MS/RJ)
Título de Especialista pela Sociedade de Cirurgia Torácica (SBCT)

EMANUELLE NARCISO ALVAREZ
Residência Médica em Mastologia no
Instituto Nacional de Câncer (INCA/MS/RJ)
Residência Médica em Ginecologia e Obstetrícia na
Universidade Federal do Rio de Janeiro

EMÍDIO SOUZA DE LUCA
Graduando do Curso de Medicina da UNIG – Nova Iguaçu, RJ

EMILSON DE QUEIROZ FREITAS
Residência Médica em Cirurgia de Cabeça e Pescoço no
Instituto Nacional de Câncer (INCA/MS/RJ)
Médico do Serviço de Cabeça e Pescoço do INCA
Chefe do Serviço de Cirurgia de Cabeça e Pescoço do INCA – 2000
Professor do Curso de Pós-Graduação em
Cirurgia de Cabeça e Pescoço da PUC-Rio

ERIC SILVEIRA ITO
Residência Médica em Mastologia no
Instituto Nacional de Câncer (INCA/MS/RJ)
Mastologista, Ginecologista e Obstetra da
Prefeitura Municipal de Navegantes, SC
Professor do Curso de Extensão em Ginecologia e Obstetrícia da
Universidade do Vale do Itajaí (UNIVALI)

ERICA CRUVINEL
Psicóloga com Mestrado em Saúde Coletiva pela
Universidade Federal de Juiz de Fora (UFJF)
Pesquisadora do Polo de Pesquisa em Psicologia Social e
Saúde Coletiva (POPSS) – Juiz de Fora, MG

ERICO LUSTOSA
Médico do Serviço de Ginecologia Oncológica do
Instituto Nacional de Câncer (INCA/MS/RJ)
Residência Médica em Ginecologia e Obstetrícia no
Hospital Federal dos Servidores do Estado do Rio de Janeiro

ERIKA SCOFANO EBECKEN
Residência Médica em Oncologia Clínica no
Instituto Nacional de Câncer (INCA/MS/RJ)
Médica Bolsista da Pesquisa Clínica do INCA
Oncologista Clínica do Hospital Federal da Lagoa, RJ

ERNESTO DE MEIS
Coordenador da Comissão de Hemostasia do
Instituto Nacional de Câncer (INCA/MS/RJ)
Professor da Universidade Federal do Rio de Janeiro (UFRJ)
Professor da Universidade Gama Filho, RJ
Doutorado em Ciências Médicas pela
Universidade do Estado do Rio de Janeiro (PGCM/UERJ)

EURIDICE MARIA DE ALMEIDA FIGUEIREDO
Residência Médica em Cirurgia Oncológica no
Instituto Nacional de Câncer (INCA/MS/RJ)
Mestrado e Doutorado em Medicina pela
Universidade Federal do Rio de Janeiro (UFRJ)
Professora Titular de Ginecologia Oncológica do
Instituto de Pós-Graduação Médica Carlos Chagas
Titular da Sociedade Brasileira de Mastologia (TEMA)

EVANDRO GONÇALVES DE LUCENA JUNIOR
Chefe do Serviço de Oftalmologia do
Instituto Nacional de Câncer (INCA/MS/RJ)
Especialista em Retina e Oncologia Ocular pela *Harvard Medical School*
Fellow Massachusetts Eye and Ear Enfermary Harvard Medical School
Oftalmologista do Hospital da Lagoa, RJ

FABIANA TONELLOTTO
Médica do Serviço de Mastologia do
Instituto Nacional de Câncer (INCA/MS/RJ)
Titular da Sociedade Brasileira de Mastologia (TEMA)

FÁBIO AFFONSO PEIXOTO
Residência Médica em Oncologia Clínica no
Instituto Nacional de Câncer (INCA/MS/RJ)
Oncologista do Serviço de Oncologia Clínica do INCA e do
Hospital Federal dos Servidores do Estado do Rio de Janeiro
Oncologista – Clínicas Oncológicas Integradas (COI), RJ

FÁBIO GERKE MARTINS
Anestesiologista do Instituto Nacional de Câncer (INCA/MS/RJ)
Anestesiologista do Instituto Nacional de
Traumatologia e Ortopedia (INTO/MS/RJ)

FABIO KANOMATA
Residência Médica em Cirurgia Oncológica no
Instituto Nacional de Câncer (INCA/MS/RJ)
Titular da Sociedade Brasileira de Cancerologia (TECA)
Titular do Colégio Brasileiro de Cirurgiões (CBC)
Cirurgião Oncológico do Serviço de Oncologia de Adulto do
Hospital Regional de Mato Grosso do Sul (HRMS) e da
Fundação Serviços de Saúde do Estado de Mato Grosso do Sul, MS

FABÍOLA PROCACI KESTELMAN
Residência Médica em Radiologia e Diagnóstico na
Universidade Estadual do Rio de Janeiro (UERJ)
Mestrado em Tocoginecologia pela Universidade Estadual de Campinas
Radiologista da Clínica Cavallieri
Radiologista do Hospital Federal do Andaraí – Rio de Janeiro, RJ

FABRÍCIO MORALES FARIAS
Residência Médica em Mastologia no
Instituto Brasileiro de Controle de Câncer
Titular da Sociedade Brasileira de Mastologia (SBM)

FATIMA CRISTINA MARIA DE MATOS
Residência Médica em Cirurgia de Cabeça e Pescoço no
Instituto Nacional de Câncer (INCA/MS/RJ)
Doutorado em Cirurgia de Cabeça e Pescoço pela
Universidade de São Paulo (FMUSP)
Cirurgiã de Cabeça e Pescoço do
Hospital Real Português de Beneficência de Pernambuco
Cirurgiã de Cabeça e Pescoço do Centro de Oncologia da
Universidade de Pernambuco (CEON-UPE)

FELIPE BRAGA
Fellow do *Istituto Europeo di Oncologia* – Milão, Itália
Membro da Sociedade Brasileira de Cirurgia Torácica (SBCT)
Membro Titular do Colégio Brasileiro de Cirurgiões (CBC)

FERNANDA FERREIRA DA SILVA LIMA
Residência em Enfermagem e Cancerologia no
Instituto Nacional de Câncer (INCA/MS/RJ)
Mestrado em Patologia Investigativa pela
Faculdade de Medicina da Universidade Federal Fluminense (UFF)
Especialização em Enfermagem em Oncologia pelo INCA
Enfermeira Coordenadora de Estudos Clínicos na
Seção de Oncologia Pediátrica do INCA

FERNANDA MARIA BRAGA MARINHO
Residência Médica em Mastologia no
Instituto Nacional de Câncer (INCA/MS/RJ)

FERNANDA OLIVEIRA DE CARVALHO
Membro da Sociedade Brasileira de Neurocirurgia (SBN)

FERNANDO ADÃO MOREIRA
Residência Médica em Oncologia Clínica no
Instituto Nacional de Câncer (INCA/MS/RJ)
Oncologista Clínico da Clínica Oncotech, RJ

FERNANDO COTAIT MALUF
Diretor do Departamento de Oncologia Clínica do
Hospital São José – Beneficência Portuguesa – São Paulo, SP

FERNANDO JOSÉ PINTO DE PAIVA
Residência Médica em Cirurgia de Cabeça e Pescoço no
Instituto Nacional de Câncer (INCA/MS/RJ)
Residência Médica em Cirurgia Craniomaxilofacial no
Instituto Nacional de Traumatologia e Ortopedia (INTO/MS/RJ)
Pós-Graduação em Cirurgia de Cabeça e Pescoço pela PUC-Rio
Cirurgião de Cabeça e Pescoço Atuante em Natal, RN

FERNANDO LOPES CORDERO
Residência Médica em Cirurgia Oncológica no
Instituto Nacional de Câncer (INCA/MS/RJ)
Cirurgião Oncológico do Serviço de Ginecologia do INCA/HCII
Médico do Serviço de Cirurgia do Hospital Mário Kröeff – Rio de Janeiro, RJ

FERNANDO LUIZ DIAS
Residência Médica em Cirurgia de Cabeça e Pescoço no
Instituto Nacional de Câncer (INCA/MS/RJ)
Chefe da Seção de Cirurgia de Cabeça e Pescoço do INCA
Mestrado e Doutorado em Cirurgia de Cabeça e Pescoço pela UFRJ/FMUSP
Professor Titular de Cirurgia de Cabeça e Pescoço da
Escola Médica de Pós-Graduação da PUC-Rio

FERNANDO METON DE ALENCAR CAMARA VIEIRA
Residência Médica em Oncologia Clínica no
Instituto Nacional de Câncer (INCA/MS/RJ)
Fellowship em Pesquisa Clínica no INCA
Médico-Sênior e Gerente Médico da Coordenação de
Pesquisa e Incorporação Tecnológica do INCA
Mestrado em Clínica Médica pela UFRJ

FERNANDO VANNUCCI
Especialização em Cirurgia Torácica Oncológica pelo
Instituto Nacional de Câncer (INCA/MS/RJ)
Fellowship em Cirurgia Torácica Oncológica pelo
Istituto Europeo di Oncologia – Milão, Itália
Membro Titular e Especialista em Cirurgia Torácica pela
Sociedade Brasileira de Cirurgia Torácica (SBCT)

FLAVIA COTIAS
Residência Médica em Oncologia Pediátrica no
Instituto Nacional de Câncer (INCA/MS/RJ)
Título de Especialista em Oncologia Pediátrica pela
Sociedade Brasileira de Oncologia Pediátrica (SOBOPE)
Título de Especialista em Pediatria pela
Sociedade Brasileira de Pediatria (SBP)
Pós-Graduação em Pediatria pelo
Hospital Municipal Jesus (HMJ) – Rio de Janeiro, RJ

FLÁVIA LUZ FELÍCIO
Residência Médica em Mastologia no
Instituto Nacional de Câncer (INCA/MS/RJ)
Residência Médica em Ginecologia e Obstetrícia no
Hospital Federal dos Servidores do Estado do Rio de Janeiro

FLÁVIA PAIVA PROENÇA LOBO LOPES
Residência Médica em Oncologia Clínica no
Instituto Nacional de Câncer (INCA/MS/RJ)
Mestrado e Doutorado pela Universidade Federal do
Rio de Janeiro (UFRJ)
Pós-Doutorado em Clínica Médica (Endocrinologia) pela
Universidade Federal do Rio de Janeiro (UFRJ)

FLAVIA PINTO CARDOSO
Residência Médica em Mastologia no
Instituto Nacional de Câncer (INCA/MS/RJ)
Médica Mastologista do Hospital de Ipanema (MS/RJ)

FLAVIO DOS REIS ALBUQUERQUE CAJARAVILLE
Residência Médica em Cirurgia Oncológica no
Instituto Nacional de Câncer (INCA/MS/RJ)
Cirurgião Geral do Hospital Federal do Andaraí – Rio de Janeiro, RJ

FLAVIO FERREIRA DE ANDRADE
Residência Médica em Pediatria Oncológica no
Instituto Nacional de Câncer (INCA/MS/RJ)
Médico-Assistente de Onco-Hematologia Pediátrica do
Hospital Federal dos Servidores do Estado do Rio de Janeiro
Residência Médica em Hematologia Pediátrica no
Instituto de Pediatria e Puericultura Martagão Gesteira (IPPMG/UFRJ)
Residência Médica em Pediatria no
Hospital Federal de Bonsucesso – Rio de Janeiro, RJ

FLÁVIO HENRIQUE PEREIRA CONTE
Residência Médica em Cirurgia Oncológica no
Instituto Nacional de Câncer (INCA/MS/RJ)
Especialização em Cirurgia de
Tecido Ósseo e Conectivo em Oncologia pelo INCA
Médico do Hospital do Coração de Londrina (HCL/PR)
Médico da Irmandade Santa Casa de Londrina (ISCAL/PR)
Membro Titular da Sociedade Brasileira de Cirurgia Oncológica (SBCO)
Membro Titular do Grupo Brasileiro de Melanoma (GBM)
Sócio Efetivo da Associação Médica de Londrina (AML/PR)

FLORIANO PARDO CALVO
Pós-Graduando em Mastologista da
Disciplina de Mastologia da Escola Paulista de Medicina pela
Universidade Federal de São Paulo (UNIFESP)

FRANCISCA NORMA GIRÃO GUTIERREZ
Pós-Graduação em Cirurgia Pediátrica Oncológica no
Instituto Nacional de Câncer (INCA/MS/RJ)
Residência Médica em Cirurgia Pediátrica na
Universidade do Estado do Rio de Janeiro (UERJ)
Residência Médica em Cirurgia Geral na
Universidade do Rio de Janeiro (UNIRIO)
Mestrado em Ciências Médicas pela
Universidade Federal Fluminense (UFF)

FRANCISCO CARLOS DO NASCIMENTO JÚNIOR
Residência Médica em Cirurgia Oncológica no
Instituto Nacional de Câncer (INCA/MS/RJ)
Médico do Serviço de Ginecologia Oncológica do
Hospital Mário Kröeff – Rio de Janeiro, RJ

FREDERICO ARTHUR PEREIRA NUNES
Residência Médica em Oncologia Clínica no
Instituto Nacional de Câncer (INCA/MS/RJ)
Oncologista Clínico do INCA

FREDERICO AUGUSTUS MARTINS DE RESENDE
Residência Médica em Cirurgia Oncológica no
Instituto Nacional de Câncer (INCA/MS/RJ)
Preceptor da Residência Médica em Cirurgia Geral do
Hospital Therezinha de Jesus – Juiz de Fora, MG
Professor de Cirurgia da Suprema – Faculdade de
Ciências Médicas e da Saúde de Juiz de Fora
Membro Titular da Sociedade Brasileira de
Cirurgia Oncológica (SBCO)

FREDERICO AVELLAR SILVEIRA LUCAS
Residência Médica em Cirurgia Plástica no
Instituto Nacional de Câncer (INCA/MS/RJ)
Mestrado em Ciências Cirúrgicas pela
Universidade Federal do Rio de Janeiro (UFRJ)
Chefe do Serviço de Cirurgia Plástica do Hospital Mário Kröeff –
Rio de Janeiro, RJ
Membro da Sociedade Brasileira de Cirurgia Plástica (SBCP)

FREDERICO DE CASTRO ESCALEIRA
Residência Médica em Oncologia Clínica no
Instituto Nacional de Câncer (INCA/MS/RJ)
Residência Médica em Clínica Médica no
Hospital Pedro Ernesto (UERJ)
Especialista em Cancerologia Clínica pela
Sociedade Brasileira de Cancerologia (SBC)
Oncologista Clínico da Santa Casa de Misericórdia de
São João Del Rei, MG

FRUTUOSO LINS CAVALCANTE
Residência Médica no Hospital de Câncer da
Liga de Combate ao Câncer de Pernambuco
Ginecologista e Mastologista do Hospital Materno Infantil
Nossa Senhora de Nazareth – Boa Vista, RR
Professor Colaborador do Curso de Medicina da UFRR

GABRIEL MANFRO
Residência Médica em Cirurgia de Cabeça e Pescoço no
Instituto Nacional de Câncer (INCA/MS/RJ)
Cirurgião de Cabeça e Pescoço Atuante em Joaçava, SC
Pós-Graduação em Cirurgia de Cabeça e Pescoço pela PUC-Rio
Membro Titular da Sociedade Brasileira de
Cirurgia de Cabeça e Pescoço (SBCCP)

GABRIEL MUFARREJ
Chefe do Serviço de Neurocirurgia Pediátrica do
Hospital Municipal Souza Aguiar/SMSDC/RJ
Fellow em Neurocirurgia Pediátrica pela
New York University Medical Center
Pós-Graduação em Neurocirurgia Pediátrica pela
Escola Médica de Pós-Graduação da PUC
Membro Titular da Sociedade Brasileira de
Neurocirurgia Pediátrica (SBNPed)

GABRIELA FIOD
Residência Médica em Oncologia Cirúrgica no
Instituto Nacional de Câncer (INCA/MS/RJ)
Médica do Serviço de Mastologia do INCA

GABRIELA MARTINS
Residência Médica em Radiologia e Diagnóstico por Imagem no
Instituto Nacional de Câncer (INCA/MS/RJ)
Especialista em Radiologia e Diagnóstico por Imagem pela
Associação Médica Brasileira (AMB) e pelo
Colégio Brasileiro de Radiologia (CBR)
Especialização em Ressonância Magnética na
Clínica CDPI e Multi-Imagem – Rio de Janeiro, RJ
Médica do Setor de Radiologia Mamária da
Clínica de Diagnóstico por Imagem (CDPI) – Rio de Janeiro, RJ

GABRIELA OLIVEIRA SANTANA
Enfermeira Responsável pelo Ambulatório de Catéter Pediátrico do
Instituto Nacional de Câncer (INCA/MS/RJ)
Mestrado em Ciências Médicas da Enfermagem pela
Escola Anna Nery da Universidade Federal do Rio de Janeiro (UFRJ)
Enfermeira de Imunização da Policlínica Hélio Pellegrino/SMSDC/RJ

GELCIO LUIZ QUINTELLA MENDES
Residência Médica em Oncologia Clínica no
Instituto Nacional de Câncer (INCA/MS/RJ)
Oncologista Clínico do INCA

GILBERTO ALMEIDA SILVA JUNIOR
Médico do Hospital Universitário Pedro Ernesto –
Serviço de Hepatologia do HUPE

GILBERTO AMORIM
Residência Médica em Oncologia Clínica no
Instituto Nacional de Câncer (INCA/MS/RJ)
Coordenador do Grupo de Oncologia Mamária do
Oncologistas Associados
Chefe do Serviço de Oncologia do HCIII do
Instituto Nacional de Câncer – 1999/2001 e 2003/2005

GILBERTO REYNALDO MANSUR
Chefe da Seção de Endoscopia Digestiva do
Instituto Nacional de Câncer (HC I/INCA/MS/RJ)
Doutorando em Oncologia pelo INCA
Especialista em Endoscopia Digestiva pela
Sociedade Brasileira de Endoscopia Digestiva (SOBED)/AMB

GILDA ALVES
Pesquisadora do Laboratório de Genética Aplicada do
Instituto Nacional de Câncer (INCA/MS/RJ)
Mestrado em Ciências Biológicas (Genética) pela
Universidade Federal do Rio de Janeiro
Doutorado em Ciências Biológicas (Biofísica) pela
Universidade Federal do Rio de Janeiro

GIULLIANA MARTINES MORALEZ
Residência Médica em Cirurgia Oncológica no
Instituto Nacional de Câncer (INCA/MS/RJ)
Especialização em Genitoscopia e Patologia do Trato Genital Inferior
Pesquisadora Clínica do INCA

GLAUBER MOREIRA LEITÃO
Residência Médica em Oncologia Clínica no
Instituto Nacional de Câncer (INCA/MS/RJ)
Coordenador do Núcleo de Pesquisa Clínica do
Hospital de Câncer de Pernambuco
Mestrado em Oncologia pela Universidade de São Paulo (USP)
Especialista pela Sociedade Brasileira de Cancerologia (SBC-AMB)

GLAUCO BAIOCCHI NETO
Diretor do Departamento de Ginecologia Oncológica do
Hospital A. C. Camargo – São Paulo, SP
Mestrado e Doutorado em Oncologia pela
Faculdade de Medicina da Universidade de São Paulo

GLEDSON ANDRADE SANTOS
Residência Médica em Cirurgia de Cabeça e Pescoço no
Instituto Nacional de Câncer (INCA/MS/RJ)
Pós-Graduação em Cirurgia de Cabeça e Pescoço pela PUC-Rio

GUILHERME DE ANDRADE GAGHEGGI RAVANINI
Residência Médica em Cirurgia Oncológica no
Instituto Nacional de Câncer (INCA/MS/RJ)
Mestrando pela Pós-Graduação em
Videoendoscopia Digestiva na UNIRIO

GUILHERME DUQUE SILVA
Residência Médica em Cirurgia de Cabeça e Pescoço no
Instituto Nacional de Câncer (INCA/MS/RJ)
Pós-Graduação em Cirurgia de Cabeça e Pescoço pela PUC-Rio
Cirurgião de Cabeça e Pescoço do Serviço do
Hospital Federal de Bonsucesso – Rio de Janeiro, RJ
Cirurgião de Cabeça e Pescoço do
Hospital da Polícia Militar do Rio de Janeiro

GUILHERME JOSÉ RODRIGUES PEREIRA
Residência Médica em Radioterapia no
Instituto Nacional de Câncer (INCA/MS/RJ)
Médico-Rádio-Oncologista do INCA
Médico-Rádio-Oncologista da Oncotech, RJ
Membro Titular do Colégio Brasileiro de Radiologia (CBR)

GUILHERME ROCHA MELO GONDIM
Residência Médica em Radioterapia no Hospital A. C. Camargo –
Hospital do Câncer de São Paulo
Titulação Médica pela Universidade Federal de Minas Gerais (UFMG)
Médico-Rádio-Oncologista do Grupo COI –
Clínicas Oncológicas Intergradas, RJ

GUSTAVO ADVÍNCULA
Residência Médica em Oncologia Clínica no
Instituto Nacional de Câncer (INCA/MS/RJ)
Assessor da Coordenação de Assistência do INCA
Especialização em Gestão Hospitalar pela
Escola Nacional de Saúde Pública Sérgio Arouca (Fiocruz)

GUSTAVO CARDOSO GUIMARÃES
Diretor do Núcleo de Urologia do
Departamento de Cirurgia Pélvica do
Hospital A. C. Camargo – São Paulo, SP
Mestrado e Doutorado em Oncologia pela
Fundação Antônio Prudente – Hospital A. C. Camargo

GUSTAVO DE CASTRO GOUVEIA
Residência Médica em Cirurgia Oncológica no
Instituto Nacional de Câncer (INCA/MS/RJ)
Titular da Sociedade Brasileira de Cirurgia Oncológica (SBCO)
Coordenador de Mastologia do Instituto de Mastologia e
Clínicas Associadas do Distrito Federal
Chefe da Unidade de Cirurgia Geral do
Hospital de Base do Distrito Federal

GUSTAVO FRANCISCO DE SOUZA E MELLO
Médico da Seção de Endoscopia Digestiva do
Instituto Nacional de Câncer (HC I/INCA/MS/RJ)
Mestrado em Oncologia pelo INCA
Especialista em Endoscopia Digestiva pela
Sociedade Brasileira de Endoscopia Degestiva (SOBED)/AMB

GUSTAVO GUITMANN
Residência Médica em Cirurgia Oncológica no
Instituto Nacional de Câncer (INCA/MS/RJ)
Cirurgião Oncológico do Serviço de Ginecologia Oncológica do INCA
Membro da *International Gynecologic Cancer Society (IGCS)*

GUSTAVO IGLESIAS
Residência Médica em Cirurgia Oncológica no
Instituto Nacional de Câncer (INCA/MS/RJ)
Cirurgião Oncológico do Serviço de Ginecologia do INCA
Cirurgião Oncológico do Serviço de Ginecologia do
Hospital Federal dos Servidores do Estado do Rio de Janeiro

GUSTAVO LUCAS LOUREIRO
Cirurgião Torácico do Hospital Central da
Polícia Militar do Estado do Rio de Janeiro
Cirurgião Torácico do Hospital Municipal Salgado Filho/SMSDC/RJ

GUSTAVO LUÍS SOARES CARVALHO
Residência Médica em Cirurgia Oncológica no
Instituto Nacional de Câncer (INCA/MS/RJ)
Cirurgião Oncológico do Serviço de Ginecologia Oncológica do INCA
Titular do Colégio Brasileiro de Cirurgiões em Cancerologia

GUSTAVO SANTOS STODUTO DE CARVALHO
Residência Médica em Cirurgia Oncológica no
Instituto Nacional de Câncer (INCA/MS/RJ)
Cirurgião da Seção de Cirurgia Abdominopélvica do INCA
Cirurgião do Serviço Hepatobiliar do
Hospital Federal de Bonsucesso – Rio de Janeiro, RJ
Cirurgião Geral da Prefeitura da Cidade do Rio de Janeiro

HAROLDO JOSÉ SIQUEIRA DA IGREJA JÚNIOR
Residência Médica em Cirurgia Oncológica no
Instituto Nacional de Câncer (INCA/MS/RJ)
Médico Oncologista da Sociedade Beneficiência de
Campos/Estado do Rio de Janeiro
Médico do Hospital Escola Álvaro Alvim –
Campos/Estado do Rio de Janeiro

HELOISA DE ANDRADE CARVALHO
Médica do Hospital das Clínicas da
Faculdade de Medicina da Universidade de São Paulo
Médica do Hospital Sírio-Libanês – São Paulo, SP
Doutorado em Radioterapia pela Faculdade de Medicina da
Universidade de São Paulo

HENRIQUE BALLONI
Radioterapeuta e Responsável Técnico do
Serviço de Radioterapia do Oncoville – Curitiba, PR

HENRIQUE RIGGENBACH MÜLLER
Residência Médica em Cirurgia Plástica no
Instituto Nacional de Câncer (INCA/MS/RJ)
Membro da Sociedade Brasileira de Cirurgia Plástica (SBCP)

HENRIQUE SALAS MARTIN
Radiologista Intervencionista do
Instituto Nacional de Câncer (INCA/MS/RJ)
Radiologista Intervencionista da Rede D'Or
Radiologista Intervencionista do Hospital
São Vicente de Paulo – Rio de Janeiro, RJ

HERBERT IVES BARRETTO ALMEIDA
Cirurgião Oncológico
Médico-Assistente do Serviço de Cirurgia Oncológica do
Hospital Português – Salvador, BA
Médico-Assistente do Serviço de Cirurgia Oncológica do
Hospital Santa Izabel – Salvador, BA
Médico-Assistente do Serviço de Cirurgia Oncológica do
Hospital da Bahia – Salvador, BA

HERON ANDRADE
Cirurgião Torácico do Hospital Universitário Pedro Ernesto (UERJ)
Cirurgião Torácico do Hospital Federal do Andaraí – Rio de Janeiro, RJ

HIRAM SILVEIRA LUCAS
Residência Médica em Oncologia Cirúrgica no
Instituto Nacional de Câncer (INCA/MS/RJ)
Diretor Médico do Hospital Mário Kröeff – Rio de Janeiro, RJ
Professor Titular de Cancerologia Clínica e Cirúrgica do
Instituto de Pós-Graduação Médica Carlos Chagas
Membro Titular da Academia Nacional de Medicina (ANM)
Diretor do INCA – 1979

HUGO RODRIGUES GOUVEIA
Radiologista Intervencionista do
Instituto Nacional de Câncer (INCA/MS/RJ)
Radiologista Intervencionista da Rede D'Or
Radiologista Intervencionista do
Hospital São Vicente de Paulo – Rio de Janeiro, RJ

HUMBERTO CARVALHO CARNEIRO
Residência Médica em Patologia no
Instituto Nacional de Câncer (INCA/MS/RJ)

IGOR MIGOWSKI ROCHA DOS SANTOS
Residência Médica em Radioterapia no
Instituto Nacional de Câncer (INCA/MS/RJ)
Médico-Rádio-Oncologista do INCA
Médico-Rádio-Oncologista do Grupo COI –
Clínicas Oncológicas Integradas, RJ

IGOR MOREIRA VERAS
Residência Médica em Radioterapia no
Instituto Nacional de Câncer (INCA/MS/RJ)
Radioterapeuta do Centro Regional Integrado de Oncologia (CRIO)
Professor Convidado da Disciplina de Oncologia da
Universidade Federal do Ceará
Membro Titular da Sociedade Brasileira de Radioterapia (SBRT) e do
Colégio Brasileiro de Radiologia (CBR)

ILANA GROSMAN
Coloproctologista do Hospital Central da
Polícia Militar do Rio de Janeiro

IZABELLA COSTA SANTOS
Residência Médica em Cirurgia de Cabeça e Pescoço no
Instituto Nacional de Câncer (INCA/MS/RJ)
Cirurgiã de Cabeça e Pescoço do INCA
Doutorado em Cirurgia de Cabeça e Pescoço pela FMUSP
Professora do Curso de Pós-Graduação em
Cirurgia de Cabeça e Pescoço da PUC-Rio

JACOB KLIGERMAN
Residência Médica em Cirurgia de Cabeça e Pescoço no
Instituto Nacional de Câncer (INCA/MS/RJ)
Chefe do Serviço de Cirurgia de Cabeça e Pescoço do INCA – 1973
Diretor do INCA – 1999
Professor do Curso de Pós-Graduação em
Cirurgia de Cabeça e Pescoço da PUC-Rio
Membro da Academia Nacional de Medicina (ANM)

JADER CRONEMBERGER OLIVEIRA
Residência Médica em Radiologia e Diagnóstico por Imagem no
Hospital Heliópolis – São Paulo, SP

JADSON MURILO SILVA REIS
Residência Médica em Cirurgia Oncológica no
Instituto Nacional de Câncer (INCA/MS/RJ)
Membro Titular da Sociedade Brasileira de Cirurgia Oncológica (SBCO)
Médico-Cirúrgico-Oncológico do Hospital São Rafael – Salvador, BA

JANE ROCHA DUARTE CINTRA
Mestrado e Doutorado em Saúde Brasileira pelo
Núcleo de Assessoria, Treinamento e Estudos em Saúde (NATES) da
Faculdade de Medicina da Universidade Federal de Juiz de Fora (UFJF)
Professora da Disciplina de Oncologia Clínica da
Faculdade de Medicina da Universidade
Presidente Antônio Carlos (UNIPAC)

JANINA FERREIRA LOUREIRO HUGUENIN
Residência Médica em Cirurgia Oncológica pelo
Instituto Nacional de Câncer (INCA/MS/RJ)
Médica Cirurgã do Hospital Naval das Forças Armadas Marcílio Dias/RJ

JEANE JUVER
Médica da Clínica da Dor do
Instituto Nacional de Câncer (INCA/MS/RJ)
Mestrado e Doutorado em Cirurgia Geral/Anestesiologia pela UFRJ
Pós-Graduação em Dor e Cuidados Paliativos pela UFRJ
Extensão em *Palliative Care Practice and Education* –
Harvard Medical School – EUA

JOANA FRÓES BRAGANÇA BASTOS
Professora Doutora da Faculdade de Ciências Médicas – Unicamp

JOÃO BAPTISTA DE PAULA FRAGA
Especialista em Coloproctologia pela
Sociedade Brasileira de Coloproctologia (SBCP)
Membro Titular da Sociedade Brasileira de Coloproctologia (SBCP)
Membro Titular do Colégio Brasileiro de Cirurgiões (CBC)

JOÃO CARLOS ARANTES JUNIOR
Residência Médica em Ginecologia na
Universidade Federal de Juiz de Fora (UFJF)
Mestrado em Ginecologia pela
Universidade Federal de Juiz de Fora (UFJF)
Doutorado em Mastologia pela UNESP de Botucatu, SP
Professor Adjunto da Universidade Federal de Juiz de Fora (UFJF)

JOÃO DOUGLAS NICO
Residência Médica em Cirurgia Oncológica no
Hospital de Câncer de Barretos, SP
Cirurgião Oncológico do Hospital Bom Samaritano –
Governador Valadares, MG
Cirurgião Oncológico do Núcleo de Especialistas em Oncologia de
Governador Valadares, MG

JOÃO IVO XAVIER ROCHA
Médico do Laboratório de Cirurgia Experimental Dr. Saul Goldenberg
Médico do Grupo de Educação e Estudos em Oncologia (GEEON)
Médico do Grupo de Estudos em Neurociências (GENASF)

JOÃO PAULO VIEIRA
Professor de Cirurgia Torácica da
Faculdade de Ciências Médicas e da Saúde de Juiz de Fora, MG
Mestrado em Tisiologia e Pneumologia pela UFRJ
Titular da Sociedade Brasileira de Cirurgia Torácica (SBCT)

JOÃO SOARES NUNES
Residência Médica em Oncologia Clínica no
Instituto Nacional de Câncer (INCA/MS/RJ)
Médico do Hospital de Câncer de Barretos, SP
Doutorando em Oncologia pela UNIFESP

JOAQUIM TEODORO DE ARAUJO NETO
Mastologista da Escola Paulista de Medicina da
Universidade Federal de São Paulo (UNIFESP) e do
Instituto Brasileiro de Controle do Câncer (IBCC)
Coordenador do Setor de Patologias Benignas da Disciplina de
Mastologia da Escola Paulista de Mastologia (UNIFESP)
Coordenador da Residência Médica da Disciplina de Mastologia da
Escola Paulista de Medicina (UNIFESP)

JÔNATAS TEIXEIRA SANTOS
Graduando do Curso de Medicina da UNIGRANRIO
Membro da Liga Acadêmica de Cirurgia e Trauma

JORDANA BRETAS DE AQUINO
Residência Médica em Mastologia no Hospital Felício Roxo, BH
Membro Titular da Sociedade Brasileira de Mastologia (SBM)
Mastologista do Departamento de Saúde da Mulher da
Prefeitura de Juiz de Fora

JORGE HENRIQUE GOMES DE MATOS
Patologista da Divisão de Patologia do
Instituto Nacional de Câncer (INCA/MS/RJ)
Chefe do Serviço de Patologia INCA-HCII – 1980

JORGE LUIS NOGUEIRA SARAIVA
Residência Médica em Oncologia Cirúrgica no
Instituto Nacional de Câncer (INCA/MS/RJ)
Médico do Serviço de Mastologia do INCA

JORGE SOARES LYRA
Especialização em Cirurgia Torácica Oncológica pelo
Instituto Nacional de Câncer (INCA/MS/RJ)
Cirurgião Oncológico do INCA

JOSÉ AUGUSTO BELLOTTI
Residência Médica em Cirurgia Oncológica no
Instituto Nacional de Câncer (INCA/MS/RJ)
Médico do Serviço de Ginecologia Oncológica do INCA
Médico do Serviço de Ginecologia Oncológica do
Hospital Mário Kröeff – Rio de Janeiro, RJ
Professor Auxiliar da Disciplina de Ginecologia na
Universidade Federal do Estado do Rio de Janeiro (UNIRIO)

JOSÉ CARLOS DAMIAN JÚNIOR
Pós-Graduando em Ginecologia Oncológica pela
Fundação Carlos Chagas e pelo Serviço de Ginecologia Oncológica do
Hospital Mário Kröeff – Rio de Janeiro, RJ
Cirurgião Oncológico do Serviço de Ginecologia do
Hospital Federal dos Servidores do Estado do Rio de Janeiro

JOSÉ CARLOS DE OLIVEIRA GOMES
Mastologista do Hospital São Marcos –
Associação Piauiense de Combate ao Câncer
Especialista em Mastologia (TEMA)
Especialista em Ginecologia e Obstetrícia (TEGO)

JOSÉ CLÁUDIO CASALI DA ROCHA
Residência Médica em Oncologia Clínica no
Instituto Nacional de Câncer (INCA/MS/RJ)
Diretor do Banco Nacional de Tumores do
Instituto Nacional de Câncer (INCA/MS/RJ) – 2005
Doutorado pela Fundação Antônio Prudente – São Paulo, SP
Pós-Doutorado em Farmacogenética pelo
St Jude Children's Research Hospital – EUA (2003-2005)

JOSÉ FRANCISCO NETO REZENDE
Residência Médica em Cirurgia Oncológica no
Instituto Nacional de Câncer (INCA/MS/RJ)
Chefe da Seção de Tecido Ósseo e Conectivo do INCA

JOSÉ HUGO MENDES LUZ
Radiologista Intervencionista do
Instituto Nacional de Câncer (INCA/MS/RJ)
Radiologista Intervencionista da Rede D'Or
Radiologista Intervencionista do Hospital
São Vicente de Paulo – Rio de Janeiro, RJ

JOSÉ HUMBERTO SIMÕES CORREA
Cirurgião Oncológico do Instituto Nacional de Câncer
(INCA/MS/RJ)
Doutorado em Cirurgia Gastroenterológica pela USP
Titular da Sociedade Brasileira de Cirurgia Oncológica (SBCO)
Titular do Colégio Brasileiro de Cirurgiões (CBC)

JOSÉ MARINALDO LIMA
Residência Médica em Cirurgia Oncológica no
Instituto Nacional de Câncer (INCA/MS/RJ)
Médico do Serviço de Ginecologia Oncológica do INCA

JOSÉ PABLO MATA MONDRAGÓN
Residência em Cirurgia Oncológica no
Instituto Nacional de Câncer (INCA/MS/RJ)
Cirurgião Geral do Hospital Regional de Taguatinga – Brasília, DF

JOSÉ PAULO DE JESUS
Residência Médica em Cirurgia Oncológica no
Instituto Nacional de Câncer (INCA/MS/RJ)
Chefe da Seção de Cirurgia Abdominopélvica do
Instituto Nacional de Câncer (INCA/MS/RJ)

JOSÉ PEDRO FERREIRA DE BASTOS VIEIRA
Residência Médica em Radioterapia no
Instituto Nacional de Câncer (INCA/MS/RJ)
Radioterapeuta do Hospital Bom Samaritano –
Governador Valadares, MG
Radioterapeuta do Núcleo de Especialistas em Oncologia de
Governador Valadares, MG

JOSÉ RICARDO BARBOSA DE AZEVEDO
Pós-Graduação em Cirurgia Pediátrica Oncológica pelo
Instituto Nacional de Câncer (INCA/MS/RJ)
Mestrado em Cirurgia Geral pela Universidade Federal do Ceará
Residência Médica em Cirurgia Pediátrica no
Hospital Federal dos Servidores do Estado do Rio de Janeiro
Residência Médica em Cirurgia Pediátrica no
Centro Pediátrico do Câncer –
Hospital Infantil Allbert Sabin – Fortaleza, CE

JOSÉ ROBERTO SOARES NETO
Residência Médica em Cirurgia de Cabeça e Pescoço no
Instituto Nacional de Câncer (INCA/MS/RJ)
Médico de Cabeça e Pescoço do INCA
Professor do Curso de Pós-Graduação em
Cirurgia de Cabeça e Pescoço da PUC-Rio
Membro Titular da Sociedade Brasileira de
Cirurgia de Cabeça e Pescoço (SBCCP)

JOSÉ ROBERTO VASCONCELOS PODESTÁ
Residência Médica em Cirurgia de Cabeça e Pescoço no
Instituto Nacional de Câncer (INCA/MS/RJ)
Presidente da Sociedade Brasileira de Cirurgia de Cabeça e Pescoço
Pós-Graduação em Cirurgia de Cabeça e Pescoço pela PUC-Rio
Médico de Cirurgia de Cabeça e Pescoço do
Hospital do Câncer Santa Rita – Vitória, ES

JOSMARA XIMENES ANDRADE FURTADO
Mastologista do Hospital Haroldo Juaçaba –
Instituto do Câncer do Ceará
Especialista em Mastologia (TEMA)
Especialista em Ginecologia e Obstetrícia (TEGO)

JOYCE CHRISTINA RIBEIRO DE SOUZA
Residência Médica em Cirurgia Oncológica no
Instituto Nacional de Câncer (INCA/MS/RJ)
Mastologista do Hospital São Vicente de Paulo –
Rio de Janeiro, RJ
Titular da Sociedade Brasileira de Mastologia (SBM)
Médica do Hospital Mário Kröeff – Rio de Janeiro, RJ

JULIA DE CASTRO CORDEIRO
Residência Médica em Oncologia Clínica no
Instituto Nacional de Câncer (INCA/MS/RJ)
Médica-Assistente Oncologista do Oncologistas Associados
Oncologista do Hospital Federal de Ipanema – Rio de Janeiro, RJ

JULIA ROSAS
Residência Médica em Cirurgia Oncológica no
Instituto Nacional de Câncer (INCA/MS/RJ)

JULIANA BRAZ DE CASTILHO
Residência Médica em Cirurgia Oncológica no
Instituto Nacional de Câncer (INCA/MS/RJ)

JULIANA DE ALMEIDA FIGUEIREDO
Residência Médica em Cirurgia Oncológica no
Instituto Nacional de Câncer (INCA/MS/RJ)
Médica do Serviço de Ginecologia Oncológica do INCA
Membro da *International Gynecologic Cancer Society (IGCS)*

JULIANA DIAS NASCIMENTO FERREIRA
Residência Médica em Cirurgia Torácica no
Hospital Universitario (UFJF)
Chefe do Serviço de Cirurgia Torácica do
Hospital Therezinha de Jesus – Juiz de Fora, MG
Cirurgiã Torácica do Hospital Monte Sinai – Juiz de Fora, MG

JULIANA MONTEIRO RAMOS
Mestranda em Epidemiologia pela UERJ
Professora do Serviço de Ginecologia da
Faculdade de Medicina de Valença, RJ

JULIANA MURTEIRA ESTEVES SILVA
Residência Médica em Mastologia no
Instituto Nacional de Câncer (INCA/MS/RJ)
Residência Médica em Ginecologia e Obstetrícia no
Hospital Federal dos Servidores do Estado do Rio de Janeiro

JULIANA RIBEIRO DA COSTA LINO
Especialização em Endoscopia Digestiva em
Oncologia pelo Instituto Nacional de Câncer (INCA/MS/RJ)

JULIANA YOKO YONEDA
Pós-Graduanda da Faculdade de Ciências Médicas – Unicamp

JULIANE MUSACCHIO
Membro da Câmara Técnica de
Hematologia e Hemoterapia do Cremerj
Gerente de Hematologia da
COI – Clínicas Oncológicas Integradas, RJ
Mestrado em Clínica Médica com
Concentração em Hematologia pela UFRJ
Doutorado em Medicina pela UFRJ

JULIANO CARLOS SBALCHIERO
Residência Médica em Cirurgia Plástica no
Instituto Nacional de Câncer (INCA/MS/RJ)
Cirurgião do Serviço de Cirurgia Plástica e
Microcirurgia Reconstrutora do INCA

JULIANO NORONHA RIBEIRO
Residência Médica em Cirurgia Oncológica no
Instituto Nacional de Câncer (INCA/MS/RJ)

JULIANO RODRIGUES DA CUNHA
Residência Médica em Cirurgia Oncológica no
Instituto Nacional de Câncer (INCA/MS/RJ)
Membro Titular da Sociedade Brasileira de Cancerologia (TECA)
Titular da Sociedade Brasileira de Mastologia (TEMA)
Titular do Colégio Brasileiro de Cirurgiões (CBC)

KARINA OLIVEIRA FERREIRA
Residência Médica em Oncologia Clínica no
Instituto Nacional de Câncer (INCA/MS/RJ)
Oncologista Clínica do Hospital Universitário da
Universidade Federal de Sergipe
Diretora Clínica da Vitta do Centro de Oncologia – Aracaju, SE
Coordenadora do Serviço de Oncologia do Hospital São Lucas, SE

KÁTIA PÍTON SERRA
Mestrado em Tocoginecologia pela
Faculdade de Ciências Médicas – Unicamp

KIMBER RICHTER
PhD, Pesquisadora do Departamento de Medicina Preventiva e
Saúde Pública da Universidade de Kansas – EUA

KLECIUS LEITE FERNANDES
Residência Médica em Cirurgia de Cabeça e Pescoço no
Instituto Nacional de Câncer (INCA/MS/RJ)
Pós-Graduação em Cirurgia de Cabeça e Pescoço pela PUC-Rio
Membro Titular da Sociedade Brasileira de
Cirurgia de Cabeça e Pescoço (SBCCP)
Cirurgião de Cabeça e Pescoço Atuante em João Pessoa, PB

LARA A. BRANDÃO
Neurorradiologista-Chefe da Equipe Médica da
Clínica Felippe Mattoso – Barra da Tijuca, RJ
Neurorradiologista da Clínica IRM – Ressonância Magnética, RJ
Membro da *American Society of Neurorradiology*

LARISSA CALIXTO-LIMA
Nutricionista da Unidade de Cuidados Paliativos do
Instituto Nacional de Câncer (INCA/MS/RJ) – Hospital do Câncer IV
Residência em Nutrição Clínica no
Hospital Universitário Oswaldo Cruz (HUOC), PE
Especialização em Nutrição Clínica pelo
Instituto Brasileiro de Pós-Graduação e Extensão (IBPEX)
Nutricionista do Ambulatório 20 da Clínica Médica, Endocrinologia e
Nutrição, da Santa Casa da Misericórdia do Rio de Janeiro

LARISSA LIMA MARTINS UEMOTO
Residência Médica em Oncologia Pediátrica no
Instituto Nacional de Câncer (INCA/MS/RJ)
Médica da Pesquisa Clínica do Serviço de
Oncologia Pediátrica do INCA
Residência Médica em Pediatria pelo HMJ, RJ

LARISSA SILVA LEITÃO DARODA
Especialização em Microcirurgia Reconstrutora pelo
Instituto Nacional de Câncer (INCA/MS/RJ)
Membro Titular da Sociedade Brasileira de Cirurgia Plástica (SBCCP)
Mestrado pela Universidade Federal de Juiz de Fora (UFJF), MG
Médica do Hospital Universitário da
Universidade Federal de Juiz de Fora, MG

LEA MIRIAN BARBOSA DA FONSECA
Médica do Instituto Nacional de Câncer (INCA/MS/RJ) – 1981-1998
Chefe do Departamento de Radiologia da
Faculdade de Medicina da Universidade Federal do Rio de Janeiro
Professora Titular da Faculdade de Medicina da
Universidade Federal do Rio de Janeiro
Responsável pelos Serviços de Medicina Nuclear do
Hospital Samaritano e CDPI

LEANDRO GONÇALVES OLIVEIRA
Residência Médica em Oncologia Clínica no
Instituto Nacional de Câncer (INCA/MS/RJ)
Preceptor do Ambulatório de Oncologia da
Faculdade de Medicina PUC-Goiás
Oncologista Clínico do Instituto Goiano de
Oncologia e Hematologia (INGOH)

LEANDRO KOIFMAN
Chefe do Serviço de Urologia do Hospital Souza Aguiar/SMSDC/RJ
Médico do Serviço de Urologia do
Hospital Mário Kröeff – Rio de Janeiro, RJ
Pós-Graduando em Urologia Oncológica pelo
Instituto de Pós-Graduação Médica Carlos Chagas

LEANDRO RICARDO DE NAVARRO AMADO
Cirurgião do Grupo de Transplante de Fígado do
Hospital das Clínicas da UFMG e do Hospital Lifecenter – MG
Aluno da Pós-Graduação em Ciências Aplicadas à Cirurgia e à
Oftalmologia (Mestrado) da Faculdade de Medicina da UFMG

LEILA CHIMELLI
Neuropatologista da Divisão de Patologia do
Instituto Nacional de Câncer (INCA/MS/RJ)
Professora Titular de Patologia da Faculdade de Medicina da
Universidade Federal do Rio de Janeiro

LENILDO DE MOURA
Mestre e Doutorando em Epidemiologia pela UFRGS
Consultor Técnico da Coordenação Geral de Vigilância de Doenças e
Agravos Não Transmissíveis do Ministério da Saúde

LENILTON DA COSTA CAMPOS
Residência Médica em Radiologia e Diagnóstico por Imagem no
Instituto Nacional de Câncer (INCA/MS/RJ)
Membro Titular do Colégio Brasileiro de Radiologia (CBR)
Radiologista e Coordenador do
Programa de Residência Médica em Radiologia do
Hospital Universitário da Universidade Federal de Juiz de Fora (UFJF)
Radiologista da Clínica Cedimagem – Juiz de Fora, MG

LENUCE RIBEIRO AZIZ YDY
Residência Médica em Oncologia Cirúrgica no
Instituto Nacional de Câncer (INCA/MS/RJ)
Mestrado em Ciências da Saúde pela Faculdade de Medicina –
Universidade Federal de Mato Grosso (UFMT)
Doutoranda em Ciências da Saúde pela Faculdade de Medicina –
Universidade Federal de Mato Grosso (UFMT)
Residência Médica em Cirurgia Geral na
Universidade Federal de Mato Grosso (UFMT)

LEONARDO DE SOUSA SANTOS
Residência Médica em Cirurgia Oncológica no
Instituto Nacional de Câncer (INCA/MS/RJ)
Coordenador de Cirurgia de Partes Moles do
Instituto de Mastologia e Clínicas Associadas do
Distrito Federal (IMAC-DF)
Preceptor e Coordenador de Residência Médica em Cirurgia do
Hospital de Base de Brasília, DF

LEONARDO GUIMARÃES RANGEL
Residência Médica em Cirurgia de Cabeça e Pescoço no
Instituto Nacional de Câncer (INCA/MS/RJ)
Pós-Graduação em Cirurgia de Cabeça e Pescoço pela PUC-Rio
Cirurgião de Cabeça e Pescoço do Hospital Pedro Ernesto (UERJ)

LEONARDO PIRES FERREIRA
Residência Médica em Cirurgia Oncológica no
Instituto Nacional de Câncer (INCA/MS/RJ)
Cirurgião Oncológico da Unidade de Alta Complexidade em
Oncologia de Roraima – Boa Vista, RR
Professor Colaborador do Curso de Medicina da UFRR

LEONARDO SARDOU
Cirurgião do Hospital Municipal Souza Aguiar/SMSDC/RJ

LETÍCIA BARBOSA FRANÇA
Residência Médica em Oncologia Clínica no
Instituto Nacional de Câncer (INCA/MS/RJ)
Oncologista Clínica do Instituto de Tumores e Cuidados Paliativos de
Cuiabá – Hospital Geral Universitário (ITC)

LIANA NOBRE
Residência Médica em Onco-Pediatria na UNIFESP
Residência Médica em Pediatria no
Instituto de Pediatria e Puericultura Martagão Gesteira da
Universidade Federal do Rio de Janeiro (UFRJ/IPPMG/UFRJ)

LIANE MANSUR DE MELLO GONÇALVES PINHEIRO
Residência Médica em Oncologia Cirúrgica no
Instituto Nacional de Câncer (INCA/MS/RJ)
Mastologista do Serviço de Mastologia do INCA
Residência Médica em Cirurgia Geral no
Hospital Municipal Salgado Filho/SMSDC/RJ
Médica do Polo de Mama da Secretaria Municipal de Saúde

LÍLIAN D'ANTONINO FARONI
Residência Médica em Radioterapia no
Instituto Nacional de Câncer (INCA/MS/RJ)
Coordenadora do Programa de Residência Médica em
Radioterapia do INCA
Mestrado em Oncologia pelo INCA
Médica do Serviço de Oncologia da Rede D'Or – Rio de Janeiro, RJ

LISA MORIKAWA
Especialista em Radioterapia pelo Colégio Brasileiro de Radiologia (CBR)
Radioterapia Avançada pela *University of Texas –
MD Anderson Cancer Center-Houston* – EUA
Braquiterapia pelo *Memorial Sloan-Kettering Hospital* – Nova Iorque, EUA
Chefe do Departamento de Radioterapia do Grupo COI –
Clínicas Oncológicas Integradas, RJ

LIZELLE CORREIA
Residência Médica em Mastologia no
Instituto Nacional de Câncer (INCA/MS/RJ)
Residência Médica em Ginecologia na Faculdade de Medicina da UFRJ
Médica do Hospital Federal de Bonsucesso – Rio de Janeiro, RJ

LUCAS FEIJÓ PEREIRA
Residência Médica em Cirurgia Oncológica no
Instituto Nacional de Câncer (INCA/MS/RJ)
Cirurgião Oncológico do Hospital de
Caridade Astrogildo de Azevedo – Santa Maria, RJ
Cirurgião Oncológico do Hospital de Guarnição do
Exército de Santa Maria, RS

LUCIA CERQUEIRA GOMES
Graduação pela Universidade Federal Fluminense (UFF)
Residência Médica em Clínica Médica na
Universidade Federal do Rio de Janeiro (UFRJ)
Médica do Ambulatório de Cuidados Paliativos da
Universidade Federal Fluminense (UFF)

LUCIANA BRANDÃO PALMA JAVARONI
Residência Médica em Cirurgia Plástica no
Instituto Nacional de Câncer (INCA/MS/RJ)
Membro Especialista da Sociedade Brasileira de Cirurgia Plástica (SBCP)
Cirurgiã Plástica do Hospital Municipal Barata Ribeiro – Rio de Janeiro, RJ

LUCIANA CORREA DE ARAUJO ARCOVERDE
Residência Médica em Cirurgia de Cabeça e Pescoço no
Instituto Nacional de Câncer (INCA/MS/RJ)
Pós-Graduação em Cirurgia de Cabeça e Pescoço pela PUC-Rio
Cirurgiã de Cabeça e Pescoço Atuante em Recife, PE

LUCIANA COSTA SILVA
Professora-Assistente do Departamento de Anatomia e Imagem da
Faculdade de Medicina da UFMG
Aluna da Pós-Graduação em Ciências da Saúde do Adulto
(Doutorado) da Faculdade de Medicina da UFMG

LUCIANA JANDRE BOECHAT
Residência Médica em Mastologia no
Instituto Nacional de Câncer (INCA/MS/RJ)
Chefe da Seção de Mastologia do Hospital Central da Aeronáutica
Titular da Sociedade Brasileira de Mastologia (TEMA)
Titular da Federação Brasileira de Ginecologia e Obstetrícia (TEGO)

LÚCIO ANDRE NOLETO MAGALHÃES
Residência Médica em Cirurgia de Cabeça e Pescoço no
Instituto Nacional de Câncer (INCA/MS/RJ)
Pós-Graduação em Cirurgia de Cabeça e Pescoço pela PUC-Rio
Membro Titular da Sociedade Brasileira de
Cirurgia de Cabeça e Pescoço (SBCCP)
Cirurgião de Cabeça e Pescoço Atuante em Teresina, PI

LUÍS EDUARDO BARBALHO DE MELLO
Residência Médica em Cirurgia de Cabeça e Pescoço no
Instituto Nacional de Câncer (INCA/MS/RJ)
Residência Médica em Cirurgia Craniomaxilofacial no
Instituto Nacional de Traumatologia e Ortopedia (INTO/MS/RJ)
Pós-Graduação em Cirurgia de Cabeça e Pescoço pela PUC-Rio
Cirurgião de Cabeça e Pescoço Atuante em Natal, RN

LUIZ ALBERTO REIS MATTOS JÚNIOR
Residência Médica em Oncologia Clínica no
Instituto Nacional de Câncer (INCA/MS/RJ)
Mestrado em Oncologia pela Fundação Antônio Prudente –
Hospital A. C. Camargo – São Paulo, SP
Doutorando em Oncologia pela Universidade de São Paulo (USP)
Especialista pela Sociedade Brasileira de Cancerologia (SBC-AMB)

LUIZ AUGUSTO DE CASTRO FAGUNDES FILHO
Residência Médica em Cirurgia Oncológica no
Instituto Nacional de Câncer (INCA/MS/RJ)

LUIZ CARLOS VELHO SEVERO JR.
Residência Médica em Cirurgia Plástica no
Instituto Nacional de Câncer (INCA/MS/RJ)
Membro Associado da Sociedade Brasileira de Cirurgia Plástica (SBCP)

LUIZ DE SOUZA MACHADO NETO
Residência Médica em Medicina Nuclear no
Instituto Nacional de Câncer (INCA/MS/RJ)
Coordenador da Residência Médica de Medicina Nuclear do INCA
Especialista em Medicina Nuclear pelo
Colégio Brasileiro de Radiologia (CBR)/AMB

LUIZ FERNANDO NUNES
Residência Médica em Cirurgia Oncológica no
Instituto Nacional de Câncer (INCA/MS/RJ)
Médico da Seção de Tecido Ósseo e Conectivo do INCA

LUIZ GONZAGA PORTO PINHEIRO
Residência Médica em Oncologia Cirúrgica no
Instituto Nacional de Câncer (INCA/MS/RJ)
Professor-Associado do Departamento de Cirurgia da
Faculdade de Medicina da Universidade Federal do Ceará

LUIZ HENRIQUE DE LIMA ARAÚJO
Residência Médica em Oncologia Clínica no
Instituto Nacional de Câncer (INCA/MS/RJ)
Médico do Serviço de Oncologia Clínica do INCA
Mestrado em Oncologia pela Coordenação de
Pós-Graduação do INCA
Membro do Núcleo de Oncologia Torácica e do
Grupo de Tumores de Cabeça e Pescoço da COI –
Clínicas Oncológicas Integradas, RJ

LUIZ MATHIAS
Chefe do Serviço de Ginecologia Oncológica do
Instituto Nacional de Câncer (INCA/MS/RJ)

MAGDA CÔRTES RODRIGUES REZENDE
Residência Médica em Oncologia Clínica no
Instituto Nacional de Câncer (INCA/MS/RJ)
Presidente do Grupo Especial de Suporte Terapêutico
Oncológico (GESTO) – Associação que deu origem ao
Setor de Suporte Terapêutico Oncológico (STO), atual
Hospital do Câncer IV/INCA/MS/RJ
Conselheira da Fundação Ary Frauzino para
Pesquisa e Controle do Câncer –
Coordenadora da Administração Geral do INCA
Diretora da UNIC – Unidade de Cuidados

MAÍRA DE BARROS E SILVA BOTELHO
Residência Médica em Cirurgia de Cabeça e Pescoço no
Instituto Nacional de Câncer (INCA/MS/RJ)
Cirurgiã de Cabeça e Pescoço
Pós-Graduação em Cirurgia de Cabeça e Pescoço pela PUC-Rio

MANUELA JACOBSEN JUNQUEIRA
Residência Médica em Oncologia Cirúrgica no
Instituto Nacional de Câncer (INCA/MS/RJ)
Fellow em Mastologia Oncológica do
Memorial Sloan-Kettering Cancer Centre (MSKCC)

MARCELA BALARO
Residência Médica em Radiologia no
Instituto Nacional de Câncer (INCA/MS/RJ)
Radiologista da Clínica Luiz Felippe Mattoso
Revisora da Revista *European Radiology*
Médica-Perita Previdenciária

MARCELA CAETANO CAMMAROTA
Residência Médica em Cirurgia Plástica no
Instituto Nacional de Câncer (INCA/MS/RJ)
Membro Especialista da Sociedade Brasileira de Cirurgia Plástica

MARCELLE GULÃO PIMENTEL
Pós-Graduação em Serviço Social em Oncologia pelo
Instituto Nacional de Câncer (INCA/MS/RJ)
Assistente Social do INCA
Assistente Social Graduada pela Universidade Federal Fluminense (UFF)

MARCELO ADEODATO BELLO
Mastologista do Instituto Nacional de Câncer (INCA/MS/RJ)
Mastologista do Hospital Federal da Lagoa/MS/RJ
Mestrado em Saúde Pública pela Escola Nacional de Saúde Pública
Sérgio Arouca (ENSP/Fiocruz/MS)
Especialista em Mastologia (TEMA)

MARCELO ANTONINI
Mastologista do Hospital do Servidor Público Estadual
Francisco Morato de Oliveira – São Paulo, SP
Responsável pelo Ambulatório de Quimioterapia do
Setor de Patologia Mamária do Hospital do Servidor Público Estadual
Francisco Morato de Oliveira – São Paulo, SP

MARCELO BIASI CAVALCANTI
Residência Médica em Oncologia Cirúrgica no
Instituto Nacional de Câncer (INCA/MS/RJ)
Titular da Sociedade Brasileira de Cancerologia (SBC)
Titular da Sociedade Brasileira de Mastologia (SBM)
Titular do Colégio Brasileiro de Cirurgiões (CBC) – Cancerologia

MARCELO BRAGANÇA DOS REIS
Especialização em Cirurgia Oncológica do
Tecido Ósseo e Conectivo pelo
Instituto Nacional de Câncer (INCA/MS/RJ)
Residência Médica em Ortopedia e Traumatologia no HUCFF/UFRJ
Coordenador de Onco-Ortopedia do HUCFF/UFRJ
Membro da Comissão de Ensino e Treinamento da
Sociedade Brasileira de Ortopedia e Traumatologia (SBOT)/RJ

MARCELO CAMILO LELIS
Residência Médica em Mastologia no
Instituto Nacional de Câncer (INCA/MS/RJ)

MARCELO MOREIRA CARDOSO
Residência Médica em Cirurgia Plástica no
Instituto Nacional de Câncer (INCA/MS/RJ)
Médico do Serviço de Cirurgia Plástica e Microcirurgia do INCA
Médico do Serviço de Cirurgia Plástica do
Hospital Federal dos Servidores do Estado do Rio de Janeiro
Membro Titular da Sociedade Brasileira de Cirurgia Plástica (SBCP)

MARCIA TRINDADE SCHRAMM
Residência Médica em Pediatria no Hospital Universitário de Brasília –
Universidade de Brasília (UnB)
Hematologista Formada pelo
Instituto Nacional de Câncer (INCA/MS/RJ)
Médica do Serviço de Hematologia do INCA
Médica da Clínica Oncologistas Associados, RJ

MARCIA VALERIA DE CARVALHO MONTEIRO
Membro do Comitê de Ensino de Serviço Social do
Instituto Nacional de Câncer (INCA/MS/RJ)
Assistente Social do Serviço de
Oncologia Pediátrica e Hematologia Infantil
Assistente Social Graduada pela
Universidade Federal Fluminense (UFF)
Mestrado em Serviço Social pela
Pontifícia Universidade Católica (PUC-Rio)
Chefe do Serviço Social do Instituto Nacional de
Câncer (INCA/MS/RJ)

MARCIANO ANGHINONI
Residêndia Médica em Cirurgia Oncológica no
Instituto Nacional de Câncer (INCA/MS/RJ)
Titular da Sociedade Brasileira de Cirurgia Oncológica (SBCO)
Titular do Colégio Brasileiro de Cirurgiões (CBC)
Chefe do Serviço de Cirurgia Oncológica do UNACON –
Hospital São Vicente – Curitiba, PR

MARCIO BARACAT
Residência Médica em Cirurgia no Instituto Nacional de Câncer (INCA/MS/RJ)

MÁRCIO LEMBERG REISNER
Residência Médica em Radioterapia no
Instituto Nacional de Câncer (INCA/MS/RJ)
Doutorado em Medicina pela Universidade Federal do Rio de Janeiro
Médico-Rádio-Oncologista do Hospital Universitário
Clementino Fraga Filho (UFRJ)
Médico-Rádio-Oncologista do Grupo COI –
Clínicas Oncológicas Integradas, RJ

MARCO ANTÔNIO RICCI
Cirurgião Oncológico e Chefe do Departamento de
Cirurgia Pélvica na Fundação CECON – Manaus, Amazônia

MARCO ORSINI
Pesquisador em Processo de Pós-Doutorado
Mestrado em Medicina Preventiva pelo Departamento de Medicina da
Universidade Federal do Rio de Janeiro (UFRJ)
Doutorado em Medicina (Neurologia) pela
Universidade Federal Fluminense (UFF)
Professor Colaborador do Programa de Mestrado e Doutorado em
Neurologia pela Universidade Federal Fluminense (UFF)

MARCONI LUNA
Residência Médica em Oncologia Cirúrgica no
Instituto Nacional de Câncer (INCA/MS/RJ)
Doutorado em Radiologia pela Universidade Federal do Rio de Janeiro
Professor do Corpo Docente de Pós-Graduação em Mastologia da
Universidade Gama Filho e da CESANTA
Professor-Assistente do Curso de Especialização em
Cirurgia Plástica do Instituto de Pós-Graduação Médica Carlos Chagas

MARCOS DECNOP PINHEIRO
Radiologista do Instituto Nacional de Câncer (INCA/MS/RJ)
Radiologista do Hospital Federal dos
Servidores do Estado do Rio de Janeiro
Radiologista da Rede DASA – Diagnósticos da América
Membro Titular do Colégio Brasileiro de
Radiologia e Diagnóstico por Imagem

MARCOS DUARTE GUIMARÃES
Mestre e Doutorando em Oncologia pela
Fundação Antônio Prudente – São Paulo, SP
Titular do Departamento de Imagem do
Hospital A. C. Camargo – São Paulo, SP
Coordenador da Comissão de Oncologia do
Colégio Brasileiro de Radiologia (CBR)

MARCOS LUIZ BEZERRA JR.
Residência Médica em Radioterapia no
Instituto Nacional de Câncer (INCA/MS/RJ)
Radioterapeuta do Hospital do Câncer de Muriaé –
Fundação Cristiano Varella – Minas Gerais
Membro Titular da Sociedade Brasileira de Radioterapia (SBRT)
Membro da *American Society for Radiation Oncology (ASTRO)*

MARCOS TOBIAS-MACHADO
Doutorado em Hematologia pela Faculdade de Medicina da
Universidade de São Paulo
Médico-Assistente Responsável pelo Setor de Uro-Oncologia da
Faculdade de Medicina do ABC, SP

MARCOS VELOSO MOITINHO
Residência Médica em Oncologia Clínica no
Instituto Nacional de Câncer (INCA/MS/RJ)
Oncologista do INCA
Oncologista do Hospital Federal dos
Servidores do Estado do Rio de Janeiro
Oncologista da Oncoclínica – Centro de Tratamento Oncológico

MARCUS ANTONIO DE MELLO BORBA
Residência Médica em Cirurgia de Cabeça e Pescoço no
Instituto Nacional de Câncer (INCA/MS/RJ)
Cirurgião de Cabeça e Pescoço do
Hospital do Câncer Aristides Maltêz – Salvador, BA
Pós-Graduação em Cirurgia de Cabeça e Pescoço pela PUC-Rio
Membro Titular da Sociedade Brasileira de
Cirurgia de Cabeça e Pescoço (SBCCP)

MARCUS DA MATTA ABREU
Especialização em Cirurgia Torácica Oncológica pelo
Instituto Nacional de Câncer (INCA/MS/RJ)
Doutorando em Cirurgia Torácica pelo Instituto do Coração da
Faculdade de Medicina da Universidade de São Paulo
Cirurgião Torácico do Hospital Universitário da
Universidade Federal de Juiz de Fora (UFJF)

MARCUS VALADÃO
Residência Médica em Cirurgia Oncológica no
Instituto Nacional de Câncer (INCA/MS/RJ)
Cirurgião Oncológico do Serviço de Cirurgia Abdominopélvica do
Instituto Nacional de Câncer (INCA/MS/RJ)
Mestrado em Cirurgia pela Universidade Federal de São Paulo
Doutorado em Oncologia pelo INCA
Professor de Cirurgia da Universidade Federal do
Estado do Rio de Janeiro (UNIRIO)

MARIA ANNA PAES BARRETO SOARES BRANDÃO
Pós-Graduação em Neurocirurgia Pediátrica pelo
Instituto Fernandes Figueira
Neurocirurgiã Pediátrica do
Hospital Municipal Souza Aguiar/SMSDC/RJ
Neurocirurgiã Pediátrica do Hospital Federal de Bonsucesso –
Rio de Janeiro, RJ

MARIA APARECIDA FERREIRA
Residência Médica em Oncologia Cirúrgica no
Instituto Nacional de Câncer (INCA/MS/RJ)
Médica da Seção de Endoscopia Digestiva do HC I/INCA
Especialista em Endoscopia Digestiva pela
Sociedade Brasileira de Endoscopia Digestiva (SOBED/AMB)

MARIA CRISTINA MATEOTTI GERALDO
Residência Médica em Cirurgia de Cabeça e Pescoço no
Instituto Nacional de Câncer (INCA/MS/RJ)
Cirurgiã de Cabeça e Pescoço do
Hospital de Base de Brasília, DF
Pós-Graduação em Cirurgia de Cabeça e Pescoço pela PUC-Rio
Mestrado em Cirurgia de Cabeça e Pescoço pelo
Hospital A. C. Camargo – São Paulo, SP

MARIA DE FÁTIMA DIAS GAUI
Residência Médica em Oncologia Clínica no
Instituto Nacional de Câncer (INCA/MS/RJ)
Oncologista da Clínica CETHO
Oncologista Clínica do Hospital Federal dos
Servidores do Estado do Rio de Janeiro
Diretora Científica da Sociedade Brasileira de
Oncologia Clínica (SBOC), RJ

MARIA DE FÁTIMA GONÇALVES DOS SANTOS
Médica do Serviço de Mastologia do
Instituto Nacional de Câncer (INCA/MS/RJ) – 2006-2011
Médica do Serviço de Mastologia do IASERJ – 2002-2007
Membro da Sociedade Brasileira de Mastologia (SBM)

MARIA FERNANDA BARBOSA
Especialização em Farmácia Hospitalar em
Oncologia pelo Instituto Nacional de Câncer (INCA/MS/RJ)
Farmacêutica do INCA – Hospital do Câncer IV –
Unidade de Cuidados Paliativos
Mestrado em Saúde Pública pela ENSP/Fiocruz

MARIA HELENA ORNELLAS
Pesquisadora do Instituto Nacional de Câncer (INCA/MS/RJ) –
Até 2009
Professor-Associado da
Universidade do Estado do Rio de Janeiro
Mestrado em Medicina (Nefrologia) pela
Universidade do Estado do Rio de Janeiro
Doutorado em Patologia pela Universidade Federal Fluminense

MARIA HELENA PEREIRA FRANCO
Doutorado em Psicologia pela PUC-SP
Professora Titular da PUC-SP – Programa de
Estudos Pós-Graduados em Psicologia Clínica
Fundadora (1996) e Coordenadora do
Laboratório de Estudos e Intervenções sobre o
Luto (LELu) da PUC-SP
Secretária-Geral da Sociedade Brasileira de Psico-Oncologia (SBPO) –
2010-2013

MARIA INÊS PEREIRA DA SILVA VIANNA
Médica do Serviço de Anatomia Patológica do
Instituto Nacional de Câncer (INCA/MS/RJ)

MARIA INEZ PORDEUS GADELHA
Residência Médica em Oncologia no
Instituto Nacional de Câncer (INCA/MS/RJ)
Médica do serviço de Oncologia do INCA
Instituto Nacional de Câncer (INCA/MS/RJ)
MBA em Saúde pela Universidade Federal do Rio de Janeiro
Assessora e Diretora Substituta do Departamento de
Atenção Especializada da Secretaria de Atenção à Saúde do
Ministério da Saúde

MARIA IZABEL DIAS MIORIN DE MORAIS
Residência Médica em Oncologia Clínica no
Instituto Nacional de Câncer (INCA/MS/RJ)
Médica do INCA
Especialista em Oncologia Clínica pela SBC-SBOC
Professora Adjunta do Curso de Medicina da UNIG – Nova Iguaçu, RJ

MARIA JOSÉ ALVES
Residência Médica em Radioterapia no
Instituto Nacional de Câncer (INCA/MS/RJ)
Diretora do Departamento de Radioterapia do
Hospital do Servidor Público Estadual de São Paulo (IAMSPE)

MARIA JÚLIA KOVÁCS
Professora Livre-Docente do Instituto de Psicologia
Coordenadora do Laboratório de Estudos sobre a Morte

MARIA NAGIME BARROS COSTA
Residência Médica em Mastologia no
Instituto Nacional de Câncer (INCA/MS/RJ)
Mastologista do HEAA – Campos dos Goytacazes, RJ
Mastologista do Oncobeda – Campos dos Goytacazes, RJ

MARIA TERESA BUSTAMANTE-TEIXEIRA
Pesquisadora do Instituto Nacional de Câncer (INCA/MS/RJ)
Doutorado em Saúde Coletiva pela
Universidade do Estado do Rio de Janeiro
Coordenadora do Programa de Pós-Graduação em
Saúde Coletiva e do NATES/UFJF

MARIANA CHANTRE
Bióloga Temporária no Laboratório de Genética Aplicada do
Hospital do Câncer do Instituto Nacional de Câncer (INCA/MS/RJ)
Mestrado em Ciências Biológicas (Genética) pela
Universidade Federal do Rio de Janeiro
Doutoranda em Ciências Biológicas (Biofísica) pela
Universidade Federal do Rio de Janeiro

MARÍLIA FORNACIARI GRABOIS
Residência Médica em Oncologia Pediátrica no
Instituto Nacional de Câncer (INCA/MS/RJ)
Residência Médica em Oncologia Clínica no INCA
Mestrado em Saúde Coletiva Área de
Concentração Epidemiologia pela
Universidade Federal do Rio de Janeiro (UFRJ)
Doutorado em Epidemiologia da Saúde pela
Fundação Oswaldo Cruz – Escola Nacional de
Saúde Publica Sérgio Arouca, RJ

MARINA AZZI QUINTANILHA
Residência Médica em Cirurgia de Cabeça e Pescoço no
Instituto Nacional de Câncer (INCA/MS/RJ)
Cirurgiã de Cabeça e Pescoço do
Serviço do Hospital de Base de Brasília, DF
Pós-Graduação em Cirurgia de Cabeça e Pescoço pela PUC-Rio
Membro Titular da Sociedade Brasileira de
Cirurgia de Cabeça e Pescoço (SBCCP)

MARINA SEVILHA BALTHAZAR DOS SANTOS
Residência Médica em Oncologia Pediátrica no
Instituto Nacional de Câncer (INCA/MS/RJ)
Médica do INCA – Hospital do Câncer IV –
Unidade de Cuidados Paliativos
Especialização em Clínica da Dor do Hospital Sírio-Libanês, SP
Programa de Educação e Prática em Cuidados Paliativos pela
Universidade de Harvard

MÁRIO HENRIQUE MAGALHÃES BARROS
Residência Médica em Anatomia Patológica no
Instituto Nacional de Câncer (INCA/MS/RJ)
Mestrado em Oncologia pelo INCA
Doutorado em Oncologia pelo INCA
Pós-Doutorado em Patologia Molecular e Imunopatologia pela
Alexander von Humboldt Foundation e
Hospital Unfallkrankenhaus – Berlim, Alemanha

MÁRIO SERGIO LOMBA GALVÃO
Médico do Serviço de Microcirurgia Reconstrutiva do
Instituto Nacional de Câncer (INCA/MS/RJ)
Membro Titular da Sociedade Brasileira de Cirurgia Plástica (SBCP)
Member of British Association of Plastic,
Reconstructive and Aesthetic Surgeons
Member of the Royal Society of Medicine-Plastic Surgery Section

MARTÍN H. BONAMINO
Bacharelado em Ciências Biológicas na Modalidade Médica pela UFRJ
Doutorado em Química Biológica pelo
Instituto de Bioquímica Médica (UFRJ)
Pesquisador da Divisão de Medicina Experimental do
CPQ (INCA/MS/RJ)

MAURICIO MANSUR ZOGBI
Professor-Assistente da Escola Médica de Pós-Graduação em
Neurocirurgia da Pontifícia Universidade Católica, RJ
Neurocirurgião do Instituto de Neurocirurgia da
Santa Casa da Misericórdia do Rio de Janeiro
Neurocirurgião do Hospital Municipal Pedro II/SMSDC/RJ

MAURO MARQUES BARBOSA
Residência Médica em Cirurgia de Cabeça e Pescoço no
Instituto Nacional de Câncer (INCA/MS/RJ)
Médico do Serviço de Cabeça e Pescoço do INCA
Doutorado em Cirurgia de Cabeça e Pescoço pela FMUSP
Professor do Curso de Pós-Graduação em
Cirurgia de Cabeça e Pescoço pela PUC-Rio

MAURO MONTEIRO CORREIA
Residência Médica em Cirurgia Oncológica no
Instituto Nacional de Câncer (INCA/MS/RJ)
Cirurgião da Seção de Cirurgia Abdominopélvica do INCA
Coordenador do Grupo Hepatobiliar do INCA
Mestrado e Doutorado pela UFRJ
Pós-Doutorado pela *Wakefield Clinic* – Nova Iorque
Coordenador das Clínicas Cirúrgicas da UNIGRANRIO, RJ

MAURO ZAMBONI
Pneumologista do Serviço de Tórax e Coordenador do
Grupo Multidisciplinar de Oncologia Torácica do
Instituto Nacional de Câncer (INCA/MS/RJ)
Professor-Associado do Curso de
Especialização em Pneumologia (PUC-Rio)
Mestrado em Pneumologia pela
Universidade Federal Fluminense (UFF)

MAURO ZUKIN
Médico do Grupo de Oncologia Torácica do
Instituto Nacional de Câncer (INCA/MS/RJ)
Médico do Núcleo de Oncologia Torácica do Grupo COI – Clínicas
Oncológicas Integradas, RJ
NCI Canada Clinicals Trials Group
ASCO Lung Cancer Program Comitte

MAXIMILIANO RIBEIRO GUERRA
Residência Médica em Anatomia Patológica na
Universidade Federal de Juiz de Fora (UFJF)
Doutorado em Saúde Coletiva pelo Instituto de Medicina Social da
Universidade do Estado do Rio de Janeiro (IMS/UERJ)
Professor Adjunto do Departamento de Saúde Coletiva da
Faculdade de Medicina da UFJF
Pesquisador do Núcleo de Assessoria, Treinamento e
Estudos em Saúde (NATES) da UFJF

MELISSA QUIRINO SOUZA E SILVA
Residência Médica em Mastologia no
Instituto Nacional de Câncer (INCA/MS/RJ)
Residência Médica em Ginecologia e Obstetrícia no
Hospital Central da Polícia Militar do Rio de Janeiro (HCPM/RJ)
Mestranda em Saúde da Mulher e da Criança pelo
Instituto Fernandes Figueira (IFF/Fiocruz)

MICHEL PONTES CARNEIRO
Chefe da Seção de Medicina Nuclear do
Instituto Nacional de Câncer (INCA/MS/RJ)
Especialista em Medicina Nuclear pelo
Colégio Brasileiro de Radiologia (CBR)/AMB

MORGANA STELZER ROSSI
Residência Médica em Oncologia Clínica no
Instituto Nacional de Câncer (INCA/MS/RJ)

MUNIR MURAD JÚNIOR
Oncologista-Assistente do Serviço de Oncologia do
Hospital das Clínicas da Universidade Federal de Minas Gerais
Membro da Sociedade Brasileira de Oncologia (SBOC)

NÁDIA DIAS GRUEZO
Especialização em Nutrição Oncológica pelo
Instituto Nacional de Câncer (INCA/MS/RJ)
Mestrado em Saúde da Família pela UNESA/RJ
Nutricionista do Instituto de Cirurgia Oncológica e Digestiva do
Distrito Federal (ICOD)

NATHALIA GRIGOROVISK DE ALMEIDA
Residência Médica em Pediatria Oncológica no
Instituto Nacional de Câncer (INCA/MS/RJ)
Pós-Graduação em Genética e Transplante de Medula Óssea pelo CEMO
Residência Médica em Pediatria no Hospital Municipal Jesus (HMJ)

NELSON JABOUR FIOD
Residência Médica em Cirurgia Oncológica no
Instituto Nacional de Câncer (INCA/MS/RJ)
Médico da Seção de Tecido Ósseo e Conectivo do INCA

NELSON KOIFMAN
Médico-Especialista em Urologia do
Instituto Nacional de Câncer (INCA/MS/RJ)
Médico do Serviço de Urologia do
Hospital Mário Kröeff – Rio de Janeiro, RJ

NILSON SOARES PIRES DE MENDONÇA
Residência Médica em Oncologia Clínica no
Instituto Nacional de Câncer (INCA/MS/RJ)
Residência Médica em Clínica Médica no
Hospital Federal dos Servidores do Estado do Rio de Janeiro
Membro Titular da Sociedade Brasileira de Oncologia Clínica (SBOC)

NIVALDO BARROSO DE PINHO
Especialização em Nutrição Oncológica pela UERJ/INCA/MS/RJ
Chefe do Serviço de Nutrição do
Instituto Nacional de Câncer (HCI/INCA/MS/RJ)
Mestrado em Nutrição Humana pelo
Instituto Josué de Castro (UFRJ)

ODILON DE SOUZA FILHO
Residência Médica em Cirurgia Oncológica no
Instituto Nacional de Câncer (INCA/MS/RJ)
Cirurgião do Serviço de Cirurgia Abdominopélvica do INCA
Presidente e Membro Fundador da
Sociedade Brasileira de Cirurgia Oncológica (SBCO)

PATRICIA BREDER DE BARROS
Residência Médica em Cirurgia Plástica no
Instituto Nacional de Câncer (INCA/MS/RJ)
Membro Especialista da Sociedade Brasileira de
Cirurgia Plástica (SBCP)

PATRÍCIA CHAVES DE FREITAS CAMPOS JUCÁ
Residência Médica em Oncologia Cirúrgica no
Instituto Nacional de Câncer (INCA/MS/RJ)
Médica do Serviço de Mastologia do INCA

PATRÍCIA ISABEL BAHIA MENDES FREIRE
Residência Médica em Cirurgia Oncológica no
Instituto Nacional de Câncer (INCA/MS/RJ)
Médica do Serviço de Cirurgia Oncológica Abdominal e
Pélvica no Hospital Ophir Loyola – Belém, PA

PATRÍCIA RIBEIRO BRAGANÇA
Residência Médica em Cirurgia Oncológica no
Instituto Nacional de Câncer (INCA/MS/RJ)
Cirurgiã Oncológica do Hospital Evangélico de Vila Velha, ES

PAULA CUPERTINO
PhD e Pesquisadora do Departamento de Medicina Preventiva e
Saúde Pública da Universidade de Kansas, EUA

PAULA DE ALMEIDA MELO
Residência Médica em Radioterapia no
Instituto Nacional de Câncer (INCA/MS/RJ)
Chefe da Radioterapia do Hospital de São Marcos, Piauí

PAULO ALEXANDRE MORA
Residência Médica em Oncologia Clínica no
Instituto Nacional de Câncer (INCA/MS/RJ)
Médico do Serviço de Oncologia Clínica do INCA
Mestrado em Epidemiologia (Saúde Coletiva) pela
Universidade Federal do Rio de Janeiro (UFRJ)
Graduação em Medicina pela
Universidade Federal do Rio de Janeiro (UFRJ)

PAULO GABRIEL ANTUNES PESSOA
Médico do Serviço de Urologia do
Hospital Mário Kröeff – Rio de Janeiro, RJ
Pós-Graduando em Urologia Oncológica do
Instituto de Pós-Graduação Médica Carlos Chagas

PAULO HENRIQUE DE SOUSA FERNANDES
Residência Médica em Cirurgia Oncológica no
Instituto Nacional de Câncer (INCA/MS/RJ)
Segundo-Secretário da Sociedade Brasileira de
Cirurgia Oncológica (SBCO)
Vice-Mestre da Regional do Triângulo Mineiro do
Capítulo Mineiro do Colégio Brasileiro de Cirurgiões (CBC)
Fellow do American College of Surgeons

PAULO HENRIQUE ROSADO DE CASTRO
Residência Médica em Radiologia no
Instituto Nacional de Câncer (INCA/MS/RJ)
Doutorando em Medicina (Radiologia) pela
Universidade Federal do Rio de Janeiro (URFJ)

PAULO NIEMEYER FILHO
Membro da Academia Nacional de Medicina (ANM)
Professor Titular de Neurocirurgia da
Pontifícia Universidade Católica (PUC-Rio)
Diretor do Instituto de Neurocirurgia da
Santa Casa da Misericórdia do Rio de Janeiro

PAULO ORNELLAS
Extensão Universitária em Proteômica pelo
Instituto Nacional de Câncer (INCA/MS/RJ)
International Observership, Medicina Sperimentale,
Università degli Studi di Milano
Mestrando em Medicina (PGCM) da
Universidade do Estado do Rio de Janeiro

PAULO ROBERTO BOTICA DO RÊGO SANTOS
Residência Médica em Cirurgia Plástica no
Instituto Nacional de Câncer (INCA/MS/RJ)
Membro Titular da Sociedade Brasileira de Cirurgia Plástica (SBCP)
Médico do Serviço de Cirurgia Plástica do
Hospital Federal do Andaraí – Rio de Janeiro, RJ

PAULO SÉRGIO PERELSON
Residência Médica em Oncologia Clínica no
Instituto Nacional de Câncer (INCA/MS/RJ)
Oncologista Clínico da Clínica Oncotech, RJ

PEDRO AURÉLIO ORMONDE DO CARMO
Diretor do Hospital III do
Instituto Nacional de Câncer (INCA/MS/RJ)
Mestrado em Medicina pelo
Instituto Fernandes Figueira (IFF/Fiocruz)
Titular da Sociedade Brasileira de Mastologia (TEMA)
Titular do Colégio Brasileiro de Cirurgiões em Mastologia (CBC)

PEDRO BASILIO
Residência Médica no Instituto Nacional de Câncer (INCA/MS/RJ)
Diretor da Clínica de Saúde Intestinal
Presidente da Sociedade Brasileira de Cirurgia Oncológica (SBCO), RJ
Honorary Clinical Assistant of the Barths and Royal London Hospital
Fellow da Cleveland Clinic

PEDRO LUIS DE OLIVEIRA MEDEIROS
Residência Médica em Cirurgia de Cabeça e Pescoço no
Instituto Nacional de Câncer (INCA/MS/RJ)
Cirurgião de Cabeça e Pescoço do INCA
Professor do Curso de Pós-Graduação em
Cirurgia de Cabeça e Pescoço da PUC-Rio
Mestrado em Otorrinolaringologia pela UFRJ

PETER SOLTS ROSA
Pós-Graduando em Ginecologia Oncológica pela
Fundação Carlos Chagas no Serviço de Ginecologia Oncológica do
Hospital Mário Kröeff – Rio de Janeiro, RJ
Ginecologista do Hospital Federal do Andaraí – Rio de Janeiro, RJ

POLLYANNA D'ÁVILA LEITE
Residência Médica em Radioterapia no
Instituto Nacional de Câncer (INCA/MS/RJ)
Médica pela Universidade Federal do Amazonas

RACHELE MARINA SANTORO
Residência Médica em Radioterapia no
Instituto Nacional de Câncer (INCA/MS/RJ)
Médica do Serviço de Radioterapia do INCA
Membro Titular da Sociedade Brasileira de Mastologia e Radioterapia
Médica do Serviço de Radioterapia da
Universidade Federal do Rio de Janeiro (UFRJ)

RACHELE ZANCHET GRAZZIOTIN
Residência Médica em Radioterapia no
Instituto Nacional de Câncer (INCA/MS/RJ)
Radioterapeuta do Instituto Nacional de Câncer (INCA/MS/RJ)

RAFAEL DIAS DE ALMEIDA
Anestesiologista do Instituto Nacional de Câncer (TSA-SDA)

RAFAEL JOSÉ MESQUITA DRUMOND LOPES
Residência Médica em Cirurgia Oncológica em
Oncologia Cirúrgica no Instituto Nacional de Câncer (INCA/MS/RJ)
Residência Médica em Coloproctologia no Hospital Federal da Lagoa, RJ
Cirurgião da Central Estadual de Transplantes do
Estado do Rio de Janeiro
Cirurgião do Hospital Municipal Lourenço Jorge/SMSDC/RJ

RAFAEL OLIVEIRA ALBAGLI
Residência Médica em Cirurgia Oncológica no
Instituto Nacional de Câncer (INCA/MS/RJ)
Cirurgião da Seção de Cirurgia Abdominopélvica do INCA
Coordenador do Grupo de Pâncreas do INCA
Mestrando em Cirurgia pela UFRJ
Diretor da Seção Especializada de Cancerologia do
Colégio Brasileiro de Cirurgiões (CBC)

RAFAEL ZDANOWSKI
Residência Médica em Cirurgia de Cabeça e Pescoço no
Instituto Nacional de Câncer (INCA/MS/RJ)
Pós-Graduação em Cirurgia de Cabeça e Pescoço pela PUC-Rio
Membro Titular da Sociedade Brasileira de
Cirurgia de Cabeça e Pescoço (SBCCP)
Cirurgião de Cabeça e Pescoço do
Serviço do Hospital Federal da Lagoa/RJ

RAFAELA ASCENSO MEDEIROS
Residência Médica em Mastologia no
Instituto Nacional de Câncer (INCA/MS/RJ)
Residência Médica em Ginecologia e Obstetrícia no
Hospital Universitário Pedro Ernesto –
Universidade Estadual do Estado do Rio de Janeiro (UERJ)

RAFAELA BICALHO VIANA MACEDO
Médica do Serviço de Reumatologia da
Santa Casa de Belo Horizonte – Minas Gerais

RANUCE RIBEIRO AZIZ YDY
Residência Médica em Ginecologia e Obstetrícia na
Universidade Federal de Mato Grosso (UFMT)
Mestrado em Ciências da Saúde pela Faculdade de Medicina da
Universidade Federal de Mato Grosso (UFMT)
Professora da Universidade de Cuiabá (UNIC)
Professora da Faculdade de Ciências Biomédicas de Cacoal –
Rondônia (FACIMED)

REGINA COELI CLEMENTE FERNANDES ALONSO
Médica do Serviço de Ginecologia Oncológica do
Instituto Nacional de Câncer (INCA/MS/RJ)
Residência Médica em Ginecologia na Universidade do Rio de Janeiro
Pós-Graduação em Endocrinologia pela
Universidade do Rio de Janeiro
Pós-Graduação em Homeopatia pela Instituição
James Tyler Kent – Escola Kentiana do Rio de Janeiro

REGINA PASCHOALUCCI LIBERATO
Presidente da Sociedade Brasileira de Psico-Oncologia (SBPO)
Professora do Curso de Psico-Oncologia na Pós-Graduação da
Faculdade de Ciências Médicas de Minas Gerais (FCMMG)
Psicóloga com Certificação de Conhecimentos em
Psico-Oncologia concedida pela
Sociedade Brasileira de Psico-Oncologia (SBPO)
Coordenadora do Núcleo de Programas Multiprofissionais do
Instituto Oncoguia

REINALDO OTTERO JUSTINO JÚNIOR
Residência Médica em Radiologia e Diagnóstico por Imagem no
Hospital A. C. Camargo – São Paulo, SP
Membro Titular do Colégio Brasileiro de Radiologia (CBR)
Radiologista e Diretor do Setor de
Diagnóstico por Imagem dos Hospitais Dr. Beda e
Oncobeda – Campos dos Goytacazes, RJ

RENAN SERRANO RAMOS
Físico-Médico Titulado pela Associação Brasileira de Física Médica
(ABFM) e pelo Instituto Nacional de Câncer (INCA/MS/RJ)
Supervisor de Radioproteção da Oncologia D'Or – Rio de Janeiro, RJ

RENATA KANOMATA
Residência Médica em Cirurgia de Cabeça e Pescoço no
Instituto Nacional de Câncer (INCA/MS/RJ)
Pós-Graduação em Cirurgia de Cabeça e Pescoço pela PUC-Rio
Membro Titular da Sociedade Brasileira de
Cirurgia de Cabeça e Pescoço (SBCCP)
Cirurgiã de Cabeça e Pescoço do Hospital da Lagoa/RJ

RENATA QUINTELLA ZAMOLYI
Residência Médica em Anatomia Patológica no
Instituto Nacional de Câncer (INCA/MS/RJ)
Mestrado em Anatomia Patológica pela UFRJ
Patologista do Hospital Federal de Bonsucesso –
Rio de Janeiro, RJ
Patologista do Laboratório BGM – Nova Iguaçu, RJ

RENATA REIS PINTO
Médica do Serviço de Mastologia e Radiologia do
Instituto Nacional de Câncer (INCA/MS/RJ)
Membro Titular da Sociedade Brasileira de Mastologia (TEMA)
Mestrado em Ciências Médicas pela
Escola Paulista de Medicina (UNIFESP-EPM)
Titulo de Atuação em Mamografia e Radiologia Mamária
Intervencionista pelo Colégio Brasileiro de Radiologista (CBR)

RENATO ALMEIDA ROSA DE OLIVEIRA
Médico-Titular do Departamento de Cirurgia Pélvica do
Hospital A. C. Camargo – São Paulo, SP
Mestrado em Oncologia pela Fundação Antônio Prudente –
Hospital A. C. Camargo – São Paulo, SP

RENATO COSTA SOUSA
Cirurgião Gastroenterologista e Endoscopista
Coordenador de Enfermidades Benignas Gastrointestinais do
Instituto de Cirurgia Oncológica e Digestiva do
Distrito Federal (ICOD-DF)
Preceptor de Residência Médica em Cirurgia do
Hospital das Forças Armadas do HFA/Ministério da Defesa

RENATO MORATO ZANATTO
Residência Médica em Cirurgia Oncológica no
Instituto Nacional de Câncer (INCA/MS/RJ)
Cirurgião Oncológico do Departamento de Pele e Partes Moles do
Hospital Amaral Carvalho – Jahu, SP

RENATO MORETTI MARQUES
Doutorado em Medicina na Disciplina de
Ginecologia Oncológica pela UNIFESP-EPM
Coordenador do Serviço de Ginecologia Oncológica do
Hospital Regional do Vale do Paraíba – São Camilo – Taubaté, SP
Professor da Disciplina de Ginecologia e Obstetrícia da
Universidade de Taubaté, SP
Ginecologista, Oncologista e Laparoscopista do
Hospital do Coração – São Paulo, SP

RENATO SANTOS DE OLIVEIRA FILHO
Professor da Divisão de Cirurgia Plástica do
Departamento de Cirurgia da
Universidade Federal de São Paulo (UNIFESP – EPM)

RENÉ ALOISIO DA COSTA VIEIRA
Cirurgião Oncológico do Hospital A. C. Camargo – São Paulo, SP
Mestrado e Doutorado pela Faculdade de Medicina da
Universidade de São Paulo (FMUSP)
Titular do Departamento de Mastologia e Reconstrução Mamária do
Hospital de Câncer de Barretos, SP
Professor do Programa de Pós-Graduação em Oncologia do
Hospital de Câncer de Barretos e do Programa de Pesquisa e
Desenvolvimento – Biotecnologia Médica da
Faculdade de Medicina de Botucatu (UNESP)

RICARDO CAVALCANTE QUEIROGA
Residência Médica em Mastologia no
Instituto Nacional de Câncer (INCA/MS/RJ)
Membro da Sociedade Brasileira de Mastologia (SBM)

RICARDO DE ALMEIDA JR.
Médico do Serviço de Urologia do
Hospital Souza Aguiar/SMSDC/RJ
International Observership, Urologia Oncológica –
University of Texas MD Anderson Cancer Center
Pós-Graduando em Urologia Oncológica do
Instituto de Pós-Graduação Médica Carlos Chagas

RICARDO LOPES DA CRUZ
Residência Médica em Cirurgia de Cabeça e Pescoço no
Instituto Nacional de Câncer (INCA/MS/RJ)
Chefe do Serviço de Cirurgia Craniomaxilofacial do
Instituto Nacional de Traumatologia e Ortopedia (INTO/MS/RJ)
Membro Titular da Sociedade Brasileira de
Cirurgia de Cabeça e Pescoço (SBCCP)
Presidente da Sociedade Brasileira de Cirurgia Craniomaxilofacial

RICARDO MAI ROCHA
Residência Médica em Cirurgia de Cabeça e Pescoço no
Instituto Nacional de Câncer (INCA/MS/RJ)
Pós-Graduação em Cirurgia de Cabeça e Pescoço pela PUC-Rio
Membro Titular da Sociedade Brasileira de
Cirurgia de Cabeça e Pescoço (SBCCP)
Cirurgião de Cabeça e Pescoço Atuante em Vitória, ES

RICARDO SEBOLD BRANCO
Chefe do Serviço de Oncologia Clínica (UNACON) do
Hospital São Vicente – Curitiba, Paraná

RICARDO VIANNA DE CARVALHO
Residência Médica em Cirurgia Oncológica no
Instituto Nacional de Câncer (INCA/MS/RJ)
Chefe do Serviço de Cirurgia Pediátrica Oncológica do INCA
Observer Memorial Sloan Ketterin Cancer Center New York – MSKCC
Pós-Graduação Médica em Cirurgia Pediátrica pela
Pontifícia Universidade Católica (PUC-Rio)
MBA em Gerência de Saúde pela Fundação Getúlio Vargas (FGV)

RINALDO GONÇALVES
Residência Médica em Cirurgia Oncológica no
Instituto Nacional de Câncer (INCA/MS/RJ)
Cirurgião Oncológico do Serviço de
Cirurgia Abdominopélvica do
Instituto Nacional de Câncer (INCA/MS/RJ)

ROBERTA NOLASCO ROCHA
Pós-Graduação em Cirurgia Pediátrica Oncológica pelo
Instituto Nacional de Câncer (INCA/MS/RJ)
Residência Médica em Cirurgia Pediátrica no
Hospital Municipal Jesus (HMJ)
Residência Médica em Cirurgia Geral no
Hospital Municipal Orêncio de Freitas (HMOF)

ROBERTA WOLP DINIZ
Residência Médica e Médica do Serviço de Pesquisa Clínica em
Cancerologia do Institut Gustave Roussy – Paris, França
Fellow em Cancerologia e Radioterapia do
Hôpital Saint Louis – Paris, França
Mestranda em Saúde Coletiva pelo Núcleo de Assessoria,
Treinamento e Estudos em Saúde (NATES)
Faculdade de Medicina da Universidade Federal de Juiz de Fora
Membro da Sociedade Brasileira de Cancerologia (SBC) da
American Society of Clinical Oncology (ASCO) e da
European Society for Medical Oncology (ESMO)

ROBERTO ANDRÉ TORRES DE VASCONCELOS
Especialização em Clínica Oncológica do Tecido Ósseo e
Conectivo pelo Instituto Nacional de Câncer (INCA/MS/RJ)
Médico da Seção de Tecido Ósseo e Conectivo do INCA
Médico do Instituto Nacional de
Traumatologia e Ortopedia (INTO/MS/RJ)

ROBERTO DE ALMEIDA GIL
Residência Médica em Oncologia Clínica no
Hospital de Oncologia (HCIII/INCA/MS/RJ)
Oncologista do Instituto Nacional de Câncer (INCA/MS/RJ)
Coordenador da Residência Médica de Oncologia Clínica do INCA
Diretor Médico da Oncoclínica (Centro de Tratamento Oncológico), RJ

ROBERTO HELENO LOPES
Professor-Assistente de Clínica Médico-Cirúrgica da
Faculdade de Medicina de Juiz de Fora (FAME) – UNIPAC
Membro Titular da Sociedade Brasileira de Cancerologia (SBC)
Membro Titular da Sociedade Brasileira de Cirurgia Oncológica (SBCO)
Membro Titular da Sociedade Brasileira de Videocirurgia (SOBRACIL)

RODOLFO CHEDID
Residência Médica em Cirurgia Plástica no
Instituto Nacional de Câncer (INCA/MS/RJ)

RODRIGO AIRES DE MORAIS
Residência Médica em Anatomia Patológica no
Instituto Nacional de Câncer (INCA/MS/RJ)
Especialista em Patologia pela
Sociedade Brasileira de Patologia (SBP) –
Associação Médica Brasileira (AMB)
Médico do Instituto Federal de Educação,
Ciência e Tecnologia Fluminense

RODRIGO BARETTA
Residência Médica em Cirurgia Oncológica no
Instituto Nacional de Câncer (INCA/MS/RJ)
Especialização em Cirurgia Oncológica Torácica pelo INCA
Especialização em Cirurgia Oncológica Abdominopélvica pelo INCA

RODRIGO BRILHANTE DE FARIAS
Residência Médica em Mastologia no
Instituto Nacional de Câncer (INCA/MS/RJ)
Residência Médica em Cirurgia Geral no
Hospital dos Servidores do Estado de Pernambuco (HSE), PE

RODRIGO DIENSTMANN
Oncologista da Unidade de Investigação em
Terapia Molecular do Hospital Vall d'Hebron – Barcelona, Espanha

RODRIGO EBOLI DA COSTA
Residência Médica em Cirurgia Oncológica no
Instituto Nacional de Câncer (INCA/MS/RJ)
Especialização em Cuidados Paliativos pelo INCA
Médico do Grupo de Cuidados Paliativos do HCRP/FMRP/SP e do
Grupo de Cuidados Paliativos da Unilar/Unimed – Ribeirão Preto, SP

RODRIGO FURTADO SILVA
Residência Médica em Oncologia Clínica no
Instituto Nacional de Câncer (INCA/MS/RJ)
Médico do Serviço de Oncologia Clínica do INCA

RODRIGO MOTTA DE CARVALHO
Residência Médica em Oncologia Cirúrgica no
Instituto Nacional de Câncer (INCA/MS/RJ)
Chefe do Serviço de Mastologia do INCA
Especialista em Mastologia (TEMA)

RODRIGO MOURA DE ARAUJO
Residência Médica em Oncologia Clínica no
Instituto Nacional de Câncer (INCA/MS/RJ)
Oncologista Clínico do INCA
Médico do Setor de Pesquisa do INCA (HCIII)

RODRIGO NASCIMENTO PINHEIRO
Residência Médica em Cirurgia Oncológica no
Instituto Nacional de Câncer (INCA/MS/RJ)
Preceptor de Residência Médica em Cirurgia do
Hospital das Forças Armadas – HFA/Ministério da Defesa
Coordenador de Cirurgia Abdominal do
Instituto de Mastologia e Clínicas Associadas do
Distrito Federal (IMAC-DF)
Titular da Sociedade Brasileira de Cirurgia Oncológica (SBCO)

RODRIGO OTAVIO DE CASTRO ARAÚJO
Residência Médica em Cirurgia Oncológica no
Instituto Nacional de Câncer (INCA/MS/RJ)
Cirurgião Oncológico do Instituto Nacional de Câncer (INCA/MS/RJ)

ROMEU FERREIRA DARODA
Médico-Assistente do Hospital Universitário da
Universidade Federal de Juiz de Fora (UFJF), MG
Membro Titular da Sociedade Brasileira de Cirurgia Plástica (SBCP)

ROMULO VICTOR DA SILVA MARTINS
Residência Médica em Mastologia no
Instituto Nacional de Câncer (INCA/MS/RJ)
Ginecologista e Mastologista do
Hospital do Centro de Ciência e Tecnologia Aeroespacial (DCTA) da
Força Aérea Brasileira (FAB) – São José dos Campos, SP
Especialista em Mastologia pela
Sociedade Brasileira de Mastologia (SBM)

RONALDO CAVALIERI VARGES FILHO
Residência Médica em Radioterapia no
Instituto Nacional de Câncer (INCA/MS/RJ)
Research Fellow em Radioterapia – East Carolina University – NC, USA
Membro da Sociedade Brasileira de Radioterapia (SBRT)
Radioterapeuta das Clínicas Oncológicas Integradas (COI), RJ

ROSÂNGELA MARIA DE CASTRO CUNHA
Mestrado e Doutorado em Doenças Infecciosas e Parasitárias pela
UFRJ – UNIFESP
Professora-Associada da Disciplina de
Doenças Infecciosas e Parasitárias da Faculdade de Medicina da
Universidade Federal de Juiz de Fora (UFJF)
Infectologista Coordenadora do Serviço de
Controle de Infecção Hospitalar do Instituto Oncológico do
Hospital 9 de Julho de Juiz de Fora – MG

RUBENS CHOJNIAK
Chefe do Departamento de Imagem do
Hospital A. C. Camargo – São Paulo, SP
Mestrado e Doutorado em Oncologia pela
Fundação Antônio Prudente – São Paulo, SP

SABRINA ROSSI PEREZ CHAGAS
Oncologista Clínica do
Instituto Nacional de Câncer (INCA/MS/RJ)
Médica-Assistente do Hospital Universitário Pedro Ernesto
Oncologista Clínica da Oncoclínica
(Centro de Tratamento Oncológico), RJ

SALETE DE JESUS FONSECA REGO
Residência Médica em Radiologia no
Instituto Nacional de Câncer (INCA/MS/RJ)
Doutorado pela Universidade de São Paulo (USP)
Pós-Doutorado pela Universidade Martin Luther – Halle, Alemanha
Radiologista da Secretaria Municipal de Saúde e
Defesa Civil do Rio de Janeiro

SAMUEL DE BIASI CORDEIRO
Cirurgião do Serviço de Tórax do
Instituto Nacional de Câncer (INCA/MS/RJ)
Professor-Associado de Cirurgia Torácica (UFF)
Doutorado em Cirurgia Torácica (UFRJ)

SANDRA MARIA MOURA DE SOUZA
Residência Médica em Cirurgia Oncológica no
Instituto Nacional de Câncer (INCA/MS/RJ)
Membro Titular do Colégio Brasileiro de Cirurgiões (CBC)
Fellow do *Istituto di Tumori di Milano* – Milão, Itália
Médica do Hospital de Câncer de Pernambuco

SANDRA MARQUES SILVA GIOIA
Residência Médica em Cirurgia Oncológica no
Instituto Nacional de Câncer (INCA/MS/RJ)
Cirurgiã do Serviço de Mastologia do INCA no HCIII
Cirurgiã do Serviço de Mastologia do
Hospital São Vicente de Paulo – Rio de Janeiro, RJ
Médica do Hospital Mário Kröeff – Rio de Janeiro, RJ
Titular da Sociedade Brasileira de Mastologia (SBM)

SANDRO LUIZ SAYÃO PRIOR
Residência Médica em Mastologia no
Hospital Mário Kröeff – Rio de Janeiro, RJ
Médico-Mastologista do Hospital Mário Kröeff (ABAC)

SÉRGIO ALEXANDRE DE ALMEIDA DOS REIS
Residência Médica em Cirurgia Oncológica no
Instituto Nacional de Câncer (INCA/MS/RJ)
Cirurgião Oncológico do INCA
Membro Titular da
Sociedade Brasileira de Cirurgia Oncológica (SBCO)
Professor da Disciplina de Clínica Cirúrgica do Curso de Medicina da
Escola de Medicina da Fundação Souza Marques

SÉRGIO BERTOLACE DE MAGALHÃES
Residência Médica em Cirurgia Oncológica no
Instituto Nacional de Câncer (INCA/MS/RJ)
Especialização em Cirurgia Oncológica Torácica (UFF/INCA)
Cirurgião da Seção de Cirurgia Abdominopélvica do INCA
Membro Titular do Colégio Brasileiro de Cirurgiões (CBC)

SÉRGIO CALZAVARA
Residência Médica em Oncologia Clínica no
Instituto Nacional de Câncer (INCA/MS/RJ)
Chefe do Departamento de Quimioterapia do
Instituto Oncológico do Hospital 9 de Julho, SP
Diretor Clínico do Instituto Oncológico do Hospital 9 de Julho, SP

SERGIO DE OLIVEIRA MONTEIRO
Mastologista do Instituto Nacional de Câncer (INCA/MS/RJ)
Coordenador do Programa de Residência Médica em
Mastologia do INCA
Residência Médica em Mastologia no Hospital Mário Kröeff (ABAC)

SÉRGIO FERREIRA JUAÇABA
Residência Médica em Oncologia Cirúrgica no
Instituto Nacional de Câncer (INCA/MS/RJ)
Doutorado em Cancerologia pela Universidade de Oxford, Inglaterra
Diretor-Geral do Hospital Haroldo Juaçaba –
Instituto do Câncer do Ceará
Especialista em Mastologia (TEMA)

SILVIANE VASSALO
Reumatologista do Hospital Universitário da
Universidade Federal de Juiz de Fora – MG
Membro Titular da Sociedade Brasileira de Reumatologia (SBR)
Especialista em Reumatologia pela
Sociedade Brasileira de Reumatologia (SBR)
Reumatologista da Clínica Reumatocenter – Juiz de Fora, MG

SIMA ESTHER FERMAN
Chefe do Serviço de Oncologia Pediátrica do
Instituto Nacional de Câncer (INCA/MS/RJ)
Título de Especialista em Oncologia Pediátrica pela
Sociedade Brasileira de Oncologia Pediátrica (SOBOPE)
Doutorado em Pediatria pela
Faculdade de Medicina da Universidade de São Paulo (USP)
Membro da *International Society of Paediatric Oncology (SIOP)*
Membro da Sociedade Brasileira de Oncologia Pediátrica (SOBOPE)
Membro da American Society of Hematology (ASH)

SIMONE DE OLIVEIRA COELHO
Pós-Graduação em Cirurgia Pediátrica Oncológica pelo
Instituto Nacional de Câncer (INCA/MS/RJ)
Mestrado em Ciências Médicas pela
Universidade Federal do Rio de Janeiro (UFRJ)
Membro Titular da Sociedade Brasileira de Cirurgia Pediátrica (CIPE)
Membro Titular do Colégio Brasileiro de Cirurgiões (CBC)

SIMONE GREGORY
Coordenadora da Universidade de Tratamento Intensivo do
Instituto Nacional de Câncer (INCA/MS/RJ)
Membro da Comissão de Hemostasia e Trombose do INCA
Especialista em Terapia Intensiva Pediátrica pela
Associação de Medicina Intensiva Brasileira (AMIB)
Título de Pediatria pela Sociedade Brasileira de Pediatria (SBP)

SIMONE GUARALDI
Residência Médica em Cirurgia Oncológica no
Instituto Nacional de Câncer (INCA/MS/RJ)
Médica da Seção de Endoscopia do INCA (HCI/INCA)

SOLANGE MARIA DINIZ BIZZO
Residência Médica em Cirurgia Oncológica no
Instituto Nacional de Câncer (INCA/MS/RJ)
Médica do Serviço de Ginecologia Oncológica do INCA
Mestrado em Cirurgia Abdominopélvica pela
Faculdade de Medicina da Universidade Federal do Rio de Janeiro
Doutorado em Ciências Médicas pela Faculdade de Ciências Médicas da
Universidade Estadual do Rio de Janeiro

SYLVIO DE VASCONCELLOS E SILVA NETO
Residência Médica em Cirurgia de Cabeça e Pescoço no
Instituto Nacional de Câncer (INCA/MS/RJ)
Pós-Graduação em Cirurgia de Cabeça e Pescoço pela PUC-Rio
Membro Titular da Sociedade Brasileira de
Cirurgia de Cabeça e Pescoço (SBCCP)
Cirurgião de Cabeça e Pescoço do
Hospital Real Português de Beneficência de Pernambuco

TÂNIA CARLA DE MENEZES CORTEZ
Residência Médica em Anestesiologia no
Instituto Nacional de Câncer (INCA/MS/RJ)
Preceptora da Residência Médica em Anestesiologia do INCA
Preceptora da Residência Médica em Anestesiologia do
Hospital Municipal Salgado Filho/SMSDC/RJ

TARSO MAGNO LEITE RIBEIRO
Residência Médica em Clínica Médica na
Santa Casa de Misericórdia de Juiz de Fora, MG
Médico

TATIANA FONSECA ALVARENGA
Residência Médica em Patologia no
Instituto Nacional de Câncer (INCA/MS/RJ)

TATIANE DA SILVA CAMPOS
Enfermeira da Fundação IMEPEN –
Centro Hiperdia de Juiz de Fora, MG

TATYENE MEHRER DE OLIVEIRA BRUGGER
Residência Médica em Oncologia Clínica na
UNIRIO – Rio de Janeiro, RJ
Membro Titular da Sociedade Brasileira de Oncologia Clínica (SBOC)
Residência Médica em Clínica Médica na
Santa Casa de Misericórdia de Juiz de Fora, MG
Diretora-Clínica da Clínica Solus – Juiz de Fora, MG

TELMA CAROLINA RITTER DE GREGÓRIO
Residência Médica em Cirurgia Plástica no
Instituto Nacional de Câncer (INCA/MS/RJ)
Membro Associado da Sociedade Brasileira de Cirurgia Plástica (SBCP)

TELMO ALVES JUSTO
Residência Médica em Cirurgia Oncológica no
Instituto Nacional de Câncer (INCA/MS/RJ)
Responsável Técnico pelo Serviço de Cirurgia Oncológica do
Instituto Oncológico de Juiz de Fora, MG

TERENCE PIRES DE FARIAS
Residência Médica em Cirurgia de Cabeça e Pescoço no
Instituto Nacional de Câncer (INCA/MS/RJ)
Médico do Serviço de Cabeça e Pescoço do INCA
Mestrado e Doutorado em Oncologia pelo INCA
Professor do Curso de Pós-Graduação em
Cirurgia de Cabeça e Pescoço da PUC-Rio

TERESA CRISTINA DA SILVA DOS REIS
Residência Médica em Cirurgia Oncológica no
Instituto Nacional de Câncer (INCA/MS/RJ)
Chefe da Divisão Técnico-Assistencial do Hospital do Câncer IV
Médica do INCA – Hospital do Câncer IV –
Unidade de Cuidados Paliativos

TERESINHA CARVALHO DA FONSECA
Residência Médica em Anatomia Patológica no
Instituto Nacional de Câncer (INCA/MS/RJ)
Médica da Divisão de Patologia do INCA
Pós-Graduação em Anatomia Patológica Oncológica pela
Universidade Federal Fluminense (UFF)
Mestrado em Anatomia Patológica pela
Universidade Federal Fluminense (UFF)

THAIS AGNESE LANNES
Residência Médica em Mastologia no
Instituto Nacional de Câncer (INCA/MS/RJ)

THAIS EMANUELE RIBEIRO ESCALEIRA
Residência Médica em Pneumologia na
Universidade Estadual do Rio de Janeiro (UERJ)
Especialista em Pneumologia pela
Sociedade Brasileira de Pneumologia e Tisiologia (SBPT)
Especialista em Imunologia e Alergia pela
Sociedade Brasileira de Alergia e Imunologia (SBAI)

THALITA COSTA BONATES
Residência Médica em Cirurgia Oncológica no
Instituto Nacional de Câncer (INCA/MS/RJ)
Médica do Serviço de Ginecologia Oncológica do INCA
Médica do Serviço de Ginecologia Oncológica do
Hospital Mário Kröeff – Rio de Janeiro, RJ

THIAGO BRITO
Coloproctologista da Clínica de Saúde Intestinal
Coloproctologista do CBERJ

TOMÁS REINERT
Residente de Oncologia do
Instituto Nacional de Câncer (INCA/MS/RJ)

UIRÁ LUIZ DE MELO SALES MARMHOUD COURY
Residência Médica em Cirurgia de Cabeça e Pescoço no
Instituto Nacional de Câncer (INCA/MS/RJ)
Pós-Graduação em Cirurgia de Cabeça e Pescoço pela PUC-Rio

ULLYANOV BEZERRA TOSCANO DE MENDONÇA
Residência Médica em Cirurgia de Cabeça e Pescoço no
Instituto Nacional de Câncer (INCA/MS/RJ)
Médico do Serviço de Cabeça e Pescoço do INCA
Coordenadora do Programa de Residência Médica em
Cirurgia de Cabeça e Pescoço do INCA
Professor do Curso de Pós-Graduação em
Cirurgia de Cabeça e Pescoço da PUC-Rio

VALDILENE SIMÕES CARDOSO
Residência Médica em Cirurgia Oncológica no
Instituto Nacional de Câncer (INCA/MS/RJ)
Cirurgiã Oncológica do Instituto Nacional de
Câncer (HCI/INCA/MS/RJ)
Cirurgiã Oncológica do Hospital
São Vicente de Paulo – Rio de Janeiro, RJ
Membro Titular da Sociedade Brasileira de Cirurgia Oncológica (SBCO)
Membro Titular do Colégio Brasileiro de Cirurgiões (CBC)
Membro Fundador do Capítulo Brasileiro da
International Hepato-Pancreato-Biliary Association

VALTER ALVARENGA
Residência Médica em Cirurgia Oncológica no
Instituto Nacional de Câncer (INCA/MS/RJ)
Cirurgião Oncológico do INCA
Cirurgião do Serviço de Cirurgia Geral e Oncológica do
Hospital São Vicente de Paulo – Rio de Janeiro, RJ

VANESSA SANDIM
Pesquisadora do Projeto de Secretoma do Câncer de Rim e Pênis no
Laboratório de Genética Aplicada do
Instituto Nacional de Câncer (INCA/MS/RJ)
Mestrado em Ciências Médicas pela
Universidade do Estado do Rio de Janeiro
Doutorando em Química Biológica pela
Universidade Federal do Rio de Janeiro

VERA APARECIDA SADDI
Professora do Departamento de Medicina e do
Programa de Mestrado em Genética da
Pontifícia Universidade Católica de Goiás – Goiânia, GO
Coordenadora do Laboratório de Transplante de Medula Óssea do
Hospital Araújo Jorge (Associação de Combate ao Câncer em Goiás)

VICENTE AUGUSTO DE CARVALHO
Psiquiatra, Psicoterapeuta e Psico-Oncologista pela
Sociedade Brasileira de Psico-Oncologia (SBPO)
Presidente da SBPO no Biênio 2000

VITOR VARGAS ZAMPIERI DE AZEVEDO
Residência Médica em Cirurgia Oncológica no
Instituto Nacional de Câncer (INCA/MS/RJ)
Médico Oncologista da Sociedade Beneficência de
Campos/Estado do Rio de Janeiro
Médico do Hospital Escola Álvaro Alvim –
Campos/Estado do Rio de Janeiro

VIVIANE ANGELINA DE SOUZA
Mestrado em Saúde Brasileira pela
Universidade Federal de Juiz de Fora (UFJF)
Coordenadora do Programa de Residência Médica em
Reumatologia do Hospital Universitário da
Universidade Federal de Juiz de Fora (UFJF)
Membro Titular da Sociedade Brasileira de Reumatologia (SBR)
Reumatologista da Reumatocenter – Juiz de Fora, MG

VIVIANE DIAS RODRIGUES
Especialização em Nutrição Oncológica pelo
Instituto Nacional de Câncer (INCA/MS/RJ)
Nutricionista Clínica do HCI/INCA

VIVIANE REZENDE DE OLIVEIRA
Residência Médica em Cirurgia Oncológica no
Instituto Nacional de Câncer (INCA/MS/RJ)
Coordenadora de Ginecologia Oncológica do
Instituto de Mastologia e Clínicas Associadas do
Distrito Federal (IMAC-DF)
Preceptora de Residência Médica em Ginecologia do
Hospital Universitário de Brasília (HUB/UNB)

WALBER DE MATOS JUREMA
Residência Médica em Cirurgia de Cabeça e Pescoço no
Instituto Nacional de Câncer (INCA/MS/RJ)
Médico do Serviço de Cabeça e Pescoço do INCA
Professor do Curso de Pós-Graduação em
Cirurgia de Cabeça e Pescoço da PUC-Rio
Membro Titular da Sociedade Brasileira de
Cirurgia de Cabeça e Pescoço (SBCCP)

WALTER MEOHAS
Médico da Seção de Tecido Ósseo e Conectivo do
Instituto Nacional de Câncer (INCA/MS/RJ)
Mestrado em Ortopedia pela UFRJ
Chefe do Centro de Oncologia Ortopédica do
Instituto Nacional de Traumatologia e Ortopedia (INTO/MS/RJ)

WILMAR JOSÉ MANOEL
Médico do Departamento de Medicina e do
Programa de Mestrado em Genética da
Pontifícia Universidade Católica de Goiás – Goiânia, GO

YARA FARIAS DE MATTOS
Residência Médica no Hospital de Oncologia (HCII/INCA/MS/RJ)
Mestrado em Medicina na Área de Tocoginecologia da
Universidade de Pernambuco
Professora Auxiliar em Ciências Morfológicas da
Universidade de Pernambuco
Mastologista do Hospital Barão de Lucena (SUS/PE)

YUNG BRUNO DE MELLO GONZAGA
Residência Médica em Hematologia no
Instituto Nacional de Câncer (INCA/MS/RJ)
Coordenador do Programa de Residência Médica em
Hematologia/Hemoterapia do INCA
Médico do Serviço de Hematologia do INCA
Médico do Serviço de Clínica Médica do
Hospital Federal de Bonsucesso – Rio de Janeiro, RJ

Sumário

VOLUME 1

PARTE I
PRINCÍPIOS GERAIS

1 Epidemiologia do Câncer 3
Maria Teresa Bustamante-Teixeira ■ Maximiliano Ribeiro Guerra

2 Políticas de Saúde em Oncologia no Brasil 13
Maria Inez Pordeus Gadelha ■ Lenildo de Moura
Deborah Carvalho Malta

3 Aspectos Éticos da Prática Oncológica 21
Jane Rocha Duarte Cintra ■ Roberta Wolp Diniz
Maximiliano Ribeiro Guerra ■ Daniela de Oliveira Werneck Rodrigues

4 Fatores de Risco 29
Maria Izabel Dias Miorin de Morais ■ Emídio Souza de Luca

5 Tabagismo 37
Erica Cruvinel ■ Paula Cupertino ■ Kimber Richter
Tatiane da Silva Campos ■ Alexandre Ferreira Oliveira

6 Biologia Molecular em Oncologia 43
Lenuce Ribeiro Aziz Ydy ■ Amilcar Sabino Damazo
Eduardo Dicke ■ Ranuce Ribeiro Aziz Ydy

7 Citogenética 53
José Cláudio Casali da Rocha

8 Patologia no Câncer – Imuno-Histoquímica 57
Mário Henrique Magalhães Barros

9 Patologia no Câncer – Exame por Congelação/Exame Peroperatório 71
Renata Quintella Zamolyi

10 Marcadores Tumorais 77
Frederico de Castro Escaleira ■ Tarso Magno Leite Ribeiro
Andressa Nunes Starling Vieira ■ Thais Emanuele Ribeiro Escaleira
Viviane Angelina de Souza ■ Alexandre Ferreira Oliveira

11 Síndromes Paraneoplásicas 83
Christiane Maria Meurer Alves ■ Tatyene Mehrer de Oliveira Brugger
Adriana de Souza Sérgio Ferreira ■ Viviane Angelina de Souza
Nilson Soares Pires de Mendonça ■ Antônio Scafuto Scotton

12 Tratamento Endoscópico do Câncer Gastrointestinal 91

12-1 Tratamento Endoscópico do Câncer Gastrointestinal Superficial (Esôfago, Estômago, Colo e Reto) 91
Maria Aparecida Ferreira

12-2 Próteses Autoexpansíveis no Tratamento do Câncer de Esôfago 100
Gustavo Francisco de Souza e Mello ■ Gilberto Reynaldo Mansur

12-3 Próteses Metálicas Autoexpansíveis Gastroduodenais 105
Juliana Ribeiro da Costa Lino ■ Ana Carolina Maron Ayres
Gustavo Francisco de Souza e Mello ■ Gilberto Reynaldo Mansur

12-4 Próteses Metálicas Autoexpansíveis Colorretais 107
Ana Carolina Maron Ayres ■ Juliana Ribeiro da Costa Lino
Gustavo Francisco de Souza e Mello ■ Gilberto Reynaldo Mansur

13 Ecoendoscopia na Prática Oncológica 109
Simone Guaraldi

14 Nutrição em Oncologia – Abordagem Nutricional nos Principais Tumores em Indivíduos Adultos 141
Nádia Dias Gruezo ■ Nivaldo Barroso de Pinho
Viviane Dias Rodrigues

15 Princípios de Oncologia Clínica 149
Ana Paula Ornellas de Souza Victorino
Fernando Meton de Alencar Camara Vieira

16 Princípios de Radioterapia 157
Guilherme Rocha Melo Gondim ■ Márcio Lemberg Reisner
Igor Migowski Rocha dos Santos ■ Lisa Morikawa

17 Princípios de Cirurgia Oncológica 161
Frederico Augustus Martins de Resende ■ Roberto Heleno Lopes
João Baptista de Paula Fraga ■ Antônio Carlos Rodrigues do Nascimento
Alexandre Ferreira Oliveira

18 Videocirurgia no Tratamento Oncológico 169
Roberto Heleno Lopes ■ Agner Alexandre Moreira
Bruno Roberto Braga Azevedo ■ Breno Dauster Pereira e Silva

19 Citorredução e Químio-Hipertermia Intraperitoneal (HIPEC) ... 189
Odilon de Souza Filho ■ Sergio Bertolace de Magalhães
Haroldo José Siqueira da Igreja Júnior

20 Hemicorporectomia 201
Gustavo Cardoso Guimarães ■ Renato Almeida Rosa de Oliveira
Marco Antônio Ricci ■ Ademar Lopes

21 Princípios de Microcirurgia Reconstrutora 207
Rodolfo Chedid ■ Juliano Carlos Sbalchiero

22 Anestesia em Oncologia 215
Bruno Luís de Castro Araújo ■ Fábio Gerke Martins
Daniele Theobald ■ Alfredo Guilherme Haack Couto

23 Implicações Peroperatórias no Paciente Oncológico ... 221
Rafael Dias de Almeida

24 Formação do Cirurgião Oncológico, a Habilitação como Fator de Prognóstico 225
Odilon de Souza Filho ■ Rafael Oliveira Albagli
Sergio Bertolace de Magalhães

25 Emergências Oncológicas Cirúrgicas 229
Sérgio Alexandre de Almeida dos Reis
Carlos Augusto Martinez Marins ■ Lizelle Correia

26 Emergências Oncológicas 235
 Paulo Sérgio Perelson ■ Eduardo Jorge Ferreira de Medeiros
 Fernando Adão Moreira ■ Bruno Pinheiro Costa

27 Drogas Modificadoras da Doença Reumática, Imunobiológicos e Neoplasia 243
 Viviane Angelina de Souza ■ Adriana Maria Kakehasi
 Rafaela Bicalho Viana Macedo ■ Silviane Vassalo

28 Psico-Oncologia 247

 28-1 Psico-Oncologia – Definições e Área de Atuação 248
  Vicente Augusto de Carvalho

 28-2 Transtornos Psiquiátricos em Pacientes com Câncer . 250
  Vicente Augusto de Carvalho

 28-3 A Morte com Dignidade 259
  Maria Júlia Kovács

 28-4 A Família como Paciente em Psico-Oncologia 262
  Maria Helena Pereira Franco

 28-5 Cuidando de Quem Cuida 264
  Regina Paschoalucci Liberato

29 Infecções no Paciente Oncológico 269
 Rosângela Maria de Castro Cunha

PARTE II
RADIOLOGIA E DIAGNÓSTICO POR IMAGEM

30 Fundamentos do Diagnóstico por Imagem em Oncologia .. 279
 André Noronha Arvellos

31 Rastreamento do Câncer pelos Métodos de Imagem 285
 Alexandre Calabria da Fonte ■ Marcela Balaro
 Lenilton da Costa Campos ■ Ellyete de Oliveira Canella

32 Imagem Funcional em Oncologia 295
 André Figueiredo Brelinger ■ Rubens Chojniak
 Marcos Duarte Guimarães ■ André Noronha Arvellos

33 Avaliação da Resposta Tumoral pelos Métodos de Imagem 301
 André Noronha Arvellos ■ Reinaldo Ottero Justino Júnior

34 PET/TC em Oncologia 305
 Michel Pontes Carneiro ■ Luiz de Souza Machado Neto

35 Radiologia Intervencionista em Oncologia 313
 José Hugo Mendes Luz ■ Henrique Salas Martin
 Hugo Rodrigues Gouveia ■ Amarino Carvalho de Oliveira Jr.

PARTE III
TECIDO ÓSSEO E CONECTIVO

36 Câncer de Pele Não Melanoma 329
 Flávio Henrique Pereira Conte ■ Nelson Jabour Fiod
 Daniel de Carvalho Zuza

37 Melanoma 345
 Luiz Fernando Nunes ■ José Francisco Neto Rezende
 Gelcio Luiz Quintella Mendes

38 Sarcomas de Partes Moles 355
 Roberto André Torres de Vasconcelos

 38-1 Introdução e Epidemiologia 355
  Audrey Tieko Tsunoda ■ João Soares Nunes

 38-2 Patologia 359
  Adriano de Carvalho Nascimento
  Ana Karla Araújo Cavalcanti de Albuquerque
  Ana Lucia Amaral Eisenberg ■ Maria Inês Pereira da Silva Vianna

 38-3 Biópsias de Sarcoma de Partes Moles 367
  Luiz Augusto de Castro Fagundes Filho
  Ana Luiza Miranda Cardona Machado

 38-4 Tratamento Cirúrgico 371
  Jadson Murilo Silva Reis

 38-5 Tratamento Clínico e Radioterápico 375
  Frederico Arthur Pereira Nunes ■ Lílian d'Antonino Faroni

39 Tumores Ósseos Malignos 379
 Marcelo Bragança dos Reis ■ Walter Meohas
 Ana Cristina de Sá Lopes

PARTE IV
CIRURGIA DE CABEÇA E PESCOÇO

40 Melanoma Cutâneo em Cirurgia de Cabeça e Pescoço 395
 Ana Carolina Pastl Pontes ■ Terence Pires de Farias
 Fernando Luiz Dias ■ Marcus Antonio de Mello Borba
 André Leonardo de Castro Costa ■ Bruno Albuquerque de Sousa

41 Tumores Cutâneos Malignos Não Melanoma 405
 Ana Carolina Pastl Pontes ■ Terence Pires de Farias ■ Fernando Luiz Dias
 Marina Azzi Quintanilha ■ Lúcio Andre Noleto Magalhães
 Ricardo Mai Rocha

42 Tumores Cutâneos pouco Frequentes 413
 Ana Carolina Pastl Pontes ■ Terence Pires de Farias
 Bruno Albuquerque de Sousa
 Dênio José de Souza Bispo ■ Gabriel Manfro ■ Fernando José Pinto de Paiva

43 Câncer de Tireoide 417
 Dório José Coelho da Silva ■ Lúcio Andre Noleto Magalhães
 Ricardo Mai Rocha ■ Mauro Marques Barbosa ■ Fernando Luiz Dias
 Uirá Luiz de Melo Sales Marmhoud Coury

44 Câncer de Boca 429
 André Leonardo de Castro Costa ■ Marcus Antonio de Mello Borba
 Terence Pires de Farias ■ Fernando Luiz Dias
 Mauro Marques Barbosa ■ Ana Carolina Pastl Pontes

45 Tumores Ósseos Odontogênicos 445
 Fernando José Pinto de Paiva ■ Luís Eduardo Barbalho de Mello
 Ricardo Lopes da Cruz ■ Terence Pires de Farias ■ Fernando Luiz Dias
 Uirá Luiz de Melo Sales Marmhoud Coury

46 Tumores Ósseos Não Odontogênicos – Tumores Malignos . . 463
Fernando José Pinto de Paiva ■ *Luís Eduardo Barbalho de Mello*
Terence Pires de Farias ■ *Walber de Matos Jurema*
Maíra de Barros e Silva Botelho ■ *Ricardo Lopes da Cruz*

47 Tumores Ósseos Não Odontogênicos – Tumores Benignos . . 471
Luís Eduardo Barbalho de Mello ■ *Fernando José Pinto de Paiva*
Terence Pires de Farias ■ *Ullyanov Bezerra Toscano de Mendonça*
Gledson Andrade Santos ■ *Ricardo Lopes da Cruz*

48 Câncer de Glândula Salivar 481
Luciana Correa de Araujo Arcoverde ■ *Rafael Zdanowski*
Terence Pires de Farias ■ *Fernando Luiz Dias* ■ *Jacob Kligerman*
Gledson Andrade Santos ■ *Ana Carolina Pastl Pontes*

49 Câncer de Orofaringe 493
Fatima Cristina Maria de Matos ■ *Sylvio de Vasconcellos e Silva Neto*
Bartolomeu Cavalcanti de Melo Junior ■ *Jacob Kligerman*
Fernando Luiz Dias ■ *Ana Carolina Pastl Pontes*

50 Câncer de Laringe 499
André Leonardo de Castro Costa ■ *Marcus Antonio de Mello Borba*
Emilson de Queiroz Freitas ■ *Terence Pires de Farias* ■ *Fernando Luiz Dias*

51 Câncer de Hipofaringe 511
Gabriel Manfro ■ *Terence Pires de Farias* ■ *Fernando José Pinto de Paiva*
Ana Carolina Pastl Pontes ■ *Luís Eduardo Barbalho de Mello*
Luciana Correa de Araujo Arcoverde

52 Câncer de Nasofaringe 521
Gledson Andrade Santos ■ *Renata Kanomata*
Terence Pires de Farias ■ *Ana Carolina Pastl Pontes*
Ana Luísa Chaves Lago ■ *Dório José Coelho da Silva*

53 Órbita e Globo Ocular 529
Ana Carolina Pastl Pontes ■ *Terence Pires de Farias* ■ *Izabella Costa Santos*
Bruno Albuquerque de Sousa ■ *Gledson Andrade Santos*
Marina Azzi Quintanilha

54 Câncer da Orelha e do Osso Temporal 539
Uirá Luiz de Melo Sales Marmhoud Coury ■ *Bruno Albuquerque de Sousa*
Terence Pires de Farias ■ *Ana Carolina Pastl Pontes*
Dênio José de Souza Bispo ■ *Luciana Correa de Araujo Arcoverde*

55 Tumores da Base do Crânio 549
Maria Cristina Mateotti Geraldo ■ *Pedro Luis de Oliveira Medeiros*
Terence Pires de Farias ■ *Fernando Luiz Dias*
Ana Carolina Pastl Pontes ■ *Maíra de Barros e Silva Botelho*

56 Sarcomas de Cabeça e Pescoço 559
Guilherme Duque Silva ■ *Bernardo Cacciari Periassú*
Terence Pires de Farias ■ *Leonardo Guimarães Rangel*
Maíra de Barros e Silva Botelho ■ *Fernando Luiz Dias*

57 Sarcomas na Infância 571
Ana Carolina Pastl Pontes ■ *Terence Pires de Farias*
Dênio José de Souza Bispo ■ *Maíra de Barros e Silva Botelho*
Uirá Luiz de Melo Sales Marmhoud Coury ■ *José Roberto Vasconcelos Podestá*

58 Esvaziamento Cervical 577
Marina Azzi Quintanilha ■ *Terence Pires de Farias* ■ *Jacob Kligerman*
Fernando Luiz Dias ■ *Luís Eduardo Barbalho de Mello*
Mauro Marques Barbosa

59 Traqueostomias e Cricotireoidostomias 585
Klecius Leite Fernandes ■ *Fernando Luiz Dias* ■ *José Roberto Soares Neto*
Terence Pires de Farias ■ *Uirá Luiz de Melo Sales Marmhoud Coury*
Gledson Andrade Santos ■ *Bruno Albuquerque de Sousa*

60 Preservação de Órgão em Câncer de Cabeça e Pescoço . . 595
Luiz Henrique de Lima Araújo ■ *Ronaldo Cavalieri Varges Filho*
Terence Pires de Farias ■ *Fernando Luiz Dias*
Ana Carolina Pastl Pontes ■ *Luís Eduardo Barbalho de Mello*

61 Reconstrução de Cabeça e Pescoço 601
Darlen Rodrigues Vieira ■ *Larissa Silva Leitão Daroda*
Romeu Ferreira Daroda ■ *Mário Sergio Lomba Galvão*
Terence Pires de Farias ■ *Ana Carolina Pastl Pontes*

PARTE V
ONCOLOGIA TORÁCICA

SEÇÃO I
CÂNCER DO PULMÃO

62 Epidemiologia 621
Mauro Zamboni

63 Biologia Molecular 625
Carlos Gil Ferreira ■ *Cinthya Sternberg* ■ *Luiz Henrique de Lima Araújo*

64 Diagnóstico e Estadiamento 633

64-1 Quadro Clínico, Diagnóstico e Estadiamento 633
Mauro Zamboni ■ *Deborah Cordeiro Lannes*
Andreia Salarini Monteiro

64-2 Estadiamento por Imagem do Câncer do Pulmão 646
Marcos Decnop Pinheiro

64-3 Avaliação Pré-Operatória para Ressecção Pulmonar . 650
Andreia Salarini Monteiro ■ *Mauro Zamboni* ■ *Cristina Cantarino*

65 Tratamento 655

65-1 Tratamento Cirúrgico do Carcinoma Pulmonar 655
Fernando Vannucci

65-2 Quimioterapia no Câncer do Pulmão 680
Clarissa Seródio da Rocha Baldotto ■ *Mauro Zukin*

65-3 Câncer do Pulmão – Radioterapia 683
Célia Maria Pais Viégas ■ *Heloisa de Andrade Carvalho*
Lílian d'Antonino Faroni ■ *Renan Serrano Ramos*
Carlos Manoel Mendonça de Araújo

66 Condições Especiais 691

66-1 Tumor de Pancoast 691
Marcus da Matta Abreu ■ *João Paulo Vieira*

66-2 Síndrome de Compressão da Veia Cava Superior 695
Samuel de Biasi Cordeiro ■ *Jorge Soares Lyra*

66-3 Câncer Pulmonar de
Células Não Pequenas Oligometastático 699
Aureliano Mota Cavalcanti de Sousa

67 Câncer Pulmonar de Células Pequenas 703
Luiz Henrique de Lima Araújo ■ *Rodrigo Dienstmann*

SEÇÃO II
NEOPLASIAS DO MEDIASTINO

68 Neoplasias do Timo 707
Heron Andrade ■ *Gustavo Lucas Loureiro*

69 Neoplasias de Células Germinativas do Mediastino 717
Leandro Gonçalves Oliveira ■ *Fábio Affonso Peixoto*

70 Tumores Neurogênicos 721
João Paulo Vieira ■ *Marcus da Matta Abreu*

SEÇÃO III
NEOPLASIAS DA PAREDE TORÁCICA

71 Tumores de Parede Torácica 725
Felipe Braga ■ *Bernardo Giuseppe Agoglia*

SEÇÃO IV
NEOPLASIAS PLEURAIS E PERICÁRDICAS

72 Mesotelioma Pleural Maligno 733
   Anderson Fontes ■ Andersen Charles Daros

73 Derrame Pleural Neoplásico 743
   Anderson Fontes

74 Derrame Pericárdico Maligno 749
   Emanuel Bastos Torquato ■ Jorge Soares Lyra

SEÇÃO V
METÁSTASE PULMONAR

75 Tratamento Cirúrgico das Metástases Pulmonares 755
   Fernando Vannucci

SEÇÃO VI
TUMORES DA TRAQUEIA

76 Tumores da Traqueia 769
   Marcus da Matta Abreu ■ Juliana Dias Nascimento Ferreira

PARTE VI
SISTEMA DIGESTÓRIO E RETROPERITÔNIO

77 Câncer do Esôfago 775
   Carlos Eduardo Pinto ■ Daniel Fernandes ■ Antonio Carlos Accetta
   Herbert Ives Barretto Almeida ■ Renato Morato Zanatto

78 Adenocarcinoma da Junção Esofagogástrica 785
   Carlos Eduardo Pinto ■ Antonio Carlos Accetta ■ Daniel Fernandes
   Roberto de Almeida Gil ■ Rafael José Mesquita Drumond Lopes

79 Câncer do Estômago 795
   Antonio Carlos Accetta ■ Fernando Meton de Alencar Camara Vieira
   Carlos Eduardo Pinto ■ Sérgio Bertolace de Magalhães

80 GIST – *Gastrointestinal Stromal Tumor* 809
   Marcus Valadão ■ Eduardo Linhares ■ Rinaldo Gonçalves

81 Tumores do Intestino Delgado 813
   Rodrigo Nascimento Pinheiro ■ Renato Costa Sousa
   Daniel Damas de Matos ■ Leonardo de Sousa Santos

82 Câncer de Cólon 819
   Pedro Basilio ■ Thiago Brito ■ Ilana Grosman
   Daniel Henchenhorn ■ Cristiano Guedes Duque

83 Câncer do Reto 833
   Marciano Anghinoni ■ Ricardo Sebold Branco
   Bruno Azevedo ■ Henrique Balloni

84 Estomaterapia em Oncologia 861
   Alcione A. Linhares

85 Câncer de Canal Anal 877
   Fabio Kanomata ■ Carmencita Sanches Lang
   José Humberto Simões Correa ■ Carlos Henrique Marques dos Santos

86 Carcinoma Hepatocelular 883
   Denise Bandeira Rodrigues ■ Gilberto Almeida Silva Junior
   Daniel Fernandes ■ Carlos Eduardo Rodrigues Santos
   Mauro Monteiro Correia ■ Valdilene Simões Cardoso

87 Tratamento das Metástases Hepáticas de Origem Colorretal .. 891
   Rodrigo Otavio de Castro Araújo ■ Carlos Eduardo Rodrigues Santos
   Mauro Monteiro Correia ■ José Paulo de Jesus

88 Metástases Hepáticas de Origem Não Colorretal 901
   Cibele de Aquino Barbosa ■ Mauro Monteiro Correia

89 Câncer da Vesícula Biliar 905
   Rodrigo Baretta ■ Mauro Monteiro Correia
   Carlos Eduardo Rodrigues Santos ■ José Paulo de Jesus
   Paulo Henrique de Sousa Fernandes

90 Colangiocarcinoma 913
   Valter Alvarenga ■ Mauro Monteiro Correia
   Carlos Eduardo Rodrigues Santos ■ José Paulo de Jesus

91 Hepatectomia Videolaparoscópica 923
   Marcio Baracat ■ Mauro Monteiro Correia ■ Jônatas Teixeira Santos

92 Adenocarcinoma Pancreático 929
   Rafael Oliveira Albagli ■ Julia Rosas
   Audrey Tieko Tsunoda ■ Gustavo Santos Stoduto de Carvalho

93 Tumores Periampulares 943
   Mauro Monteiro Correia ■ Bruno de Ávila Vidigal
   Sérgio Alexandre de Almeida dos Reis ■ Marco Orsini

94 Tumores Neuroendócrinos do
   Trato Gastroenteropancreático 959
   Eduardo Linhares ■ Marcus Valadão ■ Rinaldo Gonçalves
   Arnaldo Marques ■ Leonardo Sardou ■ Daniel Cesar

95 Sarcomas Primários do Retroperitônio 967
   Carlos Eduardo Rodrigues Santos ■ Mauro Monteiro Correia

96 Neoplasias da Glândula Suprarrenal 971
   Janina Ferreira Loureiro Huguenin ■ José Paulo de Jesus

97 Transplante Hepático em Oncologia 977
   Agnaldo Soares Lima ■ Leandro Ricardo de Navarro Amado
   Luciana Costa Silva

Índice Remissivo I-1

VOLUME 2

PARTE VII
MASTOLOGIA

SEÇÃO I
FUNDAMENTOS DA ONCOLOGIA MAMÁRIA

98 Carcinogênese Mamária 985
Alexander Mol Papa ■ André Márcio Murad
Munir Murad Júnior ■ Cristina Barbosa Leite Pirfo

99 Biologia Molecular do Câncer de Mama 989
Sabrina Rossi Perez Chagas ■ Carlos Augusto Vasconcelos de Andrade

100 Biologia Molecular das Metástases 995
Martín H. Bonamino ■ Cinthya Sternberg

101 Genética e Câncer de Mama 1001
Vera Aparecida Saddi ■ Wilmar José Manoel
Antonio Marcio Cordeiro Teodoro Silva

102 Valores dos Marcadores Tumorais no Câncer de Mama 1005
Glauber Moreira Leitão ■ Luiz Alberto Reis Mattos Júnior

103 Estadiamento do Câncer de Mama 1009
Carlos Renato Martins da Silva ■ Marcelo Camilo Lelis
Sergio de Oliveira Monteiro

SEÇÃO II
DOENÇA PRÉ-INVASIVA

104 Lesões Precursoras do Câncer de Mama 1015
Luciana Jandre Boechat ■ Eric Silveira Ito ■ Marcelo Antonini
Joaquim Teodoro de Araujo Neto ■ Floriano Pardo Calvo

105 Tratamento das Lesões Pré-Invasivas 1019
Rafaela Ascenso Medeiros ■ Ricardo Cavalcante Queiroga
Flávia Luz Felício ■ Jorge Luis Nogueira Saraiva

SEÇÃO III
MÉTODOS DIAGNÓSTICOS POR IMAGEM

106 Mamografia 1025
Ellyete de Oliveira Canella

107 Ultrassonografia nas Lesões Mamárias 1035
Carlos Eduardo Ramalho Barros ■ Jader Cronemberger Oliveira

108 Ressonância Magnética de Mama 1045
Salete de Jesus Fonseca Rego

109 Classificação do Bi-Rads em Mamografia, Ultrassonografia e Ressonância Magnética 1063
Marconi Luna ■ Andrea Petrelli
Ellyete de Oliveira Canella ■ Cristiano Luna

- **109-1** Mamografia 1063
- **109-2** Ultrassonografia 1069
- **109-3** Ressonância Magnética 1079

110 PET-Scan e Mama 1087
Flávia Paiva Proença Lobo Lopes ■ Paulo Henrique Rosado de Castro
Lea Mirian Barbosa da Fonseca

111 Valor da Cintilografia no Câncer de Mama 1091
Paulo Henrique Rosado de Castro ■ Flávia Paiva Proença Lobo Lopes
Lea Mirian Barbosa da Fonseca

SEÇÃO IV
ABORDAGEM DAS LESÕES MAMÁRIAS

112 Lesões Palpáveis 1095
Juliana de Almeida Figueiredo ■ Flávio Henrique Pereira Conte
Maria Nagime Barros Costa ■ Euridice Maria de Almeida Figueiredo

113 Punção Aspirativa por Agulha Fina, Core Biópsia e Mamotomia Guiados por Ultrassonografia e Mamografia . 1105
Marcela Balaro ■ Clara Fernanda Aguiar Gomes
Fabíola Procaci Kestelman

114 Procedimentos Invasivos Guiados por Ressonância Magnética – Marcação Pré-Cirúrgica e Biópsias de Fragmento 1107
Gabriela Martins ■ Fabíola Procaci Kestelman

SEÇÃO V
MANEJO NAS LESÕES NÃO INVASIVAS DA MAMA

115 Carcinomas *In Situ* da Mama 1115
Diego Trabulsi Lima ■ Danielle Orlandi Gomes
Jorge Henrique Gomes de Matos ■ Pedro Aurélio Ormonde do Carmo

116 Carcinoma Microinvasor de Mama 1123
Sandra Marques Silva Gioia ■ Fernanda Maria Braga Marinho
Humberto Carvalho Carneiro ■ Tatiana Fonseca Alvarenga

SEÇÃO VI
CARCINOMA INVASIVO DA MAMA

117 Carcinoma Ductal Infiltrante 1127
Emanuelle Narciso Alvarez ■ Rodrigo Brilhante de Farias
Renata Reis Pinto

118 Carcinoma Lobular Infiltrante 1131
Danielle Orlandi Gomes ■ Diego Trabulsi Lima ■ Marcelo Adeodato Bello

119 Doença de Paget da Mama 1133
Rodrigo Brilhante de Farias ■ Marcelo Adeodato Bello

120 Carcinoma Inflamatório da Mama 1137
Fabiana Tonellotto ■ Carlos Ricardo Chagas
Maria de Fátima Gonçalves dos Santos

121 Câncer de Mama em Pacientes Jovens 1141
Manuela Jacobsen Junqueira ■ Joyce Christina Ribeiro de Souza

122 Câncer de Mama em Pacientes Idosas 1151
Andréa Discaciati de Miranda ■ Romulo Victor da Silva Martins

123 Câncer de Mama Associado à Gravidez 1163
Melissa Quirino Souza e Silva ■ Sérgio Ferreira Juaçaba
Josmara Ximenes Andrade Furtado

124 Multicentricidade e Multifocalidade no Câncer de Mama . 1167
Liane Mansur de Mello Gonçalves Pinheiro
Maria Nagime Barros Costa ■ Juliana de Almeida Figueiredo

SEÇÃO VII
TRATAMENTO CIRÚRGICO DO CÂNCER DE MAMA

125 Tratamento Cirúrgico Conservador do Câncer de Mama . . 1171
Antonio Fortes de Pádua Filho ■ Dilon Pinheiro Oliveira
Eid Gonçalves Coêlho ■ José Carlos de Oliveira Gomes

126 Tratamento Cirúrgico Radical do Câncer de Mama....... 1179
Thais Agnese Lannes ■ *Sandro Luiz Sayão Prior* ■ *Rodrigo Motta de Carvalho*

127 Tratamento Cirúrgico do Câncer de
Mama Localmente Avançado 1181
Emanuelle Narciso Alvarez ■ *Rodrigo Brilhante de Farias*
Patrícia Chaves de Freitas Campos Jucá ■ *Gabriela Fiod*

128 Tratamento Cirúrgico do Câncer de
Mama após Terapia Neoadjuvante 1185
Yara Farias de Mattos ■ *Alexandre César Vieira de Sales*
Karina Oliveira Ferreira ■ *Aline Valadão Britto Gonçalves*

129 Recidiva Local após Cirurgia Conservadora de Mama.... 1195
Marcelo Biasi Cavalcanti ■ *Fabrício Morales Farias*
Juliano Rodrigues da Cunha

SEÇÃO VIII
CIRURGIA DO LINFONODO SENTINELA

130 Biópsia do Linfonodo Sentinela 1199
Luiz Gonzaga Porto Pinheiro ■ *Renato Santos de Oliveira Filho*
João Ivo Xavier Rocha

131 Linfonodo Sentinela no Carcinoma *In Situ* 1205
Flávia Luz Felício ■ *Rafaela Ascenso Medeiros*
Ricardo Cavalcante Queiroga ■ *Jorge Luis Nogueira Saraiva*

132 Biópsia do Linfonodo Sentinela Pré e
Pós-Quimioterapia Neoadjuvante 1207
Audrey Tieko Tsunoda ■ *Flavia Pinto Cardoso* ■ *René Aloisio da Costa Vieira*

133 Linfonodo Sentinela na Gestação 1211
Juliana Murteira Esteves Silva ■ *Carlos Frederico Freitas de Lima*
Eduardo Camargo Millen

SEÇÃO IX
TRATAMENTO ONCOPLÁSTICO

134 Princípios da Reconstrução Mamária............... 1213
Luiz Carlos Velho Severo Jr. ■ *Ciro Paz Portinho* ■ *Juliano Carlos Sbalchiero*

135 Reconstrução Mamária com Retalho do
Músculo Grande Dorsal 1227
Patricia Breder de Barros ■ *Paulo Roberto Botica do Rêgo Santos*
Angela Maria Fausto Souza

136 Reconstrução Mamária com Retalho Miocutâneo
Transverso do Músculo Reto Abdominal (TRAM) 1233
Luciana Brandão Palma Javaroni ■ *Marcela Caetano Cammarota*

137 Uso de Próteses e Expansores na Reconstrução de Mama .. 1241
Marcelo Moreira Cardoso ■ *Bianca Ohana*
Telma Carolina Ritter de Gregório ■ *Cláudio Cortez*

138 Cirurgia Reconstrutora no
Tratamento Conservador da Mama.............. 1247
Frederico Avellar Silveira Lucas ■ *Henrique Riggenbach Müller*
Hiram Silveira Lucas

SEÇÃO X
TRATAMENTO SISTÊMICO DO CÂNCER DE MAMA

139 Terapia-Alvo para Câncer de Mama 1251
Marcos Veloso Moitinho ■ *Rodrigo Moura de Araujo*
Roberto de Almeida Gil

140 Quimioterapia Adjuvante..................... 1259
Gilberto Amorim ■ *Julia de Castro Cordeiro*

141 Quimioterapia Neoadjuvante em Câncer de Mama 1263
Maria de Fátima Dias Gaui

142 Tratamento Sistêmico do
Câncer de Mama Metastático 1267
Alexandre Boukai

143 Tratamento Hormonal Adjuvante................ 1271
Erika Scofano Ebecken ■ *Letícia Barbosa França*

SEÇÃO XI
TRATAMENTO RADIOTERÁPICO NO CÂNCER DE MAMA

144 Radioterapia Intraoperatória no Câncer de Mama 1275
Telmo Alves Justo ■ *João Carlos Arantes Junior*
Adriana de Souza Sérgio Ferreira
Sérgio Calzavara ■ *Jordana Bretas de Aquino*

145 Radioterapia no Carcinoma *In Situ* da Mama............ 1285
Rachele Marina Santoro

146 Radioterapia Pós-Cirurgia Conservadora............. 1287
Guilherme José Rodrigues Pereira ■ *Bettina Wolff*

147 Radioterapia Pós-Mastectomia.................. 1293
Arthur Aciolly Rosa ■ *Igor Moreira Venas*
Conceição Aparecida Machado de Souza Campos

PARTE VIII
GINECOLOGIA

SEÇÃO I
DOENÇA PRÉ-INVASIVA

148 Doenças Precursoras do Câncer de Vulva e Vagina...... 1303
Francisco Carlos do Nascimento Júnior ■ *Herbert Ives Barretto Almeida*

149 Lesões Pré-Malignas do Colo Uterino............... 1309
Caroline Maria Gomes Magalhães ■ *Juliana Monteiro Ramos*
Liane Mansur de Mello Gonçalves Pinheiro ■ *Renato Moretti Marques*

150 Como Conduzir as Doenças Pré-Invasivas do Colo Uterino –
Uma Visão Geral......................... 1321
Thalita Costa Bonates ■ *Peter Solts Rosa*

151 Hiperplasia Epitelial Endometrial 1331
Patrícia Ribeiro Bragança ■ *Ana Luiza Miranda Cardona Machado*

152 HPV e Carcinogênese 1335
Joana Fróes Bragança Bastos ■ *Juliana Yoko Yoneda* ■ *Kátia Píton Serra*

153 Sequelas Clínicas da Infecção por Papilomavírus Humano .. 1343
Antoninho Ricardo Sabbi

154 Condilomas – Tratamento Médico e Cirúrgico
Baseado em Evidências 1349
Gustavo Iglesias

SEÇÃO II
BASES BIOMOLECULARES APLICADAS À GINECOLOGIA ONCOLÓGICA

155 Biologia Molecular do Câncer Ginecológico 1353
Andréia Cristina de Melo ■ *Angélica Nogueira-Rodrigues*

156 Genética no Câncer Ginecológico................ 1357
Angélica Nogueira-Rodrigues ■ *Andréia Cristina de Melo*

157 Fatores Prognósticos em Tumores Ginecológicos........ 1359
Rodrigo Nascimento Pinheiro ■ Daniel Damas de Matos
Gustavo de Castro Gouveia ■ Viviane Rezende de Oliveira

158 Marcadores Tumorais em Ginecologia.................. 1363
Gustavo Advíncula

SEÇÃO III
DOENÇA INVASIVA

159 Exame Peroperatório de Congelação na
Oncoginecologia – Indicações e Limitações............ 1367
Rodrigo Aires de Morais

160 A Relevância da Imuno-Histoquímica.................. 1371
Renata Quintella Zamolyi

161 Estadiamento dos Tumores Ginecológicos
Segundo a FIGO/TNM.............................. 1389
Janina Ferreira Loureiro Huguenin
Vitor Vargas Zampieri de Azevedo ■ Solange Maria Diniz Bizzo

162 Câncer de Colo de Útero............................ 1395
  162-1 Tratamento do Câncer Inicial de Colo do Útero..... 1395
  Antônio Augusto Ribeiro Dias Pires ■ Solange Maria Diniz Bizzo
  Sandra Maria Moura de Souza ■ Juliano Noronha Ribeiro
  Euridice Maria de Almeida Figueiredo
  162-2 Câncer Cervical Localmente Avançado............ 1400
  Leonardo Pires Ferreira ■ Anderson Cesar Dalla Benetta
  Frutuoso Lins Cavalcante ■ Allex Jardim da Fonseca
  Cibelli Navarro Roldan Martin

163 Câncer de Corpo Uterino............................ 1407
  163-1 Câncer de Endométrio........................... 1407
  Glauco Baiocchi Neto ■ Carlos Chaves Faloppa
  163-2 Cânceres de Linhagens Diversas................. 1417
  Francisco Carlos do Nascimento Júnior ■ Gustavo Luís Soares Carvalho

164 Câncer de Vulva.................................... 1421
  164-1 Câncer de Vulva Inicial........................ 1421
  Bruno Marcondes Kozlowski ■ Bruno de Ávila Vidigal
  164-2 Câncer de Vulva – Doença Localmente Avançada,
  Recidivada e Metastática....................... 1425
  Claudio Calazan ■ Marcos Luiz Bezerra Jr.

165 Câncer de Vagina................................... 1431
Eduardo Amaral Moura Sá ■ João Douglas Nico
José Pedro Ferreira de Bastos Vieira

166 Câncer de Ovário................................... 1435
  166-1 Tumores Ovarianos de Baixo Potencial de Malignidade.. 1435
  Sandra Marques Silva Gioia
  Ciane Mendes Dayube ■ Joyce Christina Ribeiro de Souza
  166-2 Câncer Epitelial de Ovário – Estágio Inicial........ 1442
  Alexsandro Saurine Farias ■ Biazi Ricieri Assis
  Lucas Feijó Pereira ■ Solange Maria Diniz Bizzo
  166-3 Câncer Epitelial de Ovário – Estágio Avançado..... 1447
  José Augusto Bellotti ■ José Marinaldo Lima
  166-4 Câncer Não Epitelial de Ovário.................. 1455
  Glauco Baiocchi Neto ■ Renato Almeida Rosa de Oliveira

SEÇÃO IV
CIRURGIA EM GINECOLOGIA ONCOLÓGICA

167 Gravidez e Câncer Ginecológico...................... 1459
Juliano Rodrigues da Cunha ■ Marcelo Biasi Cavalcanti
Giulliana Martines Moralez ■ Joyce Christina Ribeiro de Souza

168 Cirurgia da Conservação da
Fertilidade em Câncer Ginecológico.................. 1463
Fernando Lopes Cordero ■ Luiz Mathias ■ Juliana Braz de Castilho

169 Linfonodo Sentinela no Câncer de Colo Uterino......... 1467
José Carlos Damian Júnior ■ Flávio Henrique Pereira Conte
Euridice Maria de Almeida Figueiredo ■ Juliana de Almeida Figueiredo

170 Traquelectomia Radical – Cirurgia Conservadora em
Câncer do Colo de Útero............................ 1473
Marcelo Biasi Cavalcanti ■ Euridice Maria de Almeida Figueiredo
Giulliana Martines Moralez ■ Juliano Rodrigues da Cunha

171 Cirurgia Minimamente Invasiva em
Ginecologia Oncológica............................. 1481
Juliana de Almeida Figueiredo ■ Flávio Henrique Pereira Conte
Erico Lustosa

172 Massas Pélvicas – Achados Inesperados............... 1489
Daniel Lourenço Lira ■ Euridice Maria de Almeida Figueiredo
Patrícia Isabel Bahia Mendes Freire

173 Exenteração Pélvica em Tumores Ginecológicos......... 1493
Glauco Baiocchi Neto ■ Gustavo Cardoso Guimarães ■ Ademar Lopes

SEÇÃO V
CONTROVÉRSIAS NO MANUSEIO DO CÂNCER GINECOLÓGICO

174 Papel da Laparotomia de Intervalo no
Câncer Epitelial de Ovário Avançado.................. 1501
Solange Maria Diniz Bizzo ■ Guilherme de Andrade Gagheggi Ravanini
Antonio Felipe Santa Maria Coquillard Ayres

175 Quimioterapia Intraperitoneal no Câncer de Ovário...... 1505
Flavio dos Reis Albuquerque Cajaraville
José Pablo Mata Mondragón ■ Solange Maria Diniz Bizzo

176 Valor da Linfadenectomia no Câncer de Endométrio..... 1509
Alex Bruno de Carvalho Leite ■ Gustavo Guitmann
Edmar Lopes da Silva Neto ■ Daniel de Carvalho Zuza

SEÇÃO VI
QUIMIOTERAPIA EM CÂNCER GINECOLÓGICO

177 Princípios Básicos da Quimioterapia e
Drogas Usadas em Ginecologia Oncológica............. 1517
Claudio Calazan

178 Quimioterapia nas Neoplasias Epiteliais de Ovário....... 1523
Paulo Alexandre Mora

179 Câncer de Endométrio – Tratamento Adjuvante e na
Doença Recidivada ou Metastática.................... 1531
Alvaro Henrique Ingles Garces ■ Morgana Stelzer Rossi
Cristiane Rocha Lima ■ Rodrigo Furtado Silva

180 Ginecologia – Terapia-Alvo no Câncer de Ovário........ 1541
Diego Gomes Candido Reis

SEÇÃO VII
RADIOTERAPIA NO CÂNCER GINECOLÓGICO

181 Princípios da Radioterapia Pélvica.................... 1545
Rachele Zanchet Grazziotin ■ Márcio Lemberg Reisner

182 Avanços Recentes da Radioterapia no
Tratamento do Câncer Ginecológico.................. 1555
Maria José Alves ■ Paula de Almeida Melo

SEÇÃO VIII
TRATAMENTO PALIATIVO NO CÂNCER GINECOLÓGICO

183 Dor e Paliação..................................... 1559
Crisley Guenin ■ Jeane Juver

SUMÁRIO

184 Paliação em Doença Avançada de Colo Uterino 1567
Rodrigo Eboli da Costa

185 Paliação em Doença Avançada de Ovário 1573
André Maciel da Silva

186 Qualidade de Vida e
Sobrevida em Câncer Ginecológico 1575
André Perdicaris

SEÇÃO IX
ONCOSSEXOLOGIA NO TRATAMENTO DO CÂNCER GINECOLÓGICO

187 Oncossexologia e Sequelas no Tratamento do Câncer
Ginecológico. 1579
Regina Coeli Clemente Fernandes Alonso ▪ Pollyanna D'Ávila Leite

PARTE IX
UROLOGIA

188 Câncer do Testículo 1589
*Antonio Augusto Ornellas ▪ Paulo Ornellas
Leandro Koifman ▪ Marcos Tobias-Machado*

189 Aspectos Moleculares do Câncer de Testículo 1601
Maria Helena Ornellas ▪ Paulo Ornellas ▪ Gilda Alves

190 Câncer de Pênis 1605
*Leandro Koifman ▪ Antonio Augusto Ornellas
Ana Celia Baptista Koifman ▪ Marcos Tobias-Machado*

191 Aspectos Moleculares do Câncer de Pênis 1617
Paulo Ornellas ▪ Antonio Augusto Ornellas ▪ Gilda Alves

192 Câncer de Uretra 1625
*Daniel Hampl ▪ Antonio Augusto Ornellas
Leandro Koifman ▪ Ricardo de Almeida Jr.*

193 Câncer de Próstata 1629
*Ricardo de Almeida Jr. ▪ Antonio Augusto Ornellas
Leandro Koifman ▪ Marcos Tobias-Machado*

194 Aspectos Moleculares do Câncer de Próstata 1645
Ana Sheila Cypriano ▪ Antonio Augusto Ornellas ▪ Gilda Alves

195 Câncer Renal 1651
*Paulo Gabriel Antunes Pessoa ▪ Nelson Koifman
Antonio Augusto Ornellas ▪ Marcos Tobias-Machado*

196 Aspectos Moleculares do Câncer de Rim 1661
Vanessa Sandim ▪ Antonio Augusto Ornellas ▪ Gilda Alves

197 Carcinoma Urotelial do Trato Urinário Alto 1665
*Daniel Hampl ▪ Antonio Augusto Ornellas
Leandro Koifman ▪ Marcos Tobias-Machado*

198 Câncer de Bexiga 1673
*Daniel Hampl ▪ Antonio Augusto Ornellas
Leandro Koifman ▪ Marcos Tobias-Machado*

199 Aspectos Moleculares dos Tumores Uroteliais 1685
Mariana Chantre ▪ Antonio Augusto Ornellas ▪ Gilda Alves

PARTE X
ONCOLOGIA PEDIÁTRICA

200 Aspectos Gerais em Oncologia Pediátrica 1693
Ricardo Vianna de Carvalho

201 Trombose na Criança com Câncer 1695
Simone Gregory ▪ Ernesto De Meis

202 Cuidados Paliativos Pediátricos 1699
Marina Sevilha Balthazar dos Santos

203 Protocolos de Conduta na Rotina de Anestesia
Pediátrica para Cirurgia Abdominal de Grande Porte 1701
*Tânia Carla de Menezes Cortez ▪ Anna Lúcia Calaça Rivoli
Ana Cristina Pinho Mendes Pereira*

204 Câncer Infantojuvenil – Reflexões acerca da
Intervenção do Serviço Social 1705
Marcia Valeria de Carvalho Monteiro ▪ Marcelle Gulão Pimentel

205 Pesquisa Clínica em Oncologia Pediátrica 1709
Fernanda Ferreira da Silva Lima ▪ Sima Esther Ferman

206 Acesso Venoso 1715
Ricardo Vianna de Carvalho ▪ Gabriela Oliveira Santana

207 Tumores Renais 1719
*Flavia Cotias ▪ Ricardo Vianna de Carvalho
Marília Fornaciari Grabois*

208 Retinoblastoma (Tumor Intraocular) 1727
Evandro Gonçalves de Lucena Junior

209 Neuroblastoma 1731
Arissa Ikeda Suzuki ▪ Arovel de Oliveira Junior

210 Hepatoblastoma 1743
*José Ricardo Barbosa de Azevedo ▪ Marília Fornaciari Grabois
Roberta Nolasco Rocha ▪ Simone de Oliveira Coelho
Teresinha Carvalho da Fonseca*

211 Tumores Germinativos 1751
*Francisca Norma Girão Gutierrez ▪ Ana Carolina Stepanski
Débora de Wylson Fernandes Gomes de Mattos
Nathalia Grigorovisk de Almeida ▪ Arissa Ikeda Suzuki*

212 Meduloblastoma 1757
Liana Nobre ▪ Flavio Ferreira de Andrade

213 Rabdomiossarcoma 1763
*Sima Esther Ferman ▪ Larissa Lima Martins Uemoto
Ricardo Vianna de Carvalho*

PARTE XI

SISTEMA NERVOSO CENTRAL

214 Classificação Histológica dos Tumores do
Sistema Nervoso Central 1775
Leila Chimelli

215 Biologia Molecular dos Gliomas 1783
Clarissa Seródio da Rocha Baldotto

216 Imagem Avançada no Diagnóstico e
Avaliação da Resposta Terapêutica dos Gliomas 1787
Lara A. Brandão

217 Tratamento Cirúrgico dos
Tumores Encefálicos Primários no Adulto 1817
Daniel Dutra Cavalcanti ▪ Maurício Mansur Zogbi
Paulo Niemeyer Filho

218 Tratamento Cirúrgico dos
Tumores Encefálicos Primários na Infância 1833
Gabriel Mufarrej ▪ Ana Paula de Almeida Barbosa
Maria Anna Paes Barreto Soares Brandão ▪ Leila Chimelli

219 Tumores do Tronco Cerebral na Infância 1849
Gabriel Mufarrej ▪ Fernanda Oliveira de Carvalho

220 Tumores Medulares na Infância 1853
Gabriel Mufarrej ▪ Fernanda Oliveira de Carvalho

221 Tratamento de Resgate dos Gliomas de Alto Grau 1861
Fernando Cotait Maluf

222 Tratamento Sistêmico de Primeira Linha dos
Astrocitomas de Alto Grau 1869
Fernando Cotait Maluf

223 Linfomas do Sistema Nervoso Central 1877
Juliane Musacchio

224 Metástases no Sistema Nervoso Central 1881
Clarissa Seródio da Rocha Baldotto ▪ Lílian d'Antonino Faroni
Tomás Reinert

225 Radioterapia em Tumores do Sistema Nervoso Central ... 1889
Lisa Morikawa ▪ Márcio Lemberg Reisner
Igor Migowsky Rocha dos Santos ▪ Guilherme Rocha Melo Gondim

PARTE XII

HEMATOLOGIA

226 Linfoma Não Hodgkin 1903
Adriana Scheliga

    226-1 Linfoma Não Hodgkin de Alto Grau 1904
        Adriana Scheliga

        Apêndice 1 Protocolos de Quimioterapia 1907

    226-2 Linfoma Não Hodgkin de Baixo Grau 1910
        Adriana Scheliga

227 Linfoma de Hodgkin (Doença de Hodgkin) 1913
Adriana Scheliga

228 Mieloma Múltiplo 1915
Paulo Alexandre Mora ▪ Bruno de Araújo Lima França

229 Leucemia Linfoblástica Aguda 1919
Márcia Trindade Schramm ▪ Bruno Terra Corrêa
Cibelli Navarro Roldan Martin
Yung Bruno de Mello Gonzaga ▪ Adriana Scheliga

230 Leucemia Mieloide Aguda 1925
Yung Bruno de Mello Gonzaga ▪ Bruno Terra Corrêa
Cibelli Navarro Roldan Martin
Márcia Trindade Schramm ▪ Adriana Scheliga

231 Leucemia Linfocítica Crônica 1931
Bruno Terra Corrêa ▪ Cibelli Navarro Roldan Martin
Márcia Trindade Schramm ▪ Yung Bruno de Mello Gonzaga
Adriana Scheliga

232 Leucemia Mieloide Crônica 1939
Cibelli Navarro Roldan Martin ▪ Bruno Terra Corrêa
Márcia Trindade Schramm ▪ Yung Bruno de Mello Gonzaga

PARTE XIII

CUIDADOS PALIATIVOS

233 Introdução 1949

    233-1 Primórdios dos Cuidados Paliativos no INCA 1949
        Magda Côrtes Rodrigues Rezende

    233-2 INCA e os Cuidados Paliativos Atuais – Hospital do
Câncer IV (HC IV), Unidade de Cuidados Paliativos .. 1952
        Cláudia Naylor

    233-3 Introdução e Princípios dos Cuidados Paliativos 1958
        Cláudia Naylor

234 Sintomas mais Comuns 1961

    234-1 Controle de Sintomas – Medidas Gerais 1961
        Cláudia Naylor

    234-2 Fadiga em Pacientes Oncológicos 1962
        Cristhiane da Silva Pinto

    234-3 Síndrome de Anorexia e Caquexia no Câncer 1967
        Cristhiane da Silva Pinto ▪ Larissa Calixto-Lima

    234-4 Náusea e Vômito 1974
        Marina Sevilha Balthazar dos Santos ▪ Alessandra Zanei Borsatto

    234-5 Constipação e Diarreia em Cuidados Paliativos 1977
        Teresa Cristina da Silva dos Reis

    234-6 Obstrução Intestinal Maligna 1985
        Cláudia Naylor

    234-7 Ascite Maligna 1990
        André Leonardo da Silva Paes ▪ Daniel de Carvalho Zuza

    234-8 Controle de Dispneia em Cuidados Paliativos 1993
        Teresa Cristina da Silva dos Reis

    234-9 Feridas Neoplásicas Malignas 2002
        Alessandra Zanei Borsatto ▪ Marina Sevilha Balthazar dos Santos

    234-10 Complicações Orais e Cuidados com a Boca 2006
        Cristhiane da Silva Pinto

    234-11 Insuficiência Renal em Cuidados Paliativos 2010
        Cristhiane da Silva Pinto

    234-12 Síndromes Metabólicas 2013
        Cristhiane da Silva Pinto

235 Terapia Subcutânea 2019
Maria Fernanda Barbosa ▪ Eliete Farias Azevedo

236 Cuidados no Fim da Vida 2023
Teresa Cristina da Silva dos Reis

237 Sedação Controlada 2029
Teresa Cristina da Silva dos Reis

238 Anemia e Hemotransfusão em Cuidados Paliativos 2033
Teresa Cristina da Silva dos Reis ▪ Lucia Cerqueira Gomes

Índice Remissivo I-1

Parte VII

MASTOLOGIA

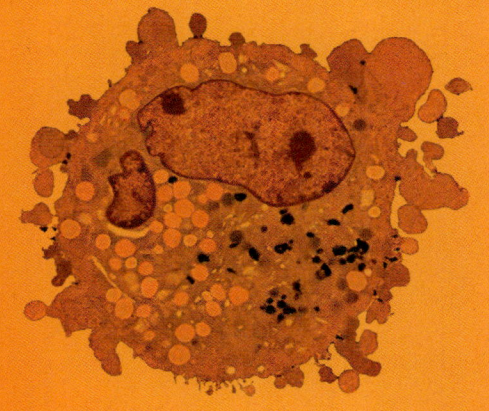

SEÇÃO I
Fundamentos da Oncologia Mamária

CAPÍTULO 98
Carcinogênese Mamária

Alexander Mol Papa ■ André Márcio Murad
Munir Murad Júnior ■ Cristina Barbosa Leite Pirfo

INTRODUÇÃO

A carcinogênese, ou seja, a formação do câncer, em geral ocorre lentamente, podendo levar vários anos para que uma célula cancerosa prolifere e dê origem a um tumor visível. Caracteriza-se por mutações genéticas herdadas ou adquiridas pela ação de agentes ambientais, químicos, hormonais, radioativos e virais, denominados carcinógenos.[8]

Para entender melhor a carcinogênese, é preciso reconhecer que as mamas são órgãos que se desenvolvem a partir da vida embrionária ou intrauterina e, após o nascimento, elas continuam o processo natural de desenvolvimento e diferenciação celular. A diferenciação celular é a sequência natural pela qual as células passam de indiferenciadas e semelhantes às células-tronco, a células diferenciadas com funções específicas. Quanto mais diferenciada uma célula, menor a capacidade de se recuperar após um dano, mas também é menor a chance que ela sofra uma transformação maligna, uma vez que, acometida por um dano, experimente a morte celular programada. A morte programada da célula seja pela sua própria idade, seja por ter sofrido um certo dano, é conhecida como apoptose. A perda da capacidade de regulação da apoptose celular, com predomínio da formação de novas células imaturas e indiferenciadas, é fundamental para que ocorra o processo de iniciação do câncer de mama. O processo de carcinogênese começa nos lóbulos mamários, que são as verdadeiras estruturas funcionais das mamas.

A carcinogênese compreende três estágios: a iniciação, que se caracteriza pela exposição das células aos carcinógenos com consequente mutação e a formação de clones celulares atípicos e a promoção, que se caracteriza pela multiplicação desses clones celulares. Nessa fase, a supressão do contato com os carcinógenos pode interromper o processo.[24] A progressão é o terceiro estágio, nesta fase as células transformadas apresentam autonomia para proliferar e, pela perda da coesão e obtenção da mobilidade, tornam-se invasivas (Fig. 1).[6,20]

A iniciação neoplásica ou maligna ocorre primordialmente nos lóbulos logo após a puberdade, cheios de células indiferenciadas do tipo *stem cells* ou células-tronco (totipotentes). Ela se caracteriza pela predominância do processo de formação de novas células sobre o processo de morte celular natural (apoptose). Esta fase depende da atuação de fatores capazes de lesar o DNA de uma única célula, promovendo alteração no ciclo de vida celular e, gerando um clone alterado da célula sadia.[8,18] O clone alterado se prolifera e repassa o dano de seu DNA às células-filhas. É provável que esta fase seja reconhecida histologicamente como "hiperplasia ductal". Os agentes carcinogenéticos iniciadores mais conhecidos

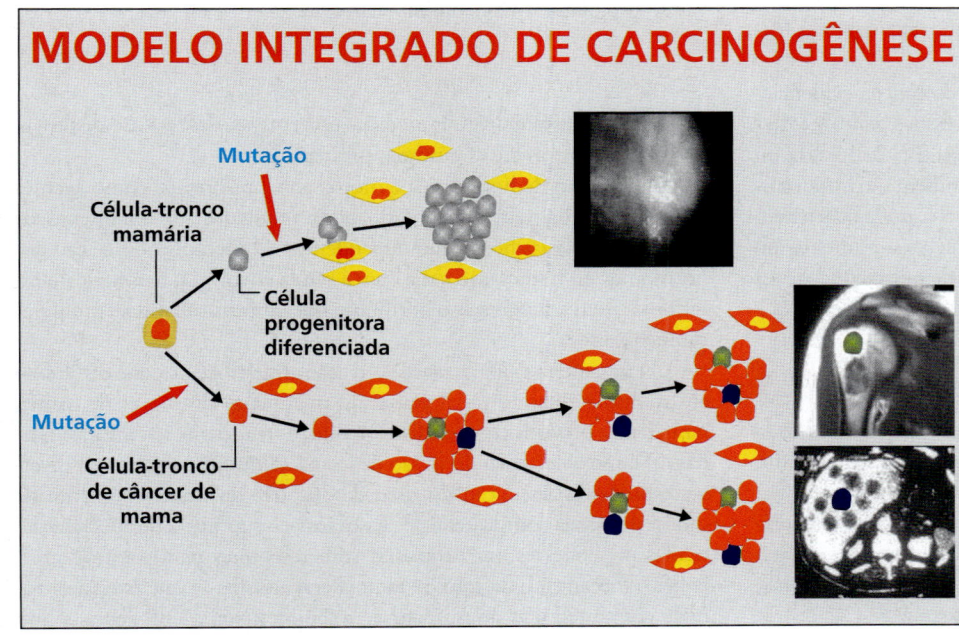

◀ **FIGURA 1.** Modelo integrado de carcinogênese.

são: erros na duplicação gênica (da dupla hélice helicoidal do DNA humano), agentes químicos, vírus e radiações. Os erros na duplicação gênica são fatores genéticos que levam ao câncer de mama. Eles podem ser hereditários ou adquiridos e ocorrem em decorrência da perda de ação de genes supressores ou ativação de proto-oncogenes.[6,9,26]

Os genes supressores mais importantes são: p53, BRCA-1 e 2, ATM e CHEK-2. Tanto os genes BRCA 1 e 2, quanto o p53 localizam-se no cromossoma 17. O gene BRCA está no braço longo, e o p53 no braço curto do cromossoma. Cinquenta por cento dos carcinomas mamários possuem mutações do p53 e perda de sua função supressora.[10] O gene p53, denominado guardião do genoma, produz uma proteína que controla a replicação do DNA, a proliferação celular e a apoptose. Nas células com DNA alterado, a proteína p53 acumula-se no núcleo e liga-se ao DNA, evitando sua replicação. Essa parada no crescimento celular na fase G1 permite à célula restaurar seu genoma.[8] Oito por cento dos carcinomas mamários estão relacionados com a mutação dos genes BRCA que, ao contrário da mutação do p53, é hereditária e transmitida geneticamente. Os genes BRCA-1 e BRCA-2 são supressores tumorais, acredita-se que estejam envolvidos no controle da transcrição.[8] Mutações nesses genes predispõem ao desenvolvimento do câncer de mama, ovário, próstata, cólon, pâncreas e laringe.[10,16]

Os proto-oncogenes envolvidos no processo de iniciação carcinogenética são o C-ErbB2 (ou HER-2 ou neu), o c-myc, o int-2 e o rãs.[3,21] Todos esses proto-oncogenes sofrem amplificação, isto é, formação de múltiplas cópias que favorecem a multiplicação celular com o mesmo padrão genético de amplificação.[3]

Após as alterações genéticas iniciadoras, as células geneticamente modificadas começam a se multiplicar, influenciadas por fatores promotores ou inibidores. A formação de um tumor pode levar décadas, sendo que de uma única célula maligna, até o diagnóstico de um tumor de 1 cm, leva-se em média 10 anos e, pelo menos, 30 divisões mitóticas. Os períodos críticos em que as células modificadas tornam-se mais suscetíveis aos fatores promotores ocorrem entre a menarca e a primeira gravidez e na menopausa, quando se espera que a célula comece a involuir. O desequilíbrio hormonal, nestas fases, é um importante fator promotor. As inflamações e os fatores de crescimento celular, como EGF, TGF-alfa e IGF-1, também são reconhecidos como fatores promotores, pois modulam a ação do estrogênio sobre as células e facilitam a superexpressão dos oncogenes.

A invasão é a capacidade de um tumor *in situ*, isto é, que se encontra dentro do ducto mamário e, por isso, restrito ao ducto, de invadir e destruir a lâmina própria, camada que separa um ducto de outros e dos tecidos conectivos.

A metastatização é a capacidade do tumor de embolizar pela circulação sanguínea e linfática, alcançar um órgão distante acoplar-se, invadir e reproduzir neste órgão.

É importante destacar que, em todas as fases da carcinogênese mamária, o organismo estabelece uma verdadeira luta para impedir os eventos, por meio da vigilância imunológica. Por este motivo, o sistema imunológico é tão importante na evolução da doença maligna das mamas.

Existe correlação positiva entre a agressividade do câncer, evidenciada pela menor sobrevida do paciente, e as mutações nos genes CDH1 que codificam as caderinas.[20] Os genes que impedem (Bcl 2, Bcl-XL) ou induzem (Bax, Bad) à morte celular programada também são importantes na carcinogênese. A inibição da apoptose pelo bcl-2 pode ocorrer em qualquer estágio do ciclo celular, e acredita-se que esse aumento no tempo de sobrevida das células favorece a atuação de outros oncogenes sobre elas.[9]

CARCINOGÊNESE COMO DISTÚRBIO HORMONAL

Postula-se que na carcinogênese hormonal, diferente daquela induzida por vírus ou agentes químicos, a proliferação celular não necessita de um agente iniciador específico. Os hormônios induzem proliferação celular com consequentes mutações genéticas que darão origem à célula neoplásica. Acredita-se que os oncogenes, os genes supressores tumorais e os genes do reparo do DNA estejam envolvidos na carcinogênese hormonal, principalmente naquela induzida pelos esteroides sexuais.[11]

CÂNCER DE MAMA E FATORES DE RISCO

A neoplasia mais frequente nas mulheres é o câncer de mama, tendo como os principais fatores de risco: história familiar de câncer de mama, diagnóstico confirmado de hiperplasia atípica, densidade da mama aumentada, história de menarca precoce ou menopausa tardia, obesidade após a menopausa, uso de contraceptivos orais ou reposição de hormônios orais (estrogênio e progesterona) pós-menopausa, nuliparidade ou primeira gravidez após 30 anos de idade e consumo de bebidas alcoólicas.[11,15]

Uma das formas mais importantes para explicar a carcinogênese é a estimulação hormonal na mama. O estrógeno, a prolactina,[10] a progesterona,[29] os andrógenos e até os hormônios tireoidianos estão envolvidos nesta carcinogênese.[22] O risco de desenvolvimento do câncer é essencialmente determinado pela intensidade e duração da exposição do epitélio mamário à ação conjunta da prolactina e do estrógeno.[7,19] Aparentemente a prolactina facilita a ação mitótica do estrógeno, aumentando o número de seus receptores.

O estrógeno promove o crescimento celular por estimular a liberação do fator de crescimento tumoral alfa e do fator de crescimento semelhante à insulina e por inibir o fator de crescimento tumoral β.[23] Mulheres obesas apresentam elevadas concentrações de estrógeno proveniente da transformação, no tecido adiposo, da androstenediona em estroma e, posteriormente, em estrógeno.

Orientações dietéticas com preferência para uso de vegetais e fibras são importantes. Manter atividade física regular para aumentar a massa corpórea e controlar a obesidade pode ter impacto na redução da recidiva das pacientes com diagnóstico prévio de câncer de mama e tratadas com intenção curativa.[4,30] Uma mudança no estilo de vida com redução também da ingestão de bebida alcoólica e abandono do tabagismo mostrou redução do índice de recaída do câncer de mama e desenvolvimento na mama contralateral.[5]

Durante o primeiro trimestre da gestação o aumento progressivo das concentrações de estradiol aumenta o risco de desenvolvimento de câncer. Com a continuidade da gestação, aumentam as concentrações da globulina transportadora dos esteroides sexuais, reduzindo a concentração plasmática de estrógeno livre, protegendo a glândula mamária das ações desse hormônio. Mas esse efeito protetor somente é observado em mulheres com gestação completa.[18]

A reposição hormonal aumenta o risco de câncer de mama particularmente em mulheres com história familiar dessa neoplasia.[3] Os contraceptivos orais aumentam a atividade mitótica das células da glândula mamária à semelhança do que ocorre no ciclo menstrual normal.[29] Entretanto, o uso precoce de contraceptivos e a vida reprodutiva tardia parecem aumentar o risco, já que o tecido mamário fica mais tempo exposto ao estímulo hormonal.[11] Receptores para hormônios tireoidianos também já foram observados nas glândulas mamárias normal e neoplásica, sugerindo a participação dos hormônios da tireoide no câncer de mama da mulher.[22] No hipotireoidismo, o aumento da secreção de prolactina tem sido incriminado como um dos fatores que agravam o prognóstico da neoplasia mamária.[28]

Medidas preventivas diante dos fatores de risco

Atualmente existem diversas medidas preventivas, desde o uso de drogas quimiopreventivas até as cirurgias profiláticas.

A utilização de hormônios e drogas anti-hormonais, como agentes quimioterápicos, tem apresentado bons resultados no tratamento de algumas neoplasias hormônio-dependentes. O mecanismo de ação dos hormônios no tratamento varia com a célula envolvida, mas basicamente consiste em antagonizar o hormônio que está estimulando a proliferação neoplásica.[13]

O tamoxifeno é um fármaco com ação antiestrogênica que é utilizado em mulheres durante várias etapas do tratamento do câncer de mama, tanto para a prevenção de recidivas quanto e, até mesmo, nas fases avançadas. O tamoxifeno quando usado de forma adjuvante mostrou em diversos estudos uma redução do risco de 30-60% do desenvolvimento de câncer de mama contralateral.[2,17] Esse fármaco suprime a proliferação das células mioepiteliais em neoplasias com receptores para o estrógeno.[27] Sobre o mecanismo de ação do tamoxifeno acredita-se que esteja relacionado com a redução do número de receptores para o estrógeno, com o estímulo de correpressores (TGFβ), com a inibição de coativadores de estrógeno (IGF e TGFα) e com a inativação rápida do estrógeno.[12,14,23] Outros fármacos hormonais também têm sido utilizados nessas terapias, como o raloxifeno e os inibidores de aromatase (Letrozol, Anastrozol e Examestano).[25] De um modo geral a administração de hormônios e de fármacos com ação anti-hormonal apresenta bons resultados, com efeitos colaterais de menor intensidade e gravidade, quando comparados aos dos quimioterápicos.[11]

É estimado que exista na população americana uma incidência de 1/1.000 da mutação em BRCA-1, e a mutação para BRCA-2 é ainda mais rara, exceções acontecem em populações sabidamente com incidências mais altas, como as mulheres judias Ashkenazi. Para as mulheres portadoras dessa mutação o risco de desenvolver câncer de mama até a idade de 70 anos é em torno de 85%. Em mulheres com mutação no gene BRCA-1 existe também um risco de desenvolver câncer de ovário de 20-40%. As portadoras de mutação no gene BRCA-2 têm um risco mais baixo de desenvolver câncer de ovário, que é em torno de 20%. Com as limitações conhecidas para o acompanhamento e medidas quimiopreventivas dessas pacientes portadoras de mutação em BRCA-1 e BRCA-2, pode-se entender o aumento de cirurgias profiláticas visando a redução do risco de câncer. Mesmo ainda sendo um assunto controverso, médicos têm indicado a mastectomia e a ooforectomia profilática para as pacientes de alto risco. Algumas mulheres não concordam com a realização do procedimento cirúrgico, e nessas pacientes uma propedêutica com a pesquisa da mutação pode descartar a cirurgia nos casos não mutados. O acompanhamento mamográfico reduziu o risco de mortalidade em câncer de mama na população em geral, embora tenhamos dúvida de seu benefício na mulher jovem. Nestas pacientes jovens e de alto risco, tem sido indicado o acompanhamento com a ressonância magnética.

Nas pacientes com risco aumentado de câncer de ovário não existe nenhum método de acompanhamento efetivo para o diagnóstico do câncer em um estágio inicial, sendo dessa forma indicada a ooforectomia profilática para toda a mulher com suspeita de doença hereditária na menopausa. Na mulher na pré-menopausa de alto risco deve avaliar-se o risco das complicações de uma menopausa prematura e também discutir sobre o desejo de completar a sua prole. Após a realização da castração cirúrgica pode ser usado terapia de reposição hormonal até os 50 anos para diminuir os efeitos da menopausa precoce. Essa reposição apresenta um maior benefício que o risco de desenvolver câncer de mama. Os médicos suspeitam que a mastectomia e a ooforectomia profilática devam reduzir o risco de câncer, mas a magnitude desse benefício é incerta. Essa dúvida está relacionada com a dificuldade que existe em ressecar todo o tecido em risco durante a mastectomia e a ooforectomia.[1,2]

CONCLUSÃO

A carcinogênese mamária normalmente é um processo complexo e multifatorial. Na carcinogênese hormonal, a proliferação celular antecede ou sucede as mutações genéticas. Interessante é que os mesmos hormônios indutores ou promotores da carcinogênese também têm sido utilizados no tratamento de algumas neoplasias hormônio-dependentes. A escolha e a eficácia do tratamento podem estar diretamente relacionadas com o número de receptores hormonais presentes na neoplasia, pois a maioria desses tumores, em seu estágio de crescimento inicial, é responsiva aos hormônios antagonistas e aos fármacos anti-hormonais. Outras medidas terapêuticas preventivas têm sido implantadas com o intuito de redução da carcinogênese. Pode-se recomendar, nas pacientes obesas, mudança do estilo de vida com orientação para a atividade física regular e dieta rica em vegetais e fibras. Medidas preventivas cirúrgicas em pacientes de alto risco têm sido realizadas mais frequentemente, com uma morbidade baixa, mas sem uma análise adequada da qualidade de vida a longo prazo.

REFERÊNCIAS BIBLIOGRÁFICAS

1. Eisen A, Rebbeck TR, Wood WC et al. Weber prophylactic surgery in women with a hereditary predisposition to breast and ovarian cancer. *J Clin Oncol* 2000 May;18(9):1980-95.
2. Dunn BK, Wickerham DL, Ford LG. Prevention of hormone-related cancers: breast cancer *J Clin Oncol* 2005 Jan. 10;23(2):357-67.
3. Carreño MSR, Peixoto S, Giglio A. Reposição hormonal e cancer de mama. *Rev Soc Bras Canc* 1999;7:41-50.
4. Cheryl L. Rock and wendy demark-wahnefried. Nutrition and survival after the diagnosis of breast cancer: a review of the evidence. *J Clin Oncol* 2002 Aug.;20(15):3302-16.
5. Li CI, Daling JR, Porter PL et al. Relationship between potentially modifiable lifestyle factors and risk of second primary contralateral breast cancer among women diagnosed with estrogen receptor–positive invasive breast cancer. *J Clin Oncol* 2009;27:5312-18.
6. Cooper GM. *Oncogenes*. 2. ed. Boston: Jones and Barlett, 1995. 384p.
7. Costa SD et al. Factors influencing the prognostic role of oestrogen and progesterone receptor levels in breast cancer. *Eur J Cancer* 2002;38(10):1329-34.
8. Cotran RS, Kumar V, Robbins SL. *Patologia estrutural e funcional*. 6. ed. Rio de Janeiro: Guanabara Koogan, 2000. 1400p.
9. Delfino AB. et al. O envolvimento de genes e proteínas na regulação da apoptose – Carcinogênese. *Rev Bras Cancerol* 1997;43(3):173-86.
10. Deng C, Brodie SG. Knockout mouse models and mammary tumorigenesis. *Cancer Biol* 2001;11:387-94.
11. Henderson BE, Feigelson HS. Hormonal carcinogenesis. *Carcinogenesis* 2000;21(3):427-33.
12. Henderson BE, Ross RK. Prevention of hormonerelated cancers: a delicate balance. *Helix Amgens Magaz of Biotech* 1996;1:5-11.
13. Henderson BE, Ross RK, Pike MC. Toward the primary prevention of cancer. *Science* 1991;252:1131-38.
14. Henderson BE, Ross RK, Bernstein L. Estrogens as a cause of human cancer. *Cancer Res* 1988;48:246-53.
15. Henderson BE et al. Endogenous hormones as a major factor in human cancer. *Cancer Res* 1982;42:3232-39.
16. Ingvarsson S. Breast cancer: introduction. *Cancer Biol* 2001;11:323-26.
17. Kostoglou-Athanassiou I et al. Thyroid function in postmenopausal women with breast cancer on tamoxifen. *Eur J Gynaecol Oncol* 1998;2:150-54.
18. Louro ID. Oncogenética. *Rev Soc Bras Canc* 2000;11:36-42.
19. Luotto R et al. Plasma-prolactin in human breast cancer. Lancet 1997. p. 433-34.
20. Mareel M, Leroy A. Clinical, cellular, and molecular aspects of cancer invasion. *Physiol Rev* 2003;83:337-76.
21. Mckinnell RG. Cancer genetics. In: Mckinnell RG et al. (Eds.). *The biological basis of cancer*. Cambridge: Cambridge University, 1998. p. 79-114.
22. Nogueira CR, Brentani MM. Triiodothyronine mimics the effects of estrogen in breast cancer cell lines. *J Steroid Biochem Mol Biol* 1996;59(3/4):271-79.
23. Norman AW, Litwack G. *Hormones*. 2. ed. San Diego: Academic, 1997, 558p.
24. Peratoni AO. Carcinogenesis. In: Mckinnell RG et al. (Eds.). *The biological basis of cancer*. Cambridge: Cambridge University, 1998. p. 75-114.
25. Greenwald P. Cancer prevention clinical trials. *J Clin Oncol* 2002 Sept. 15;20(18 Suppl):14s-22s.
26. Lippman SM, Benner SE, Hong WK. Cancer chemoprevention. *J Clin Oncol* 1994;12:851-73.
27. Shao Z, Radziszewski WJ, Barsky SH. Tamoxifen enhances myoepithelial cell supression of human breast carcinoma progression in vitro two different effector mechanisms. *Cancer Lett* 2000;157:133-44.
28. Smyth PPA. The thyroid and breast cancer: a significant association? In: The finnish medical society. *Ann Med* 1997;29:189-91.
29. Vorherr H. Endocrinology of breast cancer. *Maturitas* 1987;9:113-22.
30. Yoo K et al. Postmenopausal obesity as a breast cancer risk factor according to estrogen and progesterone receptor status (Japan). *Cancer Lett* 2001;167:57-63.

CAPÍTULO 99
Biologia Molecular do Câncer de Mama

Sabrina Rossi Perez Chagas ■ Carlos Augusto Vasconcelos de Andrade

INTRODUÇÃO

Todo o câncer se inicia em uma alteração nos intricados mecanismos genéticos e ambientais da célula. No adulto médio há, aproximadamente, 10^{14} células. Considerando-se o câncer uma doença clonal que ocorre em uma determinada célula, podemos verificar quão raro é, e como são eficazes os mecanismos de controle celular durante toda a vida.

A célula é a unidade morfológica dos seres humanos. A compreensão de sua complexa fisiologia, a sua inter-relação com outras células e os mecanismos de sua regulação será a peça-chave para o conhecimento da carcinogênese e da Oncologia Molecular como um todo.

Historicamente, o desenvolvimento dos conceitos de biologia molecular no câncer de mama foi iniciado na década de 1960, e na década subsequente, com a descoberta dos receptores de estrógeno por Elwood Jensen (1971), Jack Gorski (1966) e William McGuire (1975). Há de ser citado também George Beatson que, em 1896, observou e indicou empiricamente a ooforectomia bilateral para o tratamento de suas pacientes.

A Oncologia Molecular agrega cada vez mais conhecimentos sobre a oncogênese tumoral, suas vias de iniciação, promoção, progressão e metastatização, bem como a avaliação de suscetibilidades herdadas geneticamente. As características fundamentais para a ocorrência do câncer são:

1. Capacidade de proliferação celular independentemente de agentes mitogênicos exógenos.
2. Refratariedade celular aos sinais celulares inibidores de crescimento.
3. Resistência celular aos mecanismos de apoptose.
4. Capacidade proliferativa celular irrestrita (imortalidade).
5. Capacidade celular de neoformação vascular (angiogênese).
6. Capacidade celular de invasão de tecidos contíguos e, eventualmente, de metastatização celular.

O câncer de mama é caracterizado por desregulação da proliferação a apoptoses celulares, desaparecimento de células mioepiteliais, transformação epitélio-mesênquima, instabilidade genômica (mutações, deleções, amplificações, rearranjos cromossômicos), perda da organização e compartimentalização. Nesse processo, várias moléculas, como os proto-oncogenes c-MYC, ErbB2, EGFR, e ciclina D1, e genes supressores como TP53, E-caderina, entre outros, parecem envolvidas. Diversos estudos determinaram quais são as alterações mais frequentemente encontradas na doença, entretanto a ordem cronológica não foi ainda claramente estabelecida.

O estudo da gênese do câncer de mama e de moléculas diferencialmente expressas no tumor permitiu a identificação de alvos moleculares de terapêutica, os quais já podem ser explorados na atualidade, bem como os fatores prognósticos. Nesse capítulo abordaremos de forma geral os aspectos mais relacionados com os fenômenos que ocorrem na biologia tumoral do câncer de mama, em ordem de aparecimento.

CICLO CELULAR E REPLICAÇÃO DO DNA

O ciclo celular é um processo de regulação altamente especializado, em que as células se replicam em unidades biológica e anatomicamente iguais, com base basicamente na replicação do seu DNA celular.

O ciclo celular é composto por quatro fases que variam de tamanho e duração, de acordo com o tipo celular e os sinais envolvidos para sua iniciação, geralmente para substituição de células mortas ou para fenômenos de crescimento ou regeneração tecidual.

O chamado período G1 (fase de crescimento), sucedido pelo período S (fase de síntese de DNA); logo após sucedido pelo período G2 (fase de crescimento) e seguido pelo período M (período de mitose, onde ocorrem as divisões nuclear e celular). Após o período M, as células em geral entram, em que poderá variar horas, dias e até anos, a depender do órgão em questão. Esta última fase após o processo de multiplicação celular denomina-se período G0. A progressão de uma fase para outra é controlada por uma maquinaria bioquímica conservada que não apenas coordena esse processo, mas também está ligada a sinais extracelulares de controle de crescimento e proliferação.

Cada fase do ciclo de replicação celular é dirigida por ativação sequencial de enzimas especializadas, as chamadas quinases ciclina-dependentes (*cdK's*) em associação a suas subunidades reguladoras, as ciclinas A, B, D e E. As ciclinas são proteínas instáveis, sendo necessárias apenas por curtos períodos de tempo. Considerando seu importante papel no ciclo celular, não causa surpresa o fato de que muitos tumores mostrem mutações que levam à expressão contínua das ciclinas ou à inativação dos seus inibidores.

O funcionamento do ciclo celular tem regiões de inibição destas *cdK's* chamados pontos de checagem (*checkpoints*), que em última análise visam o controle da progressão ou da prevenção de DNA anormal celular. Nesse momento, ressalta-se que um dos mais importantes reguladores do G1/S *checkpoint* é a proteína de supressão tumoral p53, que frequentemente tem aí a gênese de muitos fenômenos de dano ao DNA.

O segundo ponto de checagem extremamente importante no ciclo celular – o G2/M *checkpoint* – situa-se antes da fase de mitose celular, tendo importância no controle do ciclo, evitando que a célula com o genoma danificado, entre em meiose e replique-se, dando origem à linhagem de células com o DNA danificado.

Esses pontos de checagem celular servem para detecção de dano ao DNA celular, para suspender as fases G1 e G2 do ciclo celular até ocorrer a regeneração do DNA afetado ou, em última análise, deflagrar a eliminação da célula defeituosa por meio do mecanismo de apoptose celular.

Ao mesmo tempo, a célula é submetida a sinais extracelulares que definirão se crescerá e sofrerá divisão ou se entrará em parada de crescimento, diferenciação ou morte celular.

Uma série de fatores de crescimento – como fator de crescimento epidérmico, fator de crescimento insulínico, fator de crescimento derivado plaquetário – entre outros, acopla-se a receptores de superfície celular, fazendo como que haja a estimulação de vias de sinalização celulares que, em última análise, levarão ao crescimento da célula (Fig. 1).

O ciclo celular é dividido em quatro fases (G1, S, G2 e M). A evolução do ciclo é promovida pelas quinases ciclinas dependentes (CDKs), que são reguladas positivamente pelas ciclinas e negativamente pelos seus inibidores (CDKIs).

REGULAÇÃO DO CRESCIMENTO CELULAR

São três os fatores que levam à formação da massa celular: fatores mitogênicos (divisão celular através da transição na fase G1/S), fatores de crescimento (aumento da síntese proteica) e fatores de sobrevivência celular (inibindo a apoptose).

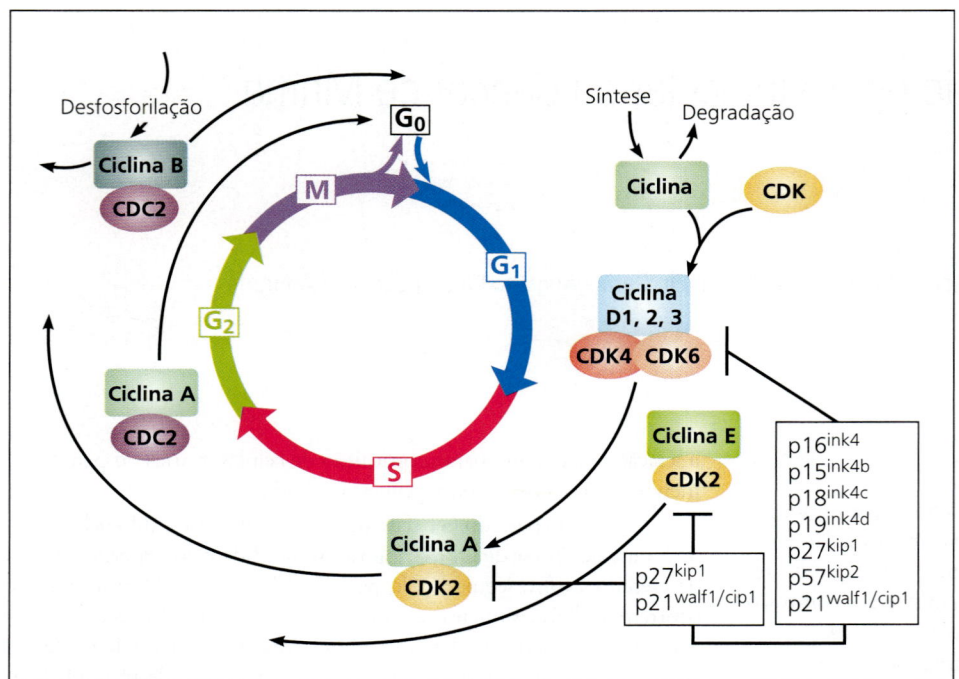

◀ **FIGURA 1.** Funcionamento do ciclo celular. (Schwartz e Shah, 2005.)

Os fatores de crescimento, através de suas vias de sinalização intracelular, são redes complexas de integração de fatores inibitórios e estimulantes de crescimento que fazem com que, a cada momento, a célula possa se replicar, crescer, sobreviver ou morrer. Dentre as várias vias de sinalização celular, existem duas que devem ser destacadas: a via mitogênica RAS/MAP quinase e sua via de transcrição por meio do proto-oncogene c-MYC e a via PI3K-AKT de sobrevivência celular.

O proto-oncogene c-MYC pode estar amplificado e hiperexpresso em câncer de mama humano e, em alguns estudos, estas alterações correlacionam-se com a sobrevida dos pacientes. Alguns outros fatores de transcrição podem estar hiperexpressos em câncer de mama e aparentemente são corregulados com receptor de estrógeno, entre eles GATA-3 e XBPI. Esse último parece ter expressão alta em tumores RE positivos.

ONCOGENES E GENES DE SUPRESSÃO TUMORAL

Alguns genes supressores de tumor podem estar inativos no câncer de mama, como TP53, BRCA1 e BRCA2. Mutações no gene TP53 foram identificadas em 15-40% dos cânceres de mama, com marcada heterogeneidade geográfica em nossa população.

A hiperexpressão de alguns oncogenes através de sua amplificação gênica é muito presente na carcinogênese mamária. São comuns nos casos de câncer de mama ganhos nos braços dos cromossomas 1q, 8q, 16p e 17q.

Um dos genes mais comumente amplificados é o gene da ciclina D1, com amplificação relatada em 13 a 21% dos tumores de mama. A expressão da ciclina D1 é verificada nas fases iniciais da carcinogênese mamária, principalmente nos tumores com receptor de estrógeno positivo.

Outro gene extremamente amplificado nos casos de câncer mamário (20-25% das vezes) é o gene HER2, do grupo dos receptores da família EGFR, localizado no gene 17q.

Na esfera dos genes de supressão tumoral, que são genes que limitam ou suprimem a replicação celular, é comum a sua perda de função na carcinogênese mamária nos casos de heterozigose dos genes BRCA1, BRCA2 e TP53. Esse último, quando mutado, origina proteína de conformação alterada, com maior estabilidade (e por esta razão detectada em exames de imuno-histoquímica) e alterações de propriedades regulatórias.

BRCA1 e BRCA2 são genes de susceptibilidade ao câncer de mama, cujos produtos participam no reparo, na replicação e na transcrição do DNA. Mutações dBRCA1 e BRCA2 estão envolvidas na gênese do câncer de mama familiar. Por outro lado, hipermetilação do DNA com redução da expressão de BRCA1 pode ocorrer em 11-13% dos casos de câncer de mama esporádicos. Em mulheres portadoras de mutação de BRCA1 ou 2, a mastectomia total bilateral redutora de risco pode reduzir a incidência de câncer de mama, entretanto não se sabe dizer se essa conduta tem impacto na sobrevida.

A via do TGF-β é uma das vias antiproliferativas mais importantes no epitélio mamário. A falta de responsividade aos seus efeitos inibidores é de suma influência na carcinogênese do câncer de mama.

APOPTOSE REDUZIDA

A apoptose é a morte celular programada. Tem importância fundamental na homeostase do organismo, pelo balanço que oferece a proliferação celular. Vários tumores de mama apresentam aquisição reduzida ou ausência de apoptose celular.

Em carcinoma de mama, várias alterações em moléculas que controlam o ciclo celular já foram demonstradas. A amplificação do gene da *ciclina D1* ocorre em 15% destes tumores, e a proteína está hiperexpressa em 40%, sugerindo que vários mecanismos são responsáveis por essa regulação. A maior expressão do transcrito de ciclina D1 ocorre tanto em carcinoma ductal *in situ* e invasivo, como também em gânglio acometido, quando comparados ao tecido mamário normal. Indução da expressão de ciclina D1 pode ser consequente à ação estrogênica mediada pela presença de RE nestes tumores, desde que um elemento de resposta ao hormônio foi descrito na região regulatória do gene.

Outra via extremamente importante na redução da apoptose, também chamada de via de sobrevivência celular, é a via BCL2, expressa em 65% dos casos de mama. Verifica-se, também, que a via PI3K, referida anteriormente, pela fosforilação da AKT, é importante via de ativação de redução de apoptose em mais da metade dos cânceres de mama.

Existem vários mecanismos celulares no complexo de sinalização apoptótica. De uma forma geral, a apoptose pode ser deflagrada por duas vias:

1. **Via extrínseca**: que inclui receptores transmembrana, chamados de receptores de morte celular, que são membros da família dos fatores de necrose tumoral, que levam à ativação de enzimas proteicas específicas, denominadas caspases, que desencadeiam reações proteolíticas celulares, levando à sua destruição.
2. **Via intrínseca**: também chamada de via mitocondrial. É deflagrada por estímulos de estresses celulares, como fatores oxidantes, deprivação de fatores de crescimento e presença de agentes danosos ao DNA celular. Importante realçar que esta via é regulada por proteínas anti e pró-apoptóticas da família BCL2.

Na prática, verifica-se que, em cerca de 80% dos casos de câncer de mama, a hiperexpressão da proteína BCL2 está presente. Há evidências de que níveis elevados de BCL2 apresentem potencial oncogênico, já que BCL-2 é uma molécula de indução estrogênica e pode ser fosforilada por taxanos. Entretanto, expressão imuno-histoquímica de BCL-2 não parece ser um fator associado à resposta ao paclitaxel.

ANGIOGÊNESE

A capacidade de tumores em apresentarem uma resposta de neoformação vascular – angiogênese – por suas células frente ao seu hospedeiro é fundamental na biologia celular da carcinogênese mamária e ponto de atuação de novas terapias celulares-alvo.

Um de seus principais mediadores é o chamado fator de crescimento endotelial vascular (VEGF), e sua presença é superexpressa tanto em formas não invasivas, como nas formas invasivas do câncer mamário.

O VEGF aumenta em resposta ao estradiol e a ativação da via HER-2, bem como é liberado do estroma pela ação das metaloproteinases matriciais.

O anticorpo bevacizumab, anticorpo que se liga ao VEGF, está sendo utilizado em ensaios clínicos controlados com resultados extremamente promissores (Fig. 2).

RECEPTORES ESTEROÍDICOS

Em câncer de mama, fatores de risco ligados à influência dos hormônios sexuais incluem menarca precoce e menopausa tardia, circunstâncias em que existe maior número de ciclos ovulatórios. Além disso, vários estudos indicam que, além do estrógeno, a progesterona também induz a proliferação de células mamárias.

Os hormônios lipofílicos, como estrógeno, progesterona, retinoides e vitamina D, ultrapassam a membrana celular e interagem com seus receptores específicos, presentes no núcleo de células-alvo, onde regulam a expressão gênica.

Os receptores de estrógenos (RE) e progesterona (RP) são expressos em níveis basais muito baixos em células epiteliais mamárias humanas normais, após a mulher entrar na maturidade. Por outro lado, cerca de dois terços dos cânceres mamários expressam níveis altos de RE que o tecido mamário normal, e metade destes tumores RE positivos expressa, também, RP. Esses receptores são importantes fatores preditivos de resposta à hormonoterapia. Mesmo uma baixa expressão de REα detectada por imuno-histoquímica, isto é, reatividade fraca em 1-10% das células tumorais está associada à resposta à hormonoterapia, avaliada como maior sobrevida livre de doença. A expressão do receptor REα tem sido amplamente pesquisada em tumores de mama, já que esse receptor medeia inúmeras ações estrogênicas em células-alvo, ao induzir, de modo direto, genes associados ao controle da proliferação e apoptose celular, como ciclina D1, IGF-I, bcl2, bem como o receptor de progesterona.

Outro receptor de estrógeno, isto é, REβ, foi descrito mais recentemente, aumentando a complexidade do cenário. Esse receptor pode estar expresso tanto em tecido mamário normal, quanto maligno. Sua função e sua correlação com o prognóstico e a resposta à hormonoterapia ainda são obscuras.

FATORES DE CRESCIMENTO E SEUS RECEPTORES

Existe grande interação entre as vias de sinalização de estrógenos e de fatores de crescimento. Em pacientes com câncer de mama e imunoexpressão negativa do RE ou doença RE positiva, mas resistente à hormonoterapia, acredita-se que fatores de crescimento, como EGFR e IGF, sejam de suma importância. Fator de crescimento epidermal, EGF, fator de crescimento transformante α (TGFα), bem como o IGF-I (fator de crescimento insulina-símile), são potentes mitógenos para células epiteliais mamárias e podem também influenciar a invasividade, a angiogênese e a sobrevida das células. Além disso, as próprias células do câncer de mama podem sintetizar EGF.

A família de receptores de fatores de crescimento tipo 1 inclui o receptor de crescimento epidermal EGFR/ErbB1/HER1, ErbB2/Neu/HER2, ErbB3/HER3 e ErbB4/HER4. Os três receptores estão implicados no desenvolvimento do câncer, o papel do ErbB4 é menos claro. Seis ligantes diferentes, conhecidos como ligantes EGF-*like*, ligam-se ao EGFR. Depois de ligante, o receptor ErbB é ativado pela dimerização entre dois receptores idênticos (isto é homodímeros) ou entre diferentes receptores da mesma família (ou seja, heterodímeros). Dimerização leva à fosforilação de vários substratos catalíticos intracelulares, incluindo membros da Ras/Raf/mitógeno proteinoquinase ativada via (MAPK), fosfatidilinositol-3-quinase (PI3K)/ Akt/família PTEN e outras importantes vias de sinalização que regulam apoptose, síntese proteica e proliferação celular. A hiperexpressão de EGFR pode ser detectada em 40% dos cânceres de mama e, em geral, decorre da amplificação do gene.

ErbB2 é um receptor tipo tirosinoquinase com domínios extracelular, transmembranoso e intracelular, cujo ligante é desconhecido. Este receptor pode formar heterodímeros com outros membros da família e participar da via de sinalização, que culmina com a duplicação celular. Trastuzumabe é um anticorpo monoclonal humanizado que se liga ao domínio extracelular de ErbB2 e bloqueia sua função na transmissão do sinal. Seu uso em tumores metastáticos, que hiperexpressem ErbB2, induz taxa de resposta de 15% em pacientes já submetidas à quimioterapia. Além disso, o uso deste anticorpo associado ao paclitaxel leva a aumento de sobrevida de pacientes com doença metastática (Fig. 3).

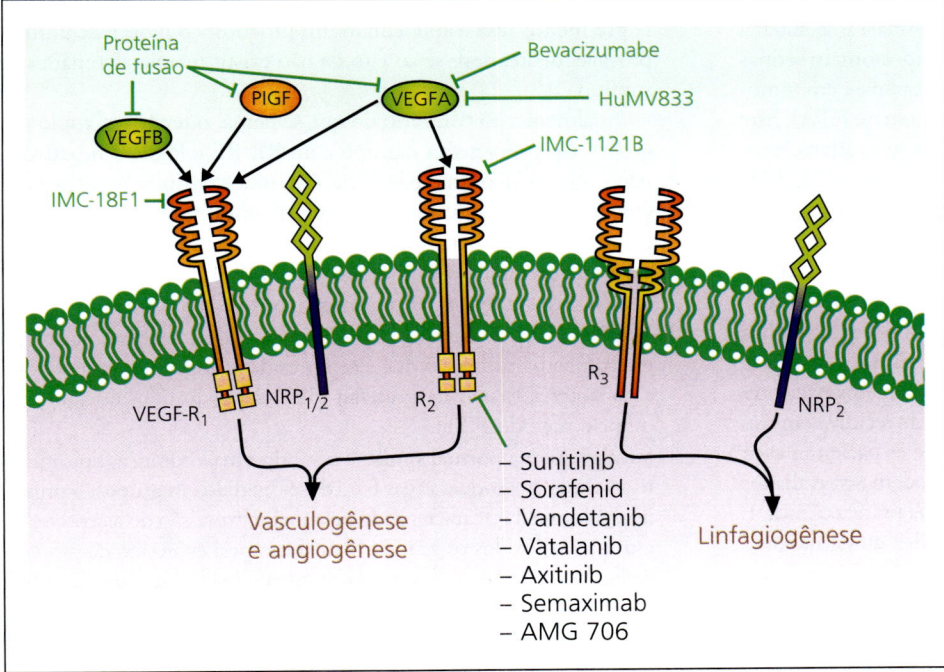

◀ **FIGURA 2.** Família de crescimento endotelial vascular (VEGF) e a ação do bevacizumabe. (Alvarez *et al.*, 2010.)

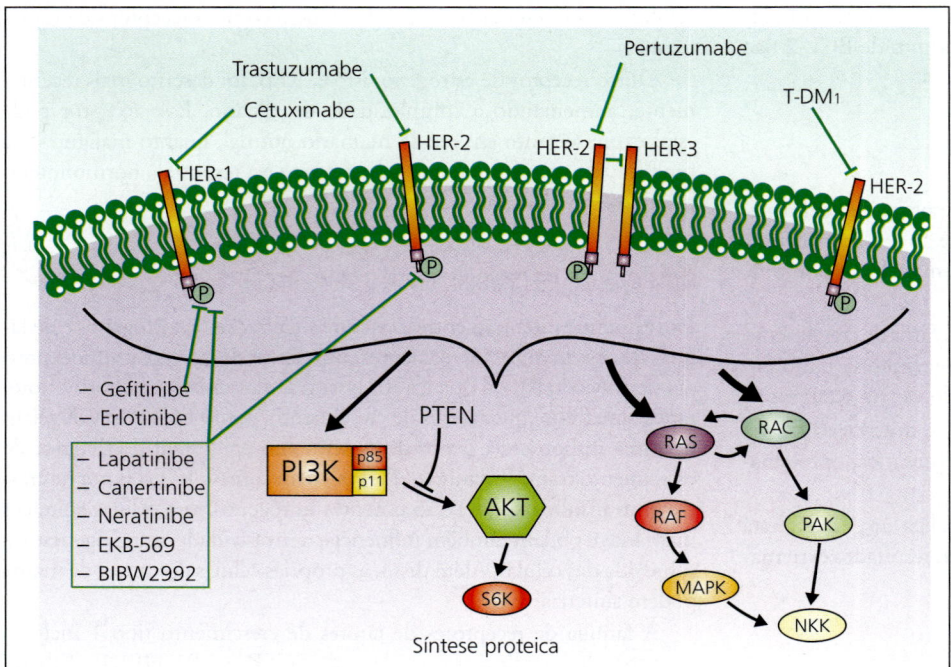

◀ **FIGURA 3.** Família de receptores de fatores de crescimento tipo 1 inclui o receptor de crescimento epidermal EGFR/ErbB1/HER1, ErbB2/Neu/HER2, ErbB3/HER3 e ErbB4/HER4. Na figura, observamos as drogas que estão sendo estudadas para o tratamento do câncer de mama e sua ação nos seus respectivos receptores. (Alvarez *et al.*, 2010.)

ADESÃO CELULAR

A E-caderina é uma molécula de adesão célula-célula dependente de cálcio. Seu papel em suprimir a invasão e o crescimento metastático do câncer tem sido amplamente estudado. Aparentemente, a inativação do gene E-caderina está associada à maior invasividade tumoral e é principalmente encontrada em estágios avançados do carcinoma de mama. Parece, também, estar envolvida na diferenciação de células epiteliais mamárias, e a sua ausência em determinados tumores de mama está associada à expressão de vimentina junto com queratinas.

Outro aspecto crítico, ligado aos processos de invasão e metástase, envolve interações de adesão de células tumorais com outras células ou com a matriz extracelular, e parte destas interações é mediada, por receptores de superfície da família das integrinas.

PROTEINASES

O papel das proteinases parece bastante extenso e complexo. Estas enzimas proteolíticas têm sido associadas ao fenótipo invasivo, pois estão implicadas na degradação da matriz extracelular, incluindo a membrana basal, a qual serve de barreira entre compartimentos teciduais. Além disso, as proteinases são importantes na criação e na manutenção do microambiente, pois participam também da angiogênese.

Várias proteinases são descritas: aspartato (catepsina D) e cisteína proteinases (catepsinas B, H e L), ambas as enzimas lipossomais; serinas proteinases e metaloproteinases. A principal serina proteinase em tumores sólidos é o ativador de plasminogênio do tipo uroquinase (uPA). Este é produzido principalmente por células estromais, liga-se ao seu receptor (uPAR) presente na membrana celular e, em sua forma ativa, é capaz de ativar várias outras proteinases. O complexo uPA-uPAR ao se ligar a inibidores, como PAI-1 e PAI-2, torna-se inativo ao sofrer endocitose. Em câncer de mama, a expressão do ativador do inibidor de plasminogênio (PAI-1) no tecido tumoral tem valor prognóstico, e níveis teciduais baixos estão associados à maior sobrevida, menor risco de recidiva e morte. Um estudo prospectivo usando os níveis de uPA e PAI-1 para estratificar os pacientes com a axila negativa mostrou que os pacientes com baixos níveis de uPA/PAI-1 apresentaram taxas de recidiva em três anos, aproximadamente, duas vezes inferiores do que as pacientes com níveis elevados. Infelizmente, esses marcadores só podem ser avaliados em tecido fresco, o que implica no seu uso rotineiro na prática clínica. É importante ressaltar que o valor da expressão de PAI-2 ainda não está bem estabelecido.

Outras proteinases a citar são as MMPs que são secretadas em sua forma inativa e após processamento enzimático originam a forma catalítica. Em câncer de mama, a expressão de MMP11 ocorre principalmente em fibroblastos adjacentes às células epiteliais malignas. Então, sua maior expressão aponta para maior agressividade destes tumores.

CLASSIFICAÇÃO DE SORLIE PARA O CÂNCER DE MAMA

O grupo de Stanford, capitaneado por Solie, por meio de técnicas de análises de microarranjos de DNA, propõe uma nova abordagem e classificação dos cânceres de mama, fato este acompanhado por outros grupos de pesquisadores.

Em síntese, o estudo de várias sequências gênicas obtidas por microarranjos pode reconhecer cinco tipos essenciais nessa nova classificação:

1. **Subtipo basaloide:** nesse grupo as neoplasias não expressam os receptores de estrógeno e progesterona, não expressam HER-2 (por isso, são geralmente chamados de "triplos negativos"), possuem expressão variável de citoqueratinas basais (CK5/6 e CK17), alta expressão do fator de crescimento epidermal (EGFR) e presença de marcadores musculares lisos. Normalmente apresentam um alto grau histológico e evidência de instabilidade genômica (grande chance de metástase), mesmo nos tumores iniciais. É importante ressaltar que nas pacientes com BRCA-1 mutado, 80% são triplos negativos. Um dado interessante mostrado em estudos é que os tumores triplos negativos, são mais comuns na raça negra, em paciente pré-menopausa e apresentam um prognóstico pior. Esse último, provavelmente, deve-se ao fato de não existir terapia-alvo para esse subtipo.

    Finalmente, ao contrário do que se pensa, o fenótipo "triplo negativo" (que representa o grupo com RP, RE e HER-2 negativos), não é igual ao fenótipo basaloide. Os tumores triplos negativos englobam também o subtipo normal e alguns tumores apócrinos. E, ao contrário, nem todos os subtipos basaloides são definidos com microarranjos isentos de RP, RE e HER-2. De uma forma geral, 71% dos tumores "triplos negativos" são basaloides.

2. **Subtipo HER-2:** constitui 10-15% dos cânceres de mama. Nesse grupo não há expressão dos receptores de estrógeno e progesterona e há superexpressão da proteína HER-2 por imuno-histoquímica ou pelo método FISH.

3. **Subtipo mama normal símile:** é o subtipo mais comum, tipicamente, expressa as citoqueratinas 8 e 18 e é dividido em grupos; o primeiro é o luminal A, caracterizado pela maior expressão de receptores de estrógeno de todos os grupos, bem como pela expressão da proteína de ligação GATA3, X-box e pela expressão do fator nuclear hepatócito 3α. Constitui 40% de todos os cânceres de mama e apresenta o melhor prognóstico. Temos também o luminal B (20% dos tumores de mama, com expressão mais fraca dos receptores hormonais e ex-

pressão variável de HER-2) e o luminal C que apresenta expressão baixa a moderada de genes luminais específicos.

4. **Subtipo normal**: engloba amostras de tecido mamário normal e fibroadenomas. Parece representar um artefato encontrado em uma amostra congelada, e sua análise é altamente questionável, já que pode conter uma quantidade grande de estroma e células epiteliais.

Essa classificação é fundamentada na experiência clínica e em estudos, que sugerem que os tumores com receptor de estrógenos positivo e negativo derivam de células progenitoras diferentes. Os tumores luminais são assim chamados por serem caracterizados pela expressão dos genes também expressos nas células mamárias luminais epiteliais. Da mesma forma, o subtipo *basal-like* tem esse nome por expressar vários genes que são característicos das células mamárias epiteliais basais.

Clinicamente o grupo luminal A apresenta o melhor prognóstico, vindo a seguir os luminais B e C. Em verdade, do ponto de vista histopatológico, o grupo luminal A, seguido pelo luminal B, são os que apresentam a maior diferenciação tecidual, aproximando-se do tecido mamário normal. A seguir, o grupo HER-2 e, por último, o tipo basaloide, que são os grupos de pior progóstico e de maior complexidade terapêutica.

APLICAÇÕES CLÍNICAS DA BIOLOGIA MOLECULAR NO CÂNCER DE MAMA

Inúmeros fatores parecem implicados na gênese e na progressão do carcinoma de mama, mas, apesar disso, poucos são os fatores prognósticos e preditivos moleculares com valor estabelecido.

A primeira e até hoje bem-sucedida aplicação clínica terapêutica da biologia molecular no câncer de mama é a utilização do tamoxifeno. Subsequentemente, o desenvolvimento dos inibidores da aromatase de terceira geração – examestano, anastrozole e letrozole – abriu uma nova janela de oportunidades aos cânceres hormonopositivos.

O desenvolvimento de uma droga com características de ser um antiestrógeno de ação pura, sem propriedades agonistas estrogênicas – fulvestranto –, trouxe mais uma opção ao tratamento dos cânceres hormonopositivos.

Atualmente, temos utilizado na adjuvância, na doença localmente avançada e na doença metastática anticorpos monoclonais dirigidos à porção extramembranosa do HER-2, o chamado trastuzumabe.

Algumas proteases e seus inibidores, como uPAR e PAI-1, podem ter valor prognóstico. Uma série de outras drogas, com base nos princípios biológicos e mecanismos fisiológicos demonstrados anteriormente, está em ensaio clínico, como inibidores da mTOR derivada direta da via PI3K/AKT entre outras.

Além disso, estudos recentes, fazendo uso da técnica de cDNA *microarray*, mostraram que a expressão de um painel de genes pode ser um fator prognóstico tanto na presença, como na ausência de acometimento linfonodal. Vários trabalhos em andamento devem contribuir para o estabelecimento da gênese e da progressão da doença e permitir a determinação de alvos específicos para a terapêutica.

BIBLIOGRAFIA

Alvarez RH *et al.* Emerging targeted therapies for breast cancer. *J Clin Oncol* 2010;28:3366-79.

Chagas CR, Menke CH, Vieira RJ *et al. Tratado de mastologia da SBM*. Rio de Janeiro: Revinter, 2010.

De Vita VT, Hellman S, Rosemberg S. *Câncer: principles and practice of oncology*. USA: Lippincott Williams & Wilkins, 2008.

Fan C, Oh DS, Wessels L *et al.* Concordance among gene-expression-based predictors for breast cancer. *N Engl J Med* 2006;355:560.

Ferreira CG, Rocha JC. *Oncologia molecular*. Rio de Janeiro: Atheneu, 2004.

Schwartz GK, Shah MA. Targeting the cell cycle: a new approach to cancer therapy. *J Clin Oncol* 2005;23:9408-21.

Voduc KD, Cheang MC, Tyldesley S *et al.* Breast cancer subtypes and the risk of local and regional relapse. *J Clin Oncol* 2010;28:1684.

Zsuzsanna K, Tibor T. *Breast cancer, a heterogenous disease entity. The very early stages*. Pringer, London, 2011.

CAPÍTULO 100
Biologia Molecular das Metástases

Martín H. Bonamino ■ Cinthya Sternberg

INTRODUÇÃO

Tumores primários consistem em populações heterogêneas de células com alterações genéticas que, por vezes, permitam superar limites físicos, migrar e colonizar um órgão distante. Metástase é uma sucessão destes processos individuais, e a totalidade das células metastáticas são clones raros, contidos no tumor primário. Em modelos animais, menos que 0,01% das células tumorais que entram na circulação desenvolve metástases. A instabilidade genômica intrínseca das células cancerosas aumenta a frequência de alterações necessárias para adquirir a capacidade metastática. Tal instabilidade genômica e heterogeneidade das células tumorais são evidenciadas em ganhos, perdas e rearranjos cromossômicos associados ao câncer. Em geral, a integridade do DNA pode ser comprometida pela progressão aberrante do ciclo celular, desregulação telomérica e inativação de mecanismos de reparo do DNA.

De acordo com a visão tradicional da metástase, acredita-se que a mesma ocorra a partir de um processo semelhante com o da evolução darwiniana, envolvendo a seleção natural das células tumorais que são capazes de migração e sobrevivência em locais distantes. Neste modelo, as células tumorais que exibem alterações genéticas estáveis compatíveis com a habilidade metastática são selecionadas e, mesmo sendo raras, serão as responsáveis por causar metástase em etapas mais tardias da progressão tumoral. No entanto, o recente desenvolvimento de novas tecnologias, incluindo a determinação do perfil de expressão de mRNA com base em microarranjos (*microarray*), imagens intravitais e a coleta de células tumorais invasivas de tumores *in vivo*, desafiou este modelo tradicional de metástase. Essas tecnologias também têm fornecido novos marcadores diagnósticos e terapêuticos da doença metastática. Estudos de tumores mamários em roedores,[1-4] a determinação do perfil de expressão de todos os tumores de mama humanos[5-6] e a coleta e caracterização de subpopulações de células tumorais invasivas isoladas de tumores mamários de ratos e camundongos[7-9] indicam que a capacidade metastática é adquirida em estágios bastante iniciais da progressão do tumor, muito mais precoces do que o previsto pelo modelo darwiniano, em que moléculas-chave estão codificadas em toda a massa do tumor primário, envolvendo alterações transitórias na expressão gênica nas diversas células que compõem o tumor.

No entanto, estes resultados podem ser conciliados com o modelo darwiniano se assumirmos que a seleção de mudanças genéticas estáveis no tumor primário durante a progressão contribui para mudanças no microambiente, necessárias para induzir as alterações transitórias na expressão gênica que suportam os fenótipos invasivo e metastático. As alterações genéticas estáveis, necessárias para a indução do microambiente permissivo à invasão e disseminação de células, poderiam ocorrer no início da progressão e em todo o tumor. O modelo de invasão tumoral fundamentada no microambiente sustenta que o microambiente do tumor inicia a expressão de genes que induzem a motilidade celular, invasão e metástase.[9-10] Neste modelo, é proposto que as mutações oncogênicas em células tumorais presentes no tumor primário são responsáveis pela geração de um microambiente que induz a motilidade celular nas células tumorais e estromais. Exemplos de tais modificações no microambiente são o aumento da densidade microvascular, inflamação e hipóxia.[11-12] Especula-se que essas alterações no microambiente promovem alterações transitórias e epigenéticas na expressão gênica de células tumorais e estromais que se assemelham aos programas de expressão do gene utilizados para dirigir movimentos celulares morfogenéticos no desenvolvimento embrionário do órgão. Quando o tumor primário está localizado em um órgão adulto, o microambiente tumoral pode desencadear o programa embrionário de expressão de genes deste órgão, levando ao fenômeno de transição epitélio-mesênquima (TEM – ver adiante) e aos movimentos do tipo morfogênico de células tumorais, evento este correlacionado com processos, como invasão e metástase.

O modelo em que o microambiente age como indutor do fenótipo invasivo prevê que as modificações no mesmo (que levam à invasão e metástase) podem aparecer aleatoriamente no tempo e em diversos locais do tumor primário, levando a episódios repetidos de invasão e disseminação sistêmica de células tumorais (potencialmente levando à metástase) em toda a progressão do tumor.[8] Consistente com este modelo, a imagem intravital de tumores mamários experimentais em modelos animais demonstra que apenas uma pequena proporção de células tumorais é móvel, e que tais células estão distribuídas ao longo do tumor, mas que são observadas mais frequentemente em certas áreas, particularmente em torno de macrófagos perivasculares.[13-14] A massa tumoral é heterogênea e composta por células tumorais transformadas, além de componentes celulares não transformados residentes (como fibroblastos) ou recrutados (como células do componente inflamatório do tumor). O papel destes componentes celulares não transformados (como macrófagos e linfócitos) no processo de invasividade e metastatização será abordado mais adiante neste capítulo. Além disso, os genes correlacionados com potencial metastático parecem ser expressos precocemente em toda a massa tumoral e em uma variedade de tumores sólidos.[5-6] O modelo também é apoiado pela observação de que micrometástases são muitas vezes geneticamente heterogêneas, sugerindo que o comportamento invasivo não é estavelmente especificado.[15] Além disso, o modelo de microambiente tumoral invasivo é geralmente consistente com a nossa compreensão atual de como o microambiente do tumor contribui para a invasão e a metástase.[16]

TRANSIÇÃO EPITÉLIO-MESÊNQUIMA

A regulação da plasticidade da célula epitelial durante TEM é cada vez mais implicada na progressão de carcinomas de mama. As células epiteliais que se submetem à TEM perdem suas características de células epiteliais e adquirem um fenótipo mesenquimal, tornando-se migratórias e invasivas. Assim, TEM é caracterizada por alterações celulares e moleculares que incluem: a perda de adesão célula-célula e da polaridade apical-basal, envolvendo modificações em E-caderina (CDH1) em conexões aderentes, occludinas (OCLN) e claudinas (CLDN) em junções do tipo *tight*, e desmoplaquina (DSP) em desmossomas; diminuição da expressão de citoqueratinas epiteliais (KRT8, KRT18, e KRT19); aumento de expressão da proteína vimentina mesenquimal (VIM) e, em alguns casos, actina de músculo liso alfa-(ACTA2); reorganização do citoesqueleto para adquirir uma morfologia mais fusiforme, motilidade e maior capacidade de invasão, envolvendo redes de microfilamentos de actina dinâmicos e aumento da resistência à apoptose. Durante a progressão tumoral, células epiteliais destacam-se do tumor primário, aderem e invadem o estroma circundante, intravasam em vasos sanguíneos e difundem-se para os tecidos e órgãos distantes, para onde extravasam e podem conduzir ao aparecimento de tumores secundários. Estes processos de geração de metástases podem, portanto, ser divididos em três etapas: iniciação, progressão e colonização do novo órgão.[17]

O processo de TEM exige a coordenação de uma complexa rede de sinais extracelulares e intracelulares, que envolvem fatores de iniciação (extrínsecos) e mecanismos intrínsecos, levando a um *continuum* de mudanças que ocorrem dentro das células durante a transição de um fenótipo epitelial para o fenótipo mesenquimal. As TEMs podem ser induzidas em culturas de células *in vitro* por componentes da matriz extracelular e fatores de crescimento, como o TGF-beta, HGF, FGF, EGF e IGF1 e 2.[18] Vias de transdução de sinais, como a Wnt, Hedgehog, Notch e sinalização via integrinas, também podem coordenar programas de TEM. Um número de fatores de transcrição induz o TEM por meio do controle transcricional de caderina-E, incluindo SNAIL1, SNAIL2, ZEB1, ZEB2, TWIST, FOXC1, FOXC2, TCF3 e SGC.[19]

Apesar da caracterização parcial de fatores envolvidos na TEM, existe uma necessidade de identificação de novos marcadores para definir as diferentes fases durante a transição a partir do epitélio até o fenótipo mesenquimal, assim como a transição inversa. Estes marcadores podem ser diferentes nas TEMs daqueles expressos por tecidos normais em células epiteliais. Um exemplo pertinente é a presença bem descrita de células tumorais micrometastáticas no sangue e medula óssea que retêm a expressão de citoqueratina.

Em muitos tumores primários com propriedades invasivas a adesão intercelular é reduzida, observando-se muitas vezes uma perda de caderina-E, um mediador direto de interações celulares adesivas. A porção citoplasmática da E-caderina é presa, via α-catenina e β-catenina, ao citoesqueleto de actina, e uma das propriedades desta última é manter junções celulares. Vários mecanismos podem causar uma perda de E-caderina, como mutações resultando em um silenciamento do gene da proteína, por metilação do promotor ou pela diminuição de sua expressão através da regulação de estímulos por receptores de fator de crescimento (p. ex.: EGFR, FGFR, IGF1 e MET) ou da família quinases SRC. A expressão do gene da E-caderina (CDH1) também é inibida por vários repressores transcricionais. A perda de E-caderina é necessária, embora não seja suficiente, para induzir a TEM.

CÉLULAS-TRONCO TUMORAIS – IMPLICAÇÕES NOS TUMORES PRIMÁRIOS E METÁSTASES

A questão de até que ponto a autorrenovação de células-tronco tumorais inicia e mantém o crescimento do câncer é um assunto de intensa investigação. Tal evento é, provavelmente, diferente de acordo com os diferentes tipos de tumor. Essas células são vistas como uma subpopulação de células cancerosas que – por alguns mecanismos já descritos – têm a capacidade de agir como células capazes de propagação tumoral e são experimentalmente definidas como aquela subpopulação de células presentes na massa tumoral, que se mostra capaz de estabelecer tumores em camundongos imunodeficientes. Os tumores são frequentemente compostos de dois ou mais subtipos celulares derivados das células tumorais (além dos seus componentes não tumorais, ou seja, células estromais e/ou imunológicas). No entanto, subpopulações específicas são frequentemente capazes de induzir estes novos tumores experimentalmente.[20]

Essas células-tronco tumorais podem resistir à apoptose e aos danos de DNA causados por drogas, podendo, também, exigir um nicho ou microambiente específico a fim de se estabelecer para gerar novas massas tumorais. Esta hipótese está fundamentada na teoria do solo fértil, ou permissivo à metástase, que combina as propriedades dos padrões migratórios de disseminação de micrometástases à compatibilidade destas células tumorais de colonizar aquele novo tecido.[17,20,21] Tais atributos apoiam o estabelecimento de tumores primários e metastáticos. O eixo de sinalização da quimiocina SDF-1 com seu receptor CXCR4 é considerado como importante para dar suporte às células-tronco tumorais ou precursoras. Nichos "pré-metastáticos" têm sido descritos em modelos animais, nos quais células progenitoras rumam para a medula óssea de sítios específicos distantes antes da formação de uma metástase. A capacidade das células-tronco para evitar a degeneração e sobreviver em locais distantes, incluindo a medula óssea, pode explicar porque micrometástases podem permanecer dormentes por longos períodos, mesmo após a remoção do tumor primário, gerando tumores muitos anos depois. Outras características das células-tronco tumorais incluem a capacidade de extrusão de compostos genotóxicos e seu frequente estado de quiescência. Essas duas características tornam estas células refratárias à maioria dos tratamentos com base em quimioterápicos atualmente em uso. Essas células têm ainda algumas características importantes para sua correlação com os fenômenos de metastatização, como mobilidade, invasividade e resistência à apoptose.[20]

A existência das células-tronco tumorais e seus mecanismos de manutenção dos tumores tem implicações nas estratégias de tratamento (seja de quimioterapias convencionais ou de terapias-alvo específicas) bem como nos mecanismos de geração de metástases.

Padrões de metastatização e mecanismos envolvidos

Os subtipos de câncer de mama estão associados a diferentes padrões de geração de metástases.

As associações dos diferentes subtipos de câncer de mama aos padrões de metastatização refletem diferenças biológicas no comportamento destes subtipos de tumor, e há controvérsia sobre a participação ou impacto de diferentes tipos de células-tronco tumorais nos subtipos de câncer de mama e suas metástases. Há o reconhecimento de que subtipos luminais formam metástases ósseas sem metástases pulmonares, já as recidivas pleurais são mais comuns nos dois subtipos luminais. Por outro lado, metástases cerebrais e pulmonares são mais comuns em subtipos basais e HER+.[22]

Tumores de mama RE+ e RE- mostram diferentes padrões de metástase. Os tumores RE+ tendem a metastatizar para os ossos, enquanto os RE- para as vísceras, e alguns desses tumores eventualmente metastatizam para o cérebro.[23]

Embora fundamentado em uma coorte de pacientes tratados com protocolos que não incluem os recentes avanços terapêuticos, como a terapia hormonal adjuvante, foi recentemente descrita a associação de diferentes subtipos de tumores de mama aos padrões de metástase distal e seu impacto na sobrevida após a recidiva.[21,24]

Estes dados sugerem que em nem todos os tumores de mama compartilham o mesmo padrão de metastatização e, provavelmente, o tipo de células-tronco tumoral, e que diferenças nestas células-tronco podem impactar o padrão do comportamento do tumor, incluindo seu padrão de metastatização. Como exemplo, os tumores triplos negativos e "*basal-like*" têm maiores incidências de metástases de pulmão, cérebro e metástases nodais distantes, e este padrão se correlaciona com uma assinatura molecular de metástase para o pulmão entre os tumores predominantemente basais (maior incidência de metástases pulmonares e menor incidência em osso e fígado). Algumas assinaturas de genes estão associadas à metastatização para determinados órgãos,[25] como a expressão de IL-11 e CTGF (ambos aumentados na presença de TGF-beta) relacionada com a metástase para o osso,[26] uma assinatura de 54 genes associados à metástase pulmonar,[27] e os genes COX-2, HBEGF (um ligante de EGFR) e ST6GALNAC5 associados às metástases cerebrais.[28] Estes padrões diferentes são apenas associações entre a expressão gênica de um determinado tumor primário e/ou metástase, mas fornecem também importantes indicativos dos potenciais mecanismos de geração destas metástases e colonização destes órgãos.[29]

As recidivas apresentam, frequentemente, a ativação de vias de sinalização únicas. Como exemplo, a via de Wnt está superativada em recidivas basais cérebro-específicas, enquanto moléculas de adesão focal estão superexpressas em recidivas de tumores luminais do tipo A.[22] Aspectos preditivos de assinaturas gênicas serão discutidos em detalhes mais à frente neste capítulo.

Estes resultados reforçam a noção de que os diferentes subtipos de câncer de mama apresentam programas intrínsecos diferentes de promoção da metástase, o que envolve também provavelmente os conceitos de células capazes de estabelecer a metástase e o "solo fértil" para seu estabelecimento. Estes processos certamente envolvem programas moleculares de disseminação e estabelecimento destas células, o que pode ser observado também nas assinaturas genéticas de alguns tipos destes tumores, como já mencionado.

Entre as células-tronco tumorais de mama destaca-se uma subpopulação de células, caracterizada pela expressão do marcador CD44 e ausência do marcador CD24. Estas células estariam associadas ao fenômeno de invasividade, apresentando uma assinatura gênica caracterizada pela expressão dos genes CXCR4, IL-11, MMP-1, IL-1 e IL-6, dentre outros. Esta assinatura, recentemente descrita em um padrão de expressão gênica que inclui ainda mais uma centena de outros genes, parece envolver um conjunto de genes que também pode ser observado na invasividade de outros tumores, como cânceres de pulmão, próstata e meduloblastomas.[25] Estes dados reforçam o conceito de que certos programas celulares de invasividade podem ser acionados nas células tumorais e são comuns a diversos tumores, representando pré-requisitos para a geração do "fenótipo invasivo" em certas subpopulações celulares presentes nos tumores que geram metástases.

Os genes envolvidos nesta assinatura envolvem a ativação de vias como a do NF-κB (NF-kappaB), via de RAS e controles epigenéticos da expressão gênica que, em última análise, são importantes para o estabelecimento de uma assinatura genética consistente.

Esta subpopulação de células CD44+/CD24- se caracteriza ainda pela ativação das vias de sinalização dependentes de TGF-beta. Esta via de sinalização está envolvida em processos de transformação inicial e de invasividade mais tardiamente. A associação da ativação de vias de sinalização de NF-κB e TGF-beta está relacionada com os processos de invasividade nestas células-tronco tumorais.[22]

Apesar da tentativa de definição desta subpopulação de células-tronco tumorais de mama com base nos marcadores celulares que formam um perfil CD44+/CD24-, há relatos experimentais de células CD24+ ou CD44- com capacidade de iniciar novos tumores.

Há cada vez mais evidências de que a subpopulação de células-tronco tumorais pode ser plástica e dinâmica, com células negativas para os marcadores citados, podendo adquiri-los e células positivas perdendo estes marcadores ao longo do tempo. Estas alterações ocorreriam em função de dinâmicas de população que ocorrem durante o estabelecimento e evolução do tumor. Estes modelos preveem, portanto, a possibilidade de células "não tronco" do tumor tornarem-se células-tronco sob determinados estímulos (inclusive sob insultos decorrentes do tratamento). Este aspecto tem enormes implicações para as estratégias terapêuticas, pois o próprio tratamento com quimioterapia poderia estar envolvido na indução do fenótipo de células-tronco e, portanto, na evolução do tumor, como a resistência ao tratamento, o surgimento de recidivas ou os processos de metastatização.[20]

A correlação cada vez mais evidente entre as células-tronco tumorais e os fenômenos metastáticos, assim como a ligação entre os insultos decorrentes do tratamento e a transição biológica para o comportamento celular metastático, tem sido pano de fundo para a rediscussão das estratégias terapêuticas atualmente em uso, com a proposição de novas terapias que considerem estes fenômenos. Este novo olhar, considerando tanto os aspectos biológicos quanto a heterogeneidade do tumor, sua correlação com o microambiente tumoral e a contribuição de células-tronco tumorais, tem grandes implicações no desenho de novas estratégias terapêuticas e é um fenômeno amplo na oncologia experimental atualmente, não sendo restrito apenas aos tumores de mama.

Mecanismos extrínsecos à célula tumoral

Nos últimos anos, há o reconhecimento cada vez maior do papel das células não transformadas (componentes não tumorais da massa do tumor) nas biologias celular e molecular do tumor como entidade. Em diversos modelos animais as células do microambiente, como fibroblastos, células imunológicas e mesmo a vasculatura, têm mostrado modulação por parte das células tumorais, bem como, muitas vezes, a capacidade de modular as células transformadas, dotando-as de novas propriedades em resposta a estímulos específicos. O processo de invasividade e metastatização sofre grande impacto e é modulado pelas células do microambiente tumoral. Esta modulação tem sido reconhecida recentemente como um processo fundamental no processo de invasividade.[30] Estes componentes do microambiente compõem o que é conhecido como "estroma reativo" e liberam substâncias pró-inflamatórias fundamentais para a promoção de alterações celulares em uma fração das células transformadas, como a TEM, fenômeno intimamente associado à invasividade celular e à metastatização do tumor.

Apesar do reconhecido papel das células-tronco tumorais intrínsecas (aquelas iniciadoras do tumor) no estabelecimento do tumor, a modulação por parte do estroma reativo, induzindo a TEM, teria impacto nas etapas de invasividade e indução de fenótipo de células-tronco em células diferenciadas de frações do tumor em momentos mais tardios do desenvolvimento do câncer.[20] Dessa forma, estes mecanismos estariam envolvidos na geração da heterogeneidade da massa tumoral, com células-tronco tumorais intrínsecas e induzidas (decorrentes dos estímulos extrínsecos, como os recebidos pelo microambiente). Um exemplo das diferenças dos tipos celulares no tumor e sua correlação com as células-tronco tumorais pode ser visto no caso dos tumores agressivos do tipo basal, que possuem um perfil de expressão de células-tronco mamárias (portanto, compatível com o perfil de células-tronco tumorais intrínsecas), enquanto os tumores luminais correlacionam-se com padrões de expressão de células luminais maduras e, portanto, conteriam poucas células-tronco tumorais intrínsecas.[31,32] Este modelo tem implicações para os diferentes papéis destas células-tronco tumorais ao longo da história de desenvolvimento e progressão do tumor.

Há exemplos cada vez mais consistentes na oncologia experimental das modulações do tumor por parte dos componentes inflamatórios presentes no microambiente. Em diferentes modelos animais de tumores, como o carcinoma de células escamosas e tumores de mama, vem sendo demonstrada uma relação íntima e de modulação recíproca entre as células tumorais e os componentes das imunidades inata e adaptativa. Estes circuitos envolvem frequentemente o desenvolvimento, por parte das células tumorais, de mecanismos de recrutamento das imunidades inata e adaptativa, a modulação da resposta imune exercida por estas células e, por fim, a ativação de mecanismos que tem impacto na estrutura do microambiente tumoral e nas próprias células transformadas, levando ao processo de invasividade.

As assinaturas moleculares que envolvem os componentes inflamatórios de tumores sólidos refletem a composição deste infiltrado e a função das células inflamatórias ali presentes. Para alguns tumores sólidos, como os carcinomas de cólon, a classificação prognóstica com base no componente inflamatório é tão impactante com relação à predição do prognóstico que supera, inclusive, a classificação histopatológica corrente.[33]

Em tumores de mama há também uma forte correlação entre o infiltrado inflamatório e o prognóstico dos pacientes. Nesta correlação, a alta proporção entre os componentes de linfócitos T CD8+ e macrófagos no tumor prediz respostas favoráveis ao tratamento quimioterápico.[34]

As informações prognósticas obtidas pela observação do microambiente inflamatório no tumor dizem muito das relações entre as mutações e mecanismos de ativação das células tumorais e como estas células recrutam e subvertem células imunológicas no seu microambiente. A análise conjunta do infiltrado e das mutações presentes pode ter impacto no desenho de estratégias terapêuticas e deve ser considerada para a terapia de tumores.[35]

A relação das células inflamatórias com os tumores sólidos e seu processo de metastatização envolve invariavelmente mecanismos celulares que incluem a participação de células da imunidade inata como mastócitos e macrófagos. Estas células produzem uma série de proteases, como serina, cisteína e metaloproteases envolvidas no remodelamento dos componentes da matriz extracelular (colágeno fibrilar, elastina, fibrina etc.) do tecido tumoral. Este remodelamento leva à formação de fragmentos de matriz com atividades pró-invasivas e estruturas que servem como guias moleculares para a migração de células imunológicas e tumorais, que percorrem este trajeto de formas colaborativa e ordenada. Estes mecanismos são semelhantes aos que ocorrem durante processos de cicatrização, levando ao entendimento atual de que os tumores de certa forma geram ambientes de inflamação/cicatrização crônicos, que não são resolvidos naturalmente e, neste processo, promovem a progressão tumoral.

O papel dos macrófagos na orquestração da migração das células tumorais por meio da matriz extracelular até a rede vascular tumoral está bem estabelecido em elegantes experimentos *in vivo* em camundongos, onde podem ser visualizadas diretamente a interação destes tipos celulares e a migração ordenada até o sítio de invasão da vasculatura.[36]

O processo de ativação destas células, normalmente transitório durante respostas imunológicas, torna-se localmente crônico no tumor, acentuando as modificações do microambiente. Fatores secretados pelas células imunológicas infiltrantes, como o TNF-alfa, ativam nas células tumorais programas de sinalização que, através da ativação das vias que desencadeiam nos fatores de transcrição Jun quinase (JNK) e NFκB, resultam na expressão de genes de fatores pró-invasivos.[30]

Estes mecanismos podem ser ilustrados no câncer de mama mediante a descrição nos modelos animais da relação entre a célula tumoral e o recrutamento de macrófagos e linfócitos T CD4+. No ambiente tumoral esta subpopulação de linfócitos modula os macrófagos através da secreção de citocinas (IL-4 e IL-13), induzindo um fenótipo nos macrófagos, conhecido como M2, que leva à degradação de matriz extracelular e produção de EGF. O EGF liberado pelos macrófagos induz um fenótipo de invasividade nas células tumorais. A rede de sinais que se forma no microambiente tumoral favorece, assim, a invasividade do tumor. Este processo é dependente em larga escala do processo inflamatório, já que a eliminação dos macrófagos ou linfócitos reduz amplamente o comportamento metastático do tumor.[34,37]

As respostas de linfócitos T CD4+, produtores de IL-4 e IL-13 (células de perfil Th2), são contrabalançadas pela resposta imunológica que envolve a infiltração de linfócitos T CD4+ de perfil Th1 (produtores de IFN-gama) e linfócitos T CD8+. Esta dicotomia pode explicar a diferença de prognóstico observada, quando os pacientes são estratificados em função da análise qualitativa por imuno-histoquímica do infiltrado inflamatório: quando há muitos linfócitos T CD8+ e poucos macrófagos (definidas nos trabalhos publicados como células CD68+), o prognóstico é favorável. Os infiltrados com poucas células CD8+ e muitos macrófagos estariam, portanto, associados a perfil mais compatível com a invasividade do tumor de mama, segundo o mecanismo descrito no eixo linfócitos T CD4+ Th2, produtores de IL-4 e IL-13/macrófagos de perfil M2. Este perfil está associado a maior invasividade do tumor e pior resposta à terapia, resultando em um pior prognóstico com menor sobrevida.[34]

A marcação com CD68 mostrou impacto prognóstico, como mencionado, apesar de o valor do CD68 como marcador único para a definição dos macrófagos em imuno-histoquímica não ser indiscutível.[38] Um aspecto importante é que o infiltrado inflamatório, assim como o microambiente tumoral em geral, sofre grande impacto do tratamento quimioterápico.[38] Este aspecto é importante, pois abre janelas terapêuticas para intervenções associadas (como a inclusão de novos agentes terapêuticos) destinadas a modular este microambiente tumoral em conjunto com a quimioterapia, o que, em última análise, pode ter grande impacto no prognóstico (incluindo possíveis processos de metastatização do tumor por meio dos mecanismos já discutidos).

Assinaturas moleculares como ferramentas preditivas

A classificação molecular do câncer de mama tem ainda uma aplicação limitada no direcionamento de condutas clínicas. Atualmente, apenas duas assinaturas moleculares são aprovadas para uso clinicodiagnóstico em câncer de mama – uma análise de *microarray* utilizando material tumoral fresco congelado (MammaPrint®, Agendia, Irvine, CA, EUA) e uma com base em reações em cadeia da polimerase (PCR), realizada em material tumoral embloçado em parafina (OncotypeDX®, Genomic Health, Inc., Redwood City, CA, EUA).[39,40] O conhecimento oferecido pela análise de assinaturas moleculares está evoluindo e, atualmente, fornece-nos não só informações detalhadas sobre vias de sinalização celular alteradas nos tumores, mas também revela mudanças no padrão de expressão global, além de alterações genômicas. Ao mesmo tempo, é importante reconhecer que não é possível descartar a influência da histopatologia tradicional no direcionamento da conduta clínica existente. Assim, a construção de um algoritmo de tratamento que integre todo o conhecimento existente é um dos grandes desafios atuais da diagnose molecular. Uma vez que exista uma grande heterogeneidade entre os subtipos de câncer de mama, é provável que diferentes tipos de testes sejam considerados em diferentes cenários clínicos. Dessa forma, é provável que em um futuro próximo a linha de base para o diagnóstico seja ainda a histopatologia tradicional combinada com o estadiamento clínico, mas com a incorporação de uma segunda classificação molecular com base em testes de expressão global. De acordo com essa ideia, ao contrário das alegações iniciais de que as assinaturas prognósticas seriam um substituto para o prognóstico clinicopatológico, estudos de metanálise revelaram que o tamanho do tumor e o *status* dos linfonodos fornecem informações prognósticas independentes das fornecidas pelas assinaturas prognósticas.[41,42]

MammaPrint

O teste *MammaPrint* foi a primeira assinatura prognóstica desenvolvida com sucesso. É um teste aprovado pela agência americana Food and Drug Administration (FDA), que pode ser utilizado para avaliar o prognóstico de pacientes em estágios 1 e 2, linfonodo-negativos, com câncer de mama invasivo com tamanho inferior a 5,0 cm.[40] Este teste requer, como mencionado anteriormente, amostras frescas ou congeladas com um conteúdo de células tumorais superior a 30%. Este ensaio baseou-se em uma análise preliminar empírica utilizando um *microarray*, no qual foram analisadas 78 amostras de câncer de mama, provenientes de pacientes virgens para terapia sistêmica adjuvante com idade inferior a 55 anos, linfonodo-negativas e com tumores que mediam 5 cm ou menos. Estas pacientes eram classificadas como tendo prognóstico desfavorável, se alguma metástase a distância se desenvolvesse dentro de 5 anos, e bom prognóstico se metástases não fossem detectadas neste período. A análise supervisionada dos 25.000 genes incluídos no *microarray* levou à identificação de uma lista de 70 genes que podem prever com precisão a doença de mau prognóstico em pacientes com estas características clínicas.[43]

Este limiar de prognóstico identificado nesta primeira coorte foi posteriormente validado em uma coorte de 295 casos retrospectivos de câncer de mama invasivos, onde 61 pacientes linfonodo-negativos provenientes da primeira coorte foram também incluídos. Este segundo estudo revelou que o teste *MammaPrint* é um marcador de prognóstico independente e forneceu evidências para sugerir que o teste seria mais preciso em identificar pacientes com doença de bom prognóstico do que seriam os *guidelines* do NCI e St. Gallen.[43] O fato de que pacientes da coorte original foram incluídos no segundo estudo levantou a questão da real independência desta validação. No entanto, estudos subsequentes em coortes de câncer de mama coletadas retrospectivamente confirmaram o potencial prognóstico do teste em pacientes com câncer HER2-positivo tanto com linfonodo-negativo, quanto linfonodo-positivos.[44] Ao contrário de outras assinaturas, os subgrupos prognósticos identificados pelo *MammaPrint* também se correlacionam com a sensibilidade à quimioterapia (ou seja, as pacientes com prognóstico desfavorável obtêm maiores benefícios de quimioterapia adjuvante)[45], mas, como as outras assinaturas de primeira geração, o poder discriminatório do *MammaPrint* para pacientes com a doença é muito pequeno (isto é, apenas 0-5% dos pacientes com doença RE- são classificados como tendo doença de bom prognóstico).[42,46]

Apesar de aprovado pelo FDA, o uso do *MammaPrint* como teste prognóstico tem atualmente suporte apenas de evidências de nível II derivadas de estudos retrospectivos. Um dos desafios para a validação prospectiva desta assinatura prognóstica é o requisito de amostras frescas ou congeladas. Neste caso, a evidência de nível II sugere que, em casos em que haja discordância entre *MammaPrint* e as características clinicopatológicas, MammaPrint prevê mais precisamente o desfecho do paciente. Estas observações estão sendo testadas em estudos clínicos prospectivos.

Assinatura de 76 genes

Após o desenvolvimento do *MammaPrint*, uma abordagem empírica foi utilizada para a identificação de uma assinatura de prognóstico para todos os tipos de câncer de mama invasivos. Esta assinatura foi desenvolvida com base na análise supervisionada de dados de *microarrays* em uma coorte de treinamento, composta por amostras de 115 cânceres de mama, dos quais 80 eram RE+. Em contraste com o teste *MammaPrint*, nesta abordagem os casos RE+ e RE- foram analisados separadamente, o que levou à identificação de 60 genes que podem prever o desenvolvimento de metástases distantes no prazo de 5 anos em pacientes com doença RE+ e 16 genes que poderiam predizer metástases a distância em pacientes com doença RE-. Estes 76 genes foram combinados sob a forma de uma assinatura prognóstica e testados independentemente em uma coorte de 171 pacientes com linfonodos negativos. Este teste revelou que a assinatura de 76 genes era um fator prognóstico forte de desenvolvimento de metástases distantes em 5 anos. As expectativas eram de que tal teste superaria as diretrizes de St. Gallen e do NCI para a identificação de pacientes com doença de bom prognóstico que poderiam, portanto, renunciar a quimioterapia.[47] Estudos subsequentes revelaram que este teste apresenta as mesmas limitações que as descritas para o *Mam-*

maPrint, ou seja, a informação prognóstica é derivada quase exclusivamente do grau de expressão de genes relacionados com a proliferação, com dependência de estadiamento, exigência de amostras frescas ou congeladas e poder prognóstico apoiado por evidência de nível III. Além disso, a assinatura de 16 genes desenvolvida para doença RE- pode não prever o desfecho de pacientes com doença RE- e HER2-.[48]

Oncotype DX

Em paralelo ao desenvolvimento de assinaturas prognósticas com base em *microarray*, foi desenvolvido o teste *Oncotype* DX, uma assinatura fundamentada em qRT-PCR que mede a expressão de 21 genes (16 genes relacionados com o câncer e cinco genes de referência) que pode ser analisada a partir de RNA extraído de tecido fixado em formalina e emblocado em parafina. O teste oferece uma medida do risco de recidiva distante no prazo de 10 anos, constituindo um fator prognóstico independente para pacientes com doença RE+, linfonodo-negativo e tratadas com terapia com base em tamoxifeno adjuvante. Com base no resultado do teste, as pacientes podem ser classificadas em três categorias – baixo risco, risco intermediário e alto risco, apresentando taxas de recidiva em 10 anos de 7, 14 e 30%, respectivamente.

Apesar de inicialmente concebido para pacientes com câncer de mama RE+, linfonodo-negativo, tratadas com tamoxifeno, as aplicações de *Oncotype* DX foram expandidas. Atualmente, as evidências sugerem que este teste tem valor prognóstico em pacientes com doença RE+ tratada com inibidores de aromatase e até três linfonodos positivos.[49] Em decorrência de o fato do *Oncotype* DX ser reprodutível e poder ser realizado a partir de RNA extraído de material arquivado, esta assinatura foi extensivamente testada em amostras de estudos clínicos randomizados. A utilização prognóstica do *Oncotype* DX é apoiada por evidências de nível I, e este teste foi incorporado pela *National Comprehensive Cancer Network* como um preditor de recidiva e uma ferramenta útil para orientar o tratamento inicial de câncer de mama RE+ com linfonodos-negativos. O teste *Oncotype* DX também é incluído nas diretrizes da Sociedade Americana de Oncologia Clínica como um marcador tumoral de recidiva. O mais recente *St Gallen International Expert Consensus on the Primary Therapy of Early Breast* recomenda que um teste validado (p. ex.: *Oncotype* DX) deve ser considerado como teste adjuvante de fenotipagem patológica de alta qualidade, caso haja dúvida sobre a indicação de quimioterapia após a consideração destes fatores.[50]

Embora haja uma excelente concordância entre a avaliação de expressão de RE e RP pelo *Oncotype* DX e por imuno-histoquímica, evidências demonstrando o valor preditivo e prognóstico do ponto de corte de ensaios de qRT-PCR usados para definir a positividade para estes receptores hormonais ainda precisam ser validadas. Além disso, estudos recentes têm sugerido que a avaliação de HER2 por *Oncotype* DX leva a um maior número de casos considerados como indefinidos, demandando, assim, um número maior de confirmações por FISH quando comparado ao número de confirmações necessárias utilizando o protocolo de imuno-histoquímica.[51,52] Dessa forma, a avaliação de RE, RP e HER2 utilizando o teste *Oncotype* DX deve ser interpretada em conjunto com os resultados de métodos de avaliação destes biomarcadores aprovados pelo FDA.

CONSIDERAÇÕES FINAIS

Por meio de um grande esforço conjunto de pesquisadores das mais diversas áreas, os mecanismos moleculares das metástases vêm sendo elucidados e detalhados. No entanto, muitas questões permanecem inexploradas ou compreendidas de modo incompleto. É ainda necessário determinar as contribuições relativas de mutações e das células-tronco, de modificações epigenéticas, alterações microambientais e inflamação, além do papel da predisposição hereditária na susceptibilidade ao câncer e metástase. Os estudos em modelos animais produziram importantes avanços no conhecimento sobre os mecanismos da metástase, mas estes novos conceitos ainda precisam ser validados em cenários clínicos. Necessitamos, ainda, desenvolver terapias que tenham como alvo as metástases, que devem ser testadas em sistemas adequados, tanto *in vitro* quanto *in vivo*. A possibilidade de seleção molecular de pacientes com o advento das assinaturas prognósticas e demais biomarcadores vai provavelmente impactar a concepção de ensaios clínicos, criando desafios não só no desenho dos mesmos, mas também na geração de métodos mais sensíveis de detecção e quantificação de metástases e indicadores de início da resposta. Existem diversas moléculas e testes em estudo que parecem ser promissores em cumprir tais tarefas. No entanto, apesar de mais complexas, terapias visando a prevenção do crescimento metastático devem ser exploradas, como, por exemplo, terapias combinatórias que induzam a diferenciação de tumores e evitem a indução e manutenção das células-tronco tumorais, assim como a inibição de crescimento tumoral e ativação de morte celular por apoptose.

REFERÊNCIAS BIBLIOGRÁFICAS

1. Mantovani A *et al*. Characterization of tumor lines derived from spontaneous metastases of a transplanted murine sarcoma. *Eur J Cancer* 1981;17:71-76.
2. Giavazzi R *et al*. Metastasizing capacity of tumour cells from spontaneous metastases of transplanted murine tumours. *Br J Cancer* 1980;42:462-72.
3. Milas L *et al*. Spontaneous metastasis: random or selective? *Clin Exp Metastasis* 1983;1(4):309-15.
4. Wyckoff J *et al*. A paracrine loop between tumor cells and macrophages is required for tumor cell migration in mammary tumors. *Cancer Res* 2004;64:7022-29.
5. van't Veer LJ *et al*. Gene expression profiling predicts clinical outcome of breast cancer. *Nature* 2002;415:530-36.
6. Ramaswamy S *et al*. A molecular signature of metastasis in primary solid tumors. *Nat Genet* 2003;33:49-54.
7. Wang W *et al*. Identification and testing of a gene expression signature of invasive carcinoma cells within primary mammary tumors. *Cancer Res* 2004;64:8585-94.
8. Wang W *et al*. Tumor cells caught in the act of invading: their strategy for enhanced cell motility Trends. *Cell Biol* 2005;15:138-45.
9. Wang W *et al*. Coordinated regulation of pathways for enhanced cell motility and chemotaxis is conserved in rat and mouse mammary tumors. *Cancer Res* 2007;67:3505-11.
10. Condeelis J *et al*. The great escape: when cancer cells hijack the genes for chemotaxis and motility. *Annu Rev Cell Dev Biol* 2005;21:695-718.
11. Leek RD, Harris AL. Tumor-associated macrophages in breast cancer. *J Mammary Gland Biol Neoplasia* 2002;7:177-89.
12. Condeelis J, Pollard JW. Macrophages: obligate partners for tumor cell migration, invasion, and metastasis. *Cell* 2006;124:263-66.
13. Condeelis J, Segall JE. Intravital imaging of cell movement in tumours. *Nat Rev Cancer* 2003;3:921-30.
14. Wyckoff JB *et al*. Direct visualization of macrophage-assisted tumor cell intravasation in mammary tumors. *Cancer Res* 2007;67:2649-56.
15. Klein CA *et al*. Genetic heterogeneity of single disseminated tumour cells in minimal residual cancer. *Lancet* 2002;360:683-89.
16. Radisky D *et al*. Tumors are unique organs defined by abnormal signaling and context. *Semin Cancer Biol* 2001;11:87-95.
17. Eccles SA, Welch DR. Metastasis: recent discoveries and novel treatment strategies. *Lancet* 2007;369:1742-57.
18. Yang SY, Miah A, Pabari A *et al*. Growth factors and their receptors in cancer metastases. *Front Biosci* 2011 Jan. 1;16:531-38.
19. Foubert E, De Craene B, Berx G. Key signalling nodes in mammary gland development and cancer. The Snail1-Twist1 conspiracy in malignant breast cancer progression. *Breast Cancer Res* 2010;12(3):206.
20. Chaffer CL, Weinberg RA. A perspective on cancer cell metastasis. *Science* 2011;331:1559-64.
21. Kennecke H, Yerushalmi R, Woods R *et al*. Metastatic behavior of breast cancer subtypes. *J Clin Oncol* 2010 July 10;28(20):3271-77.
22. Nakshatri H, Srour EF, Badve S. Breast cancer stem cells and intrinsic subtypes: controversies rage on. *Curr Stem Cell Res Ther* 2009;4:50-60.
23. Clark GM, Sledge Jr GW *et al*. Survival from first recurrence: relative importance of prognostic factors in 1,015 breast cancer patients. *J Clin Oncol* 1987;5:55-61.
24. Kennecke H, Yerushalmi R, Woods R *et al*. Metastatic behavior of breast cancer subtypes. *J Clin Oncol* 2010 July 10;28(20):3271-77.
25. Liu R, Wang X, Chen GY *et al*. The prognostic role of a gene signature from tumorigenic breast-cancer cells. *N Engl J Med* 2007;356:217-26.
26. Kang Y, Siegel PM, Shu W *et al*. A multigenic program mediating breast cancer metastasis to bone. *Cancer Cell* 2003 June;3:537-49.
27. Minn AJ, Gupta GP, Siegel PK *et al*. Genes that mediate breast cancer metastasis to lung. *Nature* 2005 July;436(28):518-24.
28. Bos PD, Zhang XH, Nadal C *et al*. Genes that mediate breast cancer metastasis to the brain. *Nature* 2009 June 18;459:1005-12.

29. Hanahan D, Weinberg RA. Hallmarks of cancer: the next generation. *Cell* 2011 Mar. 4;144(5):646-74.
30. Hanahan D, Coussens LM. Accessories to the crime: functions of cells recruited to the tumor microenvironment. *Cancer Cell* 2012 Mar. 20;21(3):309-23.
31. Lim E *et al.* Aberrant luminal progenitors as the candidate target population for basal tumor development in BRCA1 mutation carriers. *Nature Medicine* 2009 Aug.;15(8):907-15.
32. Prat A *et al.* Phenotypic and molecular characterization of the claudin-low intrinsic subtype of breast cancer. *Breast Can Res* 2010 Sept. 2;12(5):R68.
33. Mlecnik B, Tosolini M, Kirilovsky A *et al.* Histopathologic-based prognostic factors of colorectal cancers are associated with the state of the local immune reaction. *J Clin Oncol* 2011 Feb. 20;29(6):610-18.
34. Denardo DG, Brennan DJ, Rexhepaj E *et al.* Leukocyte complexity predicts breast cancer survival and functionally regulates response to chemotherapy. *Cancer Discov* 2011 June 1;1:54-67.
35. Ogino S, Galon J, Fuchs CS *et al.* Cancer immunology—analysis of host and tumor factors for personalized medicine. *Nat Rev Clin Oncol* 2011 Aug. 9;8(12):711-19. doi: 10.1038/nrclinonc.2011.122.
36. Wyckoff JB, Wang Y, Lin EY *et al.* Direct visualization of macrophage-assisted tumor cell intravasation in mammary tumors. *Cancer Res* 2007 Mar. 15;67:(6):2649-56.
37. DeNardo DG, Barreto JB, Andreu P *et al.* CD4+ T cells regulate pulmonary metastasis of mammary carcinomas by enhancing protumor properties of macrophages. *Cancer Cell* 2009 Aug. 4;16:91-102.
38. Ruffell B, Aua A, Rugo HS *et al.* Leukocyte composition of human breast câncer. *PNAS* 2012 Feb. 21;109(8):2796-801.
39. Paik S, Shak S, Tang G *et al.* A multigene assay to predict recurrence of tamoxifen-treated, nodenegative breast cancer. *N Engl J Med* 2004;351:2817-26.
40. van't Veer LJ, Dai H, van de Vijver MJ *et al.* Gene expression profiling predicts clinical outcome of breast cancer. *Nature* 2002;415:530-36.
41. Sotiriou C, Pusztai L. Gene-expression signatures in breast cancer. *N Engl J Med* 2009;360:790-800.
42. Weigelt B, Baehner FL, Reis-Filho JS. The contribution of gene expression profiling to breast cancer classification, prognostication and prediction: a retrospective of the last decade. *J Pathol* 2010;220:263-80.
43. van de Vijver MJ, He YD, van't Veer LJ *et al.* A gene-expression signature as a predictor of survival in breast cancer. *N Engl J Med* 2002;347:1999-2009.
44. Knauer M, Cardoso F, Wesseling J *et al.* Identification of a low-risk subgroup of HER-2-positive breast cancer by the 70-gene prognosis signature. *Br J Cancer* 2010;103:1788-93.
45. Knauer M, Mook S, Rutgers EJ *et al.* The predictive value of the 70-gene signature for adjuvant chemotherapy in early breast cancer. *Breast Cancer Res Treat* 2010;120:655-61.
46. Bueno-de-Mesquita JM, van Harten WH, Retel VP *et al.* Use of 70-gene signature to predict prognosis of patients with node-negative breast cancer: a prospective community-based feasibility study (RASTER). *Lancet Oncol* 2007;8:1079-87.
47. Wang Y, Klijn JG, Zhang Y *et al.* Gene-expression profiles to predict distant metastasis of lymph-node-negative primary breast cancer. *Lancet* 2005;365:671-79.
48. Wirapati P, Sotiriou C, Kunkel S *et al.* Meta-analysis of gene expression profiles in breast cancer: toward a unified understanding of breast cancer subtyping and prognosis signatures. *Breast Cancer Res* 2008;10:R65.
49. Albain KS, Barlow WE, Shak S *et al.* For the breast cancer intergroup of North America. Prognostic and predictive value of the 21-gene recurrence score assay in postmenopausal women with node-positive, oestrogen-receptor-positive breast cancer on chemotherapy: a retrospective analysis of a randomised trial. *Lancet Oncol* 2010;11:55-65.
50. Goldhirsch A, Wood WC, Coates AS *et al.* Strategies for subtypes—dealing with the diversity of breast cancer: highlights of the St Gallen International Expert Consensus on the Primary Therapy of Early Breast Cancer 2011. *Ann Oncol* 2011;22:1736-47.
51. Baehner FL, Achacoso N, Maddala T *et al.* Human epidermal growth factor receptor 2 assessment in a case-control study: comparison of fluorescence in situ hybridization and quantitative reverse transcription polymerase chain reaction performed by central laboratories. *J Clin Oncol* 2010;28:4300-6.
52. Dabbs DJ, Klein ME, Mohsin SK *et al.* High false-negative rate of HER2 quantitative reverse transcription polymerase chain reaction of the Oncotype DX test: an independent quality assurance study. *J Clin Oncol* 2011 Nov. 10;29(32):4279-85.

CAPÍTULO 101
Genética e Câncer de Mama

Vera Aparecida Saddi ■ Wilmar José Manoel ■ Antonio Marcio Cordeiro Teodoro Silva

INTRODUÇÃO

Quando se estuda a genética do câncer, duas principais categorias de alterações genéticas são consideradas. Aquelas relacionadas com a história familiar do câncer, que ocorrem ou estão presentes em células germinativas e que implicam na transmissão hereditária de uma predisposição genética a um ou mais tipos de cânceres. E uma segunda categoria de alterações genéticas somáticas, altamente dependentes de fatores ambientais, associadas às modificações em células somáticas e que se acumulam durante a vida do indivíduo, resultando em um processo de múltiplas etapas que culmina com a progressão para o câncer.

No câncer de mama, as duas categorias de alterações genéticas já são bem descritas. Uma vez que o câncer de mama seja a neoplasia mais frequente na população feminina, incentivos à pesquisa nessa área constituem uma parcela significativa da investigação científica na área de câncer. As duas categorias de alterações genéticas relacionadas com o câncer de mama têm sido exaustivamente estudadas, e a compilação desses dados representa um grande desafio.

Além das alterações genéticas já conhecidas, as denominadas mudanças epigenéticas também se tornaram importantes na compreensão da carcinogênese mamária. A heterogeneidade dos tumores mamários, descrita sob os pontos de vista histológico e transcricional, também reflete mecanismos epigenéticos do câncer de mama que começam a ser desvendados. Perfis de metilação do DNA confirmam informações prévias capazes de estratificar pacientes com câncer de mama em função do prognóstico. Tais perfis refletem, ainda, o grau de diferenciação do tumor, bem como a origem celular do mesmo, permitindo melhor classificação das pacientes e, consequentemente, terapia mais individualizada e adequada.[1]

Conhecer as alterações genéticas e epigenéticas associadas ao câncer de mama tornou-se uma tarefa importante na oncologia atual, pois permite estimar o risco de desenvolvimento de um câncer, prever o prognóstico de um câncer em evolução, predizer a resposta tumoral a diferentes modalidades terapêuticas e identificar alvos moleculares potencialmente utilizados no desenvolvimento de novos fármacos.

ALTERAÇÕES GENÉTICAS RELACIONADAS COM A TRANSMISSÃO HEREDITÁRIA DO CÂNCER DE MAMA

O principal fator de risco para o câncer de mama é a história familiar de câncer de mama. Dois principais genes de susceptibilidade ao câncer de mama são bem conhecidos, *BRCA1 e BRCA2*. Estudos mostram que *BRCA1* está mutado em 40 a 50% das famílias autossômicas dominantes com câncer de mama, enquanto *BRCA2* está mutado em 10 a 30% desses tumores.[2,3] O gene *BRCA1* está localizado no cromossomo 17q21 e codifica uma proteína com 1.863 aminoácidos, que apresenta função de supressão tumoral. Mais de 600 mutações pontuais já foram detectadas no gene *BRCA1*, em famílias com cânceres de mama e de ovário. Mutações em ambos os alelos são necessárias para a progressão da neoplasia. O gene *BRCA2* está localizado no cromossomo 13q12 e codifica uma grande proteína com 3.418 aminoácidos que, de forma similar a BRCA1, atua como supressora tumoral. Mais de 100 mutações pontuais já foram descritas no gene *BRCA2* em famílias com câncer de mama.

Em células normais, as proteínas codificadas pelos genes *BRCA1* e *BRCA2* atuam em um mesmo complexo molecular. São expressas nas fases G1 a S do ciclo celular e juntamente com a proteína RAD51 atuam no reparo de quebras de cadeias do DNA.[4] Assim, a perda dessas proteínas, em células tumorais, está associada ao aumento da instabilidade genética, com acúmulo de mutações compatíveis com o modelo genético de múltiplas etapas da carcinogênese.[5,6]

Uma parcela significativa de genes associados aos tumores de mama hereditários ainda permanece desconhecida. Entretanto, famílias com mutações somáticas nos genes supressores tumorais *TP53* e *PTEN* também apresentam maior predisposição ao câncer de mama.

ALTERAÇÕES GENÉTICAS SOMÁTICAS RELACIONADAS COM O CÂNCER DE MAMA

A identificação de mutações somáticas em tumores mamários representa uma etapa importante na compreensão das bases moleculares da oncogênese mamária. Tais alterações apresentam potencial diagnóstico e prognóstico, são utilizadas como critérios de resposta a tratamentos específicos e como fonte de novos alvos terapêuticos. As alterações somáticas mais comumente identificadas nos tumores mamários são as amplificações e as deleções. Estudos de microarranjos com hibridização genômica comparativa (*array CGH*) em tumores mamários demonstram que amplificações gênicas são descritas em proto-oncogenes, genes que codificam fatores de crescimento e seus receptores correlatos (*FGFR1, IKBKB, PROSC, ADAM9, FNTA, ACACA, PNMT, NR1D1* e *ErbB2*), enquanto deleções são detectadas principalmente em genes supressores tumorais (*RB1, TP53, CDKN2A, PTEN* e *PCDH8*).[7,8]

Alterações no gene supressor tumoral *TP53* representam os eventos genéticos somáticos mais comuns no câncer de mama esporádico, detectados em 30 a 35% dos casos. Outro gene frequentemente mutado no câncer de mama é *PIK3CA*, que codifica uma subunidade da fosfatidil inositol-3-quinase (PI3K), uma importante enzima envolvida em vias de transdução de sinais intracelulares.[9] As mutações em *PI3K* parecem mais comuns em carcinomas mamários REα-positivos (30 a 40%) e podem estar associadas à resistência de tumores mamários aos inibidores de receptores transmembranares com domínios de tirosinoquinases.[10]

Estudos recentes sugerem que mutações nos genes *BRCA1* e *BRCA2* estão também envolvidas no câncer de mama esporádico. Diferentemente do câncer de mama hereditário, no qual predominam mutações pontuais sem sentido (*nonsense*) ou mudanças na matriz de leitura gênica (*frameshifts*), as alterações genéticas, observadas nos genes *BRCA1* e *BRCA2* nos cânceres esporádicos de mama e de ovários, compreendem mutações nas regiões regulatórias desses genes, acarretando o silenciamento gênico. Tais mutações foram associadas a pior prognóstico e a menor sobrevida, especialmente em pacientes com câncer de ovário.[11,12]

Alterações genéticas, como mutações pontuais, translocações e inserções virais, parecem ser raras nos tumores mamários. Entretanto, análises mais robustas de DNA e RNA tumorais devem ser ainda conduzidas, utilizando métodos moleculares mais arrojados, como análises amplas de genomas (*wide genome analysis*), a fim de melhor definir a presença dessas alterações no câncer de mama.

A fim de elucidar alterações genéticas relevantes em diferentes tumores, uma iniciativa internacional, *International Cancer Genome Consortium* (*ICGC*), vem sendo desenvolvida com o objetivo de sequenciar o genoma completo de mais de 50 tipos e subtipos de tumores, com análise de mais de 25.000 espécimes tumorais e com foco especial no câncer de mama.[13]

ALTERAÇÕES EPIGENÉTICAS DESCRITAS NO CÂNCER DE MAMA

A identificação de alterações epigenéticas em tumores humanos representa um grande desafio no momento. Alterações nos padrões de metilação do DNA, remodelamento da cromatina e regulação de RNAs não codificantes podem influenciar significativamente a expressão de genes relevantes para o processo de carcinogênese, constituindo-se em uma iniciativa promissora para elucidação das bases moleculares da oncogênese mamária.

A hipermetilação de regiões regulatórias do DNA está associada à repressão da expressão gênica, o que pode ser crucial para genes supressores tumorais (Quadro 1). A hipermetilação em regiões ricas em dinucleotídeos CpG (ilhas de CpG) foi descrita em alguns tumores mamários,[14,15] destacando especialmente a importância da hipermetilação do receptor de grelina (GHSR) e sua hipoexpressão em carcinomas mamários.

Alterações na expressão de micro-RNAs já foram descritas em vários tipos de tumores. Micro-RNAs são transcritos a partir de regiões codificadoras do DNA genômico, sofrem processamento nuclear, são exportados para o citoplasma e passam por novo processamento, gerando micro-RNAs pequenos que se ligam de forma complementar aos seus alvos em RNA-mensageiros (mRNA) específicos, regulando negativamente a expressão desses mRNAs. Assim, os micro-RNAs podem afetar várias características da célula tumoral, influenciando a expressão de oncogenes e genes supressores tumorais. Rearranjos, amplificações, deleções e mutações pontuais podem afetar a expressão de micro-RNAs e influenciar de forma significativa a expressão de genes cruciais que definem o destino celular. Vários micro-RNAs estão alterados no câncer de mama, modificando a expressão de seus genes-alvo, bem como suas funções.[16,17] Dentre os diversos micro-RNAs alterados, um destaque especial tem sido dado ao micro-RNA-10b,[18-20] associado à migração e à invasão celular, tanto in vivo quanto in vitro, e que representa um potencial alvo terapêutico para o câncer de mama.

ALTERAÇÕES DE NÍVEIS DE EXPRESSÃO GÊNICA DESCRITAS NO CÂNCER DE MAMA

A quantificação dos níveis de transcritos do genoma completo de células tumorais vem sendo usada há mais de uma década como estratégia para classificar os tumores, prever sua evolução e identificar novos alvos potencialmente utilizados no tratamento do câncer. Uma das primeiras análises de expressão gênica em tumores de mama[21] foi capaz de discriminar cinco subtipos moleculares de carcinomas mamários, denominados Luminal A, Luminal B, ErbB2, Basal-símile e Normal-símile, com base nos perfis de expressão gênica capazes de predizer também o prognóstico desses tumores. As características moleculares desses tumores foram posteriormente aprofundadas, revelando que na classe denominada Basal-símile, incluem-se tumores caracterizados pela ausência de receptores de estrógenos e receptores de progesterona, além da ausência de expressão membranar de ErbB2.[22]

Os estudos de expressão gênica possibilitaram também o desenvolvimento de testes genéticos capazes de predizer, com bastante precisão, a progressão de carcinomas mamários.[23] Um desses testes, denominado Oncotype DX®, utiliza a quantificação de 21 genes, sendo 16 associados ao processo de carcinogênese e cinco controles endógenos (Quadro 2). O Oncotype DX® classifica as pacientes com base no risco de recidiva em 10 anos.

Os tumores chamados de triplos negativos (TN), frequentemente, apresentam inativação somática do gene BRCA1, defeitos no reparo de quebras de cadeias duplas do DNA, maior proporção de células iniciadoras tumorais, histologia característica com transição epitelial-mesenquimal e aumento do risco de metástases pulmonares.[24] Pacientes que apresentam carcinomas mamários triplos negativos geralmente são mais jovens, apresentam maior taxa de recidiva e mortalidade em 5 anos, consideravelmente, mais alta que aquelas que apresentam o fenótipo não triplo negativo. Além do pior prognóstico, os tumores de mama triplos negativos não podem ser tratados pelas terapias endócrinas comuns, e a quimioterapia adjuvante representa a única opção para o tratamento sistêmico desses tumores.

Os estudos de análise de expressão gênica permitiram a identificação de inúmeros alvos moleculares a serem usados potencialmente no tratamento do câncer de mama. Tratamentos dirigidos para alvos moleculares consistem em anticorpos monoclonais ou inibidores enzimáticos específicos para proteínas celulares (quinases). Estas moléculas são capazes de ligar de forma precisa aos seus alvos específicos, inibindo uma enzima e bloqueando uma via específica de sinalização intracelular ou impedindo a ligação de um fator de crescimento ao seu receptor membranar correlato. Atualmente, tais modalidades terapêuticas representam as maiores promessas para o tratamento do câncer de mama.[25]

Quadro 1. Genes hipermetilados no câncer de mama (adaptado de Biéche & Lidereau, 2011[24])

GENE	DESCRIÇÃO	FUNÇÃO
APC	Polipose adenomatosa do cólon	Inibidor da β-catenina
BRCA1	Câncer de mama 1	Reparo e recombinação, regulação transcricional
CCND2	Ciclina D2	Regulação do ciclo celular
GHSH	Receptor de grelina	Proliferação e diferenciação celular
CDH1	E-caderina	Adesão celular
RE1	Receptor de estrógeno α e β	Transdução de sinais induzidos por estrógenos
Nm23-H1	Fator NM23 inibidor de metástases	Supressor de metástases
RP	Receptor de progesterona	Regulação do crescimento celular
RARβ	Receptor β do ácido retinoico	Regulação de apoptose, proliferação e diferenciação
SERPINB5	Inibidor da peptidase serpina	Inibidor de angiogênese
TGFβRII	Receptor II do fator de crescimento transformador β	Regulação do ciclo celular
IMP3	Inibidor tecidual da metaloproteinase[3]	Supressão de crescimento tumoral, angiogênese e metástase

Quadro 2. Genes cuja expressão é analisada no teste diagnóstico Oncotype DX®

PROLIFERAÇÃO	INVASÃO	HER2	ESTRÓGENO	CONTROLES ENDÓGENOS
Ki-67	MMP11 (Stromolisina 3)	GRB7	RE	Beta-actina
STK15		HER2	RP	GAPDH
Survivina	CTSL2 (Catepsina L2)		Bcl2	RPLPO
Ciclina B1			SCUBE2	GUS
MYBL2				TFRC

REFERÊNCIAS BIBLIOGRÁFICAS

1. Dedeurwaerder S, Fumagalli D, Fuks F. Unravelling the epigenomic dimension of breast cancers. *Curr Opin Oncol* 2011 Nov.;23(6):559-65.
2. Krajc M, Teugels E, Zgajnar J et al. Five recurrent BRCA1/2 mutations are responsible for cancer predisposition in the majority of Slovenian breast cancer families. *BMC Med Genet* 2008 Sept. 10;9:83.
3. Breast Cancer Information Core <http://research.nhgri.nih.gov/bic/>.
4. Holloman WK. Unraveling the mechanism of BRCA2 in homologous recombination. *Nat Struct Mol Biol* 2011 July 6;18(7):748-54.
5. Roy R, Chun J, Powell SN. BRCA1 and BRCA2: different roles in a common pathway of genome protection. *Nat Rev Cancer* 2011 Dec. 23;12(1):68-78.
6. Chandramouly G, Willis NA, Scully R. A protective role for BRCA2 at stalled replication forks. *Breast Cancer Res* 2011 Sept. 7;13(5):314.
7. Chin K, DeVries S, Fridlyand J et al. Genomic and transcriptional aberrations linked to breast cancer pathophysiologies. *Cancer Cell* 2006 Dec.;10(6):529-41.
8. Leary RJ, Lin JC, Cummins J et al. Integrated analysis of homozygous deletions, focal amplifications, and sequence alterations in breast and colorectal cancers. *Proc Natl Acad Sci USA* 2008 Oct. 21;105(42):16224-29.

9. Samuels Y, Diaz Jr LA, Schmidt-Kittler O et al. Mutant PIK3CA promotes cell growth and invasion of human cancer cells. *Cancer Cell* 2005 June;7(6):561-73.
10. Eichhorn PJ, Gili M, Scaltriti M et al. Phosphatidylinositol 3-kinase hyperactivation results in lapatinib resistance that is reversed by the mTOR/phosphatidylinositol 3-kinase inhibitor NVP-BEZ235. *Cancer Res* 2008 Nov. 15;68(22):9221-30.
11. Ben Gacem R, Hachana M, Ziadi S et al. Contribution of epigenetic alteration of BRCA1 and BRCA2 genes in breast carcinomas in Tunisian patients. *Cancer Epidemiol* 2012 Apr.;36(2):190-97.
12. Son BH, Ahn SH, Kim SW et al. The KOHBRA Research Group and the Korean Breast Cancer Society. Prevalence of BRCA1 and BRCA2 mutations in non-familial breast cancer patients with high risks in Korea: the Korean Hereditary Breast Cancer (KOHBRA) Study. *Breast Cancer Res Treat* 2012 Mar. 2. [Epub ahead of print].
13. Zhang J, Baran J, Cros A et al. International cancer genome consortium data portal—a one-stop shop for cancer genomics data. *Database (Oxford)* 2011 Sept 19;2011:bar026. Print 2011.
14. Ordway JM, Budiman MA, Korshunova Y et al. Identification of novel high-frequency DNA methylation changes in breast cancer. *PLoS One* 2007 Dec. 19;2(12):e1314.
15. Lo PK, Sukumar S. Epigenomics and breast cancer. *Pharmacogenomics* 2008 Dec.;9(12):1879-902. Review.
16. Calin GA, Croce CM. MicroRNA signatures in human cancers. *Nat Rev Cancer* 2006 Nov.;6(11):857-66. Review.
17. O'Day E, Lal A. MicroRNAs and their target gene networks in breast cancer. *Breast Cancer Res* 2010;12(2):201. Epub 2010 Mar 19. Review.
18. Ma L, Teruya-Feldstein J, Weinberg RA. Tumour invasion and metastasis initiated by microRNA-10b in breast cancer. *Nature* 2007 Oct. 11;449(7163):682-88. Epub 2007 Sept. 26. Erratum in: *Nature* 2008 Sept 11;455(7210):256.
19. Ma L, Reinhardt F, Pan E et al. Therapeutic silencing of miR-10b inhibits metastasis in a mouse mammary tumor model. *Nat Biotechnol* 2010 Apr.;28(4):341-47. Epub 2010 Mar. 28.
20. Piao HL, Ma L. Non-coding RNAs as regulators of mammary development and breast cancer. *J Mammary Gland Biol Neoplasia* 2012 Mar.;17(1):33-42. Epub 2012 Feb. 17.
21. Perou CM, Sørlie T, Eisen MB et al. Molecular portraits of human breast tumours. *Nature* 2000 Aug. 17;406(6797):747-52.
22. Perou CM. Molecular stratification of triple-negative breast cancers. *Oncologist* 2011;16(Suppl 1):61-70.
23. Paik S, Shak S, Tang G et al. A multigene assay to predict recurrence of tamoxifen-treated, node-negative breast cancer. *N Engl J Med* 2004 Dec. 30;351(27):2817-26.
24. Bièche I, Lidereau R. Genome-based and transcriptome-based molecular classification of breast cancer. *Curr Opin Oncol* 2011 Jan.;23(1):93-99. Review.
25. Higgins MJ, Baselga J. Targeted therapies for breast cancer. *J Clin Invest* 2011 Oct.;121(10):3797-803. Epub 2011 Oct. 3. Review.

CAPÍTULO 102

Valores dos Marcadores Tumorais no Câncer de Mama

Glauber Moreira Leitão ■ Luiz Alberto Reis Mattos Júnior

INTRODUÇÃO

Os marcadores tumorais são definidos como macromoléculas presentes no tumor, no sangue ou em outros líquidos biológicos, cujo aparecimento e/ou alterações em suas concentrações estão relacionados com a gênese e o crescimento de células neoplásicas. Tais substâncias funcionam como indicadores da presença de câncer e podem ser produzidas diretamente pelo tumor ou pelo organismo, em resposta à presença do tumor. Os marcadores tumorais, em sua maioria, são proteínas ou pedaços de proteínas, incluindo antígenos de superfície celular, proteínas citoplasmáticas, antígenos oncofetais, proteínas de adesão, enzimas e hormônios. É importante que essa substância possa ser utilizada para diferenciar tecidos normais de neoplásicos e que possa ser caracterizada ou quantificada por procedimentos relativamente práticos. A maioria dos marcadores tumorais também pode ser encontrada ou produzida por células normais; entretanto, eles são produzidos em níveis muito menores que naquelas condições neoplásicas.

A primeira descrição de um marcador tumoral, a proteína de Bence-Jones encontrada em pacientes portadores de mieloma múltiplo, foi realizada em 1846. Existem algumas limitações para o uso desses marcadores. Uma delas é o fato de que algumas condições não neoplásicas também podem resultar em um aumento de tais marcadores tumorais.

O câncer de mama é uma doença extremamente complexa e heterogênea, em que a recidiva e metástase são responsáveis pela maioria das morbidades pela doença. O prognóstico da paciente é muito diferente quando se consideram os diferentes tipos histológicos. Alguns casos apresentam bom prognóstico, considerando que a taxa de metástase em 10 anos é de, aproximadamente, 15%, mesmo se estas pacientes não tiverem sido submetidas ao tratamento pela quimioterapia. Por outro lado existe uma proporção significativa de pacientes com pior prognóstico, ou seja, apresentam recidiva ou metástase mesmo se tiverem sido submetidas à quimioterapia adjuvante.

A utilização dos marcadores tumorais na avaliação do prognóstico do câncer de mama tem crescido muito nos últimos anos. Muitos desses marcadores, inicialmente identificados por estudos moleculares ou bioquímicos, podem agora ser localizados em cortes de tecido pelo uso da imuno-histoquímica ou da hibridização *in situ*. Inclui-se nesta ampla categoria uma variedade de proteínas, algumas das quais estão associadas a oncogenes e medidores da atividade proliferativa do tumor.

De acordo com a sua finalidade prática, os marcadores tumorais atualmente pesquisados no câncer de mama podem ser agrupados em:

I. Marcadores preditivos de resposta à terapêutica (capaz de fornecer informações sobre a probabilidade de resposta a uma dada modalidade terapêutica).
II. Marcadores prognósticos (capaz de fornecer informações sobre a evolução clínica no momento do diagnóstico, independente da terapêutica empregada. Tais marcadores são normalmente indicadores de crescimento, invasão e potencial metastático).
III. Marcadores de rastreamento (*screening*) ou de recidiva tumoral (monitorização).
IV. Marcadores utilizados para diagnóstico diferencial.

Alguns exemplos de marcadores tumorais atualmente utilizados estão no Quadro 1.

Neste capítulo vamos revisar os marcadores tumorais com confirmada relevância empregados na prática clínica, suas aplicações e limitações.

TESTES DE AVALIAÇÃO MOLECULAR TECIDUAL

Receptores de estrógeno e progesterona

Os receptores hormonais (RH) são proteínas especializadas, presentes em células mamárias, que, ao se ligarem aos hormônios correspondentes, desencadeiam uma série de eventos implicados com várias funções celulares, incluindo multiplicação celular e, consequentemente, o crescimento do tumor. Os mais estudados em carcinomas de mama são os receptores de estrógeno (RE) e os receptores de progesterona (RP). Os tumores de mama positivos para receptores de estrógeno (RE) e/ou de progesterona (RP), além de apresentarem um prognóstico mais favorável, mostram associações a outras variáveis de bom prognóstico. A expressão de receptor de progesterona (RP) ocorre, em geral, em tumores RE-positivos, embora nem todos os carcinomas RE-positivos expressem o RP. Desde que foi demonstrado que o crescimento dos carcinomas de mama é regulado por estrógenos, a presença de receptores específicos para o estrógeno em tumores mamários e a terapia ablativa desse hormônio têm produzido remissão clínica em pacientes com carcinoma de mama. Os tumores que respondem à terapia hormonal expressam altos níveis de receptores de estrógeno, enquanto os tumores que não respondem têm níveis baixos ou indetectáveis.

Cerca de dois terços dos carcinomas de mama apresentam expressão de receptores de estrógeno (RE) e são denominados receptor de estrógeno

Quadro 1. Exemplos de marcadores tumorais atualmente em uso no câncer de mama

MARCADOR TUMORAL	TECIDO ANALISADO	COMO É USADO
Receptor de estrógeno (RE)/Receptor de progesterona (RP)	Tecido tumoral	Determinar se o tratamento hormonal é apropriado (preditivo de resposta), bem como confere melhor prognóstico, se presente
HER-2/neu	Tecido tumoral	Determinar se o tratamento com trastuzumabe é apropriado, bem como determinar pior prognóstico (marcador prognóstico)
Ativador de plasminogênio tipo uroquinase (uPA) e inibidor de ativador de plasminogênio (PAI-1)	Tecido tumoral	Determinar a agressividade do câncer (marcador prognóstico) e guiar tratamento
Assinatura dos 70 Genes (Mammaprint)	Tecido tumoral	Avaliar risco de recidiva
Assinatura dos 21 Genes (*Oncotype* DX)	Tecido tumoral	Avaliar risco de recidiva

positivo ou simplesmente RE-positivos. O método de detecção por estudo imuno-histoquímico, por meio da utilização de anticorpos monoclonais, apresenta-se em cortes de tecido congelado ou em cortes obtidos de tecido embebido em parafina. A quantidade de receptores nos tumores se relaciona com o sucesso na resposta ao tratamento hormonal. Tumores com mais de 1% de células positivas para RE ou RP são considerados positivos.

A maioria dos autores mostra que existe uma associação positiva entre a presença de RH e um prognóstico mais favorável. O impacto do estado dos RE do tumor primário no prognóstico é maior em pacientes com metástases para linfonodos axilares, principalmente quando múltiplos linfonodos são afetados. Os resultados são semelhantes aos RP. Os RE são também determinantes importantes na resposta à terapia hormonal em pacientes com doença recidivada. Se possível, a análise dos RH deve ser feita também na lesão recidivada, já que ocorrem variações da expressão dos RE do tumor primário e metástases em 25% dos casos. A probabilidade de se encontrar uma diferença é menor quando o tumor primário e as metástases ocorrem simultaneamente ou se o tumor primário é negativo para RE.

O valor do estudo dos RE e dos RP na previsão da resposta ao tratamento hormonal do câncer de mama avançado tem forte embasamento: a taxa de resposta positiva é de 77% para os tumores positivos para ambos; 46% para os tumores negativos para RE e positivos para RP; 27% para os tumores positivos para RE e negativos para RP, e 11% para os tumores negativos para ambos. A positividade para RE/RP representa hoje o melhor marcador preditivo do câncer de mama atualmente em uso.

Hiperexpressão de HER-2

HER-2 ou receptor tipo 2 do fator de crescimento epidérmico humano é produzido pelo gene HER-2/neu (localizado no cromossoma 17q) e, em quantidades normais, tem um papel importante no crescimento e desenvolvimento de uma vasta categoria de células, designadas por células epiteliais. A amplificação do gene HER-2/c-ErbB2 tem sido extensamente estudada em carcinomas de mama, desde que Slamon *et al.* demonstraram uma associação entre a sua amplificação e um mau prognóstico. O método imuno-histoquímico é, atualmente, o método mais empregado para a detecção da hiperexpressão de HER-2, sendo mais conveniente que outras análises, além de ser o método tecnicamente mais fácil e econômico. A determinação da amplificação do gene HER-2 também pode ser obtida pelo método de FISH, sendo esse método reservado principalmente para casos em que a imuno-histoquímica é duvidosa ou falha na determinação deste marcador.

A expressão aumentada de HER-2, detectada por imuno-histoquímica, ocorre em cerca de 20% de todos os carcinomas invasivos de mama e acima de 50% dos carcinomas ductais *in situ* apresentam hiperexpressão do HER-2. Nenhum aumento de expressão tem sido descrito no carcinoma lobular *in situ*. Somente 10% dos carcinomas medulares hiperexpressam o HER-2.

Vários estudos demonstram uma associação da expressão aumentada de HER-2/c-ErbB2 a uma menor sobrevida geral e sobrevida livre de doença, definindo-o como um indicador de prognóstico ruim. A hiperexpressão do HER-2 também está associada à recidiva ou progressão locorregional dos carcinomas de mama.

A determinação de HER-2/c-ErbB2 em pacientes com câncer de mama, do ponto de vista clínico, é, hoje, extremamente importante para decisão do tratamento. As pacientes cujos tumores exibem uma expressão aumentada de HER-2/c-ErbB2 têm um maior benefício com a quimioterapia, demonstrando ser um marcador útil para identificar as pacientes que, após tratamento do tumor primário, vão provavelmente mais beneficiar-se de esquemas de quimioterapia adjuvante, mesmo naquelas sem comprometimento linfonodal axilar.

Tumores positivos para HER-2/c-ErbB2 (que hiperexpressam a proteína HER-2) respondem ao trastuzumabe, um anticorpo monoclonal que age diretamente contra o domínio extracelular da proteína *HER-2* (*ErbB2*), e ao lapatinibe, um inibidor da tirosinoquinase, diferentemente dos tumores HER-2/c-ErbB2 negativos. Vários estudos clínicos têm mostrado que a utilização de trastuzumabe adjuvante reduz a recidiva e mortalidade em, aproximadamente, 50 e 30% naqueles pacientes que apresentam hiperexpressão de HER-2/c-ErbB2.

Oncotype Dx (Assinatura dos 21 Genes)

A possibilidade de identificar um perfil molecular ou assinatura genética que determine os tumores com maior risco de recidiva ou ocorrência de metástases tem levado ao desenvolvimento de várias plataformas com base na expressão gênica. Uma dessas plataformas, chamada "*Oncotype* Dx" (desenvolvido por *Genomic Health, Inc.*, Redwood City, CA – EUA), usa uma reação em cadeia de polimerase da transcriptase reversa para quantificar a expressão do mRNA específico de 16 genes do câncer e cinco genes de referência, que foram selecionados com base em seu valor preditivo e prognóstico, em pacientes com linfonodos axilares negativos e com RE positivo, tratadas com tamoxifeno. O resultado do teste é expresso em um escore de recidiva (ER). Este teste utiliza o material do tumor conservado em parafina.

Os níveis de expressão desses genes são usados para classificar pacientes nas seguintes categorias: baixo risco (ER < 18), risco intermediário (ER > 18 e < 31) e alto risco (ER > 31). As estimativas das taxas de recidiva a distância, após 10 anos, nos grupos de baixo risco, risco intermediário e alto risco foram 6,8% (IC95%: 4,0-9,6), 14,3% (IC95%: 8,3-0,3) e 30,5% (IC95%: 23,6-7,4), respectivamente. Outra utilidade importante do *Oncotype* DX é sua capacidade de prever os benefícios da quimioterapia adjuvante. O ensaio de 21 genes foi realizado em um subconjunto de 651 pacientes do estudo B-20, que randomizou mulheres com câncer de mama com RE positivos e linfonodos negativos para receberem tamoxifeno durante 5 anos, isoladamente ou em associação à quimioterapia com MF ou CMF (M: metotrexato, F: fluoruracil e C: ciclofosfamida). O teste de interação entre o tratamento quimioterápico e o ER foi estatisticamente significativo. Pacientes com alto ER tiveram um grande benefício com a quimioterapia, enquanto aquelas com tumores de baixo ER obtiveram mínimo ou nenhum benefício da quimioterapia. As pacientes com tumores com ER intermediário não pareceram obter grandes benefícios, mas a incerteza da estimativa não pode excluir um benefício clinicamente importante. As recomendações da American Society of Clinical Oncology para o uso de marcadores tumorais no câncer de mama afirmam que o ensaio *Oncotype* DX pode ser usado para prever o risco de recidiva em pacientes tratadas com tamoxifeno e para identificar as pacientes das quais se espera obter o máximo benefício terapêutico do tamoxifeno adjuvante e que podem não necessitar de quimioterapia adjuvante. Os dados atuais são insuficientes para comentarmos se essas combinações podem ser aplicadas às terapias hormonais além do tamoxifeno, ou se esse ensaio aplica-se a outros esquemas quimioterápicos.

Outras assinaturas moleculares (perfil de expressão gênica) estão em desenvolvimento, como o perfil prognóstico dos 70 genes de Amsterdam (MammaPrint®), e a assinatura dos 76 genes de Rotterdam, que aumentam, além dos convencionais indicadores prognósticos, a capacidade de prever a evolução clínica e a resposta ao tratamento. Estas plataformas de assinatura gênica ainda estão em processo de validação e não são, ainda, recomendadas para uso.

Fator ativador de plasminogênio do tipo uroquinase (PA) e o inibidor 1 do ativador de plasminogênio

O sistema ativador do plasminogênio/plasmina é composto de plasminogênio ativado proteoliticamente pelo ativador de plasminogênio tipo uroquinase (uPA) e ativador de plasminogênio tipo tecidual (tPA), dois inibidores de ativadores do plasminogênio (PAI-1 e PAI-2), receptores de uPA (uPAR) e plasmina. O uPA e seu inibidor PAI-1 têm correlação com o aumento de proliferação e migração, invasão e metástases como resultado da dissolução da matriz extracelular (MEC) e ativação de metalopeptidases (MMP) que, por sua vez, proporciona proteólise e degradação da MEC.

Pacientes que apresentam altos níveis de uPA e/ou PAI-1 nos tumores primários têm menor sobrevida livre de doença e menor sobrevida global que nos pacientes com níveis baixos (nível I de evidência), sendo estabelecidos como fortes fatores prognósticos em pacientes com câncer de mama e linfonodos axilares negativos. Além disso, foi demonstrado que a relevância clínica de uPA e PAI-1 é maior quando estes marcadores são avaliados conjuntamente.

O ativador de plasminogênio do tipo uroquinase (uPA) e o inibidor-1 do ativador de plasmonogênio são medidos no tumor primário da mama pelo método ELISA em, no mínimo, 300 mg de tecido tumoral fresco ou congelado. A determinação destes marcadores por imuno-histoquímica não é precisa, e o valor prognóstico usando amostras de tecido menores ainda não foi validado pelo método ELISA. Este fato acarreta limitações para o uso clínico rotineiro de uPA/PAI-1, pois a metodologia empregada impede a avaliação em pacientes com tumores pequenos ou operadas em centros que não têm capacidade para armazenamento de tecidos frescos congelados.

MARCADORES TUMORAIS CIRCULANTES

Células tumorais circulantes

A ocorrência de metástases é a principal causa de morte entre pacientes com câncer de mama. A presença de células tumorais na corrente sanguínea é postulada como um processo crítico no estabelecimento da progressão metastática. Em 2004, a detecção de células tumorais no sangue pelo sistema CellSearch® (produzido pela empresa Veridex – EUA) motivou publicação de estudo com 177 pacientes portadoras de câncer de mama avançado em que a contagem de células tumorais circulantes (CTC) foi apresentada como um independente fator preditivo da sobrevida livre de progressão e sobrevida global. Este fato motivou a liberação do uso da CTC pelo sistema CellSearch® pela agência americana FDA (*Food and Drug Administration*) para pacientes com câncer de mama metastático. Em resumo, o sistema utiliza soro enriquecido com células nucleadas que expressam moléculas de adesão de células epiteliais, marcando-os por fluorescência com posterior detecção de eventuais células por meio de microscopia de fluorescência semiautomatizada.

A contagem de células circulantes pelo sistema CellSearch®, entretanto, não é recomendada pelo painel de especialistas da *American Society of Clinical Oncology (ASCO)*, em 2007, como também não é incluída no consenso para tratamento de câncer de mama do *National Comprehensive Cancer Network (NCCN)*, em 2011. No entanto, os dados acumulados desde a revisão pelo painel da ASCO parecem sugerir que os níveis de CTC ≥ 5 céls./7,5 mL de sangue em pacientes com doença metastática indicam uma probabilidade elevada de rápida progressão da doença, tal como observado por meios clínicos e radiológicos. Não se sabe ainda se uma mudança do tratamento face à persistência de níveis elevados de CTCs seria benéfica na ausência de evidência objetiva/clínica de progressão da doença. No entanto, parece que o aumento dos níveis de CTCs são altamente preditivos de progressão da doença.

MARCADORES TUMORAIS SÉRICOS

CEA, CA 15-3 e CA 27-29

CEA, CA 15-3 e o CA 27-29 são testes séricos bem caracterizados que detectam o antígeno circulante MUC1 (marcadores mucínicos) no sangue periférico. Enquanto diversos estudos suportam a relevância prognóstica do MUC1 em estágios iniciais do câncer de mama, não existem dados que estabeleçam que marcadores tumorais séricos com base no MUC1 sejam úteis nas decisões terapêuticas nestes estágios da doença. As recomendações da ASCO determinam o uso de monitorização destes marcadores tumorais séricos somente em pacientes com doença metastática em situações selecionadas. Não é recomendado seu uso ao diagnóstico, nem como acompanhamento ou para detecção de recidiva após tratamento. Não existem dados suficientes para recomendar o uso destes marcadores isoladamente na avaliação de resposta ao tratamento. Excepcionalmente, a elevação destes marcadores durante o tratamento de pacientes portadores de doença metastática não mensurável pode sugerir falência da terapêutica empregada.

BIBLIOGRAFIA

Albain K, Barlow W, Shak S et al. *Prognostic and predictive value of the 21-gene recurrence score assay in postmenopausal, node-positive, ER-positive breast cancer*. 30th Annual San Antonio Breast Cancer Symposium 2007;Dec. 13-16. San Antonio, TX: abstract 10.

Allred DC, Clark GM, Molina R et al. Overexpression of her-2/neu and its relationship with other prognostic factors change during the progression of in situ to invasive breast cancer. *Hum Pathol* 1992;23:974-79.

Almeida JRC, Pedrosa NL, Leite JB et al. Marcadores tumorais: revisão de literatura. *Rev Bras Cancerol* 2007;53:305-16.

Andreasen PA, Kjøller L, Christensen L et al. The urokinase-type plasminogen activator system in cancer metastasis: a review. *Int J Cancer* 1997;72:1-22.

Andriolo A. Marcadores tumorais. *Rev Bras Med* 1996;53:641-53.

Barbati A, Cosmi EV, Sidoni A et al. Value of c-erbb-2 and p53 oncoprotein co-over-expression in human breast cancer. *Anticancer Res* 1997;17:401-5.

Bigbee W, Herberman RB. Tumor markers and immunodiagnosis. In: Bast Jr RC, Kufe DW, Pollock RE et al. (Eds.). *Cancer medicine*. 6th ed. Hamilton, Ontario, Canada: BC Decker, 2003.

Budd GT, Cristofanilli M, Ellis MJ et al. Circulating tumor cells versus imaging predicting overall survival in metastatic breast cancer. *Clin Cancer Res* 2006;12:6403.

Capelozzi VL. Entendendo o papel de marcadores biológicos no câncer de pulmão. *J Pneumol* 2001;27(6):321-28.

Cristofanilli M, Budd GT, Ellis MJ et al. Circulating tumor cells, disease progression, and survival in metastatic breast cancer. *N Engl J Med* 2004;351:781-91.

De Potter CR, Schelfhout AM. The neu-protein and breast cancer. *Virchows Archiv* 1995;426:107-15.

Duffy MJ, Duggan C. The urokinase plasminogen activator system: a rich source of tumour markers for the individualised management of patients with cancer. *Clin Biochem* 2004;37:541-48.

Duffy MJ, Duggan C. The urokinase plasminogen activator system: a rich source of tumour markers for the individualised management of patients with cancer. *Clin Biochem* 2004;37:541-48.

Ebeling FG, Stieber P, Untch M et al. Serum CEA and CA 153 as prognostic factors in primary breast cancer. *Br J Cancer* 2002;86:1217.

Eisenberg A, Koifman S. Breast cancer: tumor markers (Literature Review). *Rev Bras Cancerol* 2001;47(4):377-88.

Febbo PG, Ladanyi M, Aldape KD et al. NCCN task force report: evaluating the clinical utility of tumor markers in oncology. *J Natl Compr Canc Netw* 2011;9:S1-S32.

Gion M, Boracchi P, Dittadi R et al. Prognostic role of serum CA15.3 in 362 node negative breast cancers. An old player for a new game. *Eur J Cancer* 2002;38:1181.

Haffty BG, Hauser A, Choi DH et al. Molecular markers for prognosis after isolated post-mastectomy chest wall recurrence. *Cancer* 2004;100:252-63.

Hammond ME, Hayes DF, Dowsett M et al. American Society of Clinical Oncology/College Of American Pathologists guideline recommendations for immunohistochemical testing of estrogen and progesterone receptors in breast cancer. *J Clin Oncol* 2010;28:2784-95.

Harbeck N, Kates RE, Schmitt M. Clinical relevance of invasion factors urokinase-type plasminogen activator and plasminogen activator inhibitor type 1 for individualized therapy decisions in primary breast cancer is greatest when used in combination. *J Clin Oncol* 2002;20:1000-7.

Harbeck N, Schmitt M, Kates RE et al. Clinical utility of urokinase- type plasminogen activator and plasminogen activator inhibitor-1 determination in primary breast cancer tissue for individualized therapy concepts. *Clin Breast Cancer* 2002;3:196-200.

Harris L, Fritsche H, Mennel R et al. American Society of Clinical Oncology 2007 update of recommendations for the use of tumor markers in breast cancer. *J Clin Oncol* 2007;25:5287-312.

Hayes DF, Cristofanilli M, Budd GT et al. Circulating tumor cells at each followup time point during therapy of metastatic breast cancer patients predict progressionfree and overall survival. *Clin Cancer Res* 2006;12:4218.

Joensuu H, Kellokumpu-Lehtinen PL, Bono P et al. Adjuvant docetaxel or vinorelbine with or without trastuzumab for breast cancer. *N Engl J Med* 2006;354:809-20.

Kumpulainen EJ, Keskikuru RJ, Johansson RT. Serum tumor marker CA 15.3 and stage are the two most powerful predictors of survival in primary breast cancer. *Breast Cancer Res Treat* 2002;76:95.

Liaudet-Coopman E, Beaujouin M, Derocq D et al. Cathepsin D: newly discovered functions of a longstanding aspartic protease in cancer and apoptosis. *Cancer Lett* 2006;237:167-79.

Look MP, van Putten WLJ, Duffy MJ et al. Pooled analysis of prognostic impact of urokinase-type plasminogen activator and its inhibitor PAI-1 in 8377 breast cancer patients. *J Natl Cancer Inst (Bethesda)* 2002;94:116-28.

Martín A, Corte MD, Alvarez AM et al. Prognostic value of preoperative serum CA 15.3 levels in breast cancer. *Anticancer Res* 2006;26:3965.

Osborne CK, Yochmowitz MG, Knight WA et al. The value of estrogen and progesterone receptors in the treatment of breast cancer. *Cancer* 1980;46:2884-88.

Paik S, Shak S, Tang G et al. A multigene assay to predict recurrence of tamoxifen-treated, node-negative breast cancer. *N Engl J Med* 2004;351(27):2817-26.

Paik S, Tang G, Shak S et al. Gene expression and benefit of chemotherapy in women with node-negative, estrogen receptorpositive breast cancer. *J Clin Oncol* 2006;24(23):3726-34.

Piccart-Gebhart MJ, Procter M, Leyland-Jones B *et al.* Trastuzumab after adjuvant chemotherapy in HER2-positive breast cancer. *N Engl J Med* 2005;353:1659-72.

Rochefort H, Chalbos D, Cunat S *et al.* Estrogen regulated proteases and antiproteases in ovarian and breast cancer cells. *J Steroid Biochem Mol Biol* 2001;76:119-24.

Romond EH, Perez EA, Bryant J *et al.* Trastuzumab plus adjuvant chemotherapy for operable HER2-positive breast cancer. *N Engl J Med* 2005;353:1673-84.

Rosen PP, Lesser ML, Arroyo CD *et al.* Immunohistochemical detection of her2/neu in patients with axillary lymph node negative breast carcinoma: a study of epidemiologic risk factors, histologic features, and prognosis. *Cancer* 1995;75:1320-26.

Rosen PP. *Breast pathology.* Philadelphia: Lippincott-Raven, 1997.

Slamon DJ, Clark GM, Wong SG *et al.* Human breast cancer: correlation of relapse and survival with amplification of the her-2/neu oncogene. *Science* 1987;235:177-82.

Smith HW, Marshall CJ. Regulation of cell signaling by uPAR. *Nat Rev Mol Cell Biol* 2010;11:23-36.

Swaby RF, Cristofanilli M. Circulating tumor cells in breast cancer: a tool whose time has come of age. *BMC Medicine* 2011;9:43.

Wolff C, Malinowsky K, Berg D *et al.* Signalling networks associated with urokinase-type plasminogen activator (uPA) and its inhibitor PAI-1 in breast cancer tissues: new insights from protein microarray analysis. *J Pathol* 2011;223:54-63.

CAPÍTULO 103
Estadiamento do Câncer de Mama

Carlos Renato Martins da Silva ■ Marcelo Camilo Lelis ■ Sergio de Oliveira Monteiro

INTRODUÇÃO

O estadiamento do câncer de mama tem papel fundamental em todos os momentos do tratamento e estudo da doença. Estratificar os pacientes por estágios permite aos profissionais que trabalham com câncer agrupá-los segundo seu prognóstico, de acordo com dados estabelecidos por estudos observacionais e ensaios clínicos.

Ao estabelecer-se um novo diagnóstico de câncer de mama, é de grande importância definir, com a maior precisão possível, a extensão da doença naquele momento. Além de informações sobre a doença em si, são de muito valor também fatores do paciente, como estado funcional e comorbidades, que serão úteis na tomada de decisão acerca das melhores escolhas para tratá-lo.

O processo de estadiamento envolve conceitos que integram a análise objetiva e bem organizada do paciente, dos dados clínicos e patológicos obtidos, assim como a reprodutibilidade destes dados, pois serão úteis também para a análise epidemiológica, que serão os subsídios utilizados nas iniciativas de saúde pública, que avaliarão incidência, efetividades dos programas de rastreio e tratamento e fatores de risco no Brasil e no mundo.

Os cânceres de mama, em geral, são considerados como de crescimento relativamente lento, porém tumores com características similares ao diagnóstico podem evoluir de maneira diferente em pacientes diferentes. Atualmente, algumas questões para estas taxas de crescimento diferentes começam a poder ter resposta, como tamanho do tumor, comprometimento dos linfonodos regionais, tipo histológico e ploidia; entretanto, ainda há muitos fatores não identificados que também podem influenciar os diferentes desfechos.

Os primeiros sistemas de avaliação dos estágios incluíam apenas análise dos dados clínicos, divididos em "operáveis" e "não operáveis" e classificados em local, regional e metastático.[1] Entretanto, as limitações destes estadiamentos em predizer as possíveis evoluções, em cada situação, levaram ao desenvolvimento de sistemas de avaliação mais detalhados.[2-4] Esses novos sistemas de avaliação são fundamentados na medida clínica do tumor, acometimento ou não da pele adjacente, extensão do acometimento dos linfonodos regionais pela doença e evidência de implantes em órgãos distantes no momento do diagnóstico.

O sistema TNM classifica os tumores segundo os principais atributos morfológicos que influenciam no prognóstico: tamanho do tumor, presença e extensão de envolvimento linfático locorregional e a presença de metástases.[5] Este sistema foi recomendado, em 1958, pela União Internacional Contra o Câncer (UICC), e, em 1977, a *American Joint Commitee on Cancer* (AJCC) publicou seu primeiro manual de estadiamento do câncer, com base no sistema TNM; a partir de 1987, foi desenvolvido um sistema universal, que permitiu modificações ao longo do tempo de modo a otimizar as definições de estadiamento e prognóstico. Atualmente, os sistemas de estadiamento da UICC e AJCC são idênticos, facilitando as colaborações internacionais de pesquisa. No ano de 2002, na 6ª edição, houve grandes mudanças promovidas pela *American Cancer Society* em associação ao *American College of Surgerons*, resultado de alguns anos de evolução.[6] Atualmente na 7ª edição, houve poucas mudanças em relação à anterior, mantendo o princípio de flexibilidade do sistema de estadiamento pela inclusão de novos dados prognósticos.[7]

No futuro, os sistemas de estadiamento poderão incluir novas tecnologias, como análise molecular e genética das amostras dos tumores, assim como novas técnicas patológicas. Essa discussão já vem sendo levantada pelo Instituto Europeu de Oncologia de Milão, que sugere modificações no atual TNM_{uicc} com base em cinco aspectos principais: uso de maior rigor e menor ambiguidade nas expressões, levando a melhor compreensão dos pacientes; referencia à exata medida do tumor em vez de categorias de tamanho; especificação do número de linfonodos examinados e do *status* linfonodal do tumor; descrição do sítio de metástase e descrição dos receptores hormonais.[8-10] O TNM_{ieo} pretendeu desenvolver uma classificação com maior precisão nas informações nela contida, para médicos e pacientes, mantendo a semelhança com a classificação TNM_{uicc} para poder comparar e validar os novos estudos.

Os sistemas de estadiamento clínico e patológico vêm sendo usados em conjunto, mostrando boas informações de prognóstico. Os parâmetros obtidos clinicamente são historicamente usados pela facilidade na obtenção dos dados, servindo para orientar a abordagem terapêutica inicial. A história e o exame clínico, os perfis laboratoriais e os exames das amostras de biópsias guiam as decisões sobre a melhor opção de tratamento no momento do diagnóstico. Entretanto, hoje em dia grande parte dos tumores é diagnosticada em estágios muito iniciais, na sua fase pré-clínica. Dessa forma, a importância do estadiamento patológico com base na análise do tumor primário e linfonodos regionais cada vez mais tem mostrado maior acurácia como preditor de sobrevida, pois possibilita agrupar os pacientes com prognósticos similares, levando ao melhor planejamento dos tratamentos subsequentes.

Atualmente, o câncer de mama é estadiado de acordo com o *American Joint Commitee on Cancer and International Union for Cancer Control* (AJCC-UICC).[7] O diagnóstico do câncer de mama, assim como seu estadiamento, depende do rastreamento populacional, diagnóstico de imagem e biópsia da área suspeita da mama, que incluem:

- História e exame físico.
- Mamografia bilateral e ultrassonografia (quando necessário).
- Exames laboratoriais.

A necessidade de avaliação adicional deverá ser avaliada individualmente, depois de realizada avaliação inicial.

TUMOR PRIMÁRIO

A avaliação clínica do tumor é importante para decisão quanto ao tratamento cirúrgico inicial ou quanto à decisão de realizar-se tratamento neoadjuvante. Embora a maioria dos cânceres de mama apresente alteração na mamografia, a avaliação adicional com ultrassonografia ou ressonância magnética das mamas pode ser utilizada, visando estimar a correta extensão da lesão ou averiguar possível doença contralateral.

LINFONODOS

O *status* linfonodal ainda permanece sendo o mais importante fator prognóstico no câncer de mama inicial e por isso sua correta avaliação é de suma importância para estabelecer a abordagem terapêutica adequada. Os linfonodos axilares recebem 85% da drenagem linfática das mamas,[7] e a avaliação histológica apresenta maior acurácia no diagnóstico de doença linfonodal. A avaliação clínica associada a exames de imagem e punção aspirativa por agulha fina pode selecionar pacientes que devem ser submetidas à linfadenectomia axilar sem prévia pesquisa de linfonodo sentinela, mas deve-se ressaltar que a pesquisa de linfonodo sentinela deve sempre ser cogitada, já que existem séries em que o exame físico isolado pode levar a falso-positivo superior a 50%.[7] Envolvimentos da cadeia mamária interna e dos linfonodos supraclaviculares devem ser buscados, o que, apesar de pouco comum nos tumores iniciais, mudará o estadiamento e o prognóstico.

Diversas modalidades propedêuticas não invasivas têm sido estudadas na avaliação dos linfonodos axilares na tentativa de minimizar a necessidade do estudo histológico.[11,12] Os métodos de imagem disponíveis no momento são incapazes de detectar as micrometástases linfonodais (metástases menores que 2 mm). Entretanto, as micrometástases parecem não alterar o prognóstico nem exigir mudanças no esquema terapêutico adjuvante.[13] A mamografia não apresentou bons resultados na avaliação axilar (sensibilidade menor que 40%). Além da dificuldade da diferenciação entre alterações inflamatórias e neoplasias, há a dificuldade técnica em posicionar adequadamente a região axilar no filme.[14] A tomografia computadorizada, embora superior ao exame físico, mostrou-se pouco útil na detecção de envolvimento axilar, principalmente graças ao baixo valor preditivo negativo (VPN) de 20%.[15] A ressonância magnética — contrastada com *ultasmall superparamagnetic iron oxide* (USPIO) no lugar do gadolínio — tem sido utilizada na avaliação da axila em pacientes com carcinoma de mama, com sensibilidade de 82%, especificidade de 100%, valor preditivo positivo (VPP) de 100% e VPN de 89%.[16] Entretanto, não apresenta no momento uma boa relação custo-benefício. Sugeriu-se a utilização do FDG-PET (2-fluoro-2-deoxy-D-glucose (FDG) – *positron emission tomography* (PET)), pois tem um VPN de 95,3%.[17] Esse achado não foi confirmado em casos iniciais de câncer de mama, em que a FDG-PET obteve sensibilidade de 20%.[18] Outros trabalhos não acharam diferença significativa entre a ultrassonografia, a PET e a ultrassonografia associada à PET.[19] Um trabalho multicêntrico prospectivo recente não recomenda a utilização da FDG-PET no estadiamento axilar pela sua baixa sensibilidade.[12]

AVALIAÇÃO SISTÊMICA

A correta identificação de doença sistêmica é importante fator prognóstico do câncer de mama. Lançaremos mão de exames de imagem e laboratoriais para avaliação inicial e sempre que houver suspeita de doença sistêmica.

Embora exames de imagem, como tomografia computadorizada, cintilografia óssea e tomografia por emissão de pósitrons (PET-CT) sejam usados para avaliação sistêmica, devemos lembrar dos resultados falso-positivos, do custo elevado e dos inconvenientes da realização desses exames.[12] Tais recursos devem ser utilizados de maneira racional e de modo que venham trazer benefícios e não aumentar o tempo entre o diagnóstico e o tratamento proposto.

As revisões sistemáticas não identificaram benefício em investigarem-se com métodos de imagem os pulmões, fígado e ossos em pacientes de tumor inicial estágio I.[20]

Em pacientes no estágio I, identificaram-se doença em 0,5% de cintilografias ósseas, 0% em ultrassonografia de fígado e 0,1% em radiografias de pulmão. Em paciente estágio II esses valores aumentaram para 2,4, 0,4, e 0,2% respectivamente e em pacientes no estágio III, 8,3, 2,0 e 1,7%, o que não justifica tal pesquisa em todas as pacientes.[21] Fundamentado nisso, o *The Cancer Ontario Guidelines Initiative* não recomenda o estadiamento com cintilografia óssea, ultrassonografia de fígado e radiografia de tórax para estágio I da doença. Recomenda o estadiamento completo para estágio III e cintilografia óssea para estágio II.[22] Estudos adicionais são recomendados em pacientes sintomáticos ou com grande probabilidade de doença a distância (dor óssea, sintomas abdominais, níveis função hepática anormais ou fosfatase alcalina alterada) e todos aqueles estágio III ou IV.[23] Tomografia computadorizada e imagem por ressonância magnética de abdome e pelve são os testes de maior sensibilidade para detecção de metástases, mas aumentam demasiadamente custos, resultados falso-positivos e exposição à radiação, no caso das primeiras.

O uso da PET-CT pode ser indicado como exame único para avaliação de metástases em pulmão, osso e fígado em pacientes em estágio III ou estágio II com significativo envolvimento nodal,[23] embora mais estudos sejam necessários.[24]

Receptores hormonais têm dado oportunidade de seleção de pacientes candidatas à terapia hormonal, nos casos de positividade para receptores de estrógeno e progesterona, e, para pacientes com positividade para HER2 (*Human Epidermal growth factor Receptor*), terapia anti-hER2. Não há dados que suportem o uso rotineiro de marcadores tumorais, como CA 15-3, CA 27-29 e CEA, no diagnóstico e no estadiamento do câncer de mama.[25]

As análises das assinaturas moleculares com avaliação de 21 ou 70 genes, *Oncotype Dx®* e *MammaPrint®*, respectivamente, têm potencial para uso clínico na estratificação prognóstica e seleção de pacientes candidatas a tratamento sistêmico.[26]

Como rotina, o Instituto Nacional de Câncer (INCA) estratifica as pacientes em grupos para otimizar o emprego dos exames de estadiamento (Quadro 1).[27]

- *Grupo I*: lesões impalpáveis.
- *Grupo II*: tumores palpáveis até estágio II.
- *Grupo III*: tumores com estágio IIIA em diante em pacientes candidatas a tratamento neoadjuvante ou paliativo.
- *Grupo IV*: pacientes após tratamento neoadjuvante, em preparo para cirurgia.

Quadro 1. Estadiamento – INCA[27]

RECOMENDAÇÕES POR GRUPOS				
GRUPO / EXAME	I	II	III	IV
Mamografia bilateral	Sim	Sim	Sim	Não
Hemograma completo	Sim	Sim	Sim	Sim
Glicemia de jejum	Sim	Sim	Sim	Sim
Creatinina	Sim	Sim	Sim	Sim
Função hepática	Não	Sim	Sim	Sim
RX de tórax	Sim	Sim	Sim	Sim
Eletrocardiograma	Se > 40 anos*	Se > 40 anos*	Sim	Sim
Ecocardiograma	Não	Não	Se > 40 anos*†	Se > 40 anos*†
US/TC abdome	Não	Não	Sim	Não
CO	Não	Não	Sim	Não
Risco cirúrgico	Sim	Sim	Não	Sim

US = ultrassonografia; TC = tomografia computadorizada; CO = cintilografia óssea; RX = radiografia. * ou alteração clínica que indique; † se possibilidade de uso de adriamicina sistêmica. (Adaptado de Ministério da Saúde (Brasil)/INCA.)

Ultrassonografia ou tomografia computadorizada abdominal
Se:

- Paciente sintomática.
- Alteração no exame físico.
- Alteração de provas de função hepática.

Cintilografia óssea
Se:

- Paciente sintomática.
- Alteração de fosfatase alcalina.

Outros exames

- β-HCG para pacientes na pré-menopausa.
- Os necessários para averiguar alguma comorbidades e sua situação atual.
- Outros específicos para pesquisa de possíveis focos metastáticos, caso a paciente apresente alterações clínicas suspeitas.

Avaliação pós-operatória

- Pacientes com estadiamento axilar pN1 ou pN2, com quatro ou mais linfonodos axilares metastáticos: reavaliar com US/TC abdominal e cintilografia óssea.
- Pacientes com idade a partir de 35 anos, com fatores prognósticos desfavoráveis (grau de diferenciação tumoral, receptores hormonais negativos), também devem ser submetidas à avaliação adicional para doença metastática.

REVISÕES NO ESTADIAMENTO DO CÂNCER DE MAMA

Taxas de sobrevida observadas em 211.645 pacientes de câncer de mama diagnosticados nos anos de 2001 e 2002 e que entraram no Banco de Dados Nacional de Câncer (Comissão de Câncer do Colégio Americano de Cirurgiões e a Sociedade Americana de Câncer) foram utilizadas para reavaliar o valor prognóstico do sistema TNM. As poucas modificações feitas da 6ª para a 7ª edição buscam incorporar os novos dados de sobrevida e as novas tecnologias desenvolvidas desde a edição anterior.[6] As principais são descritas a seguir.

Alterações na classificação do tumor (T)

- A medida microscópica é mais precisa para pequenos tumores invasivos que podem ser inteiramente submetidos a um único bloco de parafina.
- A medida grosseira é mais precisa em tumores invasivos maiores que são submetidos a vários blocos de parafina.
- Para pacientes em tratamento neoadjuvante, a medida clínica mais precisa deve ser utilizada para determinar o T clínico à apresentação. O tamanho do T pós-tratamento deve ser estimado com base na melhor combinação dos achados histológicos grosseiros e microscópicos.
- Doença de Paget associada a câncer primordial deve ser classificada de acordo com o componente invasivo (Tis, T1 etc.).
- Doença de Paget não associada a câncer primordial deve ser classificada como "Tis (Paget)".
- O tamanho de tumores não invasivos, carcinoma ductal *in situ* (CDIS) e carcinoma lobular *in situ* (CLIS) devem ser avaliados, pois podem influenciar na decisão terapêutica.
- Carcinomas ipsilaterais múltiplos e simultâneos podem ocorrer no mesmo quadrante ou em quadrantes diferentes.

Alterações na classificação dos linfonodos (N)

- Uma classificação mais rigorosa dos aglomerados de células isoladas e células únicas é agora exigida. Pequenos aglomerados de células não maiores que 0,2 mm, ou não confluentes, ou aglomerados de células confluentes, não excedendo 200 células em um corte histológico simples de linfonodo, são classificados como células tumorais isoladas.
- Uso do termo (sn) foi elucidado e restringido. Quando seis ou mais linfonodos sentinelas são identificados no exame grosseiro de amostras patológicas, o termo (sn) é agora omitido.
- Tumores de mama estágio I foram subdivididos em estágio IA e estágio IB; estágio IB inclui pequenos tumores (T1) com micrometástases nos linfonodos exclusivamente (N1 mi).

Alterações na classificação das metástases (M)

- Uma nova categoria M0 (i+) foi criada pela presença de células tumorais disseminadas detectáveis na medula óssea ou células tumorais circulantes ou encontradas por acaso em outros tecidos, não excedendo 0,2 mm. Entretanto, esta categoria não altera o grupamento por estágio. Supondo que pacientes não tenham metástases detectáveis clínica ou radiologicamente, o estadiamento é feito de acordo com o T e o N.

Alterações na classificação da terapia pós-neoadjuvante (yc ou ypTNM)

Esta nomenclatura é utilizada para casos nos quais terapias sistêmica e/ou radioterápica são feitas antes da cirurgia (neoadjuvante), ou quando a cirurgia não é realizada. Estes pacientes terão a extensão da doença avaliada no término da terapia por meios clínicos ou patológicos para fornecer a extensão da resposta e ajudar a direcionar quaisquer tratamentos posteriores. T e N são classificados se utilizando as mesmas categorias para estadiamento clínico ou patológico para a doença, e os achados são registrados com o prefixo apropriado (ycT, ycN, ypT, ypN). O prefixo yc é utilizado para estágio clínico após a terapia, e o prefixo yp é utilizado para o estágio patológico dos pacientes que têm ressecção cirúrgica após terapia neoadjuvante. Assim:

- Tratamento pré-neoadjuvante do T clínico (cT) deve ser com base em achados clínicos ou de imagem.
- Tratamento pós-neoadjuvante do T deve ser fundamentado em achados clínicos ou de imagem (ycT) ou de achados patológicos (ypT).
- Uma marcação é agora adicionada ao N clínico para pacientes com linfonodo negativo ou positivo para indicar se o diagnóstico linfonodal veio por meio do exame clínico, aspiração por agulha fina, *core* biópsia ou biópsia do linfonodo sentinela.
- O ypT pós-tratamento é o maior foco contíguo de câncer invasivo quando definido histopatologicamente com um adendo para indicar a presença de múltiplos focos tumorais.
- Metástases linfonodais pós-tratamento não maiores que 0,2 mm são classificadas como ypN0 (+). Entretanto, pacientes com estes achados não são considerados como de resposta patológica completa (pCR).
- O grau da resposta ao tratamento neoadjuvante (completa, parcial, sem resposta) será registrado no arquivo do tumor.
- Pacientes são considerados M1 (estágio IV), se metástases forem detectadas antes da terapia neoadjuvante, independentemente do seu *status* após terapia neoadjuvante.

A seguir são reproduzidas as definições da 7ª edição do sistema de estadiamento proposto pela *UJCC*, publicado em 2010.[7] Após as descrições, o Quadro 2 adaptado.

AVALIAÇÃO DO TUMOR PRIMÁRIO (T)

As definições para classificação tumoral são as mesmas se avaliadas clínica ou patologicamente. A designação cT ou pT indica se os critérios utilizados foram clínicos ou patológicos. A classificação patológica, quando possível, sempre é a desejada.

- Tx – Tumor primário não pode ser avaliado.
- T0 – Não há evidência do tumor primário.
- Tis – Carcinoma *in situ*:
  - Tis (CDIS) – Carcinoma ductal *in situ*.
  - Tis (CLIS) – Carcinoma lobular *in situ*.
  - Tis (Paget) – Doença de Paget mamilar não associada a carcinoma invasivo e/ou carcinoma *in situ* (CDIS e/ou CLIS) no parênquima mamário. O carcinoma no parênquima mamário associado à doença de Paget é classificado com base em tamanho e características da

Quadro 2. Estadiamento – UJCC[7]

GRUPAMENTO POR ESTÁDIOS			
0	Tis	N0	M0
IA	T1	N0	M0
IB	T0	N1 mi	M0
	T1	N1 mi	M0
IIA	T0	N1	M0
	T1	N1	M0
	T2	N0	M0
IIB	T2	N1	M0
	T3	N0	M0
IIIA	T0	N2	M0
	T1	N2	M0
	T2	N2	M0
	T3	N1	M0
	T3	N2	M0
IIIB	T4	N0	M0
	T4	N1	M0
	T4	N2	M0
IIIC	Qualquer T	N3	M0
IV	Qualquer T	Qualquer N	M1

Adaptado de American Joint Committee on Cancer (AJCC), 7th ed., 2010.[7]

doença do parênquima, embora a presença da doença de Paget deva ser observada.

- T1 – Tumor ≤ 20 mm no maior diâmetro.
  - T1 mi – Tumor ≤ 1 mm no maior diâmetro.
  - T1a – Tumor > 1 mm, mas ≤ 5 mm no maior diâmetro.
  - T1b – Tumor > 5 mm, mas ≤ 10 mm no maior diâmetro.
  - T1c – Tumor > 10 mm, mas ≤ 20 mm no maior diâmetro.
- T2 – Tumor > 20 mm, mas ≤ 50 mm no maior diâmetro.
- T3 – Tumor > 50 mm no maior diâmetro.
- T4 – Tumor de qualquer tamanho com extensão direta à parede torácica e/ou à pele (ulceração ou nódulos cutâneos)*:
  - T4a – Extensão à parede torácica, excluindo invasão/aderência do músculo pequeno peitoral.
  - T4b – Ulceração e/ou nódulos satélites ipsilaterais e/ou edema (incluindo *peau d'orange*) cutâneo, que não preenche critérios para carcinoma inflamatório.
  - T4c – Ambos (T4a e T4b).
  - T4d – Carcinoma inflamatório**.

Notas:

*Invasão apenas da derme não qualifica como T4.

**Carcinoma inflamatório está restrito a casos com alterações típicas cutâneas, envolvendo um terço ou mais da pele mamária. Em relação à presença histológica de carcinoma invasor acometendo linfáticos da derme favorece o diagnóstico, não é obrigatório nem é suficiente para um diagnóstico de carcinoma inflamatório de mama a invasão linfática dérmica sem achados clínicos típicos.

AVALIAÇÃO DOS LINFONODOS REGIONAIS (N)

Os critérios de classificação linfonodal diferem, dependendo se os linfonodos são avaliados clínica ou patologicamente. São denominados cN ou pN de acordo com a avaliação. A classificação patológica é sempre preferida se estiver disponível.

Os linfonodos regionais incluem os axilares, os intramamários ipsilaterais, os mamários internos e os supraclaviculares. Linfonodos intramamários localizam-se dentro do tecido mamário e são classificados junto com os linfonodos axilares, e os linfonodos supraclaviculares são classificados como regionais para fins de estadiamento. Metástases para qualquer outro linfonodo, incluindo cervical ou contralateral, são classificados como doença a distância (M1).

Classificação clínica dos linfonodos regionais

- cNx – Linfonodos regionais não podem ser avaliados (p. ex.: exérese cirúrgica prévia).
- cN0 – Sem metástases em linfonodos regionais.
- cN1 – Metástases em linfonodos axilares ipsilaterais móveis (níveis I e II).
- cN2 – Metástases em linfonodos axilares ipsilaterais fixos (níveis I e II); ou em linfonodos mamários internos ipsilaterais clinicamente evidenciados* na ausência de metástases linfonodais axilares clinicamente evidentes:
  - cN2a – Metástases para linfonodos axilares ipsilaterais (níveis I e II) fixos uns aos outros ou a outras estruturas.
  - cN2b – Metástases apenas para linfonodos mamários internos clinicamente evidenciados,*** e na ausência de metástases linfonodais axilares clinicamente evidentes.
- cN3 – Metástases em linfonodos infraclaviculares ipsilaterais (nível III axilar) com ou sem acometimento linfonodal axilar em níveis I e II; ou em linfonodos mamários internos ipsilaterais clinicamente evidenciados* com metástases linfonodais axilares clinicamente evidentes em níveis I e II; ou metástases em linfonodos supraclaviculares ipsilaterais com ou sem acometimento linfonodal axilar ou mamário interno:
  - cN3a – Metástases para linfonodos infraclaviculares ipsilaterais.
  - cN3b – Metástases para linfonodos mamários internos ipsilaterais e axilares.
  - cN3c – Metástases para linfonodos supraclaviculares ipsilaterais.

Classificação patológica dos linfonodos regionais

- pNx – Linfonodos regionais não podem ser avaliados (previamente removidos ou não removidos para estudo patológico).
- pN0 – Sem metástases linfonodais regionais:
  - pN0 – Sem metástases linfonodais regionais identificadas histologicamente.
  - pN0 (i-) – Sem metástases linfonodais regionais identificadas histologicamente, IHQ negativa.
  - pN0 (i+) – Células malignas em linfonodo(s) regional(is) não maiores que 0,2 mm (detectados por H&E ou IHQ incluindo ITC).
  - pN0 (mol-) – Sem metástases linfonodais regionais histologicamente, achados moleculares negativos (RT-PCR).
  - pN0 (mol+) – Achados moleculares positivos (RT-PCR), mas sem metástases linfonodais regionais detectadas por histologia ou por IHQ.
- pN1 – Micrometástases, ou metástases em um a três linfonodos axilares, e/ou metástases em linfonodos mamários internos detectados por biópsia do linfonodo sentinela, mas sem evidência clínica:**
  - pN1 mi – Micrometástases (maior que 0,2 mm e/ou mais que 200 células, mas nenhuma maior que 2,0 mm).
  - pN1a – Metástases em um a três linfonodos axilares, pelo menos uma metástase maior que 2,0 mm.
  - pN1b – Metástases em linfonodos mamários internos com micrometástases ou macrometástases detectadas por biópsia do linfonodo sentinela, mas não clinicamente evidenciadas.**
  - pN1c – Metástases em um a três linfonodos axilares e em linfonodos mamários internos com micrometástases ou macrometástases detectadas por biópsia de linfonodo sentinela, mas não clinicamente evidenciadas.**
- pN2 – Metástases em quatro a nove linfonodos axilares, ou em linfonodos mamários internos clinicamente evidenciados**** na ausência de linfonodos axilares metastáticos:
  - pN2a – Metástases em quatro a nove linfonodos axilares (pelo menos um foco tumoral maior que 2,0 mm).
  - pN2b – Metástases em linfonodos mamários internos clinicamente evidenciados*** na ausência de linfonodos axilares metastáticos.
- pN3 – Metástases em dez ou mais linfonodos axilares; ou em linfonodos infraclaviculares (nível III axilar); ou em linfonodos mamários internos clinicamente evidenciados*** na presença de um ou mais linfonodos axilares níveis I e II; ou em mais que três linfonodos axilares e nos linfonodos mamários internos com micrometástases ou macro-

metástases detectadas por biópsia de linfonodo sentinela, mas não clinicamente evidenciadas;** ou em linfonodos supraclaviculares ipsolaterais:

- pN3a – Metástases em dez ou mais linfonodos axilares (pelo menos um foco tumoral maior que 2,0 mm); ou metástases em linfonodos infraclaviculares (nível III axilar).
- pN3b – Metástases em linfonodos mamários internos clinicamente evidenciados*** na presença de um ou mais linfonodos axilares positivos; ou em mais que três linfonodos axilares e em linfonodos mamários internos com micrometástases ou macrometástases detectadas por biópsia de linfonodo sentinela, mas não clinicamente evidenciadas.**
- pN3c – Metástases em linfonodos supraclaviculares ipsilaterais.

Notas:

*A classificação é com base em linfadenectomia axilar com ou sem biópsia de linfonodo sentinela. Quando a classificação é fundamentada meramente em biópsia de linfonodo sentinela sem linfadenectomia axilar posterior é designada (sn) para "linfonodo sentinela" em inglês – por exemplo, pN0 (sn).

**Não evidenciado clinicamente* é definido como *não evidenciado por estudos de imagem* (excluindo linfocintigrafia) ou *não evidenciado por exame clínico*.

***Clinicamente evidenciado* é definido como *evidenciado por estudos de imagem* (excluindo linfocintigrafia) ou *por exame clínico* e tendo características altamente suspeitas para malignidade ou uma macrometástase patológica presumida com base em punção aspirativa por agulha fina com estudo citopatológico. A confirmação de doença metastática clinicamente detectada por aspiração por agulha fina sem biópsia excisional é designada p sufixo (f), por exemplo, cN3a (f). Biópsia excisional de um linfonodo ou biópsia de um linfonodo sentinela, na ausência de um pT, é classificada como um N clínico, por exemplo, cN1. Informação a respeito da confirmação do *status* linfonodal será designada em fatores sítio-específicos, como clínico, aspiração por agulha fina, *core* biópsia, ou biópsia de linfonodo sentinela. Classificação patológica (pN) é utilizada para excisão ou biópsia de linfonodo sentinela apenas em conjunto com um T patológico.

****Células tumorais isoladas (*isolated cell clusters*, ITC) são definidas como pequenos aglomerados de células não maiores que 0,2 mm, ou células tumorais únicas, ou um aglomerado de menos que 200 células em um corte histológico único. Células tumorais isoladas podem ser evidenciadas por métodos histológicos de rotina ou imuno-histoquímicos. Linfonodos contendo apenas células tumorais isoladas são excluídos da contagem total de linfonodos positivos para fins de classificação N, mas devem ser incluídos na contagem total de linfonodos avaliados.

AVALIAÇÃO DE METÁSTASES (M)

- M0 – Sem evidência clínica ou radiológica de metástases a distância (sem M0 patológico; usar M clínico para completar grupo de estadiamento).
- cM0 (i+) – Sem evidência clínica ou radiológica de metástases a distância, mas presença de focos de células tumorais microscópica ou molecularmente detectadas na circulação sanguínea, medula óssea ou outros linfonodos não regionais que não são maiores que 0,2 mm em um paciente sem sinais ou sintomas de metástases.
- M1 – Metástases detectáveis a distância evidenciadas por meios clínicos e radiológicos e/ou histológicos maiores que 0,2 mm.

REFERÊNCIAS BIBLIOGRÁFICAS

1. Steinthal, C. Dauerheilung des brustkerbses. *Beitr Z Kin Chir* 1905;47:226.
2. Portmann U. Clinical and pathological criteria as a basis for classifying cases of primary cancer of the breast. *Cleve Clin Q* 1943;10:41.
3. Haagensen C, Stout A. Carcinoma of the breast: II. Criteria of operability. *Ann Surg* 1963;157:157-79.
4. Haagensen CD *et al*. Treatment of early mammary carcinoma: a cooperative international study. *Ann Surg* 1963;157:157-79.
5. Denoix P. De l'importance d'unenomenclature uniflee dans petude du cancer. *Rev Med Franc* 1947;28:130-32.
6. Greene F *et al. AJCC cancer staging manual*. 6th ed. New York: Springer, 2002.
7. Edge SB, Byrd DR, Compton CC *et al*. (Eds.). American Joint Committee on Cancer (AJCC). *Cancer staging manual*. 7th ed. New York: Springer-Verlag, 2010. p. 347.
8. Veronesi U, Viale G, Rotmensz N *et al*. Rethinking TNM: Breast cancer TNM classi?cation for treatment decision-making and research. *Breast* 2006;15:3-8.
9. Veronesi U, Zurrida S, Viale G *et al*. Rethinking TNM: a breast cancer classification to guide to treatment and facilitate research. *Breast J* 2009;15:291-95.
10. Veronesi U, Zurrida S, Viale G *et al*. Breast cancer classification: time for change. J *Clin Oncol* 2009;27:2427-28.
11. Michel SC, Keller TM, Frohlich JM *et al*. Preoperative breast cancer staging: MR imaging of the axilla with ultrasmall superparamagnetic iron oxide enhancement. *Radiology* 2002;225:527-36.
12. Wahl Rl, Siegel Ba, Coleman Re *et al*. Prospective multicentric study of axillary nodal staging by positron emission tomography in breast cancer: a report of the staging breast cancer with PET Study Group. *J Clin Oncol* 2004;22:277-85.
13. Millis RR, Springall R, Lee AH *et al*. Occult axillary lymph node metastases are of no prognostic significance in breast cancer. *Br J Cancer* 2002;86:396-401.
14. Pamilo M, Soiva M, Lavast EM. Real-time ultrasound, axillary mammography, and clinical examination in the detection of axillary lymph node metastases in breast cancer patients. *J Ultrasound Med* 1989;8:115-20.
15. March DE, Wechsler RJ, Kurtz AB *et al*. CT-pathologic correlation of axillary lymph nodes in breast carcinoma. *J Comput Assist Tomogr* 1991;15:440-44.
16. Michel SC, Keller TM, Frohlich JM *et al*. Preoperative breast cancer staging: MR imaging of the axilla with ultrasmall superparamagnetic iron oxide enhancement. *Radiology* 2002;225:527-36.
17. Greco M, Crippa F, Agresti R *et al*. Axillary lymph node staging in breast cancer by 2-fluoro-2-deoxy-D-glucose-positron emission tomography: clinical evaluation and alternative management. *J Natl Cancer Inst* 2001;93:630-35.
18. Barranger E, Grahek D, Antoine M *et al*. Evaluation of fluorodeoxyglucose positron emission tomography in the detection of axillary lymph node metastases in patients with early-stage breast cancer. *Ann Surg Oncol* 2003;10:622-27.
19. Ohta M, Tokuda Y, Saitoh Y *et al*. Comparative efficacy of positron emission tomography and ultrasonography in preoperative evaluation of axillary lymph node metastases in breast cancer. *Breast Cancer* 2000;7:99-103.
20. Crump M, Goss PE, Prince M *et al*. Outcome of extensive evaluation before adjuvant therapy in women with breast cancer and 10 or more positive axillary lymph nodes. *J Clin Oncol* 1996;14:66.
21. Myers RE, Johnston M, Pritchard K *et al*. Baseline staging tests in primary breast cancer: a practice guideline. *CMAJ* 2001;164:1439.
22. Cancer Care Ontario Practice Guidelines Initiative. Baseline Staging Tests in Primary Breast Cancer. *CMAJ* 2001 May 15;164(10):1439-44.
23. National Comprehensive Cancer Network (NCCN) Clinical Practice Guidelines in Oncology™. *Breast Cancer* Version 2.2011.
24. Ell PJ. The contribution of PET/CT to improved patient management. *Br J Radiol* 2006;79:32.
25. Harris L, Fritsche H, Mennel R *et al. American Society of Clinical Oncology 2007 update of recommendations for the use of tumor markers in breast cancer*. *J Clin Oncol* 2007;25:5287.
26. Paik S, Tang G, Shak S *et al*. Gene expression and benefit of chemotherapy in women with node-negative, estrogen receptor–positive breast cancer. *J Clin Oncol* 2006;24(23):3726-34.
27. Brasil. Ministério da Saúde. *Tratamento do câncer de mama: rotinas internas do Instituto Nacional de Câncer/INCA*. Coordenação de Assitência, Hospital de Câncer III, Rio de Janeiro, RJ, 2010.

SEÇÃO II
Doença Pré-Invasiva

CAPÍTULO 104
Lesões Precursoras do Câncer de Mama

Luciana Jandre Boechat ■ Eric Silveira Ito ■ Marcelo Antonini
Joaquim Teodoro de Araujo Neto ■ Floriano Pardo Calvo

INTRODUÇÃO

O termo lesões precursoras do câncer de mama ainda gera bastante controvérsia entre especialistas, uma vez que uma sequência cronológica retilínea entre estas alterações e o câncer de mama ainda não está bem estabelecida. Alguns a consideram lesão de alto risco para o desenvolvimento do mesmo. Vale também ressaltar a discordância diagnóstica entre patologistas, que pode alcançar até 40%.

Segundo a Organização Mundial de Saúde, são proliferações epiteliais heterogêneas dos pontos de vista clínico e biológico. Elas apresentam alterações genéticas comuns àquelas encontradas no câncer invasivo de baixo grau, o que sugere sua progressão para o câncer invasivo.

As melhoras na qualidade dos métodos de imagem têm permitido o diagnóstico de alterações histopatológicas, cujo seu conhecimento e consequência clínica ainda são limitados. Geralmente esses espécimes são obtidos por biópsias percutâneas. Sendo necessária a exérese cirúrgica da lesão para melhor avaliação.

LESÕES PROLIFERATIVAS SEM ATIPIAS E RELAÇÃO COM O CÂNCER DE MAMA

As lesões benignas que têm relação com o câncer de mama são as hiperplasias com e sem atipias, os papilomas múltiplos, a adenose esclerosante e a cicatriz radial.

As lesões proliferativas sem atipias são aquelas que apresentam maior número de células mamárias, em relação ao normal, sem alteração de ordem morfológica ou arquitetural. Sua origem vem da unidade ductolobular terminal (Quadro 1).

Apenas algumas lesões hiperplásicas estão associadas ao aumento do risco para neoplasia mamária maligna (Quadro 2).

Adenose esclerosante

Constitui proliferação estromal e consequente fibrose, resultando em aumento e distorção de unidades lobulares. Ela mantém o duplo estrato celular, epitelial e mioepitelial. Ocorre, mais comumente, em cistos microscópicos múltiplos, contendo microcalcificações difusas e, às vezes, se apresentam como massas palpáveis. Chama a atenção o grau de mimetismo com lesões malignas, podendo ser confundida com as mesmas aos exames físico, mamográfico e ao exame macroscópico anatomopatológico. Aparece mais na fase reprodutiva e nos anos perimenopausa. Recomendam-se biópsia excisional e estudo anatomopatológico dessas lesões para diferenciá-las dos carcinomas.

Lesões papilíferas

O papiloma tem maior incidência entre 30 e 50 anos, mas pode ser encontrado em qualquer idade. Em geral é único, mas em 10% dos casos múltiplo. Em um quarto das pacientes, bilateral.

As lesões papilíferas nem sempre podem ser categorizadas quanto a sua natureza maligna ou benigna, nos espécimes obtidos por biópsia de fragmento. A dificuldade no diagnóstico histopatológico destes fragmentos é motivo para alguns autores utilizarem o termo "neoplasia papilífera" para estas lesões. As lesões mamárias com padrão de crescimento papilífero incluem uma variedade de entidades, como o papiloma intraductal, papilomas com foco de atipia ou carcinoma *in situ*, CDIS com padrão de crescimento papilífero e carcinoma papilífero invasivo. Os papilomas podem estar contíguos a focos de carcinoma papilífero ou

Quadro 1. Hiperplasia epitelial típica

Leve	Três a quatro camadas de células sobre a membrana basal sem obstrução do lume ductal
Moderada e florida	Pseudoestratificação com distensão e oclusão do ducto glandular

Quadro 2. Grupos de risco

RISCO RELATIVO	
Risco zero	Lesões sem proliferação epitelial ■ Ectasia ductal ■ Adenose (florida e esclerosante) ■ Fibroadenoma ■ Cisto ■ Papiloma intraductal ■ Hiperplasia epitelial leve ■ Mastite ■ Liponecrose
Risco relativo 2,0	Lesões com proliferação de diversos graus, mas sem atipias celulares ■ Hiperplasia epitelial ductal e lobular (moderada e florida) ■ Cicatriz radial ou lesão esclerosante complexa
Risco relativo 5,0	Lesões com hiperplasia com atipia ■ Hiperplasia epitelial ductal e lobular com atipia

Hunter, 1986.
Veronesi, 2000.

adjacentes a carcinomas ductais invasivos. A capacidade de distinção das lesões papilíferas, quanto à natureza maligna, benigna ou atípica, está limitada no material de biópsia de fragmento, por isso, esta análise deve ser feita pelo exame completo da lesão por exérese cirúrgica.

O papiloma intraductal múltiplo representa um grupo pequeno de lesões papilares. Ocorrem em mulheres mais jovens. Também se apresenta como descarga papilar em menor quantidade. São de localização mais periférica e frequentemente bilateral. Apresentam maior tendência à recidiva e de desenvolvimento de câncer. Estão associados à recidiva, após exérese total do ducto e neoplasia maligna da mama. Todas as lesões papilíferas identificadas por biópsias de fragmento devem ser completamente excisadas, a fim de definir o padrão arquitetural e a presença de atipia citológica.

Cicatriz radial ou lesão esclerosante complexa

Lesão benigna também conhecida como epiteliose infiltrativa, lesão esclerosante não encapsulada, proliferação papilar esclerosante, lesão esclerosante radial ou complexa. Não tem relação com qualquer tipo de cicatriz, ou cirurgia. Quase sempre assintomática e encontrada na mamografia. Apresenta um risco duas vezes maior para câncer de mama.

São caracterizadas por esclerose central e grau variado de proliferação epitelial, metaplasia apócrina e formação de papiloma. O termo cicatriz radial é reservado para lesões menores (< 1 cm de diâmetro) e lesão esclerosante complexa para massas maiores. Podem apresentar retração central o que as aproxima dos aspectos do carcinoma cirroso. São lesões acompanhadas microscopicamente de adenose esclerosante e metaplasia apócrina.

Pode haver coexistência de cicatriz radiada em biópsia de fragmento, seguida pela biópsia excisional, com carcinoma invasor ou *in situ*. Para o diagnóstico desta lesão em biópsias de fragmento torna-se imperativa a biópsia cirúrgica.

A excisão local é o tratamento de escolha.

LESÕES PROLIFERATIVAS INTRADUCTAIS

Abrange a hiperplasia colunar atípica, hiperplasia ductal atípica e CDIS. A progressão do CDIS para carcinoma invasor pode chegar a 50%. O rastreio por meio da mamografia aumentou sua incidência. Ele será mais bem abordado no capítulo: Carcinoma ductal *in situ*/Lobular *in situ*.

Hiperplasia ductal atípica (HDA)

A HDA apresenta aspectos morfológicos superpostos à hiperplasia ductal sem atipia e ao CDIS. Apresentam alterações características de atipia celular, núcleos hipercromáticos, nucléolos evidentes, figuras de mitose, redução da relação núcleo citoplasma. Alguns, mas não todos os critérios diagnósticos para o carcinoma ductal *in situ*:

1. População uniforme de células.
2. Monotonia e regularidade no padrão arquitetural, que pode mostrar micropapilas ou espaços geométricos entre as células.
3. Existência de núcleos hipercromáticos (Quadro 3).

O resultado do acompanhamento de pacientes portadoras de hiperplasia ductal atípica (HDA) tem revelado que a presença desta lesão confere à paciente um fator de risco 4 a 5 vezes maior que a população em geral para o desenvolvimento do câncer de mama em 10 a 15 anos. Este risco é aproximadamente equivalente em ambas as mamas, ou seja, um diagnóstico de HDA em qualquer das mamas eleva o risco da contralateral.

Quando a HDA é diagnosticada por biópsia percutânea, é necessária a biópsia cirúrgica para retirada da periferia do sítio desta lesão. A ocorrência de carcinoma ductal *in situ* (CDIS) ou invasivo (Câncer), na periferia de lesões com diagnóstico por biópsia de fragmento de HDA,

Quadro 3. Pesquisa de citoqueratinas

Hiperplasia ductal sem atipias	Expressam citoqueratinas basais CK 5/6 e luminais CK 8/18, com discreto predomínio da basal, em arranjo mosaiciforme
Hiperplasia ductal com atipias	Predomínio de citoqueratinas luminais CK 8/18
CDIS	Predomínio de citoqueratinas luminais CK 8/18

foi estimada em 11 a 60%. Dentre as justificativas da biópsia cirúrgica em tais lesões, podemos citar: muitos focos de HDA podem estar presentes na periferia de áreas com CDIS ou câncer (carcinoma ductal invasor); a ocorrência de HDA por *core biopsy* demonstrou que o diagnóstico pode estar subestimado entre 33 a 87%; e a biópsia de fragmento utilizando a mamotomia apresenta menores taxas de diagnóstico subestimado, em torno de 15 a 39%. O que se deve ao maior volume da amostra tecidual, na mamotomia.

Portanto, a identificação de pacientes com HDA por biópsia de agulha grossa (*core biopsy* ou mamotomia) requer a excisão completa da lesão por cirurgia aberta.

Carcinoma ductal *in situ* (CDIS)

O diagnóstico só pode ser feito pela biópsia. O CDIS é conceituado como lesão proliferativa maligna das células epiteliais dos ductos, confinado aos limites naturais da membrana basal.

- O CDIS de baixo grau consiste em células monótonas, relativamente pequenas e similares quanto a sua morfologia. Tem comportamento menos agressivo, menor potencial de invasão e recidiva.
- Os CDIS de grau intermediário são menos volumosos, associam-se às características nucleares de baixo grau com focos de necrose.
- O CDIS de alto grau caracteriza-se por células grandes, pleomórficas, com núcleos volumosos, mitoses múltiplas e aberrantes, perda da coesão celular e necrose. Apresenta pior prognóstico, recidiva com maior frequência e possui maior potencial de invasão.

O CDIS será mais bem abordado nos próximos capítulos.

LESÕES PROLIFERATIVAS INTRALOBULARES

Abrangem as neoplasias lobulares (hiperplasia lobular atípica e carcinoma lobular *in situ*). Apresentam aspecto morfológico, caracterizado por proliferação de pequenas células, em arranjo sólido, uniformes entre si, com perda de adesão celular, ocorrendo nas unidades lobulares e ductos mamários.

Geralmente estão associadas a alterações mamográficas benignas. Em geral, evoluem para câncer 1,5% por ano. Podendo apresentar-se tanto como carcinoma ductal como lobular. O carcinoma lobular *in situ* será mais bem abordado no Capítulo Carcinoma Ductal *in situ*/Lobular *in situ*.

Neoplasia lobular (hiperplasia lobular atípica e carcinoma lobular *in situ*)

As lesões proliferativas lobulares, que incluem a hiperplasia lobular atípica (HLA), e o carcinoma lobular *in situ* (CLIS), são condições pouco usuais, como anormalidades mamográficas ou clínicas, comumente denominadas como neoplasia lobular. O fator citológico que diferencia a HLA do CLIS é a extensão do envolvimento da unidade ductolobular terminal. As lesões que acometem menos de 50% do ácino da unidade ductolobular terminal são consideradas como HLA, as demais são denominadas CLIS. As lesões proliferativas excepcionalmente surgem como tumor palpável, lesão radiológica ou ecográfica.

A neoplasia lobular frequentemente é produto de achado ocasional em biópsia cirúrgica. Esta lesão é considerada um marcador de risco para câncer de mama, conferindo um aumento no risco para ambas as mamas de 5 vezes para lesões com HLA, e 10 vezes para aquelas com CLIS, em relação à população em geral. Liberman *et al.*, em 1999, detectaram 40% de pacientes com carcinoma (invasor ou *in situ*) sincrônico ou metacrônico na mama contralateral. Sendo apenas um marcador de risco, a ampliação cirúrgica não é recomendada. Esse risco relativo pode aumentar na presença de outros fatores de risco, como história familiar de parente de primeiro grau com câncer de mama ou quando associado a outras lesões precursoras.

O carcinoma invasivo pode surgir na periferia do CLIS do mesmo modo que o CDIS de baixo grau. Dentre nove séries clínicas avaliadas, de pacientes com neoplasia lobular por biópsia de fragmento, submetidas posteriormente à biópsia excisional, houve diagnóstico de carcinoma (CDI e/ou CDIS) em 18,3% dos casos.

Diante do diagnóstico de neoplasia lobular, hiperplasia lobular atípica ou carcinoma lobular *in situ* por biópsia percutânea é recomendável a excisão cirúrgica da lesão.

O carcinoma invasivo posterior pode ser tanto ductal, como lobular.

LESÕES DE CÉLULAS COLUNARES ATÍPICAS E ATIPIA EPITELIAL PLANA

Estas lesões atípicas podem, em alguns casos, ser a fase inicial das lesões que evoluem para o carcinoma *in situ* de mama ou até mesmo o carcinoma invasivo. A associação de hiperplasia de células colunares a carcinomas tubular e lobular invasivos também foi registrada. As pacientes, que têm diagnosticadas estas lesões, apresentam um risco 2 a 3 vezes maior que a população em geral para o desenvolvimento de câncer.

São lesões encontradas com frequência, tanto em espécimes de biópsia excisional, como em biópsia de fragmento, indicadas para elucidação de microcalcificações agrupadas. Alguns trabalhos têm sugerido que a hiperplasia de células colunares com atipia pode representar formas iniciais de CDIS de baixo grau. As maiores evidências, com base em estudos observacionais e de genética molecular, sugerem que algumas destas lesões representam formas morfologicamente iniciais, embora não obrigatoriamente, de carcinomas de mama de baixo grau. Todavia, o risco, tanto de recidiva local como de progressão para carcinoma invasivo, aparentemente é excessivamente baixo.

Quando presente em espécimes de biópsia de fragmento (*core biopsy* ou mamotomia) é recomendada a biópsia cirúrgica da lesão, uma vez que lesões mais avançadas podem estar presentes em 30% dos casos. Os dados de acompanhamento clínico ainda são limitados, mas sugerem que o risco de progressão da hiperplasia de células colunares com atipias, para carcinoma invasivo, é, como já discutido, extraordinariamente baixo, suportando a noção de que o manejo cirúrgico excisional pode ser um tratamento excessivo para muitas pacientes.

A atipia epitelial plana apresenta alterações morfológicas e arquiteturais diversas. Até o momento, não há marcadores tumorais com utilidade prática para caracterizar esse tipo de lesão.

CONCLUSÃO

Embora tenha havido avanço no conhecimento da carcinogênese mamária, ainda há dificuldade entre os patologistas em caracterizar morfologicamente com precisão as lesões precursoras da mama. Consequentemente ainda é controverso qual seria a melhor abordagem terapêutica para essas lesões.

Seu tratamento pode variar desde vigilância rigorosa, quimioprevenção (com tamoxifeno ou raloxifeno) à mastectomia profilática bilateral. Para a quimioprevenção e nas cirurgias para redução de risco deve-se levar em conta a idade e se a mesma já tem prole definida.

BIBLIOGRAFIA

Kerlikowske K, Smith-Bindman R, Sickles EA. Short-interval follow-up mammography: are we doing the right thing? *J Natl Cancer Inst* 2003;95(6):418-19.

Betsill Jr WL, Rosen PP, Lieberman PH et al. Intraductal carcinoma: long-term follow-up after treatment by biopsy alone. *JAMA* 1978;239(18):1863-67.

Burstein HJ, Polyak K, Wong JS et al. Ductal carcinoma in situ of the breast. *N Engl J Med* 2004;350(14):1430-41.

Cohen MA. Cancer upgrades at excisional biopsy after diagnosis of atypical lobular hyperplasia or lobular carcinoma in situ at core-needle biopsy: some reasons why. *Radiology* 2004;231(3):617-21.

Duffy SW, Tabar L, Vitak B et al. The relative contibutions of screen detect in situ and invasive breast carcinomas reducing mortality from the disease. *Eur J Cancer* 2003;39(12):1755-60.

Esserman L, Shieh Y, Thompson I. Rethinking screening for breast cancer and prostate cancer. *JAMA* 2009;302(15);1685-92.

Fonte: <http://oncogineco-medicos.blogspot.com.br/2007/01/doencas-benignas-da-mama.html>

Fonte: <http://patologicamentefalando10.blogspot.com.br/2009/11/hiperplasia-ductal-atipica.html>

Fonte: <http://www.desvendandocancerdemama.com/2011/02/diagnostico-por-mamotomia-ou-core.html>

Fonte: <http://www.spmastologia.com.br/Boletins/2010/abril/masto-2010-abr.pdf>

Godoy MC, Naidich DP. Subsolid pulmonary nodules and the spectrum of peripheral adenocarcinomas of the lung: recommended interim guidelines for assessment and management. *Radiology* 2009;253(3):606-22.

Hall FM. Computer-aided mammography screening [letter]. *N Engl J Med* 2009;360(8):836.

Harach HR, Franssila KO, Wasenius VM. Occult papillary carcinoma of the thyroid: a "normal" finding in Finland—A systematic autopsy study. *Cancer* 1985;56(3):531-38.

Jackman RJ, Birdwell RL, Ikeda DM. Atypical ductal hyperplasia: can some lesions be defined as probably benign after stereotactic 11-gauge vacuum-assisted biopsy, eliminating the recommendation for surgical excision? *Radiology* 2002;224(2):548-54.

Jackman RJ, Nowels KW, Shepard MJ et al. Stereotaxic large-core needle biopsy of 450 nonpalpable breast lesions with surgical correlation in lesions with cancer or atypical hyperplasia. *Radiology* 1994;193(1):91-95.

Jackman RJ. *Controversies in percutaneous biopsies. Presented at the 9th postgraduate course of the Society of Breast Imaging*. Colorado Springs, Colo, 26-29 Apr. 2009.

Karssemeijer N, Bluekens AM, Beijerinck D et al. Breast cancer screening results 5 years after introduction of digital mammography in a population-based screening program. *Radiology* 2009;253(2):353-58.

Kassirer JP. Our stubborn quest for diagnostic certainty: a cause of excessive testing. *N Engl J Med* 1989;320(22):1489-91.

Kuhl CK. Why do purely intraductal cancers enhance on breast MR images? *Radiology* 2009;253(2):281-83.

Liberman L, Cohen MA, Dershaw DD et al. Atypical ductal hyperplasia diagnosed at stereotaxic core biopsy of breast lesions: an indication for surgical biopsy. *AJR Am J Roentgenol* 1995;164(5):1111-13.

Mori M, Rao SK, Popper HH et al. Atypical adenomatous hyperplasia of the lung: a probable forerunner in the development of adenocarcinomaof the lung. *Mod Pathol* 2001;14(2):72-84.

Pinder SE, Ellis IO. The diagnosis and management of pre-invasive breast disease: ductal carcinoma in situ (DCIS) and atypical ductal hyperplasia (ADH)—current definitions and classification. *Breast Cancer Res* 2003;5(5):2.

Sanders ME, Schuyler PA, Dupont WD et al. The natural history of low-grade ductal carcinoma in situ of the breast in women treated by biopsy only revealed over 30 years of long-term follow-up. *Cancer* 2005;103(12):2481-84.

Schnitt SJ, Connolly JL, Tavassoli FA et al. Interobserver reproducibility in the diagnosis of ductal proliferative breast lesions using standardized criteria. *Am J Surg Pathol* 1992;16(12):1133-43.

Sickles EA. Periodic mammographic follow-up of probably benign lesions: results in 3,184 consecutive cases. *Radiology* 1991;179(2):46.

Smith-Bindman R, Chu PW, Miglioretti DL et al. Comparison of screening mammography in the United States and the United Kingdom. *JAMA* 2003;290(16):2129-37.

Wong-You-Cheong J. Invited commentary. *RadioGraphics* 2008;28(7):1887-89.

CAPÍTULO 105

Tratamento das Lesões Pré-Invasivas

Rafaela Ascenso Medeiros ■ Ricardo Cavalcante Queiroga
Flávia Luz Felício ■ Jorge Luis Nogueira Saraiva

INTRODUÇÃO

Lesões precursoras ou pré-invasivas da mama são entidades heterogêneas, promovendo grande dificuldade para definição, classificação, diagnóstico e manejo clínico.[1-5] Nos últimos anos, houve um aumento da incidência destas lesões, em razão da melhora do rastreio e da qualidade da mamografia. É composto por hiperplasia ductal atípica (HDA), carcinoma ductal *in situ* (CDIS), hiperplasia lobular atípica (HLA) e carcinoma lobular *in situ* (CLIS).

Todos os casos de HDA, neoplasia lobular e CDIS não têm a mesma probabilidade de progredir para carcinoma invasivo.[1,6,7] Diante disso, uma abordagem uniforme é incorreta. Incertezas no prognóstico deram origem a inúmeros debates em torno do tratamento adequado, este variando desde a simples observação até a mastectomia.[3,8,9]

Assim, a detecção destas lesões representa um dilema para o paciente, assim como para os médicos.[2,3,5]

HIPERPLASIA ATÍPICA

As hiperplasias atípicas geralmente são achados acidentais em biópsias de mama por alterações em mamografias. São lesões com algumas alterações citológias e arquiteturais, porém sem todos os critérios para serem definidas como carcinomas *in situ*.

Na presença de hiperplasia atípica, há aumento do risco de câncer de mama (RR 3,7-5,3), principalmente nas lesões multifocais, sejam uni ou bilaterais. Cinquenta e seis por cento dos cânceres de mama ocorrem em mulheres com hiperplasia atípica ipsilateral.[10]

Nas mulheres submetidas à biópsia percutânea, que apresentam hiperplasia atípica, devemos prosseguir a inverstigação com biópsia cirúrgica, para melhor avaliação da área suspeita, pelo risco de lesão invasiva associada.

O Gail Breast Model, algoritmo que permite identificar as pacientes que mais se beneficiariam com a quimioprevenção, feita com tamoxifeno ou raloxifeno, é mais uma ferramenta para auxiliar o tratamento dessas pacientes.

HDA

A HDA é uma condição rara, sendo vista em, aproximadamente, 4% das biópsias benignas.[1] Geralmente é uma lesão focal e pequena, medindo menos de 2 a 3 mm.

A importância do diagnóstico deve-se ao fato do aumento do risco para o desenvolvimento de carcinoma de mama invasivo (RR 4,4).[11] Podendo alcançar 9,7, quando a HDA está associada à história familiar positiva.[12,13]

O principal problema em relação à HDA é a dificuldade em conseguir níveis aceitáveis de concordância ou consistência no diagnóstico, pois há uma significativa variabilidade entre os patologistas.[14]

Na HDA, encontramos alterações citoarquiteturais características da atipia celular, como núcleos hipercromáticos, nucléolos evidentes, figuras de mitose e relação citoplasma/núcleo reduzida (Fig. 1). Alguns, mas não todos os critérios diagnósticos para o carcinoma ductal *in situ*, estão presentes (existência de uma população uniforme de células; monotonia e regularidade no padrão arquitetural, que pode mostrar micropapilas ou espaços geométricos entre as células e a existência de núcleos hipercromáticos).[2,11]

CDIS

O CDIS é definido como a proliferação de células epiteliais malignas do parênquima mamário, restrito ao ducto, sem evidência de invasão da membrana basal.[1] É composto por lesões heterogêneas e com padrões de crescimento diferentes, porém não promovem metástases (Fig. 2). Atualmente, representa de 15 a 20% da patologia maligna da mama detectada em programas de rastreamento.[15,16]

O diagnóstico de CDIS eleva o risco para o desenvolvimento de câncer de mama em 8-10 vezes.[17] Estudos sugerem que mais de 50% dos pacientes com focos microscópicos de CDIS desenvolvem carcinoma invasivo.[1,6,7] Além disso, foi demonstrado que a progressão para a invasão está relacionada com o subtipo de carcinoma ductal *in situ*; sendo o subtipo comedo o que progride para carcinoma invasivo tanto mais frequentemente e mais rapidamente do que o CDIS de baixo grau.[1,18]

A classificação do CDIS é feita pela avaliação do grau nuclear, quantidade de necrose e polaridade celular. As lesões do tipo comedo são mais agressivas, geralmente estão associadas à microinvasão e são marcadores de lesão de alto grau. Já as lesões não comedo são definidas como baixo grau e têm melhor prognóstico.

O CDIS pouco diferenciado possui alto índice de proliferação, p53 positivo, HER-2 positivo e receptores hormonais negativos.

No tratamento conservador, a margem de 1 cm garante retirada de 90% do CDIS.

Com o objetivo de determinar a melhor conduta para as pacientes com CDIS e avaliar o risco de recidiva local após tratamento conservador da mama, foi proposto o Índice Prognóstico de Van Nuys (VNPI). Inicialmente combinava três preditores de recidiva local: tamanho do tumor, largura da margem e classificação patológica (grau nuclear, necrose tipo comedo). Em 2003, Silverstein modificou essa classificação acrescentando a idade como novo parâmetro, passando a se chamar "Índice Prognóstico USC/Van Nuys" (Universidade do Sul da Califórnia) (Quadro 1).

O indicador de prognóstico de Van Nuys divide as categorias em relação ao baixo risco (4 a 6), ao risco intermediário (7 a 9) e ao alto risco (10 a 12) para recidiva.

- **Baixo risco**: excisão alargada.
- Risco **intermediário**: excisão alargada + radioterapia.
- **Alto risco**: mastectomia.

Nas pacientes com lesão extensa, alto grau e com comedonecrose, a pesquisa do linfonodo sentinela é necessária.

Na presença de margens positivas, é necessária nova cirurgia para ampliação de margens ou no caso de lesões extensas, mastectomia com pesquisa de linfonodo sentinela. A mastectomia reduz o risco de recidiva para 1% em 5 anos.[19]

A radioterapia no tratamento adjuvante, pós-cirurgia conservadora, tem mostrado redução significativa no risco de recidiva do câncer de mama (5-9% em 5 anos e 15% em 10 anos), principalmente se associado à quimioprevenção (8% em 5 anos). No entanto, há estudos propondo não fazer radioterapia adjuvante em pacientes com margens maiores que 3 cm e tumores Pré baixo a intermediário grau, causado pelo pequeno ganho destas pacientes comparado com os riscos.

Após o diagnóstico de HDA ou CDIS, o paciente é imediatamente considerado de alto risco para o desenvolvimento futuro de carcinoma de mama invasivo, embora essa progressão só poderá ocorrer em uma parcela de pacientes.[6,7]

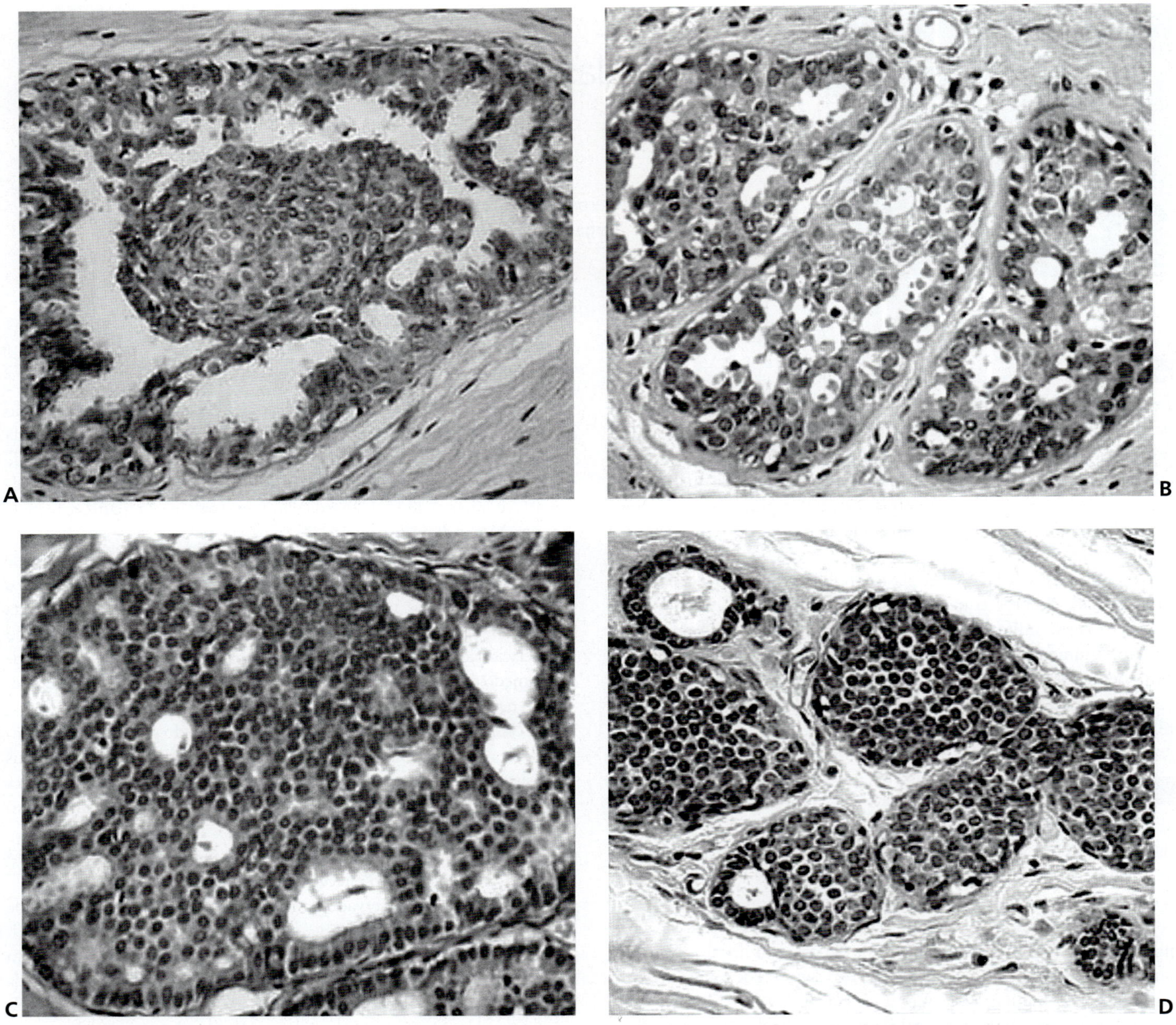

▲ **FIGURA 1.** Lesões pré-malignas. (**A** e **B**) Hiperplasia usual sem atipias mostrando população celular heterogênea e fendas irregulares. (**C**) Hiperplasia ductal atípica apresentando células uniformes, espaços regulares. As células periféricas ainda apresentam polaridade preservada. (**D**) Hiperplasia lobular atípica/neoplasia lobular mostrando expansão parcial das unidades lobulares que são parcialmente preenchidas por células uniformes (hematoxilina e eosina: A, B e C, 200×, e D, 100×).

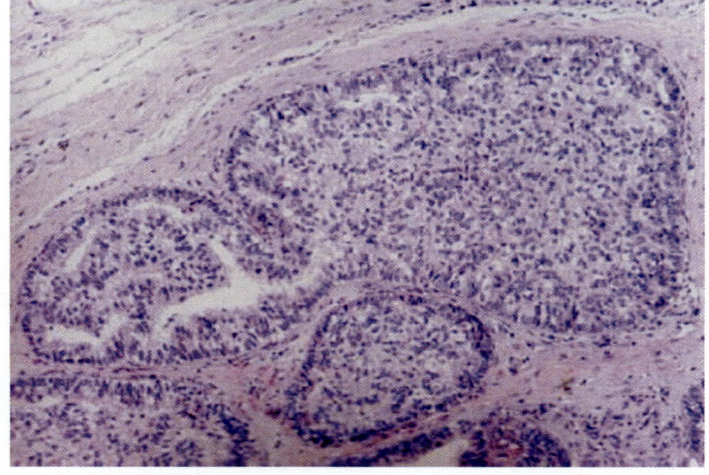

▲ **FIGURA 2.** Carcinoma ductal *in situ* (hematoxilina e eosina 200×).

Quadro 1. Índice Prognóstico de USC/Van Nuys

ESCORE	1	2	3
Tamanho (mm)	≤ 15	16-40	≥ 41
Margem (mm)	≥ 10	1-9	≤ 1
Classificação patológica	Não alto grau sem necrose (Grau nuclear 1 ou 2)	Não alto grau com necrose (Grau nuclear 1 ou 2)	Alto grau com ou sem necrose (Grau nuclear 3)
Idade (anos)	> 60	40-60	< 40

NEOPLASIA LOBULAR

As designações, HLA e CLIS, têm sido amplamente utilizadas para diferentes graus das lesões que acometem a mama, definidas como neoplasias lobulares.[2,8,20] Estes são marcadores "de risco aumentado" em vez de verdadeiros precursores do carcinoma invasivo.

As neoplasia lobulares (HLA e CLIS) caracterizam-se pela proliferação de células coesivas, pequenas, geralmente frouxas. O termo neoplasia lobular (NL) refere-se a um espectro de proliferações epiteliais que tem como origem a unidade terminal do ducto lobular, com ou sem envolvimento pagetoide dos ductos terminais (Fig. 3).[2,4]

A HLA confere um risco 3 vezes mais elevado para o desenvolvimento do carcinoma invasivo da mama, enquanto o CLIS tem um risco relativo igual a 7 vezes.[2,21] A NL é multicêntrica em até 85% dos pacientes e bilateral em 30% das mulheres que haviam sido submetidas à mastectomia bilateral.[2,4,20,21]

HLA

Caracteriza-se pela proliferação homogênea de células na unidade lobular, comprometendo menos da metade dos ácinos que se apresentam distorcidos ou distendidos.

CLIS

O CLIS é uma lesão não invasiva, com incidência na população desconhecida, que tem origem nos lóbulos e ductos terminais, promovendo risco aumentado de câncer de mama bilateral. Sendo assim, ele é um marcador biológico sem potencial de malignidade.

Na mamografia não possui um achado específico, mas é identificado em 9,8% das biópsias realizadas por achados suspeitos na mamografia.

Acredita-se que são hormônio-dependentes, por suas células terem grande número de receptores de estrógeno.[22]

O diagnóstico geralmente é na pré-menopausa (44-46 anos). Quando feito por biópsia cirúrgica, não é necessário novo procedimento, caso as margens sejam positivas para CLIS, pois não há aumento da incidência de recidiva.[23] No entanto, nos diagnósticos por punção percutânea, é necessária a abordagem cirúrgica para descartar a presença de CDIS ou carcinoma invasivo associado. As ressecções extensas não estão indicadas, pois o CLIS é geralmente multicêntrico e não é uma lesão precursora.

O tratamento ideal é controverso, porém não contraindica cirurgia conservadora, e margens negativas para CLIS não são obrigatórias. Já foram propostas conduta expectante, quimioprevenção, quando há receptores hormonais positivos, e até mastectomia bilateral profilática.

Não há, até o momento, estudos comparando conduta expectante e mastectomia profilática. E, nos casos de recidiva, não há diferença estatística entre a mortalidade das pacientes submetidas a tratamento conservador seguido por mastectomia com as pacientes tratadas diretamente com a mastectomia.

Dessa forma, o tratamento deve ser sempre individualizado, considerando os riscos para a paciente e o impacto pessoal do tratamento.

A mastectomia unilateral e a radioterapia não são indicadas.

Conduta

- Acompanhamento rigoroso.
- RM: mulheres jovens ou com mamas densas.
- Quimioprevenção: pacientes com receptores hormonais positivos:
  - Tamoxifeno: reduz significativamente o risco de câncer de mama e CDIS após 5 anos de uso da medicação, segundo os estudos NSABPI e IBIS, porém não reduzem a incidência. Além de apresen-

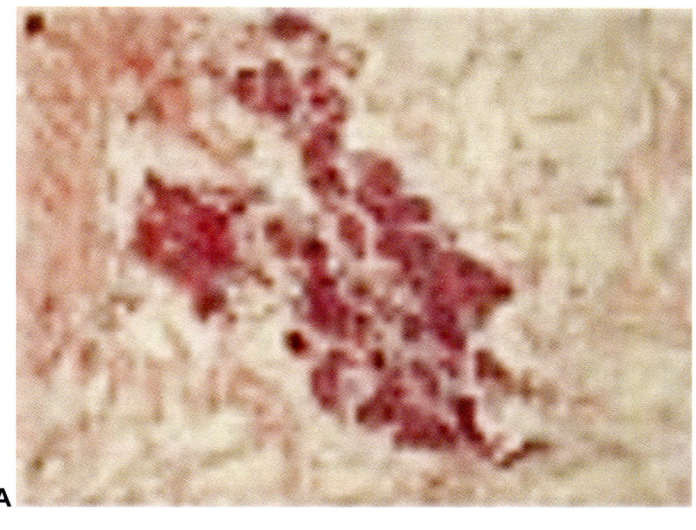
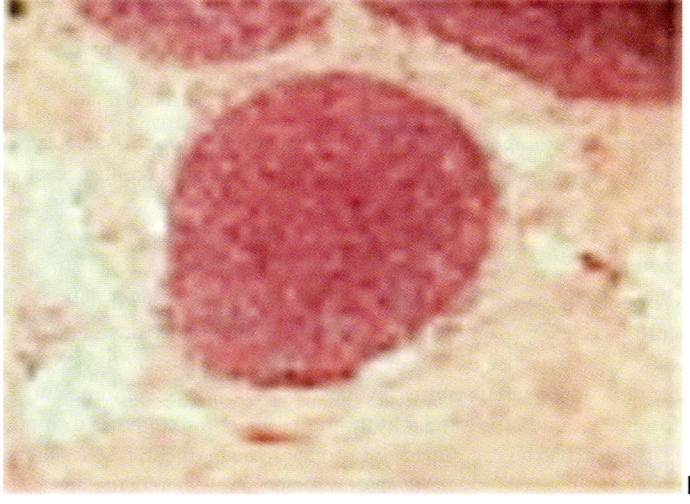
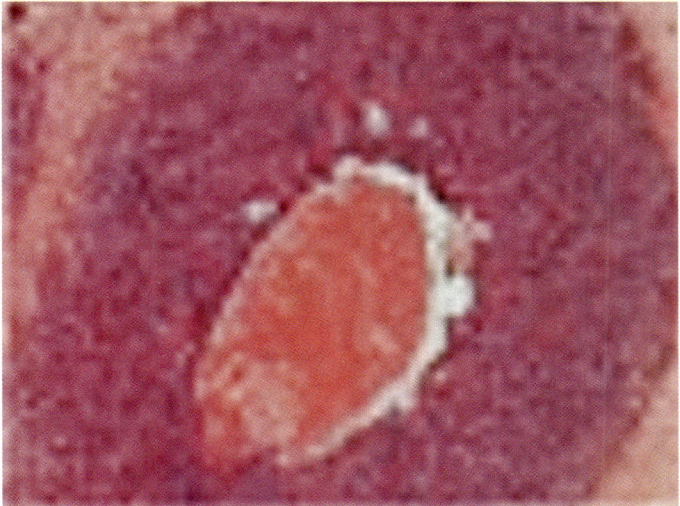
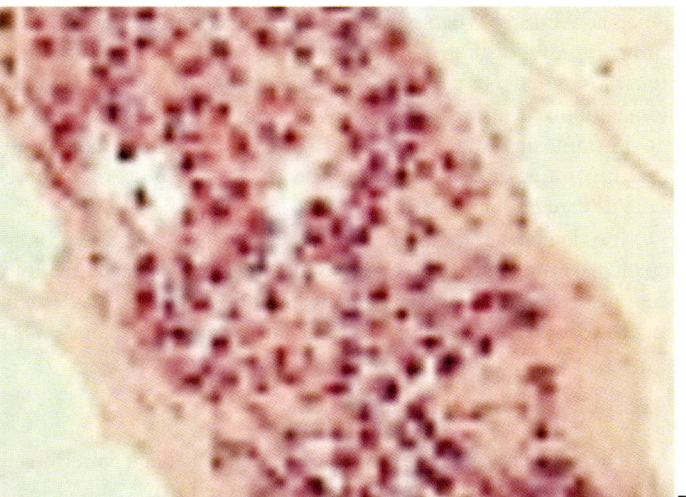

▲ **FIGURA 3. (A-D)** Neoplasia lobular (hematoxilina e eosina).

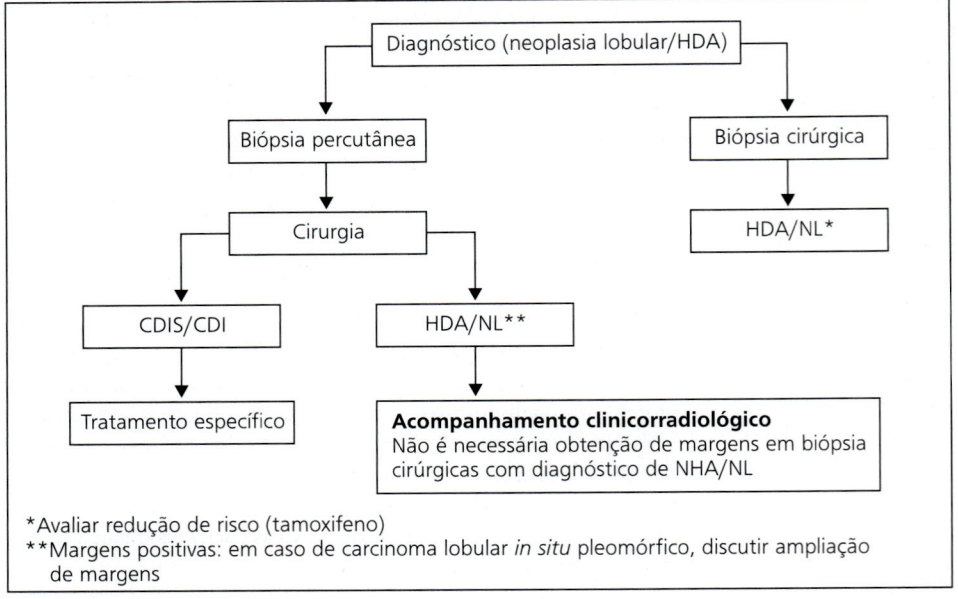

◀ **FIGURA 4.** Conduta nas lesões proliferativas atípicas.

tar efeitos colaterais (fogachos, pólipo endometrial, hiperplasia endometrial, câncer de endométrio, trombose venosa profunda).[24]
- Raloxifeno: é tão eficaz quanto o tamoxifeno, porém com menos efeitos colaterais. Tem maior eficácia em reduzir o risco de lesões invasivas que lesões não invasivas (estudo NSABPSTAR).[24]

CLIS pleomórfico

Uma variante do CLIS, porém com comportamento mais agressivo, fazendo diagnóstico diferencial com CDIS, é um fator de risco e precursor de lesão invasiva.

Apresenta importante pleomorfismo, núcleo excêntrico, células em anel de sinete, necrose central e calcificações.

O tratamento ideal ainda é indefinido. No momento se propõe uma ressecção ampla da área comprometida, obtendo margens negativas e retirando todas as microcalcificações ou mastectomia com pesquisa de linfonodo sentinela.

O tratamento adjuvante é incerto. Há autores que propõem radioterapia e quimioprevenção. No entanto, seus reais benefícios são desconhecidos.

CONCLUSÃO

As lesões proliferativas atípicas apresentam o mesmo algoritmo de tratamento. Nas lesões diagnosticadas por biópsia percutânea deve-se proceder à exérese cirúrgica da área de interesse em decorrência do risco existente de 15-30% de subestimação diagnóstica (CDIS, carcinoma ductal infiltrante e carcinoma lobular infiltrante). Quando resultantes de biópsia cirúrgica, não há necessidade de ampliação de margens, caso resultem comprometidas por uma destas lesões. A conduta a ser adotada no CLIS pleomórfico é controversa, uma vez que biologicamente este se assemelha mais ao CDIS, mas não existem estudos clínicos prospectivos que tenham comprovado sua maior agressividade. Alguns autores sugerem a ampliação das margens cirúrgicas, quando estas forem positivas para carcinoma lobular *in situ* com variante pleomórfica. O emprego dos SERMS (tamoxifeno 20 mg/dia ou raloxifeno 60 mg/dia) por 5 anos consecutivos apresenta redução de, pelo menos, 50% do risco subsequente de carcinoma invasivo (Fig. 4).

O uso de marcadores moleculares na prática clínica parece promissor para diagnóstico e prognóstico. Nos dias atuais, os marcadores moleculares parecem ter o potencial para melhorar nossa capacidade de atendimento aos pacientes com ou em risco para o câncer de mama.

REFERÊNCIAS BIBLIOGRÁFICAS

1. Pinder SE, Ellis IO. The diagnosis and management of pre-invasive breast disease: ductal carcinoma *in situ* (DCIS) and atypical ductal hyperplasia (ADH)-current definitions and classification. *Breast Cancer Res* 2003;5:254-57.
2. Van de Vijver MJ, Peterse H. The diagnosis and management of pre-invasive breast disease: pathological diagnosis – problems with existing classifications. *Breast Cancer Res* 2003;5:269.
3. Purushotham AD. The diagnosis and management of pre-invasive breast disease: problems associated with management of pre-invasive lesions. *Breast Cancer Res* 2003;5:309-12.
4. Reis Filho JS, Lakhani SR. The diagnosis and management of pre-invasive breast disease: genetic alterations in pre-invasive lesions. *Breast Cancer Res* 2003;5:313-19.
5. Jeffrey SS, Pollack JR. The diagnosis and management of preinvasive breast disease: promise of new technologies in understanding pre-invasive breast lesions. *Breast Cancer Res* 2003;5:320-28.
6. Betsill Jr WL, Rosen PP, Lieberman PH et al. Intraductal carcinoma. Long-term follow-up after treatment by biopsy alone. *JAMA* 1978;239:1863-67.
7. Page DL, Dupont WD, Rogers LW et al. Intraductal carcinoma of the breast: follow-up after biopsy only. *Cancer* 1982;49:751-58.
8. Schnitt SJ. The diagnosis and management of pre-invasive breast disease: flat epithelial atypia – Classification, pathologic features and clinical significance. *Breast Cancer Res* 2003;5:263-68.
9. Boecker W, Moll R, Dervan P et al. Usual ductal hyperplasia of the breast is a committed stem (progenitor) cell lesion distinct from atypical ductal hyperplasia and ductal carcinoma in situ. *J Pathol* 2002;198:458-67.
10. Sabel MS, Chagpar AB, Pories SE et al. Up to Date: *Overview of benign breast disease*. Jan. 2011.
11. Dupont WD, Parl FF, Hartmann WH et al. Breast cancer risk associated with proliferative breast disease and atypical hyperplasia. *Cancer* 1993;71:1258-65.
12. Oyama T, Maluf H, Koerner F. Atypical cystic lobules: an early stage in the formation of low-grade ductal carcinoma in situ. *Virchows Arch* 1999;435:413-21.
13. Locke I, Mitchell G, Eeles R. Ductal approaches to assessment and management of women at high risk for developing breast cancer. *Breast Cancer Res* 2004;6:75-81.
14. Sloane JP, Ellman R, Anderson TJ et al. Consistency of histopathological reporting of breast lesions detected by screening: findings of the UK National External Quality Assessment (EQA) Scheme. UK National Coordinating Group for Breast. Screening Pathology. *Eur J Cancer* 1994;30A:1414-19.
15. European Commission. *European guidelines for quality assurance in mammography screening*. 2nd ed. Luxembourg: Office for Official Publications of the European Communities, 1996.
16. Zografos GC, Panou M, Panou N. Common risk factors of breast and ovarian cancer: recent view. *Int J Gynecol Cancer* 2004;14:721-40.
17. Lagios MD. Heterogeneity of duct carcinoma in situ (DCIS): relationship of grade and subtype analysis to local recurrence and risk of invasive transformation. *Cancer Lett* 1995;90:97-102.
18. Ketcham AS, Moffat FL. Vexed surgeons, perplexed patients, and breast cancers which may not be cancer. *Cancer* 1990;65:387-93.

19. Hughes LL, Wang M, Page DL *et al.* Wood: local excision alone without irradiation for ductal carcinoma in situ of the breast: a trial of the eastern cooperative oncology group. *J Clin Oncol* Nov 2009.
20. Lu YJ, Osin P, Lakhani SR *et al.* Comparative genomic hybridization analysis of lobular carcinoma in situ and atypical lobular hyperplasia and potential roles for gains and losses of genetic material in breast neoplasia. *Cancer Res* 1998;58:4721-27.
21. Page DL, Schuyler PA, Dupont WD *et al.* Atypical lobular hyperplasia as a unilateral predictor of breast cancer risk: a retrospective cohort study. *Lancet* 2003;361:125-29.
22. Lishman SC, Lakhani SR. Atypical lobular hyperplasia and lobular carcinoma in situ: surgical and molecular pathology. *Histopathology* 1999;35:195-200.
23. Ciocca RM, Li T, Freedman GM *et al.* The Presence of Lobular Carcinoma in situ Does Not Increase Local Recurrence in Patients Treated with Breast-Conserving Therapy. *Ann Surg Oncol* 2008 Aug.
24. Sabel MS, Hayes DF, Lerner R. *Up to Date: Lobular carcinoma in situ of the breast.* Jan. 2011.

SEÇÃO III
Métodos Diagnósticos por Imagem

CAPÍTULO 106
Mamografia

Ellyete de Oliveira Canella

INTRODUÇÃO

De acordo com a literatura, a mamografia tem sensibilidade entre 88-93,1% e especificidade entre 85-94,2%, e a utilização da mamografia como método de rastreamento populacional pode reduzir a mortalidade em 25%.

Neste capítulo serão abordados os seguintes temas: indicações, técnica, padrão mamário e lesões.

INDICAÇÕES DA MAMOGRAFIA

A mamografia representa o principal exame para rastreamento do câncer de mama e tem indicações, também, em situações diagnósticas.

Mamografia para rastreamento

A mamografia de rastreamento está indicada nas mulheres assintomáticas, sem sinais ou sintomas de câncer de mama.

Em 2004, o Ministério da Saúde (MS) publicou o Documento de Consenso "Controle do Câncer de Mama", sugerindo a faixa etária entre 50-69 anos para rastreamento populacional no Brasil. Na literatura também existe a recomendação de realizar a mamografia de rastreamento nas mulheres assintomáticas a partir de 40 anos.

Existem outras situações em que a mamografia de rastreamento também deve ser realizada:

- Antes de iniciar terapia hormonal (TH), com objetivo de estabelecer o padrão mamário e detectar lesões não palpáveis (qualquer alteração deve ser esclarecida antes da TH; após início da TH, a mamografia é realizada anualmente, sem indicação de exame semestral).
- No pré-operatório de cirurgia plástica, para rastrear qualquer alteração das mamas, principalmente em pacientes a partir da quinta década ou em pacientes que ainda não tenham realizado o exame.
- No acompanhamento após mastectomia, para estudo da mama contralateral e após cirurgia conservadora. Nestes casos, a mamografia de acompanhamento deve ser realizada anualmente, independente da faixa etária, sendo o estudo comparativo de extrema importância entre os exames.

Mamografia diagnóstica

Mamografia diagnóstica é aquela realizada em mulheres com sinais ou sintomas de câncer de mama.

Os sintomas mais frequentes de câncer de mama são:

- *Nódulo:* um nódulo palpável geralmente é descoberto pela própria paciente, que chega ao médico com muita ansiedade e medo. A mamografia deve sempre ser realizada, independente da data do exame anterior, se o nódulo for um novo achado no autoexame das mamas ou no exame clínico. Se o nódulo palpável não tiver expressão na mamografia, a complementação com a ultrassonografia é obrigatória. Se um nódulo lobulado ou regular for identificado na mamografia, o exame deve ser complementado com a ultrassonografia, para identificar se o nódulo é sólido ou cístico, diferença fundamental para determinar a conduta a ser estabelecida. Convém lembrar que a mamografia em pacientes jovens (abaixo de 30 anos) normalmente não apresenta nenhum benefício diagnóstico, em virtude da alta densidade das mamas e que, pela baixa incidência de câncer (menos de 0,1%) na faixa etária, a ultrassonografia é o exame de escolha para a primeira avaliação de nódulos nestes casos.
- *"Espessamento":* representa uma região mais endurecida na palpação, sem que seja possível delimitar um nódulo. A indicação de mamografia segue os mesmos parâmetros descritos para o nódulo.
- *Descarga papilar:* a secreção das mamas, fora do ciclo grávido puerperal, deve ser analisada criteriosamente, sendo fundamental caracterizar: espontânea ou à expressão, uni ou bilateral, ducto único ou múltiplo, coloração ou aspecto (cristalina ou "água de rocha", sanguinolenta, esverdeada, serosa, colostro-símile). Casos com descarga papilar espontânea, unilateral, de ducto único, "água de rocha" ou sanguinolenta são suspeitos de doença maligna, e a mamografia está indicada para iniciar a investigação.

Outras situações diagnósticas com indicação de mamografia:

- *Controle radiológico de lesão provavelmente benigna (Categoria 3):* o controle radiológico deve ser realizado em 6 meses, 6 meses, 1 ano e 1 ano. Radiologicamente uma lesão é considerada benigna quando permanece estável em um período de 3 anos. Qualquer modificação no aspecto radiológico, seja na forma, no tamanho, na densidade ou no número (no caso de microcalcificações) em qualquer fase do controle, representa indicação para histopatológico. O critério de estabilidade somente é aplicável para lesões Categoria 3, não sendo confiável nas lesões Categoria 4 ou 5.
- *Mama masculina:* apesar de pouco frequente, a mama masculina também pode ser acometida por doença maligna, que se expressa radiologicamente com as mesmas formas que na mama feminina (microcalcificações, nódulos etc.). A ginecomastia é outra indicação de exame,

permitindo diferenciar a ginecomastia verdadeira (aumento da glândula com a presença de parênquima mamário) da ginecomastia falsa ou lipomastia (aumento da glândula por proliferação adiposa).

Convém lembrar que mastalgia, apesar de queixa muito frequente, não representa indicação de mamografia, pois o sintoma "dor", além de não representar sintoma de câncer de mama, não tem expressão correspondente em imagens. Nos casos de mastalgia, a realização da mamografia seguirá o padrão de rastreamento, de acordo com a faixa etária da paciente.

TÉCNICA

Qualidade

A qualidade técnica é fundamental na mamografia. No Brasil há duas Portarias do Ministério da Saúde, cujo objetivo é regulamentar a realização do exame.

No item 4.18 da Portaria 453/98 do Ministério da Saúde, "Diretrizes de proteção radiológica em radiodiagnóstico médico e odontológico", descreve que os mamógrafos devem ter, no mínimo, as seguintes especificações: gerador trifásico ou de alta frequência, tubo especificamente projetado para mamografia (com janela de berílio), filtro de molibdênio, escala de tensão em incrementos de 1 kV, dispositivo de compressão firme (força de compressão entre 11 e 18 kgf), diafragma regulável com localização luminosa, distância foco-filme não inferior a 30 cm e tamanho de ponto focal não superior a 4 mm.

A Portaria 531 do Ministério da Saúde, de 26 de março de 2012, institui o Programa Nacional de Qualidade em Mamografia (PNQM) e descreve critérios de qualidade para mamografias digitais e de alta resolução.

A mamografia é um exame que utiliza baixo kV e alto mAs, para gerar alto contraste, necessário na identificação das estruturas que compõem a mama, todas com densidade semelhante.

Na realização da mamografia deve-se utilizar compressão, entre 13 e 15 kgf, para obtenção de um bom exame (na prática, em aparelhos que não indicam automaticamente a força de compressão utilizada, podemos comprimir até a pele ficar tensa e/ou até o limite suportado pela paciente).

As vantagens da compressão estão listadas a seguir.

- Reduz a dose de radiação, porque diminui a espessura da mama.
- Aumenta o contraste da imagem, porque a redução da espessura da mama diminui a dispersão da radiação.
- Aumenta a resolução da imagem, porque restringe os movimentos da paciente.
- Diminui distorções, porque aproxima a mama do filme.
- "Separa" as estruturas da mama, diminuindo a superposição e permitindo que lesões suspeitas sejam detectadas com mais facilidade e segurança.
- Diminui a variação na densidade radiográfica ao produzir uniformidade na espessura da mama.

Incidências básicas

As incidências seguem padronização, tanto da paciente quanto da angulação do tubo.

Na mamografia, são utilizadas as incidências básicas e as incidências complementares. As incidências básicas, craniocaudal e médio-lateral oblíqua, representam a base de todos os exames. As incidências complementares esclarecem situações detectadas nas incidências básicas, servem para realizar manobras e estudar regiões específicas. As incidências complementares mais utilizadas atualmente são: craniocaudal forçada, *cleavage*, médio-lateral ou perfil externo, lateromedial ou perfil interno e caudocranial.

Craniocaudal (CC)

São referências para a incidência craniocaudal (Fig. 1):

- Partes lateral e medial da mama incluídas na radiografia (não "corta" o parênquima mamário).
- Visualização do músculo grande peitoral, que pode ocorrer em 30-40% das imagens, notariamente com adequada elevação do sulco inframamário.
- Visualização da gordura retromamária.
- Radiografias simétricas.

Médio-lateral oblíqua (MLO)

As referências para análise da incidência médio-lateral oblíqua estão descritas a seguir (Fig. 2).

- Músculo grande peitoral até o plano do mamilo ou abaixo, com margem anterior convexa.
- Sulco inframamário incluído na imagem.
- Visualização da gordura retromamária: se não for possível colocar o mamilo paralelo ao filme, sem excluir o tecido posterior, deve-se realizar incidência adicional da região retroareolar (em MLO ou CC).
- Radiografias simétricas.
- Radiografias com a mesma inclinação.
- Evitar incluir o músculo pequeno peitoral.

Craniocaudal forçada (XCC)

É uma incidência craniocaudal, com ênfase na exposição dos quadrantes laterais (Fig. 3), notariamente o quadrante superior lateral e tem indicação para estudo dos quadrantes laterais, incluindo a cauda de Spence (tecido mamário proeminente, que "invade" a axila, lateralmente à margem lateral do músculo grande peitoral).

Cleavage – (CV)

É uma incidência craniocaudal, com ênfase na exposição dos quadrantes mediais (Fig. 4), notariamente o quadrante inferior medial. Está indicada no estudo de lesões nos quadrantes mediais.

Médio-lateral ou perfil externo (ML ou P)

Esta incidência deve incluir, obrigatoriamente, parte do prolongamento axilar, é também chamada de perfil absoluto (Fig. 5) e tem indicação no exame de mamas tratadas com cirurgia conservadora e esvaziamento axi-

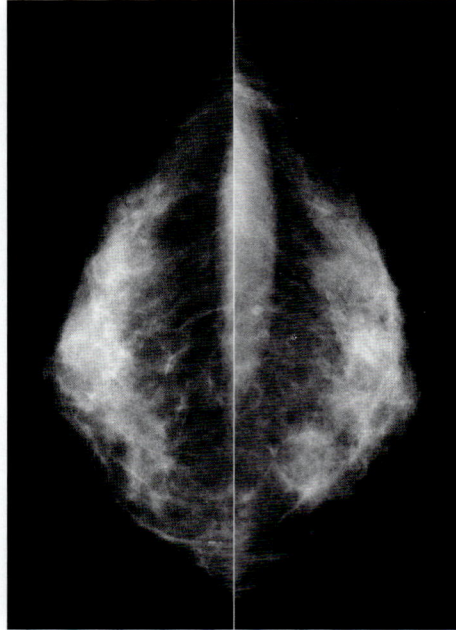

◄ **FIGURA 1.**
Incidência craniocaudal.

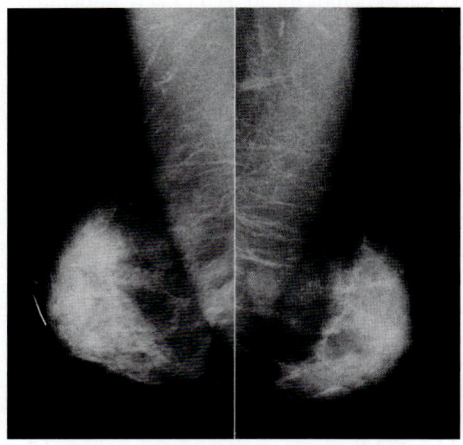

◄ **FIGURA 2.**
Incidência médio-lateral oblíqua.

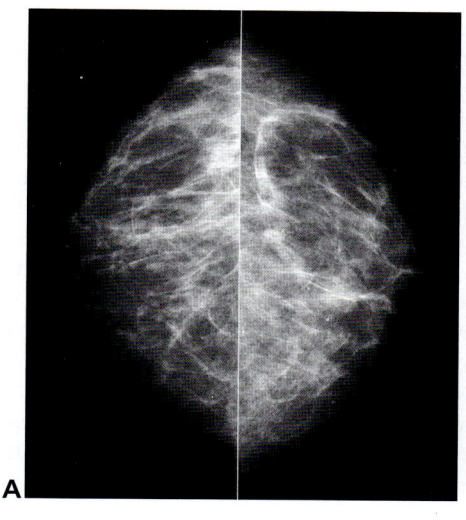
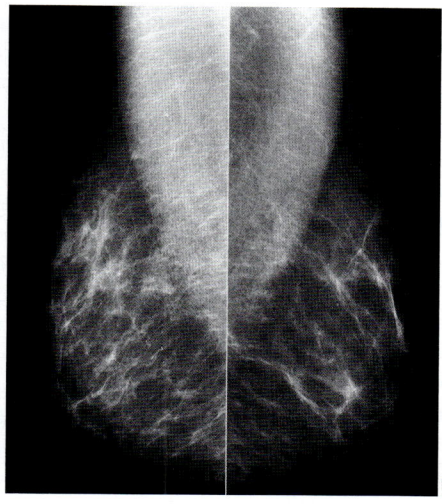

◀ **FIGURA 3. (A)** Incidência craniocaudal. **(B)** Incidência craniocaudal forçada.

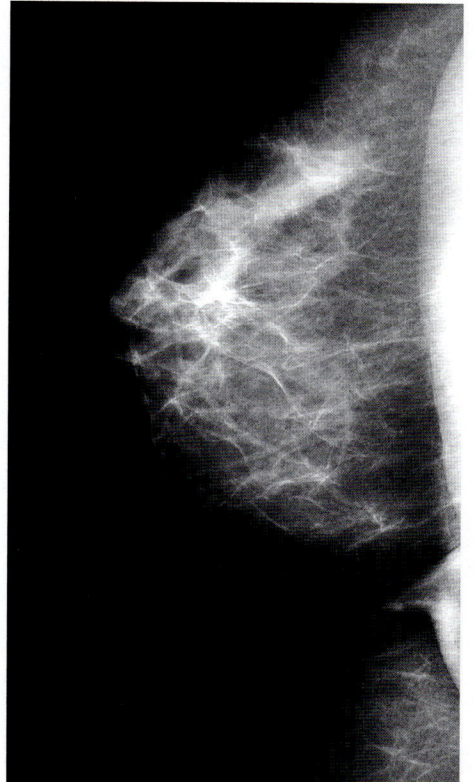
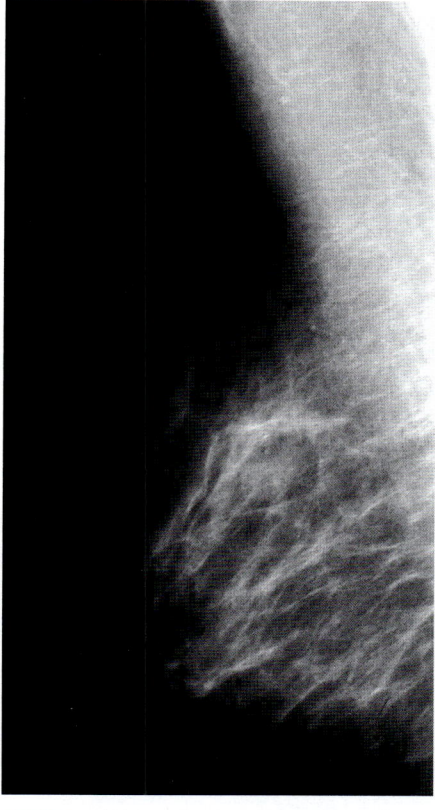

▲ **FIGURA 4.** Incidência *cleavage*.   ▲ **FIGURA 5. (A)** Incidência médio-lateral oblíqua. **(B)** Incidência em perfil.

lar, verificação do posicionamento do fio metálico, após marcação pré-cirúrgica de lesões não palpáveis e manobra angular.

Médio-lateral ou perfil interno ou *contact* (LM ou *contact*)

Esta incidência deve incluir, obrigatoriamente, parte do prolongamento axilar. O aspecto é o mesmo do perfil, porém com imagem "em espelho". A indicação é estudo de lesões nos quadrantes mediais, principalmente as localizadas no quadrante superior medial, próximas do esterno.

Caudocranial (RCC)

É uma incidência craniocaudal "ao contrário" (RCC = *reverse* craniocaudal). O aspecto é o mesmo da craniocaudal, porém com imagem "em espelho". As indicações são: mama masculina ou feminina muito pequena (se houver dificuldade de realizar a craniocaudal, face ao pequeno volume da mama), paciente com marca-passo, paciente com cifose acentuada e paciente grávida (nos raros casos em que há indicação de mamografia em gestantes, o exame deve ser realizado com avental de chumbo no ab-

dome, e as incidências básicas também são CC e MLO; podendo a CC ser substituída pela RCC, se o volume do útero gravídico permitir).

Manobras

São recursos para estudar as alterações detectadas na mamografia que podem ser associados a qualquer incidência. As manobras mais utilizadas são: compressão localizada, ampliação, associação entre compressão e ampliação, manobra angular, rotacional (*roll*) e tangencial.

Compressão localizada

A compressão localizada "espalha" o parênquima mamário, diminuindo o "efeito de soma" (superposição de estruturas com densidade radiográfica semelhante), que pode ser responsável por imagens "caprichosas". As indicações são: estudo de áreas densas e análise do contorno de nódulos. Nos casos de áreas densas (assimetrias), quando a lesão é de natureza benigna ou quando representa superposição de estruturas, geralmente ocorre mudança de aspecto da área densa.

Ampliação

Representa a ampliação de parte da mama, para avaliar detalhes nas áreas suspeitas e, principalmente, estudar a morfologia das microcalcificações.

Associação entre compressão e ampliação

Recomenda-se utilizar, simultaneamente, compressão e ampliação, permitindo obter os benefícios das duas manobras, com menor exposição da paciente e racionalização no uso de filmes.

Manobra angular

Consiste em realizar incidências com várias angulações do tubo, para dissociar imagens sugestivas de superposição de estruturas (efeito de "soma"). É mais empregada, com aproveitamento ideal, quando a imagem a ser estudada foi identificada na MLO (Fig. 6). A indicação é estudo de áreas densas, identificadas na incidência MLO.

Manobra rotacional (Rol, RL ou RM)

A finalidade também é dissociar estruturas, com indicação ideal nas imagens identificadas na incidência CC (Fig. 7). A indicação é estudo de áreas densas, identificadas na incidência CC.

Manobra tangencial (TAN)

Consiste em fazer incidências com o feixe tangenciando a mama, com indicação no diagnóstico diferencial entre lesões cutâneas (cicatrizes cirúrgicas, verrugas, calcificações, cistos sebáceos, cosméticos contendo sais opacos) e lesões mamárias.

PADRÃO MAMÁRIO

Atualmente recomenda-se que na descrição do padrão mamário seja utilizado o grau de substituição adiposa.

A substituição do parênquima mamário pelo tecido adiposo é um processo dinâmico que ocorre na mama da maioria das mulheres, de acordo com a faixa etária. Embora seja um processo fisiológico, não existe correlação perfeita entre a faixa etária e a substituição adiposa, pois é comum encontrarmos mulheres jovens com a mama bem substituída e mulheres idosas com pouca ou nenhuma substituição na mama.

Na mama sem substituição (geralmente da mulher mais jovem), o parênquima mamário ocupa toda a mama e tem a forma de um triângulo, cujo vértice está ligado ao mamilo. O processo de substituição pode ocorrer de duas maneiras. Na primeira e mais comum, a substituição ocorre simultaneamente da metade inferior para a metade superior e da metade interna para a externa, e a última região a ser substituída será o quadrante superior externo. Na segunda maneira, a substituição ocorre da parte posterior para a parte anterior da mama, sendo a região retroareolar a última a ser substituída.

Para melhor avaliar a substituição, recomenda-se utilizar craniocaudal ou perfil, pois nestas incidências não ocorre angulação, e o feixe de raios X faz 90° com a mama (a angulação da incidência médio-lateral oblíqua produz superposição do parênquima e prejudica a avaliação da área substituída). Nas mamas com cirurgia plástica, cirurgia conservadora, recomenda-se cuidado ao avaliar a substituição, pois a mama fica modificada pela desorganização que as cirurgias provocam.

A descrição recomendada é a seguinte:

- *Mamas densas:* nenhum tipo de substituição adiposa (Fig. 8).
- *Mamas predominantemente densas:* a substituição adiposa é menor do que 50% da área da mama (Fig. 9).
- *Mamas predominantemente adiposas:* a substituição é maior do que 50% da área da mama (Fig. 10).
- *Mamas adiposas:* a substituição adiposa é total (Fig. 11).

LESÕES NA MAMOGRAFIA

As lesões detectadas na mamografia são: nódulo, microcalcificações, distorção focal, assimetria focal, assimetria difusa, neodensidade e dilatação ductal isolada. Outras alterações, como espessamento cutâneo, linfonodos com mudança de forma e retrações, também podem ser identificadas.

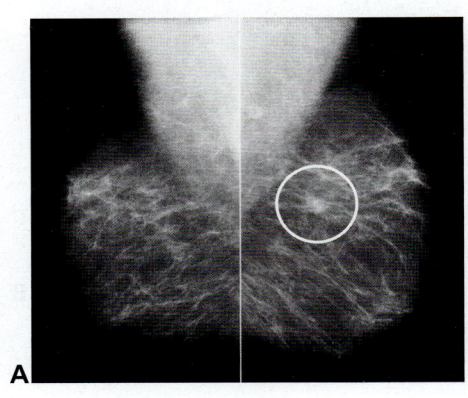
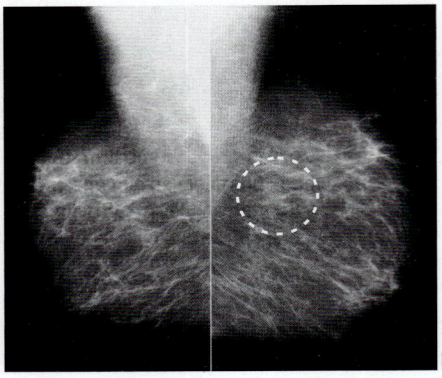

◀ **FIGURA 6.** Manobra angular. (**A**) Provável assimetria focal na mama esquerda. (**B**) Total mudança de aspecto, com dissociação da estrutura (a assimetria representava superposição de estruturas).

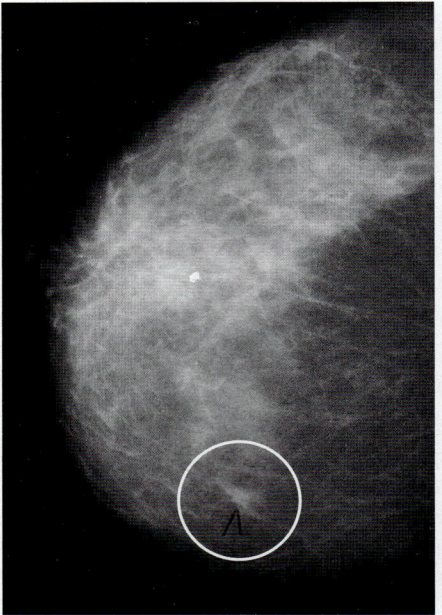
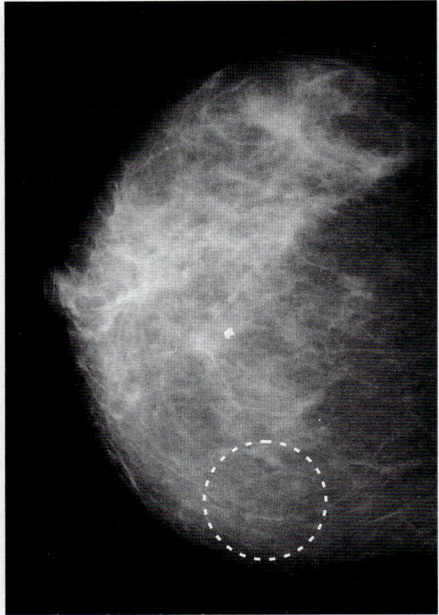

◀ **FIGURA 7.** Manobra rotacional. (**A**) Provável distorção focal na mama direita. (**B**) Total mudança de aspecto, com dissociação da estrutura (a distorção representava superposição de estruturas).

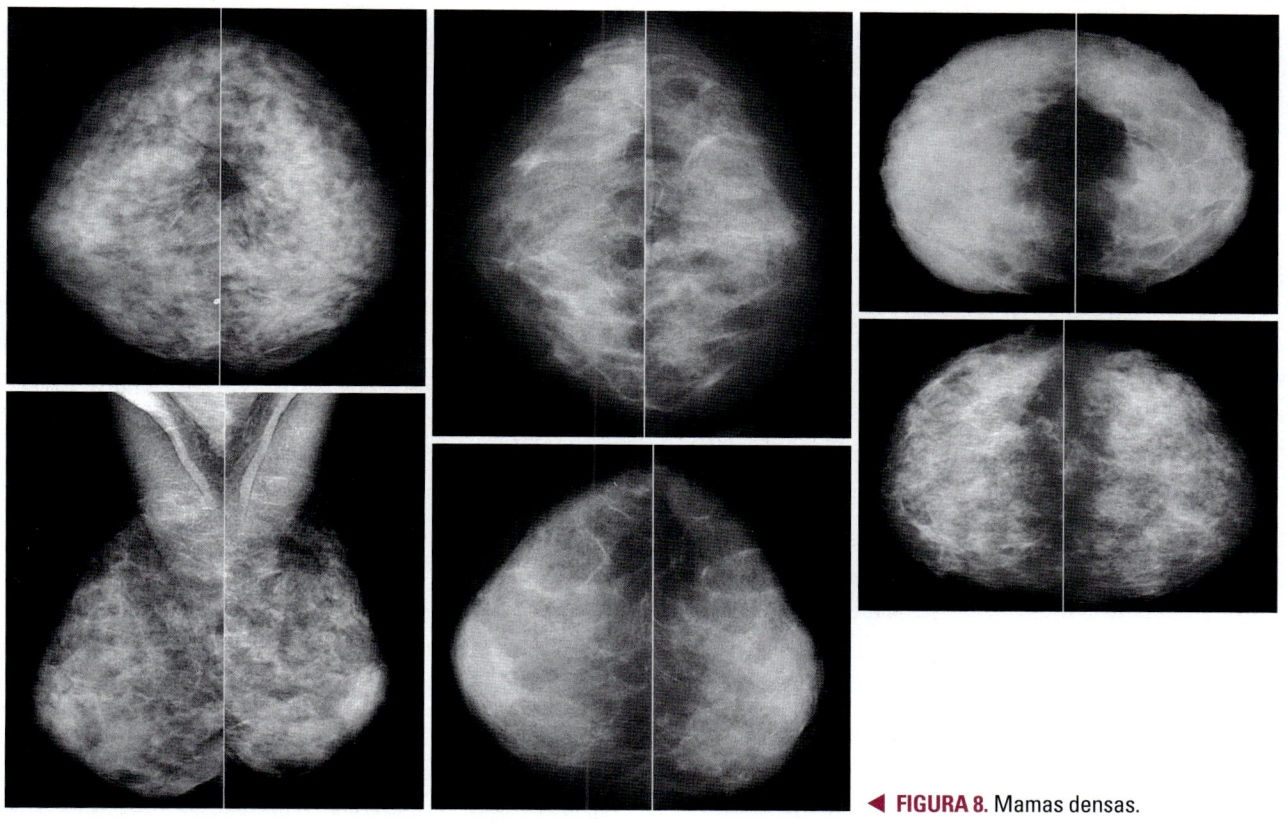

◀ **FIGURA 8.** Mamas densas.

◀ **FIGURA 9.** Mamas predominantemente densas.

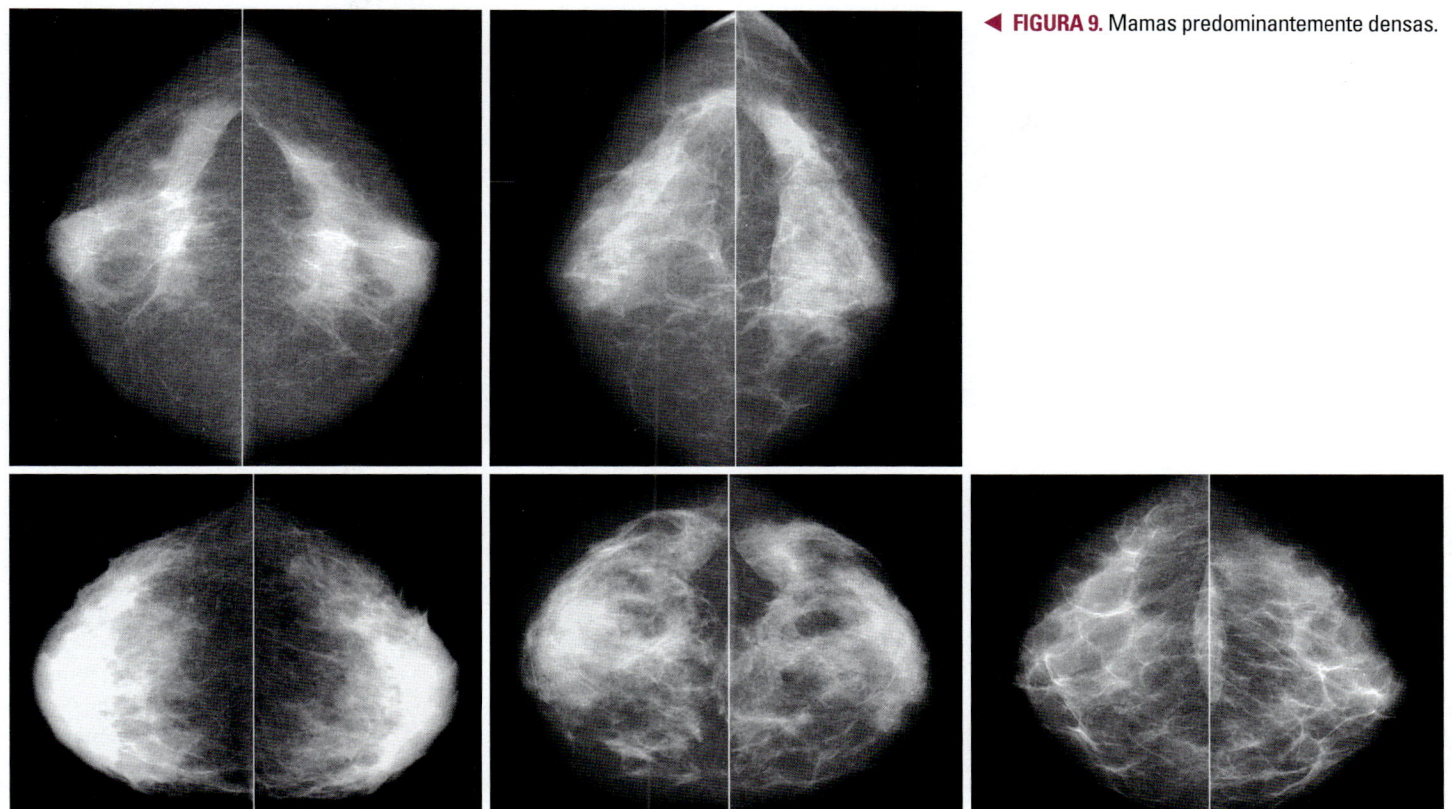

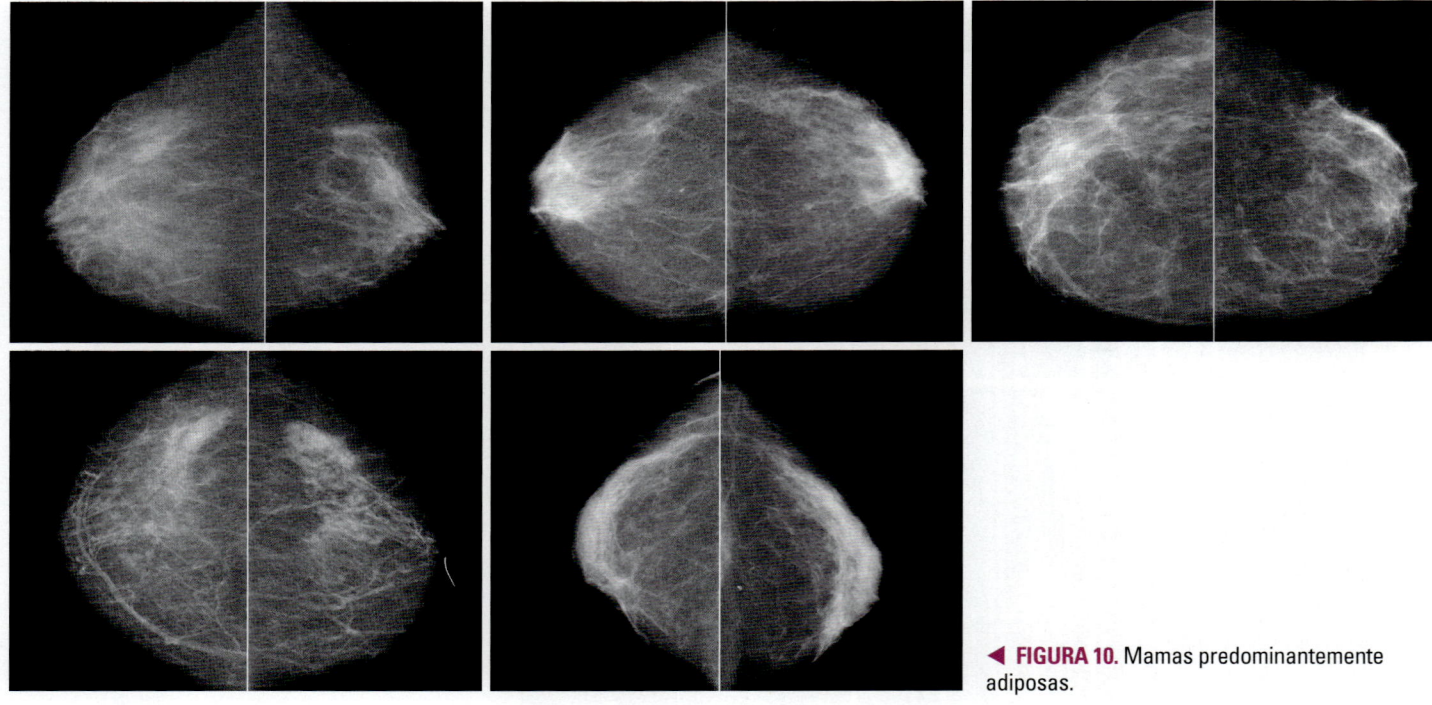

◀ **FIGURA 10.** Mamas predominantemente adiposas.

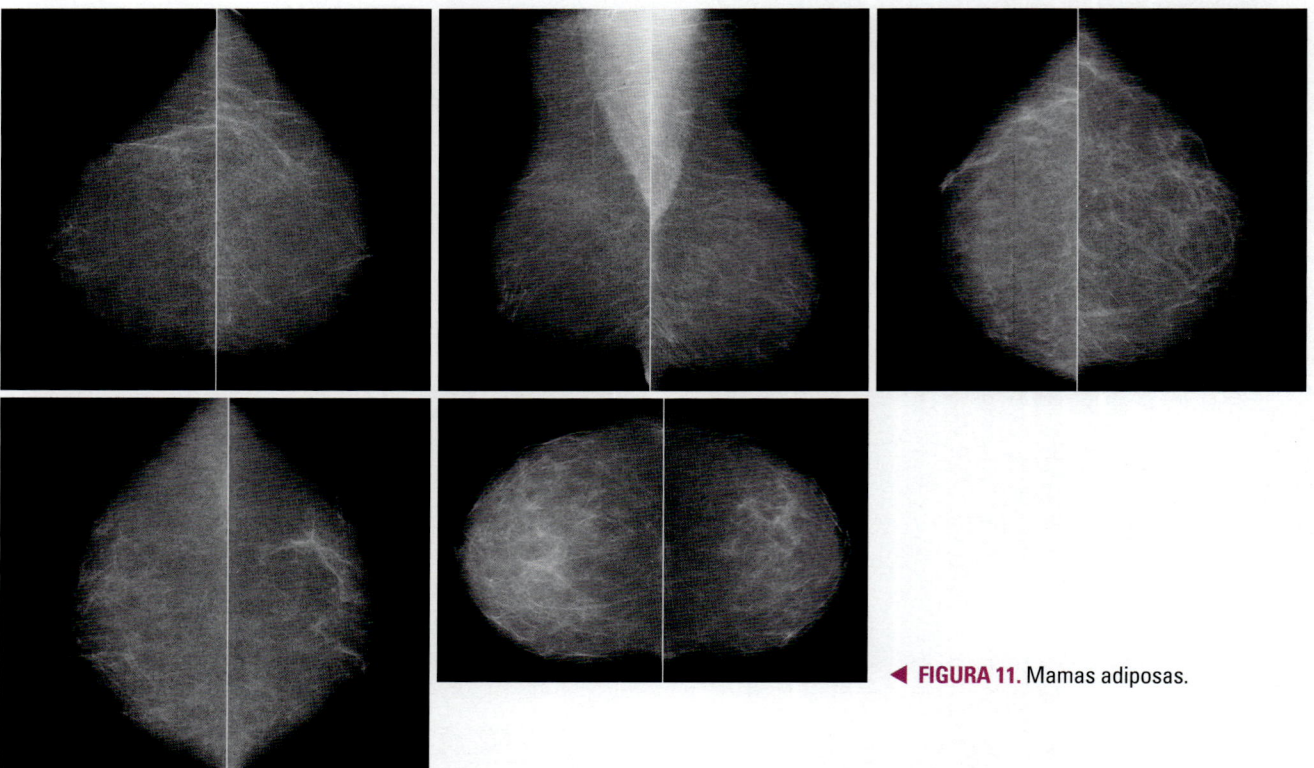

◀ **FIGURA 11.** Mamas adiposas.

Nódulo

Os nódulos devem ser analisados de acordo com tamanho, contorno, limites e densidade.

- *Forma:* os nódulos são estruturas tridimensionais ovoides e esferoides que, na mamografia, apresentam-se com forma ovalada e arredondada (Fig. 12), pela projeção em um plano (filme).
- *Tamanho:* no caso das lesões não palpáveis este parâmetro é de importância relativa, pois os nódulos diagnosticados apenas pela mamografia apresentam pequenas dimensões. No caso dos nódulos ovalados, pode-se utilizar como medida o maior eixo; no caso dos nódulos arredondados, a medida representa o diâmetro.
- *Contorno:* os nódulos podem apresentar contorno regular, lobulado, microlobulado, irregular e espiculado (Fig. 13). A suspeita de malignidade aumenta em função da ordem citada anteriormente.
- *Limites:* os limites representam a relação do nódulo com as estruturas vizinhas e podem ser definidos, parcialmente definidos e pouco definidos, quando a relação com as estruturas vizinhas é identificada em mais de 75%, entre 25 e 75% e menos que 25% do contorno do nódulo, respectivamente (Fig. 14). Teoricamente, limites mal definidos são mais sugestivos para malignidade do que limites parcialmente definidos e limites definidos, porém a identificação do limite do nódulo é mais consequência do tipo de mama e não deve representar um critério de grande peso para indicar o grau de suspeição de um nódulo.
- *Densidade:* os nódulos podem ser densos, isodensos, com baixa densidade, com densidade de gordura e com densidade heterogênea. Nódulos malignos geralmente têm densidade elevada, linfonodos mamários têm densidade baixa, lipomas e cistos oleosos têm densidade de gordura e fibroadenolipomas têm densidade heterogênea (Fig. 15).

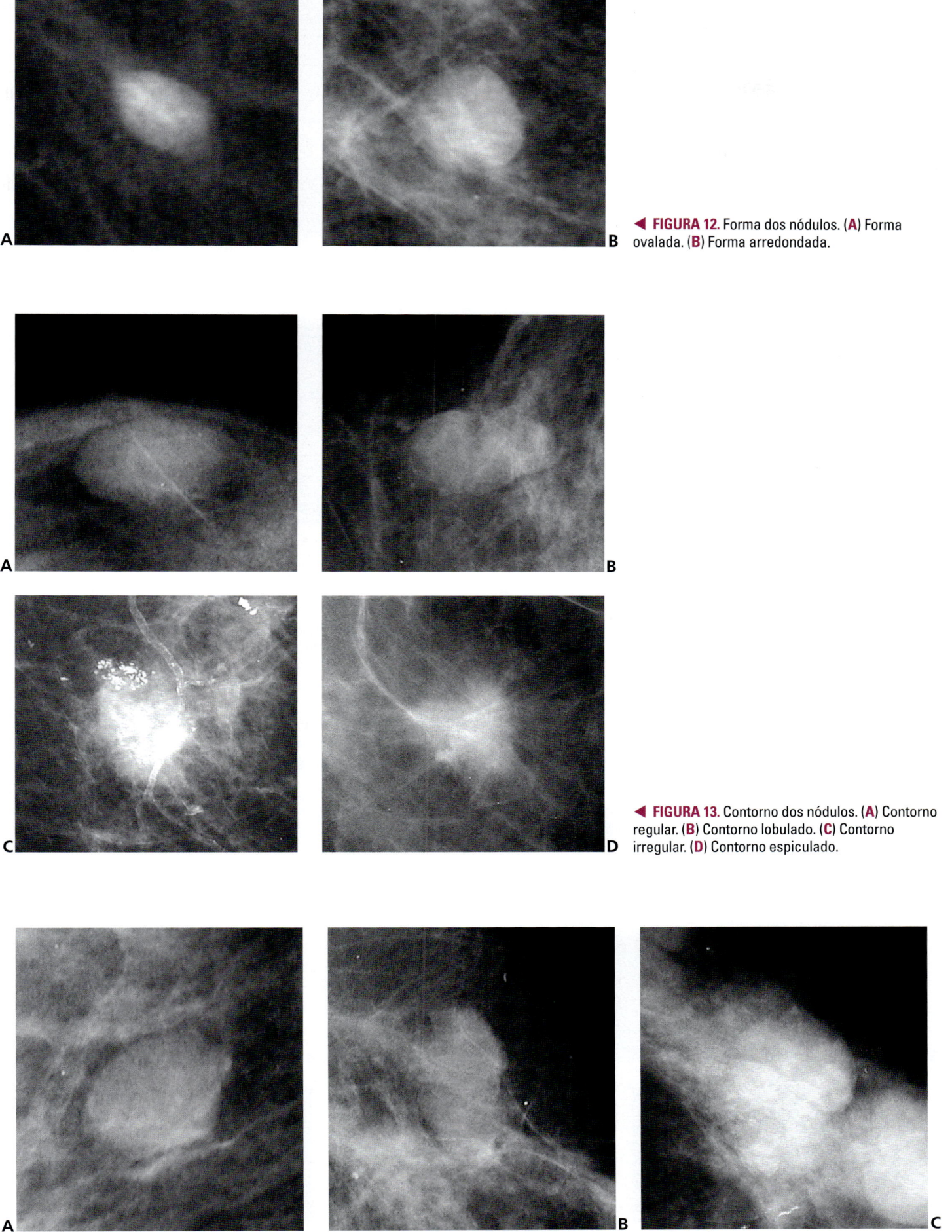

◀ **FIGURA 12.** Forma dos nódulos. (**A**) Forma ovalada. (**B**) Forma arredondada.

◀ **FIGURA 13.** Contorno dos nódulos. (**A**) Contorno regular. (**B**) Contorno lobulado. (**C**) Contorno irregular. (**D**) Contorno espiculado.

▲ **FIGURA 14.** Limites dos nódulos. (**A**) Limite definido. (**B**) Limite parcialmente definido. (**C**) Limite pouco definido.

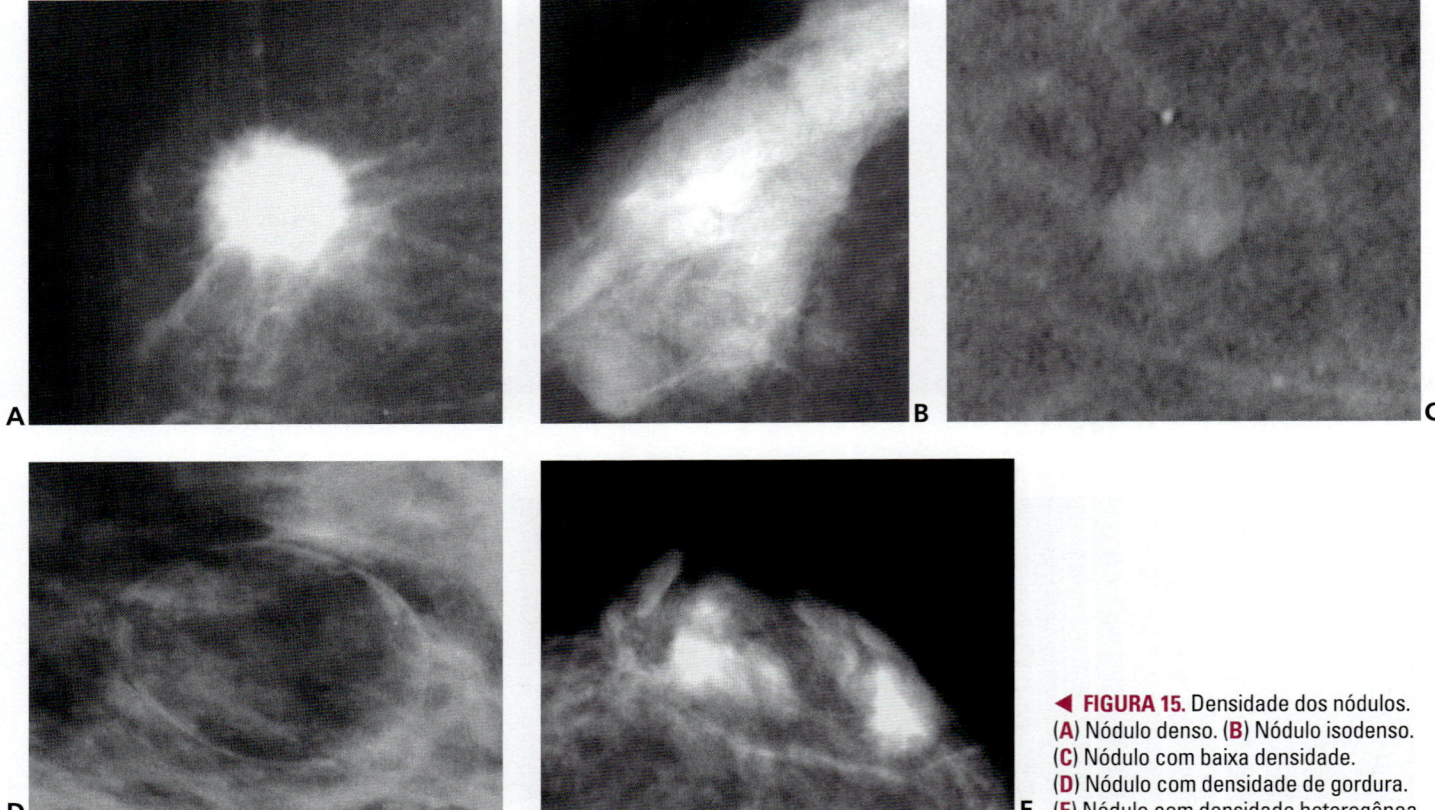

◀ **FIGURA 15.** Densidade dos nódulos.
(**A**) Nódulo denso. (**B**) Nódulo isodenso.
(**C**) Nódulo com baixa densidade.
(**D**) Nódulo com densidade de gordura.
(**E**) Nódulo com densidade heterogênea.

Microcalcificações

Tamanho, número, forma, densidade e distribuição são critérios para análise das microcalcificações, sendo que os mais importantes são forma e distribuição.

- *Tamanho:* por definição, microcalcificações são estruturas cálcicas com tamanho igual ou menor que 0,5 mm, portanto, partículas pequenas sugerem malignidade, e partículas maiores são mais sugestivas de benignidade.
- *Número:* quanto maior o número de microcalcificações por cm^3, maior a suspeita para malignidade. Não esquecer que na radiografia, 1 cm^2 representa a projeção em um plano, do volume correspondente a 1 cm^3.
- *Forma:* as microcalcificações, de acordo com a forma, são caracterizadas em arredondadas, puntiformes, irregulares, lineares, vermiculares e ramificadas (Fig. 16).
- *Densidade:* as microcalcificações malignas geralmente têm densidade alta e importante variação de densidade dentro das partículas e entre as partículas.
- *Distribuição:* as microcalcificações podem estar difusas na mama, agrupadas, ocupando segmento, ocupando quadrante da mama e dispostas em trajeto ductal (Fig. 17).

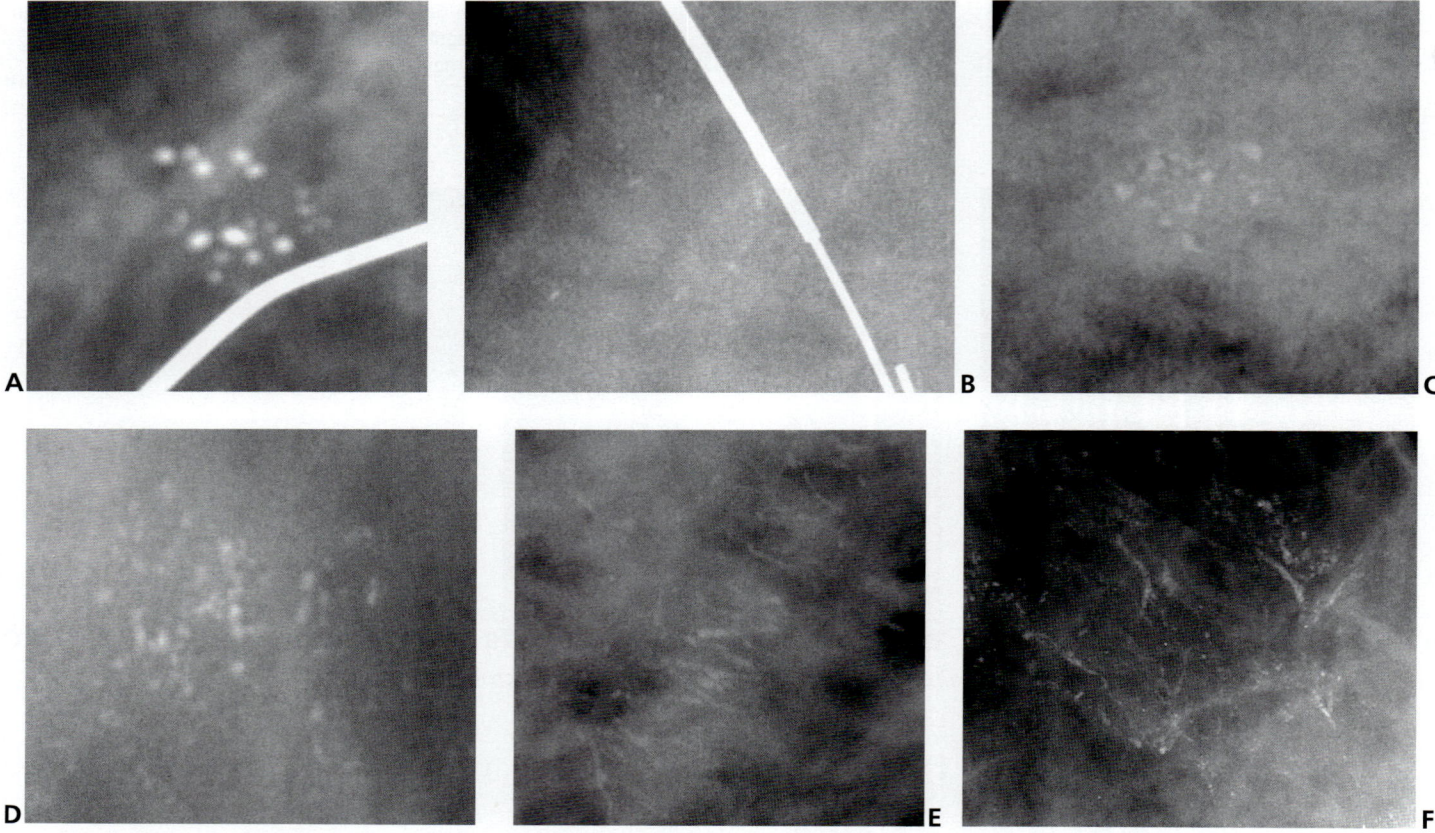

▲ **FIGURA 16.** Forma das microcalcificações. (**A**) Arredondadas. (**B**) Puntiformes. (**C** e **D**) Irregulares. (**E** e **F**) Lineares, vermiculares e ramificadas.

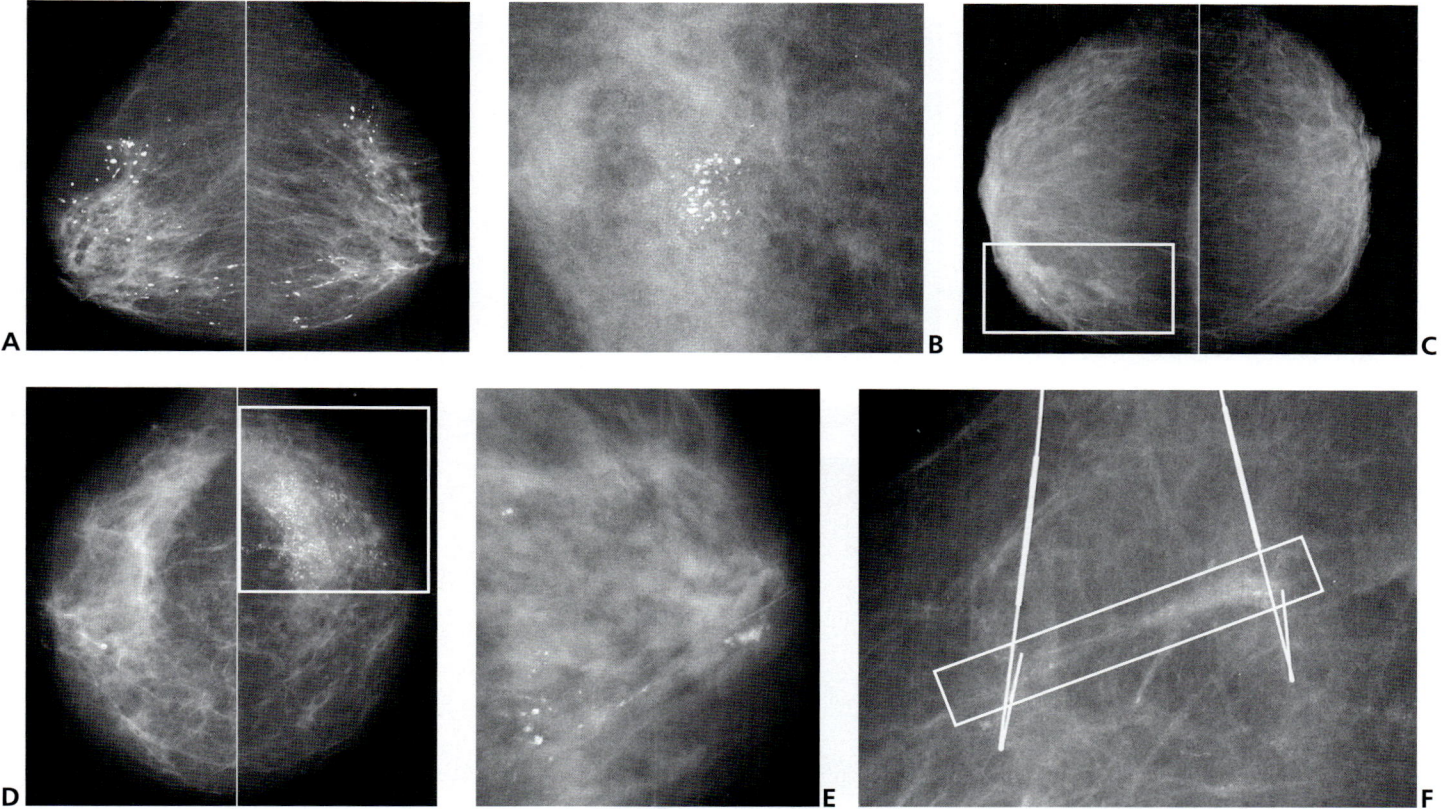

▲ **FIGURA 17.** Distribuição das microcalcificações. (**A**) Difusas ou de permeio nas mamas. (**B**) Agrupadas. (**C**) Ocupando segmento da mama. (**D**) Ocupando região (quadrante) da mama. (**E** e **F**) Dispostas em trajeto ductal.

Distorção focal da arquitetura

Representa a desorganização de uma pequena área da mama, expressando-se radiologicamente como lesão espiculada (com linearidades divergentes partindo de um ponto, Fig. 18) ou mudança no contorno da glândula.

Assimetria focal, assimetria difusa, neodensidade

Assimetria representa uma região com densidade similar à densidade do parênquima, sem correspondência na mama contralateral, detectada no estudo comparativo entre as mesmas regiões das mamas. Pode ser focal, quando ocupa pequeno setor da mama e pode ser difusa, quando abrange grande segmento da mama ou pelo menos um quadrante (Fig. 19).

Se uma assimetria for detectada na comparação entre exames de épocas diferentes, pode ser chamada de área densa ou neodensidade (Fig. 20).

Nas mamas operadas (cirurgia conservadora, biópsia alargada, cirurgia plástica) e na mama oposta das pacientes mastectomizadas, recomenda-se utilizar área densa, porque, em função das cirurgias, a simetria das mamas foi perdida e, portanto, não é adequado utilizar o termo assimetria para designar a lesão.

Dilatação ductal isolada

Representa a imagem de um único ducto ectasiado (Fig. 21) e tem maior suspeita quando associada à descarga papilar "água de rocha" e sanguinolenta.

Outras lesões

Embora de menor importância no diagnóstico precoce, por estarem frequentemente associados a tumores localmente avançados, são também sinais radiológicos de câncer: espessamento cutâneo, retração cutânea, retração do complexo areolopapilar, corpo mamário com densidade difusamente aumentada e aspecto infiltrado, linfonodos axilares aumentados, densos e confluentes.

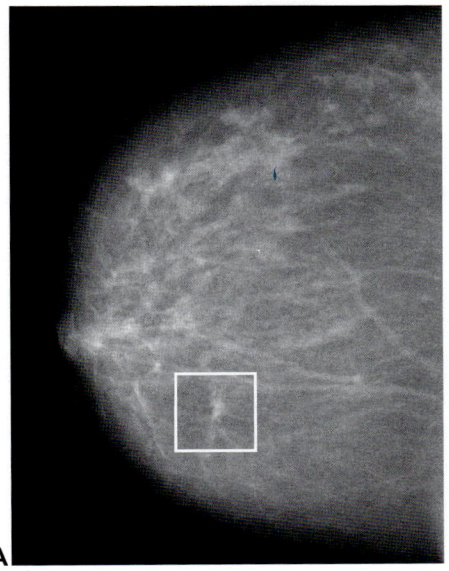
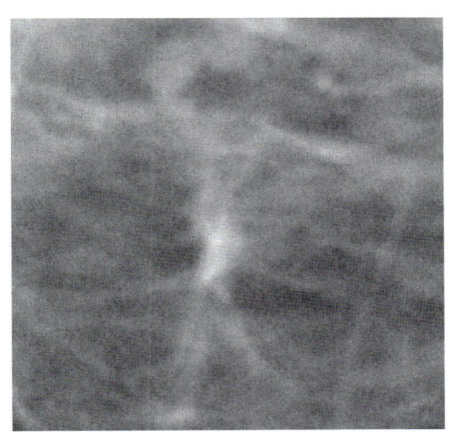

◀ **FIGURA 18.** Distorção focal da arquitetura. (**A**) Distorção focal na mama direita. (**B**) Lesão ampliada.

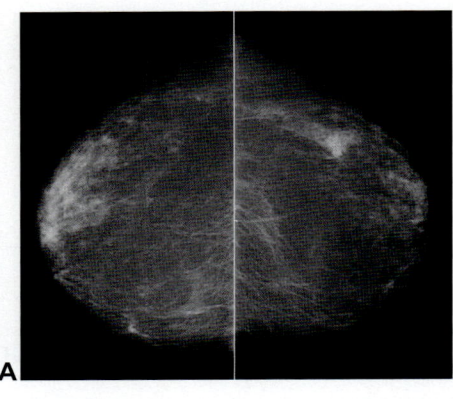
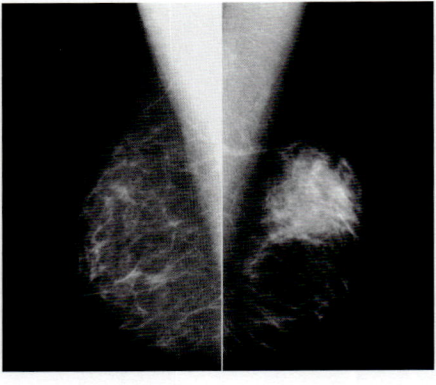

◀ **FIGURA 19.** Assimetria. (**A**) Assimetria focal. (**B**) Assimetria difusa.

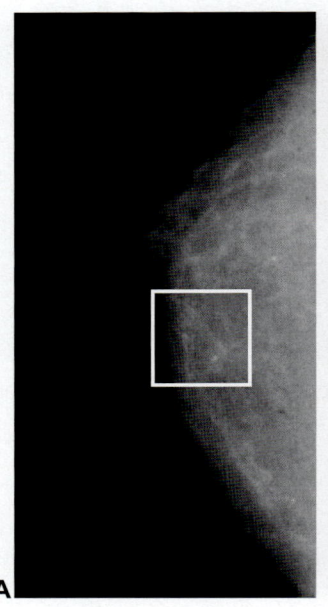
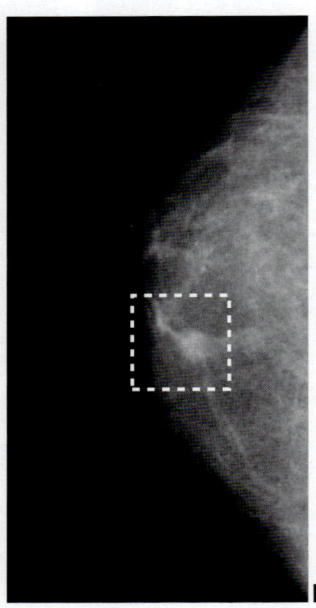

◀ **FIGURA 20.** Neodensidade. (**A**) Exame sem lesão. (**B**) Neodensidade, 1 ano após o exame mostrado em **A**.

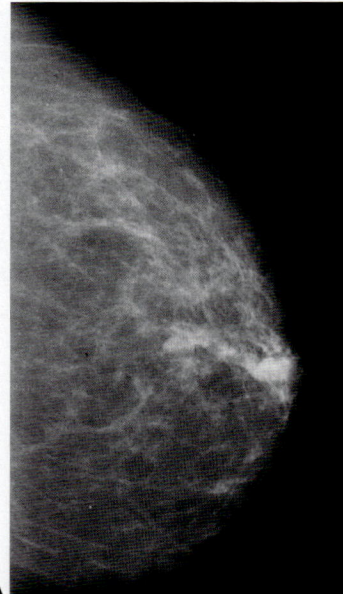

◀ **FIGURA 21.** Dilatação ductal isolada. (**A**) Dilatação ductal isolada. (**B**) Lesão ampliada.

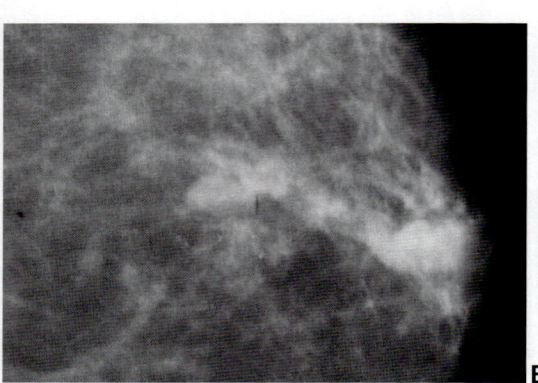

BIBLIOGRAFIA

American College of Radiology. *Breast imaging reporting and data system (BI-RADS®)*. 4th ed. Reston, VA: American College of Radiology, 2003.

Brasil. Ministério da Saúde. Instituto Nacional de Câncer. *Mamografia: da prática ao controle*. Rio de Janeiro, 2007.

Brasil. Ministério da Saúde. Portaria 531 de 26 Mar. 2012, publicada no DO de 19 Abr. 2012.

Brasil. Ministério da Saúde. Secretaria de Vigilância Sanitária. *Diretrizes de proteção radiológica em radiodiagnóstico médico e odontológico*. Portaria 453 de 01 Mar. 1998, publicada no DO de 02 Jun. 1998.

Canella EO. Detecção do câncer de mama. Revisão da literatura para o clínico. *J Bras Med* 1999;77(4):100-11.

Canella EO. Propedêutica mamária – Rastreamento e diagnóstico. In: Massa A, Canella EO, Monteiro FC et al. *Diagnóstico por imagem em ginecologia e obstetrícia*. Rio de Janeiro: Revinter, 2009. p. 81-99.

Eklund Gw, Cardenosa G, Parson W. Assessing adequacy of mammographic image quality. *Radiology* 1994;190:297-307.

CAPÍTULO 107
Ultrassonografia nas Lesões Mamárias

Carlos Eduardo Ramalho Barros ■ Jader Cronemberger Oliveira

INTRODUÇÃO

O câncer de mama é um dos mais importantes problemas de saúde pública, sendo considerado o tipo de câncer mais frequente entre as mulheres e apresentando uma relevância mundial. Justifica-se, por isso, a crescente preocupação em melhorar as estratégias diagnósticas e de acompanhamento existentes, objetivando a detecção cada vez mais precoce e a adoção de condutas terapêuticas mais precisas.

Nesse contexto, a ultrassonografia das mamas assume papel fundamental no diagnóstico diferencial de lesões, ajudando na caracterização dessas, como será descrito adiante e permitindo a realização de procedimentos intervencionistas. Esse método tem sido referenciado na literatura há mais de meio século e apresentado enorme evolução com o avanço da aparelhagem e publicação de inúmeros casos, o que propicia o aprimoramento de sua técnica. É cada vez mais evidente, por exemplo, que lesões classificadas como BI-RADS 0 (zero) na mamografia, podem ser mais bem caracterizadas e reclassificadas de maneira mais precisa pela ultrassonografia.

Antes, porém, é importante ressaltar que a qualidade do exame ultrassonográfico está estritamente relacionada com a experiência do profissional executante, que deve estar devidamente capacitado, reduzindo-se a quantidade de falsos-negativos e positivos. Por se tratar de um método diagnóstico dinâmico, é inquestionável o valor do ultrassonografista, cuja opinião será decisiva.

Partindo das inúmeras vantagens que o método oferece: baixo custo, não expõe o paciente à radiação, rápida realização em mãos experientes, permite guiar procedimentos intervencionistas dentre outras, justifica-se o seu emprego no estudo de patologias mamárias, assim como já tem papel consolidado na avaliação de outras partes do corpo.

A primeira referência descrita na literatura do uso da ultrassonografia mamária foi em 1951, quando Wild e Neal divulgaram seus estudos, descrevendo as características acústicas, *in vivo*, de dois tumores mamários, um benigno e um maligno. Com a introdução da escala de cinza na década de 1970, por Kossof, Jellins *et al.*, e no decorrer das últimas décadas, com a utilização do estudo dinâmico, de transdutores lineares de alta frequência (7,5 MHz a 15 MHz) e do foco eletrônico, a ultrassonografia mamária estabeleceu-se como método para avaliação diagnóstica na propedêutica mamária.

Visando a uniformidade nas descrições das lesões mamárias, o que permitiria maior qualidade no estudo das mamas, comparação de exames e diminuição da interferência da subjetividade individual, o *American College of Radiology* – ACR lançou o BI-RADS® (*Breast Image Reporting and Data System*). Trata-se de um sistema de padronização de termos empregados na imagenologia mamária.

Com base no BI-RADS para a ultrassonografia (US) de mamas, as lesões mamárias podem ser descritas segundo suas características principais, como sua forma, orientação, margem, limites, ecogenicidade e transmissão acústica posterior, envolvimento do tecido circunjacente e ecotextura, conforme mostrado adiante:

1. **Forma:** definida (ovoide, arredondada, alongada) ou indefinida (Figs. 1 e 2).
2. **Orientação:** horizontal ou vertical/paralelo à pele ou não paralelo (Fig. 3).
3. **Margem/contorno:** regular, parcialmente regular (bocelado ou macrolobulado), irregular (angulado, microlobulado, espiculado ou indistinto) (Figs. 4 e 5).
4. **Ecogenicidade:** anecoica, hiperecoica, complexa ou mista, isoecoico e hipoecoico. Lembrar que a ecogenicidade trata-se de um processo comparativo com o tecido circunjacente (Fig. 6).
5. **Transmissão acústica posterior:** reforço, sombra, ambos ou ausente (Fig. 7).
6. **Tecido circunjacente:** distorção arquitetural, edema, espessamento de pele, alterações nos ductos, alterações nos ligamentos de Cooper dentre outros sinais secundários.
7. **Ecotextura:** homogêneo ou heterogêneo (Fig. 8).
8. **Limites:** precisos (nítidos), parcialmente precisos ou imprecisos (não nítidos) (Fig. 9).

Na literatura, o principal critério de benignidade que tem sido descrito é a margem da lesão, sendo esta regular ou macrolobulada. A forma bem definida tem-se mostrado como a segunda característica de maior importância. A margem regular ou macrolobulada tem aparecido em até 98,2% dos casos benignos, e a forma definida, em 94,5%.

Em relação às principais características de malignidade descritas aparecem: margem irregular, forma irregular, orientação vertical e, até mesmo, presença de sombra acústica posterior. De uma forma geral, há uma concordância muito grande com a probabilidade de malignidade após a categorização através do BI-RADS para a ultrassonografia. Entretanto, é válido ressaltar que a sensibilidade, a especificidade e a acurácia das descrições de lesões mamárias na tentativa de classificar em benignas ou malignas podem também ser influenciadas pelo tamanho da lesão. As descrições são mais precisas e mais valiosas no diagnóstico, à medida que a lesão referida apresenta um tamanho maior.

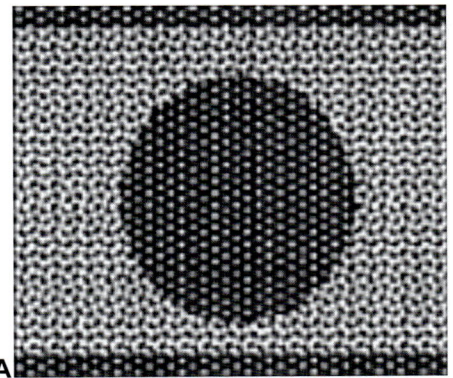 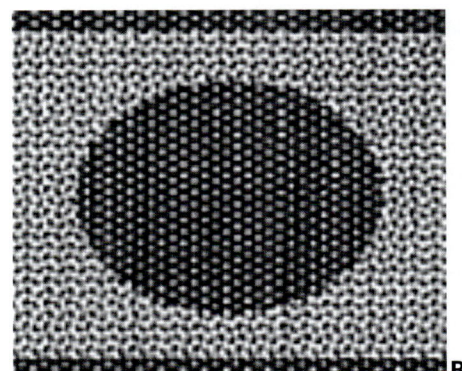

▲ **FIGURA 1.** Forma definida. **(A)** Arredondada. **(B)** Ovoide.

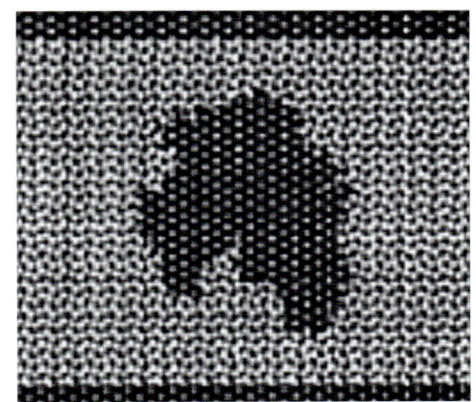

▲ **FIGURA 2.** Forma indefinida.

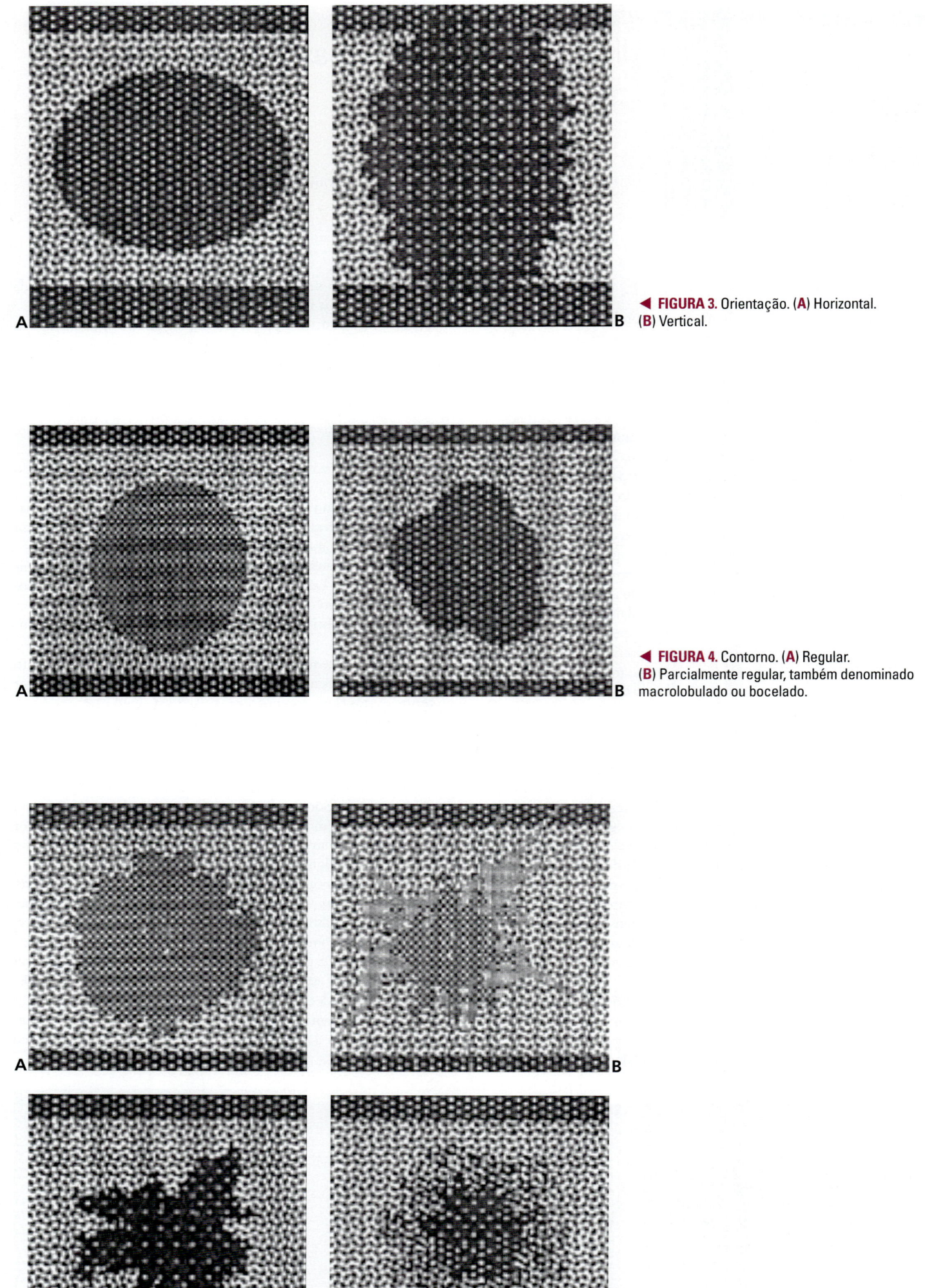

◀ **FIGURA 3.** Orientação. (**A**) Horizontal. (**B**) Vertical.

◀ **FIGURA 4.** Contorno. (**A**) Regular. (**B**) Parcialmente regular, também denominado macrolobulado ou bocelado.

◀ **FIGURA 5.** Contorno. (**A**) Irregular, podendo ser de aspecto microlobulado. (**B**) Espiculado. (**C**) Angular. (**D**) Distinto.

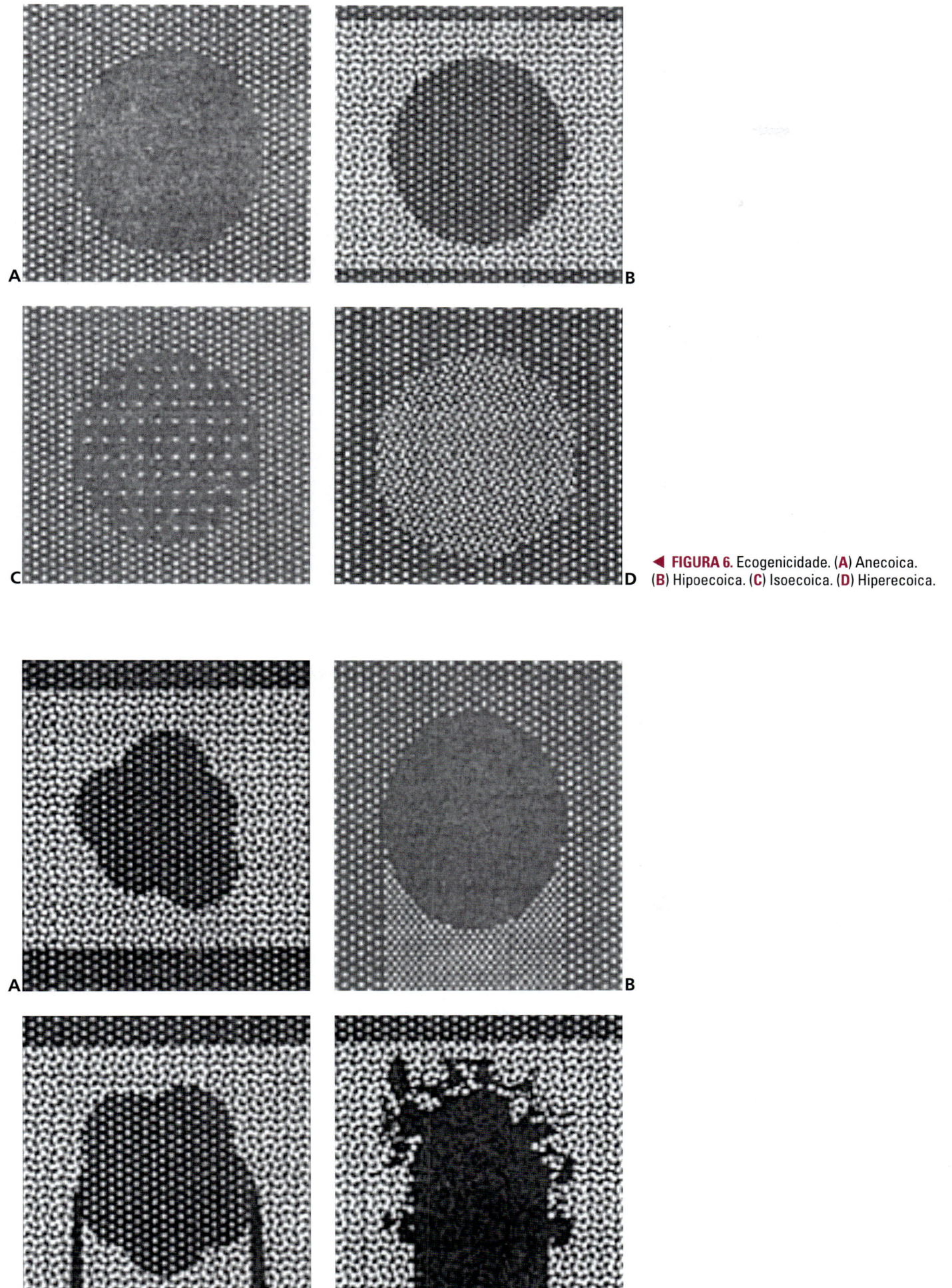

◀ **FIGURA 6.** Ecogenicidade. **(A)** Anecoica. **(B)** Hipoecoica. **(C)** Isoecoica. **(D)** Hiperecoica.

◀ **FIGURA 7.** Ecotransmissão. **(A)** Ausente. **(B)** Reforço acústico. **(C)** Sombra acústica bilateral. **(D)** Sombra acústica central.

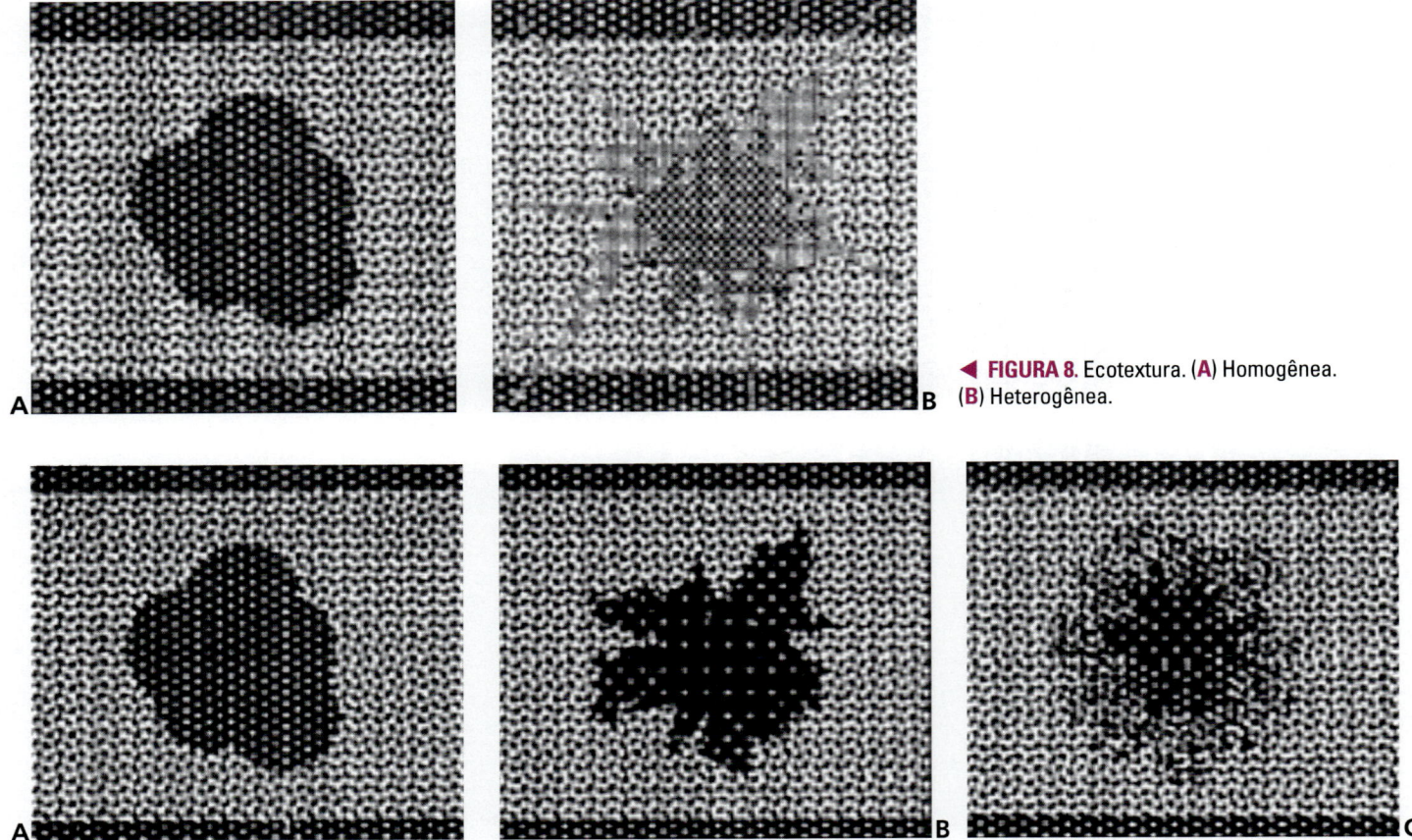

◀ **FIGURA 8.** Ecotextura. (**A**) Homogênea. (**B**) Heterogênea.

▲ **FIGURA 9.** Limites. (**A**) Precisos. (**B**) Parcialmente precisos. (**C**) Imprecisos.

ALTERAÇÕES FUNCIONAIS BENIGNAS DAS MAMAS

O termo alterações funcionais benignas da mama define condição clínica caracterizada por dor e/ou nodularidade mamária que aparece no começo da menacme, inicia-se ou intensifica-se no período pré-menstrual e tende a desaparecer com a menopausa (Fig. 10). Foi proposto, em 1994, em reunião de consenso da Sociedade Brasileira de Mastologia, mas não foi aceito por todos, principalmente pela redundância das expressões funcionais e benignas. Contudo, foi uma proposta na tentativa de unificar várias expressões inapropriadas, como displasia mamária, displasia cíclica, mastopatia fibrocística, doença cística, alteração fibrocística entre outras, que confundiam e ainda confundem muitos ginecologistas e pacientes.

O primeiro diagnóstico diferencial que deve ser feito em caso de nódulo palpável é justamente o pseudonódulo mamário, representado principalmente pelas alterações funcionais benignas da mama. Mulheres na menacme, na segunda fase do ciclo, frequentemente se queixam e, por vezes, apresentam, de fato, nódulos palpáveis. De fato, o estímulo sinérgi-

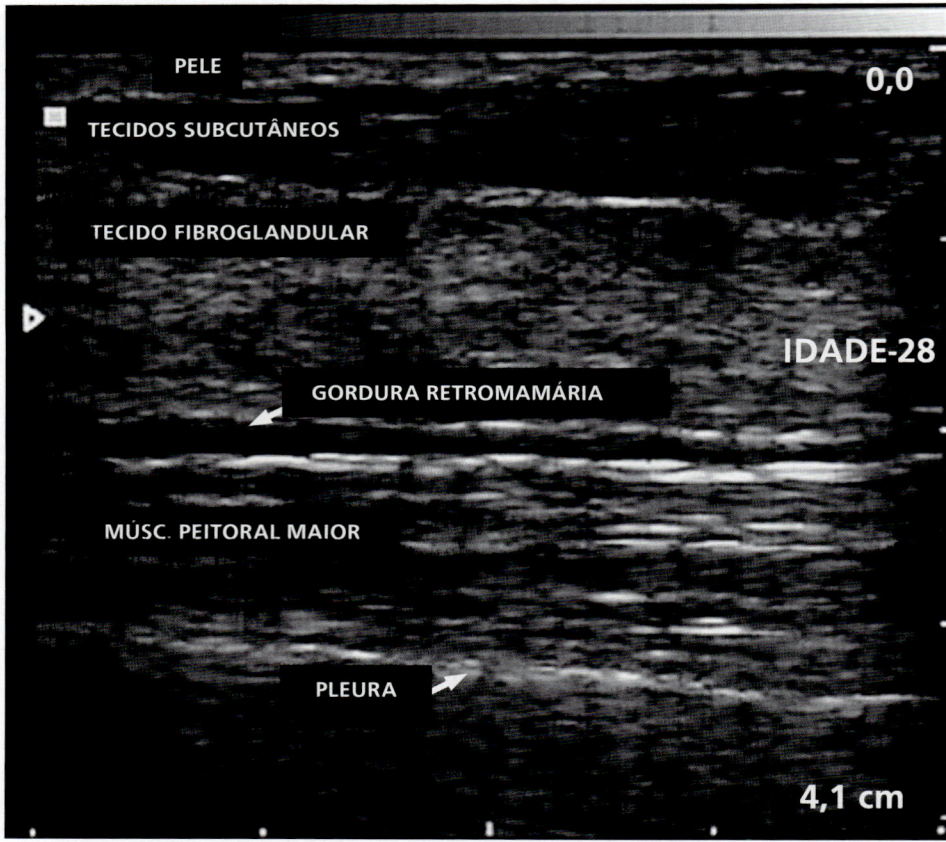

◀ **FIGURA 10.** Anatomia ultrassonográfica normal da mama em uma mulher jovem. (Adaptada de Fine, 2004.)

co do estradiol e da progesterona na unidade ductal lobular terminal leva à proliferação do epitélio e do estroma, produzindo nodularidade e dor na fase pré-menstrual. No final da fase lútea, com a redução de níveis do estradiol e de progesterona, há regressão do epitélio lobular por apoptose e também do estroma intralobular, com melhora da sintomatologia no início do fluxo menstrual.

Por isso, uma pergunta importante para a paciente é a data da última menstruação e, em caso de dúvida clínica, repetir o exame na primeira fase do ciclo. Estes nódulos, geralmente, apresentam-se com limites indistintos, podem ser uni ou bilaterais e são mais frequentes nos quadrantes laterais, muitas vezes dolorosos. O ginecologista deve estar especialmente atento às nodularidades isoladas que persistem após dois a três fluxos menstruais, caracterizando os nódulos dominantes, que fazem parte do diagnóstico diferencial do câncer de mama, além do fibroadenoma.

CISTOS MAMÁRIOS

A faixa etária em que mais comumente os cistos ocorrem é de 35 a 50 anos, coincidindo, pois, com a fase involutiva dos lóbulos mamários. Os cistos incidem em 7 a 10% da população feminina, podendo ser únicos ou múltiplos, uni ou bilaterais. Manifestam-se clinicamente como nódulos de aparecimento súbito, de contornos regulares, móveis e dolorosos. A consistência pode ser amolecida ou, quando o líquido intracístico encontra-se sob tensão, a sensação palpatória é fibroelástica. A maior parte dos cistos decorre de processos involutivos da mama. Em alguns casos, entretanto, a parede do cisto pode sofrer metaplasia apócrina, com produção ativa de fluido, o que causa recidivas frequentes.

Os cistos são originados no ducto terminal da unidade lobular, definidos como estruturas com diâmetro maior que 3 mm, com comportamento biológico lábil, podendo aumentar ou desaparecer, independente de medidas terapêuticas. Provavelmente decorrem dos ciclos ovulatórios sucessivos, tão frequentes nos dias de hoje pelo padrão de estilo de vida da mulher moderna, o que leva à manutenção do estímulo estroprogestativo sobre o lóbulo, resultando em doenças proliferativas, fibrose e formação de cistos mamários. De fato, a ativação constante do estroma pelos esteroides sexuais levaria à síntese crônica de colágeno e fibrose, que, ao obstruir os ductos e dúctulos mamários, induziria à formação de microcistos e depois de macrocistos. Assim, fatores, como menarca precoce, menopausa tardia, nuliparidade, oligoparidade ou primiparidade tardia e amamentação curta ou ausente, são fatores agravantes na sua gênese.

Vale a pena ressaltar que, durante a lactação, os cistos podem ser formados por conteúdo lácteo, sendo denominados galactoceles, ou ainda apresentar conteúdo purulento nos casos de abscessos organizados.

A ultrassonografia é o método mais sensível para o diagnóstico dos cistos mamários, com precisão de até 100%, detectando lesões a partir de 2 mm (Fig. 11). Distingue ainda os cistos complicados (cistos com conteúdo espesso ou "debris" – pontos ecogênicos em suspensão) e os complexos (com septações espessas e/ou vegetações intracísticas).

FIBROADENOMA

O fibroadenoma é a segunda neoplasia mais frequente da glândula mamária, precedida pelo carcinoma. É a afecção mamária benigna mais comum em mulheres com menos de 35 anos, assintomática em 25% dos casos e com múltiplas lesões em 13 a 20%. Pode ocorrer desde a menarca até a senectude, mas é mais comum entre 20 e 30 anos de idade. Embora os esteroides sexuais sejam apontados como agentes promotores, fatores parácrinos entre o epitélio e o estroma parecem ser mais importantes no controle de seu crescimento, que é, em geral, autolimitado, não ultrapassando 3 a 4 cm de diâmetro.

O diagnóstico é essencialmente clínico. Apresenta-se como tumor único ou múltiplo, móvel, bem delimitado, não fixo ao tecido adjacente, lobulado, de crescimento lento, com maior ocorrência no quadrante superolateral. Em geral é indolor, exceto durante a gravidez e a lactação, condições que podem estimular seu crescimento rápido e produzir dor por infarto. A consistência é fibroelástica, mas, nas pacientes de maior faixa etária, pode haver deposição de calcificação distrófica no nódulo ("calcificação em pipoca"), e o nódulo passa a ter consistência endurecida. É mais frequente na terceira década e em mulheres negras, situação em que tendem à recidiva. O tamanho médio é de 2 a 3 cm, mas pode alcançar até 6 a 7 cm, caracterizando o fibroadenoma gigante. A bilateralidade é da ordem de 10 a 15%, e focos múltiplos na mesma mama, de 5 a 10% dos casos. A frequência de transformação maligna é muito baixa (0,1 a 0,3% dos casos), ocorrendo em faixa etária dos 40 aos 45 anos, isto é, 15 a 20 anos após a média de idade de ocorrência do fibroadenoma, sendo que o tipo histológico mais comumente envolvido é o lobular (65% dos casos).

Quando o aspecto palpatório não é típico, recorre-se à ultrassonografia (Fig. 12), que evidencia imagem nodular circunscrita, ovalada, hipoecoide, com margens bem definidas e com maior eixo paralelo à pele (diâmetro antirradial – largura, maior que o radial – altura). Podem

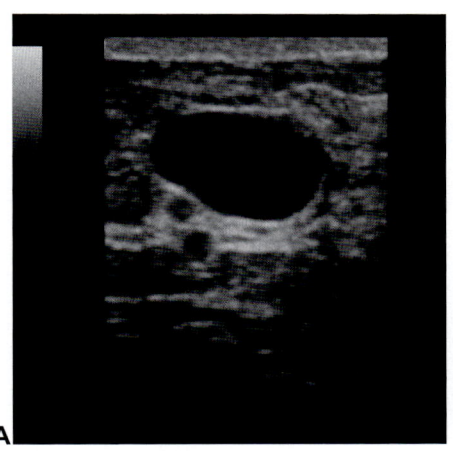
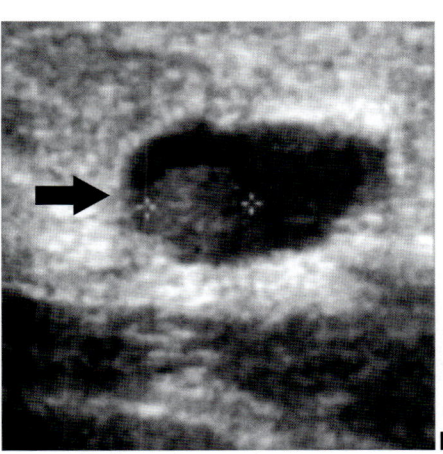

◀ **FIGURA 11.** Aspecto ultrassonográfico dos cistos mamários. (**A**) Cisto simples: imagem anecoica com reforço acústico posterior. (**B**) Cisto complexo: no interior do cisto, observa-se imagem nodular sólida (*seta*).

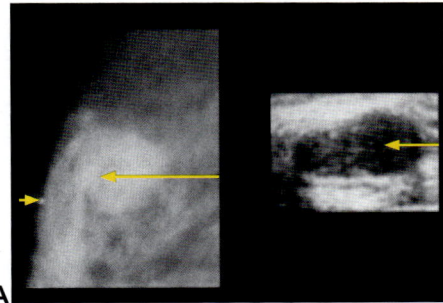
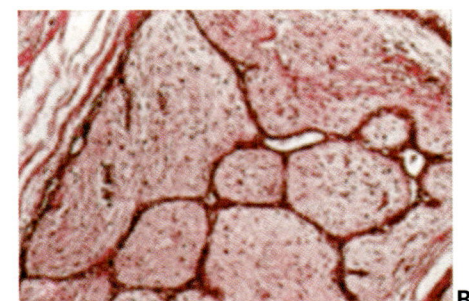

◀ **FIGURA 12.** Fibroadenoma. (**A**) Aspecto mamográfico (à esquerda) evidenciando imagem ovoide, bem delimitada e circunscrita (*seta*) e aspecto ultrassonográfico (à direita), exibindo imagem ovoide de contornos regulares e com diâmetro antirradial (largura) maior que radial (altura). (**B**) Aspecto anatomopatológico, no qual se pode observar crescimento expansivo fibroepitelial.

ocorrer reforço posterior e sombras laterais, características sugestivas de benignidade, classificadas como BI-RADSTM 3[12,13].

Por incidirem em mulheres na segunda e terceira décadas de vida, a mamografia não está indicada, pois o fibroadenoma apresenta a mesma textura radiológica do tecido mamário normal, que é exuberante nesta idade. Em faixas etárias mais elevadas, quando se indica a mamografia, apresenta-se como imagem nodular circunscrita, ovalada, de média densidade e eventualmente com calcificações grosseiras, com aspecto de "pipoca", aspecto que tipifica o achado mamográfico como BI-RADSTM 2[12,13].

A citologia, considerada isoladamente, tem valor elevado (70 a 90%). Já o tríplice diagnóstico (clínica, imagem e citologia) tem sensibilidade de 99,6%, com chance de falso-negativo menor que 1%, que aumenta em mulheres com mais de 35 anos. A punção aspirativa por agulha fina está especialmente indicada em faixas etárias mais elevadas ou quando se adota conduta expectante (não cirúrgica).

O diagnóstico diferencial é feito com os pseudonódulos das alterações funcionais benignas, com o cisto mamário e com o carcinoma circunscrito. O cisto mamário, em geral, apresenta início súbito e dor, em mulheres com idade mais elevada. O termo carcinoma circunscrito é clínico e diz respeito a alguns tipos histológicos especiais (como o carcinoma mucinoso ou o medular), que apresentam comportamento biológico pouco infiltrativo, simulando no exame clínico e de imagem o fibroadenoma. Além disto, a faixa etária é maior, e a punção aspirativa por agulha fina ou grossa fecha o diagnóstico.

É importante ressaltar opções terapêuticas menos invasivas, como a mamotomia, em que, por meio de dispositivo gerador de vácuo acoplado à sonda de calibres 8 a 14, removem-se completamente tumores de tamanho intermediário, em até 87,5% dos casos para tumores com 1,5 cm, e 71,4% em tumores de até 2 cm. Há ainda a crioablação, método que, por meio de temperaturas extremamente baixas (chegando a -196°C), provoca necrose do tumor, o qual é reabsorvido em até 95% do seu tamanho ao final de 12 meses. Este método deverá ser sempre realizado após a biópsia percutânea com agulha grossa (*core biopsy*), para diagnóstico de certeza da natureza benigna da lesão.

O rastreamento mamográfico vem detectando grande número de nódulos assintomáticos sugestivos de fibroadenomas. O diagnóstico mamográfico conclusivo só é feito em caso de macrocalcificações no interior da lesão ("calcificações em pipoca" – BI-RADSTM 2). Nos demais casos, a chance de malignidade é de 2%, devendo ser realizado acompanhamento destes nódulos, categorizados como BI-RADSTM 3. O acompanhamento pode ser precedido pela punção aspirativa por agulha fina e é realizado por 6, 12 e 24 meses, para confirmar a estabilidade da lesão. Após este período, preconiza-se a conduta expectante, independente da faixa etária.

TUMOR FILOIDES

O tumor filoides ou filodes (*cystosarcoma phyllodes*) apresenta-se como tumor móvel, lobulado e indolor. É muito raro, correspondendo a 2% dos tumores fibroepiteliais da mama, sendo mais comum após os 40 anos. Na maioria das vezes (80% dos casos) é benigno. Entretanto, apresenta alta tendência de recidiva local e pode sofrer degeneração maligna sarcomatosa.

A característica peculiar deste tumor é a grande celularidade do estroma, comparada com a do fibroadenoma e, por isso, também é denominado fibroadenoma hipercelular. O epitélio pode ser hiperplásico, com ou sem atipias. Para definição de benignidade ou malignidade, consideram-se no componente estromal a contagem mitótica, atipias celulares e comprometimento das margens.

A principal diferença clínica entre o tumor filoides e o fibroadenoma é o seu crescimento rápido e a capacidade de atingir grandes volumes, por vezes ocupando toda a mama (Fig. 13). A consistência é elástica, e a

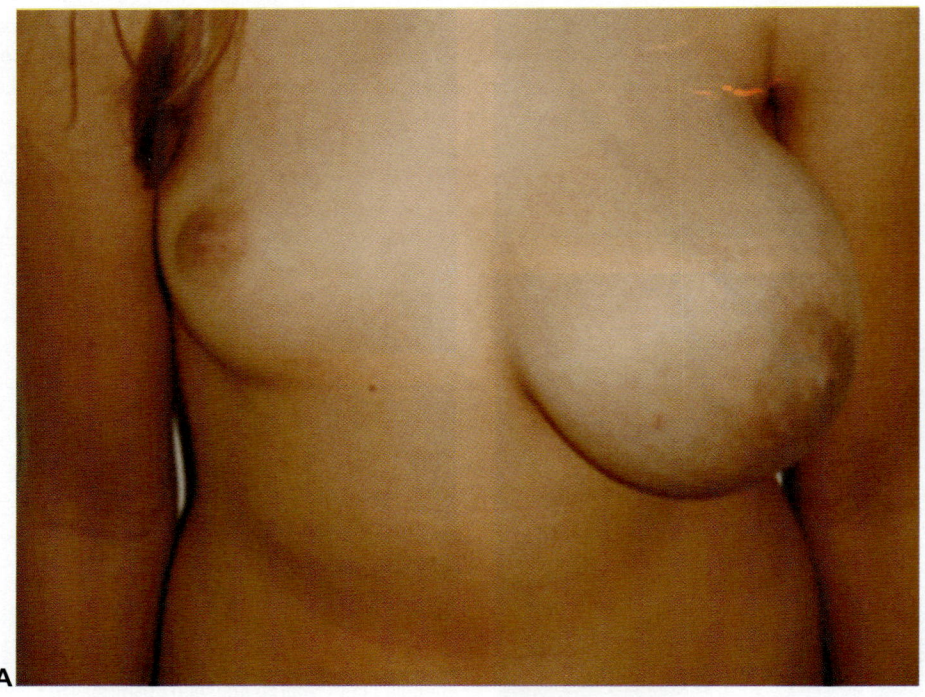

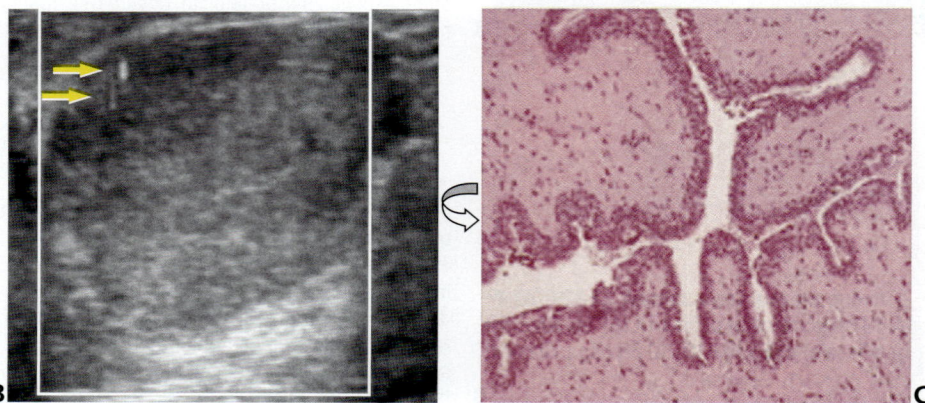

◀ **FIGURA 13.** Tumor filoides. (**A**) Aspecto clínico: observa-se grande abaulamento, comprometendo toda a mama esquerda e provocando assimetria intensa. (**B**) Aspecto ultrassonográfico, observando-se volumosa formação nodular circunscrita e hipoecoide (*setas*). (**C**) Aspecto anatomopatológico, demonstrando neoformação fibroepitelial com intensa celularidade do estroma.

adenopatia axilar não é incomum, mas é de natureza inflamatória. A associação ao fibroadenoma ocorre em 30% dos casos. Ao contrário do fibroadenoma, a bilateralidade e a multicentricidade são excepcionais. Embora tumores mais volumosos, endurecidos e com ulcerações sugiram formas malignas, os parâmetros clínicos não são suficientes para diferenciar as variantes benignas das malignas do tumor filoides.

O diagnóstico é clínico, e a mamografia é inespecífica. A punção aspirativa por agulha fina e a biópsia percutânea com agulha grossa apresentam baixo valor preditivo, provavelmente pelo fato de o tumor ser bastante volumoso e apresentar com frequência, em seu interior, áreas de infarto hemorrágico, o que dificulta o diagnóstico. A biópsia com agulha grossa (*core biopsy* ou mamotomia) pode diferenciar o tumor filoides do carcinoma, mas, com frequência, não discrimina a variedade benigna da maligna, sendo necessária a avaliação anatomopatológica de todo o tumor. O diagnóstico diferencial principal é com o fibroadenoma juvenil, que também atinge grandes dimensões, mas apresenta consistência fibroelástica e incide, em geral, na adolescência.

O tratamento cirúrgico consiste na tumorectomia com retirada de 1 a 2 cm de tecido mamário peritumoral macroscopicamente normal, para garantir margens cirúrgicas livres e diminuir a taxa de recidiva. Obviamente, nos tumores muito volumosos, que comprometem toda a glândula mamária, pratica-se a mastectomia total ou a adenomastectomia, com reconstrução plástica imediata. A linfadenectomia axilar é desnecessária, uma vez que, quando a forma histológica for maligna, a disseminação faz-se por via hematogênica. Nesta condição, o prognóstico é sombrio, não havendo resposta com emprego da radio, quimio ou hormonoterapias.

PAPILOMA

O papiloma intraductal é neoplasia epitelial benigna que se desenvolve no lume de grandes e médios ductos subareolares, não formando massa palpável. O potencial de malignidade é baixo (risco relativo de 1,3). O seu principal sintoma é a descarga papilar hemorrágica, espontânea, uniductal e unilateral. O fluxo pode ser intermitente, com períodos de remissão, em função de necrose e de eliminação de parte do papiloma junto com a secreção; entretanto, ao se regenerar a partir de sua porção basal, volta a produzir manifestação clínica. É mais frequente entre os 30 e 50 anos. Em pacientes com mais de 50 anos, com esta queixa, deve-se sempre afastar o diagnóstico de carcinoma papilífero e o ductal.

O papiloma, em geral, é único e, no diagnóstico clínico, é importante a pesquisa do ponto-gatilho, que consiste na pressão dos pontos cardinais do complexo areolopapilar com dedo indicador, com o intuito de identificar qual ducto está comprometido.

A neoplasia não é impalpável e, quando há tumor associado ao fluxo, decorre do ducto cisticamente dilatado pela obstrução que o papiloma provoca. A citologia do fluxo apresenta baixo valor preditivo de malignidade (30% de resultados falso-negativos) e, eventualmente, apresenta alguma utilidade, se houver dúvida quanto à natureza hemática da secreção, oportunidade em que se podem identificar hemácias no esfregaço.

A mamografia fornece poucos subsídios, mas é realizada em função da faixa etária, pois o papiloma é mais prevalente nas quarta e quinta décadas. A ductografia apresenta baixo valor preditivo, além do risco potencial de infecção e de disseminação de células neoplásicas, tendo caído em desuso.

O tratamento consiste na exérese seletiva do ducto, também designada microductectomia, pela incisão transareolopapilar ou periareolar. A identificação do ducto comprometido é feita pela pesquisa do ponto-gatilho, que é cateterizado e dissecado distalmente. Quando não se identifica o ponto-gatilho, a ultrassonografia pode ser útil. De fato, o conteúdo sólido no interior do ducto dilatado pode ser identificado quando se utilizam transdutores de alta frequência, além de ser possível precisar a distância da lesão em relação à papila, o que auxilia na extensão da ressecção cirúrgica.

É importante salientar que as lesões papilares são causa de falso-positivo no exame intraoperatório, o que deve ser evitado, sendo mais seguro aguardar o resultado por parafina. Por outro lado, os papilomas múltiplos são raros, e a secreção é sintoma menos comum nesta afecção, sendo o tumor a sua principal manifestação clínica. O potencial maligno é moderado, com risco relativo de 3,728.

OUTROS TUMORES

Como a mama é normalmente constituída também por tecido adiposo, não é surpreendente que o lipoma seja relativamente frequente. O lipoma que contém estruturas ductais é chamado de adenolipoma e, quando possui componentes vasculares e cartilagem madura, é denominado angiolipoma e condrolipoma, respectivamente. Já o hamartoma é lesão pouco observada, com perfil mamográfico peculiar de lesão circunscrita contendo gordura. Apresenta-se como nódulo de dimensões variadas (1 a 20 cm), amolecido e móvel. Esta afecção tem margens bem definidas, mas não possui cápsula verdadeira (Fig. 14). É achado tipicamente benigno (BI-RADSTM 2), e não é obrigatória sua enucleação.

Devem ainda ser destacados os adenomas mamários, classificados em adenoma tubular e da lactação. São clinicamente semelhantes aos fibroadenomas (Fig. 15), porém, do ponto de vista microscópico, são tumores epiteliais benignos com estroma normal em relação à sua função de sustentação.

SINAIS ULTRASSONOGRÁFICOS CLÁSSICOS DE MALIGNIDADE

Na avaliação de nódulos sólidos, alguns sinais ultrassonográficos são utilizados para caracterizar a lesão maligna. Embora sejam importantes não podem ser considerados, pois em alguns casos, a malignidade não pode ser excluída.

As características ultrassonográficas de malignidade são as seguintes:

1. Nódulo sólido heterogêneo, predominantemente hipo ou isoecoico; raramente são hiperecoicos (1:25) (Fig. 16).
2. Contornos irregulares ou mal definidos (68%) (Fig. 16).
3. Limites ecogênicos (53%).
4. Não compressíveis (rígidos).
5. Atenuação posterior.
6. Eixo anteroposterior maior que o eixo transverso.
7. Hipervascularização ao estudo Doppler.
8. Podem estar associados à adenomegalia.

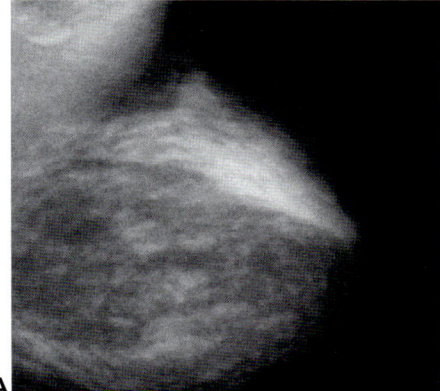
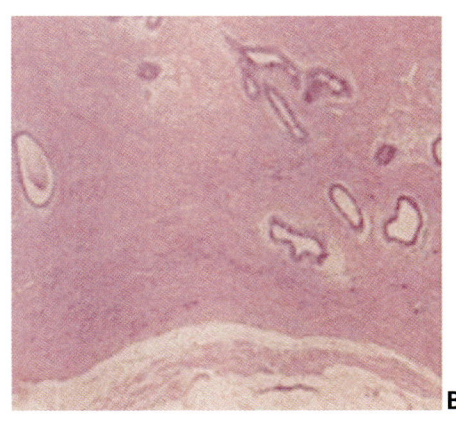

◀ **FIGURA 14.** Hamartoma. **(A)** Aspecto mamográfico: na incidência oblíqua, visualiza-se imagem radiolucente, que compromete toda a mama e rechaça o parênquima mamário superiormente. **(B)** Aspecto anatomopatológico correspondente: tecido fibrogandular, estroma fibroso e tecido adiposo presentes em proporção variável.

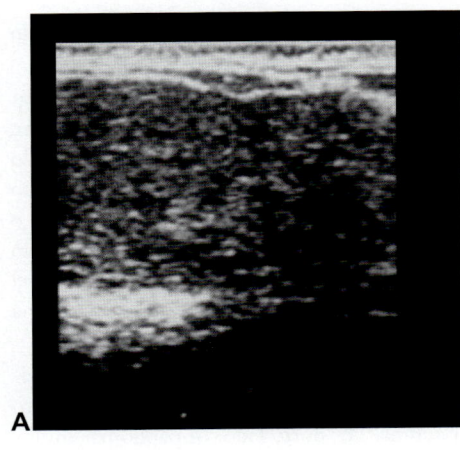 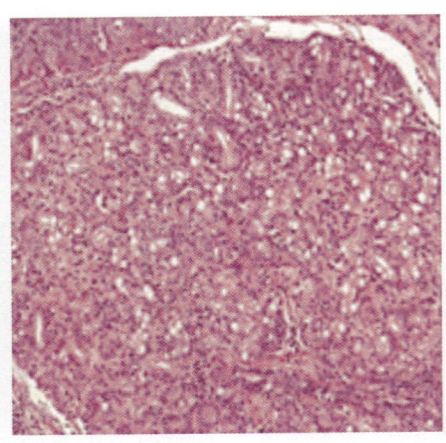

◄ **FIGURA 15.** Adenoma. **(A)** Aspecto ultrassonográfico: imagem nodular hipoecoica, bem delimitada, indistinguível do fibroadenoma. **(B)** Aspecto anatomopatológico correspondente: observa-se proliferação epitelial proeminente, com estruturas glandulares muito próximas umas das outras e apresentando pequena quantidade de secreção do lume glandular.

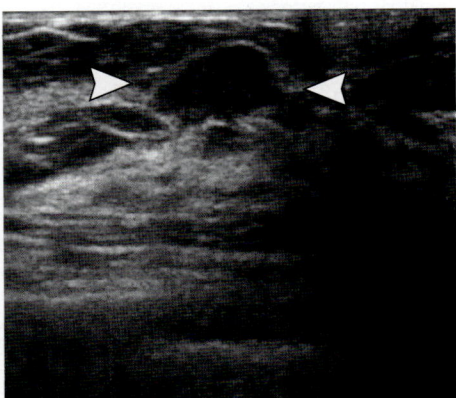

▲ **FIGURA 16.** Massa palpável na mama direita de uma mulher de 50 anos de idade. Ultrassonografia mostra imagem hipoecoica com margem irregular posterior. Excisão mostrou carcinoma ductal. (Rasa S. et al., 2008.)

CLASSIFICAÇÃO ULTRASSONOGRÁFICA E CONDUTA

É importante caracterizar as lesões quanto ao grau de suspeição na ultrassonografia para evitar biópsias desnecessárias, principalmente nas lesões identificadas somente na ultrassonografia, nas lesões palpáveis sem expressão na mamografia e nas lesões classificadas como Categoria 0 na mamografia.

A primeira edição do BI-RADS para ultrassonografia foi lançada em 2003 e segue o mesmo modelo adotado para a mamografia. Convém lembrar que não pode haver conflito entre a classificação da mamografia e da ultrassonografia – se a lesão tiver classificação discordante, a classificação mais grave deve ser adotada, para orientar a conduta. Foi feita uma proposta de classificação para as lesões na ultrassonografia, seguindo modelo das categorias BI-RADS, levando em consideração características morfológicas, cujo grau de suspeição já está descrito na literatura (Quadro 1).

Quadro 1. Classificação ultrassonográfica e conduta (INCA)

CATEGORIA 1: NEGATIVO	
DESCRIÇÃO DAS LESÕES	**CONDUTA**
▪ Sem achados ultrassonográficos ▪ Necessário ter mamografia para correlação	Nada a fazer, uma vez que a US não é utilizada como exame de rastreamento, não há indicação de repetir o exame em intervalos padronizados

CATEGORIA 2: ACHADO BENIGNO	
DESCRIÇÃO DAS LESÕES	**CONDUTA**
▪ Cistos simples ▪ Cistos confluentes ▪ Cistos com *debris* ▪ Cistos septados ▪ Linfonodo intramamário ▪ Alterações pós-cirurgia e/ou radioterapia	Nada a fazer, uma vez que a US não é utilizada como exame de rastreamento, não há indicação de repetir o exame em intervalos padronizados. Também não há indicação de controle

CATEGORIA 3: ACHADO PROVAVELMENTE BENIGNO	
DESCRIÇÃO DAS LESÕES	**CONDUTA**
▪ Nódulo hipoecoico, sólido, com as seguintes características: • Ovalado com eixo AP < transverso, ecotextura homogênea, contorno regular ou lobulado, com ou sem reforço posterior, sem atenuação posterior ▪ Nódulo sólido hiperecoico ▪ Áreas com ecotextura mista, que possam representar abscesso ▪ Nódulo com escassos ecos, que pode representar cisto com líquido espesso ou nódulo sólido	Controle ultrassonográfico por 3 anos (de 6 em 6 meses no primeiro ano e anualmente nos 2 anos seguintes) para confirmar a estabilidade da lesão e, consequentemente, o caráter benigno Pode-se indicar punção aspirativa por agulha fina para diagnóstico diferencial sólido × cisto ou histopatológico (se a lesão for sólida), se houver necessidade de realizar diagnóstico Exemplos: indicação de TRH, lesão suspeita homolateral ou contralateral, impossibilidade de realizar controle

CATEGORIA 4: ACHADO SUSPEITO	
CATEGORIA 4A: SUSPEIÇÃO BAIXA	
DESCRIÇÃO DAS LESÕES	**CONDUTA**
▪ Nódulo com características morfológicas de Categoria 3, porém palpável	Histopatológico
CATEGORIA 4B: SUSPEIÇÃO INTERMEDIÁRIA	
DESCRIÇÃO DAS LESÕES	**CONDUTA**

▪ Nódulo hipoecoico, sólido:
  • Ecotextura heterogênea ou mista
  • Contorno irregular
  • Com atenuação posterior
▪ Cisto com vegetação no interior
	Histopatológico

CATEGORIA 4C: SUSPEIÇÃO ALTA, MAS NÃO TÃO ALTA QUANTO NA CATEGORIA 5	
DESCRIÇÃO DAS LESÕES	**CONDUTA**
▪ Nódulo hipoecoico, sólido: • Ovalado com eixo AP > transverso ▪ Áreas irregulares, com ecotextura heterogênea, sem história de cirurgia	Histopatológico

CATEGORIA 5: ACHADO ALTAMENTE SUSPEITO	
DESCRIÇÃO DAS LESÕES	**CONDUTA**
▪ Nódulo hipoecoico, sólido, com as seguintes características: • Ovalado com eixo AP < transverso, ecotextura heterogênea, contorno irregular ou espiculado, com ou sem reforço posterior, com atenuação posterior	Histopatológico

CATEGORIA 6: ACHADO JÁ COM DIAGNÓSTICO DE CÂNCER	
DESCRIÇÃO DAS LESÕES	**CONDUTA**
▪ Casos em que o diagnóstico de câncer já foi realizado por *core* biópsia, mamotomia ou biópsia cirúrgica incisional ▪ Casos de avaliação de resposta à quimioterapia adjuvante	Terapêutica específica

CATEGORIA 0: AVALIAÇÃO ADICIONAL	
DESCRIÇÃO DAS LESÕES	**CONDUTA**

▪ Indicação de outros exames:
  • Mamografia, se a US for o exame inicial e mostrar lesão
  • RM, para diferença entre fibrose e recidiva
▪ Indicação de comparar com exames anteriores, se houver achado e se a comparação for imprescindível para avaliação final
	Realizar a ação necessária e classificar de acordo com as categorias anteriores

BIBLIOGRAFIA

Alle KM, Moss J, Venegas RJ et al. Conservative management of fibroadenoma of the breast. *Br J Surg* 1996;83(7):992-93.

Barros AC, Silva HMS, Dias EM et al. *Mastologia: condutas*. Rio de Janeiro: Revinter, 1999.

Bland KI, Copeland III EM. *The breast: comprehensive management of benign and malignant diseases*. 3rd ed. Philadelphia: WB Saunders, 2004.

Boff RA, Wisintainer F. *Mastologia moderna: abordagem multidisciplinar*. Caxias do Sul: Mesa Redonda, 2006.

Calas MJG, Koch HA, Dutra MVP. Ultrassonografia mamária: avaliação dos critérios ecográficos na diferenciação das lesões mamárias. *Radiol Bras* [online] 2007;40(1):1-7. ISSN 0100-3984. doi: 10.1590/S0100-39842007000100003.

Caleffi M, Duarte Filho D, Borghetti K et al. Cryoablation of benign breast tumors: evolution of technique and technology. *Breast* 2004;13(5):397-407.

Chen SC, Cheung YC, Su CH et al. Analysis of sonographic features for the differentiation of benign and malignant breast tumors of different sizes. *Ultrasound Obstet Gynecol* 2004;23:188-93.

Daya D, Trus T, D'Souza TJ et al. Hamartoma of the breast, an underrecognized breast lesion. A clinicopathologic and radiographic study of 25 cases. *Am J Clin Pathol* 1995;103(6):685-89.

Dempsey PJ. The history of breast ultrasound. *J Ultrasound Med* 2004;23:887-94.

Dent DM, Cant PJ. Fibroadenoma. *World J Surg* 1989;13(6):706-10.

Dixon JM, Mansel RE. ABC of breast diseases: congenital problems and aberrations of normal breast development and involution. *BMJ* 1994;309(6957):797-800.

Dupont WD, Page DL, Parl FF et al. Long-term risk of breast cancer in women with fibroadenoma. *N Engl J Med* 1994;331(1):10-5.

Fine RE, Staren ED. Updates in breast ultrasound. *Surg Clin North Am* 2004;84(4):1001-34, v-vi. doi:10.1016/j.suc.2004.05.004 PMid:15261751.

Fine RE, Whitworth PW, Kim JA et al. Low-risk palpable breast masses removed using a vacuum-assisted hand-held device. *Am J Surg* 2003;186(4):362-67.

Greenberg R, Skornick Y, Kaplan O. Management of breast fibroadenomas. *J Gen Intern Med* 1998;13(9):640-45.

Haagensen CD. *Disease of the breast*. 3rd ed. Philadelphia: WB Saunders, 1986.

Heinig J, Witteler R, Schmitz R et al. Accuracy of classification of breast ultrasound findings based on criteria used for BI-RADS. *Ultrasound Obstet Gynecol* 2008;32:573-78.

Houssami N, Cheung MN, Dixon JM. Fibroadenoma of the breast. *Med J Aust* 2001;174(4):185-88.

Kaufman CS, Littrup PJ, Freman-Gibb LA et al. Office-based cryoablation of breast fibroadenomas: 12-month follow up. *J Am Coll Surg* 2004;198(6):914-23.

Kemp C. Biópsia percutânea com agulha grossa vácuo-assistida por ultrassonografia (mamotomia). In: Kemp C, Baracat FF, Rostagno R. (Eds.). *Lesões não palpáveis da mama: diagnóstico e tratamento*. Rio de Janeiro: Revinter, 2002. p. 115-29.

Mies C, Rosen PP. Juvenile fibroadenoma with atypical epithelium. *Am J Surg Pathol* 1987;11(3):184-90.

Ministério da Saúde. Instituto Nacional do Câncer (INCA) [homepage da Internet]. Estimativa 2006. *Incidência de câncer no Brasil*. [citado em: 12 Jan 2007]. Disponível em: <http://www.inca.gov.br/estimativa/2006/>

Narvaiza DG, Nazário ACP, Alberti VN et al. Cell proliferation in normal breast tissue during artificial menstrual cycle regulated by oral contraceptives by the expression of proliferating cell nuclear antigen (PCNA). Prelimary results. *Breast J* 1998;4(Suppl 1):110.

Nascimento JHR, Silva VD, Maciel AC. Acurácia dos achados ultrassonográficos do câncer de mama: correlação da classificação BI-RADS® e achados histológicos. *Radiol Bras* [online] 2009;42(4):235-40. ISSN 0100-3984. doi: 10.1590/S0100-39842009000400009.

Navarrete MA, Maier CM, Falzoni R et al. Assessment of the proliferative, apoptotic and cellular renovation indices of the human mammary epithelium during the follicular and luteal phases of the menstrual cycle. *Breast Cancer Res* 2005;7(3):R306-13.

Nazario ACP, Araújo Neto JT. Alterações funcionais benignas da mama. In: Baracat EC, Lima GR. *Guia de ginecologia*. São Paulo: Manole, 2005. p. 629-33. (Guias de Medicina Ambulatorial e Hospitalar).

Nazário ACP, Narvaiza DC. Neoplasias benignas da mama. In: Baracat EC, Lima GR. *Guia de ginecologia*. São Paulo: Manole; 2005. p. 653-7. (Guias de Medicina Ambulatorial e Hospitalar).

Pantanowitz L, Lyle S, Tahan SR. Fibroadenoma of the eyelid. *Am J Dermatopathol* 2002;24(3):225-29.

Pereira FPA. BI-RADS® ultrassonográfico: análise de resultados iniciais. *Radiol Bras* [online] 2009;42(4):7-8. ISSN 0100-3984. doi: 10.1590/S0100-39842009000400002.

Pick PW, Iossifides IA. Ocurrence of breast carcinoma within a fibroadenoma. A review. *Arch Pathol Lab Med* 1984;108(7):590-94.

Puglisi F, Zuiani C, Bazzocchi M et al. Role of mammography, ultrasound and core biopsy in the evaluation of papillary breast lesions. *Oncology* 2003;65(4):311-15.

Raza S, Chikarmane SA, Neilsen SS et al. B BI-RADS 3, 4, and 5 lesions: value of US in management-Followup and outcome. *Radiology* 2008 Sept.;248(3):773-81.

Rosen PP, Hoda SA. *Breast pathology: diagnosis by needle core biopsy*. 2nd ed. Philadelphia: Lippincott Williams & Wilkins, 2006. p. 69-83.

Rosen PP. *Rosen's breast pathology*. 2nd ed. Philadelphia: Lippincott-Raven, 2001. p. 143-55.

Simomoto MM, Nazario AC, Gebrim LH et al. Morphometric analysis of the epithelium of mammary fibroadenomas during the proliferative and secretory phases of the menstrual cycle. *Breast J* 1999;5(4):256-61.

Solomon GJ, Shin SJ, Romanzi LJ. A 65-year-old woman with a "hemorrhoid". Fibroadenoma of the anogenital region. *Arch Pathol Lab Med* 2006;130(2):e30-32.

Stavros AT, Thickman D, Rapp CL et al. Solid breast nodules: use of sonography to distinguish between benign and malignant lesions. *Radiology* 1995;196(1):123-34.

Tabar L, Dean PB, Tot T. *Teaching atlas of mammography*. 2nd ed. New York: Thieme Medical, 2001.

Veronesi U, Luini A, Costa A et al. *Mastologia oncológica*. Rio de Janeiro: Medsi, 2002.

Zanello PA, Robim AFC, Oliveira TMG et al. Breast ultrasound diagnostic *performance* and outcomes for mass lesions using breast imaging reporting and data system category 0 mammogram. *Clinics* (São Paulo) 2011 Mar.;66(3):443-48.

CAPÍTULO 108
Ressonância Magnética de Mama

Salete de Jesus Fonseca Rego

INTRODUÇÃO

Ressonância Magnética de Mama contrastada (RMM) é atualmente o método de imagem adicional mais sensível para detecção de carcinoma de mama invasivo. Numerosos autores confirmam a sua importância.[1-5]

RMM está sendo cada vez mais utilizada para acrescentar os achados mamográficos e ultrassonográficos, e o uso de contraste propicia detecção de lesões que só são visualizadas por este método (Fig. 1).[5] A RMM baseia-se na angiogênese que se encontra aumentada principalmente em tumores malignos, assim como em alguns tumores benignos e que é representada pela captação de contraste pela lesão.

Preferencialmente o exame deve ser realizado entre o 7º e o 17º dia do ciclo menstrual, para tentar minimizar os artefatos hormônio-dependentes que podem mimetizar/obscurecer lesões (Fig. 2).

METODOLOGIA

Para que o exame seja realizado de uma forma adequada, é de grande importância que a paciente esteja ciente das etapas que compõem a realização do exame, deve ser esclarecido que o exame é realizado em decúbito ventral, a paciente deverá ficar imóvel, as mamas serão parcialmente comprimidas, para minimizar possíveis artefatos de movimentos gerados pelo gradiente eco, haverá ruído sonoro decorrente do gradiente eco do aparelho no interior da sala, pode ocorrer uma sensação de calor durante a administração de gadolínio venoso e que a duração do exame é, de aproximadamente 20 minutos (Fig. 3).

Após o posicionamento da paciente, são programadas na sala de comando as sequências que compõem o exame, valendo a pena ressaltar que a fase mais importante é a 3D gradiente eco ponderada em T1, com contraste, com espessura máxima de corte de 2,5 mm (Quadro 1). A quantidade de contraste venoso paramagnético injetada é de 0,2 mL/kg, sendo realizada uma sequência pré-contraste, sendo repetido 5 vezes pós-contraste.

PÓS-PROCESSAMENTO

Após a aquisição das sequências pré e pós-contraste, são obtidas as sequências com subtração de gordura, que tornam as áreas, e possíveis focos de realce, mais evidentes.[6-8]

A análise das lesões é feita pelos critérios morfológicos e dinâmicos, que consiste na avaliação da curva da cinética de realce pós-contraste.[9,10] A obtenção das imagens em MIP (máxima intensidade de projeção) é particularmente interessante para aquelas alterações que não configuram massas, que são descritas pelo padrão de distribuição do contraste (Quadro 2), além de fornecer um "aspecto de vidro da RM" (Fig. 4).

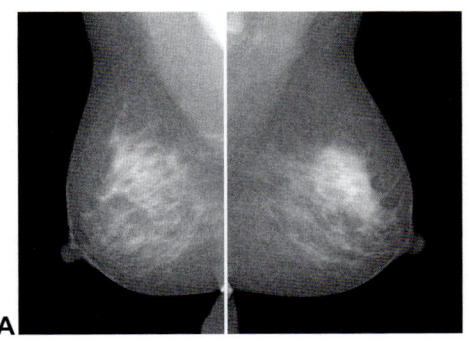
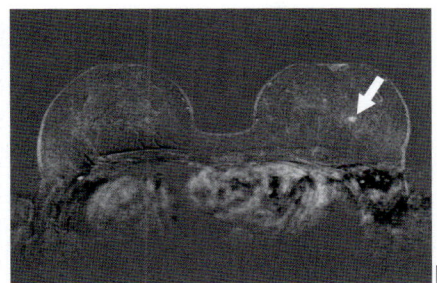

◀ **FIGURA 1.** Detecção precoce de câncer. (**A**) Mamografia demonstra mamas densas (ACR III/IV). (**B**) RM de mamas, pós-contraste (subtração) com pequeno foco de carcinoma pT1a, de 0,4 cm (*seta*).

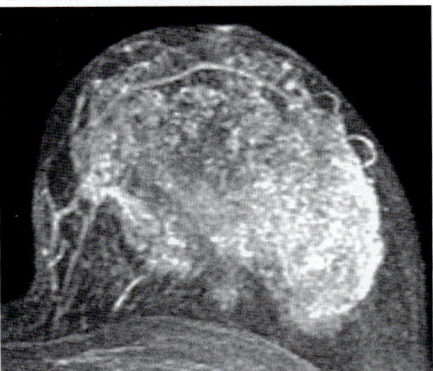
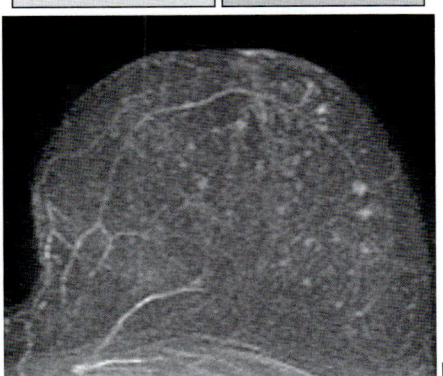

▲ **FIGURA 2.** Fase do ciclo menstrual. A mesma paciente em fases diferentes do ciclo menstrual (**A**) na primeira semana do ciclo e (**B**) na quarta semana do ciclo menstrual.

Quadro 1. Protocolo de mama recomendado

Sistema	1,5 T
Técnica	3D
Sequência	T1 GE, T2 (SE, TSE, IR)
Dinâmico	1 sequência pré-contraste e 5 pós-contraste
Matriz	512 × 512
Espessura do corte	2,5 mm

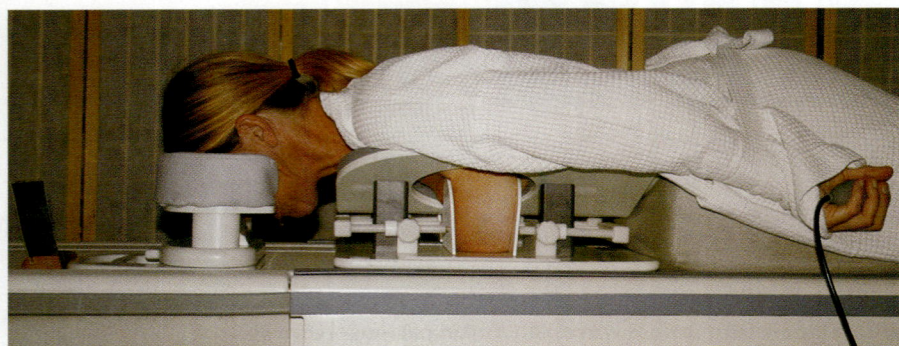

► FIGURA 3. Posicionamento da paciente em decúbito ventral com as mamas parcialmente comprimidas.

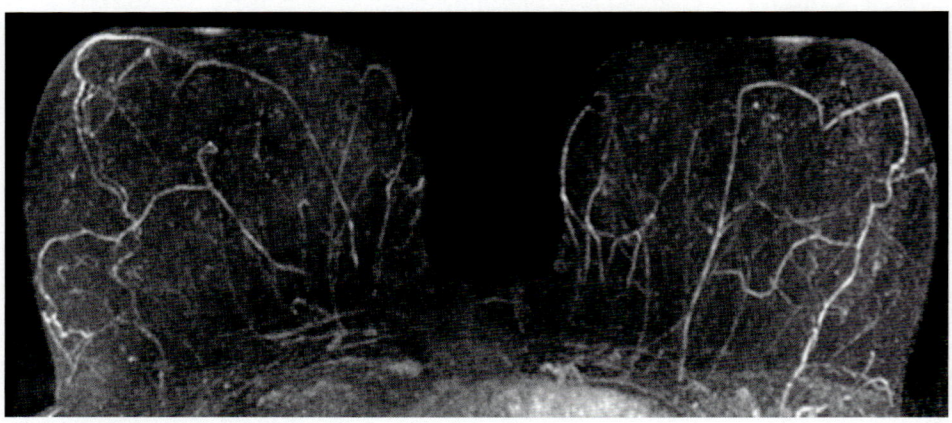

◄ FIGURA 4. RM de mamas sem alterações. Aspecto de transparência.

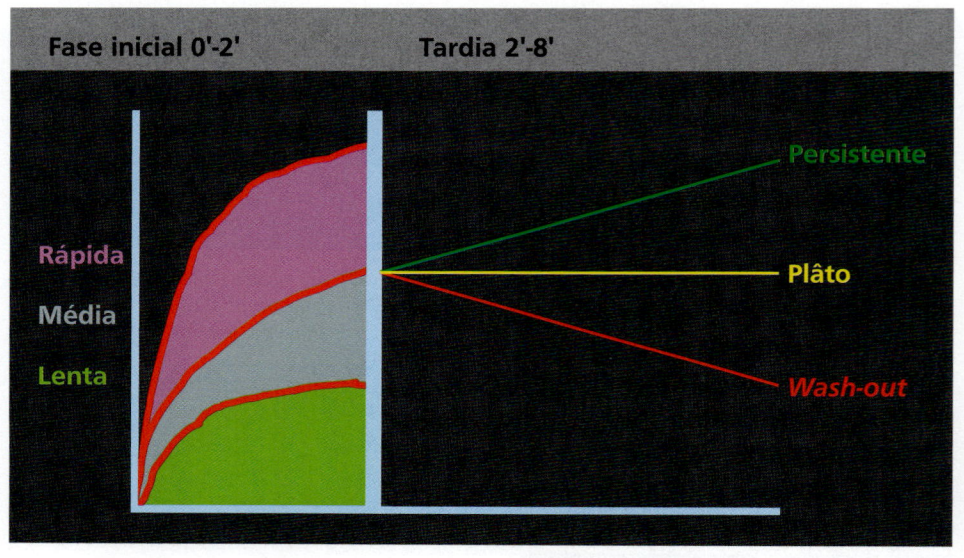

◄ FIGURA 5. Cinética da curva de realce pós-contraste. Fase inicial (0 a 2 minutos) pode ser classificada como lenta, média e rápida. Na fase tardia, as curvas são classificadas como: persistente, tipo 1 (verde); platô, tipo 2 (amarelo) e *wash-out*, tipo 3 (vermelho).

A avaliação da sequência em T1 é especialmente útil para a caracterização de forma e limites das lesões, especialmente aquelas com componente gorduroso no interior.

As sequências sensíveis à água permitem não só a caracterização de cistos, como também a evidenciação do componente líquido de um nódulo que apresenta realce pós-administração de gadolínio venoso. Os fibroadenomas mixoides geralmente apresentam um componente líquido importante, com hiperssinal em T2, enquanto os carcinomas ductais apresentam sinal intermediário. Os septos intratumorais também são evidenciados nessa sequência.

Na avaliação das lesões, são levados em consideração os critérios morfológicos e dinâmicos. Os critérios dinâmicos estão representados na Figura 5. Existe uma tendência na escola europeia de avaliação predominantemente dos critérios morfológicos.[10,11] Nesse capítulo foi dada ênfase aos critérios morfológicos.

O Colégio Americano de Radiologia (ACR) diferencia os achados que não são nodulares, dos achados nodulares. Os focos são pequenos realces menores do que 5,0 mm, os nódulos são lesões que ocupam um espaço em 3D, e as lesões "não massas" não se caracterizam como nódulos. São caracterizadas pela distribuição do contraste (Quadro 2 e Fig. 6). A semelhança da mamografia e ultrassonografia também foi feita por uma categorização BI-RADS para RM de mama, em uma tentativa de padronização dos laudos com intuito de incrementar o diagnóstico (Quadro 3 e Fig. 7).

Quadro 2. Avaliação de nódulos e lesões não nodulares

CRITÉRIOS	ACHADOS
Forma (massas)	Redondo Oval Lobulado Irregular
Contorno (Massas)	Liso Irregular Espiculado
Realce	Homogêneo/heterogêneo Halo
Distribuição morfológica do realce	Ductal Segmentar Regional Difuso
Curva de realce inicial	Lento Médio Rápido
Curva de realce tardia	Persistente Platô *Wash-out*

Quadro 3. Classificação BI-RADS

RM-BI-RADS	CATEGORIA	RISCO DE CÂNCER	CONDUTA
1	Sem alterações	0%	Acompanhamento de rotina
2	Benigno	0%	Acompanhamento de rotina
3	Provavelmente benigno	< 2%	Controle curto
4	Suspeito	2-90%	Histopatológico
5	Altamente suspeito	> 90%	Histopatológico
6	Histologia maligna já confirmada		Terapêutica adequada

Assim como na mamografia, existe uma classificação na RM de mama, de acordo com o tipo de realce pós-contraste, que também é graduada de I até IV, como pode ser visto no Quadro 4 e na Figura 8.

Algumas situações podem gerar artefatos no exame de RM de mama, que prejudicam o diagnóstico. Dentre elas destacam-se artefatos de movimento, injeção perivenosa de contraste, posicionamento inadequado da mama no interior da bobina e programação inadequada da fase do gradiente eco.

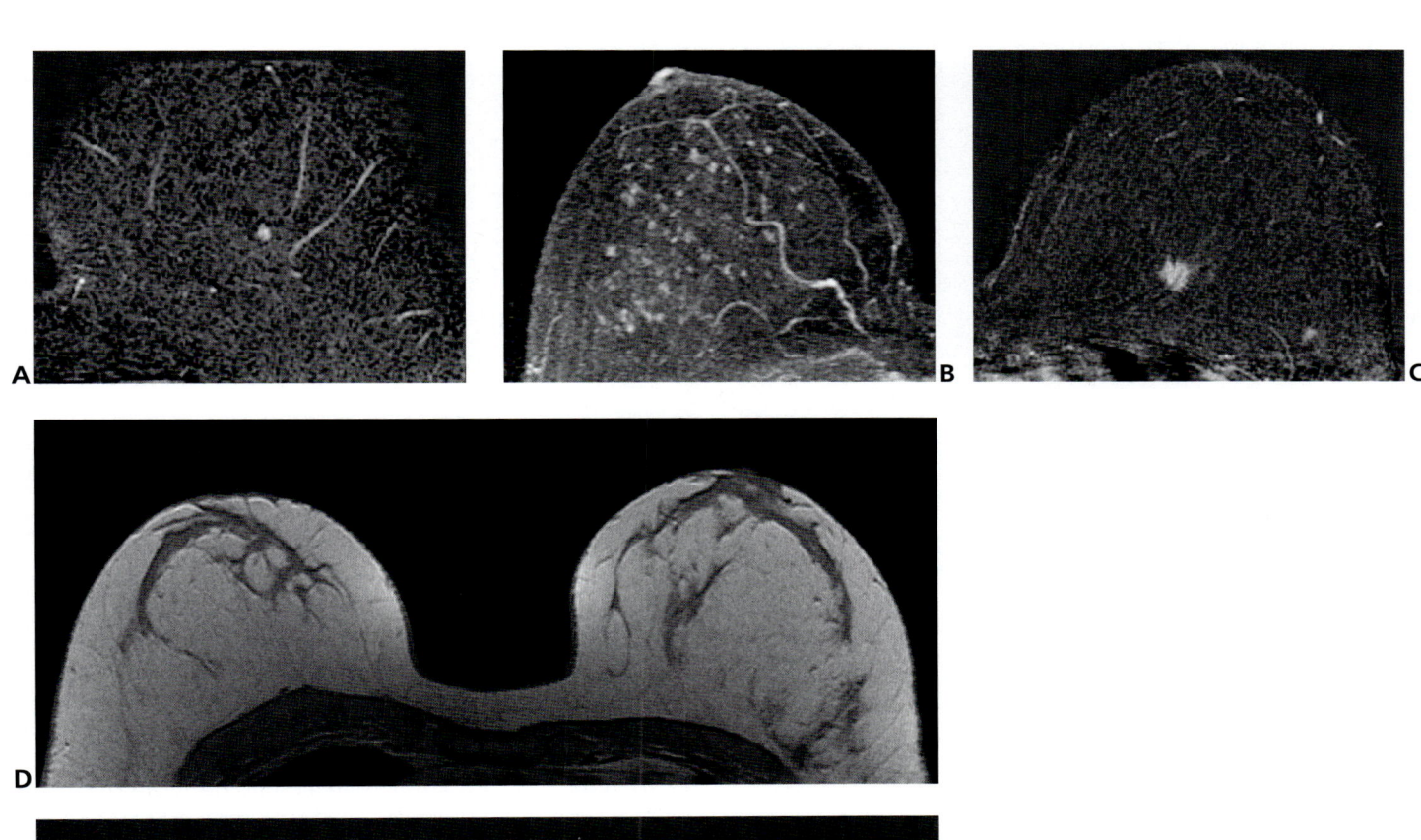
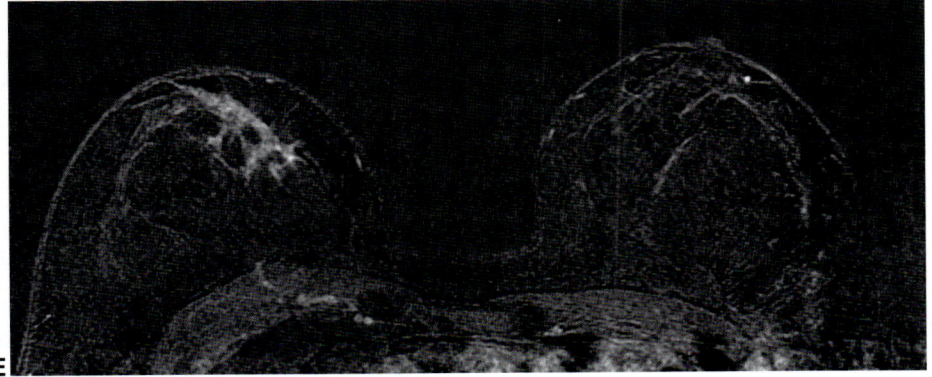

◀ **FIGURA 6.** Achados na RM de mamas. Podem ser realces focais (< 5 mm) (**A** e **B**), nodulares (≥ 5 mm) (**C**) e não massas (**D** e **E**).

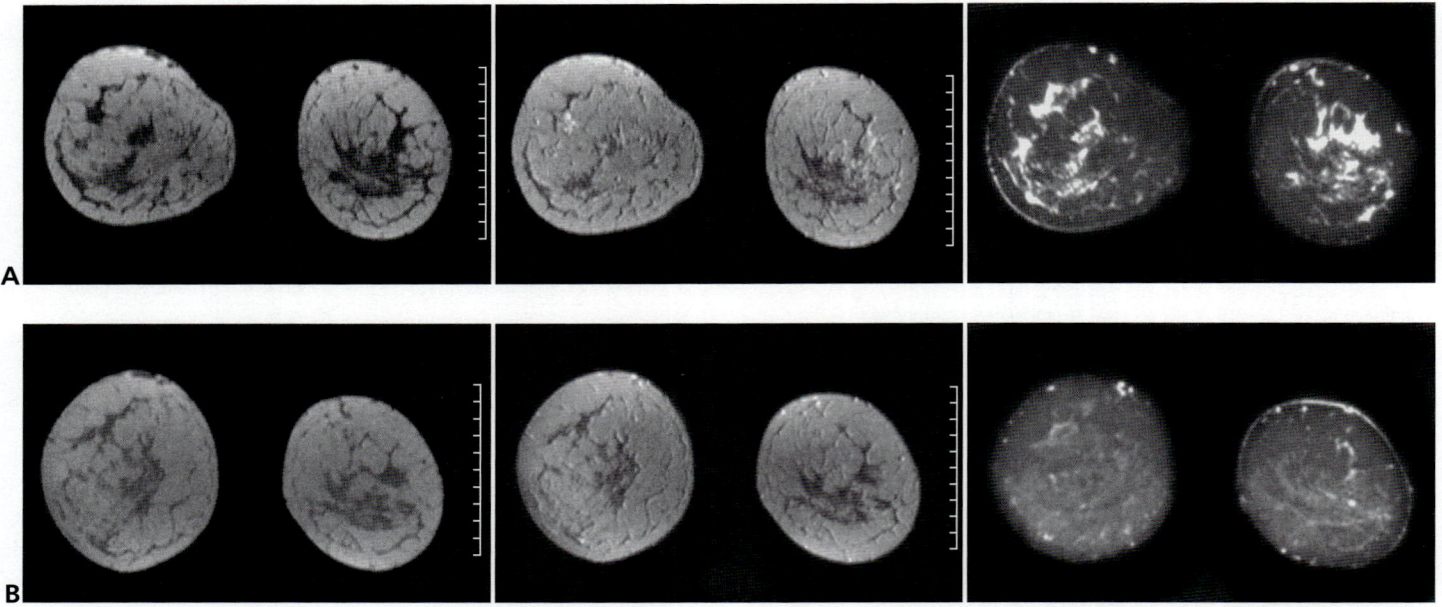

▲ **FIGURA 7.** Mamas com alterações provavelmente benignas (BI-RADS III). Paciente em uso de terapia de reposição hormonal. RM no plano coronal, durante a TRH (**A**) e após interrupção da TRH (**B**).

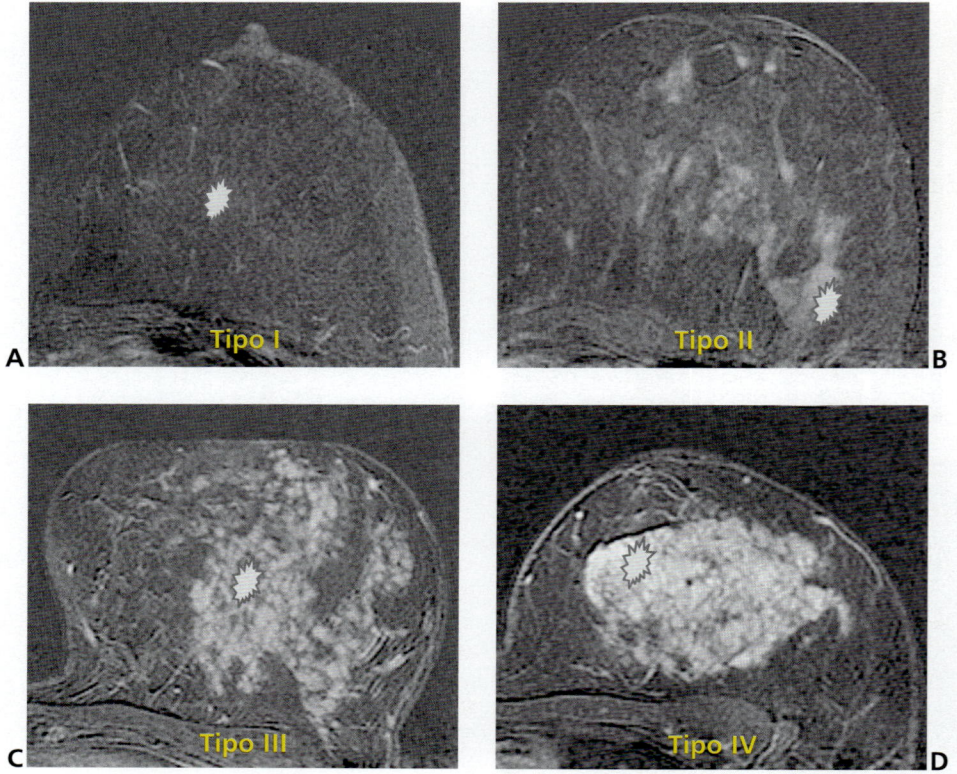

Quadro 4. Tipo de parênquima

RM TIPO	REALCE	LIMITAÇÃO
I	Nenhum	Nenhuma
II	Esparso	Discreta
III	Confluente	Moderada
IV	Difuso	Acentuada

◀ **FIGURA 8.** Tipos de realce pós-contraste, que também são graduados de I até IV (**A-D**), de acordo com a intensidade de realce do parênquima mamário. (**D**) O tipo IV de realce do parênquima mamário pode obscurecer lesões que são caracterizadas como (*).

ALTERAÇÕES BENIGNAS

Cistos

Os cistos são os processos expansivos mais frequentes da mama feminina.
Correspondem a ectasias locais dos segmentos ductais periféricos, que se encontram repletos de líquido. Consistem em duas camadas epiteliais, com uma camada epitelial interna e mioepitelial externa.

- *RM:* contorno liso, redondo, ovalado ou lobulado. Apresenta intensidade de sinal baixo em T1 e sinal alto em T2 (Fig. 9). A definição dos limites é mais evidente quando circundada de tecido gorduroso do que de tecido glandular, pode apresentar sinal do halo. Não apresenta realce após a administração de contraste. Quando ocorre "realce da parede" após administração de contraste fala a favor de alterações inflamatórias. O realce em halo não é patognomônico de malignidade (Fig. 10).

Cistos complicados

Englobam-se os cistos ou conglomerados císticos, "complicados" por alterações inflamatórias, sangramentos ou que apresentam alterações neoplásicas em sua parede ou lume. Patogeneticamente incluem um grupo heterogêneo, que podem ser decorrentes de cavidades pré-formadas (ductos lactíferos ou cistos) ou a cavidades condicionadas por necrose ou sangramento.

- *RM:* apresenta sinal baixo em T1, alto em T2, podendo apresentar realce das proliferações intracísticas e da "parede".

Fibroadenoma

É um tumor benigno, misto, fibroepitelial, circundado por uma pseudocápsula e geralmente apresenta uma forma oval ou arredondada, sendo ocasionalmente lobulado

- *RM:* os fibroadenomas **fibrosados** não concentram o meio de contraste Gd-DTPA ou apresentam uma concentração insignificante do meio de contraste e apresentam uma intensidade de sinal baixo e/ou intermediário em T2. Os fibroadenomas **mixoides** são ricos em água e em células e demonstram um aumento evidente da concentração por meio de contraste Gd-DTPA e apresentam uma intensidade de sinal alto em T2, podendo haver septos no interior que não realçam pós-contraste (Figs. 11 e 12).

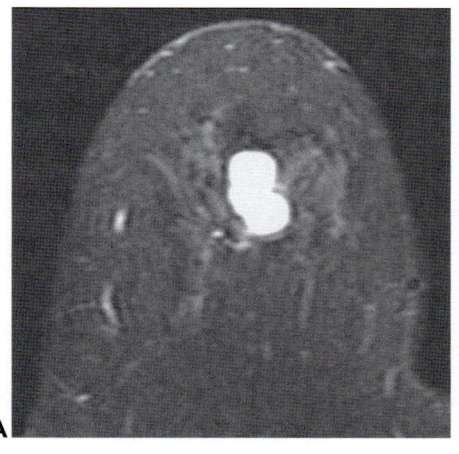 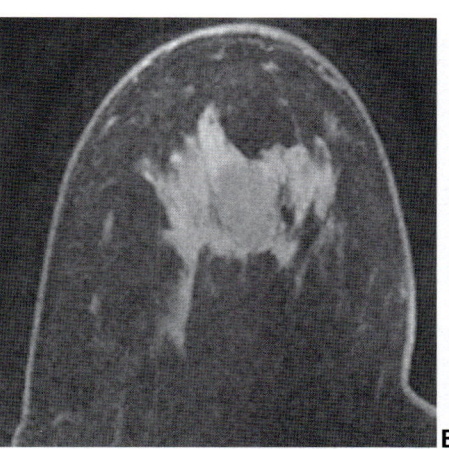 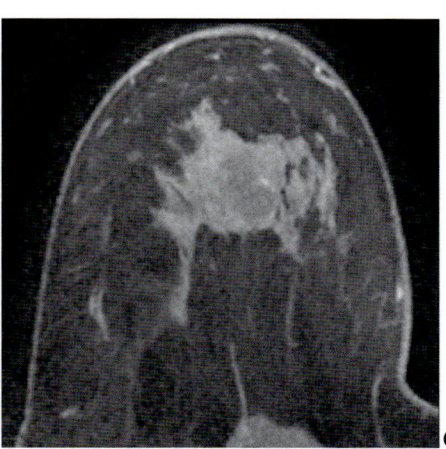

▲ **FIGURA 9.** Cistos. Imagens no plano axial ponderadas em T2 (**A**) e GRE T1 antes (**B**) e após a administração de gadolínio venoso (**C**). Os cistos apresentam intensidade de sinal baixo em T1 e sinal alto em T2, sem realce após contraste venoso.

◄ **FIGURA 10.** Cistos múltiplos com realce em halo simulando tumor. (**A** e **B**) Imagens no plano axial ponderadas em GRE T1, pós-contraste e com subtração de gordura. O realce periférico após administração de contraste fala a favor de alterações inflamatórias.

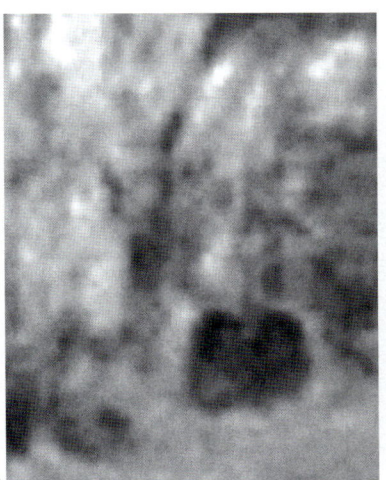 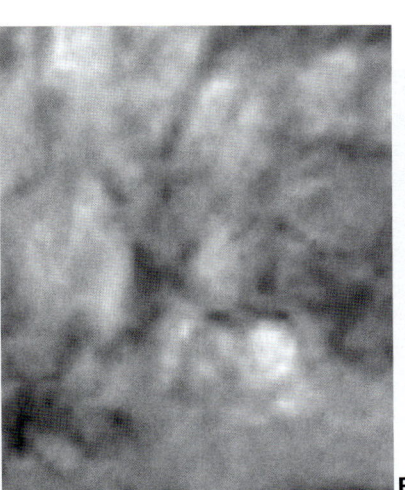 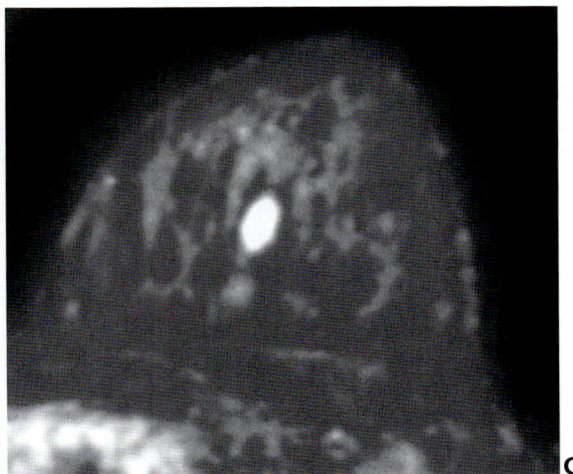

▲ **FIGURA 11.** Fibroadenoma de contorno lobulado e com finas septações no interior. Imagens ponderadas em GRE T1 pré (**A**) e pós-administração de contraste venoso (**B** e **C**).

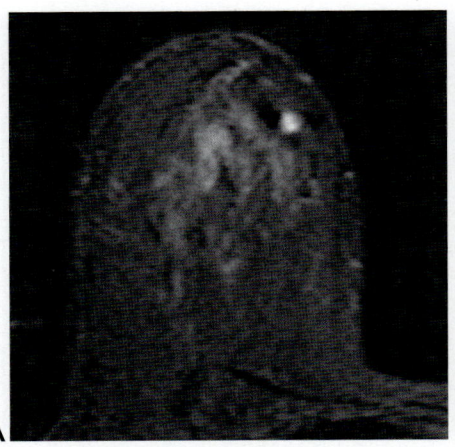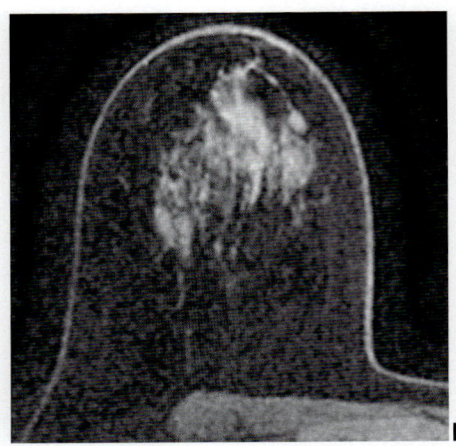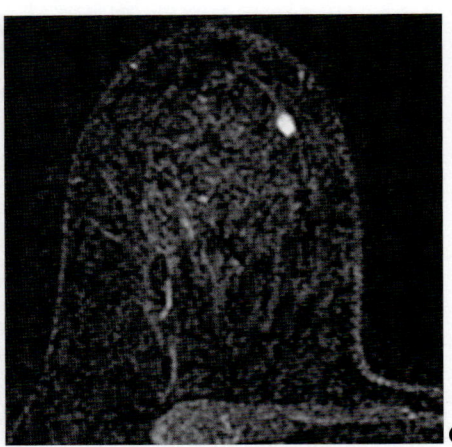

▲ **FIGURA 12.** Fibroadenoma. Pequeno nódulo arredondado de contorno regular. Imagens ponderadas em T2 (**A**) e GRE T1 antes (**B**) e após a administração de gadolínio venoso (**C**).

Tumor "*phyllodes*" benigno

O tumor filoide é um tumor raro (cerca de 0,5% de todos os tumores mamários). Seu aspecto etiológico incluiu tumores benignos, dos quais cerca de 30% recidivam, e tumores malignos, que podem metastatizar.

Histologicamente é uma neoplasia fibroepitelial rara que exibe o padrão de um fibroadenoma. É caracterizada por estroma hiperplásico, isto é, hipercelular, por grandes interespaços em formato de folha (filoides) cobertos com epitélio e por metaplasias epiteliais. A prevalência do tumor filoides benigno é de 60-70%, apresentam demarcação precisa, sem células atípicas, sem células pleomórficas, baixo índice de mitose.

- *RM:* são nódulos arredondados de contornos lisos ou lobulados. Em T1, apresentam sinal equivalente ao parênquima, ocasionalmente com hipossinal, quando possuem componente cístico ou necrótico no interior. Em T2 o sinal pode variar de iso a hipersinal, dependendo se o componente intratumoral é cístico ou necrótico. Demonstram um aumento evidente da concentração por meio de contraste Gd-DTPA, com realce geralmente homogêneo. O diagnóstico diferencial com fibroadenoma pode ser muito difícil. O diagnóstico diferencial entre as formas benigna e maligna do tumor filoides não pode ser feito pela RM.

Mastite aguda não puerperal

As mastites que se instalam fora do período de amamentação são raras. Podem ocorrer em razão de infecção dos ductos subareolares congestionados ou decorrentes da persistência de secreção e/ou ectasia ductal. Clinicamente a mastite chama atenção pelos sinais/sintomas de dores, rubor, edema e calor. O espessamento cutâneo pode assemelhar-se a um *peau d'orange* e estar fixo. Os linfonodos axilares frequentemente encontram-se aumentados e dolorosos. A imunossupressão e a diabetes melito favorecem a mastite não puerperal.

No caso de mastite não puerperal resistente à antibioticoterapia, é necessário realizar esclarecimento diagnóstico através de biópsia percutânea ou cirúrgica.

O diagnóstico diferencial entre mastite bacteriana e carcinoma inflamatório não é possível por meio dos métodos de imagem.

- *RM:* geralmente não apresenta uma alteração específica em T1. Pode haver dilatação ductal com sinal elevado e espessamento cutâneo. Em T2 há hipersinal na área de infecção e do abscesso. Após a administração de meio de contraste Gd-DTPA, pode haver realce linear, segmentar ou difuso. Ocasionalmente se verifica realce na parede do ducto ductal. No caso de abscesso, pode haver realce periférico da sua parede e sem realce no interior.

Adenose

São proliferações não neoplásicas em forma de feixe dos segmentos terminais dos ductos, dispostas em paralelo. As formas mais frequentes são adenose microcística, adenose esclerosante, adenose microglandular e a cicatriz radiada. Esta assume maior importância, porque impressiona tanto macroscopicamente, como imagenologicamente com sua forma estrelada, como se fosse um carcinoma invasivo. No substrato de cicatrizes radiadas podem desenvolver-se hiperplasias atípicas, carcinomas tubulares, ductais e lobulares.

A adenose quando se apresenta na forma nodular, de contornos espiculados e com realce intenso após a administração de contrate venoso é uma causa frequente de falso positivo na RM.

- *RM:* em T1 não apresenta alteração específica, podendo ocasionalmente ser hipointenso. Em T2 também não há uma alteração específica, podendo estar associado a microcistos. Após a administração de meio de contraste Gd-DTPA, pode haver realce focal e mesmo realce tipicamente maligno, sendo impossível a diferenciação com processo maligno (Fig. 13).

Necrose gordurosa e cisto oleoso

A necrose gordurosa é uma reação tecidual à cirurgia ou trauma. A necrose tecidual é geralmente chamada de necrose gordurosa, mesmo que so-

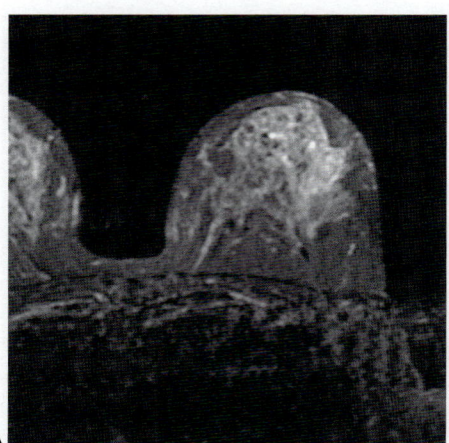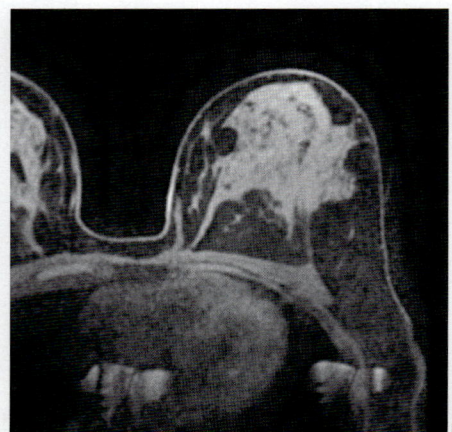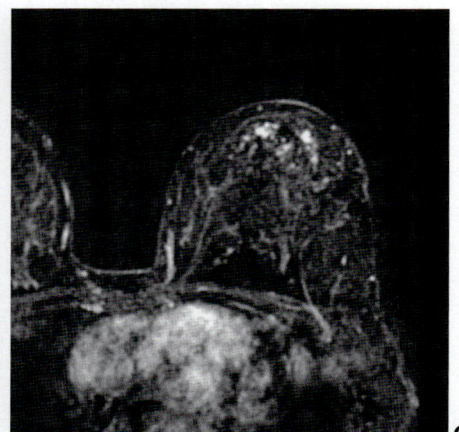

▲ **FIGURA 13.** Adenose. Pequenos focos e nódulos adjacentes. Imagens ponderadas em T2 (**A**) e GRE T1 antes (**B**) e após a administração de gadolínio venoso (**C**).

mente em parte ocorra em células gordurosas. É causada por uma lesão traumática à membrana celular. O processo de cicatrização subsequente inicia-se junto à margem, e ao tecido de granulação cresce centripetamente. Inicialmente este tecido é hipervascular, sendo transformado posteriormente em tecido mal vascularizado, com fibrose densamente compacta. Focos confluentes de gordura necrótica podem liquefazer-se centralmente, produzindo cistos oleosos, que têm tendência a calcificar-se. É difícil em todos os métodos de imagem o diagnóstico diferencial entre a necrose gordurosa recente e recidiva tumoral.

- *RM:* em T1 apresenta sinal semelhante ao do parênquima. No caso de cistos oleosos têm hipersinal (equivalente ao da gordura). As macrocalcificações apresentam ausência de sinal. Em T2 na fase recente, apresentam uma área de sinal aumentada. No caso de cistos oleosos têm sinal equivalente ao da gordura (ausência de sinal na sequência ponderada em IR com supressão de gordura). Com a evolução do processo a gordura conflui centralmente, e uma cápsula circundante que realça moderadamente após contraste pode ser observada, que com o tempo pode calcificar-se (Fig. 14).

Hematoma

Trata-se de sangramento intramamário, secundário à intervenção cirúrgica ou procedimento invasivo, ocasionalmente após trauma.

- *RM:* nas outras partes do corpo. Em T1 na fase recente apresenta sinal aumentado em T1, na fase subaguda mostra um halo hiperintenso e na fase tardia uma área de hiperintensidade central. Em T2, na fase recente apresenta hipossinal e nas fases tardias um halo de hipointensidade.

ALTERAÇÕES *BORDERLINE* NA RM

Achados *borderlines* são alterações na mama que têm risco aumentado de degenerar e formar tumores mamários ou que apresentam uma convergência para acontecer ao mesmo tempo que os tumores mamários. Destacam-se em especial papilomas, cicatriz radial, hiperplasia ductal atípica e neoplasia lobular intraepitelial.

Papiloma

É um tumor mamário fibroepitelial benigno e raro. Eles surgem em diferentes localizações dos sistemas lobular e ductal, desde o mamilo até a unidade ductotubular terminal. Histopatologicamente são diferenciados em **papiloma solitário**, que ocorre preferencialmente na região retroareolar, e os **papilomas periféricos** intraductais, que se localizam em segmentos ductais periféricos. Os papilomas periféricos apresentam um risco aumentado de degeneração (cerca de 30%), quando comparados ao papiloma solitário. O **adenoma papilar** do mamilo é um tumor benigno que frequentemente leva a erosões. A **papilomatose juvenil** manifesta-se na puberdade ou na adolescência, por meio da hiperplasia papilar.

- *RM:* em T1 os pequenos papilomas solitários não são identificáveis. Quando são maiores do que 1,0 cm, são arredondados, isointensos ao parênquima. Os papilomas periféricos também não são identificáveis em T1. Em T2 os pequenos papilomas têm sinal intermediário ou alto. Os periféricos não são detectáveis ou apresentam hipersinal ductal. Após a administração de meio de contraste Gd-DTPA, podem ser evidenciados como focos (< 5 mm) ovais ou redondos, de contornos lisos e com vascularização intensa, ocasionalmente em halo. Os papilomas periféricos podem apresentar distribuição segmentar ou linear (Fig. 15).

Cicatriz radiada

Compreendem-se adenoses isoladas ou múltiplas, não neoplásicas, de proliferação focal tubular, que se desenvolvem ao redor de um centro fibroelastoide, prolongando-se para fora em forma radiada e associada a hiperplasias epiteliais intraductais. A cicatriz radiada assume uma maior importância, porque impressiona tanto macroscopicamente, como imagenologicamente com sua forma estrelada, como se fosse um carcinoma invasivo. No substrato de cicatrizes radiadas podem desenvolver-se hiperplasias atípicas, carcinomas tubulares, ductais e lobulares.

A cicatriz radiada apresenta uma alta associação à hiperplasia ductal atípica e o carcinoma lobular *in situ* (aproximadamente 20%) assim como tumores malignos da mama (20-25%), sendo o carcinoma tubular o mais encontrado. A RM não permite uma diferenciação segura entre uma cicatriz radiada pura e cicatriz radiada associada ao carcinoma.

- *RM:* em T1 apresenta uma distorção arquitetural em forma de estrela com centro definido. O realce após contraste venoso é variável, podendo apresentar ausência de realce, realce moderado ou intenso. Em T2 não há achado característico.

Hiperplasia ductal atípica (HDA)

A HDA representa uma proliferação intraductal de células em fileira com atipia. Considera-se que a HDA seja um estágio anterior ao CDIS, assim como pode manifestar-se na periferia de um carcinoma intraductal. Por isso quando há um diagnóstico histopatológico de HDA, é necessária a realização de uma biópsia cirúrgica.

- *RM:* não há achado característico. Pode manifestar-se como foco ou realce linear e/ou segmentar ou regional (Fig. 16).

Neoplasia lobular intraepitelial

De uma nova forma esse conceito agrupa todo espectro da proliferação epitelial atípica na topografia do lóbulo. Haagensen (1978) acunhou o termo de Neoplasia Lobular para retirar o conceito de "carcinoma". Tavassoli propôs, em 2001, o uso da nomenclatura LIN (Neoplasia Intraepitelial Lobular). A LIN está dividida em três grupos sem subdivisões. A LIN1 corresponde ao conceito de hiperplasia lobular atípica; a LIN2 ao de carcinoma lobular *in situ*, e a LIN3 identifica uma entidade recentemente descrita, o carcinoma lobular *in situ* pleomórfico. Todas estas lesões exibem uma proliferação de células pequenas pouco coesas, pela fal-

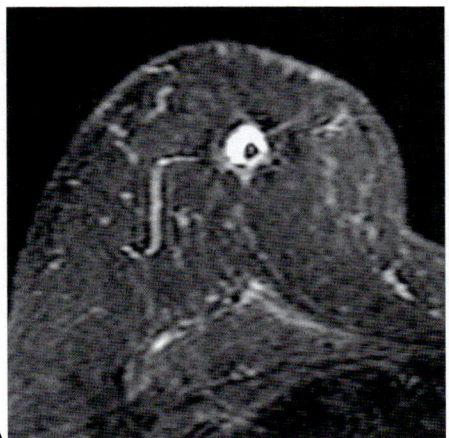 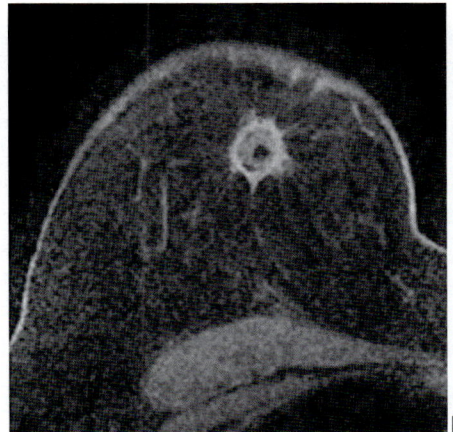 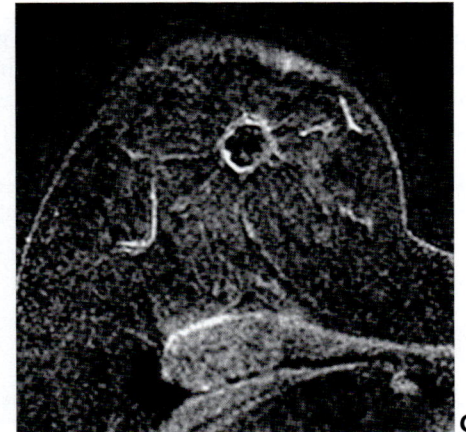

▲ **FIGURA 14.** Esteatonecrose. Imagens ponderadas em T2 (**A**) e GRE T1 antes (**B**) e após a administração de gadolínio venoso (**C**). Não houve realce após a administração de gadolínio venoso.

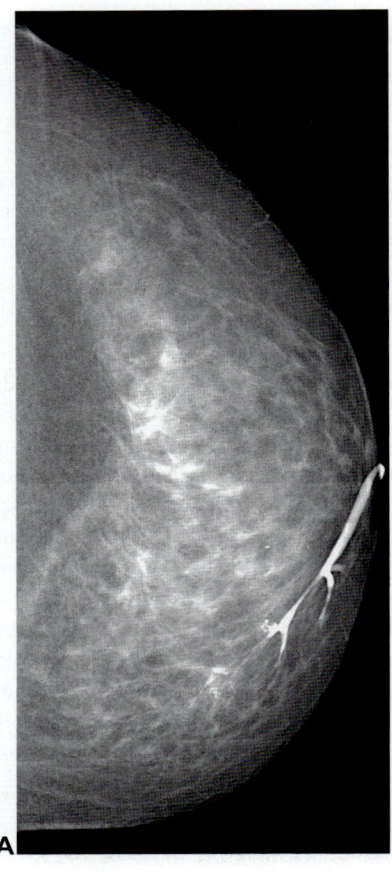
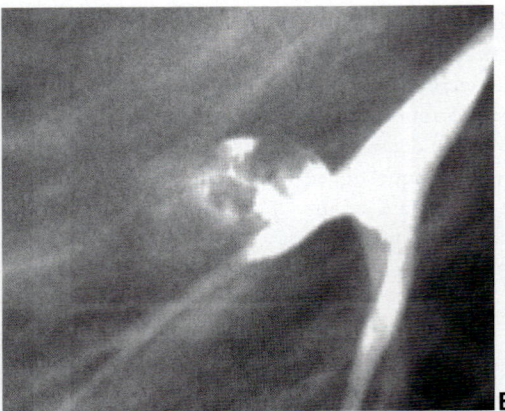
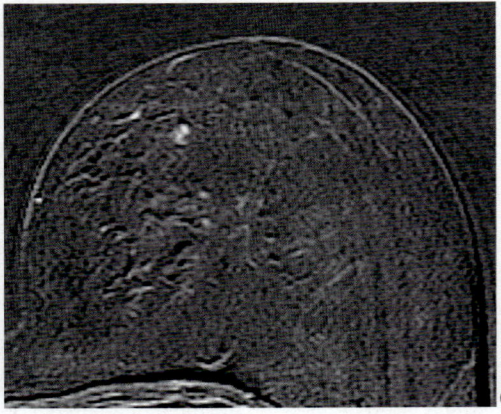

◄ **FIGURA 15.** Papiloma. Ductografia (**A** e **B**) evidenciando falha de enchimento intraductal. RM plano axial com subtração de gordura pós-contraste evidencia pequenos nódulos adjacentes (**C**).

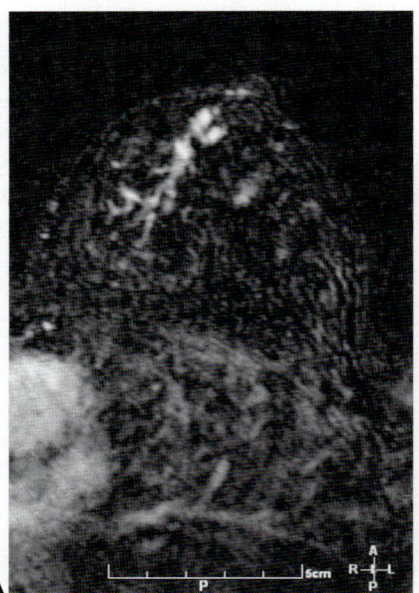
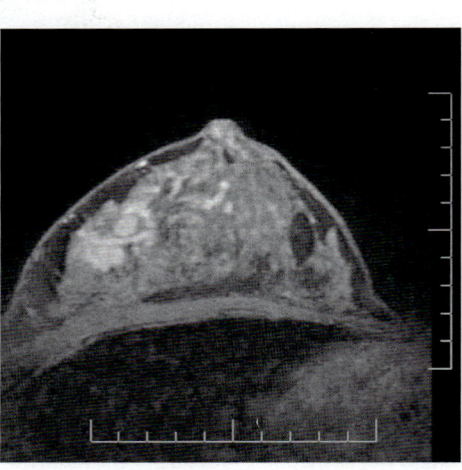

◄ **FIGURA 16.** CDIS. RM de mamas, plano axial pós-contraste. (**A**) Subtração e (**B**) T1 pós-contraste. Observa-se realce ductal na região retroareolar e nódulos na união dos quadrantes externos da mama.

ta de E-caderina, importante detalhe que pode ser conferido pela imuno-histoquímica. Sucessivos estudos têm considerado a LIN como uma lesão precursora não obrigatória, não mais como lesão marcadora e, portanto, capaz de gerar lesões invasivas de baixo grau, especificamente o carcinoma lobular invasor. Está relacionada com bilateralidade (25%) e multicentricidade, sendo um achado nas biópsias percutâneas e biópsias cirúrgicas.

- *RM:* em T1 e T2 não se observam alterações específicas. Após a administração de meio de contraste Gd-DTPA, podem ser evidenciados realces focais ou de aspecto nodular lobulado.

TUMORES MALIGNOS

Os tumores malignos da mama são principalmente diferenciados entre carcinomas intraductal e invasivo. Enquanto o CDIS apresenta-se como uma patologia local da mama, os invasivos podem potencialmente metastatizar para outros órgãos (ossos, fígado, pulmões).

Carcinoma intraductal na RM

O carcinoma ductal *in situ* (CDIS), ou intraductal, caracteriza-se por uma proliferação de células malignas dentro de um ducto, não ultrapassando os limites da membrana basal, não invadindo o estroma, associada a hipercromasia e pleomorfismo nuclear. Essas células podem proliferar e obstruir completamente a luz dos ductos, causando sua dilatação e sua solidificação. À medida que a lesão progride, estendendo-se através da membrana basal e invadindo o estroma, transforma-se em um carcinoma invasor.

O CDIS pode ser dividido, histologicamente, em subtipos. O tipo comedocarcinoma apresenta detritos necróticos celulares, preenchendo os espaços ductais. Histologicamente, observa-se uma área central ocupada pelo material necrótico envolvido por células neoplásicas com núcleos pleomórficos e atípicos, com citoplasma amplo. O tipo não comedocarcinoma inclui os tipos micropapilar cribriforme, sólido e papilar. Em termos de prognóstico, quanto maior o tamanho e o grau de necrose da lesão, maior o seu potencial para tornar-se invasora. As lesões do tipo comedocarcinoma apresentam prognóstico menos favorável

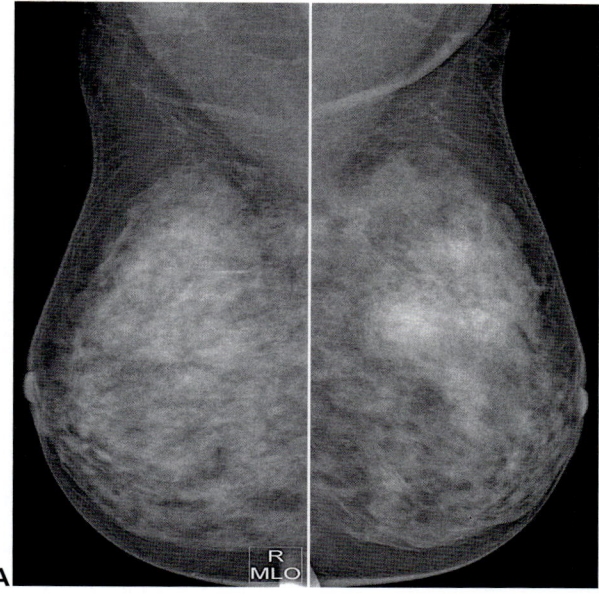
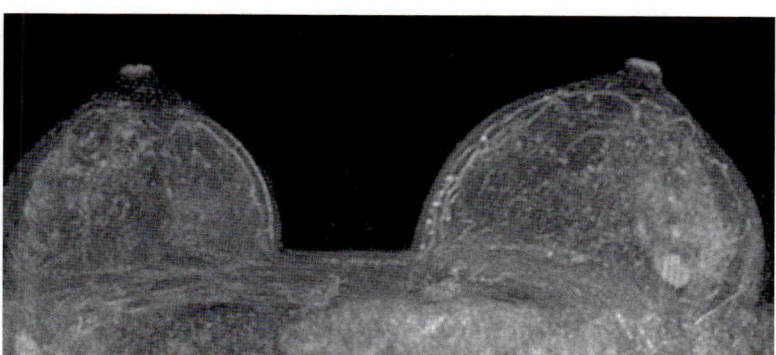

▲ **FIGURA 17.** CDI. **(A)** Mamografia na incidência lateral oblíqua. Mamas densas, sem calcificações. **(B)** RM de mama, MIP, plano axial pós-contraste evidencia nódulo de contorno irregular.

comparado aos outros tipos histológicos. Existe uma terminologia alternativa recomendada pela OMS para as lesões intraductais, que são a DIN (para todas as lesões de células colunares com atipias), DIN 2 (carcinoma ductal *in situ* de grau intermediário – grau nuclear 2) e DIN 3 (carcinoma ductal *in situ* de alto grau – grau nuclear 3).

O grupo heterogêneo dos CDIS são lesões que antecedem os carcinomas invasivos, entretanto nem todo CDIS se transformará em um tumor invasivo.

Antigamente o diagnóstico de CDIS era apenas possível através da detecção de microcalcificações na mamografia, já que esses tumores não costumeiramente eram detectados pelos exames clínico e ultrassonográficos. Também a RM apresenta limitações na detecção de microcalcificações. Estudos recentes descrevem que a RM com técnica de alta resolução, com uma matriz de 512 × 512, tem uma sensibilidade maior do que a mamografia para evidenciar o carcinoma intraductal, pois os tumores intraductais, especialmente os de alto grau, já apresentam vascularização que é bem representada pela RM. Há também referência que os carcinomas intraductais de baixo grau apresentam discreta angiogênese e maior tendência para formação de microcalcificações. Os próximos estudos indicarão se a RM realmente é capaz de detectar especialmente tumores de alto grau, e a mamografia, os de baixo grau. A detecção de CDIS baseia-se principalmente em critérios morfológicos, a análise das curvas não acrescenta no diagnóstico.

Estudos recentes mostram que a mamografia apresenta uma sensibilidade de 52-56% para demonstrar CDIS, enquanto a RM com técnica de alta resolução e compressão seletiva possui resultados de 89-92%. A RM é superior para demonstrar CDIS de alto grau do que os de baixo grau. A RM não detecta CDIS em 10-15%. No caso de microcalcificações suspeitas na mamografia e sem expressão à RM, a conduta é esclarecimento histopatológico.

■ *RM:* em T1 não há alterações específicas. As microcalcificações não têm representação ao método. Em T2, ocasionalmente há sinal aumentado na topografia do ducto afetado. Após a administração de meio de contraste Gd-DTPA pode haver realce focal, linear, difuso, segmentar e raramente regional.

No caso de lesões não nodulares, pode haver realces de padrão ductal e linear, ocasionalmente há configuração nodular, podendo ocorrer realce em halo. A análise da cinética da curva geralmente não acrescenta no diagnóstico. Os realces lineares peritumorais podem representar um componente intraductal extenso. Os realces nodulares na periferia de uma lesão não nodular podem representar um estágio inicial de invasividade.

Os padrões de realce e o tipo de distribuição não permitem uma diferenciação entre os graus de um CDIS (Fig. 17).

Carcinoma ductal invasivo

O carcinoma ductal invasor (CDI) representa 80 a 90% dos carcinomas da mama. Na verdade seu diagnóstico é por exclusão, feito quando a lesão não preenche os critérios diagnósticos para os tipos especiais de carcinoma mamário, sendo classificado como carcinoma ductal infiltrante sem outra especificação (SOE).

O CDI é o tumor de mama mais comum e com morfologia mais variável.

■ *RM:* em T1 possui isossinal relativo ao parênquima. Pode apresentar hipossinal, quando o tecido adjacente for lipomatoso. Em relação à forma podem ser redondos, ovais e ter contornos espiculados (Fig. 18). Em T2 podem apresentar baixo sinal ou sinal intermediário. Em 20% dos casos possuem hipersinal. Quando há necrose intratumoral, apresentam hipersinal central. O realce é obrigatório após a administração de gadolínio venoso. O realce em halo após a administração de gadolínio venoso é um critério clássico que indica malignidade (Fig. 19). O realce periférico correlaciona-se com a proliferação marginal celular e a parte central com fibrose ou necrose, que não realça. A curva de realce dos tumores invasivos normalmente mostra um realce inicial rápido, seguido de uma curva em *washout* ou platô. Em T2, geralmente há hipossinal ou sinal intermediário.

Carcinoma lobular invasivo

Apresenta-se como adensamento ou endurecimento local maldefinido; em lesões avançadas, pode haver retração de pele e fixação. Calcificações não estão comumente presentes. As alterações geralmente são difusas, não infiltrando o tecido adiposo. O CLI pode apresentar-se próximo ao CDI, às cicatrizes radiais e à expansão difusa das adenoses. Na RM pode apresentar-se como lesões não nodulares. O tipo de curva de realce é variável, sendo o critério morfológico o mais importante na avaliação (Fig. 20).

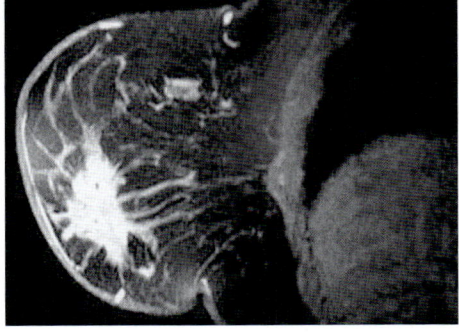

◀ **FIGURA 18.** CDI. RM no plano sagital pós-contraste. Massa de contorno espiculado.

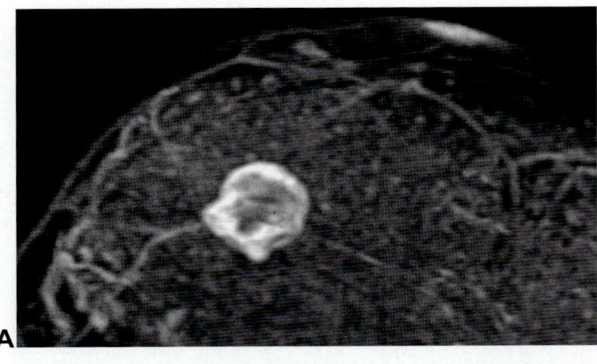
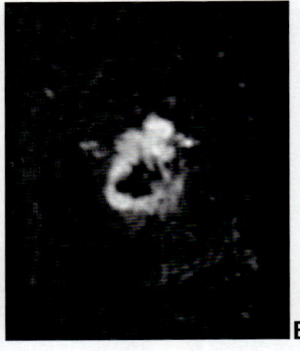

◀ **FIGURA 19.** CDI. (**A**) RM, reconstrução MIP e (**B**) subtração pós-contraste. Realce em halo irregular com espessamento nodular.

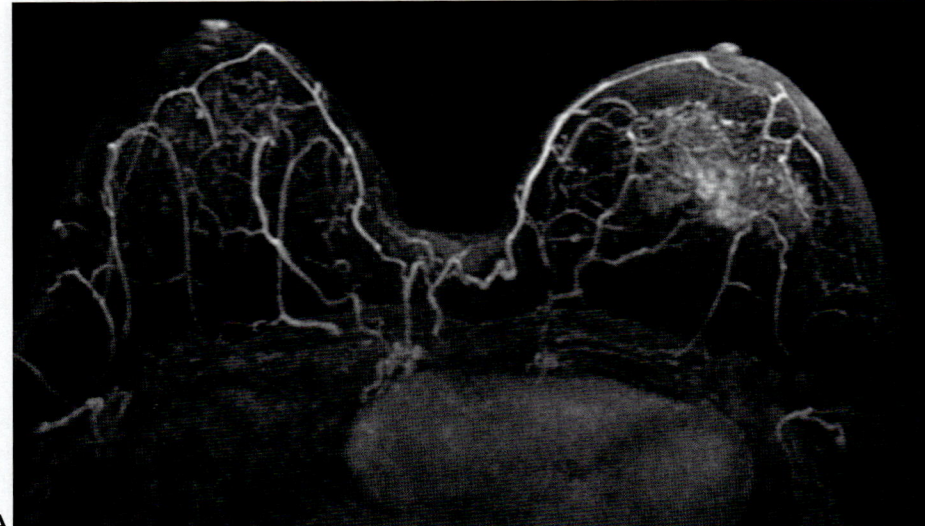

◀ **FIGURA 20.** Carcinoma lobular. (**A**) RM de mamas, reconstrução MIP, pós-contraste evidencia realce regional. (**B**) RM de mamas, plano axial, pós-contraste. Há realce regional na mama esquerda e outro foco de carcinoma lobular na mama direita. CLI bilateral.

Carcinoma medular

O aspecto na RM é de um tumor arredondado de contorno microlobulado, bastante vascularizado e com sinal alto em T2. É um achado frequente em mulheres com história familiar de alto risco e com alterações genéticas, BRCA1/2 positivos (Fig. 21).

Carcinoma mucinoso

Ao contrário do CDI ou CLI o carcinoma mucinoso geralmente apresenta hipersinal em T2, com realce que varia desde características malignas até ausência de realce. Apresenta forma arredondada e contorno liso, recebe esse nome pela quantidade de mucina que recobre um pequeno número de células tumorais bastante diferenciadas entre si.

Carcinoma tubular

Tumores do tipo carcinoma tubular (2% dos casos) não exibem mitoses nem necroses, e suas células formam túbulos regulares e bem definidos. Na RM pode apresentar contorno espiculado e realce intenso. O sinal em T2 é baixo. A curva de realce é inespecífica.

Carcinoma inflamatório

O carcinoma inflamatório possui uma apresentação clínica caracterizada pelo predomínio dos fenômenos inflamatórios da pele da mama (flogose, eritema, aumento da temperatura local e nítido edema com espessamento cutâneo). Essa apresentação clínica resulta da embolização tumoral em vasos linfáticos dérmicos. O quadro pode evoluir para lesões ulcerativas. Na RM ocasionalmente há realce pós-contraste. No caso de haver um nódulo associado, este apresenta critérios típicos de malignidade. A RM não permite uma diferenciação segura entre um carcinoma inflamatório e alterações inflamatórias secundárias a uma mastite, sendo necessário confirmação histopatológica.

INDICAÇÕES PRÉ-OPERATÓRIAS

Permite avaliação da presença de componente intraductal extenso, multifocalidade (lesão no mesmo quadrante), multicentricidade (lesão em outro quadrante) e tumor contralateral. Publicações atuais mostram que a RM, feita pré-operatoriamente, fornece informações relevantes que influenciam a estratégia terapêutica em 25% das mulheres estudadas, especialmente para pacientes que apresentam mamas densas. Além de poder reduzir o índice de recidiva local e tumor contralateral (Figs. 22 e 23).

Cirurgia conservadora

A indicação de RM para o diagnóstico diferencial entre recidiva tumoral e alterações pós-actínico-cirúrgicas é bem estabelecida. Nesse tipo de indicação a mamografia e a ultrassonografia apresentam limitações. Geralmente a recidiva tumoral ou um novo foco de tumor apresentam significativo realce após a administração de gadolínio venoso, enquanto a fibrose somente em raros casos apresenta realce (Figs. 24 e 25).

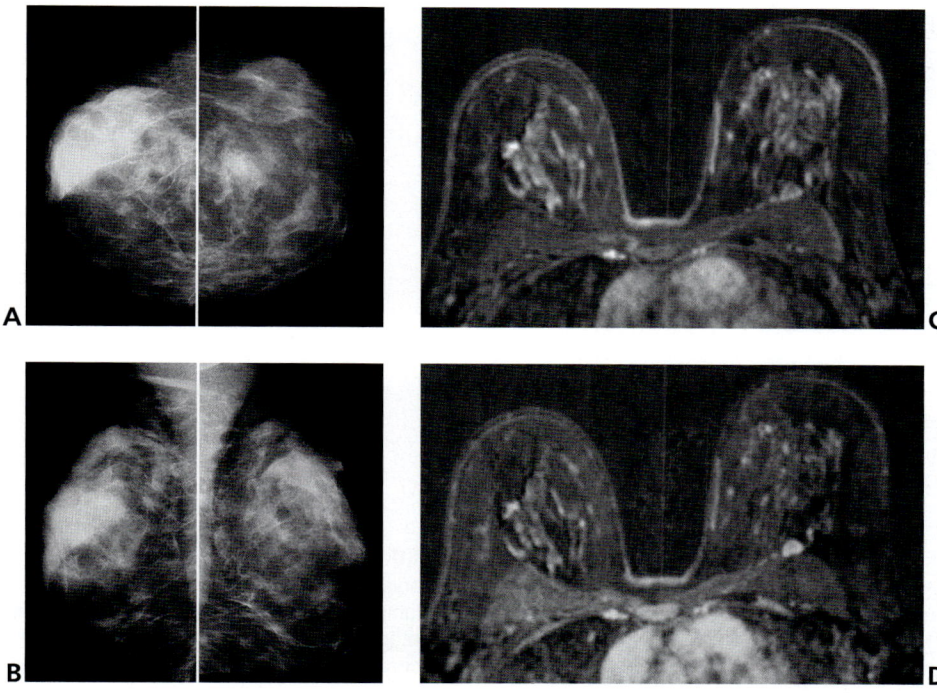

◄ **FIGURA 21.** Paciente de 39 anos possui três parentes de 1º grau com câncer de mama pré-menopausa. (**A** e **B**) Mamografia, incidências mediolateral oblíqua e craniocaudal, evidencia mamas densas. (**C**) RM de mamas, plano axial, pós-contraste (2 min). Na mama direita há pequeno nódulo na região central. Histologia: fibroadenoma. (**D**) RM de mamas, plano axial, pós-contraste (5 min). Nódulo no terço posterior da mama esquerda mais evidente tardiamente. Histologia: carcinoma medular.

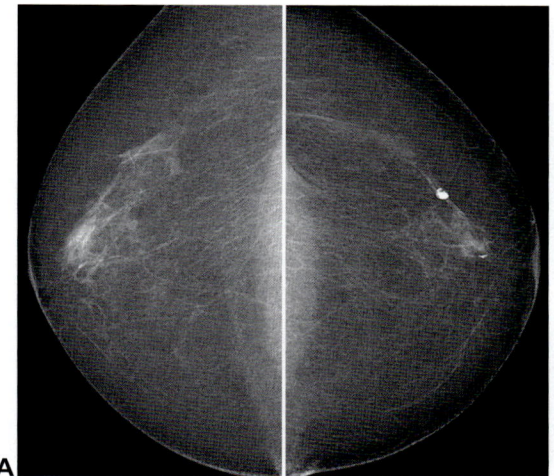
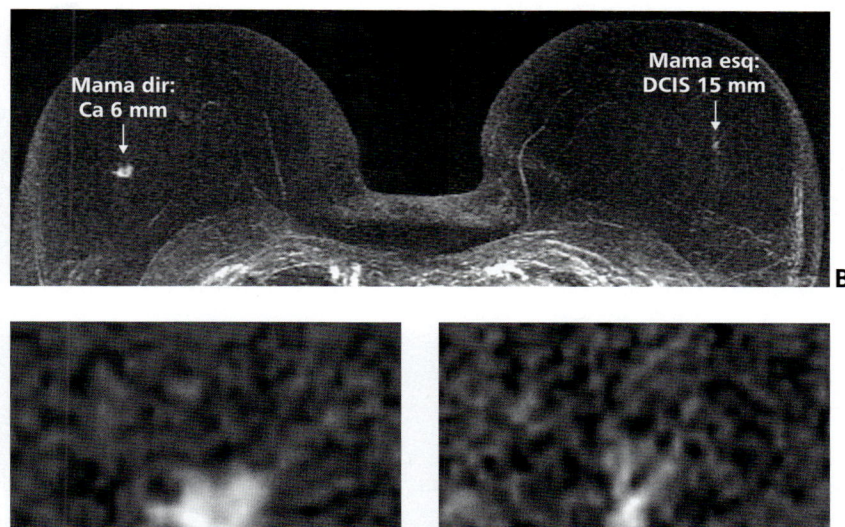
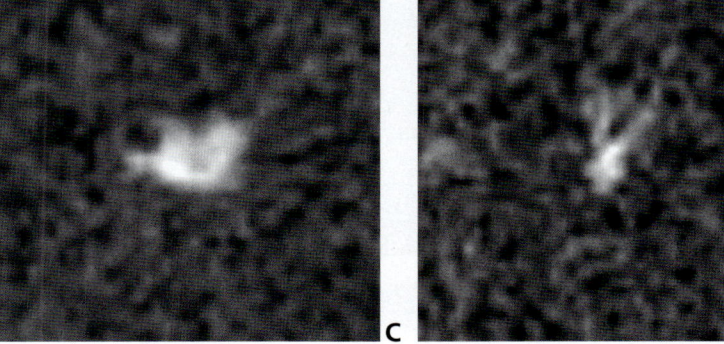

▲ **FIGURA 22.** Avaliação pré-operatória. (**A**) Mamografia, incidência em craniocaudal. Assimetria de densidade da mama direita. (**B**) RM de mamas, reconstrução MIP. Há pequeno nódulo espiculado na mama direita. Histologia: carcinoma de 0,6 cm e na mama esquerda, foco de CDIS de 0,1 cm. (**C**) Ampliação do nódulo na mama direita. (**D**) Ampliação do foco de CDIS.

◄ **FIGURA 23.** RM de mamas, reconstrução MIP. Há dois carcinomas histologicamente confirmados (BI-RADS 6). Multicentricidade.

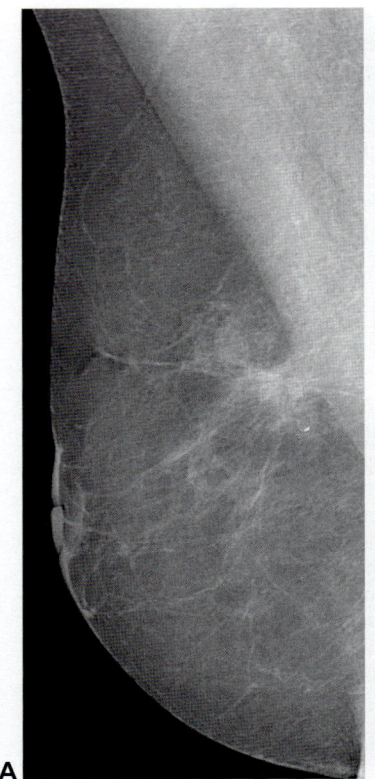
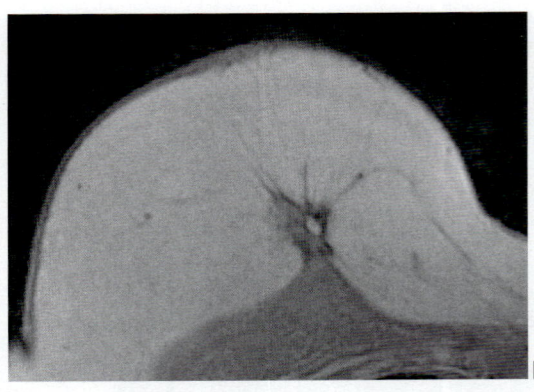
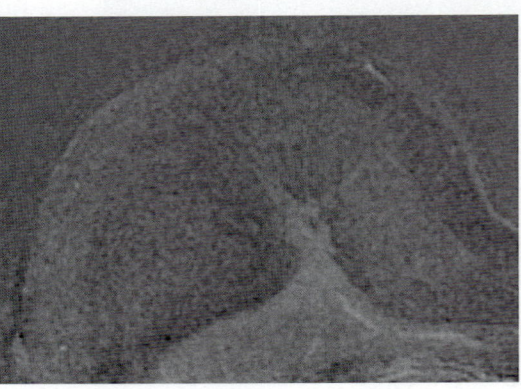

◀ **FIGURA 24.** Dois anos pós-cirurgia conservadora e radioterapia: cicatriz. (**A**) Mamografia, incidência médio-lateral oblíqua. Distorção arquitetural na união dos quadrantes superiores da mama direita, secundário à terapêutica prévia. RM de mamas, plano axial, pré-contraste (**B**) e pós-contraste, com subtração (**C**). Não houve realces suspeitos. Alterações pós-actínico-cirúrgicas.

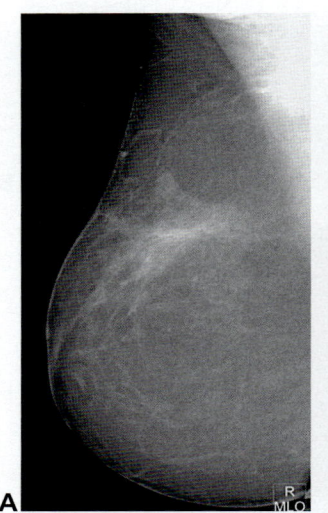
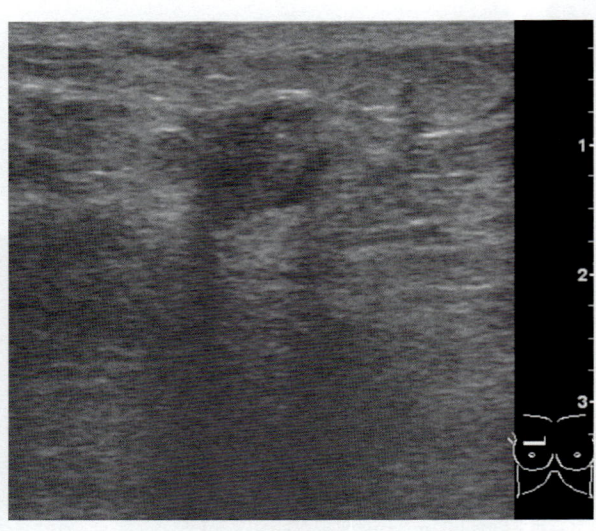
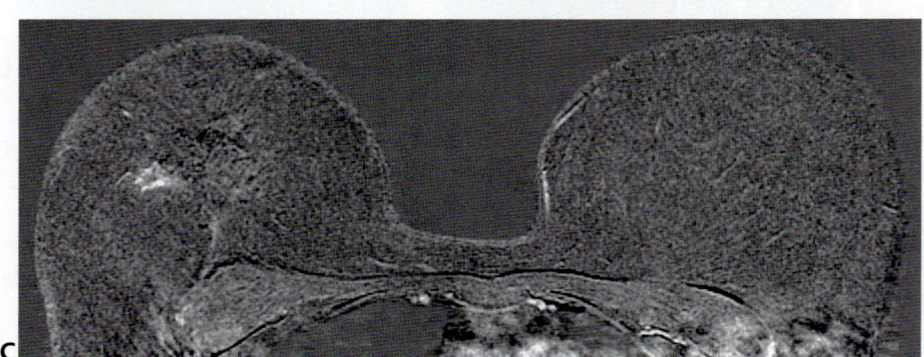

◀ **FIGURA 25.** Dois anos pós-cirurgia conservadora e radioterapia: recidiva. (**A**) Mamografia, incidência médio-lateral oblíqua. Distorção arquitetural na união dos quadrantes superiores da mama direita. (**B**) Ultrassonografia demonstra nódulo de contorno irregular. (**C**) RM de mamas, plano axial, pós-contraste, com subtração evidencia realce nodular periférico em correspondência aos achados dos exames convencionais.

Pacientes de alto risco

Uma outra importante indicação é a avaliação de pacientes com história familiar de câncer de mama e com alterações genéticas BRCA 1 e 2, que em 60-80% podem tornar-se doentes durante a vida. Além disso, não precisam ser submetidas à radiação ionizante. Geralmente essas pacientes são jovens, apresentam parênquima mamário denso, o que diminui a sensibilidade da mamografia (Figs. 26 e 27).

Quimioterapia neoadjuvante

Para acompanhamento da resposta de pacientes com tumor de mama localmente avançado que realizam quimioterapia neoadjuvante. As pacientes que apresentam uma resposta completa a essa terapia podem ter a possibilidade de um tratamento individualizado (Fig. 28).

Tumor primário desconhecido

É uma indicação menos comum e se aplica quando os achados de exame físico e dos métodos convencionais de imagem não apresentam alterações, e a paciente possuiu linfonodo metastático. A RM pode identificar o tumor invasivo primário (Fig. 29).

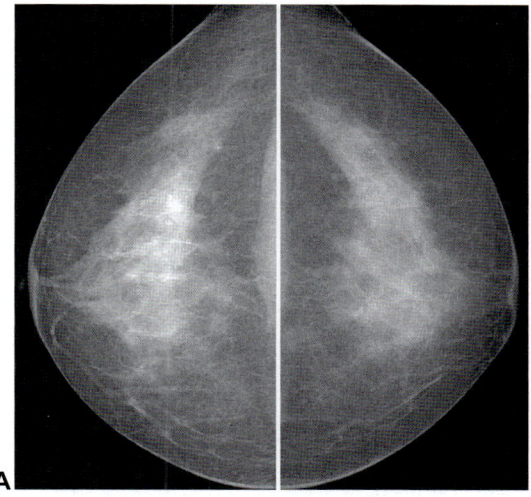
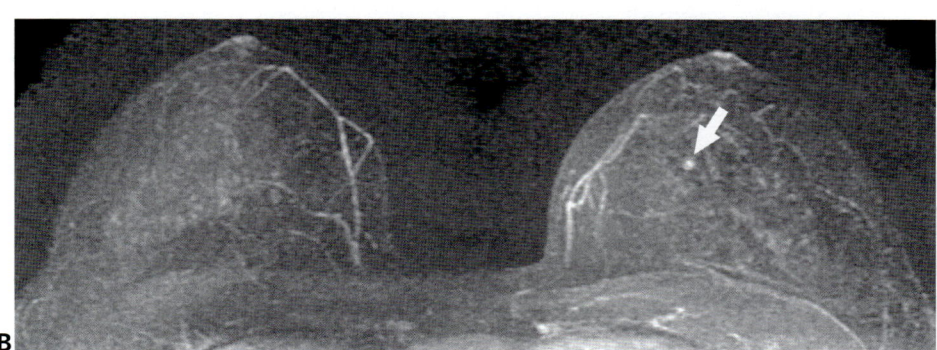

◄ **FIGURA 26.** Alto risco: paciente com 32 anos; mãe da paciente com carcinoma bilateral aos 38 anos. (**A**) Mamografia, incidência craniocaudal, sem alterações. (**B**) RM de mamas, reconstrução MIP, evidencia realce focal pós-gadolínio venoso, que correspondia a foco de carcinoma pT1b, 0,5 cm.

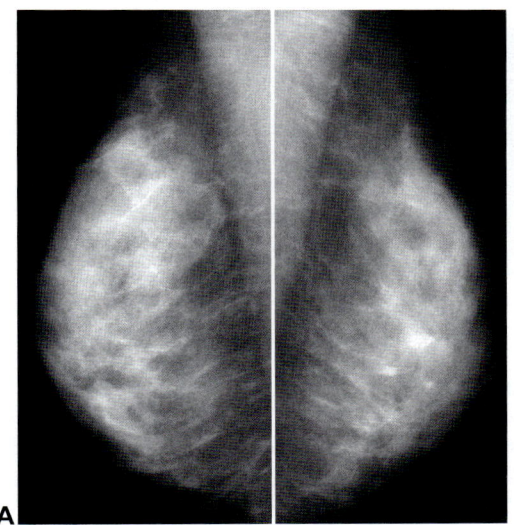
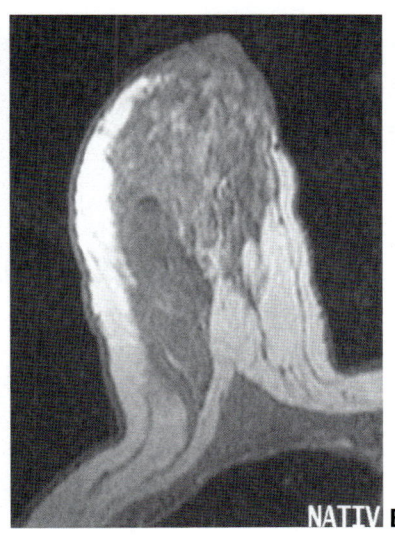
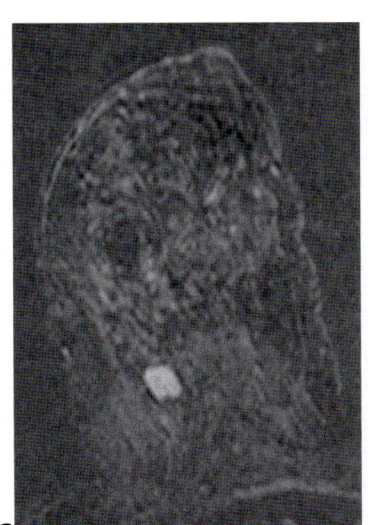
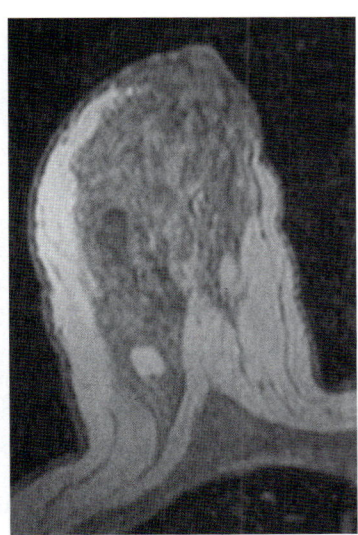

◄ **FIGURA 27.** Paciente de alto risco genético: fibroadenoma. (**A**) Mamografia, incidência médio-lateral oblíqua, demonstra mamas densas, sem alterações. RM de mamas, plano axial, pré-contraste (**B**), pós-contraste (**C**) e com subtração (**D**) evidencia nódulo lobulado, com realce homogêneo pós-gadolínio venoso.

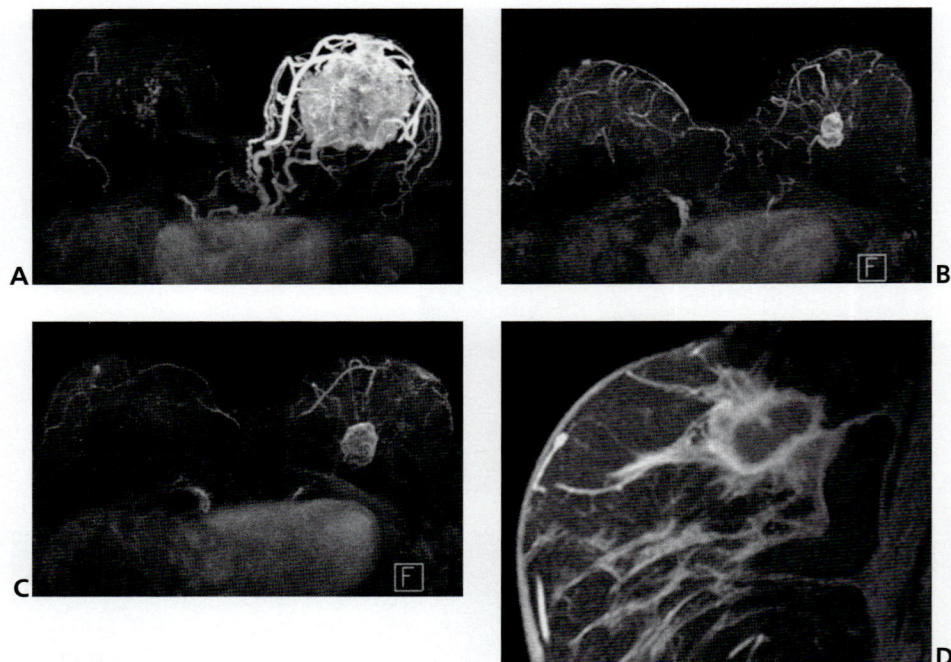

◀ **FIGURA 28.** Monitorização de quimioterapia neoadjuvante. Reconstruções MIP no plano axial. (**A**) Volumosa massa com realce heterogêneo pós-gadolínio venoso, antes do início da quimioterapia. (**B-D**) Plano sagital – controle pós-tratamento.

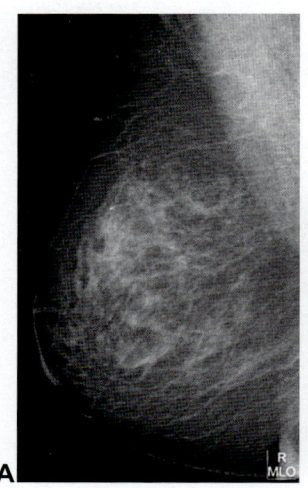
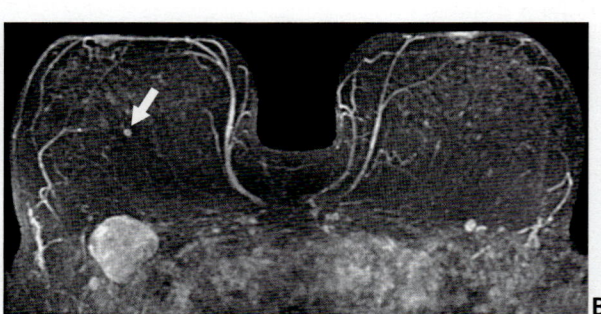

◀ **FIGURA 29.** Tumor primário desconhecido. (**A**) Mamografia, incidência médio-lateral oblíqua sem alterações. (**B**) Reconstrução MIP no plano axial. Linfonodomegalia e foco de realce pós-gadolínio venoso que correspondia ao tumor primário.

Resolução de casos problemáticos

Existem alguns casos controversos que não podem ser elucidados pelos métodos de imagem tradicionais, como mamografia e ultrassonografia, associados à clínica, como, por exemplo, aquelas alterações que só são evidentes em uma incidência mamográfica e que não têm expressão a ultrassonografia ou achados que não apresentam correlação entre os métodos. Os achados da RM podem confluir tanto para alterações benignas como malignas, muitas vezes necessitando de esclarecimento histopatológico. Naturalmente todos os recursos devem ser explorados para elucidação diagnóstica, como, por exemplo, incidências ampliadas, manobras rotacionais e angulares na mamografia, antes da solicitação da RM.

As indicações de RMM são para casos selecionados,[5] como diferenciação entre tecido fibrótico e carcinoma, exclusão ou detecção de recidiva após cirurgias conservadoras, implantes de silicone após mastectomia, pesquisa de tumor primário em pacientes com achados mamográficos e ultrassonográficos negativos, estadiamento para exclusão de multicentricidade e multifocalidade ou tumor contralateral, monitorização de quimioterapia neoadjuvante e em raros casos em que há uma lesão suspeita apenas em uma incidência na mamografia e que não apresenta expressão ultrassonográfica (Fig. 30).

Implantes de silicone

A literatura demonstra que a ressonância magnética é o método de escolha tanto para avaliação da integridade, como para a verificação de ruptura de próteses mamárias e outras complicações, pois utiliza sequências específicas e sensíveis ao silicone e à capacidade multiplanar, possibilitando um estudo integral das próteses, com sensibilidade de 94% e especificidade que varia de 92 a 100%. A ressonância magnética é, atualmente, o melhor método de imagem para um diagnóstico seguro de ruptura dos implantes mamários (Fig. 31).

NÃO INDICAÇÕES DE RM DE MAMA

Não está indicada a realização de RM de mamas para esclarecimento de microcalcificações inespecíficas à mamografia. Nesse caso, é necessária a realização de biópsia para diagnóstico histopatológico guiada por raios X. No caso de malignidade, a RM está indicada para a avaliação pré-operatória, para melhor avaliação da extensão da lesão.

No caso de alterações inflamatórias da mama, frequentemente, a RM de mamas não acrescenta no diagnóstico, não podendo diferenciar-se entre alterações inflamatórias secundárias a uma mastite não puerperal e um carcinoma inflamatório.

Lesões palpáveis com suspeita de malignidade devem ser submetidas à biópsia percutânea. Não existe comprovação científica segura até hoje que a RM de mamas venha a substituir o esclarecimento histopatológico.

RM pós-operatória para pesquisa de tumor residual após ressecção deve ser evitada. Mais bem indicado seria a realização de RM pré-operatória para avaliação das mamas.

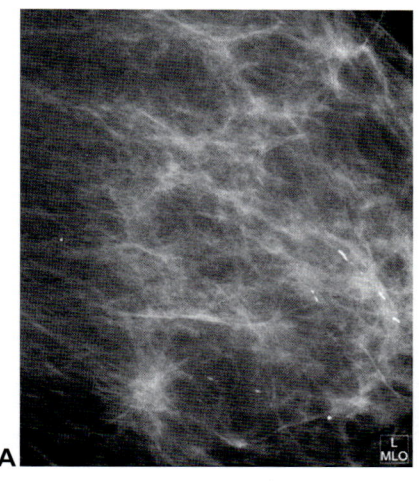
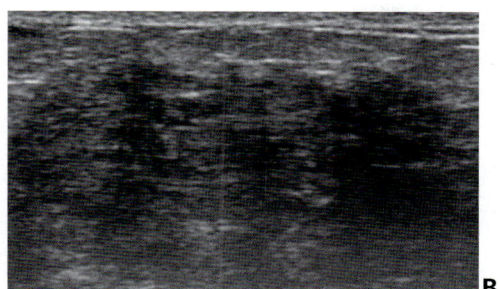
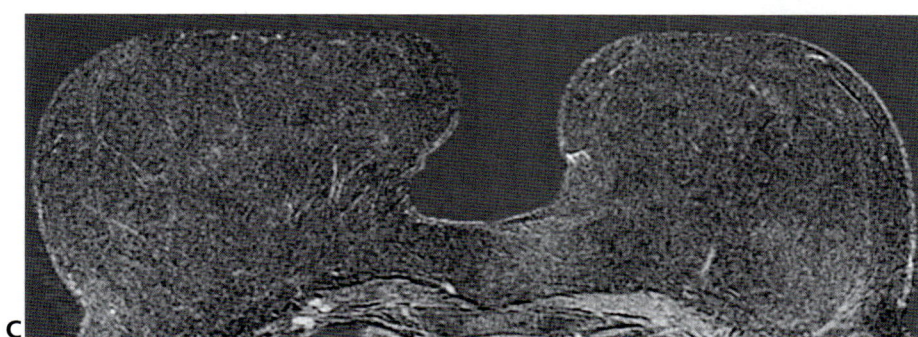

◀ **FIGURA 30.** Diagnóstico de achados sem correspondência nos métodos convencionais. (**A**) Mamografia, incidência médio-lateral oblíqua ampliada. (**B**) Área de distorção arquitetural que na ultrassonografia correspondia à área hipoecoica. Na RM não houve realces suspeitos. (**C**) Exame normal – diagnóstico definitivo: sem evidências de tumor.

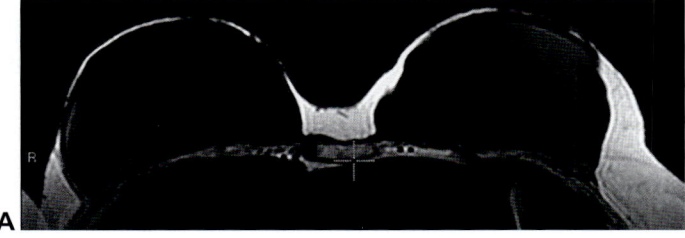
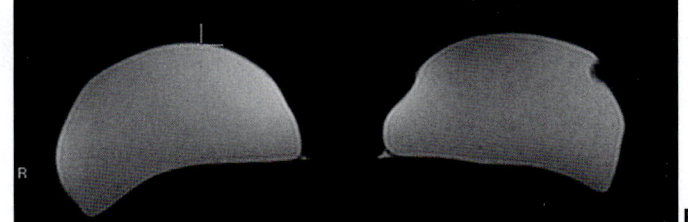
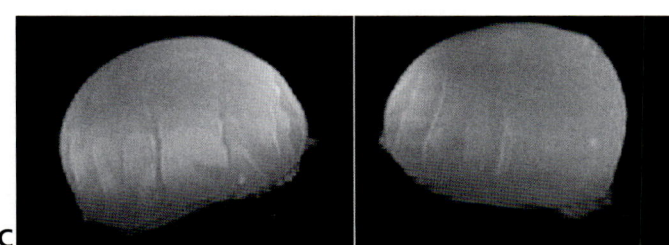

◀ **FIGURA 31.** Implantes de silicone. (**A-C**) RM no plano axial, ponderado para supressão de silicone e água, demonstra implantes sem evidências de ruptura.

VANTAGENS E LIMITAÇÕES

Dentre os métodos de imagem a RM de mamas é o mais sensível para a detecção de carcinoma invasivo, 95% de sensibilidade, apresentando uma sensibilidade crescente para carcinoma intraductal. A especificidade que durante muito tempo foi muito variável, também tornou-se maior (80-90%).

Os realces inespecíficos, relacionados com a fase do ciclo menstrual, reduzem quando o exame é realizado entre o 7º e 17º dia do ciclo menstrual.

No passado os fibroadenomas mixoides eram uma razão comum de achado falso-positivo na RM. Atualmente caracterizam-se esses tumores com hiperssinal em T2, septos no interior e realce homogêneo após a administração de gadolínio venoso, podendo, em grande parte dos casos, serem caracterizados como achados benignos.

Atualmente a adenose focal é uma causa comum de falso-positivo na RM, pois pode apresentar contorno irregular e limites mal definidos e realce compatível com as lesões malignas.

BIÓPSIA GUIADA POR RM

A RMM pode detectar lesões que não são evidentes pelos métodos convencionais de imagem (mamografia e ultrassonografia).[5-7] Como estas lesões são geralmente muito pequenas, é necessário um método preciso de marcação ou biópsia percutânea minimamente invasiva, graças à moderada especificidade da RMM, evitando, assim, biópsias cirúrgicas desnecessárias, já que a maioria das lesões é benigna, como também é observado nos métodos convencionais (mamografia e ultrassonografia).

Entretanto, o acesso a estas lesões que são apenas evidentes pela RMM não é muito fácil, porque intervenções guiadas pela RMM em magnetos fechados são complicadas pelo problema de espaço, todo o procedimento é feito fora do magneto, e as lesões identificadas pelo realce são visíveis por curto espaço de tempo.

Uma grande vantagem da biópsia a vácuo, guiada pela RMM, é retirada de amostras com bastante tecido o que compensa os eventuais pequenos erros que possam ocorrer durante a inserção da agulha e a verificação direta da remoção da lesão, o que não ocorre quando se realiza *core*-biópsia guiada pela RMM, sendo necessário um acompanhamento de 2 anos para confirmação de casos com histopatologia benigna.

Apesar de as lesões não serem evidentes pelos métodos convencionais (mamografia e ultrassonografia) e apenas pela RM de mama, é necessária a confirmação histopatológica. Como a maioria destas lesões será benigna, é necessário um método preciso de biópsia (lesões são < 1,0 cm), que não deixe sequelas cirúrgicas e que propicie um diagnóstico histopatológico seguro.

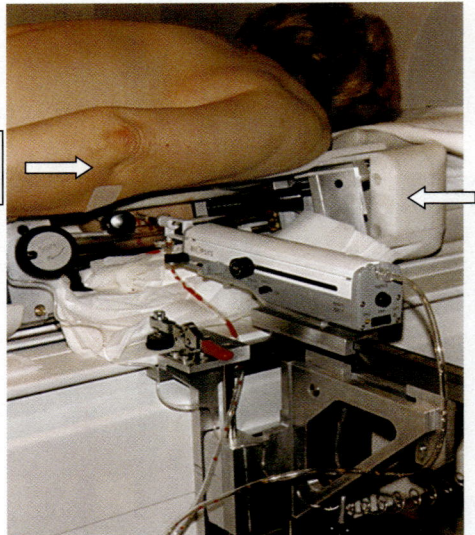

◄ **FIGURA 32.** Paciente em posição prona para realização de BV-RMM, que é realizado fora do magneto. O mamotomme encontra-se apoiado no dispositivo de biópsia, fixado à mesa, em que as coordenadas da lesão são transmitidas. Os afastadores dos suportes de compressão permitem variações de angulação.

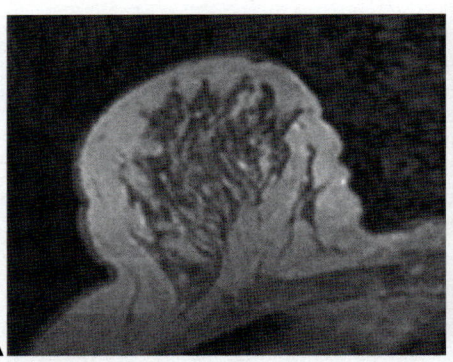
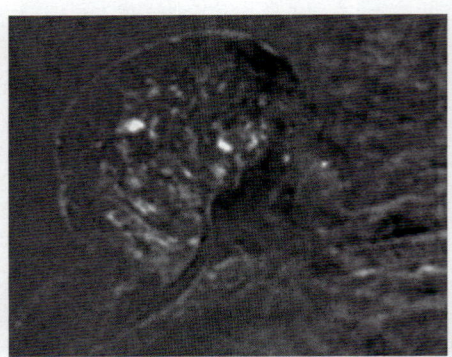
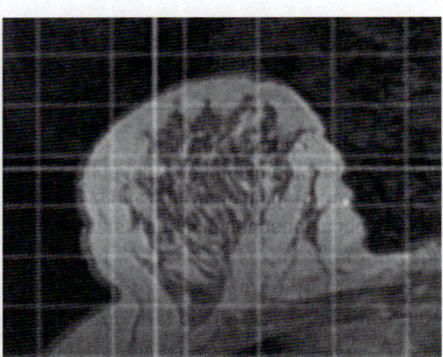

▲ **FIGURA 33.** Imagens de RMM no plano axial. (**A**) Pós-contraste. (**B**) Com subtração. (**C**) Pós-contraste para cálculo das coordenadas.

Biópsia a vácuo, guiada pela RMM (BV-RMM), possibilita um acesso seguro e eficaz da lesão apenas evidenciada pela RMM, não deixa cicatrizes, retira amostras satisfatórias para o diagnóstico histopatológico e possibilita a avaliação da biópsia durante a realização do procedimento por meio das imagens durante e pós-biópsia (Fig. 32).

As placas de compressão consistem em múltiplos suportes paralelos que podem ser afastados uns dos outros. Nesta posição, a mama da paciente é examinada antes e após a infusão de 0,2 mmol Gd-DTPA/kg. Com base nestas imagens as coordenadas da lesão que será biopsiada são calculadas (Fig. 33).

Para um acesso perfeito diferentes angulações são calculadas, e a melhor angulação será escolhida de acordo com a localização da lesão pelo radiologista que realiza o procedimento. As coordenadas da lesão são transmitidas a um dispositivo de biópsia. Depois de anestesia cutânea uma agulha bem cortante é introduzida seguindo as coordenadas e depois substituída por uma fina agulha, compatível com a ressonância magnética.[9,10] Depois que a correta posição desta fina agulha é confirmada pela imagem, ela é substituída pela agulha de biópsia a vácuo (Fig. 34).

Após anestesia profunda adicional, biópsia a vácuo é feita com a retirada mínima de 20 amostras. O procedimento de biópsia é feito fora do magneto, e a retirada das amostras é intercalada com o controle para o qual a mesa é introduzida no magneto para a realização da imagem.

Depois da biópsia é realizado outro exame, antes e após a injeção de contraste para verificar se o procedimento foi satisfatório.

No caso de realização de biópsia a vácuo guiada pela RMM, o procedimento é considerado "satisfatório" quando a lesão é completa ou parcialmente removida nas imagens de RMM de controle, e que os eventuais hematomas dentro da cavidade após excisão não impediram esta avaliação. Se a lesão for identificada inalterada após a biópsia, o procedimento será considerado " insatisfatório". Se não for possível uma avaliação adequada da retirada parcial ou completa da lesão em virtude do sangramento ao redor da cavidade, o procedimento será caracterizado como "prejudicado".

Os resultados histopatológicos devem ser retrospectivamente correlacionados com a RMM, para verificação entre morfologia e realce da lesão. No caso de resultado histopatológico de tumor maligno, devem-se realizar excisão cirúrgica e/ou cirurgia conservadora e, se necessário, quimioterapia ou mastectomia.

Para orientar uma correta excisão cirúrgica no caso de lesões malignas e hiperplasia ductal atípica, deve ser realizada marcação pré-cirúrgica por RMM ou ultrassonografia. De acordo com nossa experiência é possível realizar marcação pré-cirúrgica sem problemas, mesmo de lesões que foram completamente removidas, desde que a cavidade da biópsia possa ser identificada pela RMM e, na maioria dos casos, pela ultrassonografia também, face à presença de cavidade e/ou pequeno hematoma (Fig. 35).

DISCUSSÃO

Uma grande vantagem da biópsia a vácuo, guiada pela RMM, é a verificação da remoção da lesão (o que é visível em apenas pequena minoria dos casos quando fazemos *core*-biópsia guiada por RMM). Isto é importante, porque

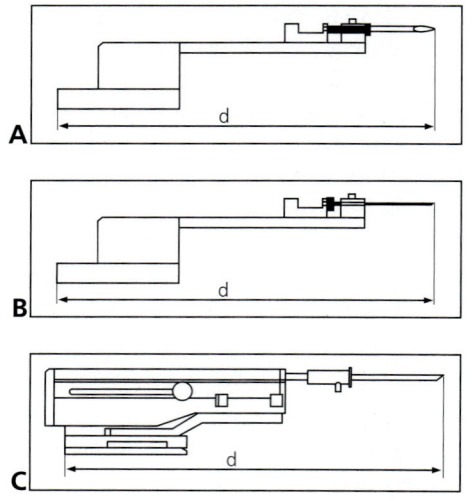

◄ **FIGURA 34.** Inicialmente uma agulha cortante é introduzida após o cálculo das coordenadas (**A**) e substituída por agulha provisória, compatível com RM (**B**), que, após confirmação por imagem da correta posição, será substituída por agulha de biópsia a vácuo (**C**).

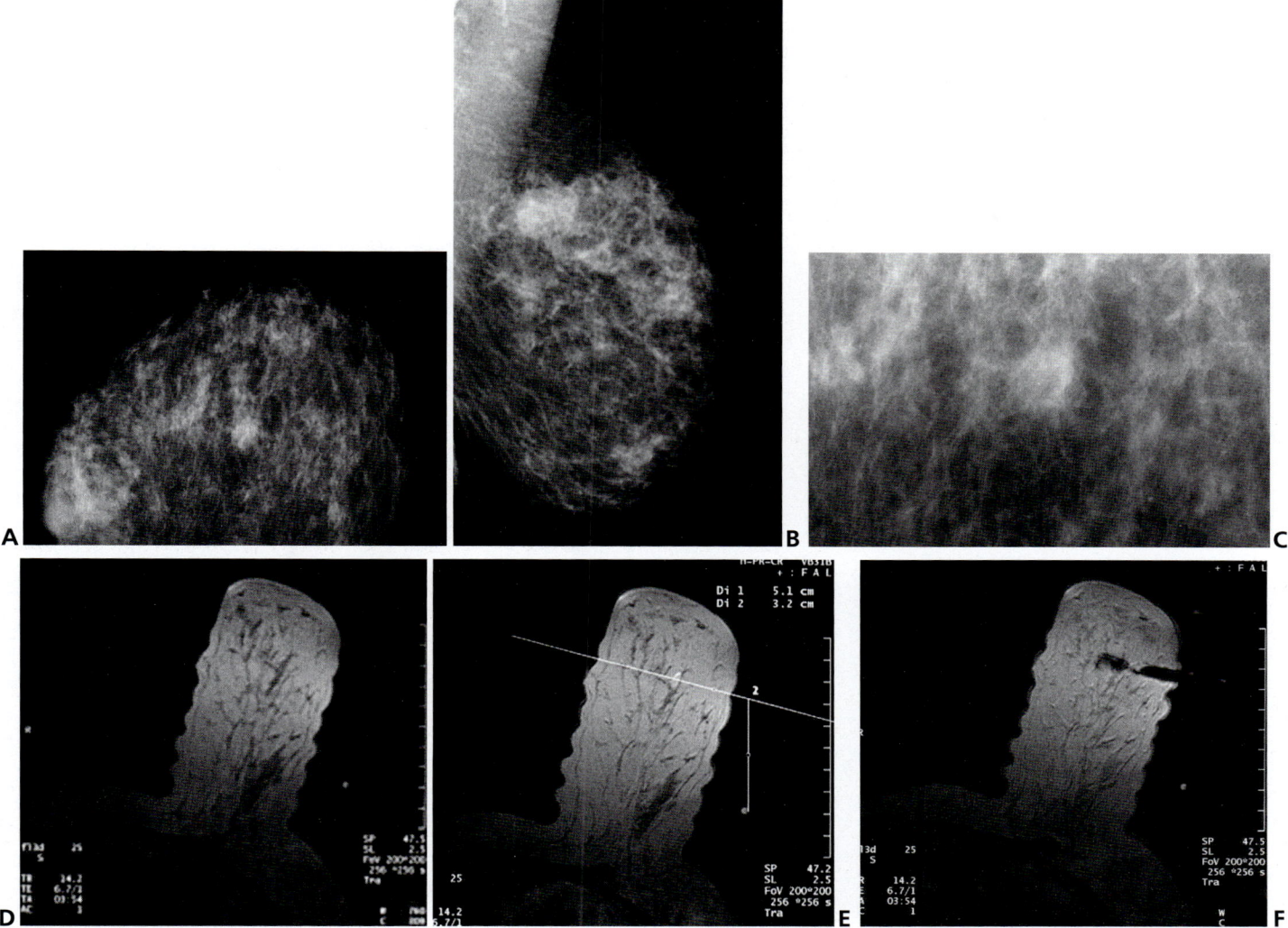

▲ **FIGURA 35.** MGR e RMM de paciente com CA de mama contralateral, atualmente com lesão não palpável na mama esquerda na RMM, e sem expressão à USG. **(A)** MGR-CC. **(B)** MGR-MLO. **(C)** MGR – ampliação em CC. **(D)** RMM pós-contraste. **(E)** RMM, plano-BV. **(F)** RMM controle. Histologia: fibroadenoma.

intervenções guiadas pela RMM em magnetos fechados são complicadas pelo problema de espaço, todo o procedimento é feito fora do magneto. Em decorrência do *wash-out* do contraste nas lesões e do realce do tecido adjacente, as lesões são visíveis apenas por um curto período de tempo. Consequentemente, a avaliação de uma biópsia satisfatória é geralmente difícil. Estes problemas são bastante reduzidos pela biópsia a vácuo. Desde que um relativo volume tecidual possa ser excisado com agulha de 11 Gauge, correta retirada da lesão pode ser avaliada pelo fato que a cavidade geralmente é bem visível nas imagens de controle pós-procedimento e pela direta visualização da redução ou não do tamanho da lesão. Considerando o fato de que alterações pós-terapêuticas podem, em menos de 4% dos casos, prejudicar a avaliação depois da biópsia, recomendamos um acompanhamento de 6 meses. No caso de marcação pré-cirúrgica com fio-guia da RMM, a grande desvantagem é que não há como se confirmar na peça se a lesão foi realmente retirada, já que não é possível obter-se imagem da lesão previamente evidenciada graças à interrupção da circulação sanguínea, além do fato que em razão da moderada especificidade da RMM, não é nosso interesse a realização de biópsia excisional que acarretará em cicatriz, tendo em vista a eventual benignidade das lesões; entretanto é necessário confirmação histopatológica.

Apesar da ausência de realce depois de a biópsia ser representativa de uma biópsia satisfatória, ressecção microscópica completa não pode ser concluída pela remoção macroscópica da lesão; resíduos microscópicos não podem ser visualizados pela imagem. O tamanho dos tumores é frequentemente subestimado pelo tecido adjacente ao tumor que não realça, principalmente carcinomas *in situ* ou componentes do tumor *in situ*.

A vantagem da biópsia a vácuo, guiada pela RMM, é o acesso de lesões que só são evidentes por meio deste método, não podendo ser usada como método terapêutico para tumores malignos; em casos de malignidade ou lesões *borderline*, reexcisão cirúrgica e apropriada cirurgia e terapia oncológica são indispensáveis.[6-10]

REFERÊNCIAS BIBLIOGRÁFICAS

1. Heywang-Köbrunner SH. *Contrast enhanced MRI of the breast.* Berlin Heidelberg, New York: Springer, 1990.
2. Harms SE, Flaming DP, Hesley KL et al. MR imaging of the breast with rotating delivery of excitation off ressonance: clinical experience with pathologic correlation. *Radiology* 1993;187:493.
3. Orel SG, Schnall MD, Powel CM et al. Stating of suspected breast cancer:effect of MR imaging and MR-guided biopsy. *Radiology* 1995;196:115-21.
4. Brem RF, Schoonjans JM, Sanow L et al. Reliability of histologic diagnosis of breast cancer with stereotactic vacuum- assisted biopsy. *Am Surg* 2001;4:388-92.
5. Heywang-Köbrunner SH, Bick U, Bradley WG et al. International investigation of breast MRI: results of a multicentre study (11 sites) concerning diagnostic parameters for contrast-enhanced MRI based on 519 histopathologically correlated lesions. *Eur Radiol* 2001;11:531-46.
6. Heywang-Köbrunner SH, Heinig A, Spielmann RP. Interveventional MRI of the breast: lesion localization and biopsy. *Eur Radiol* 2000;10:36-45.
7. Prat X, Sittek A, Perlet C et al. *European quadricentric evaluation of a breast MR biopsy and localization device: technical improvements based on phase-1 evalu*ation. Breast. Berlin Heidelberg, New York: Spring Verlag, 2002.
8. Heinig A, Lampe D, Beck R et al. Supression of unespecific enhancement on breast magnetic resonance imaging by antiestrogen medication. *Tumori* 2002;88:215-23.
9. Heywang-Köbrunner SH, Viehweg P, Hanke W et al. Prototype breast coil for MR- needle localization. *J Comput Assist Tomogr* 1994;18 (6):876-78.
10. Fischer U et al. MR – Gesteuert interventionen. In: *Interventionen der mamma*. Thieme Verlag, 2008. p. S.86-126.
11. Kuhl CK, Braun M. Praeoperatives Stating mit der Mamma MRT: Pro und Kontra. *Radiologie* 2008;48:358-66.

CAPÍTULO 109

Classificação do Bi-Rads em Mamografia, Ultrassonografia e Ressonância Magnética

Marconi Luna ■ Andrea Petrelli ■ Ellyete de Oliveira Canella ■ Cristiano Luna

---

109-1 Mamografia

INTRODUÇÃO

No Congresso Americano de Radiologia (RSNA), em dezembro de 2003, em Chicago, foi divulgada a 4ª edição do BI-RADS (*Breast Imaging and Reporting Data System Mammography*).

ACR BI-RADS – *Committee*

Esses professores foram os principais organizadores dessa 4ª edição do BI-RADS:

- Gerald D. Dodd Jr, MD – *Chairman*.
- Daniel B. Kopans MD – CO. *Chairman*.
- Carl J. D'orsi MD – CO. *Chairman*.

O BI-RADS é um trabalho entre membros de vários departamentos do Instituto Nacional do Câncer, de Centros de Controle e Prevenção da Patologia Mamária, da Administração de Alimentos e Drogas, da Associação Médica Americana, do Colégio Americano de Raciologia, do Colégio Americano de Cirurgiões e do Colégio Americano de Patologistas, por conseguinte, todas essas instituições ajudaram na elaboração do BI-RADS.

O objetivo do BI-RADS consiste na padronização dos laudos mamográficos, ultrassonográficos e de ressonância magnética, levando em consideração a evolução diagnóstica e a recomendação da conduta.

Não devemos esquecer da história clínica e do exame físico da paciente.

Nessa 4ª edição foi lançado o BI-RADS para ultrassonografia e ressonância magnética mamárias.

Nessa 4ª edição do BI-RADS ocorreram algumas modificações nas categorias e, especialmente, na categoria 4, que foi dividida em 4A (baixa suspeita de malignidade), 4B (intermediária suspeita de malignidade), 4C (suspeita moderada).

Foi acrescentada a categoria 6 (achados malignos confirmados pela biópsia, contudo, antes das terapias definitivas como cirurgia, radio e quimioterapia.

Foi mantida a Categoria 0 no BI-RADS, quando há necessidade de uma avaliação adicional para o diagnóstico da lesão mamária.

Na tese de Doutorado (Luna M, 2001) Padronização e Organização dos Laudos Mamográficos no Brasil (UFRJ), apenas 40% realizavam o exame físico nos serviços de mamografia no país.

CATEGORIAS PARA AVALIAÇÃO

Avaliação mamográfica incompleta

Categoria 0

Necessita de avaliação adicional de imagem ou mamografias prévias para comparação.

Achados em que avaliação adicional de imagem é necessitada. Isto quase sempre é feito em uma situação de rastreio. Em certas circunstâncias esta categoria pode ser usada após uma elaboração mamográfica completa. Uma recomendação para avaliação adicional de imagem pode incluir, mas não é limitada ao uso de *spot* compressão, magnificação, incidências mamográficas especiais, ultrassonografia ou ressonância magnética

Sempre que for possível, caso o estudo não seja negativo, e não contenha um achado tipicamente benigno, tal exame deve ser comparado com estudos anteriores. O radiologista deve julgar a importância em obter tais estudos anteriores. A categoria 0 deve ser somente utilizada com um filme antigo de comparação, quando tal comparação é requisitada para fazer uma avaliação final.

Avaliação mamográfica completa – categorias finais

Categoria 1: negativa

Não há comentário algum a ser feito nesta categoria. As mamas são simétricas e não há massas, distorção arquitetural ou microcalcificações suspeitas presentes.

Categoria 2: achado(s) benigno(s)

Como na Categoria 1, esta é uma avaliação "normal", mas aqui o mamografista escolhe descrever o achado benigno no laudo mamográfico.

Fibroadenomas calcificados em involução, múltiplas calcificações secretórias, lesões que contenham gordura, como cistos oleosos, lipomas, galactoceles e densidade mista, hamartoma, todos têm caracteristicamente aparências benignas e podem ser classificados com confiança (Fig. 1A-D). O mastografista também pode escolher descrever linfonodos intramamários, calcificações vasculares, implantes ou distorção claramente relacionada com a cirurgia prévia, enquanto ainda concluindo, se não houver evidência mamográfica de malignidade (Fig. 1E-G).

Note que as avaliações de ambas Categorias 1 e 2 indicam que não há evidência mamográfica de malignidade. A diferença é que a categoria 2 deve ser usada quando descrever um ou mais achados mamográficos benignos específicos no laudo, em que a categoria 1 deve ser utilizada e tais achados não são descritos.

Categoria 3: achado provavelmente benigno

Um controle de intervalo curto é sugerido (ver Capítulo Guia*).

Um achado colocado nesta categoria deve ter menos do que 2% de malignidade. Não existe expectativa de mudança após o intervalo para controle; entretanto, o mastografista pode preferir estabelecer sua estabilidade.

Existem diversos estudos clínicos prospectivos demonstrando a segurança e eficácia de um controle inicial de curto prazo para achados mamográficos específicos.

Três achados específicos são descritos como sendo provavelmente benignos (a massa sólida circunscrita não calcificada, assimetria focal, calcificações agrupadas redondas [punctiformes], o último é considerado por alguns mastografistas como sendo de características absolutamente benignas.) (Fig. 2A-D). Todos os estudos publicados enfatizam a necessidade de conduzir uma avaliação completa de diagnóstico de imagem antes de fazer uma avaliação provavelmente benigna (categoria 3); logo não é aconselhável fazer uma avaliação quando está interpretan-

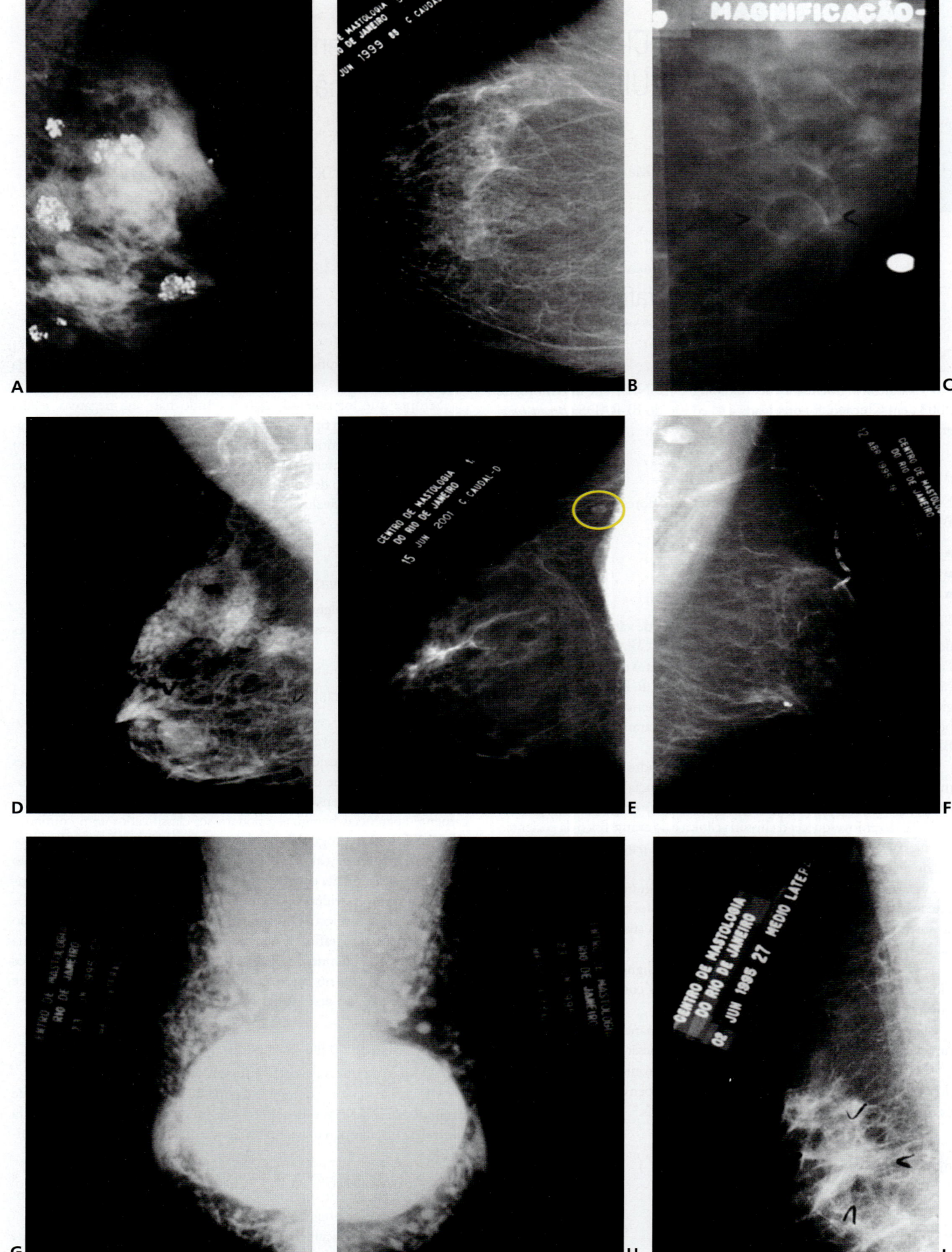

▲ **FIGURA 1.** Categoria 2. (**A**) Fibroadenomas calcificados em involução. (**B**) Calcificações de doença secretora (mastite de células plasmáticas ou ectasia ductal). (**C**) Lipoma. (**D**) Hamartoma. (**E**) Linfonodo intramamário. (**F**) Calcificações vasculares. (**G** e **H**) Próteses mamárias. (**I**) Distorção arquitetural (após cirurgia prévia).

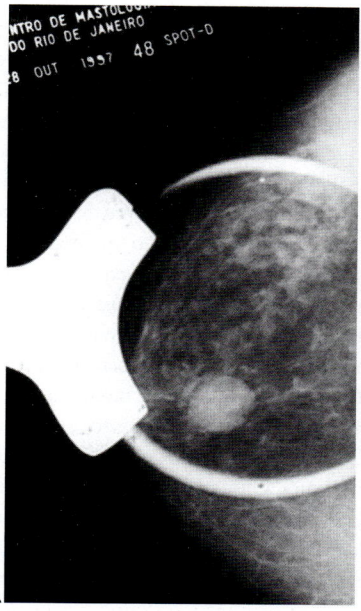 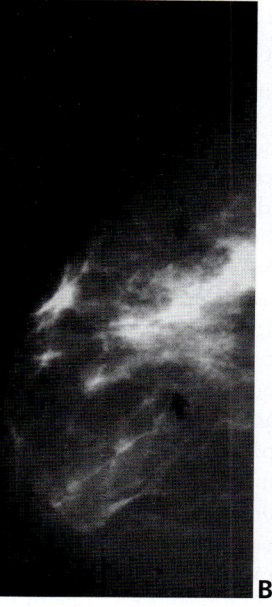 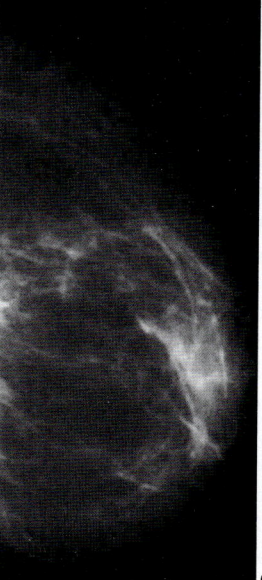 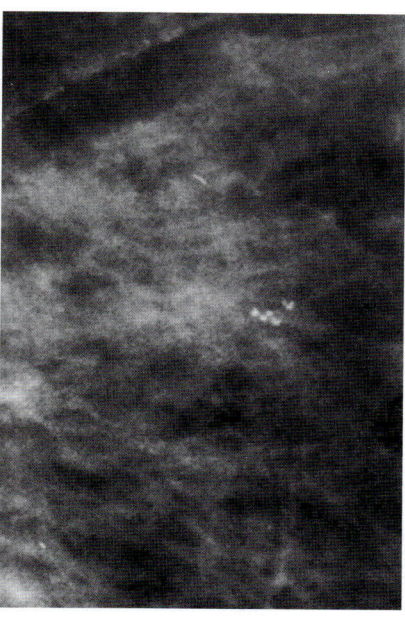

▲ **FIGURA 2.** Categoria 3. (**A**) Massa sólida circunscrita não calcificada. (**B** e **C**) Assimetria focal. (**D**) Calcificações agrupadas redondas.

do um exame de rastreio. Ainda mais, todos os estudos publicados excluem lesões palpáveis, logo o uso de uma avaliação de provavelmente benigna para uma lesão palpável não é sustentada por dados científicos. Finalmente, evidências de todos os estudos publicados indicam a necessidade da biópsia mais do que um controle continuado quando os achados com maior probabilidade de benignidade aumentam em tamanho ou extensão.

Enquanto a vasta maioria dos achados nesta categoria será manejadas com um acompanhamento inicial a curto prazo (6 meses) seguido de exames adicionais a longo prazo (2 anos ou mais) até que a estabilidade seja aparente, há ocasiões em que a biópsia é feita (desejos da paciente ou preocupações clínicas).

Categoria 4: anormalidade suspeita

Biópsia deve ser considerada (ver Capítulo Guia*).

Esta categoria é reservada para achados que não têm a clássica aparência de malignidade, mas têm um espectro amplo de probabilidade de malignidade que é maior do que daquelas lesões na categoria 3. Logo, na maior parte das recomendações para procedimentos invasivos da mama serão colocados anexos nesta categoria. Pela subdivisão da Categoria 4 em 4A, 4B e 4C como sugerido no Capítulo Guia, é encorajado que probabilidades relevantes de malignidade sejam indicadas anexas nesta categoria para que a paciente e o seu clínico possam tomar uma decisão informada do curso da ação final.

Categoria 5: altamente sugestiva de malignidade – ação apropriada deve ser tomada (malignidade quase certa) (ver Capítulo Guia*)

Estas lesões têm alta probabilidade (≥ 95%) de serem câncer. Esta categoria possui lesões em que um estágio de tratamento cirúrgico deve ser considerado sem biópsia preliminar. Entretanto, cuidado oncológico corrente pode precisar uma amostra de tecido percutâneo, como, por exemplo, quando a imagem do nódulo sentinela está incluída no tratamento cirúrgico ou quando a quimioterapia neodjuvante é administrada no início.

Categoria 6: biópsia conhecida – malignidade comprovada – ação apropriada deve ser tomada: (ver Capítulo Guia*)

Esta categoria é reservada para lesões identificadas no estudo de imagem, com biópsia comprovada de malignidade anterior à terapia definitiva.

CAPÍTULO GUIA*

Na sua quarta edição, o Comitê BI-RADS® inclui este Capítulo como guia em resposta às observações dos usuários. Diversas mudanças substanciais foram incorporadas nesta edição para melhorar a utilidade clínica e suprir uma base unificada para pesquisa, envolvendo o exame de imagem mamária. Este capítulo se expandirá nestas mudanças à medida que aparecerem em cada sessão do BI-RADS® e fornece explicações para a mudança. O que vem a seguir serve como guia e não deve ser implicado como padrão necessário para a prática.

TERMOS DE EXAME DE IMAGEM MAMÁRIA

Massas

Massa é uma estrutura tridimensional que apresenta margens exteriores convexas, geralmente evidente em duas incidências ortogonais. Pela confusão com o termo "densidade", o qual descreve atenuação com características de massa, o termo "densidade" que descreve um achado, outro do que uma massa tem sido substituída por "assimétrica". Uma assimetria necessita de margens exteriores convexas e a evidência de massa, como discutido adiante.

Calcificações

É confuso ter ambas "redondas" e "puntiformes" como separar descrições a menos que cada uma tenha traços característicos. A diferença relaciona-se com o tamanho, com "puntiformes", definidos como menores do que 0,5 mm e "redonda" como maior ou igual a 0,5 mm. A frase "grosseiras heterogêneas" foi adicionada para descrever calcificações de interesse intermediário que são mais largas do que 0,5 mm, e variáveis em tamanho e forma, mas que são menores do que aquelas que geralmente ocorrem em resposta para prejudicar. Quando presente como agrupamentos bilaterais múltiplos, calcificações em fileiras heterogêneas são frequentemente em decorrência da fibrose ou fibroadenomas, e um controle pode ser apropriado. Estas tendem a unirem-se em calcificações tipicamente benignas. Como um grupo isolado, calcificações "heterogêneas em fileiras", entretanto, têm uma pequena, mas significativa, similaridade com malignidade, especialmente quando ocorrem junto com microcalcificações pleomórficas. Mais informações são necessárias nesta questão. Como em quaisquer calcificações, a distribuição deve ser considerada também. Microcalcificações em fileiras heterogêneas em uma distribuição segmentar ou linear podem ser ocasionadas por malignidade. Resumindo, "fileiras heterogêneas" foram adicionadas, e "finas pleomórficas" devem ser utilizadas para descrever microcalcificações menores do que 0,5 mm que sejam variáveis em forma e tenham maior probabilidade de indicar malignidade.

Casos especiais

Diversas questões foram recebidas pelo comitê BI-RADS®, refletindo confusão na distinção dos termos "massa", "assimetria focal" e "assimetria". Uma massa deve demonstrar completa ou parcialmente margens exteriores convexas visualizadas e geralmente descritas em incidências ortogonais.

Assimetrias são planas, faltando margens convexas, geralmente possuem gordura entremeada e falta evidência de massa tridimensional. Para elucidar assimetria, o termo "assimetria global" foi introduzido nesta edição para enfatizar a diferença entre assimetrias generalizada e focal. "Assimetria global" envolve uma grande porção da mama (no mínimo, um quadrante). Na ausência de correlação palpável, a "assimetria global" é geralmente ocasionada por variações normais ou influência hormonal. "Assimetria focal" diferem de uma massa; uma vez que, geralmente, faltam margens exteriores convexas e diferem de "assimetria global" somente no tamanho da área da mama envolvida. Assimetria focal é mais preocupante do que assimetria global. Comparações em filmes anteriores são críticas na avaliação das assimetrias. Uma densidade desenvolvida requer avaliação adicional na ausência de um histórico cirúrgico, trauma ou infecção do local. O que aparenta ser assimetria focal vista no rastreio, quando avaliação adicional com incidências de *spot* compressão e/ou ultrassonografia pode provar ser graças a uma massa indistintamente marginada.

ORGANIZAÇÃO DO LAUDO

Muitas das sugestões e perguntas recebidas pelo comitê BI-RADS® referem-se a categorias de avaliação. Nós respondemos e esperamos termos feito mudanças que permitam maior flexibilidade e espelhar o que ocorre na prática clínica.

BI-RADS® foi designado como um instrumento mamográfico. Na sua quarta edição, BI-RADS®, para mamografia, tem sido combinado com BI-RADS®–Ultrassonografia e BI-RADS®–RM. Quando apropriado, estes dois novos termos são organizados de forma similares. A ultrassonografia e a RM têm características que são únicas a cada modalidade, mas sempre que aplicável, os termos desenvolvidos para mamografia são usados. Categorias de avaliação são as mesmas para todos os termos BI-RADS®.

CATEGORIAS DE AVALIAÇÃO

As avaliações do BI-RADS® são divididas em incompleta (categoria 0) e categorias de avaliações finais (categorias 1, 2, 3, 4, 5 e 6). Uma avaliação incompleta requer avaliação com incidências adicionais mamográficas, comparação de filmes, ultrassonografia ou, menos comum, à RM. Quando estudos de imagens adicionais estão completos, uma avaliação final é interpretada.

O ideal é um laudo de diagnóstico com imagens mamográficas e de ultrassonografia que serão incluídos no mesmo laudo, com parágrafos em separado detalhando cada um, e uma avaliação final integrada que leve em consideração todos os achados no exame de imagem da mama.

O Ato de Padrão de Qualidade de Mamografia (APQM) requer que uma única avaliação seja dada ao estudo mamográfico. Lugares ou indivíduos que desejem prover BI-RADS® com avaliação em separado para cada mama, para fazer o mesmo no texto impresso ou no corpo do laudo, dado que uma avaliação geral única para o estudo seja claramente codificada no final do laudo completo. A avaliação geral final deve, é claro, ser fundamentada nos mais preocupantes achados presentes. Por exemplo, se achados provavelmente benignos forem notados em uma mama e anormalidades suspeitas vistas na mama oposta, o relatório geral deve ser codificado BI-RADS® categoria 4 anormalidade suspeita. Similarmente, se uma avaliação adicional imediata ainda for necessária para uma mama, (como, por exemplo, a paciente não pode esperar pelo exame de ultrassonografia no momento), e a mama oposta teve achados de probabilidade benigna, o código geral seria BI-RADS® categoria 0, incompleto.

Uma certa confusão acontece na paciente com achado palpável e exame de imagem negativos. Estes laudos devem ser codificados com uma avaliação final com base nos achados dos exames de imagem. Quando a interpretação dos achados dos exames de imagem é influenciada pelos achados clínicos, a avaliação final deve ser tomada em ambas as considerações, e os achados clínicos podem ser detalhados no laudo.

Categoria 3

O uso da categoria 3, provavelmente benigno, é reservado para achados que são quase que certamente benignos. Deve ser enfatizado que esta NÃO é uma categoria indeterminada para malignidade, mas uma que, na mamografia, tenha menos do que 2% de chance de malignidade (por exemplo: é quase certamente benigno). Tais achados são geralmente identificados em rastreio de base ou em um rastreio em que exames prévios não estão disponíveis para comparação. Avaliação imediata com imagens mamográficas adicionais e/ou ultrassonografia é exigida para interpretar a categoria 3, uma avaliação provavelmente benigna. Lesões apropriadamente colocadas nesta categoria incluem uma massa circunscrita, não palpável, em um mamograma de base (a não ser que mostre que é um cisto, um linfonodo intramamário ou outro achado benigno), assimetria focal a qual parcialmente afina no *spot* compressão, e um grupo de calcificações puntiformes. O controle inicial de curto prazo é geralmente um mamograma unilateral 6 meses após a data do exame inicial de rastreio. Assumindo a estabilidade do achado, a recomendação é, então, para um exame controle bilateral em 6 meses (correspondendo a 12 meses após o exame inicial). Se nenhuma outra característica preocupante for notada no segundo controle de curto prazo, o exame é mais uma vez codificado como categoria 3 com recomendação para um controle tipicamente bilateral de 12 meses.

Se a(s) característica(s) mais uma vez mostrar nenhuma mudança nos próximos 12 meses subsequentes de exames (correspondendo a 24 meses após o exame inicial), a avaliação final pode ser categoria 2, benigno, ou categoria 3, provavelmente benigno com discrição na interpretação do médico. De acordo com a literatura, após 2 ou 3 anos de estabilidade, a avaliação final da categoria poderá ser mudada para categoria 2, benigno, apesar do diagnóstico no controle (mais do que do rastreio) poder ser apropriado se, por exemplo, incidências magnificadas contínuas puderem ser necessárias.

Como com qualquer exame interpretativo, um leitor menos experiente ainda poderá perceber uma assimetria focal mínima que muda com um trabalho mais preciso para ser um achado de categoria 3. Um leitor mais experiente em 6, 12, ou 24 meses poderá reconhecer isto como uma variante normal e classificado como na categoria 1, negativo. Com um laudo propriamente escrito, a avaliação de categoria poderá, então, ser modificada para uma que o leitor sinta ser a mais apropriada.

É possível também que um achado categoria 3 seja avaliado com biópsia como um resultado da preocupação da paciente e/ou médico, ou, por falta de confiança, em provavelmente benigno de avaliação de controle. Em tais circunstâncias a avaliação final da categoria deve ser com base no risco de malignidade mais do que no manejo estipulado. Lesões apropriadamente classificadas como provavelmente benignas na ultrassonografia incluem cistos incidentais complicados não palpáveis. Centros individuais têm mostrado < 2% de taxa de malignidade em massas sólidas, ovais, hipoecoicas, circunscritas, não palpáveis e que podem ser indistinguíveis de cistos complicados. Microcistos em grupos sem um componente sólido discreto também podem estar incluídos nesta categoria.

O uso correto da categoria 3, avaliação provavelmente benigna, requer auditoria aprofundada da prática de cada uma. A taxa de malignidade para achados mamográficos colocados nesta categoria deve ser < 2%. Para a ultrassonografia, a taxa de malignidade também deve ser < 2%, mas isto não tem sido amplamente validado na literatura. Para RM, os tipos de achados a serem colocados no controle de curto prazo e a expectativa de taxa de malignidade ainda requerem estudos mais aprofundados. É imperativo que o controle de curto prazo não altere o nível de distribuição ou o prognóstico de poucos pacientes com malignidades colocados sob vigilância: esta informação deve ser incluída na auditoria.

Categoria 4

A categoria 4 é usada para uma vasta quantidade de achados sugestivos a procedimentos invasivos na mama, colocando desde a aspiração de um cisto complicado à biópsia até microcalcificações pleomórficas. Diversas instituições têm, em base individual, subdividido a categoria 4 para contabilizar a vasta extensão de lesões sujeitas a procedimentos invasivos e correspondentes a um amplo âmbito de risco de malignidade.

Isto permite uma auditoria da prática mais significativa, sendo útil para pesquisar o envolvimento da análise de concordância (curva Roc), e é uma ajuda para os médicos e patologistas. A divisão opcional da categoria 4 em 3 subdivisões internamente ao nível de facilidade ajuda a efetuar estes objetivos.

Categoria 4A

A categoria 4A pode ser usada para um achado que precise de intervenção, mas com baixa suspeita de malignidade. O laudo patológico de malignidade não esperado, e a rotina de controle de 6 meses após a biópsia benigna ou exame citológico são apropriados.

Exemplos de achados colocados nesta categoria podem ser massa sólida, palpável, parcialmente circunscrita com características na ultrassonografia sugestiva de fibroadenoma, cisto palpável complicado ou provável abscesso (Fig. 3A-C).

Categoria 4B

A categoria 4B inclui lesões com uma intermediária suspeita de malignidade. Achados nesta categoria justificam procurar correlações radiológica e patológica. Um controle com resultado benigno nesta situação depende da concordância. Uma massa, parcialmente circunscrita e parcialmente delimitada, resultando em fibroadenoma ou necroses de gordura, é aceitável, mas um resultado de papiloma (Fig. 4A e B) pode justificar uma biópsia excisional.

Categoria 4C

A categoria 4C inclui achados de suspeição moderada, mas não clássica para malignidade (como na categoria 5). Exemplos de achados colocados nesta categoria são de uma massa sólida, irregular e mal definida ou um novo grupo de finas microcalcificações pleomórficas (Fig. 5A e B). Um resultado maligno é esperado nesta categoria. Estas divisões internas da

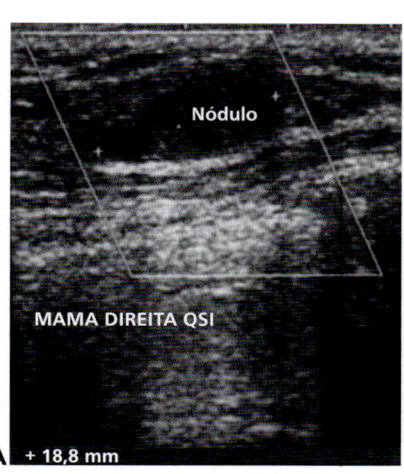 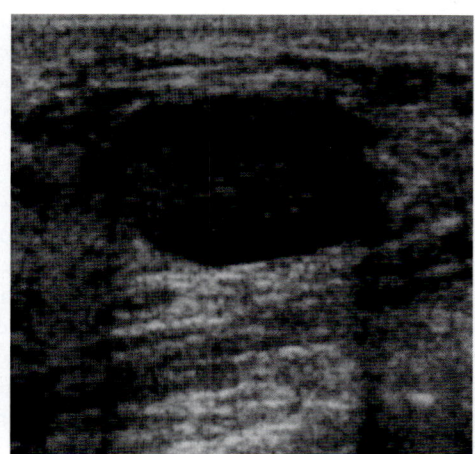 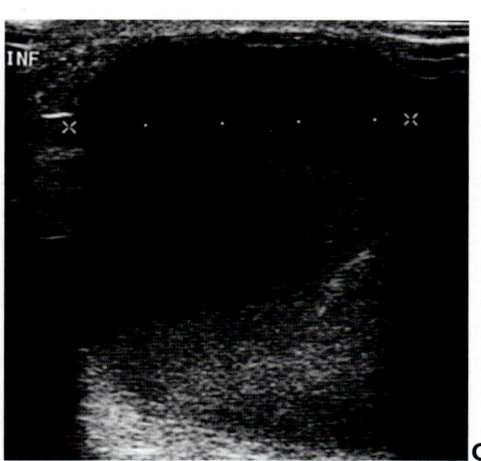

▲ **FIGURA 3.** Categoria 4A. (**A**) Nódulo palpável → fibroadenoma. (**B**) Cisto palpável complicado. (**C**) Abscesso.

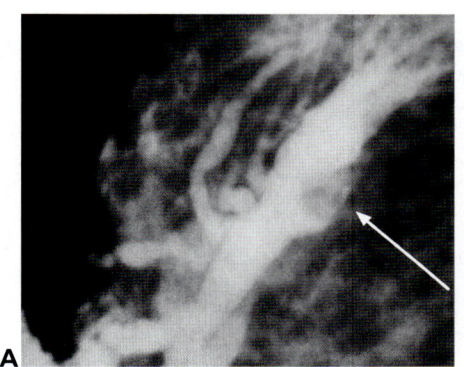 

◄ **FIGURA 4.** Categoria 4B. (**A** e **B**) Papiloma.

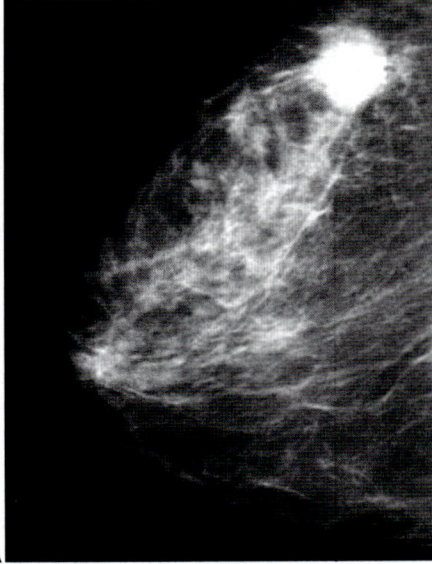 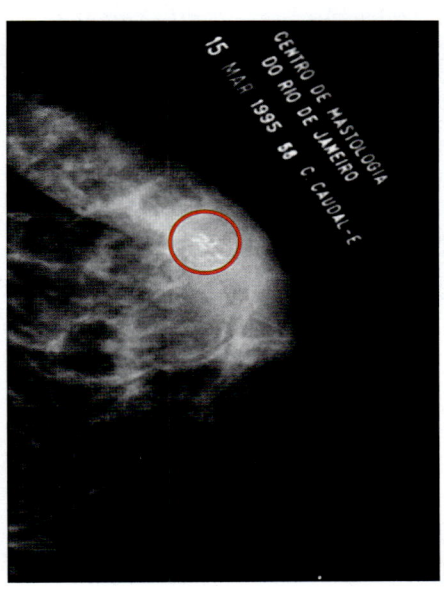

◄ **FIGURA 5.** Categoria 4C. (**A**) Nódulo sólido, espiculado. (**B**) Microcalcificações pleomórficas.

categoria 4 deve encorajar patologistas a iniciarem uma avaliação mais profunda dos resultados benignos da categoria 4C, e deve permitir aos médicos a melhor entenderem as recomendações de controle após a biópsia por achados colocados em cada subdivisão da categoria 4.

Categoria 5

A categoria 5 é utilizada para lesões quase certamente representando carcinoma na mama. Em edições anteriores do BI-RADS®, quando diagnósticos histopatológicos ou citológicos obtidos por biópsias com agulhas eram menos comuns, a avaliação desta categoria significava que a lesão poderia ser tratada definitivamente sem uma amostra prévia de tecido. Esta categoria deve ser reservada para achados que são clássicos câncer de mama, com ≥ 95% de probabilidade de malignidade. Uma massa espiculada, irregular, com alta densidade, um arranjo segmentado ou linear de finas calcificações lineares ou uma massa espiculada irregular com microcalcificações pleomórficas associadas são exemplos de lesões que devem ser colocadas na categoria 5 (Fig. 6A e B). Achados que justifiquem uma biópsia, mas não são clássicos para malignidade, devem ser colocados na categoria 4, idealmente em uma das três subdivisões mencionadas anteriormente.

Categoria 6

Esta categoria foi adicionada para achados mamários confirmados como malignos pela biópsia, mas antes das terapias definitivas, como excisão cirúrgica, radioterapia, quimioterapia ou mastectomia. Diferentemente das categorias 4 e 5 BI-RADS®, não é necessária intervenção associada para confirmar malignidade. Esta categoria é apropriada para segundas opiniões em achados com biópsia prévia feita e que mostram serem malignas ou para a monitorização das respostas à quimioterapia neoadjuvantes antes da excisão cirúrgica.

Poderá haver cenários em que as pacientes com biópsia comprovada de malignidade são mandadas para avaliação com exame de imagem antes da intervenção terapêutica. Por exemplo, uma paciente com malignidade reconhecida em uma mama pode ser enviada para uma consulta com filme em outro lugar, resultando em recomendação para avaliação adicional de outras anormalidades na mesma mama ou na oposta (categoria 0). Como em qualquer situação, a avaliação final deve ser fundamentada na ação mais imediata necessária. A avaliação adicional pode mostrar um cisto na mama oposta, um achado benigno que não requer ação, e a avaliação final poderá, então, retornar à categoria 6 em decorrência do câncer conhecido, mas que ainda não tratado. Se avaliação adicional revelar um achado suspeito separado que necessite de biópsia, a avaliação geral deve ser categoria 4, suspeita, com biópsia recomendada como a próxima medida.

Se trabalho adicional for feito somente na mama oposta, isto deve ser codificado apropriadamente para os achados naquela mama somente; entretanto, pode ser aconselhável adicionar um comentário na impressão/recomendação que o tratamento definitivo do câncer conhecido na mama oposta ainda é necessário.

O uso da categoria 6 não é apropriado, seguindo excisão de malignidade (tumorectomia). Após a cirurgia, poderá não haver evidência residual do tumor, com avaliação final para categoria 3, provavelmente benigno, ou categoria 2, benigno. Pode haver, alternativamente, calcificações suspeitas para resíduos tumorais, com avaliação final para categoria 4, suspeito, ou categoria 5, de malignidade altamente sugestiva, com recomendação para biópsia ou cirurgia adicional.

A maior razão para adicionar a categoria 6 é que o mérito dos exames nesta avaliação deve ser excluído da auditoria. Auditorias que incluam tais exames podem inapropriadamente indicar taxas dilatadas de detecção de câncer, de valores preditivos positivos e outros parâmetros.

Categoria 0

A categoria 0 é usada após um exame de rastreio. Quando uma avaliação de exame de imagem aprofundado (por exemplo: incidências adicionais ou ultrassonografia) ou recuperação de filmes anteriores é necessário. A comparação com filmes antigos diminuía necessidade de *recall*. Entretanto, a comparação não é sempre necessária para interpretar mamografias. Na ausência de quaisquer achados preocupantes, foi achado que filmes anteriores seriam de utilidade somente em 35/1.093 (3,2%) dos casos. Somente exames que necessitem de filmes anteriores para que se possa fazer uma avaliação válida devem ser codificados como categoria 0. Esta pode mais frequentemente incluir casos com assimetria focal que pode representar uma variante normal ou mamogramas mostrando massa(s) circunscrita(s) que pode(m) ter estado presentes anteriormente. As recomendações devem detalhar o exame completo necessário sugerido, (por exemplo, incidências adicionais e/ou ultrassonografia), se filmes antigos não forem recebidos.

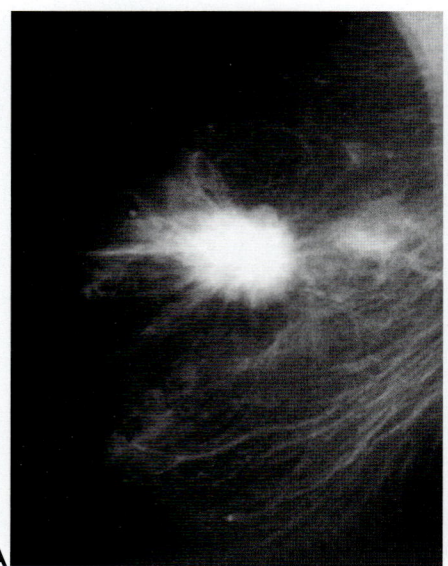
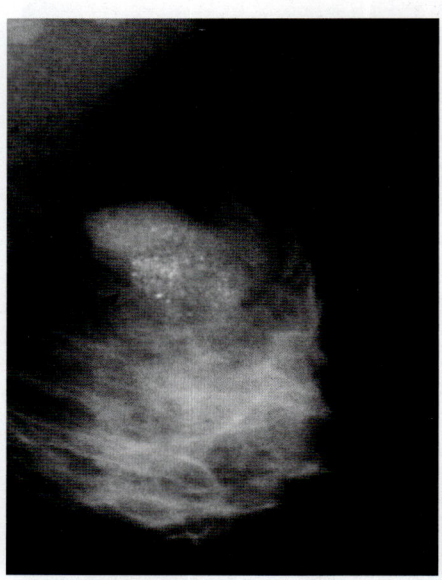

◀ **FIGURA 6.** Categoria 5. (**A**) Nódulo sólido, espiculado e com alta densidade. (**B**) Nódulo sólido, irregular e com microcalcificações pleomórficas.

109-2 Ultrassonografia

INTRODUÇÃO

Os exames de imagem buscam detectar e caracterizar as anormalidades da mama.

A avaliação da ultrassonografia da mama (USM) pode ser classificada em diagnóstica ou de rastreamento (*screening*). O objetivo primário do rastreamento é detectar câncer mamário em populações de pacientes assintomáticas. Por outro lado, o objetivo primário quando diagnóstico é caracterizar anormalidades que já tenham sido palpáveis ou detectadas pela mamografia (MMG) de rastreamento. O objetivo geral da USM diagnóstica é realizar um diagnóstico não invasivo mais específico do que seria possível apenas com a realização da mamografia e exame clínico em pacientes que apresentam anormalidades clínicas ou mamográficas. Também existem outros objetivos específicos associados à USM, como:

- Alterações da mamografia (BI-RADS® 0).
- Alterações clínicas palpáveis com ou sem imagem na mamografia.
- Mulheres com alto risco para câncer de mama com mamas densas à mamografia (CA oculto).
- Alterações só identificadas à USM.
- Evitar biópsias negativas desnecessárias.
- Evitar acompanhamento de curto prazo desnecessários.
- Orientar procedimentos intervencionistas.
- Melhorar habilidades clínicas.
- Melhorar capacidade de interpretação da mamografia.
- Detectar câncer não detectado ou subclínico na mamografia.
- Estadiamento de cânceres; determinar a extensão da doença maligna.

A quarta edição do BI-RADS®, em 2003, apresentou pela primeira vez uma versão própria para ultrassonografia mamária.

O objetivo do léxico para USM é o mesmo que para mamografia, tentando padronizar os relatórios com terminologia e classificação uniformes em categorias de avaliação final, sugerindo condutas, dessa forma facilitando a integração dos resultados e estimulando o armazenamento de dados (futuras auditorias). Alguns termos são específicos do método, devendo fazer parte da descrição dos laudos, como veremos a seguir.

DESCRIÇÃO DO LÉXICO

Segundo o manual, devemos incluir, no relatório ultrassonográfico, padrão ecotextural das mamas, descrição dos achados ecográficos e conclusão em categorias com suas respectivas condutas.

A – Padrão ecotextural do tecido mamário

Como na mamografia existe variabilidade na composição do tecido normal da mama. A textura mamária afeta diretamente na sensibilidade do método na detecção de nódulos sólidos, ainda que outros estudos sejam necessários.

A ecotextura será classificada em:

1. **Ecotextura homogênea adiposa:** mamas compostas predominantemente de lóbulos de gordura e bandas ecogênicas – ligamentos de Cooper (estrutura de suporte) compreendem o volume do tecido mamário. Não se observam áreas hipoecoicas discretas.

   Nessas mamas pode ser difícil detectar lesões sólidas com ecogenicidade muito próxima a do tecido adiposo (Fig. 7A e B).

2. **Ecotextura fibroglandular homogênea:** mamas homogeneamente ecogênicas, por predomínio fibroglandular.

   Nessas mamas a detecção de nódulos sólidos é mais fácil, pois a maioria deles, sendo hipoecoicos, destacam-se na hiperecogenicidade do parênquima adjacente (Fig. 7C).

3. **Ecotextura heterogênea:** mamas com mistura de ecogenicidades de tecidos adiposo e fibroglandular, podendo ser focal ou difusa. Sombra pode ocorrer em interfaces de lóbulos de gordura e parênquima. Este padrão ocorre em mamas de mulheres jovens e que apresentam-se com parênquima denso, heterogêneo à mamografia.

   Nessas mamas por apresentarem alternância dos elementos iso, hipo e hiperecoicos, podem dificultar a diferenciação entre estruturas normais e lesões reais da mama (Fig. 7D).

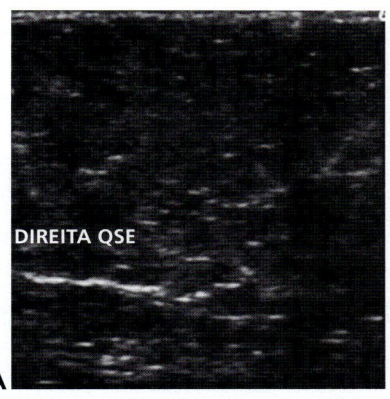
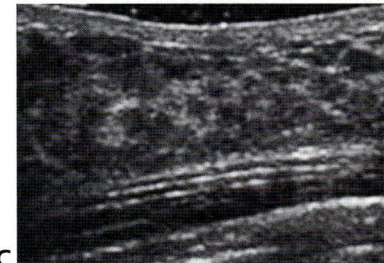
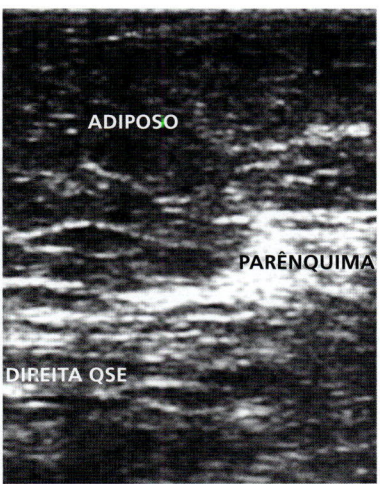
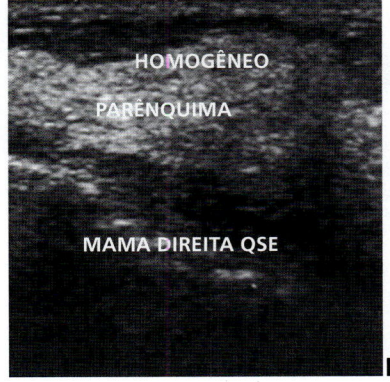

◄ **FIGURA 7.** Ecotextura da mama.
(**A** e **B**) Homogênea adiposa (classificação A1) ou
(**C**) fibroglandular (classificação A2) e
(**D**) heterogênea: mama densa jovem ou heterogeneamente densa na MMG (classificação A3).

DESCRIÇÃO DOS ACHADOS ULTRASSONOGRÁFICOS

Massas

B – Estruturas anatômicas normais (Fig. 8)

Aspectos das massas

B1 – Quanto à forma

A massa ocupa espaço e deve ser vista em duas projeções diferentes, devendo ser diferenciadas de estruturas anatômicas normais como costelas e lóbulos de gordura (Fig. 8). São analisadas quanto à forma:

A) *Ovoide* ou *elíptica*, podendo incluir duas ou três lobulações (macrolobulada) (Fig. 9A).
B) *Redonda, esférica, circular* ou *globular* (Fig. 9B).
C) *Irregular:* não é redonda nem ovoide (Fig. 9C).

B2 – Quanto à orientação

Esta característica das massas é unicamente vista à ecografia mamária. A orientação é definida pela referência da linha da pele:

A) *Paralela à pele:* quando a lesão tem orientação horizontal ou é "mais larga do que alta" (Fig. 10A).
B) *Não paralela à pele:* quando a lesão é verticalizada ou "mais alta do que larga" (Fig. 10B).

B3 – Quanto à margem ou contorno

É a borda da lesão.

A) *Circunscrita:* margem bem definida com transição abrupta entre a lesão e o tecido ao redor (Fig. 11A).
B) *Não circunscrita:* pode ser mal definida (indistinta), angulada, microlobulada ou espiculada (Fig. 11B-E).
   1. **Mal definida:** sem demarcação clara entre a massa e o tecido ao redor.
   2. **Angulada:** algumas ou todas as margens da lesão apresentam ângulo agudo.
   3. **Microlobulada:** várias pequenas lobulações.
   4. **Espiculada:** a margem é caracterizada por linhas afiladas que se projetam da massa.

B4 – Quanto aos limites da lesão ("boundary", o que circunda a lesão)

Descreve a zona de transição entre as massas e o tecido adjacente.

A) *Interface abrupta:* a demarcação entre a lesão e o tecido adjacente é nítida, bem definida (Fig. 12A e B).
B) *Halo ecogênico:* a demarcação não é nítida entre a lesão e o tecido adjacente que apresenta uma zona de transição ecogênica. O halo ecogênico pode estar associado a abscesso e alguns carcinomas (Fig. 12C).

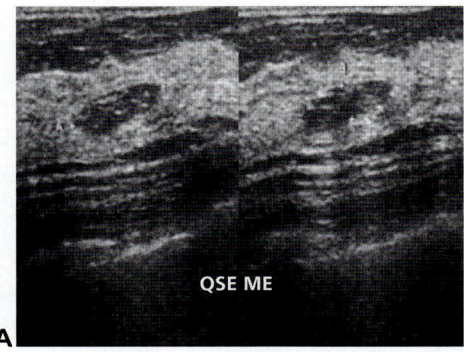
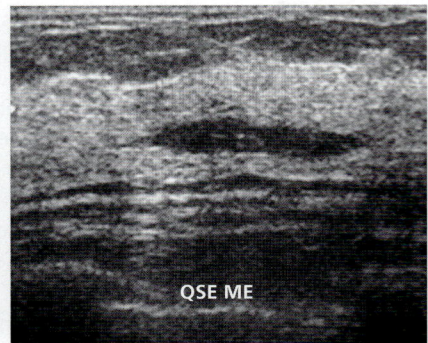

◀ **FIGURA 8.** Mama normal – lóbulo adiposo. (**A** e **B**) Duas projeções ortogonais (classificação B).

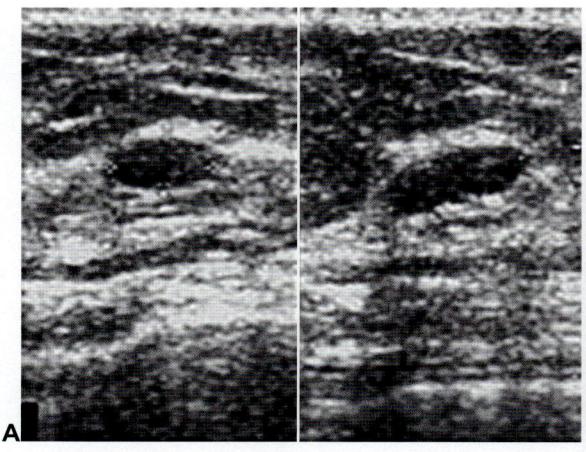
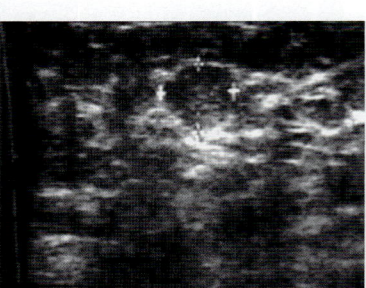
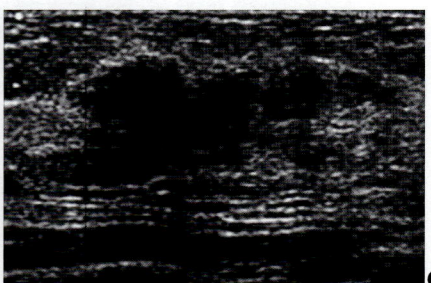

▲ **FIGURA 9.** Aspectos das massas quanto à forma. (**A**) Ovoide (classificação B1 A). (**B**) Redonda (classificação B1 B). (**C**) Irregular (classificação B1 C).

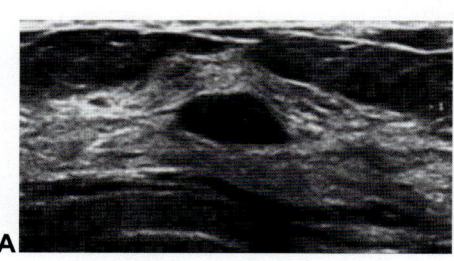
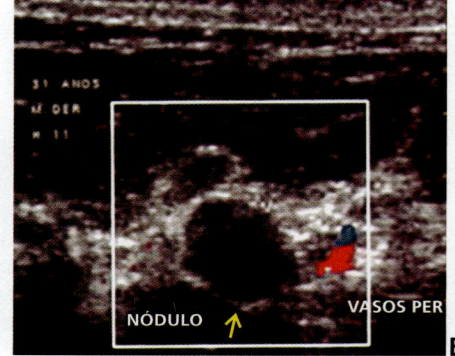

◀ **FIGURA 10.** Aspectos das massas quanto à orientação. (**A**) Superfície cutânea paralela ou horizontalizada (AP < L) (classificação B2 A). (**B**) Não paralela ou verticalizada (AP > L) (classificação B2 B).

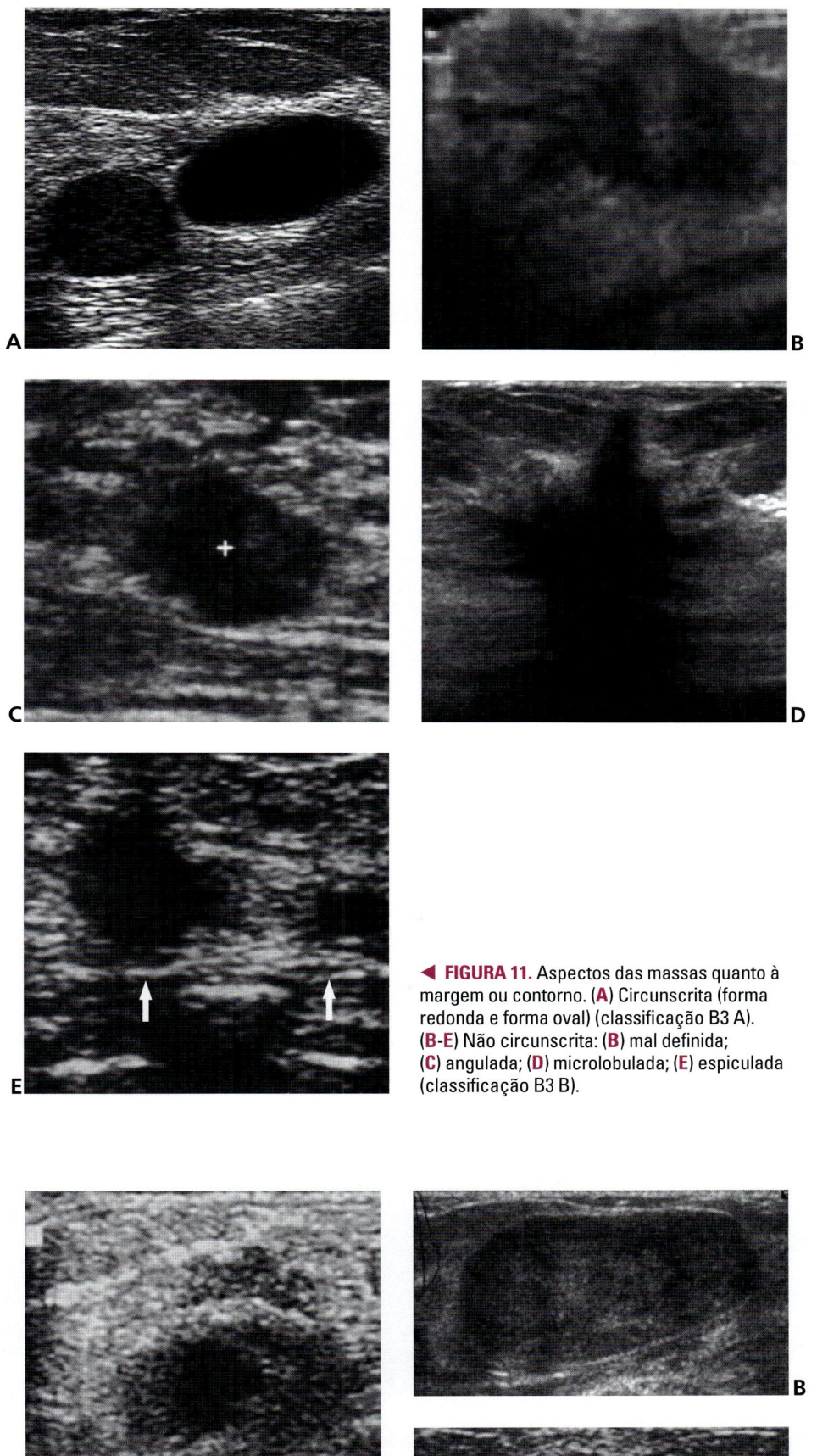

◀ **FIGURA 11.** Aspectos das massas quanto à margem ou contorno. (**A**) Circunscrita (forma redonda e forma oval) (classificação B3 A). (**B-E**) Não circunscrita: (**B**) mal definida; (**C**) angulada; (**D**) microlobulada; (**E**) espiculada (classificação B3 B).

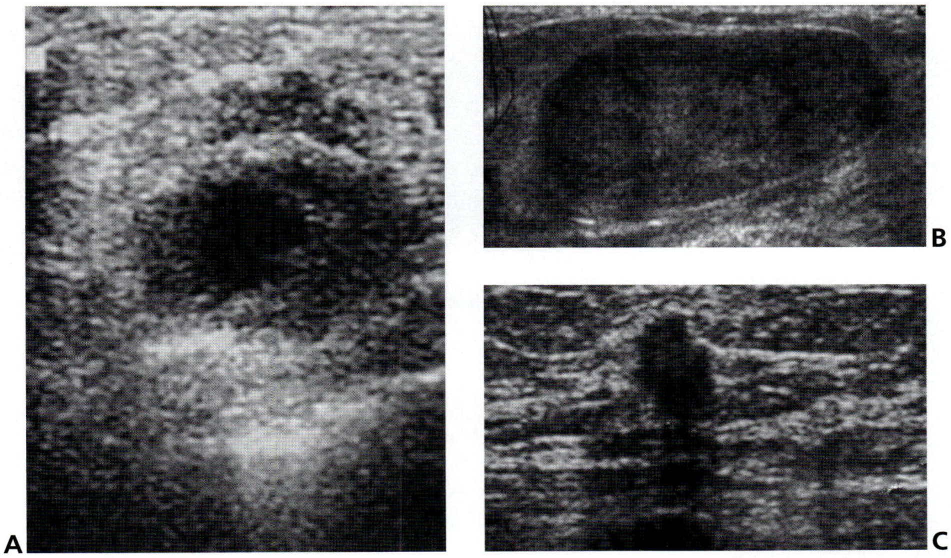

▲ **FIGURA 12.** Aspectos das massas quanto aos limites da lesão (*boundary*). (**A** e **B**) Distintos (com halo ecogênico peritumoral ou com pseudocápsula) (classificação B4 A). (**C**) Indistintos/imprecisos (classificação B4 B).

B5 – Quanto à ecotextura/ecogenicidade

A referência para o padrão ecográfico de qualquer lesão observada à USM é a ecogenicidade do tecido adiposo subcutâneo.

A) *Anecoica:* sem ecos internos (Fig. 13A).
B) *Hiperecoica:* aumento da ecogenicidade em relação à gordura ou igualmente ao tecido fibroglandular (Fig. 13B).
C) *Hipoecoica:* o termo é descrito em relação ao tecido adiposo subcutâneo (Fig. 13C).
D) *Isoecoica:* mesma ecogenicidade do tecido adiposo subcutâneo (Fig. 13D).
E) *Complexa:* apresenta conteúdo anecoico (cístico) e ecogênico (sólido) (Fig. 13E-G).

B6 – Quanto à transmissão sonora – características acústicas posteriores

A) *Sem aspecto acústico posterior:* lembrar que essa característica é menos importante que a margem e a forma da lesão (Fig. 14A).
B) *Reforço acústico posterior:* aumento dos ecos atrás da lesão. Um dos critérios para o diagnóstico de cisto é o reforço acústico posterior (Fig. 14B).
C) *Sombra acústica posterior:* sombra atrás da lesão. Lembrar que a sombra pode estar associada a alterações, como fibrose com ou sem carcinoma, cicatriz pós-cirúrgica, mastopatia fibrosa e carcinoma sem resposta desmoplásica (Fig. 14C).
D) *Padrão combinado:* reforço e sombra acústica (Fig. 14D).

B7 – Quanto ao tecido adjacente à lesão

Os efeitos são: compressão do tecido ao redor, obliteração dos planos do tecido por lesão infiltrante, espessamento do ligamento de Copper e halo ecogênico. Edema pode ocorrer causado por carcinoma inflamatório, radioterapia, mastite ou processo sistêmico, como insuficiência cardíaca congestiva.

A) *Extensão ductal:* calibre anormal, arborização ou calcificações (Fig. 15A-C).
B) *Alterações nos ligamentos de Cooper (estiramento ou espessamento):* podendo estar associado a carcinoma infiltrante (Fig. 15D).
C) *Edema:* ecogenicidade aumentada e reticulação no tecido adjacente. Imagens lineares hipoecoicas no interior de uma área com maior ecogenicidade (acúmulo de líquido) podem representar linfáticos dilatados em uma região de edema. A pele geralmente se encontra espessada (Fig. 15E).
D) *Distorção arquitetural:* interrupção dos planos anatômicos normais (Fig. 15F e G).
E) *Envolvimento cutâneo focal ou difuso:* a espessura normal da pele é de 2 mm ou menos, exceto na região periareolar e inferior das mamas (Fig. 15H e I).
F) *Retração ou irregularidade da pele:* a superfície da pele se encontra côncova, mal definida ou retraída (Fig. 15J e K).

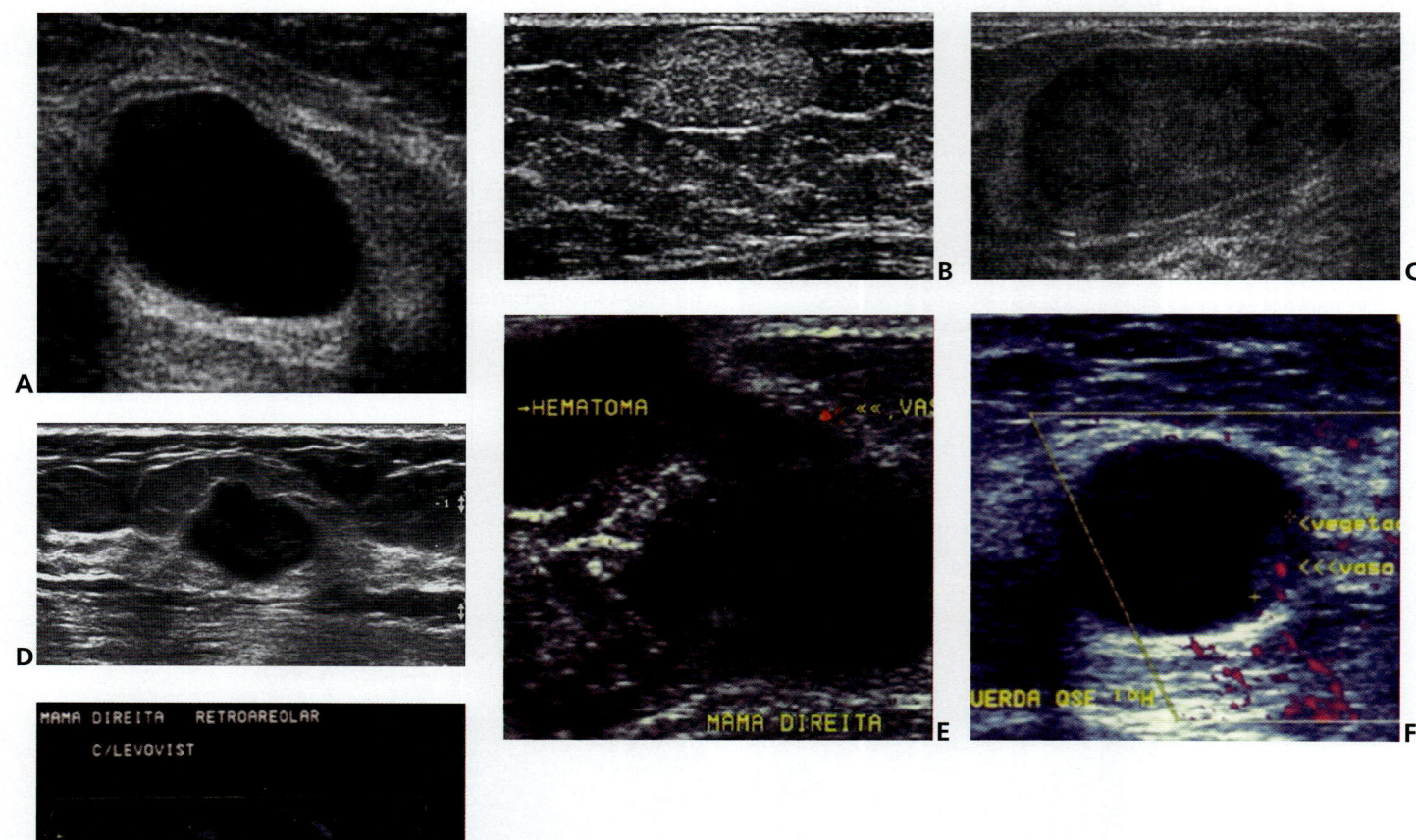

◀ **FIGURA 13.** Aspectos das massas quanto à ecotextura/ecogenicidade do tecido adiposo subcutâneo. (**A**) Anecoica (classificação B5 A). (**B**) Hiperecoica (classificação B5 B). (**C**) Hipoecoica (classificação B5 C). (**D**) Isoecoica (classificação B5 D). (**E-G**) Complexas (classificação B5 E).

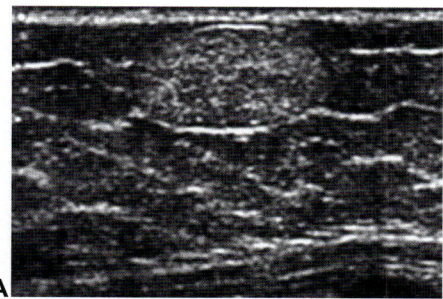
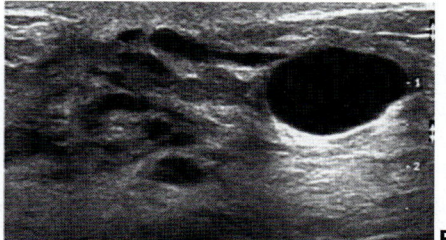
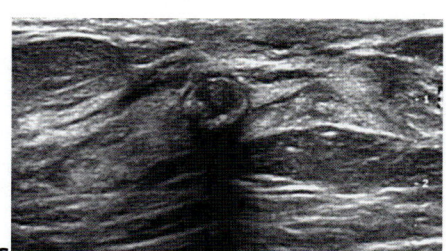
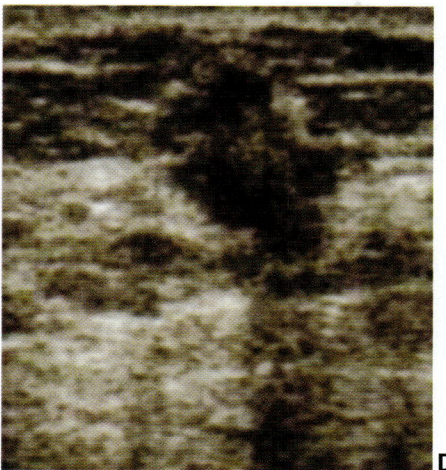

▲ **FIGURA 14.** Aspectos das massas quanto à transmissão sonora. **(A)** Ausente (classificação B6 A). **(B)** Reforço acústico (classificação B6 B). **(C)** Sombra acústica (classificação B6 C). **(D)** Padrão combinado (classificação B6 D).

C – Calcificações

As calcificações são pobremente caracterizadas à ecografia mamária, mas podem ser reconhecidas como um foco ecogênico, particularmente quando no interior de uma massa.

A) *Macrocalcificação:* quando iguais ou maiores de 0,5 mm (Fig. 16A e B).
B) *Microcalcificações dentro de massa:* focos hiperecogênicos dentro de um nódulo hipoecoico (Fig. 16C).
C) *Microcalcificações fora de massa:* pontos ecogênicos menores de 0,5 mm, sem sombra posterior (Fig. 16D).

D – Casos especiais

Esses casos apresentam um único achado ou diagnóstico.

A) *Conglomerado de microcistos:* grupo de pequenos cistos anecoicos, menores de 2-3 mm de diâmetro, com septações finas (< 0,5 mm) entre eles e ausência de componentes sólidos no seu interior (Fig. 17A).
B) *Cistos complicados (cistos com líquido espesso):* são cistos com ecos homogêneos no seu interior, podendo apresentar nível líquido-líquido ou nível líquido-*debris* e podem mover-se com alterações de decúbito. O termo complicado não indica que no interior exista pus ou sangue; é apenas o nome dado pela aparência interna do cisto. Quando há um discreto componente sólido na lesão cística, esta massa se torna COMPLEXA e necessita de intervenção diagnóstica (Fig. 17B-D).
C) *Nódulo cutâneo:* em geral palpável e inclui os cistos sebáceos, cistos de inclusão epidérmica, queloides e outras lesões mais raras (Fig. 17E).

D) *Corpo estranho:* inclui marcador metálico, fio metálico, catéter, silicone e metais relacionados com trauma (Fig. 17F).
E) *Linfonodos intramamários:* nódulos ovoides, circunscritos, com cortical hipoecogênica e centro hiperecogênico, correspondendo ao hilo gorduroso. Em geral são encontrados nos quadrantes superiores externos ou união dos quadrantes externos, periféricos. Seu tamanho normal varia de 3-4 mm a 1 cm (Fig. 17G).
F) *Linfonodos axilares:* aspecto ecográfico semelhante ao dos linfonodos intramamários. Os normais medem menos de 2 cm, porém quando maiores, mas apresentando fina cortical e gordura no interior, também são considerados normais. Linfonodos grandes com pouca gordura hilar ou nenhuma devem ser avaliados e correlacionados com a clínica (Fig. 17H e I).

E – Vascularização

Mais uma forma de avaliação da massa. A comparação com a mama contralateral ou ainda em uma área não afetada da mesma pode contribuir para o diagnóstico. Não há nenhuma característica específica para qualquer massa.

A) Presente ou ausente: massa avascular, com demais características para cisto simples, este deve ser o diagnóstico. Algumas massas sólidas podem ter pouca vascularização ou nenhuma, provavelmente relacionadas com a sensibilidade do Doppler colorido. Vigorosas compressões podem ocluir pequenos vasos, por isso não se deve aplicar compressão no momento do exame com Doppler.
B) Presença de vascularização imediatamente adjacente à lesão.
C) Aumento difuso da vascularização no tecido adjacente.

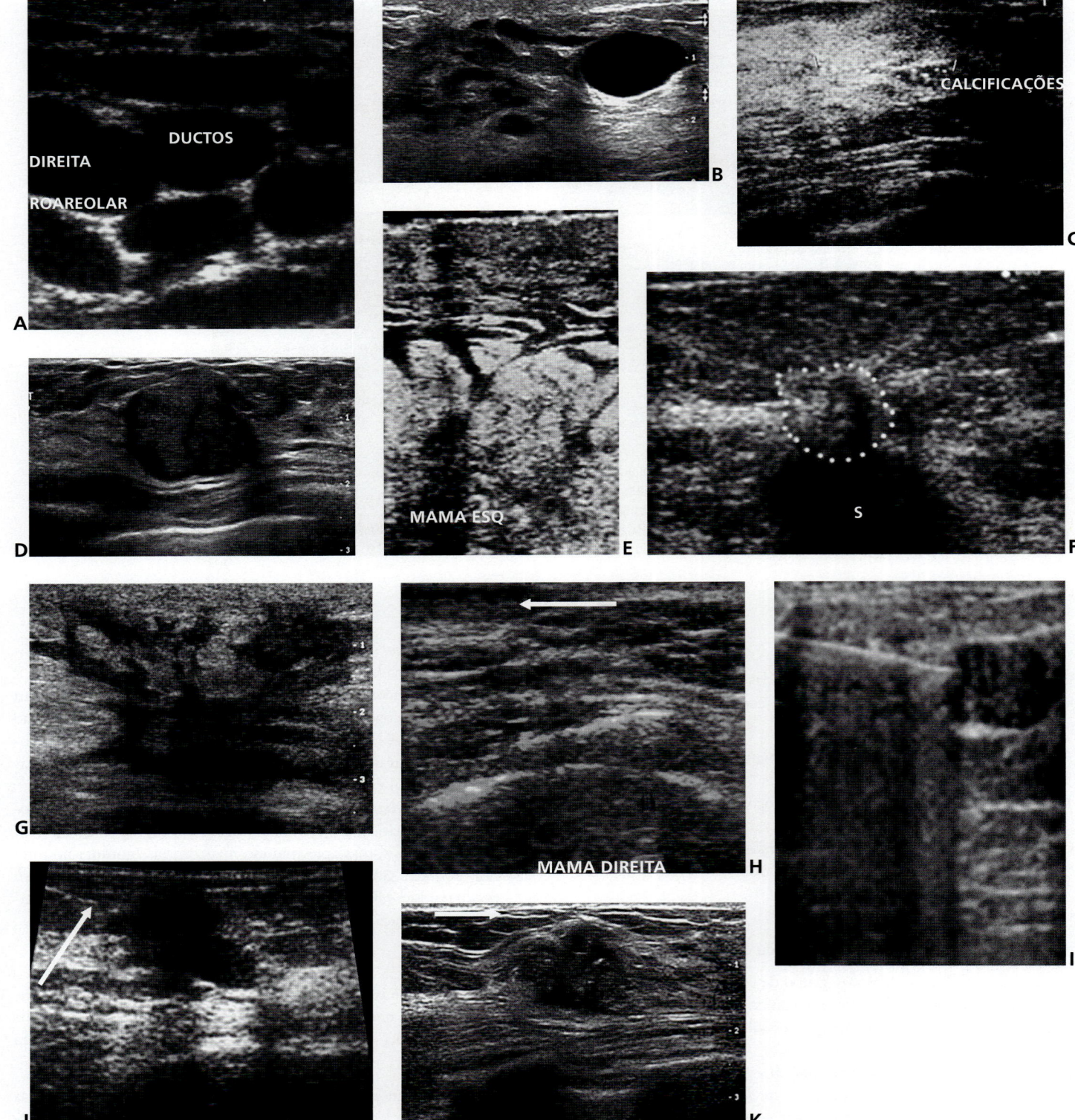

▲ **FIGURA 15.** Aspectos das massas quanto aos tecidos adjacentes à lesão. (**A**) 1 = calibre aumentado (classificação B7 A1); (**B**) 2 = com ou sem arborização (classificação B7 A2); (**C**) 3 = com ou sem calcificações (classificação B7 A3). (**D**) Estiramento ou espessamento dos ligamentos de Cooper (classificação B7 B). (**E**) Edema (classificação B7 C). (**F** e **G**) Distorção arquitetural: nódulo categoria 5 e pós-tumorectomia (classificação B7 D). (**H** e **I**) Espessamento cutâneo (classificação B7 E). (**J** e **K**) (classificação B7 F).

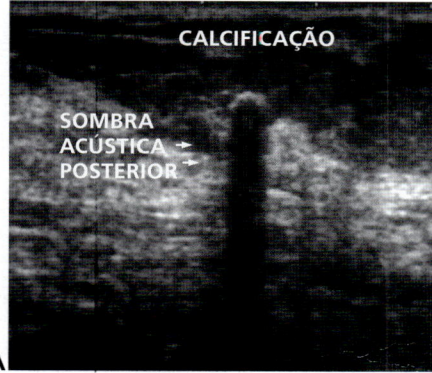
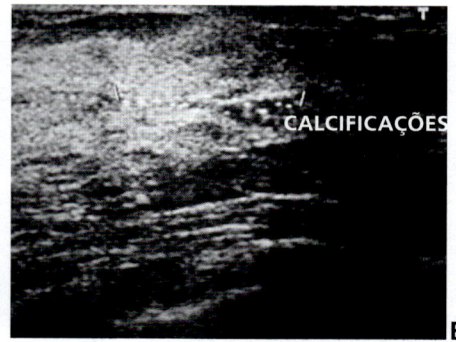
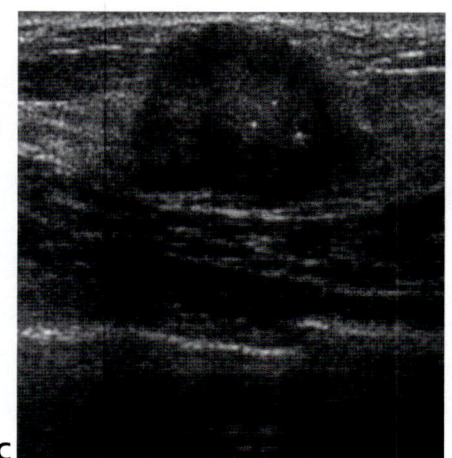
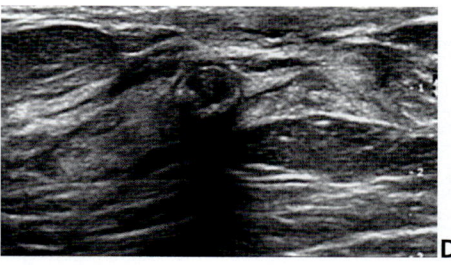

▲ **FIGURA 16.** Calcificações.
(**A** e **B**) Macrocalcificações ≥ 0,5 mm: esteatonecrose e fibroadenoma calcificado (classificação CA). (**C** e **D**) Microcalcificações dentro (classificação CB) e fora da massa (classificação CC).

CLASSIFICAÇÃO DOS ACHADOS EM CATEGORIAS

Categoria 0 – avaliação incompleta, necessitando de avaliação adicional (Fig. 18)

Achados

- Mamografia: se a ultrassonografia for o primeiro exame com massa palpável ou suspeita.
- Ressonância magnética: diagnóstico diferencial entre fibrose pós-cirúrgica ou recidiva.
- Comparação com exames anteriores para esclarecimento diagnóstico.

Categoria 1 – negativo (Fig. 19)

Achados

- Ultrassonografia normal.
- Se possível, mamografia para correlação.

Categoria 2 – achados benignos (Fig. 20)

Achados

- Cistos simples.
- Cistos confluentes.
- Cistos com *debris* móveis.
- Cistos com finos septos.
- Cistos com grãos de cálcio em suspensão.
- Linfonodo intramamário.
- Alterações pós-cirúrgicas e/ou radioterápicas com características estáveis.
- Implantes mamários.
- Nódulos sólidos ovoides e circunscritos, provável fibroadenoma, estável em, pelo menos, dois anos.
- Fibroadenomas com macrocalcificações clássicas na mamografia.
- Nódulos cutâneos.

Categoria 3 – provavelmente benigno – risco de malignidade menor que 2% (Fig. 21)

Achados

- Nódulo sólido, hipoecoico, circunscrito, oval com orientação AP < L, ecotextura homogênea, apresentando até três lobulações com ou sem reforço posterior, sem atenuação sonora e contorno nítido à ultrassonografia.
- Nódulo sólido, hiperecoico, com o centro anecoico ou hipoecoico, sugestivo de necrose gordurosa.
- Nódulo sólido, não identificado à mamografia e com biópsia de benignidade.
- Microcistos agrupados.
- Cistos complicados não palpáveis.
- Nódulo hipoecoico com ecos homogêneos em seu interior, sugestivo de cisto com conteúdo espesso.

Categoria 4 – suspeição de malignidade, biópsia deve ser considerada, risco de malignidade de 3 a 94% (Fig. 22)

Achados

- Nódulo sólido com:
  - margens não circunscritas (indefinidas, anguladas, microlobuladas ou espiculadas);
  - atenuação acústica posterior (que não seja fibroadenoma calcificado típico na mamografia);
  - eixo vertical;
  - calcificações finas no interior;
  - padrão ductal em sua periferia ou padrão ramificado;
  - hiperecogenicidade em suas margens;
  - forma redonda e muito hipoecoico.
- Cistos complexos:
  - com septos ou paredes espessadas;
  - com componente sólido no interior.
- Lesões intraductais. O diagnóstico diferencial inclui ectasia ductal com conteúdo espesso e lesões papilíferas (papiloma, papilomatose, carcinoma papilífero e carcinoma ductal *in situ*).
- Áreas de atenuação acústica (que não sejam artefatuais).
- Áreas sólidas com limites pouco definidos e textura heterogênea.

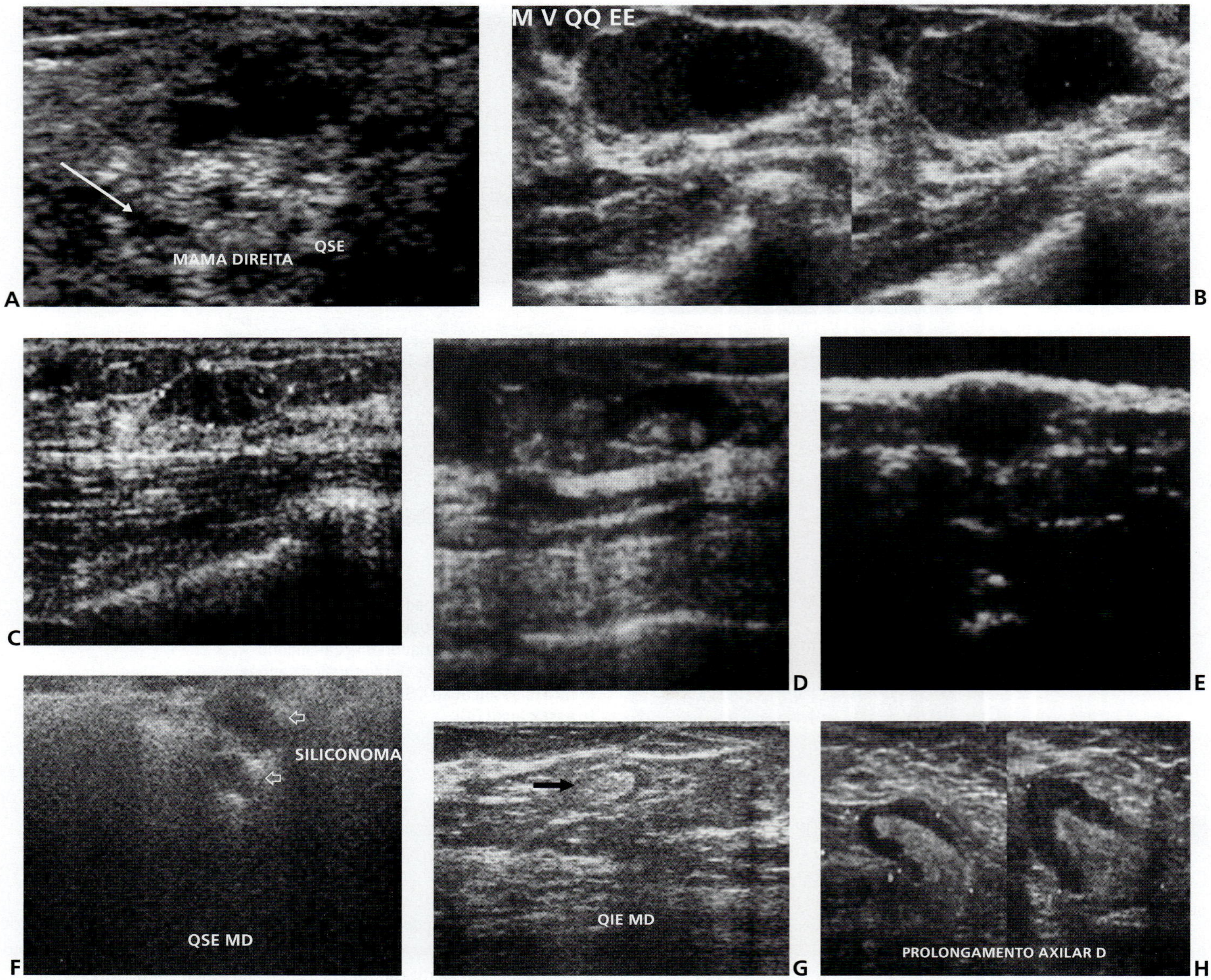

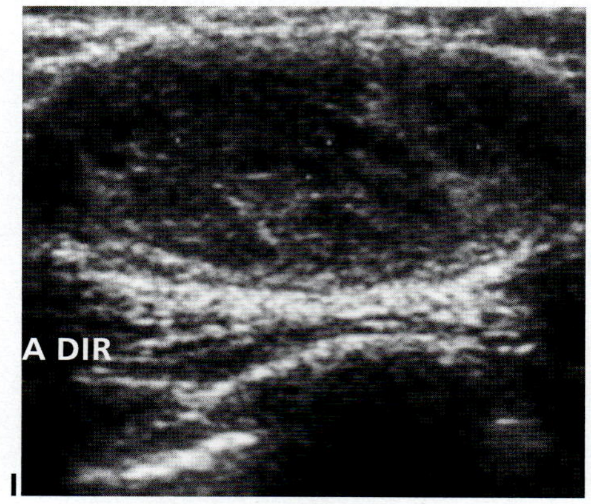

▲ **FIGURA 17.** Casos especiais. (**A**) Aglomerado de microcistos – 2 a 3 mm com septações de < 5 mm e sem componente sólido (classificação D1). (**B** e **C**) Cistos complicados e (**D**) cistos complexos (classificação D2). (**E**) Nódulo cutâneo ou subcutâneo (classificação D3). (**F**) Corpo estranho (classificação D4). (**G**) Linfonodo intramamário (classificação D5). Linfonodos axilares de aspecto habitual (**H**) e aspecto alterado (**I**) (classificação D6).

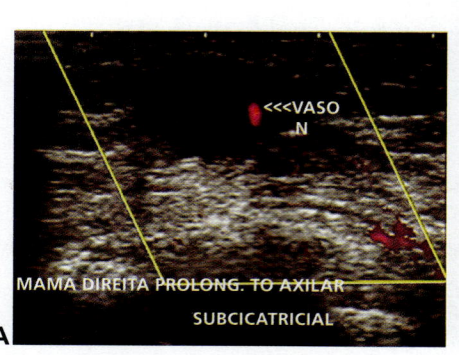

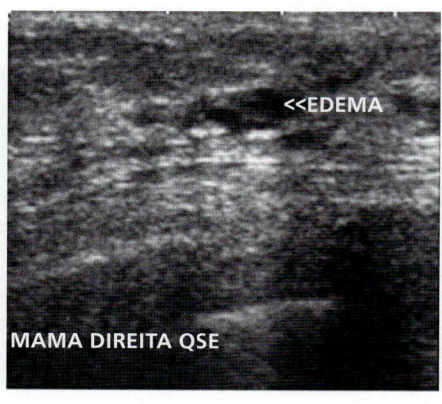

◀ **FIGURA 18.** (**A** e **B**) Achados Categoria 0 – recidiva tumoral → ressonância magnética.

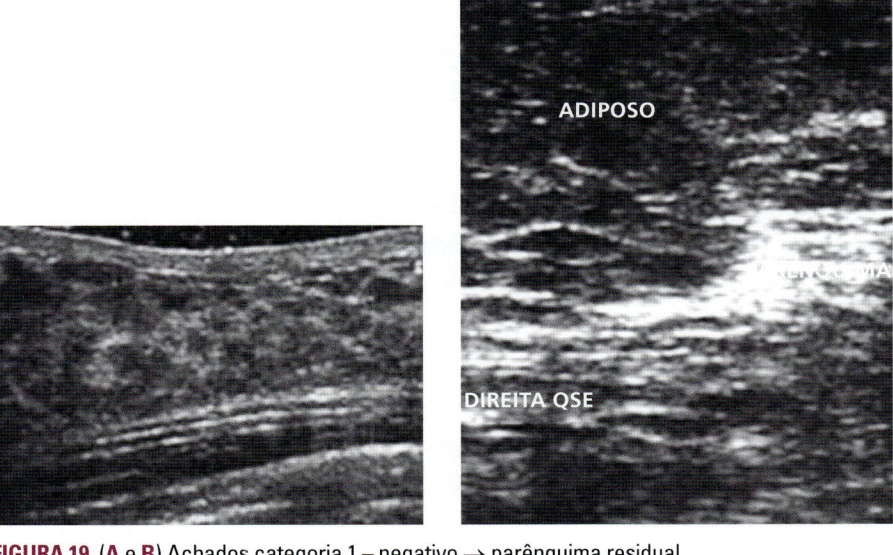

▲ **FIGURA 19. (A e B)** Achados categoria 1 – negativo → parênquima residual.

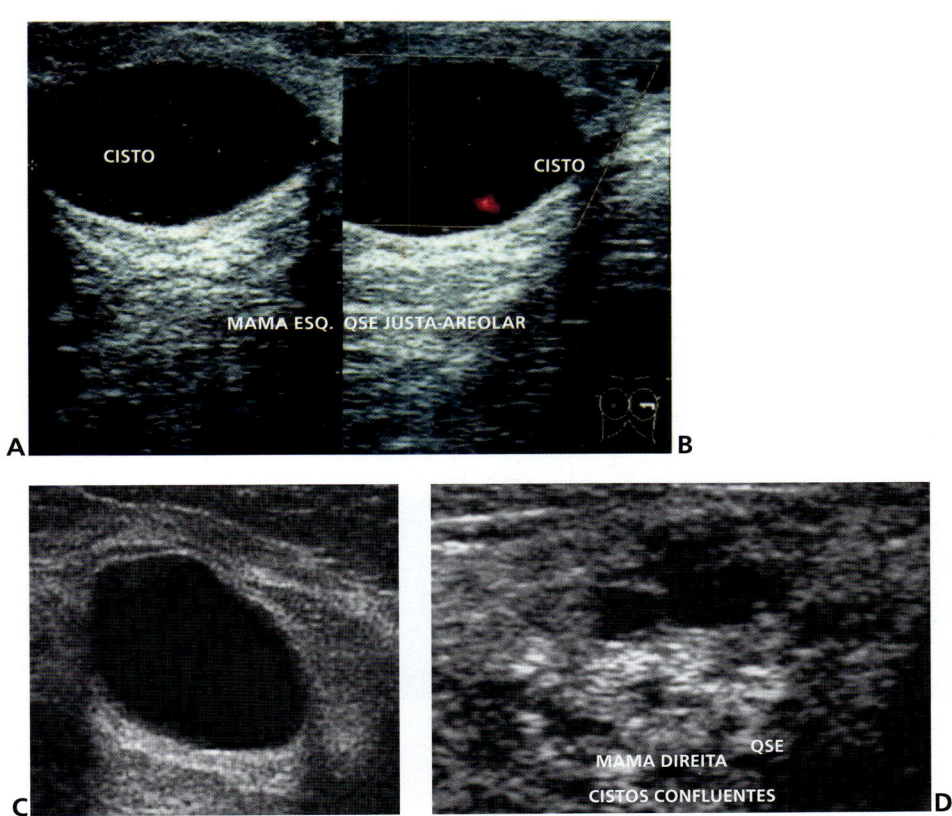

▲ **FIGURA 20. (A-D)** Achados categoria 2 – benignos.

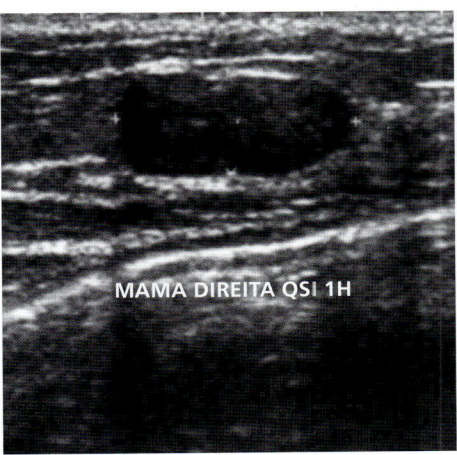

◀ **FIGURA 21.** Achados categoria 3 – provavelmente benigno. Nódulo sólido hipoecoico: circunscrito, oval com orientação AP < L; ecotextura homogênea; forma regular ou com até três lobulações; com ou sem reforço posterior; sem atenuação sonora; com contorno obscurecido na MMG, mas nítido na US.

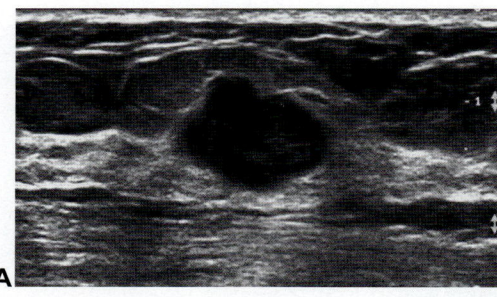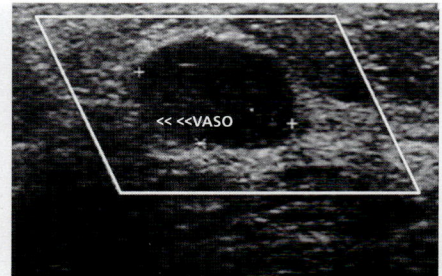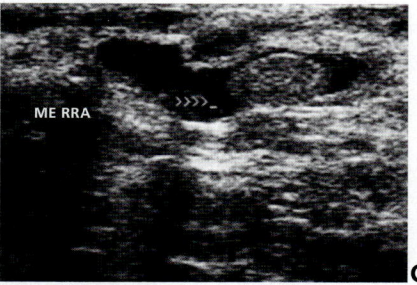

▲ **FIGURA 22.** Achados categoria 4 – Alteração suspeita – 3,94% malignidade. (**A**) Nódulo sólido. (**B**) Cisto complexo. (**C**) Lesão intraductal.

Categoria 5 – altamente sugestivo de malignidade – risco de malignidade maior que 95% (Fig. 23)

Achados

- Nódulos sólidos com forma irregular e contorno espiculado.
- Com o aumento do uso da imagem do linfonodo sentinela como uma maneira de acessar linfonodos metastáticos e associado ao aumento do uso de quimioterapia neoadjuvante para grandes massas ou aquelas pouco diferenciadas, as amostras de tecido percutâneo, mais frequentemente por *core* biópsia, podem ser desejadas.

Categoria 6 – biópsia prévia com diagnóstico de malignidade – necessária a conduta apropriada (Fig. 24)

Para essas lesões com biópsia prévia conclusiva de malignidade antes da instituição de terapia, incluindo quimioterapia neoadjuvante, excisão cirúrgica ou mastectomia.

A classificação deve ser finalizada por vários aspectos da ultrassonografia, visando, principalmente, a conduta e classificando o caso pelo método mais suspeito.

Como considerações finais o uso do BI-RADS® em ultrassonografia é promissor, uma vez que usa a mesma terminologia para ultrassonografia, mamografia e ressonância magnética, facilitando a comunicação entre os médicos solicitantes, radiologistas e pacientes.

Com isso, a análise do exame por mais de um método auxilia para se chegar ao melhor diagnóstico, trazendo a melhor conduta ao paciente.

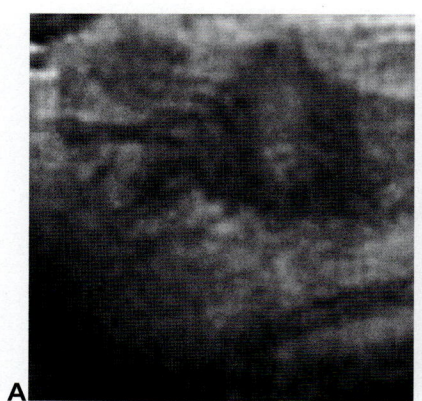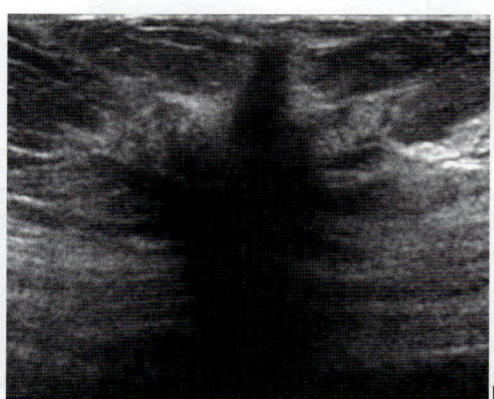

◀ **FIGURA 23.** Categoria 5. (**A** e **B**) Nódulos sólidos com forma irregular e contorno espiculado.

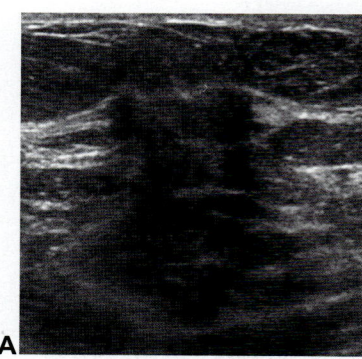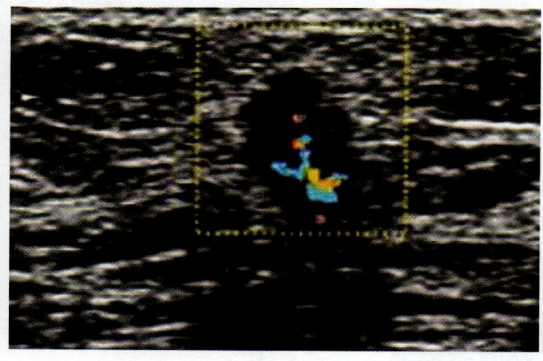

◀ **FIGURA 24.** Categoria 6. (**A** e **B**) Biópsia prévia com diagnóstico de malignidade.

109-3 Ressonância Magnética

INTRODUÇÃO

Breast Imaging Reporting and Data System – BI-RADS® – é uma publicação do Colégio Americano de Radiologia com edições em 1993, 1995, 1997 e 2003. Em todas as edições foram descritos aspectos relacionados com a mamografia, mas em 2003, na quarta edição, a ultrassonografia e a ressonância magnética foram incluídas na publicação (Fig. 25).

Em 2005, o Colégio Brasileiro de Radiologia, com autorização do Colégio Americano de Radiologia, publicou a tradução da quarta edição do BI-RADS®.

No presente capítulo será apresentado um resumo da parte da ressonância magnética (RM), com alguns comentários relacionados, principalmente, com os critérios utilizados para caracterizar as lesões.

PARTES DO BI-RADS® – RESSONÂNCIA MAGNÉTICA

A quarta edição do BI-RADS® para ressonância magnética é dividida em quatro partes com as respectivas subdivisões. Uma visão geral da publicação está no Quadro 1.

Pela relevância do assunto, somente o léxico e as categorias serão descritos detalhadamente neste capítulo.

LÉXICO

No léxico são descritas forma e cinética dos achados na ressonância magnética (ver resumo no Quadro 1).

Foco-focos

Foco representa um pequeno ponto de realce, menor que 5 mm, tão pequeno que não é possível caracterizar a forma. Focos são múltiplos focos de realce, separados por tecido normal ou gordura (Fig. 26).

Na prática, foco e focos representam lesões com baixo grau de suspeição, mas se confluentes, em correspondência com alterações no exame clínico ou com achados de outros exames, representam lesões com maior grau de suspeição.

Nódulo

Representa um achado tridimensional, identificado nas sequências sem e com gadolínio.

Na caracterização do nódulo são descritos: forma, margem e realce interno.

◄ **FIGURA 25.** Fotos da publicação *Breast Imaging Reporting and Data System*. (**A**) Capa. (**B**) Parte interna (as abas mais escuras representam a parte da ressonância magnética).

Quadro 1. Partes do BI-RADS® – Ressonância magnética

PARTES	SUBDIVISÕES	
Parte I. Aspectos técnicos	A) História clínica	
	B) Comparação com exames	
	C) Recomendações técnicas para elaboração de laudos	
	D) Achados	
	E) Características do realce dinâmico (cinético)	
	F) Imagem paramétrica	
	G) Avaliação geral	
Parte II. Léxico	Forma cinética	A) Foco-Focos
		B) Nódulo
		C) Realce não massa (*)
		D) Achados associados
		E) Localização
		F) Curva cinética
Parte III. Sistema de laudos	A) Visão geral	
	B) Organização do laudo	
	C) Redigindo o laudo	
Apêndice	Formulário de classificação	

(*) Nota da autora: na edição brasileira do BI-RADS® *non-mass-like enhancement* foi traduzida como realce não massa, porém para designar *enhancement* também pode-se utilizar "captação", "impregnação", "mudança de sinal", "ganho".

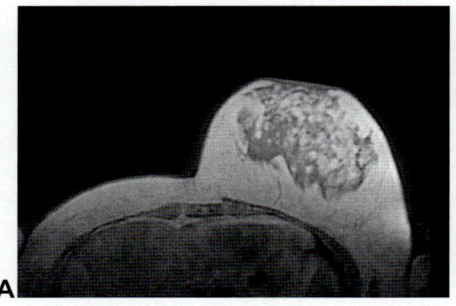
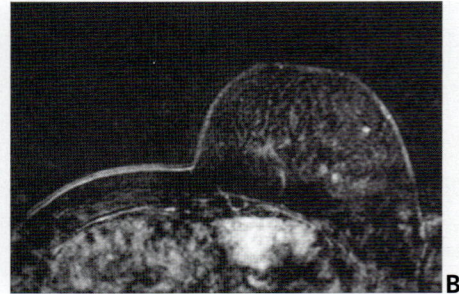
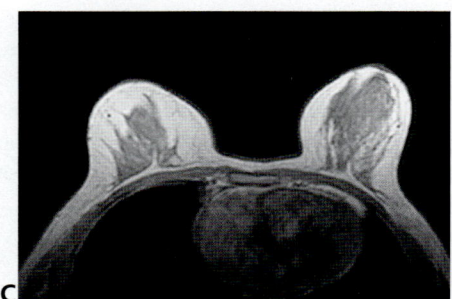
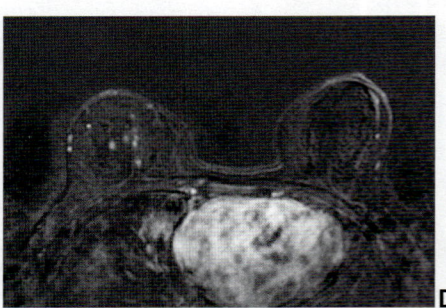

◀ **FIGURA 26.** Foco-Focos. (**A** e **C**) Sequências ponderadas em T1, sem supressão de gordura. (**B** e **D**) Estudo dinâmico com subtração. Em (**B**) foco unido, isolado; em (**D**) focos múltiplos, confluentes e assimétricos.

Forma e margem

Na edição traduzida do BI-RADS® a forma do nódulo pode ser: redonda (esférica, em forma de bola ou circular), ovoide (elíptico ou de ovo), lobulada (contorno ondulado, recortado) e irregular (desigual, não pode ser caracterizado como redondo, ovoide ou lobulado). Também na publicação original, a margem é dividida em regular (quando circunscrita, bem definida e nitidamente demarcada), irregular (desigual, recortada, podendo ser mal definida ou indistinta) e espiculada (com linhas irradiadas a partir da margem do nódulo).

Na prática, acreditamos que a melhor maneira de caracterizar a forma do nódulo seja arredondada e ovalada. Da mesma maneira, melhor seria utilizar "contorno" ao invés de "margem", pois, segundo a Língua Portuguesa, contorno é definido como "linha que fecha um corpo, linha que determina os relevos, circuito, periferia, perfil" e margem é definida como "parte em branco ao redor de folha manuscrita ou impressa; linha ou faixa que limita ou circunda algo, borda". O contorno do nódulo pode ser: regular (quando a linha externa não tem ondulações), lobulado (quando a linha externa tem ondulações), microlobulado (quando a linha externa exibe pequenas ondulações), irregular (quando a linha externa não tem regularidade) e espiculado (quando espículas partem da linha externa) (Fig. 27).

Realce interno

Na edição traduzida do BI-RADS® o realce interno do nódulo pode ser: homogêneo (uniforme), heterogêneo (não uniforme, com intensidade variável de sinal), na borda (quando mais intenso na periferia), septações internas escuras (com linhas internas sem realce), septações internas realçadas (com linhas realçadas dentro do nódulo) e central (realce mais pronunciado dentro do nódulo).

Como acreditamos que a melhor tradução para *enhancement* seja captação e não realce, o realce interno do nódulo também pode ser designado com padrão de captação do nódulo e dividido em homogêneo, heterogêneo, periférico, com septos não captantes, com septos captantes e central (Fig. 28).

Realce, não massa

Realce, não massa, foi a tradução utilizada na edição brasileira do BI-RADS® para *non-mass like enhancement*. A expressão também pode ser traduzida como captação não massa ou simplesmente captação, termos que consideramos mais adequados.

O realce, não massa, ou captação representa uma lesão maior que 5 mm, que somente pode ser identificada no estudo dinâmico, após administração do gadolínio.

A caracterização do realce não massa é dividida em: distribuição, padrão de realce interno e simetria.

Distribuição e padrão de realce interno

Na edição traduzida do BI-RADS®, a distribuição está subdividida em: área focal (menor que 25% do quadrante), realce linear (em linha, mas sem representar um ducto), ductal (linha em direção ao ducto, pode ter ramificações), segmentar (triangular, com o ápice apontando para a papila), regional (grande volume), múltiplas regiões de realce (realce em pelo menos duas grandes regiões, com aparência fragmentada) e difuso (em toda a mama). O padrão de realce interno pode ser: homogêneo (uniforme), heterogêneo (não uniforme), pontilhado ou puntiforme (como areia ou pontos), agrupado (confluentes, como "cachos de uva") e reticular/dendrítico (cordões espessos, separados por gordura, sugerindo espessamento trabecular).

Para melhor entendimento, a captação (realce não massa) pode ser dividida em tipo, padrão de captação e distribuição/número, com detalhes da proposta no Quadro 2. Os tipos de captação estão na Figura 29, o padrão de captação e a distribuição estão na Figura 30.

◀ **FIGURA 27.** Forma e contorno dos nódulos.

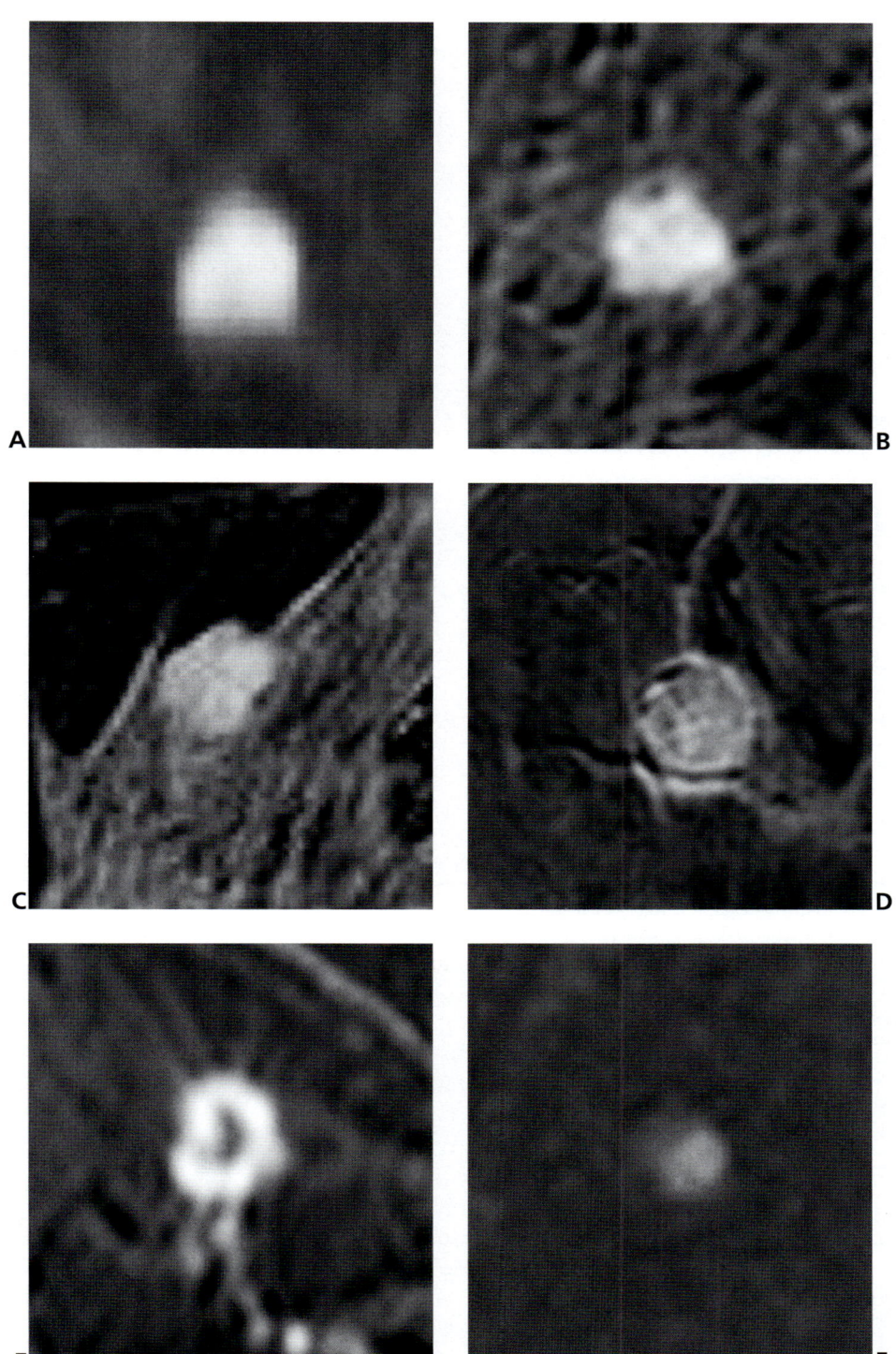

◀ **FIGURA 28.** Padrão de captação dos nódulos. (**A**) Captação homogênea. (**B**) Captação heterogênea. (**C**) Septos não captantes. (**D**) Septos captantes. (**E**) Captação periférica. (**F**) Captação central.

Simetria

Quanto à simetria, o realce não massa pode ser simétrico (imagem em espelho em ambas as mamas) e assimétrico (sem imagem em espelho).

Achados associados

Representam outras alterações que também podem ser encontradas na ressonância magnética, associados ou não entre si ou às demais lesões.

Os achados associados descritos no BI-RADS® são: retração ou inversão da papila, ductos com sinal alto em T1 nas imagens pré-gadolínio, retração da pele, espessamento da pele, invasão da pele, edema, linfadenopatia, invasão do músculo peitoral, invasão da parede torácica, hematoma/sangue, ausência de sinal anormal (artefato) e cisto (Fig. 31).

Localização

Para localização de uma lesão utilizam-se: lado, quadrante, raio, profundidade, distância da pele, da papila ou do plano posterior. As variações para cada item estão no Quadro 3. A localização completa facilita o controle da lesão e também a correlação para ultrassonografia *second look*.

Quadro 2. Captação não massa – tipo, distribuição/número e padrão de captação

BI-RADS®		PROPOSTA	
Distribuição	Área focal	Tipo	Focal
	Realce linear		Linear
	Realce ductal		Ductal
	Realce segmentar		Segmentar
	Realce regional		Regional
	Múltiplas regiões de realce	Número	Única
	Realce difuso		Múltiplas
Padrão de realce interno	Homogêneo	Padrão de captação	Homogêneo
	Heterogêneo		Heterogêneo
	Pontilhado/puntiforme		Portilhado/puntiforme
	Agrupado		Agrupado
	Reticular/dentrítico		Reticular/dentrítico

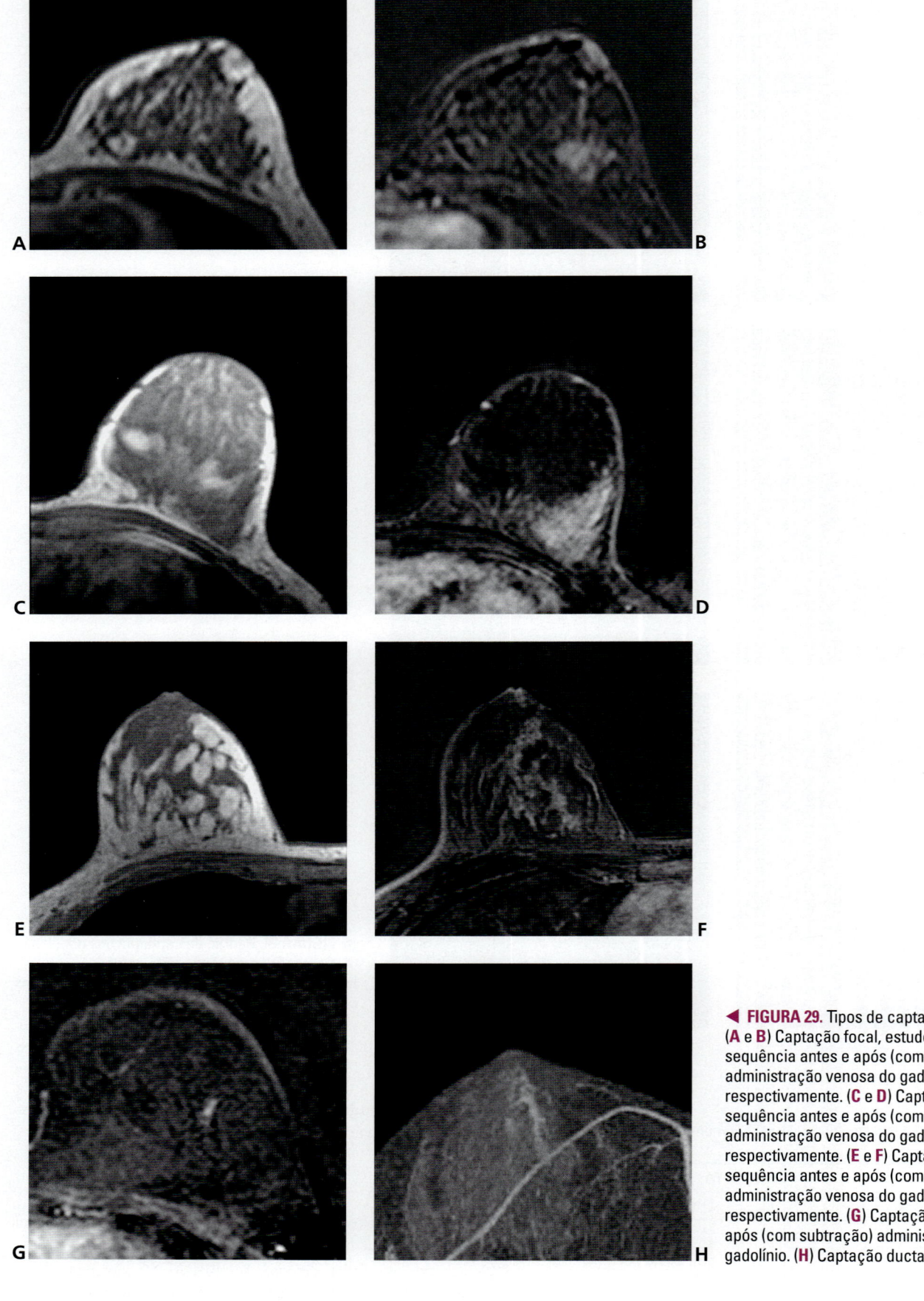

◄ **FIGURA 29.** Tipos de captação não massa. (**A** e **B**) Captação focal, estudo dinâmico, sequência antes e após (com subtração) administração venosa do gadolínio, respectivamente. (**C** e **D**) Captação regional, sequência antes e após (com subtração) administração venosa do gadolínio, respectivamente. (**E** e **F**) Captação segmentar, sequência antes e após (com subtração) administração venosa do gadolínio, respectivamente. (**G**) Captação linear, sequência após (com subtração) administração venosa do gadolínio. (**H**) Captação ductal, MIP.

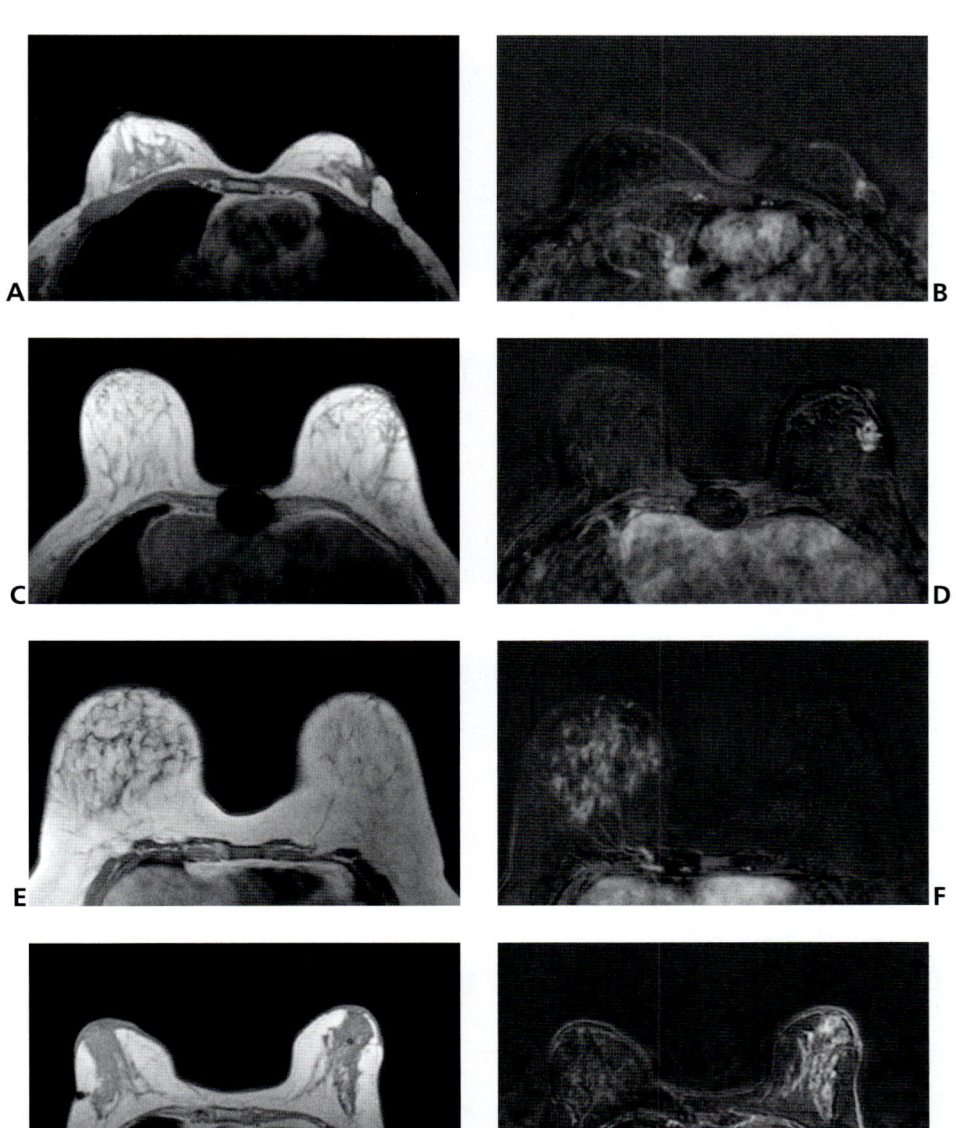

◀ **FIGURA 30.** Padrão e distribuição de captação não massa. (**A** e **B**) Captação focal homogênea, estudo dinâmico, sequência antes e após (com subtração) administração venosa do gadolínio, respectivamente. (**C** e **D**) Captação focal heterogênea, sequência antes e após (com subtração) administração venosa do gadolínio, respectivamente. (**E** e **F**) Captação difusa reticular, sequência antes e após (com subtração) administração venosa do gadolínio, respectivamente. (**G** e **H**) Captação difusa heterogênea, sequência após (com subtração) administração venosa do gadolínio.

Avaliação cinética

A avaliação cinética é feita pela curva de captação, que deve ser analisada em dois parâmetros: percentual de aumento de sinal na fase inicial e comportamento após a fase inicial.

Fase inicial

De acordo com o BI-RADS®, para análise da fase inicial utilizam-se 2 minutos ou quando a curva mudar de inclinação, sendo caracterizada em lenta, média e rápida. Na literatura, a fase inicial pode ser calculada pela fórmula: (Spós - Spré)/Spré × 100, em que Spré representa intensidade do sinal no tempo zero, Spós representa intensidade de sinal na fase inicial. Aumento de sinal até 50% caracteriza curva lenta; entre 50 e 90% ou entre 50 e 90% a mudança de sinal é considerada moderada; se o aumento for maior que 100 ou 90%, a curva é rápida (Fig. 32).

Comportamento após a fase inicial

Após a fase inicial o sinal pode continuar subindo, pode manter-se ou pode reduzir. Se o aumento de sinal for maior que 10%, caracteriza-se a curva tipo I, se for mantido, caracteriza-se a curva tipo II, e se reduzir mais que 10% caracteriza-se a curva tipo III (Fig. 32).

Quadro 3. Localização das lesões

Lado	Direito
	Esquerdo
Quadrante	QSE ou QSL – quadrante superior externo ou lateral
	QSI ou QSM – quadrante superior interno ou medial
	QIE ou QIL – quadrante inferior externo ou quadrante inferior lateral
	QII ou QIM – quadrante inferior interno ou medial
	UQext ou UQL – união dos quadrantes externos ou laterais
	UQint ou UQM – união dos quadrantes internos ou mediais
	UQsup – união dos quadrantes superiores
	UQinf – união dos quadrantes inferiores
	RC – região central
	RRA – região retroareolar
Raio	Hora
Profundidade	Terços anterior, médio, posterior
Distância	Da pele lateral, medial, inferior ou superiormente
	Da papila ou
	Do plano muscular

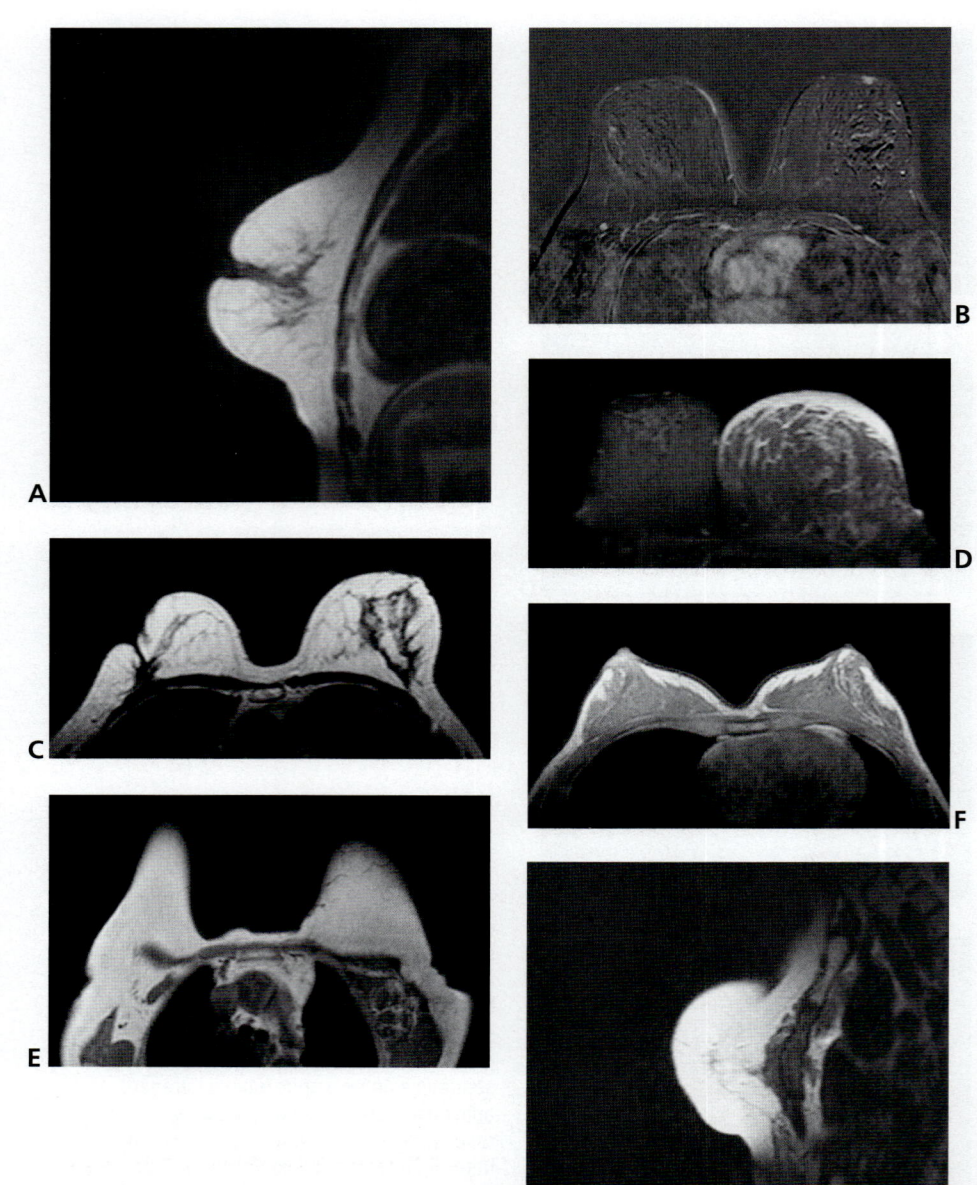

◄ **FIGURA 31.** Achados associados. (**A**) Retração da papila. (**B**) Inversão da papila. (**C**) Ductos com sinal alto em T1 nas imagens de pré-gadolínio. (**D**) Retração da pele. (**E**) Espessamento da pele. (**F**) Linfadenopatia. (**G**) Invasão da parede torácica.

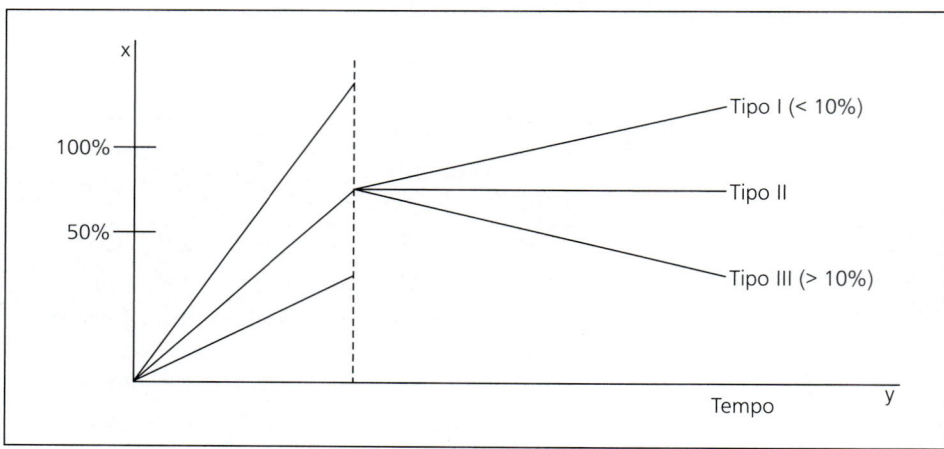

◄ **FIGURA 32.** Esquema da curva de captação, comportamento na fase inicial e após a fase inicial. No eixo "x" intensidade de sinal, que pode ser expressa por percentual ou valores absolutos, e no eixo "y", o tempo é expresso em segundos ou minutos.

CATEGORIAS BI-RADS®

De acordo com o grau de suspeição das lesões, os exames são classificados em categorias, e cada uma delas indica uma conduta. As categorias estão descritas na Parte III. Sistema de laudos (Quadro 1) e seguem o modelo adotado para mamografia.

Lesões em cada Categoria

A publicação BI-RADS®, embora bem abrangente, não descreve detalhadamente que lesões devem ser colocadas em cada categoria, causando dificuldade na prática clínica e gerando diversas interpretações. Tendo como base a literatura e a experiência pessoal, a seguir serão descritas as categorias BI-RADS®, seguidas de proposta de lesões em cada categoria.

- *Categoria 1:* exame sem achados, em que somente os elementos anatômicos são encontrados.
- *Categoria 2:* no exame são encontrados achados caracteristicamente benignos, em que não há necessidade de diagnóstico diferencial com lesão maligna (cistos, alterações de cirurgia e/ou radioterapia, esteatonecrose, ginecomastia) ou achados que têm pouquíssima probabilidade de câncer (captação difusa e bilateral, nódulos não captantes). Foco isolado, na ausência de outros achados e em paciente que não seja do grupo de risco, também pode ser classificado categoria 2.

- *Categoria 3:* destinada para achados provavelmente benignos, com 2% de possibilidade de câncer, em analogia com a mamografia. Talvez seja a Categoria com maior grau de subjetividade e maior dificuldade para classificação e manejo. Levando em conta as características relacionadas com benignidade pode-se classificar categoria 3: nódulo ovalado, regular ou lobulado, com captação homogênea, com curva lenta ou moderada, tipo I; captação focal, homogênea, com curva lenta tipo I; captação linear; captação focal ou regional induzida por hormônio ou radioterapia; foco isolado, se for paciente de risco ou na presença de outros achados.
- *Categoria 4:* representam achados com razoável probabilidade de malignidade. Lesões que apresentem contorno microlobulado, contorno irregular, captação heterogênea, curva moderada tipo II, captação segmentar, captação regional, focos confluentes podem ser incluídas nesta categoria.
- *Categoria 5:* achados cujas características têm alto valor preditivo positivo para malignidade: contorno espiculado, captação periférica, curva rápida tipo III, captação ductal, captação segmentar.
- *Categoria 6:* achados já com diagnóstico de câncer, quando a lesão ainda está presente, e o exame é realizado após biópsia percutânea, biópsia cirúrgica incisional, quimioterapia neoadjuvante.

CATEGORIA 0: EXAMES QUE APRESENTAM ACHADOS QUE NECESSITAM DE AVALIAÇÃO OU COMPARAÇÃO OU CORRELAÇÃO COM OUTROS EXAMES DE IMAGEM; EXAMES EM QUE, MESMO INDICADO, NÃO FOI REALIZADO ESTUDO DINÂMICO.

Recomendação de conduta

De acordo com a Categoria BI-RADS®, a recomendação de conduta é a seguinte:

- *Categorias 1 e 2:* não há indicação de repetir o exame em 1 ano nos exames com indicação diagnóstica. Nos exames de rastreamento pode haver repetição em 1 ano, mas não é uma recomendação consolidada na literatura.
- *Categoria 3:* repetir em 6 meses, 6 meses, 1 anos, 1 ano, para avaliar estabilidade ou regressão da lesão (muito comum no controle de focos e captações focais). Se existir a possibilidade de lesão induzida por terapia hormonal, recomenda-se suspender a medicação e repetir em 3 meses. Se a hipótese for lesão induzida pela fase desfavorável do ciclo, o exame pode ser repetido no ciclo seguinte, entre o 7° e o 14° dia do ciclo. Lesões que podem ser resultado de cirurgia ou radioterapia recente seguem o controle semestral. Assim como na mamografia, estabilidade por 3 anos pode ser considerado critério de benignidade.
- *Categorias 4 e 5:* a recomendação é sempre histopatológica. Nas lesões identificadas apenas na ressonância magnética convém indicar ultrassonografia *second look*, para ampliar as possibilidades de guia para procedimento invasivo.
- *Categoria 6:* terapêutica adequada.
- *Categoria 0:* terminar a exploração e classificar a lesão.

LEITURA RECOMENDADA

Aguillar VLN, Bauab S, Maranhão NM. *Mama – Diagnóstico por imagem.* Rio de Janeiro: Revinter, 2009;13:311-22.

American College of Radiology (ACR). ACR BI-RADS® – Mamography 4th ed. In: *ACR breast imaging reporting and data system, breast imaging atlas.* Reston, VA: American College or Radiology, 2003.

American College of Radiology. *Breast imaging reporting and data system (BI-RADS®).* Reston, VA: American College of Radiology, 2003.

American College of Radiology. *Breast imaging reporting and data system – ultrasound (BI-RADS US).* Reston (VA): American College of Radiology, 2003.

Berg WA. Combined screening with ultrasound and mammography *vs* mammography alone in women at elevated risk of breast cancer. *JAMA* 2008;209(18):2151-63.

Berg WA. Rationale for a trial of screening breat ultrasound. American College of Radiology Imaging Network (AGRIN) 6666. *AJR* 2003;180:1225-28.

Canella EO, Carmo CCM. Classificação das lesões com captação precoce na ressonância magnética mamária de acordo com o valor preditivo positivo. Tema livre, JPR 2004.

Graf O, Helbich TH, Fuchsjaeger MH *et al.* Follouw-up of papable circumscribed noncalcified solid breast masses at mammography and US: can biopsy be averted? *Radiology* 2004;233(3):850-56.

Helvie MA, Pennes DR, Rebner M *et al.* Mammography. Follow-up of low-suspycion lesions: complicance rate and diagnostic yield. *Radiology* 1991;178:155-58.

Kuhl C. Current status of breast MR imaging. Part 2. Clinical applications. *Radiology* 2007;244:672-91.

Leung JWT, Sickes EA. The probably bening assessment. *Radiol Clin N Am* 2007;45:773-89.

Liberman L, Morris EA, Lee MJ *et al.* Breast lesions detected on MR imaging: features and positive predictive value. *AJR* 2002;179:171-78.

Luna M, Koch HA. Avaliação dos laudos mamográficos: padronização prática de recomendação de conduta para um programa de detecção precoce do câncer de mama por meio da mamografia. *Rev Bras Mast* 2002;12(01):7-12.

Luna M, Koch HA. Padronização e organização dos laudos mastográficos, num programa de detecção precoce do cancer de mama. *Femina* 1999;27(10):797-801.

Luna M. *Padronização e organização dos laudos mamográficos no Brasil.* Tese de Doutorado. Curso de Pós-Graduação em Radiologia, UFRJ 2001.

Sickles EA. Nonpalpable, circumscribed noncalcified solid breast masses: likelihood of malignancy based on leson size and age of pateient. *Radiology* 1994;192(2):439-42.

Sickles EA. Periodic mammography follow-up of probably benign lesions: results in 3,184 consecutive cases. *Radiology* 1991;179:463-68.

Stravos AT, Thickman D, Rapp CL *et al.* Solid breast nodules: use of sonography to distinguish between bening and malignant lesions. *Radiology* 1995;196(1):123-34.

Stravos AT. *Ultrassonografia da mama.* Rio de Janeiro: Guanabara Koogan, 2004. p. 1-12.

Varas X, Lelorgne F, Leborgne JH. Nonpalpable, probably benign lesions: role of follow-up mammography. *Radiology* 1992;184:409-14.

Vizcaino I, Gadea L, Andreo L *et al.* Short-term follw-up result in 795 nonpalpable probably benign lesions detected at screening mammography. *Radiology* 2001;219:475-83.

Wolfe JN, Buck KA, Salvane M *et al.* Xeroradiography of the breast: overview of 21,057 consecutive cases. *Radiology* 1987;165:305-11.

CAPÍTULO 110

PET-Scan e Mama

Flávia Paiva Proença Lobo Lopes ■ Paulo Henrique Rosado de Castro
Lea Mirian Barbosa da Fonseca

INTRODUÇÃO

O câncer de mama é o segundo câncer mais frequente e que causa mais mortes entre as mulheres no mundo, sendo também o mais prevalente, embora, também, possa ocorrer em homens. No Brasil, a maior parte dos casos ainda é diagnosticada no estadiamento tardio do carcinoma mamário (estágios III e IV), levando a altas taxas de mortalidade secundárias a doença, com elevada taxa de recidivas, que dificulta a exérese completa do tumor. Com a implantação do rastreio mamográfico de rotina pelo governo federal nas mulheres a partir dos 40 anos, observa-se um aumento paulatino na identificação de tumores nos estágios iniciais, que, aliado à definição da extensão da doença, torna-se crucial na abordagem terapêutica. Neste âmbito, com o advento das formas atuais de tratamento, quanto mais precoce for o diagnóstico e mais acurado o acompanhamento, maior a sobrevida.[1,2] A mamografia mesmo com suas limitações em mamas densas de mulheres jovens e em algumas submetidas à reposição hormonal, ainda é o melhor meio de rastreio. Outros métodos, como a ultrassonografia (US), ressonância magnética (RM), cintilografia mamária, tomografia por emissão de pósitrons (PET) e PET/TC estão constantemente sendo avaliados em estudos multicêntricos, buscando afirmativas para melhor diagnóstico das lesões mamárias.

A Medicina Nuclear possui vários radiotraçadores utilizados no diagnóstico de câncer de mama, como o cloreto de ^{201}Tálio (^{201}Tl), Sestamibi-^{99m}Tecnécio (Sestamibi-^{99m}Tc), Timina-^{99m}Tecnécio (Timina-^{99m}Tc) e peptídeos marcados utilizados para as cintilografias e o fluordeoxi-2-glicose-^{18}F (FDG-^{18}F), utilizado no estudo PET, ou acoplado à Tomografia Computadorizada (PET/TC).[3-14]

O FDG-^{18}F-PET é um exame funcional que utiliza radiofármacos de meia-vida curta, emissores de pósitrons, capaz de detectar metabolismo aumentado de glicose que costuma ser maior em tumores malignos quando comparado aos tecidos normais.[5,15]

Além da observação visual da imagem capaz de avaliar a captação aumentada em lesões e a distribuição fisiológica do FDG-^{18}F de corpo inteiro, a quantificação da intensidade de captação pelas alterações mamárias pode ser, automaticamente, obtida no PET, pela análise semiquantitativa denominada valor de captação padrão (*Standard Uptake Value*-SUV), ao ser delineada uma área de interesse sobre a lesão captante de FDG-^{18}F. Geralmente, as lesões malignas captam o FDG-^{18}F mais intensamente do que algumas lesões benignas, apresentando um SUV menor do que 2,5.

Com os avanços tecnológicos os modernos equipamentos de PET vêm integrados com a tomografia computadorizada (TC), com a vantagem de ambos os exames (PET e TC) serem feitos no mesmo lugar, um em seguida do outro e com o paciente na mesma posição. A TC é usada para correção de atenuação e para localizar melhor pequenos linfonodos ou áreas de tecido mole não tumorais.[5,15] As imagens obtidas com o PET, também, podem ser superpostas às de RM do mesmo paciente, tendo pontos anatômicos relevantes como referência para a fusão das imagens. A exposição radiológica das mamas no exame PET/TC é bem maior do que a recomendada, devendo ser utilizado em indicações precisas e com protocolos de baixas doses na TC, principalmente em mulheres em idade reprodutiva. Sob este aspecto, a fusão com a RM deve ser lembrada.

O PET/TC pode ser utilizado em grupos selecionados de pacientes com neoplasia maligna da mama em complementação à mamografia, ultrassonografia e RM, para a avaliação linfonodal na doença localmente avançada, na detecção de doença metastática, na avaliação de resposta terapêutica em pacientes sob tratamento quimioterápico neoadjuvante, ou ainda na detecção de recidiva.[5,15]

DIAGNÓSTICO

Na avaliação inicial de doenças relacionadas com a mama é fundamental a propedêutica adequada, na qual se leva em consideração a história, o exame físico e o raciocínio clínico integrado. Os exames de imagem complementam, dessa forma, a avaliação do paciente. Sabe-se que para este fim as principais ferramentas para detecção precoce de alterações mamárias são a mamografia e a ultrassonografia das mamas que podem detectar lesões não palpáveis, menores do que um centímetro, e neoplasias *in situ*. Estes métodos têm como principais vantagens um baixo custo, o que permite uma ampla triagem populacional e boa reprodutibilidade, além de elevada acurácia. Contudo, em alguns casos faz-se necessário o prosseguimento na investigação por métodos mais sofisticados, sendo então utilizada a ressonância magnética. As principais indicações para uso deste último método consistem na presença de preexistência de outras alterações mamárias, implantes mamários, mamas densas, lesões multifocais ou bilaterais ou, ainda, aquelas que já foram submetidas a algum tipo de tratamento prévio, seja ele cirúrgico ou não.

Na cintilografia convencional utilizando o cloreto de ^{201}Tl e o Sestamibi-^{99m}Tc estes podem ser captados por alguns subtipos histológicos de neoplasia primária maligna da mama, incluindo o subtipo mais comum, o carcinoma ductal infiltrante, e podem ser utilizados como opção de imagem diagnóstica, sobretudo nas lesões de difícil ou duvidosa caracterização morfológica pelo estudo mamográfico, embora tenham acurácia bem menor quando comparado aos exames com FDG-^{18}F-PET.[3,4,14]

As principais limitações do FDG-^{18}F-PET para *screening* inicial do paciente são seu alto custo, exposição de corpo inteiro à radiação, a dificuldade na identificação de lesões menores do que 1 cm, na doença de Paget, nos tumores mais diferenciados, como o carcinoma lobular, além de subtipos menos agressivos como nos carcinomas tubular e *in situ*. Cabe também destacar que já há consenso na literatura que o PET não é uma boa ferramenta diagnóstica para indicação de rotina na suspeita de câncer de mama, em decorrência da captação do FDG-^{18}F em inflamações mamárias agudas e crônicas, durante a lactação, em massas benignas, incluindo granuloma causado por próteses de silicone, necrose gordurosa, fibroadenoma e alterações mamárias pós-cirúrgicas.[15,16] Isto porque no caso específico do câncer de mama, a captação de FDG-^{18}F depende de fatores, como a microvascularização; a atividade da enzima responsável pela glicólise, a hexoquinase; a carga tumoral que corresponde ao número de células por unidade de volume, além da taxa de proliferação celular. Sabe-se que à medida que o tumor cresce, é utilizada a glicólise anaeróbica para obtenção de energia, podendo esta ser observada ao exame. Além disso, embora a atividade da hexoquinase seja alta nos tumores malignos de mama, é inferior à verificada em outros tipos de cânceres, como melanoma e pulmão, resultando em uma menor captação de FGD-^{18}F. Por essas razões anteriores deve-se utilizar correlação de imagens, incluindo a mamografia, US ou a RM para diagnóstico diferencial do câncer de mama.

ESTADIAMENTO LINFONODAL

A avaliação da presença ou não de metástases linfonodais é primordial para o estadiamento do câncer de mama, determinando o prognóstico e a escolha do tratamento. Apesar dos avanços observados o PET/TC ainda não substitui a avaliação e a biópsia do linfonodo sentinela (BLS) na doença em fase inicial, principalmente em pacientes com tumores menores de 1 cm, uma vez que o PET/TC não consegue identificar de forma adequada o número de linfonodos acometidos ou a presença de extensão extranodal, que, também, são essenciais no estabelecimento da terapêutica adequada.[5,15]

Veronesi et al. avaliaram 236 pacientes com câncer de mama submetidos à BLS e PET durante o estadiamento inicial. Ambos os grupos foram submetidos à dissecção axilar sendo a sensibilidade e a especificidade para a BLS de 96 e 100%, enquanto do PET ficaram em 37 e 96%, respectivamente.[17]

O uso do PET/TC para estadiamento linfonodal deve ser indicado apenas nos casos de tumores avançados e/ou linfonodos palpáveis suspeitos uma vez que se estes estiverem extensamente acometidos podem não ser visualizados durante o mapeamento do linfonodo sentinela, utilizando a cintilografia convencional, seja por técnica planar ou tomográfica (SPECT) (fenômeno de *skip*). Tanto a sensibilidade quanto a especificidade do PET estão mais elevadas quanto mais avançado se mostra o tumor. Nestes casos um PET/TC positivo indicará a necessidade de um esvaziamento axilar mais agressivo, enquanto nos casos negativos poderá ser realizada a pesquisa do linfonodo sentinela pela linfocintilografia mamária e/ou pela injeção do azul patente.[5,15]

Estudos demonstraram que o PET teve melhor acurácia em mulheres na pós-menopausa e idosas.

Cooper et al. avaliaram, recentemente, acurácia diagnóstica e custo-efetividade na detecção de metástases axilares em pacientes em estágio precoce do câncer de mama, submetidos ao PET com ou sem TC e à ressonância magnética. Esses autores fizeram uma revisão sistemática da literatura e uma avaliação econômica com base em publicações no MEDLINE, EMBASE e mais nove outras bases, além de registros de conferências de estudos relevantes, até abril de 2009. Os resultados demonstrados em 45 citações de 35 artigos foram incluídos, sendo 26 estudos de PET e nove de RM. Os estudos demonstraram que tanto o PET como a RM têm baixa sensibilidade e especificidade em relação à BLS. O modelo decisório fundamentado nesses resultados sugere que a RM pode ter um custo-efetividade melhor do que BLS, graças à menor taxa de eventos adversos na maioria dos pacientes. No entanto, essa estratégia conduz ao aumento dos casos falso-negativos, com risco de alto índice de recidiva, além de aumento dos casos falso-positivos, levando à dissecção linfonodal axilar desnecessária. A maior limitação desta pesquisa foi a não inclusão de artigos comparando diretamente o PET à RM.[18]

Deve-se, ainda, ressaltar que o PET/TC pode ser muito utilizado na avaliação do comprometimento linfonodal das cadeias mamárias internas, supraclaviculares e mediastinais.[19]

AVALIAÇÃO DE DOENÇA A DISTÂNCIA

Por fornecer importantes dados metabólicos de corpo inteiro em um único exame, o FDG-^{18}F-PET é normalmente utilizado como ferramenta diagnóstica complementar aos métodos convencionais de estadiamento (exame físico, TC, ressonância magnética e cintilografia óssea). O FDG-^{18}F-PET é particularmente importante na avaliação de regiões previamente tratadas seja por cirurgia ou radioterapia, em que há enorme dificuldade em distinguir cicatrizes de tumor em atividade.

Os principais sítios de doença a distância são as metástases ósseas e o acometimento de linfonodos supraclaviculares, na cadeia mamária interna, ou mediastinais.

As metástases ósseas são as mais prevalentes em pacientes com câncer de mama, contudo estas não definem um prognóstico ruim em curto prazo, ao contrário do acometimento visceral a distância. Sabe-se que até 90% das pacientes com doença avançada irão evoluir com metástases ósseas. Dessa forma, é imprescindível a detecção e o tratamento destas antes do acometimento neurológico significativo ou da instalação de déficits funcionais para melhor prognóstico nestes pacientes.

A cintilografia óssea vem sendo utilizada como método de escolha na identificação destas lesões ósseas já que possibilita em um só exame e a um custo acessível à avaliação de todo o esqueleto. Contudo, há grande controvérsia em relação ao melhor método para identificação de metástases ósseas uma vez que alguns estudos defendem o PET/TC como melhor método e outros ainda defendem o uso da cintilografia óssea. O que se sabe é que, em relação à cintilografia óssea, o PET/TC apresenta maior sensibilidade e especificidade na detecção de lesões líticas, porém detecta menos lesões blásticas.

O PET/TC na avaliação e acompanhamento de metástases a distância ou recidiva pode substituir a TC da região cervical, torácica, abdominal e pélvica nesta identificação, com sensibilidade, especificidade, valores preditivos positivo e negativo e acurácia bem superiores às imagens convencionais.

O acometimento de linfonodos localizados na cadeia mamária interna ou no mediastino pode ser observado em até 25% das pacientes no momento do diagnóstico inicial e é normalmente mais comum em pacientes com recidiva da doença, tendo prognóstico mais reservado. Em alguns estudos verifica-se aumento do metabolismo glicolítico pelo PET nestes linfonodos em até um quarto dos casos, o que pode predizer pior prognóstico uma vez que há maiores taxas de falha terapêutica neste extrato da população.

PROGNÓSTICO E AVALIAÇÃO DO TRATAMENTO

Uma das formas de avaliação quantitativa do FDG-^{18}F-PET é utilizar um valor padronizado de aumento de metabolismo glicolítico em determinado sítio, o SUV. De acordo com este valor considera-se a alteração suspeita ou não, sendo o ponto de corte normalmente utilizado em carcinoma mamário entre 1,8 e 2,5. Vários estudos vêm correlacionando um SUV > 1,8 com maior agressividade do tumor, o que possibilita a estratificação dos pacientes em alto risco de recidiva ou falha terapêutica e identifica os candidatos a terapias mais agressivas.[5,15,20,21]

Nota-se, no entanto, que não há correlação entre o SUV e a presença de receptores hormonais, *status* linfonodal ou tamanho tumoral.[21,22]

Trabalho retrospectivo recente de Morris et al., com 253 pacientes, demonstrou a importância do SUV no prognóstico para desenvolvimento de metástases a distância. Um grande risco de morte foi associado a SUVmáx nos que apresentavam metástases no pulmão, seguido para o fígado e por último para os linfonodos. No entanto, os resultados indicaram que o PET/TC tem maior valor com ferramenta diagnóstica precoce para o surgimento de metástases ósseas.[23]

Em relação à avaliação da resposta aos tratamentos quimioterápico (QT) e radioterápico (RT), assim como hormonoterapia (HT) em câncer avançado de mama, o PET/TC demonstrou que pode discriminar, com grande acurácia e precocemente, o grupo de pacientes que responderão ao tratamento, por meio da medida da redução na intensidade do metabolismo tumoral. O PET/TC tem a capacidade de monitorizar o efeito, principalmente da QT, demonstrando diminuição na captação das lesões no exame após o primeiro ciclo da QT, com aquele realizado após o término do tratamento. Diminuição igual ou maior a 50% demonstra resposta ao tratamento (Fig. 1).

Pode avaliar, também, a resposta após um ciclo de radioterapia locorregional, evitando estudos morfológicos seriados e inconclusivos, após um período mínimo de 3 meses.[5,15,21] O *status* dos linfonodos axilares regionais tem permanecido como o único preditor independente em termos tanto de recidiva como sobrevida da doença. Trabalho de Rousseau et al. avaliou prospectivamente os achados do FDG-^{18}F na resposta precoce ao tratamento com QT neoadjuvante do envolvimento linfonodal em pacientes nos estágios II e III do câncer de mama. PET/TC foi realizado em 52 pacientes antes, após o primeiro, segundo, terceiro e sexto ciclos de QT antes da cirurgia. Exame clínico e US foram utilizados para monitorizar o tamanho dos linfonodos axilares. Decréscimo na medida do SUV foi comparado à resposta histopatológica. Os valores de sensibilidade, especificidade e acurácia do estágio dos linfonodos axilares foi mais alta com o PET (75, 87 e 80%) do que com US (50, 83 e 65%). Enquanto a captação do FDG-[18]F não teve quase variação naqueles que não responderam à QT, houve um decréscimo marcante para níveis basais naqueles que responderam à QT. A sensibili-

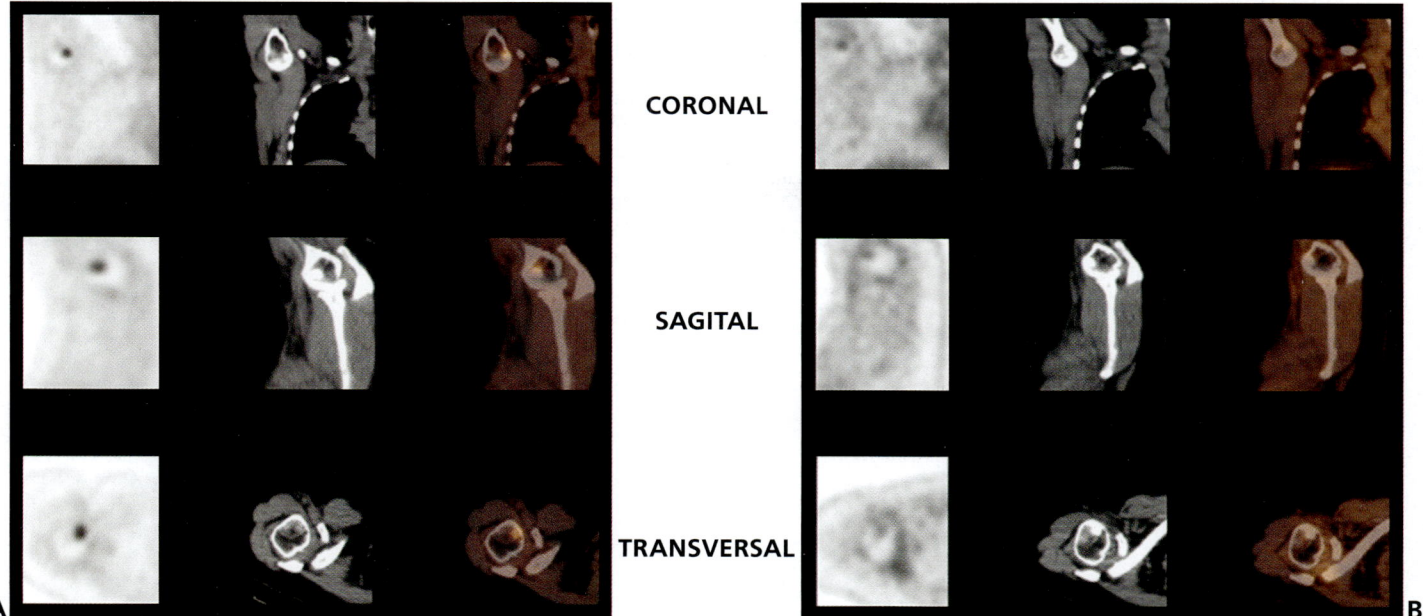

▲ **FIGURA 1.** Imagens tomográficas de PET/TC realizadas 50 minutos após a administração endovenosa de ^{18}F-FDG foram realizadas em paciente com carcinoma de mama previamente ao início do tratamento (**A**) e após a realização da quimioterapia (**B**). Em (**A**) a fusão das imagens metabólicas do PET com as imagens estruturais da TC revela aumento do metabolismo glicolítico em lesão óssea predominantemente esclerótica em cabeça do úmero direito (SUVIbm = 3,1). Comparativamente ao estudo pré-tratamento observa-se o desaparecimento do metabolismo glicolítico nesta lesão (**B**).

dade, especificidade, valor preditivo negativo e acurácia do PET/TC após o primeiro ciclo de QT foram 96, 75, 95 e 84%, respectivamente. Os autores concluíram com esses achados, que o *status* histopatológico dos linfonodos axilares em pacientes em estádio II e III do câncer de mama poderia ser previsto após um curso de QT neoadjuvante, com base nas imagens do PET/TC.[24]

FUTURO DO PET/TC EM MAMA

Alguns avanços tecnológicos observados poderão melhorar muito a detecção dos tumores mamários através do PET/TC. Estudos recentes vêm mostrando o uso de um sistema exclusivo para a obtenção de imagens PET para mama, denominado PEM (*Positron Emission Mamography*). Este aparelho dedicado tem vários benefícios em potencial sobre o PET de corpo inteiro, incluindo melhor resolução espacial, maior sensibilidade, com redução da atenuação, menor dose/exame e custo reduzido.

Os fatores limitantes destacados até o momento em relação a este método são a dificuldade na detecção de lesões mais posteriores, grande variação nos valores de SUV em lesões menores do que 1 cm e os casos falso-positivos observados após biópsias.[5,15,20,21,25]

Com o advento de novos radiofármacos cada vez mais fundamentados nas características biológicas e moleculares dos tumores, como, por exemplo, a timidina-[11]C (marcador de proliferação celular) e o fluor-misonidazol-[18]F (marcador para hipóxia), o FES (16-^{18}F-fluoroestradiol-17 (receptores de estrógenos) o PET dedicado de mama poderá tornar-se uma importante ferramenta diagnóstica.[5,15]

Atualmente, embora as perspectivas futuras sejam promissoras, mesmo as imagens dedicadas ainda permanecem com limitado valor na detecção de lesões mamárias primárias. No entanto, o PET/TC apresenta-se como importante ferramenta na detecção de doença a distância e avaliação após tratamento.

REFERÊNCIAS BIBLIOGRÁFICAS

1. Estimativa 2008 – Incidência de câncer no Brasil – INCA. Acesso em: 11 Abr. 2012. Disponível em: <http://www.inca.gov.br/estimativa/2008/index.asp?link=conteudo_view.asp&ID=7>
2. Burstein HJ, Harris JR, Morrow M. Malignant tumors of the breast. In: *Cancer – Principles & practice of oncology*. 8th ed. Philadelphia: Lippincott Williams & Wilkins, 2008. p. 1606-45.
3. Choi JY, Kim SE, Shin HJ et al. Brain tumor imaging with ^{99m}Tc-tetrofosmin: comparison with 201Tl, ^{99m}Tc-MIBI, and 18F-fluorodeoxyglucose. *J Neurooncol* 2000;46:63-70.
4. Schillaci O, Spanu A, Madeddu G. [99 mTc]sestamibi and [99 mTc]tetrofosmin in oncology: SPET and fusion imaging in lung cancer, malignant lymphomas and brain tumors. *Q J Nucl Med Mol Imaging* 2005;49:133-44.
5. Eubank WB, Mankoff DA. Current and future uses of positron emission tomography in breast cancer imaging. *Semin Nucl Med* 2004;34:224-40.
6. Itti E, Ahdoot H, Khalkhali I. Scintimammography for the diagnosis of breast cancer. *J Women's Imaging* 2002;4(2):66-72.
7. Khalkhali I, Cutrone J, Mena I et al. Technetium-99 m-sestamibi scintimammography of breast lesions: clinical and pathological follow-up. *J Nucl Med* 1995;36:1784-89.
8. Khalkhali I, Cutrone JA, Mena IG et al. Scintimammography: the complementary role of Tc-99 m sestamibi prone breast imaging for the diagnosis of breast carcinoma. *Radiology* 1995;196:421-26.
9. Khalkhali I, Iraniha S, Cutrone JA et al. Scintimammography with Tc-99 m sestamibi. *Acta Med Austriaca* 1997;24:46-49.
10. Khalkhali I, Itti E. Functional breast imaging using the single photon technique. *Nucl Med Commun* 2002;23:609-11.
11. Liberman M, Sampalis F, Mulder DS et al. Breast cancer diagnosis by scintimammography: a meta-analysis and review of the literature. *Breast Cancer Res Treat* 2003;80:115-26.
12. Mathieu I, Mazy S, Willemart B et al. Inconclusive triple diagnosis in breast cancer imaging: is there a place for scintimammography? *J Nucl Med* 2005;46:1574-81.
13. Gutfilen B, Fonseca LM. Comparison of Tc-99 m THY and Tc-99 m MIBI scans for diagnosis of breast lesions. *J Exp Clin Cancer Res* 2001;20:385-91.
14. Ell P, Gambhir S. *Nuclear medicine in clinical diagnosis and treatment*. 3rd ed. Churchill Livingstone, 1950. p. 2004.
15. Rosen EL, Eubank WB, Mankoff DA. FDG PET, PET/CT, and breast cancer imaging. *Radiographics* 2007;27(Suppl 1):S215-29.
16. Adejolu M, Huo L, Rohren E et al. False-positive lesions mimicking breast cancer on FDG PET and PET/CT. *AJR Am J Roentgenol* 2012;198:W304-14.
17. Veronesi U, De Cicco C, Galimberti VE et al. A comparative study on the value of FDG-PET and sentinel node biopsy to identify occult axillary metastases. *Ann Oncol* 2007;18:473-78.
18. Cooper KL, Meng Y, Harnan S et al. Positron emission tomography (PET) and magnetic resonance imaging (MRI) for the assessment of axillary lymph node metastases in early breast cancer: systematic review and economic evaluation. *Health Technol Assess* 2011;15:iii-iv, 1-134.

19. Lim HS, Yoon W, Chung TW et al. FDG PET/CT for the detection and evaluation of breast diseases: usefulness and limitations. *Radiographics* 2007;27(Suppl 1):S197-213.
20. de Geus-Oei LF, van der Heijden HF, Corstens FH et al. Predictive and prognostic value of FDG-PET in nonsmall-cell lung cancer: a systematic review. *Cancer* 2007;110:1654-64.
21. Maldonado A, Gonzalez-Alenda FJ, Alonso M et al. PET-CT in clinical oncology. *Clin Transl Oncol* 2007;9:494-505.
22. Geus-Oei LF, Oyen WJ. Predictive and prognostic value of FDG-PET. *Cancer Imaging* 2008;8:70-80.
23. Morris PG, Ulaner GA, Eaton A et al. Standardized uptake value by positron emission tomography/computed tomography as a prognostic variable in metastatic breast cancer. *Cancer* 2012 Apr. 19.
24. Rousseau C, Devillers A, Campone M et al. FDG PET evaluation of early axillary lymph node response to neoadjuvant chemotherapy in stage II and III breast cancer patients. *Eur J Nucl Med Mol Imaging* 2011;38:1029-36.
25. Raylman RR, Abraham J, Hazard H et al. Initial clinical test of a breast-PET scanner. *J Med Imaging Radiat Oncol* 2011;55:58-64.

CAPÍTULO 111

Valor da Cintilografia no Câncer de Mama

Paulo Henrique Rosado de Castro ■ Flávia Paiva Proença Lobo Lopes
Lea Mirian Barbosa da Fonseca

INTRODUÇÃO

A Medicina Nuclear vem cada vez mais sendo utilizada como ferramenta complementar no manejo de pacientes com câncer de mama, seja no diagnóstico de lesões indeterminadas à mamografia, durante o peroperatório ou no acompanhamento dos pacientes.

As cintilografias convencionais, utilizando as técnicas planar e/ou tomográfica (SPECT) assim como a Tomografia por Emissão de Pósitrons (PET) por trazerem informações funcionais e metabólicas, respectivamente, têm aumentado as taxas de sensibilidade e especificidade na detecção de lesões malignas da mama. Além disso, possibilitam, também, a identificação de envolvimento ósseo secundário (principal sítio metastático) por meio de um exame simples capaz de avaliar todo o esqueleto.

Há, aproximadamente, 60 anos são utilizados diversos radiofármacos na avaliação de lesões suspeitas da mama, alguns dos radiofármacos utilizados para este fim são o cloreto de ^{201}Tálio (^{201}Tl), Sestamibi-^{99m}Tecnécio (Sestamibi-^{99m}Tc), Timina-^{99m}Tecnécio (Timina-^{99m}Tc) e peptídeos marcados com diversos radionuclídeos.[1,2] Os radiofármacos marcados com ^{99m}Tc são atualmente os mais utilizados para diagnósticos em Medicina Nuclear, em função das características físicas e químicas deste radioisótopo, como a meia-vida física de 6 horas, o decaimento por emissão de radiação gama pura, com energia de 140 keV e a facilidade de obtenção pelo gerador de molibdênio-99/tecnécio-99 m (^{99}Mo/^{99m}Tc).[3] Este capítulo fornece uma discussão com base em evidências sobre o importante papel da Medicina Nuclear entre os métodos de imagem diagnóstica para o câncer de mama.

DIAGNÓSTICO

Apesar das inúmeras vantagens associadas a seu uso, a mamografia ainda apresenta algumas limitações na prática clínica, como na avaliação de mamas densas, pacientes com implantes mamários ou pacientes avaliadas após cirurgia mamária ou radioterapia sobre as mamas, com falso-negativo de 25-30%.[1] Outra importante limitação da mamografia ocorre na baixa especificidade e valor preditivo positivo de 10 a 35% para tumores impalpáveis. Com isso, muitas biópsias cirúrgicas podem ter resultado benigno, submetendo o paciente à maior morbidade, riscos e custos envolvidos com estes procedimentos. Métodos, como a cintilografia mamária, têm como objetivo complementar a mamografia nestas indicações.

O principal radiofármaco utilizado para este fim é o Sestamibi-^{99m}Tc, pois em virtude de sua alta afinidade pelas mitocôndrias, como há um aumento do metabolismo nas células tumorais, haverá acúmulo do radiofármaco nestes sítios, possibilitando a identificação de um possível câncer de mama. Além disso, foi observado que o Sestamibi-^{99m}Tc é um substrato de transporte para a glicoproteína p (Pgp), uma proteína de membrana codificada pelo gene de resistência a múltiplas drogas MDR-1, indicando um potencial em predizer a resposta à quimioterapia e na seleção do tratamento mais apropriado.[4] Uma metanálise com um total de 5.340 pacientes indicou sensibilidade de 85,2%, especificidade de 86,6% e acurácia de 85,9%[5] para o método, e um recente estudo multicêntrico com 1.734 mulheres apresentou 93% de sensibilidade e 87% de especificidade, com acurácia de 88%. Estes resultados indicam que a cintilografia mamária com Sestamibi-^{99m}Tc possui grande acurácia para a detecção do câncer de mama e pode ser usada como método complementar à mamografia. Falso-positivos podem ser vistos em caso de inflamação, infecção, fibroadenoma, doença fibrocística e papiloma intraductal, e falso-negativos ocorrem em caso de lesões menores que o limite de resolução da câmera gama tradicional.

O cloreto de ^{201}Tálio (^{201}Tl) apesar de alta acurácia como método de detecção do câncer de mama apresenta algumas limitações decorrente de suas características físicas, como meia-vida de 73 horas e biodistribuição normal do radiotraçador em miocárdio, fígado e músculos, o que pode levar a um grande número de falso-negativos pela proximidade destas estruturas com o órgão-alvo.

Outros radiofármacos vêm sendo pesquisados, como a Timina-^{99m}Tc, uma base nitrogenada do grupo das pirimidinas, presentes no DNA, com resultados promissores em termos de sensibilidade e especificidade em relação ao Sestamibi-^{99m}Tc.[6,7]

O uso de aparelhos específicos para cintilografias mamárias com menor campo de visão e de alta resolução permite maior flexibilidade no posicionamento do paciente, o que reduz a contaminação da imagem por outros órgãos e permite a compressão mamária, o que leva a um importante aumento na distinção do alvo em relação ao fundo.[8] Além disso, estes aparelhos permitem maior resolução espacial intrínseca e extrínseca do que as câmeras gamas tradicionais, com aumento no contraste em lesões menores.[9]

A partir de 2005, iniciaram-se as publicações de um novo equipamento de cintilografia dedicado para diagnóstico das lesões mamárias, *Molecular Breast Imaging* (MBI), composto com cristal de CZT (Cádmio, Zinco e Telúrio), com sistema de detecção inovador, bem diferente das tradicionais câmeras gamas tipo Anger. A aquisição das imagens são realizadas nas mesmas incidências da mamografia, com quase nenhuma compressão e capacidade de identificar lesões com até 4 mm. O radiofármaco utilizado pode ser o sestamibi-^{99m}Tc ou timina-^{99m}Tc, que já demonstraram ter maior sensibilidade do que o FDG-^{18}F para detecção de lesões malignas da mama. Apesar de esses radiofármacos sofrerem influência do período hormonal na captação das alterações mamárias, a MBI tem uma maior resolução e, certamente, será mais uma ferramenta no arsenal diagnóstico do câncer de mama.[10]

PESQUISA DO LINFONODO SENTINELA

O *status* de envolvimento linfonodal é um importante fator prognóstico em pacientes com câncer de mama em estágio inicial por estimar o risco de recidiva e a sobrevida dos pacientes.[11] A conduta a ser traçada (tratamento locorregional ou sistêmico) leva em consideração o tamanho do tumor, a identificação dos receptores hormonais e o *status* linfonodal. A exploração cirúrgica da axila é necessária, e a técnica tradicional envolve a dissecção dos linfonodos axilares (DLA). O envolvimento axilar é encontrado em 10-30% dos pacientes com lesões T1 (≤ 2 cm), 45% em T2 (2,1-3 cm) e 55-70% para tumores maiores.[11,12] No entanto, a DLA traz muita morbidade às pacientes pelo risco de linfedema, distúrbios de sensibilidade e dor crônica.

Os estudos sobre o linfonodo sentinela em mama e a avaliação do *status* linfonodal foram primeiramente demonstrados por Krag *et al.*, em 1993, sendo demonstrada uma correspondência de 100% entre o *status* axilar e o resultado histopatológico do linfonodo sentinela (LS). A detecção do linfonodo sentinela mostrou-se um método menos invasivo de avaliação do *status* axilar, e se fundamenta no conceito de que este é o primeiro linfonodo a receber a drenagem linfática de uma determinada região. Com isso, a ausência de doença no LS possibilita poupar a paciente da DLA. A partir de então, diversos estudos foram realizados acerca do tema, envolvendo o uso de diferentes radiofármacos, formas de injeção e aquisição das imagens.

A pesquisa do LS pode ser feita com um radiofármaco, com um corante azul ou com ambos.[13] Os radiofármacos utilizados no Brasil são a dextrana, o estanho coloidal e o fitato marcados com ^{99m}Tc,[14] que são transportados pelo sistema linfático após a injeção na mama até o LS (Fig. 1).

A injeção pode ser realizada no dia da cirurgia ou no dia anterior, e não existe superioridade estabelecida de uma das técnicas. Inicialmente, o radiotraçador era injetado ao redor do tumor, porém muitos estudos demonstraram bons resultados com a injeção periareolar ou subareolar.[15,16] A injeção intradérmica permite drenagem mais rápida e maior número de contagens radioativas no LS.[15] A visualização do LS é realizada antes da cirurgia na câmera gama com cerca de 15 minutos da injeção, porém, se necessário, podem ser realizadas imagens com 2-3 horas ou até 16-18 horas, e o sítio do linfonodo suspeito pode ser marcado com tinta indelével.[14] A detecção intraoperatória é realizada com o gama-*probe* portátil, uma sonda capaz de identificar os sítios de maior captação do radiofármaco (Fig. 2).

As indicações para a biópsia do LS são um assunto ainda em debate. Alguns centros a utilizam apenas em tumores menores que 2-3 cm, enquanto outros utilizam em pacientes com tumores T2 ou T3, para carcinomas multifocais ipsilaterais ou para pacientes que receberam quimioterapia neoadjuvante.

Estudos randomizados demonstraram uma diminuição significativa no número de complicações nos grupos que foram submetidos à biópsia do LS em relação àqueles que foram submetidos à DLA de rotina.[17,18] Poucos estudos randomizados compararam grupos submetidos à biópsia do LS com os que foram submetidos à biópsia do LS e DLA.[19-21] Os dados indicam que não há diferenças em termos de recidiva e sobrevivência, porém ainda faltam estudos em pacientes com tumores classificados como T2 e T3. Em 2005, a *American Society of Clinical Oncology* (ASCO) recomendou que a meta para a taxa de identificação do LS seja de 85% com uma taxa de falso-negativos de 5%.[13] A taxa de identificação é a proporção de pacientes nos quais ao menos um LS é encontrado na cirurgia, e a taxa de falso-negativos é a proporção de casos positivos na dissecção axilar com biópsia de LS negativa. Falso-negativos podem ocorrer, por exemplo, em caso de envolvimento maciço do LS, uma vez que o material injetado (radiocoloide ou corante azul) pode sofrer um desvio do fluxo linfático para outro linfonodo que não o LS. Além disso, a localização com o fio antes da linfocintilografia pode comprometer a detecção do LS.[22]

Com os avanços tecnológicos as modernas câmeras gamas vêm integradas com a tomografia computadorizada (TC), com a vantagem de ambos os exames (SPECT e TC) serem feitos no mesmo lugar, um em seguida do outro e com o paciente na mesma posição. A TC é usada para correção de atenuação e para localizar melhor pequenos linfonodos, não evidenciados adequadamente com o gama-*probe*. A localização mais precisa dos linfonodos com a utilização da TC previamente, a cirurgia tem demonstrado uma melhora nas taxas de detecção do linfonodo sentinela, principalmente nos casos de drenagem anômala a partir do sítio tumoral, como, por exemplo, para cadeia mamária interna. O SPECT/TC tem sido particularmente indicado em pacientes obesas para melhor identificação do linfonodo sentinela.[23]

De uma forma geral, a sensibilidade do SPECT/TC na detecção do linfonodo sentinela é superior a 89%, sendo inclusive superior ao corante azul.[23] Apesar de não haver consenso na literatura quanto às principais indicações deste método na pesquisa de linfonodo sentinela em câncer de mama, observa-se sua importância nos casos em que há falha na identificação do linfonodo sentinela nas imagens planares.[23]

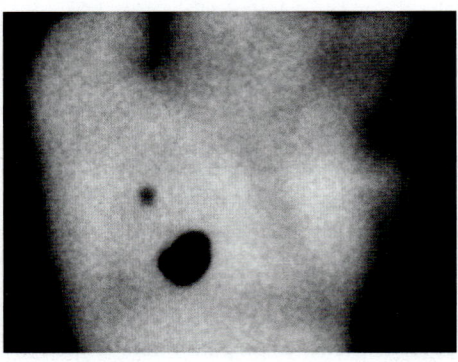

◀ **FIGURA 1.** Pesquisa de linfonodo sentinela evidenciando a hipercaptação do radiofármaco (Fitato-^{99m}Tc) em um linfonodo em região axilar direita.

CIRURGIA RADIOGUIADA PARA DIAGNÓSTICO DE LESÕES SUBCLÍNICAS MAMÁRIAS

Há quase duas décadas um método que vem sendo muito estudado e utilizado na prática clínica é a localização radioguiada de lesão oculta (ROLL). Este procedimento consiste na injeção do radiofármaco intratumoral (em lesões subclínicas) guiada por mamografia, ultrassonografia ou ressonância magnética. No momento da cirurgia a lesão é, então, identificada pelo gama-*probe* possibilitando a excisão cirúrgica com maior precisão. Após exérese da lesão, é possível verificar se ainda há radiação detectável para avaliar a necessidade ou não de ampliação das margens cirúrgicas.[24]

Dentre as vantagens que podem ser citadas em relação ao método são a diminuição dos custos quando comparado ao agulhamento (por estereotaxia ou guiada por ultrassonografia), pois não requer internação hospitalar, doses de radiação mínimas para os profissionais de saúde e pacientes.[24,25]

Em 2007 foram iniciados diversos trabalhos que associavam dois métodos de grande impacto no diagnóstico do câncer de mama, a biópsia do linfonodo sentinela com o ROLL, sendo denominada de SNOLL (*sentinel node and ocult lesion localization*).[24,25] Uma das vantagens do SNOLL é que ele proporcionou índices de localização da lesão primária e do LS semelhantes àqueles geralmente obtidos com o uso desses procedimentos em tempos separados.[25]

AVALIAÇÃO DE DOENÇA A DISTÂNCIA – CINTILOGRAFIA ÓSSEA

O osso é o sítio mais comum de metástases no câncer de mama.[26,27] Estas desenvolvem-se em 8% dos pacientes e em 69% daqueles com doença avançada,[26] levando a complicações, como hipercalcemia, dor óssea, fraturas e compressão medular.[28] Nesse sentido, o uso de técnicas de imagem é fundamental para a detecção de metástases ósseas e, consequentemente, para o tratamento e melhora na qualidade de vida dos pacientes.[29] Dentre os diferentes métodos de imagem disponíveis, a cintilografia óssea desempenha um papel importante e permite visualizar aumento da atividade osteoblástica, assim como um incremento na vascularização nos sítios de lesões no esqueleto.[30] O exame é indicado na presença de sintomas clínicos

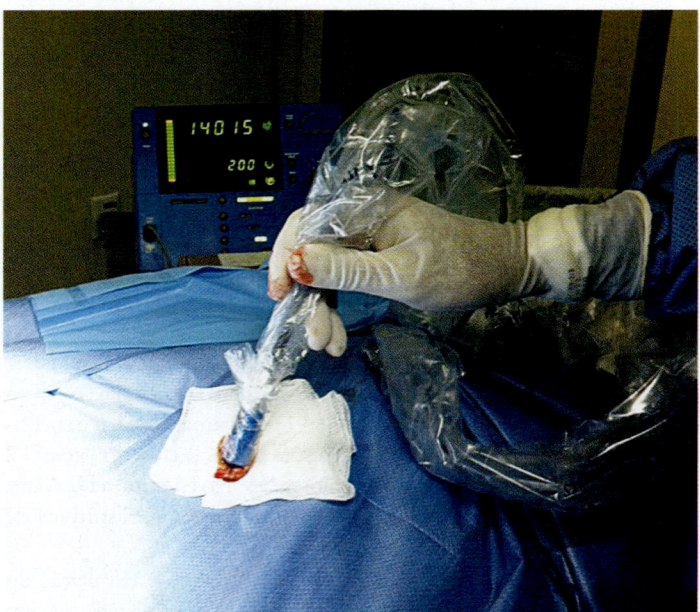

▲ **FIGURA 2.** Gama-*probe* em centro cirúrgico, evidenciando número de contagens referentes a hipercaptação do radiofármaco em linfonodo localizado previamente através da linfocintilografia em paciente com lesão mamária impalpável.

ou na suspeita de doença avançada, e também para avaliar a resposta a drogas antineoplásicas e terapia hormonal.[31] O radiofármaco utilizado é o metildifosfonado-[99mTecnécio] (MDP-[99mTc]), e 2 a 5 horas após sua injeção intravenosa são adquiridas imagens do corpo inteiro, que podem ser complementadas com imagens dedicadas. O uso da Tomografia computadorizada por emissão de fóton único (SPECT) pode ser útil na avaliação de áreas, como a coluna toracolombar e pelve e para distinguir lesões benignas de malignas em áreas de captação focal.[32] Diferentes grupos recomendam a cintilografia óssea como primeiro exame de imagem para o diagnóstico de metástases ósseas em função de seu custo baixo e alta sensibilidade.[33,34] Quando realizado por profissionais experientes o exame também apresenta alta especificidade. Alguns estudos clínicos com uma casuística elevada demonstraram sensibilidade de 98,2%, especificidade de 95,2% e valor preditivo positivo de 72,8%.[35] Falso-positivos podem ocorrer em decorrência da reação metabólica gerada por diferentes processos, incluindo trauma e inflamação. Falso-negativos podem ocorrer, por exemplo, em lesões osteolíticas com crescimento rápido ou quando o *turnover* ósseo é lento. Portanto, apesar da utilidade da cintilografia óssea para o diagnóstico de lesões disseminadas, ela não deve ser considerada diagnóstica em achados equívocos, como lesões únicas, e nesses casos outros métodos, como radiografias, tomografia computadorizada ou ressonância magnética, devem ser associados para caracterizar tais achados.

O estágio da doença se correlaciona com a incidência de metástases ósseas, variando de 0,82% no estágio I a 40,52% no estágio IV.[33] O padrão típico da doença metastática óssea no câncer de mama é de lesões múltiplas, distribuídas mais comumente no esqueleto axial. As vértebras são o sítio mais comum de metástases, seguidas pelos arcos costais, crânio e ossos longos proximais.[36] Padrões atípicos incluem as lesões metastáticas solitárias e o fenômeno *flare*. No fenômeno *flare* o tratamento eficaz da doença pode levar a uma aparente piora no exame, em função da neoformação óssea no processo de reparo realizado pelo organismo, porém após 6 meses esse fenômeno gradualmente diminui.[37]

CONCLUSÃO

A Medicina Nuclear, por meio da cintilografia mamária, da pesquisa de linfonodo sentinela, das marcações pré-cirúrgicas de lesões impalpáveis e da cintilografia óssea, tem contribuído para o aprimoramento do diagnóstico e do acompanhamento do câncer de mama nas últimas décadas. O desenvolvimento de novos radiofármacos e equipamentos na área, aliados às informações anatômicas de exames radiológicos, tem o potencial de otimizar e individualizar estratégias terapêuticas e com isso diminuir a mortalidade e aumentar a qualidade de vida dos pacientes.

REFERÊNCIAS BIBLIOGRÁFICAS

1. Taillefer R. The role of 99 mTc-sestamibi and other conventional radiopharmaceuticals in breast cancer diagnosis. *Semin Nucl Med* 1999;29:16-40.
2. Taillefer R. Clinical applications of 99 mTc-sestamibi scintimammography. *Semin Nucl Med* 2005;35:100-15.
3. Marques FLN, Okamoto MRY, Buchpiguel CA. Alguns aspectos sobre geradores e radiofármacos de tecnécio-99 m e seus controles de qualidade. *Radiologia Brasileira* 2001;34:233-39.
4. Van de Wiele C, Rottey S, Goethals I et al. 99 mTc sestamibi and 99 mTc tetrofosmin scintigraphy for predicting resistance to chemotherapy: a critical review of clinical data. *Nucl Med Commun* 2003;24:945-50.
5. Liberman M, Sampalis F, Mulder DS et al. Breast cancer diagnosis by scintimammography: a meta-analysis and review of the literature. *Breast Cancer Res Treat* 2003;80:115-26.
6. Gutfilen B, Fonseca LM. Comparison of Tc-99 m THY and Tc-99 m MIBI scans for diagnosis of breast lesions. *J Exp Clin Cancer Res* 2001;20:385-91.
7. Gutfilen B, Rodrigues E, Soraggi R et al. Preliminary observation of 99 mTc-thymine imaging in breast neoplasms. *Nucl Med Commun* 2001;22:1133-37.
8. Schillaci O, Cossu E, Buonomo O et al. Dedicated breast camera: is it the best option for scintimammography? *J Nucl Med* 2005;46:550; author reply 1.
9. Brem RF, Schoonjans JM, Kieper DA et al. High-resolution scintimammography: a pilot study. *J Nucl Med* 2002;43:909-15.
10. Even-Sapir E. Scintimammography and Breast Cancer. *Le patient* 2012:48-51.
11. Carter CL, Allen C, Henson DE. Relation of tumor size, lymph node status, and survival in 24,740 breast cancer cases. *Cancer* 1989;63:181-87.
12. Blamey RW, Hornmark-Stenstam B, Ball G et al. Oncopool - A European database for 16,944 cases of breast cancer. *Eur J Cancer* 2010;46:56-71.
13. Lyman GH, Giuliano AE, Somerfield MR et al. American Society of Clinical Oncology guideline recommendations for sentinel lymph node biopsy in early-stage breast cancer. *J Clin Oncol* 2005;23:7703-20.
14. Buscombe J, Paganelli G, Burak ZE et al. Sentinel node in breast cancer procedural guidelines. *Eur J Nucl Med Mol Imaging*. 2007;34:2154-59.
15. McMasters KM, Wong SL, Martin RC 2nd et al. Dermal injection of radioactive colloid is superior to peritumoral injection for breast cancer sentinel lymph node biopsy: results of a multiinstitutional study. *Ann Surg* 2001;233:676-87.
16. Climaco F, Coelho-Oliveira A, Djahjah MC et al. Sentinel lymph node identification in breast cancer: a comparison study of deep versus superficial injection of radiopharmaceutical. *Nucl Med Commun* 2009;30:525-32.
17. Purushotham AD, Upponi S, Klevesath MB et al. Morbidity after sentinel lymph node biopsy in primary breast cancer: results from a randomized controlled trial. *J Clin Oncol* 2005;23:4312-21.
18. Mansel RE, Fallowfield L, Kissin M et al. Randomized multicenter trial of sentinel node biopsy versus standard axillary treatment in operable breast cancer: the ALMANAC Trial. *J Natl Cancer Inst* 2006;98:599-609.
19. Veronesi U, Viale G, Paganelli G et al. Sentinel lymph node biopsy in breast cancer: ten-year results of a randomized controlled study. *Ann Surg* 2010;251:595-600.
20. Zavagno G, De Salvo GL, Scalco G et al. A Randomized clinical trial on sentinel lymph node biopsy versus axillary lymph node dissection in breast cancer: results of the Sentinella/GIVOM trial. *Ann Surg* 2008;247:207-13.
21. Krag DN, Anderson SJ, Julian TB et al. Sentinel-lymph-node resection compared with conventional axillary-lymph-node dissection in clinically node-negative patients with breast cancer: overall survival findings from the NSABP B-32 randomised phase 3 trial. *Lancet Oncol* 2010;11:927-33.
22. Jansen JE, Bekker J, de Haas MJ et al. The influence of wire localisation for non-palpable breast lesions on visualisation of the sentinel node. *Eur J Nucl Med Mol Imaging* 2006;33:1296-300.
23. Buck AK, Nekolla S, Ziegler S et al. Spect/Ct. *J Nucl Med* 2008;49:1305-19.
24. Moreno M, Wiltgen JE, Bodanese B et al. Radioguided breast surgery for occult lesion localization - correlation between two methods. *J Exp Clin Cancer Res* 2008;27:29.
25. Machado RH, Oliveira AC, Rocha AC et al. Radioguided occult lesion localization (ROLL) and excision of breast lesions using technetium-99 m-macroaggregate albumin and air injection control. *J Exp Clin Cancer Res* 2007;26:323-27.
26. Coleman RE, Rubens RD. The clinical course of bone metastases from breast cancer. *Br J Cancer* 1987;55:61-66.
27. Ahmed A, Glynne-Jones R, Ell PJ. Skeletal scintigraphy in carcinoma of the breast—a ten year retrospective study of 389 patients. *Nucl Med Commun* 1990;11:421-26.
28. Hortobagyi GN, Theriault RL, Lipton A et al. Long-term prevention of skeletal complications of metastatic breast cancer with pamidronate. Protocol 19 Aredia Breast Cancer Study Group. *J Clin Oncol* 1998;16:2038-44.
29. Even-Sapir E. Imaging of malignant bone involvement by morphologic, scintigraphic, and hybrid modalities. *J Nucl Med* 2005;46:1356-67.
30. Coleman RE. Monitoring of bone metastases. *Eur J Cancer* 1998;34:252-59.
31. Koizumi M, Yoshimoto M, Kasumi F et al. What do breast cancer patients benefit from staging bone scintigraphy? *Jpn J Clin Oncol* 2001;31:263-69.
32. Savelli G, Chiti A, Grasselli G et al. The role of bone SPET study in diagnosis of single vertebral metastases. *Anticancer Res* 2000;20:1115-20.
33. Hamaoka T, Madewell JE, Podoloff DA et al. Bone imaging in metastatic breast cancer. *J Clin Oncol* 2004;22:2942-53.
34. Costelloe CM, Rohren EM, Madewell JE et al. Imaging bone metastases in breast cancer: techniques and recommendations for diagnosis. *Lancet Oncol* 2009;10:606-14.
35. Crippa F, Seregni E, Agresti R et al. Bone scintigraphy in breast cancer: a ten-year follow-up study. *J Nucl Biol Med* 1993;37:57-61.
36. Tubiana-Hulin M. Incidence, prevalence and distribution of bone metastases. *Bone* 1991;12(Suppl 1):S9-10.
37. Coleman RE, Mashiter G, Whitaker KB et al. Bone scan flare predicts successful systemic therapy for bone metastases. *J Nucl Med* 1988;29:1354-59.

SEÇÃO IV
Abordagem das Lesões Mamárias

CAPÍTULO 112
Lesões Palpáveis

Juliana de Almeida Figueiredo ■ Flávio Henrique Pereira Conte
Maria Nagime Barros Costa ■ Euridice Maria de Almeida Figueiredo

INTRODUÇÃO

A apresentação de uma mulher com uma massa de mama é um dos problemas mais comuns a ser enfrentado por um médico da atenção primária, podendo ocorrer em qualquer idade após a adolescência.

Componentes do tecido da mama incluem a gordura subcutânea, os tecidos do estroma e do parênquima apoiados por bandas fibrosas, conhecidas como ligamentos suspensivos de Cooper, os vasos sanguíneos, os nervos e os vasos linfáticos. O tecido areolar pigmentado contém folículos pilosos, glândulas sudoríparas apócrinas e pequenas estruturas nodulares elevadas, chamadas tubérculos de Morgagni, que definem as aberturas das glândulas de Montgomery (sebáceas), que são capazes de secretar leite. A papila contém terminações nervosas sensoriais e feixes de músculo liso, com 8 a 20 ductos principais com abertura para a superfície. Esses ductos estendem-se proximalmente para os seios lactíferos, levando a ductos terminais que entram em um lobo composto por 20 a 40 lóbulos. A gordura subcutânea envolve os lobos e é encontrada predominantemente nas regiões superficiais e periféricas da mama. A nodularidade glandular do tecido mamário é mais pronunciada no quadrante superior externo da mama. Durante a fase proliferativa estrogênica do ciclo menstrual, a nodularidade e textura das mamas podem aumentar e diminuir como o tecido do estroma, tornando-se edemaciado com a congestão venosa.

Tumorações da mama têm uma variedade de etiologias, benignas e malignas. O fibroadenoma é a tumoração de mama benigna mais comum, e o carcinoma ductal invasivo é o mais comum maligno. A maioria das tumorações mamárias é benigna, mas o câncer de mama é o segundo tipo de câncer mais frequente no mundo e o mais comum entre as mulheres. Anualmente, cerca de 22% dos casos novos de câncer em mulheres são de mama. O número de casos novos de câncer de mama esperados para o Brasil em 2010 foi de 49.240, com um risco estimado de 49 casos a cada 100 mil mulheres. Apesar de ser considerado um câncer de relativamente bom prognóstico, se diagnosticado e tratado oportunamente, as taxas de mortalidade por câncer de mama continuam elevadas no Brasil, muito provavelmente porque a doença ainda é diagnosticada em estágios avançados. Na população mundial, a sobrevida média após 5 anos é de 61%, sendo que para países desenvolvidos essa sobrevida aumenta para 73%, já nos países em desenvolvimento fica em 57% (estimativas 2010).[1] Uma avaliação eficiente e precisa pode maximizar a detecção do câncer e minimizar os testes e procedimentos desnecessários.

ETIOLOGIA

Para entender a composição e etiologia de uma tumoração da mama, é útil considerar a anatomia da mama normal. Os elementos básicos incluem células epiteliais que produzem leite (lóbulos) e ductos que transportam o leite dos lóbulos ao mamilo durante a lactação. Tecido conectivo, gordura e elementos neurovasculares completam a anatomia da mama. Há quatro etiologias comuns de uma tumoração na mama: fibroadenoma, cisto, outras tumorações benignas fibrocística e câncer. A Figura 1 mostra a proporção de cada tipo de tumoração da mama conforme a idade.[2]

Cistos

Cistos tendem a ocorrer normalmente e frequentemente em torno da quarta década de vida e no período da perimenopausa, que muitas vezes oscilam com o ciclo menstrual. A faixa etária em que mais comumente os cistos ocorrem é de 35 a 50 anos, coincidindo com a fase involutiva dos lóbulos mamários. Os cistos incidem em 7 a 10% da população feminina, podendo ser únicos ou múltiplos, uni ou bilaterais. Na quarta década de vida, a incidência de câncer de mama começa a aumentar, e os resultados dos exames clínicos da mama tornam-se mais difíceis de interpretar graças a flutuações hormonais na perimenopausa.

Os cistos têm origem na dilatação ou obstrução de ductos coletores, são originados no ducto terminal da unidade lobular, definidos como estruturas com diâmetro maior que 3 mm, podendo aumentar ou desaparecer, independente de tratamento. Decorrem dos ciclos ovulatórios sucessivos, com a manutenção do estímulo hormonal sobre o lóbulo. A ativação constante do estroma pelos esteroides sexuais leva à síntese crônica de colágeno e fibrose, que, ao obstruir os ductos e dútulos mamários, induz à formação de microcistos e depois de macrocistos. Fatores, como menarca precoce, menopausa tardia, nuliparidade, oligoparidade ou primiparidade tardia e amamentação curta ou ausente, são agravantes na sua gênese. A maior parte dos cistos decorre de processos involutivos da mama. Em alguns casos, a parede do cisto pode sofrer metaplasia apócrina, com produção ativa de fluido, o que causa recidivas frequentes.[3]

Os cistos manifestam-se clinicamente como nódulos de aparecimento súbito, são redondos ou ovais, geralmente bem demarcados a partir do tecido circundante, lisos, firmes e móveis, podendo ser dolorosos. Um cisto pode apresentar-se como uma tumoração dura, quando o

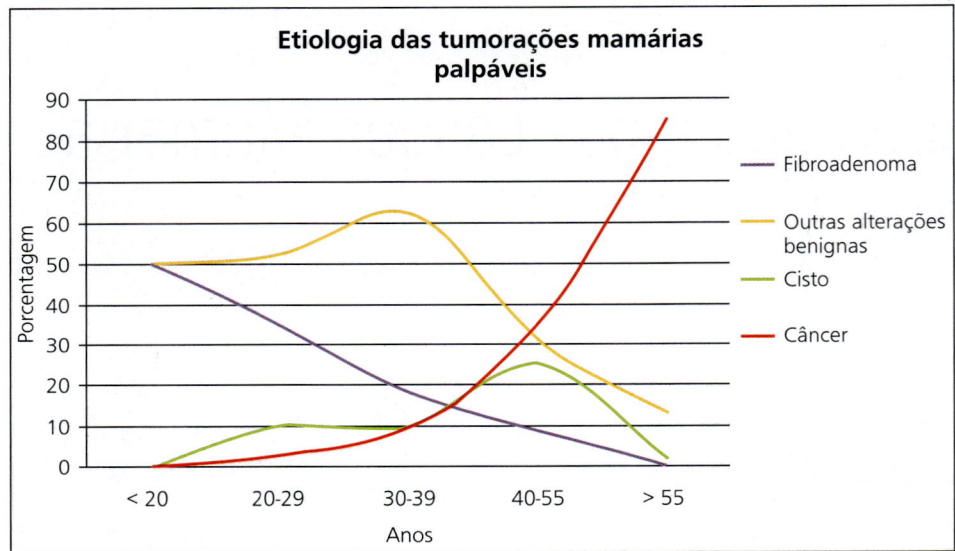

◀ **FIGURA 1.** Frações estimadas com base em dados obtidos a partir de revisão da literatura.[2]

líquido está sob tensão, e a sensação tátil fica semelhante a um carcinoma. Não é possível a partir do exame clínico distinguir uma tumoração sólida de uma cística. Em mulheres na pós-menopausa que não estão recebendo terapia de reposição hormonal, o achado de lesões císticas é incomum, e se tais lesões forem detectadas, avaliação adicional é necessária. Durante a lactação, os cistos podem ser formados por conteúdo lácteo, sendo denominados galactoceles, ou ainda apresentar conteúdo purulento nos casos de abscessos organizados.

Fibroadenomas

Os fibroadenomas são comumente presentes em mulheres jovens na primeira metade do período reprodutivo, com idade média no momento do diagnóstico de 30 anos, podendo ocorrer desde a menarca até a senectude. É a afecção mamária benigna mais comum em mulheres com menos de 35 anos, assintomática em 25% dos casos e com múltiplas lesões em 13 a 20%. Embora a incidência exata de fibroadenomas na população em geral é desconhecida, cerca de 50% de todas as biópsias de mama são realizadas por causa de fibroadenomas.

Eles ocorrem quando o tecido conectivo do estroma periductal prolifera dentro dos lóbulos da mama. Estrógeno exógeno, progesterona, lactação e gravidez podem estimular o crescimento de fibroadenomas. Embora os esteroides sexuais sejam apontados como agentes promotores, fatores parácrinos entre o epitélio e o estroma parecem ser mais importantes no controle de seu crescimento, que é, em geral, autolimitado, não ultrapassando 3 a 4 cm de diâmetro, mas pode alcançar até 6 a 7 cm, caracterizando o fibroadenoma gigante. A bilateralidade é da ordem de 10 a 15%, e focos múltiplos na mesma mama, de 5 a 10% dos casos. A frequência de transformação maligna é muito baixa (0,1 a 0,3% dos casos), ocorrendo em faixa etária dos 40 aos 45 anos, isto é, 15 a 20 anos após a média de idade de ocorrência do fibroadenoma, sendo que o tipo histológico mais comumente envolvido é o lobular (65% dos casos).[4]

O diagnóstico clínico de um fibroadenoma é correto em metade a dois terços dos casos. Essas tumorações são comumente localizadas no quadrante superior externo da mama de crescimento lento, único ou múltiplos e são bem circunscritos, firmes, fibroelásticos, móvel e difícil de distinguir de um cisto. A consistência é fibroelástica, mas, nas pacientes de maior faixa etária, pode haver deposição de calcificação distrófica no nódulo ("calcificação em pipoca"), e o nódulo passa a ter consistência endurecida (Fig. 2). Em geral é indolor, exceto durante a gravidez e lactação, condições que podem estimular seu crescimento rápido e produzir dor por infarto.

A maioria dos fibroadenomas tem uma aparência característica na ultrassonografia que evidencia imagem nodular circunscrita, ovalada, hipoecoide, com margens bem definidas e com maior eixo paralelo à pele (diâmetro antirradial – largura, maior que o radial – altura). Pode ocorrer reforço posterior e sombras laterais, características sugestivas de benignidade, classificadas como BI-RADS 3. Podem ser identificados com um maior grau de certeza com a ultrassonografia do que por apenas no exame clínico. A ultrassonografia também ajuda no acompanhamento do tamanho da lesão ao longo do tempo. O rastreamento mamográfico vem detectando grande número de nódulos assintomáticos sugestivos de fibroadenomas. O diagnóstico mamográfico conclusivo só é feito em caso de macrocalcificações no interior da lesão ("calcificações em pipoca" – BI-RADS 2). Nos demais casos, a chance de malignidade é de 2%, devendo ser realizado acompanhamento destes nódulos, categorizados como BI-RADS 3. A prática clínica tem sido de ressecar os fibroadenomas. No entanto, há cada vez mais um suporte para apenas observação em mulheres com menos de 40 anos, desde que a lesão possa ser diagnosticada com precisão com os procedimentos não cirúrgicos e a mulher se sinta confortável com esta opção. Em um estudo prospectivo por Dixon et al.[5] de 202 mulheres com menos de 40 anos em quem foi diagnosticado um fibroadenoma por uma combinação de exame clínico, ultrassonografia e punção aspirativa por agulha fina (PAAF), mais de 90% optaram pelo tratamento conservador.

Tumorações fibrocísticas

Alterações fibrocísticas tendem a ocorrer mais comumente em mulheres na faixa etária dos 20 aos 30 anos. Estudos histológicos revelam macrocistos, microcistos, proliferação de tecido epitelial, hiperplasia ductal e fibrose do tecido conectivo. O exame clínico revela elevações elásticas, placas espessadas simétricas de tecido glandular mamário descontínuo, que se misturam no tecido mamário circundante, e são frequentemente encontrados no quadrante superior externo. A dor é a queixa mais frequente e pode ser cíclico e flutuar com o meio em mudança hormonal associada ao ciclo menstrual. A dor é, geralmente, bilateral, mal localizada e se estende até o ombro, o braço ou a axila. Os sintomas podem permanecer estáveis ou piorar até a menopausa. Até 20% das mulheres podem experimentar resolução espontânea.[6]

Câncer de mama

O câncer de mama nem sempre se apresenta como uma massa, mas quando isso acontece, geralmente tem a consistência mais firme do que

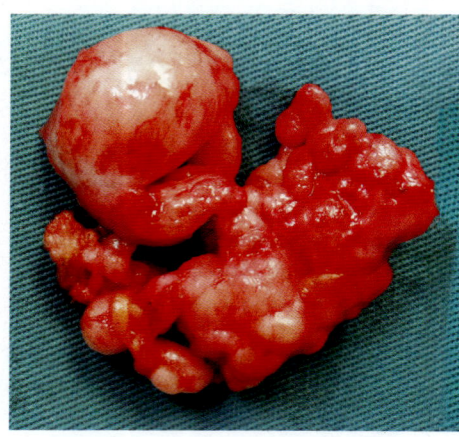

◀ **FIGURA 2.** Fibroadenoma de mama – peça cirúrgica.

as etiologias tumorais da mama descritas previamente. Além disso, o câncer de mama, geralmente, é indolor. No entanto, a ausência da firmeza habitual e de dor nas tumorações cancerosas pode levar a um diagnóstico indevido.

Mulheres na pós-menopausa que apresentam tumoração na mama devem presumir-se câncer, até que se prove contrário. Aproximadamente 85% das tumorações mamárias em mulheres de 55 anos ou mais e mais velhas são encontradas para ser malignas. A terapia de reposição hormonal pode minimizar este percentual, mas apenas à medida que os cistos são mais comuns em mulheres na pós-menopausa que tomam estrógeno sozinho ou em combinação com progesterona. Vale ressaltar, no entanto, que a cada ano mais de 40.000 mulheres com menos de 50 anos de idade são diagnosticadas com câncer de mama nos EUA. Isso torna necessário para o clínico a prestar atenção vigilante para qualquer mulher que se apresenta com uma queixa de uma massa de mama.

AVALIAÇÃO INICIAL

História clínica

As principais características históricas (Quadro 1) na avaliação de um nódulo de mama são período de tempo de evolução da tumoração, presença de dor, mudança no tamanho ou textura ao longo do tempo, relação com ciclo menstrual e secreção papilar. A avaliação de fatores de risco (Quadro 2) para câncer de mama inclui identificação de uma história familiar de câncer de mama ou câncer de ovário, idade em que o parente de primeiro grau (mãe, irmã ou filha) foi diagnosticada com câncer de mama, paridade, idade do nascimento do primeiro filho, idade da menarca, menopausa e uso de terapia de reposição hormonal. Também é importante a informação sobre as aspirações de cisto anteriores e história pessoal de hiperplasia atípica (ductal ou lobular), que pode aumentar o risco de câncer de mama de 3 a 5 vezes e dobra em mulheres com história familiar. O risco médio de câncer de mama é de 12% ou aproximadamente uma em cada oito mulheres. Embora fatores de risco conhecidos, incluindo a idade, podem aumentar o risco de câncer de mama, eles não influenciam a probabilidade de que uma tumoração na mama é mais provável que seja maligno. A decisão de avaliar uma tumoração palpável não deve depender da presença ou ausência de fatores de risco. De suma importância, mais de 75% das mulheres com câncer de mama diagnosticado não têm fatores de risco identificáveis.

Exame físico

Um exame clínico completo da mama inclui uma avaliação de ambas as mamas e o tórax, as axilas e os linfáticos regionais. Em mulheres pré-menopáusicas, o exame clínico completo da mama é mais bem executado na semana seguinte à menstruação, quando o tecido mamário está menos ingurgitado. Com o paciente em posição vertical, o médico inspeciona visualmente os seios, observando assimetria, secreção papilar, massas óbvias e alterações na pele, como ondulações, inflamação, erupções cutâneas e retração ou inversão unilateral da papila (Fig. 3).[7]

Com o paciente deitado e um braço levantado, o médico apalpa cuidadosamente o tecido mamário do lado do braço elevado inicialmente no plano superficial, seguindo ao tecido intermediário e profundo; axila; fossa supraclavicular; pescoço e parede torácica, avaliando tamanho, textura e localização de qualquer tumoração (Fig. 3).[7] Deve-se observar o tamanho das tumorações para documentar as mudanças ao longo do tempo. Em seguida, deve-se inspecionar o complexo areolopapilar para qualquer descarga. A sensibilidade do exame clínico completo da mama pode ser melhorada por uma duração maior (ou seja, de 5 a 10 minutos) e maior precisão (isto é, usando um padrão sistemático, variando a pressão de palpação, e com três pontas dos dedos e movimentos circulares) (Fig. 3).[7]

Tumorações benignas em geral não causam alteração da pele e são lisas, macias a firmes e móveis, com margens bem definidas. Espessamento difuso simétrico, que é comum no quadrante superior externo, pode indicar alterações fibrocísticas. Tumorações malignas geralmente são pétreas, imóveis e fixas à pele e tecidos moles adjacentes, com margens mal definidas ou irregulares. No entanto, as tumorações móveis ou

Quadro 1. História relevante em mulheres com nódulos mamários palpáveis

CARACTERÍSTICA DA TUMORAÇÃO
▪ Mudanças no tamanho ao longo do tempo
▪ Mudança em relação ao ciclo menstrual
▪ Duração da tumoração
▪ Dor ou inchaço
▪ Vermelhidão, febre ou descarga
DIETA E MEDICAMENTOS
▪ Medicamentos atuais
▪ História da terapia hormonal
HISTÓRIA FAMILIAR
▪ História de doença de mama
▪ Parentesco com o paciente
▪ Idade relativa no início da doença
HISTÓRIAS MÉDICA E CIRÚRGICA
▪ História pessoal de câncer de mama
▪ Tumorações anteriores e biópsias de mama
▪ Trauma ou cirurgia de mama recentes
▪ Radio ou quimioterapia recentes
▪ Outra exposição à radiação
CARACTERÍSTICAS PESSOAIS
▪ Idade ao primeiro parto
▪ Idade da menarca
▪ Idade da menopausa
▪ Idade atual
▪ Estado atual da lactação
▪ História da amamentação
▪ Número de crianças
HISTÓRIA SOCIAL
▪ Exposição à radiação ou a substâncias químicas
▪ Tabagista

Quadro 2. Fatores de risco para câncer de mama

FATORES DE RISCO BEM ESTABELECIDOS
▪ > 50 anos
▪ Doença benigna da mama, especialmente doença cística, tipos de hiperplasia proliferativa e hiperplasia atípica
▪ Exposição à radiação ionizante
▪ Nascimento do primeiro filho após os 20 anos
▪ Melhor nível socioeconômico
▪ História de câncer de mama
▪ História de câncer de mama em parente de primeiro grau
▪ Terapia hormonal
▪ Nuliparidade
▪ Obesidade
PROVÁVEIS FATORES DE RISCO
▪ Consumo de álcool
▪ Não amamentar
▪ Elevados níveis de estrógeno endógeno
▪ IMC elevado (sobrepeso)
▪ Terapia de contracepção hormonal
▪ Aumento da densidade mamográfica de tecido mamário
▪ Menarca antes dos 12 anos
▪ Menopausa após os 45 anos
▪ Mutações nos genes BRCA 1 e BRCA 2
POSSÍVEIS FATORES DE RISCO
▪ Exposição a substâncias químicas
▪ Dieta rica em gordura
▪ Dieta pobre em betacaroteno, ácido fólico e vitaminas A e C
▪ Dieta pobre em frutas e legumes

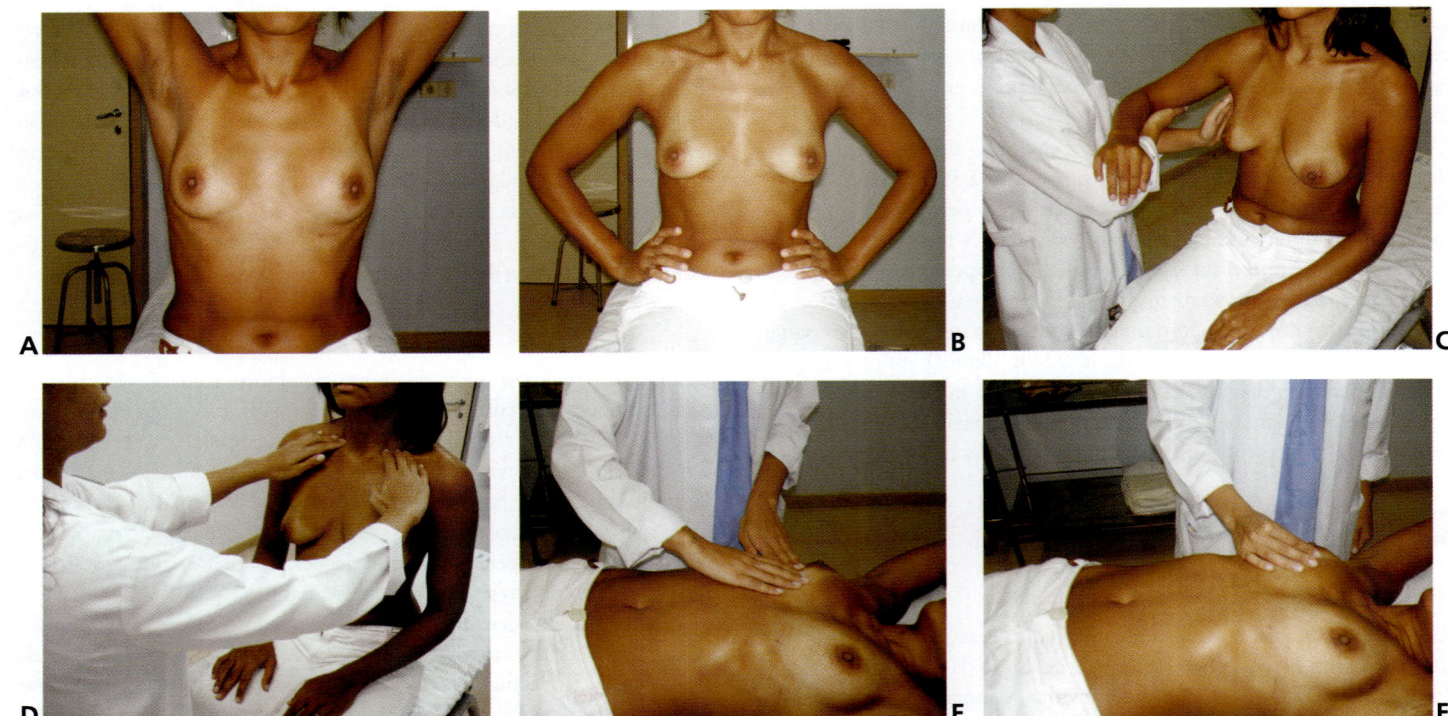

▲ **FIGURA 3. (A-F)** Exame físico das mamas.

não fixas podem ser malignas. As infecções, como a mastite e a celulite, tendem a ser eritematosas e quentes ao toque, que podem ser mais circunscritas, se tiver um abscesso formado. Sintomas semelhantes podem ocorrer em pacientes com câncer de mama inflamatório. Portanto, o cuidado deve ser usado na avaliação de pacientes com infecções suspeitas na mama.

A palpação digital da mama é eficaz na detecção de tumorações e pode ajudar a determinar se um tumor é benigno ou maligno (Fig. 4).[7] O exame clínico completo da mama pode detectar até 44% dos cânceres, até 29% dos quais não teria sido detectado pela mamografia.[7] Apesar de sua precisão, o exame clínico completo da mama por si só não é suficiente para o diagnóstico definitivo de câncer de mama. Uma avaliação mais aprofundada, incluindo exames de acompanhamento, imagens e amostras de tecido, é necessária em todos os pacientes com nódulos mamários.

AVALIAÇÃO POR IMAGEM

Ultrassonografia

A ultrassonografia pode efetivamente distinguir tumorações sólidas de císticas que representam cerca de 25% das lesões mamárias.[8,9] Quando critérios rigorosos para o diagnóstico de cisto são atendidos, a ultrassonografia tem uma sensibilidade de 89% e uma especificidade de 78% na detecção de anomalias em mulheres sintomáticas.[8] Os cistos recorrentes ou complexos podem ser sinal de malignidade, e, portanto, uma avaliação mais aprofundada destas lesões é necessária.[9]

Embora a ultrassonografia não seja considerada um teste de triagem, é mais sensível que a mamografia na detecção de lesões em mulheres com mamas com tecidos mais densos.[8,10] É útil em discriminar entre tumorações sólidas benignas de malignas, e é superior à mamografia no diagnóstico clínico benigno de massas palpáveis (ou seja, até 97% de precisão *versus* 87% para mamografia).[11]

Para distinguir tumorações císticas de sólidas, a ultrassonografia de alta frequência realizada com um transdutor linear pode ser útil. O cisto tem aparência redonda ou oval com paredes lisas e um centro escuro ou anecoica. Em contraste, uma tumoração sólida será ecoica, ou seja, irá refletir as ondas de ultrassom. A ultrassonografia, no entanto, poderá não conseguir visualizar uma anomalia palpável. Como é o caso com a mamografia, é necessário ter contraste na densidade dos tecidos para interpretar corretamente os filmes. Se a lesão for isodensa com o tecido circundante, não há alterações ao ultrassom, e resulta em um falso-negativo. Portanto, qualquer lesão palpável requer continuar a investigação diagnóstica, mesmo com uma ultrassonografia normal.

Ressonância magnética

A ressonância magnética (RM) vem sendo estudada para determinar a sua utilidade no diagnóstico de nódulos mamários. O contraste gadolínio é utilizado para aumentar a vascularização das lesões malignas. Embora a RM seja altamente sensível (85 a 100%), carece de especificidade (47 a 67%).[12,13] A ressonância magnética é inferior à mamografia na detecção de cânceres *in situ* e cânceres menores do que 3 mm e oferece nenhum benefício de custo sobre a biópsia excisional para verificar malignidade.[12,13] Há dois papéis em potenciais da ressonância magnética no diagnóstico de tumorações na mama: avaliação de pacientes com implantes mamários de silicone[14] e avaliação de pacientes em que a avaliação por ultrassonografia e mamografia é problemática. Este último grupo inclui pacientes que fizeram cirurgia de conservação mamária; pacientes com carcinoma conhecido em quem a doença multifocal, ipsilateral ou contralateral, deve ser excluída; pacientes com metástase axilar e um primário desconhecido; pacientes com extensa cicatriz pós-operató-

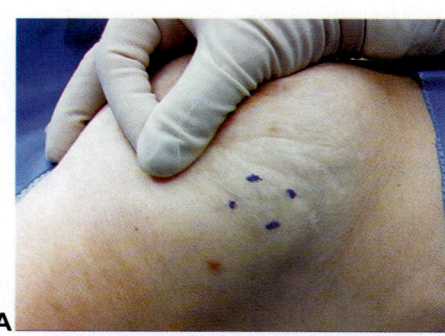
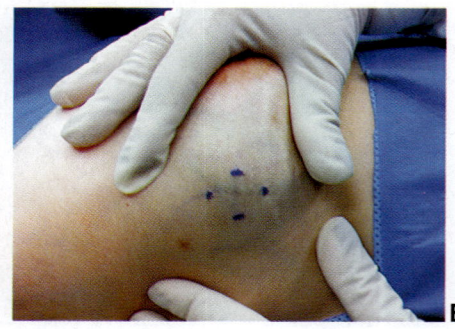

◀ **FIGURA 4. (A e B)** Tumoração de mama palpável com retração da pele.

ria e pacientes com parênquima extremamente denso.[12-16] Um estudo recente comparou a eficácia da mamografia e ressonância magnética em mulheres com história familiar de câncer de mama ou de uma susceptibilidade genética à doença.[17] A sensibilidade da RM foi maior do que a mamografia na detecção de câncer de mama, e a RM foi mais capaz de distinguir entre lesões benignas e malignas. Embora a RM melhore a detecção de cânceres de mama precoce em portadores de mutações dos genes BRCA, tem uma menor especificidade do que a mamografia, o que requer avaliações adicionais. Ela também tem uma sensibilidade limitada na detecção de carcinoma ductal *in situ*.

Mamografia

As duas categorias de mamografias (MMG) são de triagem e diagnóstico. A mamografia de triagem consiste em duas incidências padrão de cada mama, que são complementares, o oblíquo craniocaudal e médio-lateral, e é projetada especificamente para mulheres assintomáticas. A visão oblíqua médio-lateral inclui tecido mamário alto na axila até o sulco inframamário e, idealmente, a margem livre do músculo peitoral maior. A incidência craniocaudal deve mostrar o tecido mamário profundo, medial e lateral (Fig. 5).

Mulheres que se apresentam com uma tumoração na mama devem ser submetidas à mamografia diagnóstica bilateral. A mamografia de diagnóstico pode ser realizada em mulheres em qualquer idade, no entanto, em mulheres com menos de 40 anos, o tecido glandular mamário denso diminui a sensibilidade e, portanto, a ultrassonografia direcionada para a área de interesse é o estudo preferido. Com a mamografia de diagnóstico, um radiologista deve estar presente para analisar os filmes e correlacionar os sintomas da paciente e os achados clínicos com os achados mamográficos. O diagnóstico por imagem inclui procedimentos auxiliares, como ultrassonografia, vistas *spot* de compressão para avaliar as densidades assimétricas ou definir melhor as áreas de interesse clínico, e incidências com ampliação para delinear a morfologia de calcificações ou melhorar a visibilidade de tumorações. A mamografia de diagnóstico, muitas vezes, pode esclarecer a natureza de uma tumoração palpável e auxiliar na detecção de uma lesão clinicamente oculta em qualquer das mamas. As calcificações irregulares ou *cluster* na área de uma tumoração podem aumentar a suspeita de carcinoma. A documentação da extensão da lesão pode influenciar a adequação do paciente para a cirurgia conservadora, se houver suspeita de câncer. Estudos de imagem apropriados antes do encaminhamento cirúrgico podem facilitar e agilizar o trabalho de acompanhamento de tumorações palpáveis.

As mamografias podem ser usadas para identificar tumorações, assimetrias e microcalcificações. Os radiologistas costumam usar o sistema BI-RADS desenvolvido pelo Colégio Americano de Radiologia para categorizar mamografias, além de uma descrição das características da imagem. O sistema BI-RADS atribui uma mamografia a uma das cinco categorias:

- *Classe I – achados mamográficos negativos:* mamografia normal.
- *Classe II – achados mamográficos benignos:* calcificações vasculares, calcificações cutâneas, calcificações com centro lucente, fibroadenoma calcificado, cisto oleoso (esteatonecrose), calcificações de doença secretória (*plasma cell mastitis*), calcificações redondas (acima de 1 mm), calcificações tipo *milk of calcium*, fios de sutura calcificados, linfonodo intramamário.
- *Classe III – achados mamográficos provavelmente benignos:* nódulo de densidade baixa, contorno regular, limites definidos e dimensões não muito grandes, calcificações monomórficas e isodensas sem configurar grupamento com características de malignidade.
- *Classe IV – achados mamográficos suspeitos:* nódulo de contorno bocelado ou irregular e limites pouco definidos, microcalcificações com pleomorfismo incipiente, densidade assimétrica, algumas lesões espiculadas.
- *Classe V – achados mamográficos altamente suspeitos:* nódulos denso e espiculado, microcalcificações pleomórficas agrupadas, microcalcificações pleomórficas seguindo trajeto ductal, ramificadas, tipo letra chinesa.

Se uma mamografia for anormal, é extremamente importante para o radiologista para poder comparar os resultados encontrados com os filmes anteriores. Além disso, o radiologista recomenda frequentemente incidências mamográficas adicionais e/ou ultrassonografia para melhor caracterizar a anormalidade.

De importância, embora um laudo suspeito em uma mamografia pode aumentar a probabilidade de malignidade, achados normais na mamografia ou na ultrassonografia não descartam câncer na presença de uma anomalia palpável.

Mamografia digital

A mamografia digital permite que imagens sejam melhoradas e transmitida por via eletrônica. A capacidade de alterar o contraste e o brilho são recursos que permitem uma avaliação mais profunda das áreas anormais, facilitando o diagnóstico diferencial de doenças benigna e maligna.[18-21] Embora a taxa de detecção de câncer em geral seja semelhante na mamografia digital e na mamografia de filme, a mamografia digital tem melhor qualidade de imagem e menos artefato e requer menos retornos da paciente para novas imagens.[19,20]

Além de sua utilidade em telemamografia, a mamografia digital pode ser mais precisa do que a mamografia tradicional; estudos comparando os métodos estão em andamento. Novas técnicas em potencial incluem imagens tridimensionais, menor dose de radiação, subtração de imagem por dupla energia (SIPDE), realce de imagem e diagnóstico assistido por computador.[18,19,21]

AVALIAÇÃO DO TECIDO

Punção aspirativa por agulha fina

O primeiro passo na avaliação de pacientes com nódulos mamários palpáveis, muitas vezes, é a punção aspirativa por agulha fina (PAAF), em que uma agulha de calibre 22-25GA é usada para aspirar fluido de um cisto ou uma amostra em lesões sólidas para citologia. Em alguns pacientes, a lesão desaparece completamente após a PAAF, e nenhum diagnósti-

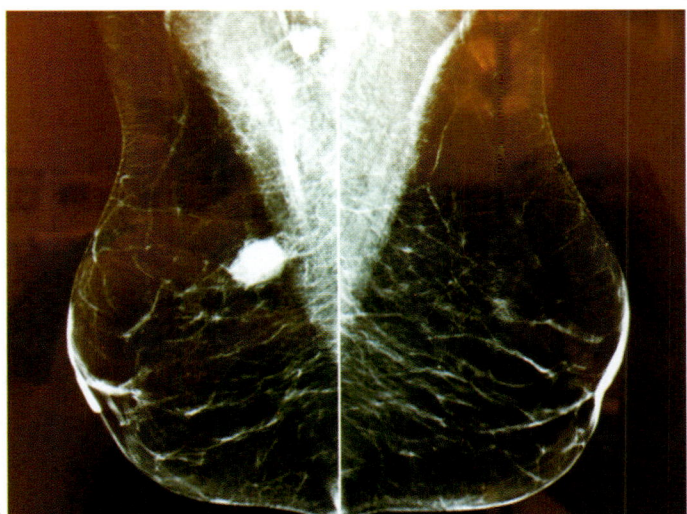
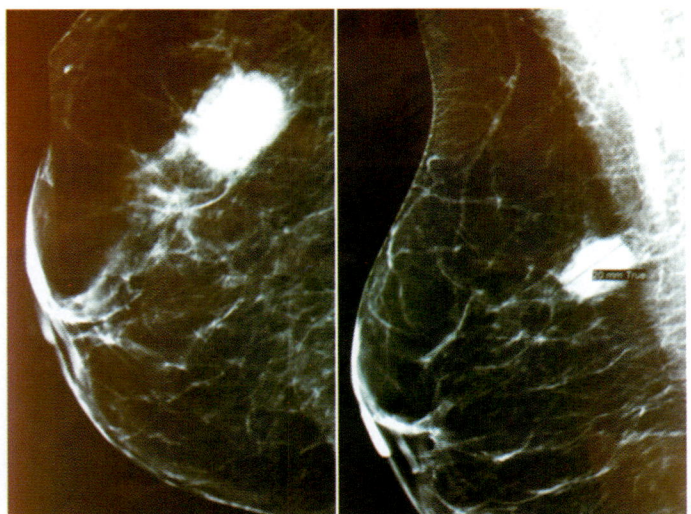

▲ **FIGURA 5. (A e B)** Mamografia de uma paciente com nódulo palpável em mama direita, cuja biópsia revelou carcinoma ductal infiltrante.

co adicional é necessário. No entanto, quando a imagem permanece após a PAAF, a ruptura da parede do cisto causado pelo procedimento poderá fazer imagens mais difíceis de avaliar. O problema pode ser evitado por meio do agendamento de estudos de imagem até 2 semanas após a PAAF e notificando o radiologista do procedimento recente.[22]

A PAAF também é utilizada com a ultrassonografia ou estereotaxia para melhor avaliar tumorações palpáveis mal definidas. Quando a amostragem em pacientes com lesões sólidas é adequada, a PAAF é altamente sensível para doença maligna (98-99%) e tem um valor preditivo positivo de 99%, e um valor preditivo negativo de 86-99%.[23] A adequação da amostra é de alguma preocupação, um estudo[24] avaliou 28% das amostras como inadequados, e outros 22% como abaixo do ideal. A formação do médico e a experiência podem ser um fator-chave na obtenção de amostras adequadas.[24]

Core biópsia

A *core* biópsia por agulha (CBA) produz uma amostra maior do que o tecido pela PAAF e pode ser usado em conjunto com a ultrassonografia ou estereotaxia para lesões pequenas ou difíceis de palpar. A anestesia local é necessária. Uma agulha cortante de 14 a 1GA é usada para obter dois a seis núcleos delgados de tecido para exame histológico.[25,26]

A sensibilidade da CBA guiada por ultrassonografia pode ser tão alta quanto 99% no diagnóstico de malignidade em lesões palpáveis e 93% nas lesões não palpáveis. As amostras podem ser utilizadas para diferenciar carcinomas *in situ* e invasivo, e identificar os níveis de receptores hormonais.[27] Os resultados variam de acordo com a orientação radiográfica, o tamanho da agulha e o número de núcleos da amostra.[25,26] Um mínimo de quatro núcleos é sugerido para alcançar uma maior precisão. As amostras insuficientes são raras. Em comparação com a PAAF, a CBA leva mais tempo e requer anestesia e treinamento específico, mas tem um valor preditivo positivo alto para resultados suspeitos e atípicos e pode fornecer uma relação custo-benefício favorável.[26]

Biópsia excisional

A biópsia excisional é o padrão de excelência para avaliação de nódulos mamários. É realizada em uma sala de cirurgia sob anestesia local ou geral e resulta na remoção de toda a lesão. A biópsia excisional é diagnóstica e terapêutica: uma tumoração completamente removida com boas margens de tecido normal pode significar que uma nova cirurgia não seja necessária. Uma biópsia incisional (isto é, a remoção de uma parte da lesão) geralmente é usada para o diagnóstico do tecido em grandes tumores, quando a CBA não dá o diagnóstico. A biópsia excisional é indicada em pacientes com lesões clinicamente suspeitas e lesões em que estudos de imagem ou tecido são ambíguos.[28-31] Com o aumento do uso de CBA, a necessidade de diagnóstico pela biópsia excisional diminuiu.[32]

TESTE TRIPLO

O teste triplo é a combinação dos resultados do exame clínico das mamas, exames radiológicos e amostras de tecido.[28,33-35]

Quando as três avaliações são realizadas de forma adequada e produzem resultados concordantes, a acurácia do teste de diagnóstico triplo se aproxima de 100%. Resultados discordantes ou resultados que não podem ser avaliados podem indicar a necessidade de uma biópsia excisional.[33]

Uma escala de pontuação do Teste Triplo (TTS, do inglês: *Triple Test Scor*) foi desenvolvida para ajudar aos médicos a interpretar os resultados discordantes do teste triplo.[29,30] A escala de três pontos é utilizada para a pontuação de cada componente do teste triplo (1 = benigna, 2 = suspeito, 3 = maligno). Um TTS de 3 ou 4 é consistente com uma lesão benigna, um TTS de 6 ou mais indica possível malignidade e pode exigir intervenção cirúrgica. A biópsia excisional é recomendada em pacientes com TTS de 5 para obter um diagnóstico definitivo.

AVALIAÇÃO DIAGNÓSTICA

Após a história clínica do paciente e da realização do exame clínico das mamas, o próximo passo de diagnóstico é determinado pela idade da paciente e pela experiência do médico com a realização ambulatorial de PAAF. Médicos treinados em realizar PAAF podem escolher esse procedimento por duas razões: ele é ambulatorial e pode ser realizado durante a mesma visita clínica, e lesões císticas podem ser resolvidas com a aspiração.

Se a PAAF revelar uma lesão sólida, a avaliação com a mamografia de diagnóstico deve ser realizada, e a ultrassonografia pode ser considerada em mulheres com menos de 40 anos. Se todos os três elementos (exame clínico completo das mamas, PAAF e imagem) indicarem doença benigna (p. ex.: TTS de 3), o paciente pode ser seguido com outro exame dentro de 4 a 6 semanas ou trimestral (Fig. 6).

Se todos os elementos do teste triplo forem positivos (ou seja, sugestivo de malignidade), a intervenção cirúrgica é indicada. Pacientes com resultados discordantes e TTS de 4 podem ser seguidos com exames, mas a biópsia excisional ou o encaminhamento para um especialista em mama é indicada em pacientes com um TTS de 5 ou superior. A CBA pode ser realizada para melhorar a acurácia do teste triplo, se não tiver sido utilizado anteriormente (Fig. 7).

Se a PAAF não for viável durante a avaliação inicial, a ultrassonografia deve ser considerada para excluir a doença cística e delinear as margens da lesão. As lesões císticas podem ser aspiradas, e as lesões sólidas devem ser avaliadas com a mamografia, para continuar a delinear as margens da lesão e para a triagem da doença oculta nas mamas ipsilateral e contralateral, particularmente em mulheres com mais de 40 anos. Lesões sólidas, então, exigem uma PAAF ou uma CBA para completar o teste triplo.

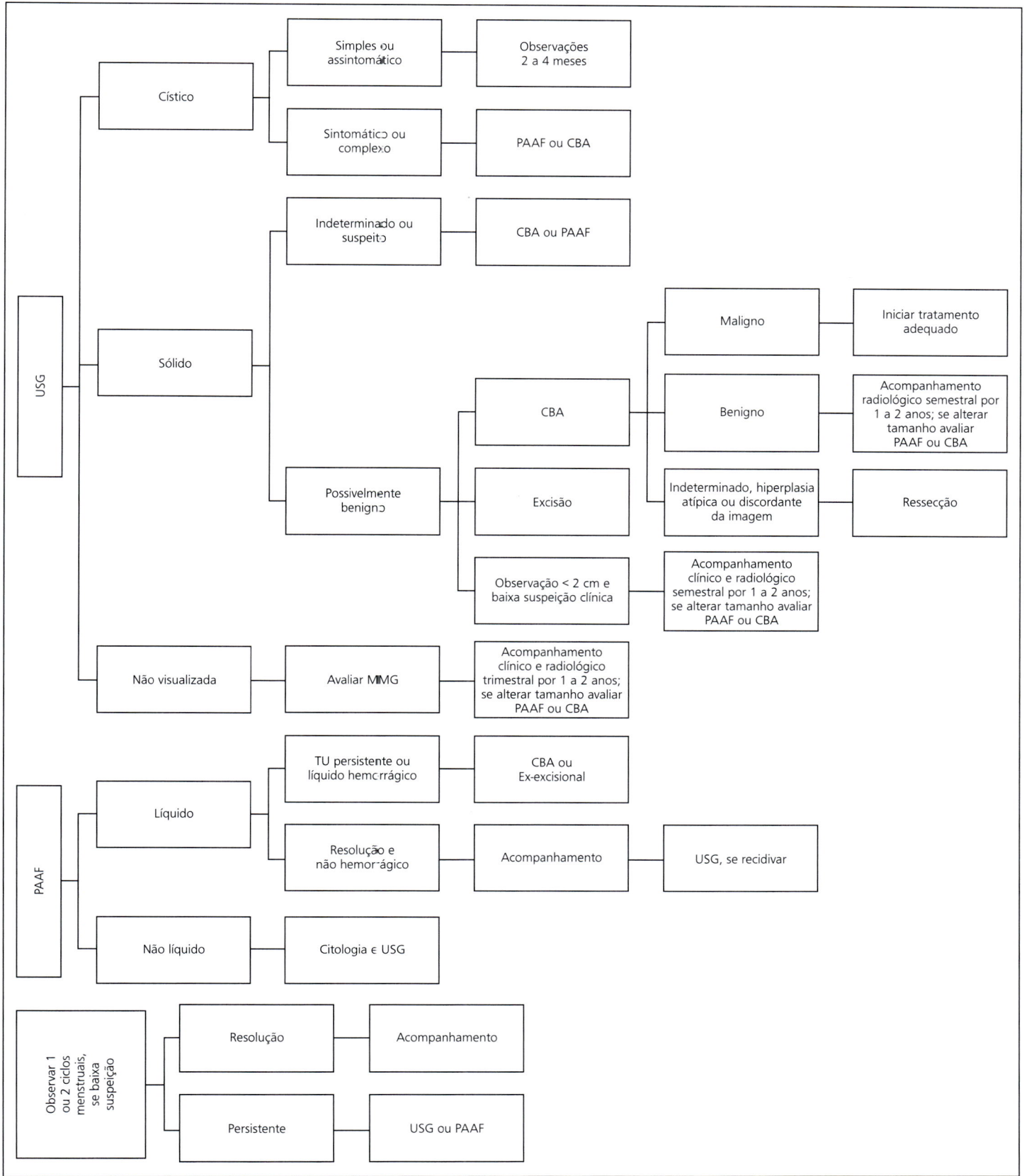

▲ **FIGURA 6.** Tumoração palpável na mama em mulher < 30 anos.

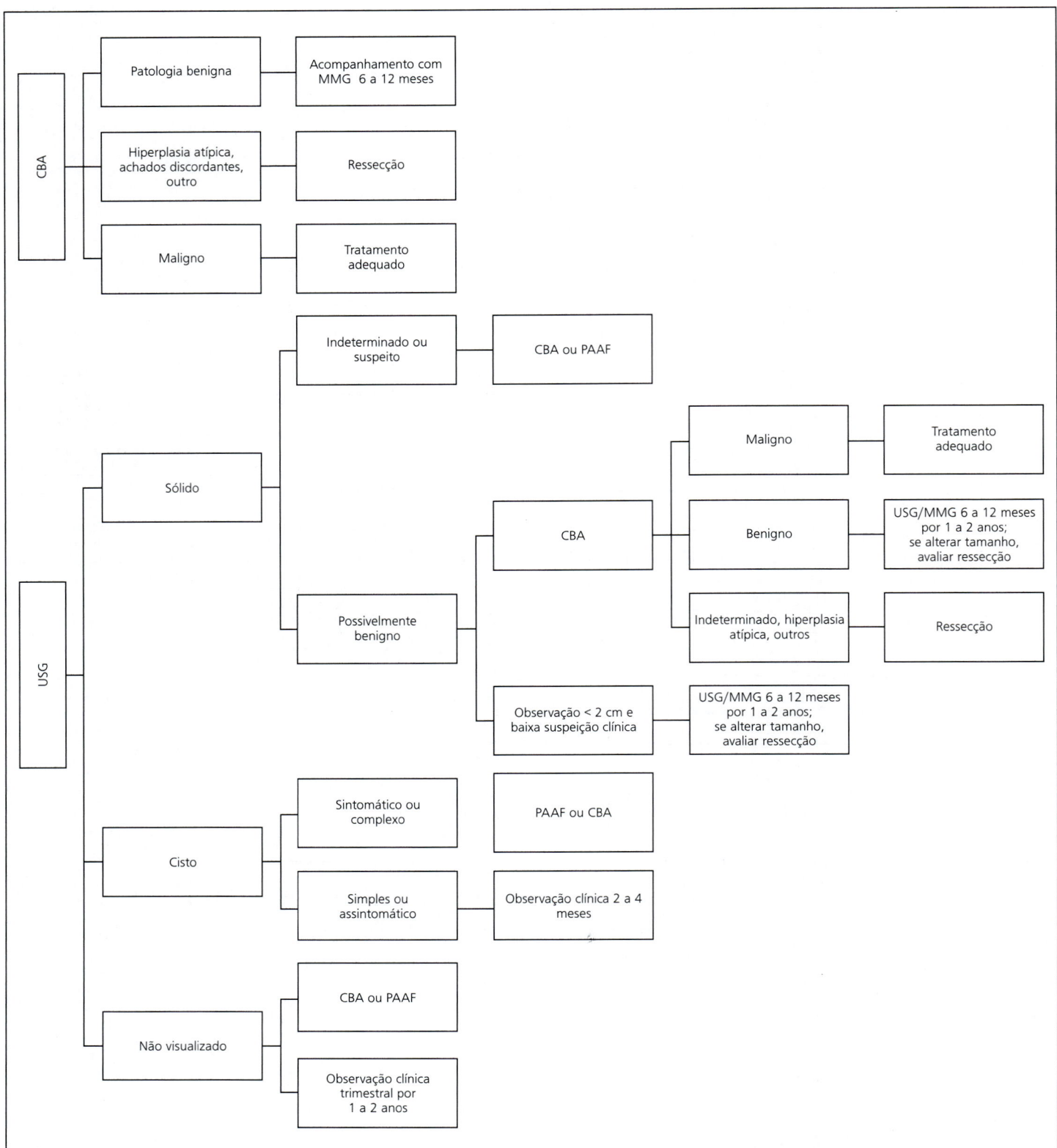

▲ FIGURA 7. Tumoração palpável na mama em mulher > 30 anos.

REFERÊNCIAS BIBLIOGRÁFICAS

1. Estimativa 2010. *Incidência de câncer no Brasil/Instituto Nacional de Câncer*. Rio de Janeiro: INCA, 2009.
2. Love N. *Primary care considerations in breast diagnosis*. Tampa: American Cancer Society, Florida Division, Inc., 1992.
3. Nazario ACP, Araújo Neto JT. Alterações funcionais benignas da mama. In: Baracat EC, Lima GR. *Guia de ginecologia*. São Paulo: Manole, 2005. p. 629-33.
4. Rosen PP. *Rosen's breast pathology*. 2nd ed. Philadelphia: Lippincott-Raven, 2001. p. 143-55.
5. Dixon JM, Dobie V, Lamb J *et al.* Assessment of the acceptability of conservative management of fibroadenoma of the breast. *Br J Surg* 1996;83:264-65.
6. Morrow M. The evaluation of common breast problems. *Am Fam Phys* 2000;61:2371-278, 2385.
7. Barton MB, Harris R, Fletcher SW. The rational clinical examination. Does this patient have breast cancer? The screening clinical breast examination: should it be done? How? *JAMA* 1999;282:1270-80.
8. Moss HA, Britton PD, Flower CD *et al.* How reliable is modern breast imaging in dif- ferentiating benign from malignant breast lesions in the symptomatic population? *Clin Radiol* 1999;54:676-82.
9. Berg WA, Campassi CI, Ioffe OB. Cystic lesions of the breast: sonographic-pathologic correlation. *Radiology* 2003;227:183-91.
10. Kolb TM, Lichy J, Newhouse JH. Comparison of the *performance* of screening mammography, physical examination, and breast US and evaluation of factors that influence them: an analysis of 27,825 patient evaluations. *Radiology* 2002;225:165-75.
11. Lister D, Evans AJ, Burrell HC *et al.* The accuracy of breast ultrasound in the evaluation of clinically benign discrete, symptomatic breast lumps. *Clin Radiol* 1998;53:490-92.
12. Hrung JM, Sonnad SS, Schwartz JS *et al.* Accuracy of MR imaging in the work-up of suspicious breast lesions: a diagnostic meta-analysis. *Acad Radiol* 1999;6:387-97.
13. Kristoffersen Wiberg M, Aspelin P, Perbeck L *et al.* Value of MR imaging in clinical evaluation of breast lesions. *Acta Radiol* 2002;43:275-81.
14. Herborn CU, Marincek B, Erfmann D *et al.* Breast augmentation and reconstructive surgery: MR imaging of implant rupture and malignancy. *Eur Radiol* 2002;12:2198-206.
15. Liberman L, Morris EA, Dershaw DD *et al.* MR imaging of the ipsolateral breast in women with percutaneously proven breast cancer. *AJR Am J Roentgenol* 2003;180:901-10.
16. Liberman L, Morris EA, Kim CM *et al.* MR imaging findings in the contra lateral breast of women with recently diagnosed breast cancer. *AJR Am J Roentgenol* 2003;180:333-41.
17. Kriege M, Brekelmans CT, Boetes C *et al.* Efficacy of MRI and mammography for breast-cancer screening in women with a familial or genetic predisposition. *N Engl J Med* 2004;351:427-37.
18. Leichter I, Buchbinder S, Bamberger P *et al.* Quantitative characterization of mass lesions on digitized mammograms for computer- assisted diagnosis. *Invest Radiol* 2000;35:366-72.
19. Obenauer S, Luftner-Nagel S, von Heyden D *et al.* Screen film vs full-field digital mam- mography: image quality, detectability and characterization of lesions [published correction appears in Eur Radiol 2002;12:2388]. *Eur Radiol* 2002;12:1697-702.
20. Lewin JM, Hendrick RE, D'Orsi CJ *et al.* Comparison of full-field digital mam- mography with screen-film mammography for cancer detection: results of 4,945 paired examinations. *Radiology* 2001;218:873-80.
21. Fischer U, Baum F, Obenauer S *et al.* Comparative study in patients with microcalcifications: full-field digital mammography vs screen-film mammography. *Eur Radiol* 2002;12:2679-83.
22. Hindle WH, Chen EC. Accuracy of mammographic appearances after breast fine-needle aspiration. *Am J Obstet Gynecol* 1997;176:1286-90.
23. Ariga R, Bloom K, Reddy VB *et al.* Fine-needle aspiration of clinically suspicious palpable breast masses with histopathologic correlation. *Am J Surg* 2002;184:410-13.
24. Saxe A, Phillips E, Orfanou P *et al.* Role of sample adequacy in fine needle aspiration biopsy of palpable breast lesions. *Am J Surg* 2001;182:369-71.
25. Fishman JE, Milikowski C, Ramsinghani R *et al.* US-guided core-needle biopsy of the breast: how many specimens are necessary? *Radiology* 2003;226:779-82.
26. Westenend PJ, Sever AR, Beekman-De Volder HJ *et al.* A comparison of aspiration cytology and core nee- dle biopsy in the evaluation of breast lesions. *Cancer* 2001;93:146-50.
27. Chuo CB, Corder AP. Core biopsy vs fine needle aspira- tion cytology in a symptomatic breast clinic. *Eur J Surg Oncol* 2003;29:374-78.
28. Smith BL. The breast. In: Ryan KJ, *Kistner RW. Kistner's gynecology and women's health*. 7th ed. St Louis: Mosby, 1999. p. 197-202.
29. Morris KT, Vetto JT, Petty JK *et al.* A new escore for the evaluation of palpable breast masses in women under age 40. *Am J Surg* 2002;184:346-47.
30. Morris KT, Pommier RF, Morris A *et al.* Usefulness of the triple test escore for palpable breast masses. *Arch Surg* 2001;136:1008-12.
31. Osuch JR, Reeves MJ, Pathak DR *et al.* BREAST- AID: clinical results from early development of a clinical decision rule for palpable solid breast masses. *Ann Surg* 2003;238:728-37.
32. Crowe Jr JP, Rim A, Patrick R *et al.* A prospective review of the decline of excisional breast biopsy. *Am J Surg* 2002;184:353-55.
33. Steinberg JL, Trudeau ME, Ryder DE *et al.* Combined fine-needle aspira- tion, physical examination and mammography in the diagnosis of palpable breast masses: their relation to outcome for women with primary breast cancer [pub- lished correction appears in Can J Surg 1997;40:9]. *Can J Surg* 1996;39:302-11.
34. Kamphausen BH, Toellner T, Ruschenburg I. The value of ultrasound-guided fine-needle aspiration cytology of the breast: 354 cases with cytohistological correlation. *Anticancer Res* 2003;23:3009-13.
35. Clarke D, Sudhakaran N, Gateley CA. Replace fine needle aspiration cytology with automated core biopsy in the triple assessment of breast cancer. *Ann R Coll Surg Engl* 2001;83:110-12.

CAPÍTULO 113

Punção Aspirativa por Agulha Fina, Core Biópsia e Mamotomia Guiados por Ultrassonografia e Mamografia

Marcela Balaro ■ Clara Fernanda Aguiar Gomes ■ Fabíola Procaci Kestelman

INTRODUÇÃO

A biópsia percutânea apresenta alta sensibilidade e especificidade, sendo um procedimento pouco invasivo, com baixa morbidade, devendo fazer parte da rotina padrão para investigação de lesões mamárias.[1-6] Além disso, apresenta melhor resultado estético com pouca ou nenhuma distorção residual, sem prejuízo nas futuras avaliações mamárias.[2,3]

Com a acurácia semelhante à biópsia cirúrgica, a biópsia percutânea proporciona um diagnóstico definitivo, permitindo melhor planejamento terapêutico nas pacientes com câncer de mama. Em relação aos resultados benignos, propicia segurança no acompanhamento da lesão, sem os custos do procedimento cirúrgico.

ABORDAGEM PRÉ-BIÓPSIA

As pacientes devem ser submetidas a exames físico e radiológico antes de qualquer biópsia percutânea. As lesões com características suspeitas devem ser comprovadas com incidências adicionais, sempre que necessário, bem como estudo ultrassonográfico no caso de nódulos, assimetrias ou distorções arquiteturais.[1] O radiologista deve sempre assegurar-se de que a anormalidade vista na ultrassonografia é a mesma da mamografia e, se for o caso, que esta corresponde à lesão palpável.

Antes de qualquer procedimento, o paciente deverá ser questionado sobre alergias, uso de medicações como antiagregante plaquetário e anticoagulantes e sobre o histórico de sangramentos. É muito importante informá-lo sobre o procedimento em si e as limitações inerentes ao mesmo. A instituição deverá fornecer por escrito informações.

ESCOLHA DO PROCEDIMENTO

Os procedimentos percutâneos disponíveis são: punção aspirativa por agulha fina (PAAF), biópsia com agulha grossa ou *core* biópsia e biópsia assistida a vácuo, popularizada como mamotomia.

A *core* biópsia oferece maior sensibilidade e especificidade que a PAAF. As desvantagens da PAAF na investigação de nódulos sólidos restringem muito sua utilização nestes casos, destacando-se entre elas: as altas taxas de falso negativo e a quantidade de material insuficiente.[1] Atualmente, recomenda-se que na *core* biópsia de lesões mamárias sejam utilizadas agulhas de calibre 14 com longo alcance (2 cm) acoplada à pistola automática. O tamanho da agulha é um fator importante, com evidências claras de que quando comparado o uso de 18, 16, 14 Gauge de calibre, a acurácia cresce de acordo com o aumento do calibre.[7]

A biópsia assistida a vácuo demonstra maior especificidade e sensibilidade que a PAAF e a *core* biópsia com agulha 14 Gauge nos casos de microcalcificações e distorção arquitetural. Outra indicação da mamotomia é a investigação de resultados discordantes após *core* biópsia realizada com agulha 14 Gauge.

Alguns estudos demonstraram a superioridade da biópsia assistida a vácuo ao se obter maior número de calcificações na amostragem e menores taxas de subdiagnóstico nos casos de carcinoma ductal *in situ* e tumores invasivos.

Finalmente, os procedimentos invasivos com agulha mais grossa fornecem informações sobre invasão, grau, *status* de receptores hormonais e outros marcadores imunológicos e genéticos que podem auxiliar na gestão e monitorização dos efeitos do tratamento neoadjuvante.[8]

ESCOLHA DO MÉTODO GUIA

Os procedimentos podem ser guiados por mamografia por um aparelho de estereotaxia e também sob orientação de ultrassonografia. A escolha dependerá da visualização da lesão e do melhor acesso a ela, assim como da disponibilidade do método, da eficiência, da segurança e da experiência do médico. O sucesso e a efetividade do procedimento dependem deste conjunto.

A escolha do método radiológico guia de escolha para biópsia deve basear-se nos seguintes critérios: o que proporciona melhor visualização da lesão, maior chance de obter fragmentos adequados da lesão e, sempre que for possível, método menos oneroso e mais simples.

A biópsia percutânea guiada por ultrassonografia tem algumas características favoráveis em relação à estereotaxia: (a) ausência de radiação ionizante; (b) equipamento de mais fácil acesso; (c) acesso a todas as áreas da mama; (d) visualização em tempo real da agulha; (e) retirada multidirecional dos fragmentos; (f) baixo custo; (g) maior conforto para o paciente, já que não exige compressão da mama e é efetuado mais rapidamente.[4,5]

Por essas razões, a ultrassonografia é utilizada como guia em lesões que puderem ser vistas tanto neste método, quanto na mamografia.

COMPLICAÇÕES

As complicações nos procedimentos invasivos da mama são raras, mas já foram descritas na literatura: dor, sangramento, hematoma e infecções.

FRAGMENTOS ADEQUADOS

Os falso-negativos são inevitáveis, entretanto, deve-se estar atento a sua possibilidade tentando reduzi-los e, assim, evitar o atraso diagnóstico.

As principais causas de resultados falso-negativo são: (a) erros técnicos; (b) erros na amostragem dos fragmentos; (c) falha no acompanhamento após um resultado benigno na biópsia percutânea; (d) falha ao reconhecer discordância radiológico-histopatológica, sendo esta a principal causa.[9]

Em relação ao erro técnico do exame, o ajuste dos parâmetros do aparelho, como a melhora do foco e a angulação da agulha paralela ao transdutor podem ajudar o examinador.

Para minimizar o erro de amostragem no procedimento guiado por ultrassonografia, é imprescindível confirmar que a agulha transfixou o alvo, devendo-se ter um cuidado especial com lesões muito pequenas que podem ter efeito de volume parcial. Uma solução é girar o transdutor 90 graus a fim de demonstrar a agulha dentro da lesão.

As características e o número dos fragmentos variam de acordo com o tipo de lesão. Em cada método de investigação devem ser observadas as seguintes características:

Nódulo

PAAF

A amostra adequada na PAAF deve conter, pelo menos, cinco grupamentos de células epiteliais, cada um com cinco ou mais células.[2]

Core biópsia

O comportamento e a aparência dos fragmentos biopsiados são importantes para a representabilidade da lesão. Os fragmentos devem estar intactos, predominantemente esbranquiçados, afundando quando colocados em um frasco com formol. Em relação ao número de fragmentos, estudos atuais indicam que quatro ou cinco fragmentos permitem acurácia de mais de 99%.[9]

Microcalcificações

A identificação de microcalcificações somente na histologia não é um indicador seguro de amostragem correta da lesão, uma vez que é um achado histológico incidental comum, mesmo quando não são vistas na mamografia. Portanto faz-se necessário radiografar os fragmentos para comprovar a presença de microcalcificações nos mesmos.[10]

A literatura descreve maneiras diferentes de garantir amostragem correta: uma abordagem minimalista na contagem das microcalcificações em cada fragmento radiografado *versus* contar o número de fragmentos ou o volume removido. O ideal é que sejam observadas cinco ou mais microcalcificações em, pelo menos, três fragmentos.[1] Quando a lesão apresentar menos de dez calcificações, compara-se a radiografia antes e após a biópsia. Se houver redução em mais de 50% das microcalcificações observadas inicialmente, a amostragem pode ser considerada representativa.[11] Entretanto ainda há divergência na literatura. Lomschitz considera que 12 amostras (colhidas após duas rotações) apresentam máximo rendimento diagnóstico.[12] Bagnall *et al.* recomendam que pelo menos três microcalcificações devem ser vistas em pelo menos dois fragmentos.[13]

Distorção arquitetural

A conduta diagnóstica na distorção arquitetural permanece um tema controverso uma vez que 20-50% dos casos são malignos.[14] Tradicionalmente as pacientes devem ser submetidas à biópsia excisional. Com o advento da biópsia a vácuo, essa se tornou uma alternativa para o diagnóstico prévio à cirurgia.

Independente do tipo de lesão e do método de investigação, caso a amostragem não seja adequada e/ou os resultados radiológicos × histológicos sejam discordantes, o procedimento poderá ser repetido, ou uma biópsia cirúrgica poderá ser realizada.[15]

DOCUMENTAÇÃO

Além das imagens obtidas durante o procedimento, um relatório deverá se realizado para o médico-assistente e para o patologista, constando das seguintes informações: (a) natureza da lesão biopsiada; (b) classificação radiológica; (c) detalhes do procedimento (incluindo material utilizado, calibre da agulha); (d) presença ou ausência de microcalcificações nas amostras radiografadas; (e) presença de clipe metálico e descrição da sua localização; (f) complicações.

PROCEDIMENTO APÓS ABORDAGEM INTERVENCIONISTA

Após o resultado final, faz-se necessária uma abordagem multidisciplinar para assegurar uma concordância clínica, radiológica e histopatológica e assim seja traçada uma conduta. Os falsos negativos são inerentes ao método, por isso é importante haver esta concordância no diagnóstico. O sucesso da biópsia percutânea depende da interação do radiologista, patologista e cirurgião, e assim detectar e intervir em falhas sutis que possam passar despercebidas.

REFERÊNCIAS BIBLIOGRÁFICAS

1. Wallis M, Tarvidon A, Helbich T *et al.* Guidelines from the European Society of Breast Imaging for diagnostic interventional breast procedures. *Eur Radiology* 2007;17:581-88.
2. ACR practice guideline for the breast performance of ultrasound – Guided percunateous breast interventional procedures. Disponível em: http://www.acr.org/~/media 96DB6A4396D242848418CB6E83B55EFE.pdf
3. ACR Practice Guideline for the Breast Performance of Stereotactically Guided Percunateous Breast Interventional Procedures Disponível em: http://www.acr.org/~/media 62F6E5A180134DF6A0144/7BDEB5384D.pdf
4. Liberman L. Centennial dissertation. Percutaneous image-guided core breast biopsy: state of art at the millennium. *AJR Am J Roentgenol* 2000 May;174:1191-99.
5. Youk JH, Kim EK, Kim MJ *et al.* Sonographically guided 14-gauge core needle biopsy of breast masses: a review of 2,420 cases with long-term follow up. *AJR* 2008;190:202-7.
6. Liberman L. Percutaneous image guided core breast biopsy. *Radiol Clin North Am* 2002;40:483-500.
7. Helbich TH, Rudas M, Haitel A *et al.* Evaluation of needle size for breast biopsy: comparasion of 14-,16-, and 18-gauge biopsy needles. *AJR Am J Roentgenol* 1998;171:59-63.
8. Gianna L, Zambretti M, Clark K *et al.* Gene expression profiles in paraffin – Embedded core biopsy tissue predict response to chemotherapy in women with locally advanced breast cancer. *J Clin Oncol* 2005;23:7265-77.
9. Youk JH, Kim EK, Kim MJ *et al.* Missed breast cancers at US-guided core needle biopsy: how to reduce them. *RadioGraphics* 2007;27:79-94.
10. Liberman L, Evans WP 3rd, Dershaw DD *et al.* Radiography of microcalcifications in stereotaxic mammary core biopsy specimens. *Radiology* 1994;190(1):223-25.
11. Liberman L, Kaplan JB, Morris EA *et al.* To excise or to sample the mammographic target: what is the goal of stereotactic 11-gauge vacuum-as- sisted breast biopsy? *AJR Am J Roentgenol* 2002;179:679-83.
12. Lomosschitz FM, Helbich TH, Rudas M *et al.* Stereotactic directional vacuum assisted breast biopsy: How many specimens do we need? *Radiology* 2000;217:527.
13. Bagnall MJC, Evans AJ, Wilson ARM *et al.* When have mammographic calcifications been adequately sampled at core biopsy? *Clin Radiol* 2000;55:543-48.
14. Mayers MM, Sloane JP. Carcinoma and atypical hyperplasia in radial scars and complex sclerosing lesions: importance of lesion size and patient age. *Histopathology* 1993;23:225-31.
15. Reynolds HE. Core needle biopsy challenging benign breast conditions: a comprehensive literature review. *AJR Am J Roentgenol* 2000;174:1245-50.

CAPÍTULO 114

Procedimentos Invasivos Guiados por Ressonância Magnética – Marcação Pré-Cirúrgica e Biópsias de Fragmento

Gabriela Martins ■ Fabíola Procaci Kestelman

INTRODUÇÃO

A Ressonância Magnética (RM) de mama é um método diagnóstico que vem ampliando a cada dia suas indicações clínicas, sendo utilizada como um importante método complementar à mamografia e ultrassonografia.

Na pesquisa de câncer de mama, quando combinada com a mamografia, a ressonância de mama tem uma sensibilidade de 95 a 100%, e uma especificidade que varia de 37 a 97%.

É um exame que apresenta alta sensibilidade, particularmente quando indicada para: avaliação de extensão de doença, recidiva tumoral e resposta à quimioterapia neoadjuvante. Ela também tem sido um método de grande importância na detecção precoce do câncer, como exame de rastreio, em pacientes com alto risco genético.

Em pacientes com alto risco genético, é capaz de detectar os carcinomas invasivo e não invasivo ocultos na mamografia, ultrassonografia e clinicamente em 2 a 8% dos casos; e em pacientes com diagnóstico recente de câncer de mama, a RM identifica outros sítios adicionais de doença na mama contralateral em 6% dos casos e na mesma mama em 16% dos casos.

A especificidade limitada deve-se a sobreposição das características morfológicas e dos padrões de realce de contraste observados nas lesões benignas e malignas, gerando a necessidade de biópsia das lesões suspeitas que são vistas na RM. Sabendo que algumas lesões suspeitas serão vistas somente na RM, torna-se fundamental a realização dos procedimentos invasivos guiados por RM.

A literatura mostra que cerca de 25 a 55% das lesões biopsiadas por RM são malignas, variando de acordo com o grupo estudado.

Considerando a pouca disponibilidade e o custo deste tipo de procedimento deve-se fazer uma revisão da mamografia e da ultrassonografia na tentativa de identificar retrospectivamente a lesão. Caso a lesão não tenha expressão nos exames anteriores, deve ser considerada a realização de uma nova ultrassonografia, direcionada para o achado da RM.

ULTRASSONOGRAFIA DIRECIONADA

Considerando todas as particularidades envolvidas na realização da ultrassonografia direcionada, como: a diferença de posicionamento da paciente nos diferentes métodos, a sutileza das lesões encontradas e as referências anatômicas utilizadas para localização da lesão; o profissional envolvido no estudo deve ter experiência em RM e ultrassonografia mamária, assim como em procedimentos invasivos orientados por métodos de imagem (Figs. 1 e 2).

La Trenta et al. publicaram o primeiro grande estudo sobre ultrassonografia direcionada, mostrando uma taxa de identificação das lesões de 23%. Das lesões identificadas na ultrassonografia 43% foram malignas, enquanto as identificadas somente na ressonância magnética, 14%, foram positivas. Esta relação sugere que as lesões identificadas na ultrassonografia têm maior porcentagem de serem malignas. Em um estudo recente, DeMartini et al. mostraram uma taxa de identificação na ultrassonografia de 46%. A identificação foi mais frequente quando a lesão foi caracterizada na RM como nódulo (58%) do que quando se tratava de foco (37%) ou área de impregnação – *nonmasslike enhancement* (30%). Este estudo também mostrou maior taxa de lesões malignas entre as identificadas na ultrassonografia (36%) do que nas observadas somente na RM (22%). Entretanto estes dados não são suficientes para descartar a necessidade de investigação histopatológica das lesões observadas somente na RM.

Para um bom controle das identificações falso-positivas na ultrassonografia, deve-se utilizar, sempre que possível, um clipe para marcação do local da biópsia na ultrassonografia e repetir a RM para confirmar se a localização da lesão biopsiada coincide com o local do clipe, além disso sempre que o resultado histopatológico não for concordante com o aspecto radiológico da lesão na ressonância magnética, a realização de biópsia guiada por RM deve ser considerada.

INDICAÇÃO

Lesões BI-RADS 4 e 5, identificadas exclusivamente na RM, deverão ser submetidas a procedimentos invasivos orientados por RM. Algumas lesões BI-RADS 3 também podem ser submetidas a procedimentos invasivos guiados por RM em situações especiais, como: impossibilidade de controle radiológico, existência de lesões BI-RADS 4 ou 5 concomitantes, demanda da paciente em esclarecer o diagnóstico, planejamento de gravidez, cirurgia mamária ou uso de terapia hormonal.

PARTICULARIDADES DOS PROCEDIMENTOS INVASIVOS GUIADOS POR RM

Materiais

O material utilizado na RM deve ser adaptado ao alto campo magnético produzido pelo aparelho, impedindo o uso do material convencional, utilizado na ultrassonografia e mamografia.

Todo o material, incluindo grade de fixação da mama, pilar e pistola, é feito de plástico, assim como o fio, agulha e clipe são feitos de titânio ou de derivados do níquel, compatíveis com RM. Evitando, assim, a ocorrência de artefatos de susceptibilidade magnética que impossibilitam a identificação da lesão durante e após o procedimento, além de reduzir também o risco de acidentes relacionados com o deslocamento de metais para o magneto.

O fio de titânio utilizado na marcação pré-cirúrgica é mais maleável e menos resistente que o fio de aço comumente usado na mamografia e na ultrassonografia, devendo ser manipulado com cuidado, principalmente com o bisturi elétrico.

Para a obtenção de amostra de tecido significativa com um tempo de procedimento rápido, a melhor opção são os equipamentos de biópsia assistida a vácuo. Os equipamentos compatíveis com RM atualmente disponíveis são: Vacora® (Bard Biopsy System), Surus ATEC® Automated Tissue Excision and Collection System, Mammotome® Biopsy System e Encor® (Breast Biopsy System).

Tempo do procedimento

Outra particularidade da RM está relacionada com a neovascularização observada nas lesões malignas e ao realce fisiológico do parênquima mamário. As lesões suspeitas apresentam realce precoce de contraste e cinética de realce do tipo "*wash-out*", ou seja, lavam tardiamente o contraste, e o parênquima mamário tende a apresentar um realce tardio e algumas vezes até precoce de contraste, podendo, assim, obscurecer ou mesmo desaparecer a lesão durante o procedimento.

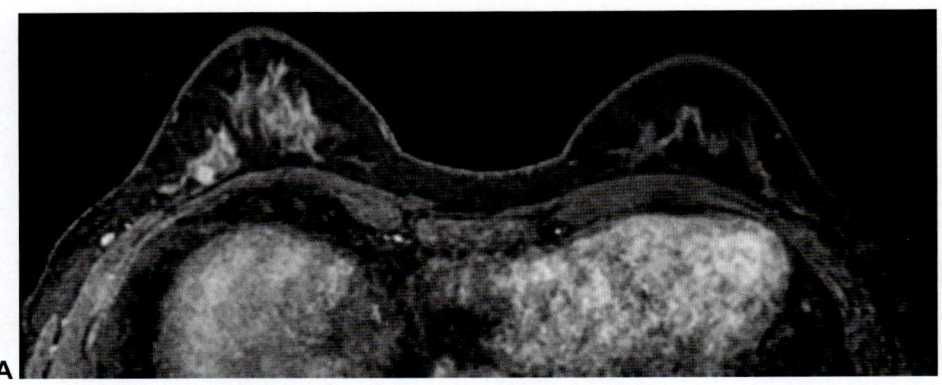

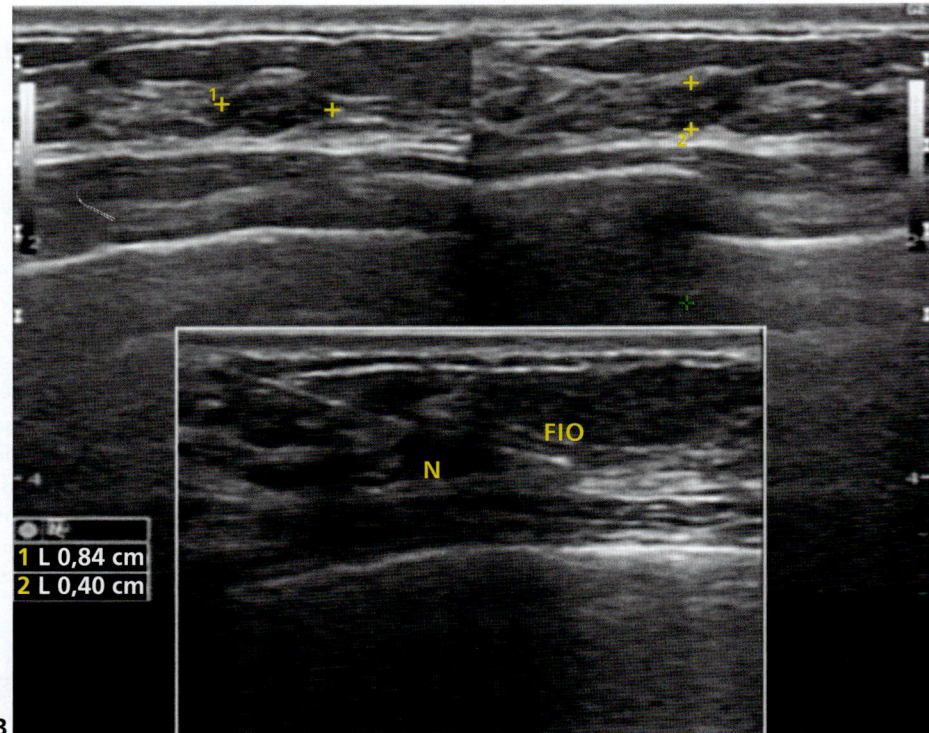

◄ **FIGURA 1. (A)** RM pré-operatória, nódulo palpável com QSE da mama direita
HP = carcinoma ductal infiltrante, RM mostrou também outro nódulo no QIE da mama direita. **(B)** (1a) Ultrassonografia direcionada positiva (1b superior), realizada marcação pré-cirúrgica orientada por ultrassonografia (1b inferior)
HP = carcinoma intraductal de alto grau.

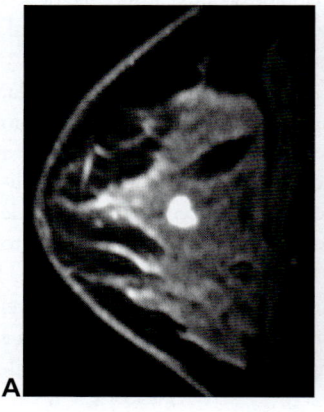
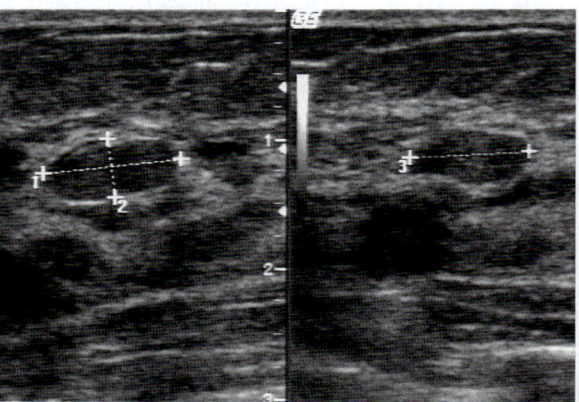

◄ **FIGURA 2. (A)** RM bilateral de paciente de 48 anos, com alto risco para câncer de mama, mostrou nódulo oval, circunscrito, na união dos quadrantes internos da mama esquerda (a). **(B)** Na ultrassonografia direcionada (b), a lesão apresenta dimensões e morfologia semelhantes à RM. A biópsia com agulha grossa orientada por ultrassonografia mostrou tratar-se de fibroadenoma.

Dessa forma, o procedimento deve ser realizado em um curto espaço de tempo, e sempre seguido da colocação do clipe para futura correlação.

Durante o procedimento se a lesão desaparecer ou houver dúvida se o local programado estiver correto, pode ser injetado mais contraste, porém autores experientes advertem que a lesão pode continuar obscurecida pelo realce do parênquima, ou o contraste pode extravasar para a cavidade da biópsia (biópsia a vácuo), simulando uma lesão residual.

O controle pós-biópsia em um curto intervalo de tempo parece ser uma opção segura, podendo ser realizado até no dia seguinte ao do procedimento, quando houver dúvida quanto ao local biopsiado.

Nos casos em que a lesão desaparece ou fica obscurecida pelo realce do parênquima antes do início do procedimento, o procedimento pode ser reagendado.

PROCEDIMENTO

Posicionamento

A paciente é posicionada após a punção venosa, em decúbito ventral com a mama fixa na bobina e os braços elevados, podendo os mesmos ficarem na lateral do corpo de acordo com a dificuldade da paciente.

Bobina e material

O procedimento é realizado com bobina específica que permite acessos medial e lateral ou somente lateral à mama. Esta bobina acopla as grades de fixação da mama e o dispositivo de localização, sendo os mais utilizados o compressor fenestrado e o método do Pilar, ambos bem semelhantes entre si (Fig. 3).

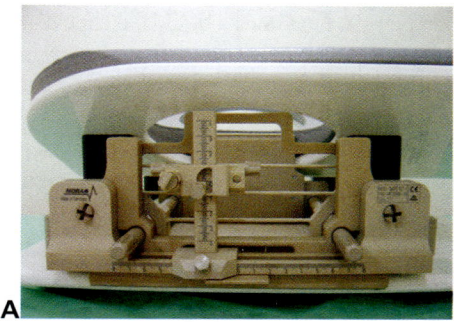
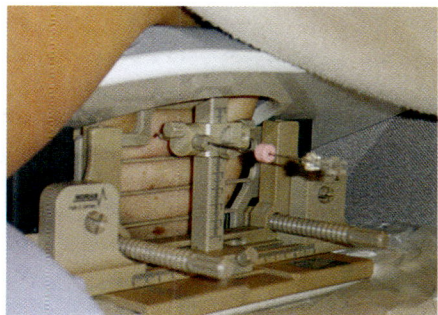
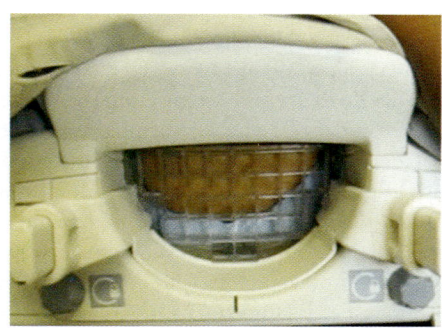

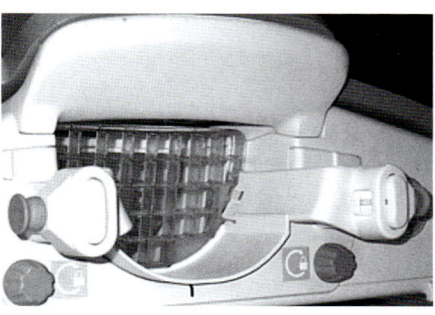

◄ **FIGURAS 3.** Bobinas dedicadas para mama com dispositivo para localização acoplado. (**A** e **B**) Tipo Pilar. (**C-E**) Tipo grade fenestrada.

Fisher *et al.* desenvolveram um dispositivo acoplado à bobina de ressonância de mama para facilitar a localização das lesões. Técnicas semelhantes, com pratos fenestrados, foram usadas por Kuhl e Heywang-Kobrunner. Desde então diversos sistemas foram desenvolvidos para facilitar os procedimentos orientados por RM.

Os cálculos das coordenadas usadas para localização da lesão podem ser feitos manualmente ou com o auxílio de um *software*, sendo ambos adequados, variando em função do tempo gasto para o cálculo manualmente e ao custo do *software*.

Técnica

Após a punção venosa e posicionamento da paciente na bobina com a fixação da mama, o exame de RM é repetido, porém direcionado para a mama de interesse, usando o contraste venoso com a finalidade de localizar a lesão identificada no exame prévio.

Diferentes técnicas foram descritas para identificação e localização da lesão com posterior marcação com fio ou realização de biópsia percutânea. A marcação pode ser realizada à mão livre ou com o auxílio de grades compressoras que contêm coordenadas a partir das quais são feitos os cálculos para localização da lesão.

Após localizar a lesão, as coordenadas da lesão são calculadas e conferidas, dando início ao procedimento com assepsia local, anestesia local e colocação da agulha.

Marcação pré-cirúrgica

A marcação pré-cirúrgica guiada por RM é um método seguro e internacionalmente consagrado para abordar as lesões suspeitas vistas somente na RM com uma taxa de sucesso de 98 a 100%.

Após localizar a lesão e certificar-se que a ponta da agulha está no local correto, ela é marcada com um fio de titânio específico para RM. Após o procedimento, é realizado um controle do fio por mamografia para auxiliar o cirurgião no planejamento cirúrgico. O procedimento dura em média 35 minutos (Fig. 4).

Diferente da marcação pré-cirúrgica orientada por mamografia e ultrassonografia, o controle radiológico pós-cirúrgico da adequada ressecção da lesão não é possível. Por este motivo é sempre recomendado um exame de RM de controle 4 a 6 meses após o procedimento nos casos de resultados benignos, mesmo que concordantes com a imagem.

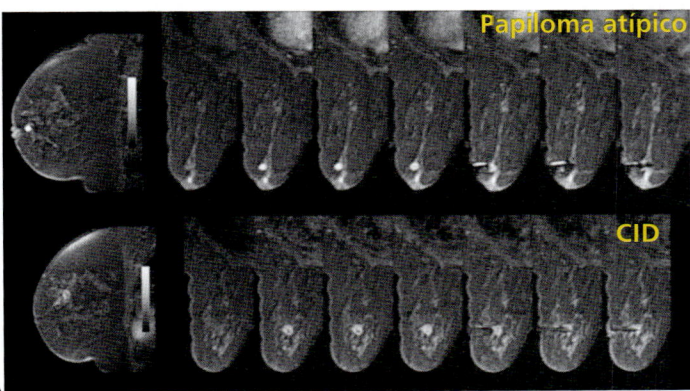
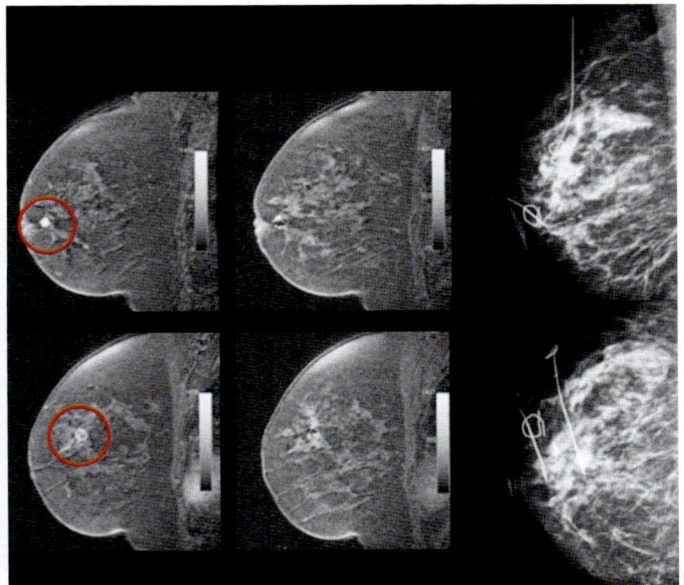

▲ **FIGURA 4.** Marcação pré-cirúrgica orientada por RM de duas lesões simultâneas na mesma mama, com acesso lateral. (**A**) Lesão retroareolar, sequência do procedimento: sem contraste, lesão após injeção do contraste, artefato ferromagnético produzido pela agulha e fio de titânio. HP = papiloma atípico (*superior*). Lesão no QSE, sequência do procedimento: sem contraste, lesão após injeção do contraste, artefato ferromagnético produzido pela agulha e fio de titânio. HP = carcinoma intraductal (*inferior*). (**B**) Lesão no plano sagital, lesão com agulha, mamografia de controle com os dois fios em craniocaudal e perfil.

Biópsia a vácuo ou *core* biópsia?

A biópsia a vácuo (9 ou 11 Gauge), em comparação com a *core* biópsia (14 Gauge), é mais rápida e tem a vantagem de retirar vários fragmentos, sem a necessidade de remover a agulha diversas vezes; evitando assim que a lesão desapareça durante o procedimento em decorrência da hipervascularização *wash-out* e também que ela se desloque pela movimentação.

Além disso a biópsia a vácuo possibilita a obtenção de amostras maiores, reduzindo resultados subestimados ou falso-negativos.

A biópsia orientada a vácuo deve ser preferida à *core* biópsia, pois lesões identificadas somente na RM tendem a ser pequenas e a incidência de lesão com potencial indeterminado (hiperplasia ductal atípica, neoplasia lobular, lesão radiada e lesões papilares) é alta neste grupo.

Biópsia a vácuo

A biópsia a vácuo por ressonância magnética é uma alternativa segura e rápida para avaliar as lesões suspeitas vistas, somente na RM, uma acurácia de 96 a 100%.

Os cuidados a serem tomados são os mesmos para realização de biópsia a vácuo pelos outros métodos, devendo suspender o uso de ácido acetilsalicílico por 1 semana, quanto ao uso de anticoagulantes, recomenda-se também que sejam suspensos por 10 dias, devendo ser avaliado na véspera do exame, pacientes muito ansiosas podem fazer uso de ansiolíticos, mas o procedimento não é realizado sob sedação, sendo importante a cooperação da paciente.

Após localizar a lesão e calcular as coordenadas da mesma, realizam-se a assepsia da mama, anestesia local, e coloca-se a bainha de plástico em volta do trocarte de titânio que é introduzido na mama até a lesão. O trocarte, então, é substituído por um obturador de plástico, e a paciente retorna ao magneto para verificar se a extremidade distal do obturador está na lesão, confirmado, retira-se a paciente do magneto novamente, retira-se o obturador, coloca-se a agulha de titânio na bainha de plástico e inicia-se a coleta dos fragmentos, então, a agulha é retirada e coloca-se novamente o obturador de plástico. A paciente retorna ao magneto para conferir a cavidade da biópsia. Finalizada a biópsia, o clipe de titânio é colocado pela bainha, podendo a paciente retornar ao magneto para verificação da cavidade de biópsia e do clipe. O procedimento dura cerca de 35 minutos (Fig. 5).

O número de fragmentos retirados deve ser em torno de 12 para agulhas de 9 Gauge. Os fragmentos não devem ser submetidos a estudo por congelação.

Após o procedimento, a paciente é encaminhada para a mamografia para o controle do clipe. Este clipe serve de orientação para posterior marcação pré-cirúrgica por mamografia, caso a biópsia se confirme maligna, ou para controle da área submetida ao procedimento com resultado benigno.

O clipe deve ser preferencialmente colocado em todas as pacientes submetidas à biópsia guiada por RM, pela dificuldade de se identificar a lesão na mamografia e ultrassonografia e ao alto custo do procedimento. Autores relatam uma taxa de sucesso na colocação do clipe de 95%, sendo a formação de hematoma a complicação mais comumente relacionada com a dificuldade na colocação do clipe.

A biópsia percutânea é o método de escolha para investigação das lesões identificadas exclusivamente na RM, pois diagnósticos benignos evitam um procedimento cirúrgico, desde que o aspecto da lesão seja concordante com o resultado histopatológico. Enquanto o diagnóstico de malignidade prévio à cirurgia permite o planejamento terapêutico adequado.

Assim como é recomendado para as biópsias guiadas por ultrassonografia e mamografia, é também necessária a correlação histopatológica com o aspecto da lesão na RM. Caso não haja correlação entre a imagem e o histopatológico, a biópsia cirúrgica deve ser considerada. Sempre que o resultado for benigno e concordante, o controle em 6 a 12 meses com RM é indispensável para descartar resultados falso-negativos.

A realização de biópsia percutânea por RM ainda é um método pouco utilizado, possivelmente graças à complexidade e ao custo do procedimento. Entretanto, o desempenho do método é comparável aos procedimentos orientados por mamografia e ultrassonografia.

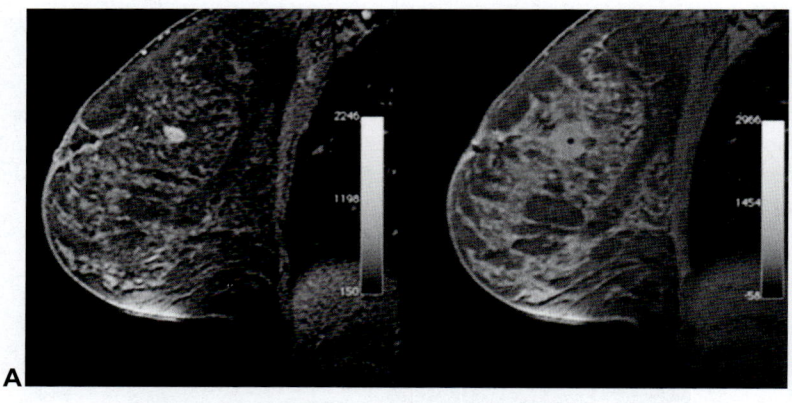
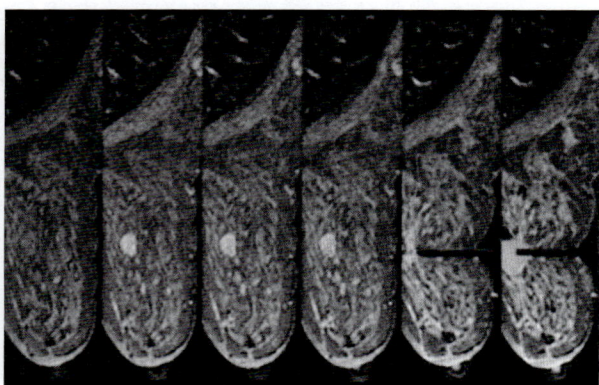
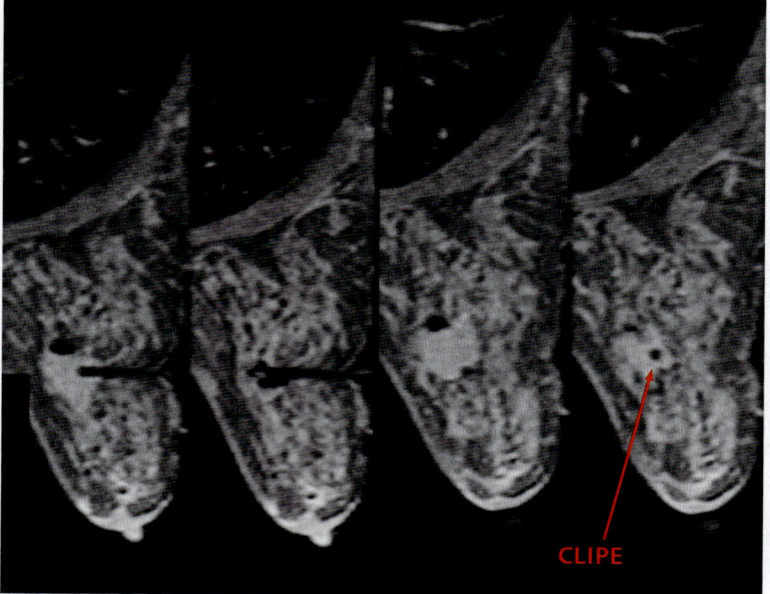

◀ **FIGURA 5.** Paciente com linfonodo axilar positivo, exame para pesquisa de sítio primário de mama. (**A**) Nódulo irregular com realce heterogêneo e precoce de contraste medindo 0,6 cm, localizado na união dos quadrantes superiores, foto pré e pós-biópsia. (**B**) Sequência do procedimento: sem contraste, identificação da lesão após injeção do contraste, obturador na lesão, cavidade pós-biópsia. (**C**) Sequência para colocação do clipe: hematoma pós-biópsia, obturador na cavidade de biópsia e colocação do clipe de titânio.

DIFICULDADES

Controle pós-biópsia

Uma das maiores dificuldades dos procedimentos orientados por RM é verificar se a lesão foi retirada, pois a maior parte das lesões só aparece na fase contrastada do exame.

Dessa forma deve-se sempre colocar o clipe de titânio no local da biópsia para posterior controle das lesões benignas ou para marcação pré-cirúrgica do leito da biópsia orientada por mamografia.

Lesões de acesso difícil

As lesões localizadas próximas à parede torácica e na região medial da mama apresentam maior dificuldade de acesso.

Mesmo nas bobinas de biópsia com acesso lateral e medial, o acesso pelos quadrantes internos é limitado, principalmente nas mamas pequenas e nas lesões profundas. Algumas lesões mediais podem ser biopsiadas pelo acesso lateral, neste caso, a agulha deveria transfixar toda a mama, o que muitas vezes não é possível pela limitação no comprimento da agulha.

Já as lesões localizadas próximo à parede torácica, possuem limitação quanto à profundidade, pois a grade fenestrada do dispositivo muitas vezes não permite o acesso profundo, sendo necessária algumas vezes colocar a paciente em uma posição mais oblíqua para realizar o procedimento em planos mais posteriores (Fig. 6).

"Efeito sanfona"

O "efeito sanfona" ocorre também na marcação pré-cirúrgica orientada por estereotaxia e raramente no método biplanar. Ele ocorre em decorrência da compressão da mama realizada nestes métodos, o que pode comprometer o cálculo correto da profundidade do fio de marcação pré-cirúrgica. Durante a colocação do fio, a mama está sob compressão e ao término do procedimento, com a descompressão, há aumento do volume mamário, levando à migração do fio para uma região mais posterior que a desejada. Caso isso ocorra, o cirurgião deve ser informado da distância entre a extremidade do fio e a lesão.

Mama com espessura reduzida

Assim como ocorre nas biópsia guiadas por estereotaxia, mamas com espessura muito pequena durante a compressão apresentam dificuldade na realização dos procedimentos invasivos.

Na marcação pré-cirúrgica a maior dificuldade ocorre para calcular a profundidade da lesão, com risco do "efeito sanfona" ou pelo risco do fio se soltar no caso das lesões muito superficiais.

Na biópsia a vácuo, a janela deve ser posicionada toda dentro da mama para obtenção do vácuo necessário, evitando também que ocorra o pinçamento da pele, assim como transfixação da agulha. A espessura mínima da mama aceitável após a compressão varia de 1,5 a 2,0 cm, dependendo do modelo de agulha utilizado.

Lesão bilateral

Pode-se realizar simultaneamente a biópsia percutânea em lesões nas duas mamas ou na mesma mama ao mesmo tempo, mas somente pelo acesso lateral, se a localização das lesões não for adequada para o acesso lateral, deve-se optar por procedimentos em dias diferentes (Fig. 4).

Mama com implantes de silicone

A presença de implantes de silicone dificulta a realização de todos os procedimentos invasivos de mama, sejam eles orientados por mamografia, ultrassonografia ou ressonância magnética. Em virtude da possibilidade de ruptura do implante, o médico solicitante e a paciente devem estar informados, e a paciente deve concordar com o procedimento e autorizá-lo por escrito.

Algumas manobras podem ser utilizadas para evitar a ruptura do implante. Quanto ao posicionamento da mama, a manobra de Eklund em que o implante é deslocado posteriormente pode ser realizada em algumas pacientes (Fig. 7).

Outra opção é posicionar o fio o mais próximo possível da lesão, evitando o trajeto do implante. No caso de biópsia a vácuo, quando a agulha for posicionada muito próxima do implante, deve-se evitar a retirada de fragmentos na direção do implante.

Em lesões muito próximas do implante ou com acesso difícil, a marcação pré-cirúrgica é mais recomendada.

Na impossibilidade de se realizar a marcação com fio, pode-se considerar a realização de uma marcação cutânea para guiar o cirurgião, porém o sucesso do procedimento vai depender da habilidade do cirurgião em retirar a lesão, devendo, nestes casos, ser realizada somente em comum acordo com o cirurgião.

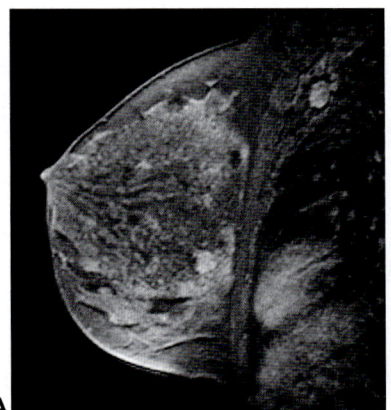
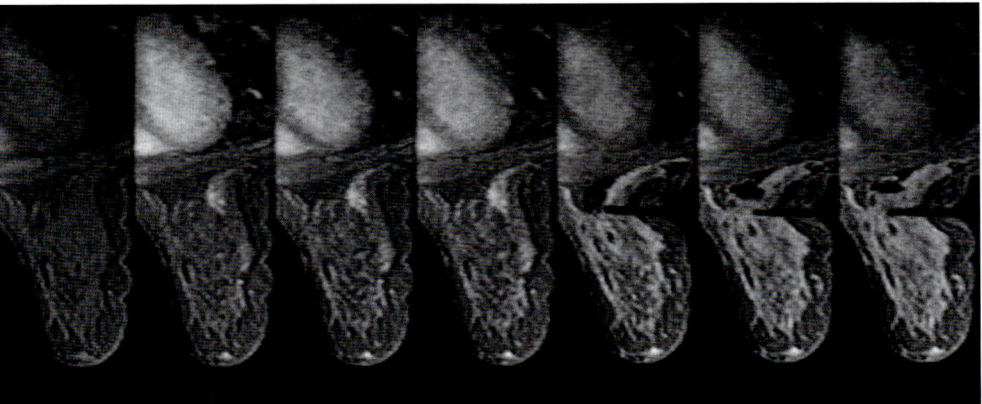
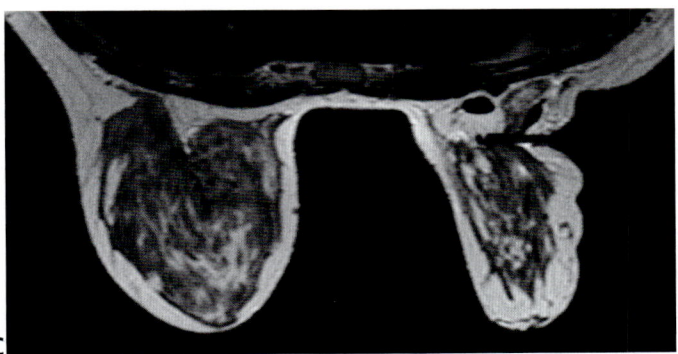

◄ **FIGURA 6.** Paciente de 28 anos com história familiar positiva, posicionada na bobina dedicada à mama com dispositivo para a realização de biópsia a vácuo. (**A**) Lesão localizada profundamente no QSE. (**B**) Sequência: sem contraste, identificação da lesão pós-contraste, a agulha foi introduzida após aferição das coordenadas da posição da lesão, obturador na lesão, cavidade pós-biópsia com obturador. (**C**) Cavidade pós-biópsia sequência T2, pequeno hematoma e o clipe de titânio. HP = tecido mamário exibindo microcistos, fibrose e esparsas microcalcificações.

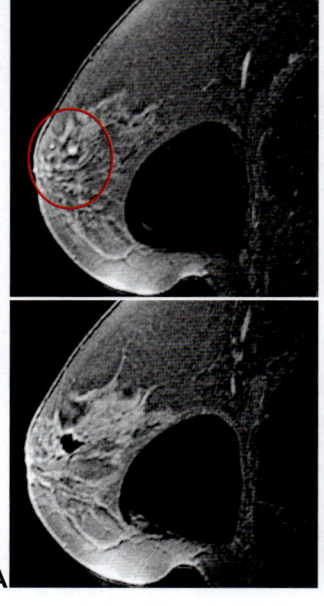
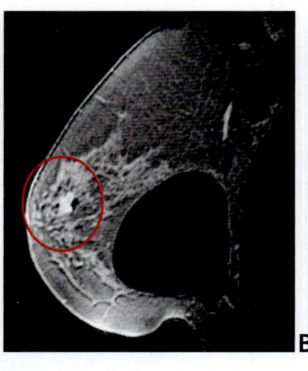
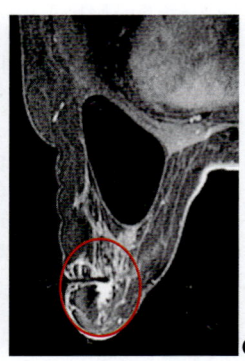
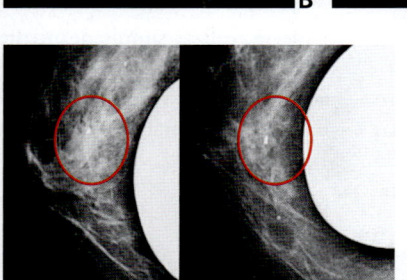

◀ **FIGURA 7. (A-D)** Realce assimétrico de contraste na união dos quadrantes superiores em mama com implante de silicone. Biópsia a vácuo, posicionamento com manobra de Eklund, implante é deslocado posteriormente pela compressão com a grade. Cavidade pós-biópsia, controle do clipe por mamografia. HP = hiperplasia lobular atípica.

Como confirmar a retirada da lesão

Considerando que não existe a possibilidade de confirmar a retirada da lesão através da realização de RM da peça cirúrgica ou dos fragmentos de biópsia percutânea; a confirmação de que o local correto foi acessado constitui um desafio.

A correlação entre a imagem e o resultado histopatológico é o método mais importante para assegurar a retirada correta da lesão.

A radiografia da peça cirúrgica deve ser realizada sempre que possível, apesar de ser frequentemente usada após a marcação pré-cirúrgica orientada por mamografia, ela também pode mostrar lesões vistas somente na ultrassonografia ou na RM graças à sobreposição de algumas lesões pelo parênquima mamário na mamografia.

Nos resultados histopatológicos benignos e concordantes com a imagem, deve-se realizar o controle semestral do procedimento por ressonância magnética para assegurar a retirada completa da lesão. Este controle pode ser, também, indicado em intervalos mais curtos, quando houver dúvida, se a lesão totalmente foi retirada.

Complicações

As complicações que podem ocorrer são as mesmas de todas as biópsias percutâneas, como: hematoma, reflexo vagal, pinçamento da pele e infecção, sendo a formação de hematoma e o reflexo vagal as mais comuns.

LESÕES QUE "DESAPARECEM"

Há casos em que as lesões indicadas para biópsia por RM não aparecem no momento do procedimento, podendo estar associado ao fator hormonal ou a compressão exagerada da mama na bobina de procedimento. Diferentes centros mostram que 6,8 a 12% das lesões podem não aparecer no momento da biópsia.

O desaparecimento da lesão pode ocorrer em razão da influência do *status* hormonal da paciente, podendo formar realces funcionais interpretados como lesão, ou mesmo realce intenso do parênquima pode obscurecer a lesão indicada para biópsia.

Geralmente ocorrem lesões do tipo realce não nodular que podem desaparecer pelas variações hormonais, caracterizando realce funcional do tecido fibroglandular.

Os dispositivos de biópsia possuem grades de compressão e fixação da mama, podendo reduzir o aporte sanguíneo para a mama no momento da biópsia, se estiverem muito apertadas.

Hefler *et al.* avaliaram pacientes cujas biópsias por RM foram suspensas em virtude do desaparecimento da lesão. De 291 lesões 37 não foram identificadas no momento do procedimento. Em 25 de 29 pacientes que retornaram para controle com RM em 6 meses foi confirmada a ausência do achado. Variações hormonais e alterações inflamatórias foram relacionadas como causa do desaparecimento das lesões. Em 4 das 29 pacientes que retornaram para o controle, houve reaparecimento do achado, e em três pacientes foi confirmado histopatológico maligno. A hipótese sugerida para o desaparecimento da lesão foi compressão excessiva da mama.

Sempre que houver desaparecimento da lesão no momento do procedimento, devem-se suspender o procedimento e realizar um novo em um curto período (4 a 6 meses), para confirmar o desaparecimento da lesão.

CONCLUSÃO

O desempenho da biópsia a vácuo e da marcação pré-cirúrgica, orientados por RM, é semelhante aos orientados por mamografia e ultrassonografia.

Os procedimentos invasivos guiados por ressonância magnética devem estar disponíveis para as pacientes que são submetidas ao exame como parte integrante da investigação, não só para abordar as lesões vistas somente na ressonância magnética, como para o desenvolvimento do método, elaboração de novas condutas de tratamento e para o aprimoramento técnico dos profissionais envolvidos na elaboração dos laudos.

Apesar da pouca disponibilidade e do alto custo, os procedimentos guiados por RM vêm ganhando cada vez mais espaço em virtude dos avanços diagnósticos do câncer de mama.

BIBLIOGRAFIA

Demartini WB, Eby PR, Peacock S *et al*. Utility of Targeted Sonography for Breast Lesions That Were Suspicious on MRI. *Am J Roentgenol* 2009 Apr.;192:1128-34.

Eby PR, Lehman CD. Magnetic resonance imaging-guided breast interventions. *Top Magn Reson Imaging* 2008 June;19(3):151-62.

Eliahou R, Sella T, Allweis T *et al*. Magnetic resonance-guided interventional procedures of the breast: initial experience. *Isr Med Assoc J* 2009 May;11(5):275-79.

Erguvan-Dogan B, Whitman GJ, Nguyen VA *et al*. Specimen radiography in confirmation of MRI-guided needle localization and surgical excision of breast lesions. *AJR Am J Roentgenol* 2006 Aug.;187(2):339-44.

Erguvan-Dogan B, Whitman GJ. Breast ultrasound MR imaging correlation. *Ultrasound Clinics* 2006 Out.;1(4):593-601.

Fischer U, Baum F. *Interventional breast imaging ultrasound, mammography and MR guidance techniques*. New York: Thieme 2010.

Fischer U, Vosshenrich R, Döler W *et al*. MR imaging-guided breast intervention: experience with two systems. *Radiology* 1995 May;195(2):533-38.

Hefler L, Casselman J, Amaya B *et al*. Follow-up of breast lesions detected by MRI not biopsied due to absent enhancement of contrast medium. *Eur Radiol* 2003 Feb.;13(2):344-46.

Heywang-Köbrunner SH *et al.* Interdisciplinary consensus on the uses and technique of MR-guided vacuum-assisted breast biopsy (VAB): Results of a European consensus meeting. *Eur J Radiol* 2009 Nov.;72(2):289-94.

Heywang-Köbrunner SH, Haustein J, Pohl C *et al.* Contrast-enhanced MR imaging of the breast: comparison of two different doses of gadopentetate dimeglumine. *Radiology* 1994 June;191(3):639-46.

Heywang-Köbrunner SH, Heinig A, Schaumlöffel U *et al.* MRI-guided percutaneous excisional and incisional biopsy (PEIB) of breast lesions. *Eur Radiol* 1999;9(8):1656-65.

Kaiser WA, Pfleiderer SO, Baltzer PA. MRI-guided interventions of the breast. *J Magn Reson Imaging* 2008 Feb.;27(2):347-55.

Kuhl C. Breast MRI Imaging. *Magn Reson Imaging Clin* 2006 Aug.;14(3).

Kuhl CK, Elevelt A, Leutner CC *et al.* Interventional breast MR imaging: clinical use of a stereotactic localization and biopsy device. *Radiology* 1997 Sept.;204(3):667-75.

Kulh CK. The current status of breast MR imaging, part 1. Choice of technique, image interpretation, diagnostic accuracy, and transfer to clinical practice. *Radiology* 2007;244:356-78.

Kulh CK. The current status of breast MR imaging, part 2. Clinical applications. *Radiology* 2007;244:672-91.

La Trenta LR, Menell JH, Morris EA *et al.* Breast lesions detected with MR imaging: utility and histopathologic importance of identification with US. *Radiology* 2003 June;227(3):856-61.

Li J, Dershaw DD, Lee CH, Kaplan J *et al.* MRI follow-up after concordant, histologically benign diagnosis of breast lesions sampled by MRI-guided biopsy. *AJR Am J Roentgenol* 2009 Sept.;193(3):850-55.

Liberman L *et al.* MRI-Guided 9-Gauge vacuum assisted breast biopsy: initial clinical experience. *AJR* 2005;185:183-93.

Liberman L, Morris EA, Kim CM *et al.* MR imaging findings in the contralateral breast in women with recently diagnosed breast cancer. *AJR* 2003;180:333-41.

Liberman L. Breast cancer screening with MRI: what are the data for patients at high risk? *N Engl J Med* 2004;351:497-500.

Lo LD, Orel SG, Schnall MD. MR imaging-guided interventions in the breast. *Magn Reson Imaging Clin N Am* 2001 May;9(2):373-80.

Morris E, Liberman L. *Magnetic resonance imaging guided needle localization in breast, MRI diagnosis and intervention.* New York: Springer, 2005. p. 280-96.

Morris EA, Liberman L, Ballon DJ *et al.* MRI of occult breast carcinoma in high-risk population. *AJR* 2003;180:901-10.

Orel SG, Schnall MD, Newman RW *et al.* MR imaging-guided localization and biopsy of breast lesions: initial experience. *Radiology* 1994 Oct.;193(1):97-102.

Perlet C, Heywang-Kobrunner SH, Heinig A *et al.* Magnetic resonance-guided, vacuum-assisted breast biopsy: results from a European multicenter study of 538 lesions. *Cancer* 2006 Mar. 1;106(5):982-90.

SEÇÃO V
Manejo nas Lesões Não Invasivas da Mama

CAPÍTULO 115
Carcinomas *In Situ* da Mama

Diego Trabulsi Lima ■ Danielle Orlandi Gomes
Jorge Henrique Gomes de Matos ■ Pedro Aurélio Ormonde do Carmo

INTRODUÇÃO

Os carcinomas *in situ* da mama podem ser ductais ou lobulares. Esta distinção é essencialmente com base no padrão de crescimento e características citológicas das lesões, e não propriamente na sua localização anatômica dentro do sistema ductolobular mamário. Carcinomas *in situ* ductal ou lobular diferem nas suas características radiológicas, morfologia, comportamento biológico e distribuição anatômica na mama.

CARCINOMA DUCTAL *IN SITU*

O carcinoma ductal *in situ* (CDIS) é uma neoplasia não invasiva, caracterizada por proliferação de células malignas na unidade ductolobular terminal que estão confinadas pela lâmina basal dos ductos mamários. O CDIS engloba um grupo biológica e morfologicamente heterogêneo de lesões, com espectro variando desde lesões de baixo grau, que não ameaçam a vida da paciente, até lesões de alto grau que podem conter focos de câncer invasivo. Tipicamente é classificado de acordo com seu padrão arquitetural (sólido, cribriforme, papilífero e micropapilar), grau tumoral (alto, intermediário e baixo) e presença ou ausência de comedonecrose. É considerado um precursor direto do carcinoma invasivo de mama. Estima-se que até 35% das pacientes com CDIS possam desenvolver um carcinoma invasor em um período de 10 anos.[1] Existem evidências de que nem todos os CDIS progridem para carcinoma invasivo. A presença de CDIS latente variou de 0,2 a 18% em estudos de necropsias em mulheres que faleceram de diferentes causas que não o câncer de mama.[2-5] Além disso, o CDIS também é considerado um marcador do risco para desenvolvimento de carcinoma invasivo na mama ipsilateral ou contralateral. Também ocorre em homens e representa cerca de 5% de todos os casos de câncer mamário masculino.[6]

Antes da ampla difusão do rastreamento mamográfico, o CDIS era raro e normalmente diagnosticado apenas em peças cirúrgicas de mastectomia ou tumorectomia. Com a introdução da mamografia esta incidência aumentou de 5,8 por 100.000 mulheres em 1975 para 32,5 por 100.000, em 2004. Atualmente, corresponde a 25% dos cânceres de mama diagnosticados nos EUA.[7] No INCA (Instituto Nacional de Câncer), o CDIS isolado corresponde a 12% dos cânceres de mama diagnosticados.

Os fatores de risco associados ao desenvolvimento do CDIS são em grande parte semelhantes aos do carcinoma invasivo: história familiar, mama densa, nuliparidade, raça branca entre outros. A relação entre terapia hormonal e CDIS, ao contrário do que ocorre no carcinoma invasor, não está bem estabelecida. A maioria dos estudos não encontrou associação entre o uso de terapia hormonal e a incidência de CDIS.[8,9]

Patologia e classificação

As lesões proliferativas intraductais na mama são tradicionalmente divididas em três categorias: hiperplasia ductal usual (HDU), hiperplasia ductal atípica (HDA) e carcinoma ductal *in situ* (CDIS). Na maioria dos casos a distinção histopatológica entre os distintos tipos de proliferação intraductal pode ser feita em bases morfológicas apenas, utilizando critérios histopatológicos preestabelecidos. Entretanto, em alguns casos a distinção entre algumas destas lesões pode ser problemática. Além disso existe um grupo de lesões que apresentam atipia citológica com ou sem proliferação intraluminal, e não preenchem os critérios diagnósticos para nenhuma das categorias existentes, sendo descritas na literatura com nomenclatura diversa, compreendendo atipia epitelial plana e alteração de células colunares com atipias. As lesões proliferativas intraductais apresentam diferentes riscos relativos para desenvolvimento de câncer invasivo, variando de 1,5 na HDU, 4 a 5 na HDA, e 8 a 10 no CDIS. Estudos imunofenotípicos e de biologia molecular mostram que HDU compartilha poucas semelhanças com a maioria das HDA, CDIS ou câncer invasivo; HDA compartilha muitas semelhanças com CDIS de baixo grau; CDIS de baixo e alto graus parecem representar alterações genéticas distintas levando a diversas formas de carcinoma mamário invasivo; e pelo menos algumas lesões de atipia epitelial plana são neoplásicas.

O CDIS compreende grupo altamente heterogêneo de lesões que diferem em relação ao modo de apresentação, aos aspectos histopatológicos, marcadores biológicos e os riscos de progressão para câncer invasivo.

A distribuição do CDIS na mama é tipicamente segmentar e não multicêntrica.[10] Eventualmente pode aparentar-se como processo multifocal em um plano de secção bidimensional. Entretanto, esses sítios de tumor podem não necessariamente representar focos separados. O crescimento intraductal tridimensional do tumor parece ser contínuo. Mais especificamente, enquanto tumores pouco diferenciados crescem predominantemente de forma contínua, tumores bem diferenciados podem apresentar crescimento mais salteado (multifocal).[11]

O método tradicional de classificação do CDIS é principalmente com base nas características arquiteturais ou padrão de crescimento do tumor. Esta classificação, porém, apresenta pouco significado clínico. É dividido em cinco tipos arquiteturais principais: comedocarcinoma, cribriforme, micropapilar, papilar e sólido.

Alguns sistemas de classificação alternativos foram propostos posteriormente para tentar padronizar o diagnóstico de CDIS. Classificações fundamentadas em achados de biologia molecular e citogenética, assim como em evidências clínicas, demonstram maior número de recidiva local em lesões que apresentam alto grau nuclear e comedonecrose. Estas classificações que subdividem o CDIS pelos riscos de recidiva local têm aplicação clínica.[12] Embora eles utilizem diferentes terminologias, todos são primariamente com base na avaliação do grau nuclear e na presença ou ausência de necrose, estratificando pacientes em três grupos, como o utilizado pela Organização Mundial de Saúde (OMS):[10]

- *CDIS de baixo grau:* constituído de células pequenas e monomórficas, com crescimento em arcos, micropapilar, cribriforme ou sólido. Núcleos uniformes em tamanho, com nucléolos inaparentes (grau nuclear 1); mitoses raras, não se observando necrose. O padrão micropapilar pode estar associado a crescimento mais extenso quando comparado aos outros padrões, podendo comprometer múltiplos quadrantes (Fig. 1 A-H).
- *CDIS de grau intermediário:* as lesões podem exibir aspectos citológicos semelhantes aos do CDIS de baixo grau, mas alguns ductos podem conter focos de necrose luminal. Outras lesões exibem núcleos de grau intermediário (grau nuclear 2), com ocasionais nucléolos e cromatina grosseira; necrose pode ou não estar presente (Fig. 2A-D).
- *CDIS de alto grau:* as células são pleomórficas, despolarizadas, com núcleos irregulares, cromatina grosseira e nucléolos proeminentes (grau nuclear 3), formando padrão sólido, cribriforme, micropapilar ou em camada única de células. Figuras de mitose e comedonecrose estão caracteristicamente presentes, mas não são essenciais para o diagnóstico (Fig. 3A-D).

Uma minoria dos CDIS pode exibir variantes pouco comuns constituídas por células fusiformes, apócrinas, neuroendócrinas, em anel de sinete ou células claras.

Tavassoli, em 1998, criou uma nova classificação conhecida como neoplasia intraepitelial ductal (DIN), que inclui outras lesões que não CDIS, sendo dividida em três categorias: DIN 1a (atipia epitelial plana); DIN 1b (hiperplasia ductal atípica -HDA); DIN 1c (CDIS grau I); DIN 2 (CDIS grau II); DIN 3 (CDIS grau III).[13] Entretanto não há um consenso na literatura quanto à história natural das lesões. Não parece haver caráter evolutivo entre DIN 1, 2 e 3. Na realidade, estudos genético-moleculares vêm demonstrando que há duas vias diferentes de carcinogênese. A primeira relacionada com lesões de baixo grau representadas pela HDA, CDIS de baixo grau e carcinomas invasivos de baixo grau (tubulares, lobulares e túbulo-lobulares) que estão associados à forte expressão de receptores hormonais e à diferenciação glandular. A segunda via estaria relacionada com tumores de alto grau (CDIS graus 2 e 3 e carcinoma invasor de alto grau), mostrando atipia nuclear acentuada, receptores de estrógeno mais frequentemente negativos, hiperexpressão de HER-2, mutações em p53 e presença de marcadores basais.[14]

Nenhum esquema de classificação isolado foi universalmente aceito, pois os especialistas discordam sobre qual seria a mais reprodutível.

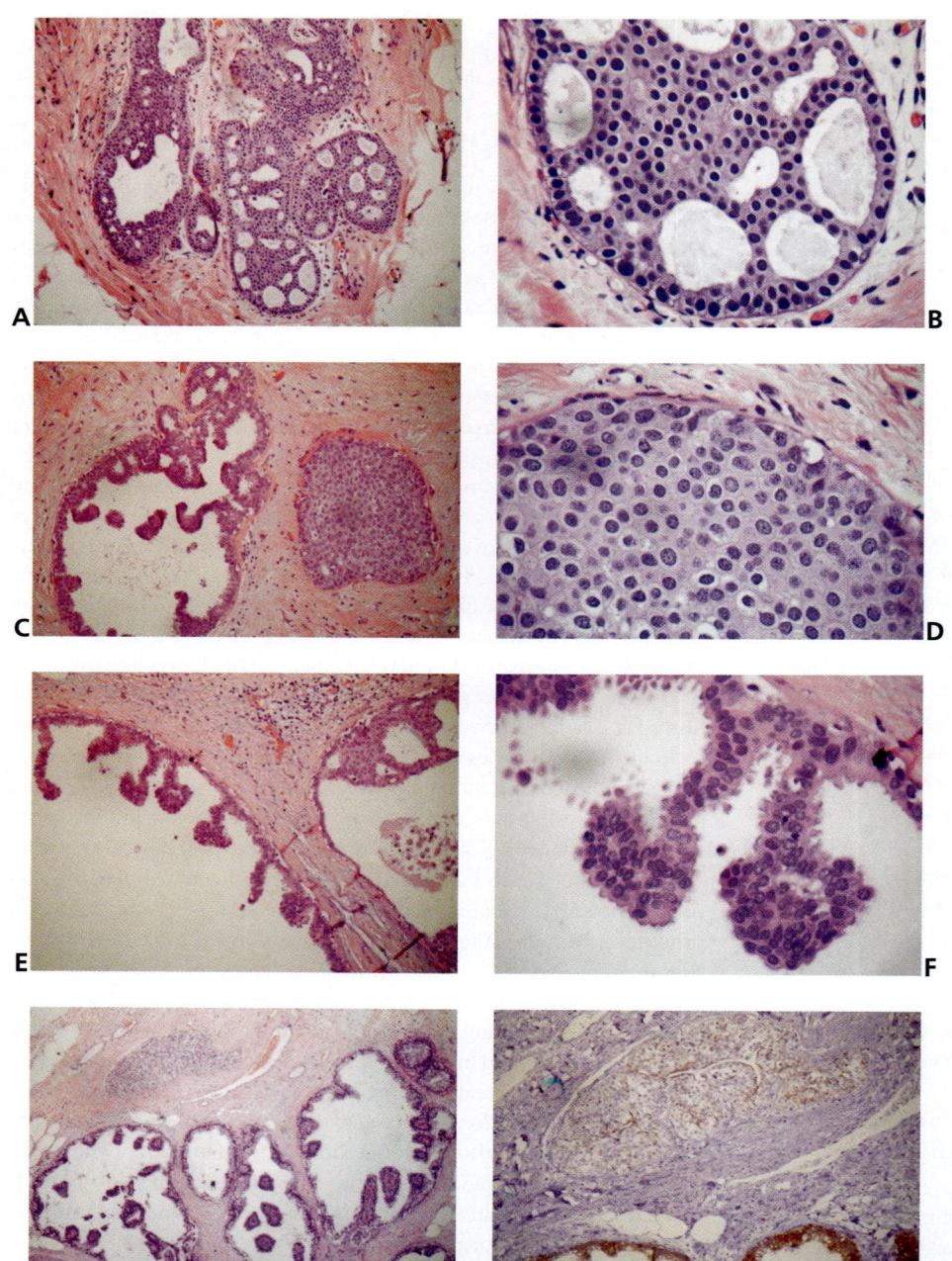

◀ **FIGURA 1.** CDIS de baixo grau.
(**A** e **B**) Cribriforme. (**C**) Micropapilar e sólido.
(**D**) Sólido. (**E**) Micropapilar e cribriforme.
(**F**) Micropapilar. (**G**) Papilar e micropapilar associado a CLIS (acima à esquerda).
(**H**) E-caderina negativa no componente lobular e positiva no ductal.

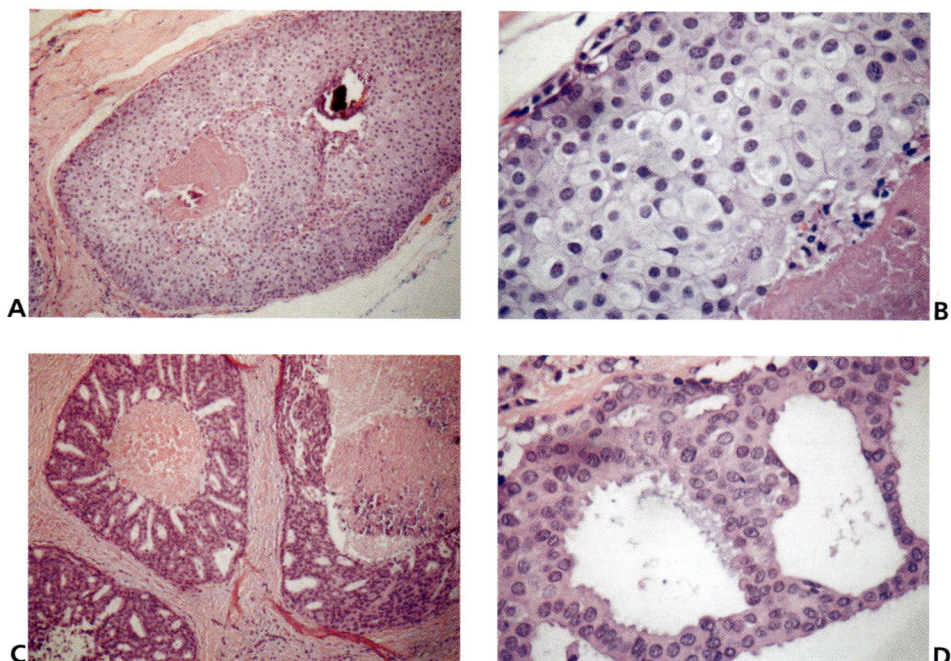

◀ **FIGURA 2.** CDIS de grau intermediário.
(**A**) Sólido com necrose e microcalcificação.
(**B**) Sólido com necrose. (**C**) Cribriforme com necrose. (**D**) Cribriforme.

O Colégio Americano de Patologia (CAP) publicou, em 2009, um protocolo para auxiliar os patologistas a fornecer dados clinicamente relevantes no relatório dos exames das peças cirúrgicas. Recomenda o processamento de todo o tecido para excluir focos de microinvasão, e a descrição no laudo da extensão da lesão, tipo histológico, padrão arquitetural, grau nuclear, presença ou ausência de comedonecrose, distância da margem mais próxima e se esta estiver comprometida, avaliar se é focal ou extensa.[15]

Quanto à determinação de receptores hormonais, a maioria das instituições reconhece sua importância para auxiliar na decisão do uso da hormonoterapia, porém não recomenda formalmente que sejam avaliados rotineiramente.[15,16] Já a NCCN *(National Comprehensive Cancer Network)*, 2011, recomenda a determinação de receptores de estrógeno (RE) em todas as pacientes com CDIS.[17]

O papel da expressão de HER 2 ainda não está esclarecido, e os consensos não recomendam sua avaliação rotineira nos casos de CDIS puro.[18,19]

Fatores prognósticos

Características do CDIS fornecem informações sobre prognóstico. Pacientes com tumores grandes, de alto grau histológico, com presença de necrose estão sob maior risco de desenvolver recidivas.[20] Outros fatores prognósticos são idade e sintomatologia. Dois estudos prospectivos randomizados que tinham por objetivo avaliar a cirurgia conservadora com ou sem radioterapia adjuvante foram capazes de avaliar fatores prognósticos. O NSABP-B17 *(National Surgical Adjuvant Breast and Bowel Project)* identificou na análise univariada comedonecrose, tipo histológico (sólido *vs.* cribriforme) e infiltrado linfoide como sendo independentemente relacionados com a recidiva ipsilateral. Com análise multivariada, entretanto, apenas a presença de comedonecrose permaneceu estatisticamente significativa.[21] O estudo EORTC 10853 *(European Organisation for Research and Treatment of Cancer)* identificou margens comprometidas, padrão de crescimento, idade jovem, lesões sintomáticas e tratamento com excisão local apenas como fatores associados a aumento na recidiva local. Tipos histológicos pouco diferenciados foram associados a maior risco de metástases a distância e morte.[22]

O Índice Prognóstico de Van Nuys estratifica pacientes em três grupos prognósticos, levando em consideração o grau histológico, tamanho do tumor e espessura da margem. Posteriormente, a idade foi incluída entre os fatores prognósticos. São atribuídas pontuações de acordo com as características descritas anteriormente, criando um escore que é utilizado para alocar pacientes em categorias correspondentes a algoritmos de tratamento.[12,23-25]

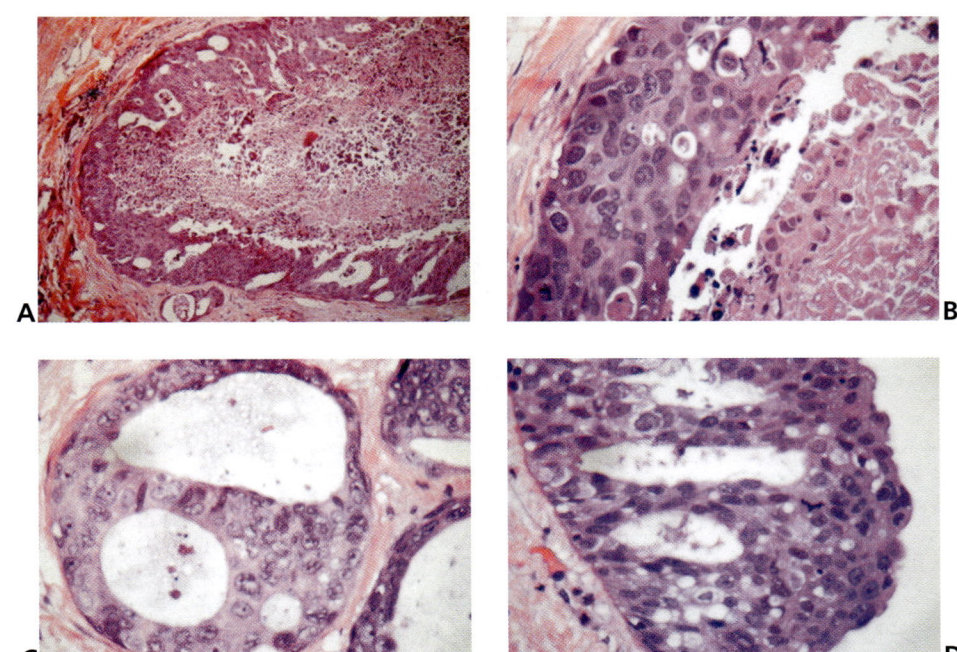

◀ **FIGURA 3.** CDIS de alto grau.
(**A** e **B**) Comedocarcinoma com necrose e calcificação. (**C**) Cribriforme e plano.
(**D**) Cribriforme.

Diagnóstico

A maioria das pacientes com CDIS é assintomática, sendo o rastreamento mamográfico responsável pelo seu diagnóstico em mais de 85% dos casos. Algumas vezes (aproximadamente 10%) podem apresentar expressão clínica, como nódulos palpáveis ou descarga papilar, e os 5% restantes são detectados em espécimes cirúrgicos obtidos por outras razões. A mamografia é considerada o método mais importante para detecção do CDIS, sendo o sinal mamográfico mais comum a presença de microcalcificações.[10]

O papel da Ressonância Magnética (RM) no CDIS ainda não está completamente esclarecido. Ela não se mostrou melhor que a mamografia na distinção entre CDIS e lesões benignas ou proliferativas atípicas. Entretanto, alguns estudos vêm demonstrando que a RM apresenta maior sensibilidade na detecção de CDIS quando comparada à mamografia. Grande estudo incluiu 7.319 mulheres que foram rastreadas com ambos os métodos por um período de 5 anos. O rastreamento com RM detectou aproximadamente 50% mais lesões intraductais do que a mamografia.[26] A RM parece, ainda, apresentar maior sensibilidade na detecão de doença multicênctrica, melhor avaliação de doença residual e contralateral quando comparada à mamografia. Estes benefícios poderiam levar à menor necessidade de reexcisão após cirurgia conservadora, diminuição da recidiva local, melhor tratamento da mama contralateral e detecção mais precoce. Entretanto, nenhum estudo, até o momento, comprovou melhora real nos resultados dos pacientes.[7] Além disso, graças à sua alta sensibilidade e baixa especificidade, há relatos de que o uso rotineiro da RM leva a aumento do número de biópsias desnecessárias e do tamanho dos procedimentos, aumentando os custos e a ansiedade da paciente.[27] A RM não está rotineiramente indicada na avaliação inicial do CDIS.

A suspeita levantada pelos métodos de imagem deve sempre ser confirmada por diagnóstico histopatológico. Este pode ser realizado por biópsia percutânea (core biópsia ou biópsia aspirativa a vácuo) ou biópsia cirúrgica. A biópsia percutânea apresenta elevado risco de subestimação das lesões. Ou seja, dentre as core biópsias com diagnóstico inicial de CDIS, até 28% podem na realidade corresponder a carcinomas invasores.[28] Entretanto, existe uma grande tendência a preferir a biópsia percutânea como método inicial, pois permite melhor planejamento cirúrgico, principalmente se for evidenciada alguma área de invasão inesperada. Por se tratar de lesões impalpáveis na sua maioria, se faz necessário o uso de estereotaxia ou ultrassonografia (USG) para guiar o procedimento.[29] Sempre que há diagnóstico de CDIS por via percutânea, é necessário proceder à exérese cirúrgica da lesão (normalmente guiada por marcação pré-cirúrgica por raios X ou USG) para tratamento e confirmação histopatológicos.

Tratamento cirúrgico

Mastectomia × Cirurgia conservadora

A mastectomia foi o tratamento de escolha do CDIS no passado, levando à cura em 98% dos casos com risco de recidiva de apenas 1%,[30] porém consiste em tratamento demasiadamente agressivo para a maioria dos casos. Com o advento da cirurgia conservadora no manejo do carcinoma infiltrante, este também foi introduzido na terapêutica do CDIS, sendo hoje o tratamento de escolha. Embora estudos sugiram que a mastectomia apresente taxas de recidiva menores que a cirurgia conservadora, não houve diferença na sobrevida.[31] Atualmente, a mastectomia ficou reservada a pacientes com doença multicêntrica ou grandes lesões. Nestes casos a reconstrução imediata deve ser oferecida sempre que possível, uma vez que essas lesões, quando tratadas com mastectomia, não necessitam de radioterapia complementar.

O tratamento conservador consiste na excisão ampla das lesões, que devem estar situadas no mesmo quadrante. Doença multifocal não é necessariamente uma contraindicação à cirurgia conservadora.[32] O critério de tamanho do tumor é relativo, sendo dependente do volume mamário e da possibilidade de obtenção de margens histologicamente negativas, mantendo-se uma estética aceitável.

Após a exérese, a radiografia da peça e uma mamografia de controle devem ser realizadas para comprovar a excisão completa das microcalcificações ou imagens suspeitas. Se houver calcificações residuais, está indicada nova ressecção.[33]

Margens cirúrgicas

A distância da margem é um dos determinantes locais mais importantes para a recidiva, porém é motivo de muita divergência. Estudo que utiliza técnicas tridimensionais, e estereomicroscopia mostrou que os intervalos (gaps) entre os focos de CDIS individuais eram menores de 5 mm em 63% dos casos, e que uma margem de 10 mm seria adequada para englobar toda a doença em 92% dos casos.[11] Em um estudo com pacientes que foram submetidas à cirurgia conservadora, a espessura da margem teve 3 vezes mais poder que o grau histológico em predizer a recidiva local.[34] Quando a margem excede 10 mm, a probabilidade de doença residual é relativamente pequena, independente do grau ou subtipo histológico.[20,34] Entretanto, uma metanálise sobre margens em cirurgia conservadora, seguida de radioterapia no tratamento do CDIS publicada, em 2009, que incluiu 22 estudos e 4.660 pacientes, observou que em cirurgias com margens superiores a 2 mm, houve menos recidiva local comparada a margens menores, porém não houve diferença estatisticamente significativa quanto a recidiva local com margens de 2 a 5 mm e maiores que 5 mm.[35] As diretrizes da NCCN 2011 consideram que margens maiores de 10 mm são amplamente aceitas como negativas, e menores de 1 mm são consideradas inadequadas. Com margens entre 1 e 10 mm, margens mais amplas são geralmente associadas a menores taxas de recidiva local. Margens exíguas (< 1 mm) no limite da mama com a pele ou parede torácica não são mandatórias de reexcisão, mas podem ser indicação de boost radioterápico no leito cirúrgico.[17]

Frente às controvérsias expostas anteriormente, no INCA consideramos 10 mm como margem ideal. Na obtenção de margens entre 2 e 10 mm devemos observar as características tumorais e outros fatores prognósticos, discutindo a necessidade de ampliação de margens caso a caso. Margens menores que 2 mm ou comprometidas devem ser ampliadas.

Manejo da axila

A dissecção axilar ou biópsia do linfonodo sentinela (BLS) não devem ser feitas de rotina no tratamento do CDIS.

A incidência de acometimento de linfonodos axilares é baixa em casos de CDIS. Metanálise publicada, em 2008, averiguou que a incidência de metástases para linfonodo sentinela em pacientes com CDIS foi de 3,7% em pacientes com diagnóstico pós-operatório definitivo de carcinoma intraductal puro.[36]

A biópsia de linfonodo sentinela deve ser considerada em pacientes que serão submetidas à mastectomia, pela impossibilidade de realização após a cirurgia.[37]

Diretriz do NCCN 2011 preconiza que a BLS em pacientes com CDIS puro deve ser considerada somente nas que serão tratadas com mastectomia ou com excisões em localizações anatômicas que possam comprometer a performance de uma futura realização da BLS.[17]

Tratamento complementar

Radioterápico

O benefício da radioterapia (RXT) após cirurgia conservadora no CDIS foi avaliado em quatro grandes estudos randomizados e uma metanálise.[1,21,22,38,39] Todos demonstraram benefício do tratamento radioterápico adjuvante, com redução de, aproximadamente, 50% nas recidivas locais, embora sem benefício na sobrevida, em comparação a excisão apenas. A recidiva local do CDIS tem particular importância, pois até 50% delas ocorrerão sob a forma infiltrante.[1]

Em contrapartida, em virtude da não melhora da sobrevida com a radioterapia e dos possíveis efeitos adversos, alguns autores defendem que em casos selecionados a opção de irradiar a mama pode ser discutida e evitada.[12,20,40]

Foram criados modelos com o intuito de selecionar pacientes que não se beneficiariam com a RXT adjuvante, sendo o mais conhecido deles o Índice Prognóstico de Van Nuys. Pacientes, que obtivessem escores baixos de bom prognóstico (p. ex.: tumores pequenos, graus 1 ou 2, margens amplas, com ausência de comedonecrose e idades mais avançadas), poderiam prescindir da radioterapia.[23] Mas críticas a esses índices são frequentes, em razão de resultados conflitantes em estudos subsequentes. Além disso, o processamento do tecido pelo protocolo de Van Nuys é complexo, limitando sua generalização na prática clínica.[31] Análise de subgrupos com base em fatores de bom prognóstico dos quatro estudos randomizados citados anteriormente não identificou grupo de pacientes que não se beneficiariam de RXT.[21,22,38,39]

Wong, em 2006, publicou estudo prospectivo no qual era realizada excisão ampla (maior ou igual a 1 cm) de lesões pequenas (CDIS < = 2,5 cm) grau histológico 1 ou 2 sem adição de radioterapia. O estudo teve que ser interrompido, pois o número de recidivas ultrapassou o limite preestabelecido, concluindo-se, então, que mesmo com margens amplas em um grupo selecionado de baixo risco, a taxa de recidiva foi grande sem o uso da radioterapia.[41]

Não há ainda estudos prospectivos randomizados que sustentem a não realização de radioterapia, mesmo em um grupo selecionado de casos de baixo risco. Entretanto a NNCN 2011 considera que se paciente e médico avaliarem o risco de recidiva como baixo, alguns poderiam ser tratados com excisão apenas, sem RXT.[17]

Tratamento sistêmico

Frente ao caráter não invasivo do carcinoma intraductal, a única opção de terapia sistêmica utilizada é a hormonoterapia de forma profilática, sendo o tamoxifeno a droga mais estudada.

O NSABP-24 foi um estudo prospectivo, duplo-cego, randomizado, que avaliou o uso do tamoxifeno após o diagnóstico do CDIS. Foram incluídas 1.804 mulheres com média de acompanhamento de 83 meses. Encontrou redução do risco, estatisticamente significativa, na recidiva do CDIS e de carcinoma invasor em torno de 40% e redução de 44% na mama contralateral. O benefício restringiu-se a tumores com receptor hormonal positivos. O tamoxifeno pode apresentar efeitos adversos potencialmente fatais. Neste estudo ocorreram nove casos de trombose venosa profunda e dois de tromboembolismo pulmonar no grupo do tamoxifeno, comparado a, apenas, três casos no grupo placebo. Foram registrados cinco casos de acidente vascular encefálico no grupo do tamoxifeno e apenas um no controle.[42]

Outro estudo importante prospectivo, randomizado avaliou o efeito do tamoxifeno e radioterapia após excisão cirúrgica em pacientes diagnosticadas com CDIS. Envolveu 1.701 pacientes seguidas por 12,7 anos. A análise dos receptores hormonais também pareceu essencial para guiar o tratamento. O tamoxifeno reduziu a recidiva ipsilateral em 30% e de tumor contralateral em 56%, mas sem efeito sobre doença invasiva ipsilateral.[38]

Entretanto nenhum dos estudos citados demonstrou melhora da sobrevida. Deve-se ainda atentar para os possíveis efeitos colaterais do tamoxifeno, tais como fenômenos tromboembólicos e câncer de endométrio e assim julgarmos se os riscos da medicação superam seu real benefício. Em pacientes tratadas com mastectomia (especialmente bilateral), o risco de recidiva é mínimo, sendo o uso do tamoxifeno não justificável.

CARCINOMA LOBULAR IN SITU

O carcinoma lobular *in situ* (CLIS) tradicionalmente é considerado um marcador de risco para desenvolvimento do câncer de mama, porém evidências recentes, especialmente no campo da biologia molecular, vêm mudando este paradigma, indicando que esta lesão também constitui um precursor não obrigatório do carcinoma invasivo. O CLIS foi descrito pela primeira vez por Foote e Stewart, em 1941, como uma forma rara, não invasiva de câncer de mama que se originaria dos ductos terminais e lóbulos mamários.[43] Em 1978, Haagensen criou o termo neoplasia lobular (NL) que se refere a um espectro de lesões proliferativas que englobam a hiperplasia lobular atípica (HLA) e o CLIS.[44] Ambas as lesões possuem características celulares semelhantes, tendência à multifocalidade, multicentricidade e bilateralidade, além de frequentemente não possuírem expressão clínica, mamográfica ou ultrassonográfica. Embora as lesões estejam associadas a aumento no risco de desenvolvimento de câncer de mama invasivo, a magnitude deste risco é maior no CLIS (Risco relativo-RR: 8 a 10 vezes) se comparado a HLA (RR: 4 a 5 vezes).[45] Em virtude desta diferença, muitos continuam a defender a separação dessas duas entidades em detrimento do uso do termo "neoplasia lobular". O CLIS é um achado incomum, e a sua verdadeira incidência na população em geral é desconhecida. Sua frequência dentre todos os carcinomas de mama é estimada entre 1,0 e 3,8%.[10] A incidência de CLIS é aproximadamente 10 vezes maior nas mulheres brancas em comparação com afro-americanas nos EUA.[30,46] A idade média do diagnóstico situa-se entre 44 e 46 anos, sendo que 80 a 90% dos casos ocorrem em mulheres na pré-menopausa.[47] Esta característica sugere influência hormonal no aparecimento e manutenção destas lesões. Dados internos obtidos na Divisão de Patologia do INCA no período de 2006 a 2010 revelam apenas 56 pacientes portadoras de CLIS isolado (não coexistindo com carcinoma invasivo ou CDIS) correspondendo a 0,60% dentre os carcinomas mamários diagnosticados em nossa casuística (9.293 casos) e a 4,78% dentre os carcinomas mamários não invasivos (1.172 casos). A média de idade das pacientes ao diagnóstico foi de 54 anos.

Patologia

O CLIS é normalmente uma lesão impalpável, sem características típicas à mamografia e geralmente não é detectada ao exame macroscópico das peças cirúrgicas. Na maioria das vezes é um achado microscópico incidental, encontrado no estudo anatomopatológico de tecido mamário excisado graças à presença de outras lesões. A forma clássica do CLIS histologicamente é semelhante à descrita por Foote e Stewart.[43] É caracterizada por proliferação monomórfica de pequenas células originárias da unidade ductolobular terminal, pouco coesas, com núcleos uniformes, pequenos e arredondados, citoplasmas claros a levemente eosinofílicos, podendo conter em alguns casos vacúolos citoplasmáticos grandes o suficiente para produzirem células com forma em anel de sinete. O CLIS distende e distorce as unidades ductolobulares. Evidências morfológicas e moleculares sugerem que suas diferenças com a HLA parecem ser meramente quantitativas.[48] A HLA ocorre quando há ocupação de menos de 50% dos ácinos de um ou mais lóbulos, enquanto o CLIS apresenta-se como distensão de mais de 50% dos ácinos de uma unidade lobular e perda do lume residual.[47] Os ductos extralobulares também podem ser envolvidos, podendo apresentar crescimento pageoide. Possuem baixa taxa de proliferação celular similar ao carcinoma ductal *in situ* (CDIS) de baixo grau, e as células tipicamente possuem receptor de estrógeno positivo, negatividade para E-caderina e raramente hiperexpressão de HER-2.

A variante pleomórfica é um subtipo de CLIS descrita em 1992 por Eusebi *et al.*[49] que apresentaram pleomorfismo e hipercromasia nuclear, nucléolos proeminentes e mitoses mais frequentes, podendo apresentar comedonecrose central associada a calcificações distróficas, o que é raramente visto na forma clássica.[50] A presença de necrose e calcificações torna difícil sua diferenciação com o CDIS. Antes do seu reconhecimento, esta lesão era provavelmente classificada como CDIS de alto grau em decorrência de suas características morfológicas. Com a disponibilidade da avaliação de E-caderina por meio da imuno-histoquímica seu diagnóstico começou a ser realizado. Além de negatividade para E-caderina exibem índice de proliferação celular mais elevado do que a forma clássica, e expressão de p-53 e HER-2 em alguns casos. Pode estar associado ao carcinoma lobular pleomórfico infiltrante que possui características citológicas similares, porém apresenta prognóstico reservado.[51] A dificuldade de excluir a presença de invasão e o seu comportamento biológico mais agressivo leva à adoção de um tratamento que se aproxima mais do utilizado para o CDIS se comparado ao manejo do CLIS clássico (Fig. 4).

Em 1999 Tavassoli propôs o termo neoplasia intraepitelial lobular mamária (NIL) classificando as neoplasias lobulares de acordo com o grau de proliferação e presença de atipia celular. Foram propostas três categorias denominadas NIL 1, NIL 2 e NIL 3. NIL 1 e NIL 2 corresponderiam às formas clássicas, e o NIL 3, às formas pleomórfica, macroacinar, células em anel de sinete e necrótica (Fig. 5). Esta classificação, entretanto, ainda requer validação e não foi amplamente adotada.[10]

A identificação de neoplasia lobular está associada ao aumento substancial no risco de desenvolvimento de câncer invasivo ductal ou lobular. A maioria dos tumores que se desenvolvem em mulheres com CLIS são

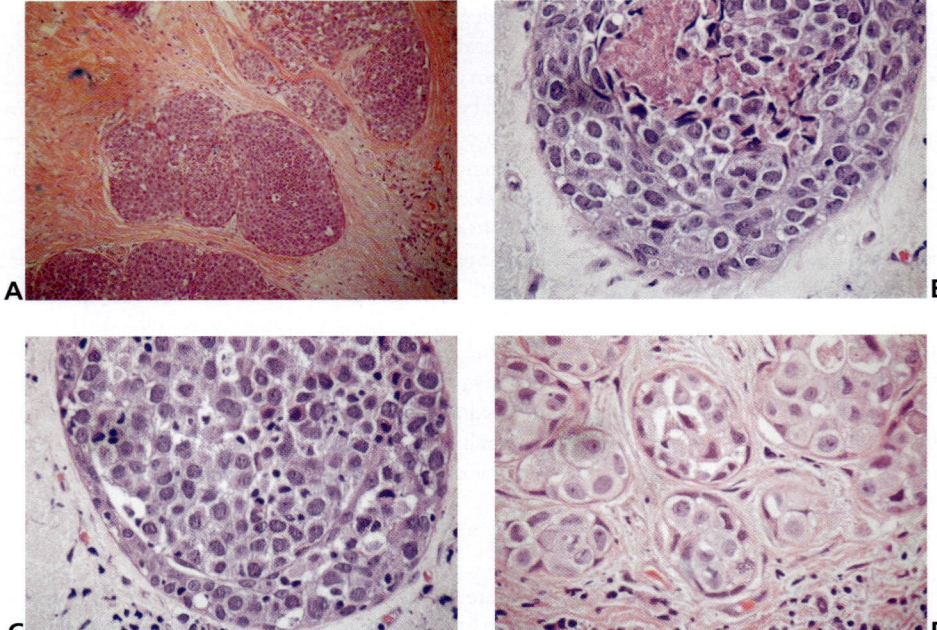

◄ **FIGURA 4.** Carcinoma lobular *in situ*. (**A**) NIL 3 com acentuada distensão de ácinos e foco de necrose. (**B-D**) Variante pleomórfica.

ductais infiltrantes, entretanto a incidência de carcinoma lobular infiltrante (CLI) é proporcionalmente maior em mulheres com CLIS (40 a 50%) que na população em geral ou em mulheres com CDIS (10 a 30%). Sendo assim o CLIS tem sido considerado um fator de risco para carcinoma invasivo. Entretanto novas informações vêm desafiando este conceito, pois recentes estudos evidenciam que a NL (HLA e CLIS) confere um risco maior no desenvolvimento de carcinoma invasivo na mama ipsilateral comparado à mama contralateral. Outros estudos ainda identificam mutações em amostras de CLI que estavam presentes também na NL adjacente, favorecendo seu papel como lesão precursora.[10] Além disso, avanços no campo da biologia molecular, como estudos de hibridização genômica comparativa, revelam perda de 16p, 16q, 17p e 22q e ganhos de 1q e 6q, tanto na HLA e CLIS, mostrando que são provavelmente espectros morfológicos da mesma doença.[52] Estudos de perda de heterozigose evidenciam resultados parecidos, identificando recidiva de perda de 16q22.1 no CLIS, HLA e no CLI, para o qual o gene-alvo é o CDH1. Este gene codifica a E-caderina, responsável pela adesão celular. A falta de adesão é uma das características-chave para o reconhecimento histopatológico da NL. Outro fato interessante é que mulheres com história familiar de mutação no gene da E-caderina (CDH1), associada ao câncer gástrico difuso hereditário, têm maior risco de neoplasia lobular.[53] A perda da E-caderina é rara nos carcinomas ductais. Estes achados fornecem fortes evidências de que o CLIS é de fato um precursor e não meramente um fator de risco para o CLI. Novos estudos mostram que a NL compartilha ganhos em 8q e 1q e perdas em 16q, 17p e 12q, similares às vistas em alterações de células colunares, HDA e CDIS de baixo grau, gerando assim um novo paradigma no qual se acredita que estas lesões intraepiteliais pertencem a uma família de neoplasias mamárias de baixo grau que são precursores não obrigatórios dos carcinomas lobular e tubular invasivos.[54] Estudos de heterozigose evidenciam que o CLIS pleomórfico também apresenta perda de heterozigose em 16q22.1 (onde reside o gene CDH1), sustentando a ideia de que é uma lesão biologicamente relacionada com a NL clássica.

Tratamento

A abordagem da terapêutica da NL é assunto ainda controverso, principalmente pela incerteza do significado biológico do CLIS. Como certeza, temos que nas abordagens diagnósticas por agulha grossa (*core* biópsia aspirativa a vácuo), devemos proceder à investigação com biópsia cirúrgica, dada elevada taxa de subestimação, em torno de 30%.[55] Se o diagnóstico for proveniente de ressecção segmentar da mama, e houver clara concordância entre imagem e achado anatomopatológico, não há necessidade de nova abordagem cirúrgica, com objetivo de margens livres. Possivelmente a variante pleomórfica da NL, assim como formas com comedonecrose ou anel de sinete, merece abordagem terapêutica similar ao CDIS.[56]

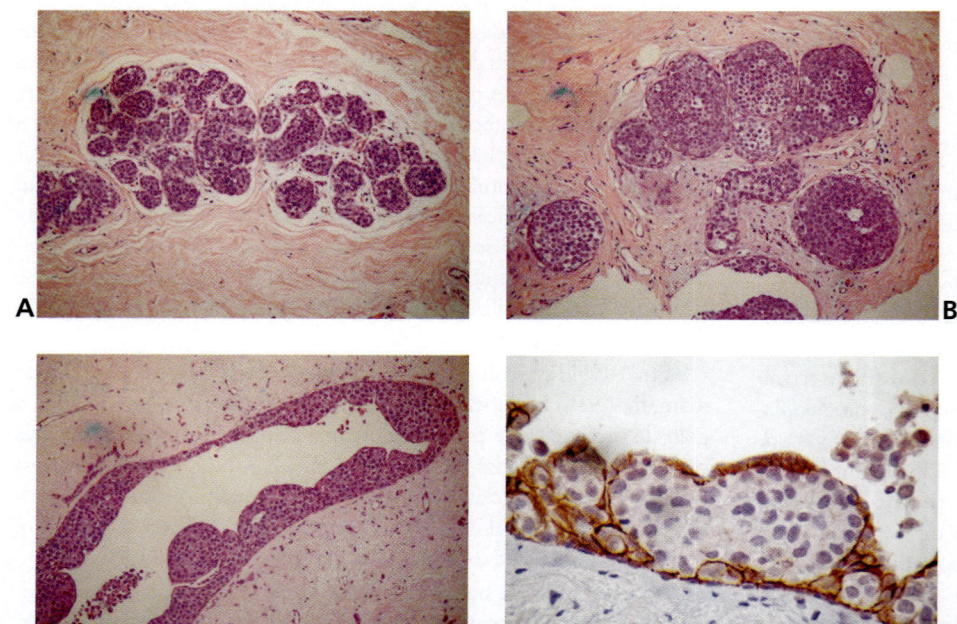

◄ **FIGURA 5.** Neoplasia lobular. (**A**) Ocupação de lóbulos mamários pela neoplasia com distensão acinar – LIN 2. (**B-D**) Disseminação pagetoide através de ducto mamário: células neoplásicas são tipicamente E-caderina negativas e o epitélio de revestimento ductal positivo.

Conduta

1. **CLIS clássico:** se diagnosticado em uma biópsia excisional de mama, nova abordagem cirúrgica não se faz necessária. No entanto, diagnósticos realizados por agulha grossa (*core* biópsia ou biópsia aspirativa a vácuo), devem ter abordagem cirúrgica (ressecção segmentar). Excisão com margens negativas não são necessárias para o CLIS puro. Neste caso podemos adotar as seguintes condutas:
   A) *Acompanhamento destas pacientes por tempo indeterminado:* diretrizes do NCCN sugerem exames clínicos a cada 6 a 12 meses e mamografia anual.[17] O uso rotineiro de Ressonância Magnética (RM) não é orientação da maioria dos *guidelines* internacionais, inclusive ACS (*American Cancer Society*) que afirma não haver dados suficientes para indicar rastreamento com RM em mulheres com risco intermediário, inclusive as com CLIS. A RM possui alta sensibilidade, porém a especificidade é limitada especialmente em mulheres jovens. Entretanto mulheres com mamas densas ou com forte história familiar de câncer de mama poderiam beneficiar-se de tal exame, principalmente se a instituição oferecer biópsias guiadas por RM.[57]
   B) *Quimioprofilaxia:* os dois maiores ensaios controlados por placebo do uso do tamoxifeno para a prevenção primária do câncer de mama[45,58] sugerem uma diminuição estatisticamente significativa no risco de câncer de mama invasor, bem como não invasivo (CDIS e CLIS), nas mulheres que tomam tamoxifeno por 5 anos. Entretanto nenhum estudo demonstrou que a redução na incidência de câncer de mama atribuída ao tamoxifeno é acompanhada por redução da mortalidade global. Devem ainda ser lembrados e discutidos com a paciente os possíveis efeitos colaterais relacionados com o uso do tamoxifeno, como câncer de endométrio, ondas de calor e fenômenos tromboembólicos.
   C) *Mastectomia bilateral profilática:* é uma abordagem alternativa, restrita às mulheres que não estão dispostas a sofrer vigilância cuidadosa ou terapia com tamoxifeno. A decisão de proceder à cirurgia profilática deve ser altamente individualizada, discutido com a paciente, no que concerne às complicações cirúrgicas. Cirurgias endereçadas a apenas uma mama não são recomendadas decorrente do risco de bilateralidade da lesão. Vale ressaltar que embora as mulheres com CLIS tenham um risco significativamente maior de desenvolver câncer de mama invasivo em relação à população em geral, a maioria não irá desenvolver câncer invasivo ao longo de suas vidas, por isso esta opção terapêutica é considerada muito agressiva pela maioria dos especialistas.[59]
2. **CLIS pleomórfico (CLISP):** ao contrário do tratamento para CLIS clássico, que é geralmente de prevenção, o tratamento de CLISP está mais intimamente relacionado com o de CDIS, que representa uma lesão precursora verdadeira do câncer de mama invasivo. Logo assim opta-se por uma conduta mais agressiva no manejo desta variante, em detrimento da conduta expectante, com excisão completa da lesão e margens livres ou mastectomia. Importante ainda avaliar a possibilidade de RT pós-cirurgia conservadora. O benefício do tamoxifeno não está claro no CLISP.[60]

REFERÊNCIAS BILIOGRÁFICAS

1. Goodwin A, Parker S, Ghersi D et al. Post-operative radiotherapy for ductal carcinoma *in situ* of the breast. *Cochrane Database Syst Rev* 2009 Oct. 7;(4):CD000563. Review.
2. Barow AS, Pathak DR, Black WC et al. Prevalance of benign, atypical, and malignant breast lesions in populations at different risk for breast cancer: a forensic autopsy study. *Cancer* 1987;60:2751-60.
3. Nielsen WM, Jensen J, Andersen J. Precancerous and cancerous breast lesions during lifetime and at autopsy: a study of 83 women. *Cancer* 1984;54:612-15.
4. Bhathal PS, Brown RW, Lesueur GC et al. Frequency of benign and malignant breast lesions in 207 consecutive autopsies in Australian women. *Br J Cancer* 1985;51:271-78.
5. Nielsen M, Thomsen JL, Primdahl S et al. Breast cancer and atypia among young and middle-aged women: a study of 110 medicolegal autopsies. *Br J Cancer* 1987;56:814-19.
6. Camus MG, Joshi MG, Mackarem G et al. Ductal carcinoma *in situ* of the male breast. *Cancer* 1994;74:1289-93.
7. Virnig BA, Tuttle TM, Shamiliyan T et al. Ductal carcinoma *in situ* of the breast: a systematic review of incidence, treatment, and outcomes. *J Natl Cancer Inst* 2010;102:170-78.
8. Gapstur SM, Morrow M, Sellers TA. Hormone replacement therapy and risk of breast cancer with a favorable histology: results of the Iowa Women's Health Study. *JAMA* 1999;281(22):2091-97.
9. Chlebowski RT, Hendri SL, Langer RD et al. Influence of estrogen plus progestin on breast cancer and mammography in healthy postmenopausal womem: Women's Health Initiative Randomized Trial. *JAMA* 2003;289(24):3243-53.
10. Tavassoli FA, Devile P. (Eds.). *World health organization classification of tumours. Pathology and genetics of tumours of the breast and female genital organs*. Lyon: IARC Press, 2003.
11. Faverly DR, Burgers L, Bult P et al. Three dimensional imaging of mammary ductal carcinoma *in situ*: clinical implications. *Semin Diagn Pathol* 1994;11:193.
12. Silverstein MJ, Poller DN, Waisman JR et al. Prognostic classification of breast ductal carcinoma-in-situ. *Lancet* 1995;345:1154-57.
13. Tavassoli FA. Ductal carcinoma *in situ*: introduction of the concept of ductal intraepithelial neoplasia. *Mod Pathol* 1998;11:140-54.
14. Abdel F et al. High frequency of coexistence of columnar cell lesions, lobular neoplasia, and low grade ductal carcinoma *in situ* with invasive tubular carcinoma and invasive lobular carcinoma. *Am J Surg Pathol* 2007;31:417-26.
15. Lester S, Bose S, Chen YY et al. Protocol for the examination of specimens from patients with ductal carcinoma In situ (DCIS) of the breast. Northfield, IL: American College of Pathologists, 2009. Disponível em: <http://www.cap.org/apps/docs/committees/cancer/cancer_protocols/2009/BreastDCIS_09protocol.pdf>. Acesso em: July 2011.
16. Hammond ME, Hayes DF, Dowsett M et al. American Society of Clinical Oncology/College Of American Pathologists guideline recommendations for immunohistochemical testing of estrogen and progesterone receptors in breast cancer. *J Clin Oncol* 2010;28:2784.
17. NCCN Clinical Practice Guidelines. Breast Cancer. Version 2. 2011. Disponível em: <www.nccn.org>.
18. Harris L, Fritsche H, Mennel R et al. American Society of Clinical Oncology 2007 update of recommendations for the use of tumor markers in breast cancer. *J Clin Oncol* 2007;25:5287-12.
19. Wolff AC, Hammond ME, Schwartz JN et al. American Society of Clinical Oncology/College of American Pathologists guideline recommendations for human epidermal growth factor receptor 2 testing in breast cancer. *Arch Pathol Lab Med* 2007;131:18.
20. Silverstein MJ, Lagios MD, Groshen S et al. The influence of margin width on local control of ductal carcinoma *in situ* of the breast. *N Engl J Med* 1999;340:1455-61.
21. Fisher ER, Dignam J, Tan-Chiu E et al. Pathologic findings from the National Surgical Adjuvant Breast Project (NSABP) eight-year update of protocol B-17. *Cancer* 1999;86:429-38.
22. Bijker N, Peterse JL, Duchateau L et al. Risk factors for recurrence and metastasis after breast-conserving therapy for ductal carcinoma-in-situ: analysis of European Organization for Research and Treatment of Cancer Trial 10853. *J Clin Oncol* 2001;19:2263-71.
23. Silverstein MJ, Lagios MD, Craig PH et al. A prognostic index for ductal carcinoma *in situ* of the breast. *Cancer* 1996;77:22267-74.
24. Silverstein MJ. The University of Southern California/Van Nuys Prognostic Index. In: Silverstein MJ. (Ed.). *Ductal carcinoma in situ of the breast*. 2nd ed. Philadelphia (PA): Lippincott, Williams & Wilkins, 2002. p. 459-73.
25. Silverstein M, Lagios M. Choosing treatment for patients with ductal carcinoma *in situ*: fine tuning the University of Southern California/Van Nuys Prognostic Index. *J Natl Cancer Inst Monogr* 2010;41:193-96.
26. Kuhl CK, Schrading S, Bieling HB et al. MRI for diagnosis of pure ductal carcinoma *in situ*: a prospective observational study. *Lancet* 2007;370:485.
27. Lehman CD, Gatsonis C, Kuhl CK et al. MRI evaluation of the contralateral breast in womem with recently diagnosed breast cancer. *N Engl J Med* 2007;356(13):1295-303.
28. White RR, Halperin TJ, Olson Jr JA et al. Impact of core-needle breast biopsy on the surgical management of mammographic abnormalities. *Ann Surg* 2001;233:769.
29. Liberman L, Dershaw DD, Rosen PP et al. Stereotaxic 14-gauge breast biopsy: how many core biopsy specimens are needed? *Radiology* 1994;192:793.
30. Rosner D, Bedwani RN, Vana J et al. Noninvasive breast carcinoma: results of a national survey by the American College of Surgeons. *Ann Surg* 1980;192:139.

31. Leonard GD, Swain SM. Ductal carcinoma *in situ*, complexities challenges. *J Natl Canc Inst* 2004 June 16;96(12):906-20.
32. Rakovitch E, Pignol JP, Hanna W *et al.* Significance of multifocality in ductal carcinoma *in situ*: outcomes of women treated with breast-conserving therapy. *J Clin Oncol* 2007;25:5591.
33. Aref A, Youssef E, Washington T *et al.* The value of postlumpectomy mammogram in the management of breast cancer patients presenting with suspiciouis microcalcifications. *Cancer J Sci Am* 2000;6:25.
34. Boland GP, Chan KC, Knox WF *et al.* Value of the van nuys prognostic index in prediction of recurrence of ductal carcinoma *in situ* after breast-conserving surgery. *Br J Surg* 2003;90:426.
35. Dunne C, Burke JP, Morrow M *et al.* Effect of Margin Status on Local Recurrence After Breast Conservation and Radiation Therapy for Ductal Carcinoma in situ. *J Clin Oncol* 2010;27:1615-20.
36. Ansari1 B, Ogston SA, Purdie CA *et al.* Meta-analysis of sentinel node biopsy in ductal carcinoma *in situ* of the breast. *Br J Surg* 2008;95:547-54.
37. Lyman GH, Giuliano AE, Somerfield MR *et al.* American Society of Clinical Oncology guideline recommendations for sentinel lymph node biopsy in early-stage breast cancer. *J Clin Oncol* 2005;23:7703.
38. Cuzick J, Sestak I, Pinder SE *et al.* Effect of tamoxifen and radiotherapy in women with locally excised ductal carcinoma *in situ*: long-term results from the UK/ANZ DCIS trial. *Lancet Oncol* 2011 Jan.;12(1):21-29. Epub 2010 Dec. 7.
39. Holmberg L, Garmo H, Granstrand B *et al.*Absolute risk reductions for local recurrence after post operative radiotherapy after sector resection for ductal carcinoma *in situ*. *J Clin Oncol* 2008;26(8):1247-52.
40. Hugues LL, Wang M *et al.* Local excision alone without irradiation for ductal carcinoma *in situ* of the breast: a trial of the Eastern Cooperative Oncology Group. *J Clin Oncol* 2009;27(32):5319-24.
41. Wong JS, Kaelin CM, Troyan SL *et al.* Prospective study of wide excision alone for ductal carcinoma *in situ* of the breast. *J Clin Oncol* 2006;24:1031.
42. Fisher B, Dignam J, Wolmark N *et al.* Tamoxifen in treatment of intraductal breast cancer: National Surgical Adjuvant Breast and Bowel Project B-24 randomized controlled trial. *Lancet* 1999;353:1993-2000.
43. Foote FWJ, Stewart FW. Lobular carcinoma *in situ*. A rare form of mammary cancer. *Am J Pathol* 1941;17:491-96.
44. Haagensen CD, Lane N, Lattes R *et al.* Lobular neoplasia (so called lobular carcinoma *in situ*) of the breast. *Cancer* 1978;42:737-69.
45. Fisher B, Costantino JP, Wickerham DL *et al.* Tamoxifen for prevention of breast cancer: report of the National Surgical Adjuvant Breast and Bowel Project P-1 Study. *J Natl Cancer Inst* 1998;90:1371.
46. Farrow JH. Current concepts in the detection and treatment of the earliest of the early breast cancers. *Cancer* 1970;25:468.
47. Page DL, Kidd Jr TE, Dupont WD *et al.* Lobular neoplasia of the breast: higher risk for subsequent invasive cancer predicted by more extensive disease. *Hum Pathol* 1991;22:1232.
48. Reis-Filho JS, Sarah EP. Non-operative breast pathology: lobular neoplasia. *J Clin Pathol* 2007;60:1321-27.
49. Eusebi V, Magalhães F, Azzopardi JG. Pleomorphic lobular carcinoma of the breast: na aggressive tumor showing apocrine differentiation. *Hum Pathol* 1992;23:655-63.
50. Frost AR, Tsangaris TN, Silverberg SG. Pleomorphic lobular carcinoma *in situ*. *Pathol Case Rev* 1996;1:27.
51. Chen YY *et al.* Genetic and Phenotypic Characteristics of Pleomorphic Lobular Carcinoma *In situ* of the Breast. *Am J Surg Pathol* 2009 Nov.;33(11):1683-94.
52. Ho BCS, Tan PH. Lobular neoplasia of the breast: 68 years on. *Pathology* 2009 Jan.;41(1):28-35.
53. Jakubowska A *et al.* CDH1 gene mutations do not contribute in hereditary diffuse gastric cancer in Poland. *Fam Cancer* 2010 Dec.;9(4):605-8.
54. Abdel F *et al.* High frequency of coexistence of columnar cell lesions, lobular neoplasia, and low grade ductal carcinoma *in situ* with invasive tubular carcinoma and invasive lobular carcinoma. *Am J Surg Pathol* 2007;31:417-26.
55. Mahoney MC, Robinson-Smith TM, Shaughnessy EA. Lobular neoplasia at 11-gauge vacuum-assisted stereotactic biopsy: correlation with surgical excisional biopsy and mammographic follow-up. *AJR Am J Roentgenol* 2006;187:949.
56. Elsheikh TM, Silverman JF. Follow-up surgical excision is indicated when breast core needle biopsies show atypical lobular hyperplasia or lobular carcinoma *in situ*: a correlative study of 33 patients with review of the literature. *Am J Surg Pathol* 2005;29:534.
57. Saslow D, Boetes C, Burke W *et al.* American Cancer Society guidelines for breast screening with MRI as an adjunct to mammography. *CA Cancer J Clin* 2007;57:75.
58. Cuzick J, Forbes JF, Sestak I *et al.* Long-term results of tamoxifen prophylaxis for breast cancer—96-month follow-up of the randomized IBIS-I trial. *J Natl Cancer Inst* 2007;99:272.
59. Bradley SJ, Weaver DW, Bouwman DL. Alternatives in the surgical management of *in situ* breast cancer. A meta-analysis of outcome. *Am Surg* 1990;56:428.
60. Brogi E, Murray MP, Corben AD. Lobular carcinoma, not only a classic. *Breast J* 2010;16(Suppl 1):S10-S14.

CAPÍTULO 116

Carcinoma Microinvasor de Mama

Sandra Marques Silva Gioia ▪ Fernanda Maria Braga Marinho
Humberto Carvalho Carneiro ▪ Tatiana Fonseca Alvarenga

INTRODUÇÃO

Carcinoma Microinvasor da Mama (CMM) é definido pela extensão de células neoplásicas epiteliais para além da membrana basal do ducto, cujo foco de invasão do estroma adjacente não ultrapasse 1 mm em sua maior dimensão, segundo os critérios adotados pela AJCC (*American Joint Committee on Cancer*). Essas lesões são estadiadas com T1 mic, um subtipo T1 do câncer de mama.[1] Quando múltiplos focos de microinvasão forem detectados, a medida do maior foco deve ser considerada para fim de classificação, não se devendo somar a medida do todos os focos individuais em conjunto.[2,3]

Não existem achados macroscópicos específicos ou de suspeita diagnóstica para o carcinoma microinvasor.[3] Esse diagnóstico só pode ser realizado pelo estudo dos cortes histológicos das peças cirúrgicas ou, menos frequentemente, das biópsias. Microscopicamente, os focos de invasão compreendem pequenos grupamentos irregulares, ou células isoladas que relembram a histologia clássica do carcinoma ductal invasor, frequentemente com a mesma aparência citológica da lesão intraductal adjacente (Fig. 1). É importante ressaltar que quase todos os carcinomas microinvasores são associados ao carcinoma intraductal.[1] Geralmente, o carcinoma microinvasor é encontrado em meio a extensas áreas de carcinoma intraductal de alto grau e com comedonecrose, sendo esses fatores preditivos para suspeita diagnóstica, embora possa ocorrer em associação a qualquer grau histológico de carcinoma intraductal.[2-4] Algumas vezes, podem-se observar as células neoplásicas invasoras, rompendo a membrana basal do seu ducto de origem.[1]

Apesar de os critérios diagnósticos morfológicos, o reconhecimento do carcinoma microinvasor pode ser um desafio. O contorno irregular dos ductos acometidos por carcinoma intraductal, frequentemente, ocorre por cortes tangenciais ou por ramificações dos próprios ductos.[2] Este é, provavelmente, o mimetizador mais comum das lesões microinvasoras, uma vez que no carcinoma intraductal, caracteristicamente, as margens da lesão mantêm-se arredondadas e circundadas por células mioepiteliais e camadas concêntricas periféricas de células estromais.[2]

O estudo imuno-histoquímico é de grande valia na distinção entre o carcinoma microinvasor e seus mimetizadores que incluem a cancerização lobular e o acometimento de lesões esclerosantes por carcinoma intraductal (Quadro 1).[2]

O uso de anticorpos, como a calponina, o P63 e a actina de músculo liso (SMA), ajuda no reconhecimento de células mioepiteliais da camada basal da unidade terminal ductolobular que estão ausentes em lesões invasoras (Fig. 2). Entretanto, a marcação negativa para células mioepiteliais nem sempre significa invasão, uma vez que elas podem estar ausentes em alguns exemplos de carcinomas intraductais.[2] Assim, os achados devem ser sempre interpretados com a devida correlação morfológica. Além disso, outros marcadores para membrana basal, como a laminina, podem ser úteis, sugerindo lesão intraductal, quando positivos.[2,3]

É importante relembrar que quando for solicitado estudo imuno-histoquímico, uma nova secção do bloco de parafina corado em Hematoxilina e Eosina (HE) deve ser feita depois das secções destinadas ao uso dos anticorpos, pois assim é possível comparar exatamente a morfologia da área a ser estudada com aquelas representadas nas secções com anticorpo. Essa avaliação muitas vezes é prejudicada ou impossível de ser feita em lesões muito pequenas, que podem ser desgastadas em secções subsequentes, dificultando a conclusão diagnóstica. Esse mesmo problema também é observado na realização de receptores hormonais e de HER2. Porém, nesses casos, quando não há mais componente microinvasor nas secções da imuno-histoquímica, a avaliação deve ser feita no componente intraductal.[3] Há pouca informação sobre marcadores biológicos (*status* de receptores hormonais e de HER2). Uma revisão de 16 pacientes com carcinoma de mama microinvasivo descobriu que 75% eram receptor de estrógeno (RE) positivo, e 38% eram do receptor de progesterona (RP) positivo.[2] Outra pequena série relatou RE e RP positivos em 63%, e HER2 superexpresso em 56%.[4]

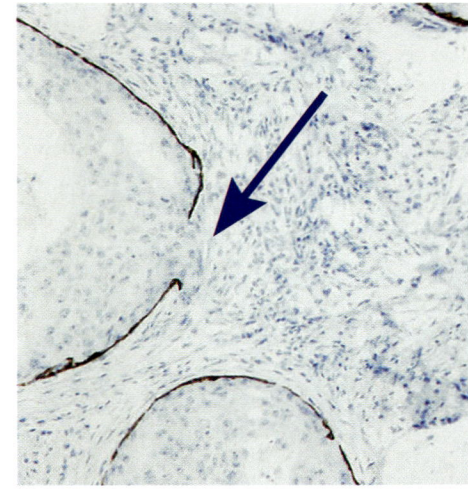

◀ **FIGURA 2.** Reconhecimento da camada basal ductal usando o estudo imuno-histoquímico (CK5/6). A seta mostra a ruptura da camada basal pelas células neoplásicas em um carcinoma intraductal, configurando um foco de microinvasão estromal.

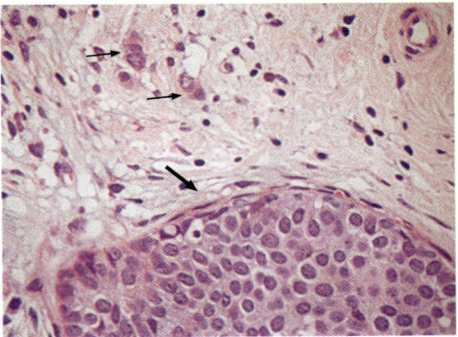

◀ **FIGURA 1.** Corte histológico em HE (400×). Presença de grupamentos celulares constituídos por duas a três células (seta fina) que possuem as mesmas características citológicas do carcinoma intraductal que acomete o ducto adjacente (seta grossa). Observar o revestimento mioepitelial do ducto e o núcleo de alto grau com nucléolo evidente nas células neoplásicas.

Quadro 1. Diagnósticos diferenciais do carcinoma microinvasor de mama

- Cancerização lobular
- Ramificações de ductos envolvidos por carcinoma intraductal
- Distorção de ductos e ácinos por fibrose
- Comprometimento de lesões esclerosantes (p. ex.: adenose, cicatriz radial e lesões esclerosantes complexas) por carcinoma ductal *in situ*
- Artefatos técnicos e de cautério
- Localização atípica de células epiteliais no estroma após realização de procedimentos diagnósticos por agulha fina ou *core* biópsia (artefato de arrastamento)

Por outro lado, em alguns casos, as células invasoras são muito discretas e podem causar dificuldade no seu reconhecimento. Essas situações geralmente ocorrem quando os focos de células microinvasoras, principalmente quando forem constituídos por células isoladas, são mascarados por um infiltrado inflamatório de linfócitos e plasmócitos periductais, no qual se evidencia carcinoma intraductal em uma observação em campo de pequeno aumento. Quando esse infiltrado inflamatório for denso *per si* é considerado um marcador de microinvasão[5]. Caso a suspeita diagnóstica não seja confirmada no campo de grande aumento, devem-se utilizar marcadores imuno-histoquímicos para células epiteliais como AE1/AE3 com objetivo de diferenciar as células neoplásicas das células inflamatórias (Fig. 3).[5] Outro fator que pode causar dificuldade é a similaridade morfológica, em alguns casos, das células neoplásicas com histiócitos.[2,3,5]

O diagnóstico de carcinoma microinvasor em biópsias com quantidade limitada de tecido deve ser feito com cautela e apenas quando há evidências inequívocas de invasão.[3] Existem ainda alguns fatores preditivos de identificação de lesão invasora na peça cirúrgica associada ao carcinoma intraductal observada em biópsias, entre os quais se destacam:

- Arquitetura papilar ou cribriforme.
- Presença de necrose.
- Envolvimento lobular maior que 4 mm.
- Alto grau nuclear.
- Microcalcificações numerosas.
- Presença de massa no estudo radiológico.
- Lesões palpáveis.

O carcinoma lobular microinvasor é uma lesão bastante rara, contando com apenas 16 casos entre 75.250 espécimes analisados ao longo de 18 anos no estudo de Ross e Hoda.[6] Apesar de ainda não estar bem caracterizado, o carcinoma lobular microinvasor, de maneira análoga ao ductal, parece estar mais associado a lesões de alto grau (variante pleomórfica), com baixa morbidade e sem potencial metastático a longo prazo.[6]

O diagnóstico do carcinoma microinvasor é realizado pela análise histopatológica do tecido mamário que pode ser obtido por *core* biópsia, punção aspirativa a vácuo ou cirurgia. Geralmente são achados incidentais em análises histopatológicas de carcinomas ductais *in situ*. Há significativa subestimação de invasão nas lesões de CDIS diagnosticadas à *core* biópsia. Para lesões mamárias impalpáveis é possível utilizar *core* biópsia guiada por métodos de imagem (estereotaxia ou ultrassonografia) ou biópsia percutânea a vácuo. A punção aspirativa por agulha fina não permite diferenciar carcinoma *in situ* de invasor.[7]

A sensibilidade e a especificidade de biópsia percutânea convencional podem chegar a 97 e 100% respectivamente. No entanto, devemos considerar a taxa de subestimação de invasão nos casos de *core* biópsias estereotáxicas que podem variar de 14 a 50%. No caso de biópsia assistida a vácuo, estas taxas variam de 4 a 18%. Em uma série de casos com 4.297 *core* biópsias foram identificados 18 casos de carcinoma microinvasor; representando um achado incidental em *core* biópsias, comumente associado à hiperplasia ductal atípica e CDIS e pouco associado a carcinomas invasores extensos à excisão da lesão. O CMM pode ser o único foco de invasão em alguns pacientes.[7]

Com a raridade aparente do CMM microinvasor e a variedade de definições estabelecidas para esta patologia, há poucas e discordantes informações na literatura sobre o comportamento biológico desta neoplasia. A extensão da invasão nesses casos varia de um a vários milímetros na literatura, fazendo com que seja difícil a comparação de dados clínicos e a recomendação terapêutica. Dessa forma, o manejo cirúrgico, particularmente o manejo da axila, tem sido controverso.[5]

Dados sobre a epidemiologia e significado clínico do CMM têm sido limitados pela sua incidência incomum e pela falta histórica de uma definição padronizada. A incidência do CMM parece ter aumentado em paralelo com o aumento da incidência de carcinoma ductal *in situ* (CDIS), que tem sido atribuída principalmente para a introdução de programas de rastreio do câncer da mama, bem como de amostragem mais completa de espécimes de tecidos da mama. No entanto, CMM permanece uma doença rara, responsável por menos de 1% de todos os cânceres de mama.[8,9] Como o câncer de mama invasivo, carcinoma de mama é predominantemente microinvasivo ductal.

Os fatores de risco para CMM parecem ser semelhantes aos associados a CDIS, como nuliparidade e história familiar de câncer de mama.[8,9] Ocorre sobre uma ampla faixa etária (30 a 85 anos), com a idade média de 50 a 60 anos.[9,10] Série de casos também tem sugerido que pacientes diagnosticadas com CMM têm uma alta incidência de outras lesões de alto risco, incluindo carcinoma de mama simultâneo e outras doenças malignas, presente no momento do diagnóstico.[8,9]

Em contraste com CDIS, que é mais frequentemente diagnosticado em razão dos achados mamográficos anormais, CMM mais comumente se apresenta como uma massa palpável.[8-12] A massa geralmente representa uma área de CDIS com desmoplasia estromal; a microinvasão em si não é palpável. Descarga papilar também pode ocorrer.

Alguns estudos sugerem que a aparência de imagem mais frequente de carcinoma de mama microinvasivo é uma massa, com ou sem calcificações, enquanto outros descobriram que semelhante ao CDIS, a aparência de imagem mais frequente é a calcificação.[8]

A mastectomia simples alcança uma excelente taxa de "cura" para o CMM, mas provavelmente fornece tratamento excessivamente agressivo para muitas mulheres. Cirurgia conservadora da mama (CCM) tem menor morbidade, mas tem um maior risco de recidiva local. Radioterapia (RT) após CCM reduz o risco de recidiva local.

O tratamento ideal cirúrgico para CMM é indefinido, por falta de ensaios clínicos. Como acontece com câncer invasivo e carcinoma *in situ* puros, CCM seguida de RT para toda a mama é a abordagem mais comum. Ensaios clínicos estabeleceram que a CCM deve ser seguida de RT como uma alternativa para a mastectomia para o tratamento de ambas as situações, CDIS e câncer de mama precoce, com taxas de

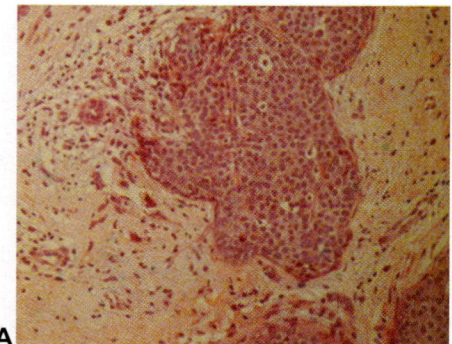
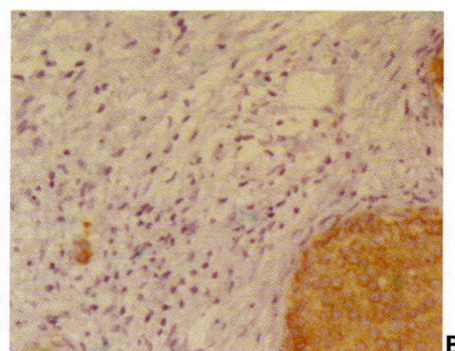

▲ **FIGURA 3.** Estudo imunoistoquímico. (**A**) Corte histológico HE (100×). Foco de células ductais neoplásicas microinvasoras, isoladas, obscurecidas por acentuado denso infiltrado inflamatório de linfócitos e plasmócitos periductal. O ducto está comprometido por carcinoma intraductal de alto grau nuclear. (**B**) Corte histológico HE (400×). O uso do marcador AE1/AE3 (panceratina) para realçar as epiteliais neoplásicas microinvasoras (seta) e ajudar na diferenciação das células inflamatórias periductais, cujo citoplasma não apresenta imunomarcação. Presença de um ducto com carcinoma intraductal no canto inferior direito.

sobrevida equivalentes.[13] O risco de recidiva após CCM para a doença microinvasora aumenta com margens cirúrgicas positivas,[14] CDIS extenso[9,10] e características histopatológicas desfavoráveis, ou seja, subtipo comedo e alto grau nuclear.[12] Nestes casos, a mastectomia seria o tratamento cirúrgico mais aconselhável.

Por definição, CDIS puro não metastatiza para linfonodos regionais, mas a presença de microinvasão possibilita este acontecimento. O carcinoma microinvasor deve ser considerado como carcinoma mamário verdadeiramente invasor, com potencial de enviar metástases a linfonodos regionais.[15-17] A introdução da biópsia de linfonodo sentinela permitiu um novo pensamento acerca da investigação do *status* axilar nos casos de microinvasão, pois este procedimento tem menor morbidade e permite um estadiamento mais preciso, usando cortes seriados e estudo imuno-histoquímico do linfonodo sentinela. Em uma série de 21 casos de Prasad *et al.*,[18] o tipo de CDIS associado à microinvasão foi de alto grau nuclear com necrose em 89% dos casos. Apenas 15 pacientes foram submetidos à biópsia de linfonodo sentinela, com média de 13 linfonodos dissecados. Apenas duas pacientes com um linfonodo positivo, sendo uma delas a única a receber quimioterapia adjuvante. Uma paciente submetida a tratamento conservador (ressecção mamária segmentar e radioterapia adjuvante) apresentou recidiva de CDIS em 18 meses. Uma paciente evoluiu com recidiva em parede torácica após 19 meses da mastectomia. No entanto, em séries de casos publicadas, a prevalência de metástases nodais em pacientes com este diagnóstico varia enormemente, de 0 a 14%. Esta variação provavelmente depende do fato de que diferentes critérios têm sido usados para definir a microinvasão.[5] Embora a maioria das pacientes com carcinoma de mama microinvasivo apresente linfonodos axilares negativos, a biópsia de linfonodo sentinela deve ser realizada, porque a avaliação do estado axilar pode afetar as decisões de terapia adjuvante.[19-21]

O tratamento sistêmico do CMM é com base nos parâmetros utilizados para o tratamento da doença invasora que avalia estadiamento, dosagem de receptores hormonais e HER2. A recomendação é considerar terapia endócrina adjuvante com tamoxifeno ou um inibidor de aromatase, conforme avaliação individual, para pacientes com receptor hormonal positivo em CMM e axila negativa ou positiva que são tratados com CCM. No entanto, a tomada de decisões sobre o tratamento com terapia endócrina adjuvante deve ser individualizada, avaliando os benefícios esperados com os riscos e efeitos colaterais. A quimioterapia adjuvante é recomendada para pacientes com receptor hormonal negativo, somente se os linfonodos axilares forem positivos, inclusive metástases microscópicas (≤ 2 mm, pN1 mi). A adição de trastuzumabe é recomendada para pacientes com superexpressão de HER2 e com axila positiva, incluindo a doença pN1 mic. Em tais casos, é importante a confirmação de superexpressão de HER2 no componente invasivo do tumor e não apenas no componente *in situ* onde o trastuzumabe adjuvante não seria recomendável.

O prognóstico do CMM é controverso, graças à baixa incidência e à variedade de definições utilizadas para sua classificação. Apesar das várias classificações utilizadas, a maioria das séries de casos confere prognóstico excelente, com poucas recidivas locais ou a distância, reportando sobrevida local em torno de 100%.[4,23-26] Foram revisados por Silverstein *et al.*[10] 54 casos de CMM ou CDIS com invasão de estroma inicial. Todos os pacientes foram tratados com mastectomia radical ou radical modificada para que os linfonodos axilares pudessem ser avaliados e garantir que não houvesse nenhum foco de invasão. Foi verificado que comedocarcinoma foi o subtipo mais comumente associado, em 81,6% dos casos e nenhum caso com metástase axilar. No acompanhamento por 90 meses em média, não houve recidiva ou morte por câncer. Silverstein publicou observação de 9% de recidiva com 100% de sobrevida em acompanhamento médio de 85 meses em sua série de casos. A maior associação ao CDIS do tipo comedo aumenta o risco de progressão da doença. A interpretação dos dados da literatura relativos ao *status* dos linfonodos axilares e desfecho clínico torna-se provavelmente inconclusiva, se não observarmos meticulosamente os critérios diagnósticos e a metodologia empregada na avaliação da microinvasão.[5,19-21]

No Instituto Nacional de Câncer/Brasil, no período de 2000 a 2010, houve 116 casos de CMM com idade média de 56 anos. O principal achado mamográfico foi microcalcificação (68%) seguida de assimetria (9%) e formação nodular (3,5%). Foram encontradas 64% de lesões de alto grau. Tratamento cirúrgico conservador foi realizado em 25% dos casos, biópsia do linfonodo sentinela (68%) e esvaziamento axilar (37%). Em média sete linfonodos foram isolados (1-29). Axila positiva foi encontrada em 9,4% dos casos (com um ou dois linfonodos positivos). Receberam tratamento adjuvante: hormonoterapia (19%), quimioterapia (9,5%) e radioterapia (29%). No acompanhamento médio de 47 meses foi observado um caso de recidiva local e um caso de recidiva óssea com evolução para óbito. A taxa de sobrevida livre de doença foi de 98,2%, e sobrevida global de 99,1%.[27] Estes resultados são coerentes com a maioria das séries de casos que confere ao CMM prognóstico excelente, com poucas recidivas locais ou a distância.

REFERÊNCIAS BIBLIOGRÁFICAS

1. Yang M, Moriya T, Oguma M *et al.* Microinvasive ductal carcinoma (T1 mic) of the breast. The clinicopathological profile and immunohistochemical features of 28 cases. *Pathol Int* 2003 July;53(7):422-28.
2. Rosen PP. *Rosen`s breast pathology*. 3rd ed. Filadelfia: Lippincott Williams & Wilkins, 2009. 1116p.
3. Schnitt, Stuart J. Collins, Laura C. *Biopsy interpretation of the breast*. Filadelfia: Lippincott Williams & Wilkins, 2009. 481p.
4. Tavassoli PP, Devillee P *et al.* WHO *Classification of tumors: tumors of the breast and Female Genital Organs*. Lyon: IARC, 2003. 432p.
5. Hoda RS, Chiu A, Hoda SA. Microinvasive carcinoma of breast: a commonly misdiagnosed entity. *Arch Pathol Lab Med* 2001 Sept.;125(9):1259-60.
6. Ross DS, Hoda SA. Microinvasive (T1 mic) lobular carcinoma of the breast: clinicopathologic profile of 16 cases. *Am J Surg Pathol* 2011;35:750-56.
7. Renshaw AA. Minimal (< or = 0.1 cm) invasive carcinoma in breast core needle biopsies. Incidence, sampling, associated findings, and follow-up. *Arch Pathol Lab Med* 2004 Sept.;128(9):996-99.
8. Vieira CC, Mercado CL, Cangiarella JF *et al.* Microinvasive ductal carcinoma in situ: clinical presentation, imaging features, pathologic findings, and outcome. *Eur J Radiol* 2010;73:102.
9. Padmore RF, Fowble B, Hoffman J *et al.* Microinvasive breast carcinoma: clinicopathologic analysis of a single institution experience. *Cancer* 2000;88:1403.
10. Silverstein MJ, Lagios MD. Ductal carcinoma in situ with microinvasion. In: Silverstein MJ. (Ed.). *Ductal carcinoma in situ of the breast*. Philadelphia: Lippincott Williams and Wilkins, 2002. p. 523.
11. de Mascarel I, MacGrogan G, Mathoulin-Pélissier S *et al.* Breast ductal carcinoma in situ with microinvasion: a definition supported by a long-term study of 1248 serially sectioned ductal carcinomas. *Cancer* 2002;94:2134.
12. Adamovich TL, Simmons RM. Ductal carcinoma in situ with microinvasion. *Am J Surg* 2003;186:112.
13. Parikh RR, Haffty BG, Lannin D *et al.* Ductal carcinoma in situ with microinvasion: prognostic implications, long-term outcomes, and role of axillary evaluation. *Int J Radiat Oncol Biol Phys* 2012;82:7.
14. Solin LJ, Fowble BL, Yeh IT *et al.* Microinvasive ductal carcinoma of the breast treated with breast-conserving surgery and definitive irradiation. *Int J Radiat Oncol Biol Phys* 1992;23:961.
15. Zavagno G, Belardinelli V, Marconato R *et al.* Sentinel lymph node metastasis from mammary ductal carcinoma in situ with microinvasion. *Breast* 2007 Apr.;16(2):146-51. Epub 2006 Oct. 12.
16. Guth AA *et al.* Microinvasive breast cancer and the role of sentinel node biopsy: an institutional experience and review of the literature. *Breast J* 2008 July-Aug.;14(4):335-39. Review.
17. Wong JH, Kopald KH, Morton DL. The impact of microinvasion on axillary node metastases and survival in patients with intraductal breast cancer. *Arch Surg* 1990;125:1298.
18. Prasad ML, Osborne MP, Giri DD *et al.* Microinvasive carcinoma (T1 mic) of the breast: clinicopathologic profile of 21 cases. *Am J Surg Pathol* 2000 Mar.;24(3):422-28.
19. Wong SL, Chao C, Edwards MJ *et al.* Frequency of sentinel lymph node metastases in patients with favorable breast cancer histologic subtypes. *Am J Surg* 2002;184:492.
20. Klauber-DeMore N, Tan LK, Liberman L *et al.* Sentinel lymph node biopsy: is it indicated in patients with high-risk ductal carcinoma-in-situ and ductal carcinoma-in-situ with microinvasion? *Ann Surg Oncol* 2000;7:636.

21. Zavagno G, Belardinelli V, Marconato R *et al*. Sentinel lymph node metastasis from mammary ductal carcinoma in situ with microinvasion. *Breast* 2007;16:146.
22. National Comprehensive Cancer Network (NCCN) guidelines. Acesso em: 13 Oct. 2011. Disponível em: <www.nccn.org>
23. Silver SA, Tavassoli FA. Mammary ductal carcinoma in situ with microinvasion. *Cancer* 1998;82:2382.
24. Mirza NQ, Vlastos G, Meric F *et al*. Ductal carcinoma-in-situ: long-term results of breast-conserving therapy. *Ann Surg Oncol* 2000;7:656.
25. Colleoni M, Rotmensz N, Peruzzotti G *et al*. Minimal and small size invasive breast cancer with no axillary lymph node involvement: the need for tailored adjuvant therapies. *Ann Oncol* 2004;15:1633.
26. Yu KD, Wu LM, Liu GY *et al*. Different distribution of breast cancer subtypes in breast ductal carcinoma in situ (DCIS), DCIS with microinvasion, and DCIS with invasion component. *Ann Surg Oncol* 2011;18:1342.
27. Gioia S, Marinho FM, Murteira J *et al*. Microinvasive breast carcinoma: Brazilian National Cancer Institute Experience. *Int J Gynecol Cancer* 2011 Oct.;21(12):S1-S1372.

SEÇÃO VI — Carcinoma Invasivo da Mama

CAPÍTULO 117 — Carcinoma Ductal Infiltrante

Emanuelle Narciso Alvarez ■ Rodrigo Brilhante de Farias ■ Renata Reis Pinto

INTRODUÇÃO

O câncer de mama é o segundo mais frequente no mundo e é o mais comum entre as mulheres. Corresponde a 22% dos casos novos por ano. A estimativa de novos casos para 2012, segundo o INCA, é de 52.680.[1]

Na região sudeste, o câncer de mama é o mais incidente entre as mulheres com um risco estimado de 68 novos casos/100.000, sem considerar os tumores de pele não melanoma. Este tipo de câncer também é o mais frequente nas regiões sul (67/100.000), centro-oeste (38/100.000) e nordeste (28/100.000). Na região norte é o segundo tumor mais incidente (16/100.000).[1]

O diagnóstico e o tratamento precoces garantem um prognóstico relativamente bom. No Brasil, a mortalidade mantém-se elevada em razão do diagnóstico de casos em estágios avançados. Na população mundial, a sobrevida média em 5 anos é de 61%. A mortalidade relacionada com a doença, segundo o INCA, em 2008, foi de 12.098.[1]

Relativamente raro antes dos 35 anos, acima desta faixa etária, a incidência aumenta rápida e progressivamente. Estatísticas indicam aumento de sua incidência tanto nos países desenvolvidos, quanto nos em desenvolvimento. Segundo a Organização Mundial de Saúde (OMS), nas décadas de 1960 e 1970 registrou-se aumento de 10 vezes nas taxas de incidência ajustadas por idade nos registros de câncer de base populacional de diversos continentes.[1]

HISTÓRIA NATURAL

A heterogeneidade da história natural do câncer de mama é razoavelmente conhecida, porém seus determinantes ainda permanecem desconhecidos. Sendo o câncer de mama um tumor cujo desenvolvimento se processa de forma relativamente lenta, a possibilidade de se estabelecer o diagnóstico ainda em fase precoce é elevada. O tempo médio de duplicação celular é de cerca de 100 dias, podendo, portanto, um tumor levar cerca de 8 anos para alcançar 1 cm de diâmetro, momento em que o diagnóstico clínico já pode ser estabelecido pela palpação tumoral. Alguns tumores podem levar mais de 10 anos para alcançar este estágio.[2]

A variação na sobrevida entre pacientes com o mesmo estadiamento, em doença avançada, sugere que outros fatores prognósticos possam explicar algumas das diferenças verificadas na sobrevida. Inúmeros estudos,[3-5] corroborando o papel de fatores ou grupo de fatores que incluem certas características demográficas (idade, raça, condição da menopausa), tumorais (tamanho do tumor, condição dos linfonodos axilares, tipo histológico), biológicas (fatores de crescimento, alteração de oncogenes, genes supressores de tumor) e outros fatores na determinação prognóstica do câncer de mama, têm sido reportados na literatura médica.

Seria aconselhável que nos estudos de sobrevida em câncer de mama fossem determinados indicadores de sobrevida global, sobrevida específica para câncer de mama, sobrevida relativa (que quantifica o excesso de mortalidade comparado com a da população em geral), e o efeito dos fatores prognósticos, como idade ao diagnóstico, ano do diagnóstico, condição dos linfonodos axilares, tamanho do tumor, aspectos histológicos do tumor, terapêutica aplicada e marcadores biológicos determinados, entre outros.[2,6] Quanto maior o número de fatores, maior o número de combinações possíveis, o que tem levado ao estabelecimento de índices prognósticos para câncer de mama,[7-9] que se propõem a servir de preditores da evolução e da provável recidiva dos tumores de mama.

HISTOLOGIA

O Carcinoma Ductal Invasor (CDI) representa 80 a 90% dos carcinomas da mama.[10] Na verdade seu diagnóstico é por exclusão, feito quando a lesão não preenche os critérios diagnósticos para os tipos especiais de carcinoma mamário, sendo classificado como carcinoma ductal infiltrante sem outra especificação (SOE) (Fig. 1).[11-14] Os carcinomas ductais de tipo especial (medular, tubular, cribriforme, mucinoso) compreendem 10 a 20% dos carcinomas invasivos, apresentam melhor prognóstico quando comparados ao CDI-SOE. Para que uma lesão seja classificada como de tipo especial, é necessário que ela seja composta em 90% do tumor pelas características histológicas do tipo em questão. Quando um carcinoma ductal apresenta apenas pequenos focos de um tipo específico, o tumor continua sendo classificado como CDI-SOE.

Apesar de algumas características clínicas e de imagem possam sugerir um tipo especial de câncer de mama invasor, existem consideráveis exceções, e o diagnóstico definitivo requer avaliação histopatológica. A

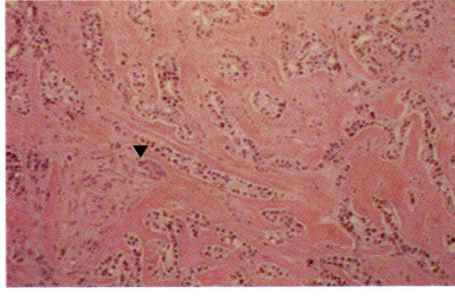

◀ **FIGURA 1.** Microscopia compatível com carcinoma ductal invasor SOE.

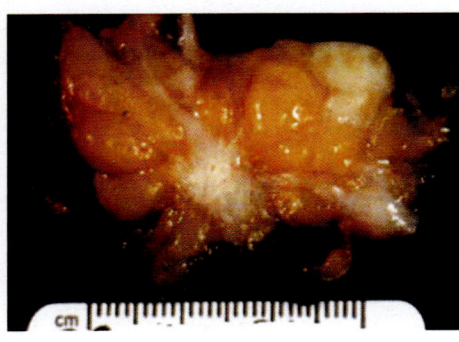

◄ **FIGURA 2.** Aspecto macroscópico do carcinoma mamário.

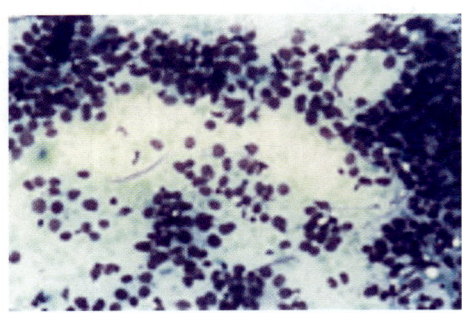

◄ **FIGURA 3.** Atipias citológicas variáveis.

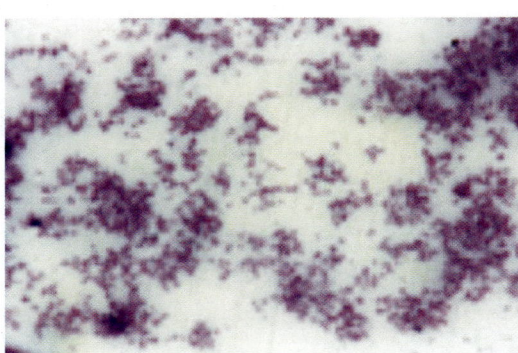 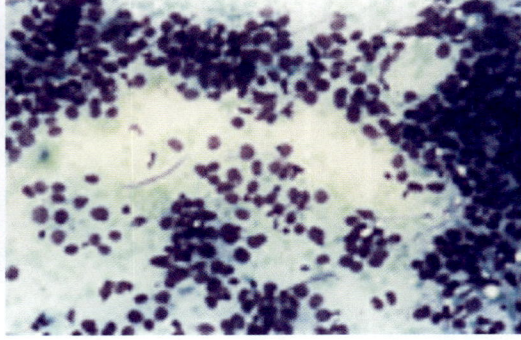 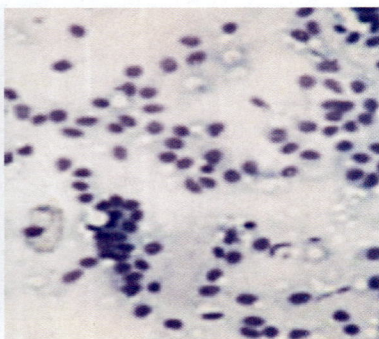

▲ **FIGURA 4.** Microscopia mostrando características da patologia maligna mamária como hipercelularidade, hipercromasia e perda da coesividade.

classificação pode ser feita com limitada amostra tecidual, como a obtida pela *core* biópsia ou punção por agulha fina.[15-18]

Macroscopicamente, forma-se um nódulo sólido ou uma área de condensação no parênquima, de coloração acinzentada ou branquicenta, em geral endurecido, com consistência de pera verde ao corte (carcinoma cirroso), o que depende da quantidade de fibrose de estroma, da elastose peritumoral e da presença de necrose e de calcificações relativamente grosseiras (Fig. 2). As lesões podem ser espiculadas ou circunscritas. Aproximadamente um terço dos carcinomas apresenta margens circunscritas na mamografia ou na macroscopia, e esses costumam ter melhor prognóstico.[19]

Histologicamente, o tumor é formado pela proliferação de elementos epiteliais com atipias citológicas relativamente acentuadas, com uma tendência diversa a formar estruturas pseudoglandulares ou semelhantes aos ductos, e com atividade mitótica variável (Fig. 3). A avaliação histológica destas características, como a formação de túbulos, atipias nucleares e índice mitótico, serve para graduar o CDI: bem diferenciado (G1), médio grau de diferenciação (G2) e pouco diferenciado (G3).[19]

As características citológicas variam muito, podendo ser encontradas desde células pequenas com núcleos homogêneos até células grandes com núcleos irregulares e hipercromáticos (Fig. 4). Nas margens da massa tumoral, as células neoplásicas infiltram-se para dentro do estroma e do tecido fibroadiposo e, com frequência, há uma invasão dos espaços perivasculares e perineurais, bem como dos vasos sanguíneos e linfáticos (Fig. 5).[19]

Carcinomas ductais infiltrantes mostram imunorreatividade para queratinas de baixo peso molecular, particularmente para queratinas 7, 8, 18 e 19 para antígenos de membrana epitelial.[20] Alguns podem ser positivos para queratinas de alto peso molecular. Em geral, cânceres de mama são negativos para queratina 20, e esta característica pode ser utilizada no diagnóstico diferencial de cânceres do trato gastrointestinal. Marcadores imuno-histoquímicos para componentes da membrana basal e células mioepiteliais mostram padrão descontínuo ou ausente nos cânceres invasivos. Esta característica é comumente usada na diferenciação de carcinomas ductais *in situ* e invasivo.[21,22] Cânceres de mama podem mostrar imunorreatividade para vimentina, e alguns estudos mostram significado prognóstico da coexpressão de queratina e vimentina.[23] Um terço dos carcinomas de mama expressa proteína S-100.[24]

É frequente a associação a um componente intraductal, em geral do mesmo grau e com extensão variável. Denomina-se componente intraductal extenso (CIE), quando este constitui pelo menos 25% de toda área ocupada pela neoplasia, correlacionado com maior ocorrência de recidivas locais após cirurgia conservadora da mama.

FATORES PROGNÓSTICOS

Fatores prognósticos são parâmetros possíveis de serem mensurados no momento do diagnóstico e que servem como preditor da sobrevida ou tempo livre de doença do paciente.[11]

O prognóstico do carcinoma ductal infiltrante é semelhante aos outros subtipos de carcinoma de mama e depende de alguns fatores, como grau histológico, tamanho tumoral, *status* linfonodal e invasão angiovascular.[10] Em relação ao câncer de mama feminina, tem sido elevado o número de novos fatores mencionados na literatura mundial nos últimos anos. É certo que bons planejamentos terapêuticos podem ser feitos com base no estadiamento pelo TNM, na idade, na condição menopausal e, mais recentemente, na dosagem dos receptores hormonais. A inclusão de novos fatores preditivos certamente proporciona avanços que conduzem a uma seleção ainda melhor dos pacientes, principalmente para terapias adjuvantes, podendo-se mesmo chegar a uma individualização da conduta terapêutica.

Os estudos originais, em sua maioria, analisam um conjunto de fatores em populações sempre diversas, o que prejudica de certa forma uma comparação entre os mesmos. A partir de uma ampla revisão desses estudos, contemplando os mais importantes fatores prognósticos em câncer de mama, os autores objetivam oferecer uma avaliação atual do conhecimento dos mesmos, buscando destacar sua importância na prática clínica diária.

A sobrevida pode ser influenciada por fatores biológicos, como a expressão de receptores hormonais e HER-2.[11]

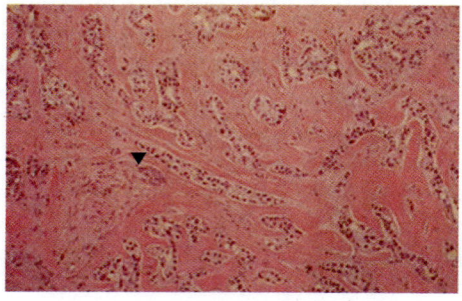

◄ **FIGURA 5.** Infiltração de células neoplásicas no estroma mamário.

CONCLUSÃO

O câncer de mama é o segundo mais frequente no mundo e é o mais comum entre as mulheres. Corresponde a 22% dos casos novos por ano. A estimativa de novos casos para 2012, segundo o INCA, é de 52.680.[1]

A heterogeneidade da história natural do câncer de mama é razoavelmente conhecida, porém seus determinantes ainda permanecem desconhecidos. A variação na sobrevida entre pacientes com o mesmo estadiamento, em doença avançada, sugere que outros fatores prognósticos possam explicar algumas das diferenças verificadas na sobrevida.

Com isso, o tratamento individualizado para esta patologia, com comportamento tão variável, será caminho em um futuro breve com o desenvolvimento de terapias com base na genética tumoral.

REFERÊNCIAS BIBLIOGRÁFICAS

1. Disponível em: <www1.inca.gov.br>
2. Clark GM. Prognostic and predictive factors. In: Harris JR, Lippman ME, Morrow M et al. (Eds.). *Diseases of breast.* 5th ed. Philadelphia: Lippincott-Raven, 1996. p. 461-70.
3. Carter CL, Allen C, Henson DE. Relation of tumor size, lymph node status and survival in 24740 breast cancer cases. *Cancer* 1989;63:181-87.
4. Farley TA, Flannery JT. Late-stage dianosis of breast cancer in women of lower socioeconomic status: public health implications. *Am J Public Health* 1989;79:1508-12.
5. Fischer B, Slack NH, Bross IDJ. Cancer of the breast: size of neoplasm and prognosis. *Cancer* 1969;24:1071-80.
6. Henson DE, Ries L, Freedman MA et al. Relationship among outcome, stage of disease, and histologic grade for 22.616 cases of breast cancer. *Cancer* 1991;68:2142-49.
7. Korzeniowski S, Dyba T, Skolyszewski J. Classical prognostic factors for survival and locoregionalcontrol in breast cancer patients treated with radical mastectomy alone. *Acta Oncol* 1994;33:759-65.
8. Aaltomaa S, Lipponen P, Eskelinen M et al. Prognostic scores combining clinical, histological anda morphometric variables in assessment of the disease outcome in female breast cancer. *Int J Cancer* 1991;49:886-92.
9. Balslev I, Axelsson CK, Zedeler K et al. The Nottingham prognostic index applied to 9149 patients from the studies of the Danish Breast Cancer Cooperative Group. *Cancer Res Treat* 1994;30:117-26.
10. Fischer B, Redmond C, Fischer ER et al. The contributions of recent NSABP clinical trails of primary breast cancer therapy to an understanding of the tumor biology: an overview of findings. *Cancer* 1980;46:1009-25.
11. Rosen PP. (Ed.). *Rosen's breast pathology.* 3rd ed. Philadelphia: Lippiconcott Williams & Wilkins, 2009.
12. Ellis IO, Lee AHS, Elston CW. Tumors of the breast. In: Fletcher CDM. (Ed.). *Diagnostic histopathology of tumors.* 2nd ed. Edinburgh: Churchill Livingstone, 2000.
13. Tavassoli FA. *Pathology of the breast.* 2nd ed. Stanford: Appleton-Lange, 1999.
14. Tavassoli FA, Deville P. (Eds.). World Health Organization classification of tumors. *Pathology and genetics of tumors of the breast and female genital organs.* Lyon: IARC, 2003.
15. Collins LC, Connolly JL, Page DL et al. Diagnostic agreement in the evaluation of image guided breast core needle biopsies: results from a randomized controlled trial. *Am J Surg PAthol* 2004;28:126-31.
16. Deshpande A, Garud T, Holt SD. Core biopsy as atool in planning the management of invasive breast cancer. *World J Surg Oncol* 2005;3:1-4.
17. Sauer G, Deissler H, Strunz K et al. Ultrasound-guided large-core needle biopsies of breast lesions: analysis of 962 cases to determine the number of samples for reliable tumor classification. *Br J Cancer* 2005;92:231-35.
18. Willis SL, Ramzy I. Analysis of false results in a series of 835 fine needle aspirates of breas lesions. *Acta Cytol* 1999;39:858-64.
19. Jarasch ED, Nagle RB, Kaufmann M et al. Differential diagnosis of benign epithelial proliferations and carcinomas of the breast using antibodies to cytokeratins. *Hum Pathol* 1998;19:376-89.
20. Tot T. The role of cytokeratins 20 and 7 and estrogen receptor analysis in separation of metastatic carcinoma of the breast and metastatic signet ring cell carcinoma of the gastrointestinal tract. *APMIS* 2000;108:467-72.
21. Werling RW, Hwang H, Yazjii H et al. Immunohistochemical distinction of invasive from non-invasive breast lesions: a comparative study of p63 versus calponin and smooth muscle myosin heavy chain. *Am J Surg Pathol* 2003;27:82-90.
22. Lerwill MF. Current practical application of diagnostic immunochemistry in breast pathology. *Am J Surg Pathol* 2004;28:1076-91.
23. Thomas PA, Kirschmann DA, Cerhan JR et al. Association between keratin and vimentin expression, malignant phenotype, and survival in postmenopausal breast cancer patients. *Clin Cancer Res* 1999;5:2698-703.
24. Cross SS, Hamdy FC, Deloulme JC et al. Expression of S100 proteins in normal human tissues and common cancers using tissue microarrays: S100A6, S100A8, S100A9 and S100A11 are all overexpressed in common cancers. *Histopathology* 2005;46:256-69.

CAPÍTULO 118

Carcinoma Lobular Infiltrante

Danielle Orlandi Gomes ▪ Diego Trabulsi Lima ▪ Marcelo Adeodato Bello

INTRODUÇÃO

Carcinoma Lobular Infiltrante (CLI) foi descrito inicialmente por Foote e Stewart, em 1941, e corresponde a, aproximadamente, 5 a 15% dos carcinomas invasores da mama.[1] É o segundo mais frequente, perdendo apenas para o carcinoma ductal infiltrante (CDI).[2] Normalmente, apresenta-se em uma faixa etária mais avançada em relação ao CDI.[3,4]

Atualmente a incidência do CLI vem aumentando, enquanto a do CDI permanece estável desde 1987. Isto vem ocorrendo principalmente em mulheres na pós-menopausa o que pode estar associado ao uso de terapia hormonal combinada. Estudos têm demonstrado que o uso de estrógeno e progesterona aumentaria o risco para CLI e do carcinoma invasor misto (lobular e ductal), tendo pouca influência sobre a incidência de CDI.[5,6]

Quando comparado ao CDI, alguns estudos demonstram maior frequência de multicentricidade e bilateralidade com taxas de câncer de mama contralateral de até 20,9% no CLI versus 11,2% no CDI.[4] Outros, entretanto, não demonstram diferenças significativas nas taxas de bilateralidade.[3,7]

PATOLOGIA

O CLI apresenta diversas subclassificações histológicas que variam quanto ao grau de agressividade, padrão arquitetural e citológico. A forma clássica corresponde a, aproximadamente, 60% dos casos e apresenta menor agressividade que outros subtipos.[8] Caracteriza-se microscopicamente por pequenas células uniformes em tamanho, não coesas, dispersas individualmente ou que infiltram insidiosamente o estroma mamário de forma concêntrica ("em alvo") ou com padrão em filas lineares ("fila indiana") (Figs. 1 e 2). Geralmente induzem pouquíssima reação desmoplásica no tecido adjacente. Este fato reduz a formação de massas o que explica certa dificuldade nos diagnósticos clínico e radiológico neste tipo de tumor. Está associado ao carcinoma lobular in situ (CLIS) em mais de 90% dos casos, entretanto também pode vir acompanhado de Carcinoma ductal in situ (CDIS).

Macroscopicamente se apresenta como tumor irregular, mal delimitado e de limites pouco definidos graças ao seu padrão difuso de infiltração celular.[2] Outros subtipos são descritos como sólido, alveolar, histiocitoide, apócrino em "anel de sinete" e pleomórfico. Em geral, as variantes não clássicas estão associadas a pior prognóstico, em especial o subtipo pleomórfico.[8]

O carcinoma lobular invasor pleomórfico (CLIP) representa, aproximadamente, 1% dos tumores epiteliais malignos de mama. Sua histologia revela células de alto grau, maiores do que as do CLI clássico com abundante citoplasma eosinofílico, núcleos hipercromáticos e pleomórficos (Fig. 3). As características citomorfológicas do CILP são confundidas com as do CDI pouco diferenciado. Geralmente apresenta mais metástases linfonodais e maiores taxas de mastectomia, quando comparada ao subtipo clássico. Apresenta, também, maior taxa de metástase a distância, embora a distribuição metastática seja semelhante à encontrada no CLI clássico.[9]

O perfil imuno-histoquímico demonstra positividade de receptores de estrógeno (RE) em 70 a 95% dos CLI, sendo mais alta no subtipo alveolar (chegando a 100%) e mais baixa no subtipo pleomórfico (em torno de 10%). Nos CDI os RE são encontrados em 70 a 80% dos casos. A positividade dos receptores de progesterona (RP) varia entre 60 e 70% nos dois tipos de tumor. A taxa de proliferação celular costuma ser baixa com exceção da variante pleomórfica que apresenta com maior frequência superexpressão de ErbB2.[2] Em geral são tumores bem diferenciados, com baixo grau nuclear, baixa expressão de HER 2, baixa fração de células em fase S e menor taxa de mutação de p53.[4]

Uma característica marcante do CLI é a perda da expressão da E-caderina que ocorre em 80 a 100% tumores. Esta molécula atua na manutenção da adesão celular nos tecidos epiteliais adultos. Age como um fator supressor de invasão tumoral e de metástases. O gene da E-caderina (CDH1) está localizado no braço longo do cromossoma 16 (16q 22). A alteração genética mais comum no CLI é a perda de 16q. Mutações no CDH1 estão associadas ao carcinoma lobular da mama e à síndrome do câncer gástrico hereditário difuso. Esta síndrome é caracterizada pela associação entre câncer gástrico difuso, carcinoma lobular da mama e carcinoma em "anel de sinete" do cólon. Por ser rara a perda da expressão da E-caderina no CDI, a ausência desta proteína na avaliação imuno-histoquímica auxilia no diagnóstico diferencial com o CLI.[2,10]

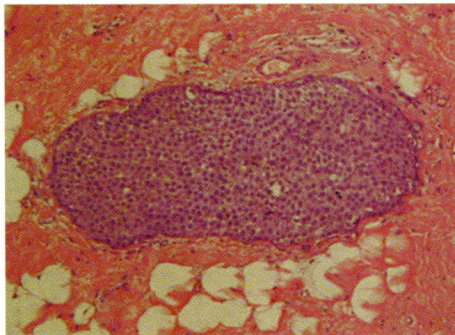

◄ **FIGURA 1.** Proliferação intraductal de células monomórficas e descoesas. Carcinoma lobular in situ (H&E, aumento original de 40×) – Imagem cedida por Danielle Quintella – Patologista do INCA.

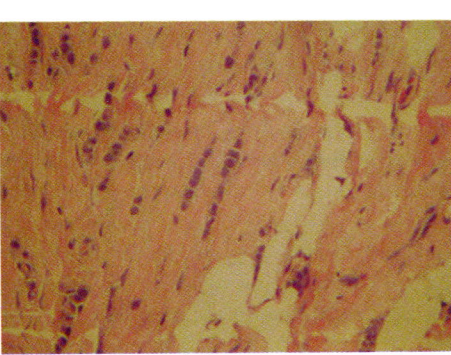

◄ **FIGURA 2.** Neoplasia infiltrante, composta por células com núcleos pequenos, por vezes com amoldamento e disposição em "fila indiana". Carcinoma lobular infiltrante clássico (H&E, aumento original de 100×) – Imagem cedida por Danielle Quintella – Patologista do INCA.

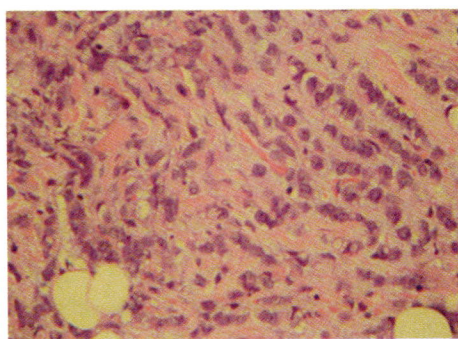

◄ **FIGURA 3.** Neoplasia infiltrante composta por células com núcleos grandes, com nucléolo inconspícuo e arranjo formando "filas". Carcinoma lobular pleomórfico (H&E, aumento original de 100×) – Imagem cedida por Danielle Quintella – Patologista do INCA.

O CLI tende a metastatizar mais tarde e para localizações pouco usuais, como trato gastrointestinal, meninge e peritônio, apresentando menor progressão para pulmão quando comparado ao CDI.[3,11]

O prognóstico do CLI parece ser comparável ao do CDI com sobrevida global e sobrevida livre de doença equivalentes.[4,7] Certo estudo de coorte que acompanhou 777 pacientes com CLI e 8.607 pacientes com CDI por 13 anos demonstrou uma vantagem precoce do CLI sobre o CDI na sobrevida livre de doença (SLD) e na sobrevida global (SG) seguida de vantagem tardia do CDI na SLD após 6 anos e na SG após 10 anos ($p < 0,01$).[3]

QUADRO CLÍNICO/IMAGENOLÓGICO

O CLI apresenta-se à palpação como uma área de espessamento, mal definida, geralmente não caracterizando uma lesão nodular nítida em decorrência da pouca reação desmoplásica gerada por esse tipo de tumor.[8] Os métodos de imagem também apresentam certa dificuldade no diagnóstico. Em geral aparecem como assimetria focal na mamografia, sendo as formações nodulares e calcificações raras. A literatura nos mostra que a mamografia e a ultrassonografia (US) não conseguem diagnosticar todas as lesões, com sensibilidade da mamografia, variando de 57 a 76%, e US de 25 a 88%.[5] Além disso, o tamanho do tumor pode ser subestimado por estes dois metodos de imagem. Dessa forma, a ressonância magnética (RM) das mamas tem sido indicada no diagnóstico das lesões de CLI, pois tem sensibilidade de 93 a 100% e apresenta correlação mais exata com o real tamanho do tumor. Entretanto pode gerar superestimação das lesoes, além de elevada taxa de falso-positivos levando, em alguns casos, a tratamento cirúrgico excessivo.[12] Em virtude da falta de consenso na literatura a RM pode ser considerada em casos duvidosos, podendo auxiliar na decisão terapêutica.

Essa dificuldade diagnóstica clínica e imagenológica leva a diagnósticos mais tardios, e isso explica tamanhos maiores do CLI ao diagnóstico, quando comparado ao CDI.[4]

TRATAMENTO

Inicialmente, a eficácia do tratamento cirúrgico conservador foi questionada nos casos de CLI, em razão, em teoria, da maior frequência de lesões multifocais e multicentricidade, quando comparado ao CDI. Entretanto, vários autores mostram segurança com esta modalidade de abordagem da mama.[12,13] Dessa forma o tratamento cirúrgico no CLI apresenta princípios semelhantes ao tratamento do CDI, ou seja, retirada da lesão com margens livres e avaliação do *status* linfonodal axilar. Entretanto, apresenta algumas particularidades, como maior frequência de margens positivas, nas pacientes com tratamento conservador, quando comparado ao CDI.[5]

Em relação ao estudo do linfonodo axilar, observa-se maior dificuldade na identificação de células metastáticas nos linfonodos graças a características das células lobulares que exibem pouca atipia, tornando-se semelhantes a células linfoides. Além disso, o padrão de infiltração do gânglio linfático com células dispersas gera mais falso-negativos, quando comparados a carcinomas ductais. Mesmo assim, o método de avaliação do linfonodo sentinela é validado no CLI, pois apesar destas dificuldades apresenta acurácia similar aos casos de CDI.[14,15]

Quanto ao tratamento sistêmico estudos mostram que a quimioterapia neoadjuvante não é tão efetiva no CLI, provavelmente em decorrência da presença quase constante da positividade de receptores hormonais e a menor taxa de proliferação celular, Katz *et al.*[16] demonstram taxa de resposta clinicopatológica completa em apenas 1,7% dos casos, comparado a 11,6% dos casos de CDI. A terapia adjuvante segue praticamente os mesmos princípios do CDI, logo com base no estadiamento (TNM) e no perfil imuno-histoquímico. A radioterapia segue os mesmos critérios de indicação dos outros carcinomas mamários.

REFERÊNCIAS BIBLIOGRÁFICAS

1. Foote FWJ, Stewart FW. Lobular carcinoma in situ. A rare form of mammary cancer. *Am J Pathol* 1941;17:491-96.
2. Tavassoli FA, Devile P, editors. *World Health Organization Classification of Tumours. Pathology and Genetics of Tumours of the Breast and Female Genital Organs.* Lyon: IARC Press, 2003.
3. Pestalozzi BC et al. Distinct clinical and prognostic features of infiltrating lobular carcinoma of the breast: combined results of 15 International Breast Cancer Study Group Clinical Trials. *J Clin Oncol* 2008;26:3006-14.
4. Arpino G et al. Infiltrating lobular carcinoma of the breast: tumor characteristics and clinical outcome. *Breast Cancer Res* 2004;6(3):R149-56.
5. Biglia N, Mariani L, Sgro L et al. Increased incidence of lobular breast cancer in women treated with hormone replacement therapy: implications for diagnosis, surgical and medical treatment. *Endocrine-Related Cancer* 2007;14:549-67.
6. Li CI et al. Relationship between long durations and different regimens of hormone therapy and risk of breast cancer. *JAMA* 2003 June 25;289(24):3254-63.
7. Winchester DJ et al. A comparative analysis of lobular and ductal carcinoma of the breast: presentation, treatment, and outcomes. *J Am Coll Surg* 1998 Apr.;186(4):416-22.
8. Orvieto E et al. Clinicopathologic characteristics of invasive lobular carcinoma of the breast. *Cancer* 2008;113:1511-20.
9. Brogi E, Murray MP, Corben AD. Lobular carcinoma, not only a classic. *Breast J* 2010;16(Suppl 1):S10-14.
10. Jakubowska A et al. CDH1 gene mutations do not contribute in hereditary diffuse gastric cancer in Poland. *Familial Cancer* 2010;9:605-8.
11. Ferlicot S et al. Wide metastatic spreading in infiltrating lobular carcinoma of the breast. *Eur J Canc* 2004;40:336-41.
12. Heil J et al. Do patients with invasive lobular breast cancer benefit in terms of adequate change in surgical therapy from a supplementary preoperative breast MRI? *Ann Oncol* 2012;23:98-104.
13. Schnitt SJ, Connolly JL, Recht A et al. Influence of infiltrating lobular histology on local tumour control in breast cancer patients treated with conservative surgery and radiotherapy. *Cancer* 1989;64:448-54.
14. Holland PA, Shah A, Howell A et al. Lobular carcinoma of the breast managed by breastconserving therapy. *Br J Surg* 1995;82:1364-66.
15. Cocquyt V, Van Belle S Lobular carcinoma in situ and invasive lobular cancer of the breast. *Curr Opin Obist Gynecol* 2005;17:55-60.
16. Katz A et al. Primary systemic chemotherapy of invasive lobular carcinoma of the breast. *Lancet Oncol* 2007;8:55-62.

CAPÍTULO 119

Doença de Paget da Mama

Rodrigo Brilhante de Farias ■ Marcelo Adeodato Bello

INTRODUÇÃO

Foi descrita pela primeira vez, em 1874, pelo cirurgião britânico Sir Jame Paget, como erupções eczematosas na papila e na aréola, associado a posterior desenvolvimento do câncer de mama. Esta associação recebeu seu nome, assim como os aspectos das células intraepiteliais também foram denominados como células de Paget.

É pouco frequente, variando entre 1 a 3% de todos os casos de câncer de mama em mulheres, sendo que nos Estados Unidos corresponde a cerca de 2% dos novos casos de câncer da mama feminina. Sua ocorrência é mais frequente na pós-menopausa, sendo a maior incidência entre 60 e 70 anos de idade. Não existe nenhum fator clínico ou epidemiológico que comprovadamente esteja relacionado com sua patogênese, entretanto alguns autores descreveram um aumento da incidência em mulheres até 5 anos após o parto, o que pode sugerir maior sensibilidade às exposições relacionadas com a gravidez. A apresentação bilateral é extremamente rara, assim como a ocorrência no sexo masculino. No caso dos homens, embora o comportamento clínico assemelhe-se ao observado na mulher, parece que o prognóstico é pior, com uma taxa de sobrevida estimada de 20 a 30% em 5 anos.

ETIOPATOGENIA

A histogênese da célula de Paget tem sido amplamente discutida, sendo que atualmente existem duas teorias para explicar sua origem. A teoria epidermotrófica é a mais amplamente aceita. Nesta teoria, acredita-se que as células de Paget seriam originadas de carcinomas ductais e que migrariam ao longo das membranas basais dos ductos lactíferos até a epiderme da papila. Essa teoria baseia-se no fato de que mais de 90% das pacientes com doença de Paget apresentam um carcinoma subjacente (infiltrante ou *in situ*) e que, na maioria dos casos, a característica imunofenotípica das células de Paget é concordante com a deste câncer de mama subjacente e discordante dos queratinócitos da epiderme da papila. Além disso, sabe-se que cerca de 90% dos casos de doença de Paget da mama apresentam superexpressão ou amplificação do gene HER-2, e que a disseminação das células de Paget pode ser mediada por um fator de mobilidade que exerceria seu efeito através do receptor de HER-2. Estes dados em conjunto dão suporte a esta teoria migratória, em que existiria uma origem comum para as células de Paget e as do carcinoma ductal subjacente.

A teoria da transformação intraepitelial sugere que as células de Paget proliferem na porção terminal dos ductos lactíferos, na junção com a epiderme, sendo, portanto, originado de um queratinócito maligno. Dessa forma, a doença de Paget da mama poderia ser considerada um carcinoma *in situ* independente. Essa teoria baseia-se no fato de que casos raros de doença de Paget não apresentam câncer de mama subjacente ou nos casos em que a doença de Paget e o câncer subjacente são tumores distintos. Alguns trabalhos demonstraram existência de microvilosidades e ligação de desmossomas entre os queratinócitos e as células de Paget, fato que falariam contra a natureza migratória das células de Paget, sugerindo uma origem epidérmica. Essa teoria também explicaria os casos associados a carcinoma mamário distante do complexo areolopapilar.

DIAGNÓSTICO

O diagnóstico é eminentemente clínico, tendo como manifestação mais comum a presença de uma lesão unilateral crônica eczematosa da papila (Fig. 1). Entretanto, até 28% dos casos são identificados apenas na análise histológica do complexo areolopapilar das peças cirúrgicas de mastectomia, ou seja, não apresentam evidência de lesão clínica. Outra manifestação bastante comum é o eritema ou a ulceração da papila (Figs. 2 a 4). A inversão da papila pode estar presente em até 20% dos casos, e a secreção papilar tem sido relatada em até 36% dos pacientes. Outros sintomas in-

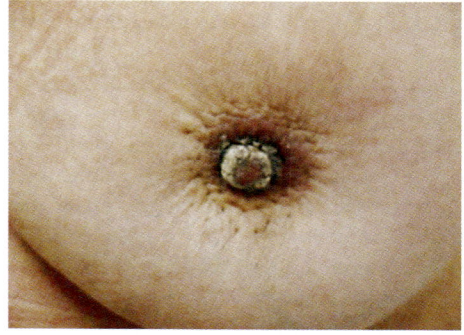

◄ **FIGURA 1.** Tumor retroareolar com lesão eczematosa do complexo areolopapilar.

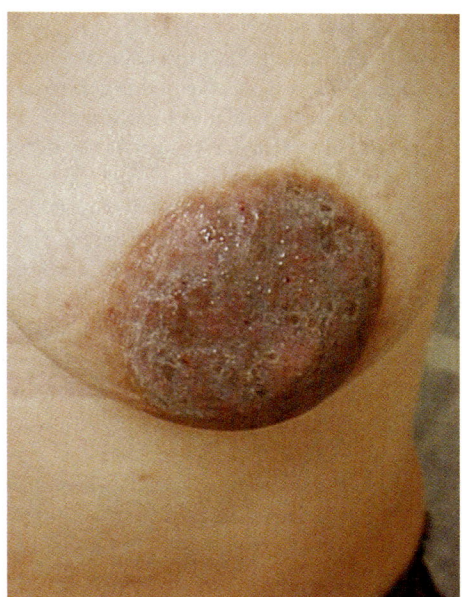

◄ **FIGURA 2.** Lesão eritematoescamosa do complexo areolopapilar.

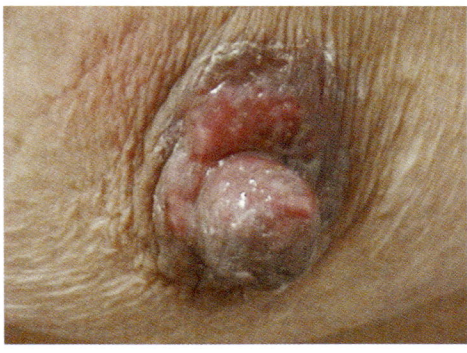

◄ **FIGURA 3.** Lesão eritematosa do complexo areolopapilar.

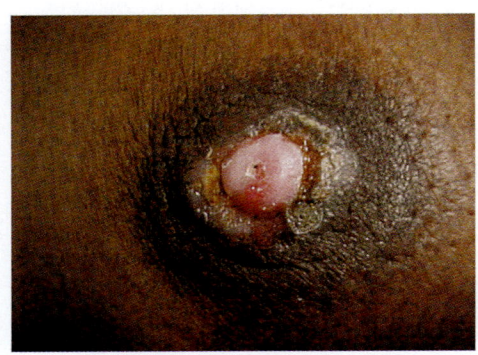

◀ **FIGURA 4.** Doença de Paget com ulceração de papila.

cluem prurido, dor e endurecimento no complexo areolopapilar, sendo que cerca de 50% das mulheres apresentam tumoração palpável, e 45% podem apresentar linfonodos axilares comprometidos. O atraso do diagnóstico pode ocorrer já que alguns dos sintomas podem melhorar com medicação tópica. Além disso, cerca de 20% dos pacientes podem ter sintomas incipientes, o que acarreta na demora em procurar atendimento médico. Casos raros de comprometimento da pele do tórax para além da mama têm sido relatados. Apesar de mais de 90% dos casos de doença de Paget da mama estarem associados a câncer na mesma mama subjacente, a ausência de anormalidade na mamografia pode ocorrer em até 50% dos casos. Por conta disso, alguns autores consideram que a doença de Paget da mama não deve mais ser vista como um tipo de câncer de mama, mas sim como um tipo de apresentação inicial de um câncer de mama.

Das alterações mamográficas suspeitas, cerca de 30% delas estão limitadas à região do complexo areolopapilar, incluindo espessamento da papila, tumoração retroareolar, retração da papila ou microcalcificações. A maioria das pacientes com doença de Paget, que apresentam uma mamografia normal, está associada a carcinoma ductal *in situ* (CDIS). A ultrassonografia demonstra um tumor primário em até 67% dos casos, incluindo aqueles casos nos quais a mamografia é negativa. A ressonância magnética vem sendo cada vez mais utilizada, especialmente nos casos sem tumor palpável e mamografia normal, além de ser particularmente útil para estabelecer a extensão da doença nas pacientes onde a cirurgia conservadora pode ser considerada.

A confirmação do diagnóstico se faz pelo estudo anatomopatológico ou citológico. No caso da citologia, a amostra pode ser obtida pela raspagem da área eczematosa do complexo areolopapilar. A presença de células de Paget confirma o diagnóstico citológico, mas resultados negativos não afastam a presença da doença, tornado-se necessária a amostra de tecido para histopatologia. Nos casos de lesões suspeitas demonstradas nos exames de imagem da mama, as biópsias também deverão ser dirigidas para estas áreas. O exame intraoperatório de congelação deve ser evitado nas lesões do complexo areolopapilar, pois as células de Paget são de difícil identificação neste tipo de avaliação. No diagnóstico histopatológico, a principal característica é a presença de células de Paget no interior da epiderme. A célula de Paget é descrita como célula grande de origem glandular, citoplasma abundante, vacuolizado, descorado e pálido; o núcleo é grande, vesicular, hipercromático, proeminente e irregular em forma e tamanho, com variável número de mitoses. Podem estar presentes em todas as camadas da epiderme e frequentemente se estendem para os ductos subjacentes, podendo mesclar-se imperceptivelmente com um carcinoma intraductal subjacente. Normalmente, o carcinoma encontrado é o intraductal, seguido pelo ductal infiltrante. A associação a outras formas de carcinomas, como o medular, papilar ou lobular também pode ocorrer, porém é rara. Já tem sido também relatada associação ao carcinoma lobular *in situ* sendo que, nestes casos, a doença de Paget bilateral pode estar presente. Quando um componente invasor está presente, geralmente é do tipo ductal com alto grau histológico, sendo que, na maioria das vezes, está localizado na parte central da mama. Entretanto, tumores relativamente distantes também podem ser vistos, podendo estar ligados à doença de Paget por ductos envolvidos por carcinoma intraductal.

As células de Paget são geralmente positivas para os marcadores de diferenciação do epitélio da mama. Ao contrário da epiderme adjacente, elas são frequentemente positivas para citoqueratina 7, CAM 5.2 e outras citoqueratinas de baixo peso molecular, assim como são negativas para citoqueratinas de alto peso molecular. A maioria dos casos (mais de 90%) mostra forte expressão da proteína HER-2. Alguns autores acreditam que a superexpressão da proteína HER-2 possa promover proliferação celular tumoral intraepitelial. Outros ainda sugerem que a imunorreatividade ao HER-2 das células de Paget possa levá-las a serem atraídas para epiderme, por um fator de quimiotaxia secretado nos queratinócitos. Esta superexpressão do HER-2 também poderia explicar a frequência relativamente baixa da presença de receptores de estrógeno na doença de Paget. Achados imuno-histoquímicos apresentam forte evidência em favor da teoria do epidermotropismo, pois demonstram que o carcinoma subjacente tem o fenótipo similar ao das células de Paget na grande maioria das vezes.

O surgimento de lesão eczematosa no complexo areolopapilar, após tratamento conservador de câncer de mama, é uma situação em que o mastologista deve ter atenção, pois existe a possibilidade de uma recidiva local manifestar-se clinicamente como doença de Paget.

DIAGNÓSTICO DIFERENCIAL

O diagnóstico diferencial inclui tanto lesões eczematosas de natureza benigna, como maligna. A melhora espontânea da lesão pode ocorrer, entretanto, isto não descarta a existência da doença de Paget. O uso de esteroides tópicos por curto período de tempo com resolução do quadro fala a favor de eczema benigno, porém esta melhora também pode ocorrer na doença de Paget. Em decorrência da baixa complexidade de sua execução, a biópsia de qualquer anormalidade persistente na aréola ou papila deve ser sempre considerada, pois o atraso no diagnóstico definitivo não se justifica.

As principais patologias que devem ser consideradas no diagnóstico diferencial são: eczema crônico, dermatite de contato, dermatite actínica, escabiose, cancro sifilítico, adenoma erosivo de papila, melanoma maligno, psoríase, papiloma intraductal benigno, carcinoma de células basais, doença de Bowen (carcinoma intraepitelial), adenoma siringomatoso, ectasia ductal, leiomiomas da papila e pênfigo vulvar.

Cabe ressaltar, ainda, a existência de uma variante rara denominada de doença de Paget pigmentada, que pode simular clinicamente um melanoma cutâneo. O diagnóstico diferencial se faz pela imuno-histoquímica.

ESTADIAMENTO

A doença de Paget da mama é classificada como *Tis* quando não apresenta tumor associado ou quando estiver associada a um carcinoma intraductal (*in situ*). Nos casos em que está associada a carcinoma invasor, a classificação será conforme o componente invasor.

TRATAMENTO

O tratamento da doença de Paget deve ser realizado da mesma maneira que as outras formas de carcinomas de mama. A mastectomia, que já foi considerada padrão para o tratamento desta patologia, ainda é defendida por alguns autores sob o argumento da dificuldade em estabelecer a extensão da doença no pré-operatório, assim como a maior agressividade dos tumores associados a ela. Apesar disso, vários estudos vêm demonstrando a viabilidade da cirurgia conservadora seguido de radioterapia, demonstrando não haver diferenças nas taxas de recidiva local e sobrevida global em grupos de pacientes tratadas com mastectomia ou cirurgia conservadora e radioterapia.

Nos casos em que existe tumor associado, clínico ou mamográfico, a cirurgia conservadora deve ser capaz de retirar, tanto o complexo areolopapilar como o tumor, com resultado estético aceitável, seguida de radioterapia. Nos casos em que não existe tumor associado ou imagem suspeita, a mastectomia simples com ou sem reconstrução tem sido uma opção eficaz e amplamente utilizada por muitos mastologistas, considerando que cerca de 30% das pacientes apresentarão um carcinoma associado. Entretanto, vários estudos já demonstraram que a cirurgia conservadora com radioterapia apresenta taxas de recidiva local e sobrevida global semelhantes ao observado com o carcinoma intraductal tratado com preservação da mama e radioterapia.

A abordagem da axila segue o mesmo já estabelecido para qualquer tipo de carcinoma de mama, ou seja, é determinada pelo estadiamento do tumor associado. Pacientes com a doença *in situ* (sem tumor) deveram ser submetidas à biópsia do linfonodo sentinela para obter a informação do *status* axilar, pois vários estudos têm demonstrado a presença de linfonodo sentinela axilar positivo mesmo na doença de Paget sem outras lesões associadas.

Não existe evidência da redução do risco de recidiva com uso de tamoxifeno adjuvante em pacientes com doença de Paget sem carcinoma invasor associado. As outras formas de tratamento sistêmico adjuvante, incluindo o trastuzumabe, serão com base no carcinoma invasor associado.

PROGNÓSTICO

O prognóstico da doença de Paget da mama depende da presença ou não de carcinoma associado e, consequentemente, do estadiamento deste tumor. Pacientes com câncer invasivo associado, de uma forma geral, apresentam sobrevida em 5 anos, variando entre 20 a 60%, enquanto as que não apresentam tumor invasor, a sobrevida em 5 anos varia entre 75 a 100%.

BIBLIOGRAFIA

Albrektsen G *et al.* Histological type and grade of breast cancer tumors by parity, age at birth, and time since birth: a register-based study in Norway. *BMC Cancer* 2010;10:226.

Ashikari R, Park K, Huvos AG *et al.* Paget's disease of the breast. *Cancer* 1970;26:680-85.

Bhargava R, Dabbs DJ. Use of immunohistochemistry in diagnosis of breast epithelial lesions. *Adv Anat Pathol* 2007 Mar.;14(2):93-107.

Bijker N, Meijnen P, Peterse JL *et al.* Breast-conserving treatment with or without radiotherapy in ductal carcinoma-in-situ: Ten-year results of European Organisation for research and treatment of cancer randomized phase III trial 10853—a study by the EORTC Breast Cancer Cooperative Group and EORTC Radiotherapy Group. *J Clin Oncol* 2006;24:3381-87.

Caliskan M, Gatti G, Sosnovskikh I *et al.* Paget's disease of the breast: the experience of the European Institute of Oncology and review of the literature. *Breast Cancer Res Treat* 2008;112:513-21.

Capobianco G, Spaliviero B, Dessole S *et al.* Paget's disease of the nipple diagnosed by MRI. *Arch Gynecol Obstet* 2006;274:316-18.

Chaudary MA, Millis RR, Lane EB *et al.* Paget's disease of the nipple: a ten year review including clinical, pathological, and immunohistochemical findings. *Breast Cancer Res Treat* 1986;8:139.

Chen CY, Sun LM, Anderson BO. Paget disease of the breast: changing patterns of incidence, clinical presentation, and treatment in the US. *Cancer* 2006;107:1448-58.

Dalberg K, Hellborg H, Warnberg F. Paget's disease of the nipple in a population based cohort. *Breast Cancer Res Treat* 2008;111:313-19.

El Harroudi T, Tijami F, El Otmany A *et al.* Paget disease of the male nipple. Department of Surgery in National Institute of Oncology, Rabat, Morocco. *J Cancer Res Ther* 2010 Jan.-Mar.;6(1):95-96.

Frei KA, Bonel HM, Pelte MF *et al.* Paget disease of the breast: findings at magnetic resonance imaging and histopathologic correlation. *Invest Radiol* 2005;40:363-67.

Fu W, Lobocki CA, Silberberg BK *et al.* Molecular markers in Paget disease of the breast. *J Surg Oncol* 2001;77(3):171-78.

Gunhan-Bilgen I, Oktay A. Paget's disease of the breast: Clinical, mammographic, sonographic and pathologic findings in 52 cases. *Eur J Radiol* 2006;60:256-63.

Haerslev T, Krag JG. Expression of citokeratin and erbB-2 oncoprotein in Paget's disease of the nipple. An immunohistochemical study. *APMIS* 1992;100:1041-47.

Kothari AS, Beechey-Newman N, Hamed H *et al.* Paget disease of the nipple: a multifocal manifestation of higher-risk disease. *Cancer* 2002;95:1-7.

Nicholson BT, Harvey JA, Cohen MA. Nipple-areolar complex: normal anatomy and benign and malignant processes. *Radiographics* 2009;29(2):509-23.

Paget J. On disease of the mammary areola preceding cancer of the mammary gland. *St. Bartholome Hosp Rep* 1874;10:87-9.

Sakorafas GH, Blamchard K, Sarr MG *et al.* Paget's disease of the breast: a clinical perspective. *Langenbecks Arch Surg* 2001;386(6):444-50. Epub 2001.

Schelfhout VR, Coene ED, Delaey B *et al.* Pathogenesis of Paget's disease: epidermal heregulin-alpha, motility factor, and the HER receptor family. *J Natl Cancer Inst* 2000;92:622-28.

Seetharam S, Fentiman IS. Paget's disease of the nipple. *Women's Health* (Lond Engl). 2009;5(4):397-402.

Soler T, Lerin A, Serrano T *et al.* Pigmented paget disease of the breast nipple with underlying infiltrating carcinoma: a case report and review of the literature. *Am J Dermatopathol* 2011;33(5):e54-57.

Ucar AE, Korukluoglu B, Ergul E *et al.* Bilateral Paget's disease of the male nipple: first report. *Breast* 2008;17:317-18.

Yao D, Hoda S, Ying L *et al.* Intraepithelial cytokeratin 7 immunoreactive cells in non-neoplastic nipple represent interepithelial extension of lactiferous duct cells. *Mod Pathol* 2001;14:42A.

Zakaria S, Pantvaidya G, Ghosh K *et al.* Paget's disease of the breast: accuracy of preoperative assessment. *Breast Cancer Res Treat* 2007;102:137.

CAPÍTULO 120

Carcinoma Inflamatório da Mama

Fabiana Tonellotto ■ Carlos Ricardo Chagas
Maria de Fátima Gonçalves dos Santos

INTRODUÇÃO

Carcinoma Inflamatório da Mama (CIM) é a forma mais grave de câncer de mama. É raro, correspondendo de 1 a 5% de todos os casos são do tipo inflamatório. Evidências epidemiológicas e moleculares atuais indicam que o carcinoma inflamatório da mama é uma doença única e difere dos outros cânceres de mama localmente avançados.[5,22]

Descrito pela primeira vez, em 1814, por Charles Bell, em seu livro-texto *A System of Operative Surgery*: caracterizado pela cor violácea da pele sobre o tumor e dor de início súbito indicam um mau começo.[6,15,24]

Lee e Tannenbaum, em 1924, foram os primeiros a usar o termo CIM para descrever uma forma agressiva de câncer de mama que pode afetar mulheres em qualquer idade e não somente mulheres grávidas ou lactantes, como supunham os pesquisadores no início dos anos de 1900. Em 1938, Taylor e Meltzer diferenciaram carcinoma inflamatório da mama e câncer de mama localmente avançado e descreveram o termo carcinoma inflamatório primário, como é conhecido hoje, e carcinoma inflamatório secundário; em pacientes com câncer de mama localmente avançado que desenvolvem sinais inflamatórios ou pós-mastectomia por câncer de mama não inflamatório.[5,15]

Em 1956, Haagensen estabeleceu critérios clínicos para definir o CIM: aumento rápido e endurecimento generalizado da mama com ou sem nódulo palpável; edema de pele e eritema que envolva mais de um terço da mama e biópsia, comprovando êmbolos carcinomatosos nos linfáticos da derme. Estes critérios diagnósticos clássicos são aceitos até hoje.[24] A classificação no sistema de estadiamento de câncer TMN (tumor, linfonodos, metástases) do *American Joint Cancer Committee, AJCC*, classifica os tumores inflamatórios como T4d.[10,12,14,18]

DEFINIÇÃO

CIM é uma forma rara de câncer de mama com características clínicas e patológicas distintas. Eritema e edema de pele, também conhecido como *peau d'orange*, envolvendo mais de um terço da pele da mama, aumento súbito e endurecimento da mama, com ou sem massas palpáveis, e superfície quente ou morna.

Estas alterações clínicas são consequência da embolização tumoral dos linfáticos da derme e não, como o nome sugere, infiltração de células inflamatórias.

O CIM não é um subtipo histológico de câncer de mama, o tumor subjacente é, com frequência, do tipo ductal infiltrante. Alto grau histológico, células tumorais pleomórficas, muitas figuras de mitoses atípicas e importante angiogênese são características destes tumores.

O diagnóstico é com base nos sinais clínicos, e a comprovação histopatológica de infiltração tumoral dos linfáticos da derme dá suporte ao diagnóstico, mas não é indispensável. Há pacientes com quadro clínico clássico em que a biópsia de pele falha em demonstrar embolização tumoral dos linfáticos dérmicos. Achados histopatológicos de carcinoma inflamatório sem evidência de sinais clínicos clássicos são denominados carcinomas inflamatórios ocultos da mama e são extremamente raros (5% dos carcinomas inflamatórios). Por outro lado, podemos encontrar, incidentalmente, alguns êmbolos tumorais em linfáticos da derme em câncer de mama usual, e este achado não autoriza a classificá-lo como inflamatório.[6,13,14]

Em mulheres mais jovens ao diagnóstico, tumores mais indiferenciados e receptores hormonais negativos são mais frequentes em CIM do que em câncer de mama localmente avançado. Progressão rápida e disseminação metastática precoce são, também, características da doença.[4,9,20,21]

Alguns autores verificaram que pacientes com CIM e receptor de estrógeno (RE) positivo têm um prognóstico melhor do que aquelas com tumores RE negativos (2 *versus* 4 anos).

Metástases linfonodais são comuns em região axilar, e linfonodos supraclaviculares acometidos não são raros. Trinta por cento das pacientes com CIM têm doença a distância no momento do diagnóstico, e 60% delas, ao final de 1 ano. Costumam ser tumores de progressão rápida e comportamento agressivo; apresentam invasão vascular precoce e potencial angiogênico elevado – o que determina o seu alto poder metastático.[9,15,18,24]

EPIDEMIOLOGIA

É raro, representa de 1 a 5% de todos os casos de câncer de mama diagnosticados nos EUA.[10,16,19] A incidência parece estar aumentando nos últimos 30 anos, principalmente entre as mulheres americanas da raça branca. Uma revisão realizada pelo SEER (*Surveillance, Epidemiology, and End Results*) em 2005, nos EUA, mostrou que a incidência de câncer inflamatório aumentou de 0,3 para 0,7 por 100.000 pessoas-ano quando comparados aos casos diagnosticados de 1975-1977 e 1990-1992. E, quando comparadas aos dados de 1988 a 1990 e 1997 até 1999, a taxa de incidência (por 100.000 mil mulheres/ano) aumentou de 2,0 para 2,5 (p < 0,001), enquanto a incidência de carcinoma de mama localmente avançado decresceu (de 2,5 para 2,0, p = 0,0025) neste mesmo período.[2,7,9,12,14]

É mais frequente na raça negra e parece ter uma maior incidência nas mulheres da África do Norte. Ocorre em idade mais precoce, principalmente em mulheres negras, quando comparado a câncer de mama localmente avançado. Em homens ocorre em idade mais tardia e é muito raro.[5,14,15,19]

Uma análise realizada pelo SEER, publicada em 1985, estudando 1.281 carcinomas inflamatórios mostrou um aumento da sobrevida em 3 anos dos carcinomas inflamatórios clínicos comparados aos carcinomas inflamatórios clinicopatológicos. Quando todo este grupo de pacientes foi comparado ao grupo de câncer de mama localmente avançado, demonstrou-se um pior resultado em termos de sobrevida em 3 anos para o grupo do carcinoma inflamatório.[4,12,13,18,22]

Mulheres com carcinoma inflamatório, em geral, são mais jovens do que aquelas com carcinoma localmente avançado (estágio III). A sobrevida global é significativamente pior para pacientes com carcinoma inflamatório.[1,4,20] Nos Estados Unidos, as mulheres negras têm sobrevida menor do que as brancas com carcinoma inflamatório (2 *vs.* 3 anos). A sobrevida total é menor nas mulheres com câncer inflamatório (2,9 anos) comparadas as com câncer de mama localmente avançado (6,4 anos).[5,13,20]

A idade média das mulheres acometidas é de 52 anos, variando de 48 a 55 anos.[15]

CARACTERÍSTICAS CLINICOPATOLÓGICAS

A principal característica destes tumores é a embolização tumoral linfovascular e que também é responsável pela maioria dos aspectos clínicos da doença. Metástases a distância e em linfonodos regionais são consequências desta rápida disseminação linfovascular.

A dificuldade do diagnóstico precoce é por ser frequente a ausência de massas ou nódulos palpáveis ao exame físico ou autoexame, a alterações mamográficas inespecíficas, como edema de pele, aumento da mama e de sua densidade e ao início súbito e à rápida progressão da doença (Fig. 1).

DIAGNÓSTICO DIFERENCIAL

Processos infecciosos, mastites, inflamação em ectasia ductal (geralmente sinais flogísticos bem delimitados) e acometimento da mama por linfomas e leucemias podem mimetizar carcinoma inflamatório da mama.

DIAGNÓSTICO

É mandatória a biópsia, e esta pode ser de fragmentos ou biópsia incisional – com retirada de pele – para confirmar invasão linfática dérmica.

O exame físico mostra aumento da mama, com ou sem massa palpável, eritema e edema de pele, ocupando, pelo menos, um terço da glândula, aumento da temperatura e linfonodos regionais aumentados.

A mamografia e a ultrassonografia mamárias mostram alterações inespecíficas, como massas, calcificações, distorção do parênquima e pele espessada. A ressonância magnética é útil, principalmente para verificar a resposta após tratamento quimioterápico neoadjuvante.

Exames laboratoriais a serem solicitados: hemograma completo, provas de função hepática e fosfatase alcalina.

Exames, como ultrassonografia ou tomografia abdominais, cintilografia óssea e raios X e/ou tomografia de tórax devem ser realizados para estadiamento da doença (Fig. 2).

BIOLOGIA MOLECULAR

A maioria dos carcinomas inflamatórios é receptor hormonal negativo, tem alto índice de mitoses e é aneuploide. Frequentemente, superexpressam o receptor de fator de crescimento epidérmico (EGFR) e o EGFR, denominado c-ErbB2, conhecidos fatores de mau prognóstico. Kleer *et al.* analisaram 57 espécimes de carcinoma inflamatório e 112 de câncer não inflamatório e encontraram em torno de 60% de positividade para o gene EGFR e c-ErbB2 nos cânceres inflamatórios. A expressão do proto-oncogene c-myb foi inversamente proporcional à expressão de c-erb2 e foi maior nos casos de tumores não inflamatórios.[5,7,15,16,18]

As mutações no gene p53 são frequentes. Ele é um gene supressor de tumor e age como regulador da proliferação celular através da indução da fase de repouso do ciclo celular ou através de mecanismos de indução da apoptose. Estudos mostram que 30% dos cânceres de mama apresentam mutações em um dos alelos do gene p53. A maioria das mutações do gene p53 ocorre nos éxons 5-8.

Moll demonstrou, em um estudo de 24 cânceres inflamatórios por imuno-histoquímica, que pacientes com mutação no gene p53 e superexpressão da proteína p53 no núcleo celular têm 8,6 vezes mais risco de morte do que pacientes que não tinham mutação ou superexpressão da proteína p53. Nos casos em que receptores de estrógeno são negativos e há superexpressão nuclear da proteína p53, há 17,9 vezes mais risco de morte comparado a 2,8 vezes naquelas mulheres somente com superexpressão nuclear de p53.[16,18]

A superexpressão do gene RhoC GTPase em tumores inflamatórios é muito frequente, e este gene está envolvido na organização do esqueleto celular e na adesão celular, além de parecer ser um elemento fundamental do fenótipo metastatizante do carcinoma inflamatório da mama.

Expressão de um gene denominado LIBC (perdido em câncer inflamatório da mama) foi encontrada em 80% dos casos de câncer inflamatório, contra 21% dos de cânceres não inflamatórios de um estudo clínico prospectivo e não randomizado da Universidade de Michigan. A

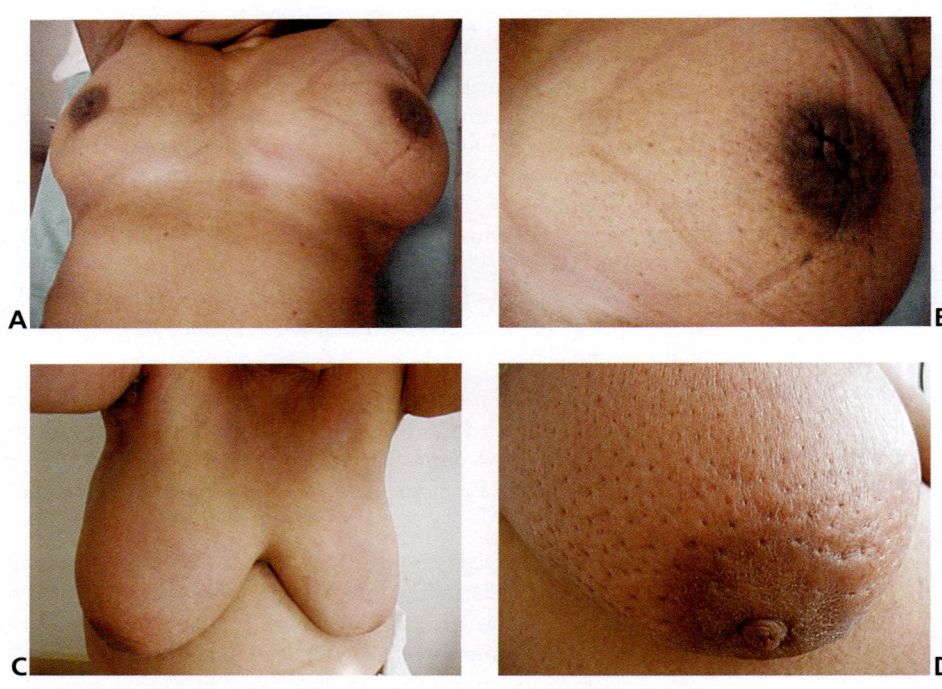

◀ **FIGURA 1. (A-D)** Apresentação clínica do carcinoma inflamatório de mama.

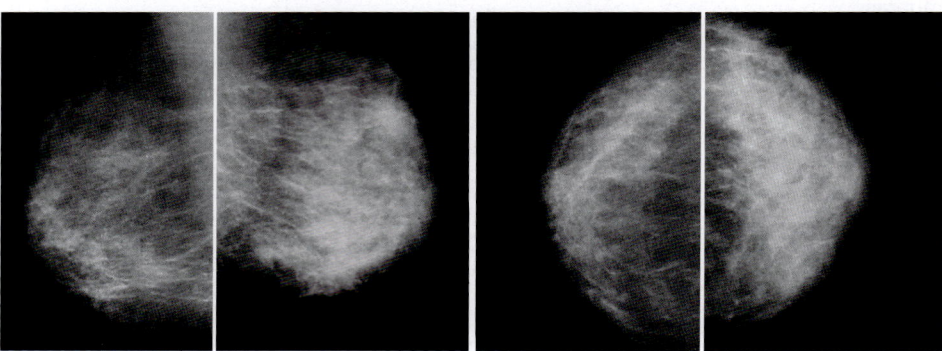

◀ **FIGURA 2.** Imagens radiológicas do carcinoma inflamatório de mama esquerda.

proteína codificada pelo gene LIBC, também chamada WISP3, é o fator de crescimento insulina-*like* (IGF), uma proteína de ligação denominada IGFBP-rP9 e que parece estar relacionada com a modulação de IGF nos receptores IGF da superfície celular. Esses fatores podem potencializar ações proliferativas mediadas por IGF e também promover o crescimento tumoral através de efeitos IGF independentes.[5,7,16]

Uma importante molécula responsável pela adesividade celular, chamada E-caderina, está superexpressa nos tumores inflamatórios da mama, bem como MUC-1, outra molécula responsável pela adesividade celular, e parecem estar envolvidas na capacidade de metastatizar precocemente.[5,7]

Fatores de crescimento vascular endotelial (VEGF a,VEGFb,VEGFc, VEGFd)) estão superexpressos e são relacionados com a angiogenese e VEGF-D, especificamente, com o desenvolvimento de vasos linfáticos peritumorais.[5,7,16,18]

Novas tecnologias em biologia molecular, desenvolvidas no final dos anos de 1990, têm ajudado a definir melhor as diferenças entre carcinomas inflamatórios e não inflamatórios. O perfil genético dos tumores estudados por DNA *microarray* demostra que os tumores inflamatórios da mama são mais frequentemente do tipo basal e ErbB2 – positivo e menos do tipo luminal. Estamos começando a estudar o genoma do câncer inflamatório e graças à sua raridade e heterogeneidade, são necessários estudos colaborativos internacionais e o emprego de novas tecnologias disponíveis, como a avaliação do perfil genético, em amostra de tumores fixados em e parafina e não somente em tumores frescos.[7,8,21]

TRATAMENTO

O CIM é uma doença altamente agressiva, de aparecimento súbito e com disseminação sistêmica muito precoce. É considerado uma forma de mau prognóstico de carcinoma da mama localmente avançado. Face à raridade da doença existem poucos estudos clínicos randomizados, e a maior parte do conhecimento vem de estudos clínicos de braço único e de estudos retrospectivos. O tratamento do CIM evoluiu muito nos últimos 30 anos, principalmente após a introdução dos quimioterápicos antracíclicos. A sobrevida em 5 anos, que era de menos de 5%, elevou-se para 30 a 50%. O tratamento é multidisciplinar: quimioterapia neoadjuvante seguido por tratamento local cirúrgico e radioterápico.[9,11,21]

O tratamento quimioterápico ideal, incluindo drogas, sequência, doses e duração, ainda não está definido. Os regimes contendo antraciclinas e, especialmente, taxanos são os mais efetivos.[6,21]

A quimioterapia neoadjuvante, contendo regimes com antracíclicos (doxorrubicina), tem demonstrado ser efetiva e é amplamente empregada atualmente. As vantagens são a administração de quimioterapia antes do desenvolvimento de clones tumorais resistentes à droga e de alteração da vascularização tumoral por radioterapia ou cirurgia. A resposta *in vivo* nos mostra a efetividade do tratamento. Pacientes com resposta clínica completa têm melhor sobrevida livre de doença e sobrevida total.[6,15,19]

Em um estudo realizado no *MD Anderson Cancer Center*, entre 1974 e 1993, com 178 pacientes, quatro diferentes esquemas contendo antracíclicos foram equivalentes em eficácia – com 72% de respostas clínicas parciais e 12% de respostas clínicas completas. A sobrevida livre de doença foi de 32% em 5 anos, e 28% em 10 anos. Pacientes com resposta clínica completa tiveram uma sobrevida total em 15 anos de 51%.[4]

A introdução de taxanos na neoadjuvância aumenta a taxa de resposta clínica, a sobrevida livre de doença e a sobrevida total. Mas, o esquema ideal (se taxanos antes ou em combinação com antracíclicos *versus* antracíclicos seguidos por taxanos) não está definido e deve ser objeto de estudos multicêntricos, pois a raridade desta patologia traz dificuldades para se conseguir número suficiente de casos.

Pacientes com Her 2 positivo devem receber terapia-alvo com herceptin® em conjunto com quimioterapia. O uso de transtuzumabe junto com antraciclinas deve ficar restrito a estudos clínicos. O lapatinibe na neoadjuvância está sendo pesquisado, e não temos dados suficientes para seu uso na prática clínica.

Quimioterapia em altas doses e transplante de medula óssea aumentam a taxa de respostas clínica e patológica, têm toxicidade maior, e não tem sido demonstrado um aumento significativo na sobrevida livre de doença e sobrevida total.[17,21,23]

TRATAMENTO LOCAL

Pacientes com resposta patológica completa após quimioterapia neoadjuvante têm maior sobrevida livre de doença e sobrevida global, quando comparadas às pacientes com pouca resposta.[17]

A quimioterapia neodjuvante, seguida de mastectomia radical modificada e radioterapia é o tratamento *standard* para o CIM. As pacientes que conseguem completar todo o planejamento terapêutico têm uma sobrevida global de 51% em 5 anos: um resultado que pode ser considerado encorajador para o CIM que, originariamente, era considerado como uma doença fatal. Em uma série com 256 pacientes, de Bristol J *et al.*, 75% conseguiram completar o tratamento.[4]

A recidiva locorregional em pacientes com CIM está, invariavelmente, associada à disseminação a distância e morte pela doença.

Panades *et al.* confirmaram o papel importante da mastectomia no tratamento local do câncer inflamatório da mama. Estudaram 308 pacientes que receberam quimioterapia (a maioria contendo doxorrubicina) e radioterapia (exceto nove delas). Destas,183 pacientes foram mastectomizadas, e a sobrevida livre de doença em 10 anos foi significativamente maior neste grupo em comparação àquelas que não realizaram mastectomia (60 *vs*. 34% p = 0,0001).[3]

Radioterapia é realizada, geralmente, após a cirurgia, pois menores doses de radiação podem ser aplicadas com mais segurança no plastrão torácico que no pré-operatório. Pacientes que permanecem inoperáveis após quimioterapia neoadjuvante receberão radioterapia primeiramente e, após, se operáveis, mastectomia.[19]

As cirurgias conservadoras e a biópsia do linfonodo sentinela não têm indicação no CIM.

A radioterapia locorregional na dose total de 66 Gy, sendo 1,5 Gy 2 vezes ao dia, mostrou um aumento significativo no controle local, quando comparado à dose de 60 Gy com fracionamento diário convencional. Comumente, as pacientes recebem 50 Gy em frações diárias de 1,8 ou 2 Gy seguidas de *boost* na cicatriz de 10 Gy.[3,5,11,17,20,22]

Os campos de tratamento radioterápico devem englobar a parede torácica e linfonodos regionais axilares, infraclaviculares, supraclaviculares e da mamária interna.

Pacientes com CIM e receptores hormonais positivos são incomuns e, quando encontrados, devem receber adjuvância com tamoxifeno e/ou anastrozol.

REFERÊNCIAS BIBLIOGRÁFICAS

1. Anderson WF, Schairer C, Chen BE *et al.* Epidemiology of inflammatory breast cancer (IBC). *Breast Dis* 2005-2006;22:9.
2. Anderson WF, Chu KC, Chang S. Inflammatory breast cancer and noninflammatory locally advanced breast carcinoma: distinct clinicopathologyc entities? *J Clin Oncol* 2003;21:2254-59.
3. Brostol IJ, Woodward WA, Strom EA *et al.* Locoregional treatment outcomes after multimodality management of inflammatory breast cancer. *Int J Radiat Oncol Biol Phys* 2008;72:474-84.
4. Bristol IA, Buchholz TA: Inflammatory breast cancer:current concepts in local management. *Breast Disease* 2005-2006;22:75-83.
5. BlandKI, Copeland EM. *The Breast*. Philadelphia: Elsevier, 2009.
6. Bauer LR, Busch E, Levine E *et al.*Therapy for Inflammatory breast cancer: impacto of doxorubicin-based therapy. *Ann Surg Oncol* 1994;2(4):288-94.
7. Bertucci F, Finetti P, Birnbaum D *et al.* Gene expression profiling of inflammatory breast cancer. *Cancer* 2010;116(11):2783-93.
8. Cristofanilli M, Valero V, Budzar AU *et al.* IBC and patterns of recurrence: understanding the biology of a unique disease. *Cancer* 2007;110:1436.
9. Cristofanilli M, Valero V, Buzdar AU *et al.* IBC and patterns of recurrence. *Cancer* 2007;110,7:1436-45.
10. Cristofanilli M, Buzdar AU, Hortobagyi NG. Update on management of inflammatory breast cancer. *Oncologist* 2003;8:141-48.
11. De Boer HR, Allum HW, Ebbs SR *et al.* Multimodality therapy in inflammatory breast cancer:Is there a place for surgery? *Ann Oncology* 2000;11(9):1147-53.
12. Chagas CR, Menke CH, Vieira RJ *et al. Carcinoma inflamatório da mama. Tratado de mastologia da SBM*. Rio de Janeiro: Revinter 2011. p. 771-87, v. 2.
13. Edge SB, Byrd DR, Compton CC *et al.* (Eds.). *AJCC Cancer stanging manual*. 7th ed. New York: Springer, 2010.

14. Hance WK, Anderson FW, Devesa SS *et al.* Trends in inflammatory breast carcinoma incidence and survival: the surveillance, epidemiology, and end results program at the National Cancer Institute. *J Natl Cancer Inst* 2005;97(13):966-75.
15. Jaiyesimi AI, Buzdar AU, Hortobagyi G. Inflamatory breast cancer: a review. *J Clin Oncol* 1992;10:1014-24.
16. Kleer GC, Van GolenLK, Merajver DS. Molecular bioloy of breast metastasis. *Breast Cancer Res* 2000;2:423-29.
17. Liao Z, Strom EA, Buzdar UA *et al.* Locorregional irradiation for inflammatory breast cancer: effectiveness of dose escalation in decreasing recurrence. *Int J Radiat Oncol Biol Phys* 2000;47(5):1191-2000.
18. Merajver DS. Inflammatory breast cancer: pathology and molecular pathogenisis, 2011. Disponível em: <www.uptodate.com>
19. Taghian A, El Ghamry NM, Merajver DS. Inflammatory breast cancer: clinical features and treatment, 2011. Disponível em: <www.uptodate.com>
20. Tai P, Yu E, Shiels R *et al.* Short-and long-term cause specific survival of patiens with inflammatory breast cancer. *BMC Cancer* 2005;5:137.
21. Singletary ES. Current treatment options for inflammatory breast cancer. *Ann Surg Oncol* 1999;6(3):228-29.
22. Sutherland S, Ashley S, Walsh G *et al.* Inflammatory breast cancer—The Royal Marsden Hospital experience: a review of 155 patients treated from 1990 to 2007. *Cancer* 2010;116(11):2815-20.
23. Viens P, Palangié T, Janvier M *et al.* First-line high-dose sequential chemotherapy with RG-CSF and repeat blood stem cell transplantation in untreat inflammatory breast cancer:toxicity and response (PEGASE 02 trial). *Br J Cancer* 1999;81(5):449-56.
24. Walshe MJ, Swain MS. Clinical aspects of inflamatory breast cancer. *Breast Dis* 2005-2006;22:35-44.

CAPÍTULO 121

Câncer de Mama em Pacientes Jovens

Manuela Jacobsen Junqueira ■ Joyce Christina Ribeiro de Souza

INTRODUÇÃO

O câncer de mama é uma ocorrência rara na mulher jovem, constituindo, aproximadamente, 7% de todos os novos casos diagnosticados, porém não menos devastador. Vários estudos comprovam que, em comparação aos pacientes de mais idade, as pacientes jovens são diagnosticadas com tumores maiores,[1] com maior número de linfonodos positivos e menor expressão de receptores hormonais,[2,3] fatos que, em geral, traduzem-se em menor sobrevida global. Atualmente, existem evidências de que a pouca idade é um fator de risco independente para recidiva local[4-7] e menor sobrevida.[8] Alguns pesquisadores vêm postulando, inclusive, que o câncer de mama na mulher jovem é biologicamente distinto daquele que surge após os 50 anos.[9] Além disso, inúmeros fatores devem ser ponderados nesta população, incluindo aconselhamento genético, preservação da fertilidade e gravidez.

DEFINIÇÃO

Inicialmente, a própria definição de "paciente jovem" requer consideração. Não existe um consenso em relação ao limiar utilizado para distinguir tais pacientes. Uma forma comum de classificação é considerar mulheres na pré e pós-menopausa, mas evidentemente esta definição é flexível, podendo agrupar mulheres de diversas faixas etárias. Outra maneira é classificar como jovem a paciente para a qual ainda não é recomendado o rastreamento mamográfico, mas, novamente, em decorrência de controvérsias e diferentes rotinas, esta pode ser de 40 ou 50 anos de idade. No Brasil, o Ministério da Saúde recomenda o rastreamento a partir dos 50 anos,[10] enquanto a *American Cancer Society* mantém a recomendação de se iniciar aos 40.[11] Pacientes com menos de 35 anos têm características diferentes daquelas com 35 anos ou mais, e é neste grupo que o prognóstico é especialmente pior,[2] mas uma breve pesquisa da literatura mostra que ainda não há consonância nesta definição. Sendo assim, neste capítulo consideraremos como "paciente jovem" aquela com menos de 40 anos, por ser o limiar utilizado na maioria dos estudos consultados, fazendo-se notar quando classificarmos de outra forma.

EPIDEMIOLOGIA

Segundo dados da *American Cancer Society* (ACS),[12] a probabilidade de desenvolver câncer de mama durante toda a vida para mulheres latinas é de 9,29 (1 em 11). Até os 39 anos, a chance é de 0,38 (1 em 261), enquanto dos 40-59 anos a probabilidade sobe para 2,85 (1 em 35). Para mulheres brancas norte-americanas, a probabilidade vitalícia é de 1 em 8 (12,1% de risco durante a vida).[13,14]

Apesar de o câncer de mama ser mais comum em mulheres brancas, em pacientes com menos de 35 anos, a raça negra é um forte fator preditivo de risco (RR = 2,66: CI 95% 1,4-1,9).[15] Mulheres negras têm maior chance de serem diagnosticadas em estágios mais avançados e apresentam maior proporção de tumores triplo-negativos do que as brancas (e, especificamente, fenótipo basal), o que confere pior sobrevida global a esta população.[16]

Entre 1975 e 2000, a incidência de câncer de mama nos EUA aumentou para mulheres com mais de 45 anos, porém manteve-se estável para aquelas entre 25 e 45 anos de idade.[6] Entre 2002 e 2003, a incidência diminuiu significativamente (7%), porém este decréscimo se deu apenas na população acima de 50 anos, provavelmente em razão da publicação do estudo da *Women's Health Initiative* que revelou aumento no risco de câncer de mama com o uso de terapia de reposição hormonal. Após 2003, a incidência estabilizou-se.

Recentemente, surgiu controvérsia em relação ao aumento da incidência de câncer de mama nas mulheres jovens no Brasil, principalmente após duas aparições na mídia nacional de um estudo que notou que o mesmo "quadriplicou ou quintuplicou" nos últimos anos.[17,18] Porém, tal estudo foi realizado em um centro de referência em câncer, e o aumento reportado foi de pacientes que procuraram esta instituição, não tendo sido avaliada a população em geral, além de os resultados nunca terem sido publicados em uma revista médica.

Segundo dados do Instituto Nacional de Câncer (INCA), foram estimados 49.240 novos casos de câncer de mama no Brasil para 2010. A incidência média para 15 estados brasileiros está ilustrada na Figura 1, e a variação percentual média anual na Figura 2. O aumento observado pode ser explicado por diagnóstico precoce, melhora no acesso ao rastreamento mamográfico e notificação do diagnóstico.

A mortalidade aumentou 1,52% ao ano entre 1979 e 2008, o que também pode ser atribuído à melhora da notificação do óbito. Os valores absolutos e a taxa específicos estão ilustrados no Quadro 1.

RASTREAMENTO

Segundo o relatório de consenso de 2004 do Ministério da Saúde,[10] para mulheres sem fatores de risco significativos, as recomendações atuais de rastreamento são:

- Exame clínico das mamas anual a partir dos 40 anos.
- Rastreamento por mamografia, no máximo, a cada 2 anos, para mulheres entre 50 e 69 anos de idade (porém é importante salientar que, a partir de abril de 2008, entrou em vigor a lei número 11.664, que prega a responsabilidade do Sistema Único de Saúde em assegurar a toda mulher a realização de mamografia a partir dos 40 anos).

A *American Cancer Society* (ACS) inclui aconselhamento quanto aos sintomas de câncer de mama a partir dos 20 anos de idade e recomenda mamografia anual a partir dos 40 anos.[11]

Pacientes de alto risco são definidas pelo consenso como aquelas que preenchem quaisquer dos seguintes critérios:

- Diagnóstico prévio de lesão mamária proliferativa ou neoplasia lobular *in situ*.
- História familiar de parente de primeiro grau com câncer de mama antes dos 50 anos de idade.
- História familiar de parente de primeiro grau com câncer de mama bilateral ou câncer de ovário, em qualquer idade.
- História familiar de câncer de mama masculino.

Para estas pacientes, o Ministério da Saúde recomenda:

- Exame clínico das mamas anual a partir dos 35 anos de idade.
- Mamografia anual a partir dos 35 anos de idade.

Lesões palpáveis em pacientes com menos de 35 anos devem ser avaliadas pela ultrassonografia (USG).

A ACS inclui como pacientes de alto risco, além dos fatores citados, pacientes com mutação confirmada nos genes *BRCA1/2* (ou outras mutações de alto risco, como *p53*), pacientes com história pregressa de

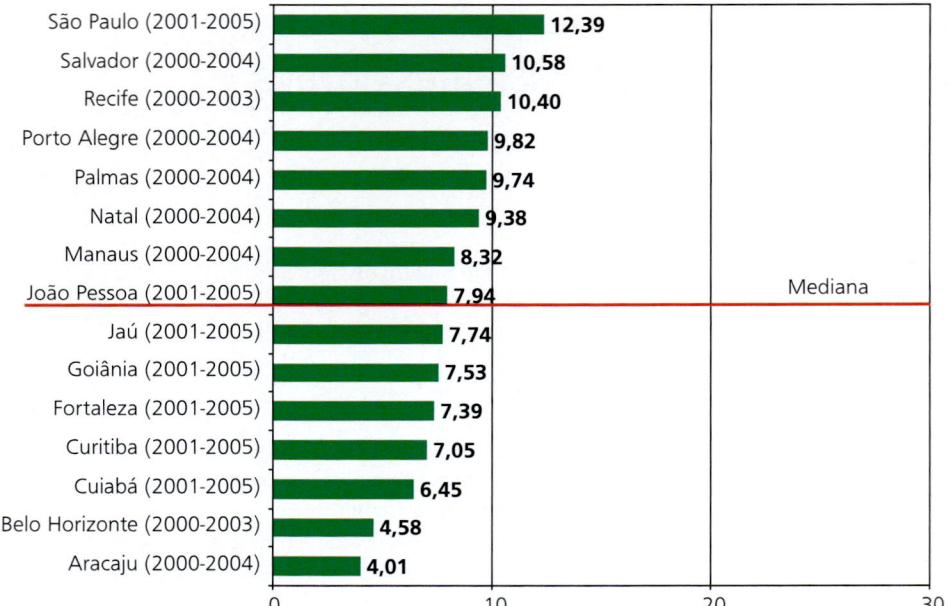

▲ **FIGURA 1.** Taxas médias de incidência de câncer de mama, específicas por idade em mulheres jovens (até 40 anos) em 15 RCBP Brasileiros.

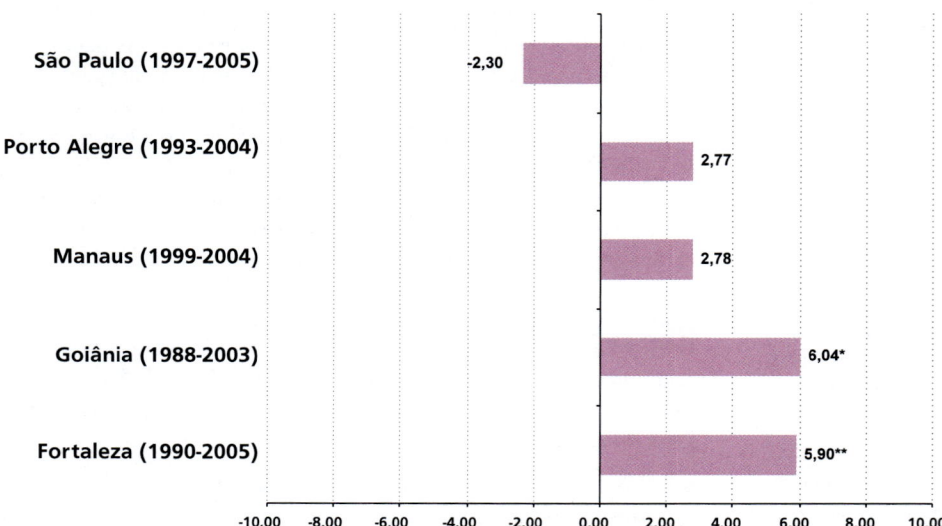

Fonte: MS/INCA/CONPREV/Divisão de Informação e Análise de Situação Registros de Câncer de Base Populacional

▲ **FIGURA 2.** Variação percentual média anual – das taxas de incidência de câncer de mama, específicas por idade, em mulheres jovens (até 40 anos), para cinco cidades selecionadas e período de referência. *p < 0,002; **p < 0,0002.

Quadro 1. Taxas de mortalidade por câncer de mama, específicas por idade, em mulheres jovens (até 40 anos), no Brasil, entre 1979 e 2008

ANO	VALOR ABSOLUTO	TAXA ESPECÍFICA
1979	370	0,79
1980	390	0,83
1981	423	0,88
1982	390	0,80
1983	445	0,90
1984	412	0,82
1985	461	0,90
1986	509	0,97
1987	548	1,03
1988	527	0,98
1989	569	1,04
1990	593	1,07
1991	539	0,95
1992	590	1,04
1993	586	1,01
1994	666	1,13
1995	670	1,12
1996	638	1,09
1997	642	1,08
1998	691	1,14
1999	735	1,20
2000	706	1,14
2001	718	1,14
2002	767	1,21
2003	720	1,12
2004	765	1,17
2005	760	1,13
2006	815	1,20
2007	836	1,28
2008	893	1,38

Valores por 100.000.
Fontes: MS/SVS/DASIS/CGIAE/Sistema de Informação sobre Mortalidade – SIM.
MP/Fundação Instituto Brasileiro de Geografia e Estatística – IBGE.
MS/INCA/Conprev/Divisão de Informação e Análise de Situação.

linfoma de Hodgkin tratadas com radioterapia do tórax e mulheres que apresentam risco vitalício de 25% ou mais (estimado por algum modelo de risco, como o de Gail e outros). A recomendação da ACS para estas pacientes é realizar exame clínico, mamografia e ressonância magnética (RM) das mamas anualmente a partir dos 30 anos. É importante frisar que a RM não é recomendada como rastreamento de rotina para pacientes com risco vitalício estimado menor que 20%, ou seja, para a grande maioria das mulheres, independente da idade.[19]

O autoexame das mamas não é mais recomendado como rotina, porém é uma opção para mulheres a partir dos 20 anos. A técnica deve ser ensinada pelo profissional de saúde (e revisada a cada nova visita), e os benefícios e as limitações do método devem ser esclarecidos. Esta recomendação deixou de ser rotina, quando pesquisas mostraram que o papel do autoexame no diagnóstico precoce do câncer de mama é pequeno, e que o simples fato de estar ciente do que é normal para cada mulher, notando alterações no dia a dia, é igualmente eficiente.

Caso a paciente note algo diferente do que é normal para ela, ou se perceber um nódulo, mudanças nas características da pele (como retração, abaulamento, edema ou eritema), mastalgia, retração papilar, eritema ou eczema da papila, ou descarga papilar, ela deve imediatamente procurar seu médico. A paciente deve ser educada pelo médico, a partir dos 20 anos, sobre estas alterações, para que esteja atenta a elas, mas é importante reassegurá-la que, na grande maioria das vezes, tais sinais e sintomas não necessariamente serão causados por câncer.

Durante o exame clínico, o médico deve inquirir sobre a história familiar de câncer de mama e ovário, incluindo o lado paterno da família, e esta deve ser atualizada a cada visita. Caso haja forte suspeita de alguma síndrome familiar, a paciente deverá ser encaminhada para aconselhamento genético, além de iniciar o rastreamento com mamografia antes dos 40 anos.

O objetivo de programas de rastreamento é a detecção precoce. Para mulheres abaixo de 40 anos sem fatores de risco significativos, a falta de um exame confiável, com baixo risco de falso-positivos, faz com que o diagnóstico ocorra em um estágio mais avançado. Zabicki *et al.* compararam 925 mulheres diagnosticadas antes dos 40 anos com 2.362 diagnosticadas entre os 50 e 60 anos, estratificando por ano de diagnóstico.[20] De 1983 a 1998, antes de programas de qualidade em mamografia serem instituídos nos EUA, não houve diferença entre os dois grupos, mas entre 1998 e 2002 o tamanho do tumor no grupo das mulheres mais jovens foi significativamente maior do que das mulheres de mais idade (média de 2,43 vs. 1,84 cm, respectivamente, $P < 0,0001$), assim como a presença de linfonodos positivos (35,2 vs. 23,9%, respectivamente, $P < 0,0001$), discrepância que foi notada também por outros pesquisadores.

BIOLOGIA MOLECULAR

O câncer de mama na paciente jovem tem peculiaridades biológicas em relação àquele diagnosticado após os 50 anos. Inúmeros autores sugerem que os processos moleculares que originam o câncer são bastante diferentes, quando a neoplasia surge na mulher de menos idade.[21] De fato, nesta população existe maior associação a síndromes familiares, sendo as mais conhecidas mutações nos genes *BRCA1/2*, mas várias outras já foram descritas, como mutações de PTEN (síndrome de Cowden) e *TP53*.[22]

Desde que Perou et al.[23] publicaram seu estudo relatando os subtipos moleculares do câncer de mama, as assinaturas genômicas passaram a ser uma ferramenta a mais no manejo da doença. O Mammaprint® é uma assinatura com 70 genes que estratificam pacientes, independente do *status* linfonodal, em bom e mau prognósticos. Foram analisados 295 tumores em mulheres com menos de 53 anos de idade e, no grupo que apresentou assinatura preditiva para bom prognóstico, apenas 10% das pacientes tinham menos de 40 anos.[24] A outra assinatura utilizada atualmente é o Oncotype Dx®, desenvolvida para auxiliar na decisão de oferecer ou não tratamento adjuvante para pacientes com tumores linfonodo-negativo, positivos para receptores de estrógeno.[25] Esta ferramenta estratifica pacientes de acordo com um escore de recidiva (baixo, intermediário e alto), e, mais uma vez, as pacientes jovens são estratificadas com muito maior frequência no grupo de alto risco.

É importante salientar que o fato de apresentar expressão genômica associada a alto risco de recidiva não significa que esteja indicado tratamento local mais radical – a cirurgia conservadora continua sendo apropriada neste grupo – mas sim, que está indicado o tratamento sistêmico com quimio e/ou hormonoterapia.

Anders et al.[9] analisaram o perfil genômico de 784 tumores de mama em estágio inicial, estratificando por idade. As mulheres com menos de 45 anos apresentam 367 genes que as distinguem daquelas com mais de 65, e esta assinatura foi preditiva para pior sobrevida livre de doença.

Estes estudos fortalecem a hipótese de que o câncer de mama na mulher jovem é causado, ao menos em parte, por processos biológicos que vão além da baixa expressão de receptores hormonais e síndromes hereditárias.

DIAGNÓSTICO

A mulher antes dos 40 anos não tem indicação de rastreamento para doenças da mama na ausência de fatores de risco significativos. Sendo assim, geralmente a paciente virá à consulta com uma queixa específica – comumente um nódulo detectado pela própria paciente ou pelo médico-generalista. Com as campanhas de sensibilização em relação ao câncer de mama, muitas pacientes estarão ansiosas frente à possibilidade de apresentarem uma lesão maligna e muitas vezes precisam ser asseguradas de que tais neoplasias são bastante raras na sua faixa etária.

A conduta diagnóstica na paciente jovem é ainda bastante controversa em razão, entre outros fatores, da falta de sensibilidade da mamografia em mamas densas e ao alto índice de falso-positivos da RM. Em um estudo retrospectivo de 1.908 pacientes com 35 anos ou menos, Hindle et al.[26] concluíram que o estudo não é custo-eficaz; nenhum câncer foi encontrado, e o diagnóstico e conduta clínica não foram modificados. Apesar de a RM detectar mais cânceres, não há evidência na literatura de que o aumento em sensibilidade se traduza em melhora na sobrevida.[27] Em outro estudo, a sensibilidade da mamografia em mamas predominantemente adiposas foi de 80%, comparada a 30% em mulheres com mamas extremamente densas. Estes autores concluíram ser a densidade mamária um fator de risco para câncer de intervalo (OR = 6,14 CI 95% 1,95-19,4, mamas adiposas vs. densas).[28]

A ultrassonografia é o exame mais indicado nesta faixa etária – em pacientes abaixo dos 45 anos, a sensibilidade é 13,2% maior que da mamografia (CI 95% 2,1-24,3%).[29] Dito isto, a indicação para o exame deve ser considerada: se não houver massa definida, a melhor conduta é realizar ultrassonografia direcionada, e não de toda a mama, evitando assim a alta taxa de falso-positivos do exame completo de ambas as mamas. O médico marca a área suspeita na pele da paciente, e o exame é concentrado apenas naquela área. Quando existe forte índice de suspeição, como no caso de nódulo duro, fixo, com retração de pele, a indicação será, em última instância, cirúrgica. Sendo assim, o uso de exames de imagem será útil para avaliar extensão da doença localmente, e devem-se indicar os exames completo e bilateral. A Figura 3 mostra um dos algoritmos propostos na literatura para a conduta quando face à paciente jovem com nódulo mamário.

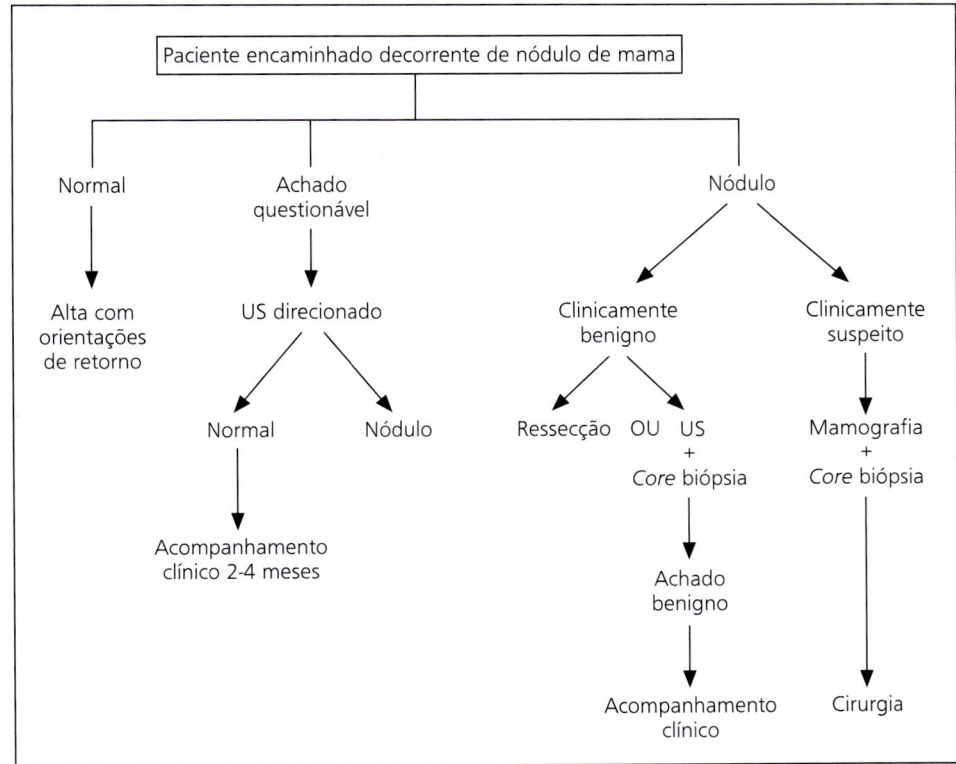

◀ **FIGURA 3.** Algoritmo para conduta na paciente jovem, apresentando nódulo de mama (*US*, ultrassonografia). (Adaptada, com permissão, de Morrow M, Wong S, Venta L. "The evaluation of breast masses in women younger than forty years of age". *Surgery* 1998;124:634-41.)

É importante salientar, contudo, que a ultrassonografia não é capaz de identificar o carcinoma ductal *in situ*; sendo assim, a mamografia pode ainda ter seu valor nesta população. Pesquisadores da Cidade do Cabo, na África do Sul, ponderando que a maioria dos estudos tem origem em grandes centros, onde a maior parte da população é branca, e o câncer de mama é raríssimo em pacientes jovens, reportaram sua experiência em um centro, no qual a incidência antes dos 40 anos é de 16%, e também é maior número de mulheres da raça negra.[30] Os autores observaram que, em países com recursos limitados, sem acesso à RM de rotina, a mamografia continua sendo uma importante ferramenta diagnóstica na mulher jovem. Foram analisadas 2.167 mamografias (82% digitais) entre 2003 e 2009, sendo 393 graças à presença de nódulo palpável, 367 para acompanhamento após diagnóstico de câncer e 1.312 para rastreamento em pacientes de alto risco (ver seção Rastreamento para Critérios). A proporção de mamografias alteradas e o valor preditivo positivo (VPP) estão ilustrados no Quadro 2. O VPP foi calculado conforme descrito em Rosenberg *et al.*,[31] e o valor mostrado significa a probabilidade de câncer nas pacientes submetidas à biópsia por lesões BI-RADS 4 e 5.

Outras séries modernas confirmam a sensibilidade da mamografia em mulheres abaixo dos 40 anos com diagnóstico confirmado de câncer de mama, corroborando o estudo citado anteriormente (Quadro 3). Em suma, o exame triplo — exame físico, mamografia e ultrassonografia — poderá ser útil na paciente jovem, quando a mamografia é realizada em equipamento moderno e avaliada por radiologista experiente em mastologia.

TRATAMENTO

Os princípios básicos de tratamento do câncer de mama se aplicam à paciente jovem, porém vários fatores devem ser considerados diferenciadamente.

Tratamento local

Apesar de estudos seminais como NSABP-B06 terem demonstrado a validade da cirurgia conservadora como substituta à mastectomia em casos selecionados,[32,33] cada vez mais pacientes optam por tratamentos cirúrgicos mais radicais.[34] Pacientes jovens, principalmente, muitas vezes elegem mastectomia ainda que possuam tumores pequenos[35] e cada vez mais preferem realizar mastectomia contralateral profilática (MCP), mesmo quando há indicação apenas de ressecção segmentar unilateral seguida de radioterapia. Esta tendência é mundial, e Tuttle *et al.*[36] demonstraram um aumento de 150% nas taxas de MCP nos Estados Unidos desde 1988. No *Memorial Sloan-Kettering Cancer Center*, em Nova Iorque, a taxa era de 6,7% em 1997, aumentando para 24,2% em 2005.[34]

A lógica por trás deste aumento pode dever-se ao fato de vários estudos terem demonstrado que a mulher jovem tem, em média, 4 vezes maior incidência de recidiva local do que a mulher com mais de 65 anos (Fig. 4 e Quadro 4).[7,37-40] Não obstante, a metanálise do *Early Breast Cancer Trialists Collaborative Group* (EBCTCG), incluindo 42.000 mulheres em 78 estudos randomizados, concluiu que o controle local tem importância na sobrevida: para cada quatro recidivas locais prevenidas, uma morte por câncer foi evitada.[41] Ainda assim, os efeitos na paciente jovem são controversos.

Em um estudo do Instituto Curie, em Paris, foi evidenciada taxa de recidiva local de 38% em 10 anos para mulheres com menos de 40 anos, com um acréscimo de 7% a cada ano a menos na idade. Apesar de, nesse estudo, as pacientes terem sido submetidas à radioterapia pós-operató-

Quadro 2. Valor preditivo positivo por indicação de mamografia

	MAMOGRAFIA DIAGNÓSTICA	ACOMPANHAMENTO APÓS CÂNCER DE MAMA	RASTREAMENTO
Total	393	367	1.312
Mamografia Alterada	199	20	58
Histologia Maligna	165	7	4
VPP (%)	82	70	22

VPP = valor preditivo positivo.
Adaptado, com permissão, de Taylor L *et al*. Time for a re-evaluation of mammography in the young? Results of an audit of mammography in women younger than 40 in a resource restricted environment. *Breast Cancer Res Treat* 2011;129(1):99-106.

Quadro 3. Revisão da literatura da última década sobre acurácia da mamografia em mulheres < 40 anos com diagnóstico confirmado de câncer de mama

AUTORES	NÚMERO DE TUMORES MALIGNOS	MASSA PALPÁVEL	MAMOGRAFIA SUSPEITA/ INDETERMINADA	SENSIBILIDADE (%)
Foxcroft (2004)	109	104	92	84
Wang (2007)	239	172	149	72
Taylor (2009)	176	178	168	95

Adaptado, com permissão, de Taylor L *et al*. Time for a re-evaluation of mammography in the young? Results of an audit of mammography in women younger than 40 in a resource restricted environment. *Breast Cancer Res Treat* 2011;129(1):99-106.

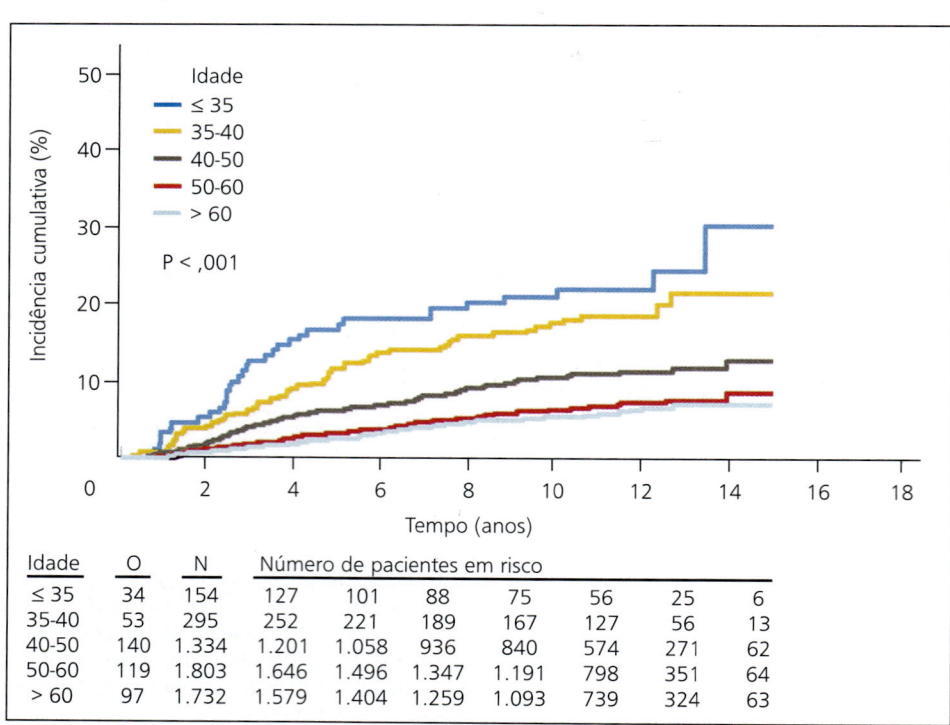

◀ **FIGURA 4.** Incidência cumulativa de recidiva tumoral na mama ipsilateral após irradiação com 50 Gy com ou sem *boost*. (Reimpressa, com permissão, de Bartelink H *et al.*[44])

Quadro 4. Idade e recidiva local

AUTOR	PERÍODO ESTUDADO	N	MARGENS	BOOST	QT	GRUPOS ETÁRIOS	RECIDIVA LOCAL
Voogd (2001)	1980-1989	871 893	Macro	Todas	LN+	≤ 35 > 60	35 % 7 %
Anderson (2009)	1981-1996	8.873	Tinta livre	Variado	Variada	≤ 49 50-60 > 60	10 % 6 % 6 %
Coulombe (2007)	1989-1998	1.597	9% +	67%	78%	≤ 40 > 40	15 % 8 %
Kroman (2004)	1980-1994	2.120 7.165	ND	ND	Alto risco	< 35 45-49	15 % 3 %
Elkhuizen (1998)	1980-1994	1.360	ND	Maioria	LN+	≤ 45 45-65 > 65	19 % 11 % 4 %

QT = quimioterapia; LN = linfonodo; ND = não disponível.
Adaptado, com permissão, de King TA. Selecting local therapy in the young breast cancer patient. *J Surg Oncol* 2011 Mar 15;103(4):330-6.

ria, não era necessário que as margens estivessem livres.[42] Analisando um subgrupo composto por 488 mulheres randomizadas para segmentectomia e radioterapia no estudo NSABP B-06,[4] pesquisadores notaram que o único fator preditivo para recidiva local foi idade menor que 35 anos (< 35 anos *vs.* 35-49 anos, $P = 0,0004$; > 50 anos, $P = 0,007$). Por outro lado, em uma análise de 9.285 mulheres com menos de 50 anos ao diagnóstico randomizadas para mastectomia total com dissecção axilar ou cirurgia conservadora e dissecção axilar, apesar da recidiva local ser 5,2 vezes maior na paciente com menos de 35 anos em relação àquelas entre 45-49 anos, não houve diferença estatística na sobrevida.[40]

Em metanálise do EBCTCG, pacientes com menos de 40 anos submetidas à cirurgia conservadora apresentaram taxa de recidiva local de 18,4%, comparado a 8,9% naquelas submetidas à mastectomia, além de maior taxa de eventos anuais. Contudo, analisando todas as mulheres que apresentaram recidiva, a mortalidade das pacientes com menos de 40 anos foi maior sem alcançar diferença estatística. Em 2011, novamente a tendência foi confirmada em uma análise de 1.451 mulheres com menos de 40 anos na Holanda. Aquelas submetidas à cirurgia conservadora apresentaram maior risco atuarial de recidiva local em 5, 10 e 15 anos (8,3, 18,3 e 27,9%, respectivamente) em comparação àquelas submetidas à mastectomia (4,4, 6,0 e 6,0%, respectivamente, mostrando que após mastectomia há um platô, o que não ocorre após segmentectomia) (Figs. 5 e 6).[35] Com a adição de tratamento sistêmico em anos mais recentes, a taxa de recidiva melhorou, porém não se igualou entre os grupos. Apesar disso, a sobrevida livre de metástases e a sobrevida global foram equivalentes após mastectomia ou cirurgia conservadora.

Outro fator de grande importância nesta faixa etária é o *status* das margens. Em análise de 2.291 pacientes submetidas à cirurgia conservadora, com acompanhamento mediano de 83 meses, a sobrevida livre de doença em 10 anos para mulheres com mais de 40 anos foi de 94,7% com margens positivas *versus* 92,6% com margens negativas; naquelas com menos de 40 anos, as taxas foram de 84,4 e 34,6%, respectivamente. O efeito das margens positivas foi restrito às pacientes jovens tanto para sobrevida livre de doença a distância, quanto para sobrevida global.[43]

A análise do estudo EORTC 22881-10882 publicada em 2007 mostrou que, para as pacientes jovens, o uso de *boost* complementando o tratamento radioterápico é fundamental. Nas mulheres com menos de 40 anos a redução absoluta do risco de recidiva local aos 10 anos foi de 23,9 para 13,5% (sem *boost vs.* com *boost*, respectivamente, $P = 0,0014$), conforme ilustrado na Figura 7.

Não houve diferença na sobrevida entre os dois grupos.[44] No subgrupo composto por 251 pacientes com margens positivas randomizadas para "*boost*" *versus* "sem *boost*", não houve diferença estatística na recidiva local ou sobrevida,[45] enfatizando a importância das margens livres para o sucesso do tratamento conservador.

É importante levar em consideração o custo-benefício do tratamento: em mulheres com maior expectativa de vida, há maior morbimortalidade no futuro em virtude do mesmo (danos cardíacos, câncer de pulmão entre outros).[46]

Em suma, o tratamento conservador não é contraindicado na paciente jovem, já que apesar de a maioria dos estudos demonstrarem um acréscimo na recidiva local,[4,7,35,42,44,45,47] este é de apenas 1% ao ano, e não foi evidenciado ainda nenhum impacto na sobrevida graças ao mesmo. Outros fatores influenciam a sobrevida, como a biologia tumoral e o tratamento sistêmico moderno, e, desde que seja feita seleção cuidadosa de pacientes, com devida atenção às margens e com uso de *boost*, o tratamento conservador pode e deve ser indicado com segurança.[5,48]

Tratamento sistêmico

Nos últimos anos, a panaceia disponível para tratamento do câncer de mama vem evoluindo em grande velocidade. Quase todas as pacientes jovens com malignidade confirmada serão submetidas a tratamento sistêmico. De acordo com o consenso de *St. Gallen* elas devem ser consideradas de alto risco pela idade, independente de outros fatores.[49] Devem ser levados em conta, entretanto, efeitos colaterais, como infertilidade, menopausa precoce, diminuição de densidade óssea e o desenvolvimento de neoplasias secundárias ao tratamento quimioterápico. Tais riscos devem ser discutidos com a paciente face ao benefício do tratamento, e a decisão deve ser tomada em conjunto. Dito isso, a paciente com menos de 30 anos deve ser informada que, na ausência de tratamento sistêmico, o prognóstico é especialmente reservado.[50] O uso de quimioterapia aumentou significativamente nas últimas décadas, com o surgimento de novas drogas. A proporção de pacientes com menos de 40 anos submetidas a tratamento sistêmico citotóxico aumentou 35% no período de 1988-1993 para 77% entre 2000-2005.[35]

Independente da idade, a tendência atual é individualizar o tratamento, de acordo com características da paciente (p. ex.: idade) e do tumor; características tradicionais, como grau tumoral, tamanho, grau de proliferação celular, receptores hormonais e expressão de HER2-*neu*, são consideradas paralelamente ao uso, mais recentemente, de assinaturas moleculares que predizem o grau de resposta ao tratamento sistêmico e o risco de recidiva.[23]

O primeiro passo é determinar a presença ou ausência de receptores hormonais.[51] Nas pacientes com tumores negativos para receptores de estrógeno, a quimioterapia torna-se ainda mais importante do que naquelas com tumores responsivos ao estrógeno, que contam com uma gama de drogas específicas.

A recomendação atual é a indicação de regimes contendo antracíclicos, que se mostram consistentemente mais eficazes do que a combinação de ciclofosfamida, metotrexato e 5-fluorouracil (CMF) após 5 anos de o acompanhamento. Desde a década passada, estudos vêm mostrando a superioridade de drogas como epirrubicina[52] e doxorrubicina.[53] Na metanálise do EBCTCG, observou-se que a poliquimioterapia para pacientes com menos de 50 anos diminui o risco anual de recidiva e morte em 37 e 30%, respectivamente, o que se traduz em uma melhora absoluta de 10% na sobrevida em 15 anos. Quando submetidas a um regime contendo antracíclicos por 6 meses, a redução cumulativa na mortalidade em 15 anos foi de 38% nas mulheres com menos de 50 anos e 20% naquelas de 50 a 60 anos de idade.[53]

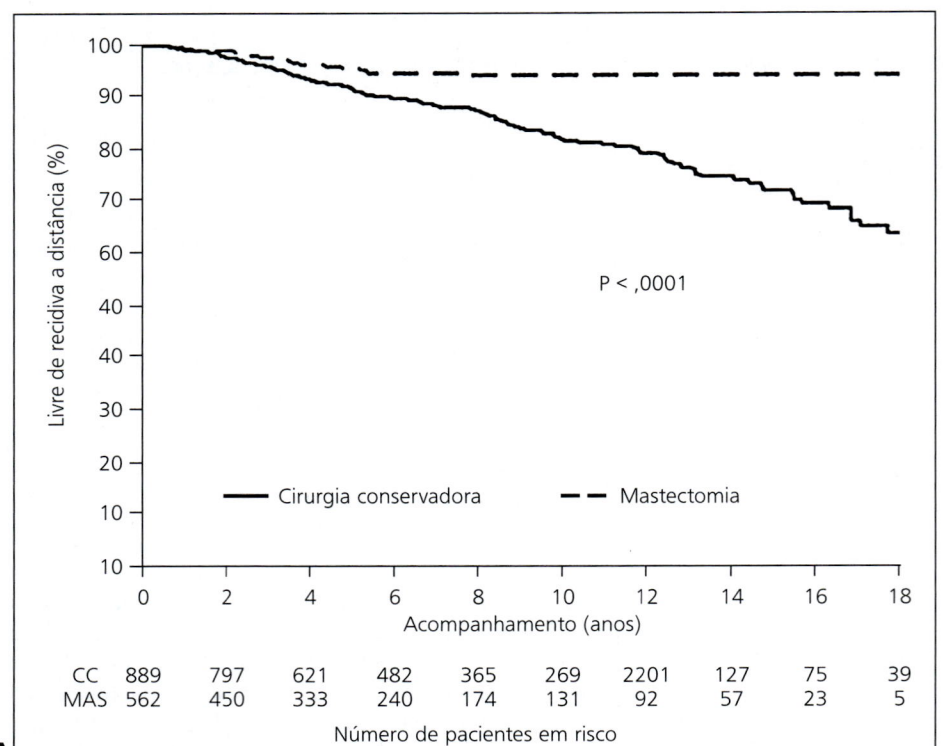

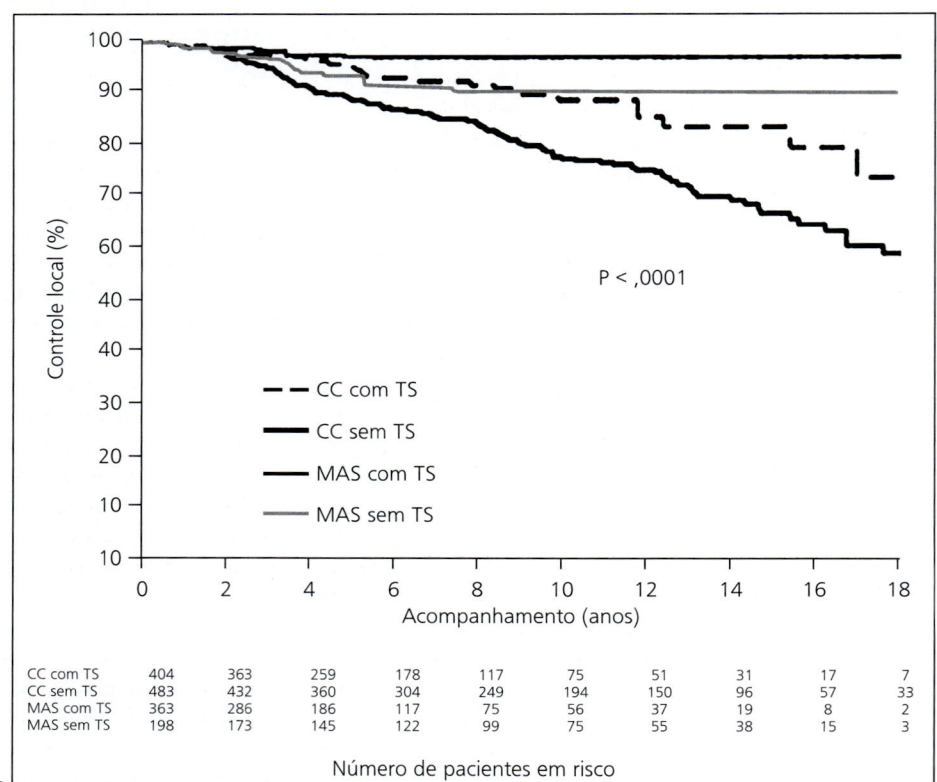

◀ **FIGURA 5. (A)** Controle local do tumor (atuarial) em pacientes ≤ 40 anos, de acordo com tratamento local. **(B)** Controle local do tumor (atuarial) em pacientes ≤ 40 anos, de acordo com tratamentos local e sistêmico adjuvantes. (Adaptada, com permissão, de van der Sangen et al.[35])

Vários estudos confirmam o benefício de adicionar taxanos (paclitaxel, docetaxel) ao regime, mas não há diferença no benefício em relação à idade: estas drogas beneficiam a paciente jovem, assim como aquela com mais de 50 anos.[54]

Quando a paciente jovem é diagnosticada com tumor positivo para receptores de estrógeno, ela conta com algumas opções de tratamento, seja ele cirúrgico (ablação ovariana, em desuso atualmente) ou medicamentoso — a combinação de ambos foi testada, mas nunca ganhou muitos adeptos graças, principalmente, às altas taxas de efeitos colaterais. Estes são responsáveis pela difícil aceitação do bloqueio hormonal especialmente em pacientes jovens,[55] mas o benefício da terapia anti-hormonal na paciente na pré-menopausa é semelhante àquele na paciente na pós-menopausa,[53] e a paciente deve ser estimulada a tentar por alguns meses antes de abrir mão do tratamento.

O tratamento sistêmico tem grande impacto tanto nas taxas de recidiva local quanto de sobrevida. Um estudo realizado pelo *M. D. Anderson Cancer Center* que analisou 1.355 pacientes com câncer de mama estágios I e II tratadas entre 1970 e 1996, notou que a taxa de recidiva local diminuiu no período de 7,1% entre 1970-1984 para 1,3% entre 1994-1996. A maior queda se deu entre as pacientes com menos de 50 anos, e o único fator significativo em análise multivariada foi o uso de quimioterapia.

PROGNÓSTICO

Ao comparar 200 mulheres de 45 anos ou menos a 211 de 65 anos ou mais, Anders et al.[9] notaram uma tendência à sobrevida livre de doença (SLD) menor nas pacientes mais jovens (HR = 1,32, *P* = 0,094).

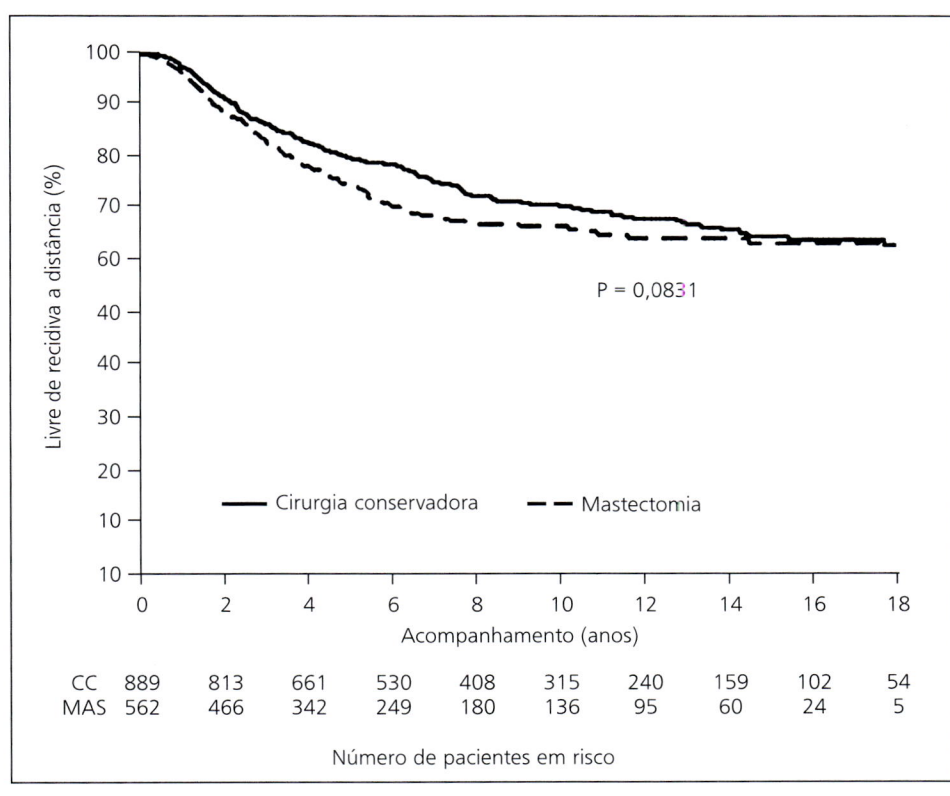

◀ **FIGURA 6.** Sobrevida livre de doença a distância (atuarial) em pacientes ≤ 40 anos, de acordo com tratamento local. (Adaptada, com permissão, de van der Sangen et al.[35])

Independente do tipo histológico ou estágio clínico, o prognóstico da paciente com menos de 40 anos acometida por câncer de mama é pior do que da paciente de mais idade. Bleyer et al.[56] analisaram dados do maior registro de câncer nos EUA (base de dados SEER) entre 1975 e 1998 e demonstraram menor sobrevida nas pacientes de 20 a 35 anos de idade quando comparadas àquelas de 45 a 75 anos. Para os estágios I e II, a sobrevida em 5 anos foi de 85% *versus* 92%, respectivamente; para estágio III, a sobrevida foi de 47% *versus* 55%; e, para estágio IV, 15% *versus* 20%. Ao estratificar por tipo histológico, o grupo jovem apresentou pior sobrevida universalmente, para carcinomas ductal, lobular e medular infiltrantes, carcinoma inflamatório e doença de Paget da mama.

Após analisar dados de registros de câncer de nove áreas metropolitanas nos EUA, Gnerlich et al.[3] compararam 15.548 pacientes jovens a 227.464 mulheres diagnósticas após os 40 anos de idade. As primeiras apresentaram tumores de maior grau histológico (3 e 4), maior diâmetro (maior que 2 cm), mais amiúde negativos para receptores de estrógeno (RE) e de progesterona (RP) e com maior número de linfonodos positivos (para todos $P < 0,001$). A probabilidade de morrer de câncer foi maior na paciente jovem quando comparada à mulher de mais de 40 anos (HR não ajustada = 1,39; IC, 1,34 a 1,45). Ao estratificar por estágio clínico, curiosamente, as jovens tiveram maior chance de morrer pela doença quando diagnosticadas com estágios I (HRa = 1,44; IC, 1,27 a 1,64) e II (HRa = 1,09; IC, 1,03 a 1,15), enquanto a probabilidade foi menor neste grupo no estágio IV (HRa = 0,85; IC, 0,76 a 0,95). Especificamente, a maior incidência de morte por câncer no grupo jovem foi decorrente da pior sobrevida em estágios iniciais, e não apenas por detecção tardia do tumor. Os autores concluem que uma das explicações para tal pode residir nas diferenças na biologia tumoral inerentes às pacientes jovens. Estes tumores, ainda que diagnosticados precocemente, comportam-se de forma singular, causando maior impacto na mortalidade na doença inicial. Outra explicação plausível é considerar que a paciente jovem provavelmente não apresenta comorbidades e, por isso, recebe tratamento mais agressivo para doença metastática, o que resultaria em uma menor diferença na mortalidade neste estágio.

Corroborando estes achados, Han et al.,[2] após analisarem 9.985 pacientes divididas em quatro grupos (grupo I: menos de 30 anos; grupo II: entre 31-34; grupo III: 35-39; e grupo IV: entre 40-50 anos de idade), não encontraram diferença de sobrevida entre os grupos III e IV, porém as pacientes dos grupos I e II, isto é, aquelas com menos de 35 anos de idade, apresentaram sobrevida significativamente pior do que os outros grupos. Para pacientes com menos de 35 anos ao diagnóstico, o risco de morte aumentou 5% para cada ano a menos na idade. Estas diferenças só foram notadas quando analisadas pacientes com tumores positivos para receptores hormonais.

Apesar de nos EUA o câncer de mama ser menos frequente nas mulheres negras em geral do que nas brancas, isto não se aplica para pacientes com menos de 40 anos. Neste subgrupo, o câncer de mama tem maiores incidência e mortalidade. Newman et al.[57] demonstraram que a sobrevida em 5 anos para mulheres negras de todas as idades é de 71% comparados a 86% nas mulheres brancas, e o risco relativo de morte por câncer para jovens negras, comparado ao de jovens brancas, é de 1,94 para doença localizada, 1,58 para acometimento regional e 2,32 para doença metastática. Alguns autores postulam, inclusive, que as mulheres negras entre 30 e 39 anos deveriam ser consideradas pacientes de alto risco para câncer de mama e deveriam, assim, ser rastreadas para a doença,[58] mas esta recomendação não é universalmente aceita.

Mulheres jovens com diagnóstico prévio de câncer de mama têm maior chance de desenvolver uma segunda neoplasia. Comparadas a pacientes com mais de 50 anos, as jovens apresentam incidência significativamente maior de leucemia, linfoma, tumores de ovário, tireoide, ossos, rins, pulmão e câncer de pele não melanoma.[59] Esta população apresenta ainda maior risco de câncer na mama contralateral, com incidência cumulativa em 10 anos de 13%, quando na população em geral, esta é de 4%.

QUALIDADE DE VIDA

Quando a mulher é diagnosticada com câncer de mama após os 50 anos, na maioria dos casos ela já constituiu família e/ou alcançou estabilidade profissional, enquanto a mulher com menos de 40 anos pode ainda não ter atingido nem um nem outro. Além disso, a mulher de mais idade pode contar com outras sobreviventes em seu círculo social, o que raramente ocorre com a jovem.

Inúmeros estudos confirmam que a paciente jovem apresenta maior incidência de estresse psicossocial do que as mais velhas.[60,61] Kwan et al.[62] vêm recrutando pacientes recentemente diagnosticadas com câncer de mama para responder a um questionário sobre qualidade de vida (estudo Pathways). Idade menor que 50 anos está associada a escores mais baixos em todas as subcategorias de qualidade de vida ($P < 0,05$).

Ganz et al.[61] observaram que, entre as jovens, melhores índices de qualidade de vida foram associados a pacientes negras, aquelas com relacionamentos estáveis e com melhor funcionamento emocional e físico, apesar de as jovens em geral terem apresentado deterioração na saúde mental e menor vitalidade do que as mais velhas. Estes autores avaliaram

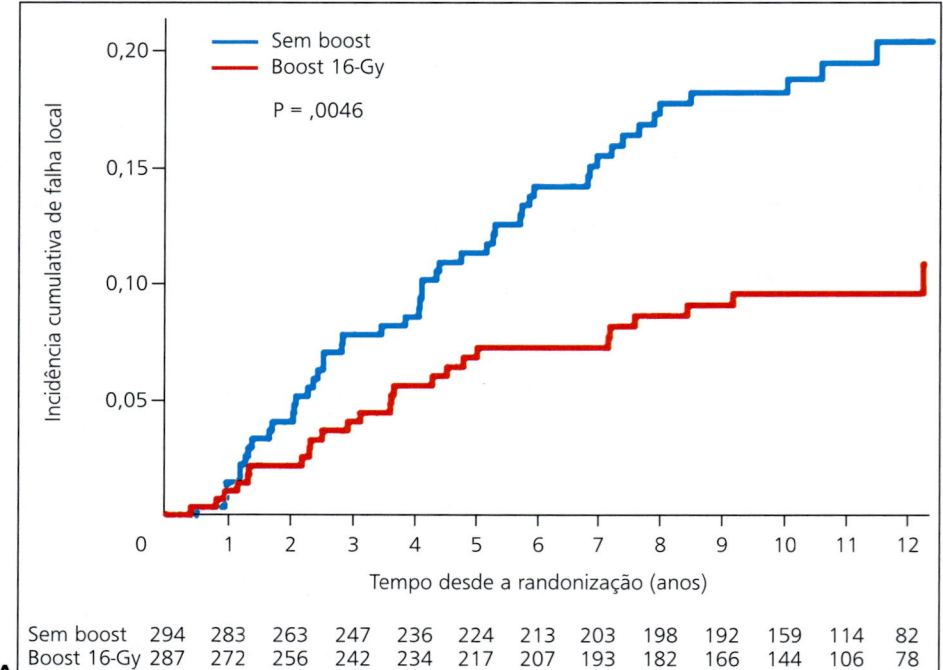

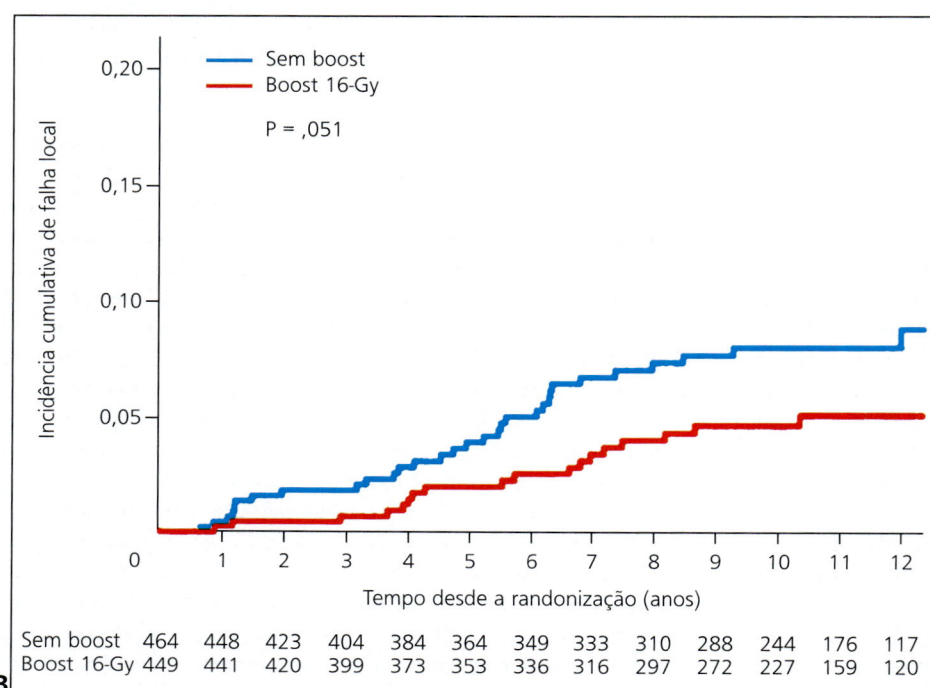

FIGURA 7. Incidência cumulativa de falha local por *boost* sim/não e idade. (**A**) Pacientes com menos de 51 anos (*P* = 0,0046). (**B**) Pacientes com mais de 50 anos (*P* = 0,051). (Reimpressa, com permissão, de Bartelink H et al.[44])

mais de 500 mulheres entre 25 e 50 anos de idade e concluíram que a ocorrência de depressão 2 a 10 anos após o diagnóstico é inversamente proporcional à idade.

É bastante frequente a ocorrência de disfunção sexual e distorção da imagem corporal na paciente jovem, porém estas apresentaram melhor prognóstico com tratamento especializado.[63] Sintomas relacionados com a menopausa, como secura e atrofia vaginal, combinados à infertilidade, levam a uma alteração geral da saúde sexual.

Com a tendência atual de a mulher iniciar a vida familiar mais tarde – nos EUA aproximadamente um quarto dos partos a termo ocorre entre os 30 e 40 anos – inúmeras pacientes não terão ainda tido filhos quando diagnosticadas. Ainda que existam diversas opções de preservação da fertilidade, raras vezes o oncologista as discute antes de iniciar o tratamento. Menos de 10% das mulheres têm filhos após terem sido diagnosticadas com câncer de mama, apesar de pesquisas indicarem que mais da metade têm este desejo.[64] A preocupação de que a gravidez possa piorar a sobrevida também é um empecilho, mas esta não é corroborada na literatura (Quadro 5).[40,64-69]

Em um estudo do *M.D. Anderson Cancer Center*, no Texas, de 383 pacientes com 35 anos ou menos analisadas, 13% ficaram grávidas após o diagnóstico de câncer de mama, e 68% destas levaram a gestação a termo.[64] As pacientes que engravidaram após o tratamento mais frequentemente apresentavam doença em estágio inicial e menos linfonodos positivos em comparação às nulíparas (*P* = 0,007) e, talvez por isso, não tenha havido impacto na sobrevida, porém outros estudos falharam em demonstrar tal associação, conforme ilustrado no Quadro 5.

É importante considerar, na paciente jovem, o efeito da quimioterapia na densidade óssea. Como a maioria das pacientes irá sobreviver por

Quadro 5. Revisão da literatura sobre gravidez após diagnóstico de câncer de mama e sobrevida

AUTOR	N	EFEITO NA SOBREVIDA
Sankila (1994)	91	Sem efeito adverso
von Schoultz (1995)	50	Sem efeito adverso
Kroman (1997)	173	Melhor naquelas que engravidaram
Velentgas (1999)	53	Sem efeito adverso
Gelber (2001)	137	Melhor naquelas que engravidaram
Blakely (2004)	47	Sem efeito adverso

longos anos após o diagnóstico, pesquisadores vêm dando maior atenção à desmineralização causada pela falência ovariana decorrente do tratamento sistêmico.

Um estudo multicêntrico, duplo-cego, randomizado, envolvendo 101 mulheres comparou a adição de ácido zoledrônico (4 mg IV a cada 3 meses) ao esquema quimioterápico *versus* placebo por 1 ano.[70] A densidade óssea manteve-se estável nas pacientes que receberam a droga, com efeitos colaterais mínimos, enquanto que aquelas no grupo-placebo apresentaram uma diminuição significativa ($P < 0{,}0001$).

SUMÁRIO

O câncer de mama na mulher jovem é uma ocorrência rara, mas que deve ser reconhecida prontamente. O perfil genômico é singular nesta faixa etária, porém mais estudos são necessários para encontrar drogas específicas para esta população. O tratamento local deve seguir condutas semelhantes àquelas utilizadas para a paciente com câncer de mama após os 40 anos.

REFERÊNCIAS BIBLIOGRÁFICAS

1. Tricoli JV, Seibel NL, Blair DG et al. Unique characteristics of adolescent and young adult acute lymphoblastic leukemia, breast cancer, and colon cancer. *J Natl Cancer Inst* 2011 Apr. 20;103(8):628-35.
2. Han W, Kang SY. Relationship between age at diagnosis and outcome of premenopausal breast cancer: age less than 35 years is a reasonable cut-off for defining young age-onset breast cancer. *Breast Cancer Res Treat* 2010 Jan.;119(1):193-200.
3. Gnerlich JL, Deshpande AD, Jeffe DB et al. Elevated breast cancer mortality in women younger than age 40 years compared with older women is attributed to poorer survival in early-stage disease. *J Am Coll Surg* 2009 Mar.;208(3):341-47.
4. Fisher ER, Anderson S, Redmond C et al. Ipsilateral breast tumor recurrence and survival following lumpectomy and irradiation: pathological findings from NSABP protocol B-06. *Semin Surg Oncol* 1992 May-June;8(3):161-66.
5. King TA. Selecting local therapy in the young breast cancer patient. *J Surg Oncol* 2011 Mar. 15;103(4):330-36.
6. Anders CK, Johnson R, Litton J et al. Breast cancer before age 40 years. *Semin Oncol* 2009 June;36(3):237-49.
7. Elkhuizen PH, van de Vijver MJ, Hermans J et al. Local recurrence after breast-conserving therapy for invasive breast cancer: high incidence in young patients and association with poor survival. *Int J Radiat Oncol Biol Phys*. 1998 Mar. 1;40(4):859-67.
8. de la Rochefordiere A, Asselain B, Campana F et al. Age as prognostic factor in premenopausal breast carcinoma. *Lancet* 1993 Apr. 24;341(8852):1039-43.
9. Anders CK, Hsu DS, Broadwater G et al. Young age at diagnosis correlates with worse prognosis and defines a subset of breast cancers with shared patterns of gene expression. *J Clin Oncol* 2008 July 10;26(20):3324-30.
10. Saude MD. Consenso de mama. 2004. Disponível em: <http://www.inca.gov.br/publicacoes/Consensointegra.pdf>
11. Society AC. ACS recommendations for early breast cancer detection in women without breast symptoms. Citado em: 19 Maio 2011. Disponível em: <http://www.cancer.org/Cancer/BreastCancer/MoreInformation/BreastCancerEarlyDetection/breast-cancer-early-detection-acs-recs>
12. Society AC. Cancer facts and figures. Disponível em: <http://www.cancer.org/Research/CancerFactsFigures/CancerFactsFigures/cancer-facts-and-figures-2010>
13. DevCan – Probability of developing or dying of cancer software.
14. Bland KI, Menck HR, Scott-Conner CE et al. The National Cancer Data Base 10-year survey of breast carcinoma treatment at hospitals in the United States. *Cancer* 1998 Sept. 15;83(6):1262-73.
15. Althuis MD, Brogan DD, Coates RJ et al. Breast cancers among very young premenopausal women (United States). *Cancer Causes Control* 2003 Mar.;14(2):151-60.
16. Carey LA, Perou CM, Livasy CA et al. Race, breast cancer subtypes, and survival in the Carolina Breast Cancer Study. *JAMA* 2006 June 7;295(21):2492-502.
17. Bergamo G. Deixou de ser raro. Cancer de mamaem mulheres com menos de 35 anos: um diagnostico que passou a ser mais comum. *Rev Veja* 2006;2006:82-84.
18. CC. Cancer de mama quintuplica entre jovens. *Folha de São Paulo*. 2006 08/05/2006.
19. Saslow D, Boetes C, Burke W et al. American Cancer Society guidelines for breast screening with MRI as an adjunct to mammography. *CA Cancer J Clin* 2007 Mar.-Apr.;57(2):75-89.
20. Zabicki K, Colbert JA, Dominguez FJ et al. Breast cancer diagnosis in women <or = 40 versus 50 to 60 years: increasing size and stage disparity compared with older women over time. *Ann Surg Oncol* 2006 Aug.;13(8):1072-77.
21. Anders CK, Acharya CR, Hsu DS et al. Age-specific differences in oncogenic pathway deregulation seen in human breast tumors. *PLoS One* 2008;3(1):e1373.
22. Evans DG, Moran A, Hartley R et al. Long-term outcomes of breast cancer in women aged 30 years or younger, based on family history, pathology and BRCA1/BRCA2/TP53 status. *Br J Cancer* 2010 Mar. 30;102(7):1091-98.
23. Perou CM, Sorlie T, Eisen MB et al. Molecular portraits of human breast tumours. *Nature* 2000 Aug. 17;406(6797):747-52.
24. van de Vijver MJ, He YD, van't Veer LJ et al. A gene-expression signature as a predictor of survival in breast cancer. *N Engl J Med* 2002 Dec. 19;347(25):1999-2009.
25. Paik S, Shak S, Tang G, Kim C, Baker J, Cronin M et al. A multigene assay to predict recurrence of tamoxifen-treated, node-negative breast cancer. *N Engl J Med* 2004 Dec. 30;351(27):2817-26.
26. Hindle WH, Davis L, Wright D. Clinical value of mammography for symptomatic women 35 years of age and younger. *Am J Obstet Gynecol* 1999 June;180(6 Pt 1):1484-90.
27. Lord SJ, Lei W, Craft P et al. A systematic review of the effectiveness of magnetic resonance imaging (MRI) as an addition to mammography and ultrasound in screening young women at high risk of breast cancer. *Eur J Cancer* 2007 Sept.;43(13):1905-17.
28. Mandelson MT, Oestreicher N, Porter PL et al. Breast density as a predictor of mammographic detection: comparison of interval- and screen-detected cancers. *J Natl Cancer Inst* 2000 July 5;92(13):1081-87.
29. Houssami N, Irwig L, Simpson JM et al. Sydney Breast Imaging Accuracy Study: Comparative sensitivity and specificity of mammography and sonography in young women with symptoms. *AJR Am J Roentgenol* 2003 Apr.;180(4):935-40.
30. Taylor L, Basro S, Apffelstaedt JP et al. Time for a re-evaluation of mammography in the young? Results of an audit of mammography in women younger than 40 in a resource restricted environment. *Breast Cancer Res Treat* 2011 June 23.
31. Rosenberg RD, Yankaskas BC, Abraham LA et al. Performance benchmarks for screening mammography. *Radiology* 2006 Oct.;241(1):55-66.
32. Fisher B, Redmond C, Poisson R et al. Eight-year results of a randomized clinical trial comparing total mastectomy and lumpectomy with or without irradiation in the treatment of breast cancer. *N Engl J Med* 1989 Mar. 30;320(13):822-28.
33. Fisher B, Jeong JH, Anderson S et al. Twenty-five-year follow-up of a randomized trial comparing radical mastectomy, total mastectomy, and total mastectomy followed by irradiation. *N Engl J Med* 2002 Aug. 22;347(8):567-75.
34. King TA, Sakr R, Patil S et al. Clinical management factors contribute to the decision for contralateral prophylactic mastectomy. *J Clin Oncol* 2011 June 1;29(16):2158-64.
35. van der Sangen MJ, van de Wiel FM, Poortmans PM et al. Are breast conservation and mastectomy equally effective in the treatment of young women with early breast cancer? Long-term results of a population-based cohort of 1,451 patients aged </=40 years. *Breast Cancer Res Treat* 2011 May;127(1):207-15.
36. Tuttle TM, Habermann EB, Grund EH et al. Increasing use of contralateral prophylactic mastectomy for breast cancer patients: a trend toward more aggressive surgical treatment. *J Clin Oncol* 2007 Nov. 20;25(33):5203-9.
37. Voogd AC, Nielsen M, Peterse JL et al. Differences in risk factors for local and distant recurrence after breast-conserving therapy or mastectomy for stage I and II breast cancer: pooled results of two large European randomized trials. *J Clin Oncol* 2001 Mar. 15;19(6):1688-97.
38. Anderson SJ, Wapnir I, Dignam JJ et al. Prognosis after ipsilateral breast tumor recurrence and locoregional recurrences in patients treated by breast-conserving therapy in five national surgical adjuvant breast and bowel project protocols of node-negative breast cancer. *J Clin Oncol* 2009 May 20;27(15):2466-73.
39. Coulombe G, Tyldesley S, Speers C et al. Is mastectomy superior to breast-conserving treatment for young women? *Int J Radiat Oncol Biol Phys* 2007 Apr. 1;67(5):1282-90.
40. Kroman N, Holtveg H, Wohlfahrt J et al. Effect of breast-conserving therapy versus radical mastectomy on prognosis for young women with breast carcinoma. *Cancer* 2004 Feb. 15;100(4):688-93.

41. Clarke M, Collins R, Darby S et al. Effects of radiotherapy and of differences in the extent of surgery for early breast cancer on local recurrence and 15-year survival: an overview of the randomised trials. *Lancet* 2005 Dec. 17;366(9503):2087-106.
42. Bollet MA, Sigal-Zafrani B, Mazeau V et al. Age remains the first prognostic factor for loco-regional breast cancer recurrence in young (<40 years) women treated with breast conserving surgery first. *Radiother Oncol* 2007 Mar.;82(3):272-80.
43. Jobsen JJ, Van Der Palen J, Ong F et al. Differences in outcome for positive margins in a large cohort of breast cancer patients treated with breast-conserving therapy. *Acta Oncol* 2007;46(2):172-80.
44. Bartelink H, Horiot JC, Poortmans PM et al. Impact of a higher radiation dose on local control and survival in breast-conserving therapy of early breast cancer: 10-year results of the randomized boost versus no boost EORTC 22881-10882 trial. *J Clin Oncol* 2007 Aug. 1;25(22):3259-65.
45. Poortmans PM, Collette L, Horiot JC et al. Impact of the boost dose of 10 Gy versus 26 Gy in patients with early stage breast cancer after a microscopically incomplete lumpectomy: 10-year results of the randomised EORTC boost trial. *Radiother Oncol* 2009 Jan.;90(1):80-85.
46. Darby SC, McGale P, Taylor CW et al. Long-term mortality from heart disease and lung cancer after radiotherapy for early breast cancer: prospective cohort study of about 300,000 women in US SEER cancer registries. *Lancet Oncol* 2005 Aug.;6(8):557-65.
47. de Bock GH, van der Hage JA, Putter H et al. Isolated loco-regional recurrence of breast cancer is more common in young patients and following breast conserving therapy: long-term results of European Organisation for research and treatment of cancer studies. *Eur J Cancer* 2006 Feb.;42(3):351-56.
48. Punglia RS, Morrow M, Winer EP et al. Local therapy and survival in breast cancer. *N Engl J Med* 2007 June 7;356(23):2399-405.
49. Goldhirsch A, Glick JH, Gelber RD et al. Meeting highlights: international consensus panel on the treatment of primary breast cancer. Seventh international conference on adjuvant therapy of primary breast cancer. *J Clin Oncol* 2001 Sept. 15;19(18):3817-27.
50. Xiong Q, Valero V, Kau V et al. Female patients with breast carcinoma age 30 years and younger have a poor prognosis: the M.D. Anderson Cancer Center experience. *Cancer* 2001 Nov. 15;92(10):2523-28.
51. Goldhirsch A, Wood WC, Gelber RD et al. Progress and promise: highlights of the international expert consensus on the primary therapy of early breast cancer 2007. *Ann Oncol* 2007 July;18(7):1133-44.
52. Levine MN, Bramwell VH, Pritchard KI et al. Randomized trial of intensive cyclophosphamide, epirubicin, and fluorouracil chemotherapy compared with cyclophosphamide, methotrexate, and fluorouracil in premenopausal women with node-positive breast cancer. National Cancer Institute of Canada Clinical Trials Group. *J Clin Oncol* 1998 Aug.;16(8):2651-58.
53. Effects of chemotherapy and hormonal therapy for early breast cancer on recurrence and 15-year survival: an overview of the randomised trials. *Lancet* 2005 May 14-20;365(9472):1687-717.
54. De Laurentiis M, Cancello G, D'Agostino D et al. Taxane-based combinations as adjuvant chemotherapy of early breast cancer: a meta-analysis of randomized trials. *J Clin Oncol* 2008 Jan. 1;26(1):44-53.
55. Fellowes D, Fallowfield LJ, Saunders CM et al. Tolerability of hormone therapies for breast cancer: how informative are documented symptom profiles in medical notes for 'well-tolerated' treatments? *Breast Cancer Res Treat* 2001 Mar.;66(1):73-81.
56. Bleyer A, Barr R, Hayes-Lattin B et al. The distinctive biology of cancer in adolescents and young adults. *Nat Rev Cancer* 2008 Apr.;8(4):288-98.
57. Newman LA, Bunner S, Carolin K et al. Ethnicity related differences in the survival of young breast carcinoma patients. *Cancer* 2002 July 1;95(1):21-27.
58. Johnson ET. Breast cancer racial differences before age 40—implications for screening. *J Natl Med Assoc* 2002 Mar.;94(3):149-56.
59. Lee KD, Chen SC, Chan CH et al. Increased risk for second primary malignancies in women with breast cancer diagnosed at young age: a population-based study in Taiwan. *Cancer Epidemiol Biomarkers Prev* 2008 Oct.;17(10):2647-55.
60. Avis NE, Crawford S, Manuel J. Quality of life among younger women with breast cancer. *J Clin Oncol* 2005 May 20;23(15):3322-30.
61. Ganz PA, Greendale GA, Petersen L et al. Breast cancer in younger women: reproductive and late health effects of treatment. *J Clin Oncol* 2003 Nov. 15;21(22):4184-93.
62. Kwan ML, Ergas IJ, Somkin CP et al. Quality of life among women recently diagnosed with invasive breast cancer: the Pathways Study. *Breast Cancer Res Treat* 2010 Sept;123(2):507-24.
63. Schover LR. Sexuality and body image in younger women with breast cancer. *J Natl Cancer Inst Monogr* 1994(16):177-82.
64. Blakely LJ, Buzdar AU, Lozada JA et al. Effects of pregnancy after treatment for breast carcinoma on survival and risk of recurrence. *Cancer* 2004 Feb. 1;100(3):465-69.
65. Sankila R, Heinavaara S, Hakulinen T. Survival of breast cancer patients after subsequent term pregnancy: "healthy mother effect". *Am J Obstet Gynecol* 1994 Mar.;170(3):818-23.
66. von Schoultz E, Johansson H, Wilking N et al. Influence of prior and subsequent pregnancy on breast cancer prognosis. *J Clin Oncol* 1995 Feb.;13(2):430-34.
67. Velentgas P, Daling JR, Malone KE et al. Pregnancy after breast carcinoma: outcomes and influence on mortality. *Cancer* 1999 June 1;85(11):2424-32.
68. Gelber S, Coates AS, Goldhirsch A et al. Effect of pregnancy on overall survival after the diagnosis of early-stage breast cancer. *J Clin Oncol* 2001 Mar. 15;19(6):1671-75.
69. Kroman N, Jensen MB, Melbye M et al. Should women be advised against pregnancy after breast-cancer treatment? *Lancet* 1997 Aug. 2;350(9074):319-22.
70. Hershman DL, McMahon DJ, Crew KD et al. Zoledronic acid prevents bone loss in premenopausal women undergoing adjuvant chemotherapy for early-stage breast cancer. *J Clin Oncol* 2008 Oct. 10;26(29):4739-45.

CAPÍTULO 122
Câncer de Mama em Pacientes Idosas

Andréa Discaciati de Miranda ■ Romulo Victor da Silva Martins

INTRODUÇÃO

Os crescentes avanços tecnológicos aplicados aos cuidados com a saúde vêm proporcionando um controle mais efetivo de doenças que, anteriormente, eram causas de óbitos em grande número da população. Associado a isto, as melhores condições de vida adquiridas com programas de saneamento, estímulo a hábitos de vida, como a prática de esportes e padrões alimentares mais saudáveis, vêm acarretando um crescimento progressivo da população idosa, com impacto mundial, inclusive em países em desenvolvimento, como o Brasil. O crescimento da faixa etária com 65 anos de idade ou mais esperado para o ano de 2030 nos EUA é de 20%, e cerca de 70% dos casos de câncer ocorrerão nesta faixa etária.[1]

A idade é considerada como um dos mais importantes fatores de risco para o desenvolvimento do câncer de mama. Isso é particularmente verdadeiro para o câncer de mama, portanto, supõe-se que um aumento progressivo de novos diagnósticos será realizado nessa faixa etária populacional. Dados estatísticos revelam que quase metade dos novos diagnósticos de câncer de mama ocorre em mulheres acima de 65 anos de idade e mais de 30% em pacientes com 70 anos de idade ou mais. Tanto na Europa quando nos EUA, mais de 50% dos casos de câncer de mama ocorrem em mulheres acima de 70 anos de idade e, como a expectativa de vida vem aumentando, espera-se que esta proporção aumente ainda mais, impondo um maior encargo aos oncologistas para o adequado manejo do tratamento.[2] Tais dados vão de acordo com outros estudos que apontam que a idade continua sendo um dos fatores individuais de risco para o desenvolvimento de câncer de mama, sendo o risco estimado de desenvolver câncer de mama em uma entre 14 mulheres na faixa etária entre 60 a 79 anos, uma entre 24 mulheres entre 40 a 59 anos e uma entre 228 mulheres com 39 anos de idade ou menos.[3]

Ao falarmos de câncer de mama em pacientes idosas, cabe definir, em primeiro lugar, qual é grupo populacional que estaremos abordando. A conceituação de idosos gera controvérsias entre os diversos autores. Entretanto, como a maioria dos autores, estaremos considerando mulheres com idade igual ou superior a 65 anos de idade.

Dados do Instituto Nacional de Câncer, disponível em http://www.inca.gov.br,[4] mostram que no ano de 2010 houve uma estimativa de 49.240 novos casos de câncer de mama, sendo que o risco estimado é de 49 casos a cada 100 mil mulheres, não havendo especificamente separação por faixa etária.

Dados do *Surveillance, Epidemiology, and End Results Registry* (SEER)[5] apontam que dois terços dos novos diagnósticos de câncer de mama ocorreram em mulheres acima de 55 anos de idade, sendo o risco de 465,5 mulheres em 100 mil na faixa etária entre 70 a 74 anos de idade, 483,2 mulheres em 100 mil entre 75 a 79 anos de idade, 472,9 mulheres em 100 mil entre 80 a 84 anos de idade e 394 mulheres em 100 mil com 85 anos de idade ou mais. Tais achados vão de acordo com outro estudo que aponta que a probabilidade de desenvolver câncer de mama aumenta com a idade, e que a maior incidência é entre mulheres de 75 a 79 anos de idade.[6]

Dados mais recentes do *Surveillance, Epidemiology, and End Results Registry* apontam que a idade média de diagnóstico de câncer de mama nos anos de 2003 a 2007 foi de 67 anos, sendo que 19,5% ocorreram na faixa dos 65 a 74 anos, 15,8% na faixa de 75 a 84 anos e 5,6% acima de 85 anos.[7]

O aumento da idade está associado a progressivo declínio da reserva funcional de múltiplos órgãos e sistemas e a aumento na prevalência de dependência funcional, comorbidades, distúrbios da memória e declínio das reservas econômicas e sociais.[8] Cabe lembrar que os processos considerados ocorrem de forma heterogênea na população, e que a idade cronológica reflete pobremente a idade fisiológica do indivíduo.

Os dados anteriores expostos indicam claramente a importância acerca da necessidade de um adequado manejo no tratamento de câncer de mama em idosas, o que, até hoje, apresenta desafios como poderá ser percebido no decorrer do capítulo.

MANIFESTAÇÕES CLÍNICAS E RADIOLÓGICAS

A manifestação mais frequente do câncer de mama na paciente idosa permanece sendo nodulação palpável. Em ordem decrescente de frequência aparecem: descarga papilar unilateral serosa ou sanguinolenta, dor associada à nodularidade, alteração da cor e textura da pele sobre a mama, massa axilar ou supraclavicular, alterações da papila e, por último, alterações mamográficas.

Uma vez que o risco de câncer de mama aumenta entre as idosas, particular atenção deve ser dada para manifestações radiológicas e/ou clínicas, mesmo que sugiram doenças benignas. Especialmente nesta faixa etária são frequentes tumores de crescimento indolente que podem gerar imagens com margens bem definidas e regulares, ao invés da presença de espículas ou irregularidades, bem como apresentar-se como massas palpáveis móveis e de superfície lisa.

Apoio social insuficiente, acesso limitado aos meios de transporte e percepção debilitada do próprio corpo são fatores importantes que atrasam o diagnóstico.[9]

Vários estudos apontam que as mulheres idosas possuem menor acesso à realização de mamografia, menor acesso ao exame clínico médico, bem como se examinam menos, o que pode interferir na forma de manifestação inicial da doença.[10-14] Levantamento realizado no *M.D. Anderson Cancer Center* aponta que, nas mulheres acima de 65 anos de idade, 85% dos diagnósticos foram realizados pela percepção da própria paciente, 12% foram detectados pelo médico ao exame clínico, e somente 3% pela mamografia.[12] O mesmo levantamento aponta que somente 36% dos casos apresentavam tumores menores ou iguais a 2,0 cm ao diagnóstico.

A detecção de novos casos em estágios mais avançados também é percebida em outros estudos, entre os quais podemos citar uma avaliação de câncer de mama em mulheres na pós-menopausa divididas em grupos etários de 55 a 69 anos e 70 ou mais anos mostrou que o grupo mais idoso apresentou maior chance de apresentar doença avançada ao diagnóstico, seja por doença localmente avançada, doença primária inoperável ou doença metastática, bem como maior chance de não receber o tratamento completo.[13]

Estudo publicado por Eaker *et al.*,[15] no ano de 2006, refere-se às características clínicas do tumor no momento do diagnóstico, de acordo com a faixa etária, conforme mostra o Quadro 1.

O estudo italiano NORA (*The National Oncological Research Observatory on Adjuvant therapy in breast cancer*) avaliou um total de 3.515 pacientes, das quais 1.085 apresentavam mais de 65 anos de idade ao diagnóstico de câncer de mama. Na faixa etária entre 65 a 69 anos, 61,7% das pacientes não apresentavam comorbidades, porcentagem

Quadro 1. Estadiamento clínico no momento do diagnóstico em relação à idade

	50-59 ANOS Nº (%)	70-74 ANOS Nº (%)	75-79 ANOS Nº (%)	80-84 ANOS Nº (%)
Número de casos	5.788	1.261	1.021	989
Estágio I	2.584 (44,6)	505 (40,1)	298 (29,2)	187 (18,9)
Estágio IIA	1.451 (25,1)	304 (24,1)	283 (27,7)	226 (22,9)
Estágio IIB	682 (11,8)	160 (12,7)	193 (19,8)	170 (17,2)
Estágio III	239 (4,1)	62 (4,9)	69 (6,8)	70 (7,1)
Estágio IV	81 (1,4)	28 (2,2)	24 (2,4)	39 (3,9)
Indeterminado	751 (13,0)	202 (16,0)	154 (15,1)	297 (30,0)
Tamanho médio do tumor (mm)	19,2	21,1	25,1	27,6

Adaptado de Eakes S et al., 2006.[15]

que diminuiu para 29,6% na faixa igual ou superior a 75 anos. O diagnóstico por meio do autoexame correspondeu a 48,3% dos casos, o que foi diretamente proporcional ao aumento da idade. O diagnóstico mamográfico representou apenas 22% dos casos e apresentou relação decrescente quando comparada ao aumento da idade das pacientes.[16]

Em contrapartida, outro levantamento aponta que o estadiamento ao diagnóstico, exceto em pacientes acima de 85 anos de idade, é o comparável ao de pacientes jovens.[17]

Não há dúvidas de que a mamografia apresenta papel especial no arsenal diagnóstico do câncer de mama. Uma vez que a mama sofre processo de lipossubstituição progressiva no decorrer dos anos, as alterações mamográficas são mais facilmente visualizadas em mamas mais idosas do que em mamas mais densas como as de pacientes jovens.[18] A acurácia da mamografia na detecção do câncer aumenta com o avançar da idade, tanto em sensibilidade, quanto em especificidade, em decorrência do aumento da radiolucência do tecido mamário.

Mesmo com o benefício apontado, não existem evidências científicas sobre a utilização da mamografia em idosas e permanecem controvérsias acerca do limite máximo de idade para o rastreamento mamográfico, bem como o intervalo para a realização do exame. A maioria dos dados é obtida de pequenos estudos, sendo que alguns apontam a idade de 85 anos como limite benéfico trazido pela mamografia. São questionados intervalos de 12, 24 ou 36 meses para a realização de mamografia em idosas.[19] É possível que muitas idosas com boa expectativa de vida deixem de realizar os exames de rotina com base somente na idade cronológica.

Apesar da existência de estudos que não demonstram associação entre o rastreamento mamográfico em idosas e a diminuição da mortalidade por câncer de mama nessa faixa etária,[20] vários são os dados que apontam tal benefício. Metanálise avaliando o benefício do rastreamento mamográfico em pacientes idosas constatou que a rotina anual ou bianual com mamografia em mulheres com 50 a 75 anos de idade está associada à redução da mortalidade relacionada com o câncer de mama em 25 a 30%,[19] o que foi confirmado em outro estudo.[21]

Muitos autores recomendam que a realização de mamografia em pacientes acima dos 75 anos de idade deve ser com base na avaliação individual da paciente e não na idade cronológica em si.[21-23] O benefício do rastreamento deve levar em consideração fatores como doenças concorrentes que limitem a expectativa de vida da paciente ou que limitem a tolerância da paciente a tratamentos oncológicos, desde que haja diagnóstico de câncer. É necessária, também, a consideração do quanto um diagnóstico de câncer de mama afetaria a vida da paciente.[23]

Segundo a Sociedade Internacional de Geriatria não existem evidências fortes contra ou a favor do uso sistemático da mamografia em pacientes acima de 70 anos de idade. Existem diferenças culturais na abordagem do rastreamento do câncer de mama, que variam de país para país.[24] Programas de rastreamento, com base em dados populacionais, existentes em alguns países desenvolvidos, consideram que o rastreamento com mamografia é apropriado até os 75 anos de idade. Individualmente a decisão deve levar em consideração os riscos e benefícios do rastreamento, idade mental, expectativa de vida etc.[25]

Parece, portanto, razoável, que mulheres acima de 65 anos de idade continuem realizando o rastreamento com mamografia de acordo com suas condições clínicas. Independente da faixa etária, o diagnóstico precoce define uma maior chance de cura.

FATORES HISTOPATOLÓGICOS E FATORES PROGNÓSTICOS

A frequência de diagnósticos de carcinoma ductal invasivo diminui com a idade, correspondendo a 88% dos casos em mulheres ≤ 39 anos de idade, 79% das mulheres entre 40 a 49 anos de idade, 76% das mulheres entre 50 a 69 anos de idade e 73% das mulheres com 70 anos de idade ou mais,[26] entretanto, permanece como sendo o tipo histopatológico de maior ocorrência.

O aumento da idade é acompanhado pelo aumento de diagnósticos de tipos histopatológicos especiais, de evolução mais favorável, como o carcinoma mucinoso,[26] o carcinoma papilífero[27] e o carcinoma tubular.[26,28]

Há uma percepção geral que o câncer de mama é uma doença menos agressiva em pacientes idosas, sendo que os tumores tendem a se apresentar com histologias mais indolentes e características tumorais mais favoráveis.[28-31] Apesar disso, alguns outros estudos consideram que o câncer de mama não deve ser considerado menos agressivo em pacientes idosas somente pela idade, o que poderia acarretar erros nas decisões terapêuticas.[32-34] O potencial metastático do carcinoma mamário em mulheres idosas não difere significativamente do apresentado por pacientes mais jovens.[31]

Outra controvérsia existe em relação ao grau de comprometimento de linfonodos axilares por doença metastática. É certo que, com o avançar da idade, muitas pacientes não são submetidas à avaliação linfonodal cirúrgica-patológica, o que diminui a confiabilidade dos dados. Alguns estudos afirmam um menor número de pacientes com axila clinicamente suspeita entre as idosas[26,31] e outros afirmando o contrário.[28,35] Acredita-se que, quando há envolvimento axilar patológico, a proporção numérica de linfonodos comprometidos por doença metastática é a mesma que em pacientes jovens.[26,31]

Apesar de muitos estudos acerca do câncer de mama em idosas não avaliarem todas as pacientes quanto à positividade para receptores hormonais, entre os dados disponíveis, acredita-se que, em média, cerca de 80% das pacientes idosas apresentam tumores receptores hormonais positivos.[12,29,36,37] Há sugestão de que o padrão dos receptores hormonais altere em mulheres acima de 85 anos de idade, sendo que elas são menos frequentemente positivas para receptores estrogênicos e mais frequentemente positivas para receptores androgênicos.[38]

Com o avançar da idade parece que menores taxas de marcadores de proliferação, como fração de fase S e ausência da superexpressão do oncogene HER-2/neu, são encontrados.[36] Dados sugerem também uma diminuição na frequência de reação linfoplasmocitária e de invasão vascular.[26]

Estudos mais recentes apontam a possibilidade da superexpressão do oncogene HER-2/neu, e que as pacientes idosas apresentam os mesmos grupos moleculares, sejam tipo HER-2, luminal ou basal, que em pacientes em outras idades.[39]

Uma vez que tumores agressivos ocorrem em qualquer idade, mesmo que a prevalência de tumores indolentes aumente com o envelhecimento, seria um erro assumir que todas as mulheres idosas apresentem doenças indolentes, e o tratamento deve ser com base na agressividade individual do tumor, e não na idade.[8]

PROGNÓSTICO

O câncer de mama aparece como segunda causa de morte por câncer em mulheres, sendo superado apenas pelo câncer de pulmão. Das mortes por câncer de mama, 77% ocorrem em pacientes com 55 anos de idade ou mais.[7]

Dados estatísticos revelam que a sobrevida doença-específica para câncer de mama em 5 anos aumenta com a idade acima de 75 anos. A sobrevida projetada em 5 anos para pacientes abaixo dos 45 anos de idade é de 83%, enquanto, para pacientes entre 65 a 74 anos, é de 89%. A sobrevida doença-específica para câncer de mama em 5 anos varia também de acordo com o estadiamento ao diagnóstico, sendo de 96,8% nos casos de doença local e de 78,4% nos casos de doença locorregional.[7]

A probabilidade de morte por causas não relacionadas com o câncer de mama aumenta com a idade.[40] Avaliação acerca das causas de óbito em pacientes com câncer de mama mostra que a probabilidade de morte não relacionada com o câncer é de 20% em mulheres acima de 65 anos de idade e de 3% em mulheres mais jovens, o que é estatisticamente significativo.[41]

Como esperado, o estado funcional e a presença de comorbidades afetam significativamente o prognóstico geral de pacientes idosas. Estudo epidemiológico avaliando mulheres com câncer de mama diagnosticadas no intervalo de idade de 55 a 84 anos mostra que a presença de uma ou mais comorbidades aumenta o risco de morte para 62%, enquanto nas mulheres sem condições mórbidas concorrentes o risco foi de 38%. Comparada às mulheres sem condições comórbidas, aquelas que relataram uma doença concorrente apresentaram risco maior de 2,5 vezes de morrer, e as que relataram duas ou mais doenças apresentaram risco aumentado em 3,4 vezes.[42] Em pacientes com três ou mais condições comórbidas o estadiamento inicial da doença tem pouco efeito adicional quanto à sobrevida global.[43]

Estudo pareado avaliando pacientes idosas e jovens tratadas no *MD Anderson Cancer Center* em um período de 30 anos mostra que pacientes idosas que realizaram cirurgia associada a tratamento adjuvante apresentam sobrevida em 5 anos similar e, algumas vezes, até melhor que pacientes jovens e sugere que a paciente idosa pode beneficiar-se muito com o tratamento combinado.[44]

Outros estudos apontam que a idade cronológica por si só não constitui fator prognóstico nem para a sobrevida livre de doença local e nem para a sobrevida global doença-específica.[45] O potencial metastático não difere significativamente na mulher idosa.[31]

Publicação recente aponta que, apesar de sugestões de que o câncer de mama em mulheres acima de 80 anos de idade ser de estadiamento precoce e biologia tumoral mais favorável, também é sabido que as mulheres idosas são menos submetidas a tratamentos adjuvantes, como radioterapia, quimioterapia e uso de anticorpos monoclonais, havendo maior utilização somente da hormonoterapia. Isso pode ser uma possível explicação para o fato de estudos estatísticos demonstrarem uma diminuição da mortalidade por câncer de mama em mulheres mais jovens, mas não em mulheres idosas.

Pelo exposto anteriormente percebe-se uma divergência entre os estudos acerca do estadiamento ao diagnóstico do câncer de mama nas idosas, ora apontando estágios mais precoces, ora apontando estágios mais avançados. Associado a isto, uma vez que o tratamento preconizado nem sempre é adotado em pacientes idosas, fica difícil uma avaliação precisa acerca do prognóstico nesta faixa etária de pacientes, o que é ainda mais complicado pela presença de doenças concomitantes, alternando a expectativa de vida.

PLANEJAMENTO TERAPÊUTICO

A constatação de que a idade afeta múltiplos órgãos e sistemas do corpo e permanece como processo individualizado que correlaciona negativamente com a idade cronológica levou ao surgimento do termo "idade funcional".[46] Apesar do fato que pacientes de qualquer idade poderem apresentar doenças concomitantes, o número das comorbidades aumenta significativamente com a idade.[47] De fato, pode ser antecipado que pacientes com câncer de mama com idade entre 70 a 80 anos irão apresentar uma média de três ou quatro comorbidades.[48]

A idade cronológica não estima realmente a expectativa de vida, a reserva funcional do indivíduo ou o risco de complicações associadas ao tratamento oncológico.[49] O desempenho funcional, a presença de comorbidades e a expectativa de vida afetam significativamente não só o prognóstico, como também a decisão terapêutica.[42,46,50,51]

O número insuficiente de informações sobre expectativa de vida na idosa e sua capacidade em tolerar tratamentos têm levado a condutas menos agressivas, resultando em prognósticos, consequentemente, menos favoráveis. Entretanto, os objetivos do tratamento devem ser semelhantes tanto para pacientes mais jovens, quanto para pacientes mais idosas. Pacientes idosas com bom estado de saúde toleram bem a cirurgia, a radioterapia e a quimioterapia, tanto quanto pacientes mais jovens.

Um método disponível para a avaliação da expectativa de vida em 10 anos é a escala de Charlson, que considera a presença de comorbidades e pode ser acessada pelo site http://www.medal.org/OnlineCalculators/ch1/ch1.13/ch1.13.01.php. Sua utilização pode ajudar na decisão sobre modalidades terapêuticas a serem realizadas, avaliando o risco-benefício de acordo com a expectativa de vida.

Em uma tentativa de melhor individualização do paciente idoso com câncer foi criado o *Comprehensive Geriatric Assessment* (CGA), que é um processo multidimensional e interdisciplinar que determina a capacidade médica, psicológica e funcional dos pacientes. Com seu uso é possível uma melhor avaliação da capacidade de tolerância ao tratamento oncológico e, portanto, uma melhor capacidade de avaliação do risco-benefício do tratamento tradicional, adoção de outras opções terapêuticas ou conduta expectante.

Vários autores advogam o uso do CGA para a obtenção de informações reais acerca da expectativa de vida, tolerância ao tratamento, suportes sociais necessários, bem como detecção de condições mórbidas, até então não diagnosticadas, que podem interferir no tratamento do câncer.[52-57]

Os componentes básicos do CGA são:

1. **Avaliação funcional:** leva em consideração o estado funcional do paciente, considerando sua capacidade de realizar atividades de vida diária (como vestir-se, comer, deambular, realização de higiene pessoal – do inglês, *activies of daily living* = ADL) e sua capacidade de atividades instrumentais da vida diária (como realizar trabalhos domésticos leves, preparar refeições, tomar medicações, comprar roupas, usar telefone, manipular dinheiro – do inglês, *instrumental activies of daily living* = IADL).
2. **Avaliação das comorbidades:** considera não só o número das doenças concomitantes, como também sua gravidade. Muitas vezes é avaliada utilizando a escala de Charlson.
3. **Avaliação das condições socioeconômicas:** diz respeito às condições de vida no domicílio, presença e adequação de cuidador, condições financeiras, capacidade de locomoção até o local do tratamento.
4. **Avaliação da cognição:** utiliza testes de avaliação mental, sendo o mais utilizado o MHI5 (*Five-item Mental Health Index*).
5. **Avaliação das condições emocionais:** escala de depressão geriátrica.
6. **Avaliação farmacológica:** considera os medicamentos de uso diário, os riscos de interações medicamentosas e a apropriação do uso dos medicamentos.
7. **Avaliação nutricional.**
8. **Avaliação de síndromes geriátricas:** aqui incluídas: demência, *delirium*, depressão, risco de quedas, risco de fraturas ósseas espontâneas, risco de abandono e abuso por terceiros.

Com base no CGA, Hamerman, no ano de 1999, propôs quatro estágios de idade, cada qual implicando em diferenças de sobrevida e reserva funcional, o que pode ser usado na construção do planejamento terapêutico, como pode ser visto no Quadro 2.[58]

Algumas das vantagens da utilização do CGA são: avaliação de comorbidades que podem levar os idosos a complicações associadas à quimioterapia, sendo que o tratamento pode agravar algumas destas condições; avaliação socioeconômica que pode prevenir complicações com a quimioterapia ou aumentar o risco de complicações, incluindo o acesso ao atendimento médico e a independência do cuidador; a avaliação do estado cognitivo, que pode interferir no grau de aceitação e o entendimento do tratamento etc.[52]

Apesar de possuir limitações, um estudo longitudinal avaliando 480 mulheres com 65 anos ou mais ao diagnóstico de câncer de mama e com estadiamento até IIIA no sistema de classificação TNM pode ser considerado como prova que o uso do CGA é adequado. Os autores encontraram ausência de diferença significativa na tolerância do tratamento entre as faixas etárias e que tanto a proporção de pacientes com baixa tolerância ao tratamento quanto a mortalidade aumentaram significativamente com o aumento do número de déficits encontrados no CGA.[49]

Quadro 2. Avaliação terapêutica de acordo com CGA

ESTÁGIO	CARACTERÍSTICAS	PROGNÓSTICO	RECOMENDAÇÕES
Primário	Ausência de dependência funcional ou comorbidades	Taxa de mortalidade em 2 anos de 8 a 12%	Sem limitação para o uso de tratamentos oncológicos
Intermediário	Dependência em uma ou mais atividades instrumentais da vida diária Comorbidades significativas, sem risco a vida Pode haver desordem mental ou depressão	Taxa de mortalidade em 2 anos de 16 a 25%	No uso de quimioterapia é importante reduzir a dose inicial Assegurar cuidado domiciliar adequado Tentar reabilitar o paciente ao máximo das suas funções
Secundário ou frágil	Dependência em uma ou mais atividades diárias Presença de uma ou mais síndromes geriátricas Presença de três ou mais comorbidades que influenciem as atividades diárias	Taxa de mortalidade em 2 anos superior a 40%	A condição é irreversível e a melhor conduta é o tratamento paliativo
Terciário	Próximo a morte Paciente totalmente dependente e extremamente debilitado	Expectativa de vida menor que 3 meses	Cuidados paliativos

Adaptado de Hamerman et al., 1999.[58]

O estudo conclui que o CGA influencia na tolerância ao tratamento e prediz a mortalidade em 7 anos de acompanhamento, independente da idade ou do estadiamento da doença ao diagnóstico. Os autores advogam que a utilização do CGA permite a identificação da vulnerabilidade do paciente, o que pode necessitar de intervenções interdisciplinares e, especificamente, identificar problemas reversíveis que poderiam interferir no tratamento do câncer.

Existem fortes evidências que intervenções com base no CGA diminuem a hospitalização e aumentam a funcionalidade em idosos. O quanto estas intervenções podem aumentar a sobrevida de pacientes idosos com câncer e quando o uso do CGA tem custo efetivo permanece controverso.[55]

Até o momento não existe consenso sobre qual o melhor tratamento para o câncer de mama em idosas. A exclusão de pacientes acima de 70 anos de idade dos ensaios clínicos faz com que faltem recomendações fundamentadas em evidência, e muitas vezes o planejamento terapêutico é realizado, levando-se em conta os estudos realizados em pacientes mais jovens.

Uma avaliação mais acurada dos pacientes idosos, por exemplo, através da utilização do CGA, poderia levar a um número maior de idosos a serem incluídos em estudos clínicos, bem como elevaria a possibilidade do paciente ser adequadamente tratado.[53]

TRATAMENTO LOCORREGIONAL

Considerações sobre o tratamento cirúrgico geral

Desde que adequadamente selecionadas, as pacientes idosas toleram muito bem o tratamento cirúrgico. Uma vez que não existam doenças graves concomitantes que impeçam a cirurgia, que a paciente esteja em condições clínicas favoráveis e que aceite o tratamento cirúrgico, o mesmo não deve ser evitado, devendo, inclusive, ser considerado como tratamento primário de escolha em pacientes idosas com câncer de mama não metastático.[14,56,59] Tal recomendação é confirmada pela Sociedade Internacional de Geriatria, que deixa claro que a cirurgia não deve ser evitada em pacientes acima de 70 anos de idade e que o procedimento cirúrgico não deve diferir do que seria utilizado em pacientes mais jovens.[25]

Os dados apontam que as taxas de mortalidade operatória para o tratamento do câncer de mama em pacientes idosas giram em torno de 0 a 3%.[60-65]

Um recurso possível em pacientes que não tolerariam um procedimento cirúrgico sob anestesia geral é a realização de cirurgias menos extensas, sob anestesia local.

Seis ensaios clínicos avaliaram a cirurgia ou o uso do tamoxifeno exclusivo como tratamento primário de câncer de mama operável em pacientes idosas, com acompanhamento variando de 24 a 151 meses.[63,66-70] As duas abordagens apresentaram semelhantes resultados quanto à sobrevida global, exceto em um deles,[63] que, após 151 meses de acompanhamento, demonstrou superioridade estatisticamente significativa quando a cirurgia foi utilizada. Taxas de recidiva local inaceitavelmente mais altas foram encontradas entre as mulheres submetidas somente a tratamento endócrino em quatro dos trabalhos.[63,68-70] Uma observação importante a respeito destes ensaios clínicos é que muitas das pacientes submetidas somente à hormonoterapia e que apresentaram progressão da doença local necessitaram de serem submetidas à cirurgia para controle da doença.

A revisão dos achados dos ensaios clínicos anteriormente citados,[71] aponta que a terapia endócrina isolada é inferior à cirurgia quanto ao controle local da doença, independentemente do tipo de cirurgia realizada. Os autores enfatizam que considerável quantidade de pacientes arroladas e que receberam tamoxifeno não foi classificada quanto ao *status* dos receptores hormonais. Além disso, existem grandes limitações quanto aos dados completos das pacientes, e que todos os estudos são pequenos, o que diminui seu significado científico.

Menores taxas de mortalidade doença-específica e melhor controle local da doença são obtidos quando o tratamento cirúrgico é associado à hormonoterapia e/ou radioterapia adjuvante, o que é estatisticamente significativo.[59]

As conclusões dos grandes ensaios clínicos randomizados avaliando a cirurgia conservadora de mama e a mastectomia não são facilmente aplicáveis para pacientes idosas, uma vez que os mesmos excluem pacientes acima de 70 anos de idade e, quando não o fazem, o número de pacientes desta faixa etária é pequeno.

Mastectomia total

Infelizmente a posição assumida para o tratamento cirúrgico muitas vezes baseia-se na crença de que o efeito cosmético, tão importante nas pacientes jovens, não tem importância para pacientes idosas,[59,72] o que consiste em engano, visto que a qualidade de vida após a cirurgia é importante em qualquer faixa etária e que o significado estético varia de mulher para mulher, portanto, idade avançada não significa necessariamente que a paciente não possua vaidade.

O uso difundido da mastectomia em pacientes idosas também é ocasionado, em parte, pela crença que pacientes idosas apresentam-se rotineiramente com doença local mais avançada, necessitando de cirurgias mais extensas.

Apesar do fato de a cirurgia conservadora de mama oferecer resultado estético superior, a mastectomia permanece sendo indicada nas pacientes idosas por diversos motivos, dentre os quais: é um procedimento cirúrgico bem tolerado, elimina o risco de reintervenções em pacientes com doenças multicêntricas, diminui significativamente o risco de recidiva local e evita o desconforto e a inconveniência que pode haver para a realização do tratamento radioterápico adjuvante.

Os estudos são conflitantes sobre se as pacientes idosas são tratadas mais frequentemente por mastectomia ou por cirurgia conservadora. Enquanto alguns apontam para maior frequência de realização de mastectomia,[12] outros apontam para cirurgia conservadora da mama,[36,69,73,74] e outros não encontram diferenças.[69,74] Alguns autores apontam que a escolha pela mastectomia muitas vezes se dá pela apresentação clínica com tumores volumosos ou pela própria escolha da paciente.[36,73]

A mastectomia permanece indicada nas seguintes situações:

1. Pacientes com doença extensa, em que a cirurgia conservadora seria inviável.
2. Pacientes apresentando proporção entre o volume mamário e o volume tumoral desfavorável para resultados estéticos satisfatórios.
3. Tumores multicêntricos.
4. Positividade das margens cirúrgicas após reexcisão.
5. Contraindicação clínica para a realização da radioterapia adjuvante. Uma vez que existem conflitos acerca da necessidade da radioterapia em pacientes idosas, especialmente naquelas com expectativa de vida reduzida, esta indicação da mastectomia torna-se relativa.
6. Opção da paciente.
7. Cirurgia higiênica e/ou para controle de sangramento tumoral, mesmo que a paciente possua doença a distância, apresentando intuito meramente paliativo.

A reconstrução mamária deve ser oferecida a todas as pacientes, independentemente da idade cronológica, dentro dos limites em face dos riscos associados a comorbidades eventualmente presentes.[59]

Cirurgia conservadora

Os mesmos aspectos considerados em pacientes jovens devem ser abordados quando se averigua a possibilidade da cirurgia conservadora na paciente idosa.[59] Uma inadequada margem de segurança cirúrgica pode acarretar em mau controle da doença local e a radioterapia, mesmo que utilizada, não substitui margens livres. Uma paciente com progressão de doença local pode necessitar de nova abordagem cirúrgica o que, sem dúvida, acarretaria em diversos inconvenientes, principalmente em pacientes idosas. O resultado estético pós-operatório deve ser no mínimo razoável para que se indique a conservação da mama.

A conservação da mama torna-se uma opção atrativa em pacientes com risco cirúrgico mais elevado, que possivelmente não tolerariam a realização de cirurgia sob anestesia geral, uma vez que pode ser realizada sob anestesia local.

A marcação pré-operatória com fio metálico ou o uso de radiofármaco permanecem seguros para a realização de exérese de lesões impalpáveis.

Fato positivo para a realização da cirurgia conservadora é que, aparentemente, o risco de recidiva local diminui com a idade, sendo estatisticamente mais significativo em pacientes jovens.[59,75]

A cirurgia conservadora seguida de radioterapia da mama residual, com ou sem dissecção axilar, proporciona excelente controle local e sobrevida livre de doença em pacientes idosas, o que deve ser considerado como escolha em pacientes sem comorbidades graves.[72]

Abordagem axilar – esvaziamento axilar, pesquisa de linfonodo sentinela axilar

Apesar de o esvaziamento axilar ser considerado como procedimento cirúrgico seguro, sua realização pode estar associada à redução da qualidade de vida pós-operatória pela ocorrência de complicações, como linfedema, parestesia, dor, diminuição da sensibilidade, fraqueza ou paralisia muscular. A morbidade associada às complicações citadas pode interferir de forma negativa na evolução pós-operatória da paciente, o que é particularmente mais significativo em pacientes idosas, aumentando o grau de dependência para realização de atividades diárias, acarretando quadros depressivos etc.

Recentemente uma alternativa à realização do esvaziamento axilar é a pesquisa do linfonodo sentinela, que, além de ser considerado procedimento seguro em pacientes com tumores menores que 2,0 a 3,0 cm no maior diâmetro, apresenta morbidade pós-operatória significativamente menor e pode ser realizado, inclusive, sob anestesia local.

O protocolo do NSABP B-04, apesar de não avaliar especificamente pacientes idosas, demonstrou que a dissecção axilar em pacientes com axila clinicamente negativa não afeta a sobrevida, e que somente 20% das pacientes cujas axilas não foram inicialmente abordadas necessitarão de tratamento cirúrgico subsequente, com esvaziamento axilar para controle local da doença em casos de evidência clínica de doença axilar.[76]

A primeira demonstração que o esvaziamento axilar não tem efeito significativo tanto na sobrevida global, quanto na sobrevida livre de doença a distância foi obtida de um estudo avaliando mulheres de todas as idades que foram submetidas à mastectomia radical ou mastectomia total sem esvaziamento axilar.[77]

Atualmente, o esvaziamento axilar é considerado principalmente como procedimento de estadiamento do que como terapêutico, parecendo não influenciar na mortalidade por câncer de mama, uma vez que o risco de doença metastática depende principalmente do comportamento biológico do tumor primário.[78] O papel prognóstico da avaliação axilar tem sido considerado recentemente como superado pelas características do tumor primário, que proporcionam informações reais para decidir quando o tratamento sistêmico é necessário.[79-81]

A cirurgia axilar parece ser de importância ainda menor em pacientes idosas graças às altas taxas de mortalidade associadas a outras doenças e em decorrência de a aparente habilidade da hormonoterapia oferecer um controle efetivo da doença a longo prazo.[71]

Entretanto, a dissecção axilar e, mais recentemente, a pesquisa do linfonodo sentinela permanecem sendo consideradas importantes, não como tratamento, como já mencionado, mas como meio de obter informação prognóstica para o planejamento do tratamento sistêmico adjuvante.[82] Cabe lembrar que, por motivos diversos, dentre eles o econômico, a avaliação histopatológica de fatores prognósticos associados aos tumores pode não ser acessível a muitas pacientes de qualquer faixa etária, e que o comprometimento axilar continua sendo um dos fatores prognósticos clássicos e significativos na determinação do tratamento pós-operatório.

Em se tratando especificamente de pacientes idosas, merecem destaque cinco estudos, apesar de suas limitações, a seguir descritos.

A avaliação retrospectiva de 321 pacientes acima de 70 anos de idade com câncer de mama operável e axila clinicamente livre tratadas no *Istituto Nazionale Tumori* de Milão mostra que a omissão da abordagem axilar não interfere na sobrevida global.[83] Todas as pacientes foram tratadas com cirurgia conservadora sem abordagem axilar e receberam tamoxifeno adjuvante, independentemente do *status* dos receptores hormonais. Somente 4,3% das pacientes desenvolveram doença clínica axilar ipsilateral em um tempo médio de acompanhamento de 32 meses após a cirurgia, o que correspondeu a 14 casos. Os resultados sugerem que a cirurgia conservadora associada à hormonoterapia adjuvante apresenta resultados equivalentes em termos de recidiva local, quando comparado à mastectomia.

A reavaliação do mesmo grupo de pacientes após 15 anos de acompanhamento foi recentemente publicada.[84] Entre as pacientes que não foram submetidas ao esvaziamento axilar, um total de 30 casos, ou seja, 16 além dos previamente detectados, desenvolveu doença axilar clínica. Os dados atualizados indicaram que, mesmo após 15 anos de acompanhamento, não houve vantagem significativa entre os grupos quanto à mortalidade doença-específica. Confirmou-se que a taxa de ocorrência de doença axilar clínica é bem menor que a taxa de envolvimento axilar no exame patológico dos linfonodos ressecados. Pode ser que o uso sistemático do tamoxifeno tenha contribuído para tais achados. Os autores advogam que, uma vez que as metástases axilares não influenciam no controle da sobrevida global e são vistas como marcadores de probabilidade de doença a distância, associado ao fato de que a probabilidade de recidiva axilar é pequena durante o resto da vida de pacientes idosas com tumores iniciais e axila clinicamente negativa, principalmente se receptores hormonais positivos, a cirurgia axilar, inclusive a pesquisa do linfonodo sentinela, pode ser postergada e reservada somente para a pequena porcentagem de pacientes que subsequentemente desenvolverem a doença.

Estudo prospectivo não randomizado avaliando o esvaziamento axilar em pacientes com 70 anos de idade ou mais aponta baixas taxas de falência locorregional e ausência de efeito adverso na sobrevida nas pacientes, cuja abordagem axilar não foi realizada, particularmente em casos de tumores pequenos e receptores hormonais positivos, com axila clinicamente negativa.[85]

Dados semelhantes foram obtidos em outro estudo prospectivo não randomizado do *Istituto Nazionale Tumori*, de Milão.[86] Um total de 671 pacientes com câncer de mama, idade igual ou superior a 70 anos, submetidas a tratamento cirúrgico foi avaliado. O esvaziamento axilar foi realizado em 172 pacientes. Todas as pacientes receberam tamoxifeno adjuvante. Após acompanhamento médio de 75 meses, não houve diferença significativa quanto à ocorrência de metástases a distância e nem quanto à mortalidade. O estudo aponta que a cirurgia conservadora combinada ao tamoxifeno adjuvante é uma escolha adequada para pacientes idosas com axila clinicamente negativa, principalmente em estádios precoces. A probabilidade de recorrência axilar é pequena, e sua abordagem cirúrgica pode ser postergada e reservada somente a pequeno grupo de pacientes nas quais ocorrerá progressão local da doença. O estudo questiona, inclusive, a utilidade da biópsia do linfonodo sentinela visto os resultados obtidos.

A comparação da quadrantectomia associada ao esvaziamento axilar *versus* a quadrantectomia isolada foi realizada em estudo prospectivo randomizado no *Istituto Nazionale Tumori*.[87] Um total de 219 pacientes com idade entre 65 a 80 anos e tumores T1N0M0 foi incluído. Todas as pacientes receberam tamoxifeno no pós-operatório, independentemente do *status* dos receptores hormonais. O acompanhamento médio foi de 60 meses. Entre as pacientes submetidas ao esvaziamento axilar somente 23% apresentavam comprometimento nodal metastático. Esperava-se que taxa semelhante de doença axilar ipsilateral ocorresse entre as pacientes tratadas exclusivamente pela quadrantectomia, entretanto, somente 1,8% dos casos apresentaram tal achado durante o acompanhamento, o que sugere que nem toda metástase axilar seja biologicamente ativa. Não houve diferença significativa entre a recidiva mamária ipsilateral, o desenvolvimento de metástases a distância e a mortalidade doença-específica entre os dois grupos. Apesar de o estudo não ter sido desenhado para avaliar a pesquisa do linfonodo sentinela axilar, os autores acreditam que, mesmo tratando-se de técnica minimamente invasiva, não é necessária, visto a reduzida taxa de desenvolvimento de doença axilar no grupo tratado conservadoramente. Os autores advogam a ideia que, uma vez que a abordagem axilar não oferece redução na mortalidade doença-específica ou melhora na sobrevida global, a dissecção axilar deve ser reservada a pacientes que, ao longo do acompanhamento, desenvolvem doença axilar.

Outros pequenos estudos retrospectivos também sugerem que a dissecção axilar pode ser evitada em pacientes idosas.[88-91]

Dois estudos avaliando mulheres com 70 anos de idade ou mais que foram tratadas com cirurgia conservadora sem esvaziamento axilar demonstraram que 80% das pacientes estavam livres de doença após 5 anos.[88,92]

O aumento do diagnóstico de tumores T1 secundário ao rastreamento mamográfico e uma diminuição da proporção de casos nos quais há envolvimento axilar reforçam a ideia que a cirurgia axilar pode ser evitada de forma segura em pacientes idosas com câncer de mama estágio precoce.[93]

Alguns apontam que a pesquisa do linfonodo sentinela, tanto quanto o esvaziamento axilar podem ser omitidos, uma vez que a avaliação patológica linfonodal provavelmente não influenciará na determinação do tratamento adjuvante, particularmente em pacientes com receptores hormonais positivos, quando a hormonoterapia é preconizada como tratamento adjuvante de escolha.[84,90]

Entretanto, dado conflitante aponta que a omissão da cirurgia axilar permite que 35% das pacientes com doença linfonodal desenvolvam progressão da doença regional.[13]

Outros conflitos surgem a partir do momento que vários estudos demonstram que as pacientes idosas são boas candidatas à pesquisa do linfonodo sentinela.[52,64,94,95]

Estudo realizado no *MD Anderson Cancer Center* mostra que a taxa de identificação geral do linfonodo sentinela é de 97,2%, bem como que as taxas não diferem significativamente em relação à idade. Os autores advogam que a pesquisa do linfonodo sentinela deve ser oferecida mesmo para pacientes acima de 70 anos de idade.[95]

Os seguintes fatores foram apontados como preditores independentes do comprometimento linfonodal: idade da paciente, tamanho do tumor, palpabilidade e invasão vascular.[96] Os autores estudaram um total de 700 pacientes com 70 anos de idade ou mais ao diagnóstico de câncer de mama invasivo, sem evidência de doença a distância e com receptores hormonais positivos. A idade média foi de 70 anos e o tamanho tumoral médio de 1,4 cm no maior diâmetro (de 0,1 a 12 cm). Pouco mais da metade das pacientes foram submetidas ao esvaziamento axilar na primeira abordagem cirúrgica, 32% foram submetidas à pesquisa do linfonodo sentinela isolada e 17,5% foram submetidas à pesquisa do linfonodo sentinela seguida de esvaziamento axilar. Entretanto, os achados não podem ser considerados conclusivos.

Três estudos apontam que a avaliação linfonodal influencia significativamente nas decisões acerca do tratamento adjuvante na população idosa e advogam o uso do linfonodo sentinela de rotina e a possibilidade de esvaziamento axilar nesta população.[94,97,98]

Existem dados que, inclusive, indicam o esvaziamento axilar completo quando o linfonodo sentinela for positivo.[52,13]

A Sociedade Internacional de Geriatria indica a dissecção axilar quando existe suspeita clínica de envolvimento axilar ou em pacientes com tumores de alto risco, uma vez que, nestes casos, o tratamento adjuvante depende da avaliação histopatológica dos linfonodos.[25] O mesmo consenso aponta que a biópsia do linfonodo sentinela é uma alternativa segura em pacientes com axila clinicamente livre e tumores menores que 2 a 3 cm no maior diâmetro, sendo que permanece a controvérsia quanto ao esvaziamento axilar após a biópsia do linfonodo sentinela positivo.

Como é possível perceber, várias são as controvérsias que permanecem acerca da abordagem axilar, quer como biópsia do linfonodo sentinela, quer como esvaziamento axilar, em pacientes com tumores iniciais e axila clinicamente negativa e quando sua avaliação pode ser seguramente omitida.

A maioria dos estudos avaliando o assunto conta com pequeno número de pacientes e possui grandes limitações metodológicas, como, por exemplo, o desconhecimento do *status* hormonal em muitas das pacientes arroladas.

Os dados que apontam os fatores histopatológicos preditivos de comprometimento linfonodal ainda não são considerados totalmente seguros, o que é particularmente verdadeiro em pacientes idosas, normalmente excluídas dos ensaios clínicos e, mesmo que sejam utilizados, não são capazes de quantificar o grau de comprometimento axilar.

Até o presente momento é fato que a avaliação do número de linfonodos comprometidos por doença metastática permanece sendo importante na decisão da abordagem adjuvante, tanto local quanto sistêmica, em pacientes de idade inferior a 65 anos de idade.

Como claramente demonstrado, o aumento da idade não significa necessariamente que o tumor seja menos agressivo, principalmente em pacientes com receptores hormonais negativos, a utilização da quimioterapia adjuvante pode ser necessária, e a avaliação do comprometimento axilar pode ser decisiva para a determinação do custo-benefício da utilização de drogas citotóxicas.

Parece razoável a omissão da avaliação axilar em pacientes com pequenos tumores receptores hormonais positivos em que o resultado do envolvimento linfonodal não for afetar as decisões terapêuticas, assim como em pacientes com expectativa de vida limitada ou que apresentem contraindicações absolutas para a utilização de drogas citotóxicas.

Radioterapia adjuvante

Os ensaios clínicos conduzidos em pacientes jovens preconizam a realização da radioterapia adjuvante em toda a paciente com câncer de mama submetida à cirurgia conservadora. Em se tratando de pacientes idosas sua utilização também é assunto controverso, tanto no que se refere ao controle local da doença, quanto em termos de sobrevida global.

Alguns estudos apontam que o benefício da radioterapia diminui com o avançar da idade.[65,75,99-107]

Dados disponíveis apontam que não há diferença na falha do controle local em pacientes idosas tratadas por cirurgia conservadora, independentemente se a radioterapia adjuvante foi ou não realizada.[83,102,108]

Com base na crença de que a radioterapia tem valor limitado em pacientes idosas e que não há benefício no controle local da doença, alguns autores propõem sua omissão no tratamento de pacientes submetidas à cirurgia conservadora, com idade superior a 75 anos de idade, tumores bem diferenciados e margens cirúrgicas livres.[109-112]

Também é apontado que a omissão da radioterapia é aceitável em pacientes com expectativa de vida limitada ou naquelas que a locomoção para a sua realização possa causar sérios inconvenientes.[52]

Entretanto, outros são os estudos que demonstram benefício da associação da radioterapia quanto às taxas de recidiva local após cirurgia conservadora, independentemente da idade.[65,75,112-117] Alguns estudos, inclusive, apontam benefício não só em termos de menores taxas de recidiva local, como também aumento na sobrevida global.[112,118]

Interessante ressaltar dois dados obtidos por Clarke et al.[65] O primeiro é que, apesar de o benefício absoluto na utilização da radioterapia adjuvante após cirurgia conservadora da mama ser maior em pacientes abaixo de 50 anos de idade, ele permanece significativo em qualquer faixa etária. O segundo é que em mulheres acima de 70 anos de idade e com baixo risco de recidiva, ou seja, tumores ≤ 2,0 cm no maior diâmetro, margens cirúrgicas livres, linfonodos negativos e receptores hormonais positivos, com planejamento de hormonoterapia, a diminuição absoluta na recidiva tende a ser menor, e a mortalidade está normalmente associada a condições que não o câncer.

Metanálise conduzida pelo *Early Breast Cancer Trialists' Collaborative Group*, publicada em 2000, mostra que a radioterapia após cirurgia conservadora da mama reduz a taxa de recidiva local de 35% para 10 a 12% e pode reduzir ligeiramente a mortalidade.[119]

A avaliação de 636 mulheres com 70 anos de idade ou mais, estágio clínico T1N0M0 e receptores hormonais positivos, aponta que a radioterapia após cirurgia conservadora aumenta o controle local da doença sem alterar a sobrevida, apontando 7,7% de recidiva local em 5 anos quando o tamoxifeno é usado isolado, e 0,6% quando o mesmo é associado à radioterapia.[111]

Uma vez que o risco de recidiva local é relativamente baixo, e a magnitude do benefício é limitada, portanto, em pacientes com comorbidades graves e/ou baixa expectativa de vida, é válida a discussão de se omitir a radioterapia.[120] Os autores ressaltam que, nas outras situações, a radioterapia deve ser realizada visto que, ao contrário do que posteriormente se supunha, o câncer de mama não é indolente na população idosa, e o tratamento agressivo local deve ser realizado.

Muitos dos estudos avaliando pacientes idosas excluem pacientes com receptores hormonais negativos, o que leva a limitações acerca de suas conclusões. Como, por exemplo, podemos citar o ensaio clínico C9343, conduzido pelo *Cancer and Leukemia Group B*, que avalia a radioterapia em pacientes com 70 anos ou mais de idade, tumores receptores estrogênicos positivos ou desconhecidos, axila clinicamente negativa, tratadas com cirurgia conservadora e tamoxifeno adjuvante.[111] Os autores encontraram 1% de risco de recidiva local, quando a radioterapia foi oferecida, e 4% quando a radioterapia foi ocultada.

A recomendação da Sociedade Internacional de Geriatria é que a decisão sobre oferecer radioterapia após cirurgia conservadora deve levar em conta a saúde do paciente, o comprometimento linfonodal, o risco de mortalidade por comorbidades, particularmente cardíaca e vascular, e o risco de recidiva local.[25] O consenso enfatiza que a radioterapia deve ser considerada pelo fato de diminuir a recidiva local e que o benefício absoluto pode ser pequeno em pacientes idosas com tumores de baixo risco. Mais uma vez é colocado que o benefício da radioterapia na mortalidade causada por câncer de mama ou por outras causas é menos provável, visto que a mesma está mais diretamente relacionada pelas comorbidades, envelhecimento e ocorrência de metástases a distância do que propriamente à recidiva local.

A toxicidade da radioterapia não parece estar relacionada com a idade, e mulheres acima de 65 anos de idade toleram a radiação da mama residual tão bem quanto as pacientes mais jovens. Entretanto, a avaliação dos benefícios que é mais complexa em pacientes idosas.[121]

A radioterapia adjuvante após cirurgia conservadora parece, portanto, apresentar benefício na diminuição da recidiva locorregional e da necessidade de mastectomia posterior para resgate. Entretanto, seu benefício é desprezível em pacientes com baixa expectativa de vida, quer pela existência de comorbidades muito graves ou por idade muito avançada. Nas outras pacientes deve ser oferecida.

Ensaio clínico randomizado, conduzido pelo *Danish Breast Cancer Cooperative Group* DBCG 82c, apesar de restrito a pacientes abaixo de 70 anos de idade, mostra redução da falha local e benefício de 10% na sobrevida global em 10 anos em pacientes pós-menopausadas mastectomizadas que receberam radioterapia e tamoxifeno adjuvantes, quando comparadas àquelas que receberam somente hormonoterapia adjuvante.[122] Os autores ressaltaram que a vantagem na sobrevida ocorre somente após 5 anos e que, portanto, a decisão da radioterapia após mastectomia em pacientes com expectativa de vida menor ou igual a 5 anos deve basear-se somente no controle local da doença. A princípio os autores advogam o uso da radioterapia após a mastectomia em todas as pacientes com tumores T3 ou T4, ou envolvimento de quatro ou mais linfonodos axilares, ou com margens cirúrgicas comprometidas mesmo após cirurgia radical.

Também a respeito da radioterapia após mastectomia, dados publicados no ano de 2005 apontam que, ao contrário do que ocorre com a radioterapia após cirurgia conservadora, seu efeito absoluto no risco de recidiva local, principalmente na parede torácica e em linfonodos, após cirurgia radical em 5 anos parece ser independente da idade.[65] Apesar de poucas mulheres acima de 70 anos terem sido incluídas no estudo, houve uma redução na recidiva local de 18% em todos os grupos etários, quando a radioterapia adjuvante foi realizada após mastectomia radical em pacientes com doença linfonodal. O benefício da radioterapia após cirurgia radical é confirmado por estudo retrospectivo avaliando a radioterapia em 233 mulheres com 70 anos de idade ou mais, tumores T3 ou com quatro ou mais linfonodos axilares comprometidos.[123] Houve uma redução significativa do risco de recidiva após 5,5 anos de acompanhamento, e as análises multivariáveis apontaram como preditores de recidiva local o alto grau tumoral e a omissão da radioterapia adjuvante.

A princípio a radioterapia do plastrão deve ser indicada em pacientes com envolvimento de quatro ou mais linfonodos e/ou tumores T3 ou T4. Em pacientes com expectativa de vida inferior a 5 anos, a decisão de quando se realizar a radioterapia adjuvante deve basear-se somente em considerações sobre o controle locorregional da doença.[25]

A radioterapia é indicada em pacientes idosas com expectativa de vida acima de 5 anos, particularmente naquelas que apresentem tumores grandes, linfonodos positivos ou receptores hormonais negativos.[56]

Antes de se indicar o tratamento radioterápico, possíveis complicações, como edema de membro superior, pneumonite, fratura de arco costal, plexopatia braquial, radiodermites e, a longo prazo, toxicidade cardíaca, devem ser consideradas. Entretanto, em termos gerais, o tratamento é bem tolerado pela população idosa.[59,75] A dose de radiação não difere da utilizada em pacientes jovens, a menos que alguma condição médica limitante esteja presente.

Outras possíveis utilizações da radioterapia são:

1. Axila clinicamente comprometida em pacientes sem condições clínicas de serem submetidas ao esvaziamento axilar, em casos selecionados.
2. Tumores volumosos inoperáveis.
3. Terapia anti-hemorrágica.
4. Recidiva axilar após linfadenectomia.
5. Doença metastática óssea.
6. Doença metastática em sistema nervoso central.

Lembrar que o benefício da radioterapia paliativa não tem limite de idade e visa somente o conforto da paciente.

TRATAMENTO SISTÊMICO

Em diretrizes gerais pode-se dizer que o tratamento sistêmico, seja em caráter adjuvante, neoadjuvante ou paliativo, deve levar em conta o estado de saúde da paciente. A Sociedade Internacional de Geriatria Oncológica (SIOG) em conjunto com o Instituto Nacional de Câncer norte-americano (NCCN) recomenda o uso do *Comprehensive Geriatric Assessment* (CGA) para melhor individualização terapêutica.[124] A maioria dos autores relata que apesar do pouco número de estudos direcionados exclusivamente para esse grupo populacional, os resultados oriundos de grandes ensaios clínicos podem ser extrapolados para a população idosa.

Preocupante é o fato de muitas vezes as pacientes idosas com câncer de mama receberem um tratamento inferior àquele que é considerado adequado para tal morbidade, por uma supervalorização de sua idade cronológica.

Hormonoterapia

Em mulheres idosas observam-se características tumorais mais favoráveis do que em mulheres mais jovens. Em mulheres idosas é mais frequente o achado de tumores moderadamente ou bem diferenciados, ausência de metástase linfonodal, presença de positividade para receptores de estrógeno e progesterona, HER-2/neu negativo, além de ser observado um menor número de células em fase S e menores valores de Ki67, o que representa, em última análise, uma menor taxa de proliferação tumoral. O achado de tumores triplo-negativos em mulheres idosas é incomum. Estima-se que cerca de 70 a 80% das mulheres acima de 65 anos apresentam positividade para receptor de estrógeno e progesterona.[124]

Porém, apesar das características tumorais benignas o câncer de mama em mulheres idosas, geralmente, apresenta-se ao diagnóstico em estágios mais avançados do que em mulheres jovens.

A utilização de hormonoterapia no câncer já está bem estabelecida em diversos estudos, dentre eles estudos que comparam o uso da hormonoterapia isolada com a abordagem cirúrgica.

O primeiro ensaio clínico prospectivo randomizado, comparando o tratamento de tumores de mama operáveis em pacientes idosas, foi o EORTC 10850 que avaliou 236 pacientes, com um acompanhamento médio de 10,9 anos, comparou pacientes submetidas à mastectomia sem tratamento adjuvante com pacientes submetidas ao tratamento cirúrgico conservador e uso de tamoxifeno adjuvante. Tal estudo demonstrou um aumento do risco relativo para recidiva locorregional no grupo tratado com cirurgia conservadora, quando comparado ao grupo tratado com abordagem cirúrgica radical. Não houve diferenças quanto à sobrevida global nos dois grupos.

O grupo EBCTCG (*Early Breast Cancer Trialists' Collaborative Group*) em uma grande metanálise avaliou o uso de tamoxifeno adjuvante e reportou um acompanhamento de 15 anos de tratamento. Cinco anos de tamoxifeno adjuvante reduzem a recidiva anual de câncer de mama em mulheres com mais de 70 anos em 51% e mortalidade em decorrência do câncer de mama em 37%. Este benefício ocorre independentemente do *status* linfonodal e independentemente da administração de quimioterapia.[125] O benefício da terapia endócrina, segundo a ASCO, estaria principalmente relacionado com o aumento da sobrevida livre de doença, porém, sem aumento na sobrevida global.

Os inibidores da aromatase emergiram como uma arma eficaz no tratamento em mulheres na pós-menopausa. O estudo designado como ATAC (*Arimidex or tamoxifen or in combination*) randomizou 9.366 mulheres na pós-menopausa com diagnóstico de carcinoma invasor que receberam por 5 anos anastrozol adjuvante, tamoxifeno ou uma combinação destes. O anastrozol foi capaz de produzir resultados satisfatórios na sobrevida livre de doença, após 68 meses de acompanhamento, com um risco relativo de 0,83 (0,73-0,94; p = 0,005) no grupo com positividade para receptores de estrógeno. Houve também um índice de 53% menor de câncer na mama contralateral, no grupo tratado com anastrozol. Os efeitos colaterais também foram levados em conta neste estudo, observando-se que pacientes que fizeram uso de anastrozol relataram menor ocorrência de fogachos, sangramento vaginal, câncer de endométrio, eventos isquêmicos cerebrovasculares, fenômenos tromboembólicos. Todavia, tais pacientes apresentaram maior ocorrência de mialgias e artralgias.[126] Os achados foram confirmados posteriormente.[127]

Essas diferenças em relação à toxicidade também foram relatadas no estudo designado BIG 1-98 que comparou letrozol com tamoxifeno em 8.028 mulheres, com um acompanhamento médio de 35,5 meses, com resultados que também favoreceram o uso do inibidor da aromatase.[125,128,129]

Cabe salientar que alguns estudos relataram a ocorrência de alterações no metabolismo do tamoxifeno, resultando em altos níveis séricos de seus metabólitos em mulheres idosas, mas não se sabe, ainda, o quanto estas alterações poderiam estar relacionadas com os efeitos colaterais oriundos do uso desta droga. Questiona-se se o uso de doses menores de tamoxifeno poderia trazer o benefício esperado da medicação sem a ocorrência dos efeitos colaterais.[25]

Os inibidores da aromatase estariam mais associados à ocorrência de dor osteoarticular, mialgia, osteoporose e fraturas ósseas quando comparado ao uso do tamoxifeno, esses últimos efeitos tomam grande importância em pacientes idosas, grupo populacional no qual, naturalmente, já é esperada uma diminuição da densidade mineral óssea. Estudos têm investigado o uso de bifosfanados concomitante ao uso de inibidores da aromatase, como forma de prevenção da osteoporose.

A utilização de hormonoterapia isolada como tratamento para o câncer de mama não demonstrou eficácia comprovada, porém se torna uma opção viável em pacientes com comorbidades incapacitantes para abordagem cirúrgica inicial, até que sejam readquiridas as condições de saúde necessárias à paciente, para a realização do tratamento locorregional. Nesses casos pode-se lançar mão de inibidores da aromatase. De forma correlata, o uso de inibidores de aromatase pode ser eficaz quando usado de forma neoadjuvante, buscando otimizar o tratamento cirúrgico conservador ou visando à criação de condições para abordagem cirúrgica em tumores que, ao diagnóstico, apresentam-se localmente avançados. Desta forma em pacientes com positividade para receptores de estrógeno, o uso de terapia endócrina neoadjuvante é uma alternativa razoável e com menor toxicidade quando comparada à clássica abordagem quimioterápica neoadjuvante.[129]

A Sociedade Internacional de Geriatria Oncológica (SIOG) recomenda para pacientes candidatas ao uso de terapia endócrina que o tratamento inicial seja realizado com inibidor da aromatase ou tamoxifeno. Para aquelas pacientes tratadas inicialmente com tamoxifeno, recomenda-se que após um período de 2-3 anos seja realizada a troca pelo inibidor da aromatase por mais 2-5 anos. Assim como recomenda que, caso seja utilizada a terapia endócrina de forma neoadjuvante, o mesmo deverá ser continuado após a abordagem locorregional.

Nos casos de câncer de mama metastático, a terapia endócrina deve ser a terapia de escolha em pacientes com tumores que expressam receptores de estrógeno e progesterona, mais uma vez com superioridade para os inibidores da aromatase, quando comparado ao tamoxifeno, entretanto pode-se utilizar o próprio tamoxifeno, ou um puro antiestrogênico, como o fulvestrano.[25]

Quimioterapia

No que compete ao tratamento adjuvante do câncer de mama em mulheres idosas, ainda discute-se a importância da tolerabilidade da paciente frente à terapia citotóxica. Porém é importante levar em conta o tratamento quimioterápico como parte da adjuvância, principalmente nos casos de doença agressiva com baixa ou nenhuma expressão de receptores hormonais.

Infelizmente o uso de quimioterapia em mulheres idosas é com base em estudos realizados prioritariamente em mulheres mais jovens. Há uma escassez de estudos relacionados com a abordagem quimioterápica em pacientes idosas.

Em uma metanálise realizada pelo *Early Breast Cancer Trialists' Collaborative Group* (EBCTCG),[117] que avaliou 60 trabalhos, envolvendo 29.000 mulheres, observando o acesso à quimioterapia, os resultados informam que a quimioterapia adjuvante foi benéfica em reduzir a recidiva, tanto em mulheres com receptores hormonais positivos ou negativos. Neste estudo observou-se que entre mulheres na faixa etária de 50-69 anos, o risco de recidiva foi de 53,4% no grupo que realizou quimioterapia, comparado a 57,6% no grupo controle. A redução do risco absoluto de mortalidade por câncer de mama foi pequena, com apenas 3% de redução de risco. Os estudos avaliados também demonstraram que os regimes contendo antracíclicos foram superiores ao clássico regime de ciclofosfamida, metotrexato e 5-fluoruracil (CMF).

Apesar dos benefícios relatados ao uso de quimioterapia, quando analisamos a faixa etária de mulheres mais idosas podemos ver que, mesmo naquelas com características desfavoráveis, como comprometimento linfonodal, receptor de estrógeno negativo, ou alto grau histológico, a adjuvância quimioterápica ainda é pouco oferecida a estas mulheres. Em uma análise retrospectiva que envolveu 260 mulheres com 70 anos ou mais que tinham um ou mais fatores de risco, como receptor hormonal negativo, linfonodo positivo, alto grau nuclear, observou-se que a quimioterapia foi menos oferecida quando comparada ao grupo controle (41,6% *vs.* 92,8%).[130]

O benefício da quimioterapia em mulheres idosas parece ser maior em tumores com receptores hormonais negativos. A quimioterapia leva a um aumento da sobrevida em pacientes com tumores com receptor de estrógenos negativos. Entretanto apenas um estudo de fase III, especificamente desenhado para mulheres com mais de 65 anos de idade, foi realizado. Neste, o uso de epirrubicina com tamoxifeno demonstrou um aumento da sobrevida livre de doença, quando comparada ao uso de tamoxifeno isolado, entretanto não houve aumento da sobrevida global. O benefício da quimioterapia em adição à terapêutica hormonal parece ser maior em tumores que não são sensíveis à terapia hormonal, com baixa expressão de receptores hormonais ou ausência de receptores de estrógeno ou progesterona ou ainda tumores com alto grau.[25,130]

Especial atenção deve ser dada à toxicidade da quimioterapia em pacientes idosas. Estudos com CALG-B demonstraram mais de 1,5% de pacientes que foram a óbito em razão de complicações oriundas do tratamento quimioterápico. O uso de regimes antracíclicos está associado a índices de falência cardíaca que podem chegar a 47% em 10 anos para mulheres entre 66-70 anos, comparado a 33% de índices de falência cardíaca em pacientes que recebem CMF.[25] O uso, porém, de CMF tem sido associado a uma alta incidência de toxicidade grau III em mulheres com mais de 65 anos. Entretanto, na ausência de contraindicações cardiológicas, regimes contendo antracíclicos podem ser considerados. Deve-se avaliar a redução da dose ou fracionamento da mesma, tendo em vista as alterações fisiológicas oriundas do processo de envelhecimento.[25,125]

No tocante à citotoxicidade da quimioterapia em mulheres idosas, especial atenção deve ser dada à mielossupressão, que é maior nessa faixa etária. Entretanto esse fato não provocou um aumento da ocorrência de sepse ou neutropenia febril nessas mulheres, assim como benefícios similares com o uso de fatores de crescimento de colônia em mulheres idosas e mulheres jovens submetidas à quimioterapia.[129]

Estudos iniciais demonstraram a expressão de HER-2/neu em 25-30% dos tumores de mama, sendo associado a altos índices de recidiva e aumento da mortalidade. Recentes estudos moleculares notaram que tumores de mama em pacientes com mais de 50 anos são mais prováveis de serem do tipo luminal A ou B, e, assim, a superexpressão de HER-2/neu é incomum. Os trabalhos que avaliaram o uso de anticorpo monoclonal (Trastuzumabe) incluíram poucas mulheres com mais de 60 anos. Apenas 16% das pacientes avaliadas em trabalhos como o NSABP B-31 e o HERA (Herceptin Adjuvant) tinham mais de 60 anos, já outros estudos com o FinHER, por exemplo, restringiram-se a pacientes jovens. Conhecidamente o Trastuzumabe leva a efeitos cardiotóxicos adversos, o que pode ser um fator limitante nesse grupo etário, e que, associado a uso de regimes contendo antracíclicos, pode potencializar os efeitos cardiológicos adversos. Porém, pacientes que usufruem de boa saúde e boa função cardíaca podem ser beneficiadas com o uso de terapia com anticorpos monoclonais, como demonstram os *trials* disponíveis na literatura. Não há estudos que relacionam um maior ou menor benefício do uso da terapia com anticorpos monoclonais em pacientes idosas.

Em pacientes idosas com metástases, o benefício da quimioterapia é similar ao encontrado em pacientes jovens. O uso de quimioterapia nesses casos deve ser avaliado para pacientes que possuem negatividade para receptores hormonais ou pacientes refratários à terapia hormonal. Também pode ser levada em consideração nos casos onde o *status* de receptor hormonal não foi avaliado. O uso de monoterapia nesse grupo de paciente é mais favorável do que a poliquimioterapia, uma vez que esta última está associada a uma maior toxicidade e traz pouco ou nenhum ganho na sobrevida da paciente. Deve-se levar em conta que a quimioterapia nesta situação é apenas paliativa, e a qualidade de vida da paciente deve ser fator crucial a ser levado em conta. A redução da dose em pacientes idosas não é recomendada, mas pode ser considerada de acordo com os parâmetros farmacológicos e com a toxicidade observada.[25,130]

Em linhas gerais o tratamento quimioterápico não deve ser com base na idade cronológica da paciente. O uso de *softwares* especializados, como o Adjuvant! *On line*, pode ser benéfico e auxiliar a tomada de decisões, contrabalanceando os riscos e benefícios da terapia adjuvante. O uso de regime contendo antracíclicos pode ser feito em paciente com ausência de comorbidades cardíacas, assim como o uso de taxanos pode ser adicionado a esses esquemas, em pacientes saudáveis.

CONSIDERAÇÕES FINAIS

Com o avançar da idade há, evidentemente, uma chance progressiva da realização de tratamentos menos agressivos do que os preconizados em pacientes jovens. Os apontamentos a seguir deixam isto claro:

O aumento da idade foi associado à diminuição na realização de qualquer tratamento cirúrgico, procedimentos de não conservação da mama e radioterapia após cirurgia conservadora da mama.[131]

É interessante refletir sobre os achados de inúmeros estudos que demonstram que o tratamento oferecido a pacientes idosas é menos abrangente que para pacientes jovens.[45,132-134] Principal destaque deve ser dado a estudo suíço,[134] país desenvolvido, com grande proporção de idosos na sua população e que, mesmo com tais características, apresenta grande expressão de diagnósticos tardios, bem como de subtratamentos. Levantamentos em países em desenvolvimento provavelmente seriam ainda mais alarmantes. Como no Brasil, onde o acesso à mamografia e à avaliação médica são ainda mais problemáticos, pois encontramos grandes dificuldades até mesmo na população mais jovem, atrasando o diagnóstico e, consequentemente, dificultando o tratamento e diminuindo a chance de cura.

Avaliação acerca do impacto na mortalidade por câncer de mama em pacientes idosas demonstra que o subtratamento está associado a um aumento na mortalidade doença-específica.[135] Os autores apontam que mulheres tratadas com cirurgia conservadora sem radioterapia, quando comparadas àquelas tratadas com mastectomia, apresentaram duas vezes mais chance de morrer de câncer, entretanto, não houve diferença significativa, quando a cirurgia conservadora foi seguida de radioterapia. Das pacientes tratadas com tamoxifeno, as que receberam medicação por menos de 1 ano apresentaram mortalidade por câncer de mama significativamente maior do que as que receberam a medicação por 5 anos ou mais, sugerindo que o benefício do tamoxifeno aumenta com o tempo de uso. Podemos ver, assim, que a subutilização da adjuvância, em termos gerais, levou a um aumento da mortalidade doença-específica.

O adequado manejo do câncer de mama em pacientes idosas permanece sendo alvo de diversas controvérsias. Os dados disponíveis baseiam-se muitas vezes em pequenos estudos e muitos deles falham na avaliação completa da paciente (p. ex.: desconhecimento do *status* dos receptores hormonais e de doenças concomitantes, bem como de sua gravidade). A maioria dos estudos é com base em estudos retrospectivos ou subanálises populacionais gerais. Muitas vezes dos dados são meras extrapolações dos resultados obtidos em pacientes mais jovens. É necessário o desenvolvimento de ensaios clínicos para pacientes idosas, especialmente naquelas com doença inicial, nas quais há possibilidade de cura.

A expectativa de vida determina muito na decisão do tratamento e, caso seja superior a 10 anos, é tempo suficiente para a paciente apresentar recidiva local, caso o tratamento primário não seja adequadamente realizado.

O julgamento clínico deve ser utilizado individualmente, com base em cada paciente e em sua idade fisiológica mais do que em sua idade cronológica. A utilização de métodos, como o CGA, pode ajudar muito neste sentido e idealmente deveria ser realizado em todas as pacientes, permitindo, inclusive, a melhoria das condições de saúde gerais, o que acarretaria em ampliação das possibilidades terapêuticas oncológicas.

As pacientes devem ser tratadas adequadamente de acordo com os fatores prognósticos e não só em relação à idade cronológica. Propedêutica adequada que busque a presença de marcadores moleculares que possam direcionar a terapia-alvo e determinar o sucesso do tratamento adjuvante, bem como o prognóstico da doença (como, por exemplo, o *Oncotype* DX), juntamente com ferramentas já disponíveis como o Adjuvant! *On line*, podem ajudar na tomada de decisão que envolve esse grupo populacional.[136]

Além disso, as mulheres idosas, assim como as jovens, têm o direito de ser informadas sobre as opções terapêuticas disponíveis e participar na decisão do tratamento.

Acreditamos que o câncer de mama em idosas deve receber considerações significativas por parte dos médicos, e que o mesmo deve ser manejado de forma adequada, de acordo com os fatores prognósticos e não com base somente na idade cronológica.

Acreditamos no benefício da detecção precoce por meio de métodos, como a mamografia, no benefício de adequado tratamento locorregional, bem como sistêmico, levando-se em consideração o estado geral da paciente individualmente, não devendo ser negligenciado à mesma qualquer forma de tratamento fundamentando-se somente na sua idade.

REFERÊNCIAS BIBLIOGRÁFICAS

1. Jernal A, Siegel R, Ward E et al. Cancer statistics, 2007. *CA Cancer J Clin* 2007;57:43-66.
2. Fentiman IS, vanZijl J, Karydas I et al. Treatment of operable breast cancer in the elderly: a randomized clinical trial EORTC 10850 comparing modified radical mastectomy with tumorectomy plus tamoxifen. *Eur J Cancer* 2003 Feb.;39(3):300-8.
3. Jemal A, Murray T, Samueles A et al. Cancer statistics, 2003. *CA Cancer J Clin* 2003;53:5-26.
4. Instituto Nacional de Câncer – INCA. Brasil. *Estatísticas do câncer – Incidência – Estimativas 2010: Incidência do câncer no Brasil – Síntese de resultados e comentários*. Acesso em: 10 Abr. 2011. Disponível em: <http://www.inca.gov.br>.
5. Ries LA, Eisner MP, Kosary CL. SEER Cancer Statistics Review, 1973-1999 Bethesda, Md.: National Cancer Institute Bethesda, 2000. Disponível em: <http://seer.cancer.gov/Publications/CSR1973_1999>
6. Parkin DM, Bray F, Ferlay J et al. Global cancer statistics, 2002. *Cancer J Clin.* 2005;55:74-108.
7. SEER Cancer Statistics Review, Md. *National Cancer Institute Bethesda*. Acesso em: 10 Abr. 2011. Disponível em: <http://seer.cancer.gov>
8. Balducci L, Corcoran MB. Antineoplasic chemotherapy of the older cancer patient. *Hematol Oncol Clin North Am* 2000 Feb.;14(1):193-212.
9. Repetto L, Costantini M, Campora E et al. A retrospective comparison of detection and treatment of breast cancer in young and elderly patients. *Breast Cancer Res Treat* 1997 Mar.;43(1):27-31.
10. Chu J, Diehr P, Feigl P et al. The effect of age on the care of women with breast cancer in community hospitals. *J Gerontol* 1987 Mar.;42(2):185-90.
11. Makuc DM, Freid VM, Kleinman JC. National trends in the use of preventive health care by women. *Am J Public Health* 1989 Jan.;79(1):21-26.
12. Singletary SE, Shallenberger R, Guinee VF. Breast cancer in the elderly. *Ann Surg* 1993;218(5):667-71.
13. Wyld L, Garg DK, Kumar ID et al. Stage and treatment variation with age in postmenopausal women with breast cancer: compliance with guidelines. *Br J Cancer* 2004 Apr. 19;90(8):1486-91.
14. Rao VSR, Garimella V, Hwang M et al. Management of early breast cancer in the elderly. *Int J Cancer* 2007 Mar. 15;120(6):1155-60.
15. Eaker S, Dickman PW, Bergkvist L et al. Differences in management of older women influence breast cancer survival: results from a population-based database in Sweden. *PloS Med* 2006 Mar.;3(3):e25.
16. Mustacchi G, Cazzaniga ME, Pronzato P et al. Breast cancer in elderly women: a different reality? Results from the NORA study. *Ann Oncol* 2007 June;18(6):991-96.
17. Law TM, Hesketh PJ, Porter KA et al. Breast cancer in elderly women: presentation, survival and treatment options. *Surg Clin North Am* 1996 Apr.;76(2):289-308.
18. Faulk RM, Sickles EA, Sollitto RA et al. Clinical efficacy of mammographic screening in the elderly. *Radiology* 1995 Jan.;194(1):193-97.
19. Kerlikowske K, Grady D, Rubin SM et al. Efficacy of screening mammography. A meta-analysis. *JAMA* 1995 Jan. 11;273(2):149-54.
20. Nystron L, Anderson I, Bjurstam N et al. Long-term effects of mammography screening: update overview of the Swedish randomized trials. *Lancet* 2002 Mar. 16;359(9310):909-19.
21. Galit W, Green MS, Lital KB. Routine screening mammography in women older than 74 years: a review of available data. *Maturitas* 2007 June 20;57(2):109-19.
22. Smith RA, Cokkinides V, Eyre HJ. American Cancer Society guidelines for the early detection of cancer, 2004. *CA Cancer J Clin* 2004 Jan.-Feb.;54(1):41-52.
23. Walter LC, Lewis CL, Barton MB. Screening for colorectal, breast, and cervical cancer in the elderly: a review of the evidence. *Am J Med* 2005 Oct.;118(10):1078-86.
24. US Preventive Services Task Force (USPSTF). Screening for breast cancer: recommendations and rationale. *Ann Inter Med* 2002;137(Parte 1):344-46.
25. Wildiers H, Kunker I, Biganzoli L et al. Management of breast cancer in elderly individual: recommendations of the International Society of Geriatric. *Lancet Oncol* 2007 Dec.;8(12):1101-15.
26. Fischer CJ, Egan MK, Smith P et al. Histopathology of breast cancer in relation to age. *Br J Cancer* 1997;75(4):593-96.
27. Carter D, Orr SL, Merino ML. Intracystic papillary carcinoma of the breast. *Cancer* 1983 July 1;52(1):14-19.
28. Rosen PP, Lesser ML, Kinne DW. Breast carcinoma in the extremes of age: a comparison of patients younger than 35 years and older than 75 years. *J Surg Oncol* 1985 Feb.;28(2):90-96.
29. Von Rosen A, Gardelin A, Auer G. Assessment of malignancy potential in mammary carcinoma in elderly patients. *Am J Clin Oncol* 1987 Feb.;10(1):61-64.
30. Yancik R, Ries LG, Yates JW. Breast cancer aging women: a population-based study of contrasts in stage, surgery and survival. *Cancer* 1989 Mar. 1;63:976-81.
31. Singh R, Hellman S, Heimann R. The natural history of breast carcinoma in the elderly. Implications for screening and treatment. *Cancer* 2004 May 1;100(9):1807-13.
32. Mueller CB, Ames F, Anderson GD. Breast cancer in 3.558 women: age as a significant determinant in the rate of dying and causes of death. *Surgery* 1978 Feb.;83(2):123-32.
33. Schaefer G, Rosen PP, Lesser ML et al. Breast carcinoma in the elderly women: pathology, prognosis and survival. *Pathol Annu* 1984;19 Pt 1:195-219.
34. Morrow M. Breast disease in elderly women. *Surg Clin North Am* 1994;74:145-61.
35. Gennari R, Curigliano G, Rotmensz N et al. Breast carcinoma in elderly women – features of disease presentation, choice of local and systemic treatments compared with younger postmenopausal patients. *Cancer* 2004 Sept. 15;101(6):1302-10.
36. Diab SG, Elledge RM, Clarke GM. Tumor characteristics and clinical outcome of elderly women with breast cancer. *J Natl Cancer Inst* 2000 Apr. 5;92(7):550-56.
37. Pierga JY, Girre V, Laurence V et al. Institute Curie Breast Cancer Study Group. Characteristics and outcome of 1755 operable breast cancers in women over 70 years of age. *Breast* 2004 Oct.;13(5):369-75.
38. Honma N, Sakamoto G, Akiyama F et al. Breast carcinoma in women over the age of 85: distinct histological pattern and androgen, oestrogen and progesterone receptor status. *Histopathology* 2003 Feb.;42(2):120-27.
39. Tse GM, Tan PH, Lau KM et al. Breast cancer in the elderly: a histological assessment. *Histopathology* 2009 Oct.;55(4):441-51.
40. Swan G, Lin C. Survival patterns among younger women with breast cancer: the effects of age, race, stage and treatment. *J Natl Cancer Inst Monogr* 1994;16:69-77.
41. Fisch EB, Chapman JA, Link MA. Competing causes of death for primary breast cancer. *Ann Surg Oncol* 1998 June;5(4):368-75.
42. Satariano WA. Aging, comorbidity, and breast cancer survival: an epidemiological view. *Adv Exp Med Biol* 1993;330:1-11.
43. Satariano WA, Ragland DR. The effect of comorbidity on 3-year survival of woment with primary breast cancer. *Ann Intern Med* 1994 Jan. 15;120(2):104-10.
44. Perkins P, Cooksley CD, Singletary ES et al. Differences in breast cancer treatment and survival between older and younger women. *Breast J* 1999;5(3):156-61.
45. Livi L, Paiar F, Saieva C et al. Breast cancer in the elderly: treatment of 1500 patients. *Breast J* 2006 July-Aug.;12(4):353-59.
46. Holmes CE, Muss HB. Diagnosis and treatment of breast cancer in the elderly. *Cancer J Clin* 2003 July-Aug.;53(4):224-27.
47. Yancik R. Cancer burden in the aged: an epidemiologic and demographic overview. *Cancer* 1997 Oct. 1;80(7):1273-83.
48. Yancik R, Wesley MN, Ries LA et al. Effect of age and comorbidity in postmenopausal breast cancer patients aged 55 years and older. *JAMA* 2001 Feb. 21;285(7):885-92.
49. Clough-Gorr KM, Stuck AE, Thwin SS et al. Older breast cancer survivors: geriatric assessment domains are associated with poor tolerance of treatment adverse effects anda predict mortality over 7 years of follow-up. *J Clin Oncol* 2010 Jan 20;28(3):380-6.
50. Kunkler IH, King CC, Williams IJ et al. What is the evidence for a reduced risk of local recurrence with age among older patients treated by breast-conserving therapy. *Breast* 2001 Dec.;10(6):464-69.
51. Walter LC, Covinsky KE. Cancer screening in elderly patients – a famework for individualized decision making. *JAMA* 2001 June 6;285(21):2750-56.
52. Balducci L, Extermann M, Carreca I. Management of breast cancer in the older women. *Cancer Control* 2001 Sept.-Oct.;8(5):431-41.
53. Darryl W, Victor H. Comprehensive geriatric assessment. *Cancer Control* 2003 Nov./Dec.;10(6):454-62.
54. Extermann M, Aapro M, Bernabei RB et al. Use of comprehensive geriatric assessment in older cancer patients: recommendations from the task force on CGA of the International Society of Geriatric Oncology (SIOG). *Crit Rev Oncol Hematol* 2005 Sept.;55(3):241-52.
55. Crivellari D, Aapro M, Leonard R et al. Breast cancer in the elderly. *J Clin Oncol* 2007 May 10;25(14):1882-90.
56. Albrand G, Terret G. Early breast cancer in the elderly: assessment and management considerations. *Drugs Aging* 2008;25(1):35-45.

57. National Comprehensive Cancer Network – NCCN Clinical practice guidelines in oncology™ version 2.2011. Acesso em: 10 de Abr. 2011. Disponível em: <www.nccn.org>
58. Hamerman D. Toward an understanding of frailty. *Ann Intern Med* 1999 June 1;130(11):945-50.
59. Dordea M, Jones R, Nicolas AP et al. Surgery for breast cancer in the elderly – how relevant? *Breast* 2011 June;20(3):212-14.
60. Turnbull AD, Gundy E, Howland WS et al. Surgical mortality among the elderly: an analysis of 4050 operations (1970-1974). *Clin Bull* 1978;8(4):139-42.
61. Audisio RA. The surgical risk of elderly patients with cancer. *Surg Oncol* 2004 Dec.;13(4):169-73.
62. Cutuli B, Aristei C, Martin C et al. Breast-conserving therapy for stage I-II breast cancer in elderly women. *Int J Radiat Oncol Biol Phys* 2004 Sept. 1;60(1):71-76.
63. Fenessy M, Bates T, MacRae K et al. Late follow-up of a randomized trial of surgery plus tamoxifen versus tamoxifen alone in women aged over 70 years with operable breast cancer. *Br J Surg* 2004;91:699-704.
64. Gennari R, Rotmensz N, Perego E et al. Sentinel node biopsy in the elderly breast cancer patients. *Surg Oncol* 2004 Dec.;13(4):193-96.
65. Clarke M, Collins R, Darby S et al. Effects of radiotherapy and of differences in the extent of surgery for early breast cancer on local recurrence and 15-year survival: an overview of the randomized trials. *Lancet* 2005 Dec. 17;366(9503):2087-106.
66. Robertson IF, Todd JH, Ellis IO et al. Comparison of mastectomy with tamoxifen for treating elderly patients with operable breast cancer. *BMJ* 1988 Aug. 20-27;297(6647):511-14.
67. Gazet JC, Ford HT, Coombes RC et al. Prospective randomized trial of tamoxifen versus surgery in elderly patients with breast cancer. *Eur J Surg Oncol* 1994 June;20(3):207-14.
68. vanDalsen AD, de Vries JE. Treatment of breast cancer in elderly patients. *J Surg Oncol* 1995 Oct.;60(2):80-82.
69. Feitman IS, Christiaens MR, Paridaens R et al. Treatment of operable breast cancer in the elderly: a randomized clinical trial EORTC 10851 comparing tamoxifen alone with modified radical mastectomy. *Eur J Cancer* 2003 Feb.;39(3):309-16.
70. Mustacchi G, Ceccherini R, Milani S et al. Tamoxifen alone versus adjuvant tamoxifen or operable breast cancer of the elderly: long-term results of the phase III randomized controlled multicenter GRETA trial. *Ann Oncol* 2003 Mar.;14(3):414-20.
71. Hind D, Wyld L, Beverley CB et al. Surgery versus primary endocrine therapy for operable primary breast cancer in elderly women (70 years plus). *Cochrane Database Syst Rev* 2006 Jan. 24;(1):CD004272.
72. Vlastos G, Mirza NQ, Meric F et al. Breast conservation therapy as a treatment option for the elderly. *Cancer* 2001 Sept. 1;92(5):1092-100.
73. Golledge J, Wiggins JE, Callam MJ. Age-related variation in the treatment and outcomes of patients with breast carcinoma. *Cancer* 2000 Jan. 15;88(2):369-74.
74. Grube BJ, Hansen NM, Ye W et al. Surgical management of breast cancer in the elderly patient. *Am J Surg* 2001 Out.;182(4):359-64.
75. Kantotowitz DA, Poulter CA, Sischy B et al. Treatment of breast cancer among elderly women with segmental mastectomy or segmental mastectomy plus postoperative radiotherapy. *Int J Radiat Oncol Biol Phys* 1988 Aug.; 15(2):263-70.
76. Fischer B, Redmond C, Fischer ER. Ten-year results of a randomized clinical trial comparing radical mastectomy and total mastectomy with or without radiation in the treatment of breast cancer. *N Engl J Med* 1985;312:665-73.
77. Fischer B, Jeong JH, Anderson S et al. Twenty-five-year follow-up of a randomized trial comparing radical mastectomy, total mastectomy, and total mastectomy followed by irradiation. *N Engl J Med* 2002 Aug.;347(8):567-75.
78. Gervasoni JE, Sbayi S, Cady B. Role of lymphadenectomy in surgical treatment of solid tumor: an update on the clinical data. *Ann Surg Oncol* 2007 Sept.;14(9):2443-62.
79. Menard S, Bufalino R, Rilke F et al. Prognosis based on primary breast carcinoma instead of pathological nodal status. *Br J Cancer* 1994 Oct.;70(4):709-12.
80. Ravdin PM, De Laurentiis M, Vendely T et al. Prediction of axillary lymph node status in breast cancer patients by use of prognostic indicators. *J Natl Cancer Inst* 1994 Dec. 7;86(23):1171-75.
81. De Laurentiis M, Gallo C, De Placido S et al. A predictive index of axillary nodal involvement in operable breast cancer. *Br J Cancer* 1996 May;73(10):1241-47.
82. Veronesi U, Paganelli G, Viale G et al. Sentinel lymph node biopsy and axillary dissection in breast cancer: results in a large series. *J Natl Cancer Inst* 1999 Feb. 17; 91(4):368-73.
83. Martelli G, DePalo G, Rossi N et al. Long-term follow-up of elderly patients with operable breast cancer treated with surgery without axillary dissection plus adjuvant tamoxifen. *Br J Cancer* 1995 Nov.;72(5):1251-55.
84. Martelli G, Miceli R, Daidone MG et al. Axillary dissection versus no axillary dissection in elderly patients with breast cancer and no palpable axillary nodes: results after 15 years follow-up. *Ann Surg Oncol* 2011 Jan.;18(1):125-33.
85. Feigelson BJ, Acosta JA, Feigelson HS et al. T1 breast carcinoma in women 70 years of age and older may not require axillary lymph node dissection. *Am J Surg* 1996 Nov.;172(5):487-89.
86. Martelli G, Miceli R, De Palo G et al. Is axillary lymph node dissection necessary in elderly patients with breast carcinoma who have a clinically uninvolved axilla? *Cancer* 2003 Mar. 1;97(5):1156-63.
87. Martelli G, Boracchi P, De Palo M et al. A randomized trial comparing axillary dissection to no axillary dissection in older patients with T1N0 breast cancer: result after 5 years of follow-up. *Ann Surg* 2005 July;242(1):1-6.
88. Wazer DE, Erban JK, Robert NJ et al. Breast conservation in elderly women for clinically negative axillary lymph nodes without axillary dissection. *Cancer* 1994 Aug. 1;74(3):878-83.
89. Naslund E, Fernstad R, Ekinan S et al. Breast cancer in women over 75 years: is axillary dissection always necessary? *Eur J Surg* 1996 Nov.;162(11):867-71.
90. Truong PT, Bernstein V, Wai E et al. Age-related variations in the use of axillary dissection: a survival analysis of 8038 women with T1-T2 breast cancer. *Int J Radiat Oncol Biol Phys* 2002 Nov. 1;54(3):794-803.
91. Holmberg SB, Crivellari D, Zahrieh D et al. A randomized trial comparing axillary clearance versus no axillary clearance in older patients (=60 years) with breast cancer: first results of International Breast Cancer Study Group Trial 10-93. *Proc Am Soc Clin Oncol* 2004;22:(abstr 505).
92. Galante E, Cerrotta AM, Crippa A. Outpatient treatment of clinically node-negative breast cancer in elderly women. *Cancer Control* 1994 July;1(4):344-49.
93. Tabar L, Smith RA, Vitak B et al. Mammographic screening: a key factor in the control of breast cancer. *Cancer* 2003 Jan.-Feb.;9(1):15-27.
94. McMahon LE, Gray RJ, Pockaj BA. Is breast cancer sentinel lymph node mapping valuable for patients in their seventies and beyond? *Am J Surg* 2005 Sept.;190(3):336-70.
95. Valero V 3rd, Kong AL, Hunt KK et al. Sentinel lymph node dissection is technically feasible in older breast cancer patients. *Clin Breast Cancer* 2010 Dec. 1;10(6):477-82.
96. Chagpar AB, McMasters KM, Edwards MJ. Can sentinel node biopsy be avoided in some elderly breast cancer patients? *Ann Surg* 2009 Mar.;249(3):455-60.
97. Di Fronzo LA, Hansen NM, Stern SL et al. Does sentinel lymphadenectomy improve staging and alter therapy in elderly women with breast cancer? *Ann Surg Oncol* 2000 July;7(6):406-10.
98. Hieken TJ, Nettnin S, Velasco SM. The value of sentinel lymph node biopsy in elderly breast cancer patients. *Am J Surg* 2004 Oct.;188(4):440-42.
99. Veronesi U, Banfi A, Salvadori B et al. Breast conservation is the treatment of choice in small breast cancer: long term-results of a randomized trial. *Eur J Cancer* 1990;26(6):668-70.
100. Nemoto T, Patel JK, Rosner D, Dao TL, Schuh M, Penetrante R. Factors affecting recurrence in lumpectomy without irradiation for breast cancer. *Cancer* 1991 Apr 15;67(8):2079-82.
101. Clark RM, McCulloch PB, Levine MN et al. Randomized clinical trial to assess the effectiveness of breast irradiation following lumpectomy and axillary dissection for node-negative breast cancer. *J Natl Cancer Inst* 1992 May 6;84(9):683-89.
102. Veronesi U, Luini A, Delvecchio M et al. Radiotherapy after breast preserving surgery in women with localized cancer of the breast. *N Engl J Med* 1993 June 3;328(22):1587-91.
103. Liljegren G, Holmberg L, Adami HO et al. Sector resection with or without postoperative radiotherapy for stage I breast cancer – 5-year results of a randomized trial. *J Natl Cancer Inst* 1994 May 4;86(9):717-22.
104. Veronesi U, Salvadori B, Luini A et al. Breast conservation is a safe method in patients with small cancer of the breast – long-term results of 3 randomized trials on 1973 patients. *Eur J Cancer* 1995 Sept.; 31A(10):1574-79.
105. Clark RM, Whelan T, Levine M, Roberts R, Willan A, McCulloch P et al. Randomized clinical trial of breast irradiation following lumpectomy and axillary dissection for node-negative breast cancer: an update. *J Natl Cancer Inst* 1996 Nov 20;88(22):1659-64.
106. Liljegren G, Holmberg L, Bergh J, Lindgren A, Tabár L, Nordgren H, Adami HO. 10-year results after sector resection with or without postoperative radiotherapy for stage I breast cancer: a randomized trial. *J Clin Oncol* 1999 Aug.;17(8):2326-33.

107. Benhain DI, Lopchinski R, Tartter PI. Lumpectomy with tamoxifen as primary treatment for elderly women with early stage breast cancer. *Am J Surg* 2000 Sept.;180(3):162-66.
108. Gruenberger T, Gorlitzer M, Soliman T et al. It is possible to omit postoperative irradiation in a highly selected group of elderly breast cancer patients. *Breast Cancer Res Treat* 1998 July;50(1):37-46.
109. Sandison AJ, Gold DM, Wright P et al. Breast conservation or mastectomy: treatment choice of women aged 70 years and older. *Br J Surg* 1996 July;83(7):994-96.
110. Veronesi U, Marubini E, Mariani L et al. Radiotherapy after breast conserving surgery in small breast carcinoma: long-term results of a randomized trial. *Ann Oncol* 2001 July;12(7):997-1003.
111. Hughes KS, Schnaper LA, Berry D et al. Lumpectomy plus tamoxifen with or without irradiation in women 70 years of age or older with early breast cancer. *N Engl J Med* 2004;351:971-77.
112. Smith BD, Gross CP, Smith GL et al. Effectiveness of radiation therapy for older women with early breast cancer. *J Natl Cancer Inst* 2006 May;98(10):681-90.
113. Gazet JC, Markopoulos C, Frod HT et al. Prospective randomized trial of tamoxifen versus surgery in the elderly patients with breast cancer. *Lancet* 1988 Mar. 26;1(8587):679-81.
114. Reed MWR, Morrison JM. Wide excision as the sole primary treatment in elderly patients with carcinoma of the breast. *Br J Surg* 1989 Sept.;76(9):898-900.
115. Bates T, Riley DL, Houghton J et al. Breast cancer in elderly women: a cancer research campaign trial comparing treatment with tamoxifen and optimal surgery with tamoxifen alone. *Br J Surg* 1991 May;78(5):591-94.
116. Troung PT, Bernstein V, Lesperance M et al. Radiotherapy omission after breast-conserving surgery is associated with reduced breast cancer-specific survival in elderly women with breast cancer. *Am J Surg* 2006 June;191(6):749-55.
117. Fischer B, Constantino J, Redmond C et al. A randomized clinical trial evaluating tamoxifen in the treatment of patients with node-negative breast cancer who have estrogen-receptor-positive tumors. *N Engl J Med* 1989 Feb. 23;320(8):479-84.
118. Early Breast Cancer Trialists' Colaborative Group (EBCTCG). Effects of chemotherapy and hormonal therapy for early breast cancer on recurrence and 15-year survival: an overview of the randomized trial. *Lancet* 2005 May 14-20;365(9472):1687-717.
119. Early Breast Cancer Trialists' Collaborative Group. Favorable and unfavorable effects on long-term survival of radiotherapy for early breast cancer: an overviewed of the randomized trials. *Lancet* 2000 May 20;355(9217):1757-70.
120. Beadle BM, Woodward WA, Buchholz TA. The impact of age on outcome in early-stage breast cancer. *Semin Radiat Oncol* 2011 Jan.;21(1):26-34.
121. Wyckoff J, Greenberg H, Sanderson R et al. Breast irradiation in the older women: a toxicity study. *J Am Geriatr Soc* 1994 Feb.;42(2):150-52.
122. Overgaard M, Jensen MB, Overgaard J et al. Postoperative radiotherapy in high-risk postmenopausal breast-cancer patients given adjuvant tamoxifen: Danish Breast Cancer Cooperative Group DBCG 82c randomized trial. *Lancet* 1999 May 15;353(9165):1641-48.
123. Lee JC, Truong PT, Kader HA et al. Postmastectomy radiotherapy reduces locoregional recurrence in elderly women with high-risk breast cancer. *Clin Oncol* (R Coll Radiol) 2005 Dec.;17(8):623-29.
124. Muss HB. Adjuvant treatment of elderly breast cancer patients. *Breast* 2007 Dec.;16(Suppl 2):S159-65.
125. Passage KJ, McCarthy NJ. Critical review of the management of early-stage breast cancer in elderly women. *Int Med J* 2007 Mar.;37(3):181-89.
126. Baum M, Buzdar A, Cuzick J et al. Anastrozole alone or in combination with tamoxifen versus tamoxifen alone for adjuvant treatment of post-menopausal women with early-stage breast cancer: results of the ATAC Trial efficacy and safety update analyses. *Cancer* 2003 Nov. 1;98(9):1802-10.
127. Howell A, Cuzick J, Baum M et al. ATAC Trialists' Group. Results of the ATAC (Arimidex, Tamoxifen, Alone or in Comtination) trial after completion of 5 years' adjuvant treatment for breast cancer. *Lancet* 2005 Jan. 1-7;365(9453):60-62.
128. Crivellari D, Sun Z, Coates AS et al. Letrozole compared with tamoxifen for elderly patients with endocrine-responsive early breast cancer: the BIG 1-98 trial. *J Clin Oncol* 2008 Apr. 20;26(12):1972-79.
129. Macaskill EJ, Renshaw L, Dixon JM. Neoadjuvant use of hormonal therapy in elderly patients with early or locally advanced hormone receptor-positive breast cancer. *Oncologist* 2006 Nov./Dec.;11(10):1081-88.
130. Leung M, Shapira I, Bradley T et al. Adjuvant chemtherapy for early breast cancer in the eldery. *Curr Treat Opt in Oncol* 2009(10):144-58.
131. Newschaffer O, Penberthy L, Desch CE et al. The effect of age and comorbidity in the treatment of elderly women with nonmetastatic breast cancer. *Arch Intern Med* 1996 Jan. 8;156(1):85-90.
132. Mandelblatt JS, Hadley J, Kerner JF et al. Patterns of breast carcinoma treatment in older women: patient preference and clinical and physician influences. *Cancer* 2000 Aug. 1;89(3):561-73.
133. Petrakis IE, Paraskakis S. Breast cancer in the elderly. *Arch Gerontol Geriatr* 2010 Mar.-Apr.;50(2):179-84.
134. Bouchardy C, Rapiti E, Fioretta G et. Undertreatment strongly decreases prognosis of breast cancer in elderly women. *J Clin Oncol* 2003 Oct. 1;21(19):3580-87.
135. Yood MU, Owusu C, Buist DS et al. Mortality impact of less-than-standard therapy in older breast cancer patients. *J Am Coll Surg* 2008 Jan.;206(1):66-75.
136. Extermann M, Balducci L, Lyman GH. What threshold for adjuvant therapy in older breast cancer patients? *Clin Oncol* 2000 Apr.;18(8):1709-17.

CAPÍTULO 123
Câncer de Mama Associado à Gravidez

Melissa Quirino Souza e Silva ■ Sérgio Ferreira Juaçaba
Josmara Ximenes Andrade Furtado

EPIDEMIOLOGIA

O câncer durante a gestação é considerado um evento raro, correspondendo a 0,1% de todas as neoplasias malignas. Uma em cada 1.000 mulheres grávidas apresenta o diagnóstico de câncer durante a gestação.[1] Dentre todas as neoplasias que ocorrem na gestação, o câncer de mama é o mais frequente, seguido pelas neoplasias hematológicas, dermatológicas e da cérvice uterina. Sua incidência é de um caso para cada 3.000 gestações.[2] É possível prever aumento no número de casos dessa doença nos próximos anos, isso porque as mulheres em geral estão adiando suas gestações para a 3ª e 4ª décadas de vida, período coincidente com a maior incidência do carcinoma mamário.[1]

O câncer de mama na gravidez tem como definição o diagnóstico do carcinoma mamário durante a gestação ou até 1 ano após o parto.[3] Sua etiologia é desconhecida. Acredita-se que os altos níveis de estrógeno e progesterona encontrados neste período participem da gênese desse tipo de neoplasia.[4] Por outro lado, existe a possibilidade de que o aumento dos corticosteroides circulantes associado à imunidade naturalmente deprimida na gravidez sejam fatores facilitadores do crescimento tumoral nesta fase.[3] As alterações fisiológicas que ocorrem durante a gravidez e a amamentação, como a hiperplasia lobular e a galactoestase, tendem a ocultar os nódulos mamários, dificultando e atrasando o diagnóstico do câncer de mama na gestação. Desse modo, observa-se frequentemente que o diagnóstico ocorre em estágios avançados da doença, no qual geralmente já existe um maciço envolvimento nodal e a presença de metástases a distância.[4] Um estudo realizado na cidade de São Paulo encontrou doença localmente avançada em 46,7% das mulheres grávidas com câncer de mama. Os pesquisadores também observaram que 93,3% das gestantes apresentavam axila positiva à dissecção.[5] É indiscutível que a doença avançada piora bastante o prognóstico dessas mulheres. Todavia, as taxas de mortalidade por carcinoma mamário na gestação se mantêm semelhantes às das mulheres não gestantes na mesma faixa etária.

APRESENTAÇÃO CLÍNICA E ANATOMOPATOLÓGICA

Durante a gravidez e a lactação ocorre um aumento do tecido glandular e da densidade mamária em razão de uma marcante hiperplasia dos ductos terminais e unidades lobulares. Essas alterações fisiológicas dificultam o exame físico das mamas e a diferenciação entre achados malignos e benignos.[6] Estudos recentes mostram que há um atraso no diagnóstico em cerca de 1 a 2 meses, sendo que o diagnóstico em estágios mais avançados bem como o início tardio do tratamento podem influenciar os resultados da terapêutica.[7]

O câncer de mama na gravidez geralmente se manifesta como nodularidades palpável e indolor.[8] Descarga papilar sanguinolenta e presença de edema ou sinais inflamatórios são apresentações clínicas menos comuns.[9] Cerca de 80% das massas mamárias indolores em mulheres grávidas são benignas.[6] Contudo, qualquer nodulação axilar ou mamária, clinicamente suspeita ou de aparecimento recente e que persista por mais de 2 a 4 semanas, deve ser investigada com exames de imagem e avaliação histopatológica.[9]

O diagnóstico diferencial inclui, além do câncer, fibroadenoma, adenoma lactacional, hiperplasia lobular, cisto, abscesso, lipoma e hamartoma. Outros diagnósticos diferenciais raros incluem leucemia, linfoma, sarcoma, neuroma e tuberculose mamária.[10]

O tipo histológico mais prevalente é o carcinoma ductal infiltrante, presente em 75 a 90% dos casos.[8] Esses tumores geralmente são de alto grau, possuem invasão linfovascular e maior possibilidade de comprometimento nodal pelo seu maior tamanho ao tempo do diagnóstico.[11] Os receptores de estrógeno e progesterona são negativos em 60 a 80% dos casos.[12] O *status* HER-2/*neu* costuma ser positivo em 28 a 58% das vezes, embora esses achados estejam fundamentados em dados conflitantes.[13]

MÉTODOS DIAGNÓSTICOS

A propedêutica diagnóstica na gravidez pode ser realizada da mesma forma que em numa mulher não gestante. Todavia, alguns métodos diagnósticos têm sua sensibilidade diminuída durante a gravidez e a amamentação em decorrência da maior densidade mamária observada nesses períodos. Este é o caso da mamografia que, embora possa ser realizada a qualquer tempo durante a gestação, desde que com devida proteção abdominal, possui sua sensibilidade reduzida para 70% durante o ciclo gravídico-lactacional. Ainda que com reduzida sensibilidade, a mamografia ainda é considerada o melhor método na avaliação das microcalcificações e desse modo não deve deixar de ser realizada durante a gestação. É importante enfatizar a segurança fetal na realização da mamografia durante a gestação. Doses de radiação inferiores a 5 rad, como no caso da mamografia, em que a dose de exposição estimada é de 0,4 mrad, não oferecem risco de malformações fetais.[4,7,8] A ultrassonografia mamária, por possuir alta sensibilidade e especificidade, é considerada o melhor método para a avaliação dos nódulos mamários na gravidez.[9] Além de permitir a diferenciação dos nódulos sólidos e císticos, a ultrassonografia pode ser considerada um método inócuo pelo desprezível risco de radiação fetal.[7] A indicação da ressonância magnética na gravidez ainda é controversa. Embora não ocorra exposição fetal à radiação, estudos em modelos animais observaram que o gadolínio, contraste utilizado na realização do exame, pode atravessar a barreira placentária e causar anormalidades fetais.[14] Por isso recomenda-se seu uso com cautela e preferencialmente no terceiro trimestre gestacional, período no qual existe menor risco de se causar malformações fetais.[9] A ressonância pode ser realizada durante a lactação desde que o leite seja ordenhado e desprezado nas primeiras 48 horas após a realização do exame, período em que o gadolínio é excretado no leite materno.[8] Outra desvantagem da ressonância é a dificuldade na distinção entre a hipervascularização mamária fisiológica da gravidez e a hipervascularização observada nas lesões malignas.[14]

A biópsia percutânea é considerada o padrão ouro no diagnóstico histopatológico dos nódulos mamários considerados suspeitos na gestação. A *core* biópsia, por sua facilidade de execução e baixos índices de complicação, é considerada o método de escolha.[9] Possíveis complicações seriam a formação de abscesso e de fístula láctea no sítio de biópsia.[8] As atipias citológicas comumente encontradas na mama normal durante a gestação e a amamentação tornam a punção aspirativa por agulha fina um método pouco confiável na avaliação dos nódulos mamários nesta fase em virtude do grande número de falso-positivos.[8,15]

A realização dos exames de estadiamento durante a gestação deve ser criteriosa. Radiografia de tórax e ultrassonografias de abdome e pelve podem ser utilizadas sem restrições. O mesmo não se aplica à tomografia computadorizada e a cintilografia óssea, que não devem ser solicitadas rotineiramente, preferindo-se a ressonância magnética na avaliação de metástases hepáticas, ósseas e cerebrais.[8]

Certamente o exame clínico das mamas, associado à avaliação mamográfica e ultrassonográfica quando indicadas, é uma ferramenta importante no diagnóstico precoce do câncer de mama na gestação. Devemos encorajar os obstetras a realizá-lo rotineiramente e preferencialmente no início da gravidez, período onde as alterações fisiológicas gestacionais ainda são menos exuberantes. Exames mais complexos, como ressonância magnética, tomografia computadorizada e cintilografia óssea, devem ter seu uso restrito a casos selecionados graças ao maior risco de danos fetais. A *core* biópsia deve ser o método diagnóstico de escolha, reservando-se a propedêutica cirúrgica para o tratamento da doença.

TRATAMENTO

A escolha do tratamento do câncer de mama associado à gravidez depende de vários fatores como o desejo da gestante em prosseguir com a gestação, a idade gestacional e o estágio da doença.[8] Quando o câncer é diagnosticado no primeiro trimestre, deve-se dar à gestante a opção de prosseguir ou não até o termo, caso a escolha do tipo de tratamento coloque em risco a vida materna, visando a preservação do feto.[9] O diagnóstico da doença no primeiro trimestre impõe algumas restrições ao tratamento. Isso porque é entre a primeira e oitava semanas gestacionais que ocorre a organogênese, período no qual existe o maior risco de malformações fetais. Ainda que alguns sistemas, como o gonadal e o sistema nervoso central, continuem em desenvolvimento até o termo, é no primeiro trimestre que o risco de malformações estruturais é maior.[15] Os quimioterápicos não devem ser utilizados nesta fase em razão de seus efeitos teratogênicos sobre o feto. Estima-se que risco de malformações ultrapasse 17%.[12] Caso seja necessário iniciar a quimioterapia antes da 12ª semana de gestação, a interrupção da gravidez pode ser considerada[6]. A alta toxicidade dessas drogas também pode causar crescimento intrauterino restrito, parto prematuro, baixo peso ao nascer e até morte fetal.[3,16] Certas alterações fisiológicas da gestação, como o aumento do volume sanguíneo circulante e a passagem transplacentária de algumas drogas, podem alterar a farmacocinética dos quimioterápicos, gerando dificuldades na otimização da dose desses fármacos.[9,15] Não há definição quanto ao melhor esquema quimioterápico durante a gravidez. O uso de metotrexato isolado ou em associação a outras drogas está contraindicado pelo alto risco de induzir abortamento.[7] Ainda faltam estudos documentando a segurança do uso de taxanos na gestação. Os esquemas de quimioterapia à base de 5-fluoruracil, doxorrubicina, epirrubicina e ciclofosfamida são os preferidos.[9] A terapia com anticorpos monoclonais humanizados, como o traztuzumabe, está associada a alterações no volume de líquido amniótico e por isso deve ser evitada durante a gravidez. Até o momento não existem estudos documentando segurança do uso de lapatinibe durante a gestação.[7,9] A quimioterapia deve ser evitada 3 a 4 semanas antes da data prevista do parto, a fim de se reduzir o risco de infecção e hemorragia estimulados pela pancitopenia materna.[8]

A mastectomia acompanhada de linfadenectomia axilar pode ser realizada em qualquer idade gestacional. O uso de agentes anestésicos durante a gestação é seguro, e não existem evidências de efeito teratogênico fetal.[3,9] A cirurgia conservadora poderá ser realizada sempre que o início da radioterapia não ultrapasse 12 semanas pós-cirurgia.[8] A radioterapia deve ser evitada durante toda a gestação pelo alto risco de induzir malformações congênitas e câncer durante a infância do concepto.[9,15] O mesmo se aplica à radioterapia intraoperatória, já que não existem estudos avaliando seu uso em gestantes portadoras de carcinoma mamário. É importante lembrar que o maior intervalo entre a cirurgia e o início da radioterapia aumenta o risco de recidiva local e é por esse motivo que se dá preferência à realização de cirurgia conservadora no final do segundo e durante o terceiro trimestres. Quando existe indicação de quimioterapia adjuvante, a cirurgia conservadora poderá ser realizada no primeiro trimestre sem restrições, já que o início da radioterapia será automaticamente postergado.[9] A realização da pesquisa do linfonodo sentinela na gestação é objeto de controvérsias. Estima-se que a exposição fetal à radiação com o uso do tecnésio seja inferior a 4,3 mGy, dose bastante inferior à considerada arriscada para malformações fetais – 250 a 500 mGy durante o primeiro trimestre e 1 Gy para os outros trimestres gestacionais.[7,8] Estudo recente de Gentilini *et al.* documentou segurança desta técnica em gestantes.[17] Por outro lado, alguns autores reportam menor sensibilidade desse método durante a gestação, mas desaconselham o uso de azul patente pelos riscos de anafilaxia materna e teratogênese fetal.[7,8]

A solicitação dos receptores hormonais no fragmento de biópsia percutânea ou cirúrgica é questionável durante a gestação. Os altos níveis de estrógeno circulantes durante a gravidez promovem grande ocupação dos respectivos receptores citoplasmáticos, aumentando o número de receptores de estrógeno falso-negativos.[3] E mesmo nos casos de receptor hormonal positivo, está contraindicado o uso de moduladores seletivos do receptor de estrógeno. O uso de tamoxifeno está associado a malformações, como a síndrome de Goldenhar, caracterizada por hipoplasia facial, displasia óculo-auricular-vertebral e retardo mental; sequência de Robim, composta por micrognatia, glossoptose e fissura palatina e genitália ambígua.[9] Por não serem a primeira escolha em mulheres na pré-menopausa, os inibidores da aromatase também não devem ser utilizados na gestação.[7]

CONDUTA OBSTÉTRICA

Antes de iniciar qualquer tratamento ou exame de estadiamento, e caso a quimioterapia seja iniciada durante a gravidez, uma monitorização fetal rigorosa é indicada para assegurar o desenvolvimento adequado para a idade gestacional e avaliar a morfologia fetal.[9,11] No caso de restrição do crescimento fetal, oligoidrâmnio ou anemia severa da mãe é aconselhada, uma avaliação com Doppler das artérias umbilicais e da artéria cerebral média para avaliar o *status* placentário e excluir anemia fetal respectivamente.[18] A partir de 28 semanas, a realização do perfil biofísico fetal é indicada a intervalos regulares, antes de cada ciclo de quimioterapia. A mensuração do volume de líquido amniótico é importante, pois pode ocorrer sua diminuição, de forma reversível, com o uso de algumas drogas.[11] Deve haver um sensato equilíbrio na decisão entre iniciar quimioterapia durante a gravidez ou antecipar o parto com adiamento da quimioterapia. Se a indicação de quimioterapia for clara, doença avançada ou metastática, o tratamento não deverá ser adiado até que a maturidade ou viabilidade fetal seja atingida pelos possíveis efeitos deletérios nos resultados maternos. Em decorrência da aparente segurança dos regimes quimioterápicos durante a gravidez, o adiamento da quimioterapia não se justifica, a menos que o parto possa ser seguramente induzido dentro de 4 a 6 semanas após o diagnóstico.[16] No planejamento do parto é importante analisar vários fatores relacionados com a quimioterapia com o intuito de minimizar os riscos de hemorragia e sepse.[12] O tratamento quimioterápico deve ser evitado após 34 a 35 semanas pela possibilidade de o parto ser desencadeado espontaneamente nesse período, antes da recuperação adequada da medula óssea.[16]

Para o bem-estar fetal todos os esforços serão feitos para adiar o parto, pelo menos até 35 a 37 semanas de idade gestacional. Caso seja necessário reiniciar o tratamento quimioterápico após o parto, a primeira dose deve ser administrada após recuperação adequada da paciente.[8] No momento em que a interrupção da gravidez e o parto prematuro forem inevitáveis, a maturação pulmonar deve ser considerada, e a via de parto, escolhida, conforme indicação obstétrica.[9] Embora a metástase placentária seja rara, aconselha-se avaliação histopatológica da placenta.[8,9]

AMAMENTAÇÃO E CONTRACEPÇÃO

Não há evidências de que a amamentação aumente o risco de recidiva, incidência de câncer de mama contralateral ou qualquer risco à saúde da criança.[19] No entanto, mulheres que estão em uso de agentes quimioterápicos ou em terapia hormonal são orientadas a não amamentar, porque a maioria desses agentes pode ser excretada no leite materno.[7] A cirurgia e a radioterapia podem prejudicar a capacidade de lactação, contudo a lactação funcional é possível. Atrofia lobular, fibrose periductal e estenose dos ductos galactóforos são efeitos secundários ao tratamento radioterápico e que diminuem significativamente a produção do leite materno.[19]

A gravidez deve ser desaconselhada durante o tratamento ativo do câncer de mama. Uma contracepção efetiva e adequada é considerada prioridade, de preferência método contraceptivo não hormonal. Quanto à segurança do uso de dispositivo intrauterino, com liberação prolongada de doses baixas de progestágenos isolados, os estudos não têm mostrado recorrência ou uma maior incidência de um segundo tumor primário em seus resultados, porém são estudos pequenos, sendo necessários estudos prospectivos que possam avaliar a segurança de sua utilização.[20]

FERTILIDADE

O câncer de mama associado à gravidez geralmente acomete mulheres jovens que ainda desejam gestar. É importante informar à paciente sobre a possibilidade de redução de sua reserva ovariana, decorrente da utilização de agentes citotóxicos, e das técnicas de preservação de fertilidade disponíveis.[19] O tempo ideal para tentativa de gravidez, após diagnóstico e tratamento do câncer de mama, é ainda desconhecido. Há evidências que mostram benefícios em pacientes que aguardam no mínimo 2 anos para engravidar, conquanto que a terapia adjuvante tenha sido concluída. Ivens *et al.* mostraram que a gravidez não parece afetar adversamente o prognóstico de mulheres com história prévia de câncer de mama, concluindo que a sobrevida global em 5 e 10 anos parece ser melhor em mulheres que conceberam, em detrimento daquelas que não engravidaram. No entanto, as mulheres que engravidaram eram as que apresentavam melhor prognóstico ao tempo do diagnóstico.[20] As atuais recomendações do *Royal College of Obstetricians and Gynaecologists* aconselham as pacientes com câncer de mama que desejam engravidar após o tratamento a aguardarem pelo menos 2 anos antes de tentar conceber.[19] A questão da gravidez após o tratamento deve ser discutida individualmente com a paciente, fundamentando-se nas características tumorais e no estadiamento da doença.[19,20] Alguns autores aconselham mulheres com estadiamento clínico III a retardarem a gravidez por um período de, pelo menos, 5 anos após o tratamento. As mulheres com estadiamento IV ou doença recorrente não deveriam considerar uma gravidez a qualquer tempo.[19]

PROGNÓSTICO

Historicamente o câncer de mama associado à gravidez é considerado uma doença de curso rápido e prognóstico reservado. No entanto, tem sido motivo de discussões se as características prognósticas adversas forem reflexo específico do estado gravídico ou, simplesmente, reflexo da faixa etária da paciente acometida.[12] Estudos mais recentes têm observado que as características histopatológicas e imuno-histoquímicas do câncer de mama associado à gestação são similares àquelas identificadas em mulheres jovens não grávidas, quando se compara idade e estadiamento.[14] Murphy *et al.* publicaram, em 2010, um estudo de caso-controle que avaliou as características patológicas e os resultados do câncer de mama associado à gravidez. Concluíram que essas mulheres, quando comparadas ao grupo-controle, apresentavam tumores com piores características biológicas, como alto grau tumoral e alta porcentagem de receptores hormonais negativos, e doença em estágio mais avançado. Em análise multivariada, a gravidez não mostrou ser preditora de risco independente de pior sobrevida global e, quando as pacientes recebiam o tratamento padrão, em tempo ideal, parece não haver diferenças significativas nos resultados.[21] Um estudo realizado em pacientes com câncer de mama durante a gravidez apresentado pelo *German Breast Group,* em 2008, avaliou, dentre vários *endpoints,* os resultados maternos e fetais após o parto e após 5 anos do diagnóstico. Esse estudo mostrou, quanto aos resultados fetais, que não houve diferenças entre aqueles que receberam e os que não receberam quimioterapia intraútero. Em relação às pacientes com câncer de mama na gravidez, eles concluíram que o tratamento deve ser feito o mais próximo possível das recomendações padrões e por uma equipe multidisciplinar especializada.[22]

CONSIDERAÇÕES FINAIS

O desafio maior do câncer de mama na gravidez é o diagnóstico mais precoce possível da doença. O diagnóstico em estadiamento avançado é decorrente da negligência das alterações mamárias, tanto pela paciente quanto pelo médico que a assiste. Nesse sentido, o obstetra assume uma função de fundamental importância no diagnóstico. O exame das mamas deve fazer parte da rotina das consultas obstétricas, sendo realizado já na primeira consulta de pré-natal, quando as alterações fisiológicas da mama são menos acentuadas e, a partir de então, nas consultas subsequentes com o intuito de diagnosticar a doença precocemente.

REFERÊNCIAS BIBLIOGRÁFICAS

1. Pavlidis NA. Coexistence of Pregnancy and Malignancy. *Oncologist* 2002;7:279-87.
2. Calsteren KV, Heyns L, Smet FD *et al.* Cancer during pregnancy: an analysis of 215 patients emphasizing the obstetrical and the neonatal outcomes. *J Clin Oncol* 2010;28(4):683-89.
3. Boff RA, Wisintainer F. (Eds.). *Mastologia moderna: abordagem multidisciplinar.* Caxias do Sul: Mesa Redonda, 2008.
4. Cunningham FG, Leveno KJ, Bloom SL *et al.* In: Seils A, Edmonson KG, Davis K. (Eds.). *Williams obstetrics.* 22nd ed. United States of América: McGraw-Hill, 2005.
5. Mottola Jr J, Berrettini Jr A, Mazzoccato C *et al.* Câncer de mama associado à gravidez: um estudo caso/controle. *Rev Bras Ginecol Obstetr* 2002;24(9):585-91.
6. Rovera F, Frattini F, Coglitore A *et al.* Breast Cancer in Pregnancy. *Breast J* 2010;16(1):22-25.
7. Litton JK, Theriault RL. Breast cancer and pregnancy: current concepts in diagnosis and treatment. *Oncologist* 2010;15(12):1238-47.
8. Vinatier E, Merlot B, Poncelet E *et al.* Breast cancer during pregnancy. *Eur J Obstet Gynecol Reprod Biol* 2009;147:9-14.
9. Amant F, Deckers S, Van Calsteren K *et al.* Breast cancer in pregnancy: Recommendations of an international consensus meeting. *Eur J Cancer* 2010;46(18):3158-68.
10. Bauerfeind I, Lenhard M, Kahlert S *et al.* Review: breast cancer and pregnancy. *Eur Clin Obstet Gynaecol* 2005;1:95-101.
11. Martinez MC, Simon AR. Breast cancer during pregnancy. *Breast Cancer Res Treat* 2010;123:55-58.
12. Ring AE, Smith IE, Ellis PA. Breast cancer and pregnancy. *Ann Oncol* 2005;16:1855-60.
13. Molckovsky A, Madarnas Y. Breast cancer in pregnancy: a literature review. *Breast Cancer Res Treat* 2008;108:333-38.
14. Barnes DM, Newman LA. Pregnancy – Associated Breast Cancer: a literature review. *Surg Clin North Am* 2007;87(2):417-30.
15. Ring A. Breast cancer and pregnancy. *Breast* 2007;16:155-58.
16. Azim Jr HA, Del Mastro L, Scarfone G *et al.* Treatment of breast cancer during pregnancy: regimen selection, pregnancy monitoring and more. *Breast* 2011;20(1):1-6.
17. Gentilini O, Cremonesi M, Toesca A *et al.* Sentinel lymph node biopsy in pregnant patients with breast cancer. *Eur J Nucl Med Mol Imaging* 2010;37:78-83.
18. Loibl S, Von Minckwitz G, Gwyn K *et al.* Breast carcinoma during pregnancy. *Cancer* 2006;106(2):237-46.
19. Lawrenz B, Banys M, Henes M *et al.* Pregnancy after breast cancer: case report and review of the literature. *Arch Gynecol Obstet* 2011;283(4):837-43.
20. Hickey M, Peate M, Saunders CM *et al.* Breast cancer in young women and its impact on reproductive function. *Hum Reprod Update* 2009;15(3):323-39.
21. Murphy C, Mallan D, Stein S *et al.* Pathologic features and outcomes of pregnancy–associated breast cancer (PABC): A case control study. *J Clin Oncol* (Meeting Abstracts). 2010;28(Suppl 15):1589.
22. Loibl S, Ring A, Von Minckwitz G *et al.* Breast cancer during pregnancy – a prospective and retrospective European registry (GBG-20/BIG02-03) [Abstract]. *Eur J Cancer* 2008 Apr.;6(7):68.

CAPÍTULO 124

Multicentricidade e Multifocalidade no Câncer de Mama

Liane Mansur de Mello Gonçalves Pinheiro
Maria Nagime Barros Costa ■ Juliana de Almeida Figueiredo

HISTÓRICO

Durante muito tempo multicentricidade e multifocalidade não tinham significados distintos bem estabelecidos; a ideia de classificação como patologias diferentes é relativamente recente.

A concepção da anatomia mamária e seu sistema ductal em três dimensões fez com que fosse possível essa diferenciação entre esses dois termos.

Tanto multicentricidade quanto multifocalidade são condições que determinam a conduta cirúrgica, podendo impossibilitar muitas vezes o tratamento conservador.

O estudo patológico realizado classicamente com avaliação macroscópica e amostragem dos demais quadrantes acaba por subestimar outros focos tumorais presentes microscopicamente em outros locais da mama.

Sendo a radioterapia sempre indicada (salvo algumas exceções) nos casos de cirurgia conservadora, alguns desses focos tumorais teoricamente, seriam eliminados através dela.

Em 1957, Qualheim e Gall publicaram um dos primeiros estudos que se tem notícia sobre este tema. Eles encontraram em 157 casos de câncer um percentual de 17% de doença descrita como na proximidade do tumor principal, e 35% de focos adicionais em outras áreas da mama. Esse estudo apresenta uma particularidade já que a avaliação da patologia foi realizada com abordagem criteriosa e diversos cortes do tecido mamário em protocolo estabelecido pelo estudo.[1]

Em 1962, Tellen et al.[2] encontraram focos microscópicos de câncer em 26,5% dos 64 casos em quadrantes diferentes do tumor principal.

Até esse momento a cirurgia do câncer de mama era basicamente a retirada completa do tecido mamário, sendo esta constatação feita por peça operatória,[3] não evidenciando doença residual e não representava, assim, nenhum impacto na cura cirúrgica da paciente.

A partir do momento que foi estabelecida a cirurgia conservadora como possibilidade terapêutica local, foram feitos estudos a partir daí utilizando como critérios recidiva local em pacientes que foram e que não foram submetidos à radioterapia.

Estes estudos indicam um papel fundamental da radioterapia na complementação cirúrgica, diminuindo expressivamente a taxa de recidiva local.

No estudo do NSABP (*National Surgical Adjuvant Breast Project*) publicado por Fisher et al.,[4] eles classificaram multicentricidade como tumor adicional presentes em um quadrante diferente do tumor principal e encontraram um percentual de 13,4% de multicentricidade.

Em 1985, Holland et al. descreveram a relação de proximidade do foco adicional com o tumor primário e correlacionaram essa proximidade com maior possibilidade de recidiva.[5]

Em 1994, o conceito anatômico de três dimensões foi utilizado para descrever a distribuição de característica canalicular do carcinoma intraductal;[6] Mai et al.[7] utilizaram o computador para reconstruir o tecido mamário e seu sistema ductal, chegando à conclusão que alguns cânceres multicêntricos se tratavam apenas de disseminação intraductal do mesmo tumor.

A definição mais adequada para multicentricidade e multifocalidade só foi possível através da observação de Ohtake et al.[8] Eles descreveram que apenas dois sistemas ductais se comunicavam, e que os outros 14 restantes eram anatomicamente independentes.[8] Sendo assim, o sistema ductal não era separado por septos dividindo os respectivos ductos, e os quadrantes, então, eram divisões arbitrárias deste sistema ductal, no qual poderia haver comunicações, não respeitando, necessariamente, do espaço anatomicamente conhecido de um quadrante. Isso fez com que fosse reformulada a definição de multifocalidade e multicentricidade com base apenas em quadrantes.[8,6]

Foi proposta, então, uma definição mais fidedigna em que fosse necessária a comprovação histopatológica de não continuidade do tumor para ser descrito como multicentricidade.

No caso de multifocalidade seria necessária a comprovação que estes focos encontravam-se no mesmo sistema ductal.[9-11]

Estudos de biologia molecular descrevem multifocalidade e multicentricidade como entidades distintas, tendo cada uma delas origens diferentes.[9-12]

Mesmo com novas informações sobre a fisiopatologia da doença multicêntrica, assim como sua diferença com a doença multifocal, em vários aspectos havia uma dificuldade técnica em classificarem uma e outra.

Foi assim que apareceram as medidas de 5 a 2 cm.

Lagios utilizou 5 cm como medida, porque esse critério de distância, na maioria das vezes, fazia com que o tumor estivesse também em outro quadrante.[13]

Os protocolos europeus utilizam o critério de, pelo menos, 4 cm de distância para classificar multicentricidade.[14]

A importância de discutir essas alterações na classificação no decorrer do tempo vai ajudar a compreender estudos e estatísticas anteriores.

A "regra dos quadrantes" é a definição mais utilizada nos mais diversos estudos.

TEORIAS DO DESENVOLVIMENTO

Hipótese de disseminação intraductal

Quando foram iniciados estudos usando a distribuição ductal em três dimensões, foi visto que algumas lesões tinham uma disseminação dentro desse sistema.

Noguchi et al. estudaram três pacientes com três ou quatro focos separados de câncer; em cada paciente o mesmo crosmossoma X estava ativado em todos os focos. Isso foi interpretado como se os focos tivessem originado-se do mesmo tumor primário.[10]

Teixeira et al.[11] encontraram clones celulares com as mesmas alterações em diferentes lesões de padrão multicêntrico, indicando disseminação monoclonal.

Entre pacientes tratados com cirurgia conservadora a presença de doença intraductal extensa aumenta a chance de recidiva local que ocorre geralmente no leito tumoral. Esses casos devem ser tratados também com quadrantectomia, sendo retirado todo sistema ductal envolvido e radioterapia local.[15-17]

Hipótese embriológica

A mama inicia o seu desenvolvimento na 6ª semana de gestação. A mama permanece adormecida até a puberdade, em que há o desenvolvimento do sistema ductal, após a menarca o sistema alveolar já se apresenta completo, e seu número aumenta com a idade.[18]

Caso uma célula neste desenvolvimento apresente uma alteração que não é reparada, esta mesma célula irá transmitir a alteração para todas as outras do mesmo sistema ductal.

Caso uma célula do ducto apresente essa alteração não corrigida irá transmitir para suas células-filhas essa alteração o que irá afetar apenas o ducto acometido, os outros ductos terão células normais.[10,11,19,20]

A prevalência de multicentricidade é incerta e ela varia de 4 a 75% nos estudos.[21]

Essa variação pode ser explicada por diversos fatores, porém os mais importantes são:

- A falta de uma definição exata de multicentricidade (já descrita anteriormente).[22]
- O método de avaliação do espécime cirúrgico.[13,15-17,23]

As técnicas de avaliação pela patologia utilizadas variam desde amostragem dos quadrantes não acometidos, até estudos utilizando a combinação de radiografia e estudo microscópico de toda a mama.[3,13,24]

Existe também a avaliação por congelação de toda a mama com confecção de lâminas a cada 2 a 5 mm de tecido mamário.[23]

Essas técnicas na qual toda a mama é incluída para estudo microscópico são utilizadas apenas em alguns estudos, já que a técnica é impossível de ser colocada em prática pelo tempo de confecção das lâminas e tempo utilizado na visualização pelo patologista. Uma mama que seria vista em 1 semana passa a ser avaliada totalmente em meses.

Fatores associados

Os estudos apontam diversos fatores que podem ser associados a um aumento de risco de multicentricidade e multifocalidade, porém essa constatação fica difícil, já que a classificação não é padronizada, dificultando uma análise fidedigna destes estudos em associação.[22]

Entre os fatores descritos estão:

- Lesão associada na papila ou subareolar[25] é, talvez, a mais clara demonstração de multicentricidade. Mai *et al.* descobriram que o CDIS tem um padrão piramidal desde a papila até a parte posterior da mama, isso é possível em razão da convergência dos sistemas ductais até a papila.[7,25]
- Existem estudos tentando correlacionar multicentricidade com tamanho tumoral,[24,26-28] idade,[29] histórico familiar, *status* linfonodal[30-33] entre outros.[34,35]
- O sistema TNM de classificação não apresenta classificação específica para doença multifocal e multicêntrica; a classificação, nesse caso, leva em consideração apenas o maior foco tumoral.[22,36,37]
- Várias propostas de mensuração já foram feitas, como soma dos diâmetros tumorais, soma dos volumes dos focos entre outros, porém nada ainda foi colocado em prática face à dificuldade de provar o impacto desta informação na escolha da terapia adjuvante.[18,21,23,29,38-40]

Relevância clínica

Já existem evidências suficientes que não há diferença de sobrevida entre as pacientes que foram submetidas à cirurgia conservadora e as que foram tratadas com mastectomia,[41] tanto no câncer *in situ* quanto no carcinoma infiltrante. Esses estudos não levam em consideração o tratamento adjuvante utilizado nos casos em questão.

Uma das contraindicações relativas para submeter a paciente à cirurgia conservadora é a presença de doença multicêntrica.[22]

Um estudo italiano descreve a possibilidade de cirurgia conservadora em pacientes com doença multifocal e/ou multicêntrica, desde que na abordagem cirúrgica seja conseguida margem de segurança aceitável, o que significa que a relação tumor/mama deve possibilitar essa conduta sendo não recomendada em pacientes com mamas de pequeno volume.[42-44]

A avaliação inicial das mamas para descartar a possibilidade de doença multicêntrica ou multifocal deve ser feita inicialmente com mamografia. A *American Cancer Society* publicou recentemente *guidelines* que consideram o uso apenas de ressonância em pacientes de alto risco para câncer de mama.[22]

A ressonância também pode ser utilizada como método adicional em mamas densas onde há dificuldade de apenas com a mamografia e a ultrassonografia, delimitar a extensão da doença, sendo utilizada no planejamento pré-operatório nesses casos.[45]

Essas orientações não se aplicam para pacientes com histórico pessoal de doença intraductal ou invasiva.

A adição de ressonância na avaliação pré-operatória de doença invasiva encontrou 10 a 27% de focos adicionais e teve importante impacto na conduta cirúrgica, levando muitas pacientes a realizar mastectomias.[46-53]

Bilimoria *et al.* avaliaram 155 mulheres com carcinoma de mama submetidas à mamografia, ultrassonografia, seguida de biópsia por agulha que iriam ser submetidas à ressonância das mamas. Um total de 124 lesões adicionais suspeitas foram encontradas em 73 pacientes, em que 36 pacientes tiveram a sua conduta cirúrgica alterada. Dez pacientes que seriam submetidas à segmentectomia foram submetidas à mastectomia (oito necessárias e duas desnecessárias), uma excisão extensa foi realizada em 21 pacientes (10 benéficas e 11 desnecessárias), além disso, cinco pacientes foram submetidas à cirurgia contralateral. Isso mostra que a ressonância foi benéfica em 9,7% nessa abordagem inicial.[46]

Uma revisão retrospectiva de 267 pacientes com tumores primários de mama submetidas à ressonância para avaliação pré-operatória, 26% tiveram sua conduta alterada.[52]

A ressonância encontra focos adicionais, o que traz benefício para a paciente, porém será que esses focos são biologicamente importantes?

Esses focos adicionais irão ser responsáveis por uma recidiva local mesmo após terapia adjuvante (radioterapia, quimioterapia e/ou hormonoterapia)?

Essas questões ainda são fonte de muitos questionamentos e estudos ainda sem nível de evidência importante.

Uma das questões que deve ser analisada nos casos de doenças multicêntrica e multifocal é a abordagem axilar.[54-61]

ABORDAGEM AXILAR

O linfonodo sentinela é o padrão atual para abordagem de câncer de mama com axila clinicamente negativa.[62-69] Inicialmente doença multicêntrica/multifocal era considerada uma contraindicação para realização deste procedimento, já que havia uma ideia de drenagem por vias linfáticas diferentes e uma alta taxa de falso-negativo.[68-77]

As técnicas para realização do linfonodo sentinela também influenciavam nesta constatação da contraindicação do método; antes o coloide ou o azul patente eram injetados peritumoral, o que dificultava a realização do método em doença multicêntrica/multifocal.[78-83]

Com a injeção sendo realizada periareolar, houve uma possibilidade maior de sucesso na abordagem nestes casos.

Vários estudos têm demonstrado que o linfonodo sentinela é, sim, uma técnica possível nos casos de doenças multicêntrica e multifocal.[84-86]

No *Memorial Sloan Kettering Cancer Center* um estudo prospectivo identificou 70 pacientes com doenças multifocal e multicêntrica submetidas à pesquisa de linfonodo sentinela e que foram subsequentemente submetidas à dissecção axilar com, no mínimo, 10 linfonodos excisados. Este estudo encontrou acurácia de 96% e sensibilidade de 92%, o índice de falso-negativo foi de apenas 8% e não houve diferença estatística entre esses resultados e os publicados para validação do linfonodo sentinela em outros casos.[87]

Esses resultados junto com Knauer *et al.* que realizaram um estudo multi-institucional com 3.730 pacientes também foram semelhantes e concluíram que o linfonodo sentinela apresenta uma alta acurácia nas doenças multicêntrica e multifocal e não representa mais uma contraindicação para realização de pesquisa de linfonodo sentinela, sendo uma alternativa a dissecção axilar nos casos de axila clinicamente negativa.[88]

Mesmo com estudos apresentando diversas novidades no manejo das doenças multicêntrica e multifocal continua sendo um assunto muito controverso sem uma conduta pré-definida.

O importante é realizar uma abordagem correta do ponto de vista oncológico e ponderar a questão da agressividade do tratamento local e o acréscimo de sobrevida livre de doença que irá ser proporcionada à paciente.

Deve-se levar em consideração a biologia molecular do tumor em questão, sendo muitas vezes necessário individualizar a conduta para cada paciente em questão, levando em conta o tamanho tumoral e o número de focos adicionais.

PROGNÓSTICO

Com as novidades no manejo do câncer de mama, em breve poderemos lançar mão de imagens na qual possamos avaliar o comportamento biológico do tumor, sua atividade celular *in vivo*, estudos individualizados de assinaturas genéticas para auxiliar na conduta cirúrgica e especialmente adjuvante de cada paciente, podendo identificar qual delas vai beneficiar-se com cada terapia específica.

REFERENCIAS BIBLIOGRÁFICAS

1. Qualheim RE, Gall EA. Breast carcinoma with multiple sites of origin. *Cancer* 1957;10:460-68.
2. Tellem M, Prive L, Meranze D. Four quadrant study of breast removed carcinoma. *Cancer* 1962;15:10-17.
3. Gallager HS, Martin JE. The study of mammary carcinoma by mammography and whole organ section. *Cancer* 1969;23:855-78.
4. Fisher ER, Fisher B, Sass R et al. Pathologic findings from the national surgical adjuvant breast project (protocol N0.4). Observations concerning the multicentricity of mammay cancer. *Cancer* 1975;35:247-53.
5. Holland R, Veling S, Mravunac M et al. Histologic multifocality of Tis, T1-2 breast carcinomas: implications for clinical trials of breast conserving surgery. *Cancer* 1985;56:979-90.
6. Faverly DR, Burgers L, Bult P et al. Three dimensional imaging of mammary duct carcinoma in situ: Clinical implications. *Semin Diagn Pathol* 1994;11:193-98.
7. Mai KT, Yazdi H, Burns B et al. Pattern of distribution of intraductal and infiltrating ductal carcinoma: A three dimencional study using serial coronal giant sections of the breast. *Hum Pathol* 2000;31:464-74.
8. Ohtake T, Kimijima I, Fukushima T et al. Computer-assisted complete three dimencional reconstruction of the mammary ductal – Lobular systems: implications of ductal anastomoses for breast conserving surgery. *Cancer* 2001;91:2263-72.
9. Fujii H, Marsh C, Cairns P et al. Genetic divergence in the clonal evolution of the breast cancer. *Cancer Res* 1996;56:1493-97.
10. Noguchi S, Aihara T, Motomura K et al. Discrimination between multicentric and multifocal carcinomas of the breast through clonal analysis. *Cancer* 1994;74:872-77.
11. Teixeira MR, Pandis N, Barrdi G et al. Cytogenetic analysis of multifocal breast carcinomas:Detection of karyotypically unrelated clones as well as clonal similarities between tumor foci. *Br J Cancer* 1994;70:922-27.
12. Moffat DF, Going JJ. Three dimensional anatomy of complete duct system in human breast: Pathological and developmental implications. *J Clin Pthol* 1996;49:48-52.
13. Lagios MD. Multicenticity of breast carcinoma demonstrated by routine correlated serial subgross and radiographic examination. *Cancer* 1977;40:1726-34.
14. European Commission. *European guidelines for quality assurance in mammography screening.* 2nd ed. Luxemburg: Office of Official Publication of the European Communities, 1996, II-C-15-II-C-16.
15. Holland R, Connolly JL, Gelman R et al. The presence of an extensive intraductal component (EIC) following a limited excision correlates with prominent residual disease in the remainer of the breast. *J Clin Oncol* 1990;8:113-18.
16. Fisher ER, Sass R, Fisher B et al. Pathologic finding from the ductal carcinoma (DCIS). *Cancer* 1986;57:197-208.
17. Patchefsky AS, Schwartz G, Finkelstein S et al. Heterogeneity of intraductal carcinoma of the breast. *Cancer* 1989;63:731-41.
18. Tavassoli FA. *Pathology of the breast.* 2nd ed. Hong Kong: Appleton and Lange, 1999.
19. Tsuda H, Hirohashi S. Identification of multiple breast cancer of origin by histological observation and distributionnof allele loss on chromosome 16 q. *Cancer Res* 1995;55(15):2295-98.
20. Wa CV, De Vries S, Chen YY et al. Clinical application of array-based comparative genomic hybridization to define the relationship between multiple synchronous tumors. *Mod Pathol* 2005;18(4):591-97.
21. Jain S, Rezo A, Shadbolt B et al. Synchronous multiple ipsilateral breast cancer:implications for patient management. *Pathology* 2009;41:57-67.
22. Edge DB, Byrd DR, Compton CC et al. *AJCC cancer staging manual.* 7th ed. Chicago: Springer, 2010.
23. Müller A, Guhr A et al. Multicentricity of breast cancer, results of a study using sheet plastination of mastectomy specimens. *Int Soc Plstinatiom* 1989;3:8-14.
24. Andrea AA, Wallis T, Newman LA et al. Pathologic analysis of tumor size and lymph node status in multifocal/multicentric breast carcinoma. *Cancer* 2002;94:1383-90.
25. Mannes KD, Edgerton M, Simpson JK et al. *Pagetoid spread in ductal carcinoma in situ: characterization and computer simulation.* Abstract 164. US and Canadian Academy of pathology 91st Annual Meeting Chigaco, 2002 Feb. 23-Mar. 1.
26. Fowble B, Yeh IT, Schultz DJ et al. The role of mastectomy in patients with stage I-II breast cancer presenting with gross multifocal or multicentric disease or diffuse microcalcifications. *Int J Radiat Oncol Biol Phys* 1993;27:567-73.
27. Andrea AA, Bouwman D, Wallis T et al. Correlation of tumor volume and surface area with lymph node status in patients with multifocal/multicentric breast carcinoma. *Cancer* 2004;100:20-27.
28. O'Daly BJ, Sweeney KJ, Ridgway PF et al. The accuracy of combined versus largest diameter in staging multifocal breast cancer. *J Am Coll Surg* 2007;204:282-85.
29. Fish EB, Chapman JA, Link MA. Assessment of tumor size for multifocal primary breast cancer. *Ann Surg Oncol* 1998;5:442-46.
30. Chua B, Ung O, Taylor R et al. Frequency and predictors of axillary lymph node metastases in invasive breast cancer. *ANZ J Surg* 2001;71:723-28.
31. Clayton F, Hopkins CL. Pathologic correlates of prognosis in lymph node positive breast carcinomas. *Cancer* 1993;71:1780-90.
32. Rezo A, Rodins K, Davis A et al. *Assessment of tumor size and its relationship to nodal involvement in multifocal and multicentric breast cancer.* Presented at the American society of Clinical Oncologist(ASCO) Annual Meeting, Chigago. *J Clin Oncol* 2007;25(abstr):10602.
33. Tressera F, Rodrigues I, Garcia-Yuste M et al. Tumor size and lymph node status in multifocal breast câncer. *Breast J* 2007;13:68-71.
34. Katz A, Strom EA, Buchholz TA et al. The influence of pathologic tumor characteristics on locorregional recurrence rates following mastectomy. *Int J Radiat oncol Biol Phys* 2001;50:735-42.
35. Joergensen LE, Gunnarsdottir KA, Lanng C et al. Multifocality as a prognostic factor in breast cancer patients registered in Danish breast Cancer Cooperative Group(DBCG) 1996-2001. *Breast* 2008 Dec.;17(6):587-91. Epub 2008 Aug. 8.
36. Rezo A et al. Tumor size and survival in multicentric and multifocal breast cancer. *Breast* 2011 June;20(3):259-63.
37. Colin R, Sharpe MD. A developmental hypothesis to explain the multicentricity of breast cancer. *CMAJ* 1989;159:55-59.
38. Coombs NJ, Boyages J. Multifocal and multicentric breast cancer:does each focus matter? *J Clin Oncol* 2005;23:7497-502.
39. Dawson PJ, Baekey PA, Clark RA. Mechanisms of multifocal breast cancer: an immunocytochemical study. *Hum Pathol* 1995;26(9):965-69.
40. Rakowsky E, Klein B, Kahan E et al. Prognostic factors in node positive operable breast cancer patients receiving adjuvant chemotherapy. *Breast Cancer Res Treat* 1992;21:121-31.
41. Egan RL. Multicentric breast carcinomas:clinical-radiographiic-pathologic whole organ studies and 10 years survival. *Cancer* 1982;49:1123-30.
42. Leopold KA, Schnitt SJ, Connolly JL et al. Results of conservative surgery and radiation therapy for multiple synchronous cancers of one breast. *Int J Radiat Oncol Biol Phys* 1989;16:11-16.
43. Kurtz JM, Jacquemier J, Amalric R et al. Breast conserving therapy for macroscopically multiple cancers. *Ann Surg* 1990;212:38-44.
44. Gentiline O, Botteri E, Rotmensz N et al. Conservative surgery in patients with multifocal/multicentric breast câncer. *Breast Cancer Res Treat* 2009;113:577-83.
45. Onesti J, Mangus B et al. Breast cancer tumor size correlation betwn magnetic resonance imaging and pathology results. *Am J Surg* 2008;196:844-50.
46. Bilimonia KY, Cambric A, Hasen NM et al. Evaluating the impact of preoperative breast magnetic resonance imaging on the surgical management of newly diagnosed breast cancer. *Arch Surg* 2007;142:441-47.
47. Lee JM, Orel SG et al. MRI before re-excision surgery in patients with breast cancer. *AJR Am J Roentgenol* 2004;182:473-80.
48. Liberman L, Morris EA et al. MRI imaging of the ipsilateral breast in women with percutaneously proven breast cancer. *AJR Am J Roentgenol* 2003;180:901-10.
49. Fisher U, Kopka L, Grabbe E. Breast carcinoma. Effect of preoperative constrast enhanced MR imaging on the therapeutic approach. *Radiology* 1999;213:881-88.
50. Drew PJ, Chatterjee S, Turnbull LW et al. Dynamic constrast enhanced magnetic resonance imaging of the breast is superior to triple assessment for the preoperative detection of multifocal breast cancer. *Ann Surg Oncol* 1999;6:599-603.
51. Bedrosian I, Mick R, Orel SG et al. Changes in the surgical management of patients with breast carcinoma based on preoperative magnetic resonance imaging. *Cancer* 2003;98:468-73.

52. Berg WA, Gutierrez L et al. Diagnostic accuracy of mammography, clinical examination, US, and MRI imaging in pre operative assessment of breast cancer. *Radiology* 2004;223:830-49.
53. Deurloo EE, Peterse JL et al. Additional breast lesion in patients eligible for breast conserving therapy by MRI: Impact on preoperative management and potential benefit of computerized analysis. *Eur J Cancer* 2005;41:1393-401.
54. Albertini JJ, Lyman GH, Cox C et al. Lymphatic mapping and sentinel node biopsy in the patient with breast cancer. *JAMA* 1996;276:1818-22.
55. Bass SS, Lyman GH, McCann CR et al. Lymphatic mapping and sentinel lymph node biopsy. *Breast* 1999;5:288-95.
56. Giuliano AE, Dale PS, Turner RR et al. Improved axillary staging of breast cancer with sentinel lymphadenectomy. *Ann Surg* 1995;222:394-99.
57. Turner RR, Ollila DW, Krasne DL et al. Hostophatologic validationof the sentinel lymph node hypothesis for breast carcinoma. *Ann Surg* 1997;226:271-76.
58. Tafra L, Lannin DR, Swanson MS et al. Multicentric trial of sentinel node biopsy for breast cancer using both technetium sulfur colloid and isosulfan blue dye. *Ann Surg* 2001;233:51-59.
59. Krag D, Weaver D, Ashikaga T et al. The sentinel node in breast cancer: a multicenter validation study. *N Engl J Med* 1998;339:941-46.
60. Veronesi U, Paganeli G, Viale G et al. Sentinel lymph node biopsy and axillary dissection in breast câncer: Results in a large series. *J Natl Cancer Inst* 1999;91:368-73.
61. Haid A, Koeberle-Wuehrer R, Offner F et al. Clinical usefulness and perspectives of sentinel node biopsy in the management of breast cancer. *Chirurg* 2003;74:657-64.
62. Albertini JJ, Lyman GH, Cox C et al. Lymphatic mapping and sentinel node biopsy in the patient with breast cancer. *JAMA* 1996;276:1818-22.
63. Bass SS, Lyman GH, McCann CR et al. Lymphatic mapping and sentinel lymph node biopsy. *Breast J* 1999;5:288-95.
64. Giuliano AE, Dale PS, Turner RR et al. Improved axillary staging of breast cancer with sentinel lymphadenectomy. *Ann Surg* 1995;222:394-99.
65. Turner RR, Ollila DW, Krasne DL et al. Histopathologic validation of the sentinel lymph node hypothesis for breast carcinoma. *Ann Surg* 1997;226:271-76.
66. Tafra L, Lannin DR, Swanson MS et al. Multicenter trial of sentinel node biopsy for breast cancer using both technetium sulfur colloid and isosulfan blue dye. *Ann Surg* 2001;233:51-59.
67. Krag D, Weaver D, Ashikaga T et al. The sentinel node in breast cancer: A multicenter validation study. *N Engl J Med* 1998;339:941-46.
68. Veronesi U, Paganeli G, Viale G et al. Sentinel lymph node biopsy and axillary dissection in breast cancer: Results in a large series. *J Natl Cancer Inst* 1999;91:368-73.
69. Haid A, Koeberle-Wuehrer R, Offner F et al. Clinical usefulness and perspectives of sentinel node biopsy in the management of breast cancer. *Chirurg* 2003;74:657-64.
70. Lyman GH, Giuliano AE, Somerfield MR et al. American Society of Clinical Oncology guideline recommendations for sentinel lymph node biopsy in early-stage breast cancer. *J Clin Oncol* 2005;23:7703-20.
71. Haid A, Tausch C, Lang A et al. Is sentinel lymph node biopsy reliable and indicated after preoperative chemotherapy in patients with breast carcinoma? *Cancer* 2001;92:1080-84.
72. Mamounas EP, Brown A, Anderson S et al. Sentinel node biopsy after neoadjuvant chemotherapy in breast cancer: results from National Surgical Adjuvant Breast and Bowel Project protocol B-27. *J Clin Oncol* 2005;23:2694-702.
73. Kuehn T, Bembenek A, Decker T et al. A concept for the clinical implementation of sentinel lymph node biopsy in patients with breast carcinoma with special regard to quality assurance. *Cancer* 2005;103:451-61.
74. Haid A, Koberle-Wuhrer R, Knauer M et al. Morbidity of breast cancer patients following complete axillary dissection or sentinel node biopsy only: a comparative evaluation. *Breast Cancer Res Treat* 2002;73:31-36.
75. Hsueh EC, Turner RR, Glass EC et al. Sentinel node biopsy in breast cancer. *J Am Coll Surg* 1999;189:207-13.
76. Borgstein PJ, Meijer S, Pijpers RJ et al. Functional lymphatic anatomy for sentinel node biopsy in breast cancer: Echoes from the past and the periareolar blue method. *Ann Surg* 2000;232:81-89.
77. Klimberg VS, Rubio IT, Henry R et al. Subareolar versus peritumoral injection for location of the sentinel lymph node. *Ann Surg* 1999;229:860-64.
78. Grant RN, Tabah EJ, Adair FE. The surgical significance of the subareolar symph plexus in cancer of the breast. *Surgery* 1953;33:71-78.
79. Gould EA, Winship T, Philbin PH et al. Observations on a "sentinel node" in cancer of the parotid. *Cancer* 1960;13:77-78.
80. Kern KA. Concordance and validation study of sentinel lymph node biopsy for breast cancer using subareolar injection of blue dye and technetium 99 m sulfur colloid. *J Am Coll Surg* 2002;195:467-75.
81. Bauer TW, Spitz FR, Callans LS et al. Subareolar and peritumoral injection identify similar sentinel nodes for breast cancer. *Ann Surg Oncol* 2002;9:169-76.
82. Reitsamer R, Peintinger F, Rettenbacher L et al. Subareolar subcutaneous injection of blue dye versus peritumoral injection of technetium-labeled human albumin to identify sentinel lymph nodes in breast cancer patients. *World J Surg* 2003;27:1291-94.
83. Knauer M, Haid A, Köberle-Wührer R et al. Stellenwert der subareolären Farbstoffinjektion zur sentinel node biopsy: Eigene Erfahrungen und Literaturübersicht. *Eur Surg* 2004;36(Suppl 198):41.
84. Schrenk P, Wayand W. Sentinel-node biopsy in axillary lymph-node staging for patients with multicentric breast cancer. *Lancet* 2001;357:122.
85. Tsunoda N, Iwata H, Sarumaru S et al. Combination of subareolar blue dye and peritumoral RI for sentinel lymph node biopsy. *Breast Cancer* 2002;9:323-28.
86. Layeeque R, Henry-Tillman R, Korourian S et al. Subareolar sentinel node biopsy for multiple breast cancers. *Am J Surg* 2003;186:730-35.
87. Tousimi E, Van Zee KJ et al. The accuracy of sentinel lymph node biopsy in multicentric and multifocal invasive breast cancers. *J Am Coll Surg* 2003;197:529-35.
88. Knauer M, Konstantiniuk P et al. A new indication for sentinel node biopsy – A multi institutional validation study. *J Clin Oncol* 2006;24:3374-80.

SEÇÃO VII
Tratamento Cirúrgico do Câncer de Mama

CAPÍTULO 125
Tratamento Cirúrgico Conservador do Câncer de Mama

Antonio Fortes de Pádua Filho ▪ Dilon Pinheiro Oliveira
Eid Gonçalves Coêlho ▪ José Carlos de Oliveira Gomes

■ INTRODUÇÃO/HISTÓRIA

Desde os registros mais antigos da história das doenças da mama (Papiro de Edwin Smith – Luxor, Egito, 1700 a.C.) até o final do século XIX, portanto cerca de 3.600 anos, as cirurgias mamárias eram apenas tentativas de controlar sintomas (Fig. 1). Grandes tumores com comprometimento grave da qualidade de vida eram "amputados" com todas as limitações da época (anestesia, hemorragia, infecção etc.). Com Halsted (William Stewart Halsted 1852-1922) os procedimentos cirúrgicos sobre a mama tomaram um aspecto mais científico e sistematizado. A mastectomia radical por ele preconizada tornou-se padrão e se manteve, com suas variantes, por quase 100 anos. A equipe liderada por Veronesi,[1,2] nos anos 1970/1980, no Instituto Nacional do Câncer de Milão, mostrou e convenceu o mundo médico que, para tumores de até 2 cm, uma quadrantectomia/segmentectomia com esvaziamento axilar completo era tão eficaz quanto a mastectomia radical. Logo a seguir, a experiência e a segurança do procedimento permitiram um aumento do tamanho do tumor, uma margem menor e os três níveis de dissecção axilar ser bem representados por apenas os dois primeiros. Nos anos de 1990, dentro desta evolução cirúrgica, surgiu, na mastologia, a ideia do linfonodo sentinela (LS) que logo se firma como padrão. LS positivo era igual a esvaziamento axilar.[3,4,5] Neste momento, 2011, o que está se consolidando é o tratamento conservador, após QT neoadjuvante para reduzir o tamanho do tumor, margem livre mínima e, já se pondo em dúvida, a necessidade de linfadenectomia em todos os casos em que o LS é positivo.[6]

■ EVIDÊNCIAS DE SEGURANÇA

Nos últimos 30 anos o tratamento cirúrgico do câncer de mama sofreu profundas alterações. O conceito Halstediano[7] de proliferação da doença foi substituído pela teoria de Fisher,[8] e procedimentos menos mutiladores, com preservação importante do tecido mamário, foram disseminados. Apesar de algumas adequações recentes à teoria de Fisher; com base na im-

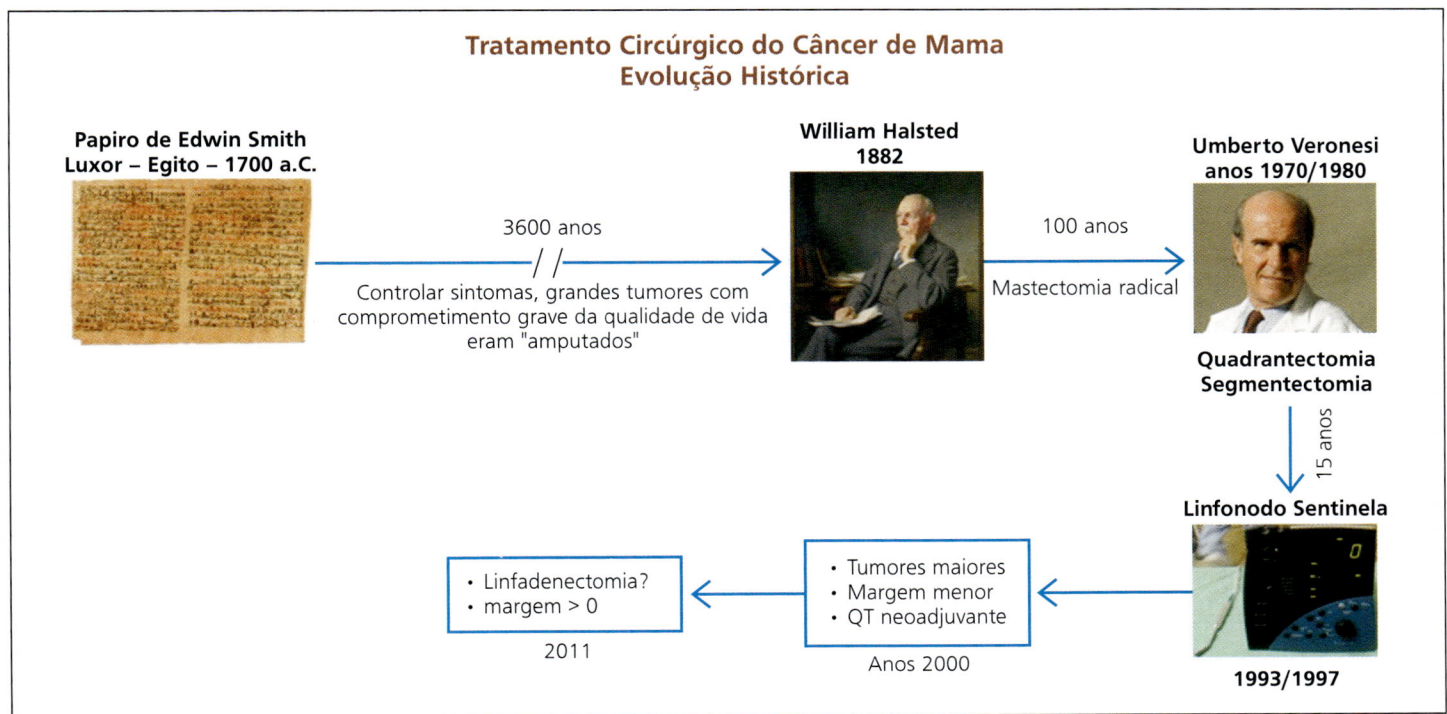

▲ FIGURA 1. Evolução histórica do tratamento cirúrgico conservador.

portância do rastreamento precoce do câncer de mama, o tratamento conservador persiste como um método que equilibra os princípios recentes da cirurgia mamária: margens cirúrgicas livres, ausência de neoplasia residual e bom resultado estético. Os pontos-chave para determinação de um bom resultado oncológico do tratamento conservador são a integração entre o controle local e a sobrevida global e resultados semelhantes desta última quando comparada ao tratamento outrora considerado padrão ouro (mastectomia radical independente de estadiamento). Nesse sentido os trabalhos de Veronesi foram pioneiros.[1] Ao comparar os resultados de sobrevida global de pacientes tratadas com mastectomia com o grupo submetido à terapia conservadora (QUART) e obter resultados estatisticamente semelhantes, Veronesi demonstrou que a cirurgia conservadora é uma opção segura para tratar o câncer de mama com resultados estéticos melhores. Esses estudos também demonstraram a necessidade de uma terapia complementar adjuvante com o intuito/objetivo de diminuir as recidivas locais.[9] Diversos estudos demonstram ser a radioterapia a principal ferramenta nesse sentido. Metanálises recentes do *Early Breast Cancer Trialists' Collaborative Group* (EBCTCG)[10] apresentaram os resultados de diversos estudos clínicos randomizados, avaliando a extensão da cirurgia e o uso da radioterapia e o seu impacto na mortalidade pelo câncer de mama. Foi demonstrado que um aumento no controle local nos primeiros 5 anos de tratamento resulta em aumento significativo tanto na sobrevida livre de doença, como na sobrevida global 15 anos pós-tratamento. Esse resultado corroborou as taxas inaceitáveis de recidiva local em pacientes submetidas somente a tratamento conservador sem terapia adjuvante e o impacto dessa recidiva na sobrevida global. A segurança oncológica da terapia conservadora foi comprovada por trabalhos de longo acompanhamento publicados por Veronesi e Fisher, em 2002,[11,12] e pela *European Organization for Research and Treatment of Cancer* 10.801 *trial*, em 2000.[13] Em 20 anos de acompanhamento, com uma taxa de controle local de 80 a 92%, a sobrevida global não foi estatisticamente diferente, quando comparado à mastectomia. A ressecção cirúrgica do tumor com margens livres é o fator mais importante para reduzir o risco de recorrência local, e a presença de margens comprometidas demonstrou afetar a sobrevida livre de doença. Portanto, uma cirurgia inadequada ou um estudo anatomopatológico impreciso pode influenciar diretamente o resultado do tratamento cirúrgico conservador. O grande ponto de crítica ao tratamento conservador é o maior risco de recorrência local, e o impacto que esta pode ter sobre a sobrevida das pacientes. A mastectomia de resgate é o tratamento padrão para o grupo de pacientes que apresentam recorrência local. Os estudos têm demonstrado resultados promissores com o procedimento de resgate, embora a recorrência tardia tenha apresentado melhores resultados de sobrevida quando comparado às recidivas precoces. A recorrência precoce (menos de 5 anos) apresenta associação a maior risco de evolução metastática a distância e óbito pela doença, indicando a necessidade de terapia sistêmica associada ao tratamento cirúrgico de resgate.

PRÉ-OPERATÓRIO

Feito o diagnóstico histopatológico de carcinoma, o planejamento terapêutico deve ser feito. É necessário um completo e detalhado estudo anatomopatológico que inclui uma análise imuno-histoquímica do espécime, exames habituais de estadiamento e estudo minucioso da mama com exames de imagem. Mamografia e US são fundamentais, para informações precisas do tamanho do tumor, localização do tumor na mama, distância da pele, da papila e da parede torácica e, também, de eventuais lesões, outras associadas na mesma mama e na mama contralateral. Quando microcalcificações estão presentes devem ser bem avaliadas quanto à morfologia, à distribuição espacial e à extensão. O uso da ressonância magnética (RM) em mastologia mostra que esta importante tecnologia é capaz de encontrar focos adicionais de tumor na mesma mama e na mama contralateral. Tendo como base estes achados, logo foi proposto o uso rotineiro no planejamento do tratamento conservador do câncer de mama. Muitos trabalhos, opiniões e debates tornaram controversa esta indicação de RM.[14-18] Hoje sabemos, após estudos bem desenhados e conduzidos, como o COMICE (*Comparative Effectiveness of MRI in Breast Cancer Trial*),[19] que a inclusão da RM, de rotina, na avaliação pré-operatória da mama, visando o tratamento conservador, não melhora a segurança do procedimento cirúrgico a longo prazo, e os resultados clínicos podem, eventualmente, estar associados a dano (Quadro 1). RM tem, entretanto, importantes indicações em mastologia. Com características tumorais bem definidas e estadiamento corretamente feito, o tratamento deve ser indicado.

INDICAÇÕES DE CIRURGIA CONSERVADORA

Ao indicar uma cirurgia conservadora para tratar o câncer de mama, devem-se levar em consideração vários fatores:

Tamanho do tumor

O diâmetro do tumor mamário é o primeiro fator a ser considerado no momento da indicação cirúrgica conservadora. Trabalhos clássicos, como o de Mote *et al.*,[20] encontraram maiores taxas de recidiva local com tumores entre 2 e 5 cm do que para tumores inferiores a 2 cm de diâmetro. O primeiro es-

Quadro 1. COMICE. Importante estudo mostrando não ser necessária a RM no pré-operatório, de rotina, da cirurgia conservadora

AUTOR DO ESTUDO/ ANO DE PUBLICAÇÃO	DESENHO E ESTUDO DE COORTE (N, NÚMERO DE INDIVÍDUOS)	TEMPO DE ACOMPANHA- MENTO, ANOS	AJUSTADO PARA AS DIFERENÇAS ENTRE OS GRUPOS EM COMPARAÇÃO	RESULTADO(S) CLÍNICOS RELATADOS	TEVE RM PROPORÇÃO (N), COM RESULTADO	NÃO TEM RM PROPORÇÃO (N), COM RESULTADO	P
Turnbull, 2010 (COMICE)[a]	Randômico: mulheres com biópsia comprovada. Cirurgia conservadora agendada para depois, padrão (triplo) avaliação (N = 1.623)	Mediana 2,1	Não aplicável (dois braços do estudo randomizado tiveram mesmas características)	Local livre de recidiva, taxas de intervalo de 3 anos pós-randomização	(N = 816) 93,9%	(N = 807) 96,5%	NS
Hwang, 2009	Retrospectivo: mulheres que tinham câncer invasivo excisadas com margens negativas, terapia conservadora (N = 463)	Mediana 4,5	Sim, ajustado para terapias adjuvantes, pacientes e variáveis do tumor	Atuarial, taxa de recidiva ipsilateral em 8 anos	(N = 127) 1,8%	(N = 345) 2,5%	0,67
Solin, 2008	Retrospectivo: mulheres com câncer de mama, fase inicial invasiva para carcinoma ductal *in situ*, terapia conservadora (N = 756)	Média 5	Sim, ajustada para a variável que diferiu entre os dois grupos sobre características da linha de base	Atuarial, taxas de recidiva em 8 anos: recidiva apenas do primeiro local	(N = 215) 3%	(N = 541) 4%	0,51 0,32
Fisher, 2004	Retrospectivo: mulheres que tinham câncer de mama invasivo excisadas com margens negativas, terapia conservadora (N = 219)	Média 3,4	Sem ajustes feitos para as diferenças entre grupos	Simples, proporção com recidiva local	(N = 86) 1,2%	(N = 133) 6,8%	< 0,001

NS = não significativo.
[a]Com base em publicação [(10) complementado pelo relatório [Turnbull LW, Brown, SR, Olivier C, Harvey I, Brown J, Drew P *et al*. Multicêntrico, randomizado, ensaio clínico controlado examinando a relação custo-eficácia com contraste de alta ressonância do campo magnético em mulheres com câncer de mama primário prevista para excisão local ampla (COMICE). Saúde Tecnol Avaliação 2010;14 (1)]. Disponível no site da HTA em http://www.hta.ac.uk (acesso em: 11 de junho de 2011).

tudo de Veronesi[21] entre 1970 e 1986 no Instituto Nacional do Câncer de Milão com 1.232 mulheres com câncer de mama, tumores menores de 2 cm de diâmetro, operadas com quadrantectomia, dissecção axilar e radioterapia (QUART) *versus* pacientes com a mastectomia Halsted[7] verificou resultados semelhantes. Hoje, o que vemos na literatura é que, dependendo da relação do tamanho da mama e do tamanho do tumor, lesões de até 5 cm sendo submetidas a tratamentos conservadores. Cada vez mais, também, observa-se o uso da QT neoadjuvante no sentido de reduzir as dimensões dos tumores e após aplicar tratamento conservador (DOWN STAGING). Convém referir a quebra de mais um paradigma, estes tumores submetidos à QT neoadjuvante devem ser operados com margem livre, entretanto não a margem antes da QT, mas a nova margem após a QT. Esta abordagem clínica permite a cirurgia conservadora em 50% das pacientes com indicação primária de mastectomia.

Tamanho da mama

As mamas podem ser classificadas de acordo com seu volume em: Pequenas – até 250 cc, Médias – 250 a 500 cc, Grandes – mais de 500 cc. Em mamas pequenas, tumores pequenos (T1 – até 2 cm) e mamas grandes, tumores maiores (T2 – até 5 cm), pode-se indicar cirurgia conservadora. Para outras situações considerar a QT neoadjuvante. A viabilidade da conservação da mama na presença de um nódulo depende mais da relação entre o diâmetro do tumor e o tamanho da mama do que propriamente do tamanho do tumor isolado.

Local do tumor na mama

Segundo Aurélio Zecchi[22] há um predomínio de carcinomas na mama esquerda, quando fez a referência de 4.200 pacientes portadoras de câncer de mama, sendo 52,2% à esquerda, 47,4% à direita e 0,4% bilateral e simultânea. Em relação à topografia mamária o mesmo autor encontrou 47,7% no quadrante superoexterno, 11,3% no quadrante inferoexterno, 8,9% no quadrante superointerno, 5,2% no quadrante inferointerno e 18,5% na região central da mama. Haagensen[23] também faz referência por uma discreta maioria de câncer de mama à esquerda e quanto à localização na mama são porcentagens semelhantes à de Aurélio Zecchi, bem como verificamos na nossa prática diária. A localização do tumor na mama, por si só, não contraindica o procedimento conservador, entretanto, lesões retroareolares são críticas, e os cuidados devem ser redobrados. Nestas situações, centralectomias, exames patológicos intraoperatórios são muito úteis.

Lesões mamárias associadas

Um dos fatores limitantes para a cirurgia conservadora é a presença de dois ou mais tumores em uma mesma mama. Quando são dois tumores pequenos, no mesmo quadrante e não necessária a remoção de mais de 20% do volume mamário, pode-se fazer cirurgia conservadora. Alterações benignas, como gigantomastia, ptoses, nódulos, assimetria, quando associadas a tumor de mama, podem ser tratadas, simultaneamente, por procedimentos oncoplásticos.

TIPOS HISTOLÓGICOS

Carcinoma *in situ*

O conceito de carcinoma lobular *in situ* foi apresentado por Foote e Stewart, em 1941.[24] A este respeito, houve muitas discussões e hoje não é considerado um carcinoma mamário verdadeiro e sim um marcador de risco para carcinoma invasor (ductal ou lobular). Geralmente envolve múltiplos lóbulos, localizando-se nas unidades terminais ductolobulares, em geral, sem lesões palpáveis, aparecendo na mamografia com padrão de maior densidade fibroglandular e microcalcificações. A orientação terapêutica é controversa. Mudança de estilo de vida, uso de alguns medicamentos, como tamoxifeno, raloxifeno ou exemestano, e, mais raramente, mastectomia redutora de risco bilateral devem ser considerados. Exame físico semestral e mamografia anual é o acompanhamento padrão. Não se aplicam os conceitos de tratamento conservador em carcinoma lobular *in situ*. O carcinoma ductal *in situ* corresponde a uma proliferação de células epiteliais malignas dentro dos ductos mamários, tendo predileção pela unidade terminal ductolobular e tendo, como característica fundamental, a integridade da membrana basal. A detecção geralmente é feita por microcalcificações agrupadas e polimórficas encontradas na mamografia. A classificação histológica pode ser dos seguintes tipos: sólido, papilar, micropapilar, cribriforme e misto. O tipo sólido pode apresentar necrose tipo comedo, estando associado a comportamento biológico mais agressivo. O tratamento inicial é cirúrgico, na maioria das vezes, cirurgia conservadora. Mastectomia com reconstrução imediata está indicada em algumas situações. Alguns escores existem para facilitar a indicação cirúrgica. O Índice de Prognóstico de van Nuys, um dos mais utilizados, considera fatores preditivos de recidiva para definir a extensão da cirurgia (Quadro 2).

CARCINOMA INFILTRANTE

Ductais

Chama-se carcinoma ductal infiltrante decorrente de arranjo citoarquitetural das células malignas e não do seu local de origem, porque ocorre ao nível da unidade terminal ductolobular, assim como os demais tipos histológicos. Na macroscopia apresenta-se de contorno espiculado (75%), mas podendo ser circunscrito ou difuso sem limites definidos com o tecido mamário adjacente. As formas espiculadas, geralmente, associam-se às menores taxas de sobrevida em 10 anos, quando comparadas aos circunscritos e, mais frequentemente, com comprometimento axilar.

Lobulares

O carcinoma lobular infiltrante é o segundo tipo histológico mais frequente, sendo de 8 a 15% dos carcinomas mamários. Segundo Rosen[25] a frequência é de 10%, e Ellis *et al.*[26] referem 16% a frequência deste tipo de neoplasia. Os carcinomas ductais, em geral, apresentam um comportamento unifocal, crescimento expansivo e tendência à disseminação via ductos, enquanto o carcinoma lobular é imprevisível, cresce insidiosamente entre as estruturas locais, sem um padrão radial. Os lobulares não têm característica de disseminação intraductal e sim em múltiplos focos associados a diferentes unidades. Radiologicamente manifesta-se como área de distorção arquitetural ou hiperdensidade localizada. Em grande parte dos casos apresenta-se como nódulo espiculado e firme, semelhante ao carcinoma ductal. Uma das características do carcinoma lobular infiltrante é a maior incidência de bilateralidade e multicentricidade. A bilateralidade aparece em 10 a 20% dos casos, e somente na neoplasia sincrônica acontece redução na sobrevida. Os carcinomas infiltrantes podem e devem, em grande parte dos casos, ser tratados por cirurgia conservadora.

CONTRAINDICAÇÃO AO TRATAMENTO CONSERVADOR

Absolutas

- Recusa da paciente após esclarecimentos detalhados.
- Impossibilidade ou incerteza de obter margens livres.
- Portadoras de doenças do colágeno que contraindiquem radioterapia.
- Impossibilidade de radioterapia.
- Previsão de resultado estético ruim.
- Gestação nos 1º e 2º trimestres por impossibilidade de radioterapia.
- Lesões associadas a microcalcificações difusas suspeitas.

Quadro 2. Carcinoma ductal *in situ* - Índice prognóstico de van Nuys

ESCORE	1	2	3
Tamanho (mm)	≤ 15	16 a 40	> 40
Margem (mm)	≥ 10	1 a 9	< 1
Classificação patológica	Não alto grau Sem necrose	Não alto grau Com necrose	Alto grau Com ou sem necrose
Idade	> 60	40 a 60	< 40
Baixo risco	4 – 5 – 6		
Risco intermediário	7 – 8 – 9		
Alto risco	10 – 11 – 12		

Relativas

- Alta predisposição genética.
- Radioterapia prévia na mama.
- Lesões multicêntricas.
- Acompanhamento incerto.
- Carcinoma de mama em homem.

TÉCNICA CIRÚRGICA

Mama

Uma das principais justificativas para o tratamento cirúrgico conservador do câncer de mama é manter uma estética satisfatória, sem prejuízo oncológico. Nos primórdios do tratamento conservador as ressecções sempre incluíam um amplo fuso de pele no sentido radial papila/tumor.[27] Atualmente, as incisões têm uma maior preocupação estética, e a escolha do local da incisão é, portanto, muito importante.[28-30] Hoje vivemos um momento em que podemos optar por uma incisão clássica nas proximidades do tumor seja arciforme, circular, periareolar ou usar técnicas oncoplásticas. Estas técnicas nos permitem usar procedimentos consagrados de cirurgia plástica, respeitando pedículos vasculares e pensando na reconstrução da mama, com abordagem tumoral, muitas vezes, até de forma mais ampla. A síntese destas feridas pressupõe o uso de retalhos locais que permitem corrigir grandes defeitos e ainda dar uma melhor estética mamária.

O procedimento clássico[31] tem as seguintes características: a incisão é nas proximidades do tumor, é mais rápido, a cirurgia é de menor porte, a mobilização de tecidos é menor, não permite correção de eventuais deformidades associadas (gigantomastia, ptose etc.), não prejudica eventual reabordagem e não prejudica o *boost*.[32,33] A oncoplástica, geralmente, é procedimento maior, pode corrigir outras lesões associadas, permite amplas ressecções mamárias, tem bom resultado estético, entretanto, limita a reabordagem e o *boost* pela mobilização ampla de tecidos. Achamos que não existe técnica correta ou errada, o que existe é melhor indicação para casos específicos. De qualquer forma, sempre que operarmos uma mama, temos que achar um ponto de equilíbrio, não podemos esquecer a estética e nem comprometer a segurança oncológica. Incisões periareolares são possíveis em lesões pequenas e próximas ao complexo areolopapilar. Nas lesões não próximas à pele (≥ 2 cm), esta pode ser preservada. Sempre é interessante ver a mamografia nesta decisão: quando o subcutâneo é delgado, e o parênquima vai até próximo à derme, tendemos a ressecar a pele suprajacente. Nas lesões retroareolares as preocupações são maiores. É necessário um estudo histopatológico intraoperatório do resíduo de parênquima que fica colado ao complexo areolopapilar atestando a ausência de tumor. Em 1992, no livro *A conservação da mama*, de Veronesi et al.,[27] a margem adequada proposta para o tratamento conservador era de 1 a 2 cm. Com o passar dos anos passou a ser aceita uma margem de até 2 mm e agora se consolidando a ideia de que basta "ausência de tinta no tumor", o que significa dizer margem apenas diferente de zero. Todas estas mudanças na dimensão da margem tiveram como fundamento o trabalho de Holland et al., de 1985,[34] que mostrou que mesmo em uma margem de 4 cm ainda havia, em 10% dos casos, focos tumorais e que, portanto, em um percentual significativo dos tratamentos conservadores, focos tumorais permaneciam e que o tempo mostrou serem eficazmente tratados por radioterapia (Figs. 2 e 3).

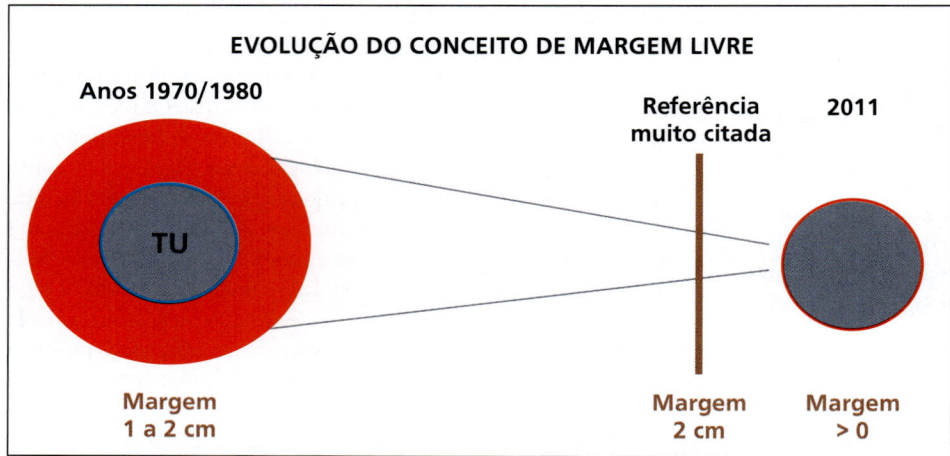

◀ **FIGURA 2.** Evolução do conceito de margem livre.

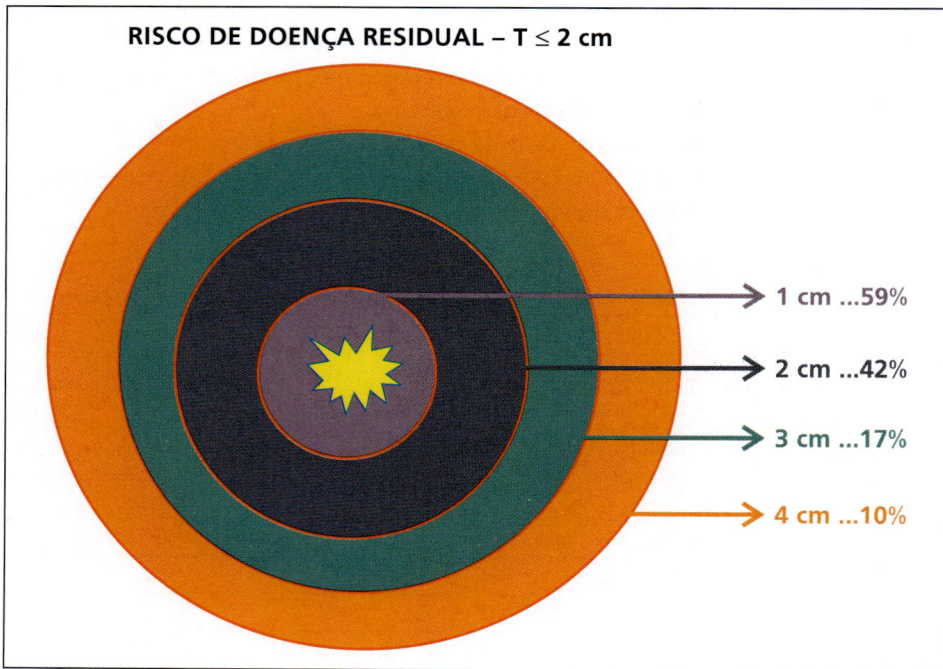

◀ **FIGURA 3.** Risco de doença residual.

Axila – linfonodo sentinela

A abordagem dos linfonodos axilares nas pacientes com câncer de mama vem acompanhando os mesmos objetivos de conservação observados no tratamento do sítio primário. Esse avanço só foi possível graças ao conceito e a concretização dos princípios do linfonodo sentinela (LNS). O *status* axilar é um dos fatores prognósticos mais importantes, atualmente, no estudo do câncer de mama, servindo ainda de parâmetro preditor de terapia adjuvante e de taxa de recidivas locais.[35] A dissecção dos linfonodos em pacientes sem metástase não ocasiona nenhum benefício e traz consigo as complicações e morbidades do procedimento (linfedema, lesões neurovasculares). Com intuito de minimizar esses efeitos, o conceito do LNS difundiu-se rapidamente no estudo do câncer de mama. O seu princípio é com base no conceito que seu estado refletirá o estado dos outros linfonodos axilares em maioria significativa dos casos, portanto, quando negativo, não se realizará a dissecção dos demais linfonodos.

Histórico

O conceito de linfonodo sentinela originou-se, em 1977, quando Cabanas[36] descreveu o primeiro linfonodo de drenagem no carcinoma de pênis. Posteriormente, Morton *et al.*[37] relataram a identificação do linfonodo sentinela utilizando azul patente em pacientes com melanoma cutâneo. Krag *et al.*, em 1993,[38] e Veronesi e Paganelli, em 1997,[39] descreveram a utilização de radioisótopo e gama *probe* para identificação do linfonodo sentinela em pacientes portadoras de câncer de mama. A partir de então, vários trabalhos na literatura têm demonstrado a acurácia e os benefícios da técnica.

Técnica

As principais técnicas utilizadas para o mapeamento e a identificação do LS são: linfocintilografia mamária, com utilização de solução coloidal marcada com ^{99m}TC seguida de linfocintilografia, após a injeção de solução radioisotópica na mama, para identificação do LS na axila ou em outras drenagens regionais. O método pode ser realizado guiado por mamografia, ultrassonografia ou dirigido por palpação digital. Posteriormente utiliza-se uma sonda manual de detecção de raios gama para identificação no campo operatório e confirmação fora dele do LS. A outra técnica muito útil é a do corante azul patente V a 2,5% com injeção perilesional ou periareolar de 2 a 4 mL, seguido de massagem por 5 minutos. A melhor técnica parece ser a combinação dos métodos, apesar de isoladamente, ambas as técnicas provaram ser semelhantes na taxa de identificação. A experiência de cada serviço com as metodologias é de fundamental importância para boas taxas da detecção.

Evidências para validação

O aspecto técnico da biópsia do linfonodo sentinela (BLS) foi validado por inúmeros trabalhos,[4,5,38] porém a validação clínica por estudos randomizados é pouca. Em 2003, Veronesi[5] publicou um estudo randomizado comparando a pesquisa do BLS e dissecção axilar *versus* BLS sem dissecção quando LS negativo. Os resultados se mostraram com pequeno poder estatístico para detectar qualquer diferença na sobrevida, tempo livre de doença e recidiva linfonodal entre os dois grupos. Em 2010, foram publicados os resultados do estudo randomizado NSABP-B32[40] com o objetivo de estabelecer se a ressecção do linfonodo sentinela em pacientes com câncer de mama alcança a mesma sobrevida e controle local que a linfadenectomia, mas com menores efeitos adversos. No total de 3.986 pacientes submetidas à BLS, os resultados mostraram que a sobrevida global, a sobrevida livre de doença e o controle regional foram equivalentes entre os grupos. Quando a BLS é negativa, BLS sozinha não acompanhada de linfadenectomia é um método apropriado, seguro e mostra-se uma terapia efetiva para pacientes com câncer de mama com linfonodos clinicamente negativos.

Perspectivas futuras

Os dados de literatura, ao longo das décadas, demonstraram que cerca de 50% das pacientes com LS positivo não apresentavam nenhum outro gânglio comprometido após a linfadenectomia. Diversos modelos de nomogramas foram utilizados, tentando determinar e estabelecer fatores preditivos para selecionar grupo de pacientes que não se beneficiariam da linfadenectomia mesmo com LS positivo, mas todos sem impacto na conduta clínica diária. No início de 2011, Giuliano, Morrow *et al.*[6] publicaram um importante trabalho com objetivo de estabelecer um grupo de pacientes que poderiam ser dispensados da linfadenectomia mesmo com LS positivo, sem impacto nas taxas de sobrevida global e controle local. No estudo com 891 pacientes portadoras de câncer de mama com dimensões menor ou igual a 5 cm e com 1 ou 2 linfonodos sentinelas positivos no exame de congelação, não houve benefício do esvaziamento axilar, se as pacientes fossem tratadas com ressecção segmentar, radioterapia e quimioterapia. A sobrevida global foi de 91,8% para o grupo que realizou linfadenectomia *versus* 92,5% para o outro grupo. A sobrevida livre de doença foi de 82,2 *versus* 83,9%. A perspectiva é que novos estudos sejam publicados com o objetivo de estabelecer fortes evidências para abandonar o esvaziamento axilar na presença de doença limitada na BLS e poupar as pacientes das complicações associadas à cirurgia radical.

RADIOTERAPIA

Após a cirurgia conservadora corretamente executada, ressecção do tumor com margens livres e manejo axilar (linfonodo sentinela com ou sem axilectomia), é condição *sine qua non,* para um tratamento correto, o uso da radioterapia (RXT). A RXT está indicada, associada à cirurgia conservadora, visando evitar a mutilação cirúrgica da mastectomia, proporcionando os mesmos índices de sobrevida.[2,33] Os TRIALs de Milão, NSABP-B06, NCI e IGR,[41] mostraram que não há nenhuma diferença estatística entre mastectomia radical e cirurgia conservadora seguida de radioterapia quanto aos seguintes aspectos: controle locorregional, metástase a distância, sobrevida, incidência de segundo primário, câncer de mama contralateral e no controle local dos casos de axila positiva. Doses, técnicas, aparelhos, processos podem variar, mas, no momento atual, não se consegue identificar, com segurança, grupos em que a RXT possa ser dispensada. Idosos com tumores pequenos, *in situ*, bem diferenciados, amplas margens, com mutações genéticas específicas (BRCA), mesmo nestes grupos, conseguem quantificar algum benefício da RXT. Alguns estudos conseguem mostrar que a associação da RXT está relacionada com aumento de sobrevida livre de doença.[11] Grandes avanços nas técnicas de imagem, de localização tumoral e técnicas cirúrgicas ocorreram. O mesmo aconteceu com a RXT no decorrer dos últimos anos: a RXT tridimensional e a RXT com modulação de intensidade do feixe de radiação (IMTR), na qual é possível proteger o coração e os pulmões, além de distribuir a dose de forma mais homogênea, reduzindo o risco de reações agudas e crônicas da pele e tecido subcutâneo, tornaram o procedimento muito mais seguro e sem comprometimento significativo da estética. Estudos relacionados com *boost*, fracionamento de dose, duração, associação à QT, irradiação parcial da mama, RXT intraoperatória estão em andamento e, com certeza, ganhos virão, mas, no momento, a radioterapia é um pilar fundamental do tratamento conservador do câncer de mama.[42]

QUIMIOTERAPIA E HORMONOTERAPIA

A quimioterapia tem como objetivo fazer o tratamento sistêmico das micrometástases, aumentando a sobrevida global (SG) e livre de doença (SLD). O tratamento cirúrgico conservador do câncer de mama não modifica, portanto, nenhuma das indicações quimioterápicas ou hormonoterápicas.[6] Mulheres portadoras de tumores maiores, com indicação de mastectomia, podem ter sua quimioterapia feita de forma neoadjuvante, seguida de reavaliação, para possível tratamento cirúrgico conservador (Fig. 4).[43,44]

PROGNÓSTICO E RECIDIVA

Ressalte-se que podem ocorrer recidivas locais após cirurgia conservadora. Em 10 anos de acompanhamento, 5 a 10% dos casos recidivam, com prejuízo emocional e repercussão negativa no prognóstico oncológico.[41] A recidiva local depende do grau de agressividade do tumor, do diâmetro tumoral e do comprometimento microscópico das margens cirúrgicas. A avaliação das margens no intraoperatório pode modificar a extensão da cirurgia e contribuir para reduzir a incidência de recidiva local após as cirurgias conservadoras. Quando a margem for avaliada de forma diferida

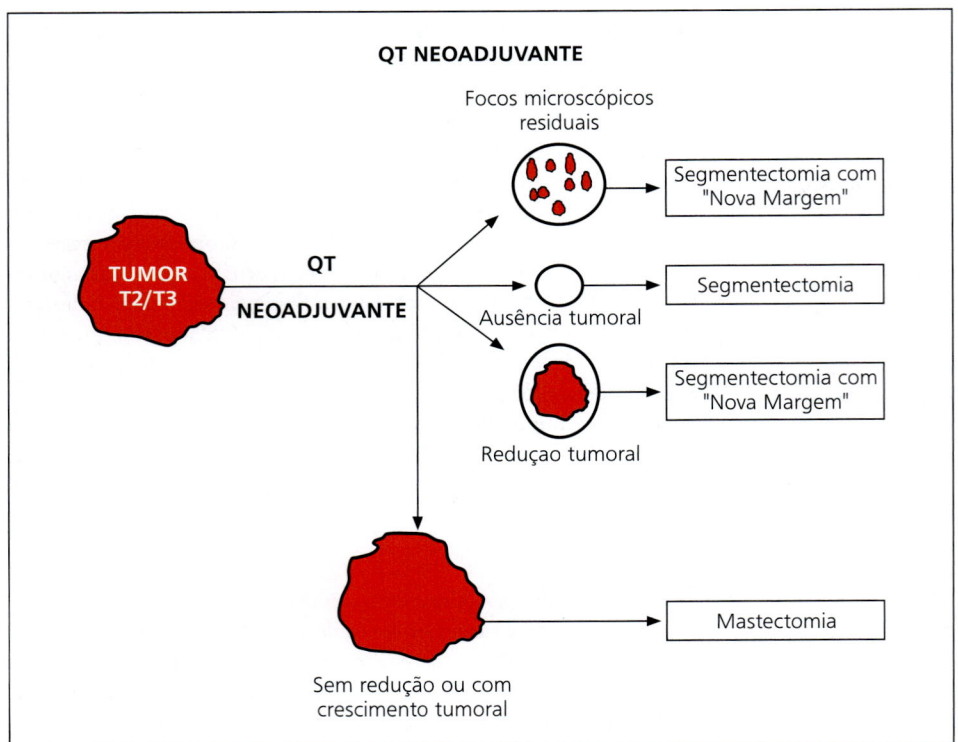

◀ **FIGURA 4.** Indicação de cirurgia após QT neoadjuvante.

e for identificado comprometimento das mesmas, recomenda-se a reintervenção cirúrgica. Embora haja um *quantum* de recidiva local no tratamento conservador e, também, algum comprometimento no prognóstico específico deste caso que recidiva, ele é diluído no conjunto e quando analisamos todos os casos tratados conservadoramente o prejuízo final na sobrevida total inexiste.

FISIOTERAPIA

Quando o tratamento conservador incluir a linfadenectomia axilar a avaliação do fisioterapeuta, no pré e pós-operatório, é recomendável. Prevenir complicações, como seroma, edema de membro superior, infecções, parestesias e problemas motores ao nível da articulação escapuloumeral, é sempre melhor do que tratar. Orientações claras sobre a prevenção de complicações devem ser dadas e cobradas quando das visitas médicas de controle. Não pode ser esquecido que, as possíveis ocorrências citadas quando da linfadenectomia, todas podem ocorrer, também, quando da técnica do linfonodo sentinela, embora, neste caso, em uma incidência bem menor, mas que também merecem atenção.[45]

RESUMO

- Grande parte dos tumores de mama pode e deve ser submetido a tratamento cirúrgico conservador.
- A sobrevida final de grandes séries tratadas desta forma, quando comparadas à mastectomia clássica, não se modificou.
- No momento atual não se consegue identificar subgrupo de tratamento conservador que possa dispensar a RXT.
- A quimioterapia e a hormonoterapia não mudam, quando o tratamento conservador é a opção.
- Nos casos indicados, a técnica do linfonodo sentinela é o padrão ao nível da axila.
- A principal justificativa do tratamento conservador é segurança oncológica com estética e função satisfatórias.

REFERÊNCIAS BIBLIOGRÁFICAS

1. Veronesi U, Saccozzi R, Del Vecchio M *et al.* Comparing radical mastectomy with quadrantectomy, axillary dissection, and radiotherapy in patients with small cancers of the breast. *N Engl J Med* 1981;305(1):6-11.
2. Veronesi U, Salvadori B, Luini A *et al.* Conservative treatment of early breast cancer. Long-term results of 1232 cases treated with quadrantectomy axillary dissection and radiotherapy. *Ann Surg* 1990;211:250-59.
3. Mc Masters KM, Tutle TM, Carlson DJ. Sentinel lymph node biopsy for breast cancer: a suitable alternative to routine axillary dissection in a multi-institutional practice when optimal technique is used. *J Clin Oncol* 2000;18:2560-66.
4. Simgletary SE. Systemic treatment folowing sentinel lymph node biopsy in breast cancer: who, what, and why? *J Am Coll Surg* 2001;192:220-30.
5. Veronesi U, Paganelli G, Viale G *et al.* A randomized comparison of sentinel node biopsy with routine axillary dissection in breast cancer. *N Engl J Med* 2003;349:546-53.
6. Giuliano AE, Hunt KK, Ballman KV *et al.* Axillary dissection vs no axillary dissection in women with invasive breast cancer and sentinel node metastasis: a randomized clinical trial. *JAMA* 2011 Feb. 9;305(6):569-75.
7. Halsted WS. The results of radical operations for the cure of carcinoma of the breast. *Ann Surg* 1907;46:1-19.
8. Fisher B. Biological and clinical considerations regarding the use of surgery and chemotherapy in the treatment of primary breast cancer. *Cancer* 1977;40(1 Suppl):574-87.
9. Veronesi U, Salvadori B, Luini A *et al.* Breast conservation is a safe method in patients with small cancer of the breast. Long-term results of three randomised trials on 1.973 patients. *Eur J Cancer* 1995 Sept.;31A(10):1574-79.
10. EBCTCG. Early Breast Cancer Trialists' Collaborative Group. Effects of radiotherapy and of differences in the extent of surgery for early breast cancer on local recurrence and 15-year survival: an overview of the randomised trials. *Lancet* 2005 Dec. 17;366(9503):2087-106, EBCTCG Rationale and Timetable (Updated 07 July 2010); EBCTCG 6 (2010-2012) Main Variable List (Draft of June 2010); EBCTCG 6 (2010-2012) DCIS Variable List (Draft of June 2010).
11. Fisher B, Anderson S, Bryant J *et al.* Twenty-year follow-up of a randomized trial comparing total mastectomy, lumpectomy, and lumpectomy plus irradiation for the treatment of invasive breast cancer. *N Engl J Med* 2002;347(16):1233-41.
12. Veronesi U, Cascinelli N, Mariani L *et al.* Twenty-year follow-up of a randomized study comparing breast-conserving surgery with radical mastectomy for early breast cancer. *N Engl J Med* 2002;347(16):1227-32.
13. Van Dongen JA, Voogd AC, Fentiman IS *et al.* Long-term results of a randomized trial comparing breast-conserving therapy with mastectomy: European Organization for Research and Treatment of Cancer 10801 trial. *J Natl Cancer Inst* 2000;92(14):1143-50.
14. Brennan ME, Houssami N, Lord S *et al.* Magnetic resonance imaging screeningof the contralateral breast in women with newly diagnosed breast cancer: systematic review and meta-analysis of incremental cancer detection and impact on surgical management. *J Clin Oncol* 2009;27:5640-49.

15. Morrow M, Freedman G. A clinical oncology perspective on the use of breast MR. *Magn Reson Imaging Clin N Am* 2006;14:363-78,vi.
16. Clarke M, Collins R, Darby S *et al.* Effects of radiotherapy and of differences in the extent of surgery for early breast cancer on local recurrence and 15-year survival: An overview of the randomised trials. *Lancet* 2005;366:2087-106.
17. Houssami N, Hayes DF. Review of preoperative magnetic resonance imaging (MRI) in breast cancer: should MRI be performed on all women with newly diagnosed, early stage breast cancer? *Can J Clin* 2009;59:290-302.
18. Morrow M. Magnetic resonance imaging in the breast cancer patient: curb your enthusiasm. *J Clin Oncol* 2008;26:352-53.
19. COMICE. Health Technol 14(1). Acesso em: 22 June 2011. Disponível em: <http://www.nsabp.pitt.edu/B-06.asp>
20. Mote TP, Carter D, Fischer DB. A clinical and histopathologic analysis of the results of conservation surgery and radiation in stage I and II brast carcinomas. *Cancer* 1996;58:1995-2002.
21. Veronesi U, Bonfi A, Del Vechiio MC. Comparison of Halsted mastectomy with quadrantectomy, axillary dissection and radiotherapy in early breast cancer, long term results. *Eur J Cancer Clin Oncol* 1986;22:1085-89.
22. Zecchi A, Salvatore CA. *Mastologia prática*. São Paulo: Manole, 1979.
23. Haagensen CD. *Diseases of the breast*. 3rd ed. Philadelphia: Saunders, 1986.
24. Foote Jr FW, Stewart FW. Lobular carcinoma in situ: a rare form of mammary cancer. *Am J Pathol* 1941;17:491.
25. Rosen PP. The pathological classification of human mammary carcinoma: past, present and future. *Arch Pathol Lab Med* 1991;115:141-44.
26. Ellis IO, Galea M, Brough N. Pathological prognostic factors in breast cancer. *Histopathology* 1992;20:479-89.
27. Veronesi U, Luini A, Andreoli C. *A conservação da mama: indicações e técnicas de quadrantectomia, dissecção axilar e radioterapia no câncer de mama*. São Paulo: Ícone, 1992.
28. Luini A, Gatti G, Galimberti U. Conservative treatement of breast cancer: its evolution. *Breast Cancer Res Treat* 2005;94(3):195-98.
29. Tiezzi DG. Cirurgia conservadora no câncer de mama. *Rev Bras Ginecol Obstet* 2007;29(8):428-34.
30. Van Dongen JA, Bartelink H, Fentiman IS. Factors influencing local relapse and survival and results of salvage treatment after breast-conserving therapy in operable breast cancer. EORT trial 10801, breast conservation compared with mastectomy in TNM stage I and II breast cancer. *Eur J Cancer* 1992;28:801-5.
31. Petit J, De Lorenzi F, Rietjens M *et al.* Technical tricks to improve the cosmetic results of breast conserving treatment. *Breast* 2007;16:13-16.
32. Hammer J, Van Limbergen E. *Consensus meeting on breast cancer: to boost or not to boost and how to do it*. Stresa: European Society for Therapeutic Radiology and Oncology, 2001.
33. Fisher B, Costantino J, Redmond C *et al.* Lumpectomy compared with lumpectomy and radiation therapy for the treatment of intraductal breast cancer. *N Engl J Med* 1993;328:1581-86.
34. Holland R, Veling SHJ, Mravunac M *et al.* Histologic multifocality of Tis, T1-2 breast carcinomas. *Cancer* 1985;56:979-90.
35. Fisher B, Redmond C, Fisher ER *et al.* Ten-year results of a randomized clinical trial comparing radical mastectomy and total mastectomy with or without radiation. *N Engl J Med* 1985 Mar. 14;312(11):674-81.
36. Cabanas RM. An approach for the treatment of penile carcinoma. *Cancer* 1977 Feb.;39(2):456-66.
37. Morton DL, Wen DR, Wong JH *et al.* Technical details of intraoperative lymphatic mapping for early stage melanoma. *Arch Surg* 1992 Apr.;127(4):392-99.
38. Krag DN, Weaner DL, Alex JC *et al.* Surgical resection and radiolocalization of the sentinel lymph node in breast cancer using a gamma probe. *Surg Oncol* 1993;2:335-39.
39. Veronesi U, Paganelli G, Galimberti V *et al.* Sentinel-node biopsy to avoid axillary dissection in breast cancer with clinically negative lymph-nodes. *Lancet* 1997 June 28;349(9069):1864-67.
40. Krag DN, Anderson SJ, Julian TB *et al.* Sentinel-lymph-node resection compared with conventional axillary-lymph-node dissection in clinically node-negative patients with breast cancer: overall survival findings from the NSABP B-32 randomised phase 3 trial. *Lancet Oncol* 2010 Oct.;11(10):927-33.
41. Wapnir IL, Dignam JJ, Fisher B *et al.* Long-term outcomes of invasive ipsilateral breast tumor recurrences after lumpectomy in NSABP B-17 and B-24 randomized clinical trials for DCIS. *J Natl Cancer Inst* 2011;103:478-88.
42. Fisher B, Dignam J, Wolmark N *et al.* Project B-17. *J Clin Oncol* 1998;16(2):441-52.
43. Fisher B, Brown A, Mamounas E *et al.* Effect of preoperative chemotherapy on locoregional disease in women with operable breast cancer: findings from National Surgical Adjuvant Breast and Bowel Project B-18. *J Clin Oncol* 1997;15:2483-93.
44. Bonadonna G, Valagussa P, Brambilla C *et al.* Primary chemotherapy in operable breast cancer: eight-year experience an the Milan Cancer Institute. *J Clin Oncol* 1998;16:93-100.
45. Lucci A, Mc Call LM, Beitsch PD *et al.* Surgical complications associated with sentinel lymph node dissection (SLND), plus axillary lymph node dissection compared with SLND alone in the American College of Surgeons Oncology Group Trial Z0011. *J Clin Oncol* 2007 Aug. 20;25(24):3657-63.

CAPÍTULO 126

Tratamento Cirúrgico Radical do Câncer de Mama

Thais Agnese Lannes ■ Sandro Luiz Sayão Prior ■ Rodrigo Motta de Carvalho

INTRODUÇÃO

O tratamento do câncer de mama se aperfeiçoou nas últimas décadas em paralelo com o maior conhecimento da fisiopatologia da doença, sofrendo grandes transformações ao longo do tempo.

Até poucas décadas atrás, as pacientes eram uniformemente tratadas com mastectomia radical e dissecção axilar total. Hoje, abordagens cirúrgicas conservadoras e seletivas na mama e na axila, antes vistas com ceticismo, constituem o tratamento padrão para a maioria das pacientes.

O manejo do câncer de mama tem-se tornado cada vez mais complexo e requer o conhecimento integrado de múltiplas questões que vão além da simples ressecção do tumor primário. Avanços na radiologia mamária, na patologia, na medicina nuclear, na reabilitação e no suporte pré- e pós-operatórios e na crescente variedade de terapias adjuvantes, locais ou sistêmicas, tornaram o tratamento do câncer de mama multidisciplinar.

Mais de 100 anos se passaram desde a publicação original de William Halsted (1882) sobre a técnica e resultados da mastectomia radical[1]. Até então, o tratamento cirúrgico do câncer de mama consistia em uma dissecção alargada do tumor, resultando em taxas extremamente altas de morbimortalidade. Halsted propôs que uma maior ressecção poderia aumentar a chance de controle local da doença. Mesmo que hoje este procedimento cirúrgico pareça ser excessivamente mutilante para a maior parte dos casos, é necessário lembrar que Halsted tratava de tumores de mama geralmente localmente avançados e que não dispunha de meios de diagnóstico para individualizar mestástases a distância e que, portanto, o insucesso da cirurgia se manifestava apenas em termos de recidiva locorregional. Além do mais, não existiam outros métodos terapêuticos fora da cirurgia. Assim sendo, a mastectomia radical resultou em significativa queda das taxas de recidivas locais, e rapidamente se tornou o tratamento padrão do câncer de mama. A técnica descrita por Halsted foi o procedimento de eleição no carcinoma de mama na primeira metade do século.[2]

No entanto, apesar do aumento no controle local, o potencial curativo desta técnica permaneceu limitado. Em 1948, Patey e Dyson descreveram uma técnica cirúrgica que difere da descrita por Halsted pela preservação do músculo grande peitoral. Esta modificação obteve grande sucesso pela vantagem de melhor resultado estético e menor morbimortalidade, mantendo os mesmos índices de controle local da doença.

Em 1963, Auchincloss e, em 1965, Madden propuseram a retirada da mama inteira sem ressecção do pequeno e do grande peitoral, e dissecção apenas dos linfonodos do primeiro e segundo níveis. Estas duas últimas técnicas foram reconhecidas como *mastectomia radical modificada*.[3-6]

POSIÇÃO DA PACIENTE

A paciente é colocada em posição supina com as articulações superiores estendidas em ângulo reto em um suporte para braço bem fixo, evitando a hiperabdução e a extrarrotação, para não haver lesão por estiramento de plexo braquial.

MASTECTOMIA RADICAL

A cirurgia proposta por Halsted consiste na remoção da glândula mamária em monobloco com os músculos grande e pequeno peitoral e na linfadenectomia axilar radical (níveis I, II e III). Por se tratar de cirurgia realizada em tumores grandes, a incisão nem sempre segue os traçados clássicos ou previamente descritos na literatura, sendo muito mais importante delimitar uma incisão que permita a extirpação do tumor com margem cutânea. No período de descrição desta técnica, a disseminação tumoral estava associada ao conhecimento anatômico de progressão da mama para as cadeias linfáticas axilares e interpeitorais. Assim, uma cirurgia locorregional abrangente seria a melhor opção de cura. Reservada, nas décadas anteriores, basicamente aos casos de tumores avançados, fixos aos músculos peitorais, hoje está em desuso, graças ao advento da quimioterapia e da hormonoterapia primárias ou neoadjuvantes, que possibilitam a redução de grandes massas tumorais e o emprego de outras opções cirúrgicas.

O resultado desta cirurgia é bastante desfavorável, com deformidade torácica importante em função da retirada do músculo grande peitoral, bem como impotência funcional do braço.

Radical modificada

A possibilidade de uma terapia cirúrgica menos agressiva e com menor morbidade, cujo resultado final seja mais aceitável que a mastectomia à Halsted, faz com que esta técnica se torne opção ideal para pacientes inelegíveis ao tratamento conservador.

Radical modificada à Patey

Consiste na remoção, em monobloco, da glândula mamária juntamente com a aponeurose do músculo grande peitoral e exérese do músculo pequeno peitoral em associação à linfadenectomia axilar (níveis I, II e III) e interpeitoral.

Radical modificada à Madden

Consiste na remoção da glândula mamária juntamente com a aponeurose do músculo grande peitoral e nas linfadenectomias axilar (níveis I, II e III) e interpeitoral, sendo preservado o músculo grande e pequeno peitoral.

A incisão deve ser adaptada aos objetivos oncológicos e estéticos. Deve compreender todo o complexo areolopapilar e possíveis cicatrizes de biópsias prévias, assim como a pele adjacente em caso de tumores superficiais. Devem-se evitar sobras excessivas de pele, sobretudo nos extremos da incisão, assim como retalhos tensos, que podem prejudicar uma futura reconstrução mamária.

Indicações de mastectomia radical

- Relação volume tumoral/volume mamário desfavorável.
- Tumores multicêntricos.
- Tumores invasores com extenso componente intraductal.
- Impossibilidade ou incerteza de obter margens livres na cirurgia conservadora.
- Indisponibilidade de radioterapia complementar.
- Doença do colágeno em atividade (contraindicação à radioterapia).
- Carcinoma de mama em homens.
- Pacientes com possibilidade de acompanhamento incerto.
- Desejo da paciente.

MASTECTOMIA SIMPLES

Consiste na remoção da glândula mamária, aponeurose do músculo grande peitoral e do segmento cutâneo incluindo a cicatriz cirúrgica de biópsia prévia, sem esvaziamento axilar.

Indicações

- Ablação higiênica de tumores localmente avançados.
- Tratamento dos sarcomas.
- Recidivas do tratamento conservador.
- Carcinoma ductal *in situ* de mau prognóstico, nesta situação geralmente associada à avaliação do linfonodo sentinela.
- Na prevenção de câncer de mama em pacientes de alto risco (mastectomia profilática).

MASTECTOMIA SUBCUTÂNEA

Constitui a retirada de toda a glândula mamária, preservando a pele e o complexo areolopapilar. As indicações estão limitadas às patologias benignas, em particular os fibroadenomas múltiplos ou gigantes, tumores filoides, papilomatose múltipla e, mais recentemente, à mastectomia redutora de risco. As incisões cutâneas frequentemente praticadas são a inframamária, a transversal equatorial ou pela via periareolar. A preparação dos retalhos deve ser muito cuidadosa para evitar que se deixe tecido glandular e, para ao mesmo tempo, não criar zonas isquêmicas.

MASTECTOMIA POUPADORA DE PELE

Descrita inicialmente, em 1991, por Toth e Lappert, consiste na remoção da glândula mamária, incluindo o complexo areolopapilar, cicatrizes de biópsias prévias e a pele sobrejacente em caso de tumores superficiais.[7] Para as intervenções na axila, a incisão poderá ser separada para melhor resultado estético. É uma técnica frequentemente usada quando se procede à reconstrução da mama no mesmo tempo operatório da mastectomia. Tem como principais indicações a mastectomia redutora de risco e pacientes com carcinomas *in situ* e doença invasiva inicial. Apresenta como vantagens em relação à mastectomia radical modificada: preservação de todo envelope cutâneo e do sulco inframamário o que traduz melhora do resultado estético. A manutenção de grande parte da pele íntegra favorece utilização de expansores e próteses, além de uma menor utilização de tecidos autólogos. Também reduz a necessidade de intervenções cirúrgicas estéticas secundárias e simetrizações da mama oposta. O menor custo associado ao benefício psicossocial resulta em melhor aceitação do procedimento. As desvantagens da técnica consistem em possíveis complicações oriundas da existência de retalhos cutâneos mais longos, dentre elas a isquemia, necrose e infecção; tais fatores podem gerar atraso no início do tratamento adjuvante, fato que deve ser levado em consideração.

MASTECTOMIA POUPADORA DE PAPILA

Consiste na remoção exclusiva da glândula mamária, preservando-se toda a pele e o complexo areolopapilar. Estudos recentes admitem que constitui conduta oncologicamente segura nos casos de câncer inicial de mama, onde tumor primário encontra-se distante da papila, e o exame intraoperatório mostra que a margem do leito areolopapilar se encontra livre.[8]

Estudos recentes demonstraram uma taxa de recidiva, no complexo areolopapilar, entre 0 e 2%, quando as pacientes são selecionadas cuidadosamente e as margens bem avaliadas. Uma variedade de técnicas cirúrgicas vem sendo empregada, e a realização de incisões mais afastadas da aréola associada à utilização de expansores teciduais tem diminuído o risco de necrose da papila.[9,10]

CUIDADOS PÓS-OPERATÓRIOS

Colocação de sistema de drenagem com catéter de aspiração fechada no plastrão, em posição que assegure aspiração gravitacional completa. Rotineiramente, o dreno é removido somente quando menos de 30 mL de drenagem serosa ou serossanguínea for evidente durante um intervalo de 24 horas.

COMPLICAÇÕES

A complicação intraoperatória mais temida é a lesão de parede de vasos sanguíneos calibrosos, especialmente da veia axilar. Para evitar a lesão desta veia devem-se dissecar somente as suas porções anterior e ventral. Na eventualidade de ocorrer lesão vascular, o reparo da mesma deve ser feito o mais rapidamente possível. Dado o baixo risco de trombose, não há necessidade de heparinização.

A paciente geralmente experimenta dor moderada no local operatório, ombro e braço no período pós-operatório imediato. A paciente pode observar hipoestesia e parestesia, bem como ocasional hiperestesia "fantasma" em todo sítio operatório.

A hipoestesia é uma queixa comum pós-mastectomia e resulta da denervação de um ou mais dos nervos intercostobraquiais, que atravessam o espaço axilar e são seccionados na realização da dissecção axilar. Estas sensações tendem a desaparecer gradualmente com a cicatrização da ferida. Entretanto, sensibilidade normal não retorna, com maior frequência, à axila denervada, região medial do braço e hemitórax.

A lesão do nervo torácico longo, também denominada nervo de Bell, ocasiona paralisia do músculo serrátil anterior, com desestabilização da escápula, sendo esta irreversível.

O acúmulo de linfa, que resulta no desenvolvimento de seroma, é complicação extremamente frequente no pós-operatório imediato e dependendo do volume de fluido coletado, pode-se adotar conduta expectante ou realizar drenagem.[11]

No pós-operatório tardio, a complicação que ocasiona pior impacto quanto à qualidade de vida da paciente é o linfedema do membro superior ipsilateral. As taxas dessa complicação são extremamente variáveis, desde 6,7 até 70%, na dependência da extensão da dissecção, do número de linfonodos removidos e da realização de radioterapia adjuvante.[12]

REFERÊNCIAS BIBLIOGRÁFICAS

1. Halsted WS. The results of radical operations for the cure of carcinoma of the breast. *Ann Surg* 1907;66:1.
2. Sakorafas GH. Breast cancer surgery—historical evolution, current status and future perspectives. *Acta Oncol* 2001;40(1):5-18.
3. Turner L, Swindell R, Bell WG *et al.* Radical versus modified radical mastectomy for breast cancer. *Ann R Coll Surg Engl* 1981;63:239.
4. Reiland-Smith J. Diagnosis and surgical treatment of breast cancer. *SD Med* 2010;Spec No:31-37.
5. Hammer C, Fanning A, Crowe J. Overview of breast cancer staging and surgical treatment options. *Cleve Clin J Med* 2008 Mar.;75(Suppl 1):S10-16. Review.
6. Slomiany BA, Chagpar AB. The surgical management of breast cancer. *J Ky Med Assoc* 2009 Oct.;107(10):391-95. Review.
7. Toth BA, Lappert P. Modified skin incisions for mastectomy: the need for plastic surgical input in preoperative planning. *Plast Reconstr Surg* 1991;87:1048-53.
8. Boneti C, Yuen J, Satiago C *et al.* Oncologic safety of nipple skin-sparing or total skin-sparing mastectomies with immediate reconstruction. *J Am Coll Surg* 2011 Apr.;212(4):686-93.
9. Rusby JE, Smith BL, Gui GP. Nipple-sparing mastectomy. *Br J Surg* 2010 Mar.;97(3):305-16.
10. Spear SL, Hannan CM, Willey SC *et al.* Nipple-sparing mastectomy. *Plast Reconstr Surg* 2009;123:1665.
11. Boostrom SY, Throckmorton AD, Boughey JC *et al.* Incidence of clinically significant seroma after breast and axillary surgery. *J Am Coll Surg* 2009;208:148.
12. Vitug AF, Newman LA. Complications in breast surgery. *Surg Clin North Am* 2007;87:431.

CAPÍTULO 127

Tratamento Cirúrgico do Câncer de Mama Localmente Avançado

Emanuelle Narciso Alvarez ■ Rodrigo Brilhante de Farias
Patrícia Chaves de Freitas Campos Jucá ■ Gabriela Fiod

INTRODUÇÃO

Câncer de Mama Localmente Avançado (CMLA) é uma apresentação clínica do câncer de mama que não permite abordagem cirúrgica no momento do diagnóstico, independente do tipo histológico e com diferentes prognósticos. Historicamente a definição de CMLA foi com base nos trabalhos de Haagensen e Stout,[1] publicados em 1943, e estava associada à elevada taxa de recidiva local e a distância, o que na época contraindicava o tratamento cirúrgico: edema ou ulceração cutânea, fixação do tumor à pele ou parede torácica, nódulos cutâneos satélites, linfonodos axilares fixos, linfonodos supraclaviculares e edema do braço. Esses critérios de inoperabilidade ainda são utilizados para selecionar pacientes candidatos à quimioterapia e radioterapia neoadjuvantes.

Com a introdução da cirurgia conservadora nas décadas de 1970 e 1980, a definição de câncer de mama localmente avançado passou a incluir tumores operáveis, porém que necessitam mastectomia para controle local adequado, ou seja, T3 – tumores maiores que 5 cm.

Considera-se, então, neste grupo pacientes com tumores primários maiores que 5 cm de diâmetro, e/ou que acometam a parede torácica, e/ou a pele e/ou que apresentam linfonodos axilares fixos. Segundo a 7ª edição de 2010, do *American Joint Comitte on Cancer* (AJCC), todo o câncer de mama classificado como T3 e T4 com qualquer N ou como N2 ou N3 com qualquer T é considerado localmente avançado. Dessa forma, estão incluídos pacientes com estágio III e alguns com estágio IIB.[2]

Estes cânceres permanecem como um desafio clínico, já que tais pacientes apresentam uma alta taxa de recidiva e morte por doença metastática.[3]

O desenvolvimento de tratamento combinado, incluindo quimioterapia, hormonoterapia, cirurgia e radioterapia, tem modificado o prognóstico destes pacientes.

EPIDEMIOLOGIA

O CMLA é uma apresentação comum do câncer de mama em países subdesenvolvidos. Na Índia representa 50-70% dos casos. Porém, desde o advento do rastreamento mamográfico, a apresentação de pacientes com doença localmente avançada tem diminuído.[2] Em países desenvolvidos, como os EUA, a incidência da doença localmente avançada é de 5-6%.[4]

DIAGNÓSTICO

A maioria dos casos de doença localmente avançada pode ser detectada durante exame físico na presença de tumoração palpável (Figs. 1 e 2) e o diagnóstico obtido pela obtenção de tecido tumoral para avaliação histológica através de punção aspirativa por agulha fina (PAAF), punção por agulha grossa (*core* biópsia) ou biópsia incisional.

A punção aspirativa por agulha fina – PAAF – pode detectar a presença de células malignas, mas não informa sobre a arquitetura da lesão (intraductal ou invasiva). Tem importância na avaliação de lesões secundárias, como linfonodos axilares ou supraclaviculares, nódulos cutâneos e subcutâneos.

A *core* biópsia realizada com anestesia local geralmente fornece tecido suficiente para detectar a natureza invasiva do tumor, grau nuclear, receptores hormonais, Ki-67 e HER-2. Permite também introdução de clipe radiopaco no local onde se realiza a biópsia, é importante nas pacientes com indicação de tratamento neoadjuvante para o adequado planejamento cirúrgico futuro.[5-8]

A biópsia incisional, atualmente, é reservada àqueles casos em que a *core* biópsia foi inconclusiva.

A mamografia, a ultrassonografia e a ressonância magnética das mamas ajudam a avaliar a extensão da doença. A mamografia bilateral é essencial para determinar a presença de lesões clinicamente ocultas na mama acometida ou na contralateral. A ultrassonografia mamária pode ser útil na avaliação do tamanho do tumor em mamas densas e envolvimento linfonodal. A ressonância magnética demonstra maior acurácia na avaliação da extensão da doença, tamanho do tumor, multicentricidade e invasão de partes moles adjacentes.[5-8]

Outros exames para identificar a doença a distância incluem exames laboratoriais, tomografia computadorizada do tórax e abdome e cintigrafia óssea.

A ressonância magnética do crânio está indicada apenas na presença de sintomas relacionados com o sistema nervoso central.

FATORES PROGNÓSTICOS

Os fatores prognósticos para o CMLA são os mesmos do câncer de mama em outros estágios. O tamanho do tumor e o local da metástase linfonodal (axila, infraclavicular, supraclavicular ou mamária interna) têm o maior impacto na recidiva da doença e na sobrevida.[3] Entre os fatores prognósticos estão idade, menopausa, receptores hormonais, estadiamento clínico, comprometimento linfonodal, grau histológico e reposta à terapia sistêmica neoadjuvante.[9,10]

Existe importante associação entre a taxa de sobrevida e o número de linfonodos axilares comprometidos. Segundo Carter, a sobrevida em 5 anos foi de 73% para pacientes com metástases em 1-3 linfonodos, comparado a 46% para pacientes com metástase para 4 ou mais linfonodos.[11]

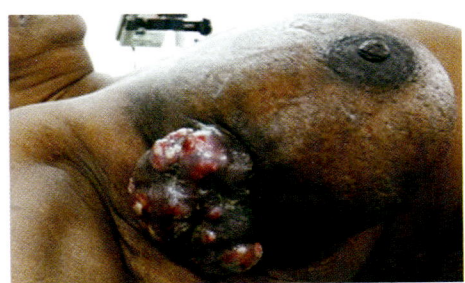

◄ **FIGURA 1.** Lesão vegetante em QSE de mama direita com edema de pele associado.

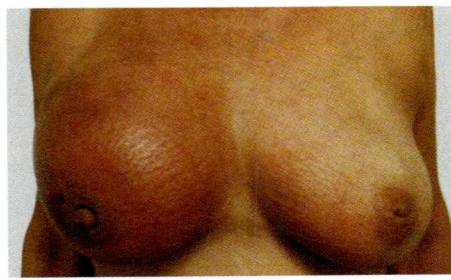

◄ **FIGURA 2.** Importante edema cutâneo e hiperemia ocupando toda a mama direita e focalmente em mama contralateral.

O tamanho do tumor também é fator prognóstico independente mesmo nos tumores maiores que 5 cm.[12-14]

Apesar de a expressão de receptores de estrógeno e/ou progesterona ser considerada fator prognóstico fraco, mostra-se fortemente preditivo de resposta ao tratamento hormonal.[15,16]

A superexpressão de HER-2 está associada a prognóstico reservado em pacientes com doença axilar na maioria dos estudos.[15,16] O HER-2, quando presente, é fator preditivo de resposta ao trastuzumabe e quimioterapia com antraciclínicos.[17,18]

Os avanços na tecnologia dos *microarrays* proporcionaram melhor classificação dos tumores de mama com base na expressão de genes relacionados com a sobrevida e a resposta à quimioterapia.[19] O uso da classificação molecular de tumores de mama com ou sem linfonodos positivos, usando mapeamento genético, mostrou-se mais sensível que os critérios padrões, como o consenso do *National Institute of Health* (NIH) e os critérios de *Saint Gallen* na predição do alto risco para recidiva.[20]

TRATAMENTO

O tratamento multimodal incorpora radioterapia, cirurgia e terapia sistêmica que inclui quimioterapia e terapias-alvo, como o trastuzumabe, além de terapia hormonal, que, quando indicado, deve ser amplamente utilizado nestas pacientes. O tratamento do câncer de mama localmente avançado envolve o cirurgião, o clínico e o radioterapeuta oncológicos, com objetivo de controlar a doença localmente e erradicar qualquer metástase microscópica a distância.[21]

Embora a quimioterapia isolada resulte em elevadas taxas de resposta, raramente erradica o tumor na mama e axila. A radioterapia e a cirurgia, por outro lado, controlam a doença localmente, mas não tratam a doença microscópica e a distância. A terapia combinada utilizando cirurgia e radioterapia resulta em aumento no controle local de 70% para 86%.[22]

O tratamento deve ser iniciado com quimioterapia neoadjuvante, que trata precocemente a doença microscópica e a distância, e facilita o tratamento cirúrgico subjacente, que geralmente é seguido de radioterapia.

Tratamento neoadjuvante

A quimioterapia neoadjuvante permite que tumores inicialmente inoperáveis sejam submetidos à mastectomia e, também, pode permitir a realização de cirurgia conservadora em tumores que inicialmente seriam tratados com mastectomia de acordo com a resposta do tumor. Essa resposta tem valor prognóstico na sobrevida dessas pacientes. Trabalhos têm demonstrado correlação entre a quantidade de doença residual na peça cirúrgica e a sobrevida.

A sobrevida global se assemelha às pacientes submetidas à quimioterapia adjuvante.[10,23-25]

O benefício do uso de quimioterapia associado à cirurgia e radioterapia foi demonstrado em um estudo com 120 pacientes com câncer de mama estágio III operáveis que foram randomizadas após a mastectomia radical modificada para receber radioterapia exclusiva ou quimioterápico com vincristina, doxirrubicina (adriamicina) e ciclofosfamida (VAC) exclusiva ou ambos. A sobrevida livre de doença foi melhor na terapia combinada com radioterapia e quimioterapia que na cirurgia exclusiva (P < 0,001). A sobrevida global em 3 anos foi de 57% na radioterapia exclusiva, 72% na quimioterapia exclusiva e 90% na terapia combinada (P < 0,01).[21]

A sobrevida também foi melhor com regimes com base em antraciclínicos que no regime fundamentado em ciclofosfamida, metotrexato e 5-fluoruracil.[26]

O estudo do *National Surgical Adjuvante Breast* and *Bowel Project* (NSABP) B-18 incluiu 1.523 mulheres com cânceres de mama operáveis – T1-T3, N0-N1 e M0, randomizadas para receber quatro ciclos de doxirrubicina e ciclofosfamida neoadjuvantes ou o mesmo esquema de forma adjuvante. Após 16 anos de acompanhamento, a comparação de ambos os grupos não revelou diferença em 5, 8 e 16 anos na sobrevida livre de doença (67, 55 e 39% X 67, 58 e 42%) e sobrevida global (80, 72 e 55% X 81, 72 e 55%). De acordo com Rastogi, existe uma tendência favorável à terapia neoadjuvante em mulheres com menos de 50 anos.[23]

Estes achados são comparáveis aos encontrados por Henderson e Mamounas, em que pacientes com cânceres de mama operáveis foram randomizadas para quimioterapias neodjuvante e adjuvante, do *European Organization for Research and Treatment of Cancer* (EORTC) *Breast Cancer Cooperative Group*. Este estudo selecionou 698 pacientes com estágios T1c-T4b, N0-N1 e M0 operáveis para receber quatro ciclos de fluoruracil, epirrubicina e ciclofosfamida (FEC) neoadjuvantes à cirurgia ou quatro ciclos do mesmo esquema quimioterápico adjuvante à cirurgia. Com um acompanhamento médio de 56 meses não houve diferença entre os grupos em relação à sobrevida global, sobrevida livre de doença e tempo de recidiva locorregional. O esquema quimioterápico ideal, a duração e a sequência ainda não foram definidos. Entretanto, o *National Comprehensive Cancer Network* (NCCN) prefere esquemas neoadjuvantes que contenham antraciclínicos e taxanos pela resposta superior deste esquema nos regimes adjuvantes nas pacientes com axila comprometida.[27,28]

Nas pacientes com superexpressão de HER-2/neu, o uso de trastuzumabe associado a antraciclínicos e taxanos de forma neoadjuvantes aumenta significativamente o número de pacientes com resposta clínica completa (cCR) e resposta patológica completa (pCR),[29,30] entretanto, o tempo de avaliação deve ser mais prolongado para que se avalie a sobrevida global e livre de doença.

O uso de hormonoterapia adjuvante com tamoxifeno na pré-menopausa[31] e inibidores da aromatase na pós-menopausa[32] aumentam a sobrevida livre de doença, e seu uso é indicado em paciente com receptor de estrógeno e progesterona positivos.

O NCCN recomenda radioterapia pós-mastectomia em todas as pacientes com quatro ou mais linfonodos comprometidos, tumores T3 ou estágio clínico III.[33] Entretanto, não há consenso sobre seu uso em pacientes tratadas com quimioterapia neoadjuvante.

A ASCO também avalia que não existem dados suficientes sobre o papel do uso de radioterapia em pacientes submetidas a tratamento neoadjuvante.[34] Não existem estudos que avaliem o uso de radioterapia adjuvante em pacientes que realizaram quimioterapia neoadjuvante.

Tratamento cirúrgico

A mastectomia radical modificada permanece como terapia-padrão para o CMLA (Fig. 3), porém a cirurgia conservadora de mama, após quimioterapia neoadjuvante, tem sido realizada. Estudo recente do *M.D. Anderson Cancer Center* analisou retrospectivamente pacientes estágios IIIA e IIIB após três ciclos de neoadjuvância com ciclofosfamida, doxirrubicina, vincristina e prednisona, com resposta patológica completa e parcial de 16 e 84%, respectivamente. Baseando-se nos critérios para cirurgia

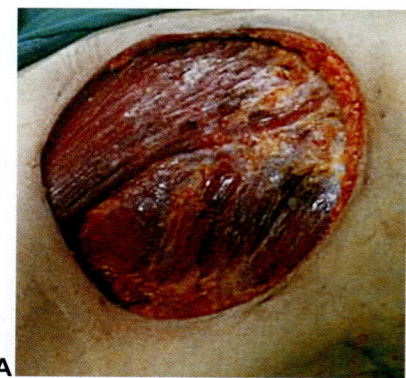
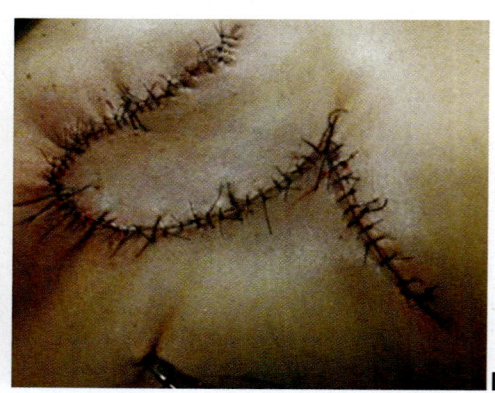

◀ **FIGURA 3. (A e B)** Defeito de parede torácica após ressecção ampla da lesão em mama direita com fechamento com rotação de retalhos locais.

conservadora de mama em estágios iniciais, 23% dos casos poderiam ser submetidos à cirurgia conservadora após a neoadjuvância.[35]

Um relatório do *M.D. Anderson*, em 2004, analisou a recidiva locorregional em 130 pacientes com estágio IIIA-IIIC que realizaram neoadjuvância e cirurgia conservadora da mama, com sobrevida livre de recidiva e livre de recidiva locorregional de 95 e 91%, respectivamente em 5 anos. Chen *et al.*[36] demonstraram que a cirurgia conservadora após neoadjuvância resulta em baixa recidiva em pacientes com CMLA, citando a presença de doença em N2 e N3, tumor residual maior que 2 cm, doença multifocal e invasão linfovascular como preditores no aumento da recidiva. Evidências recentes sugerem que a cirurgia conservadora de mama é uma opção aceitável em termos de controle local e sobrevida nas pacientes com CMLA e que obtiveram boa resposta à neoadjuvância.

A biópsia do linfonodo sentinela em pacientes com diagnóstico de CMLA que rotineiramente recebem quimioterapia neoadjuvante apresenta acurácia duvidosa. Algumas instituições têm adotado como estratégia a biópsia do linfonodo sentinela previamente à neoadjuvância.[37] Apesar do conceito de que a embolização tumoral e esclerose dos vasos linfáticos induzida pela quimioterapia poderiam levar a uma alta taxa de falha ou erro na identificação do linfonodo sentinela após quimioterapia, tem sido relatada identificação em, aproximadamente, 100% das abordagens, com uma taxa de falso-negativo tão baixa quanto 3%.[38,39] O estudo NSABP B-27 demonstrou uma taxa de 85% de identificação do linfonodo sentinela e 11% de falso-negativo em 428 pacientes em oito centros, reforçando que a biópsia de linfonodo sentinela pode ser aplicada nas pacientes com CMLA candidatas à neoadjuvância.[35] Entretanto, ainda é recomendada a dissecção axilar dos níveis I e II para estadiamento e controle da doença axilar desta paciente fora do contexto de pesquisa.

No INCA, realizamos mastectomia radical modificada como tratamento padrão para as pacientes com CMLA que foram ou não submetidas à neoadjuvância (Quadro 1).

SOBREVIDA

Pacientes com câncer de mama localmente avançado apresentam risco elevado de recidiva e morte por doença metastática, porém a evolução a longo prazo desses pacientes é raramente divulgada.

Dados estatísticos do *National Cancer Database* demonstram que pacientes estágio III submetidos à mastectomia radical modificada, radioterapia e tratamento sistêmico têm uma sobrevida relativa em 3 anos de 68%, em 5 anos de 50% e em 10 anos de 36%.[40]

De acordo com Newman, analisando os dados do *United States Surveillance Epidemiology and End Results* (SEER), para pacientes diagnosticados entre 1999 e 2005, a sobrevida relativa em 5 anos de 98% para pacientes com doença localmente avançados, 84% para pacientes com doença regional e 27% com doença a distância, no momento do diagnóstico.[2]

De acordo com o estadiamento TNM, as taxas de sobrevida relativa em 5 anos para pacientes nos estágios I, IIA, IIB, IIIA, IIIB e IV são 98, 85, 70, 52, 48 e 18%, respectivamente.[2]

O câncer de mama localmente avançado compreende um grupo heterogêneo de tumores com prognóstico e evolução que dependem do estágio TNM e das características moleculares do tumor. A introdução de agentes sistêmicos altamente efetivos, como os taxanos, trastuzumabe, lapatinibe e dos inibidores da aromatase, tem determinado aumento na sobrevida desses pacientes.

CONCLUSÕES E RECOMENDAÇÕES

O câncer de mama localmente avançado permanece um desafio clínico e apesar da terapia ideal, a doença reaparecer em algumas pacientes.

A introdução precoce de quimioterapia sistêmica, até mesmo nas pacientes com tumores ressecáveis, parece vantajosa em razão da alta frequência de doença sistêmica nestas pacientes.

O uso de todo o esquema quimioterápico na neoadjuvância aumenta a chance de resposta patológica completa e permite abordagem cirúrgica e radioterápica mais segura, efetiva e bem tolerada.

O uso de esquemas que contenham taxanos e antraciclínicos confere benefício na sobrevida quando comparado a outros esquemas existentes.

Nas pacientes com superexpressão de HER-2/neu, adição de trastuzumabe ao esquema quimioterápico neoadjuvante melhora a resposta destas pacientes ao tratamento, apesar da duração e sequência ideal ainda não esteja definida.

As pacientes com resposta ao tratamento neoadjuvante devem ser submetidas à mastectomia ou cirurgia conservadora seguida de radioterapia.

Na pré-menopausa, a paciente com receptor hormonal positivo receberá 5 anos de tamoxifeno ou caso torne-se pós-menopausa durante o tratamento, poderá receber 2 ou 3 anos de tamoxifeno seguidos por inibidor de aromatase.

Nas pacientes pós-menopausa e com receptor hormonal positivo deveremos utilizar inibidores da aromatase por 5 anos.

As pacientes sem resposta ao tratamento neoadjuvante deverão ser submetidas à mastectomia radical modificada, caso apresentem tumores operáveis. Em caso de massas irressecáveis a radioterapia primária com terceira linha de tratamento, com cirurgia posterior naquelas em que houver resposta.

As técnicas de reconstrução poderão ser utilizadas para o fechamento dos defeitos da parede torácica.

REFERÊNCIAS BIBLIOGRÁFICAS

1. Haagensen CD, Stout AP. Carcinoma of the breast. II. Criteria of operability. *Ann Surg* 1943;118:1032.
2. Edge SB, Byrd DR, Compton CC *et al.* (Eds.). American Joint Committee on Cancer (AJCC). *Cancer staging manual*. 7th ed. New York: Springer-Verlag, 2010. p. 347.
3. Seidman H, Gelb SK, Silverberg E *et al.* Survival experience in the Breast Cancer Detection Demonstration Project. *CA Cancer J Clin* 1987;37:258.
4. Fischer U, Kopka L, Grabbe E. Breast carcinoma: Effect or preoperative contrast-enhanced MR imaging on the therapeutic approach. *Radiology* 1999;213:881.
5. Braun M, Polcher M, Schrading S *et al.* Influence of preoperative MRI on the surgical management of patients with operable breast cancer. *Breast Cancer Res Treat* 2008 Sept.;111(1):179-87.
6. Van Goethem M, Schelfout K, Dijckmans L *et al.* MR mammography in the pre-operative staging of the breast cancer in patients with dense breast tissue: comparison with mammography and ultrasound. *Eur Radiol* 2004;14:809.
7. Bedrosian I, Mick R, Orel SG *et al.* Changes in the surgical management of patients with breast carcinoma based on preoperative magnetic resonance imaging. *Cancer* 2003;98:468.
8. Brito RA, Valero V, Buzdar AU *et al.* Long-term results of combined-modality therapy for locally advanced breast cancer with ipsilateral supraclavicular metastases: the University of Texas M.D. Anderson Cancer Center experience. *J Clin Oncol* 2001;19:628.

Quadro 1. Sumário de diagnóstico e tratamento do CMLA

DIAGNÓSTICO CLÍNICO
- Exame físico, mamografia e ultrasonografia
- Em pacientes jovens, mamas densas, ressonância magnética

DIAGNÓSTICO PATOLÓGICO
- *Core* biópsia para confirmar a natureza invasiva do tumor e obter-se receptor de estrógeno, receptor de progesterona e HER-2

ESTADIAMENTO
- Exames laboratoriais, TC tórax e abdome e cintigrafia óssea

QT NEOADJUVANTE
- Com antraciclínicos, taxano e hormonoterapia nas pacientes RE/RP+

TRATAMENTO LOCAL
- Cirurgia – mastectomia ou segmentectomia seguida de RXT
- Nas pacientes não candidatas ao tratamento cirúrgico após QT neoadjuvante, indica-se RXT isolada

TRATAMENTO ADJUVANTE
- Todas as pacientes RE/RP + devem receber hormonoterapia por 5 ou mais anos

9. Scholl SM, Fourquet A, Asselain B et al. Neoadjuvant versus adjuvant chemotherapy in premenopausal patients with tumours considered too large for breast conserving surgery: preliminary results of a randomized trial: S6. *Eur J Cancer* 1994;30A:645.
10. Carter CL, Allen C, Henson DE. Relation of tumor size, lymph node status, and survival in 24,740 breast cancer cases. *Cancer* 1989;63:181.
11. Touboul E, Lefranc JP, Blondon J et al. Multidisciplinary treatment approach to locally advanced non-inflammatory breast cancer using chemotherapy and radiotherapy with or without surgery. *Radiother Oncol* 1992;25:167.
12. Valagussa P, Zambetti M, Bignami P et al. T3b-T4 breast cancer: factors affecting results in combined modality treatments. *Clin Exp Metastasis* 1983 Apr.-June;1(2):191-202.
13. Clark GM. Prognostic and predictive factors. In: Harris JR. (Ed.). *Diseases of the breast*. 2nd ed. Philadelphia: Linppincot Willians & Wilkins, 2000.
14. Slamon DJ, Clark GM, Wong SG et al. Human breast cancer: correlation of relapse and survival with amplification of the HER-2/neu oncogene. *Science* 1987;235:177.
15. Paik S, Hazan R, Fisher ER et al. Pathologic findings from the National Surgical Adjuvant Breast and Bowel Project: prognostic significance of erbB-2 protein over expression in primary breast cancer. *J Clin Oncol* 1990;8:103.
16. Piccart-Gebhart MJ, Procter M, Leyland-Jones B et al. Trastuzumab after adjuvant chemotherapy in HER-2 positive breast cancer. *N Engl J Med* 2005;353:1659.
17. Romond EH, Perez EA, Bryant J et al. Trastuzumab plus adjuvant chemotherapy for operable HER-2 breast cancer. *N Engl J Med* 2005;353:1673.
18. Sorlie T, Perou CM, Tibshirani R et al. Gene expression patterns of breast carcinomas distinguish tumor subclasses with clinical implications. *Proc Natl Acad Sci USA* 2001;98:10869.
19. Van de Vijver MJ, He YD, Van't Veer LJ et al. A gene-expression signature as a predictor of survival in breast cancer. *N Engl J Med* 2002;347:1999.
20. Grohn P, Heinonen E, Klefstrom P et al. Adjuvant postoperative radiotherapy, chemotherapy and immunotherapy in stage III breast cancer. *Cancer* 1984;54:670.
21. Sorace RA, Lippman ME. Locally advanced breast cancer. In: Lippman ME, Lichter A, Danforth Jr DN. (Eds.). *Diagnoses and management of breast cancer*. Philadelfia: WB Saunders, 1988. p. 272.
22. Rastogi P, Anderson SJ, Bear HD et al. Preoperative chemotherapy. Updates of National Surgical Adjuvant Breast and Bowel Project Protocols B-18 e B-27. *J Clin Oncol* 2008;26:778.
23. Van der Hage JA, Van de Velde CJ, Julien JP et al. Preoperative chemotherapy in primary operable breast cancer: results from the European Organization for research and treatment of cancer trial 10902. *J Clin Oncol* 2001;19:4224.
24. Powles TJ, Hickish TF, Makris A et al. Randomized trial of chemoendrocrine therapy started before or after surgery for treatment of primary breast cancer. *J Clin Oncol* 2003;21:976.
25. Effects of chemotherapy and hormonal therapy for early breast cancer on recurrence and 15-years survival: An overview of the randomized trial. *Lancet* 2005;365:1687.
26. Henderson IC, Berry DA, Demetri GD et al. Improved outcomes from adding sequential Paclitaxel but not from escalating Doxorubicin dose in an adjuvant chemotherapy regimen for patients with node-positive primary breast cancer. *J Clin Oncol* 2003;21:976.
27. Mamounas EP, Bryant J, Lembersky B et al. Paclitaxel after doxorubicina plus cyclophosphamide as adjuvant chemotherapy for node-positive breast cancer: results from NSABP B-28. *J Clin Oncol* 2005;23:3686.
28. Budzar AU, Ibrahim NK, Francis D et al. Significantly higher pathologic complete remission rate after neoadjuvant therapy with trastuzumab, paclitaxel, and epirubicin chemotherapy:Results of a randomized trial in human epidermal growth factor receptor 2-positive operable breast cancer. *J Clin Oncol* 2005;23:3676.
29. Hurley J, Doliny P, Reis I et al. Docetaxel, cisplatin,, and trastuzumab as primary systemic therapy for human epidermal growth factor receptor 2-positive locally advanced breast cancer. *J Clin Oncol* 2006;24:1831.
30. Tamoxifen for early breast cancer: An overview of the randomized trials. Early breast cancer trialists' Collaborative Group. *Lancet* 1998;351:1451.
31. Effect of anastrozole and tamoxifen as adjuvant treatment for early-stage breast cancer: 100-month analysis of the ATAC trial. *Lancet Oncol* 2008;9:45.
32. The Breast International Group I-98 Collaborative G: A comparison of letrozole and tamoxifen in postmenopausal women with early breast cancer. *N Engl J Med* 2005;35:2747-57.
33. National Comprehensive Cancer Network: NCCN. *Clinical practice guidelines in oncology*. Disponível em: <www.nccn.org, 2006>
34. Recht A, Edge SB, Solin LJ et al. Postmastectomy radiotherapy: Clinical practice guidelines of the American Society of Clinical Oncology. *J Clin Oncol* 2001;19:1539.
35. Singletary S, McNeesM, Hortobagyi G. Feasibility of the breast conservation surgery after induction chemotherapy for locally advanced breast carcinoma. *Cancer* 1992;69:2849-62.
36. Chen AM, Meric-Bernstam F, Hunt KK et al. Breast conservation after neoadjuvant chemotherapy: The M.D. Anderson cancer Center experience. *J Clin Oncol* 2004;22:2303-12.
37. Ollila DW, Neuman HB, Sartor C et al. Lymphatic mapping and sentinel lymphadenectomy prior to neoadjuvant chemotherapy in patients with large breast cancers. *Am J Surg* 2005;190:371-75.
38. Bedrosian I, Reynolds C, Mick R et al. Accuracy of sentinel lymph node biopsy in patients with large primary breast tumors. *Cancer* 2000;88:2540-45.
39. Chung M, Ye W, Giuliano A. Role for sentinel lymph node dissection in the management of large (>5cm) invasive breast cancer. *Ann Surg Oncol* 2001;8:688-92.
40. Bland KI, Menck HR, Scott-Conner CE et al. The National cancer data base 10-year survey of breast carcinoma treatment at hospitals in the United States. *Cancer* 1998;83:1262.

CAPÍTULO 128

Tratamento Cirúrgico do Câncer de Mama após Terapia Neoadjuvante

Yara Farias de Mattos ■ Alexandre César Vieira de Sales
Karina Oliveira Ferreira ■ Aline Valadão Britto Gonçalves

DEFINIÇÕES E EPIDEMIOLOGIA

O câncer de mama corresponde à neoplasia maligna mais frequente entre as mulheres no mundo. No Brasil, o número de casos novos esperado para o ano de 2010, segundo o Instituto Nacional de Câncer – INCA, foi de 49.240, com risco estimado de 49 casos a cada 100.000 mulheres.[1]

Vale ressaltar que no Brasil, na ocasião do diagnóstico inicial do câncer de mama, 32,6% das pacientes apresentam-se com cânceres de mama localmente avançados (CMLA). Os CMLA compreendem os tumores operáveis T3N0/N1, os inoperáveis T3/T4 ou N2/N3 e os carcinomas inflamatórios.[2,3]

Historicamente, os CMLA eram considerados inoperáveis por serem considerados tecnicamente irressecáveis ou por apresentarem características clínicas que implicavam em altas taxas de ocorrência de doença a distância, como: fixação à parede torácica, inflamação, ulceração, nódulos satélites, linfonodos axilares fixos e/ou supraclaviculares e, ainda, linfedema do membro superior ipsilateral. Menos de 20% destas pacientes permaneciam vivas após 5 anos de acompanhamento.[4]

As primeiras tentativas de associar radioterapia à cirurgia conferiram um benefício significativo em reduzir a taxa de recidiva local sem, contudo, causar impacto na sobrevida global (SG) em 5 anos.[5,6]

Com base no conceito de que o câncer de mama é uma doença sistêmica, os primeiros relatos de tratamento sistêmico, associado ao controle locorregional da doença, surgiram em meados dos anos de 1980.[7] Neste contexto, a oferta de quimioterapia prévia às pacientes com CMLA possibilitaria a redução do tamanho do tumor e, consequentemente, tornaria possível a sua ressecção cirúrgica. Na dependência do estágio inicial da doença e do esquema de quimioterapia empregado, estima-se que, em média, 75% das pacientes apresentam resposta clínica favorável ao tratamento neoadjuvante (TNA), enquanto somente 5% delas apresentam progressão da doença durante o tratamento.[8]

No que tange à ocorrência de resposta patológica completa (RPC), em que não se observa tumor invasivo viável na mama e nos linfonodos axilares ao exame anatomopatológico, a maioria dos estudos aponta uma taxa de ocorrência da mesma entre 5 e 40%.[9] Este subgrupo de pacientes apresenta sobrevidas livre de progressão e global significativamente melhores em relação àquelas que obtiveram resposta parcial ou que não responderam ao TNA.[10]

A melhor compreensão sobre as características genéticas e biológicas que diferenciam o câncer de mama, bem como o surgimento de novas drogas ao seu arsenal terapêutico, como trastuzumabe, por exemplo, têm resultado em maiores taxas de respostas clínica e patológica completa e, consequentemente, melhor prognóstico para este subgrupo de pacientes.[11,12]

Nesse contexto, o TNA do câncer de mama assume um modelo clássico de tratamento multidisciplinar em que cirurgiões, oncologistas clínicos, radioterapeutas e patologistas colaboram e interagem entre si, no intuito de encontrarem a melhor estratégia de tratamento para suas pacientes.

Com esta abordagem multidisciplinar na neoadjuvância do câncer de mama, existem várias opções de sequenciamento de tratamentos que podem ser consideradas. Tradicionalmente, a cirurgia tem sido considerada a primeira linha de tratamento para os tumores de mama operáveis, enquanto a quimioterapia neoadjuvante destina-se aos carcinomas inflamatórios e aos CMLA. Contudo, esta sequência tem mudado e, hoje, considera-se a realização de quimioterapia prévia às pacientes com tumores operáveis, visando a uma abordagem cirúrgica conservadora de suas mamas. A maioria dos ensaios clínicos estabelece como ponto de corte para inclusão em estudos de TNA tumores acima de 3 cm de diâmetro.[13]

DIAGNÓSTICO E AVALIAÇÃO INICIAL

Inicialmente, faz-se necessária confirmação histopatológica de carcinoma invasivo através de *core biópsia* do tumor guiada pela palpação, ultrassonografia ou radiografia estereotáxica. Este material deve ser encaminhado também para análise de alguns marcadores biológicos por imuno-histoquímica, sobretudo os receptores de estrógeno e de progesterona, além da superexpressão do receptor-2 do fator de crescimento epidérmico humano (Her-2). Nos casos em que o resultado do Her-2 é duvidoso (++/3+), solicita-se a hibridização *in situ* por fluorescência (FISH) para definição do *status* desse receptor.

É importante definir estes marcadores biológicos antes do início do tratamento para direcionar a escolha do protocolo de quimioterapia a ser empregado. Vale ressaltar que alguns estudos têm apontado para mudança do resultado de alguns marcadores biológicos após o TNA. Contudo, o real significado destas mudanças, em termos de prognóstico e da seleção do tratamento adjuvante, ainda não está bem esclarecido.[14,15]

Nos casos de linfonodos axilares suspeitos, deve-se proceder à investigação com punção aspirativa ou *core biópsia* guiada por ultrassonografia.[16]

A rotina para o estadiamento das pacientes candidatas ao TNA depende do estágio clínico do seu câncer de mama. Estudo que avaliou o benefício da solicitação de radiografia do tórax, ultrassonografia do abdome e cintilografia óssea em 1.076 pacientes com tumores de mama operáveis e assintomáticas demonstrou correlação estatisticamente significativa com identificação de metástases em pacientes com tumores maiores que 5 cm e com mais que três linfonodos positivos. Assim, nas pacientes assintomáticas e com tumores menores que 5 cm, recomendam-se a realização de exame físico e a solicitação de hemograma com plaquetas, enzimas hepáticas, fosfatase alcalina, mamografia bilateral diagnóstica e ultrassonografia das mamas, se clinicamente indicada. Exames de imagem do tórax, tomografia computadorizada ou ultrassonografia do abdome, cintilografia óssea ou PET-CT podem ser requisitados com base na ocorrência de determinados sintomas ou sinais. Para pacientes com estágio III, recomenda-se incluir, no estadiamento clínico, um exame de imagem do tórax, além de tomografia, ultrassonografia ou RM do abdome. Cintilografia óssea deve ser solicitada na presença de sintomas ósseos ou de aumento da fosfatase alcalina.[17]

O PET-CT parece mais útil no estadiamento de pacientes com carcinoma inflamatório, no qual cerca de até um terço das pacientes demonstra evidência de metástases ao método.[18]

O uso da RM das mamas como parte da avaliação inicial e subsequente das candidatas ao tratamento neoadjuvante pode ser bastante útil ao permitir uma avaliação mais criteriosa da extensão da doença, ao fornecer parâmetros para avaliação de resposta ao tratamento e da elegibilidade à cirurgia conservadora da mama.[19]

FATORES PROGNÓSTICOS E PREDITIVOS

O câncer de mama é uma doença heterogênea e que evolui com prognóstico muito variável à custa de diferentes fenótipos moleculares. Os fatores prognósticos e preditivos constituem importantes ferramentas para a individualização do tratamento do câncer de mama. Isto permite tratar agressivamente as pacientes com perfis de doença de alto risco e poupar aquelas com perfis de baixo risco de serem supertratadas.

A resposta patológica ao tratamento, idade inferior a 35 anos ao diagnóstico, tamanho do tumor residual, *status* linfonodal, doença residual multifocal, invasão linfovascular e taxa de proliferação celular correspondem a fatores prognósticos relacionados com a evolução da doença a longo prazo.[20]

Múltiplos marcadores biológicos têm sido apontados como preditivos de resposta ao TNA, a saber: a proliferação tumoral avaliada pelo Ki67, os receptores de estrógeno e de progesterona, a superexpressão do HER-2, o índice apoptótico, o subtipo histológico, a amplificação do gene da topoisomerase II alfa, as ciclinas D1 e E.[12]

Com base nestes fatores, poderíamos esperar uma maior taxa de resposta ao TNA em uma paciente com *status* de receptor hormonal baixo ou ausente, histologia não lobular, subtipo luminal B e alto índice de proliferação celular, por exemplo.

Keam *et al.*, 2011,[20] recentemente desenvolveram um nomograma para predição de prognóstico em pacientes tratadas com quimioterapia neoadjuvante. Após avaliarem a ocorrência de RPC e sobrevida livre de recaída em 370 pacientes portadoras de câncer de mama estágios II e III, tratadas com docetaxel/doxorrubicina, os autores identificaram os seguintes fatores como relevantes à construção do nomograma: idade inferior a 35 anos, estágio clínico inicial, estágio patológico, receptor de estrógeno e Ki67.

ESCOLHA DO TRATAMENTO SISTÊMICO NEOADJUVANTE

No que tange aos cânceres de mama inicialmente operáveis, vários estudos clínicos que avaliaram o prognóstico das pacientes submetidas à quimioterapia neoadjuvante ou adjuvante não demonstraram diferença em termos de sobrevidas global (SG) e livre de doença (SLD). No entanto, no grupo das pacientes submetidas à quimioterapia prévia, observou-se um aumento significativo nas taxas de cirurgias conservadoras da mama.[21-24]

O estudo B18, do *National Surgical Adjuvante Breast and Bowel Project* (NSABP), randomizou 1.523 pacientes com cânceres de mama operáveis (T1-3/N0-1) para quimioterapia neoadjuvante ou adjuvante. Ao longo de 9 anos, não houve diferença nas taxas de SG em 9 anos (69 *versus* 70%) e de sobrevida livre de doença (ambos 53%). Após 16 anos de acompanhamento, a diferença de sobrevida entre os dois grupos se mantinha estatisticamente não significativa. Houve, ainda, um número maior de cirurgia conservadora no grupo submetido à quimioterapia pré-operatória (68 *vs.* 60%), principalmente entre pacientes com tumores maiores que 5 cm à admissão no estudo.[22,23]

No estudo 10902, do *European Organization for Research and Treatment of Cancer* (EORTC), foram randomizadas 698 pacientes com câncer de mama clinicamente T1c a T4b, para receberem quimioterapia pré ou pós-operatória. Com acompanhamento mediano de 56 meses, a SG em 4 anos e a sobrevida livre de progressão não se mostraram diferentes entre os dois grupos.[21]

Na hora de selecionar o esquema mais apropriado para ser empregado na neoadjuvância, deve-se levar em consideração os marcadores biológicos e as características intrínsecas do tumor, no intuito de buscar obter uma RPC e, consequentemente, conferir a estas pacientes uma melhor sobrevida.

Os esquemas de quimioterapia neoadjuvante com base em antraciclinas e taxanos estão associados a altas taxas de resposta e têm sido extensivamente estudados e utilizados.[24-26] Grande parte dos estudos clínicos tem demonstrado diferenças significativas em taxa de resposta completa, mas sem diferenças significativas em sobrevida e recidiva, quando comparados aos diversos esquemas quimioterápicos.

O princípio geral baseia-se na premissa de que os esquemas quimioterápicos utilizados na adjuvância têm eficácia similar na neoadjuvância.

A adição de taxanos (paclitaxel ou docetaxel), de forma concomitante ou sequencial, a regimes contendo antraciclinas, tem demonstrado maiores taxas de resposta no cenário pré-operatório.[23,25,27-31]

Confirmando o benefício do uso de taxano na neoadjuvância, o estudo B27, do NSABP, evidenciou que a adição do docetaxel proporcionou aumento da taxa de resposta (91 *vs.* 86%) e RPC (26 *vs.* 13%) quando comparado a esquema padrão com antraciclina sem taxano.[29,32]

Os esquemas de quimioterapia em dose densa não apresentam clara conclusão em relação ao seu benefício na neoadjuvância, não sendo indicados fora de ensaios clínicos.[31,33]

Ainda que a duração da quimioterapia neoadjuvante não esteja estabelecida, a recomendação consiste na administração completa do esquema quimioterápico proposto antes da cirurgia, no intuito de aumentar as chances de RPC e preservação da mama. Nos casos em que haja progressão tumoral, radioterapia e/ou hormonoterapia podem ser consideradas.[34-37]

TUMORES HER-2 POSITIVOS

O uso do trastuzumabe, associado à quimioterapia, em pacientes com tumores HER-2 positivos baseou-se inicialmente na evidência de benefício no cenário adjuvante. Mais recentemente, dois estudos prospectivos e randomizados desenhados especificamente com o propósito de avaliar o papel do medicamento nesse contexto clínico permitem concluir que a associação de QT e trastuzumabe aumenta claramente a eficácia do TNA, proporcionando maiores taxas de RPC, sendo, dessa forma, rotineiramente considerada no tratamento de pacientes portadoras de tumores HER-2 positivos.[38,39]

A recomendação atual no cenário adjuvante e neoadjuvante é o uso sequencial de antraciclinas e trastuzumabe, com base no aumento do risco de cardiotoxicidade, sendo reservado o uso concomitante dessas medicações em estudo clínico. Esquemas quimioterápicos neoadjuvantes sem antraciclina têm sido investigados e podem representar uma opção para pacientes com maior risco de cardiotoxicidade.[40,41]

TUMORES TRIPLOS NEGATIVOS

Vários estudos têm mostrado maiores taxas de RPC com quimioterapia neoadjuvante em câncer de mama triplo negativo quando comparados aos tumores com receptores hormonais positivos. Ainda que o uso de quimioterapia com base em platina apresente altas taxas de resposta, o melhor esquema nesse contexto ainda não está estabelecido.[42-44]

HORMONOTERAPIA NEOADJUVANTE

A maioria dos estudos em tratamento sistêmico neoadjuvante do câncer de mama tem utilizado quimioterapia. Entretanto, recentemente, vários estudos têm sido publicados com utilização de tratamento hormonal na neoadjuvância.[45-47]

O uso da hormonoterapia neoadjuvante representa uma opção em pacientes na pós-menopausa, com contraindicação médica para quimioterapia e que apresentam tumores localmente avançados, inoperáveis, com receptores hormonais positivos, ou naquelas pacientes com tumores operáveis, na tentativa de propiciar uma cirurgia conservadora. Vários estudos têm sugerido que os inibidores de aromatase são superiores ao tamoxifeno em CMLA e em tumores grandes operáveis, apresentando maiores taxas de resposta e cirurgia conservadora. Dados acerca do ganho de sobrevida são inconclusivos.[48-52] Quanto ao melhor inibidor de aromatase a ser utilizado na neoadjuvância, comparações com grupos similares de pacientes têm sugerido eficácia similar quando comparados aos inibidores de terceira geração (anastrozol, letrozol e exemestane).[53]

A combinação de TNA endócrina e terapia-alvo (trastuzumabe e lapatinibe) não tem sido recomendada fora de protocolos investigacionais.

Ainda que a duração da hormonoterapia neoadjuvante não esteja bem estabelecida, recomenda-se tratamento endócrino por 3 a 4 meses, podendo ser continuada até 6 meses ou mais, desde que não haja progressão tumoral.[54]

AVALIAÇÃO DE RESPOSTA

Durante o curso do tratamento sistêmico neoadjuvante, é de suma importância a monitorização da resposta tumoral a intervalos regulares. Em caso de progressão tumoral ou resposta pouco expressiva, o tratamento sistêmico deve ser alterado ou descontinuado em favor de tratamento locorregional (Fig. 1).

A resposta clínica é avaliada pela mensuração bidimensional, sendo considerada resposta clínica completa o desaparecimento de lesão clinicamente palpável na mama e nos linfonodos regionais, idealmente realizada pelo mesmo examinador. Além do exame clínico, a mamografia e a ultrassonografia podem contribuir na avaliação da resposta tumoral, ainda que possam apresentar limitações na definição das dimensões do tumor residual.[55,56]

A RM das mamas tem mostrado resultados que melhor se correlacionam com resposta patológica em espécimes cirúrgicos, ainda que esteja associada a altas taxas de falso-positivo, superestimando a doença invasiva residual.[55-58]

Vale ressaltar que a presença de componente residual *in situ* não constitui fator prognóstico adverso nas pacientes em que se verifica completo desaparecimento do componente invasivo.[57]

CARCINOMA INFLAMATÓRIO DA MAMA

Os carcinomas inflamatórios da mama se caracterizam pela invasão neoplásica embólica dos vasos linfáticos do derma mamário. São tumores que trazem em si um mau prognóstico e um alto risco de disseminação da doença.

Para este tipo específico de câncer de mama, não se recomendam estratégias conservadoras locorregionais, e a mastectomia ainda representa o tratamento de escolha. No que diz respeito ao tratamento quimioterápico sistêmico, os esquemas com base em antraciclinas e taxanos são os normalmente recomendados. Nos tumores que superexpressam o HER-2, deve-se adicionar trastuzumabe ao protocolo de tratamento.[59]

A observação de que os carcinomas inflamatórios da mama apresentam superexpressão de VEGF (*Vascular Endothelial Growing Factor*), um potente promotor da angiogênese tem conduzido, em ensaios clínicos, à incorporação de drogas que bloqueiam esta molécula, como o bevacizumabe, com resultados promissores.[59]

NEOADJUVÂNCIA EM HISTOLOGIA LOBULAR

O benefício da quimioterapia neoadjuvante para a histologia lobular do câncer de mama, no intuito de permitir uma abordagem conservadora da mesma, tem sido questionado. A sua associação a risco aumentado para bilateralidade do câncer de mama, com positividade para receptores hormonais e pequena taxa de RPC, pode explicar essa tendência.

Contudo, Fitzal *et al.* compararam a taxa de conversão para cirurgia conservadora após quimioterapia neoadjuvante em 325 mulheres, das quais 21% apresentavam a histologia lobular. Neste subgrupo, houve uma taxa de conversão para a abordagem conservadora em 45% dos casos, número este não estatisticamente significativo quando comparado ao obtido nas portadoras da histologia ductal (45%, p = 0,561). A taxa de recidiva local também não diferiu entre as duas histologias.[60]

Alguns resultados promissores para neoadjuvância em portadoras da histologia lobular têm surgido com a abordagem hormonal, ainda experimental.

Assim, não se deve excluir em definitivo as pacientes portadoras de histologia lobular da tentativa de preservar suas mamas, quando possível.

PRINCÍPIOS PARA O TRATAMENTO CIRÚRGICO

Cirurgia conservadora da mama

A cirurgia conservadora da mama foi responsável por uma mudança significativa na forma de tratar, quando Veronese, em 1981, publicou estudo randomizado, prospectivo, favorecendo a remoção do tumor com a preservação parcial da mama, seguida por Fisher *et al.*, em 1985. Com isso, a ideia de tratamento conservador das mamas acompanhado de tratamento radioterápico no câncer de mama em estágios iniciais favoreceu uma taxa de sobrevida igual à da mastectomia, teve seu reconhecimento definitivo e passou a ser usada no tratamento do câncer em todo o mundo.[61]

Em contrapartida, na primeira metade do século XX, o tratamento cirúrgico do carcinoma de mama localmente avançado era desconsiderado em virtude de as pacientes já serem consideradas metastáticas.[62]

Entretanto, há quase 30 anos vem ocorrendo avanços significativos no tratamento quimioterápico e na quimioterapia pré-cirúrgica, ou neoadjuvante, possibilitando o tratamento cirúrgico em tumores inicialmente inoperáveis, com taxa de resposta de 65 a 90%, associada ao aumento da sobrevida. Assim, tornou-se tratamento primário para tumores estágio III.[62-65]

Em virtude da diminuição significativa do volume tumoral com a TNA e a consagração do tratamento conservador em pacientes com câncer de mama em estágios iniciais, foi aventada a possibilidade de cirurgia conservadora da mama após quimioterapia neoadjuvante para tumores acima de 3 cm (estágios II e III).[62,64-69]

Os critérios de elegibilidade para tratamento conservador após TNA são: desejo da mulher em conservar as mamas, relação volume da mama/tamanho do tumor que permita uma ressecção cirúrgica com margens livres e resultados estéticos satisfatórios.[61] São ainda critérios para conservação de mama nesse grupo de mulheres: a ausência de microcalcificações difusas, em trajeto ductal ou de distribuição segmentar, ausência de multifocalidade e multicentricidade, ausência de comprometimento de pele e/ou da parede torácica, ausência de comprometimento nodal avançado (N2 ou N3), radioterapia disponível e sem contraindicação.[62]

O NSABP-B18, ao comparar tratamento cirúrgico pré e pós-quimioterapia em 1.523 pacientes, observou, em 683 pacientes submetidas à

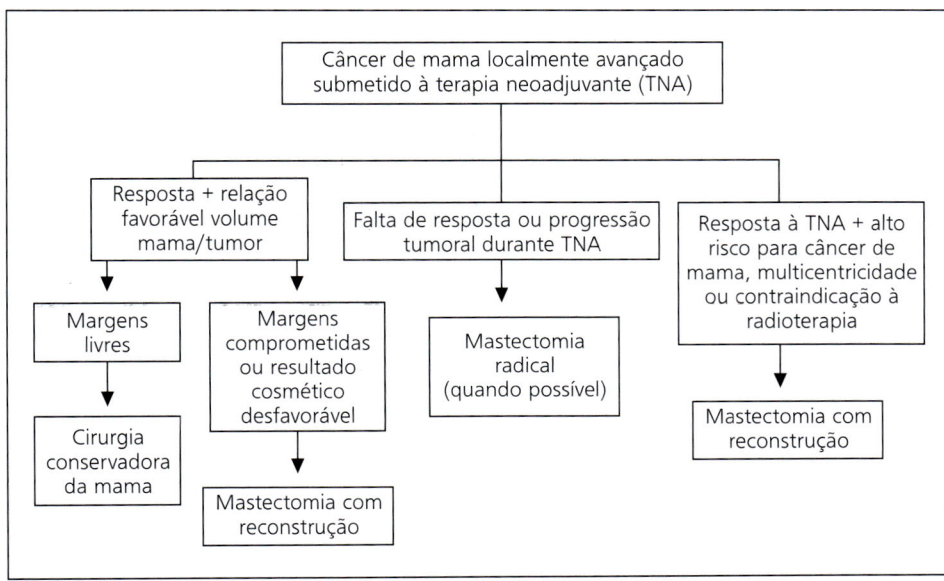

◄ **FIGURA 1.** Algoritmo de conduta após o diagnóstico de câncer de mama.

neoadjuvância, taxa de resposta clínica objetiva de 79%, sendo 36% com resposta clínica completa e 13% com RPC. Além disso, aumentou a taxa de cirurgia conservadora e não houve diferença entre os dois grupos nas taxas de sobrevida em 5 anos. Contudo, as taxas de recidiva locais foram maiores (15% em 5 anos) no grupo de pacientes que evoluíram para tratamento conservador após a quimioterapia neoadjuvante, mesmo com margens cirúrgicas livres, em relação àquelas com indicação inicial de cirurgia conservadora (7,9%). Somente a resposta patológica completa foi capaz de predizer aumento na taxa de sobrevida geral, de 77 para 87% em 5 anos, independente do tamanho tumoral, do comprometimento axilar ou da idade.[62]

Já o NSABP-B27 mostrou que a associação do taxano (docetaxel) na neoadjuvância aumentou significativamente as taxas de resposta completa clínica (64,8 × 40,4%) e patológica (25,6 × 13,7%) em relação ao AC isolado. Mostrou também que quando há resposta patológica completa ao AC na neoadjuvância, esse não é mais necessário à adjuvância. Contudo, não aumentou a taxa de cirurgia conservadora.[62,68,70]

O *trial* EORTC 10.902 demonstrou pior sobrevida global (HR para óbito de 2,53; IC 95% 1,02-6,25) nos casos de conversão de mastectomia para cirurgia conservadora após quimioterapia neoadjuvante em relação aos casos em que a cirurgia conservadora estava programada desde o início.[62]

Foram considerados fatores de risco para recidiva local após tratamento cirúrgico conservador: linfonodos axilares N2 ou N3, tumor residual à patologia maior do que 2 cm, invasões vascular e linfática, doença multifocal e histologia lobular, devendo-se, nesses casos, reconsiderar a mastectomia.[62,69] Segundo relato, a quimioterapia neoadjuvante foi considerada protetora para recidiva local em pacientes jovens.[62]

Técnicas cirúrgicas para conservação da mama

O conceito básico do tratamento conservador é que deve haver a remoção de um volume de tecido mamário sadio, próximo ao tumor, que seja suficiente para obter margem cirúrgica livre de neoplasia. Quanto maior o volume de tecido sadio excisado, menor a probabilidade de remoção incompleta da neoplasia e menor a probabilidade de recidiva local.[71] Estudos demonstram que 85% de todos os tumores recorrem próximo ao leito do tumor primário.[72] No entanto, quanto maior volume de tecido mamário removido, menores as chances de resultado cosmético satisfatório.[71]

Em pacientes que foram submetidas à biópsia prévia incisional ou excisional sem margem de segurança, a incisão da cirurgia definitiva deverá abranger a incisão anterior, e a peça cirúrgica não deverá ser segmentada.[71] Procede-se à identificação das margens cirúrgicas para o patologista realizar, o melhor possível, a comprovação intraoperatória de margens cirúrgicas livres.[62]

Antigamente, a cirurgia em mulher com CMLA era realizada quando já havia condições de ressecabilidade tumoral, independente do número de ciclos quimioterápicos programados, retornando após a cirurgia para completar a quimioterapia. Atualmente, a cirurgia só deverá ser realizada, utilizando os mesmos princípios da cirurgia conservadora para tumores iniciais, após término de todo o tratamento quimioterápico neoadjuvante, uma vez que pode aumentar a chance de resposta patológica completa e, assim, aumentar a sobrevida. Ademais, como em toda cirurgia conservadora, deverá ser realizada a radioterapia adjuvante que reduz a taxa de recidiva local em 30%.[62]

A mastologia moderna preconiza o tratamento oncológico ideal associado a bom resultado estético, como as técnicas de oncoplastia periareolar, pedículos superior e inferior, quadrantes clássicos acompanhados de remodelamentos glandulares, retalhos dermoglandulares.[61]

Concluímos que a cirurgia conservadora das mamas em mulheres com CMLA associou-se aos fundamentos da cirurgia estética e aos princípios do tratamento oncológico, podendo ser realizada desde que sejam asseguradas margens livres e respeitados os limites tumorais.

Deve ser ressecado todo o leito tumoral prévio após TNA?

Antes do início da neoadjuvância, deve haver marcação da área tumoral na pele com tatuagem ou intratumoral com clipes metálicos.[62]

Após o TNA, deve-se fazer reavaliação imagenológica da resposta tumoral à quimioterapia pela mamografia e ultrassonografia, caso não haja disponibilidade da RM que é considerada padrão ouro em virtude da maior fidedignidade com tamanho tumoral por permitir cálculo volumétrico.[62,73,74] Estudos relatam concordância de resposta patológica com a palpação em 19%, com a mamografia em 26%, com a ultrassonografia em 35% e com a RM em 71%.[67] Em alguns casos, ocorre a limitação da RM das mamas, como a de não detectar tumor residual decorrente do padrão disperso do carcinoma lobular ou da redução de tumores multifocais.

Mesmo após resposta clínica completa há focos microscópicos residuais de células tumorais em 40 a 97% dos casos, uma vez que pode não ter ocorrido resposta imagenológica e/ou patológica completa. Logo, a ressecção da área tumoral inicial, com margens livres, está sempre indicada.[62,19]

Pode ser realizada a técnica de linfonodo sentinela em pacientes com CMLA?

Ainda há dúvidas sobre a possibilidade da pesquisa do linfonodo sentinela (LS) nos casos de neoadjuvância, como também não há consenso de sua realização antes ou após TNA.[69]

Para alguns autores, o único método de avaliar a resposta axilar à quimioterapia é a linfadenectomia.[64] Contudo, alguns autores relatam desaparecimento do comprometimento nodal (N0) após QT neoadjuvante em 20-40% dos casos e, por isso, sugerem a pesquisa do LS. Entretanto, se houver linfonodo palpável suspeito, proceder-se-á à linfadenectomia.[68,69,75]

Apesar de alguns trabalhos relatarem menor identificação de linfonodos à linfadenectomia após QT neoadjuvante em virtude da fibrose dos linfáticos, Boughey *et al.*, 2010,[76] detectaram, em 93% das pacientes, pelo menos 10 linfonodos sendo adequados para estadiamento. Bem como, relataram importância do interesse do patologista em identificar os linfonodos.

A QT neoadjuvante pode comprometer a acurácia da biópsia do LS em virtude da fibrose que afeta a drenagem linfática além de poder produzir resposta tumoral desigual na axila, mas é justamente a fibrose que caracteriza o desaparecimento do comprometimento nodal.[68,77] Entretanto, a acurácia e a taxa de falso-negativo (0-33%) são semelhantes aos casos sem QT neoadjuvante.[68,77]

Pacientes que apresentam LS negativo, sem linfadenectomia, apresentam a mesma sobrevida com menos morbidade e melhor funcionalidade do que aqueles submetidos a esvaziamento axilar. Além disso, apresenta menor custo e menor tempo cirúrgico.[69]

O NSABP-B27, a maior coorte avaliando LS pós-QT neoadjuvante, apresentou taxa de identificação do LS de 85%, falso-negativo de 11% e acurácia de 96%.[68,77]

Brown *et al.*, 2010, observaram, após QT neoadjuvante, taxa de falso-negativo para LS de 22% e VPN de 67%.[77]

Chintamani *et al.*, 2011,[68] relataram identificação do LS após quimioterapia em 100% dos casos, tendo utilizado azul de metileno, com sensibilidade de 86,6%, falso-negativo de 13,3% e acurácia de 93,3%, e não tendo apresentado reações adversas. Houve desaparecimento do comprometimento nodal em 50% das pacientes, sugerindo a substituição da linfadenectomia pelo LS.

A maioria dos trabalhos relata maior identificação do LS quando há dois métodos associados (rádio coloide e azul patente), além de a possibilidade de metástases "em salto" ser remota,[68] Dominici *et al.*, em 2010,[75] concluíram que esquemas de TNA contendo trastuzumabe são eficazes na erradicação de metástases nodais (74%) e, com isso, aumentaram a sobrevida livre de doença (93 × 76% em 29,1 meses; p = 0,02). Além disso, observaram que pacientes que obtinham RPC axilar também a alcançavam na mama, e nenhuma dessas pacientes apresentou recidiva. Em decorrência desses resultados os autores sugeriram a não realização de linfadenectomia nesses casos.

Alguns estudos advogam a pesquisa do LS antes da TNA para evitar falso-negativo (0-25%) decorrente da fibrose.[77]

Segundo *National Comprehensive Cancer Network* (NCCN), em 2011, se não houver clinicamente comprometimento nodal deve-se realizar a biópsia do linfonodo sentinela antes da neoadjuvância. Além disso, mesmo nos casos negativos para metástase de punção aspirativa ou biópsia de fragmento de linfonodo axilar, essa técnica também deve ser utilizada. Orientam, também, que se o LS for negativo à avaliação pré-operatória não deverá haver nova abordagem após TNA.

Mastectomia

A mastectomia ainda é tratamento muito utilizado após a TNA. Sua indicação ocorre em casos de tumor inicialmente inoperável, ou que durante o curso da TNA, a doença persiste em progressão; também é indicada a mastectomia após TNA, para tumores multicêntricos, alto risco familiar ou pessoal para câncer de mama, casos em que há contraindicação de radioterapia pós-operatória, como nas gestantes. Finalmente, mamas pequenas na qual o efeito cosmético final após cirurgia conservadora será desfavorável, ou margens de ressecções cirúrgicas comprometidas, durante a realização da cirurgia conservadora.[62,78-80]

Os maiores benefícios da TNA são: da conversão de carcinomas mamários localmente avançados para tumores operáveis, ou para tumores em tamanho no qual se pode realizar a cirurgia conservadora, com eficácia do controle local e resultado estético favorável.[61,62] Porém, alguns estudos mostram a indicação de mastectomia após TNA em torno de 37 e 60% dos tumores maiores que 3 cm e no estágio III respectivamente.[61,81] As mastectomizadas após TNA, conforme Fitzal et al., em 2010, apresentaram sobrevida livre de recidiva local de 91% em 5 anos.[82]

Técnicas cirúrgicas de mastectomia

A padronização sistemática do tratamento cirúrgico do câncer de mama teve início no final do século XIX com Halsted. Sua técnica de mastectomia radical foi largamente empregada praticamente até metade do século XX.[61] Com o decorrer do tempo, surgiram outras técnicas de mastectomias em que, cada uma possui indicação, conforme estágio, localização e tamanho do tumor:

- Radical modificada (Patey).
- Radical modificada (Madden-Auchincioss).
- Mastectomia simples.
- Mastectomia sub-radical:
  - Mastectomia preservadora de pele (*skin sparing mastectomy*)
  - Mastectomia com preservação do complexo areolopapilar (CAP).

Neste assunto em questão, o benefício adicional promovido pela TNA, em tumores localmente avançados, é a realização de mastectomia com a possibilidade de reconstrução imediata, mantendo, assim, os princípios da segurança oncológica, quando se realiza TNA e observando a resposta e regressão do tumor na paciente candidata a esse tipo de procedimento, associado ao benefício psicológico e de bom resultado estético.[81,83,84] Para isso, requer uma equipe multidisciplinar, envolvendo mastologista, cirurgião plástico, oncologista clínico e, por vezes, radioterapeuta.[85]

Provavelmente, em razão do aumento de procedimentos mamários em cirurgia oncoplástica, vem-se observando um maior número de publicações da técnica de mastectomia preservadora de pele (MPP). Esta técnica foi inicialmente descrita por Freeman, em 1962, para lesões benignas das mamas,[86] sendo modificada para câncer mamário por Toth e Lappert, em 1991.[87] A MPP se caracteriza por conservar o máximo de pele, realizando retalhos finos (o ideal é em torno de 0,5 cm), utilizando os diversos tipos de incisões (Fig. 2). São princípios ainda da MPP ressecar cicatriz de biópsia prévia, preservar o sulco inframamário, remover toda glândula mamária de acordo com os limites estabelecidos pelas técnicas radicais e remover ainda o complexo areolopapilar.[78,81,88] No caso, quando o diagnóstico é feito por punção por agulha fina ou por *core biópsia*, tais cicatrizes não necessitam ser removidas. A confecção do retalho até o bordo esternal deve ser feita de forma cuidadosa para evitar a lesão dos ramos dérmicos das perfurantes da artéria mamária interna que são responsáveis pela irrigação da parte medial do retalho.[78] No caso desta técnica de mastectomia, pode ser feita após TNA em tumores de até 5 cm, ou tumores menores e multicêntricos,[61,62,78,89] estando contraindicada em carcinoma inflamatório ou tumores que compro-

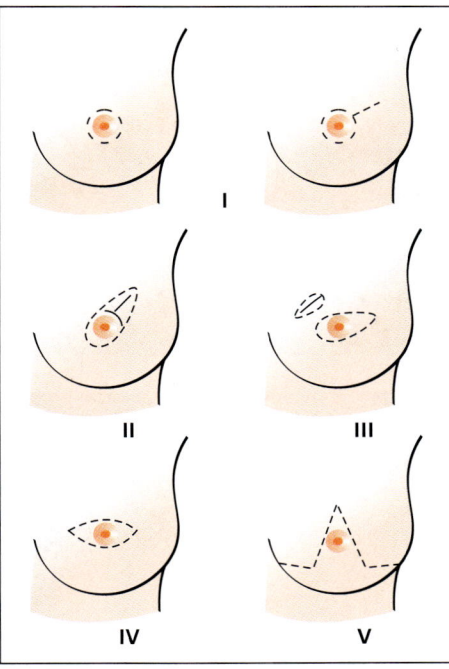

◀ **FIGURA 2.** Tipos de incisões: I. Periareolar e periareolar em raquete. II. Elíptica periareolar que incorpora cicatrizes de biópsias prévias. III. Elíptica periareolar com incisão independente de biópsia prévia. IV. Elíptica periareolar para papilas pequenas. V. Padrão para mamoplastia redutora.

metem pele.[78,89] A MPP também deve ser avaliada caso a caso, onde há situações de risco de necrose dérmica, como radioterapia prévia, obesidade, diabetes e grandes fumantes.[78]

A MPP, quando comparada a técnicas não preservadoras de pele, não apresenta um maior risco de necrose do retalho, assim como não promove o aumento de recidiva local, quando comparada às outras técnicas de mastectomias radicais.[78,81,88-91] De acordo com NCCN, 2011, as evidências sugerem que a MPP em termos de segurança é provavelmente semelhante às técnicas de mastectomias radicais, devendo ser realizada por mastologistas experientes, e que proporciona resultados satisfatórios na reconstrução, podendo ainda oferecer margens cirúrgicas apropriadas (Fig. 3).

A adenectomia mamária terapêutica, também denominada de mastectomia com preservação do CAP, foi inicialmente publicada por Petit et al., em 2006,[92] em que estes autores preconizaram essa técnica associada à radioterapia de elétrons intraoperatória com dose única de 16 Gy (ELIOT) na região do CAP e reconstrução imediata. Porém, esses mesmos autores advertiram que a técnica padrão ainda inclui a remoção do CAP, sendo necessário um acompanhamento prolongado para observar a taxa de recidiva tumoral.[92] Tal técnica, conforme NCCN 2011, deve ser realizada por enquanto, apenas, em ensaios clínicos prospectivos.[19]

Conforme Peled et al., os casos em que se planeja a mastectomia com reconstrução imediata, a TNA é uma opção segura e parece não aumentar a taxa de complicações pós-operatórias, como ainda pode prevenir o retardo da quimioterapia, em pacientes que desenvolvem complicações pós-operatórias. Uma das complicações mais frequente em paciente que se submetem à mastectomia com reconstrução imediata após TNA é a infecção decorrente de neutropenia. De acordo ainda com Peled et al., quando comparou o grupo que submeteu a TNA, com o outro em que a quimioterapia foi realizada após cirurgia, houve um discreto aumento de infecção no segundo grupo, porém não obteve significado estatístico.

A reconstrução mamária pode ser realizada com tecido autólogo transferido que geralmente é da parede abdominal inferior ou do músculo grande dorsal. As técnicas de tecidos autólogos podem estar associadas à colocação de próteses. Quando se utilizam implantes, esses podem ser próteses definitivas, próteses expansoras tipo Becker ou expansores subpeitorais. Utilizar uma ou outra técnica de reconstrução dependerá de cada instituição ou preferência do cirurgião, já que não há contraindicação absoluta para nenhuma delas. Porém, recomenda-se evitar reconstrução utilizando apenas a prótese, decorrente do resultado estético desfavorável, maior possibilidade de contratura capsular, mau posicionamento ou até expulsão da mesma, quando existe planejamento terapêutico de radioterapia em pós-operatório.[78,91] Conforme NCCN, 2011, na possibilidade de terapêutica com radioterapia após a mastectomia, deve ser considerada a realização da reconstrução tardia.

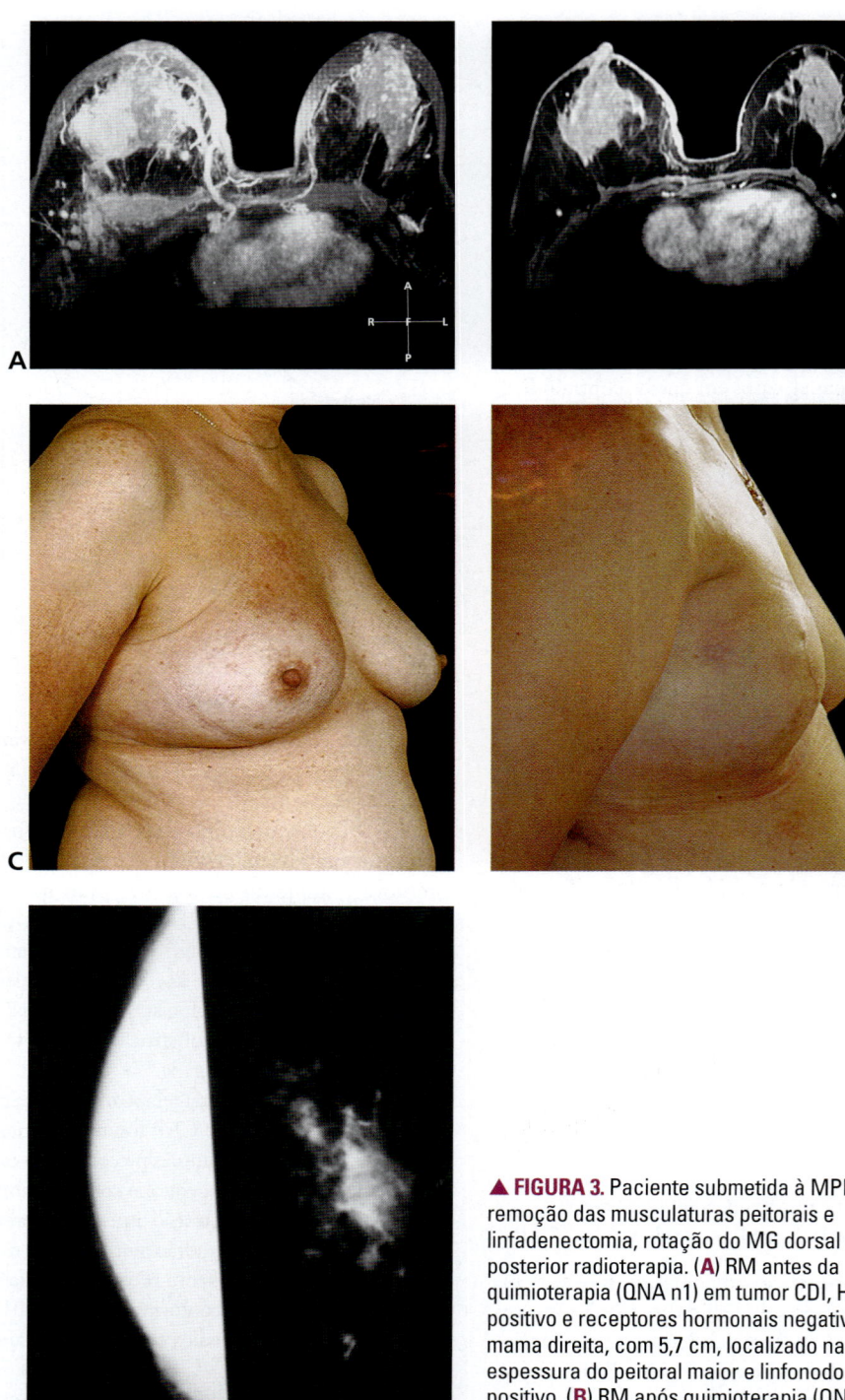

▲ **FIGURA 3.** Paciente submetida à MPP com remoção das musculaturas peitorais e linfadenectomia, rotação do MG dorsal e prótese, posterior radioterapia. (**A**) RM antes da quimioterapia (QNA n1) em tumor CDI, HER-2 positivo e receptores hormonais negativos, mama direita, com 5,7 cm, localizado na espessura do peitoral maior e linfonodo axilar positivo. (**B**) RM após quimioterapia (QNA n2). (**C**) Pré-operatório (paciente com 55 anos). (**D**) Pós-operatório de 5 meses. (**E**) Mamografia CC no pós-operatório de 10 meses.

As complicações pós-operatórias frequentes decorrentes das reconstruções mamárias são seroma, hematoma, infecção, deiscência da ferida cirúrgica, necrose de pele, perda do retalho, extrusão da prótese e tromboembolismo.[83,93] Os fatores de risco para reconstrução são mulheres idosas, obesas, diabéticas e fumantes.[93]

A pele adjacente ao tumor deve ser totalmente removida em cirurgias após TNA?

Os paradigmas iniciais sobre o tratamento do câncer de mama enfatizavam geralmente, as ressecções radicais de pele, porém o êxito das cirurgias conservadoras de mama criou dúvidas sobre a necessidade de extirpação da pele, quando a mesma não está comprometida pelo tumor. No passado, existiam discussões em relação à quantidade de pele a ser removida para evitar as recidivas locais e apesar dos diferentes tipos de mastectomias que já foram realizados, a recidiva local tem permanecido ao longo dos anos. A recidiva tanto pode estar associada à persistência da neoplasia após a cirurgia, como também pode estar associada à biologia do tumor.[78] Ho *et al.*, 2003, estudaram a taxa de recidiva local e sobrevida preservando pele em conjunto com 10 mm do tecido celular subcutâneo adjacente ao tumor em 30 mastectomias preservadoras de pele, concluindo que tal procedimento pode ser seguro no caso dos tumores T1 e T2. Contudo, ainda não dispomos de ensaio clínico com nível de forte evidência na literatura médica, que justifique a preservação da pele sobre o tumor após TNA.[90]

Portanto, tal procedimento deve ser visto com cautela, no qual, acima de tudo, deve ser mantido o bom-senso, e não deve ser realizado se o tumor residual após TNA for extenso, próximo à pele onde não pode ser obtida margem ou com microcalcificações extensas próximas à pele.[94] Ainda deve ser contraindicada a preservação de pele quando não se dispõe de monitorização anatomopatológica e paciente que não possa se submeter à radioterapia (Fig. 4).

Acompanhamento clínico

Os objetivos do acompanhamento clínico das pacientes tratadas por câncer de mama visam o reconhecimento precoce das recidivas e dos segundos tumores primários da mama, potencialmente curáveis; a identifica-

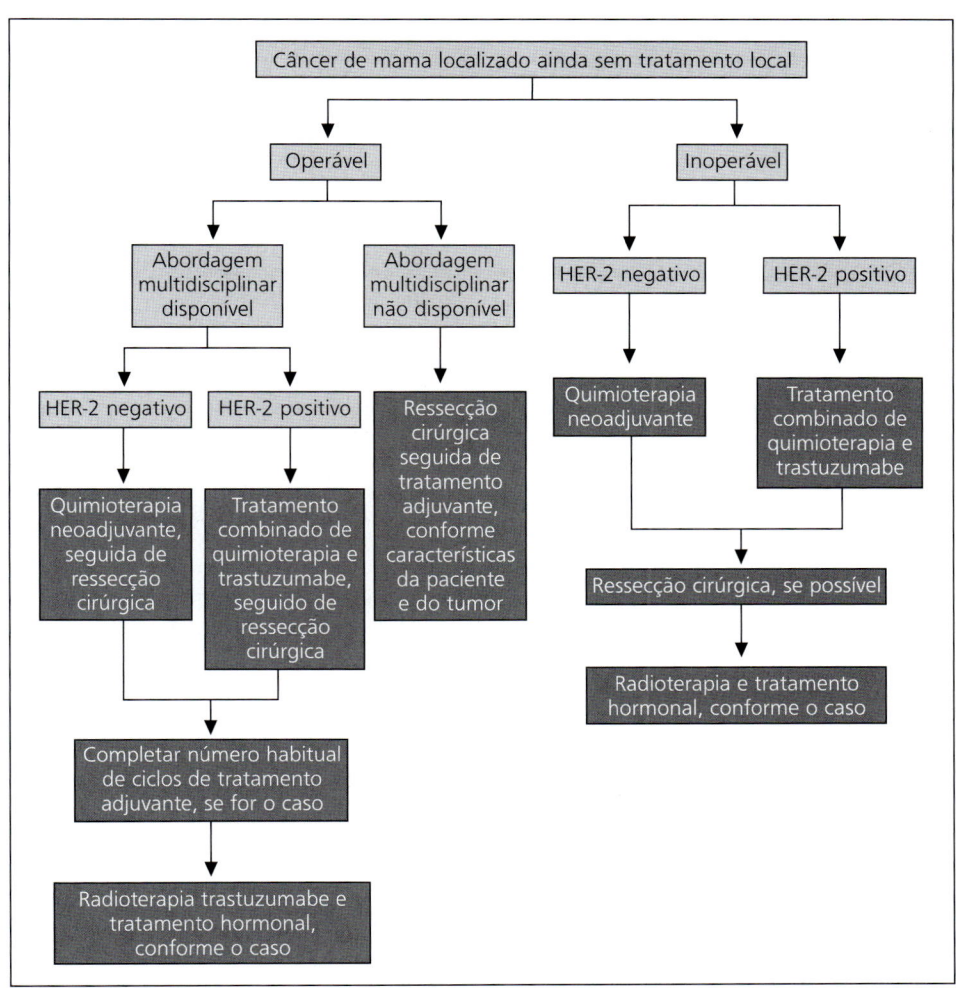

◄ **FIGURA 4.** Algoritmo de conduta para cirurgia conservadora × mastectomia no qual há o desejo da paciente de cirurgia conservadora.

ção de complicações relacionadas com o tratamento, como o linfedema pós-esvaziamento axilar, por exemplo; além de permitir detectar sintomas que possam indicar a presença de metástases a distância.[95]

As pacientes devem ser orientadas a procurarem atendimento médico quando da identificação de sinais e sintomas que podem corresponder à presença de doença metastática.

Além disso, as pacientes com risco aumentado de possuírem cânceres de mama hereditários devem ser orientadas a procurarem aconselhamento genético. Esse grupo de pacientes inclui aquelas com ascendência de judeus ashkenazi, história pessoal ou em parentes de primeiro ou segundo graus de câncer de ovário, antecedente de câncer de mama com menos de 50 anos de idade em qualquer parente de primeiro grau, portadoras de câncer de mama bilateral em si ou em qualquer outro parente, histórico de câncer de mama em dois ou mais parentes de primeiro ou segundo graus ou em qualquer parente do sexo masculino.[95]

É importante ressaltar que a solicitação de múltiplos exames de imagem e/ou de marcadores tumorais periodicamente não traz nenhum benefício em termos de sobrevida às sobreviventes de câncer de mama.[96,97] Recomenda-se apenas que estas pacientes sejam submetidas à história clínica e exame físico completos a cada 3 a 6 meses nos dois primeiros anos, a cada 6 a 12 meses nos 3 anos seguintes e, após, anualmente. Deve-se, ainda, solicitar mamografia ao menos uma vez ao ano. Nas pacientes que realizaram radioterapia, recomenda-se iniciar o rastreamento mamográfico, pelo menos, 6 meses após o término deste tratamento.

O acréscimo de ultrassonografia das mamas à mamografia permite adicionar 1,1 a 7,2 casos por 1.000 mulheres com alto risco para desenvolverem câncer de mama, contudo propicia um aumento significativo no número de biópsias desnecessárias da mama.[98]

Nas pacientes que usam o tamoxifeno, deve-se recomendar a realização de colpocitologia oncótica, além de visita ao ginecologista anualmente. Às usuárias de inibidor da aromatase, recomenda-se realizar densitometria anual para monitorizar a perda de massa óssea.[95]

REFERÊNCIA BIBLIOGRÁFICAS

1. Publicações. Estimativa 2010 – Incidência de Câncer no Brasil. Acesso em: 16 Jul. 2011. Disponível em: <http://www.inca.gov.br>.
2. Thuler LCS, Mendonça GA. Estadiamento inicial dos casos de câncer de mama e colo do útero em mulheres brasileiras. *Rev Bras Ginecol Obstet* 2005;27:656-50.
3. Schwartz G, Hortobagyi G. Proceedings of the consensus conference on neoadjuvant chemotherapy in carcinoma of the breast. *Cancer* 2004;100:2512-32.
4. Haagenson CD, Stout AP. Carcinoma of the breast: criteria of inoperability. *Am Surg* 1943;118:859-68.
5. Atkins H, Horrigan W. Treatment of locally advanced carcinoma of the breast with roentgen therapy and simple mastectomy. *Am J Roent* 1961;85:869.
6. Fletcher G. Local results of irradiation in the primary management of localized breast câncer. *Cancer* 1972;29:545.
7. Gazet J, Ford H, Coombes R. Randomised trial of chemotherapy versus endocrine therapy in patients presenting with locally advanced breast câncer (a pilot study). *Br J Cancer* 1991;63(2):279-82.
8. Mauri D, Pavlidis N, Ioannides JP. Neoadjuvant versus adjuvante systemic treatment in breast câncer: a meta-analysis. *J Natl CancerInst* 2005;97:188-94.
9. Barrios CH, Buzaid AC, Marques R *et al.* Mama. Doença localmente avançada. In: Buzaid AC, Maluf FC, Lima CMR. (Eds.). *Manual de oncologia clínica do Brasil.* São Paulo: Dendrix, 2011. p. 37.
10. Kong X, Moran MS, Zhang N *et al.* Meta-analysis confirms achieving pathological complete response after neoadjuvant chemotherapy predicts favourable prognosis for breast cancer patients. *Eur J Cancer* 2011 Sept.;47(14):2084-90.
11. Abigail S, Hunt C, Hunt KK. The neoadjuvant approach in breast cancer treatment: it is not just about chemotherapy anymore. *CurrOpinObstetGynecol* 2011;23(1):31-36.
12. Weigel MT, Dowsett M. Current and emerging biomarkers in breast cancer: prognosis and prediction. *EndocrRelatCancer* 2010;17(4):R245-62.
13. Mauriac L, MacGrogan G, Avril A *et al.* Neoadjuvant chemotherapy for operable breast carcinoma larger than 3cm: a unicentre randomized trial with 124-month median follow-up. *Ann Oncol* 1999;10:47.

14. Hirata T, Shimizu C, Yomenori K et al. Change in hormone receptor status following administration of neoadjuvant chemotherapy and its impacto n the long-term outcome in patients with primary breast cancer. *Br J Cancer* 2009;101:1529.
15. Mittendorf EA, Wu Y, Scaltriti M et al. Loss of Her-2 amplification following trastuzumab-based neoadjuvant systemic therapy and survival outcomes. *ClinCancer Res* 2009;15:7381.
16. Lyman GH, Giuliano AE, Somerfield MR et al. American Society of Clinical Oncology recommendations for sentinela lymph node biopsy in early nonresponsive breast cancer. *J Clin Oncol* 2005;23:7703.
17. Gerber B, Seitz E, Muller H et al.Perioperative screening for metastatic disease is not indicated in patients with primary breast cancer and no signal of tumor spread. *Breast Cancer Res Treat* 2003;82:29-37.
18. Carkaci S, Macapinlac HA, Cristofanilli M et al. Retrospective study of 18-FDG-PET/CT in the diagnosis of inflammatory breast cancer: preliminary data. *J Nucl Med* 2009;50(2):231-38.
19. National Comprehensive Cancer Network [internet]. NCCN Guidelines Version 2.2011 Invasive Breast Cancer. EUA: Atualizada em: 25 Mar. 2011. Acesso em: 26 July 2011. Disponível em: <http://www.nccn.org/professionals/physician_gls/pdf/breast.pdf>.
20. Keam B, Im S, Park S et al. Nomogram predicting clinical outcomes in breast cancer patients treated with neoadjuvant chemotherapy. *J Cancer Res Clin Oncol* 2011;2011 Sept.;137(9):1301-8.
21. van der Hage JA, van de Velde CJ, Julien JP et al. Preoperative chemotherapy in primary operable breast cancer: results from the European Organization for Research and Treatment of Cancer trial 10902. *J Clin Oncol* 2001;19:4224.
22. Wolmark N, Wang J, Mamounas E et al. Preoperative chemotherapy in patients with operable breast cancer: nine-year results from National Surgical Adjuvant Breast and Bowel Project B-18. *J Natl Cancer Inst Monogr* 2001;(30):96-102.
23. Rastogi P, Anderson SJ, Bear HD et al. Preoperative chemotherapy: updates of National Surgical Adjuvant Breast and Bowel Project Protocols B-18 and B-27. *J Clin Oncol* 2008;26:778.
24. Gianni L, Baselga J, Eiermann W et al. Phase III trial evaluating the addition of paclitaxel to doxorubicin followed by cyclophosphamide, methotrexate, and fluorouracil, as adjuvant or primary systemic therapy: European Cooperative Trial in Operable Breast Cancer. *J Clin Oncol* 2009;27:2474.
25. Smith IC, Heys SD, Hutcheon AW et al. Neoadjuvant chemotherapy in breast cancer: significantly enhanced response with docetaxel. *J Clin Oncol* 2002;20:1456.
26. Hutcheon AW, Heys SD, Sarkar TK. Aberdeen Breast Group. Neoadjuvantdocetaxel in locally advanced breast cancer. *Breast Cancer Res Treat* 2003;79(Suppl 1):S19.
27. Buzdar AU, Singletary SE, Theriault RL et al. Prospective evaluation of paclitaxel versus combination chemotherapy with fluorouracil, doxorubicin, and cyclophosphamide as neoadjuvant therapy in patients with operable breast cancer. *J Clin Oncol* 1999;17:3412.
28. Evans TR, Yellowlees A, Foster E et al. Phase III randomized trial of doxorubicin and docetaxel versus doxorubicin and cyclophosphamide as primary medical therapy in women with breast cancer: an anglo-celtic cooperative oncology group study. *J Clin Oncol* 2005;23:2988.
29. Bear HD, Anderson S, Smith RE et al. Sequential preoperative or postoperative docetaxel added to preoperative doxorubicin plus cyclophosphamide for operable breast cancer: National Surgical Adjuvant Breast and Bowel Project Protocol B-27. *J Clin Oncol* 2006;24:2019.
30. Diéras V, Fumoleau P, Romieu G et al. Randomized parallel study of doxorubicin plus paclitaxel and doxorubicin plus cyclophosphamide as neoadjuvant treatment of patients with breast cancer. *J Clin Oncol* 2004;22:4958.
31. von Minckwitz G, Raab G, Caputo A et al. Doxorubicin with cyclophosphamide followed by docetaxel every 21 days compared with doxorubicin and docetaxel every 14 days as preoperative treatment in operable breast cancer: the GEPARDUO study of the German Breast Group. *J Clin Oncol* 2005;23:2676.
32. von Minckwitz G, Kümmel S, Vogel P et al. Neoadjuvantvinorelbine-capecitabine versus docetaxel-doxorubicin-cyclophosphamide in early nonresponsive breast cancer: phase III randomized GeparTrio trial. *J Natl Cancer Inst* 2008;100:542.
33. Therasse P, Mauriac L, Welnicka-Jaskiewicz M et al. Final results of a randomized phase III trial comparing cyclophosphamide, epirubicin, and fluorouracil with a dose-intensified epirubicin and cyclophosphamide + filgrastim as neoadjuvant treatment in locally advanced breast cancer: an EORTC-NCIC-SAKK multicenter study. *J Clin Oncol* 2003;21:843.
34. Kaufmann M, Hortobagyi GN, Goldhirsch A et al. Recommendations from an international expert panel on the use of neoadjuvant (primary) systemic treatment of operable breast cancer: an update. *J Clin Oncol* 2006;24:1940.
35. Reitsamer R, Peintinger F, Prokop E et al. Pathological complete response rates comparing 3 versus 6 cycles of epidoxorubicin and docetaxel in the neoadjuvant setting of patients with stage II and III breast cancer. *Anticancer Drugs* 2005;16:867.
36. Fumoleau P, Tubiana-Hulin M, Romieu G et al. A randomized study of 4 versus 6 cycles of adriamycin-taxol as neoadjuvant treatment of breast cancer. *Breast Cancer Res Treat* 2001;69:298(Abstr 508).
37. Steger GG, Kubista EH, Hausmaninger HM et al. 6 vs. 3 Cycles of epirubicin/docetaxel + G-CSF in operable breast cancer: Results of ABCSG-14 (abstract 553). *J Clin Oncol* 2004;22:553.
38. Petrelli F, Borgonovo K, Cabiddu M et al. Neoadjuvant chemotherapy and concomitant trastuzumab in breast cancer: a pooled analysis of two randomized trials. *Anticancer Drugs* 2011;22:128.
39. Gianni L, Eiermann W, Semiglazov V et al. Neoadjuvant chemotherapy with trastuzumab followed by adjuvant trastuzumab versus neoadjuvant chemotherapy alone, in patients with HER2-positive locally advanced breast cancer (the NOAH trial): a randomised controlled superiority trial with a parallel HER2-negative cohort. *Lancet* 2010;375:377.
40. Untch M, Muscholl M, Tjulandin S et al. First-line trastuzumab plus epirubicin and cyclophosphamide therapy in patients with human epidermal growth factor receptor 2-positive metastatic breast cancer: cardiac safety and efficacy data from the Herceptin, Cyclophosphamide, and Epirubicin (HERCULES) trial. *J Clin Oncol* 2010;28:1473.
41. Guiu S, Liegard M, Favier L et al. Long-term follow-up of HER2-overexpressing stage II or III breast cancer treated by anthracycline-free neoadjuvant chemotherapy. *Ann Oncol* 2011;22:321.
42. Silver DP, Richardson AL, Eklund AC et al. Efficacy of neoadjuvant Cisplatin in triple-negative breast cancer. *J Clin Oncol* 2010;28:1145.
43. Liedtke C, Mazouni C, Hess KR et al. Response to neoadjuvant therapy and long-term survival in patients with triple-negative breast cancer. *J Clin Oncol* 2008;26:1275.
44. Gronwald J, Byrski T, Huzarski R et al. Neoadjuvant therapy with cisplatin in BRCA1-positive breast cancer patients. *J Clin Oncol* 2009;27:15S(abstr 502).
45. Zakhireh J, Gomez R, Esserman L. Converting evidence to practice: a guide for the clinical application of MRI for the screening and management of breast cancer. *Eur J Cancer* 2008;44:2742.
46. Belli P, Costantini M, Malaspina C et al. MRI accuracy in residual disease evaluation in breast cancer patients treated with neoadjuvant chemotherapy. *Clin Radiol* 2006;61:946.
47. Kwong MS, Chung GG, Horvath LJ et al. Postchemotherapy MRI overestimates residual disease compared with histopathology in responders to neoadjuvant therapy for locally advanced breast cancer. *Cancer J* 2006;12:212.
48. Mouridsen H, Gershanovich M, Sun Y et al. Phase III study of letrozole versus tamoxifen as first-line therapy of advanced breast cancer in postmenopausal women: analysis of survival and update of efficacy from the International Letrozole Breast Cancer Group. *J Clin Oncol* 2003;21:2101.
49. Smith IE, Dowsett M, Ebbs SR et al. Neoadjuvant treatment of postmenopausal breast cancer with anastrozole, tamoxifen, or both in combination: the Immediate Preoperative Anastrozole, Tamoxifen, or Combined with Tamoxifen (IMPACT) multicenter double-blind randomized trial. *J Clin Oncol* 2005;23:5108.
50. Cataliotti L, Buzdar AU, Noguchi S et al. Comparison of anastrozole versus tamoxifen as preoperative therapy in postmenopausal women with hormone receptor-positive breast cancer: the Pre-Operative "Arimidex" Compared to Tamoxifen (PROACT) trial. *Cancer* 2006;106:2095.
51. Nabholtz JM, Bonneterre J, Buzdar A et al. Anastrozole (Arimidex) versus tamoxifen as first-line therapy for advanced breast cancer in postmenopausal women: survival analysis and updated safety results. *Eur J Cancer* 2003;39:1684.
52. Bonneterre J, Thürlimann B, Robertson JF et al. Anastrozole versus tamoxifen as first-line therapy for advanced breast cancer in 668 postmenopausal women: results of the Tamoxifen or Arimidex Randomized Group Efficacy and Tolerability study. *J Clin Oncol* 2000;18:3748.
53. Ellis MJ, Buzdar A, Unzeitig GW et al. ACOSOG Z1031: a randomized phase II trial comparing exemestane, letrozole, and anastrozole in postmenopausal women with clinical stage II/III estrogen receptor-positive breast cancer. *J Clin Oncol* 2010;28:18s (abstr LBA513).
54. Krainick-Strobel UE, Lichtenegger W, Wallwiener D et al. Neoadjuvantletrozole in postmenopausal estrogen and/or progesterone

receptor positive breast cancer: a phase IIb/III trial to investigate optimal duration of preoperative endocrine therapy. *BMC Cancer* 2008;8:62.

55. Chagpar AB, Middleton LP, Sahin AA *et al.* Accuracy of physical examination, ultrasonography, and mammography in predicting residual pathologic tumor size in patients treated with neoadjuvant chemotherapy. *Ann Surg* 2006;243:257.

56. Fiorentino C, Berruti A, Bottini A *et al.* Accuracy of mammography and echography versus clinical palpation in the assessment of response to primary chemotherapy in breast cancer patients with operable disease. *Breast Cancer Res Treat* 2001;69:143.

57. Mazouni C, Peintinger F *et al.* Residual ductal carcinoma in situ in patients with complete eradication of invasive breast cancer after neoadjuvant chemotherapy does not adversely affect patient outcome. *J Clin Oncol* 2007;25:2650.

58. Saad ED, Maluf FC, Hoff PM. *Oncologia em evidencia*. São Paulo: Dendrix, 2009. p. 28.

59. Sinclair S, Swain SM. Primary systemic therapy for inflammatory breast cancer. *Cancer* 2010;116:2821-28.

60. Fitzal F, Mittlboeck M, Steger G *et al.* Neoadjuvant chemotherapy increases the rate of breast conservation in lobular-type breast cancer patients. *Ann Surg Oncol* 2012 Feb.;19(2):519-26.

61. Mathes A. *Análise de fatores clínicos, radiológicos e patológicos que influenciam o tratamento cirúrgico do câncer de mama localmente avançado, submetido à quimioterapia neoadjuvante*. Tese apresentada ao Programa de pós graduação da Faculdade de Medicina de Botucatu para obtenção de título de Doutor. 2010.

62. Barros A, Buzaid AC. *Câncer de mama*. São Paulo: Dendrix, 2007.

63. Fangberget A, Nilsen LB, Hole KH *et al.* Neoadjuvantchemotherapyin breast cancer-response evaluation and prediction of response to treatment using dynamic contrast-enhanced and diffusion-weighted MR imaging. *Eur Radiol* 2011;21:1188-99.

64. Straver ME, Aukema TS, Olmos RAV *et al.* Feasibility of FDG PET/CT to monitor the response of Axillary lymph node metastases to neoadjuvante chemotherapy in breast cancer patients. *Eur J Nucl Med Mol Imaging* 2010;37:1069-76.

65. Bhargava R, Beriwal S, Dabbs DJ *et al.* Immumuhistochemical surrogate markers of breast cancer molecular classes predicts response to neoadjuvant chemotherapy – A single institutional experience with 359 cases. *Cancer* 2010;116:1431-39.

66. Chen JH, Nie K, BahriS *et al.* Decrease in breast density in the contralateral normal breast of patients receiving neoadjuvamt chemotherapy: MR Imaging Evaluation. *Radiolgy* 2010;255(1):44-52.

67. Soliman H, Gunasekara A, Rycroft M *et al.* functional imaging using diffuse optical spectroscopy of neoadjuvant chemotherapy response in women with locally advanced breast cancer. *Clin Cancer Res* 2010;16:2605-14.

68. Chintamani, Tandon M, Mishra A *et al.* Sentinel lymph node biopsy using dye alone method is reliable and accurate even after neo-adjuvant chemotherapy in locally advanced breast cancer – A prospective study. *WJSO* 2011;9:19.

69. Schwartz GF, Tannebaum JE, Jernigan AM *et al.* Axillary sentinel lymph node biopsy afterneoadjuvant chemotherapy for carcinoma of the breast. *Cancer* 2010;116:1243-51.

70. Boff RA, Wisintainer F. *Mastologia moderna – Abordagem multidisciplinar*. Caxias do Sul: Mesa Redonda, 2006.

71. Tiezzi D. Cirurgia consrvadora no câncer de mama. *Rev Bras Ginecol Obstet* 2007;29(8):428-34.

72. Frasson A, Braga Filho A, Zerwes F *et al.* Radioterapia intra-operatória: uma alternativa para países em desenvolvimento. Prática Hosp. *Rev Latinoam Mastol* 2004;5(2):68-72.

73. Debled M, Mauriac L. Neoadjuvant chemotherapy: are we barking up the right tree? *Ann Oncol* 2010;21:675-79.

74. Aukema TS, Vogel WV, Hoefnagel CA *et al.* Prevention of brown adipose tissue activation in 18F-FDG PET/CT of breast cancer patients receiving neoadjuvant systemic therapy. *J Nucl Med Techhnol* 2010;38:24-27.

75. Dominici LS, Gonzalez VMN, Buzdar AU *et al.* Cytologically proven axillary lymph node metastases are eradicated in patients receiving preoperative chemotherapy with concurrent trastuzumab for HER2-positive breast cancer. *Cancer* 2010;116:2884-89.

76. Boughey JC, Donohue JH, Jakub JW *et al.* Numbeer of lymph nodes identified at axillary dissection – Effect of neoadjuvant chemotherapy and others factors. *Cancer* 2010;116:3322-29.

77. Brown AS, Hunt KK, Shen J *et al.* Histologic Changes Associated With False-Negative sentinel lymph nodes after preoperative chemotheray in patients with confirmed lymph node-positive breast cancer before treatment. *Cancer* 2010;116:2878-83.

78. Boyero M. La mastectomia ahorradora de piel como alternativa a la mastectomia estándar em el câncer de mama. *Cir Esp* 2008;84(4):181-87.

79. Abigail C, Angulo AM, Hunt K *et al.* Impact of progression during neoadjuvant chemotherapy on surgical management of breast cancer. *Ann Surg Oncol* 2011;18:932-38.

80. Jahkola T, Asko S, Smitten K. Immediate brest reconstruction. *Scandinavian J Surg* 2003;92:249-56.

81. Yi M, Kronowitz S, Bernstam F *et al.* Local, regional, and systemic reccurence rates in patients undergoing skin-sparing mastectomy compared with conventional mastectomy. *Cancer* 2011 Mar.;117(5):916-24.

82. Fitzal F, Riedl O, Mittlböck M. Oncologic safety of breast conserving surgery after tumour downsizing by neoadjuvant therapy: a retrospective single centre cohort study. *Breast Cancer RES Treat* 2011;127:121-28.

83. Warren Peled A, Itakura K, Foster RD *et al.* Impact of chemotherapy on postoperative complications after mastectomy and immediate breast reconstruction. (reprinted). *Arch Surg* 2010 Sept.;145(9):880-85.

84. Eriksen C, Frisel J, Wickman M. Immediate reconstruction with implants in women with invasive breast cancer does not affect oncological safety in a matched cohort study. *Breast Cancer Res Treat* 2011;127:439-46.

85. Benson J. Skin-sparing mastectomy specialty bias worldwide lack of consensus. *Cancer* 2004;101(5):1099-100.

86. Freeman B. Subcutaneous mastectomy for benign breast lesions with immediate or delayed prosthetic replacement. *Plastic Reconstr Surg Transplant Bull* 1962;30:676-82.

87. Toth B, Lappert P. Modified skin incisions for mastectomy: the need for plastic surgical input in preoperative planning. *Plastic Reconstr Surg* 1991;87:1048-53.

88. Carlson G, Bostwick J, Styblo T *et al.* Skin-sparing mastectomy oncologic and reconstructive considerations. *Ann Surg* 1997;225(5):570-78.

89. Cunnick G, Mokbel K. Oncological considerations of skin-sparing mastectomy. *Int Semin Surg Oncol* 2006;3:14.

90. Ho C, Mark C, Lau *et al.* Skin involvement in invasive breast carcinoma: safety of skin-sparing mastectomy. *Ann Surg Oncol* 2003;10(8):102-7.

91. Downes K, Glatt B, Kanchwala S *et al.* Skin-sparing mastectomy and immediate reconstruction is an acceptable treatment option for patients with high-risk breast carcinoma. *Cancer* 2005;103(5):906-13.

92. Petit J, Veronesi U, Orecchia R *et al.* Nipple-sparing mastectomy in association with intra operative radiotherapy (ELIOT): a new type of mastectomy for breast cancer treatment. *Breast Cancer Res Treat* 2006;96:47-51.

93. HU Y, Weeks C, Haejin I *et al.* Impact of neoadjuvant chemotherapy on breast reconstruction. *Cancer* 2011;117(13):2833-41.

94. Dengfeng C, Tsangaris T, Kouprina B *et al.* The superficial margin of the skin-sparing mastectomy for breast carcinoma: factors predicting involvement and efficacy of additional margin sampling. *Ann Surg Oncol* 2008 May;15(5):1330-40.

95. Khatcheressian JL, Wolff AC, Smith TJ *et al.* American Society of Clinical Oncology 2006 update of the breast cancer follow-up and management guidelines in the adjuvant setting. *J Clin Oncol* 2006;24(31):5091.

96. Rojas MP, Telaro E, Russo A *et al.* Follow-up strategies for women treated for early breast cancer. *Cochrane Database Syst Rev* 2000;(4):CD001768.

97. De Bock GH, Bonnema J, van der Hage J *et al.* Effectiveness of routine visits and routine tests in detecting isolated locoregional recurrences after treatment for early-stage invasive breast cancer: a meta-analysis and systematic review. *J Clin Oncol* 2004;22(19):4010.

98. Berg WA, Blume JD, Cormack JB *et al.* Combined screening of ultrasound and mammography vs mammography alone in women at elevated risk of breast cancer. *JAMA* 2008;299(18):2151.

CAPÍTULO 129

Recidiva Local após Cirurgia Conservadora de Mama

Marcelo Biasi Cavalcanti ■ Fabrício Morales Farias
Juliano Rodrigues da Cunha

INTRODUÇÃO

A maior evolução no tratamento cirúrgico do câncer de mama foi a possibilidade de cirurgia conservadora em tumores iniciais complementada pela radioterapia adjuvante. Halsted[1] e suas variantes de mastectomia radical duraram quase 100 anos como melhor tratamento do câncer de mama, por conseguir diminuir a recidiva local na sua época. Os grupos de Veronesi[2] e Fischer[3] por meio de trabalhos randomizados publicados na década de 1980 e com longo acompanhamento mudaram este panorama, demonstraram que a cirurgia conservadora, ou seja a preservação da mama, consegue a mesma sobrevida que a cirurgia radical, para tumores iniciais. A recidiva no trabalho de Fischer que era de 39,2% na setorectomia simples diminuía para 14,3% com a radioterapia adjuvante, e no de Veronesi aumentava de 2,3% na mastectomia para 8,8% na quadrantectomia com radioterapia, ambos os índices aceitáveis de recidiva e que não alteraram a sobrevida. A cirurgia conservadora passou a ser um incentivo à mamografia de rotina, pois as mulheres que apresentarem um diagnóstico precoce terão a possibilidade de optar por um tratamento cirúrgico menos traumático.[4]

Os anos passaram, a cirurgia conservadora passou a ser a maioria das cirurgias de mama em tumores iniciais,[5,6] e as perguntas atuais são, se estes índices de recidivas em cirurgia conservadora não estiverem implicados, como na mastectomia, em um aumento de metástase a distância e mortalidade; e se toda cirurgia conservadora alcança o resultado estético suficiente a que se propõe em termos de cicatriz e deformidade mamária. Este capítulo irá tratar deste tema tão controverso que é a recidiva após a cirurgia conservadora: Existe impacto na sobrevida? Quais são seus fatores de risco? Qual é o tratamento ideal?

Inicialmente é preciso entender que recidivas locais verdadeiras, que são tumor na pele ou glandular pericicatriz, são diferentes de um novo tumor primário em outro quadrante da mesma mama e de recidiva regional (linfonodal), tendo prognósticos e tratamentos diferentes. Com a melhora progressiva na adjuvância as recidivas locais verdadeiras são eventos raros, na média 5%. Em trabalho recente do IEO com cerca de 2.784 cirurgias conservadoras, apenas 1,1% recidivou em 5 anos de acompanhamento.[7] O tempo médio para a recidiva local verdadeira após cirurgia conservadora foi de 4 anos, ou seja, mais tardia do que o aparecimento de um novo tumor primário em outro quadrante.

A cirurgia conservadora é aceita para tumores de até 3 cm no qual são obtidos margens livres,[8] embora este conceito venha sendo ampliado com a oncoplastia que permite tratar tumores maiores, obtendo margens cirúrgicas livres também maiores que as alcançadas por cirurgia conservadora simples, sem, no entanto, piorar o resultado estético.[9-11]

FATORES DE RISCO

A recidiva local vem sendo ligada à agressividade dos focos de células residuais pericicatriz com biologia tumoral que predispõe resistência à radioterapia e quimioterapia. Os fatores de risco para recidiva local na cirurgia conservadora são muitos e inter-relacionados, o que dificulta isolar o de maior peso. Tumor invasor com componente de carcinoma ductal *in situ* extenso, grau histológico, história familiar de alto risco para câncer de mama, radioterapia inadequada ou atraso importante no início da radioterapia, quimioterapia neoadjuvante e carcinoma lobular são fatores ligados à recidiva, porém estes dois últimos não contraindicam a cirurgia conservadora.[12-14] Em análise multifatorial o principal fator ligado à recidiva local foi a idade menor que 45 anos.[7] O KI 67% também está ligado à recidiva.[7] Tamanho tumoral, receptor hormonal e HER-2 não fizeram diferença em relação à recidiva, metástase ou mortalidade.[7] Neste trabalho do grupo de Veronesi[7] o linfonodo positivo ou invasão linfovascular não foram fatores de risco para recidiva, como no primeiro trabalho sobre cirurgia conservadora,[2] mas foram preditores de metástase e mortalidade.

Os fatores de biologia tumoral, que levam ao aumento da recidiva, não devem diminuir a importância da técnica cirúrgica adequada, ao fazer a cirurgia conservadora. A obtenção de margem cirúrgica livre apresenta tamanho impacto na chance de recidiva que faz parte do conceito de cirurgia conservadora. A questão ainda não definida é quantos milímetros de margem livre devem ser obtidos para que se tenha a margem ideal. Ao avaliarmos trabalhos como de Holland,[15] que encontrou mesmo em tumores iniciais a existência de lesão multicêntrica, ou seja, neoplasia há 2 cm do foco em 43% dos casos, voltaríamos ao tempo da cirurgia radical para todos os casos, ou aceitaríamos que a oncoplastia apesar de não ter nenhum trabalho prospectivo randomizado, comparando à cirurgia conservadora simples, seja a nova evolução no tratamento cirúrgico. Houssami,[16] em metanálise com 14.571 pacientes sobre impacto da margem em cirurgia conservadora, demonstra que, sem dúvida, a margem comprometida aumenta o risco de recidiva, e que grandes aumentos na margem não conseguiram ganho de sobrevida proporcional, quando a paciente recebe adjuvância. Neste trabalho a média de recidiva foi de 7%, sendo que apenas 10% destas apresentavam doença a distância. Apesar de metástases serem incomuns na apresentação da recidiva, as pacientes devem passar por nova investigação.

O tempo até a recidiva foi fator isolado para o aumento do risco de metástase e está ligado ao aumento de mortalidade, devendo ser levado em consideração no momento da decisão do tratamento da recidiva local. Pacientes que tiveram recidiva nos dois primeiros anos tiveram risco relativo para óbito aumentado em 3,2.[7] Em metanálise de 78 trabalhos com 42.000 casos de câncer de mama, de maneira hipotética uma morte a menos por câncer em 15 anos ocorrerá, para cada quatro casos de recidiva que forem evitados.[17]

Grupos com grande volume de cirurgia conservadora (mais de 50 casos por cirurgião ao ano) apresentam índices de recidiva menor que grupos com pequeno volume, apresentando também diferença em metástase e mortalidade.[8]

DIAGNÓSTICO

A detecção da recidiva é feita no exame físico, na mamografia ou em ambos, com distribuição variando de 30 a 50% entre exame físico e imagem.[18,19] Pacientes que foram submetidas à cirurgia conservadora devem em seu acompanhamento fazer a mamografia, cerca de 6 meses após o término da radioterapia, para que se tenha um exame de base, muitas vezes complementado pela ultrassonografia de mama. Este primeiro exame, face à precocidade, pode demonstrar alterações com baixa probabilidade de tratar-se de recidiva, e que geralmente estão ligadas à cirurgia e à radioterapia, como espessamento pela fibrose cicatricial local, cisto ou necrose de gordura. Com o passar do tempo estas alterações no exame de imagem e exame físico devem ficar estáveis ou, em sua maioria, regredir. Qualquer nova alteração no acompanhamento deve ser investigada. Nódulos vistos na mamografia ou mesmo durante o exame físico podem ser investigados com ultrassonografia e devem ser biopsiados. Áreas de assimetria, que aparentemente são suspeitas, podem ser investigadas também com ressonância magnética, que pode auxiliar ao diferenciar área de fibrose cicatricial sem captação de contraste, de regiões com captação, suspeitas de recidiva. Em geral áreas de captação na cicatriz podem ser vistas na ressonância até 18 meses após a cirurgia.[20,21]

TRATAMENTO

O tratamento padrão da recidiva isolada após cirurgia conservadora é a mastectomia. Doyle[22] conseguiu 64% de sobrevida em 10 anos, e 44% das pacientes permaneceram livres de metástase neste acompanhamento. Em pacientes que são candidatas à mastectomia considere a reconstrução mamária com tecido autólogo, pois a grande maioria foi irradiada previamente, o que pode levar a um mau resultado ao usar a prótese.

Existem trabalhos com bons resultados em nova cirurgia conservadora. Alpert[23] comparou a mastectomia com cirurgia conservadora no tratamento da recidiva e encontrou o mesmo desfecho em termos de sobrevida, porém com maior número de recidiva na nova cirurgia conservadora.

Apenas cinco trabalhos publicaram dados sobre nova cirurgia conservadora na recidiva local, nestes trabalhos a média de recidiva foi de 35% em 5 anos.[24-28] O grupo de Veronesi[29] identificou fatores que ajudam na seleção para nova cirurgia conservadora, conseguindo baixar a recidiva para 12,8% em 5 anos, quando esta for menor que 2 cm e ocorrer acima de 4 anos. Em pacientes que são candidatas à nova cirurgia conservadora, sempre levar em consideração a relação do tamanho tumoral e mama residual, e não apenas o tamanho tumoral, para que não se tenha um resultado estético desfavorável. A presença de multifocalidade em exame de imagem também contraindica nova cirurgia conservadora.

O manejo axilar depende de vários fatores. Pacientes que necessitaram de linfadenectomia ou radioterapia axilar não são candidatas a novo tratamento da axila. Na suspeita de linfonodo positivo em paciente previamente submetida à pesquisa do linfonodo sentinela a punção por agulha fina guiada por ultrassonografia é um bom método diagnóstico. Caso não exista suspeita de linfonodo comprometido e a paciente tenha sido submetida previamente à biópsia do linfonodo sentinela, o consenso é que a paciente pode ser candidata à nova biópsia de linfonodo sentinela,[8,30] porém não há forte evidência científica atual que assegure esta opção.

Em consenso, não é feita nova radioterapia pós-tratamento da recidiva, principalmente se acontecer em menos de 2 anos, por ser considerada radiorresistente, neste caso sem benefício mesmo da radioterapia localizada. A reirradiação aparece em poucos trabalhos,[31-35] talvez nestes casos a irradiação parcial melhore o controle local, sem aumentar a morbidade, principalmente de pele.

A quimioterapia adjuvante, na recidiva, deve ser feita levando em consideração o esquema primário. Pacientes que fizeram tratamento com esquemas que não são mais utilizados podem ser candidatas a novo tratamento quimioterápico, porém a maioria não o fará, se os exames não mostrarem doença a distância.

Por fim novos desafios devem aparecer, estamos vivenciando a oncoplastia, a nova cirurgia conservadora, que possibilita margens maiores sem prejuízo estético, porém muitas vezes com deslocamento importante do leito cirúrgico tumoral de maneira a impossibilitar o reforço (*boost*) da radioterapia. A braquiterapia de leito tumoral ou radioterapia intraoperatória também começa a ser feita em protocolo de grandes centros. Ambos os métodos podem ter um padrão de recidiva ainda não conhecido e que serão tratados em função de sua apresentação, provavelmente favorecendo a nova cirurgia conservadora.

REFERÊNCIAS BIBLIOGRÁFICAS

1. Halsted WS. I. The results of operations for the cure of cancer of the breast performed at the johns hopkins hospital from June, 1889, to January, 1894. *Ann Surg* 1894 Nov.;20(5):497-555.
2. Veronesi U, Cascinelli N, Mariani L et al. Twenty-year follow-up of a randomized study comparing breast-conserving surgery with radical mastectomy for early breast cancer. *N Engl J Med* 2002 Oct. 17;347(16):1227-32.
3. Fisher B, Anderson S, Bryant J et al. Twenty-year follow-up of a randomized trial comparing total mastectomy, lumpectomy, and lumpectomy plus irradiation for the treatment of invasive breast cancer. *N Engl J Med* 2002 Oct. 17;347(16):1233-41.
4. Luini A, Gatti G, Zurrida S et al. The evolution of the conservative approach to breast cancer. *Breast* 2007 Apr.;16(2):120-29.
5. Habermann EB, Abbott A, Parsons HM et al. Are mastectomy rates really increasing in the United States? *J Clin Oncol* 2010 July 20;28(21):3437-41. Epub 2010 June 14.
6. Gaudette LA, Gao RN, Spence A et al. Declining use of mastectomy for invasive breast cancer in Canada, 1981-2000. *Can J Public Health* 2004 Sept.-Oct.;95(5):336-40.
7. Botteri E, Bagnardi V, Rotmensz N et al. Analysis of local and regional recurrences in breast cancer after conservative surgery. *Ann Oncol* 2010 Apr.;21(4):723-28. Epub 2009 Oct. 15.
8. Schwartz GF, Veronesi U, Clough KB et al. Consensus conference on breast conservation. *J Am Coll Surg* 2006 Aug.;203(2):198-207.
9. Rietjens M, Urban CA, Rey PC et al. Long-term oncological results of breast conservative treatment with oncoplastic surgery. *Breast* 2007 Aug;16(4):387-95. Epub 2007 Mar. 26.
10. Giacalone PL, Roger P, Dubon O et al. Comparative study of the accuracy of breast resection in oncoplastic surgery and quadrantectomy in breast cancer. *Ann Surg Oncol* 2007 Feb.;14(2):605-14. Epub 2006 Dec. 6.
11. Kaur N, Petit JY, Rietjens M et al. Comparative study of surgical margins in oncoplastic surgery and quadrantectomy in breast cancer. *Ann Surg Oncol* 2005 July;12(7):539-45. Epub 2005 May 10.
12. Waljee JF, Hu ES, Newman LA et al. Predictors of reexcision among women underdoing breast conserving surgery for cancer. *Ann Surg Oncol* 2008;15:1297.
13. Gentilini O, Intra M, Gandini S et al. Ipsilateral breast tumor reappearance in patients treated with conservative surgery after primary chemotherapy. The role of surgical margins on outcome. *J Surg Oncol* 2006 Oct. 1;94(5):375-79.
14. Galimberti V, Maisonneuve P, Rotmensz N et al. Influence of margin status on outcomes in lobular carcinoma: experience of the European Institute of Oncology. *Ann Surg* 2011 Mar.;253(3):580-84.
15. Holland R, Veling SH, Mravunac M et al. Histologic multifocality of Tis, T1-2 breast carcinomas. Implications for clinical trials of breast-conserving surgery. *Cancer* 1985 Sept. 1;56(5):979-90.
16. Houssami N, Macaskill P, Marinovich ML et al. Meta-analysis of the impact of surgical margins on local recurrence in women with early-stage invasive breast cancer treated with breast-conserving therapy. *Eur J Cancer* 2010 Dec.;46(18):3219-32.
17. Clarke M, Collins R, Darby S et al. Early Breast Cancer Trialists' Collaborative Group (EBCTCG). Effects of radiotherapy and of differences in the extent of surgery for early breast cancer on local recurrence and 15-year survival: an overview of the randomized trials. *Lancet* 2005 Dec. 17;366(9503):2087-106.
18. Galper S, Blood E, Gelman R et al. Prognosis after local recurrence after conservative surgery and radiation for early-stage breast cancer. *Int J Radiat Oncol Biol Phys* 2005 Feb. 1;61(2):348-57.
19. Voogd AC, Cranenbroek S, de Boer R et al. Long-term prognosis of patients with axillary recurrence after axillary dissection for invasive breast cancer. *Eur J Surg Oncol* 2005 June;31(5):485-89.
20. Kolb TM, Lichy J, Newhouse JH. Comparison of the performance of screening mammography, physical examination, and breast US and evaluation of factors that influence them: an analysis of 27,825 patient evaluations. *Radiology* 2002 Oct.;225(1):165-75.
21. Lewis-Jones HG, Whitehouse GH, Leinster SJ. The role of magnetic resonance imaging in the assessment of local recurrent breast carcinoma. *Clin Radiol* 1991 Mar.;43(3):197-204.
22. Doyle T, Schutz DJ et al. Long-term results of local recurrence after breast conservation treatment for invasive breast câncer. *Int J Radioat Oncol Biol Phys* 2001;51:74-80.
23. Alpert TE, Kuerer HM, Arrthur DW et al. Ipsilateral breast tumor recurrence after previous lumpectomy and whole breast irradiation. *Int J Radiot Oncol Biol Phys* 2005;63:845-51.
24. Kurtz JM, Jacquemier J, Amalric R et al. Is breast conservation after local recurrence feasible? *Eur J Cancer* 1991;27:240-44.
25. Abner AL, Recht A, Eberlein T et al. Prognosis following salvage mastectomy for recurrence in the breast after conservative surgery and radiation therapy for early-stage breast cancer. *J Clin Oncol* 1993;11:44-48.
26. Dalberg K, Mattsson A, Sandelin K et al. Outcome of treatment for ipsilateral breast tumour recurrence in early-stage breast cancer. *Breast Cancer Res Treat* 1998;49:69-78.
27. Voogd AC, van Tienhoven G, Peterse HL et al. Local recurrence after breast conservation therapy for early stage breast carcinoma: detection,

treatment, and outcome in 266 patients. Dutch Study Group on Local Recurrence after Breast Conservation (BORST). *Cancer* 1999;85:437-46.
28. Salvadori B, Marubini E, Miceli R *et al.* Reoperation for locally recurrent breast cancer in patients previously treated with conservative surgery. *Br J Surg* 1999;86:84-87.
29. Gentilini O, Botteri E, Rotmensz N *et al.* When can a second conservative approach be considered for ipsilateral breast tumour recurrence? *Ann Oncol* 2007 Mar.;18(3):468-72. Epub 2006 Dec. 8.
30. Port ER, Garcia-Etienne CA, Park J *et al.* Reoperative sentinel lymph node biopsy: A new frontier in the management of ipsilateral breast tumor recurrence. *Ann Surg Oncol* 2007;14:2209-14.
31. Recht A, Schnitt SJ, Connolly JL *et al.* Prognosis following local or regional recurrence after conservative surgery and radiotherapy for early stage breast carcinoma. *Int J Radiat Oncol Biol Phys* 1989;16:3-9.
32. Maulard C, Housset M, Brunel P *et al.* Use of perioperative or split-course interstitial brachytherapy techniques for salvage irradiation of isolated local recurrences after conservative management of breast cancer. *Am J Clin Oncol* 1995;18:348-52.
33. Deutsch M. Repeat high-dose external beam irradiation for in-breast tumour recurrence after previous lumpectomy and whole breast irradiation. *Int J Radiat Oncol Biol Phys* 2002;53:687-91.
34. Resch A, Fellner C, Mock U *et al.* Locally recurrent breast cancer: pulse dose rate brachytherapy for repeat irradiation following lumpectomy—a second chance to preserve the breast. *Radiology* 2002;225:713-18.
35. Harkenrider MM, Wilson MR, Dragun AE. Reirradiation as a component of the multidisciplinary management of locally recurrent breast cancer. *Clin Breast Cancer.* 2011 June;11(3):171-76. Epub 2011 Apr. 20.

SEÇÃO VIII
Cirurgia do Linfonodo Sentinela

CAPÍTULO 130
Biópsia do Linfonodo Sentinela

Luiz Gonzaga Porto Pinheiro ■ Renato Santos de Oliveira Filho ■ João Ivo Xavier Rocha

■ INTRODUÇÃO

A incidência de câncer de mama feminino aumentou 0,5% desde 2000, conforme relatado pela Agência Internacional de Pesquisa sobre o Câncer. Este número é maior nos países em desenvolvimento em razão do aumento da expectativa de vida nestes países e da mudança de comportamento, resultando em maior exposição a fatores de risco.

O estadiamento linfonodal foi definido como um evento precoce realizado durante a avaliação inicial do paciente. Nos países desenvolvidos, cerca de 20 a 30% de todos os casos são diagnosticados muito cedo (em lesões *in situ*, DCIS), e 79% dos pacientes diagnosticados no estágio I e II têm linfonodos axilares negativos. Acredita-se que estes valores sejam diferentes nos países em desenvolvimento, onde mais de 50% dos casos são diagnosticados em estágios avançados da doença.

Além disso, aumentos das taxas de sobrevida têm sido relatados. De acordo com Parkin, na Europa, a taxa de sobrevida global é de 91% após o primeiro ano, e 65% após 5 anos. Estes valores aumentam para 96,8% após o primeiro ano nos EUA. Como a prevenção primária do câncer de mama é incipiente, a detecção precoce e o tratamento na fase inicial da doença são, portanto, as medidas mais importantes para seu controle. Métodos diagnósticos disponíveis incluem exame clínico das mamas, mamografia, ultrassonografia de mama e punção por biópsia aspirativa, biópsia incisional entre outros.

Até 1990, a avaliação do estado axilar de um paciente com câncer de mama dependia do exame histopatológico dos linfonodos da dissecção axilar completa. Com a definição do linfonodo sentinela como a primeira estrutura que recebe a drenagem da área tumoral, foi possível garantir os meios para o estadiamento adequado da axila e estabelecer a abordagem terapêutica por técnicas de cirurgia menos invasivas.

Atualmente, admite-se que a presença de linfonodos axilares com doença metastática é o principal fator preditor do prognóstico e da terapêutica subsequente no curso da neoplasia maligna de mama. Além disso, os gânglios linfáticos são importantes para o estadiamento do câncer de mama. Em um passado recente, a dissecção dos linfonodos axilares era a regra para todas as pacientes com câncer de mama, resultando em uma série de complicações adicionais.

■ BIÓPSIA DO LINFONODO SENTINELA NA CIRURGIA DO CÂNCER DE MAMA

O acometimento dos linfonodos axilares é um dos fatores prognósticos mais importantes em mulheres com câncer de mama em estágio inicial, e o exame histológico deles é o método mais preciso para avaliar a propagação da doença para a axila.

Até 1990, a dissecção axilar (DA) historicamente foi rotina no tratamento do câncer de mama precoce. Os benefícios da DA incluem seu impacto no controle local da doença (isto é, na recidiva axilar e sobrevida), seu valor prognóstico e seu papel na seleção do tratamento adjuvante. No entanto, a alteração anatômica causada pela DA pode resultar em linfedema, infecções locais, lesões nervosas e disfunção do ombro, comprometendo a funcionalidade e a qualidade de vida.

A DA continua a ser a abordagem padrão para as mulheres que têm linfonodos axilares clinicamente palpáveis ou positivos para neoplasia por métodos diagnósticos, como a punção aspirativa por agulha fina guiada por ultrassom ou pela biópsia do linfonodo sentinela (BLS). Para pacientes que têm linfonodos axilares clinicamente negativos, a BLS é um método com menor morbidade do que DA, sendo útil, também, para o estadiamento da axila.

A técnica para a pesquisa do linfonodo sentinela (LS) é com base na observação de que a migração de células tumorais de um tumor primário de mama pode gerar metástases especificamente para um ou alguns dos linfonodos axilares, antes de envolver todo o resto da cadeia linfonodal. Sendo assim, a injeção de corante azul vital e/ou coloide radioativo em torno da área do tumor permitiria a identificação de um LS na maioria das pacientes, e seu *status* seria capaz de predizer o *status* dos outros linfonodos axilares restantes.

Em pacientes com câncer de mama com axila clinicamente negativa, a BLS identifica pacientes sem envolvimento axilar, evitando, assim, a necessidade de uma cirurgia mais extensa. Vários estudos têm mostrado que o risco de morbidade; particularmente, linfedema de braço, perda sensorial e os déficits abdução do ombro; é significativamente menor para o grupo que vai somente para BLS do que os que realizam a dissecção axilar padrão. Como exemplo, o risco de linfedema após 12 meses foi relatado como 2% após a BLS sozinha, em comparação com 13% após BLS seguida de esvaziamento axilar no estudo do *American College of Surgeons Oncology Group* (ACOSOG) Z-0011.

A maioria dos cirurgiões dos principais centros de tratamento oncológico adota a BLS como um meio padrão de avaliação axilar. Em um estudo com mais de 490 mil mulheres com câncer de mama precoce do *National Cancer Database*, o uso da BLS aumentou de 27 para 66% entre 1998 e 2005 nos EUA. Tendências semelhantes foram reportadas no Canadá e no Reino Unido. BLS é endossada como uma alternativa para DA no diagnóstico de metástases axilares em pacientes com câncer de mama precoce e axila clinicamente negativa nas diretrizes da *Ameri-*

can *Society of Clinical Oncology* (ASCO), da *International Expert Consensus Panel on the Primary Therapy of Early Breast Cancer* e outros.

Apesar da variabilidade nos critérios de seleção e técnica, o LS é consistentemente identificado em, aproximadamente, 96% dos casos e prevê o *status* dos linfonodos axilares restantes em mais de 95% dos casos na maioria das séries. A taxa de falso-negativo de BLS foi originalmente reportada como 5-10% (sensibilidade de 90 a 95), mas taxas mais baixas são atingíveis por cirurgiões experientes.

A maior preocupação com a BLS é o potencial resultado falso-negativo, o que poderia aumentar o índice de recidiva axilar e prejudicar a programação do tratamento adjuvante. No entanto, apesar de encontrarmos uma taxa de falso-negativo em torno de 5 a 10% nos estudos em que uma DA era realizada após a BLS, várias séries sugeriram que as taxas de recidiva axilar são baixas após uma BLS negativa em estágios iniciais do câncer de mama (recidiva média entre 0 e 4,5%). Os detalhes dos ensaios que validaram a BLS serão descritos a seguir.

Um estudo multicêntrico com 443 pacientes com câncer de mama inicial demonstrou que a técnica de BLS pôde ser aprendida e aplicada com sucesso por um grupo diversificado de cirurgiões, estejam eles em ambientes especializados ou gerais. Nesse estudo, todos os pacientes foram submetidos à BLS, usando um coloide radioativo seguido por DA. Pelo menos um LS foi identificado em 98% dos casos, e o valor preditivo negativo foi de 96%, com uma taxa de falso-negativo de 11% (sensibilidade de 88%). Uma avaliação patológica mais completa dos casos falso-negativos com cortes histológicos mais profundos do linfonodo sentinela e com coloração imuno-histoquímica aumentou o índice de metástases antes não identificadas em 18%.

Uma revisão sistemática realizada pela ASCO incluiu 69 ensaios sobre a BLS no câncer de mama em estágio inicial, o que resultou em informações de 8.059 pacientes. O LS foi identificado usando coloide radioativo, corante azul, ou ambos. A identificação do LS foi bem-sucedida em 95% dos pacientes. A taxa de falso-negativo foi de 7,3% (intervalo de confiança: 0 a 29%). A combinação de coloide radioativo e corante azul resultou em uma taxa de sucesso significativamente maior no mapeamento SLN com uma menor taxa de falso-negativos, em comparação com corante azul ou o coloide radioativo sozinho.

O estudo *National Surgical Adjuvant Breast and Bowel Project* (NSABP) B-32, publicado após revisão sistemática, envolveu 5.611 pacientes com axilas clinicamente negativas e comparou a BLS seguida de DA obrigatoriamente *versus* a BLS seguida de DA somente nos pacientes que tiveram o LS positivo. O LS foi identificado em 97%, e a taxa de falso-negativo foi de 9,8%. Não foram observadas diferenças significativas no controle regional, na sobrevida global ou na sobrevida livre de progressão de doença entre os grupos em um acompanhamento médio de quase 8 anos.

Portanto, a BLS deve ser realizada na maioria das mulheres com câncer de mama invasivo ou microinvasivo e axila clinicamente negativa. A BLS geralmente não é realizada, se a informação quanto ao *status* axilar não afetar as decisões para o planejamento do tratamento adjuvante. Como exemplo, as mulheres com mais de 70 anos de idade que tenham um tumor receptor de estrógeno positivo pequeno (< 2 cm) e axila clinicamente não envolvida podem ser tratadas sem BLS. Embora os pacientes idosos não pareçam estar em maior risco de complicações após o esvaziamento axilar, análises retrospectivas e ensaio randomizado têm questionado o seu valor em mulheres mais velhas com câncer de mama (IBCSG, 1996). Curiosamente, no estudo *Axillary Lymphatic Mapping Against Nodal Axillary Clearance* (ALMANAC) (comparando biópsia do linfonodo sentinela e tratamento axilar padrão), que utilizou escalas validadas para avaliar qualidade de vida e morbidades, as mulheres mais velhas (acima de 65 anos), independentemente do tipo de abordagem axilar que elas eram submetidas, apresentaram melhor qualidade de vida do que as mulheres mais jovens com 18 meses de acompanhamento.

É sabido também que a BLS deve ser realizada em mulheres com carcinoma ductal *in situ* de alto grau (DCIS), que são submetidas à mastectomia. A BLS não será possível de ser realizada após a mastectomia, caso a doença se configure invasiva no laudo da patologia, necessitando de uma dissecção axilar completa nesses casos.

Quando uma BLS não for bem-sucedida, ou quando linfonodos clinicamente suspeitos estão presentes na axila após todos os linfonodos sentinelas serem removidos, o cirurgião deve realizar uma dissecção axilar para o estadiamento e para garantir o controle locorregional.

Para as mulheres com linfonodos clinicamente suspeitos, ultrassonografia axilar pré-operatória (USA), com punção aspirativa por agulha fina (PAAF) ou biópsia do núcleo de áreas suspeitas fornece um meio para identificar os pacientes que têm nódulos positivos e, portanto, necessidade de dissecção axilar (DA) em vez de uma BLS. Por exemplo, em uma série de 653 pacientes, a taxa de diagnóstico pré-operatório da doença axilar foi de 23%, utilizando USA e PAAF, evitando, assim, a necessidade de uma segunda operação em 150 mulheres. A eficácia desta abordagem é bastante variável entre os centros, porque a precisão do exame ultrassonográfico é dependente do operador.

BLS E ANÁLISE HISTOPATOLÓGICA

Aproximadamente, 40% das pacientes com LS positivo para neoplasia mamária albergam outros focos de doença nos outros linfonodos da axila. Dessa forma, classificou-se a doença no LS como um depósito de células tumorais, podendo este ser micrometástases ou macrometástases, dependendo do tamanho do maior depósito de tumor no LS. Assim, as opções de tratamento irão depender da situação clínica e do laudo histopatológico, podendo incluir a conclusão da dissecção axilar.

Células tumorais isoladas. A sétima edição do sistema de estadiamento do câncer de mama da *American Joint Committee on Cancer* (AJCC) inclui uma classificação rigorosa para os resultados histopatológicos do linfonodo sentinela. Pequenos grupos de células não maiores que 0,2 mm, ou *clusters* não confluentes ou quase confluentes de células não superiores a 200 células em um corte histológico de nódulo linfático são classificados como células tumorais isoladas e são considerados nódulos negativos para neoplasia. Portanto, células malignas em linfonodo regional não superior a 0,2 mm (detectada por H&E ou IHC) são designadas como pN0 (i +).

Células tumorais isoladas não são consideradas uma indicação para a cirurgia axilar, radioterapia ou terapia sistêmica adjuvante.

A BLS permite que o patologista realize um estudo mais detalhado de um ou de alguns dos linfonodos com maior probabilidade de conter metástases, em comparação ao 15-25 linfonodos obtidos com DA. Este fato tem o potencial de melhorar a precisão em encontrar acometimento linfonodal por neoplasia, mas levou a um aumento na identificação de envolvimento nodal micrometastático. Por esta razão, existe uma designação separada de pN1 mi (> 0,2 mm e não superior a 2,0 mm) para indicar micrometástases.

Embora pareça intuitivo que o achado de micrometástases axilares possa piorar o prognóstico, a maioria dos estudos não mostrou redução da sobrevida em comparação àqueles pacientes que não albergavam micrometástases. No entanto, algumas análises sugerem um impacto negativo das micrometástases sobre o prognóstico do câncer de mama.

É um consenso nas diretrizes da ASCO de 2005 e da NCCN de 2010 a recomendação da DA de rotina para pacientes com LS com macrometástases (≥ 2 mm). Contudo quando em relação ao acometimento micrometastático, há um debate sobre o seu valor prognóstico principalmente relacionado com o tamanho das micrometástases no LS (≤ 0,2 mm *vs.* maiores) em predizer a probabilidade de envolvimento axilar fora do LS. Diretrizes da ASCO e do *National Comprehensive Cancer Network* (*NCCN*) recomendam que a DA deva ser realizada para micrometástases detectadas em LS por exame em hematoxilina e eosina (H&E) padrão. No entanto, essas indicações para a DA por micrometástases ainda são objetos de controvérsias.

O PAPEL DA IMUNO-HISTOQUÍMICA (IHQ) E DA REAÇÃO EM CADEIA DA POLIMERASE (RT-PCR) NA AVALIAÇÃO DO LS

O termo "micrometástases ocultas" refere-se a metástases nodais que não são vistas em exame com H&E, mas apenas são detectados por IHQ ou por RT-PCR. O significado das micrometástases ocultas em termos de tratamento cirúrgico e evolução do paciente parece ser insignificante.

Os resultados preliminares do estudo ACOSOG Z0010, um estudo multicêntrico prospectivo de 5.210 pacientes com quase 8 anos de acompanhamento, confirmaram que metástases detectadas por IHQ ou RT-PCR não têm impacto significativo na sobrevida global. Assim, IHC ou PCR não deve ser recomendado para a avaliação do LS de rotina, segundo diretrizes publicadas pela ASCO, NCCN e outras instituições. Atualmente, se um paciente só tiver linfonodos considerados positivos para neoplasia por IHQ ou RT-PCR e a avaliação por H&E for negativa, este deve ser classificado como doença pN0 no sistema de estadiamento TNM para câncer de mama.

PAPEL DA IHQ NO CARCINOMA LOBULAR INVASIVO

Apesar de a coloração de rotina para citoqueratina não estar indicada para a maioria dos cânceres de mama, ela pode ser útil para o exame dos linfonodos sentinelas em pacientes com carcinoma lobular invasivo, uma vez que a morfologia do câncer lobular pode ser difícil de detectar no H&E. Em geral, a IHQ deve ser usada para diagnosticar definitivamente uma área que é suspeita de conter neoplasia pelo exame em H&E, mas não para diagnóstico direto de metástases linfonodais, ou seja, a IHQ não deve ser utilizada como um método de rotina na avaliação de linfonodos em casos de câncer lobular invasivo, mas deve, sim, complementar a avaliação

Quando deve ser realizada a DA? A DA é dependente das descobertas da BLS. Existem algumas indicações claras e algumas em que a abordagem cirúrgica é considerada controversa. Há aceitação geral para as seguintes situações:

Para pacientes com BLS negativa para neoplasia, a DA não é indicada.

Pacientes com BLS mostrando células tumorais isoladas são consideradas LS negativo, e DA não é indicada.

Para pacientes com BLS positiva, mostrando micrometástases em três ou mais linfonodos ou macrometástases, com o padrão detectado por H&E, a DA é recomendada para fins diagnósticos e para garantir o controle local. O momento do procedimento (ou seja, imediata [uma operação] *versus* tardia [duas operações separadas]) parece não impactar o total de linfonodos excisados ou a taxa de complicações a longo prazo (em especial o linfedema).

Em contraste, a necessidade de uma DA é controversa em pacientes com BLS positivas, mostrando micrometástases em menos de três linfonodos, com o padrão detectado por exame em H&E. O LS é o linfonodo portador de tumor único em até 60% dos casos em geral, e em quase 90% dos pacientes que abrigam apenas micrometástases. Essas observações levaram à especulação de que a DA pode não ser necessária em pacientes selecionados com um LS positivo para micrometástases em menos de três nódulos, porque a necessidade de terapia sistêmica é a regra e o risco de uma recidiva axilar parece ser baixo.

O estudo ACOSOG Z-0011 foi desenhado para também julgar a necessidade de DA para pacientes com tumores T1 ou T2 que tinham axila clinicamente negativa e menos de três linfonodos sentinelas positivos, todos os pacientes foram tratados com radioterapia adjuvante na mama. O estudo iria analisar dados de 1.900 pacientes, mas ele foi encerrado prematuramente com a inscrição de somente 425 pacientes no braço BLS sozinha e 388 no BLS mais DA. A maioria dos pacientes tinha tumores receptores de estrógeno positivo. Em um acompanhamento médio de 6,3 anos, não houve diferenças significativas entre os grupos (BLS mais DA *vs.* BLS sozinha) na taxa de recidiva locorregional (na recidiva de mama 3,7 *vs.* 2,1%; recidiva nodal 0,6 *vs.* 1,3%), de sobrevida global (91,9 *vs.* 92,5%) ou de sobrevida livre de progressão de doença (82,2 *vs.* 83,8%). O *status* do receptor de estrógeno e terapia sistêmica adjuvante foi preditor independente de sobrevida.

Com base na aparente falta de benefício e baixo risco de eventos desse estudo, alguns têm sugerido que a DA não é necessária para mulheres com tumores T1 ou T2 que têm axila clinicamente negativa com menos de três LS positivos que serão tratados com radioterapia sobre toda a mama, particularmente em mulheres com tumores receptor de estrógeno positivo. Outros preferem esperar por resultados de dois ensaios clínicos randomizados em curso que estudarão o benefício de DA para mulheres com axilas clinicamente negativas com LS positivo: o estudo AMAROS EORTC 10981-22023 e o estudo 23-01 do *International Breast Cancer Study* Group (IBCSG).

Até que mais dados estejam disponíveis, a necessidade de DA para mulheres com axila clinicamente negativa e com menos de três LS positivos e que irão ser tratadas com radioterapia deve ser resolvida, olhando-se cuidadosamente caso a caso, tendo em conta outros riscos do paciente, comorbidades e além da preferência dele. Quando DA é omitida em pacientes com a BLS positiva, a radioterapia é recomendada.

Nomogramas preditivos

A BLS seguida por uma DA resulta em morbidades significativamente maiores do que a BLS sozinha. Como se sabe que a maioria dos pacientes com metástases no LS não terá mais linfonodos positivos para neoplasia, vários nomogramas preditivos para estimar o risco adicional de linfonodos positivos foram desenvolvidos em um esforço para poupar as mulheres de uma cirurgia desnecessária e potencialmente mórbida. Estes incluem variáveis clínicas e patológicas, como o tamanho e/ou o número das metástases no LS, se ocorre extensão extranodal, e tamanho e/ou presença de invasão linfática no tumor primário. Uma análise retrospectiva de 319 pacientes com BLS positiva que se submeteram ao esvaziamento axilar comparou o desempenho de quatro diferentes nomogramas. Nenhum dos nomogramas era suficientemente confiável para uso clínico.

BLS EM DETERMINADOS CONTEXTOS CLÍNICOS

A BLS continua a ser controversa em determinados contextos clínicos:

1. Em câncer de mama masculino

A grande maioria dos estudos publicados de BLS para câncer de mama foi realizada em mulheres. Os dados são limitados em câncer de mama masculino (CMM), porque é incomum. Um estudo retrospectivo de 30 homens com câncer de mama relatou uma taxa de 100% de identificação do LS e uma taxa de falso-negativo de 0%. Estudos prospectivos para instituir a sensibilidade e a especificidade da BLS no CMM não foram realizados. No entanto, os princípios orientadores da BLS em mulheres parecem aplicar-se a homens. Face à quantidade limitada de dados, a ASCO nos *guidelines* de 2005 não fez nenhuma recomendação específica sobre o uso da BLS no CMM, embora tenha sido considerado um método "aceitável".

2. Em grandes tumores da mama

A maioria dos estudos que envolve a BLS foi feito em pacientes com tumores T1 ou T2 menores que < 5 cm no tamanho, uma vez que é sabido que os maiores tumores têm uma maior probabilidade de gânglios axilares positivos. No entanto, alguns estudos mostraram que o uso da BLS em pacientes com tumores T3 e axila clinicamente negativa é possível. Assim, muitos médicos não reconhecem que os tumores de mama grandes representam uma contraindicação para a pesquisa do LS, desde que a axila seja clinicamente negativa.

No entanto, pacientes com tumores T4 (localmente avançado) ou câncer de mama inflamatório não são considerados candidatos para BLS. A taxa de falso-negativo é alta em pacientes com câncer de mama inflamatório, presumivelmente por causa da presença de ductos linfáticos parcialmente obstruídos.

As diretrizes de 2005 da ASCO em BLS não recomendam o uso rotineiro da BLS em pacientes com câncer de mama localmente avançado ou inflamatório para quem a DA foi recomendada para garantir o controle locorregional. Recomendações de consenso *International Expert Panel* publicado, em 2010, consideraram o câncer de mama inflamatório como sendo uma das poucas contraindicações absolutas para BLS. Além disso, a BLS não foi recomendada para tumores T4.

3. Em quimioterapia neoadjuvante

Muitas mulheres com grandes tumores de mama são encaminhadas para a quimioterapia neoadjuvante antes da terapia locorregional definitiva. O momento ideal para a BLS em pacientes que receberam terapia neoadjuvante tem sido assunto de debate, porque alguns estudos relataram uma maior taxa de falso-negativo para BLS realizada após terapia de indução. Outros estudos não controlados apoiam a BLS em tais pacientes.

A ASCO através das diretrizes de 2005 concluiu que não há informações suficientes para orientar o momento oportuno para BLS em pacientes recebendo ou que receberão terapia sistêmica pré-operatória. No entanto, se a informação prognóstica adquirida com exame dos gânglios axilares for considerada valiosa para o planejamento do tratamento locorregional, a BLS pode ser considerada antes da instituição da terapia sistêmica. A DA, se indicada, pode ser realizada após a quimioterapia no momento da cirurgia definitiva. O estudo ACOSOG Z1071, que ainda está acumulando pacientes, foi concebido para responder à questão do emprego da BLS após quimioterapia neoadjuvante.

4. Em pacientes com doença multicêntrica

Estudos que avaliaram a anatomia funcional da drenagem linfática apoiam a teoria de que todos os quadrantes da mama drenam para o mesmo linfonodo sentinela. Assim, a injeção subareolar e injeção intradérmica (em vez de peritumoral) do fármaco coloide ou corante azul torna a BLS viável para pacientes com doença multicêntrica.

O sucesso da BLS para a doença multicêntrica foi demonstrado em vários estudos. Em um estudo com 142 mulheres com câncer de mama multicêntrico, a BLS foi bem-sucedida em 91%, com uma taxa de falso-negativo de 4%. No entanto, o número de pacientes que necessitaram de uma DA por causa de um LS positivo foi maior em comparação àqueles com doença unicêntrica. A probabilidade de encontrar acometimento linfonodal por neoplasia em linfonodos não sentinelas também se mostrou maior no grupo com doença multicêntrica. As diretrizes da ASCO concluem que a BLS é apropriada para pacientes com doença multicêntrica.

5. Em carcinoma ductal *in situ*

A maioria das mulheres com carcinoma ductal *in situ* (CDIS) não requerem avaliação dos gânglios axilares pela BLS, particularmente se essas forem submetidas à cirurgia conservadora da mama. No entanto, as mulheres com CDis podem ser candidatas para o mapeamento do LS se essas forem submetidas à mastectomia, pois o desempenho da BLS será impraticável em um momento posterior, caso a doença invasiva seja encontrada. Um sistema linfático intacto é necessário para a injeção do corante azul e do radioisótopo.

Alguns recomendam que a BLS deva ser considerada em pacientes que são submetidos à cirurgia conservadora da mama ou mastectomia por carcinoma ductal *in situ*, somente se o risco de metástases for consideravelmente maior, como acontece nos casos de CDIS de alto grau extenso, uma forte suspeita de doença invasiva com base em exames de imagem auxiliares, ou a documentação de um componente microinvasivo na *core biópsia*. Além disso, a BLS, associada à mastectomia, deve ser realizada, caso se trate de um CDIS extenso ou multifocal, em que o risco de um componente invasivo oculto é maior.

O achado de células tumorais isoladas (isto é, pN0 [i +]) no LS de pacientes com carcinoma ductal *in situ* muda o estágio clínico da doença para o estágio IB, segundo a sétima edição do sistema de estadiamento TNM da AJCC.

6. Em gestantes

A segurança e o desempenho da BLS durante a gravidez não foram totalmente avaliados. Alguns corantes, como o azul de isosulfam, não devem ser administrados em mulheres grávidas. Os dados disponíveis sugerem que a dose de radiação para o feto é mínima usando radiocoloide durante BLS. No entanto, diretrizes da ASCO de 2005 não recomendam o emprego da BLS em mulheres grávidas com câncer de mama em estágio inicial.

7. Em cirurgia mamária ou axilar prévia

A viabilidade da BLS em mulheres que se submeteram a outros tipos de cirurgia da mama não oncológica, como mamoplastia de redução ou aumento com implantes de mama, não é clara. O painel de especialistas convocados pela ASCO não faz uma recomendação a favor ou contra a BLS nessas mulheres em razão de dados insuficientes. Eles sugerem que, se a BLS for considerada neste cenário, realizar uma linfocintilografia pré-operatória seria o mais prudente.

A BLS após uma cirurgia axilar não tem sido amplamente estudada. Em uma série retrospectiva, o LS não pôde ser identificado em 25% dos 32 casos, em que a BLS foi realizada em mulheres que se submeteram à cirurgia axilar prévia. Diretrizes da ASCO contraindicam a BLS em mulheres que se submeteram à cirurgia axilar prévia. No entanto, há vários relatos favoráveis de uma segunda BLS em pacientes com recidiva local de câncer de mama após uma BLS anterior. Esta prática está tornando-se cada vez mais frequentemente empregada, e estudos mais aprofundados devem ser realizados, incluindo o estabelecimento do intervalo ideal antes de repetir biópsia do linfonodo sentinela. A linfocintilografia deve ser realizada, caso se repita a biópsia do linfonodo sentinela, uma vez que esses pacientes geralmente têm padrões de drenagem alternativos.

8. Em linfonodos da mamária interna (LMI)

As técnicas do LS podem identificar metástases não axilares em até 43% dos casos, dependendo do volume e tipo de coloide injetado, da técnica de injeção e da localização e do tamanho do tumor primário. Se isto for ou não útil permanece controverso, uma vez que a maioria dos dados sobre as decisões de tratamento e os resultados vêm de avaliação de apenas gânglios axilares.

LMI são mais comuns com tumores mediais com mais de 2 cm de tamanho. A relevância clínica de encontrar e tratar a doença nodal na mamária interna (MI) no câncer de mama é altamente controversa.

Pacientes com múltiplos linfonodos axilares positivos normalmente têm a cadeia de LMI incluídos no campo de tratamento radioterápico, se este pode ser facilmente realizado sem uma dose significativamente alta para o coração. No entanto, ainda não está claro se a inclusão dos LMI no campo do tratamento é responsável pelo benefício de sobrevida visto, quando a parede torácica é irradiada. Uma demonstração definitiva do possível benefício da inclusão dos LMI no campo de radiação requer um ensaio clínico em que as mulheres são aleatoriamente distribuídas entre aquelas que realizarão sessões de radioterapia localizadas nos LMI ou não. Dois ensaios randomizados estão próximos de serem concluídos: um patrocinado pela EORTC (protocolo 22922) e outro pelo *National Cancer Institute of Canada* (protocolo MA 20).

Pacientes com axila clinicamente negativa podem albergar metástases regionais para os LMI em 8 a 10% dos casos. O diagnóstico de LMI positivos pode beneficiar principalmente os pacientes que não são candidatos à terapia sistêmica adjuvante. Alguns têm sugerido que pacientes com LMI possivelmente identificados como LS pela linfocintilografia devam receber tratamento radioterápico voltado ao leito linfonodal. No entanto, muitos cirurgiões não empregam a injeção do radiofármaco e utilizam apenas uma injeção intraoperatória de corante azul para identificar o linfonodo sentinela, fato este que limita a visualização principalmente em centros que não possuem serviços estruturados para abordar cirurgicamente essa cadeia. Métodos adicionais não invasivos para a avaliação de LMI podem ser úteis, como a ressonância magnética ou o PET, embora estes métodos de imagem não sejam capazes de identificar os linfonodos definitivamente positivos.

Há também limitações à técnica de identificação do LS para LMI. A BLS não é confiável em identificar esses linfonodos por causa da interferência da radioatividade do local de injeção do radiofármaco em decorrência da proximidade entre esses. Há uma alta taxa de falha técnica (20 a 39%) em pacientes com pontos paraesternais quentes na linfocintilografia. Além disso, nem todos os pontos quentes na região representam LIM envolvidos por doença.

Além disso, os LMI são difíceis de abordar cirurgicamente caso um ponto quente for identificado nesta área pela linfocintilografia. Embora possamos realizar a biópsia de LMI no momento da mastectomia, dividindo as fibras do músculo peitoral maior, uma biópsia deste tipo durante um procedimento de cirurgia conservadora da mama requer uma segunda incisão, o que é esteticamente visível em muitos tipos de roupa. Além disso, o procedimento pode ser complicado por derrame pleural, pneumotórax ou sangramentos.

Não surpreendentemente, há discordância entre os especialistas sobre a questão do tratamento cirúrgico do LMI positivos. Não há consenso sobre a necessidade de dissecção deles em mulheres com a detecção de um LS na cadeia linfática da mamária interna. LMI não são rotineiramente dissecados em pacientes submetidos à cirurgia conservadora da mama ou mastectomia com esvaziamento axilar. Assim, na ausência de dados definitivos, o esvaziamento dos gânglios da mamária interna com biópsia de linfonodo sentinela ainda deve ser considerada experimental.

Vários relatos documentaram a identificação de LIM em BLS, embora poucos tenham explorado o significado clínico deste achado. LIM estão presentes em 1 a 28% das mulheres com câncer de mama. Várias séries mostraram que, quando há um acometimento linfonodal da cadeia da mamária interna, há um maior risco de acometimento dos linfonodos axilares pela neoplasia.

Se LIM contiverem tecido neoplásico, eles têm o mesmo significado prognóstico de um LN axilares positivos. A DA deve ser considerada para mulheres com LMI positivos em BLS, mesmo que a axila seja clinicamente negativa, por causa da alta taxa de acometimento de linfonodos axilares nessas mulheres.

BIBLIOGRAFIA

Ashikaga T, Krag DN, Land SR et al. Morbidity results from the NSABP B-32 trial comparing sentinel lymph node dissection versus axillary dissection. *J Surg Oncol* 2010;102:111.

Cabanas RM. An approach for the treatment of penile carcinoma. *Cancer* 1977;39(2):456-66.

Cantin J, Scarth H, Levine M et al. Clinical practice guidelines for the care and treatment of breast cancer: 13. Sentinel lymph node biopsy. *CMAJ* 2001;165:166.

Chen AY, Halpern MT, Schrag NM et al. Disparities and trends in sentinel lymph node biopsy among early-stage breast cancer patients (1998-2005). *J Natl Cancer Inst* 2008;100:462.

Fleissig A, Fallowfield LJ, Langridge CI et al. Post-operative arm morbidity and quality of life. Results of the ALMANAC randomised trial comparing sentinel node biopsy with standard axillary treatment in the management of patients with early breast cancer. *Breast Cancer Res Treat* 2006;95:279.

Gill G, SNAC Trial Group of the Royal Australasian College of Surgeons (RACS), NHMRC Clinical Trials Centre. Sentinel-lymph-node-based management or routine axillary clearance? One-year outcomes of sentinel node biopsy versus axillary clearance (SNAC): a randomized controlled surgical trial. *Ann Surg Oncol* 2009;16:266.

Giuliano AE, Haigh PI, Brennan MB et al. Prospective observational study of sentinel lymphadenectomy without further axillary dissection in patients with sentinel node-negative breast cancer. *J Clin Oncol* 2000;18:2553.

Giuliano AE, Kirgan DM, Guenther JM et al. Lymphatic mapping and sentinel lymphadenectomy for breast cancer. *Ann Surg* 1994;220:391-401.

Heneghan HM, Prichard RS, Devaney A et al. Evolution of breast cancer management in Ireland: a decade of change. *BMC Surg* 2009;9:15.

Holland JF, Frei E, Kufe DW et al. *Cancer medicine*. 8th ed. Philadelphia: Saunders, 2009.

Instituto Nacional do Câncer. Estimativas da incidência e mortalidade por câncer no Brasil em 2008. Citado em: 12 Apr. 2009. Disponível em: URL <http://www.inca.gov.br/estimativa/2008/index.asp>

Krag DN, Weaver DL, Alex JC et al. Surgical resection and radiolocalization of the sentinel lymph node in breast cancer using a gamma probe. *Surg Oncol* 1993;2:335-39.

Land SR, Kopec JA, Julian TB et al. Patient-reported outcomes in sentinel node-negative adjuvant breast cancer patients receiving sentinel-node biopsy or axillary dissection: National Surgical Adjuvant Breast and Bowel Project phase III protocol B-32. *J Clin Oncol* 2010;28:3929.

Latosinsky S, Dabbs K, Moffat F. Evidence-Based Reviews in Surgery Group. Canadian Association of General Surgeons and American College of Surgeons Evidence-Based Reviews in Surgery. 27. Quality-of-life outcomes with sentinel node biopsy versus standard axillary treatment in patients with operable breast cancer. Randomized multicenter trial of sentinel node biopsy versus standard axillary treatment in operable breast cancer: the ALMANAC Trial. *Can J Surg* 2008;51:483.

Lucci A, McCall LM, Beitsch PD et al. Surgical complications associated with sentinel lymph node dissection (SLND) plus axillary lymph node dissection compared with SLND alone in the American College of Surgeons Oncology Group Trial Z0011. *J Clin Oncol* 2007;25:3657.

Lyman GH, Giuliano AE, Somerfield MR et al. American Society of Clinical Oncology guideline recommendations for sentinel lymph node biopsy in early-stage breast cancer. *J Clin Oncol* 2005;23:7703.

Mabry H, Giuliano AE. Sentinel node mapping for breast cancer: progress to date and prospects for the future. *Surg Oncol Clin N Am* 2007;16:55.

Mansel RE, Fallowfield L, Kissin M et al. Randomized multicenter trial of sentinel node biopsy versus standard axillary treatment in operable breast cancer: the ALMANAC Trial. *J Natl Cancer Inst* 2006;98:599.

Moore MP, Kinne DW. Is axillary lymph node dissection necessary in the routine management of breast cancer? Yes. *Important Adv Oncol* 1996;12:245-50.

Morton DL, Ollila DW. Critical review of the sentinel node hypothesis. *Surgery* 1999;126:815-19.

Morton DL, Wen DR, Wong JH et al. Technical details of intraoperative lymphatic mapping for early stage melanoma. *Arch Surg* 1992;127:392-99.

Naik AM, Fey J, Gemignani M et al. The risk of axillary relapse after sentinel lymph node biopsy for breast cancer is comparable with that of axillary lymph node dissection: a follow-up study of 4008 procedures. *Ann Surg* 2004;240:462.

National Comprehensive Cancer Network (NCCN). Guidelines. Acesso em: 04 Feb. 2011. Disponível em: <www.nccn.org>

Parkin DM, Bray FI, Devesa SS. Cancer burden in the year 2000. The global picture. *Eur J Cancer* 2001;37:64-66.

Pinheiro LGP, Moraes MO, Soares AH et al. Estudo experimental de linfonodo sentinela na mama da cadela com azul patente e tecnécio 99. *Acta Cirurgica Brasileira* 2003;18(6):545-52.

Pinheiro LGP, Oliveira Filho RS, Vasques PHD et al. Hemosiderin: a new marker for sentinel lymph node identification. *Acta Cir Bras* (Impresso) 2009;24:432.

Quan ML, Hodgson N, Lovrics P et al. National adoption of sentinel node biopsy for breast cancer: lessons learned from the Canadian experience. *Breast J* 2008;14:421.

Schwartz GF, Giuliano AE, Veronesi U. Consensus Conference Committee. Proceedings of the consensus conference on the role of sentinel lymph node biopsy in carcinoma of the breast, April 19-22, 2001, Philadelphia, Pennsylvania. *Cancer* 2002;94:2542.

Straver ME, Meijnen P, van Tienhoven G et al. Sentinel node identification rate and nodal involvement in the EORTC 10981-22023 AMAROS trial. *Ann Surg Oncol* 2010;17:1854.

Swenson KK, Mahipal A, Nissen MJ et al. Axillary disease recurrence after sentinel lymph node dissection for breast carcinoma. *Cancer* 2005;104:1834.

Veronesi U, Paganelli G, Niale G et al. Sentinel lymph node biopsy and axillary dissection in breast cancer: results in a large series. *J Natl Cancer Inst* 1999;91:368-73.

Veronesi U, Viale G, Paganelli G et al. Sentinel lymph node biopsy in breast cancer: ten-year results of a randomized controlled study. *Ann Surg* 2010;251:595.

CAPÍTULO 131
Linfonodo Sentinela no Carcinoma *In Situ*

Flávia Luz Felício ■ Rafaela Ascenso Medeiros
Ricardo Cavalcante Queiroga ■ Jorge Luis Nogueira Saraiva

INTRODUÇÃO

O carcinoma ductal *in situ* (CDIS) é um grupo heterogêneo de lesões proliferativas da mama e histologicamente é definido como uma proliferação de células ductais malignas limitada aos ductos da mama, sem evidência de invasão da membrana basal.[1] Dessa forma, é considerado uma doença localizada, sem potencial de invasão e metástases. O CDIS é precursor direto do carcinoma ductal infiltrante, mas a progressão para o carcinoma invasor ainda não pôde ser completamente explicada, nem prevista.

EPIDEMIOLOGIA

A incidência do CDIS aumentou significativamente nos últimos anos, em razão, principalmente, do diagnóstico precoce proporcionado pela introdução do rastreamento mamográfico. Hoje o CDIS corresponde a, aproximadamente, 28% dos casos novos de câncer de mama nos Estados Unidos, e mais de 90% dos casos são diagnosticados pela presença de microcalcificações na mamografia.[2] Antigamente era detectado pelo achado de uma massa palpável ou descarga papilar no exame físico das mamas, diagnosticado por biópsia cirúrgica e tratado com mastectomia e linfadenectomia axilar. Hoje, com a tendência de se realizar um tratamento conservador para estágios iniciais do câncer de mama, ele é detectado pela mamografia de rotina, diagnosticado por biópsia percutânea e tratado com ressecção segmentar ou mastectomia simples. A linfadenectomia axilar está sendo abandonada, e a pesquisa do linfonodo sentinela (PLS) ainda não está bem definida.[3]

PESQUISA DO LINFONODO SENTINELA (PLS) E CDIS

A presença de comprometimento linfonodal em pacientes submetidos à cirurgia com diagnóstico prévio de CDIS é, em média, de 7,4%, no entanto em apenas 3,7% desses pacientes o diagnóstico de CDIS puro é confirmado na peça cirúrgica (Quadros 1 e 2).[4]

As taxas de positividade na PLS em pacientes com CDIS podem ser explicadas pela presença de micrometástases e de células tumorais isoladas, identificadas em sua maior parte pela imuno-histoquímica (IHQ). O significado clínico da presença de micrometástases e de células tumorais isoladas na IHQ ainda é incerto tanto nos casos de câncer invasivo, como nos casos de CDIS, e na maioria dos casos em que é realizado o esvaziamento axilar, não é encontrado nenhum outro linfonodo positivo.[3,5]

Com base na sétima edição do *American Joint Committee on Câncer* (AJCC), o CDIS é considerado como estágio clínico 0 (TisN0M0). De acordo com os novos *guidelines*, a presença de micrometástases ou de células tumorais isoladas na IHQ pode alterar o estadiamento patológico do CDIS. O estadiamento patológico do TNM classifica pN0 (i-) como ausência de metástases linfonodais na IHQ, pN0 (i+) como presença de células malignas menores ou iguais a 0,2 mm, incluindo células tumorais isoladas, pN1 (mi) como micrometástases maiores que 0,2 mm e menores ou iguais a 2,0 mm e/ou mais de 200 células não maiores que 2,0 mm e pN1a como metástases maiores que 2,0 mm. Isso significa que há possibilidade de o CDIS ser classificado como estágio IB (T0N1 miM0) ou estágio IIA (T0N1M0), pois T0 é considerado como ausência de evidência de câncer invasivo.[5]

Grandes estudos, como o *National Surgical Adjuvant Breast and Bowel Project* (NSABP) B-17 e B-24, demonstraram que a linfadenectomia axilar de rotina no CDIS não deve ser indicada. O NSABP B-17 selecionou pacientes com CDIS que foram randomizados em dois grupos: um submetido à segmentectomia com radioterapia adjuvante e outro submetido à segmentectomia apenas. Já o NSABP B-24 selecionou pacientes com CDIS que foram randomizados para segmentectomia com radioterapia e tamoxifeno adjuvantes e segmentectomia com radioterapia adjuvante apenas. Em ambos os estudos o risco de recidiva axilar ipsilateral encontrado foi menor que 1% (0,83/1.000 pacientes-ano no NSABP B-17 e 0,36/1.000 pacientes-ano no NSABP B-24).[6,7]

A *American Society of Clinical Oncology Guidelines* recomenda a PLS naqueles pacientes que serão submetidos à mastectomia por CDIS (p.

Quadro 1. Frequência de linfonodos sentinelas metastáticos em pacientes com diagnóstico de CDIS em biópsia pré-operatória, submetidos à PLS[4]

REFERÊNCIA	ANO	Nº DE PACIENTES SUBMETIDOS À BIÓPSIA DO LS	Nº DE PACIENTES COM LS POSITIVO
Klauber-DeMore *et al.*	2000	76	9 (12)
Pendas *et al.*	2000	87	5 (6)
Cox *et al.* atualizado por Wilkie *et al.*	2005	559	27 (4,8)
Mittendorf *et al.*	2005	41	2 (5)
Camp *et al.*	2005	43	5 (12)
Yen *et al.*	2005	141	12 (8,5)
Takacs *et al.*	2006	44	0 (0)
Fraile *et al.*	2006	142	10 (7,0)
Moran *et al.*	2007	35	3 (9)
Meijnen *et al.*	2007	30	5 (17)
Moore *et al.*	2007	470	43 (9,1)

Os valores entre parênteses correspondem a porcentagens.

Quadro 2. Frequência de linfonodos sentinelas metastáticos em pacientes com diagnóstico de CDIS puro, confirmado após PLS[4]

REFERÊNCIA	ANO	Nº DE PACIENTES SUBMETIDOS À BIÓPSIA DO LS	Nº DE PACIENTES COM LS POSITIVO
Cserni *et al.*	2002	10	1 (10)
Kelly *et al.*	2003	131	3 (2,3)
Intra *et al.*	2003	223	7 (3,1)
Farkas *et al.*	2004	44	0 (0)
Veronesi *et al.*	2005	508	9 (1,8)
Zavagno *et al.*	2005	102	2 (2,0)
Katz *et al.*	2006	110	8 (7,2)
Mabry *et al.*	2006	171	10 (5,8)
Leidenius *et al.*	2006	74	5 (7)
Sakr *et al.*	2006	39	4 (10)
Di Saverio *et al.*	2007	32	4 (13)

Os valores entre parênteses correspondem à porcentagens.

ex.: CDIS extenso, doença multicêntrica, impossibilidade de se conseguir margens livres na cirurgia conservadora, contraindicação à radioterapia), no mesmo tempo cirúrgico, já que após a mastectomia se torna impossível a injeção de azul patente ou tecnécio para realização da PLS.[8]

Nos pacientes submetidos à ressecção segmentar da mama com incisão no quadrante superior lateral, a PLS também tem sido recomendada, já que a cirurgia causaria um rompimento na cadeia de drenagem linfática axilar, o que prejudicaria a realização da técnica do linfonodo sentinela em um segundo tempo cirúrgico.[9]

O diagnóstico de CDIS pela *core* biópsia possui um risco de subestimação de invasão de cerca de 10-30% dos casos.[4] Esse percentual é inerente às dificuldades técnicas do procedimento e à habilidade do profissional que realiza o exame. Dessa forma a PLS deve ser avaliada em pacientes com diagnóstico de CDIS pela *core* biópsia, que possuem alto grau de suspeição para apresentarem um carcinoma invasor.[10] A presença de carcinoma microinvasor na *core* biópsia também aumenta a chance de encontrar uma área de invasão na peça cirúrgica. O carcinoma microinvasor é definido de acordo com a sétima edição do AJCC como um CDIS com extensão das células cancerígenas, além da membrana basal com focos de invasão menores que 1 mm em sua maior dimensão.[5]

Alguns autores relatam outros fatores de risco para que os pacientes apresentem carcinoma ductal infiltrante na peça cirúrgica, como aqueles com idade inferior a 55 anos, tumores maiores que 4 cm de extensão na mamografia, tumores de alto grau, tumores palpáveis e presença de comedonecrose na biópsia pré-operatória. Entretanto a maioria desses estudos é inconsistente e não são totalmente confiáveis.[4,11-14]

CONCLUSÃO

Apenas 3,7% dos pacientes com CDIS puro apresentam comprometimento linfonodal, que pode ser explicado na maioria das vezes pela presença de micrometástases e de células tumorais isoladas identificadas em sua maior parte pela IHQ.

A PLS no CDIS deve ser indicada de rotina nos pacientes que serão submetidas à mastectomia. Também é recomendada em pacientes submetidos à ressecção segmentar da mama com incisão no quadrante superior externo e naqueles com diagnóstico de carcinoma microinvasor na *core* biópsia. Já nos pacientes com idade inferior a 55 anos, tumores maiores que 4 cm de extensão na mamografia, tumores de alto grau, tumores palpáveis ou com presença de comedonecrose na biópsia pré-operatória, a PLS deve ser discutida caso a caso.

REFERÊNCIAS BIBLIOGRÁFICAS

1. Bland KI, Copeland EM. *The Breast. Lymphatic mapping and sentinel lymphadenectomy for breast cancer*. Philadelphia: Saunders, 2009.
2. Jemal A, Siegel R, Ward E *et al.* Cancer statistics, 2008. *CA Cancer J Clin* 2008;58:71-96.
3. Shapiro-Wright HM, Julian TB. Sentinel lymph node biopsy and management of the axilla in ductal carcinoma *in situ*. *J Natl Cancer Inst Monog* 2010;2010(41):145-49.
4. Ansari B, Ogston SA, Purdie CA *et al.* Meta-analysis of sentinel node biopsy in ductal carcinoma *in situ* of the breast. *Br J Surg* 2008;95:547-54.
5. American Joint Committe on Cancer. *Cancer staging manual*. 7th ed. Berlin: Springer, 2002. p. 261.
6. Fisher B, Dignam J, Wolmark N *et al.* Lumpectomy and radiation therapy for the treatment of intraductal breast cancer: findings from the National Surgical Breast and Bowel Project B 17. *J Clin Oncol* 1998;16(2):441-52.
7. Fisher B, Dignam J, Wolmark N *et al.* Tamoxifen in treatment of intraductal breast cancer: findings from the National Surgical Adjuvant Breast and Bowel Project B-24 randomised controlled trial. *Lancet* 1999;353(9169):1993-2000.
8. Lyman GH, Giuliano AE, Somerfield MR *et al.* American Society of Clinical Oncology. American Society of Clinical Oncology Guideline recommendations for sentinel lymph node biopsy in early-stage breast cancer. *J Clin Oncol* 2005;223(30):7703-20.
9. Mabry H, Giuliano AE, Silverstein MJ. What is the value of axillary dissection or sentinel node biopsy in patients with ductal carcinoma *in situ*? *Am J Surg* 2006;192:455-57.
10. Cox CE, Nguyen K, Gray RJ *et al.* Importance of lymphatic mapping in ductal carcinoma *in situ*: why map DCIS? *Am Surg* 2001;67:513-19.
11. Yen TW, Hunt KK, Ross Mi *et al.* Predictors of invasive breast cancer in patients with an initial diagnosis of ductal carcinoma *in situ*: a guide to selective use of sentinel limph node biopsy in management of ductal carcinoma *in situ*. *J Am Coll Surg* 2005;200(4):516-26.
12. Wilkie C, White L, Dupont E *et al.* An update of sentinel lymph node mapping in patients with ductal carcinoma *in situ*. *Am J Surg* 2005;190:563-66.
13. Silverstein MJ, Waisman JR, Gamagami P *et al.* Intraductal carcinoma of the breast. Clinical factors influencing treatment choice. *Cancer* 1990;66:102-8.
14. Goyal A, Douglas-Jones A, Monypenny I *et al.* Is there a role of sentinel node biopsy in ductal carcinoma *in situ*? *Breast Cancer Res Treat* 2006;98:311-14.

CAPÍTULO 132

Biópsia do Linfonodo Sentinela Pré e Pós-Quimioterapia Neoadjuvante

Audrey Tieko Tsunoda ■ Flavia Pinto Cardoso ■ René Aloisio da Costa Vieira

INTRODUÇÃO

Um dos fatores prognósticos mais importantes para a paciente portadora de câncer de mama constitui o estado dos linfonodos axilares. O esvaziamento axilar foi realizado por mais de 1 século, visando controle locorregional, sendo posteriormente realizado apenas em pacientes com câncer de mama invasivo. Na década de 1990, este dogma modificou-se em virtude da significativa morbidade associada ao esvaziamento axilar, além do fato de que um elevado número de pacientes submetidas a este procedimento apresentava exame anatomopatológico sem comprometimento neoplásico linfonodal. No contexto do estadiamento axilar com intenção de reduzir a morbidade cirúrgica, foi introduzida a técnica da pesquisa do linfonodo sentinela (PLS).[1] Originalmente descrito para o câncer de pênis, este método foi posteriormente estendido para o câncer de mama.[2]

Inicialmente, as indicações clássicas para a PLS constituíam pacientes com tumores primários da mama, mulheres não grávidas, câncer invasivo, axila clinicamente negativa (N0) e pacientes com tumores T1 e T2, e tamanho geralmente menor de 3 cm.[3,4] Eram consideradas contraindicações para a PLS a presença de axila clinicamente comprometida, tumores de maior tamanho, tumores localmente avançados, radioterapia neoadjuvante, radioterapia prévia, gestação e lactação, cirurgia axilar prévia, tumores multicêntricos e multifocais, biópsia excisional prévia, IMC elevado, idade superior a 60 anos, mamoplastia redutora ou de aumento prévio e alergia ao corante ou radiofármaco.[4]

Em uma metanálise, incluindo 69 estudos, em que foram avaliadas 8.059 pacientes, observou que o linfonodo sentinela (LS) foi mapeado em 96% delas. A taxa de metástase linfonodal foi de 42%, variando de 17 a 74%. A taxa de falso-negativo média foi de 8,4% (variação de 0 a 29,4%). Foi observado que a utilização do coloide radioguiado elevou as taxas de sucesso de identificação do linfonodo sentinela (92 vs. 83%).[5] Ademais, um estudo prospectivo controlado utilizando a PLS ou o esvaziamento axilar clássico, com acompanhamento mediano de 79 meses, observou semelhantes taxas de comprometimento axilar, recidiva e sobrevida entre os grupos, com apenas uma recidiva axilar em paciente submetida à PLS. Dessa forma a taxa de recidiva após o LS varia de 0 a 3%. Outros estudos levaram a resultados semelhantes,[6-9] tendo o LS papel bem estabelecido no tratamento do câncer de mama.[5-10]

Conforme a técnica da PLS foi validada a partir de diversos estudos prospectivos,[5,7-10] muitas das contraindicações tornaram-se relativas, e a PLS passou a ser empregada em muitas destas condições. A American Cancer Society considera a PLS aceitável para tumores T1 e T2, tumores multicêntricos, carcinoma ductal in situ que necessitam de mastectomia, pacientes idosas, obesidade, câncer de mama masculino, presença de biópsia excisional e previamente ao tratamento neoadjuvante. Nesta publicação de 2005, a PLS não é recomendada para tumores T3 e T4, carcinoma inflamatório, metástase axilar clinicamente suspeita e após quimioterapia neoadjuvante.[11] Entretanto, na atualidade, são aceitas como contraindicações absolutas: presença de axila clinicamente positiva e alergia ao radiocoloide ou ao azul patente. Muitas das demais contraindicações são discutíveis e consideradas relativas.[12]

Neste capítulo abordaremos os estudos que avaliam o uso do PLS em tumores localmente avançados, e seu uso antes ou após o uso da quimioterapia neoadjuvante.

LINFONODO SENTINELA ANTES DA QUIMIOTERAPIA

Bedrosian et al.,[13] avaliando 104 pacientes com tumores T2 e T3, submetidos à PLS e posterior LA, observaram 56 com tumores de tamanho maior ou igual a 3 cm. Dentre estes, a taxa de metástase axilar foi de 62,5%, sendo um paciente falso-negativo (2%). Chung et al.[14] avaliaram pacientes com tumores maiores de 5 cm, submetidos a PLS, seguido de linfadenectomia axilar (LA). Em média, os tumores tinham 7,1 cm (variação de 5 a 23 cm), incluindo 75,6% (31/41) com metástase axilar. Foi observado apenas um paciente com metástase axilar e linfonodo sentinela livre, de forma que a PLS permitiu predizer a metástase axilar em 98% das pacientes, com taxa de falso-negativo de 3%. Apesar de tais estudos abrirem uma perspectiva para a utilização do LS em tumores localmente avançados, a ACS não considerou recomendável o uso do PLS em tumores T3 e T4.[11]

Atualmente muitos dos pacientes com tumores localmente avançados são candidatos à quimioterapia neoadjuvante, porém uma pequena parcela destes é clinicamente N0 prévio à quimioterapia. Neste contexto, pacientes com axila clinicamente negativa poderiam ser candidatas à PLS antes do tratamento quimioterápico, evitando-se a LA posterior. A PLS prévia à quimioterapia pode evitar os efeitos de confusão gerados pela resposta à quimioterapia neoadjuvante, que determina um subestadiamento tumoral, evitando-se LA desnecessárias.

Sabel et al.,[15] avaliando 25 pacientes clinicamente N0, incluindo tumores T1 e T2, de tamanho médio de 2,9 cm (1,5 cm a 2,9 cm), realizaram a PLS pré-quimioterapia. Dentre os casos, 12 pacientes (48%) apresentaram LS não metastático, sem complementação com LA posterior. A taxa de metástase axilar observada foi de 60%.

Outras séries que avaliaram a PLS em pacientes com axila clinicamente N0, para tumores maiores de 3,5 cm, incluindo tumores T2 a T4, possuem número reduzido de casos, variando de 21 a 55 pacientes, porém a taxa de identificação do LS é superior a 98%, e a taxa de acometimento do LS mostrou-se elevada (43 a 85%). Nestes estudos, a LA foi evitada nas pacientes, em que a PLS mostrou-se negativa, sendo que esta taxa variou de 15 a 58%.[16-21] Entretanto, caso a paciente com LS inicialmente negativo apresente progressão de doença durante a quimioterapia ou a axila se tornar clinicamente positiva, a LA deve ser realizada, fato observado em 1,9% dos casos.[16]

Schenk et al.,[22] avaliando 45 pacientes com tumores T1c a T4, com tamanho médio de 4 cm, observaram a presença de doença metastática em 26 pacientes, incluindo 6 (23,1%) que apresentavam micrometástases. Após a quimioterapia neoadjuvante 15/19 pacientes com PLS sem metástase foram submetidas a esvaziamento axilar, não se identificando metástase axilar adicional, fato também observado na presença de micrometástase (6/26). Dentre as pacientes com axila onde a PLS demonstrou doença metastática, 15/20 possuíam metástase axilar posterior. Este estudo sugere a não realização de esvaziamento em pacientes, em que a PLS mostrou-se negativa previamente ao tratamento quimioterápico.

Papa et al.[23] avaliaram 117 pacientes com axila clinicamente negativa, divididos em três grupos: Grupo 1 – submetido à QT neoadjuvante e subsequente tratamento mamário e axilar com PSL e LA; Grupo 2 – realizou a PLS pré-operatória, QT neoadjuvante e esvaziamento axilar; e Grupo 3 – realizou PLS seguida de QT e posterior PLS e somente os casos positivos foram submetidos a EA. Embora o estudo não foi randomizado, o tamanho do tumor e as taxas de resposta patológica completas não diferiram entre os grupos. A taxa de identificação do LS foi inferior no grupo 1, possivelmente decorrente de alterações linfáticas decorrentes da fibrose axilar. A taxa de positividade do LS foi de 59,3, 64,9 e 75%, respectivamente, sendo a taxa de falso-negativo nos grupos 1 e 2 de 15,8 e 0% respectivamente.

A Sociedade Brasileira de Mastologia, em consenso ocorrido no ano de 2007, não recomendou a PSL em tumores T3/T4, face à elevada taxa de metástase linfonodal encontrada nestes tumores.[24] Entretanto, é possível, em pacientes com tumores maiores de 3 cm e axila clinicamente N0, a realização da PLS com índices de falha aceitáveis. A identificação do LS é elevada, muitos destes linfonodos encontram-se comprometidos, a taxa de falso-negativo é baixa, e muitas pacientes podem beneficiar-se deste procedimento. O Quadro 1 sintetiza os principais artigos a respeito do assunto na literatura atual. Nestas condições, a realização da PLS sob uso de anestesia local pode constituir uma proposta atraente,[25] visando a discussão com a paciente.

Entretanto, na literatura, o número de casos descritos com tempo de acompanhamento adequado é pequeno (42 casos), sendo a média de 10,7 a 36 meses, sem descrição de recidiva no período,[16-20] fato que sugere certa segurança ao procedimento. Faltam estudos prospectivos contendo maior casuística e maior tempo de acompanhamento que garantam a confiabilidade do método.

Dessa forma a proposta da realização da PLS prévia à QT neoadjuvante, em pacientes com axila negativa (clínica e radiologicamente) e posterior manutenção da preservação axilar, caso esta permaneça negativa após o tratamento, parece uma realidade próxima, mas tal fato ainda deve ser considerado dentro do contexto de projeto de pesquisa, ou de maneira individualizada, desde que sob o consentimento da paciente.

QUIMIOTERAPIA NEOADJUVANTE

Os primeiros estudos com quimioterapia neoadjuvante (QN) foram publicados na década de 1970,[28] visando basicamente o tratamento sistêmico precoce e à redução do volume tumoral, permitindo uma resposta *in vivo* da ação medicamentosa. Consideram-se vantagens da quimioterapia neoadjuvante: o início precoce do tratamento sistêmico, a administração endovenosa em vasos intactos, a avaliação de resposta "*in vivo*" e a possibilidade de preservação mamária em um maior número de pacientes. Por outro lado, consideram-se como pontos de desvantagem: o adiamento do tratamento local, a possibilidade de indução à resistência a drogas, a menor resposta em tumores grandes e a possibilidade de aumento do risco na cirurgia.[29] Parece não haver uma diferença importante entre a quimioterapia adjuvante e a quimioterapia neoadjuvante,[30] visto que a quimioterapia neoadjuvante não altera a sobrevida global (SG) e a sobrevida livre de doença (SLD),[31] mas identifica as pacientes de melhor prognóstico, que são as que atingem melhor resposta ao tratamento.[32,33]

Paralelamente, os tratamentos cirúrgicos evoluíram até a consolidação dos tratamentos conservadores para carcinomas em estágios iniciais.[34,35] Com a introdução do linfonodo sentinela[2] e a validação na prática clínica,[5-10] ampliou-se a discussão frente ao uso do linfonodo sentinela após a quimioterapia neoadjuvante. Atualmente sabemos que o estado linfonodal após a quimioterapia neoadjuvante influencia na SG e SLD. Ademais, a quimioterapia neoadjuvante pode converter linfonodos axilares em N0 (negativos para a presença de tumor), em uma faixa entre 23 e 38% das pacientes com câncer de mama localmente avançado,[36,37] fato que torna esta questão de particular importância.

LINFONODO SENTINELA APÓS A QUIMIOTERAPIA NEOADJUVANTE

A PLS após a quimioterapia neoadjuvante parte do princípio de erradicação de doença metastática axilar, permitindo uma redução do estágio axilar em função da terapêutica neoadjuvante. Pacientes selecionadas que apresentaram LS positivo prévio à quimioterapia poderiam ser submetidas à preservação axilar, se a PLS posterior não mostrar acometimento axilar. Estudos com metástases axilares confirmadas previamente à quimioterapia mostraram taxas de resposta completa na ordem de 20 a 36%.[21,36,38]

Foram descritos nomogramas de predição de doença axilar após a PLS, que não se mostraram efetivos na avaliação após QT neoadjuvante,[39] da mesma forma nomogramas de predição de comprometimento axilar após QT neoadjuvante mostraram área na curva ROC de 0,73[40] e 0,76.[41] Como todo nomograma determina uma probabilidade, o mesmo pode ser utilizado em casos isolados para nortear condutas, desde que sob o consentimento da paciente.

Importante ponto a ser considerado consiste na acurácia da PLS após a quimioterapia neoadjuvante, fato que depende da taxa de identificação do linfonodo sentinela, graças a possíveis alterações na drenagem linfática, taxas de falso-negativo e do quanto o linfonodo sentinela reflete o estado axilar real. Neste contexto, é possível o emprego da ultrassonografia com punção por agulha fina na avaliação axilar, pré e pós-quimioterapia, evitando a realização desnecessária da PLS.[21] A realização de estudos pós-quimioterapia neoadjuvante em pacientes sem o estado axilar documentado previamente ao tratamento pode superestimar as taxas de resposta ao tratamento.[21]

Estudos controlados, onde o estado axilar foi documentado antes do emprego da QT neoadjuvante, mostraram uma taxa de identificação do LS de 77,6 a 98%, com taxas de falso-negativo de 5,6 a 25%.[42,43,38]

Shen *et al.*,[42] avaliando 69 pacientes com metástase linfonodal confirmadas à punção por agulha fina (clinicamente N0 a N3), submetidos à QT neoadjuvante, observaram 58% de taxa de respostas linfonodal clínica e ultrassonográfica completas, porém somente 28,6% de resposta patológica completa. Interessante que, ao avaliar a taxa de resposta patológica completa linfonodal (RPCL) em relação aos achados após a QT, observaram-se na ausência de linfonodos palpáveis, na presença de linfonodos palpáveis, na ultrassonografia normal e na ultrassonografia suspeita, as subsequentes taxas de RPCL de 42,9, 25,5, 35,3 e 27,6%. Na presença de LS negativo e positivo, o comprometimento linfonodal axilar foi de 38,4 e 73,3%, respectivamente. Neste estudo, infelizmente, a clínica e a ultrassonografia não foram fiéis na predição do estado linfonodal, e a taxa de falso-negativo foi de 25%.

Sabel,[21] em revisão de 32 séries, somando mais de 2.283 pacientes, descreve que a taxa de identificação do LS varia de 72 a 100%, e a taxa de falso-negativo variou de 0 a 39%, havendo opiniões divergentes frente à possibilidade da PLS após a QT neoadjuvante.

Xing *et al.*,[44] em metanálise de 21 estudos publicados no período de 1993 a 2004, tiveram como critério de seleção dos estudos o fato de as pacientes submetidas à PLS serem tratadas com EA subsequente. Nas 1.273 pacientes avaliadas, a taxa de identificação do LS foi de 90% (72 a 100%), com sensibilidade estimada de 88% (variação de 67 a 100%), acurácia de 94% (77 a 100%) e taxa de falso-negativo de 12%.

Kelly *et al.*,[45] em metanálise de estudos avaliando o mapeamento dos linfonodos axilares no câncer de mama após a quimioterapia, avaliando 4.272 resumos, no período de 2000 a 2007, selecionaram 24 artigos. Nas 1.799 pacientes incluídas, a taxa de comprometimento linfonodal foi de 37% (variação de 25 a 96%), identificando o LS adequadamente em 89% das pacientes, e taxa de falso-negativo de 8,4% (Kelly, 2009).

Quadro 1. Publicações completas relatando a PLS antes da QT neoadjuvante

AUTOR	NÚMERO DE PACIENTES	IDENTIFICAÇÃO DO LS (%)	LS + (%)	LS + APÓS QT (%)
Jones[16]	52	100% pré 80,6% pós	58	55% 11% falso-negativo
Ollila[17]	22	100	45	40
Cox[18]	47	98	83	65
Van Rijk[19]	25	100	44	40
Grube[20]	55	100	55	45
Sabel[21]	26	100	52	70
Schrenk[22]	21	100	43	66
Papa[23]	86	99	67	67,4
Straver[26]	75	100	29	32
Menard[27]	31	100	65	13

LS + = linfonodo sentinela comprometido.
Modificado de Sabel *et al.*[21]

Quadro 2. Resumo de metanálises relacionadas com a PLS após a quimioterapia neoadjuvante

AUTOR	Nº TOTAL DE ESTUDOS	Nº DE ESTUDOS ANALISADOS	Nº DE PACIENTES	IDENTIFICAÇÃO DO LS	ACURÁCIA	FALSO-NEGATIVO
Xing[44]	–	21	1.273	90%	94%	12,0%
Kelly[45]	4.272	24	1.799	89%	–	8,4%
Van Deurzen[46]	574	27	2.148	90%	94,4%	10,5%
Tan[47]	271	10	449	86 a 100%	95,0%	9,0%

Van Deurzen et al.[46] descreveram uma metanálise de 27 estudos, no qual foi realizado a PLS seguida de esvaziamento axilar, identificados dentre 574 publicações elegíveis, do período de 1993 a 2009. Nas 2.148 pacientes avaliadas, a taxa de identificação do LS foi de 90% (88 a 93,1%), a acurácia de 94,4% (92,6 a 95,8%) com taxa de falso-negativo de 10,5% (8,1 a 13,6%).

Tan et al.,[47] em metanálise de 291 estudos realizados até 2008, incluindo apenas pacientes em que o estado linfonodal clínico após a QT neoadjuvante era negativo, identificaram 10 artigos, incluindo 449 pacientes, sendo um destes brasileiro.[48] A taxa de identificação do linfonodo sentinela variou de 86 a 100%, sendo superior com a utilização do radiocoloide (93 vs. 98%). A sensibilidade foi de 93%, e a acurácia de 95% (centros que utilizavam a imuno-histoquímica anticitoqueratina), com taxa de falso-negativo de 9%. O Quadro 2 sintetiza as principais metanálises relacionadas com a PLS após a QT neoadjuvante.

Quanto à recidiva, Hunt et al.[49] avaliaram 575 pacientes submetidos à PLS após a QT, em um acompanhamento médio de 55 meses. A taxa de recidiva foi de 1,2%, porém 30% destas pacientes tinham sido submetidas a esvaziamento axilar.

Outra questão avaliada na era pré-LS constituí o impacto da resposta patológica nas sobrevidas livre de doença e global dos pacientes. Este fato também foi observado em relação à resposta axilar após terapia neoadjuvante, de tal forma que as pacientes com resposta linfonodal completa apresentam melhor prognóstico,[36,50] e as que apresentaram maior número de metástases linfonodais e maior tamanho da metástase linfonodal apresentaram pior prognóstico.[51]

Dessa forma, vários autores sugerem a incorporação da PLS após a terapia neoadjuvante,[21,45,47] ou a incorporação ao nível individual,[46] com intenção de minimizar as complicações da LA em grupo seleto de pacientes, visto as taxas de falso-negativos. Neste contexto ao se considerar a PLS após a QT neoadjuvante, deve-se previamente a quimioterapia conhecer o estado linfonodal prévio axilar, associando-se exame clínico, exame de imagem, realizando-se punção por agulha fina, objetivando confirmação tumoral.[52] Após a neoadjuvância, a mesma avaliação criteriosa axilar dever ser realizada, e as possibilidades devem ser cuidadosamente discutidas com a paciente, mesmo que dentro de um projeto de pesquisa, visto as taxas de falso-negativos.

Atualmente o estudo ACOSOG Z0011 procura avaliar o esvaziamento axilar em relação ao não esvaziamento em mulheres com câncer invasivo e metástase no linfonodo sentinela. Os resultados preliminares deste grupo não mostraram redução na sobrevida.[53] Neste sentido, a questão do falso-negativo deixaria de ser um problema a ser considerado, aprimorando a discussão do falso-negativo após a QT neoadjuvante. Os resultados finais do ACOSOG Z0011 estão sendo aguardados, para que conclusões mais precisas sejam apreciadas.

Do exposto anteriormente, apesar de a proposta da não realização da LA em pacientes onde a PLS não mostrou doença axilar ser tentadora, podendo ocorrer em um futuro próximo,[52] esta conduta somente pode ser realizada no contexto de projeto de pesquisa, ou de maneira individualizada, desde que sob o consentimento da paciente.

REFERÊNCIAS BIBLIOGRÁFICAS

1. Trocha SD, Giuliano AE. Sentinel node in the era of neoadjuvant therapy and locally advanced breast cancer. *Surg Oncol* 2003;12:271-76.
2. Giuliano A, Kirgan DM, Guenther JM et al. Lymphatic mapping and sentinel lymphadenectomy for breast cancer. *Ann Surg* 1994;220:391-401.
3. Veronesi U, Paganelli G, Galimberti V et al. Sentinel node biopsy to avoid axillary dissection in breast cancer with clinically negative lymph nodes. *Lancet* 1997;3:864-67.
4. Boff RA. *Linfonodo sentinela no câncer de mama*. Atualização. Caxias do Sul: MECS, 2004,
5. Kim T, Giuliano AE, Lyman GH. Lymphatic mapping and sentinel lymph node biopsy in early-stage breast carcinoma. *Cancer* 2006;106:4-16.
6. Krag DN, Anderson SJ, Julian TB et al. Technical outcomes of sentinel-lymph-node resection and conventional axillary-lymph-node dissection in patients with clinically node-negative breast cancer: results from the NSABP B-32 randomised phase III trial. *Lancet Oncol* 2007;8(10):881-88.
7. Mansel RE, Fallowfield L, Kissin M et al. Randomized multicenter trial of sentinel node biopsy versus standard axillary treatment in operable breast cancer: the ALMANAC trial. *J Natl Cancer Inst* 2006;98(9):599-609.
8. Veronesi U, Paganelli G, Viale G et al. Sentinel-lymph-node biopsy as a staging procedure in breast cancer: update of a randomised controlled study. *Lancet Oncol* 2006;7(12):983-90.
9. Olson Jr JA, McCall LM, Beitsch P et al. Impact of immediate versus delayed axillary node dissection on surgical outcomes in breast cancer patients with positive sentinel nodes: results from American College of Surgeons Oncology Group Trials Z0010 and Z0011. *J Clin Oncol* 2008;26(21):3530-35.
10. Grube BJ, Giuliano AE. Lymphatic mapping and sentinel lymphadenectomy for breast cancer. In: Bland KI, Copeland EM. *The breast: comprehensive management of benign and malignant diseases*. 4th ed. Philadelphia: Saunders, 2009. p. 971-1006.
11. Lyman G, Giuliano AE, Somerfield M et al. American Society of Clinical Oncology Guideline recommendations for sentinel lymph node biopsy in early-stage breast cancer. *J Clin Oncol* 2005;23:7703-20.
12. Filippakis GM, Zografos G. Contraindications of sentinel lymph node biopsy: are there any really? *World J Surg Oncol* 2007;5:10-21.
13. Bedrosian I, Reynolds C, Mck R et al. Accuracy of sentinel lymph node biopsy in patients with large primary breast tumors. *Cancer* 2000;88:2540-5.
14. Chung MH, Ye W, Giuliano AE. Role for sentinel lymph node dissection in the management of large (> or = 5 cm) invasive breast cancer. *Ann Surg Oncol* 2001;8:688-92.
15. Sabel MS, Schott AF, Kleer CG et al. Sentinel node biopsy prior to neoadjuvant chemotherapy. *AM J Surg* 2003;186(2):102-5.
16. Jones JL, Zabicki K, Christian RL et al. Comparision of sentinel node biopsy before and after neoadjuvant chemotherapy: timing is important. *Am J Surg* 2005;1190(4):517-20.
17. Ollila DW, Neuman HB, Sartor C et al. Lymphatic mapping and sentinel lymphadenectomy prior to neoadjuvant chemotherapy in patients with large breast tumors. *Am J Surg* 2005;190:371-75.
18. Cox CE, Cox JM, White LB et al. Sentinel node biopsy before neoadjuvant chemotherapy for determining axillary status and treatment prognosis in locally advanced breast cancer. *Ann Surg Oncol* 2006;13:483-90.
19. Van Rijk MC, Niewing OE, Rutgers EJT et al. Sentinel node biopsy before neoadjuvant chemotherapy spare breast cancer patients axillary lymph node dissection. Ann Surg Oncol 2006;13(4):475-79.
20. Grube BJ, Christy JC, Black D et al. Breast sentinel lymph node dissection before preoperative chemotherapy. *Arch Surg* 2007;143:692-700.
21. Sabel MS. Sentinel lymph node biopsy before or after neoadjuvant chemotherapy: Pros and Cons. *Surg Oncol Clin North Am* 2010;19:519-38.
22. Schrenk P, Tausc C, Wolfl S et al. Sentinel node mapping performed before preoperative chemotherapy may avoid axillary dissection in breast cancer patients with negative or micrometastatic sentinel nodes. *Am J Surg* 2008;196:176-83.

23. Papa MZ, Zippel D, Kaufman B et al. Timing of sentinel lymph node biopsy in patients receiving neoadjuvant chemotherapy for breast cancer. *J Surg Oncol* 2008;98:403-6.
24. Xavier NL, Chagas CR. Biópsia do linfonodo sentinela. Carcinomas multicêntricos e em tumores T3 e T4. In: Chagas CR, Menke CH, Vieira RJS et al. *Tratado de mastologia da SBM*. Rio de Janeiro: Revinter 2011. p. 988-89.
25. Matthes AGZ, Vieira RAC, de Melo FY et al. Biópsia do linfonodo sentinela para o cancer de mama com anestesia local. *Rev Bras Mastol* 2011;20(4):164-69.
26. Straver ME, Rutgers EJTh, Russell NS et al. Towards rational axillary treatment in relation to neoadjuvant therapy in breast cancer. *EJC* 2009;45:2284-92.
27. Menard JP, Exrtra JM, Jacquemier J et al. Sentinel lymphadenectomy for the staging of clinical axillary node-negative breast cancer before neoadjuvant chemotherapy. *EJSO* 2009;35:916-20.
28. De Lena M, Zucali R, Viganotti G et al. Combined chemotherapy-radiotherapy approach in locally advanced (T3b-T4) breast cancer. *Cancer Chemother Pharmacol* 1978;1(1):53-59.
29. Liu SV, Melstrom L, Yao K et al. Neoadjuvant therapy for breast cancer. *J Surg Oncol* 2010 Mar. 15;101(4):283-91.
30. Fisher B, Bryant J, Wolmark N et al. Effect of preoperative chemotherapy on the outcome of women with operable breast cancer. *J Clin Oncol* 1998 Aug.;16(8):2672-85.
31. Mauri D, Pavlidis N, Loannidis JP. Neoadjuvant versus adjuvant systemic treatment in breast câncer: a meta-analysis. *J Natl Cancer Inst* 2005;97(3):188-94.
32. Debled M, Mauriac L. Neoadjuvant chemotherapy: are we barking up the right tree? *Ann Oncol* 2010;21(4):675-79.
33. Buzdar AU, Singletary SE, Cooser DJ et al. Combined modality treatment of stage III and inflammatory breast cancer. M.D. Anderson Cancer Center experience. *Surg Clin North AM* 1995;4(4):715-34.
34. Fisher B, Anderson S, Bryant J et al. Twenty-year follow-up of a randomized trial comparing total mastectomy, lumpectomy, and lumpectomy plus irradiation for the treatment of invasive breast cancer. *N Engl J Med* 2002 Oct. 17;347(16):1233-41.
35. Veronesi U, Cascinelli N, Mariani L et al. Twenty-year follow-up of a randomized study comparing breast conserving surgery with radical mastectomy for early breast cancer. *N Engl J Med* 2002 Oct. 17;347(16):1227-32.
36. Rouzier R, Estra JM, Klijanienko J et al. Incidence and prognostic significance of complete axillary dowstaging after primary chemotherapy in breast cancer patients with T1 to T3 tumors and cytologically proven axilarry metastatic lymph nodes. *J Clin Oncol* 2002;20:304-10.
37. Budzar AU. Preoperative chemotherapy treatment of breast cancer – A Review. *Cancer* 2007;110 2395-407.
38. Newman EA, Sabel MS, Nees AV et al. Sentinal lymph node biopsu performed after neoadjuvant chemotherapy is accurate in patients with documented node-positive breast cancer at presentation. *Ann Surg Oncol* 2007;14(10):2946-52.
39. Unal B, Gur AS, Ahrendt G et al. Can nomograms predict non-sentinel lymph node metastasis after neoadjuvant chemotherapy in sentinel node-positive breast cancer patients? *Clin Breast Canc* 2009;9(2):92-95.
40. Evrensel R, Johnson R, Ahrendt G et al. The predicted probability of having positive non-sentienl lymph nodes in patients who received neoadjuvant chemotherapy for large operable breast cancer. *Int J Clin Pract* 2008;62(9):1379-82.
41. Jeruss JS, Newman LA, Ayers GD et al. Factors predicting additional disease in the axilla in patients with positive sentinel lymph nodes after neoadjuvant chemotherapy. *Cancer* 2008;112:26454.
42. Shen J, Gilcrease MZ, Babiera GV et al. Feasibility and accuracy of sentinel lymph node biopsy after preoperative chemotherapy in breast cancer patientes with documented axillary metástases. *Cancer* 2007;109:1255-63.
43. Lee S, Kim EY, Kang SH et al. Sentinel node identification rate, but not accuracy, is significantly decreased after pre-operative chemotherapy in axillary node-positive breast cancer patients. *Breast Cancer Res Treat* 2007:102:283-88.
44. Xing Y, Foy M, Cox DD et al. Meta-analysis of sentinel lymph node biopsy after preoperative chemotherapy in patients with breast cancer. *Br J Surg* 2006;93:539-46.
45. Kelly AM, Dwamena B, Cronin P et al. Breast cancer: sentinel node identification and classification after neoadjuvant chemotherapy. Systematic review and metaanalysis. *Acad Radiol* 2009;16:551-63.
46. Van Deurzen CH, Vriens BE, Tjan-Heijnen VC et al. Accuracy of sentinel node biopsy after chemotherapy in breast cancer patients: A systematic review. *Eur J Cancer* 2009;45:3124-30.
47. Tan VKM, Goh BKP, Fook-Chong S et al. The feasibility and accuracy of sentinel lymph node biopsy in clinically node-negative patients after neoadjuvant chemotherapy for breast cancer. A systematic review and meta-analysis. *J Sur Oncol* 2011;DOI 10.1002/jso.21911.
48. PIato JR, Barros ACSD, Pincerato KM et al. Sentinel lymph node biopsy in breast cancer after neoadjuvant chemotherapy. A pilot study. *EJSO* 2003;29:118-20.
49. Hunt KK, Yi M, Mittendorf EA et al. Sentinel lymph node surgery after neoadjuvant chemotherapy is accurate and reduces the need for axillary dissection in breast cancer patients. *Ann Surg* 2009;250(4):558-66.
50. Kuerer HM, Sahin AA, Hunt KK et al. Incidence and impact of documented eradication of breast cancer axillary lymph node metastasis before surgery in patients treated with neoadjuvant chemotherapy. *Ann Surg* 1999;230:72-78.
51. Klauber-Demore N, Ollila DW, Moore DT et al. Size of residual lymph node metastasis after neoadjuvant chemotherapy in locally advanced breast cancer patients is prognostic. *Ann Surg Oncol* 2006;13(5):685-91.
52. Piato JRM, Garcia GN, Mendes DCC. Biópsia de linfonodo sentinela após quimioterapia neoadjuvante. In: Chagas CR, Menke CH, Vieira RJS et al. *Tratado de mastologia da SBM*. Rio de Janeiro: Revinter, 2011. p. 992-96.
53. Giuliano AE, Hunt KK, Ballman KV et al. Axillary dissection vs no axillary dissection in women with invasive breast cancer and sentinel node metastasis: a randomized clinical trial. *JAMA* 2011;305(6):569-75.

CAPÍTULO 133
Linfonodo Sentinela na Gestação

Juliana Murteira Esteves Silva ■ Carlos Frederico Freitas de Lima ■ Eduardo Camargo Millen

INTRODUÇÃO

O câncer de mama diagnosticado durante o período gestacional ou até 1 ano após o parto é definido como câncer de mama associado à gravidez.

O *status* patológico dos linfonodos axilares se mantém como principal fator prognóstico nas pacientes com câncer de mama e como determinante da terapia adjuvante. A biópsia do linfonodo sentinela (BLS) substituiu em pouco tempo a linfadenectomia axilar no estadiamento e tratamento das pacientes com doença em estágio inicial, quando os linfonodos axilares estão livres de metástases.[1] A baixa incidência de falso-negativo (4-8%), associada à elevada acurácia e menor morbidade observada em diversos estudos, contribuiu para a rápida aceitação do método.

A linfocintilografia e a BLS têm sido contraindicadas para gestantes com câncer de mama, em decorrência da preocupação com a segurança do feto.

EPIDEMIOLOGIA

O câncer de mama é o segundo tumor maligno mais frequente durante a gestação, seguindo o câncer de colo de útero. Ocorre em cerca de 0,03% das gestações e corresponde a 1-2% de todos os casos de câncer de mama. Graças ao fato de cada vez mais mulheres retardarem a maternidade para a quarta década de vida, período em que aumenta a incidência de câncer de mama, prevê-se que a incidência desta patologia aumentará ainda mais. O tipo histológico mais comum é o ductal infiltrante, assim como na mulher não grávida.

As alterações fisiológicas no organismo materno podem dificultar o diagnóstico, o que justifica o estágio mais avançado que caracteriza o câncer de mama na gestante. Um nódulo pode ser mascarado pela hipertrofia das mamas. Além do aumento do volume, o aspecto hormonal e o aumento de vascularização das mamas parecem favorecer o crescimento do nódulo e a precocidade das metástases axilares. Geralmente, os linfonodos axilares são positivos no diagnóstico. Histologicamente, os tumores são pouco diferenciados e com elevado percentual de receptor hormonal negativo.[2,3]

O procedimento cirúrgico mais comum nessas pacientes tem sido a mastectomia radical modificada. No entanto, a cirurgia conservadora é possível, se a radioterapia adjuvante puder ser adiada para o pós-parto.[4]

O retardo no diagnóstico é o principal motivo para justificar o pior prognóstico nessa situação. As mulheres grávidas ou lactantes que são identificadas precocemente com linfonodos axilares sem metástases possuem um prognóstico semelhante ao de mulheres não grávidas.

PESQUISA DO LINFONODO SENTINELA E GESTAÇÃO

Há um número limitado de estudos sobre o uso da BLS em pacientes grávidas.

Gentilini *et al.*, em 2004,[5] demonstraram em 26 pacientes não grávidas que a baixa dose do radiofármaco utilizada neste procedimento não aumentaria o risco de morte, malformação ou retardo mental em crianças de mães submetidas à BLS. A dose utilizada para a BLS é de 12MBq de ^{99m}Tc. Doses maiores que 100 mGy podem resultar na redução do coeficiente de inteligência, aumento do risco de leucemia em 40% e malformações fetais. Além disso, a cintilografia mostrou concentração do radiofármaco apenas no sítio de injeção e no linfonodo sentinela.

De acordo com o consenso internacional sobre carcinoma e gravidez realizado em 2006, após revisão dos estudos publicados sobre segurança do método na gestação, concluiu-se que a realização da BLS nessa situação deve ser oferecida com a utilização de ^{99m}Tc. O coloide deve ser injetado na manhã do procedimento para reduzir o tempo de radiação. O corante azul não deve ser usado durante a gestação em virtude da possibilidade de reação alérgica e choque anafilático, o que pode ser danoso para o feto.[6]

Uma revisão publicada em 2007 por Filippakis *et al.*, sobre as contraindicações da BLS, orientava não oferecer o procedimento a pacientes com menos de 30 semanas de gestação, pois havia poucos estudos experimentais que atestassem a segurança do mesmo durante a gravidez.[7]

Um estudo realizado na Flórida por Khera *et al.*, em 2008,[8] com 10 gestantes submetidas à BLS (6 ^{99m}Tc + azul patente, dois com ^{99m}Tc e dois com azul patente), mostrou que o procedimento pode ser realizado com segurança durante a gestação. Nesse estudo, não houve reação ao corante azul, mas o uso do radiocoloide deve ser priorizado.

Gentilini *et al.*,[9] em 2009, atestaram segurança para o feto em um estudo com 12 pacientes submetidas à BLS com o uso de baixas doses de tecnécio.

O NCCN versão 2.2011[4] não recomenda o uso do corante azul, e o uso do radiocoloide parece ser seguro durante a gestação.

CONCLUSÃO

Apesar da inexistência de ensaios clínicos randomizados, atualmente, considera-se, com nível de evidência IIB, que a BLS pode ser oferecida às gestantes com câncer de mama inicial, por apresentar segurança materno-fetal e menor morbidade em relação à linfadenectomia axilar para estadiamento.

REFERÊNCIAS BIBLIOGRÁFICAS

1. Veronesi U, Paganelli G, Viale G *et al.* A randomized comparison of sentinel-node biopsy with routine axillary dissection in breast cancer. *N Engl J Med* 2003;349:546-53.
2. Middleton LP, Amin M, Gwyn K *et al.* Breast carcinoma in pregnant women: assessment of clinicopathologic and immunohistochemical features. *Cancer* 2003;98:1055-60.
3. Gwyn K, Theriault R. Breast cancer during pregnancy. *Oncology* (Williston Park) 2001;15:39-46.
4. NCCN 2011.
5. Gentilini O *et al.* Safety of sentinel node biopsy in pregnant patients with breast cancer. *Ann Oncol* 2004;15:1348-51.
6. Loibl S, von Minckwitz G, Gwyn K *et al.* Breast carcinoma during pregnancy. International recommendations from an expert meeting. *Cancer* 2006;106(2):237-46.
7. Filippakis GM, Zografos G. Contraindications of sentinel lymph node biopsy: are there any really? *World J Surg Oncol* 2007;29:5-10.
8. Khera SY, Kiluk JV, Hasson DM *et al.* Pregnancy-associated breast cancer patients can safely undergo lymphatic mapping. *Breast J* 2008;14:250-54.
9. Gentilini O *et al.* Sentinel lymph node biopsy in pregnant patients with breast cancer. *Eur J Nucl Med Mol Imaging* 2010;37:78-83.

SEÇÃO IX
Tratamento Oncoplástico

CAPÍTULO 134
Princípios da Reconstrução Mamária

Luiz Carlos Velho Severo Jr. ■ Ciro Paz Portinho ■ Juliano Carlos Sbalchiero

INTRODUÇÃO

O câncer de mama afeta uma a cada nove mulheres, e é responsável por, pelo menos, um terço de todos os casos novos de câncer anualmente. Sua prevalência é maior entre mulheres brancas, e sua incidência aumentou em uma taxa de 3,8% por ano durante a década de 1980, embora tenha se estabilizado durante os anos de 1990 até o presente.

O câncer de mama é a segunda causa de mortalidade por câncer em mulheres, atrás apenas do câncer de pulmão. Na verdade, a taxa de mortalidade por câncer de mama em mulheres de 20 a 59 anos supera todas outras mortes por câncer. Essa mortalidade é maior na população negra.

HISTÓRIA

Relatos de câncer de mama de até 1600 a.C. foram encontrados em papiros do Egito antigo. Galeno teorizou posteriormente que a origem do câncer de mama era ocasionada por "coágulos de bile negra", formados dentro da mama. Somente no século XIX é que Virchow propôs que o tumor se originava do epitélio e se espalhava em várias direções. O renomado cirurgião, William Halsted, manteve o apoio à teoria de que o câncer de mama se iniciava como um fenômeno regional, antes de se disseminar. Foi ele que realizou a primeira mastectomia radical em 1889, como um método agressivo de controle cirúrgico da doença. A doutrina de Halsted evitou que a reconstrução de mama emergisse mais cedo como uma opção no tratamento, porque ele considerava-a uma "violação do controle local da doença", assim orientando os cirurgiões a não realizarem cirurgias plásticas na área da mastectomia. Ele afirmava: "A menor desatenção aos detalhes e/ou tentativas de acelerar a recuperação através de tais cirurgias plásticas, que somente são possíveis quando uma quantidade limitada de pele é removida, podem subjugar o paciente à doença".

Outros cirurgiões adotaram o medo de que a reconstrução poderia esconder uma recidiva local ou modificar negativamente o curso natural da doença. Isso certamente não foi o caso. Com o passar do tempo, houve acúmulo de novas evidências que levaram o tratamento na direção da conservação da mama, em contradição a Halsted. O que foi adotado e continua sendo o padrão de tratamento para carcinomas detectados precocemente. Estudos pioneiros no *Guy's Hospital* de Londres durante a década de 1960 randomizaram pacientes para receberem mastectomia radical ou mastectomias parciais seguidas de radioterapia adjuvante. Eles estabeleceram os padrões para os estudos modernos, que continuaram a indicar o tratamento conservador como maneira de controlar o carcinoma em seus estágios iniciais.

PRIMEIRAS RECONSTRUÇÕES

A primeira tentativa de uma verdadeira reconstrução de mama aconteceu em 1895. Vincent Czerny, então professor de cirurgia na Universidade de Heidelberg, é creditado como autor da primeira reconstrução autóloga de mama. Naquele ano ele publicou um caso de mastectomia por doença benigna que foi "reconstruída" pelo transplante de um lipoma do tamanho de um punho localizado no flanco da paciente.

Em 1906, o cirurgião italiano, Tanzini, em razão da dificuldade de fechamento de feridas extensas das mastectomias radicais, desenvolveu um retalho pediculado de pele e músculo grande dorsal que ele transferiu para o defeito. Esse foi o primeiro relato de retalho miocutâneo na reconstrução de mama. Mas esta técnica foi esquecida, e apenas reconstruções ocasionais foram tentadas nos 60 anos seguintes em razão da força dos princípios de Halsted ainda vigentes.

Em 1905, na França, Ombredanne relatou dois casos de reconstrução de mama utilizando um retalho engenhoso do músculo peitoral para dar forma à neomama. Este método diferia grandemente de outros métodos de reconstrução contemporâneos, que se limitavam ao fechamento do defeito da mastectomia. Os cirurgiões dessa época em geral consideravam a reconstrução da forma mamária como um procedimento "requintado" e de indicações limitadas. Algumas das técnicas de reconstrução usadas na primeira metade do século XX incluíam a bipartição da mama oposta e o uso de uma metade como pedículo da reconstrução.

Sir Harold Gilles usou um método de retalho tubulizado abdominal, que ele desenvolveu em 1919, para realizar sua primeira reconstrução mamária, em 1942. Vários outros seguiram esse método com excelentes reconstruções, mas o fator limitante era a necessidade de procedimentos em múltiplos estágios por períodos de até 6 meses. Esses procedimentos necessitavam de múltiplas autonomizações e transferências e resultavam em muitas cicatrizes. Frequentemente, os retalhos necrosavam, e os resultados ruins evitaram que essa alternativa ganhasse muita popularidade. Nas décadas seguintes os alemães lideraram a corrida, com Hohler e Bohmert realizando, em 1977, reconstruções em dois estágios com o uso de retalho toracoepigástrico seguido da colocação de implante de silicone.

TÉCNICAS MODERNAS

Reconstrução com implantes

Cronin e Gerow inauguraram a era moderna da reconstrução de mama com a introdução do uso do implante de silicone em 1963. As reconstruções eram realizadas tardiamente após a mastectomia, até que em 1971

Snyderman e Guthrie relataram a colocação do implante sob a pele remanescente imediatamente após a mastectomia. Essa abordagem foi adotada e prevaleceu durante o restante da década. Entretanto, uma paciente com um defeito cutâneo mais extenso não era candidata à reconstrução. Para resolver esse problema, Radovan inaugurou o uso dos expansores cutâneos em 1982, permitindo o aumento do tecido disponível para a acomodação do implante definitivo. Esse método rapidamente se popularizou, permitindo a evolução dos expansores e implantes em texturas, tamanhos e formatos diversos. Como consequência, houve grande melhora da simetria com a mama contralateral. Além disso, o sistema de colocação e localização das válvulas de expansão evoluiu para um método mais fácil e seguro de ser aprendido e reproduzido por qualquer cirurgião habilitado, o que acelerou ainda mais a popularização do método. A nova geração de expansores também não necessita de hiperexpansão exagerada, graças ao formato mais projetado do polo inferior.

Em 1984, Becker descreveu a criação de um expansor de duas câmaras, uma exterior com gel de silicone, e outra interna com lume inflável por soro fisiológico. Isso inaugurou um método previsível de se atingir uma reconstrução em um estágio, uma vez que após o fim da expansão o expansor/implante permanece no local, sem necessidade de troca por um implante definitivo de silicone.

Apesar dos resultados favoráveis, vários cirurgiões questionaram os resultados a longo prazo das reconstruções com o binômio expansor/implante. Clough et al. relataram, em 2001, os resultados a longo prazo das reconstruções com implantes, encontrando uma deterioração linear da qualidade estética da reconstrução com o passar do tempo. Essa piora dos resultados, mesmo quando a reconstrução foi considerada aceitável inicialmente, foi atribuída ao envelhecimento imprevisível e assimétrico dos tecidos com o passar do tempo. Elliot e Hartrampf listaram, em 1990, várias desvantagens inerentes aos implantes/expansores, como a necessidade de acompanhamento frequente a longo prazo, o risco de vazamento/esvaziamento e a necessidade de troca do implante. McCraw já havia criticado alguns aspectos do método de expansão em 1987, entre eles o aspecto redondo e não natural desses resultados em comparação com os retalhos autógenos. Essas críticas levaram a um renomado interesse pela reconstrução mamária autógena.

Reconstrução autógena

A primeira descrição moderna de reconstrução de mama autógena ocorreu em 1977. Neste ano Schneider, Hill e Brown simultaneamente a Muhlbauer e Olbrisch reintroduziram o uso do retalho do músculo Grande Dorsal na reconstrução de mama. Olivari havia redescoberto o uso desse retalho em 1976, 70 anos após a descrição original de Iginio Tansini, que usou o retalho para cobertura de defeitos pós-mastectomia em 1906.

Refinamentos posteriores da técnica foram descritos no mesmo ano por McCraw, Dibbel e Carraway. Assim, em 1978, o objetivo da reconstrução mamária em estágio único se provou possível. O uso dessa técnica se popularizou depois da publicação do trabalho de Bostwick e Schlefan, em 1980. Entretanto, em geral o retalho não tinha volume suficiente e necessitava do uso simultâneo de um implante. Até que, em 1987, Hokin e Silfverskiold descreveram 55 casos de um retalho miocutâneo grande dorsal estendido que prescindia do uso de implante, tendo dimensões de até 30 × 8 cm, e com necrose parcial de até 10% do retalho. Métodos de pré-expansão do retalho e de elevação endoscópica do mesmo foram desenvolvidos, e a maioria dos pacientes obtinha resultados satisfatórios; entretanto, os problemas da área doadora não eram insignificantes, como cicatrizes extensas e alto risco de seroma.

A reconstrução de mama foi desenvolvida com o objetivo de permitir às mulheres mais conforto e eliminar a necessidade do uso sempre problemático de próteses externas. A ressecção extensa de pele durante a mastectomia costumava forçar os cirurgiões a almejar mamas de menor volume na reconstrução. Isso geralmente significava a necessidade de uma redução significativa do tamanho da mama contralateral para se atingir simetria. Com o tempo, os objetivos da reconstrução se tornaram mais refinados. Assim, os cirurgiões se esforçaram em atingir melhor contorno, melhor simetria de volume e posição. Estes objetivos eram limitados pelos defeitos da mastectomia. Desse modo, podemos dizer que a técnica de mastectomia é o fator isolado mais importante a influenciar os resultados da reconstrução, o que forçou sua evolução para técnicas conservadoras de pele. Essas técnicas normalmente envolvem uma incisão periareolar com extensão lateral, preferencialmente englobando a cicatriz da biópsia prévia. O uso dessa técnica permitiu a conservação de uma pele de melhor qualidade, diminuindo as cicatrizes na mama e diminuindo ou eliminando a necessidade de reposição de pele de outras áreas, que sempre têm diferenças de cor e textura.

Diversos estudos confirmaram a eficácia da mastectomia com conservação de pele como oncologicamente adequada. Kroll, Khoo e Singletary demonstraram, em 1999, em uma comparação entre mastectomias conservadoras de pele e convencionais, taxas de recidiva tumoral similares. Esses achados foram confirmados posteriormente por outros estudos. Além dos benefícios descritos anteriormente, essa técnica também mostrou diminuição do tempo operatório, das revisões pós-operatórias e um aumento da satisfação das pacientes com a reconstrução.

A evolução nas técnicas de reconstrução também continuou. Em 1979, Robbins relatou o uso de um retalho de músculo reto abdominal com ilha de pele vertical para reconstrução de mama. Essa inovação foi modificada por diversos outros autores nos anos seguintes, permitindo a criação de um cone mamário sem auxílio de implantes. Em 1982, Hartrampf, Schlefan e Black relataram a transferência de um retalho reto abdominal com ilha de pele transversal (TRAM) para reconstrução mamária. Essa nova orientação da ilha de pele permitiu a criação de um cone mamário mais volumoso com um fechamento mais estético da área doadora. Desde então, este retalho sofreu diversas modificações técnicas visando a melhorar seu suprimento sanguíneo. Demonstrou-se que a fonte arterial primária do músculo reto é a artéria epigástrica inferior profunda (AEIP), e determinou-se o tipo e grau de conexão entre esta e a artéria epigástrica superior profunda (AESP). Além disso, verificou-se que as perfurantes musculocutâneas principais à manutenção da circulação arterial da ilha de pele se situam na região periumbilical, o que forçou a mudança do desenho da ilha de pele para uma área abdominal mais alta, justacaudal à cicatriz umbilical. Outra tentativa de melhorar a viabilidade do retalho foi a introdução da autonomização do mesmo pela ligadura da AEIP, em 1988, por Moon e Taylor. A melhora da circulação se torna evidente 1 semana depois e não tem incrementos se for postergada para 2 semanas após a ligadura da AEIP. Esse procedimento permite o uso do TRAM naqueles pacientes de maior risco para insuficiência arterial ou venosa e consequente necrose do retalho. Em outra tentativa de contornar os problemas circulatórios, Hartrampf, em 1987, propôs uma estratificação de risco para os pacientes candidatos ao TRAM, com base em fatores, como tabagismo, obesidade, diabetes e cirurgias abdominais prévias entre outras. Sua recomendação para os pacientes de alto risco era o uso de duplo pedículo, ou seja, o uso dos dois músculos retos provendo circulação sanguínea para a ilha de pele. Outros autores não encontraram aumento exagerado na morbidade desse procedimento em comparação com o TRAM unilateral, sedimentando-o como alternativa em casos de maior risco.

Assim, o TRAM tornou-se o "cavalo de batalha" da reconstrução de mama autóloga, em razão das vantagens evidentes como prescindir do uso de implantes de silicone e deixar uma cicatriz aceitável na área doadora, que funciona praticamente como uma abdominoplastia externamente. Entretanto, as desvantagens são: uma taxa de tecido/suprimento vascular alta, recuperação prolongada com desconforto abdominal, um potencial para hérnias da parede abdominal e limitações impostas por cicatrizes prévias no abdome ou por fatores de risco do paciente.

Reconstrução autógena microcirúrgica

A reconstrução autógena microvascular tem ganhado popularidade, especialmente na reconstrução imediata, onde os vasos doadores e receptores podem ser facilmente dissecados. O uso de retalhos livres mostrou associação à menor incidência de necrose parcial do retalho e diminuição significativa da necrose gordurosa. Em mãos experientes, a taxa de perda do retalho é de cerca de 2%, com tempo operatório e morbidades similares ao retalho pediculado. O uso do retalho abdominal microcirúrgico para reconstrução de mama foi inaugurado por Holmstrom, em 1979, e ao longo dos últimos 30 anos se tornou o padrão na reconstrução autógena microcirúrgica. Vários autores têm publicado, desde então, excelentes resultados com minimização de problemas típicos do TRAM pediculado: suprimento vascular mais vigoroso e confiável, menor morbidade da área doadora abdominal e ausência de um pedículo dobrado no epigástrio.

Entretanto, existem outras áreas elegíveis como doadoras para retalhos autógenos microcirúrgicos e que são preferenciais ao TRAM por muitos autores: glúteo, transverso lateral da coxa e de Rubens. Allen, em 1998, e Blondeel, em 1999, descreveram o uso do retalho de perfurantes da artéria glútea superior para reconstrução de mama. Embora sejam tecnicamente mais desafiadores, têm pouca morbidade da área doadora e potencial para sensibilidade da ilha de pele. Também o retalho anterolateral da coxa e até o omento foram descritos como alternativas. Os vasos receptores desses retalhos normalmente estão no sistema subescapular. Os vasos mamários internos podem ser usados como alternativa quando houver esvaziamento ou irradiação axilar prévias, quando uma mama mais medializada é necessária, ou quando os vasos axilares simplesmente não são utilizáveis. Entretanto, a exposição dos vasos mamários internos requer a ressecção de um segmento de cartilagem costal, um tempo de preparo maior e uma incisão medial mais ampla.

RECONSTRUÇÃO COM TECIDO AUTÓGENO

Reconstrução com retalhos locais

O retalho local mais usado na reconstrução mamária é o retalho fasciocutâneo toracodorsal descrito por Holmström e Lossing, em 1986, e a maior parte da literatura publicada do assunto é de autores escandinavos.

Anatomia

O suprimento arterial é fundamentado em perfurantes intercostais laterais da região inframamária. Suas dimensões variam de 12 a 22 cm de comprimento por 6 a 12 cm de largura. Tem base medial limitada pela linha axilar anterior, com seu eixo longitudinal colocado ao nível do sulco inframamário. Como sua margem superior mais reta e sua margem inferior mais convexa devem ter o mesmo comprimento, a incisão inferior deve iniciar 2-3 cm mais lateralmente. O ponto pivô deve ser projetado para coincidir com a localização do futuro CAM (Complexo Areolopapilar), uma vez que a rotação do retalho resultará em uma pequena orelha de pele, que pode ser aproveitada para dar maior projeção ao CAM.

Indicação

Seu uso é restrito a reconstruções tardias de mamas pequenas a moderadas, sempre com a necessidade de uso de implante de silicone associado, em casos nos quais a paciente não seja elegível ou não aceite o uso de expansor ou retalhos miocutâneos. Pode ser usado após expansão prévia quando se quer uma quantidade de pele maior do que a atingida pela expansão. Pode ter indicação também para repor pele e volume após necrose parcial de retalho TRAM prévio, que listaram as restrições ao seu uso. A radioterapia pós-operatória leva a aumento importante de problemas cicatriciais e contratura capsular. Outros fatores de risco são: idade avançada, tabagismo, obesidade, diabetes e outras doenças crônicas.

Técnica cirúrgica

Durante a elevação do retalho, cuidado deve ser tomado para se incluir a fáscia do serrátil anterior no retalho. A área receptora é projetada como linha de mesmo comprimento do retalho, em ângulo de 75-80° com a base do mesmo, direcionada ao ápice da prega axilar anterior para que a ponta do retalho cubra o músculo peitoral maior neste local. A incisão da área receptora divide qualquer cicatriz de mastectomia que exista no trajeto (Fig. 1).

Com o retalho elevado, é criada uma loja subpeitoral para a colocação da prótese de silicone ou do expansor. Para prevenir migração cranial do implante à sua contração, a origem costal inferior do músculo peitoral é seccionada. O uso rotineiro de dreno aspirativo fechado e profilaxia antibiótica é fundamental para a redução de complicações pós-operatórias.

Complicações

A complicação mais comum é necrose da ponta do retalho, geralmente em retalhos maiores de 17 cm de comprimento. Também foram relatadas infecção e deiscência, levando à extrusão do implante, bem como necrose gordurosa e epidermólise. Evitar o uso dessa técnica em pacientes tabagistas, diabéticos, obesos ou com condições clínicas relevantes ou que têm grande risco de radioterapia adjuvante reduziu drasticamente o risco de complicações nas maiores séries publicadas.

Reconstrução com grande dorsal

Após a descrição moderna do uso do retalho de grande dorsal na reconstrução de mama por Schneider *et al.*, em 1977, o seu uso de disseminou rapidamente. Entretanto, o entusiasmo com a técnica diminui após a descrição do retalho TRAM por Hartrampf, em 1979. A obrigatoriedade de uso de implantes de silicone e as complicações associadas na época ao seu uso eram desvantagens significativas comparativamente à reconstrução somente com tecido autógeno, proporcionada pelo TRAM. Assim, o uso do grande dorsal ficou restrito a pacientes que não podiam ser reconstruídas somente com expansor e que não eram candidatas, por várias razões, ao TRAM.

Com as melhoras de *design* e durabilidade dos implantes de silicone atuais, houve um aumento no uso do grande dorsal, especialmente para evitar a morbidade de parede abdominal do TRAM.

Anatomia

O músculo grande dorsal é o maior e mais superficial dos músculos do dorso, cobrindo boa parte do tórax posterolateral. Medialmente ele se liga à fáscia lombossacral por uma fina aponeurose, que se estende inferolateralmente à crista ilíaca. A extremidade superomedial é coberta pelo músculo trapézio e, à medida que se direciona lateralmente à axila, cobre a ponta da escápula e se funde com as fibras do músculo redondo maior para formar o pilar posterior da axila (Fig. 2). A inserção é no sulco intertubercular do úmero através de um tendão distinto e plano. No nível da 10ª e 11ª costelas, há uma adesão aponeurótica espessa entre o grande dorsal e o serrátil anterior. Essa aponeurose corresponde à margem inferoposterior do serrátil, e um erro na sua divisão pode levar à elevação inadvertida do serrátil junto com o grande dorsal durante a cirurgia.

O suprimento sanguíneo do músculo é constante, sem grandes variações anatômicas. A artéria subescapular se origina da artéria axilar e dá dois ramos: as artérias toracodorsal e escapular circunflexa. A toracodorsal dá um ramo para o serrátil logo antes de entrar na face profunda do grande dorsal, 9 a 11 cm abaixo da artéria axilar. Em casos em que a artéria toracodorsal foi seccionada, o fluxo retrógrado através desse ramo serrátil permite a viabilidade do retalho. Dentro do músculo, a artéria divide-se em ramos transversal e lateral. Um segundo suprimento arterial provém de perfurantes paraespinhais das artérias intercostais posteri-

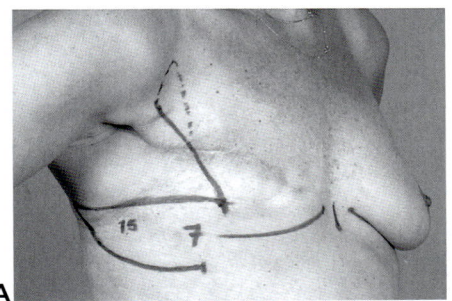
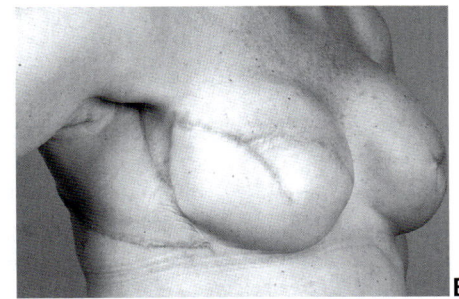

◀ **FIGURA 1. (A)** Planejamento do retalho toracodorsal. A incisão da área receptora ignora a cicatriz da mastectomia. **(B)** Resultado após rotação do retalho e colocação de implante de silicone. (Retirada de Woerdeman LA, van Schijndel AJ, Hage J, and Smeulders M. Verifying surgical results and risk factors of the lateral thoracodorsal flap. Plast Reconstr Surg. 2004; 113:196.)

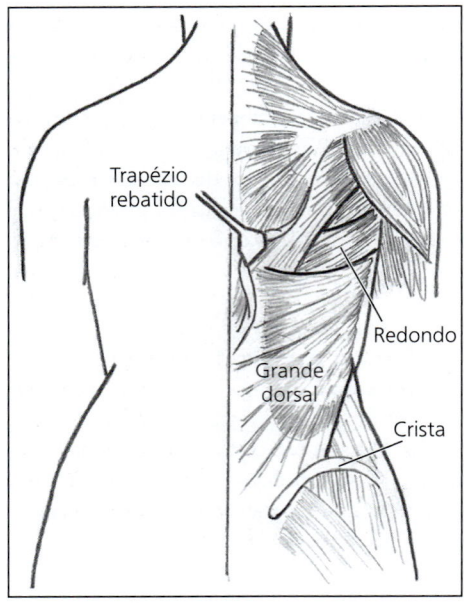

◀ **FIGURA 2** Anatomia do dorso expondo os limites do músculo grande dorsal e suas relações de vizinhança.

datas ao TRAM por outras razões que não o tabagismo, como diabetes melito, falta de tecido abdominal suficiente ou preferência pessoal.

Técnica cirúrgica

A elevação do retalho é relativamente fácil, se pontos de referência forem bem identificados. A marcação pré-operatória é vital para bom posicionamento da ilha de pele e sempre deve ser feita com o paciente de pé. A margem medial do músculo é identificada traçando uma linha da ponta da escápula até o ápice da prega axilar posterior. A margem lateral é traçada por uma linha, unindo a prega axilar posterior à crista ilíaca. A orientação da ilha de pele pode ser em qualquer direção (Fig. 3). Uma estratégia é colocá-la horizontalmente no dorso, de maneira que a cicatriz final fique na linha do sutiã. O lado negativo é que geralmente há um acúmulo (orelha) de pele na extremidade anterior dessa incisão após o fechamento. Uma opção adequada é respeitar as linhas de força da pele, orientando o maior eixo da ilha de pele com essas linhas, o que resulta numa cicatriz oblíqua em sentido de superomedial para inferolateral, ficando geralmente imperceptível. Há ainda a opção, escolhida por alguns autores, de colocar o maior eixo da ilha de pele paralelo à orientação das fibras musculares, o que facilitaria a montagem da pele na área doadora, especialmente em cicatrizes oblíquas da mastectomia; a desvantagem é uma cicatriz perpendicular às linhas de força da pele, suscetível à hipertrofia. A largura da ilha varia em cada paciente, conforme o defeito da área mastectomizada, mas pode atingir facilmente 15×30 cm.

A cirurgia deve iniciar em decúbito lateral. Aborda-se primeiramente a área da mastectomia, tanto na reconstrução imediata quanto na tardia, para conduzir a dissecção em direção da axila até identificar-se a margem lateral do grande dorsal. Isso facilita a criação do túnel entre as regiões peitoral e dorsal, para passagem do retalho quando de sua liberação, o que facilita o fechamento do dorso, em contraposição aos casos onde se acumula o retalho na axila para depois liberá-lo por via anterior, o que causa tensão na pele dorsal durante a sutura da incisão. Deve-se manter intacta a margem lateral da região mamária, criando-se o túnel bem próximo à axila, o que mantém o formato anatômico da mama. Se o túnel for alargado muito caudalmente, serão necessárias suturas para recompor a margem lateral do contorno mamário, o que muitas vezes é difícil e demorado.

Após a incisão da pele do dorso, abre-se a fáscia superficial até a fáscia torácica profunda, seguindo a dissecção num plano relativamente avascular entra a gordura profunda (junto ao músculo) e a face profunda da fáscia. Manter a gordura aderida ao músculo ajuda no aumento do volume de tecido a ser transferido. Calcula-se que uma camada de 5 mm de gordura numa extensão de 20-30 cm de músculo pode chegar a 300 mL de volume total adicionado. Quando se faz a exposição do músculo, é importante manter a elevação dos retalhos de pele do dorso num plano

ores, localizadas 4-5 cm da linha média. Essas perfurantes permitem que o retalho seja usado para cobrir defeitos dorsais da linha média.

A pele sobrejacente ao músculo é suprida por várias perfurantes musculocutâneas com rica rede anastomótica, o que permite o desenho de ilhas de pele em vários locais dentro das margens do músculo, embora o local mais seguro seja sobre a margem lateral do músculo, em que corre o ramo lateral da toracodorsal.

O músculo grande dorsal é um adutor e rotador medial do úmero. Também assiste na manutenção da escápula junto à parede torácica. Sua transposição cirúrgica é bem tolerada, com mínimo déficit funcional. Embora fraqueza dinâmica na extensão e adução do ombro possa ocorrer.

Indicações

As indicações variam e dependem em parte nas preferências tanto do cirurgião quanto do paciente. Seu suprimento vascular é vigoroso e constante, o que permite que seja usado em tabagistas. Também é uma boa opção em pacientes candidatas à reconstrução com expansor, mas que podem ter um melhor resultado estético com a adição de tecidos moles, proporcionada pelo retalho. Além disso, é uma opção excelente em pacientes que tiveram necrose parcial do TRAM e que, após o desbridamento, ficaram com distorção da mama. O retalho grande dorsal pode ainda ser usado para preencher defeitos de segmentectomias e em pacientes que já tiveram a outra mama reconstruída com TRAM ou que não são candi-

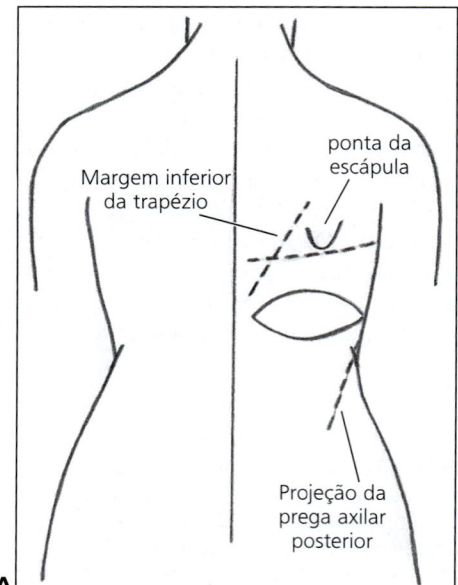
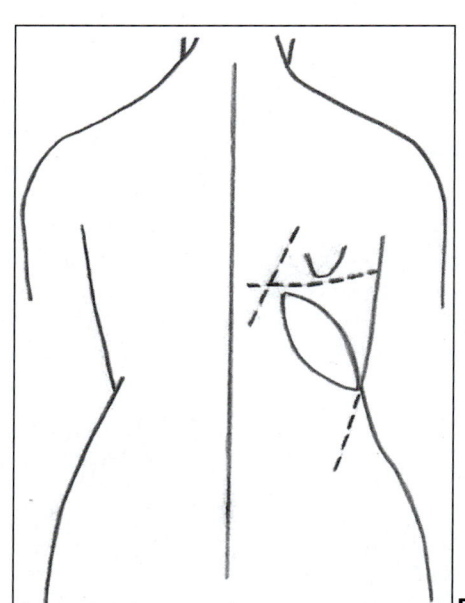
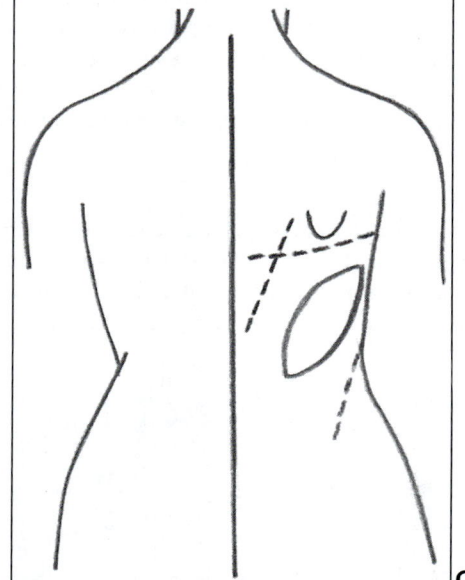

▲ **FIGURA 3.** Planejamento da ilha de pele. (**A**) Orientação horizontal. Estão destacados os pontos de referência normalmente marcados na pele antes da cirurgia. A margem anterior do grande dorsal é determinada, estendendo-se uma linha na projeção da prega axilar posterior. (**B**) Orientação oblíqua, paralela às linhas de força da pele. (**C**) Orientação longitudinal às fibras musculares.

profundo à fáscia para manter sua vascularização, uma vez que eles são fasciocutâneos em sua essência.

Após a exposição superomedial das fibras do trapézio, a dissecção se dá de maneira rápida. Esse é um ponto de referência importante em pacientes pesados, onde a camada de gordura oculta os limites do grande dorsal. Há preferências pessoais na direção da liberação distal das fibras do músculo, mas cuidado deve ser tomado se for usado o sentido medial para lateral, para que próxima à escápula não se entre em um plano sob o músculo serrátil anterior, como citado anteriormente. Próximo à sua origem aponeurótica na linha média, a divisão do músculo pode atingir as perfurantes das artérias intercostais, que podem necessitar de ligadura para controle de sangramento. Proximalmente, deve-se liberar a adesão do grande dorsal ao redondo maior para permitir sua ampla rotação em direção peitoral.

No fechamento dos retalhos dorsais, o uso de suturas para fixar os retalhos na parede torácica diminui o espaço morto e a formação de seroma.

O paciente é, então, colocado em decúbito dorsal e, após antissepsia e troca de campos, aborda-se novamente a loja peitoral, que estava com suturas e curativos temporários. Pode-se, então, seccionar a inserção do grande dorsal, se necessário, para ter-se um avanço mais livre do mesmo até a loja mamária. Essa manobra pode permitir mais 10-12 cm de avanço, além de dar mais flexibilidade de posicionamento à ilha de pele, especialmente em reconstruções tardias. Pode-se deixar cerca de 10% da inserção tendinosa para se prevenir tração inadvertida sobre o pedículo vascular.

Em mamas pequenas a moderadas o grande dorsal deve ser fixado superior, medial e lateralmente, para então introduzir-se o implante e fixar-se o sulco inframamário inferiormente. Em mamas grandes, eleva-se também o músculo peitoral para cobertura do polo superior do implante, suturando-o com a margem correspondente do grande dorsal.

O dreno da loja mamária é retirado após 1 semana, mas o dreno dorsal pode ter que permanecer por mais de 15 dias. Antibióticos por via oral são mantidos até a retirada do dreno da loja mamária.

Uso de expansores e implantes

O retalho grande dorsal geralmente não tem volume suficiente para isoladamente atingir simetria com a mama contralateral. Por isso, rotineiramente usam-se implantes de silicone na reconstrução. Entretanto, em alguns casos podem ser usados expansores para um melhor ajuste pós-operatório do volume mamário, o que pode ser difícil de estimar antes da cirurgia. Além disso, o edema muscular nas primeiras semanas após a cirurgia pode comprometer a vascularização dos retalhos cutâneos da mastectomia com o uso de um implante de grande volume, situação em que o uso de um expansor com menos volume até a redução desse edema pode ser mais seguro. Após a definição do volume, base e altura ideais, troca-se o expansor por um implante definitivo em um segundo procedimento.

Simetrização da mama contralateral

Quando há necessidade de correção de ptose ou volume da mama contralateral, é da preferência de alguns autores de fazer a correção durante o estágio inicial da reconstrução. Assim, após a definição do formato e posição finais da mama e do CAM que ocorre nos meses seguintes (báscula da mama operada), é mais fácil atingir simetria da mama reconstruída, caso tenham que ser feitas alterações de posição do sulco inframamário ou de volume na troca do expansor pelo implante definitivo. Assim, em dois tempos cirúrgicos pode-se atingir a reconstrução completa, sem necessidade de mais um tempo cirúrgico para reconstruir o CAM (que usa como o parâmetro a posição do outro CAM) ou para mais algum ajuste de volume/posição.

Complicações

A extensa experiência cirúrgica de uso do retalho miocutâneo grande dorsal documentada ao longo dos anos por dezenas de autores confirma a segurança do seu uso. Ele possui uma vascularização vigorosa e pode ser usado em pacientes tabagistas, diabéticos e com doenças clínicas. A necrose significativa do retalho é rara e normalmente está associada à ligadura, identificada ou não, do pedículo da artéria toracodorsal. Necrose parcial tem sido relatada em até 7% dos casos, principalmente na elevação de retalhos extensos na tentativa de reconstrução totalmente autógena, sem implantes.

A complicação mais comum é o seroma da área doadora dorsal. Quando presente, deve ser puncionado repetidamente até resolução completa. Em alguns casos, uma bursa pode formar-se no espaço morto do seroma, o que indica excisão cirúrgica e nova drenagem fechada. Outras complicações incluem perda de mobilidade ou mobilidade umeral enfraquecida e rigidez do ombro. Essas complicações podem ser evitadas com o uso intenso de fisioterapia iniciada 15 dias após a cirurgia. Infecção e hematoma ocorrem na mesma frequência de outros procedimentos plásticos. Outras complicações da área doadora, como deiscência ou atraso de cicatrização, bem como alargamento da cicatriz dorsal, necessitam de revisão secundária.

As complicações pelo uso dos implantes de silicone são descritas e envolvem comumente deslocamento da prótese em direção lateral ou axilar. Essa migração pode ser prevenida por suturas do músculo grande dorsal à parede torácica lateral. Outra complicação comum ao uso das próteses é a contratura capsular. Embora incidências de até 39% já tenham sido relatadas, nos últimos 15 anos o advento de implantes com melhor *design* e texturização levou à queda dessa incidência para cerca de 8% (Contratura Baker III/IV).

Reconstrução com TRAM

Nos últimos 25 anos o retalho miocutâneo reto abdominal transversal (TRAM) se estabeleceu como o padrão de reconstrução mamária com tecido autólogo. Essa técnica permite reconstruir mamas de praticamente qualquer forma e tamanho, além de não só deixar uma cicatriz aceitável na área doadora (similar à de uma abdominoplastia), como também melhorar o contorno abdominal. Existem diversas variações da técnica, com transferência de retalhos mono ou bipediculados, ipso ou contralaterais, com ou sem auxílio microcirúrgico. A escolha da melhor técnica dependerá da preferência e experiência pessoal do cirurgião e das necessidades do paciente, bem como da presença de comorbidades.

Anatomia

O princípio vascular que permitiu o desenvolvimento dessa técnica consiste na comunicação entre os fluxos dos vasos epigástricos superiores e inferiores profundos, e nas perfurantes musculocutâneas periumbilicais que nutrem a pele e o subcutâneo do abdome infraumbilical. Esse padrão circulatório foi estudado, em 1984, por Taylor *et al.*, que demonstraram que a vascularização do abdome inferior deriva da artéria epigástrica superior, das artérias intercostais e da artéria epigástrica inferior profunda, sendo este o pedículo dominante. Essa dinâmica circulatória já tinha sido proposta por Hartrampf, em 1982, derivada sua experiência clínica com esse retalho. Suas observações levaram ao conceito de dividir a pele do abdome inferior em quatro zonas, com base na proximidade e vascularização pelo pedículo (Fig. 4). Ele verificou uma diminuição de previsibilidade da sobre-

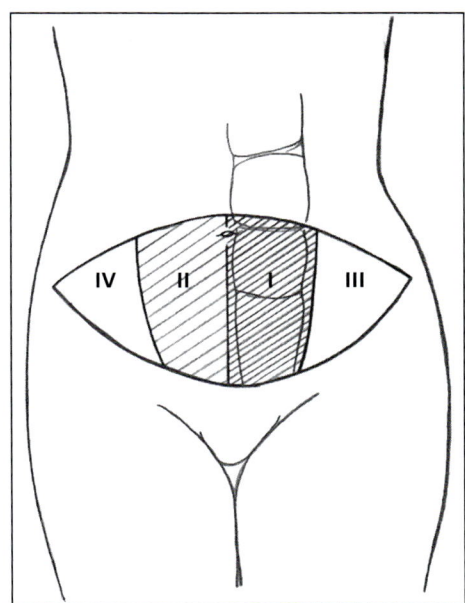

◀ **FIGURA 4.** Zonas de viabilidade vascular do retalho TRAM monopediculado.

vida dos tecidos, conforme se afastava da zona I (área sobre o pedículo) para a zona IV (circulação randomizada).

A artéria epigástrica superior se origina como ramo terminal da artéria torácica interna profunda à origem do músculo reto abdominal, o qual penetra em seu eixo mediano logo caudal aos arcos costais. Ela se comunicará com os ramos terminais da artéria epigástrica inferior profunda dentro do músculo em sua porção supraumbilical, sendo pouco protegidos nas intersecções tendinosas do reto, onde são suscetíveis à lesão durante a cirurgia.

Múltiplas perfurantes musculocutâneas são emitidas por esse sistema arterial epigástrico vertical, atravessando a bainha dos retos e nutrindo o subcutâneo e a pele da parede abdominal anterior. Os dois sistemas contralaterais se comunicam pela linha média através do plexo subdérmico, o que permite usar pele contralateral no TRAM, desde que não haja uma cicatriz na linha média. As perfurantes musculocutâneas estão distribuídas verticalmente na face anterior dos retos desde a margem costal até a altura da linha arqueada de Douglas. Assim, o músculo reto e a aponeurose caudal à linha arqueada não precisam ser elevados junto ao retalho, o que diminui a morbidade da parede abdominal.

A drenagem venosa do retalho TRAM é menos confiável do que a do Grande Dorsal. A oclusão funcional é um problema potencial, o que pode ser corrigido por drenagem gravitacional ao elevar-se a cabeceira do paciente. As válvulas unidirecionais presentes nas veias do sistema epigástrico inferior, orientadas caudalmente, também contribuem para estase venosa em alguns pacientes. O uso de retalhos monopediculados contralaterais à mama a ser reconstruída gera menos risco de estase venosa, em razão do arco de rotação mais favorável. Retalhos bipediculados também diminuem esse risco, por duplicar o potencial de retorno venoso.

Indicação

Uma seleção rigorosa dos pacientes candidatos ao TRAM é de fundamental importância. História de tabagismo, cirurgias e cicatrizes abdominais, radioterapia prévia, doenças clínicas significativas (especialmente diabetes) e obesidade devem ser verificadas. Tabagistas devem parar o hábito por, pelo menos, 6 semanas antes da cirurgia, se forem elegíveis. História de cesariana com incisão tipo Pfannenstiel não contraindica a realização do TRAM, mas pode modificar o posicionamento das incisões. Pacientes obesos (IMC > 30) não são bons candidatos, pelo risco aumentado de necrose de pele e gordura do retalho. O contorno abdominal, a distribuição da camada adiposa e a força muscular dos retos também devem ser avaliados. Abdomes protrusos, com flacidez muscular pronunciada, têm um maior risco de complicações da parede abdominal, especialmente no TRAM bipediculado.

De maneira geral, o TRAM é primariamente indicado em pacientes que não desejam a colocação de implante de silicone ou que necessitam grandes transferências de tecido graças a sequelas cutâneas da radioterapia que aumentem o risco de extrusão do implante. Pode também ser usado como método de salvamento após complicações de reconstruções prévias.

Técnica cirúrgica

Por ser um procedimento longo e sob anestesia geral, é importante posicionar corretamente o paciente na mesa cirúrgica, com acolchoamento apropriado das extremidades ósseas. Além disso, é importante o uso de calças de compressão pneumática associado à leve flexão dos joelhos para diminuir o risco de trombose venosa profunda; elas devem ser mantidas até o dia seguinte à cirurgia ou até a paciente estar plenamente deambulante. Sondagem vesical de demora deve ser feita e também mantida até a deambulação. Alguns autores indicam reserva de 1-2 unidades de sangue do próprio paciente, coletados no pré-operatório, para administração após a cirurgia; entretanto, no INCA, não usamos a autotransfusão como rotina.

A cirurgia inicia pela marcação cuidadosa do abdome e da região mamária, quando a paciente ainda de pé. A ilha de pele a ser transferida do abdome inferior deve ser desenhada em formato de cunha, com seu limite superior colocado sempre acima da cicatriz umbilical. Normalmente a decisão de usar um pedículo ipso ou contralateral ao defeito mamário é individualizada por cada cirurgião; a vantagem do pedículo contralateral reside no arco de rotação menos agudo, que tende a causar menos estase venosa (ver adiante). Inicia-se a incisão pela margem superior da ilha de pele marcada, elevando-se o retalho de pele e gordura do abdome superior que será posteriormente avançado para o fechamento do abdome. Isso irá expor a aponeurose anterior dos retos, que deve ser, então, aberta para exposição do músculo reto abdominal de um dos lados. É nossa preferência manter uma tira de aponeurose aderida sobre o eixo mediano do músculo, o que diminui o risco potencial de ruptura das fibras musculares e das conexões vasculares por tração, quando o retalho é passado pelo túnel subcutâneo até a loja mamária. É necessário cuidado nas intersecções tendinosas do reto, que são especialmente aderidas à aponeurose anterior. Este ponto é especialmente suscetível de lesão vascular pelo eletrocautério, que deve ser ajustado para uma intensidade baixa (5 a 10) e usado com cautela.

Se a exposição do reto ocorrer sem contratempos, terminam-se a incisão e elevação da pele. Esta deve ser feita com cuidado em direção medial quando se ultrapassa a margem lateral do músculo reto onde ele se une ao oblíquo externo, uma vez que deste ponto em diante se localizam as perfurantes musculocutâneas que nutrem a pele e subcutâneo do abdome anterior. Normalmente, não há perfurantes significativas caudalmente à linha arqueada de Douglas, o que permite que se preservem músculo e aponeurose dessa área.

Pode ser necessária uma incisão na aponeurose caudal do reto para se exporem os vasos epigástricos inferiores profundos, que devem ser individualizados e ligados duplamente com fio seda 2-0. Neste momento, o músculo reto pode ser seccionado com o eletrocautério em intensidade alta (40-45), com o cuidado de manter-se clampeado o músculo caudal, que ainda pode conter vasos intramusculares suscetíveis à retração e sangramento. Após a secção completa, o coto muscular é suturado com Vicryl 3-0 em ponto contínuo, e, então, os clampes são liberados.

Neste momento, o retalho é elevado até o nível dos arcos costais, onde o oitavo nervo intercostal é visto entrando a face profunda do músculo. Ao elevar-se o músculo reto no TRAM pediculado superior, mesmo que se preserve uma faixa lateral de músculo, há denervação pela secção dos ramos motores dos nervos intercostais T7-T12. O 8º nervo intercostal deve ser dividido de maneira a promover a atrofia do músculo e diminuição do abaulamento epigástrico sob a pele, resultante da rotação do retalho. Essa atrofia, que inicia cerca de 2 meses após a cirurgia, também auxilia na melhor definição do sulco inframamário.

O retalho pode ser, então, transferido para a loja peitoral, onde é fixado com suturas temporárias para permitir o fechamento da área doadora. É importante não se marcar ou definir o sulco inframamário antes desse fechamento, uma vez que ele pode descer 1-2 cm caudalmente pela tração da pele descolada do abdome.

O fechamento da parede abdominal se dá pela sutura primária da aponeurose anterior do reto acima do nível do umbigo. Abaixo do umbigo, é colocada uma tela de polipropileno que vai do coto inferior do reto até o nível do umbigo, colocada sob o folheto aponeurótico do oblíquo externo e fixada lateralmente no folheto do oblíquo interno até a linha alba medialmente. Os folhetos aponeuróticos dos oblíquos devem ser divididos cirurgicamente, o que permite um avanço medial extra do oblíquo externo que geralmente permite a cobertura completa da tela sintética. O umbigo é fixado, e drenos de aspiração fechada são instalados; o restante do fechamento se dá basicamente como qualquer abdominoplastia. O uso de pontos de Baroudi, que unem a superfície profunda do retalho abdominal à aponeurose subjacente, diminui o espaço morto e a incidência de seroma.

A decisão de quanta pele abdominal deve ou pode ser mantida após a rotação do TRAM deve ser sempre individualizada, mas de maneira geral, no retalho monopediculado, além da Zona I, 70-80% da Zona III e até 60% da Zona II podem ser elevados em conjunto, de acordo com os achados de Wagner em 1991 (Fig. 5). Uma necessidade de tecido maior do que 2,5 zonas demandará um retalho bipediculado ou auxílio microcirúrgico.

Existem manobras que permitem aumentar a circulação arterial do TRAM comparativamente à técnica monopediculada. Estas incluem: autonomização do retalho pela ligadura dos vasos epigástricos inferiores superficiais e profundos 15 dias antes da cirurgia; transferência do reta-

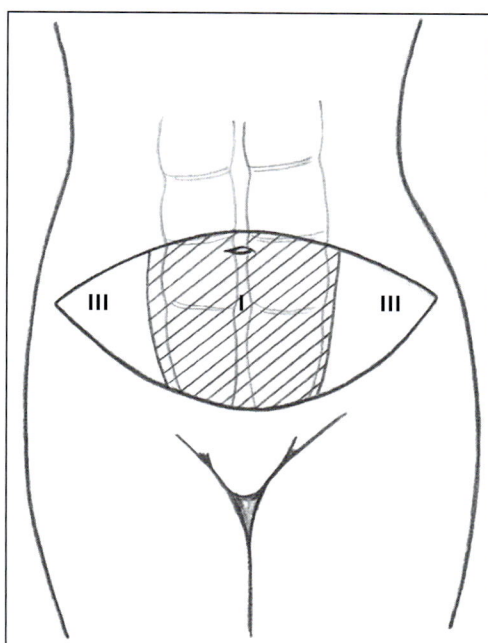

▲ **FIGURA 5.** Quantidade máxima de pele e gordura abdominal que pode ser mantida no TRAM monopediculado (área hachurada). A presença de cicatriz mediana no abdome inferior exclui o uso da Zona II.

lho com aumento microcirúrgico (técnicas *supercharge* e *turbocharge*); transferência microcirúrgica total; e o retalho bipediculado (usando os dois músculos reto abdominais). O TRAM bipediculado permite a transferência de praticamente toda a pele abdominal inferior, tendo um sistema de classificação de zonas diferenciado (Fig. 6).

Definida a quantidade de pele necessária à reconstrução, é necessário definir a orientação do retalho na loja receptora. Essa pode ser vertical (para mamas estreitas e com maior altura craniocaudal), diagonal (para mamas em geral) ou horizontal (mamas largas e com pouca altura), conforme a necessidade de preenchimento.

Um princípio moderno no que tange à montagem da pele do TRAM na área receptora é o respeito às unidades estéticas da mama. Como Pülzl enfatizou em seu artigo de 2006, duas cicatrizes visíveis separando a pele da mama da pele de outra cor do retalho dão uma aparência de "remendo". Além disso, a retração cicatricial e o descolamento do sulco inframamário dão um aspecto de "dupla bolha", onde a pele remanescente do polo inferior da mama e a parte inferior da pele do TRAM formam dois abaulamentos separados pela cicatriz interposta entre eles (Fig. 7).

Essas características comuns à reconstrução com TRAM causam insatisfação tanto nas pacientes quanto no cirurgião, que buscam uma mama que atinja simetria de posição e projeção, além da ptose natural

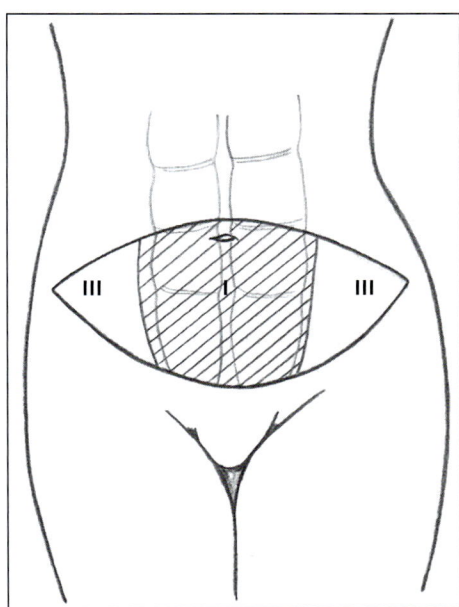

◄ **FIGURA 6.** Zonas de viabilidade vascular do retalho TRAM bipediculado.

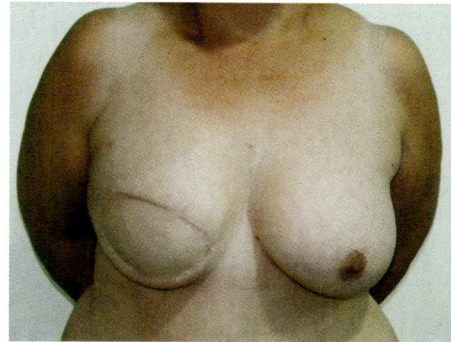

◄ **FIGURA 7.** Pós-operatório de reconstrução de mama direita com TRAM contralateral e efeito de "dupla bolha" do polo inferior.

da mama contralateral. Uma maneira de atingir esse resultado é a proposta de Pülzl, entre outros autores, de usar a maior quantidade possível de pele do retalho para manter a unidade estética e fixar o sulco inframamário. Isso implica em sacrificar parte da pele do retalho caudal da mastectomia, que deve ser desepitelizado até o nível do sulco inframamário, onde a margem inferior do retalho abdominal será suturado (Fig. 8). Essa técnica é simples, porque prescinde de uso de retalhos dérmicos com ancoragem periósteo, como descrito previamente, além de esconder a cicatriz inferior do retalho sob o mesmo, exatamente no nível do sulco inframamário (Fig. 9).

Complicações

As alterações de contorno da mama reconstruída podem precisar de um segundo procedimento para corrigi-las. Assimetrias de volume podem ser corrigidas por excisão direta do tecido excedente ou por lipoaspiração do cone mamário. Irregularidades de altura ou contorno do sulco inframamário devem ser corrigidas por abordagem direta e sutura do sulco em sua posição ideal.

Durante a reconstrução imediata, atenção deve ser dada à vascularização dos retalhos cutâneos nativos da mama, uma vez que a necrose parcial dos mesmos no pós-operatório não é incomum. Assim, o cirurgião deve ser judicioso na decisão de quanto de pele do retalho abdominal excisar na montagem da mama.

As complicações da área doadora incluem a formação de hérnias de parede abdominal e necrose do retalho cutâneo de avanço abdominal e do umbigo. O uso de tela de polipropileno diminui a incidência de hérnias quando o fechamento primário da aponeurose não é possível ou quando se verifica durante a cirurgia o enfraquecimento ou atenuamento dos tecidos. Na experiência de Shestak, até 60% dos pacientes não necessitam do uso de telas sintéticas. Quanto ao retalho cutâneo abdominal de avanço, complicações isquêmicas são diminuídas ao se limitar o descolamento lateral do retalho, onde entram as perfurantes dos vasos intercostais responsáveis por sua vascularização. Na vigência de necrose na margem inferior do retalho ou do umbigo, desbridamento cirúrgico e curativos seriados devem ser realizados para promover fechamento por segunda intenção. A exposição da tela de polipropileno não indica necessariamente na sua remoção, desde que não haja infecção, e a ferida tenha boa evolução e fechamento completo sem fístulas.

O seroma é uma complicação frequente, mas pode ser evitada, mantendo-se os drenos de aspiração até que o volume drenado caia abaixo de 30 mL a cada 24 horas. Os seromas persistentes devem ser aspirados por punção por agulha calibrosa sob cuidados de antissepsia, podendo ser necessárias punções seriadas semanalmente, enquanto necessário.

Necrose parcial do retalho TRAM pode ocorrer por isquemia arterial ou, mais comumente, estase venosa. Geralmente envolve uma porção da pele transferida, embora possa cursar somente com necrose gordurosa, que muitas vezes é subclínica e manifesta-se mais tardiamente por áreas endurecidas profundamente no cone da mama reconstruída. Necroses restritas da pele podem ser manejadas com desbridamento e ressutura das margens, mas necroses mais extensas podem necessitar de cobertura secundária com retalhos locais ou a distância. No caso de necrose da porção lateral da mama, o uso do retalho Holmström (como visto anteriormente) é uma excelente opção. Na impossibilidade deste, ou em necroses de outras localizações, o retalho grande dorsal é a melhor opção de salvamento.

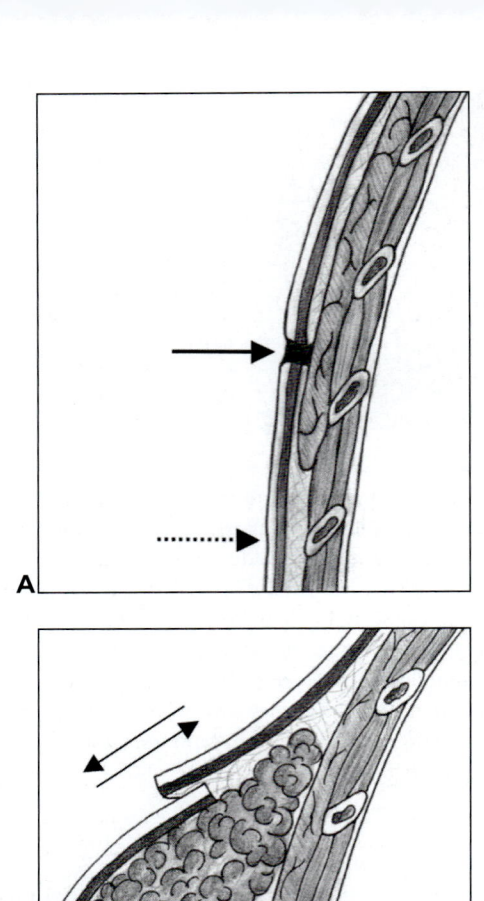
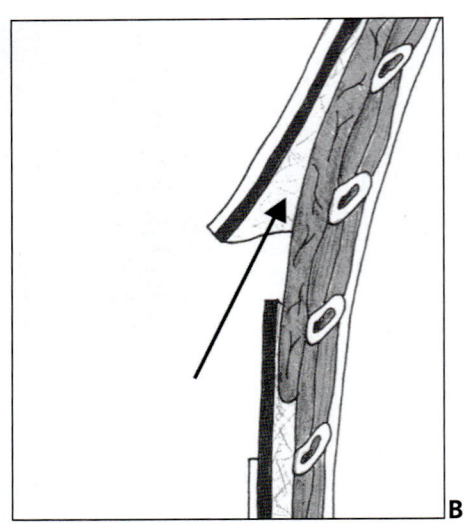
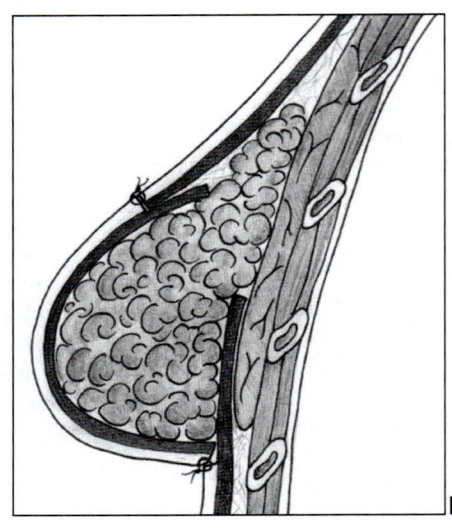

◀ **FIGURA 8.** Técnica cirúrgica da reconstrução por unidade estética do polo inferior da mama e do sulco inframamário. (**A**) A seta sólida indica a cicatriz da mastectomia, e a seta tracejada indica o sulco inframamário projetado. (**B**) O retalho da pele superior é descolado como habitualmente, enquanto o retalho inferior é desepidermizado. (**C**) A margem inferior do retalho abdominal é suturada na margem inferior da área desepidermizada. (**D**) O excesso de pele da margem superior do retalho abdominal é desepidermizada e embutida sob o retalho da mastectomia. (Retirada de Pülzl P *et al.* Respecting the Aesthetic Unit in Autologous Breast Reconstruction Improves the Outcome. Plast Reconstr Surg. 2006;117:1685).

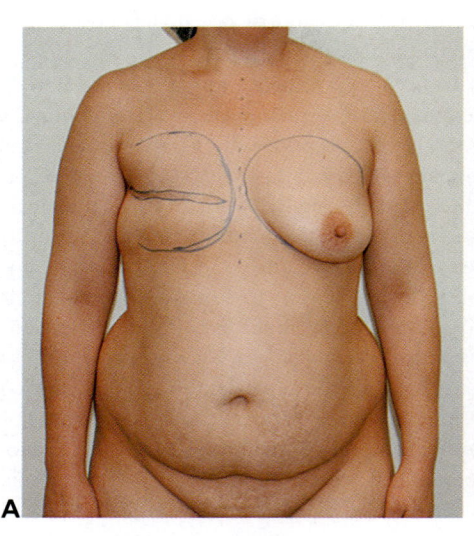
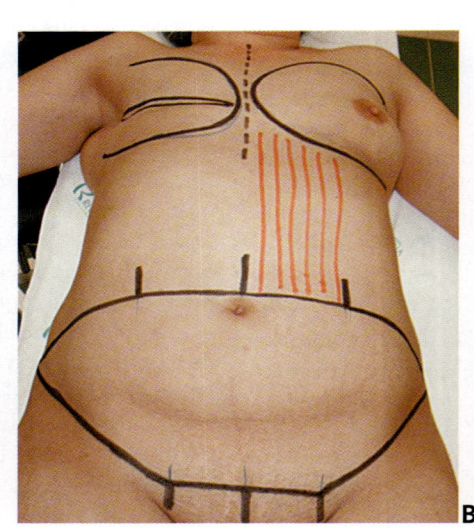
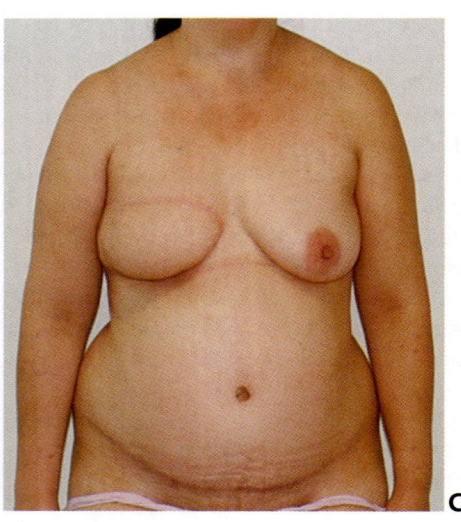
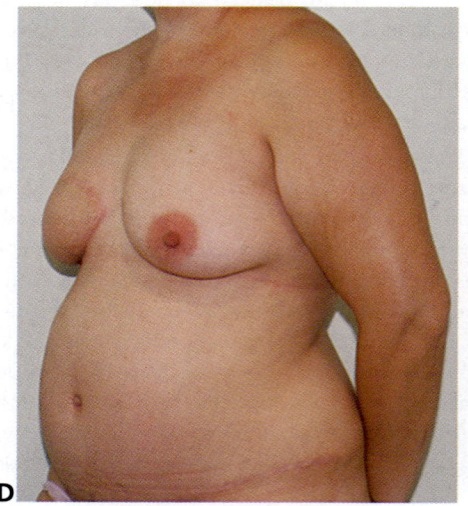
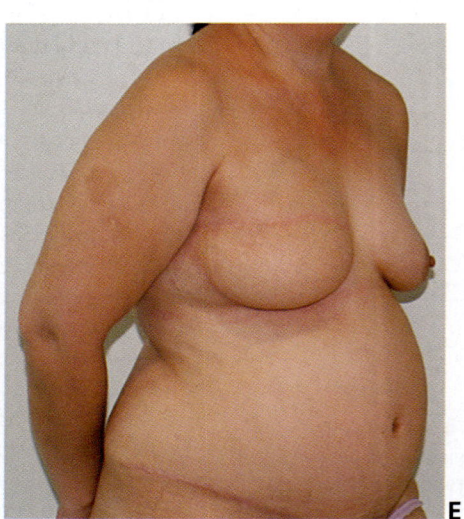

◀ **FIGURA 9.** Reconstrução tardia da mama direita com TRAM, respeitando a unidade estética da mama. (**A**) Pré-operatório. (**B**) Planejamento de TRAM contralateral para diminuir risco de estase venosa. (**C**) Pós-operatório mostrando a qualidade da reconstrução por unidade estética. Não há efeito de dupla bolha no sulco inframamário, que abriga a cicatriz inferior do retalho, não ficando visível. (**D** e **E**) Visões oblíquas direita e esquerda mostrando boa simetria de volume e posicionamento. A paciente não deseja reconstrução do CAM.

Reconstrução oncoplástica

A base conceitual da reconstrução imediata tumor-específica (*TSIR*, na sigla em inglês) após mastectomia parcial na cirurgia conservadora da mama (CCM) representa um estágio decisivo na evolução da cirurgia oncológica da mama. Oncologicamente, a cirurgia conservadora e a mastectomia parcial se mostraram tratamentos seguros, se comparados à mastectomia total, para tumores de até 3 cm de diâmetro. Entretanto, há fatores anatômicos importantes a ser levados em consideração na difícil tarefa de rearranjar ou reconstruir os defeitos teciduais locais, decorrentes da CCM, e esses fatores passam a ter importância oncológica em situações de margens comprometidas.

Cirurgicamente, os limites da CCM são definidos pelo conflito de interesses entre uma ressecção grande suficiente para atingir margens livres e uma ressecção pequena o bastante para favorecer a forma e aparência da mama. O impacto da técnica cirúrgica na estética mamária durante a CCM tem sido enfatizado por diversos autores como mais importante do que o efeito da radioterapia sobre a mesma.

Esse dilema cirúrgico da operabilidade do câncer mamário, em geral, não é fundamentada somente na combinação de critérios anatômicos e oncológicos (p. ex.: câncer mamário local avançado [CMLA] não inflamatório com 3-4 cm de diâmetro ou mais; ou resposta local após terapia neoadjuvante), mas também em critérios puramente anatômicos (p. ex.: tamanho tumoral relativo ou absoluto desfavorável; localização tumoral central ou outras formas problemáticas de localização). Na cirurgia conservadora, esse conflito de interesses entra em concordância com a maioria dos critérios de contraindicação relativa à CCM, conforme proposto pelo Comitê Conjunto do Colégio Americano de Cirurgiões, do Colégio Americano de Radiologia, do Colégio Americano de Patologia e da Sociedade de Cirurgia Oncológica, em 1992.

Alguns dos critérios de contraindicação relativa (anatômica) à cirurgia conservadora da mama são:

- Relação do tamanho tumor/mama grande.
- Mama volumosa.
- Tumor localizado sob a papila (tumor central).
- Tumor localizado na margem dos quadrantes internos.

Essas contraindicações anatômicas requerem uma integração da equipe de cirurgia plástica com a equipe mastológica/oncológica no planejamento e execução da ressecção tumoral.

Terminologia

As técnicas cirúrgicas usadas para atender a essas necessidades podem ser agrupadas sob o nome geral de Cirurgia Oncoplástica da Mama, incluindo tanto mastectomias totais, como parciais. Como essas técnicas envolvem a reconstrução imediata da mama, Bostwick propôs o termo "reconstrução imediata tumor-específica". Esse termo engloba a reconstrução imediata de uma mama de forma natural após CCM, a reconstrução imediata de todo o volume mamário após mastectomia radical modificada (MRM) e a reconstrução imediata de defeitos de tecidos moles da parede torácica após cirurgia higiênica ou de salvamento.

Algumas das técnicas de reconfiguração da forma mamária usadas pela cirurgia oncoplástica são:

- Mastectomia com preservação da pele.
- Fechamento de defeito central.
- Biópsia em espelho – cirurgia bilateral para quadrantectomia, esvaziamento axilar e radioterapia (QUART).
- Recentralização de CAP – mastopexia periareolar.
- Quadrantectomia estética.
- Cirurgia estético-terapêutica.
- Mamoplastia de tumor do quadrante inferior.
- Mamoplastia redutora.
- Retalho grande dorsal.

Na última década, a cirurgia mamária e a radioterapia computadorizada têm procurado reduzir os resultados insatisfatórios da CCM, com o objetivo subjacente de evitar a necessidade de novas ressecções e evitar complicações cicatriciais decorrentes da radioterapia primária. Há também uma nítida demanda, por parte dos pacientes, por novos protocolos de cirurgias conjuntas que atendam o desejo de cirurgia conservadora e reconstrução imediata apesar de fatores anatômicos adversos.

Deve ser estabelecida uma sistemática que oriente o planejamento cirúrgico da reconstrução imediata. Deve haver plausabilidade, compatibilidade e interdependência da técnica cirúrgica relativa à radioterapia e à quimioterapia. De maneira geral, quando o defeito for reconstruído com tecidos locais à mama, a radioterapia deve ser feita após a cirurgia. Quando forem usados retalhos a distância, como o grande dorsal, pode ser feita radioterapia neoadjuvante. Assim, se o tratamento neoadjuvante for primordial no tratamento, isso orientará as opções de reconstrução a serem consideradas.

Abaixo apresentamos um caso ilustrativo de reconstrução oncoplástica de uma mastectomia parcial/quadrantectomia, onde decidimos realizar uma mamoplastia redutora simultânea com simetrização contralateral (Fig. 10). A opção nesse caso foi preservar o retalho de quadrante inferoexterno normalmente descartado na redução e avançá-lo superiormente, com base inferior vascularizada por perfurantes intercostais. Nesse caso, a radioterapia seguiu o tratamento cirúrgico, sem prejuízos ao resultado final tanto em forma, como em simetria.

Reconstrução areolopapilar

A reconstrução do complexo areolopapilar (CAP) é o último passo da reconstrução de mama pós-mastectomia. Originalmente, as técnicas empregavam o uso de enxertos de pele de locais distantes – como região inguinal e face interna da coxa. Hoje se considera que a aréola contralateral como primeira escolha, graças à melhor similaridade de cor e textura. O uso da papila contralateral é reservado aos pacientes que aceitam sacrificar 50% de sua altura/projeção normais, o que elimina muitos pacientes. No início dos anos 1980, técnicas de reconstrução areolar começaram a surgir na literatura. Barton, em 1982, e Little, em 1984, descreveram suas modificações da técnica de "Cruz de Malta" de DiPirro. Várias outras técnicas surgiram posteriormente, entre elas: retalho em prancha de Little, retalho C-V de Bostwick, retalho em S de Cronin, retalho em cogumelo de Nelson, entre outros. Vários estudos avaliaram a projeção a longo prazo de diversas dessas técnicas de reconstrução da papila, com os autores defendendo cada um de seu método como superior, mas dependendo de cada cirurgião, em suma, decidir qual deles funciona melhor para si.

Becker, em 1986, foi o primeiro a sugerir a tatuagem do CAP como método de reconstrução. Spear popularizou esse método nos anos seguintes. Atualmente, os aparelhos são de fácil acesso e de excelente qualidade, permitindo equiparar com perfeição a cor e os padrões da aréola contralateral. É esperado algum desvanecimento das cores com o tempo em até 60% dos casos, mas são facilmente corrigidos com uma nova tatuagem, e a maioria das pacientes mostra-se satisfeita com os resultados.

Na Figura 11 demonstramos o método de escolha do Serviço de Cirurgia Plástica do INCA para a reconstrução do CAP, com retalho em forma de *chevron* que pode ter a base orientada superior, inferior ou lateralmente, conforme a conveniência e vascularização da área doadora.

RECONSTRUÇÃO MICROCIRÚRGICA DA MAMA

A reconstrução microcirúrgica da mama é uma opção para casos onde o implante e os retalhos pediculados não sejam apropriados ou estejam contraindicados e haja uma equipe devidamente treinada. A seleção de pacientes para reconstrução microcirúrgica, no entanto, deve ser rigorosa, porque a perda de um retalho livre gera morbidade significativa. Os cuidados perioperatórios também devem ser rigorosos. A pressão arterial média deve ser mantida acima de 70 mmHg no transoperatório. Durante e após o procedimento, o uso de vasopressores pode ser deletério, mas a sobrecarga de volume também.

As técnicas microcirúrgicas são empregadas de duas formas na reconstrução mamária: para aumentar o fluxo vascular (*supercharge* e *turbocharge*) ou com retalhos microcirúrgicos propriamente ditos.

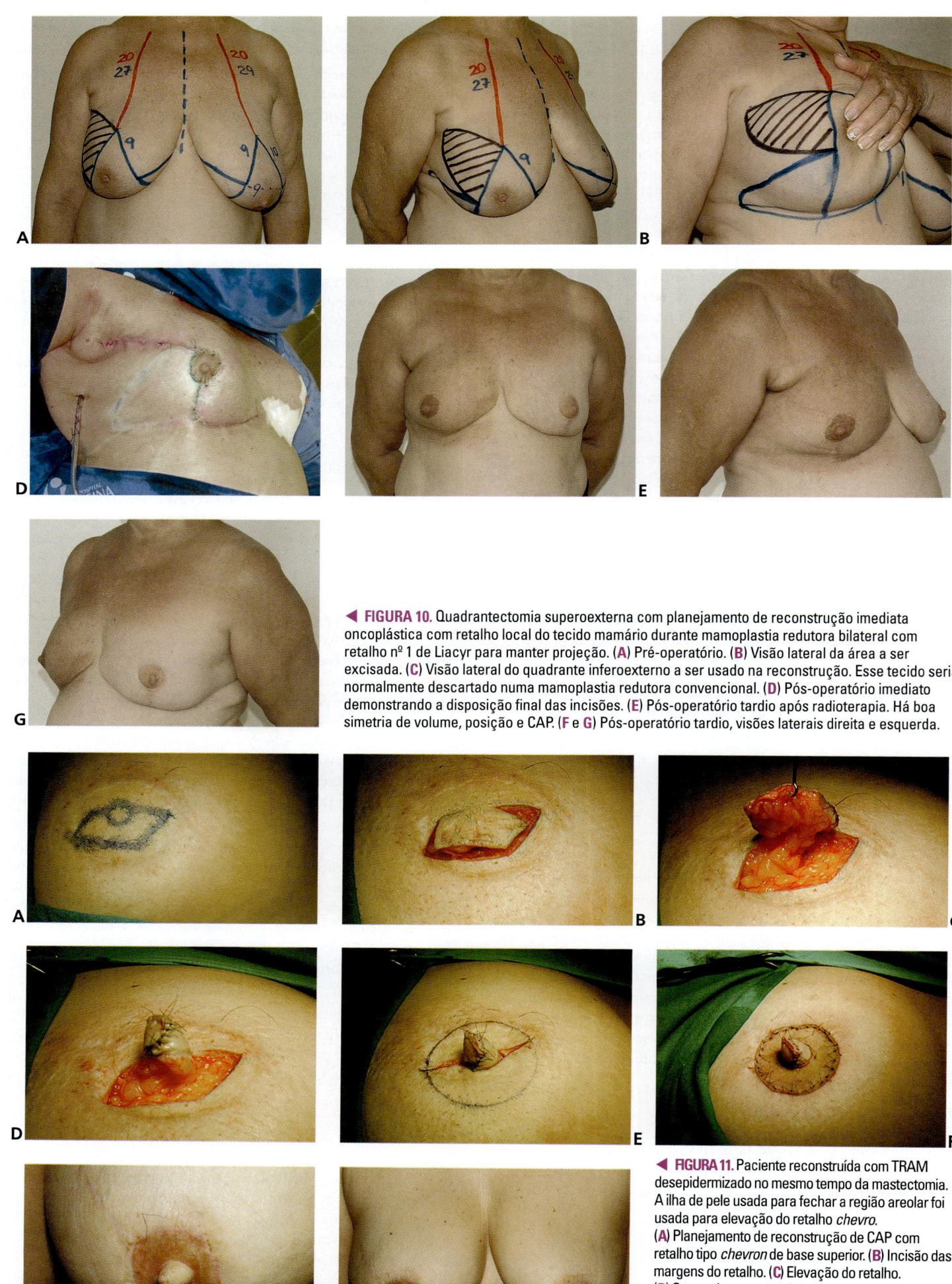

◀ **FIGURA 10.** Quadrantectomia superoexterna com planejamento de reconstrução imediata oncoplástica com retalho local do tecido mamário durante mamoplastia redutora bilateral com retalho nº 1 de Liacyr para manter projeção. (**A**) Pré-operatório. (**B**) Visão lateral da área a ser excisada. (**C**) Visão lateral do quadrante inferoexterno a ser usado na reconstrução. Esse tecido seria normalmente descartado numa mamoplastia redutora convencional. (**D**) Pós-operatório imediato demonstrando a disposição final das incisões. (**E**) Pós-operatório tardio após radioterapia. Há boa simetria de volume, posição e CAP. (**F** e **G**) Pós-operatório tardio, visões laterais direita e esquerda.

◀ **FIGURA 11.** Paciente reconstruída com TRAM desepidermizado no mesmo tempo da mastectomia. A ilha de pele usada para fechar a região areolar foi usada para elevação do retalho *chevro*. (**A**) Planejamento de reconstrução de CAP com retalho tipo *chevron* de base superior. (**B**) Incisão das margens do retalho. (**C**) Elevação do retalho. (**D**) Sutura das margens laterais do *chevron*, que determinarão a altura/projeção da papila. (**E**) Fechamento das margens e marcação da área receptora do enxerto de pele crural. (**F**) Pós-operatório imediato do enxerto, ainda sem o curativo compressivo. (**G**) Pós-operatório tardio, mostrando a pigmentação da pele crural, bastante semelhante à da aréola contralateral. (**H**) Visão bilateral.

Técnicas microcirúrgicas para aumentar o fluxo vascular

As técnicas para aumentar o fluxo vascular são o TRAM *supercharge* e o TRAM *turbocharge*. Elas são uma alternativa à autonomização (*delay*) e usadas para diminuir a incidência de necrose cutânea e gordurosa deste retalho, descrita como sendo entre 13 e 36%, principalmente na zona IV do retalho. Marck *et al.* apresentaram, em 1996, uma diminuição de 28,6% para 15,8% na incidência de necrose gordurosa com a técnica *supercharge*. A necrose gordurosa e as sequelas da parede abdominal são as complicações tardias mais comuns do retalho TRAM, afetando de 12 a 35% das pacientes, segundo Arnez.

A técnica *supercharge* é uma anastomose entre o pedículo inferior e vasos da área receptora. Já a *turbocharge* é uma anastomose entre os próprios pedículos inferiores, sobrepassando a linha média e aumentando fluxo contralateral. Segundo Abdalla, ela aumenta o fluxo contralateral, mas não resolve deficiências circulatórias ipsilaterais. Assim, a técnica *supercharge* parece ser a mais eficiente.

As anastomoses *supercharge* são feitas entre os vasos epigástricos profundos inferiores e ramos axilares, toracodorsais ou do sistema da mamária interna. Como já foi dito anteriormente, este último exige a dissecção de cartilagens costais, mas pode ser a opção no caso de irradiação prévia da axila. Os critérios de elegibilidade para a reconstrução *supercharge* estão apresentados no Quadro 1, e os de exclusão, no Quadro 2.

Retalhos microcirúrgicos utilizados na reconstrução mamária

Os retalhos livres mais bem-sucedidos para a reconstrução mamária são: o glúteo, o transverso lateral da coxa e o de Rubens. Na escolha do retalho, a distribuição corporal de gordura deve ser levada em conta. O retalho TRAM livre também está descrito.

Retalho glúteo

As pacientes quase sempre têm gordura adequada na região glútea. Este fator e o de a cicatriz ficar menos exposta tornam o retalho glúteo atrativo. Mesmo quando não há gordura suficiente em outras regiões, geralmente haverá nesta região. A morbidade é baixa, exceto por perda de contorno, que pode ser prontamente tratada. Os pacientes costumam ter alta em menos de 5 dias. A posição supina costuma gerar dor significativa na primeira semana, mas sentar não é problemático.

A busca do pedículo torna o retalho glúteo mais difícil. A dissecção das perfurantes, no entanto, permite alongar o pedículo sem levar músculo; isso gera de 3 a 4 cm de pedículo. No entanto, a artéria é estreita; para dissecar uma artéria mais calibrosa, deve-se ir mais profundamente no músculo. Se uma artéria calibrosa puder ser retirada, pode-se fazer anastomose terminoterminal com a artéria mamária interna, simplificando a cirurgia. A camada de gordura é similar à do retalho transverso lateral da coxa e confere uma projeção excelente, que provavelmente é melhor do que os retalhos TRAM e de Rubens.

Retalho transverso lateral da coxa (RTLC)

Este retalho é melhor para pacientes que têm acúmulo de gordura na região troncantérica (lateral da coxa). A cicatriz é a mais visível das três. Assim, há uma melhora de contorno em detrimento de uma cicatriz aparente. O suprimento vascular é bom, e a sua confecção é mais fácil do que a do glúteo e o de Rubens.

Retalho de Rubens (da artéria ilíaca circunflexa profunda)

O retalho de Rubens utiliza a gordura peri-ilíaca, comumente vista nas obras deste pintor famoso da Renascença. Ele é com base nos vasos ilíacos circunflexos profundos.

O retalho de Rubens é de melhor escolha em pacientes com acúmulo de gordura na região do quadril. Isso costuma ocorrer em pacientes com abdominoplastia ou retalho TRAM prévios, porque o abdome ficou estreitado, mas o quadril não foi tratado. A confecção deste retalho costuma satisfazer as pacientes do ponto de vista estético, mas ela é mais difícil do que o RTLC, e o fechamento da área doadora é o mais difícil de todos. Os vasos são confiáveis, longos e de calibre adequado. A projeção e o volume são bons, embora provavelmente menores do que o RTLC e o glúteo. A ilha de pele provavelmente é a maior do que os dois anteriores, mas ainda perde para a área daquela de um retalho TRAM. O nervo femoral cutâneo lateral da coxa entra na área de confecção e é sempre seccionado. Contudo, a morbidade disso parece não ser significativa.

Retalho TRAM

O retalho TRAM pediculado está contraindicado em pacientes com abdominoplastias prévias, obesas, tabagistas crônicas e com radioterapia abdominal prévia. Nas abdominoplastias, os vasos perfurantes de pele central do abdome são seccionados. Existem, no entanto, relatos de caso que demonstraram revascularização utilizando o omento como substrato angiogênico.

O TRAM microcirúrgico é questionado por muitos autores, porque detém a mesma morbidade na área doadora e há um aumento na incidência da perda total do retalho de 0-1% (pediculado) para 1-10% (livre).

Os vasos toracodorsais são os de escolha para a anastomose microcirúrgica. Assim, é importante preservá-los na mastectomia e no esvaziamento axilar. O ponto preferido para a anastomose é aquele logo proximal à emersão do ramo para o serrátil. Se estes vasos não estiverem disponíveis, os vasos mamários internos são uma segunda opção adequada.

MATERIAIS ALOPLÁSTICOS (IMPLANTES E EXPANSORES)

A reconstrução de mama com implantes de silicone evoluiu nas duas últimas décadas para um método de reconstrução altamente satisfatório e bem-sucedido. Embora conceitualmente simples, é agora uma arte precisa e exigente que requer a integração de muitas variáveis. Estas incluem a consideração pré-operatória das expectativas do paciente, comunicação com a equipe oncológica sobre a possibilidade de terapias adjuvantes e a decisão sobre a seleção do tipo de expansor/implante. Cirurgicamente, a colaboração próxima com o cirurgião oncológico ou mastologista é essencial, bem como uma avaliação dos aspectos técnicos da colocação do implante.

Finalmente, o cuidado pós-operatório cuidadoso é crucial para manejar complicações e minimizar o risco de extrusão do expansor. Com atenção devida aos detalhes, a reconstrução de mama com expansores/implantes dá aos pacientes uma adequada reconstrução da forma mamária com mínima morbidade. Assim, tanto para o paciente como para o cirurgião, os resultados podem ser muito gratificantes.

A reconstrução com expansores/implantes está contraindicada na presença de um envelope cutâneo inadequado ou insuficiente. Isto pode advir de biópsias prévias ou a doença local avançada necessitando excisão alargada de pele na mastectomia. Radioterapia prévia é uma contraindicação relativa em razão do risco aumentado de extrusão do expansor, expansão insuficiente e contratura capsular.

O sucesso da reconstrução com expansores/implantes é muito dependente da técnica cirúrgica oncológica, tanto na posição da incisão da mastectomia e manutenção de adequada vascularização dos retalhos cutâneos, quanto na preservação do sulco inframamário. Todos esses fatores têm grande impacto na qualidade final da reconstrução.

A grosso modo, as incisões de biópsias devem ser o mais próximo possível da aréola e paralelas a uma futura incisão de mastectomia.

Quadro 1. Critérios de elegibilidade para a reconstrução mamária com retalho TRAM *supercharge*

- Câncer de mama documentado por exame histopatológico
- Doença em estágio TNM T2, T3, N0, N1, M0
- Idade até 60 anos
- Índice de Karnofsky > 70
- Estadiamento pré-operatório que inclui radiografia de tórax, ultrassonografia pélvica e cintilografia óssea negativas

Quadro 2. Critérios de exclusão para a reconstrução mamária com retalho TRAM *supercharge*

- Idade > 60 anos
- Função hepática ou renal alteradas
- Risco cardíaco elevado
- Índice de Karnofsky até 70
- Cicatrizes abdominais múltiplas

Sempre que possível a mastectomia com preservação de pele deve ser realizada, bem como a preservação da pele do polo inferior da mama. O sulco inframamário deve ser bem marcado no pré-operatório e respeitado como limite inferior durante a mastectomia. Além disso, a preservação da fáscia que recobre a margem inferomedial do músculo peitoral, da margem superior do reto abdominal e da extensão medial do serrátil anterior facilitará a cobertura muscular do expansor.

Primeiro estágio

A reconstrução de mama é geralmente mais bem realizada em dois tempos. Embora resultados satisfatórios possam ser atingidos em um estágio únicos (através do uso de expansores definitivos de Becker), para muitos pacientes a melhor alternativa é a remoção do expansor e a colocação de um implante de silicone num segundo procedimento. Esse procedimento secundário permite: (1) posicionamento preciso do sulco inframamário; (2) capsulotomia para liberação de tecidos moles, assim aumentando projeção e ptose e (3) reavaliação da altura e largura mamárias para atingir simetria máxima com a mama contralateral.

A seleção do melhor expansor requer uma avaliação cuidadosa das dimensões mamárias. Geralmente, um expansor deve corresponder com precisão à largura mamária original. A altura do expansor pode superar a da mama contralateral para permitir a total expansão dos retalhos cutâneos. O volume total do expansor deve igualar ou superar levemente o volume mamário estimado. No caso de reconstrução tardia, a revisão do peso da peça da mastectomia pode ajudar na estimativa do volume mamário contralateral.

O posicionamento do expansor é crítico ao sucesso da reconstrução. Em reconstruções tardias, a cicatriz da mastectomia é reaberta para permitir o acesso ao plano subpeitoral, que é facilmente acessado durante uma reconstrução imediata. A dissecção subpeitoral é seguida até cerca de 1 cm da linha média. Inferiormente ela segue até a junção da fáscia peitoral com a fáscia do reto. À medida que a dissecção segue caudalmente ao sulco inframamário, deve permanecer profunda à fáscia sobrejacente, até atingir o limite da ressecção mastológica, quando deve ser superficializado para liberar a fáscia, permitindo uma maior amplitude de expansão.

O expansor deve ser colocado 1 a 2 cm abaixo do sulco inframamário para permitir máxima expansão do polo inferior da mama. Nas reconstruções bilaterais, muito cuidado deve ser tomado na colocação simétrica dos expansores. Sempre que possível, deve-se realizar a cobertura musculofascial total do expansor, diminuindo o risco de extrusão do expansor no caso de necrose cutânea. Para isso, um retalho de fáscia e músculo serrátil anterior deve ser elevado até a linha axilar anterior, mas não sendo necessário elevá-lo na espessura total do músculo. Esse retalho é suturado à margem lateral do peitoral, fechando o envelope muscular. Deve ser colocado dreno aspirativo, e realizado fechamento cutâneo por planos. Devem ser evitados excessos cutâneos laterais e mediais dos retalhos da mastectomia, maximizando o contorno da futura mama. Algum grau de expansão transoperatória pode ser realizado se houver flacidez e vascularização adequadas dos retalhos cutâneos; até 20-40% do volume do expansor pode ser insuflado nessa situação. Isso ajuda a reduzir o espaço morto, enquanto mantém tensão na pele. Na ausência de necrose cutânea, as sessões de expansão podem ser iniciadas cerca de 14 dias após a cirurgia, seguidas de sessões semanais que podem ser injetados 60 a 100 mL de soro fisiológico. O volume final do expansor em geral é de 20% maior do que o volume planejado para o implante. Hoje boa parte dos expansores permitem hiperexpansões nessa proporção do volume nominal (calculado).

Segundo estágio

A remoção do expansor e troca pelo implante pode ser realizada cerca de 1 mês após o fim da expansão. Se o paciente for submetido à radioterapia ou quimioterapia, o procedimento de segundo estágio deve ser postergado até, pelo menos, 1 mês após o fim do tratamento adjuvante, diminuindo, assim, o risco de complicações cicatriciais locais.

Durante o procedimento, uma capsulotomia circunferencial deve ser realizada até o plano do tecido subcutâneo, permitindo liberação completa do envelope cutâneo. Em combinação com o implante, o envelope cutâneo é o fator que predominantemente determina o formato da mama reconstruída. É também importante liberar a margem inferomedial do músculo peitoral, do mesmo modo que é feito numa mamoplastia de aumento submuscular.

O sulco inframamário é liberado na capsulotomia circunferencial. A região do sulco é, então, aproximada da parede torácica anterior com pontos separados inabsorvíveis. Esse passo é essencial para a obtenção de contorno e ptose mamária adequadas. Muitas vezes é importante fixar a cápsula lateral com pontos separados para evitar o deslocamento lateral do implante. O volume, formato e projeção do implante definitivo devem ser cuidadosamente avaliados pré e transoperatoriamente. Nas reconstruções unilaterais o implante é selecionado pelas dimensões da mama contralateral; nas bilaterais, pelas dimensões da caixa torácica. A relação altura-largura da mama tende a variar: pacientes jovens e magras tendem a ter mamas altas com base estreita, enquanto pacientes mais velhas e obesas têm mamas curtas de base larga. Os implantes anatômicos são os únicos que podem atender a essas variações de relação base-altura. Normalmente são usados implantes de alta projeção para equiparar a projeção da mama contralateral, em um volume cerca de 80% daquele usado no expansor. Moldes provadores intraoperatórios são essenciais para seleção precisa do volume final, bem como a colocação do paciente em posição sentada durante a cirurgia. O fechamento cuidadoso por planos e o uso de drenos aspirativos são importantes para evitar seromas e manter a orientação correta do implante.

Simetrização da mama contralateral

Em reconstruções unilaterais, a cirurgia da mama contralateral permite uma melhora importante da simetrização, podendo ser feita no primeiro ou segundo estágios. Entretanto, tanto para pacientes com mamas volumosas precisando de redução, quanto em pacientes necessitando de um pequeno aumento com implante, esse procedimento é mais bem realizado durante a colocação do implante definitivo, quando a mama reconstruída já está com seu volume e projeção definidos.

Mastopexias e pequenas reduções podem ser feitas por técnica periareolar, que tende a diminuir a projeção mamária e é útil quando a mama reconstruída tem pouca projeção. Reduções maiores são mais bem realizadas com marcação tipo Pitanguy, preferencialmente com o uso de pedículo inferior para projeção. Reduções pela técnica de cicatriz vertical dão maior projeção relativa a uma base mais estreita.

No caso da necessidade de aumento contralateral, o uso de um implante de baixa ou média projeção terá melhor simetria do polo superior e de projeção.

Complicações

Quando em tempo, o tratamento correto de complicações após reconstruções com implantes podem reduzir a morbidade para o paciente e a taxa de extrusão do implante. No período pós-operatório imediato, necrose dos retalhos cutâneos não é incomum, especialmente em tabagistas e em retalhos excessivamente finos, resultantes da mastectomia. Se os retalhos parecerem mal perfundidos durante a cirurgia, é prudente excisar as margens até tecido bem vascularizado e porejante. É importante, também, realizar cobertura muscular total do expansor; na vigência de necrose cutânea, isso impedirá a exposição do mesmo. Nesses casos, o manejo conservador da ferida com desbridamento e trocas de curativo geralmente são suficientes para permitir o fechamento por segunda intenção. Se uma área maior de necrose ocorrer, desbridamento cirúrgico seguido de fechamento da ferida está indicado.

Celulite subcutânea deve ser tratada agressivamente, primeiramente com antibióticos parenterais e, na sua falha, remoção do implante. Isso é particularmente verdadeiro em pacientes irradiados. Se houver presença franca de pus, o expansor deve ser removido prontamente. Extrusão do expansor/implante pode ocorrer precocemente no período pós-operatório imediato, ou tardiamente durante o tratamento adjuvante. A extrusão geralmente significa remoção do dispositivo e reconstrução tardia com retalho.

Contratura capsular importante ocorre em 10% dos pacientes não irradiados e em 40% dos irradiados. Capsulotomia e capsulectomia parcial parecem ser benéficas. No caso de contratura recorrente, a reconstrução com retalho autólogo está indicada, uma vez que novas contraturas são prováveis de ocorrer.

Considerações especiais

A melhor abordagem de reconstrução imediata em pacientes que podem precisar de radioterapia adjuvante ainda está por ser determinada. Pacientes irradiados que procuram reconstrução tardia também têm indicações controversas. Este grupo inclui pacientes que foram submetidos à cirurgia conservadora da mama e radioterapia adjuvante e que depois necessitaram mastectomia graças à recidiva local.

Nestes subgrupos a incidência de complicações após reconstrução com expansor/implante é nitidamente maior. Entretanto, uma proporção grande dos pacientes terá resultados satisfatórios sem necessitar de cirurgias adicionais. Assim, é importante informar as pacientes e envolvê-las no processo de decisão da reconstrução. Para aquelas que não são candidatas à reconstrução autóloga ou que não aceitam a morbidade da área doadora, a reconstrução com expansor/implante é a única alternativa de reconstrução, desde que essas pacientes reconheçam e entendam o risco aumentado de complicações relacionados com a radioterapia, e que tenham uma expectativa realista sobre a qualidade do resultado final da reconstrução.

RADIOTERAPIA E SEUS EFEITOS NA RECONSTRUÇÃO

Apesar da atual popularidade da reconstrução imediata tanto entre cirurgiões como em pacientes, o lado negativo dessa abordagem é que há a possibilidade da mama reconstruída ter que passar por radioterapia adjuvante. Há debate sobre se a ocorrência de complicações após a radioterapia seria suficiente para indicar uma reconstrução tardia. Estudos iniciais na década de 1990 não encontraram diferenças de simetria e resultado estéticos entre os grupos irradiados e não irradiados. Entretanto, os trabalhos mais recentes mostraram complicações específicas da radioterapia, como contratura capsular peri-implante e fibrose de retalhos autólogos, como TRAM e DIEP (d*eep inferior epigastric perforator flap*).

Implantes

Spear e Onyewu conduziram um estudo retrospectivo controlado de pacientes reconstruídas entre 1990 e 1997. Eles demonstraram resultados estéticos mais pobres e uma taxa de complicações maior entre as pacientes irradiadas. A incidência de contratura capsular foi de 32,5% nas pacientes irradiadas, contra nenhuma paciente no grupo-controle. Quase metade das pacientes irradiadas necessitará retalhos autólogos adicionais ou substitutos, o que ocorreu em menos de 10% das pacientes do grupo controle. Em 2000, Vandeweyer e Deraemaecker também encontraram uma taxa de complicações significativamente maior nas pacientes irradiadas, especialmente contratura capsular e assimetria mamária. Outros estudos mais recentes confirmaram esses achados.

TRAM

Os resultados de estudos que avaliaram os efeitos da radioterapia sobre retalhos TRAM são contraditórios. Dois estudos não controlados sugeriram que a radioterapia adjuvante é tolerável e não seria contraindicação à reconstrução imediata. Evidências recentes indicam, porém, pior evolução do TRAM após radioterapia. As discrepâncias podem ser explicadas pelas diferenças dos métodos de mensuração dos resultados. Na tentativa de corrigir essas diferenças, o grupo do MD Anderson liderado por Tran, Evans e Kroll publicaram, em 2000, um estudo que usou medidas objetivas com base na taxa de complicações e na necessidade de reconstrução autóloga secundária. Para isso, conduziram um estudo retrospectivo comparando 41 pacientes irradiados pós-operatoriamente com 1.443 controles. Dez dos 41 retalhos tiveram contratura tão severa que necessitaram de retalho secundário. Catorze pacientes apresentaram necrose gordurosa (34%), e 56% dos retalhos irradiados ficaram endurecidos por fibrose. Em contraste, somente 7 dos 41 retalhos continuaram simétricos após a radioterapia. A análise estatística mostrou uma taxa significativamente maior de necrose, fibrose e contratura dos retalhos após a radioterapia (p < 0,0001).

DIEP

Rogers e Allen relataram, em 2002, sua experiência com retalhos DIEP. Eles também verificaram uma incidência maior de complicações nos pacientes irradiados após a reconstrução. Em uma série de 30 pacientes irradiados, pareada com 30 pacientes não irradiados, dezessete (56,7%) dos pacientes irradiados tiveram fibrose e endurecimento da mama, cerca de 23% tiveram necrose gordurosa e 16,7% tiveram contratura grave do retalho, necessitando reconstrução secundária para ser corrigida. No grupo-controle nenhum paciente apresentou nenhuma dessas complicações.

RADIOTERAPIA ANTES OU DEPOIS DA RECONSTRUÇÃO?

Williams, Carlson e Bostwick compararam os resultados entre pacientes irradiados antes ou depois da reconstrução com TRAM. Houve uma taxa de complicações maior nos pacientes irradiados depois da reconstrução (31%) do que antes (25%), mas essa diferença não foi estatisticamente significativa. A natureza das complicações também foi diferente, com necrose gordurosa isolada nos irradiados previamente, e necrose gordurosa mais fibrose em 31,6% dos pacientes irradiados no período pós-operatório. Um outro estudo do MD Anderson liderado por TRAM demonstrou resultados similares, mas com diferença estatística significativa.

CONCLUSÃO

Reunidos, os resultados relatados anteriormente sugerem que a reconstrução imediata pode não ser apropriada a todos pacientes com carcinoma mamário invasivo. Particularmente nos pacientes que terão radioterapia adjuvante, o risco de complicações, como fibrose, necrose gordurosa e contratura, é significativamente maior, podendo haver a necessidade de reconstrução secundária com retalho autólogo para correção dessas complicações. Todavia, há muitos benefícios da reconstrução imediata, e seria um retrocesso impor a todas pacientes o impacto psicológico da imagem corporal não natural que a mastectomia gera, durante todo o período de radioterapia pós-operatória. A dificuldade de decisão é maior naquelas pacientes em que não se sabe se será necessária radioterapia adjuvante até ser ter o resultado do exame anotomopatológico. Até lá, já é muito tarde para a reconstrução, de maneira que cirurgião e paciente devem decidir antecipadamente qual grau de risco estão dispostos a assumir. Há dois desafios na decisão da sequência correta de irradiação e reconstrução. Primeiro, é necessário saber quais pacientes necessitarão de radioterapia adjuvante. Segundo, é providencial saber quais dos pacientes a serem irradiados que apresentam alto risco de complicações. Os trabalhos mostram que tabagismo, obesidade e má higiene corporal são fatores de alto risco para as complicações listadas anteriormente. Nesses casos, a reconstrução tardia parece ser mais segura e adequada.

BIBLIOGRAFIA

Abdalla HM, Attia AA, El-Sebai H. Breast reconstruction with microvascularly augmented TRAM flap. *J Egyptian Nat Cancer Inst* 2000;12(3):173-81.

Arnez ZM, Bajec J, Bardsley AF et al. Experience with 50 free TRAM flap breast reconstruction. *Plast Reconstr Surg* 1991;87(3):470-78.

Audretsch WP. Reconstruction of the partial mastectomy defect: classification and method. In: Spear SL. (Ed.). *Surgery of the breast.* 2nd ed. Philadelphia: Lippincott; 2006. p. 179-216.

Becker H. Breast reconstruction using an inflatable breast implant with detachable reservoir. *Plast Reconstr Surg* 1984;73:678-83.

Booi DI. Perioperative fluid overload increases anastomosis thrombosis in the free TRAM flap used for breast reconstruction. *Eur J Plast Surg* 2011;34:81-86.

Elliott LF, Hartrampf Jr CR. Breast reconstruction: progress in the past decade. *World J Surg* 1990;14:763-75.

Gilles HD, Millard DR. Principles and art of plastic surgery. Boston: Little Brown 1957.

Hammond DC. Latissimus dorsi musculocutaneous flap breast reconstruction. In: Spear SL. (Ed.). *Surgery of the breast.* 2nd ed. Philadelphia: Lippincott, 2006. p. 601-23.

Hartrampf CR, Scheflan M, Black PW. Breast reconstruction with a transverse abdominal island flap. *Plast Reconstr Surgery* 1982;69:216-25.

Hayward J. The Guy's Hospital trials on breast conservation. In: Harris JR, Hellman S, Silen W. (Eds.). Conservative management of breast cancer. Philadelphia: Lippincott, 1983. p. 77.

Holmström H, Lossing C. The lateral thoracodorsal flap in breast reconstruction. *Plast Reconstr Surg* 1986;77:933.

Holmstrom H. The free abdominoplasty flap and its use in breast reconstruction. *Scand J Plast Reconstr Surg* 1979;13:423-27.

Kroll SS, Khoo A, Singletary SE et al. Local recurrence risk after skin-sparing and conventional mastectomy: a 6-year follow-up. *Plast Reconstr Surg* 1999;104:421-25.

Marck KW, Van Der Biezen JJ, Dol JA. Internal mammary artery and vein supercharge in TRAM flap breast reconstruction. *Microsurgery* 1996;17:134-74.

McCraw JB, Horton CE, Grossman JA et al. An early appraisal of the methods of tissue expansion and the transverse rectus abdominis musculocutaneous flap in the reconstruction of the breast following mastectomy. *Ann Plast Surg* 1987;18:93-113.

Moon HK, Taylor GI. The vascular anatomy of rectus abdominis musculotaneous flaps based on the deep superior epigastric system. *Plast Reconstr Surg* 1988;82:815-32.

Pülzl P, Thomas Schoeller T, Wechselberger G. Respecting the aesthetic unit in autologous breast reconstruction improves the outcome. *Plast Reconstr Surg* 2006;117:1685.

Pusic AL, Cordeiro PG. Breast reconstruction with tissue expanders and implants: a practical guide to immediate and delayed reconstruction. *Semin Plast Surg* 2004;18(2):71-77.

Radovan C. Breast reconstruction after mastectomy using the temporary expander. Plast *Reconstr Surg* 1982;69:195-208.

Robbins TH. Rectus abdominis myocutaneous flap for breast reconstruction. *Aust NZJ Surg* 1979;49:527-30.

Rogers NE, Allen RJ. Radiation effects on breast reconstruction: a review. *Semin Plast Surg* 2002;16(1):19-25.

Shestak KC. Bipedicle TRAM flap reconstruction. In: Spear SL. (Ed.). Surgery of the breast. 2nd ed. Philadelphia: Lippincott, 2006. p. 719-31.

Spear SL, Onyewu C. Staged breast reconstruction with saline-filled implants in the irradiated breast: recent trends and therapeutic implications. *Plast Reconstr Surg* 2000;105:930.

Tran NV, Chang DW, Gupta A et al. Comparison of immediate and delayed free TRAM flap breast reconstruction in patients receiving postmastectomy radiation therapy. *Plast Reconstr Surg* 2001;108:78.

Tran NV, Evans GR, Kroll SS et al. Postoperative adjuvant irradiation: effects on tranverse rectus abdominis muscle flap breast reconstruction. *Plast Reconstr Surg* 2000;106:313.

Uroskie Jr TW, Colen LB. History of breast reconstruction. *Semin Plast Surg* 2004;18(2):65-69.

Vandeweyer E, Deraemaecker R. Radiation therapy after immediate breast reconstruction with implants. *Plast Reconstr Surg* 2000;106:56.

Williams JK, Carlson GW, Bostwick J III et al. The effects of radiation treatment after TRAM flap breast reconstruction. *Plast Reconstr Surg* 1997;100:1153.

Woerdeman LA, van Schijndel AJ, Hage J et al. Verifying surgical results and risk factors of the lateral thoracodorsal flap. *Plast Reconstr Surg* 2004;113:196.

Zenn MR, May JW. TRAM flap reconstruction: The single pedicle, whole muscle technique. In: Spear SL. (Ed.). *Surgery of the breast*. 2nd ed. Philadelphia: Lippincott, 2006. p. 732-40.

CAPÍTULO 135

Reconstrução Mamária com Retalho do Músculo Grande Dorsal

Patricia Breder de Barros ■ Paulo Roberto Botica do Rêgo Santos
Angela Maria Fausto Souza

INTRODUÇÃO

A mama é uma estrutura de especial significância simbólica da feminilidade. Ela faz parte da imagem corporal da mulher e a ela são atribuídas atitudes pessoais e coletivas, sentimentos, fantasias e experiências. É importante relevar essa questão na maneira de lidar com a mulher, quando a mama apresenta alguma doença, em especial, um câncer e está indicado realizar algum tratamento cirúrgico que acarrete alguma mutilação na mama. A mama feminina tem duas conotações sociais, a primeira como um órgão anatômico funcional durante a amamentação e a segunda como objeto erótico e de prazer.[1]

Historicamente, até o final do século XIX, o tratamento cirúrgico do câncer mamário era paliativo sem esperança de cura e provocava grave mutilação local com grande sofrimento para as mulheres. A sistematização do tratamento do câncer de mama tem início no final do século XIX com William Halsted[2] que propôs um tratamento radical local na mamária e na região axilar contígua, o que ocasionava graves sequelas estéticas e funcionais.[3]

Tansini,[4,5] em 1896, na Itália, descreve o primeiro retalho do músculo grande dorsal. Ele o utilizou para minorar o defeito da região anterior do tórax decorrente da terapêutica radical local para o câncer mamário utilizada na época. O esquecimento dessa técnica, na opinião de Maxwell, deveu-se a três razões. A primeira pelo estabelecimento da noção como padrão de tratamento para câncer de mama o método de Halsted[5] que não via necessidade de qualquer retalho local para minorar o defeito produzido, e as outras duas razões, a seu ver, se deveram à própria cirurgia plástica. A segunda por não aquilatar a importância do trabalho e do método científico de Tansini para a cirurgia reconstrutora. A terceira foi em consequência de um antigo e tradicional conceito da plástica que postulava: "nunca se deve utilizar um retalho quando pode ser empregado um enxerto", não incluindo, portanto, essa prática cirúrgica *inovadora* no seu arsenal de opções terapêuticas, ficando esquecida. Esse retalho atualmente é largamente empregado em diferentes reconstruções.

Em 1976, Olivari associa o implante de silicone ao retalho miocutâneo do grande dorsal para reconstruir a mama, conseguindo um admirável resultado. Esta técnica foi muito difundida após as publicações de Schneider, Mathes e Bostwick III,[6-8] iniciando-se uma nova fase da qualidade da reconstrução mamária e, posteriormente, com a concepção de novos tipos de retalhos pediculados miocutâneos, cutâneos e microcirúrgicos decorrentes de trabalhos de pesquisa sobre a vascularização dos tecidos. No Brasil a primeira publicação do uso do grande dorsal para reconstrução mamária é feita, em 1981, por Psillakis.

ANATOMIA DO MÚSCULO GRANDE DORSAL (GD)

O músculo grande dorsal é estriado, largo, plano e de dimensões aproximadas de 20 × 40 cm, estendendo-se da linha axilar posterior à crista ilíaca posterior, inferiormente. Origina-se na crista ilíaca posterior e no processo espinhoso da 6ª vértebra torácica, inserindo-se no sulco intertubercular do úmero, lateralmente o grande dorsal une-se à superfície externa do serrátil anterior e aos quatro últimos arcos costais, configurando seu limite lateral e o limite superior na margem inferior da escápula (Fig. 1). O suprimento vascular principal ou dominante é constituído pela artéria toracodorsal, ramo terminal da artéria subescapular, e os secundários ou acessórios emergindo por pedículos arteriais diferentes, provenientes das artérias intercostais posteriores e lombares. Estes pedículos podem manter a viabilidade do músculo independente do pedículo principal, classificando-o como do grupo V da classificação de Mathes e Nahai.[7,8] Sua inervação motora é feita pelo ramo toracodorsal que acompanha o pedículo dominante na face posterior da axila e permite que o músculo exerça a função de abdução e rotação medial do braço.

CRITÉRIOS DE INDICAÇÃO DE RECONSTRUÇÃO MAMÁRIA COM O MÚSCULO GRANDE DORSAL

Os retalhos do músculo grande dorsal (GD) são de grande importância na reconstrução mamária, permitindo levar tecido da região dorsal em diferentes modalidades de retalhos. Podem ser confeccionados como:

1. Pediculados:
   ■ Retalho muscular do GD (total ou segmentar).[9-11]
   ■ Retalho miocutâneo do GD com transposição de ilha cutânea de pele.[6-8]
   ■ Retalho miocutâneo do GD de avançamento em V-Y.[12]
   ■ Retalho miocutâneo do GD estendido.

2. Microcirúrgico:
   ■ Na reconstrução da mama com retalho GD é habitual a associação a implante de silicone, propiciando uma cobertura segura e confortável por tratar-se de um músculo largo e fino e com excelente aporte vascular. Alguns critérios devem ser seguidos para a indicação ou contraindicação deste tipo de reconstrução, obedecendo-se a uma avaliação multidisciplinar criteriosa e consentimento do paciente.

INDICAÇÕES DE RECONSTRUÇÃO COM GD

■ Aporte cutâneo para correção de defeito na região mamária.
■ Reconstrução para defeito de grande dimensão na região torácica anterior.

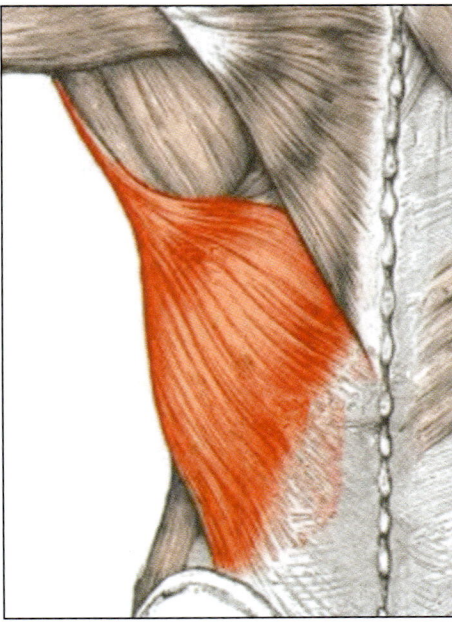

◀ **FIGURA 1.** Músculo grande dorsal – reparos anatômicos.

- Indicada em pacientes com fatores de risco clínicos, como obesidade, diabetes, vascuolopatias, cicatrizes abdominais, tabagismo e outras doenças sistêmicas que inviabilizem outros tipos de reconstruções de maior porte.
- Extensa radioterapia torácica anterior em pacientes com pouca ou nenhuma área doadora abdominal.
- Atividades esportiva e profissional da paciente.
- Preferência do paciente.

CONTRAINDICAÇÕES DA RECONSTRUÇÃO COM GD

- Ligadura prévia do pedículo toracodorsal (relativa porque poderá ser realizada anastomose microcirúrgica em caso de reconstrução imediata).
- Atrofia severa do músculo GD nas reconstruções tardias.
- Cicatrizes prévias da área doadora da região dorsal ou axilar que por qualquer motivo possam comprometer a sua vascularização.

AVALIAÇÃO PRÉ-OPERATÓRIA

Na avaliação clínica e funcional da paciente, devemos observar a atividade muscular do GD com manobras ativas para identificar possíveis perdas da função muscular por lesões do pedículo e atrofia do músculo. Em caso de dúvida, exames de imagem como a angiotomografia poderão ser solicitados para avaliar a integridade da artéria toracodorsal bem como o grau de atrofia do GD, auxiliando nos critérios de indicação e contraindicação dessa técnica de reconstrução (Fig. 2). Levando-se em consideração todos esses critérios, podemos indicar a reconstrução com GD.

A nosso ver a reconstrução mamária imediata tem aspectos positivos em relação à reconstrução tardia. Além de nos possibilitar a vantagem de visualizar melhor a mama perdida, na sua forma e volume, permite também uma preservação dos reparos anatômicos e de tecidos locais devolvendo de forma imediata, mesmo que parcialmente, a mama reconstruída, levando um melhor equilíbrio estético e funcional da região anterior do tórax, minorizando os defeitos locais que possam advir do tratamento oncológico.

PROCEDIMENTO CIRÚRGICO

Podemos transpor somente o músculo GD quando não é necessário repor pele na região mamária, mas há necessidade de proteger mais adequadamente o implante, a dissecção pode ser por endoscopia ou por acesso direto através de incisão na região torácica lateral ou dorsal (Fig. 3). Quando há necessidade de repor pele no defeito da região mamária utilizamos o GD como retalho miocutâneo com ilha de pele, essa é a modalidade mais utilizada por nós. Realiza-se a demarcação da ilha de pele na região dorsal planejada em acordo com o local do defeito a reconstruir na mama. O resultado desse plano cirúrgico determinará a forma, a localização e o tamanho da ilha cutânea no dorso, nos casos dos retalhos do GD miocutâneos. Nas reconstruções tardias a dimensão da ilha cutânea geralmente é maior em decorrência da necessidade de maior aporte de pele para a reconstrução da mama (Fig. 4). Inicialmente para confecção do retalho do GD muscular ou miocutâneo, a paciente é posicionada na sala de cirurgia em decúbito lateral oposto à intervenção cirúrgica (Fig. 5A). Procede-se à dissecção do músculo grande dorsal contornando a ilha cutânea e cortando-se a sua inserção na crista ilíaca e re-

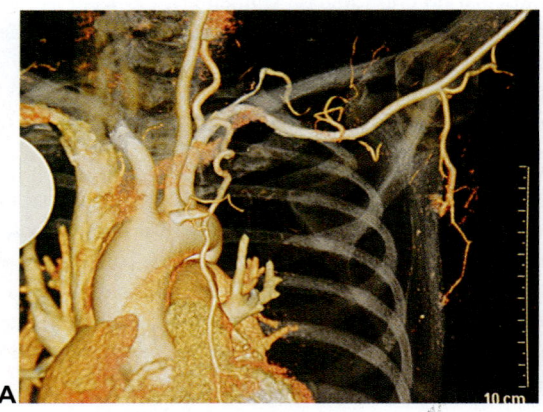
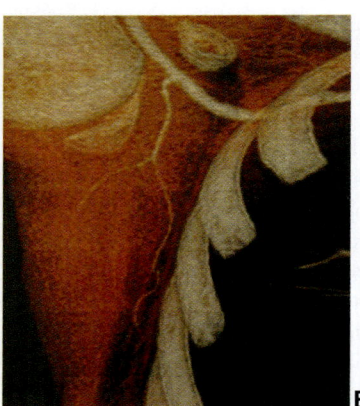

◀ **FIGURA 2**. (**A** e **B**) Angiotomografia da artéria toracodorsal para avaliação pré-operatória da integridade do pedículo principal do GD.

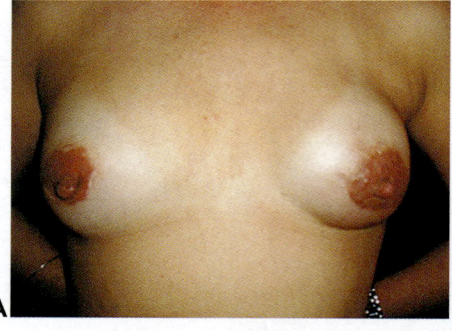
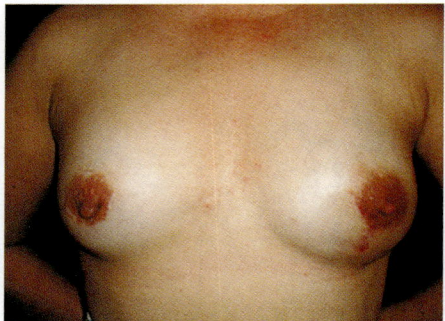
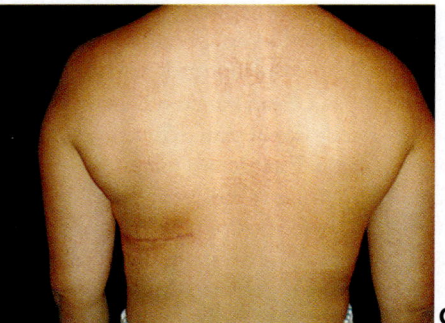

▲ **FIGURA 3**. (**A**) Adenomastectomia bilateral e radioterapia adjuvante à esquerda. Contratura capsular à esquerda e dor local severa. (**B**) Reconstrução com retalho do GD muscular. (**C**) Detalhe da área doadora.

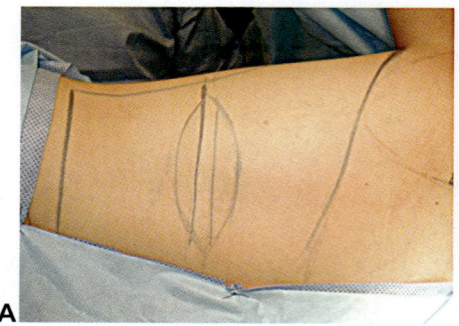
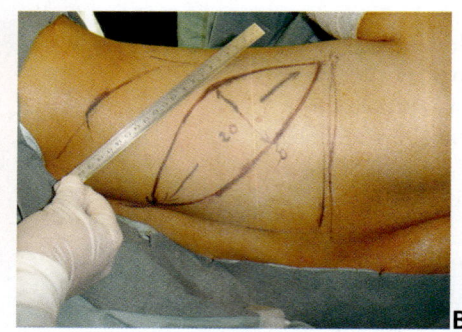

◀ **FIGURA 4**. Demarcação dos limites anatômicos do GD com planejamento de retalho miocutâneo com ilha de pele. (**A**) Transversa. (**B**) Oblíqua.

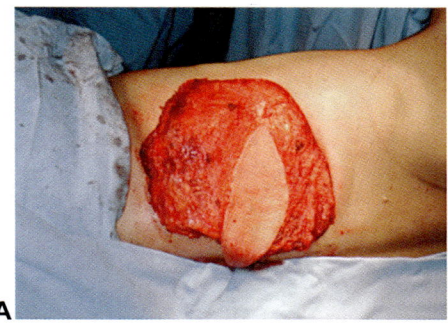
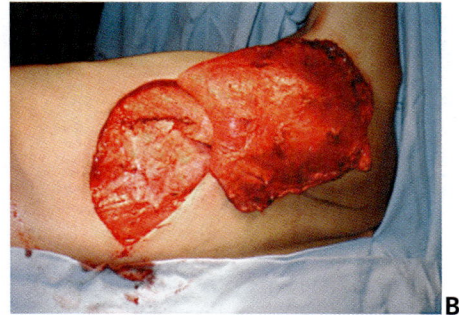
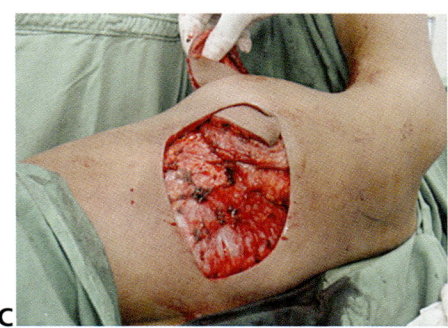
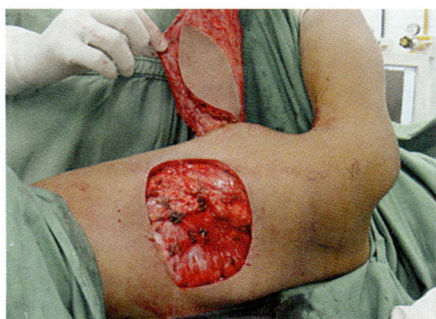

◀ **FIGURA 5.** (**A**) Peroperatório da dissecção do retalho miocutâneo do GD. (**B**) Detalhe do descolamento completo do retalho. (**C**) Transposição do retalho através do túnel subcutâneo. (**D**) Visualização do retalho do GD posicionado na região torácica anterior.

gião vertebral e levantando-se todo o músculo até a região axilar (Fig. 5B). Nesse momento, é confeccionado um túnel subcutâneo na região lateral do tórax próximo à axila, através do qual será transposto o retalho miocutâneo do GD do dorso para a região anterior do tórax (Fig. 5C e D).

Após a rotação, procede-se à colocação de um dreno a vácuo na região dorsal e ao fechamento da mesma, por aproximação direta, com sutura em vários planos. Em seguida procede-se à mudança de decúbito lateral para dorsal, e inicia-se reconstrução mamária propriamente dita. Nesta etapa algumas considerações deverão ser tomadas, como: o volume do implante a ser utilizado e sua forma, a necessidade de expansão ou não do retalho, equilíbrio anatômico com a mama contralateral e posicionamento das cicatrizes.

Podemos utilizar como parâmetro para escolha do volume do implante a ser utilizado o volume da mama retirada, essa medida volumétrica da peça cirúrgica é conhecida de um modo simples, introduzindo-a em um recipiente graduado com um volume preestabelecido de água. Obtemos dessa forma uma avaliação muito próxima do volume mamário retirado (Fig. 6). Utilizamos também implantes de silicone temporários, medidores de diversas dimensões, para avaliar qual é o volume do implante definitivo mais adequado para a reconstrução (Fig. 7).

Após o conhecimento do volume do implante a ser utilizado procede-se à fixação do músculo GD ao tórax, confeccionando uma loja para revestir todo o implante de silicone. Em algumas situações poderemos associá-lo ao músculo peitoral maior, ampliando essa proteção. Utiliza-se de rotina a aspiração a vácuo da loja mamária. A equalização da mama contralateral e a confecção do complexo areolopapilar a nosso ver deverá ser realizada em um segundo tempo operatório, quando as alterações pós-operatórias possam ser pouco significativas.

Em relação ao uso do implante de silicone, os autores preferem implantes texturizados redondos de perfil alto para proporcionar maior projeção do cone mamário, mas outros perfis poderão também ser utilizados sempre personalizando as indicações. Os implantes de superfície de poliuretano são preteridos por nós pelo fato de criarem uma aderência às estruturas adjacentes, nomeadamente à parede torácica em casos de mastectomias radicais, o que dificulta muito sua retirada quando se faz necessária sua substituição. Nas Figuras 8 a 11, reconstruções imediata e tardia com retalho do GD.

O uso de expansores ao invés de implante de silicone gel no primeiro tempo cirúrgico é reservado para casos em que não há possibilidade local de introduzir o implante definitivo por limitações da cobertura cutânea. Geralmente é decorrência de grande perda de tecido local, e a área doadora tem limitações de doação, pois deve-se evitar a produção de defeito antiestético no local de doação. Temos como desvantagem nessa alternativa a necessidade de outra intervenção cirúrgica, além das expansões progressivas ambulatoriais por período aproximado de 2 meses. Em contrapartida, resulta em uma boa alternativa expandir o GD nesses casos mais graves (Fig. 12).

A modalidade do retalho do GD em V-Y geralmente é indicada para reconstrução em extensos defeitos das paredes torácicas anterior e lateral. O retalho assim planejado avança em bloco do dorso para a região anterior do tórax, permitindo a transferência de grande quantidade de tecido para cobertura cutânea na região torácica anterior.[12] A modalidade do retalho estendido não nos motiva a utilizá-lo por deixar defeito maior na região dorsal. O retalho do GD microcirúrgico é muito utilizado para reconstruções em diferentes segmentos do corpo. Poderá ser utilizado também para reconstrução da mama contralateral, quando haja algum impedimento da utilização do GD homolateral, de mais fácil execução, quando este tiver sua viabilidade comprometida, oriundas de lesões vasculares prévias, cicatrizes que danifiquem a área de doação e por atrofias severas.

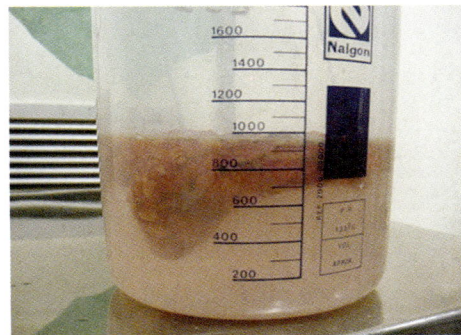

◀ **FIGURA 6.** Recipiente graduado com volume de água conhecido e introdução da peça cirúrgica retirada para avaliar seu volume.

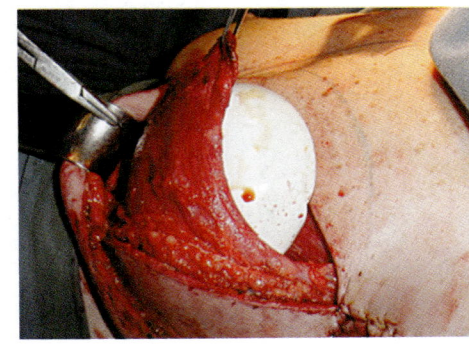

◀ **FIGURA 7.** Molde medidor de silicone para avaliação do volume ideal na reconstrução da neomama.

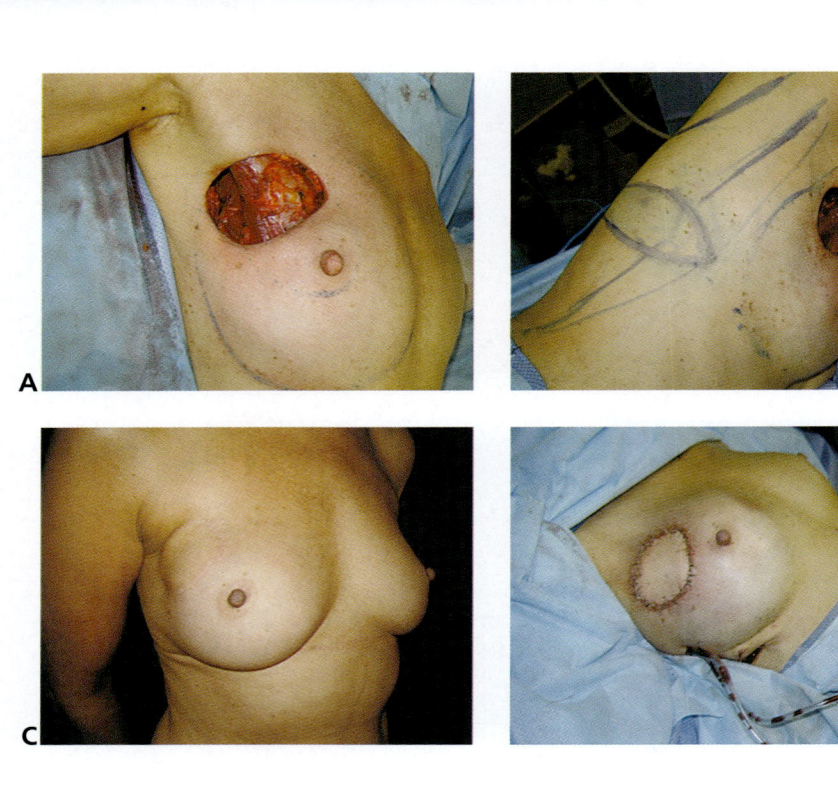

◀ **FIGURA 8.** Reconstrução imediata com retalho do GD. (**A**) Mastectomia com retirada ampla de pele no QSE e preservação do CAP e pele. (**B**) Demarcação de retalho miocutâneo do GD. Detalhe do planejamento da localização da ilha cutânea na região dorsal. (**C**) Pós-operatório imediato. (**D**) Pós-operatório tardio.

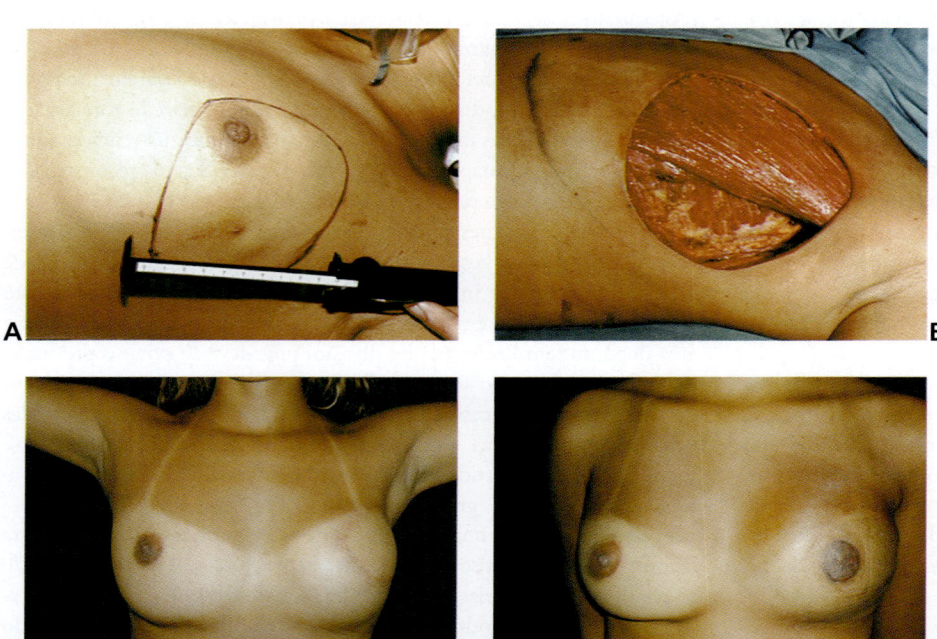

◀ **FIGURA 9.** Reconstrução imediata com retalho do GD. (**A** e **B**) Quimioterapia neoadjuvante, 28 anos de idade, ressecção preservando pele, mas com grave defeito. (**C**) Pós-operatório precoce da reconstrução com GD. (**D**) Pós-operatório tardio, 1 ano posterior ao término da RXT.

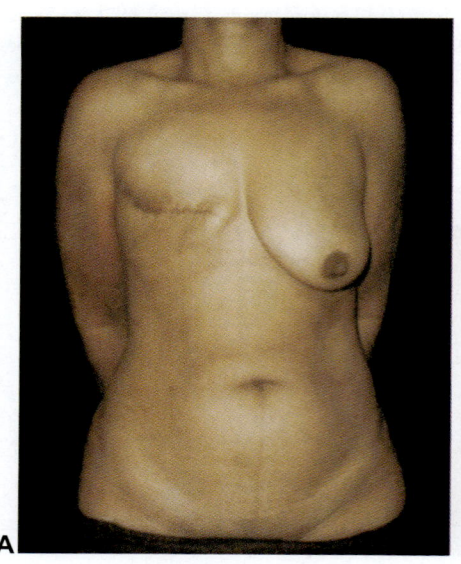
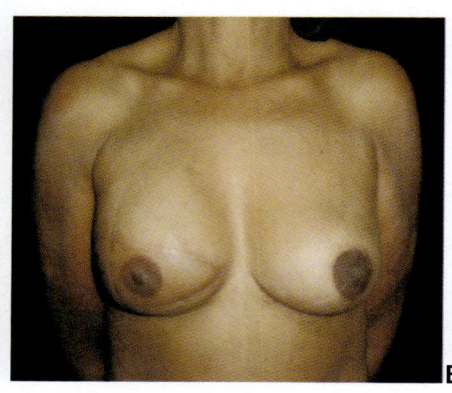

◀ **FIGURA 10.** Reconstrução tardia direita com retalho do GD. (**A**) Pré-operatório. (**B**) Resultado pós-operatório.

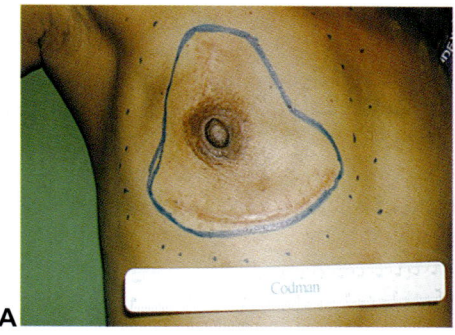
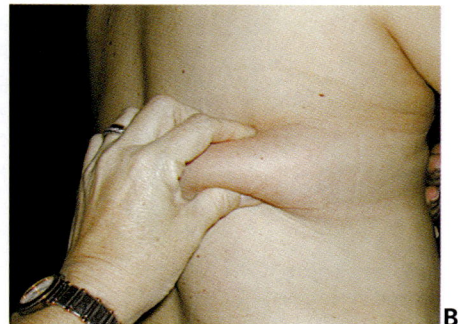
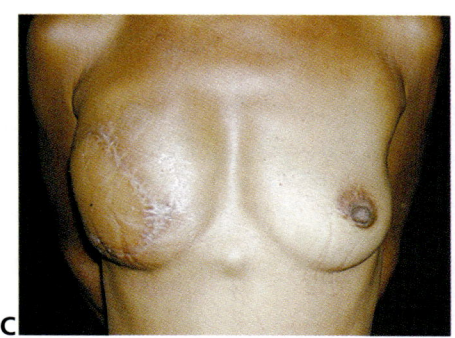
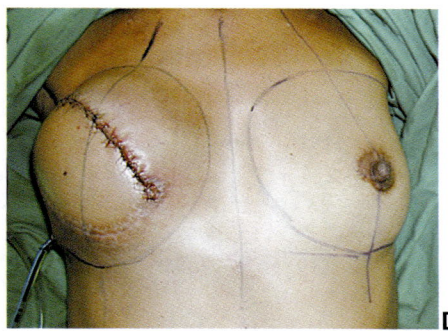

◀ **FIGURA 11.** Grande dorsal expandido. (**A**) Pré-operatório: programada ressecção alargada da pele. Tumor filoide recidivado. (**B**) Avaliação da área doadora de pele na região dorsal para reconstrução. (**C**) Detalhe da reconstrução com GD totalmente expandido e a válvula remota localizada na região pré-esternal. (**D**) Peroperatório da segunda cirurgia com substituição do implante expansor pelo implante de silicone de gel texturizado.

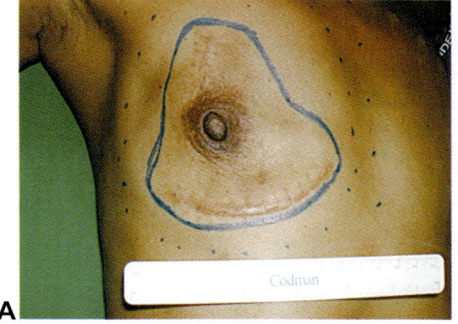
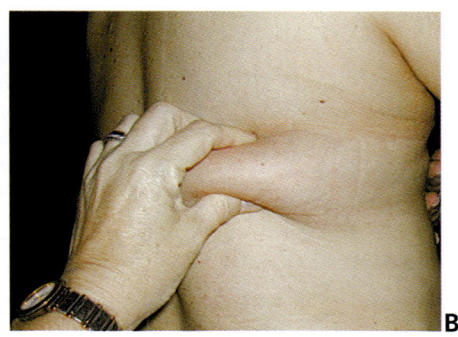
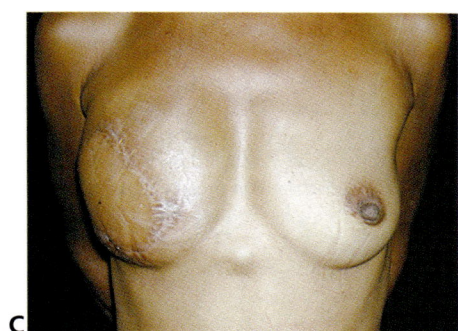
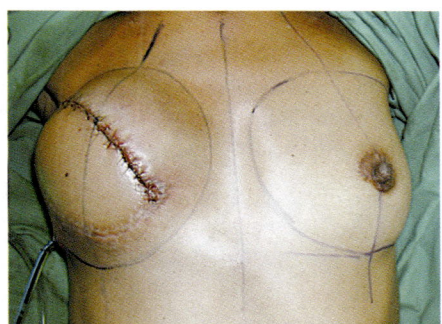

◀ **FIGURA 12.** Reconstrução tardia direita com retalho do GD. (**A**) Cirurgia conservadora de pele associada ao GD e ao expansor de tecido. Válvula remota na região esternal. (**B**) Troca do expansor por implante de silicone gel. (**C**) Radioterapia adjuvante da neomama esquerda com retalho do GD e implante de gel de silicone. (**D**) Pós-operatório tardio mantendo equilíbrio entre as mamas.

COMPLICAÇÕES

A reconstrução mamária com o músculo GD pode apresentar desde complicações simples às mais complexas. A intercorrência mais frequente envolve seroma na região dorsal, área doadora do músculo e seroma na região da neomama mesmo com permanência de um sistema de drenagem a vácuo até a obtenção de volumes inferiores a 50 mL/dia. Na região dorsal, a aspiração simples possibilita a resolução desta complicação. Na região mamária, nos casos de grande volume de seroma, os autores preferem aspirá-lo com a utilização de microcânula descartável, guiados por ultrassom, diminuindo assim a possibilidade de perfuração do implante.

Hematoma é outra complicação precoce, sendo mais comum na região dorsal, a qual exige uma revisão cirúrgica de imediato e em muitas ocasiões a necessidade de transfusão de sangue (Fig. 13). É bom recordar que muitos destes pacientes submetidos à reconstrução mamária encontram-se em terapia neoadjuvante pré-operatório ou com quimioterapia adjuvante recente, condição esta que afeta a medula óssea, aumentando a probabilidade de transfusões no pós-operatório.

Deiscências de sutura são intercorrências mínimas das quais não exigem, na maioria dos casos, procedimentos mais complexos além de pequenas suturas realizadas ao nível ambulatorial.

As complicações mais sérias que podem comprometer a reconstrução com GD envolvem a necrose ou infecção local. As perdas do tegumento cutâneo parcial do retalho GD são as mais comuns, sem grandes repercussões na viabilidade e qualidade da reconstrução. A perda total do retalho é muito rara, mas quando se instala é sinônimo de perda da neomama. As necroses de pele são mais frequentes na pele da mama nas adenectomias ou nas mastectomias preservadoras de pele. É muito importante ter atenção especial e verificar a viabilidade desses retalhos, e

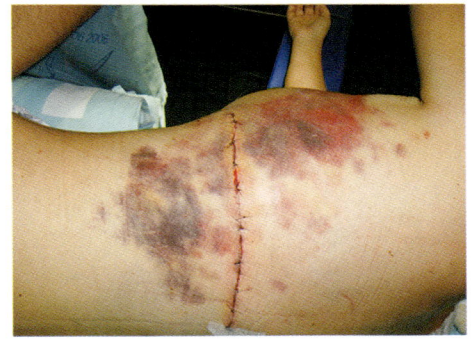

◀ **FIGURA 13.** Hematoma no pós-operatório imediato na área dorsal doadora.

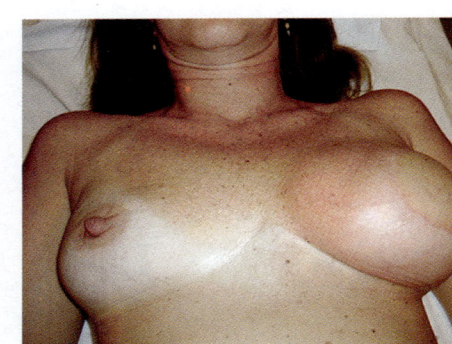

◄ **FIGURA 14.** Infecção tardia após 3º ciclo de quimioterapia adjuvante.

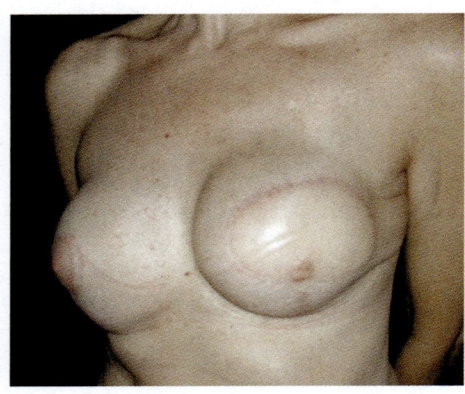

◄ **FIGURA 15.** Contratura capsular. Reconstrução com GD sem radioterapia.

caso se constate sofrimento vascular que sejam removidos, evitando, assim, maiores intercorrências no pós-operatório.

A infecção na reconstrução mamária com o uso de implante de silicone implica obrigatoriamente na retirada do implante. Apesar de o músculo GD proteger o implante, o processo inflamatório não se resolve, enquanto o corpo estranho não for retirado, apesar do uso de antibióticos (Fig. 14).

A intercorrência tardia mais frequente é a contratura capsular, que pode apresentar-se sempre em qualquer cirurgia em que se utilize implante de silicone. Apresenta incidência aumentada, desse evento, quando a paciente realiza tratamento coadjuvante de radioterapia[13] no pós-operatório, sendo que, na maioria das vezes, é possível seu tratamento posterior no segundo tempo cirúrgico da reconstrução mamária, não constituindo contraindicação formal para realizar a reconstrução mamária imediata com implantes (Fig. 15).

CONCLUSÃO

A reconstrução mamária imediata ou tardia com o GD beneficia a paciente de maneira global, pois obtém um resultado de melhor qualidade quando se atendem os parâmetros cirúrgicos da plástica na associação à cirurgia oncológica e é um procedimento seguro. O resultado se reflete na autoimagem da mulher e eleva sua autoestima. Cabe ter em mente que o maior refinamento de qualidade da reconstrução mamária está no seu planejamento. Dispomos de muitos recursos para reconstrução da mama que podem conferir resultados de boa qualidade, e a reconstrução com o GD é um deles. Nas diferentes modalidades têm-se obtido bons resultados estéticos e com um mínimo de sequelas funcionais, permitindo uma reabilitação precoce das pacientes sem interferir nas atividades usuais, já praticadas por elas no pré-operatório, tanto no lazer como no exercício profissional.[14-17]

As complicações podem ocorrer em qualquer método de reconstrução e podem ser minoradas com o ajuste e treinamento da equipe, pela melhor adequação na escolha da técnica cirúrgica de reconstrução do GD e a melhor qualidade das terapêuticas complementares, principalmente a radioterapia, para que não se prejudique o resultado obtido. As pesquisas a respeito da qualidade de vida dessas pacientes apontam para um grande benefício para as mulheres, quando se utiliza a reconstrução imediata.

REFERÊNCIAS BIBLIOGRAFICAS

1. Souza MF. *Informações, sentimentos e sentidos relacionados á reconstrução mamária*. Dissertação de Mestrado IFF-Fiocurz, 2007.
2. Dias NE, Caleffi M, Silva HMS et al. *Mastologia atual*. Rio de Janeiro: Revinter, 1994.
3. Tansini I, Sopra IL. Mio nuovo processo di amputazione della mamella. *Riforma Méd* 1906;12:757.
4. Veronesi U. *Mastologia oncológica*. Rio de Janeiro: Medsi, 2002.
5. Veronesi U, Saccozzi R, Del Vecchio M et al. Comparing radical mastectomy with quadrantectomy, axillary dissection, and radiotherapy in patients with small cancers of the breast. *N Engl J Med* 1981 July 2;305(1):6-11.
6. Schneider WJ, Hill HL, Brown RG. Latissimus dorsi myocutaneous flap for breast reconstruction. *Br J Surg* 1977;30:277.
7. Stephen J, Mathes SJ, Nahai F. *Reconstructive surgery – Principles anatomy, e technique*. New York (USA): Churchill Livingstone, 1997.
8. Bostwick III J. *Plastic and reconstructive breast surgery*. 2nd ed. Missouri (USA): Press of Quality Medical, 2000.
9. Missana MC, Pomel C. Endoscopic latissimus dorsi flap harvesting. *Am J Surg* 2007 Aug.;194(2):164-69.
10. Brackley PT, Mishra A, Sigaroudina M et al. Modified muscle sparing latissimus dorsi with implant for total breast reconstruction – Estending the boundaries. *J Plast Reconstr Aesthet Surg* 2010 Sept.;63(9):1495-502.
11. Saint-Cyr M, Nagarkar P, Schaverien M et al. The pedicled descending branch muscle-sparing latissimus dorsi flap for breastreconstruction. *Plast Reconstr Surg* 2009 Jan.;123(1):13-24.
12. Micali E, Carramaschi FR. Estended V-Y latissimus dorsi musculocutaneous flap for anterior chest wall reconstruction. *Plast R Surg* 2001 May;107(6):1382-90.
13. Krueger EA, Wilkins EG, Strawderman M et al. Complications and patient satisfaction following expander/implant breast reconstruction with and without radiotherapy. *Int J Radiat Oncol Biol Phys* 2001 Mar. 1;49(3):713-21.
14. Clough KB, Louis-Sylvestre C, Fitoussi A et al. Donor site sequelae after autologus breast reconstruction with an estended latissimus dorsi flap. *Plast Reconstr Surg* 2002 May;109(6):1904-11.
15. Mélega JM. *Cirurgia plástica fundamentos e arte*. Rio de Janeiro (Brasil): Medsi, 2004. p. 207.
16. De Gournay E et al. Evaluation of quality of life after breast reconstruction using an autologous latissimus dorsi myocutaneous flap.1. *Eur J Surg Oncol* 2010 June;36(6):520-27.
17. Silva RM, Mamede MV. *Conviver com a mastectomia*. Fortaleza: Universidade Federal do Ceará, 1998.

CAPÍTULO 136

Reconstrução Mamária com Retalho Miocutâneo Transverso do Músculo Reto Abdominal (TRAM)

Luciana Brandão Palma Javaroni ■ Marcela Caetano Cammarota

INTRODUÇÃO

O tratamento do câncer de mama, desde seus primórdios, suscitou ressecções alargadas uma vez que se assumia como premissa que a maior possibilidade de cura estivesse ligada à maior retirada possível dos tecidos comprometidos e circunvizinhos. Desde 1889, quando se iniciaram as técnicas de extirpação total da mama com Halsted, houve o aparecimento de importantes sequelas estéticas, funcionais e psicológicas, plenamente justificada pela necessidade da cura do câncer de mama.[1] Antes mesmo do conceito de se reconstruir o cone mamário, fazia-se necessário o fechamento da ferida criada pela mastectomia radical. Iniciou-se uma busca incessante de alternativas que solucionassem essa questão.[2]

Nesta época, o câncer de mama já ocupava os primeiros lugares em incidência nas estatísticas brasileiras e ainda representa, até dias atuais, um dos grandes responsáveis pela mortalidade feminina.

Segundo a estimativa para 2010, o número de casos novos de câncer de mama esperados para o Brasil será de 49.240, com um risco estimado de 49 casos a cada 100 mil mulheres.[3] Representa 23% das neoplasias nas mulheres brasileiras, sendo a principal causa de morte por câncer entre elas.

No Brasil, a despeito do empenho dos programas de prevenção, grande parte das mulheres portadoras de câncer de mama é diagnosticada em estágio avançado. Dessa forma, a mastectomia radical modificada passa a ser a cirurgia mais comumente indicada como tratamento cirúrgico.[4] Assim sendo, estas mulheres além de conviverem com a realidade do câncer, são submetidas a cirurgias, cujo resultado aparente é uma deformação do seu corpo.[5]

A mastectomia deixa sequelas funcionais como perda da capacidade de amamentação e também a perda da sensibilidade (ainda que muitas vezes parcial) na região operada. Torna-se limitado o uso de alguns tipos de roupa, e as próteses externas são desconfortáveis principalmente nas pacientes com hipertrofia mamária.[6]

Além disso, a principal consequência da cirurgia é o efeito psicossocial da deformidade estética, que inclui ansiedade, depressão, depreciação da autoimagem e diminuição da libido.[7,8] Diversos estudos mostram que a reconstrução de mama devolve a visão positiva da autoimagem, melhorando consideravelmente a qualidade de vida após o tratamento.[9]

Por tudo isso, há muito tempo tem-se buscado formas de reconstruir as mamas. Atualmente é possível a restauração do volume mamário através do uso de implantes (próteses e expansores), transposição de tecido autólogo isoladamente (retalho miocutâneo do músculo transverso abdominal – TRAM) ou uma combinação da transposição dos tecidos e implantes (retalho miocutâneo do músculo grande dorsal e implante). Neste capítulo vamos estudar a técnica da reconstrução por retalho miocutâneo do reto abdominal.

HISTÓRICO

A primeira descrição da literatura sobre a utilização do retalho miocutâneo com base no reto abdominal data de 1977, tendo sido realizado por Drever no formato de ilha vertical para tratamento de sequela de queimadura. Em 1979, Robbins foi o primeiro a utilizar o retalho de reto abdominal para reconstrução mamária. Dois anos após Drever descreveu um caso de reconstrução total de mama com retalho vertical.[10]

Sua técnica foi modificada por Hartrampf, em 1981,[9] e Gandolfo, em 1982[11] e, simultaneamente, por Dinner, que descreveram o uso do retalho transverso – TRAM que rapidamente tornou-se o método primário para reconstrução de mama autógena. Este mesmo retalho foi citado por Nahai, em 1992, como de resultados inigualáveis para reconsrução de mama, quando bem indicado e em mãos experientes.

No ano de 1984, Ishii faz uso do retalho bipediculado do músculo reto abdominal a fim de garantir maior viabilidade circulatória. Lejour promulga o retalho miocutâneo transverso superior, seguido por Vasconez e Psillakis entre outros.

O desenvolvimento do TRAM microcirúrgico, proposto por Holmstrom,[12] em 1979, trouxe a possibilidade de maior aporte vascular através das técnicas de *Supercharged* e *Turbocharged* e a diminuição do dano à parede abdominal com os retalhos livres que poupavam parte do músculo reto abdominal, amenizando os problemas relacionados com a área doadora

Recentemente, a descrição da técnica de retalhos com base apenas nos vasos perfurantes, resolve definitivamente a questão da parede abdominal, uma vez que não mais se utiliza o músculo para intermediar a vascularização, mas apenas as perfurantes dos vasos epigástricos inferiores. São os chamados DIEP *flaps*.[13]

INDICAÇÕES

Este retalho, eleito por vários cirurgiões como o de escolha para as reconstruções mamárias, embora seja uma cirurgia mais invasiva é, indubitavelmente, o que oferece as melhores condições materiais para este objetivo. Este fator é vivamente considerado na avaliação de custo-benefício que o cirurgião fará de caso a caso.

Ao escolher a técnica para a reconstrução da mama da paciente devem-se considerar o tamanho e a forma das mamas, a localização e o tipo do tumor, a oferta de áreas doadoras, a idade da paciente, as comorbidades e o tipo de tratamento adjuvante a ser oferecido.[6]

- *Tamanho e forma das mamas:* as mamas que, para serem reconstruídas, necessitam de maior quantidade de pele beneficiam-se da técnica do TRAM. Toda a pele da região inferior do abdome pode ser utilizada como substituição da pele retirada no momento da mastectomia.
- *Idade da paciente:* não há idade limite ou mínima, outros fatores devem ser considerados, como *status* de desempenho (*performance status*).
- *Comorbidades:* são conhecidamente fatores de risco para a realização desta cirurgia a obesidade, diabetes, hipertensão e doenças do tecido conectivo. São contraindicações relativas, assim como outras condições que interfiram na microcirculação, como tabagismo, considerado por muitos autores como o principal fator de risco. Estas condições levam a maior número de complicações: necrose, liponecrose e epidermólise. Outra condição a ser considerada é a depressão que também interfere, de sobremaneira, na recuperação pós-operatória que geralmente já cursa com certo grau de ansiedade e desânimo.

Nesta avaliação, há que se considerar se o abdome inferior é redundante e se a cirurgia resultará em ganho estético nesta região para a paciente. Não é aplicável em pacientes já submetidas à abdominoplastia, embora existam trabalhos demonstrando que, mesmo nestes casos e com determinados artifícios cirúrgicos, pode-se resgatar a condição de viabilidade do TRAM (Fig. 1).

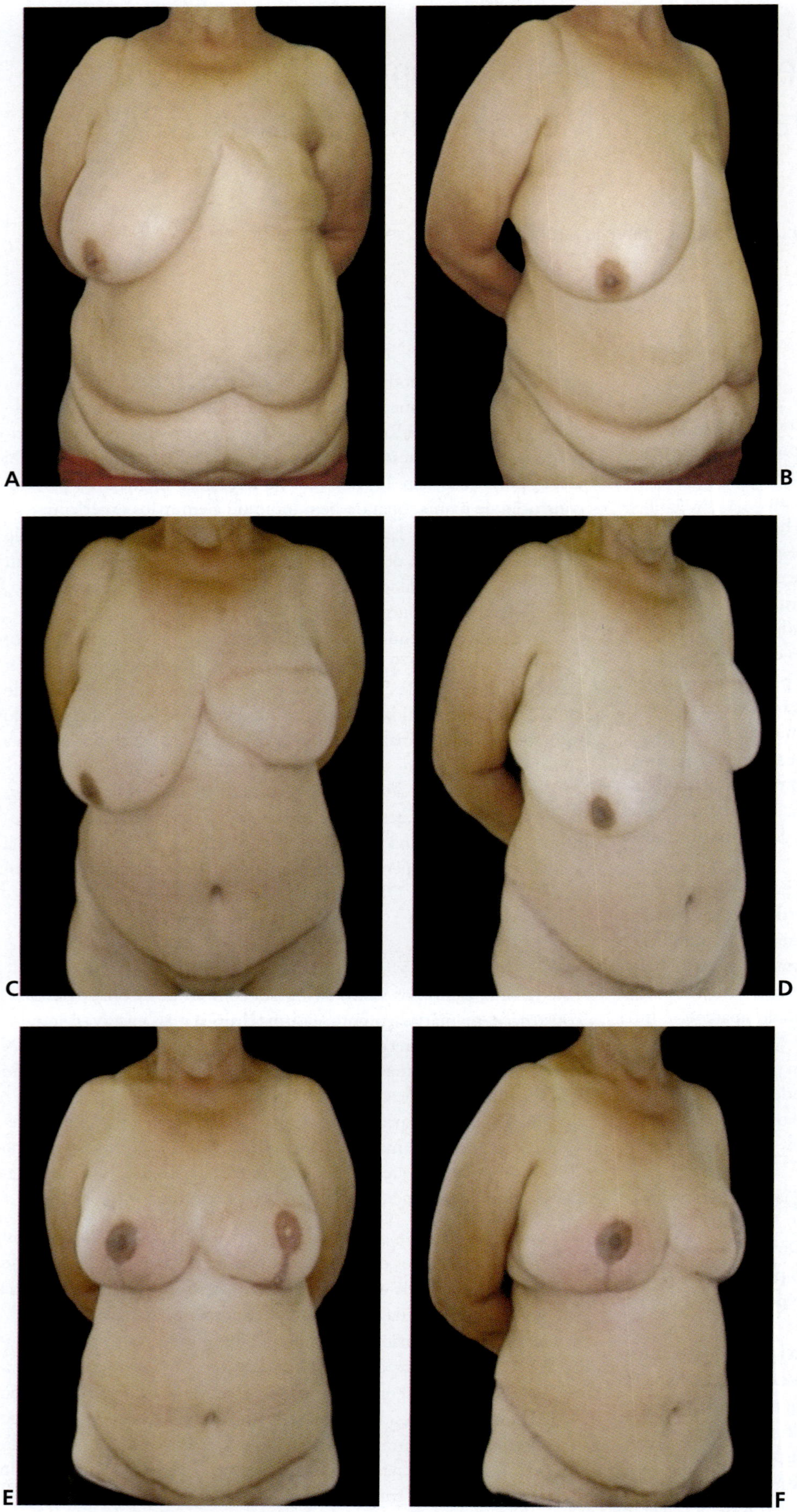

FIGURA 1. Reconstrução tardia de mama com TRAM. (**A** e **B**) Pré-operatório – frente e perfil. (**C** e **D**) Pós-operatório 1ª etapa – frente e perfil. (**E** e **F**) Pós-operatório 2ª etapa – frente e perfil.

A reconstrução de mama imediata é oncologicamente segura e atualmente tem sido indicada com maior frequência, desde que exista estudo histológico adequado. Além do óbvio benefício psicológico, a preservação da imagem corporal é, sem dúvida, uma forte razão para que seja estimulada. Ainda devem ser considerados os benefícios estéticos e a facilidade de uma reconstrução em área sem fibrose cicatricial e muitas vezes sequela de radioterapia. Na prática, as reconstruções, quando realizadas por equipe treinada, não acrescentam morbidade adicional importante às mastectomias (Fig. 2).

Entretanto deve ser colocado que para se realizar uma reconstrução primária é necessário organização e entrosamento entre as equipes da mastologia e cirurgia plástica e porque não dizer conformação de uma equipe multidisciplinar composta, além destes profissionais, por oncologistas clínicos, psicólogos, enfermeiros, fisioterapeutas etc. Sendo assim é provável que o paciente seja submetido a maior número de consultas pré-operatórias, mas que certamente reverterá em seu favor.

O resultado final da reconstrução de mama é certamente dependente da quantidade de pele e de tecido mamário retirado, assim como da

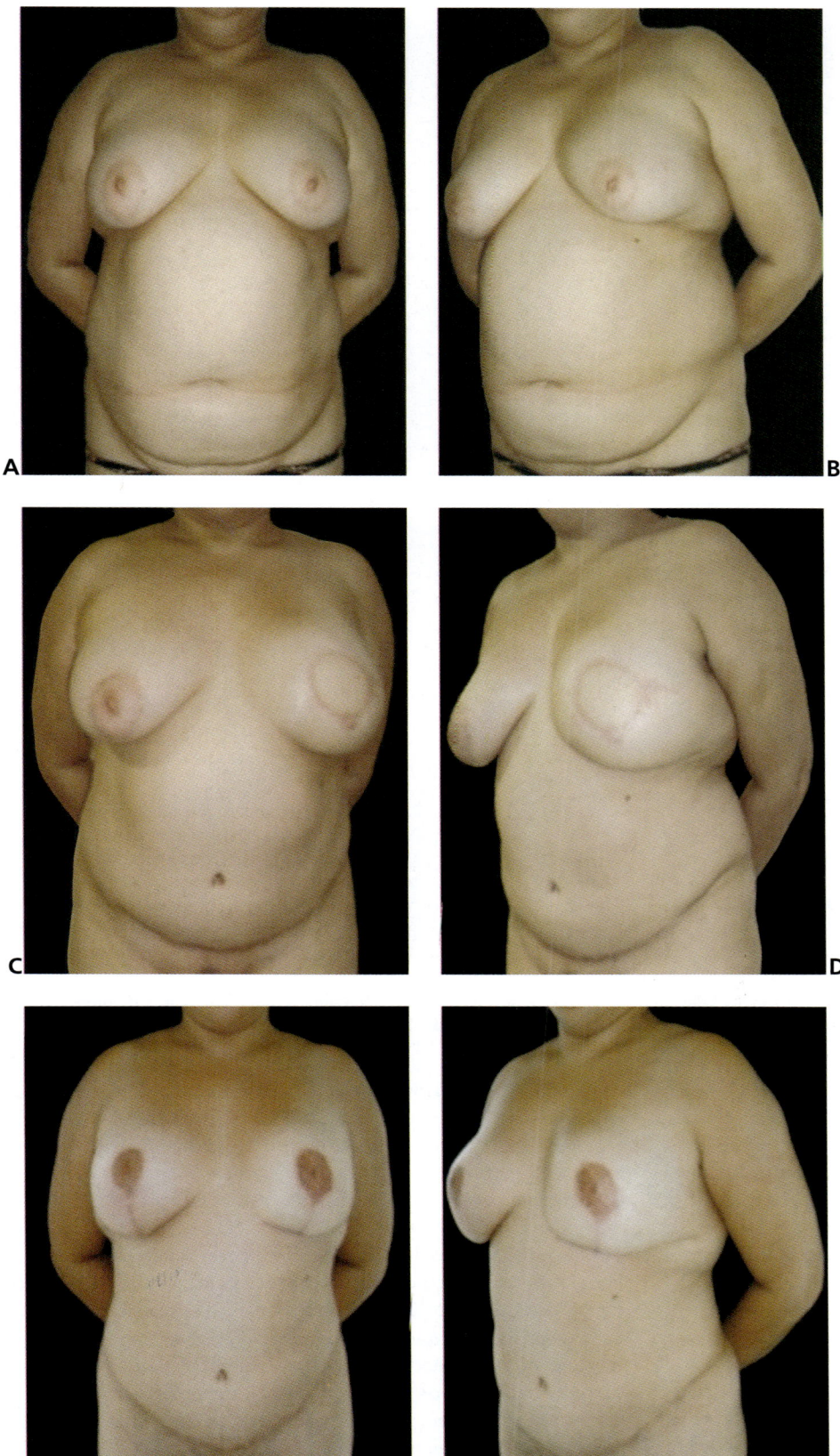

FIGURA 2. Reconstrução imediata de mama com TRAM. (**A** e **B**) Pré-operatório – frente e perfil. (**C** e **D**) Pós-operatório 1ª etapa – frente e perfil. (**E** e **F**) Pós-operatório 2ª etapa - frente e perfil.

localização das incisões no momento da mastectomia. Esta cirurgia pode ser realizada utilizando diferentes incisões na tentativa de evitar um sacrifício de pele desnecessário. A incisão tipo *skin-sparing* ou poupadora de pele é com base na exata localização do tumor e no tamanho da mama, devendo incluir sempre o sítio da biópsia.[14] As cirurgias realizadas dessa forma têm-se mostrado com resultado estético favorável principalmente por preservar pele da mesma cor e com textura semelhante à mama contralateral (Fig. 3).

A indicação da elevação de um único pedículo (monopediculado) ou dois pedículos (bipediculado) está ligada primariamente ao volume que se deseja obter proporcionalmente ao volume que o abdome pode doar. Atualmente, com frequência, indica-se o TRAM monopediculado para a maioria das pacientes, evitando-se a prática dos retalhos bipediculados que representam, sem dúvida, maior morbidade para a parede abdominal.

Nos casos de insuficiência de tecido doador para neomama, podemos lançar mão de outros retalhos, uso de implante de silicone ou da confecção de TRAM microcirúrgico que permite a utilização da integridade do retalho com boa segurança vascular.

CONSIDERAÇÕES ANATÔMICAS

Este é o principal músculo vertical da parede abdominal anterior. É longo, medindo, aproximadamente, 25 × 6 cm, e é composto por duas partes. Está, na sua maior parte, encerrado em sua bainha, formada pelas aponeuroses dos três músculos abdominais planos. Está firmemente aderido à face anterior da sua bainha através de suas intersecções tendíneas.

Sua origem é na sínfise púbica e na crista púbica e inserção nas faces anteriores do processo xifoide e nas 5ª a 7ª cartilagens costais. Quanto a

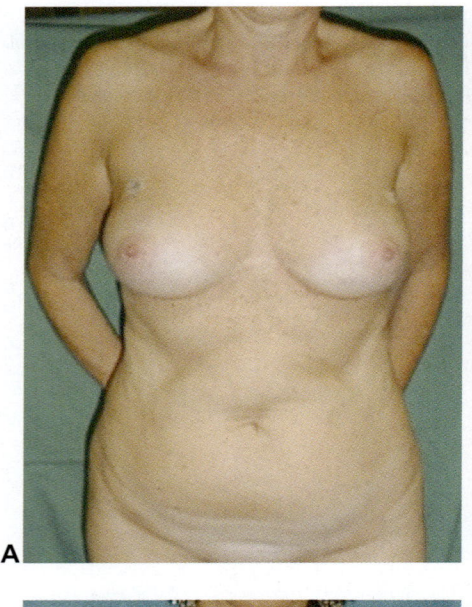
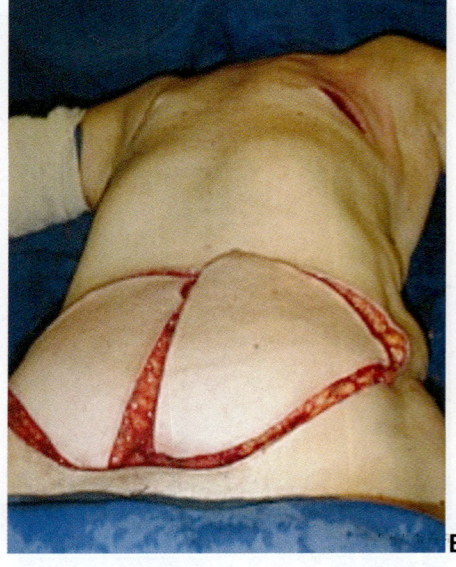
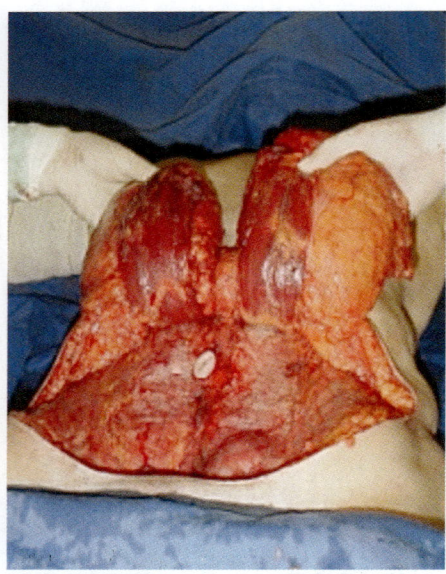
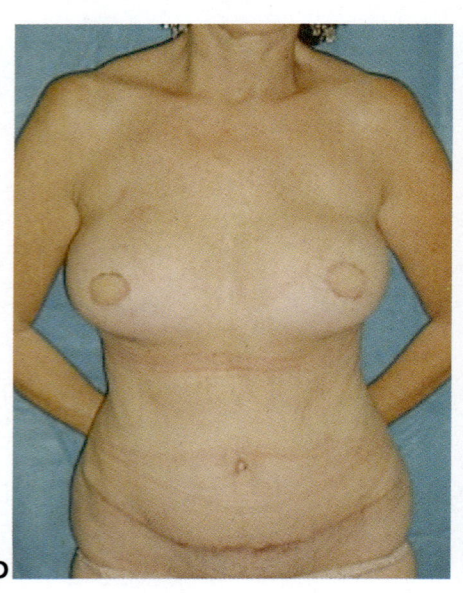
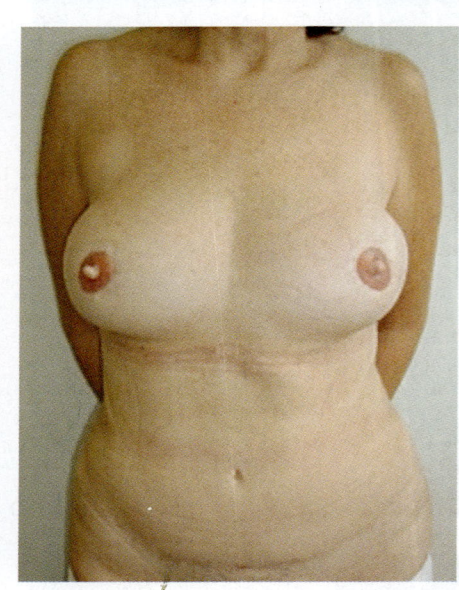

▲ **FIGURA 3.** Reconstrução imediata de mama após mastectomia bilateral com TRAM bilateral. **(A)** Pré-operatório. **(B)** Transoperatório após mastectomia bilateral poupadora de pele, mostrando o retalho já confeccionado e bipartido para a reconstrução das mamas. **(C)** Transoperatório mostrando o detalhe da anatomia do retalho após a ligadura do pedículo. **(D)** Pós-operatório – 1ª etapa. **(E)** Pós-operatório – 2ª etapa.

sua inervação motora se dá pelos nervos intercostais do 7º ao 12º e sensitiva pelos nervos cutâneos-laterais, também originados nos intercostais. Este músculo é responsável por fletir o tronco e retesar a parede abdominal anterior. Também abaixa as costelas e estabiliza a pelve durante a deambulação.

Os vasos responsáveis pela irrigação arterial são as artérias epigástricas superiores e inferiores e artérias subcostais e intercostais. A drenagem venosa segue a arterial.

ANATOMIA CIRÚRGICA

O reto abdominal pode ser utilizado como um retalho muscular ou musculocutâneo e ultimamente tem sido descrito como um retalho essencialmente cutâneo (retalho com base nas perfurantes). Por se tratar de um músculo longo e com irrigação peculiar, é possível que seu retalho englobe grande parte da parede abdominal.

Originalmente foi descrito como uma ilha vertical diretamente sobre a superfície muscular e, neste caso, estende-se desde a região epigástrica até o hipogastro. A ilha de pele pode acompanhar a totalidade do retalho ou ser localizada em suas extremidades: proximal ou distal, de acordo com a necessidade. Esta ilha pode ser marcada da linha média até o limite lateral do músculo reto. Por exemplo, o retalho toracoepigástrico do reto abdominal pode ser desenhado sobre a margem costal anteroinferior.

Seus pedículos são divididos de acordo com a sua vascularização, sendo assim classificados como Tipo III de Mathes e Nahai. O pedículo com base na artéria e veia EPIGÁSTRICA SUPERIOR é suprido pela mamária interna e está localizado profundamente na metade medial do músculo, na margem costal. Mede, aproximadamente, 2 cm de comprimento, e seus vasos têm diâmetro de 1,8 mm. Quando fundamentado nos vasos EPIGÁSTRICOS INFERIORES, é suprido pelos vasos ilíacos externos. Estes vasos estão localizados profundamente, na metade lateral do músculo, ao nível do púbis. Têm diâmetro de 2,5 mm, sendo responsável por 70% do fluxo que nutre o reto abdominal e apresenta-se com um comprimento que pode ser maior que 5 cm, fatos que fazem deste pedículo o eleito para anastomoses microcirúrgicas. Quando com base nos vasos SUBCOSTAIS e 6º e 7º INTERCOSTAIS, recebem suprimento sanguíneo da aorta torácica e drenam para veia cava inferior. Por sua vascularização por artérias segmentares menores, as intercostais, muitas vezes, compartilham das características dos retalhos do tipo V.

Uma grande variação na configuração do sistema epigástrico superior/inferior, envolvendo tanto os plexos superficiais como profundos e suas comunicações, pode ser encontrada. Na maioria dos casos, 60%, as epigástricas superiores e inferiores não se comunicam diretamente. Em 20% existe uma comunicação única. Em 15% elas se comunicam por duas ramificações, e nos 5% restantes existem vários ramos de anastomoses entre os dois sistemas (Fig. 4).

A utilização de retalhos transversos é possível graças à vascularização miocutânea dada pelos vasos perfurantes, que são derivados das artérias epigástricas inferiores profundas. Estes vasos estão localizados em fileiras a, aproximadamente, 2,5 e 6,0 cm da linha média, perfazendo um total de 6 a 10 perfurantes que estão constantemente presentes. Quando localizados abaixo da linha de Douglas, não têm importância na vascularização do retalho. Sendo assim, quando a ilha de pele for transversa ela poderá ser marcada superiormente no epigastro, na região mesogástrica, onde existe maior concentração de vasos perfurantes, principalmente na região periumbilical; ou ainda no hipogastro. As demais áreas que não recebem irrigação direta através das perfurantes se mantém pelos vasos dérmicos e subdérmicos. Os limites laterais do retalho transverso vão até a linha axilar anterior e, teoricamente, podem alcançar toda a parede abdominal, como já citado.

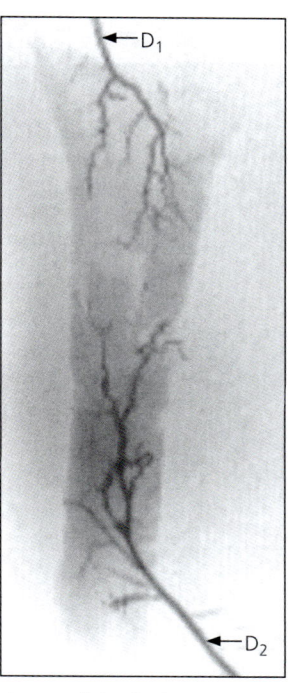

▲ **FIGURA 4.** (**A** e **B**) Anatomia do músculo reto abdominal e sua irrigação pelos vasos epigástricos inferiores e superiores. (Reconstructive Surgery: Principles, Anatomy, & Technique by Stephen J. Mathes, M.D., Foad Nahai, M.D.)

Entretanto, sabe-se que nas áreas localizadas entre as linhas médio-clavicular e axilar anterior a vascularização é menos viável e procura-se limitar sua extensão medial até alguns centímetros além da linha média se for unilateral. Dessa forma ficam delineadas as zonas vasculares do TRAM unilateral: I – área homolateral medial, II – área homolateral lateral, III – área contralateral medial e IV – área contralateral lateral (Fig. 5).

Em relação à drenagem, na parte homolateral ao reto doador ela ocorre através das veias epigástricas inferiores superficiais que se comunicam diretamente com o sistema epigástrico inferior profundo pelas perfurantes. Já na parte contralateral do retalho o plexo superficial se comunica com o plexo superficial do lado oposto, cruzando a linha média. Desta forma explica-se a insuficiência que pode ocorrer nas extremidades distal e contralateral do retalho, especialmente se o plexo venoso superficial inferior for lesado. Por esse motivo, ultimamente recomenda-se incluir no retalho a maior parte possível do músculo doador.

O suprimento vascular do músculo reto abdominal e da parede tem sido meticulosamente estudado. Os investigadores enfatizam ainda a importância da preservação da fáscia anterior do reto abdominal ao se liberar a musculatura de sua bainha e a manutenção da continuidade do músculo reto abdominal com o retalho cutâneo para prevenir a interrupção do sistema de vasos perfurantes.

Sua vascularização permite que este retalho tenha dois arcos de rotação: um quando é preservado seu pedículo vascular superior, e este alcança toda a parede torácica anterior; e outro com base no pedículo inferior que pode ser utilizado em reconstruções até mesmo de regiões perineal e superior dos membros inferiores.

Estudos clínicos e anatômicos têm enfocado que as comunicações entre os vasos epigástricos superiores e inferiores profundos e entre os plexos profundos e superficiais podem ser aumentadas por manipulação cirúrgica pré-operatória. Eles advogam um procedimento de autonomização, consistindo em ligadura dos vasos inferiores superficiais e profundos por, pelo menos, 2 semanas antes da transferência do TRAM.

TÉCNICA

A reconstrução de mama pode ser realizada imediatamente após a mastectomia (mesmo ato cirúrgico) ou tardiamente. Deve ser considerada uma cirurgia de dois tempos: no primeiro tempo reconstrói-se a mama, e em um segundo tempo faz-se as simetrizações necessárias com a mama contralateral e reconstrói-se o complexo areolopapilar. Nesta fase podem-se também realizar correções de irregularidades e de cicatrizes inestéticas, procedimentos frequentemente essenciais para alcançar um resultado estético satisfatório.

Na reconstrução tardia, primeiramente calcula-se o tamanho do "defeito" causado pela mastectomia, tendo como modelo a mama contralateral. No caso da mastectomia realizada no mesmo tempo operatório da reconstrução, há preservação de maior quantidade de pele do plastrão torácico, e menos pele do abdome será utilizada. Nos casos tardios, a estimativa de pele a ser substituída é feita em medições da mama contralateral.

Desenha-se a área doadora de maneira que se encaixe ali toda a necessidade de pele a ser substituída. Geralmente, a área doadora é mais que suficiente para isso, visto que todo o abdome inferior deve ser incisado, para que o resultado do fechamento se aproxime do resultado de uma abdominoplastia. Somente as porções mais ricamente vascularizadas do retalho são aproveitadas, desprezando a lateral mais distante da fonte nutridora.

Secciona-se o músculo reto abdominal na sua porção inferior, na altura da linha arqueada, ligando o pedículo da artéria epigástrica inferior.

O músculo é liberado da sua fáscia profunda e rodado superiormente, estando a partir deste ponto irrigado somente pela artéria epigástrica superior.

O retalho é transferido por um túnel criado sob a pele da parede abdominal em direção ao tórax, que comunica a área de descolamento abdominal com a loja da mastectomia.

Nem todo o segmento do abdome inferior consegue se nutrir bem somente com a irrigação proveniente de um feixe muscular. Em alguns casos em que o segmento de pele a ser substituído compreende mais de 60% do retalho dermocutâneo do abdome inferior, os dois músculos retos abdominais são utilizados como arreadores do suprimento sanguíneo, dando maior segurança à viabilidade da pele e do tecido subcutâneo do abdome inferior a ser modelado como neomama (Fig. 6).

O retalho pode ser executado *ipsi* (homo) ou contralateralmente ao defeito criado pela mastectomia. A escolha da lateralidade considera a avaliação das condições de preservação da artéria epigástrica superior, que pode estar comprometida em casos de radioterapia prévia ou incisão em abdome superior para cirurgias prévias (p. ex.: incisão de Kocher para colecistectomia ou pequenas incisões para videolaparoscopia). A experiência do cirurgião em obter uma modelagem do retalho ipso ou contralateralmente para formar a neomama também é considerada.

Após a transposição do retalho é necessária toda uma reestruturação da parede abdominal. Como não é possível a preservação da fáscia superficial do reto abdominal no segmento inferior do abdome, cria-se um defeito na parede que necessita ser corrigido. A sutura "direta" entre os bordos remanescentes da bainha profunda do reto abdominal algumas vezes é possível, mas deve-se evitar que fique muito tensa, propiciando a deiscência da sutura, assim como o desvio acentuado da cicatriz umbilical, condição de prejuízo estético indiscutível. A alternativa para a sutura

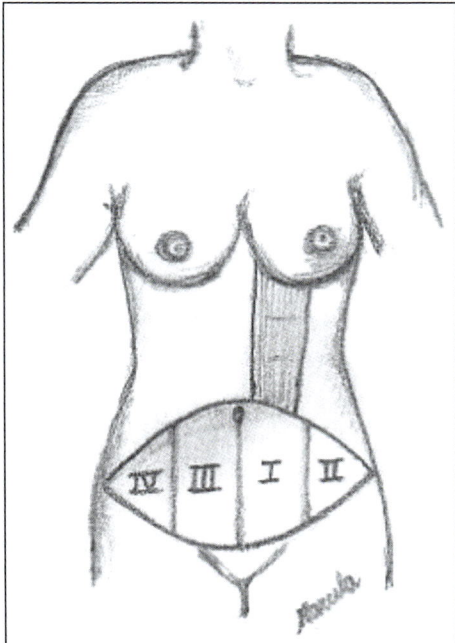

◀ **FIGURA 5.** Zonas vasculares do TRAM unilateral.

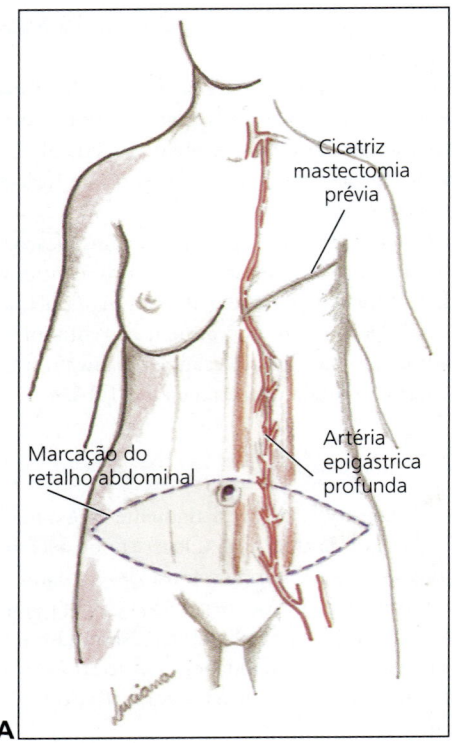
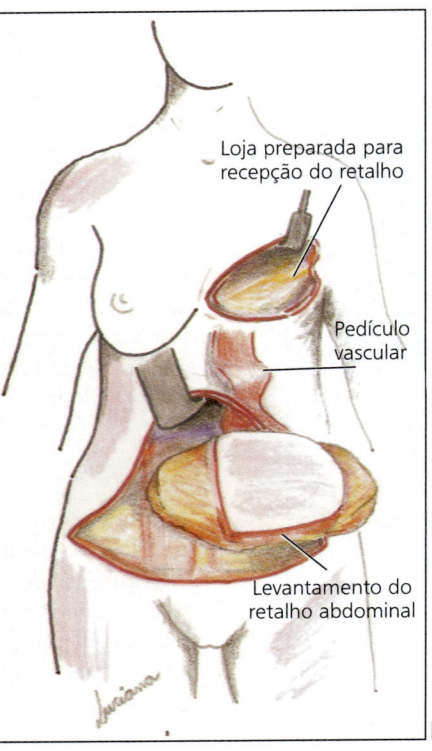
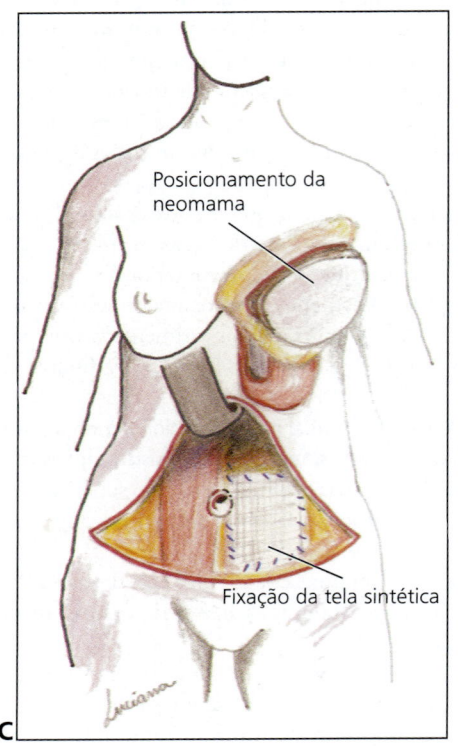
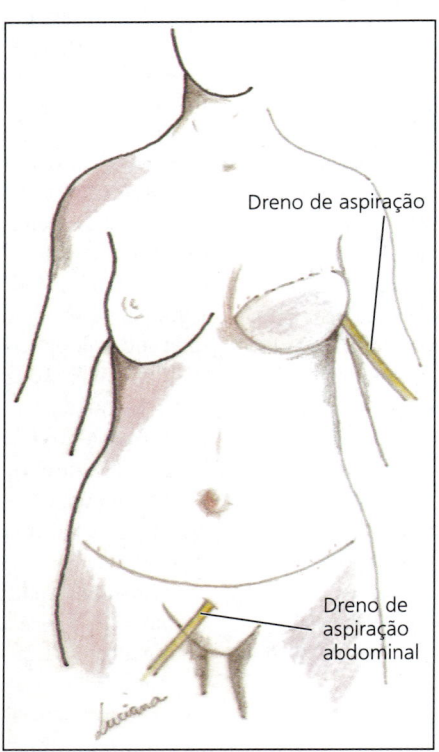

◀ **FIGURA 6.** Ilustração mostrando os tempos principais de uma reconstrução mamária tardia utilizando retalho miocutâneo do reto abdominal homolateral. (**A**) Marcação do retalho na pele e assinalando a vascularização do retalho pela artéria epigástrica profunda. (**B**) Retalho dissecado pronto para ser transferido para plastrão torácico. (**C**) Parede abdominal com tela sintética corrigindo o defeito causado pela rotação do músculo. (**D**) Aspecto final e disposição de cicatrizes.

direta é a colocação de tela sintética no abdome inferior, procedimento este adotado pela maioria dos cirurgiões (Fig. 7).

Os bordos superior e inferior do retalho abdominal são suturados, criando uma cicatriz suprapúbica alargada e procede-se ao reposicionamento da cicatriz umbilical, procedimento esse semelhante ao de uma abdominoplastia.

A reconstrução da mama isoladamente não fornece, na maioria das vezes, um resultado harmônico por mais adequada que seja. Criar simetria partindo de condições diferentes de cada lado em uma única cirurgia é bastante raro. Mesmo nos casos de mastectomias bilaterais, muitas vezes são necessários procedimentos adicionais para finalização do resultado.

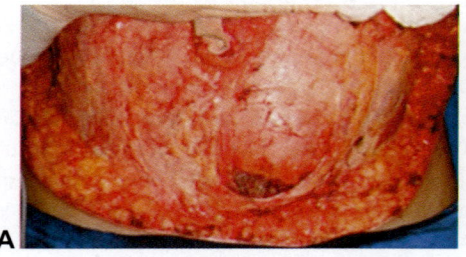
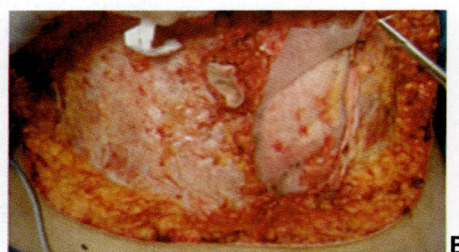
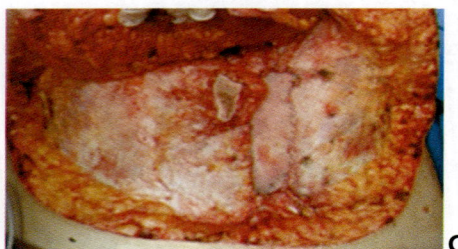

▲ **FIGURA 7.** (**A**) Área doadora após a transposição do retalho, expondo a linha arqueada de Douglas e o remanescente inferior do músculo reto abdominal. (**B**) Fixação da tela na linha média e na aponeurose do músculo oblíquo interno lateralmente. (**C**) Finalização com cobertura da tela pela aponeurose do músculo oblíquo externo.

Fazem parte da segunda fase da reconstrução mamária ou da simetrização, como costumamos chamar, procedimentos adicionais, como mamoplastia da mama contralateral, reconstrução do complexo areolopapilar e correções de irregularidades e de cicatrizes inestéticas que são frequentemente essenciais para alcançar um resultado estético satisfatório (Fig. 8).

MICROCIRURGIA

Quando a avaliação pré-operatória da paciente identifica fatores de risco ou ainda quando, após a liberação do retalho e ligadura dos vasos epigástricos inferiores, nota-se um comprometimento vascular, pode-se proceder à realização de uma anastomose microcirúrgica entre esse vasos ligados e os vasos axilares: *supercharged*. Para que esse procedimento seja viável, é necessário dissecar todo o pedículo dos vasos epigástricos profundos inferiores e proceder à ligadura próxima a sua origem nos vasos ilíacos.

Outro procedimento descrito com objetivo de aumentar a vascularização do retalho é o chamado *recharged* ou *turbocharged*. Está indicado principalmente naqueles pacientes com cicatrizes medianas que podem comprometer a vascularização do retalho, como uma alternativa ao TRAM bipediculado. Consiste em uma anastomose microcirúrgica entre os vasos epigástricos inferiores profundos. Berrino *et al.* acreditam que este procedimento aumenta a circulação do lado do retalho e melhora o retorno venoso. Em sua série de 22 pacientes eles obtiveram uma incidência de necrose de 4,5% e de perda parcial do retalho também de 4,5%.

Quando utilizamos o TRAM livre, isso significa que só será incluído no retalho o segmento de músculo abaixo dele. Portanto a maior parte do reto é preservada, diminuindo, assim, a sequela na área doadora[13,15]. Para sua confecção pode-se utilizar Doppler para auxiliar na localização dos vasos perfurantes periumbilicais. Frequentemente os retalhos microcirúrgicos são fundamentados nas epigástricas inferiores em decorrência de seu fluxo ser responsável por 70% da irrigação total do TRAM. A metade lateral do músculo pode ser incluída à ilha de pele, poupando sua metade medial e mantendo a continuidade da musculatura. Sempre lembrando que para esse procedimento ter sucesso as perfurantes devem ser esqueletizadas e levadas juntamente com o retalho.

O pedículo superior é raramente utilizado como base para um retalho microcirúrgico. Para tanto é importante uma dissecção proximal que requer uma divisão das cartilagens costais para melhor visualização do pedículo. Dessa forma separam-se os ramos intercostais, deixando exposto o ramo da mamária interna, em uma tentativa de aumentar o comprimento do pedículo.

Para finalizar, é possível ainda ser confeccionado com base em vasos perfurantes da epigástrica inferior (*deep inferior epigastric perforator* – DIEP *flap*) ou até diretamente no tecido celular subcutâneo e pele, sem músculo.[15]

VANTAGENS E DESVANTAGENS

Sem dúvida o TRAM é a técnica que deixa disponível para o cirurgião maior quantidade de pele, permitindo um resultado mais natural em termos de ptose, consistência e naturalidade da forma em relação à mama contralateral (Fig. 9).

Por não utilizar implantes, diminui a chance de complicações próprias dos mesmos, como contraturas, infecções de difícil tratamento, deslocamentos.

Não há nenhuma interferência com a detecção de possíveis recidivas, permitindo o acompanhamento oncológico sem nenhum prejuízo.

Na reconstrução imediata, a possível adjuvância radioterápica tem menor impacto sobre o TRAM que sobre as próteses e expansores, embora haja prejuízo na condição da pele e do tecido celular subcutâneo, podendo alterar a forma e consistência da neomama permanentemente.[16]

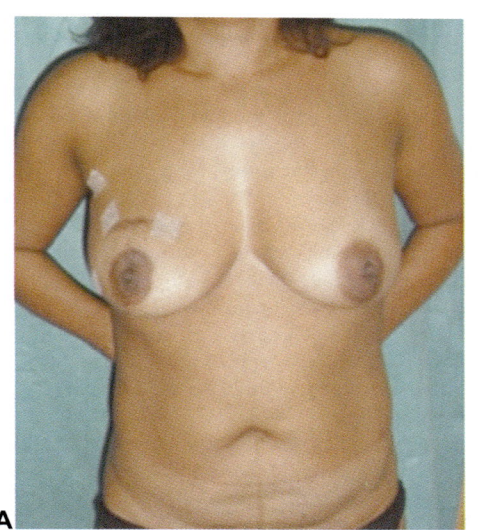
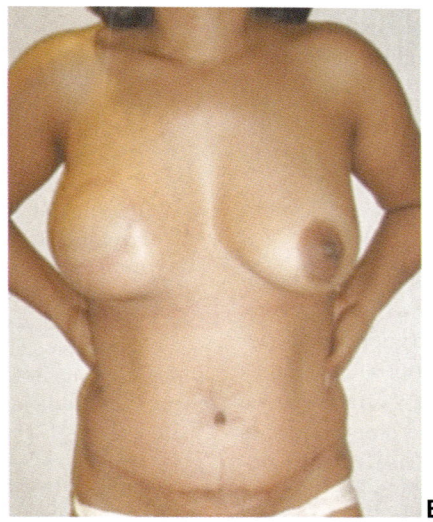
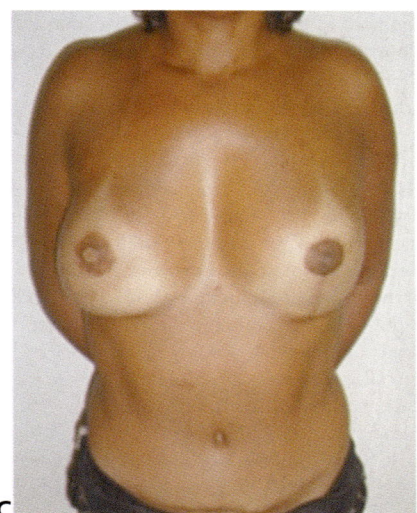
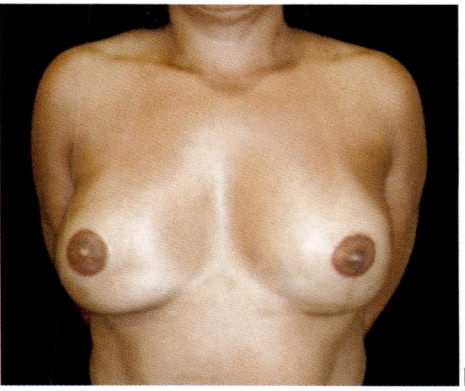

◀ **FIGURA 8.** Reconstrução imediata de mama com TRAM. (**A**) Pré-operatório. (**B**) Pós-operatório – 1ª Etapa. (**C** e **D**) Procedimentos de simetrização: Mamoplastia na mama contralateral, lipoaspiração do abdome para lipoenxertia de algumas regiões da neomama, confecção do CAP e posterior micropigmentação.

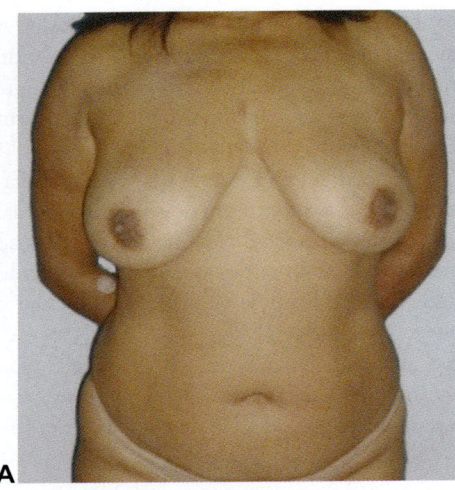 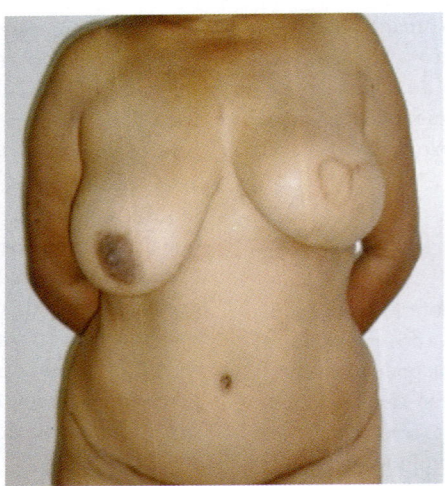 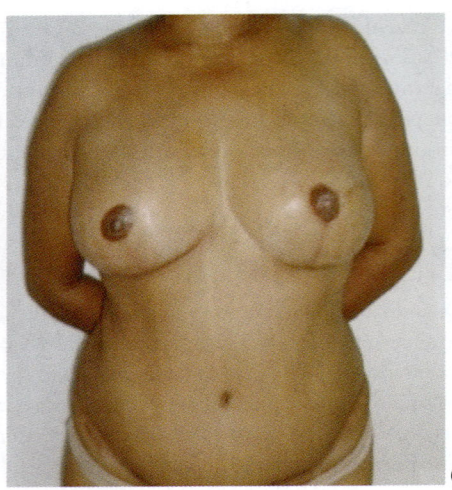

▲ **FIGURA 9.** TRAM completo. **(A)** Pré-operatório. **(B e C)** Primeira e segunda etapas.

Por outro lado, o TRAM tem uma morbidade elevada. Cerca de 20% das pacientes, sem fatores de risco associados, evoluem com epidermólise ou necrose parcial do retalho transposto ou mesmo do retalho do abdome inferior, principalmente em sua porção inferior mediana.[17] Isto se deve à imprevisibilidade da adaptação da pele à menor condição de vascularização terminal.

Há relatos de até 30% de defeitos na parede abdominal. Podemos ter abaulamentos de difícil solução pelo desequilíbrio causado entre as forças estáticas e dinâmicas do complexo do sistema músculo aponeurótico da parede abdominal.[18]

O tempo cirúrgico é longo, estimado em 4 a 6 horas de cirurgia. Pode haver maior perda sanguínea, e cicatrizes grandes são criadas no abdome.

Os retalhos livres do TRAM levam à menor possibilidade de defeito na parede abdominal e melhor forma do abdome, por não haver túnel com pedículo muscular. Como o suprimento vascular é mais eficiente nos retalhos livres, o risco de liponecrose também diminui. Há, porém, o risco de trombose da anastomose microvascular com necessidade de revisão da cirurgia ou perda total do retalho.[19]

CONSIDERAÇÕES SOBRE O TRAM E O TRATAMENTO ADJUVANTE DO CÂNCER DE MAMA

1. Na reconstrução imediata

Os resultados da reconstrução por TRAM podem ser alterados por radioterapia. Quando se sabe desta indicação previamente ao procedimento, deve-se considerar que os resultados sobre o retalho são imprevisíveis, podendo ocorrer edema cutâneo, hiperpigmentação, atrofia, alteração da consistência e forma da neomama.[16] Considerar reconstrução tardia. Atualmente, com o avanço das técnicas de irradiação proporcionando uma maior precisão no cálculo das áreas a serem irradiadas e com a modernização das máquinas, temos verificado uma queda significativa das complicações relacionadas à radioterapia.

A quimioterapia não influencia o resultado da reconstrução. Em algumas situações de complicação do retalho ou da área doadora, pode haver necessidade de adiamento do início da quimioterapia em alguns dias ou semanas.

2. Na reconstrução tardia

A radioterapia sobre o plastrão pode diminuir o fluxo na artéria epigástrica superior, tornando o retalho pediculado de mais alto risco de epidermólise ou necrose. A pele do tórax pode estar de pior qualidade, levando à necessidade de substituição não só do tecido ressecado na mastectomia quanto do tecido remanescente no tórax, mal irrigado como consequência da radioterapia e, portanto, mais sujeito à necrose cutânea.

CONCLUSÃO

O cirurgião deve compartilhar com a paciente todas as possibilidades de reconstrução possíveis em seu caso. Deve assegurar que a paciente tenha pleno conhecimento das técnicas possíveis, dos seus resultados, limitações, riscos e possíveis sequelas cirúrgicas. A compreensão da paciente sobre todos os aspectos do seu tratamento está diretamente ligada à satisfação com o resultado obtido com a cirurgia.

O TRAM é importante e eficiente técnica e deve ser disponibilizado para pacientes em casos selecionados.

REFERÊNCIAS BIBLIOGRÁFICAS

1. Halsted WS. The results of operations for the cure of cancer of the breast performed at the Johns Hopkins Hospital from June 1889 to Jan. 1894. *Ann Surg* 1894 Nov.;20(5):497-555.
2. Daher JC. *As reconstruções mamárias – Evoluções técnicas e sua importância na medicina*. Concurso da Academia Nacional de Medicina da cadeira de numero 70 do Acadêmico Salomão Kaiser, 2009.
3. Instituto Nacional de Câncer. *Estimativa 2010 – Incidência de câncer no Brasil*. Acesso em: Abr. 2011. Disponível em: <http//www.inca.com.br>
4. Menke CH, Biazús JV, Xavier NL et al. *Rotinas em mastologia*. 2. ed. Porto Alegre: Artmed, 2007.
5. Leal PR, Cammarota MC, Brandão LP et al. Reconstrução imediata de mama: avaliação das pacientes operadas no Instituto Nacional de Câncer no período de Jun. 2001 a Jun. 2002. *Rev Bras Masto* 2003;13(4):149-58.
6. Cordeiro PG. Breast reconstruction after surgery for breast câncer. *New England J Med* 2008;359:1590-601.
7. Rowland JH, Desmond KA, Meyerowitz BE et al. Role of breast reconstructive surgery in physical and emotional outcomes among breast câncer survivors. *J Natl Cancer Inst* 2000;92:1422-29.
8. Parker PA, Youssef A, Walker S et al. Short-term and long-term psychosocial adjustment and quality of life in women undergoing different surgical procedures for breast câncer. *Ann Surg Oncol* 2007;14:3078-89.
9. Hartrampf Jr CR. The transverse abdominal island flap for breast reconstruction. A 7-year experience. *Clin Plast Surg* 1988;15:703.
10. Drever JM. The epigastric island flap. *Plast Reconstr Surg* 1977;59:343.
11. Gandolfo EA. Breast reconstruction with a lower abdominal myocutaneous flap. *Br J Plast Surg* 1982;25:452.
12. Holmstrom H, Losing C. The lateral thoraco-dorsal flap in breast reconstruction. *Plast Reconstr Surg* 1986;77:933.
13. Fujino T, Harashina T, Enomoto K. Primary breast reconstruction after a standard radical mastectomy by a free flap transfer. Case report. *Plast Reconstr Surg* 1976 Sept.;58(3):371-74.
14. Toth BA, Forley BG, Calabria R. Retrospective study of the skin-sparing mastectomy in breast reconstruction. *Plast Reconstr Surg* 1999;104:77-84.
15. Bostwick J III, Vasconez LO, Jurkiewicz MJ. Breast reconstruction after a radical mastectomy. *Plast Reconstr Surg* 1978;61:682-93.
16. Tran NV, Chang DW, Gupta A et al. Comparison of immediate and delayed free TRAM flap breast reconstruction in patients receiving postmastectomy radiation therapy. *Plast Reconstr Surg* 2001;108:78-82.
17. Kroll SS. Necrosis of abdominoplasty and other secondary flaps after TRAM flap breast reconstruction. *Plast Reconstr Surg* 1994;94:637.
18. Blondeel N, Vanderstraeten GG, Monstrey SJ et al. The donor site morbitidy of free DIEP flaps and free TRAM flaps for breast reconstruction. *Br J Plast Surg* 1997;50:322-30.
19. Suominen S, Asko-Seljavaara S, Von Smitten K et al. Sequelae em the abdominal wall after pedicled or free TRAM flap surgery. *Ann Plast Surg* 1996;36:629-36.

CAPÍTULO 137

Uso de Próteses e Expansores na Reconstrução de Mama

Marcelo Moreira Cardoso ■ Bianca Ohana ■ Telma Carolina Ritter de Gregório
Cláudio Cortez

INTRODUÇÃO

A reconstrução de mama é parte integrante e fundamental do tratamento do câncer de mama, principalmente nos aspectos psíquico e social. O diagnóstico precoce do câncer de mama contribui para a indicação de tratamentos cada vez mais conservadores. Bons exemplos são tumores em estágios iniciais, com mastectomias conservadoras de pele e complexo areolopapilar (CAP), no qual os expansores e os implantes têm excelente indicação para reconstrução.

A escolha do método de reconstrução de mama depende de vários fatores, como tipo de mastectomia, tempo da reconstrução (imediata ou tardia), efeitos da radioterapia, idade e desejo da paciente, área doadora, tecidos remanescentes e mama contralateral, além de características físicas da paciente.

INDICAÇÃO E SELEÇÃO DE PACIENTES

A indicação e a escolha do método de reconstrução dependem de uma série de fatores, como já citado anteriormente. Em especial para reconstrução com expansores, a paciente ideal deve ter pele redundante não irradiada, mastectomia com preservação do músculo peitoral maior (Pattey ou Madden), mama contralateral sem hipertrofia severa e classificação de Pasyc A1 (Quadro 1). Pacientes que têm mama contralateral com ptose ou grande hipertrofia não são boas candidatas, face à dificuldade em se fazer a simetria ideal. Peter Cordeiro e Mc Carthy definiram como candidata ideal aquela com mama pequena e pouca ou nenhuma ptose.

Para reconstruções de mama primariamente com implantes, a paciente ideal é aquela que foi submetida à mastectomia com preservação do músculo peitoral maior e pele, e até mesmo poupadora do CAP, sem perspectiva de radioterapia. São conhecidos os efeitos deletérios da radioterapia sobre os tecidos e implantes, aumentado o índice de contratura capsular e complicações em geral. Entretanto, a radioterapia não é uma contraindicação absoluta para esse tipo de reconstrução.

As pacientes que não possuem cobertura cutânea adequada, provavelmente serão reconstruídas com retalhos a distância, como latíssimo do dorso (LD) e transverso do músculo reto abdominal (TRAM). Ambos podem também ser expandidos, no entanto o latíssimo do dorso associado a expansor é utilizado mais comumente e vem mostrando resultados satisfatórios.

VANTAGENS

As vantagens da reconstrução de mama com expansor e/ou implante são:

- Cirurgia de menor morbidade.
- Não adiciona cicatrizes em área doadora.
- Menor tempo cirúrgico e menor tempo de internação.
- Reversibilidade do método e preservação de outros retalhos.
- Redução das cicatrizes na mama reconstruída.
- Utilização de tecidos locais.

DESVANTAGENS

- Mais de um tempo cirúrgico para reconstrução com expansores.
- Material aloplástico.
- Custo dos implantes.
- Maior índice de complicações, se houver necessidade de radioterapia.
- Risco de esvaziamento do expansor, ruptura do implante, contratura capsular e irregularidades no contorno (*rippling*).
- Risco de exposição ou infecção do implante.

RADIOTERAPIA × IMPLANTE

Os efeitos deletérios da radioterapia em qualquer tecido são diversos, como radiodermites, calcificações, atrofias, fibroses e microangiopatias, criando um *status* de isquemia crônica naquele tecido. Estes efeitos associados a implantes ou expansores podem, dependendo da resposta imune de cada paciente, ser ainda mais graves. A radioterapia pode induzir desde os graus menos intensos de contratura capsular até a completa extrusão do implante. Quando a radioterapia for antes da reconstrução, teremos as dificuldades de um tecido irradiado, inelástico e fibrótico, dificultando, assim, a expansão e prejudicando o resultado final pela qualidade da pele. Caso a radioterapia se realize durante o processo de expansão, alguns autores advogam a retirada do expansor, outros preconizam esvaziá-lo para que ele não sirva como barreira para os feixes da radioterapia, e há ainda quem preconize expandir o máximo de tecido possível para tentar evitar a expansão da pele irradiada após a radioterapia. Ainda não há, na literatura, consenso quanto a este tópico. O fato é que pacientes irradiadas ou que serão submetidas à radioterapia não são as candidatas ideais para reconstrução com expansor ou implante. Porém não é uma contraindicação absoluta ao método, principalmente naquelas pacientes que não têm outra opção de reconstrução, entretanto a paciente deve estar sempre ciente das possibilidades de complicação.

TEMPO

A reconstrução de mama com expansor pode ser imediata ou tardia, desde que haja alguma sobra de pele e musculatura adequada, Pasyc A1 o B1 (Quadro 1).

A reconstrução mamária primariamente com implantes é normalmente realizada imediata à mastectomia, poupadora de pele.

TIPOS DE EXPANSORES E IMPLANTES

Os expansores são implantes com revestimento de silicone vazios, conectados a uma válvula externa ou com uma válvula inclusa. Existem em vários formatos, redondo e anatômico com diferentes perfis, e têm função de expandir gradualmente os tecidos.

O expansor com válvula inclusa tem as vantagens de ser integrado ao expansor, sem necessidade de criar uma loja para a válvula, sem possibilidade de desconexão da válvula. As desvantagens deste tipo de expansor

Quadro 1. Classificação da pele e da musculatura da parede torácica segundo Pasyc

PELE	MÚSCULO
A – Pele redundante	1 – Músculo presente na parede torácica
B – Pele aderente	2 – Parte do músculo peitoral maior ausente
C – Pele ausente (irradiada, enxertada)	3 – Ausências de músculos na parede torácica anterior
D – Úlceras	

são risco de perfuração durante a punção e a maior dificuldade em localizar a válvula magnética. Contrário a este, o expansor de válvula remota apresenta a facilidade de localizar a válvula e menor risco de perfuração de expansor, porém precisamos de um outro acesso para a retirada da válvula e risco de desconexão do chicote do expansor.

Na tentativa de propiciar uma reconstrução em tempo único, foram desenvolvidos os expansores permanentes, com compartimento externo preenchido com silicone gel e compartimento interno a ser preenchido com solução salina durante o processo de expansão. Ao final do processo, a troca pela prótese definitiva não é necessária.

A escolha do tamanho do expansor ou do implante é sempre um desafio ao cirurgião plástico. Devem ser levadas em consideração as medidas da mama contralateral, sua base, altura e projeção, além das medidas torácicas e do tamanho da neomama almejado.

O expansor pode ser escolhido algo maior (100 a 200 mL) que o implante definitivo, e a utilização de medidores durante a troca do expansor pelo implante é de extrema valia. É importante ter disponível na sala de cirurgia sempre mais de um tamanho de implante.

RECONSTRUÇÃO COM EXPANSOR – TÉCNICA

Primeiro tempo

O expansor é normalmente colocado pela incisão prévia da mastectomia. Se a reconstrução for imediata, a tendência atual de cirurgia oncoplástica é que a marcação seja feita em conjunto entre o cirurgião oncológico e o cirurgião plástico, visando a cicatrizes mais estéticas e oncologicamente seguras.

O plano ideal para a colocação do expansor é o plano submuscular, abaixo do músculo peitoral maior. Neste plano, a dissecção deve ser feita desinserindo-se o músculo medial e inferiormente. O expansor pode ficar parcial ou totalmente coberto pelo músculo, sendo feita uma bolsa entre o músculo peitoral maior, o serrátil anterior e o músculo reto abdominal anterior ou com um retalho de tecido celular subcutâneo mais espesso no polo inferior da mama, quando for possível preservar essa região, ou então com material aloplástico como derme ou matriz acelular (Alloderm®, Life Cell®) ou tela de Vycril®. Recentes estudos publicados mostram as vantagens da matriz acelular, como melhora do suporte da mama inferolateral, controle da posição além de ser mais uma camada de proteção ao implante. Sugerimos sempre a colocação de drenos de aspiração a vácuo, principalmente em reconstruções imediatas precedidas de esvaziamento axilar.

Sutura por planos e retirada de uma fina tira de pele (5 mm) na bolsa da incisão são feitas pelo cirurgião oncológico, pois normalmente essa pele é incisada com bisturi elétrico, sofre danos dos afastadores e é fina. Dessa forma evita-se necrose de pele na linha de sutura.

Expansão

A expansão deve ser iniciada entre a 2ª e 3ª semanas de pós-operatório, porém é importante que a sutura na pele esteja cicatrizada, sem necrose ou infecção.

A expansão é feita em intervalos de 15 dias a 3 semanas, até atingir o volume ideal. Não há consenso sobre a quantidade de volume a ser injetado em cada sessão. É sabido que se a paciente referir dor, deve-se parar a expansão. Alguns autores preconizam a expansão de 10 a 20% do volume do expansor a cada consulta.

O expansor também pode ser hiperexpandido com intuito de criar um envelope cutâneo mais frouxo e, assim, melhorar a ptose da mama quando houver a troca pelo implante definitivo.

Algumas pacientes precisaram ser submetidas à quimioterapia após a mastectomia. Nesses casos, não está contraindicada a expansão, mas é aconselhado que seja feita na semana anterior à quimioterapia (no caso de ciclos de 21 dias), quando a leucopenia e o estado imunológico da paciente estão recuperados, reduzindo-se as chances de infecção. A troca do expansor pelo implante deve ser realizada cerca de um mês após finalizada a quimioterapia e quando os níveis de leucócitos estiverem normais.

Segundo tempo – técnica

O segundo tempo consiste na troca do expansor pela prótese, normalmente realizada após 3 a 6 meses da primeira cirurgia.

Para o volume, um bom parâmetro é o volume alcançado com o expansor, tendo-se o bom-senso de comparar com o volume da mama contralateral e prever cirurgias de simetrias na mesma.

Para escolha do volume e tipo do implante definitivo, as medidas de base, altura e projeção da mama contralateral e o volume atual do expansor continuam sendo úteis. Há uma gama de diferentes tipos e formas de implantes no mercado, normalmente os implantes anatômicos com os mais diversos perfis são os mais indicados para reconstrução de mama. Os implantes redondos ficam reservados para os casos onde haverá simetria com prótese contralateral, e a base e altura se equivalem.

Quando excesso de pele após expansão, pode ser feita mastopexia para ajuste do envelope cutâneo ao implante.

Muitas vezes o expansor não dá o formato adequado ou expande mais uma área que outra. Nesses casos, são necessárias capsulorrafias, suturas aproximando lojas, capsulectomias ou capsulotmias.

Sugerimos o uso de dreno também no segundo estágio, pois, com a aspiração a vácuo, evita-se o acúmulo de sangue e seroma, diminui-se, então, o índice de contratrura capsular.

Pós-operatório

O curativo deve ser trocado após 24 a 48 horas por sutiã cirúrgico, com bom suporte. Os drenos devem ser mantidos até uma drenagem menor que 50 mL em 24 horas, não devendo ultrapassar 14 dias, pelo aumento do risco de infecção.

Retorno às atividades básicas em 7 a 10 dias, dependendo do trabalho da paciente, e atividades físicas em 6 a 8 semanas.

Reconstrução imediata com implante

A reconstrução mamária diretamente com implante definitivo ou expansor permanente segue os mesmos princípios da reconstrução com expansor temporário, sendo que normalmente neste caso já há uma quantidade e qualidade de pele suficiente para a reconstrução definitiva. A colocação do implante deve ser preferencialmente submuscular, podendo também ser feita uma bolsa com o músculo serrátil anterior, com derme ou matriz acelular (Alloderm, Stratetisse), com telas de poligalactina (Vycril) ou com tecido mais espesso subcutâneo no polo inferior, ou simplesmente deixar o implante coberto parcialmente pelo músculo. Como na maioria das vezes o retalho da mastectomia é fino, quanto mais cobertura o implante tiver, melhor será o resultado.

CAP e simetria

Reconstrução de mama é um procedimento feito em etapas, em especial no caso da reconstrução com expansor, pois no mínimo dois tempos cirúrgicos são necessários. A critério do cirurgião, os tempos de simetria e reconstrução do CAP podem ser no momento da troca do expansor pelo implante definitivo, ou em um terceiro e até mesmo em um quarto tempo. Os que preconizam que a reconstrução do CAP não deva ser junto à simetria, advogam que após 3 a 6 meses a mama contralateral que foi submetida à mamoplastia já atingiu sua altura definitiva após o movimento de báscula natural da mama.

A simetria pode ser feita com as mais diversas técnicas de mastopexias, mamoplastias redutoras e de aumento.

A reconstrução da papila pode ser feita com enxerto doado da papila contralateral, de cartilagem ou com retalhos locais. A aréola pode ser reconstruída com enxerto cutâneo e/ou tatuagem (Figs. 1 e 2).

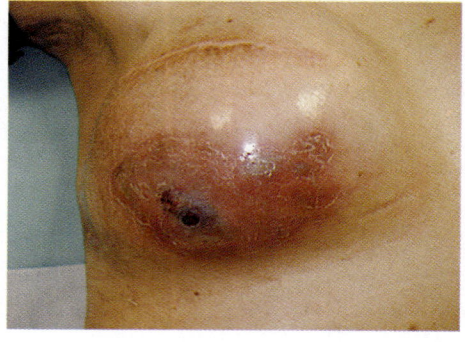

◀ **FIGURA 1.** Extrusão de expansor permanente pós-radioterapia.

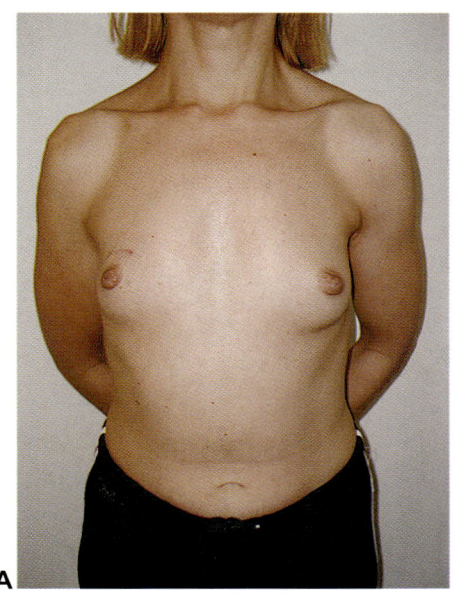
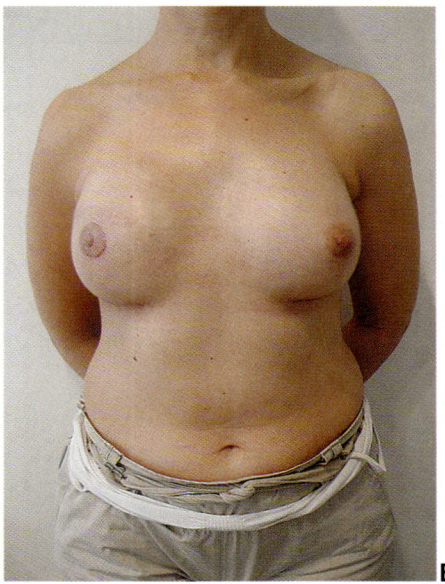

◄ **FIGURA 2.** (**A**) Pré e (**B**) pós-operatório de mastectomia reconstruída com expansor permanente Becker® 50 – 300 cc e prótese contralateral 285. CAP com enxerto de papila contralateral e enxerto de pele inguinal. Enxertos gordurosos peri-implantes.

Complicações

As principais complicações são: infecção, extrusão, perfuração acidental, esvaziamento do expansor, desconexão da válvula externa, seroma, hematoma, necrose de pele, falha no processo de expansão e, a longo prazo, contratura capsular (Fig. 3). Estudos mostram que 10% das pacientes com reconstrução com implante desenvolverão contratura capsular Baker III/IV (Quadro 2). Das pacientes com radioterapia prévia, 20 a 30% terão contratura e, cerca de 50,1% das pacientes irradiadas após a reconstrução terão contratura capsular moderada à grave.

CONSIDERAÇÕES FINAIS

A reconstrução de mama com expansor e implante é uma técnica segura e com excelentes resultados quando bem indicada. É um método simples, reversível e que poupa reconstruções mais agressivas para o futuro, se houver necessidade.

Atualmente, é cada vez mais indicada graças à melhora do rastreamento do câncer de mama e sua detecção mais precoce, possibilitando técnicas menos agressivas, como as mastectomias poupadoras de pele e CAP, e dessa forma tendo reconstruções mais naturais, neste cenário os métodos mais utilizados são os expansores e implantes (Figs. 4 a 7).

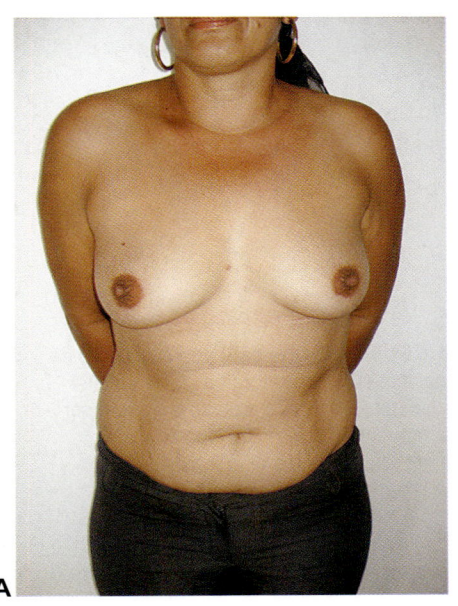
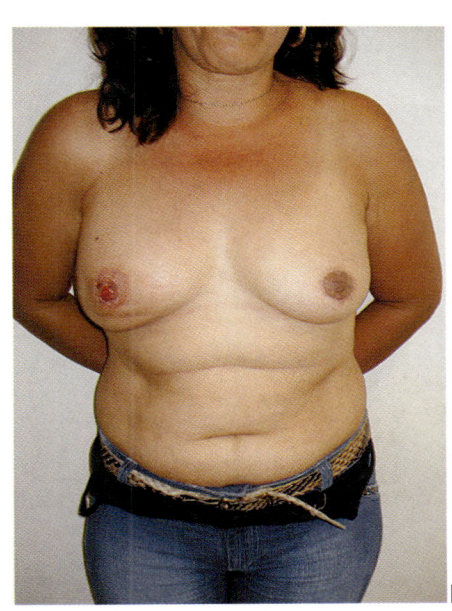

◄ **FIGURA 3.** (**A**) Pré e (**B**) pós-operatório de mastectomia reconstruída com expansor temporário trocado por prótese redonda, perfil alto 305 cc. CAP com retalho *skate flap* e enxerto de pele inguinal. Enxertos gordurosos peri-implantes.

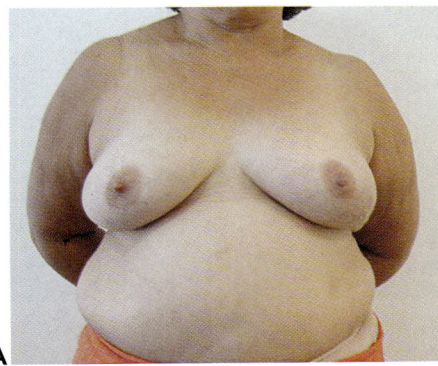
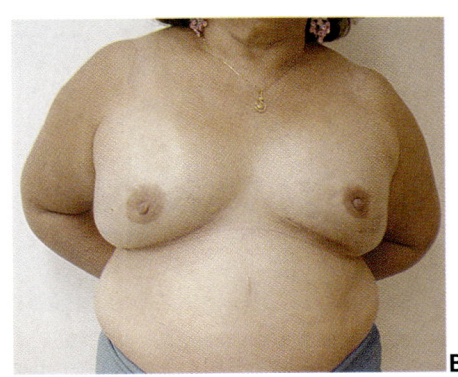

◄ **FIGURA 4.** (**A**) Pré e (**B**) pós-operatório de expansor permanente bilateral (Becker® 50 – 500 cc) em adenomastectomia poupadora de CAP.

Quadro 2. Contratura capsular de Baker

GRAU	SINAIS E SINTOMAS
I	Normal
II	Contratura mínima. Palpável e não visível
III	Contratura moderada. Palpável e visível
IV	Contratura grave. Palpável, visível e dolorosa

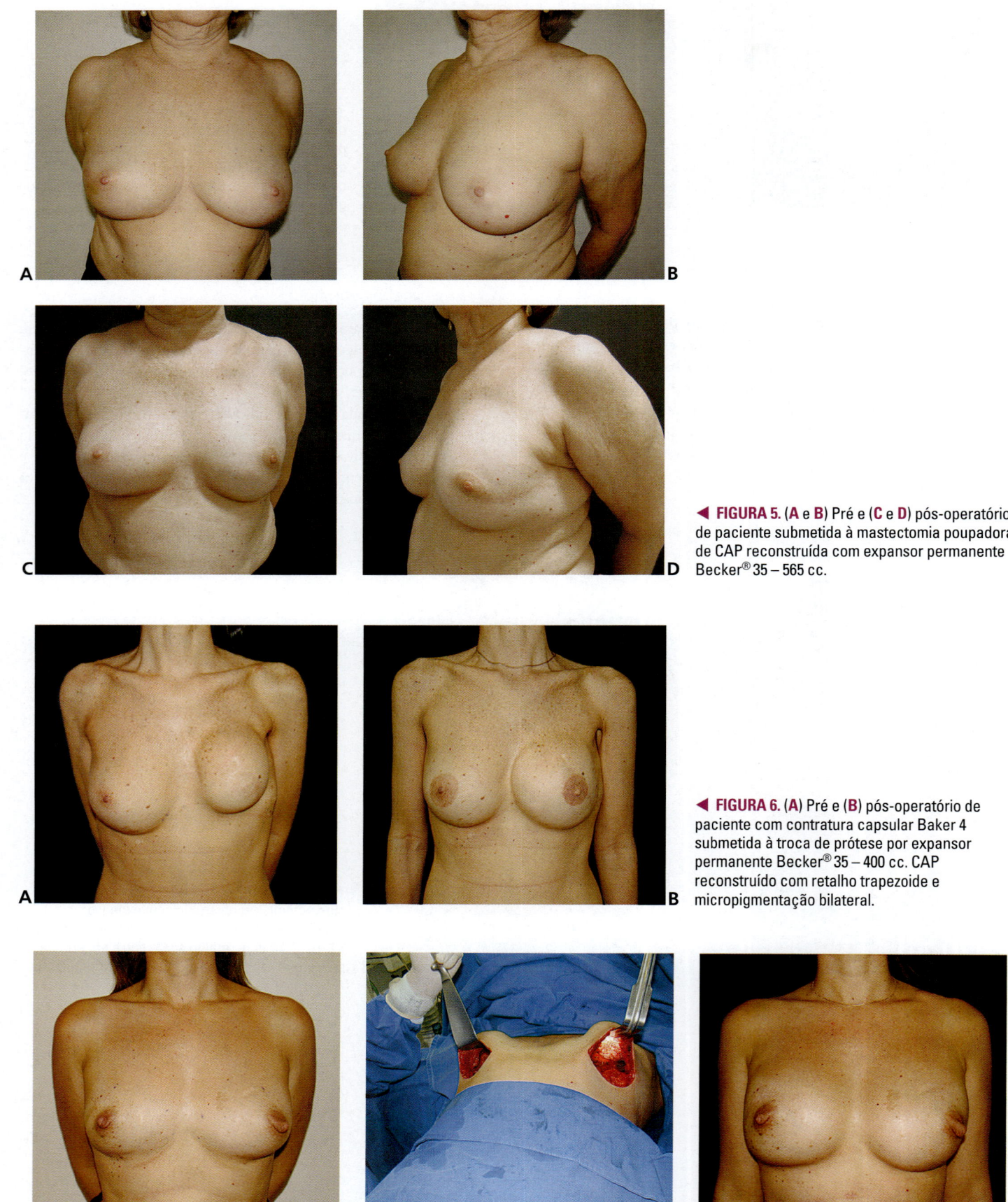

◀ **FIGURA 5.** (**A** e **B**) Pré e (**C** e **D**) pós-operatório de paciente submetida à mastectomia poupadora de CAP reconstruída com expansor permanente Becker® 35 – 565 cc.

◀ **FIGURA 6.** (**A**) Pré e (**B**) pós-operatório de paciente com contratura capsular Baker 4 submetida à troca de prótese por expansor permanente Becker® 35 – 400 cc. CAP reconstruído com retalho trapezoide e micropigmentação bilateral.

▲ **FIGURA 7.** (**A**) Pré, (**B**) intra e (**C**) pós-operatório de paciente submetida à mastectomia profilática bilateral e reconstrução imediata com expansor permanente Becker® 35 – 325 cc. Lipoenxertia periprótese: 20 cc retroareolar e 80 cc em porção superior, bilateralmente.

BIBLIOGRAFIA

Chen CM, Disa JJ, Sacchini V *et al.* Nipple-sparing mastectomy and immediate tissue expander/implant breast reconstruction. *Plast Reconstr Surg J* 2009;124(6):1772-80.

Cordeiro PG, McCarthy CM. A Single Surgeon's 12-year experience with tissue expander/implant breast reconstruction: part ii. An analysis of long-term complications, aesthetic outcomes, and patient satisfaction. *Plast Reconstr Surg J* 2006;118(4):832-39.

Goodwin S, McCarthy C, Pusic A *et al.* Complications in Smokers After Postmastectomy Tissue Expander/Implant Breast Reconstruction. *Ann Plast Surg* 2005;55(1):16-19.

Ma G, Richardson H, Pacella S *et al.* Single-stage Breast Reconstruction following areola-sparing mastectomy. Ideas and Innovations. *Plast Reconst Surg* 2009 May;125(5):1414-17.

Mathes S. *Plastic surgery: trunk and lower extremity.* New York: Saunders Elsevier, 2006.

Petit J, Veronesi U. Nipple-sparing mastectomy: risk of nipple-areolar recurrences in a series of 579 cases. *Breast Cancer Res Treat* 2009;114:97-101.

Rawlani V, Buck DW 2nd, Johnson SA *et al.* Tissue expander breast reconstruction using prehydrated human acellular dermis. *Ann Plast Surg* 2011;66(6):593-97.

Rigotti G, Marchi A, Galiè M *et al.* Clinical treatment of radiotherapy tissue damage by lipoaspirate transplant: a healing process mediated by adipose-derived adult stem cells. *Plast Reconst Sug* 2007;119(5):1409-22.

Saltz R, Ribeiro R. *Cirurgia da mama. Estética e reconstrutora.* Rio de Janeiro: Revinter, 2001.

Simmons R, Hollenbeck S, Latrenta G. Areola-sparing mastectomy with immediate breast reconstruction. *Ann Plast Surg* 2003;51:547-51.

Simmons RM, Brennan M, Christos P *et al.* Analysid of nipple/areolar involvement with mastectomy: Can the areola be preserved? *Ann Surg Oncol* 2002;9:165-68.

Spear S *et al.* Nipple-sparing mastectomy. *Plastic Reconst Surg J* 2009 June;123(6):1665-73.

Thorne CH, Beasley EW, Aston SJ *et al.* (Eds.). Grabb & Simth *Plastic Surgery.* 6th ed. Philadelphia, PA: Lippincott Williams & Wilkins, a Wolters Kluwer Business, 2007.

CAPÍTULO 138

Cirurgia Reconstrutora no Tratamento Conservador da Mama

Frederico Avellar Silveira Lucas ■ Henrique Riggenbach Müller ■ Hiram Silveira Lucas

INTRODUÇÃO

Com os avanços na pesquisa e suas aplicações ao tratamento do câncer de mama, há aumento na realização de ressecções parciais acompanhadas do tratamento radioterápico, caracterizando o chamado tratamento conservador.[1] Após essa abordagem, 20 a 30% dos pacientes apresentam um resultado estético insatisfatório, com deformidades na mama acometida.[2] Essas alterações são subestimadas, já que muitas pacientes não se queixam ou mesmo não têm acesso a um tratamento cirúrgico adicional para reconstrução.[3]

Embora já esteja difundida tanto entre médicos quanto entre pacientes a necessidade de reconstrução após a realização da mastectomia, o mesmo não ocorre nos casos em que já foram ou serão submetidos a uma abordagem cirúrgica conservadora. Isso se deve a várias razões: a ideia da preservação da mama para muitas já é satisfatória, independente do remanescente, além da maior tolerabilidade justificada pela sobrevivência ao câncer. Além disso, a possibilidade de outras cirurgias é refutada por muitas.[4]

A importância da utilização de técnicas de reconstrução à abordagem inicial dessas pacientes nunca foi tão atual. A interação entre o cirurgião oncológico responsável pelo tratamento do câncer e o cirurgião plástico caracteriza uma face da abordagem multidisciplinar. Além da melhora estética, outras vantagens ocorrem: a abordagem ao tumor geralmente é facilitada por incisões maiores, podendo auxiliar na diminuição dos índices de recidiva local, e o tratamento radioterápico é facilitado pela redução de mamas de grande volume.

O termo cirurgia oncoplástica surgiu na literatura médica na década de 1990, introduzido por Audretsch.[5,6] Em seu contexto original, refere-se à aplicação de princípios de cirurgia plástica à abordagem oncológica da cirurgia de mama, como tentativa de corrigir deformidadades resultantes da terapêutica usual. Atualmente, vem sendo cada vez mais empregada até mesmo para caracterizar uma área de atuação.

ALTERAÇÕES NA MAMA APÓS A CIRURGIA CONSERVADORA

Após a cirurgia conservadora, 20 a 30% das pacientes relatam um resultado estético insatisfatório, com diversas deformidades. Quando o parênquima mamário não é aproximado, há a formação de um seroma que será substituído por fibrose durante o processo de cicatrização. O tratamento radioterápico posterior acentua as alterações anatômicas: a distorção, a perda de volume e a própria fibrose. O tempo de ocorrência é variável e pode manifestar-se anos após o procedimento cirúrgico inicial.[7]

RECONSTRUÇÃO COM RETALHOS LOCAIS

Embora haja muitas técnicas de reconstrução, utilizando-se retalhos locais, sempre que possível deve-se evitar a realização de incisões adicionais, mobilizando-se o tecido remanescente, respeitando a vascularização do mesmo. Essa abordagem não mobiliza o complexo areolopapilar, ideal para mamas não ptóticas. A não realização de cicatrizes adicionais também evita a ressecção cutânea adicional desnecessária em caso de exame histopatológico, demonstrando margens comprometidas, com a realização de mastectomia complementar (Figs. 1 a 3).[8]

TÉCNICAS DE RECONSTRUÇÃO MAMÁRIA

As técnicas mais utilizadas para a reconstrução após a cirurgia conservadora são variações das utilizadas para a cirurgia de redução de mamas. Geralmente são indicadas para pacientes portadoras de gigantomastia, pois necessita de que haja grande quantidade de tecido mamário remanescente, após a ressecção da lesão, para uma reconstrução adequada. Além disso, a localização do tumor também é um fator limitante.[3,4]

A sua realização tardia, isto é, após o tratamento radioterápico, associa-se a uma alta taxa de complicações, chegando a 50% dos casos segundo alguns autores. Por outro lado, a sua realização imediata (prévia

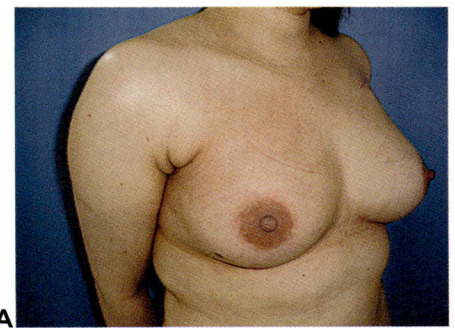
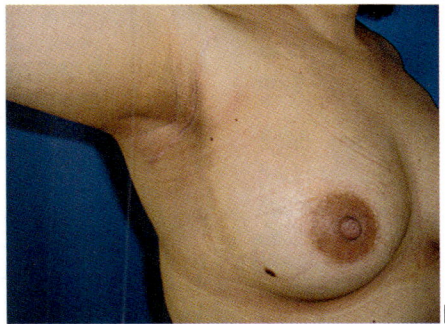

◀ **FIGURA 1.** Reconstrução imediata de mama direita com mobilização do parênquima mamário após segmentectomia de quadrantes superiores e esvaziamento axilar. (**A**) Pós-operatório após término da radioterapia adjuvante. (**B**) Detalhe da mama direita.

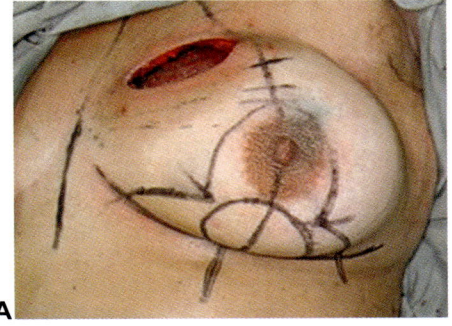
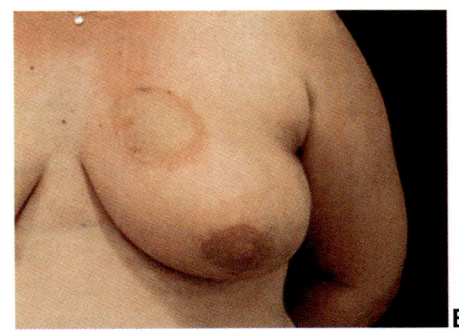

◀ **FIGURA 2.** Defeito em quadrante inferointerno. (**A**) Marcação da reconstrução com pedículo inferior e ilha cutânea (*Plug flap*). (**B**) Pós-operatório de 6 meses.

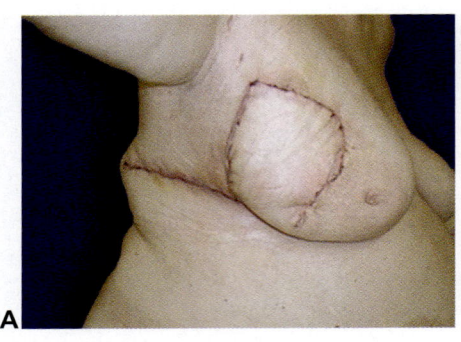 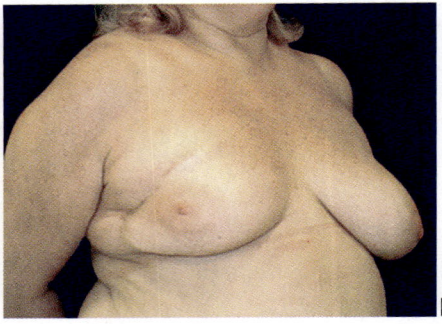

◀ **FIGURA 3.** (**A**) Defeito em quadrante superoexterno. Pré-operatório. (**B**) Reconstrução tardia com retalho toracodorsal lateral. Pós-operatório.

à irradiação) tem taxas de complicações semelhantes à mamoplastia com finalidade estética.[8]

A marcação cutânea segue, na maioria dos casos, a técnica de Pitanguy, publicada inicialmente em 1960. O ponto A é colocado na linha hemiclavicular, abaixo da projeção do sulco submamário. Os pontos B e C são colocados segurando-se a mama, prevendo-se a quantidade de tecido a ser ressecado de acordo com a indicação de cada caso. Os pontos D e E, variáveis com a quantidade a ser ressecada, são colocados no sulco submamário, equidistantes dos B e C (Fig. 4).[9]

A UTILIZAÇÃO DE PEDÍCULOS

Para a reconstrução do defeito resultante da ressecção tumoral, podem ser utilizados vários retalhos do parênquima mamário. Geralmente a localização da lesão influencia o planejamento do pedículo a ser utilizado. Uma lesão nos quadrantes superiores tende a ser reconstruída com um pedículo inferior. De forma oposta, as lesões de quadrantes superiores são geralmente reconstruídas com o pedículo inferior.

Sua utilização foi popularizada em nosso meio por Ribeiro, que define como um retalho formado por tecidos dérmico, gorduroso e/ou glandular com vascularização própria a partir dos vasos perfurantes de 4º e 5º espaços intercostais e do plexo subdérmico existente na região. Suas características, dimensões e comprimento são variáveis e individualizadas para cada situação. A técnica do pedículo inferior (também definido como retalho de base vascular inferior) é a mais utilizada pela familiaridade adquirida pelos cirurgiões na realização de mamoplastias e pela possibilidade de adaptá-lo aos diferentes defeitos nos diversos quadrantes mamários.[10]

RECONSTRUÇÃO COM RETALHOS A DISTÂNCIA

Quando há a necessidade da recomposição de grande quantidade cutânea, muitas das vantagens da cirurgia conservadora são perdidas. Embora o retalho miocutâneo de grande dorsal possa substituir uma grande quantidade de pele, sua ilha apresenta textura e cor diferentes, prejudicando o resultado estético final. Além disso, sua possibilidade de fornecer volume é limitada. A necessidade da utilização de um implante para o resultado final indica a revisão da indicação cirúrgica, podendo a mastectomia ser a melhor opção pela não obrigatoriedade da radioterapia adjuvante ao contrário da cirurgia conservadora.[11]

O uso de outros retalhos, como o miocutâneo transverso do reto abdominal (TRAM), também deve ser indicado em situações excepcionais na cirurgia conservadora, já que a sua realização para defeitos parciais irá descartar uma grande quantidade de tecido abdominal e inviabilizará a utilização em uma ocasião posterior.

LIPOENXERTIA

A ideia da autoenxertia de tecido adiposo para tratamento de alterações mamárias não é nova. Czerny realizou, em 1895, a primeira mamoplastia de aumento com a utilização de um lipoma da região lombar para um defeito mamário.[12] No início do século XX, Lexer descreveu um enxerto de gordura do tamanho de dois punhos com excelente resultado 3 anos após.[13] A lipoaspiração que foi popularizada nos anos 1980 foi um estímulo ao desenvolvimento dessa técnica, uma vez que naturalmente fornecia material para a realização desse procedimento. Havia receio para sua realização graças as alterações pós-operatórias que poderiam advir. Em 1997 a Sociedade Americana de Cirurgia Plástica publicou um consenso desaconselhando a utilização da lipoenxertia para a mamoplastia de aumento, com o argumento de que a maioria do tecido enxertado não sobreviveria, gerando fibrose e calcificações.[14]

Assim, a detecção precoce do câncer de mama seria prejudicada. Essas opiniões, sem estudos científicos que as confirmassem, condenaram a sua utilização e prejudicaram o seu avanço.

Em 1987 já ficou estabelecido que em todos os procedimentos mamários há o risco de ocorrência de nódulos e/ou calcificações mamárias. Porém, a diferenciação entre calcificações benignas pós-operatórias e carcinomas pode ser realizada na maioria dos casos. Atualmente, os radiologistas podem diferenciar calcificações oriundas de esteatonecrose das relacionadas com o câncer com grande segurança.

A reconstrução mamária pelas técnicas usuais, seja parcial ou total, pode não ser capaz de resolver todas as deformidades apresentadas pelas pacientes. A lipoenxertia pode ser útil para a correção dessas deformidades, refinamentos e melhora em tecidos submetidos à radioterapia.[15]

COMPLICAÇÕES

São as mesmas descritas para as cirurgias de mamas: hematomas, seromas, infecções da ferida operatória, esteatonecrose, necrose cutânea e do complexo areolopapilar. Os dois maiores fatores para a redução de complicações são a técnica utilizada e o momento de realizá-la. A reconstrução imediata, além de apresentar melhores resultados, associa-se a menor taxa de complicações, em torno de 25%, ao contrário da reconstrução tardia, com 40% de intercorrências. Isso se deve ao fato de o tecido irradiado apresentar menor capacidade de cicatrização e resposta incerta ao trauma cirúrgico.[16]

A utilização do dreno de sucção a vácuo é necessária para diminuir a possibilidade de formação de seromas, pela diminuição do espaço morto, não esquecendo que boa parte das pacientes será submetida à pesquisa do linfonodo sentinela e, eventualmente, ao esvaziamento axilar.[17]

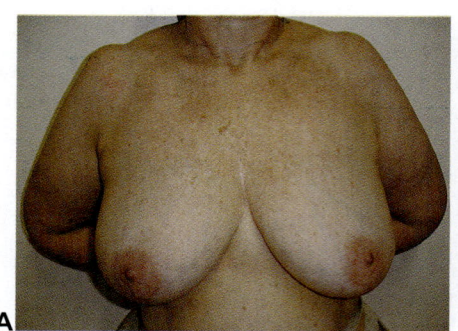 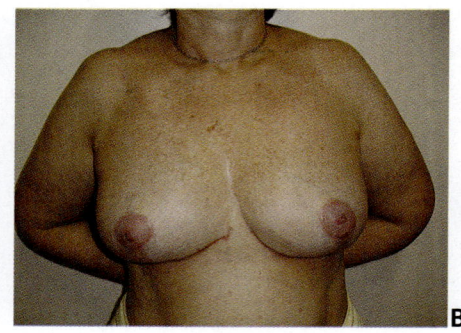

◀ **FIGURA 4.** Lesão na junção dos quadrantes superiores de mama direita. Segmentectomia, pesquisa de linfonodo sentinela e reconstrução imediata com pedículo inferior à direita e mamoplastia de equilíbrio contralateral. (**A**) Pré-operatório. (**B**) Pós-operatório de 6 meses.

CONCLUSÕES

A decisão de realização de uma cirurgia conservadora associada à reconstrução imediata é cada vez mais atual e envolve uma grande colaboração entre os cirurgiões oncológico e plástico. A decisão de quais pacientes serão realmente beneficiadas com essa indicação muitas vezes é difícil. O volume dos casos tratados muitas vezes prejudica essa interação. Porém, a realização cada vez maior só trará benefícios aos pacientes e deve tornar-se rotina para todos.

REFERÊNCIAS BIBLIOGRÁFICAS

1. Cance WG, Carey LA, Calvo BF. Long-term outcome of neoadjuvant therapy for locally advanced breast cancer. *Ann Surg* 2002;236(3):295-302.
2. Bajaj AK, Kon PS, Oberg KC *et al.* Aesthetic outcomes in patients undergoing breast conservation therapy for the treatment of localized breast cancer. *Plast Reconstr Surg* 2004;114(6):1442-49.
3. Kronowitz SJ, Hunt KK, Kuerer HM. Practical guidelines for repair of partial mastectomy defects using the breast reduction technique in patients undergoing breast conservation therapy. *Plast Reconstr Surg* 2007;120(7):1755-68.
4. Huemer GM, Schrenk P, Moser F *et al.*Oncoplastic techniques allow breast-conserving treatment in centrally located breast cancers. *Plast Reconstr Surg* 2007;120(2):390-98.
5. Audretsch W, Rezai M, Kolotas C. *Onco-plastic surgery: "target" volume reduction (BCT-mastopexy), lumpectomy, reconstruction (BCT-reconstruction), and flap-supported operability in breast cancer.* Second European Congress on Senology, Breast Diseases 1994. p. 139-57.
6. Audretsch W, Rezai M, Kolotas C. Tumor-specific immediate reconstruction in breast cancer patients. *Perspect Plast Surg.* 1998;11:71.
7. Matory Jr WE, Wertheimer M, Fitzgerald TJ *et al.* Aesthetic results following partial mastectomy and radiation therapy. *Plast Reconstr Surg* 1990;85(5):739-46.
8. Kronowitz SJ. Breast reconstruction-repair of the partial mastectomy defect. In: Nahabedian M. (Ed.). *Procedures in reconstructive surgery – Comestic and reconstructive breast surgery.* Philadelphia. Saunders Elservier, 2009. p. 95-108.
9. Pitanguy I. Técnicas operatórias. In: Pitanguy I. (Ed.). *Mamaplastia.* Rio de Janeiro: Guanabara Koogan, 1978. 49-52.
10. Ribeiro L. Introdução e histórico – Pedículo em mastoplastias. In: Ribeiro L. (Ed.). *Pedículos em mamoplastia – Atlas e texto.* Rio de Janeiro: Guanabara Koogan, 2005:17-18.
11. Clough KB, Kroll SS, Audretsch W. An approach to the repair of partial mastectomy defects. *Plast Reconstr Surg* 1999;104(2):409-20.
12. Czerny V. Plastischer ersatz der brustdruse durch ein Lipom. *Zentralbl Chir* 1895;27:72.
13. Hinderer UT, del Rio JL. Erich Lexer's mammaplasty. *Aesthetic Plast Surg* 1992;16(2):101-7.
14. ASPRS Ad-Hoc Committee on New Procedures. Report on autologous fat transplantation, 1987.
15. Coleman SR, Saboeiro A. Fat grafting to the breast revisited: safety and efficacy. *Plast Reconstr Surg* 2007;119(3):775-85.
16. Karanas YL, Leong DS, Da Lio A *et al.* Surgical treatment of breast cancer in previously augmented patients. *Plast Reconstr Surg* 2003;111(3):1078-83.
17. Kronowitz SJ, Feledy JA, Hunt KK *et al.* Determining the optimal approach to breast reconstruction after partial mastectomy. *Plast Reconstr Surg* 2006;117(1):1-11.

SEÇÃO X
Tratamento Sistêmico do Câncer de Mama

CAPÍTULO 139
Terapia-Alvo para Câncer de Mama

Marcos Veloso Moitinho ■ Rodrigo Moura de Araujo ■ Roberto de Almeida Gil

INTRODUÇÃO

A compreensão dos mecanismos moleculares envolvidos na carcinogênese levou ao desenvolvimento de novos tratamentos direcionados contra alvos específicos das células tumorais, com mínimo efeito nas células sadias. O sucesso dessa nova tecnologia biológica se expressa nos novos anticorpos e bloqueadores enzimáticos seletivos para alvos estratégicos nos mecanismos de crescimento e agressividade das neoplasias.

A capacidade de um tumor crescer, invadir e gerar metástases depende fundamentalmente de sua programação genética, acúmulo de mutações e assinatura gênica. O modelo mais aceito de carcinogênese necessariamente depende de alterações em genes específicos capazes de transcrever RNA mensageiros que serão traduzidos em proteínas defeituosas envolvidas com proliferação celular (promotores e inibidores), adesão celular e invasão de estruturas vizinhas. Outras incorporações podem conferir às células a capacidade de sintetizar fatores de crescimento e sinalização celular.

As alterações genéticas necessárias para todo esse processo incluem um vasto grupo de possibilidades, como mutações pontuais, deleções, amplificações, translocações e duplicações. Acredita-se que a grande maioria das aberrações genéticas implicadas na carcinogênese dos tumores de mama seja esporádica, pois em apenas 10% dos casos existe um substrato genético definido.

Nesse capítulo estudaremos as vias de crescimento, invasão e regulação celulares contra as quais já podemos direcionar terapias de alvo molecular. Veremos também as novas drogas do arsenal terapêutico, algumas já disponíveis e muito bem estabelecidas e outras que poderão ser incorporadas no futuro. Apesar de essas novas armas terem o objetivo de ser um tratamento mais seletivo, efetivo e com poucos efeitos colaterais para substituir a quimioterapia padrão no tratamento do câncer de mama, as drogas de alvo molecular em geral possuem um pequeno efeito quando usadas isoladamente e são, muitas vezes, associadas a esquemas de poliquimioterapia, melhorando os resultados com adição de alguma toxicidade.

VIA DO HER-2

Provavelmente uma das vias mais importantes para a evolução do tratamento das pacientes com câncer de mama é a via do HER-2. O interesse nessa via em particular surgiu a partir de um estudo publicado por Slamon et al., em 1987.[1] O novo gene, na época recém-descoberto, apresentava algumas características particulares. Ele era similar ao relacionado com a produção do receptor do fator de crescimento epidérmico (sigla em inglês, EGFR ou HER-1), porém com localização diferente, situado na banda q21 do cromossoma 17. Capaz de sintetizar uma glicoproteína de 185 KD com um domínio extracelular, uma porção transmembrana que apresentava dois conjuntos repetidos de cisteína e um domínio intracelular associado a uma tirosinoquinase. Convencidos de que estavam diante de um proto-oncogene da família das tirosinoquinases associado a um fator de crescimento ainda não descrito, os pesquisadores da Universidade da Califórnia e do Texas, EUA, desenvolveram um estudo em duas fases. Na primeira fase determinaram que a amplificação do gene chamado de HER-2/neu estava presente em 30% da população total de pacientes e estatisticamente relacionada com um número de linfonodos na axila maior ou igual a 4, o principal marcador prognóstico clínico de sobrevida e recidiva.[2] Na segunda fase, em uma população enriquecida de pacientes com axila positiva, observaram que juntamente com o *status* axilar, a amplificação do gene guardava relação com piores índices de sobrevidas livre de doença e global.

Atualmente chamado de HER-2, este oncogene ainda não possui ligante conhecido. Parte da família do EGFR está amplificada em, aproximadamente, 20 a 25% das pacientes com câncer de mama.[3-5] Fundamental para ativação de vias intracelulares através da fosforilação de segundos mensageiros pelo domínio intracelular de tirosinoquinase, controla o crescimento celular e diferenciação quando amplificado. Responsável também por outras importantes funções para determinar a história natural desses tumores, como adesão, migração e angiogênese.[6-7] Seu domínio intracelular é ativado tanto por homodimerização, quanto por heterodimerização independente de ligante, ao contrário dos outros componentes da família HER. A própria amplificação ou mutação do gene pode funcionar como gatilho para dimerização e ativação.[8-9] Uma vez fosforilada, a tirosinoquinase da glicoproteína transmembrana fosforila a segunda proteína dimerizada, desencadeando uma cascata de ativação. As vias mais bem estudadas nesse processo são a RAS-MAPK e PI3K-AKT-mTOR. Após fosforilada pela tirosinoquinase a PI3K fosforila o fosfatidil inositol, que se liga e fosforila a AKT, resultando em maior sobrevida celular por bloquear mecanismos de apoptose. Por outro lado a ativação do RAS fosforila o RAF que, por conseguinte, ativa a proteína indutora de mitose MAPK.[7]

O reconhecimento da amplificação do oncogene HER-2 pode ser obtido por algumas técnicas. Inicialmente, dependia de recursos muito sofisticados de biologia molecular e de difícil reprodução.[10] A simplificação da testagem para hiperexpressão do HER-2 permitiu grandes avanços no entendimento e bloqueio dessa via de proliferação celular. Como se trata de um gene transcrito em um RNAm, que, por sua vez, codifica uma proteína com domínio extracelular, a pesquisa de sua amplificação pode ser feita por três estratégias diferentes. Marcação do número de cópias diretamente no DNA, p. ex.: hibridização *in situ* por fluorescência (FISH), cromogênica (CISH), otimizada por prata (SISH) ou PCR. Marcação quantitativa da fração extracelular da proteína, p. ex.: imuno-histoquímica (IHQ), *Western blotting* ou ELISA. Determinação de hiperexpressão de RNAm, p. ex.: *Northern blotting* ou RT-PCR.[11] A técnica mais aplicada atualmente é a IHQ por apresentar baixo custo, fácil reprodução e guardar boa relação com os resultados de exames mais específicos, como o FISH e com alto valor preditivo negativo para IHQ +0 ou +1 e preditivo positivo para IHQ +3.[12-14]

Segundo o *guideline* criado pela Sociedade Americana de Oncologia Clínica e o Colégio Americano de Patologia, é necessário que pelo menos 30% das células invasoras apresentem marcação para o HER-2 na IHQ, para que o exame seja considerado positivo.[15] Já o critério de positividade para o FISH depende da relação entre a média do número de cópias do HER-2 e do centrômero do cromossoma 17. A marcação das cópias de HER-2 e do centrômero do cromossoma 17 é por sondas especiais para DNA. Considera-se positiva uma relação HER-2/cromossoma 17 superior a 2.

Um detalhe importante é que a hiperexpressão do HER-2 pode variar entre o tumor primário e a doença metastática a distância em, aproximadamente, 10% dos casos.[16-18] Em uma das maiores séries de avaliação de concordância entre metástase e tumor primário por IHQ e FISH, Edgerton *et al.* encontraram 25% de discordância entre os casos analisados, sendo a principal alteração a troca de HER-2 negativo para positivo. Outra observação interessante é o surgimento de hiperexpressão de HER-2 em pacientes que se tornam refratários à hormonoterapia, fato que confere a essas pacientes uma pior sobrevida.[19-20]

Por todos esses motivos a presença de hiperexpressão do HER-2, na ausência de terapia anti-HER-2 é o principal fator prognóstico negativo no tratamento de pacientes com câncer de mama, situação muito comum na prática pública do nosso país.

Trastuzumabe

O trastuzumabe foi sintetizado a partir de um anticorpo monoclonal contra a proteína do HER-2, que mostrava inibição do crescimento de células com hiperexpressão do HER-2, além de sensibilizar as células à ação do fator de necrose tumoral e quimioterápicos, como a cisplatina.[21-23] Esse anticorpo foi, então, humanizado a partir de um domínio constante da IgG1 humana e os resíduos reconhecedores de antígeno do anticorpo monoclonal murínico mumAb4D5, (rhuMAB HER-2 [trastuzumabe]).[24]

Após ligação com o domínio extracelular da proteína do HER-2, o trastuzumabe exerce algumas funções dentro e fora da célula. Ele impede a ativação da sinalização intracelular por bloquear a homo e heterodimerização do HER-2. Com isso promove a redução da expressão de P21/WAF1 e escape da fase G1 do ciclo celular, induzindo acúmulo de danos ao DNA e apoptose.[25] Reduz da mesma forma a liberação de VEGF, inibindo a angiogênese.[26] Sua estrutura de anticorpo ativa tanto a resposta imunológica inata, quanto adaptativa. A porção Fc estimula a imunidade inata, principalmente através das células NK pela liberação de interferon gama e potencialização da via do JAK-STAT, indutora de apoptose.[27-28] A ligação do trastuzumabe ao HER-2 também acarreta na internalização do complexo HER-2-transtuzumabe, que, após degradação, é apresentado junto com HLA classe 1 para a ação de linfócitos T citotóxicos.[28] Além disso, os corpos apoptóticos criados pelas células NK também são fagocitados por células apresentadoras de antígenos, aumentando os linfócitos T citotóxicos específicos.[29]

Os primeiros estudos de fase II em pacientes com doença metastática mostraram boa tolerância ao trastuzumabe, apesar de taxas de respostas modestas em torno de 12%. Isso ocorreu provavelmente pela inclusão de pacientes com falha a várias linhas de tratamento e à inclusão de pacientes com positividade de +2 e +3 na IHQ.[30-32] Charles L. Vogel *et al.* publicaram um estudo, em 2002, com o impressionante resultado de taxa de resposta de 35% como droga isolada em primeira linha de doença metastática.[33] O estudo de fase III que sedimentou o uso de trastuzumabe em pacientes com câncer de mama metastático foi publicado em 2001. Nesse estudo 469 pacientes foram randomizadas para quimioterapia padrão com ou sem trastuzumabe após diagnóstico da primeira progressão ou doença metastática. Com uma mediana de acompanhamento de 30 meses, houve redução do risco de morte em 20%, com aumento da taxa de resposta de 32 para 50% e do tempo para progressão de 4,6 para 7,3 meses. Houve um aumento também na toxicidade cardíaca, principalmente nos pacientes que receberam antraciclina com o trastuzumabe.[34] Esses dados se confirmaram em estudos subsequentes de fase II.[35-36]

Não demorou muito até que estudos em adjuvância e neoadjuvância demonstrassem o benefício da inibição dessa importante via de crescimento tumoral. A partir de 2005, alguns estudos publicados indicavam benefício de adição do trastuzumabe a diferentes esquemas de quimioterapia adjuvante. Especificamente quatro grandes estudos estabeleceram o novo padrão em pacientes com doença inicial: *Breast International Group Herceptin Adjuvant* (HERA), *National Surgical Adjuvant Breast and Bowel Project* (NSABP) B-31, *Breast Cancer International Research Group* (BCIRG) 006 e o *North Central Cancer Treatment Group* (NCCTG) N9831.[37-41] Em todos os estudos havia um grupo-controle representado por um braço com quimioterapia adjuvante isolada e um grupo experimental composto por um braço com trastuzumabe durante pelo menos 1 ano associado a quimioterapia, em sequência ou combinada. O *endpoint* primário comum a todos os estudos foi sobrevida livre de doença e foi alcançado com significância estatística em todos eles. A análise combinada do NSABP B-31 e N9831 mostrou aumento de 52% na SLD (P < 0,001). No HERA o aumento foi de 36% em 1 ano e 24% em 4 anos (P < 0,0001). No BICRG 006 de 39% (P < 0,0001) e 36% (P = 0,0003) para os braços com e sem antraciclina, respectivamente. O aumento de sobrevida global foi detectado em todos os estudos após um acompanhamento superior a 2 anos. A última atualização do estudo HERA, após 4 anos de acompanhamento mediano não mostrou benefício de sobrevida global. Isso provavelmente ocorreu pela permissão de *crossover* de pacientes para o braço do trastuzumabe após 2 anos com a confirmação de benefício. Em uma análise não programada dos pacientes que não fizeram *crossover*, o ganho de sobrevida se mantém.[42]

Outra vantagem do trastuzumabe é seu perfil de toxicidade. Por se tratar de um anticorpo monoclonal humanizado, não apresenta um risco alto de hipersensibilidade grave. Reações leves são observadas em até 10% dos pacientes, como febre, calafrio, astenia, geralmente limitadas ao primeiro ciclo, facilmente tratadas com anti-histamínicos, AINE ou corticosteroides.[34] O efeito colateral potencialmente mais grave do trastuzumabe é a disfunção cardíaca. A análise por um comitê independe de insuficiência cardíaca dos pacientes que foram tratados em sete estudos fases II e III revelou taxas de disfunção que variam de 3% quando usado isoladamente a 27% caso associado a antraciclinas.[43] Como não existe um modelo experimental para a toxicidade cardíaca do trastuzumabe, o mecanismo de dano não é totalmente compreendido. O tratamento da insuficiência cardíaca relacionada com o trastuzumabe compreende suspensão da droga e iniciar medicações habituais, como IECA, diuréticos e betabloqueadores.[44]

A resistência ao trastuzumabe envolve diversos mecanismos moleculares, principalmente mutação do HER-2,[45] o *crosstalk* entre outros receptores da família HER, gerando um bloqueio incompleto do receptor, mascaramento do HER-2 através da glicoproteína MUC1/MUC4,[46] inibição do fator de crescimento similar à insulina e deficiência do PTEN.[47]

Lapatinibe

Apesar de todo o avanço promovido pela introdução do trastuzumabe ao tratamento do câncer de mama HER-2 positivo, 66-88% dos pacientes com droga isolada e 20-50% dos pacientes com associação de quimioterapia não respondem ao tratamento.[48-49] Além disso a maioria dos pacientes inicialmente responsivos desenvolve resistência secundária em um período de 1 ano.[50-52]

O lapatinibe (GW572016) é uma molécula pequena capaz de inibir a tirosinoquinase associada às proteínas do HER-1 e HER-2. Apresenta uma boa biodisponibilidade oral.[53-54] Os primeiros estudos com essa molécula foram publicados em 2001 e em 7 anos já havia sido aprovada em combinação com a capecitabina para o tratamento de pacientes com doença metastática, HER-2 positiva, após falha a antraciclínicos, taxanos e trastuzumabe. Seu potencial de inibição da via HER-2 foi avaliado com sucesso em estudos após falha ao trastuzumabe associada a: transativação do HER-2 por outras tirosinoquinases, como o receptor do fator de crescimento similar à insulina tipo 1 (IGF-1R),[55-56] hiperexpressão da proteína incompleta HER-2 p95 que não possui domínio extracelular,[57] aumento da atividade do PI3K-AKT por deleção do PTEN do cromossoma 10.[58]

A prova de conceito foi o estudo fase III EGF100151 que randomizou 399 pacientes entre lapatinibe associada à capecitabina *versus* capecitabina isolada.[59] O braço do lapatinibe mostrou aumento estatisticamente significativo do tempo para a progressão de 4,3 para 6,2 meses (P < 0,001), taxa de resposta de 14 para 24% (P = 0,017) e benefício clínico de 17 para 29% (P = 0,008). Em uma análise exploratória houve benefício estatístico de sobrevida global quando apenas os pacientes com menos de três linhas de tratamento prévio foram avaliados (55,1 *versus* 87,3 meses com P = 0,009).[60] Esses resultados facilitaram a aprovação do lapatinibe para o tratamento de pacientes após falha a trastuzumabe.

O lapatinibe também foi testado de forma isolada em alguns estudos que mostraram atividade tanto em tumores expostos, quanto não expostos previamente ao trastuzumabe.[61-63] Associado à hormonoterapia com letrozol, demonstrou aumento da sobrevida livre de progressão de 3 para 8,2 meses e reduziu o risco de progressão em 29% (P = 0,019) em relação ao letrozol isolado, porém não houve benefício de sobrevida global, provavelmente por se tratar de uma população positiva para receptores hormonais e com grande taxa de *crossover* após progressão.[64] Sua adição ao trastuzumabe mostrou aumento da sobrevida global em relação ao lapatinibe isolado, apesar de a população estudada já ter sido previamente exposta ao trastuzumabe.[65]

Atualmente o papel do lapatinibe na adjuvância e na neoadjuvância vem sendo testado em grandes estudos de fase III na tentativa de oferecer o benefício do duplo bloqueio da via do HER-2 e reduzir a toxicidade dos esquemas com associação da quimioterapia.

O lapatinibe é uma droga muito bem tolerada e tem como principais efeitos adversos *rash* e diarreia, clinicamente significativos em 10 a 15% dos casos quando usado de forma isolada ou em combinação com a capecitabina.[59,61] Nenhum estudo demonstrou toxicidade cardíaca, mesmo em associação ao trastuzumabe.[65]

Pertuzumabe

Pertuzumabe é um anticorpo monoclonal humanizado que se liga à molécula de HER-2 através de seu subdomínio II e impede a dimerização com outros receptores da família HER (HER-3, HER-1 e HER-4).[66] Este epítopo é diferente do ligado ao trastuzumabe (subdomínio IV), e estudos de fase II já sugeriam que a ação dos dois anticorpos ocorria de forma sinérgica, acrescentando um benefício extra à taxa de resposta e sobrevida livre de progressão.[67] O estudo de fase III CLEOPATRA demonstrou a eficácia do pertuzumabe associado ao trastuzumabe e docetaxel comparado a placebo, trastuzumabe e docetaxel em pacientes com doença metastática. Após uma mediana de acompanhamento de 19,3 meses o pertuzumabe aumentou a sobrevida livre de progressão de 12,4 meses para 18,5 meses, a sobrevida global de 76,4 para 82,8% e taxa de resposta de 69,3 para 80,2%. Todos os *endpoints* apresentaram significância estatística, muito embora o dado de sobrevida ainda não tenha atingido o número mínimo de eventos esperados e não foi suficiente para interromper o acompanhamento.[68]

Outros agentes

Trastuzumabe-DM1 (T-DM1) é um novo agente anti-HER-2. Trata-se de uma molécula de trastuzumabe conjugada com DM1, um agente antimicrotúbulo potente, derivado da maytansina.[69] Ligados de forma covalente, promovem uma altíssima concentração no tumor quimioterápico e ainda mantêm a atividade do trastuzumabe sobre a sinalização de linfócitos citotóxicos e destruição tumoral.[70] Em um estudo de fase II, com uma população já exposta à terapia anti-HER-2 e mediana de tratamentos prévios de oito agentes, a taxa de resposta foi de 33% e sobrevida livre de progressão de 8,2 meses. Os principais efeitos colaterais são cansaço, náuseas e cefaleia. Toxicidade graus 3 e 4 mais comuns são hipocalemia (8,9%) e trombocitopenia (8%). Nenhum paciente apresentou redução sintomática da fração de ejeção ou precisou descontinuar a medicação por queda da função cardíaca.[71]

O neratinibe é uma molécula de baixo peso, com ótima biodisponibilidade oral, capaz de realizar inibição irreversível de todas as tirosinoquinases associadas às proteínas da família HER (1 a 4).[72] Em um estudo de fase II, foi capaz de gerar taxas de resposta de 24% em pacientes previamente expostos ao trastuzumabe e 56% em primeira linha metastática. A sobrevida livre de progressão variou de 22,3 e 39,6 semanas respectivamente. Seu papel dentro do arsenal terapêutico ainda necessita de mais estudos para confirmar sua atividade e melhor momento para seu uso.

ANGIOGÊNESE

A angiogênese é um evento crítico para o desenvolvimento do câncer de mama. O crescimento tumoral depende da sua capacidade de induzir vascularização para aumentar o aporte sanguíneo, bem como o seu potencial metastático está diretamente relacionado com a criação de uma nova rede vascular. A estratégia de controlar e inibir o crescimento tumoral por meio de uma terapia antiangiogênica é fundamentada na tentativa de impedir o recrutamento das células endoteliais, suprimindo o aporte de nutrientes para o tumor ao invés de destruí-lo diretamente. A terapia antiangiogênica promove ainda estabilização da rede capilar e redução da permeabilidade vascular com normalização da pressão do estroma tumoral, o que facilita a penetração de agentes quimioterápicos no tumor.

O estímulo para a formação de novos vasos é feito por várias famílias de fatores de crescimento. Alguns de maneira direta, outros indiretamente por intermédio da estimulação de fatores pró-angiogênicos ou recrutando células que amplificam o processo. Fazem parte dos fatores que agem indiretamente sobre a angiogênese as citocinas inflamatórias, como as interleucinas, fator de crescimento de hepatócitos, fator de crescimento derivado de plaquetas (PDGF) etc.[73]

Dentre os fatores que agem diretamente o mais importante é o fator de crescimento do endotélio vascular (VEGF). Após se ligar ao seu receptor (VEGFR), o VEGF promove divisão das células endoteliais, induz migração celular, aumenta sobrevida do endotélio e recruta células progenitoras do endotélio da medula óssea.[74]

Bevacizumabe

O bevacizumabe foi o primeiro agente antiangiogênico a ser aprovado em muitos países para o tratamento do câncer de mama metastático HER-2 negativo. Trata-se de um anticorpo monoclonal humanizado que se liga seletivamente ao VEGF-A (uma isoforma da família do VEGF) e impede sua ação sobre o VEGFR 1 e 2.[75]

Em estudo de fase III (E2100) que comparou paclitaxel isolado com paclitaxel mais bevacizumabe, o braço de combinação mostrou aumento de taxa de resposta de 21,2 para 36,9% (P < 0,001) e sobrevida livre de progressão de 5,9 para 11,8 meses (P < 0,001). Entretanto não houve aumento da sobrevida global, e a toxicidade do braço de combinação foi superior à custa de proteinúria e hipertensão.[76]

Confirmando o benefício da adição de bevacizumabe a uma plataforma de quimioterapia, porém com um resultado menos robusto, o estudo AVADO mostrou aumento da sobrevida livre de progressão de 8,2 para 10,1 meses (P = 0,045), comparando docetaxel isolado com docetaxel associado a 15 mg/kg de bevacizumabe. A taxa de resposta também aumentou de 46 para 64%, favorecendo doses mais altas de bevacizumabe na combinação. O braço que usou 7,5 mg/kg de bevacizumabe não apresentou benefício de sobrevida livre de progressão. De forma independente da dose utilizada, não houve benefício na sobrevida global, que se aproximou de 31 meses nos três braços do estudo.[77]

Os resultados do mais recente estudo de fase III, o Ribbon-1 que utilizou o bevacizumabe em combinação com quimioterapia em primeira linha metastática para câncer de mama HER-2 negativo, também mostraram benefício da associação à capecitabina e aos antraciclíncos.

Nele a sobrevida livre de progressão aumentou de 5,7 para 8,6 meses (P < 0,001) para associação à capecitabina e de 8 para 9,2 meses (P < 0,001) para combinação com antraciclínicos e taxanos. Assim como nos estudos prévios, a taxa de resposta foi significativamente superior e não houve ganho de sobrevida global.[78]

Alguns estudos também testaram a atividade do bevacizumabe em segunda linha paliativa após falha a taxanos ou antraciclínicos.[79-80] O maior deles foi o Ribbon-2 que radomizou, aproximadamente, 700 pacientes para receber quimioterapia com taxanos, capecitabina, gencitabina ou vinorelbina isoladamente ou associados ao bevacizumabe. Após mediana de 15 meses os braços de combinação mostraram redução do risco de progressão em 22% (P = 0,0072), com ganho de 2 meses na sobrevida livre de progressão.

Até o momento, as tentativas de identificação de um marcador biológico para resposta ao bevacizumabe não foram bem-sucedidas. Entretanto uma análise retrospectiva do estudo E2100 aponta polimorfismos do VEGF como possíveis marcadores de sensibilidade ao bevacizumabe.[81] Apesar de interessante, essa hipótese necessita de validação em estudos prospectivos.

Sunitinibe

Agente antiangiogênico, porém com múltiplos alvos, exerce seus efeitos antagonizando a atividade das tirosinoquinases dos domínios intracelulares dos VEGFR. Foi o primeiro inibidor de tirosinoquinase testado em um estudo de fase III, porém seu resultado foi inferior em termos de taxas de resposta e sobrevida livre de progressão em relação à quimioterapia.[82]

Sorafenibe

O sorafenibe também é uma molécula antiangiogênica que age através da inibição das tirosinoquinases associadas aos receptores dos fatores de crescimento endotelial e derivado de plaquetas. Em um estudo de fase II randomizado, apresentou aumento da taxa de resposta e sobrevida livre de progressão em primeira e segunda linhas paliativas. Entretanto esse benefício vem acompanhado por um grande aumento de toxicidade não hematológica, principalmente pelo aumento de síndrome mão-pé, que pode chegar até a 45% grau 3 ou maior.[83]

POLI (ADENOSINA-DIFOSFATASE [ADP]-RIBOSE) POLIMERASE – PARP

As poli (adenosina-difosfatase [ADP]-ribose) polimerases (PARP's) são uma grande família de enzimas multifuncionais, cujo principal componente é a PARP1. Sua função é o reparo de quebras nas fitas simples do DNA através da correção da excisão de bases.[84] A inibição da atividade das PARP promove o acúmulo de quebras nas fitas simples do DNA, que pode levar a quebras na dupla fita durante a formação do aparelho de duplicação.[85] Esses erros são normalmente corrigidos pelas vias de reparo da dupla fita de DNA de recombinação homóloga, que por sua vez possuem as proteínas supressoras de tumor BRCA1 e BRCA2 como principais componentes.[86]

Pacientes com herança genética da mutação de um desses dois genes (BRCA1 ou BRCA2), ou seja, com defeito em um dos dois genes herdados, podem sofrer mutações do único alelo funcionante durante a vida e gerar células com acúmulo progressivo de defeitos e aberrações genéticas necessárias para a carcinogênese de uma série de neoplasias, principalmente mama, ovário e próstata.[87] Dessa forma, o defeito da capacidade de correção do DNA é específico das células malignas e ausente nas normais. O uso de inibidores das PARP é uma estratégia interessante para o tratamento de pacientes com esse perfil de doença, pois promove um acúmulo de quebras nas fitas simples de DNA. O aumento de quebra simples facilita o aparecimento de quebras na dupla fita de DNA e consequente colapso do aparelho de duplicação.[88]

Olaparibe

Olaparibe (AZD2881) é uma pequena molécula de absorção oral capaz de inibir a PARP. Em um estudo de fase II multicêntrico 54 pacientes com mutação do BRCA1 ou BRCA2 e falha a pelo menos uma linha de quimioterapia foram tratados com olaparibe.[89] A taxa de resposta foi de 46% para os pacientes que receberam 400 mg duas vezes ao dia e 25% para os que receberam 100 mg 2 vezes/dia. Esses resultados são muito significativos se levarmos em consideração que se trata de uma coorte com média de três linhas de quimioterapia prévias, e que mais de 70% dos pacientes já havia recebido taxanos e antraciclínicos. A taxa de resposta para os pacientes que receberam mais de três linhas de tratamento antes de entrar no estudo foi a mesma. A sobrevida mediana foi de 5,2 meses para o braço com 400 mg e 3,8 meses para o braço de 100 mg.

Os efeitos colaterais mais comumente relatados foram astenia e náuseas, porém toxicidades graus 3 e 4 ocorreram em 24% dos pacientes. Nenhum paciente em uso de 400 mg precisou descontinuar a medicação por toxicidade.

Iniparibe

A atividade do iniparibe, um inibidor seletivo da PARP1, foi testada em um estudo de fase II, que radomizou pacientes com câncer de mama metastático triplo-negativo para quimioterapia com gencitabina e carboplatina isolados ou em associação ao iniparibe.[90] A decisão de incluir pacientes triplo-negativos se justificou a partir do conhecimento que muitos tumores triplo-negativos esporádicos possuem alterações fenotípicas e genéticas similares aos tumores dos carreadores da mutação BRCA1.[91-93]

Houve aumento da taxa de resposta de 6 para 32% (P = 0,02), redução do risco de progressão em 41% (P = 0,01) e redução do risco de morte em 43% (P = 0,01). A sobrevida mediana do braço de quimioterapia isolada foi de 7,7 meses *versus* 12,3 meses no braço do iniparibe. A adição do iniparibe não alterou o perfil de toxicidade do tratamento.[90]

Já se discute se o critério de seleção para o uso dos inibidores da PARP deve ser realmente apenas pacientes triplo-negativos. Mesmo que teoricamente muitos tumores triplo-negativos se comportem fenotipicamente com "BRCA *like*", a falta de um marcador biológico na seleção desses pacientes é um ponto a ser questionado.[94]

VIA DO PI3K-AKT-MTOR

Trata-se de uma via de sobrevivência celular também ativa no câncer de mama resistente a tratamentos hormonais. A AKT é uma proteína capaz de fosforilar resíduos de serina/treonina. Torna-se ativa em resposta a diversos estímulos de fatores de crescimento, como insulina, fator de crescimento similar à insulina, EGF, heregulina e VEGF. Gera uma cascata de sinalização antiapoptótica através da fosforilação de substratos que interferem diretamente na apoptose como a caspase 9 e Bad. Um segundo mensageiro de extrema importância na via do PI3-AKT é a proteína mTOR (*mammalian target of rapamycin*). Ela ativa a quinase p70S6 e a proteína de ligação E4-1 que, por sua vez, regulam a transição da fase G1 para S do ciclo celular.[95]

Modelos pré-clínicos revelaram que o uso de inibidores da mTOR foi capaz de reduzir o crescimento de linhagem de tumores dependentes de estrógeno. O máximo de inibição foi atingido em associação a inibidores da aromatase ou tamoxifeno, revelando um efeito sinérgico entre as medicações. Os dados dos estudos *in vitro* mostram a importância da via da PI3K no crescimento tumoral dependente de estrógeno.[95]

Everolimus

O everolimus é um derivado do sirolimus (antigamente conhecido como rapamicina). Em um estudo randomizado de fase II com pacientes em tratamento neoadjuvante, revelou uma taxa de resposta superior, quando associado a um inibidor da aromatase em relação ao inibidor da aromatase isolado.

No recente estudo de fase III, BOLERO2, houve um aumento significativo da sobrevida livre de progressão de 4,1 meses para 10,6 meses (P < 0,001), bem como da taxa de resposta de 0,4% para 9,5% (P < 0,001) em pacientes com câncer de mama metastático refratário a inibidores da aromatase e tratados com everolimus e exemestano, em comparação a exemestano isolado. A toxicidade também foi maior no braço do everolimus, porém o perfil de toxicidade não foi diferente de outros estudos com a droga.[96]

REFERÊNCIAS BIBLIOGRÁFICAS

1. Slamon DJ, Clark GM, Wong SG et al. Human breast cancer: correlation of relapse and survival with amplification of the HER2-2/neu oncogene. *Science* 1987;235:177-82.
2. Clayton F, Hopkins CL. Pathologic correlates of prognosis in lymph node-positive breast carcinomas. *Cancer* 1993;71:1780-90.
3. Slamon DJ, Godolphin W, Jones LA et al. Studies of the HER-2/neu proto-oncogene in human breast and ovarian cancer. *Science* 1989;244:707-12.
4. Yaziji H, Goldstein LC, Barry TS et al. HER-2 testing in breast cancer using parallel tissue-based methods. *JAMA* 2004;291(16):1972.
5. Owens MA, Horten BC, Da Silva MM. HER2 amplification ratios by fluorescence in situ hybridization and correlation with immunohistochemistry in a cohort of 6556 breast cancer tissues. *Clin Breast Cancer* 2004;5(1):63.
6. Yarden Y. The EGFR family and its ligands in human cancer: signalling mechanisms and therapeutic opportunities. *Eur J Cancer* 2001;37(Suppl 4):S3-S8.
7. Hudis CA. Trastuzumab—mechanism of action and use in clinical practice. *N Engl J Med* 2007;357(1):39.
8. Cho HS, Mason K, Ramyar KX et al. Structure of the extracellular region of HER2 alone and in complex with the Herceptin Fab. *Nature* 2003;421:756-60.
9. Brennan PJ, Kumogai T, Berezov A et al. HER2/Neu: mechanisms of dimerization/oligomerization. *Oncogene* 2000;19:6093-101.
10. Schechter AL, Stern DF, Vaidyanathan L et al. The neu oncogene: an erb-B-related gene encoding a 185,000-Mr tumour antigen. *Nature* 1984;312:513-16.
11. Paik S, Kim C, Wolmark N. HER2 status and benefit from ad-juvant trastuzumab in breast cancer. *N Engl J Med* 2008;358:1409-11.
12. Tubbs RR, Pettay JD, Roche PC et al. Discrepancies in clinical laboratory testing of eligibility for trastuzumab therapy: apparent immunohistochemical false-positives do not get the message. *J Clin Oncol* 2001;19(10):2714.
13. Dybdal N, Leiberman G, Anderson S et al. Determination of HER2 gene amplification by fluorescence in situ hybridization and concordance with the clinical trials immunohistochemical assay in women with metastatic breast cancer evaluated for treatment with trastuzumab. *Breast Cancer Res Treat* 2005;93(1):3.
14. Vogel CL, Cobleigh MA, Tripathy D et al. Efficacy and safety of trastuzumab as a single agent in first-line treatment of HER2-overexpressing metastatic breast cancer. *J Clin Oncol* 2002;20(3):719.
15. Wolff AC, Hammond ME, Schwartz JN et al. American Society of Clinical Oncology/College of American Pathologists guideline recommendations for human epidermal growth factor receptor 2 testing in breast cancer. *J Clin Oncol* 2007;25:118.
16. Gancberg D, Di Leo A, Cardoso F et al. Comparison of HER-2 status between primary breast cancer and corresponding distant metastatic sites. *Ann Oncol* 2002;13:1036.
17. Gong Y, Booser DJ, Sneige N. Comparison of HER-2 status determined by fluorescence in situ hybridization in primary and metastatic breast carcinoma. *Cancer* 2005;103:1763.
18. Fabi A, Di Benedetto A, Metro G et al. HER2 protein and gene variation between primary and metastatic breast cancer: significance and impact on patient care. *Clin Cancer Res* 2011;17:2055.
19. Lipton A, Leitzel K, Ali SM et al. Serum HER-2/neu conversion to positive at the time of disease progression in patients with breast carcinoma on hormone therapy. *Cancer* 2005;104:257.
20. Guarneri V, Giovannelli S, Ficarra G et al. Comparison of HER-2 and hormone receptor expression in primary breast cancers and asynchronous paired metastases: impact on patient management. *Oncologist* 2008;13:838.
21. Hudziak RM, Lewis GD, Winget M et al. p185HER2 monoclonal antibody has antiproliferative effects in vitro and sensitizes human breast tumor cells to tumor necrosis factor. *Mol Cell Biol* 1989;9:1165-72.
22. McKenzie SJ, Marks PJ, Lam T et al. Generation and characterization of monoclonal antibodies specific for the human neu oncogene product, p185. *Oncogene* 1989;4:543-48.
23. Hancock MC, Langton BC, Chan T et al. A monoclonal antibody against the c-erbB-2 protein enhances the cytotoxicity of cisdiamminedichloroplatinum against human breast and ovarian tumor cell lines. *Cancer Res* 1991;51:4575-80.
24. Carter P, Presta L, Gorman CM et al. Humanization of an anti-p185HER2 antibody for human cancer therapy. *Proc Natl Acad Sci USA* 1992;89:4285-89.
25. Pietras RJ, Poen JC, Gallardo D et al. Monoclonal antibody to HER-2/neureceptor modulates repair of radiation-induced DNA damage and enhances radio-sensitivity of human breast cancer cells overexpressing this oncogene. *Cancer Res* 1999;59:1347-55.
26. Petit AM, Rak J, Hung MC et al. Neutralizing antibodies against epidermal growth factor and ErbB-2/neu receptor tyrosine kinases down-regulate vascular endothelial growth factor production by tumor cells in vitro and in vivo: angiogenic implications for signal transduction therapy of solid tumors. *Am J Pathol* 1997;151:1523-30.
27. Marianna Nuti, Filippo Bellati, Valeria Visconti et al. Immune effects of trastuzumab. *J Cancer* 2011;2:317-23.
28. Jaime-Ramirez AC, Mundy-Bosse BL, Kondadasula S et al. IL-12 enhances the antitumor ac-tions of trastuzumab via NK cell IFN-? production. *J Immunol* 2011;186:3401-9.
29. Bellati F, Napoletano C, Ruscito I et al. Cellular adaptive immune system plays a crucial role in trastuzumab clinical efficacy. *J Clin Oncol* 2010;28:369-70.
30. Baselga J, Tripathy D, Mendelsohn J et al. Phase II study of weekly intravenous recombinant humanized anti-p185HER2 monoclonal antibody in patients with HER2/neu overexpressing metastatic breast cancer. *J Clin Oncol* 1996;14:737-44.
31. Pegram MD, Lipton A, Hayes DF et al. Phase II study ofreceptor-enhanced chemosensitivity using recombinant humanized antip185HER2/neu monoclonal antibody plus cisplatin in patients with HER2/neu-overexpressing metastatic breast cancer refractory to chemotherapy treatment. *J Clin Oncol* 1998;16:2659-71.
32. Cobleigh MA, Vogel CL, Tripathy D et al. Multinational study of the efficacy and safety of humanized anti-HER2 monoclonal antibody in women who have HER2-overexpressing metastatic breast cancer that has progressed after chemotherapy for metastatic disease. *J Clin Oncol* 1999;17:2639-48.
33. Vogel CL, Cobleigh MA, Tripathy D et al. Efficacy and safety of trastuzumab as a single agent in first-line treatment of HER2-overexpressing metastatic breast cancer. *J Clin Oncol* 2002;20:719-26.
34. Slamon DJ, Leyland-Jones B, Shak S et al. Use of chemotherapy plus a monoclonal antibody against HER2 for metastatic breast cancer that overexpresses HER2. *N Engl J Med* 2001;344:783-92.
35. Esteva FJ, Valero V, Booser D et al. Phase II study of weekly docetaxel and trastuzumab for patients with HER-2-overexpressing metastatic breast cancer. *J Clin Oncol* 2002;20:1800-8.
36. Marty M, Cognetti F, Maraninchi D et al. Randomized phase II trial of the efficacy and safety of trastuzumab combined with docetaxel in patients with human epidermal growth factor receptor 2-positive metastatic breast cancer administered as first-line treatment: the M77001 Study Group. *J Clin Oncol* 2005;23:4265-74.
37. Romond EH, Perez EA, Bryant J et al. Trastuzumab plus adjuvant chemotherapy for operable HER-2-positive breast cancer. *N Engl J Med* 2005;353(16):1673.
38. Piccart-Gebhart MJ, Procter M, Leyland-Jones B et al. Trastuzumab after adjuvant chemotherapy in HER-2-positive breast cancer. *N Engl J Med* 2005;353(16):1659.
39. Joensuu H, Kellokumpu-Lehtinen PL, Bono P et al. Adjuvant docetaxel or vinorelbine with or without trastuzumab for breast cancer. *N Engl J Med* 2006;354(8):809.
40. Slamon D, Eirmann W, Robert N et al. Phase III trial comparing AC-T with AC-TH and with TCH in the adjuvant treatment of HER2 positive early breast cancer patients: second interim efficacy analysis. *Breast Cancer Res Treat* 2006;100(Suppl 1):52.
41. Smith I, Procter M, Gelber RD et al. 2-year follow-up of trastuzumab after adjuvant chemotherapy in HER2-positive breast cancer: a randomised controlled trial. *Lancet* 2007;369(9555):29.
42. Luca Gianni, Urania Dafni, Richard D Gelber et al. Treatment with trastuzumab for 1 year after adjuvant chemotherapy in patients with HER2-positive early breast cancer: a 4-year follow-up of a randomised controlled trial. *Lancet Oncol* 2011;12:236-44.
43. Seidman A, Hudis C, Pierri MK et al. Cardiac Dysfunction in the trastuzumab clinical trials experience. *J Clin Oncol* 2002;20:1215-21.
44. Jones AL, Barlow M, Barrett-Lee PJ et al. Management of cardiac health in trastuzumab-treated patients with breast cancer: updated United Kingdom National Cancer Research Institute recommendations for monitoring. *Br J Cancer* 2009 Mar. 10;100(5):684-92.

45. Hynes NE, Dey JH. PI3K inhibition overcomes trastuzumab resistance: blockade of ErbB2/ErbB3 is not always enough. *Cancer Cell* 2009;15:353-55.
46. Nagy P, Friedländer E, Tanner M et al. Decreased accessibility and lack of activation of ErbB2 in JIMT-1, a herceptin-resistant, MUC4-expressing breast cancer cell line. *Cancer Res* 2005;65:473-82.
47. Nahta R, Yuan LX, Zhang B et al. Insu-lin-like growth factor-I receptor/human epidermal growth factor receptor 2 heterodimerization contributes to trastuzumab resistance of breast cancer cells. *Cancer Res* 2005;65:11118-28.
48. Nahta R, Esteva FJ. HER2 therapy: molecular mechanisms of trastuzumab resistance. *Breast Cancer Res* 2006;8:215.
49. Valabrega G, Montemurro F, Aglietta M. Trastuzumab: mechanism of action, resistance and future perspectives in HER2-overexpressing breast cancer. *Ann Oncol* 2007;18:977-84.
50. Burstein HJ, Kuter I, Campos SM et al. Clinical activity of trastuzumab and vinorelbine in women with HER2-overexpressing metastatic breast cancer. *J Clin Oncol* 2001;19:2722-30.
51. Marty M, Cognetti F, Maraninchi D et al. Randomized phase II trial of the efficacy and safety of trastuzumab combined with docetaxel in patients with human epidermal growth factor receptor 2-positive metastatic breast cancer administered as first-line treatment: the M77001 study group. *J Clin Oncol* 2005;23:4265-74.
52. Montemurro F, Donadio M, Clavarezza M et al. Outcome of patients with HER2-positive advanced breast cancer progressing during trastuzumab-based therapy. *Oncologist* 2006;11:318-24.
53. Xia W, Mullin RJ, Keith BR et al. Antitumor activity of GW572016: A dual tyrosine kinase inhibitor blocks EGF activation of EGFR/erbB2 and downstream Erk1/2 and AKT pathways. *Oncogene* 2002;21:6255-63.
54. Rusnak DW, Allfleck K, Cockerill SG et al. The characterization of novel, dual ErbB2-2/EGFR tyrosine kinase inhibitors: Potential therapy for cancer. *Cancer Res* 2001;61:7196-203.
55. Lu Y, Zi X, Zhao Y et al. Insulin-like growth factor-I receptor signaling and resistance to trastuzumab (Herceptin). *J Natl Cancer Inst* 2001;93:1852-57.
56. Nahta R, Yuan LXH, Zhang B et al. Insulin-like growth factor-I receptor/human epidermal growth factor receptor 2 heterodimerization contributes to trastuzumab resistance of breast cancer cells. *Cancer Res* 2005;65:11118-28.
57. Scaltriti M, Rojo F, Ocana A et al. Expression of p95HER2, a truncated form of the HER2 receptor, and response to anti-HER2 therapies in breast cancer. *J Natl Cancer Inst* 2007;99:628-38.
58. Nagata Y, Lan KH, Zhou X et al. PTEN activation contributes to tumor inhibition by trastuzumab, and loss of PTEN predicts trastuzumab resistance in patients. *Cancer Cell* 2004;6:117-27.
59. Cameron D, Casey M, Press M et al. A phase III randomized comparison of lapatinib plus capecitabine versus capecitabine alone in women with advanced breast cancer that has progressed on trastuzumab: updated efficacy and biomarker analyses. *Breast Cancer Res Treat* 2008;112:533-43.
60. Crown J, Casey MA, Cameron D et al. Lapatinib (L) plus capecitabine (C) in HER2þ metastatic breast cancer (MBC): exploratory analyses by prior therapy. *Eur J Cancer Suppl* 2009;7:285.
61. Blackwell KL, Pegram MD, Tan-Chiu E et al. Single-agent lapatinib for HER2-overexpressing advanced or metastatic breast cancer that progressed on first- or second-line trastuzumab-containing regimens. *Ann Oncol* 2009;20:1026-31.
62. Burstein HJ, Storniolo AM, Franco S et al. A phase II study of lapatinib monotherapy in chemotherapy-refractory HER2-positive and HER2-negative advanced or metastatic breast cancer. *Ann Oncol* 2008;19:1068-74.
63. Gomez HL, Doval DC, Chavez MA et al. Efficacy and safety of lapatinib as first-line therapy for ErbB2-amplified locally advanced or metastatic breast cancer. *J Clin Oncol* 2008;26:2999-3005.
64. Johnston S, Pippen Jr J, Pivot X et al. Lapatinib combined with letrozole versus letrozole and placebo asfirst-line therapy for postmenopausal hormone receptor-positive metastatic breast cancer. *J Clin Oncol* 2009;27:5538-46.
65. Blackwell KL, Burstein H, Storniolo AM et al. A randomized study of lapatinib alone or in combination with trastuzumab in women with ErbB2-positive, trastuzumab-refractory metastatic breast cancer. *J Clin Oncol* 2010;28:1124-30.
66. Adams CW, Allison DE, Flagella K et al: Humanization of a recombinant monoclonal antibody to produce a therapeutic HER dimerization inhibitor, pertuzumab. *Cancer Immunol Immunother* 2006;55:717-27.
67. Baselga J, Gelmon KA, Verma S et al. Phase II trial of pertuzumab and trastuzumab in patients with human epidermal growth factor receptor 2-positive metastatic breast cancer that progressed during prior trastuzumab therapy. *J Clin Oncol* 2010;28:1138-44.
68. Baselga J, Cortés J, Kim SB et al. Pertuzumab plus transtuzumab plus docetaxel for metastatic breast cancer. *N Engl J Med* 2012;366:109-19.
69. Widdison WC, Wilhelm SD, Cavanagh EE et al. Semisynthetic maytansine analogues for the targeted treatment of cancer. *J Med Chem* 2006;49:4392-408.
70. Lewis-Phillips GD, Li G, Dugger DL. Targeting HER2-positive breast cancer with trastuzumab- DM1, an antibody-cytotoxic drug conjugate. *Cancer Res* 2008;68:9280-90.
71. Burris HA 3rd, Rugo HS, Vukelja SJ et al. Phase II study of the antibody drug conjugate trastuzumab-DM1 for the treatment of human epidermal growth factor receptor 2 (HER2)-positive breast cancer after prior HER2-directed therapy. *J Clin Oncol* 2011;29(4):398.
72. Tsou HR, Overbeek-Klumpers EG, Hallett WA et al. Optimization of 6,7-disubstituted-4- (arylamino)quinoline-3-carbonitriles as orally active, irreversible inhibitors of human epidermal growth factor receptor-2 kinase activity. *J Med Chem* 2005;48:1107-31.
73. Kerbel RS. Tumor angiogenesis. *New Engl J Med* 2008;358:2039.
74. Ferrara N. VEGF and the quest for tumour angiogenesis factors. *Nat Rev Cancer* 2002;2:795.
75. Presta LG, Chen H, O'Connor SJ et al. Humanizationof an anti-vascular endothelial growth factor monoclonal antibody for the therapy of solid tumors and other disorders. *Cancer Res* 1997;57:4593-99.
76. Miller K, Wang M, Gralow J et al. Paclitaxel plus bevacizumab versus paclitaxel alone for metastatic breast cancer. *N Engl J Med* 2007;357:2666-76.
77. Miles DW, Chan A, Dirix LY et al. Phase III study of bevacizumab plus docetaxel compared with placebo plus docetaxel for the first-line treatment of human epidermal growth factor receptor 2–negative metastatic breast cancer. *J Clin Oncol* 2010;28:3239-47.
78. Robert NJ, Diéras V, Glaspy J et al. RIBBON-1: randomized, double-blind, placebo-controlled, phase iii trial of chemotherapy with or without bevacizumab for first-line treatment of human epidermal growth factor receptor 2–negative, locally recurrent or metastatic breast cancer. *J Clin Oncol* 2011;29:1252-60.
79. Miller KD, Chap LI, Holmes FA et al. Randomized phase III trial of capecitabine compared with bevacizumab plus capecitabine in patients with previously treated metastatic breast cancer. *J Clin Oncol* 2005;23:792-99.
80. Brusky J et al. RIBBON-2: a randomized, doubleblind, placebo-controlled, phase III trial evaluating the efficacy and safety of bevacizumab in combination with chemotherapy for second-line treatment of HER2-negative metastatic breast cancer. *Cancer Res* 2009;69(Suppl 24):abstr 42.
81. Schneider BP et al. Association of vascular endothelial growth factor and vascular endothelial growth factor receptor-2 genetic polymorphisms with outcome in a trial of paclitaxel compared with paclitaxel plus bevacizumab in advanced breast cancer: ECOG 2100. *J Clin Oncol* 2008;26:4672-78.
82. Barrios C, Liu M, Lee S et al. Phase III randomized trial of sunitinib (SU) vs. capecitabine (C) in patients (Pts) with previously treated HER2- negative advanced breast cancer (ABC). *Cancer Res* 2009;69(Suppl 24):abstr 46.
83. Gradishar WJ, Kaklamani V, Sahoo TP et al. A double-blind, randomized phase 2b study evaluating the efficacy and safety of sorafenib compared to placebo when administered in combination with paclitaxel in patients with locally recurrent or metastatic breast cancer. *San Antonio Breast Cancer Symposium* 2009, oral presentation.
84. Ame JC, Spenlehauer C, de Murcia G. The PARP superfamily. *Bioessays* 2004;26:882-93.
85. Dantzer F, de La Rubia G, Menissier-De Murcia J et al. Base excision repair is impaired in mammalian cells lacking poly(ADP-ribose) polymerase-1. *Biochemistry* 2000;39:7559-69.
86. Gudmundsdottir K, Ashworth A. The roles of BRCA1 and BRCA2 and associated proteins in the maintenance of genomic stability. *Oncogene* 2006;25:5864-74.
87. Wooster R, Weber BL. Breast and ovarian cancer. *N Engl J Med* 2003;348:2339-47.

88. Ashworth A. A synthetic lethal therapeutic approach: poly(ADP) ribose polymerase inhibitors for the treatment of cancers deficient in DNA double-strand break repair. *J Clin Oncol* 2008;26:3785-90.
89. Tutt A, Robson M, Garber JE *et al.* Oral poly(ADP-ribose) polymerase inhibitor olaparib in patients with BRCA1 or BRCA2 mutations and advanced breast cancer: a proof-of-concept trial. *Lancet* 2010;376:235-44.
90. O'Shaughnessy J, Osborne C, Pippen JE *et al.* Iniparib plus chemotherapy in metastatic triple-negative breast cancer. *N Engl J Med* 2011;364:205-14.
91. Baldassarre G, Battista S, Belletti B *et al.* Negative regulation of BRCA1 gene expression by HMGA1 proteins accounts for the reduced BRCA1 protein levels in sporadic breast carcinoma. *Mol Cell Biol* 2003;23:2225-38.
92. Esteller M, Silva JM, Dominguez G *et al.* Promoter hypermethylation and BRCA1 inactivation in sporadic breast and ovarian tumors. *J Natl Cancer Inst* 2000;92:564-69.
93. Turner NC, Reis-Filho JS, Russell AM *et al.* BRCA1 dysfunction in sporadic basallike breast cancer. *Oncogene* 2007;26:2126-32.
94. Domagala P, Lubinski J, Domagala W. Iniparib in metastatic triple-negative breast cancer. *N Engl J Med* 2011;364:1780-81.
95. Johnston SR. Clinical efforts to combine endocrine agents with targeted therapies against epidermal growth factor receptor/human epidermal growth factor receptor 2 and mammalian target of rapamycin in breast cancer. *Clin Cancer Res* 2006;12:1061S-68.
96. Baselga J, Capone M, Picart M *et al.* Everolimus in Postmenopausal Hormone-Receptor-Positive Advanced Breast Cancer. *N Engl J Med* 2012;366:520-29.

CAPÍTULO 140

Quimioterapia Adjuvante

Gilberto Amorim ■ Julia de Castro Cordeiro

INTRODUÇÃO

O câncer de mama é a neoplasia mais frequente no Brasil com 52.680 casos esperados para 2012 e um risco relativo estimado em 52/100 mil mulheres, variando de 19/100 mil na região norte a 69/100 mil na região sudeste. Mulheres com câncer de mama inicial podem ser curadas com tratamento local ou regional, no entanto o tratamento adjuvante, como quimioterapia, demonstrou diminuir o risco de recidiva e aumentou a sobrevida. O conceito fundamental é utilizar a quimioterapia na tentativa de eliminar as micrometástases que possam permanecer e se desenvolver como recidiva clínica.

Nos primeiros estudos, a quimioterapia estabeleceu benefício em pacientes com alto risco, posteriormente isto também foi comprovado em baixo risco.

A indicação de terapia adjuvante deve ser realizada ao analisar a presença de fatores de mau prognóstico no laudo histopatológico, como tamanho do tumor, grau de diferenciação, receptores hormonais, invasão angiolinfática, comprometimento axilar, expressão de HER-2, além do estado de saúde da paciente, avaliando-se comorbidades e expectativa de vida.

FATORES DE RISCO

Acredita-se que a idade tinha uma forte associação a comportamento clínico do câncer de mama. As pacientes idosas têm maior probabilidade de evolução mais indolente, e as mais novas tendem a ter tumores mais agressivos, com maior risco de comprometimento linfático, recidiva e morte. A maioria dos estudos considera idade menor que 35 anos como um fator de risco para recidiva. As pacientes jovens têm maior probabilidade de ausência de receptores hormonais (estrógeno e/ou progesterona), tumores de alto grau e maior chance de invasão linfovascular do que pacientes idosas (Quadro 1).

A ausência ou a baixa expressão de receptores hormonais está associada à recidiva mais precoce e baixa resposta à hormonoterapia adjuvante. Já tumores com alta expressão de receptores hormonais respondem mais à hormonoterapia e estão relacionados com recidivas bem tardias.

O tamanho do tumor também está associado a pior prognóstico. Deve-se atentar para o tamanho do componente invasor. Quanto maior o tamanho do tumor primário, maior o risco de comprometimento linfonodal, de recidiva e morte.

O grau histológico é um importante fator de prognóstico, principalmente nos linfonodos negativos, os tumores de alto grau estão associados à pior sobrevida global.

A extensão do comprometimento de linfonodos axilares pelo câncer de mama é o fator prognóstico mais bem estabelecido para sobrevida e recidiva sistêmica.

Quadro 1. Fatores prognósticos
- Idade
- Receptores de hormonais
- Tamanho tumoral
- Grau histológico
- Comprometimento linfonodal
- Presença de invasão linfovascular extensa
- Superexpressão do oncogene HER-2

A presença de invasão linfovascular extensa está associada à presença de linfonodos comprometidos e é um fator de prognóstico adverso independente do comprometimento linfonodal.

A hiperexpressão do HER-2-neu é encontrada em, aproximadamente, 25% dos pacientes com câncer de mama e está associada a receptores hormonais negativos na maioria dos casos, altos graus histológico e nuclear, aumento da proliferação e pior prognóstico.

Na prática clinica existem duas formas de mensurar HER-2: (1) a imuno-histoquímica, que avalia o receptor de acordo com a intensidade da expressão e pelo número de células que o expressam, e (2) FISH (*fluorescence in situ hybridization*) que avalia o número de cópias (amplificação) do gene. São consideradas como positivas para HER-2 aquelas pacientes que apresentam uma expressão de 3+ na imuno-histoquímica ou que são FISH positivas. As pacientes com expressão de HER-2 0 ou 1+ são consideradas negativas, enquanto as HER-2 2+ pela imuno-histoquímica devem ser submetidas ao teste de FISH já que entre 25 a 40% delas podem apresentar amplificação gênica.

Para definir risco de recaída e morte por câncer de mama, recomenda-se o uso de ferramentas de avaliação de risco, como o Adjuvant! *on line* (www.adjuvantonline.com), para uma estimativa mais fidedigna do risco/benefício das terapias adjuvantes a serem oferecidas. O Adjuvant! *on line* incorpora a idade, o tamanho do tumor, o grau, a presença ou não de comorbidades, o *status* axilar, para avaliar o risco de recidiva ou morte. Incorpora, ainda, o benefício das diferentes terapêuticas (quimio/hormônio) sobre o risco inicial. O HER-2 ainda não é utilizado, mas é recomendado adicionar o fator 1,5 para essas pacientes (50% a mais de risco).

A análise da expressão gênica através da técnica do DNA *microarray* possibilitou o desenvolvimento de alguns métodos de estratificação de risco de recidiva Os dois métodos de avaliação do perfil gênico mais utilizados são MammaPrint™ e o *Oncotype* DX™.

O MammaPrint™ estratifica em duas assinaturas de prognóstico, alto risco e baixo risco. São 70 genes que foram analisados retrospectivamente e sugerem que a assinatura gênica é um fator prognóstico independente dos tradicionais fatores histopatológicos previamente discutidos. O MamaPrint™ utiliza material a fresco, porém o *Oncotype* DX™ pode ser analisado em blocos de parafina.

Comparado com os critérios de risco de St. Gallen e NIH (*National Institutes of Health*), a assinatura gênica foi mais acurada na identificação daqueles casos que poderiam permanecer sem doença após 5 anos e, dessa forma, não se beneficiariam da quimioterapia adjuvante.

Oncotype DX™ é um teste frequentemente empregado na avaliação do risco em pacientes com axila negativa e receptores hormonais positivos, onde é analisado um painel com 21 genes. As pacientes com escore alto (> 31, 27% dos casos) têm 30% de chance de recidiva, beneficiando-se com quimioterapia, enquanto aquelas de escore baixo (< 18, 51% dos casos) têm apenas 7% de chance, podendo receber apenas hormonoterapia.

Tanto o MammaPrint™, como o *Oncotype* DX™ necessitam de comprovação prospectiva, mas acredita-se que a individualização molecular dos tumores seja uma ferramenta promissora na avaliação de risco e na decisão do tratamento. Dois importantes *trials* são aguardados para avaliação prospectiva destes testes, o MINDACT (*Microarray in Node-Negative Disease May Avoid Chemotherapy*) Trial é um estudo randomizado, multicêntrico, de 6.000 pacientes que avaliará de forma o uso do MammaPrint™, e o TAILORx (*Trial Assigning Individualized Options for Treatment*) é um estudo multicêntrico que integra a avaliação dos 21 genes com o processo de decisão clínica.

QUIMIOTERAPIA ADJUVANTE: COMO EMPREGAR

Não existe um tratamento quimioterápico padrão para todas as pacientes com câncer de mama. O tipo de tratamento leva em consideração o risco de recidiva e expressão do HER-2. Pacientes com HER-2 positivo serão discutidas posteriormente. Já passamos da fase de que um único esquema servia para todas (*one size fits all*).

Deve-se iniciar o tratamento adjuvante assim que a paciente se recuperar da cirurgia, e durante a quimioterapia deve-se evitar a redução de doses e atrasos dos ciclos. Classicamente tendemos a iniciar com até 6-8 semanas, embora existam estudos em que o benefício se manteve com até 80 dias de intervalo (RH positivos) e uma tendência para iniciar precocemente nos RH negativos (até 21 dias).

Em caso de indicação de radioterapia adjuvante, esta deve ser realizada após a quimioterapia e se a hormonoterapia for indicada, também após o tratamento quimioterápico e nunca concomitante, pois tem efeito adverso.

Os primeiros estudos mostraram que poliquimioterapia com base em antracíclicos se mostraram superiores e são frequentemente empregados em pacientes consideradas de alto risco (Quadro 2), mas o grande desafio é determinar o papel de novos agentes, como taxanos, e saber selecionar as pacientes a fim de alcançar redução na recidiva com menor perfil de eventos adversos.

As pacientes de baixo risco não têm necessidade de quimioterapia adjuvante e devem receber apenas hormonoterapia, quando na presença de receptores hormonais positivos. As pacientes de alto risco têm maior benefício de quimioterapia e deve-se considerar o uso de taxano no esquema. O grupo intermediário é o que mais suscita discussão, e o emprego de quimioterapia deve ser discutido. Todas as pacientes com receptores hormonais positivos devem receber hormonoterapia adjuvante, e este tem efeito adicional à quimioterapia.

Em pacientes com mais de 70 anos não existe uma quimioterapia padrão, e o tratamento deve ser individualizado, levando-se em consideração os fatores de risco e as comorbidades.

Os regimes de poliquimioterapia, incluindo um antracíclico (adriamicina ou epirubicina) por, pelo menos, seis ciclos de tratamento (FAC, FEC100, CAF), reduzem a taxa anual de mortalidade em 38% nas mulheres com menos de 50 anos e em cerca de 20% nas mulheres entre 50 e 69 anos. Em termos de redução de recidiva ou mortalidade, estes regimes são significativamente mais eficazes do que a combinação de ciclofosfamida, metotrexato e 5-fluorouracil (CMF) quando administrada por seis ciclos, já o esquema AC (doxorrubicina e ciclofosfamida) são semelhantes a seis ciclos de CMF.

A adição de taxanos (AC-Docetaxel, AC-Paclitaxel, FEC100-Docetaxel, TAC) a regimes com antracíclicos em pacientes de alto risco (com comprometimento linfonodal ou com axila negativa de alto risco) tem demonstrado vantagens pequenas, mas consistentes em relação à sobrevida livre de doença e em alguns estudos também à sobrevida global (Quadro 3).

O estudo do CALGB 9741 demonstrou que a administração com intervalos mais curtos (dose densa), a cada 14 dias, foi superior em

Quadro 2. Fatores determinantes para risco de morte

BAIXO RISCO (sem necessidade de quimioterapia adjuvante, risco de morte < 10%)	RISCO INTERMEDIÁRIO (Risco de morte entre 10% e 20%)	ALTO RISCO (Risco de morte > 20%)
■ T < 5 mm ■ T entre 0,6 e 1 cm sem fatores de mau prognóstico ■ T entre 1 e 2 cm, grau 1 sem fatores de mau prognóstico	■ T entre 0,6 e 1 cm, com fatores de mau prognóstico ■ T entre 1 e 2cm e presença de qualquer um dos fatores abaixo ■ Grau 2 ou 3 ■ Invasão vascular ou linfática ■ Idade < 35 anos	■ Linfonodo positivo ■ HER-2 positivo (T > 1cm) ■ Linfonodo negativo e ao menos uma das características abaixo ■ Tumor primário > 2 cm ■ Grau 2 ou 3 ■ Presença de extensa invasão vascular peritumoral ■ RH ausentes ■ Hiperexpressão de receptor HER-2 ■ Idade < 35 anos

Quadro 3. Principais esquemas quimioterápicos

NOME DO ESQUEMA	DROGAS E DOSES	INTERVALO DOS CICLOS
Seis ciclos- FEC_{100} CEF_{120}	Ciclofosfamida 500 (600) mg/m^2 EV D1 (D8) 5-Fluorouracil 500 (600) mg/m^2 EV D1 (D8) Epirrubicina 100(120) mg/m^2 EV D1	21 dias
Seis ciclos TAC	Ciclofosfamida 500 mg/m^2 EV D1 Doxorrubicina 50 mg/m^2 EV D1 Docetaxel 75 mg/m^2 EV D1 com G-CSF	21 dias
Quatro ciclos AC	5-Fluorouracil 600 mg/m^2 EV D1 Doxorrubicina 60 mg/m^2 EV D1	21 dias
Quatro ciclos de AC → 12 semanas de P	Sequência de AC (x 4) e P 80 mg/m^2 EV × 12 semanas	21 dias semanal
Quatro ciclos de AC → quatro ciclos de P dose densa	AC a cada 2 semanas (x 4), seguido de Paclitaxel 175 mg/m^2 cada 2 semanas (x 4) com G-CSF após cada ciclo 5-8 dias	14 dias
Seis ciclos CMF clássico	Ciclofosfamida 600 mg/m^2 14 dias VO 5-Fluorouracil 600 mg/m^2 EV D1 e D8 Metotrexato 40 mg/m^2 EV D1 e D8	28 dias
Seis ciclos FAC	Ciclofosfamida 500 mg/m^2 EV D1 5-Fluorouracil 500 mg/m^2 EV D1 Doxorrubicina 50 mg/m^2 EV D1	21 dias
Quatro ciclos TC	Ciclofosfamida 600 mg/m^2 EV D1 Docetaxel 75 mg/m^2 EV D1	21 dias
Quatro ciclos AC → quatro ciclos de T	AC (x 4) seguido de Docetaxel 100 mg/m^2 (x 4)	21 dias
Três ciclos FEC_{100} – três ciclos de T	FEC_{100} x3, seguido de Docetaxel 100 mg/m^2	21 dias

sobrevida livre de doença e sobrevida global em relação aos ciclos de 21 dias. Para este esquema de tratamento, ACT dose densa, e para o TAC (uso concomitante de docetaxel, ciclofosfamida e doxorrubicina a cada 21 dias) deve ser utilizado estimulantes de medula óssea, como fatores de crescimento de granulócitos (G-CSF), a fim de evitar neutropenia febril e internações hospitalares.

Dessa forma, como ACT é inferior a ACT dose densa, CEF canadense e ECT, deve-se evitar este esquema e preferir o uso ou a cada 14 dias (dose densa) em alto risco ou paclitaxel semanal.

Recentemente foi publicado a atualização de 7 anos de acompanhamento do US Oncology Research Trial 9735 que randomizou quatro ciclos de AC (doxorrubicina e ciclofosfamida) *versus* quatro ciclos de TC (docetaxel e ciclofosfamida). O grupo do TC apresentou aumento de sobrevida livre de doença e sobrevida global e foi bem tolerado tanto em pacientes mais jovens, como mais idosas. Este esquema deve ser considerado em pacientes que não possam ou que tenham risco para receber antracíclicos ou sempre que pensarmos no clássico AC.

A metanálise do uso de taxano adjuvante de 2008 com 13 estudos (22.903 pacientes) demonstrou uma redução de risco absoluto de 5% de sobrevida livre de doença e 3% na sobrevida global. Assim, para a escolha da quimioterapia com taxano, devem-se considerar as condições clínicas do paciente, a experiência do médico-assistente e as condições para suporte das complicações (Quadro 3).

PACIENTES QUE SUPEREXPRESSAM O HER-2

O HER-2/neu é um receptor de tirosinoquinase, uma proteína transmembrana, pertencente à família EGFR (*epidermal growth factor receptor*) que promove o crescimento, diferenciação e sobrevida celular. A hiperexpressão do HER-2 ocorre em, aproximadamente, 20 a 25% das neoplasias malignas de mama e está associada à história natural mais agressiva, com menor sobrevida livre de doença e sobrevida global. A expressão do HER-2 é considerada um fator prognóstico independente.

Trastuzumabe é uma droga venosa, um anticorpo monoclonal humanizado (mAb) contra a porção extracelular do HER-2, que induz parada do ciclo celular em G0/G1 em alguns modelos e, em outros, apoptose. Apesar de seu mecanismo de ação não ser completamente compreendido, o trastuzumabe aumenta a sobrevida livre de doença e sobrevida global após quimioterapia adjuvante, quando administrado semanalmente ou a cada 3 semanas em combinação com quimioterapia.

Seis principais estudos avaliaram o uso de trastuzumabe na adjuvância. Nos estudos positivos a eficácia do trastuzumabe foi similar, com redução de sobrevida livre de doença de 50%, e o ganho de sobrevida global foi em torno de 33% (Quadro 4).

NSABP-31 E N9831

Os estudos NSABP B-31 e N9831 compararam quatro ciclos de doxorrubicina e ciclofosfamida (AC) seguido de quatro ciclos de paclitaxel (P) a cada 3 semanas com o mesmo esquema mais trastuzumabe por 52 semanas, começando no primeiro ciclo de paclitaxel. Como os estudos eram semelhantes, eles foram unidos e observou-se que com 2,4 anos de acompanhamento do B31 e 1,5 do N9831, houve redução significativa da recidiva de doença (52%) e redução do risco de morte (33%).

HERA

O Hera é estudo multicêntrico, randomizado, que comparou 1 ou 2 anos de trastuzumabe adjuvante a cada 3 semanas após cirurgia local e quimioterapia *versus* observação. Após 24 meses, o braço de 1 ano de trastuzumabe *versus* observação demonstrou aumento de sobrevida global (HR 0,64 sobrevida livre de progressão 81 *vs.* 74% e HR 0,66 sobrevida global 92 *vs.* 90%), no entanto, na última atualização de St. Gallen 2009 não houve manutenção do ganho de sobrevida global, apenas o de sobrevida livre de doença e acredita-se que o cruzamento das pacientes do grupo controle para o do trastuzumabe (pacientes que originalmente não receberam o anticorpo foram convidadas – e dois terços aceitaram – a receber trastuzumabe por 1 ano mesmo que tardiamente na adjuvância, sendo que algumas destas chegaram a receber mais de 2 anos após a randomização) que ocorreu após descoberta do benefício inicial tenha prejudicado estas análises. O trastuzumabe foi descontinuado em 4% das pacientes por cardiotoxicidade.

BCIRG006

O BCIRG006 avaliou doxorrubicina e ciclofosfamida seguido de docetaxel e trastuzumabe (AC.DH) ou docetaxel e carboplatina mais trastuzumabe (DCH) *versus* AC seguido de docetaxel isolado (ACD). Mais de 3.200 pacientes foram randomizados e após 23 meses de acompanhamento mediano, a sobrevida livre de doença foi superior nos dois braços de trastuzumabe. Não houve diferença entre os dois braços contendo trastuzumabe, mas a cardiotoxicidade foi menor no braço com DCH.

FINHER

Este estudo randomizou três ciclos de docetaxel ou três de vinorelbina seguido de três ciclos de fluorouracil, epirrubicina e ciclofosfamida. Os pacientes HER-2-positivos (232) foram randomizados em observação *versus* 9 semanas junto com docetaxel ou vinorelbina. A sobrevida livre de doença foi superior no braço com trastuzumabe e docetaxel nos resultados iniciais, no entanto, a atualização em St. Gallen 2009 não houve manutenção dos resultados e só na análise do subgrupo de linfonodos positivos, houve persistência do benefício.

Quadro 4. Principais estudos com trastuzumabe no tratamento adjuvante

NSABP-B31 NCCTG-N9831	AC + T X AC + TH	Linfonodo positivo	3351	Aumento de sobrevida global (SG) e sobrevida livre de recidiva (SLR)	52 semanas
HERA	Após quimioterapia padrão: Observação X H	Linfonodo positivo ou negativo com risco alto	3387	Aumento da SLR	1 ano ou 2 anos (ainda sem resultado)
Fin-Her	Antes do FEC60: Vinorelbina + H X D + H	Linfonodo positivo ou negativo com risco alto	232	Aumento da SLR somente no subgrupo de linfonodos positivos	9 semanas
BCRG006	AC + D X AC + DH X DCH	Linfonodo positivo ou negativo com risco alto	2147	Aumento da SG e SLR	52 semanas
PACS-04	Após quimioterapia com ED ou FEC100: Observação X H	Linfonodo positivo	528	Sem significância estatística	1 ano

AC (doxorrubicina e ciclofosfamida), T-paclitaxel, H-trastuzumabe, DCH-carboplatina, docetaxel e trastuzumabe, D-docetaxel, ACD-doxorrubicina, ciclofosfamida seguido de docetaxel, AC + DH (doxorrubicina e ciclofosfamida seguido de docetaxel e trastuzumabe); ED-Epirrubicina e Docetaxel, FEC-Fluorouracil, Epirrubicina, Ciclofosfamida.

Quadro 5. Característica do HER-2 e resposta à terapia endócrina

CARACTERÍSTICAS	ALTAMENTE RESPONSIVO À TERAPIA ENDÓCRINA	RESPOSTA INCOMPLETA À TERAPIA ENDÓCRINA	SEM RESPOSTA À TERAPIA ENDÓCRINA
HER-2 Negativo	Terapia endócrina; considerar QT	Terapia endócrina; considerar QT	Quimioterapia
HER-2 Positivo	Terapia endócrina + Trastuz. + QT	Terapia endócrina + Trastuzumabe + QT	Trastuzumabe + QT

PACS-04

O estudo PACS-04, após 4 anos de acompanhamento foi surpreendentemente primeiro estudo negativo com trastuzumabe adjuvante. Mais de três mil pacientes operadas com axila positiva foram randomizados em 6 FEC100 (5-Fluorouracil, Epirrubicina e Ciclofosfamida) ou 6ED (Epirrubicina e Ciclofosfamida), com ou sem trastuzumabe. Após 48 meses de segmento mediano, não houve diferença de sobrevida livre de doença e de sobrevida com ou sem trastuzumabe. É importante ressaltar que a inclusão de trastuzumabe foi realizada após a segunda randomização, e seu uso foi sequencial à quimioterapia, e seus dados ainda não foram publicados na íntegra.

Dessa forma, faz-se necessário destacar que o uso concomitante de trastuzumabe com taxanos parece ser superior ao uso sequencial, e que a duração recomendada, por enquanto, é de 1 ano e que pacientes com mais de 1 cm de componente invasivo com HER-2 positivo, independente dos outros fatores prognósticos, devem receber quimioterapia com taxanos e trastuzumabe (Quadro 5), mesmo aqueles com axila negativa. Alguns centros têm recomendado que entre 0,6 e 1 cm, trastuzumabe deva ser considerado, mas é importante ressaltar que embora o risco de recidiva ou de morte seja uma variável contínua, isto é, tumores de 1cm não parecem ter um risco tão maior que 0,9 cm, esta estratégia não foi formalmente testada.

EFEITOS ADVERSOS

Os efeitos adversos dos esquemas quimioterápicos são variáveis. Apesar de raro, os antracíclicos têm uma chance maior de causar cardiomiopatia, assim como o trastuzumabe, no entanto os primeiros estão associados à lesão miocárdica irreversível. Os taxanos estão associados à neuropatia, mialgia e perda de unha. E todos os esquemas podem causar pancitopenia em graus variáveis, devendo-se atentar para febre e calafrios, pelo risco de neutropenia febril.

A vasta maioria dos esquemas quimioterápicos para mama está associada à alopecia, em menor grau com CMF. A fadiga é um sintoma muito frequente. A náusea e os vômitos já são efeitos adversos bem tratados atualmente com inúmeras classes de antieméticos disponíveis, os esquemas com antracíclicos são um dos mais emetogênicos.

CONTRAINDICAÇÃO À QUIMIOTERAPIA ADJUVANTE

As pacientes cuja capacidade de desempenho seja baixa e com alto risco de morte imediata por comorbidades e também àquelas com idade muito avançada não devem receber quimioterapia adjuvante.

Deve-se considerar contraindicação à quimioterapia a presença de cardiopatias graves, principalmente as cardiomiopatias com sobrevida estimada < 1 ano, insuficiência renal e/ou hepática, além das patologias hematológicas severas.

TIPOS HISTÓLOGICOS

É importante enfatizar que os tipos histológicos especiais, como os carcinomas tubulares, papilares, mucinosos, medulares verdadeiros ou adenocísticos, apresentam melhor prognóstico que os carcinomas ductal e lobular infiltrantes. Recomenda-se tratamento adjuvante quando há comprometimento axilar e/ou tumores maiores que 3 cm.

BIBLIOGRAFIA

Amorim G, Buzaid AC, Katz A et al. Manual de condutas da sociedade brasileira de oncologia clínica. Câncer de mama inicial. Gramado, 2011. p. 31-58, cap. 1.

Brasil. Ministério da Saúde. Instituto Nacional de Câncer. Coordenação de Prevenção e Vigilância. Estimativas 2012 – *Incidência de câncer no Brasil, Rio de Janeiro 2011*. Disponível em: <http://www.inca.gov.br>

Buzdar AU, Kau SW, Smith TL et al. Ten-year results of FAC adjuvant chemotherapy trial in breast cancer. *Am J Clin Oncol* 1989;12:123-28.

Citron ML, Berry DA, Cirrincione C et al. Randomized trial of dose-dense versus conventionallyscheduled and sequential versus concurrent combination chemotherapy as postoperative adjuvant treatment of node-positive primary breast cancer: first report of Intergroup Trial C9741/Cancer and Leukemia Group B Trial 9741. *J Clin Oncol* 2003;21:1431-39.

Early Breast Cancer Trialists Collaborative Group (EBCTCG). Effects of chemotherapy and hormonal therapy for early breast cancer on recurrence and 15-year survival: an overview of the randomised trials. *Lancet* 2005;365:1687-717.

Goldhirsch A, Wood WC, Coates AS et al. Strategies for subtypes – dealing with the diversity of breast cancer. Highlights of St Gallen International expert consensus on the primary therapy of early breast cancer 2011. *Ann Oncol* 2011 Aug.;22(8):1736-47.

Goldhirsch A, Wood WC, Gelber RD et al. Meeting highlights: International expert consensus on the primary therapy of early breast cancer 2007. *Ann Oncol* 2007;18:1133-44.

Hammond MEH, Hayes DF, Dowsett M et al. ASCO/CAP guideline recommendations for immunohistochemical testing of estrogen and progesterone receptors in breast cancer. *J Clin Oncol* 2010;28:2784-95.

Jones S, Holmes FA, O'Shaughnessy J et al. Docetaxel with Cyclophosphamide is associated with overall survival benefit compared with doxorrubicin and cyclophosphamide: 7-year follow-up of US Oncology Trial 9735. *J Clin Oncol* 2009;27:1177-83.

Laurentiis M, Cancello G, D'Agostino D. Taxane-based combinations as adjuvant chemotherapy of early breast cancer: a meta-analysis of randomized trials. *J Clin Oncol* 2008;1:44-53.

Martin M, Lescure AR, Ruiz A et al. Randomized phase III Trial of FEC alone or followed by paclitaxel for early breast cancer. *J Natl Cancer Int* 2008;100:805-14.

Martin M, Pienkowski T, Mackey J et al. Adjuvant docetaxel for node positive breast cancer. *N Engl J Med* 2005;352:2302-13.

Martin M, Seguí M, Antón A et al. Adjuvant docetaxel for high risk, node negative breast cancer. *N Eng J Med* 2011;364:976-78.

National Comprehensive Cancer Network. Practice guidelines in oncology. 2012, v.1. Disponível em: URL: <http://www.nccn.org>

Olivotto IA, Bajdik CD, Ravdin PM et al. Population-based validation of the prognostic model ADJUVANT! for early breast cancer. *J Clin Oncol* 2005;23(12):2716-25.

Paik S, Shak S, Tang G et al. A multigene assay to predict recurrence of tamoxifen-treated, node negative breast cancer. *N Engl J Med* 2004;351(27):2817-26.

Piccart-Gebhart MJ, Procter M, Leyland-Jones B et al. Trastuzumab after adjuvant chemotherapy in HER2-positive breast cancer. *N Engl J Med* 2005;353:1659-79.

Roché H, Fumoleau P, Spielmann M et al. Five years analysis of the PACS 01 trial: 6 cycles of FEC100 vs 3 cycles of FEC100 followed by 3 cycles of docetaxel for the adjuvant treatment of node positive breast cancer. *Breast Cancer Res Treat* 2004;88(Suppl 1):S16, abstract 27.

Romond E, Perez E, Bryant J et al. Joint analysis of the NSABP-B31 and NCCTG-N9831. *N Engl J Med* 2005;353:1673-84.

Slamon D, Eiermann W, Robert N et al. Adjuvant Trastuzumab in HER2 Positive Breast Cancer. *N Engl J Med* 2011;365:1273-83.

Sørlie T. Molecular portraits of breast cancer: tumour subtypes as distinct disease entities. *Eur J Cancer* 2004;40:2667-75.

Sotiriou C, Neo SY, McShane LM et al. Breast cancer classification and prognosis based on gene expression profiles from a population based study. *Proc Natl Acad Sci USA* 2003;100:10393-98.

Sparano JA, Wang M, Martino S et al. Weekly paclitaxel in the adjuvant treatment of breast cancer. *N Engl J Med* 2008;358(16):1663-71.

van de Vijver MJ, He YD, van't Veer LJ et al. A gene expression signature as a predictor of survival in breast cancer. *N Engl J Med* 2002;347:1999-2009.

van't Veer LJ, Dai H, van de Vijver MJ et al. Gene expression profiling predicts clinical outcome of breast cancer. *Nature* 2002;415:530-36.

Wolff AC, Hammond MEH, Schwartz JN et al. ASCO/CAP guideline recommendations for immunohistochemical for the human epidermal growth factor receptor 2 testing in breast cancer. *J Clin Oncol* 2007;25:118-45.

CAPÍTULO 141

Quimioterapia Neoadjuvante em Câncer de Mama

Maria de Fátima Dias Gaui

INTRODUÇÃO

A quimioterapia neoadjuvante é também denominada de quimioterapia primária ou pré-cirúrgica. Modalidade de tratamento bastante frequente no câncer de mama, podendo ser utilizada com o objetivo de citorredução, em tumores localmente avançados, tornando-os operáveis ou de proporcionar cirurgias conservadoras em pacientes candidatas à mastectomia. Entretanto, ultimamente tem sido muito utilizada em estudos clínicos, com a finalidade de avaliar precocemente a resposta a um novo protocolo ou medicamento e avaliar fatores preditivos e prognósticos.

QUIMIOTERAPIA EM TUMORES INOPERÁVEIS

Os tumores de mama localmente avançados representam, nos EUA, apenas 2 a 5% de todos os casos novos.[1] Entretanto, no Brasil, segundo registros hospitalares de câncer, atingem cerca de 30% dos diagnósticos iniciais.

A designação de tumor localmente avançado compreende uma variedade de tumores. São incluídos nessa categoria os tumores operáveis (estágio clínico pelo AJCC T3N0N1M0), os tumores inoperáveis (T3/T4 ou N2N3) e os carcinomas inflamatórios (T4D). Dessa forma, ao compararmos estudos clínicos em neoadjuvância, devemos observar os tumores incluídos.

A primeira abordagem terapêutica do câncer de mama localmente avançado foi a cirurgia radical. Entretanto, Haagenson e Stout, ao estudarem 1.135 pacientes do Hospital Presbiteriano de Columbia, em 1942, evidenciaram a alta incidência de recidivas locais (53%) e a baixa sobrevida em 5 anos (0%) com esse tratamento,[2] definindo, portanto, os critérios de inoperabilidade.

Dessa forma a radioterapia foi adicionada à cirurgia. Entretanto a radioterapia proporciona apenas o controle local do câncer, e a maioria dos pacientes desenvolve metástases. Com o uso de radioterapia isolada, a sobrevida global em 5 anos variou de 11 a 45%. Estudos que compararam radioterapia isolada ou associada à cirurgia no período pré ou pós-operatório demonstraram resultados favoráveis ao tratamento combinado, tanto no controle local (50 *vs.* 33%) como na sobrevida global em 5 anos (49 *vs.* 43%).[3]

Com o progresso da quimioterapia no tratamento do câncer de mama metastático, vários grupos de pesquisadores nos EUA e na Europa sentiram-se estimulados a empregar a quimioterapia citorredutora em pacientes com tumores inoperáveis. Em 1983, por exemplo, o grupo do *Hospital MD Anderson Cancer Center* relatou seus resultados com o uso do esquema FAC (5FU/adriblastina/ciclofosfamida) na neoadjuvância em pacientes com tumores inoperáveis, não inflamatórios. Utilizando a quimioterapia primária, seguida de cirurgia, o controle local foi de 79%, e a sobrevida global em 5 anos de 55%.[4] Outras instituições descreveram resultados similares nos anos de 1980 a 1990.

Poucos estudos randomizados foram feitos com o objetivo de avaliar o papel da cirurgia após o tratamento inicial dos tumores localmente avançados com quimioterapia e radioterapia. Entretanto, estes estudos demonstraram um melhor controle local da doença, quando os pacientes eram submetidos à cirurgia após o tratamento neoadjuvante.[5,6] Dessa maneira, o tratamento atual do câncer de mama localmente avançado inclui a quimioterapia primária, a cirurgia, a radioterapia e o tratamento adjuvante.

Os protocolos iniciais de quimioterapia primária utilizavam as antraciclinas, classe de quimioterápicos que apresenta as melhores respostas terapêuticas no câncer de mama. A eficácia do regime de quimioterapia primária é avaliada pela taxa de resposta clínica objetiva (redução do tumor e operabilidade) e pela resposta patológica completa (ausência de tumor residual na peça cirúrgica). A taxa de resposta clínica obtida com estes esquemas varia de 60 a 80%.[7] Já a taxa de resposta patológica completa (PCR) é observada em um pequeno número de pacientes, e varia de 10 a 20%. As avaliações de respostas, por imagem e pelo exame clínico são bastantes falhas, não se correlacionando frequentemente com a pCR. A RM da mama, entre os exames de imagem é o mais sensível, recentemente alguns estudos têm avaliado o papel do PET como preditor precoce de pCR.[8]

A resposta patológica completa é o melhor indicador de resposta ao tratamento, pois resulta em um aumento de sobrevida (sobrevida global e sobrevida livre de doença), conforme demonstrado inicialmente no estudo do NSABP B18.[9] Entretanto existe, na literatura, uma ausência de uniformidade na definição de resposta patológica completa, alguns autores consideram apenas ausência de tumor residual infiltrante na mama,[9] outros mama e linfonodos ou ainda diferentes definições, como doença microscópica residual,[10] tumor menor que 1 cm^3, resposta quase completa[11] etc. Esta heterogeneidade de definições torna problemática a comparação entre os estudos. Além disso, recentemente, observamos que a correlação entre pCR e sobrevida não se aplica a todos os tipos histológicos de câncer de mama, tumores luminais A são de bom prognóstico e não responsivos à quimioterapia neoadjuvante, com baixa taxa de pCR, por outro lado pacientes triplo-negativos apresentam alta taxa de pCR após a quimioterapia apesar do pior prognóstico.

No início dos anos 2000, os taxanos foram incorporados aos esquemas de tratamento do câncer de mama neoadjuvante, isoladamente ou combinados com as antraciclinas, dobrando a taxa de respostas clínica e patológica.[12-16] A partir de então a maioria dos estudos utiliza as duas drogas de forma sequencial ou combinadas, sem comprovação de superioridade entre os esquemas. Outros quimioterápicos, como capecitabina,[17] gencitabina[18] e vinorelbina, têm sido adicionados aos taxanos e antraciclinas, em protocolos experimentais, na tentativa de aumentar a taxa de resposta, porém até o momento sem benefício.

Atualmente ao planejarmos a terapia neoadjuvante consideramos prioritariamente a biologia do tumor. Dessa forma, o cirurgião deve realizar a biópsia para confirmação diagnóstica e análise imuno-histoquímica com avaliação de HER-2, receptores hormonais, Ki67 e grau do tumor. Pacientes com positividade para receptores hormonais têm uma expectativa menor de resposta, quando comparados a receptores ausentes. Pacientes com Ki67 elevado ou GIII respondem melhor à quimioterapia neoadjuvante. Pacientes HER-2 positivos (FISH positivo ou IHQ 3+) têm benefício comprovado, em estudos randomizados, de tratamento combinado de quimioterapia com trastuzumabe (anticorpo anti- HER-2). Em estudos de neoadjuvância a hiperexpressão de HER-2 tem valor preditivo para resposta patológica completa, alcançando taxas entre 12 a 76%. Estudos randomizados de fase III que avaliam o papel da adição de trastuzumabe à quimioterapia demonstram aumento de pCR e ganho de sobrevida.[19] Entretanto, qual a melhor combinação de drogas e a duração do tratamento ainda não estão definidos. O uso concomitante de trastuzumabe com antraciclinas aumenta o risco de toxicidade cardíaca, devendo ser evitado. Recomenda-se a utilização do trastzumabe em associação ao taxano. Em analogia ao tratamento adjuvante, o trastuzumabe deverá ser administrado por 12 meses. Recentemente, novos agentes biológicos vêm sendo testados com a intenção de aumentar a taxa de pCR em pacientes HER-2 positivos. O lapatinibe, inibidor de tirosinoquinase (NEO-ALTO e outros)[20] e o Pertuzumabe (Neo-Sphere),[21] dois inibidores de HER-2 foram testados isoladamente com quimioterapia e combinados com quimioterapia e trastuzumabe. Os resultados preliminares destes estudos foram apresentados em 2011 no Congresso Americano de Oncologia (ASCO), revelando altas taxas de pCR quando os dois inibidores foram combinados à quimioterapia, porém com aumento de toxicidade. Esta associação ainda deve ser considerada experimental, devendo ser verificado benefício de sobrevida.

Entretanto, cerca de 30% dos pacientes não respondem ao tratamento primário, e permanecem inoperáveis. Pacientes que não atingem pelo menos uma resposta parcial têm um prognóstico reservado, com sobrevida de apenas 0 a 24% em 5 anos.[22-24] Para este grupo de pacientes não existe na literatura um tratamento padrão de resgate. A radioterapia isolada ou associada a quimioterápicos radiossensibilizantes pode ser uma opção terapêutica.[25] Assim como não existe benefício comprovado do uso de quimioterapia adjuvante em pacientes com doença residual na peça cirúrgica.

QUIMIOTERAPIA EM TUMORES OPERÁVEIS

A quimioterapia neoadjuvante em pacientes com tumores iniciais operáveis tem como único objetivo aumentar o número de cirurgias conservadoras, benefício comprovado em vários estudos randomizados.[26] Entretanto parece existir aumento do risco de recidiva locorregional. Não existe benefício na sobrevida livre de doença ou global entre as quimioterapias adjuvante e neoadjuvante.[27] Em resumo a quimioterapia neoadjuvante deve ser indicada para reduzir tumores (geralmente maiores que 3 cm) e proporcionar cirurgia conservadora em pacientes, nos quais a mastectomia foi indicada graças à relação entre tumor e mama. Não devendo ser realizada quando existe contraindicação à cirurgia conservadora como no caso de tumores multicêntricos, calcificações difusas ou contraindicação à radioterapia. Colocação de clipes (marcadores ou localizadores) ou de tatuagens de pele para delimitação do tumor antes de iniciar o tratamento quimioterápico é mandatório, visto que observamos entre 15-35% de resposta clínica completa no caso de tratamento neoadjuvante. A quimioterapia neoadjuvante utilizada neste grupo de pacientes é a mesma discutida para os pacientes com câncer de mama localmente avançados, com base na associação de antraciclinas, taxanos e trastuzumabe em pacientes HER-2 positivos.

HORMONOTERAPIA NEOADJUVANTE

A hormonoterapia neoadjuvante tem sido descrita como uma opção terapêutica eficaz desde 1989 por autores ingleses.[28] Recentemente, com a incorporação dos inibidores de aromatase no tratamento do câncer de mama na pós-menopausa e a constatação de que os tumores com receptores hormonais positivos respondem menos à quimioterapia,[29] esta modalidade terapêutica tem sido alvo de grandes estudos.[30-42] O estudo IMPACT comparou na neoadjuvância anastrozol *versus* tamoxifeno isolado e a associação. Demonstrou maior taxa de cirurgia conservadora com anastrozol isolado, embora não tenha existido diferença na resposta.[30] Embora a duração exata do tratamento neoadjuvante ainda não tenha sido estabelecida, estudos demonstram que tratamentos por mais de 6 meses aumentam a taxa de resposta clínica.[39] A pCR não é um bom desfecho intermediário para este grupo de pacientes. Estudos moleculares apontam para a redução de KI 67 após 15 dias de tratamento como um possível marcador precoce de resposta.

REFERÊNCIAS BIBLIOGRÁFICAS

1. Jemal A, Siegel R, Warl E et al. Cancer statistics. *CA Cancer J Clin* 2006;56:16-130.
2. Haagenson CD, Stout AP. Carcinoma of the breast: criteria of operability. *Ann Surg* 1943;118:859-70.
3. Zucali R, Ulslenghi C, Kenda R et al. Nature history, survival of inoperable breast cancer treated with radiotherapy, radiotherapy followed by radical mastectomy. *Cancer* 1976;37:1422-31.
4. Hortobagyi GN, Blumenschein GR, Spanos W et al. Multimodal treatment of locoregionally advanced breast cancer. *Cancer* 1983;51:763-68.
5. Toubol E, Lefranc JP, Blondon J et al. Multidisciplinary treatment approach to locally advanced non-inflammatory breast cancer using chemotherapy and radiotherapy with or without surgery. *Radiother Oncol* 1992;25:167-75.
6. Valagussa P, Zambetti M, Bonadonna G et al. Prognostic factors in locally advanced non-inflammatory breast cancer. Long-term results following primary chemotherapy. *Breast Cancer Res Treat* 1990;15:137-47.
7. Hortobagyi GN, Ames FC, Buzdar AU. Management of stage III primary breast cancer with primary chemotherapy, surgery and radiation therapy. *Cancer* 1988;62:2507-16.
8. McDermott GM, Welch A, Staff RT et al. Monitoring primary breast cancer throughout chemotherapy using FDG-PET. *Breast cancer Res Treat* 2007;102:75.
9. Fischer B, Byrant J, Wolmark N et al. Effect of preoperative chemotherapy on the outcome of women with operable breast cancer. *J Clin Oncol* 1998;16:2672-85.
10. Feldman LD, Hortobagyi GN, Budzar UA et al. Pathological assessment of response to induction chemotherapy in breast cancer. *Cancer Res* 1986 May;46:2578-81.
11. Kuerer HM, Newman LA, Smith TL et al. Clinical course of breast cancer patients with complete pathologic primary tumor and axillary lymph node response to doxorrubicin –based neoadjuvant chemotherapy. *J Clin Oncol* 1999;17:460-69.
12. Budzar AU, Singletary SE, Theriault RL et al. Prospective evaluation of paclitaxel versus combination chemotherapy with fluorouracil, doxorubicin and cyclophosphamide as neoadjuvant therapy in patients with operable breast cancer. *J Clin Oncol* 1999;17:3412-17.
13. Fumoleau P, Tubiana-Hulim M, Romieu G et al. A randomized phase II study of 4 or 6 cycles of Adriamycin/Taxol as neoadjuvant treatment of breast cancer. 24th Annual San Antonio Breast Cancer Symposium. *Breast Cancer Res Treat Special* 2001;69:298. Abstract 508.
14. Miller KD, Stecens W, Sisk J et al. Combination versus sequencial doxorubicin and docetaxel as primary chemotherapy for breast cancer: a randomized pilot trial of the Hoosier Oncology Group. *J Clin Oncol* 1993;11:467-73.
15. Minckwitz G, Rab G, Caputo A et al. Doxorubicin with cyclophosphamide followed by docetaxel every 21 days compared with doxorubicin and docetaxel every 14 days as preoperative treatment in operable breast cancer: The Gepardo Study of the German Breast Group. *J Clin Oncol* 2005;23(12):2676-85.
16. Bear DH, Anderson S.; Brown A.; et al. The effect on tumor response of adding sequential preoperative docetaxel to preoperative doxorubicin and cyclofosfamide: Preliminary results from National Surgical Adjuvant Breast and Bowel Project Protocol B-27. *J Clin Oncol* 2003;21:4165-74.
17. Von Minckwitz G, Rezai M, Loibl S et al. Capecitabine in addition to anthracycline- and taxane-based neoadjuvant treatment in patients with primary breast cancer: phase III GeparQuattro study. *J Clin Oncol* 2010;28(12):2015.
18. Schneeweiss A, Huober J, Sinn HP et al. Gemcitabine, epirubicin and docetaxel as primary systemic therapy in patients with early breast cancer: results of a multicentre phase I/II study. *Eur J Cancer* 2004;40(16):2432.
19. Petrelli F, Borgonovo K, Cabiddu M et al. Neoadjuvant chemotherapy and concomitant trastuzumab in breast cancer: a pooled analysis of two randomized trial. *Anticancer Drugs* 2011;22(2):128.
20. Baselga J, Bradbury I, Eidtmann H et al. *First results of the neoALTTO trial (BIG 01-06/EGF 106903): a phase iii, randomized, open label, neoadjuvant study of lapatinib, trastuzumab, and their combination plus paclitaxel in women with her2-positive primary breast cancer.* Presented at the 33rd Annual San Antonio Breast Cancer Symposium, 2010.
21. Gianni L, Pienkowski T, Im YH et al. *Neoadjuvant Pertuzumab (P) and Trastuzumab (H): Antitumor and Safety Analysis of a Randomized Phase II Study ('NeoSphere').* Presented at the 33rd Annual San Antonio Breast Cancer Symposium, abstr S3-2.
22. Bonadonna G, Valagussa P. Combined modality approach for high-risk breast cancer. *Surg Oncol Clin North Am* 1995;4:701-11.
23. Eltahir A, Heys SD, Hutcheon AW et al. Treatment of large and locally advanced breast cancer using neoadjuvant chemotherapy. *Am J Surg* 1998;175:127-32.
24. Scholl SM, Pierga JY, AsselaiN B et al. Breast tumor response to primary chemotherapy predicts local and distant control as well survival. *Eur J Cancer* 1995;31:1969-75.

25. Gaui MF, Amorim G, Arcuri R *et al.* A Phase II Study of second-line neoadjuvant chemotherapy with capecitabine and radiation therapy for anthracycline-resistant locally advanced breast cancer. *Am J Clin Oncol* 2007 Feb.;30(1).
26. Wolmark N, Wang J, Mamounas E *et al.* Preoperative chemotherapy in patients with operable breast cancer: nine-year results from National Surgical Adjuvant Breast and Bowel Project B-18. *J Natl Cancer Inst Monogr* 2001;(30):96-102.
27. Mauri D, Pavlidis N, Ioannidis JP *et al.* Neoadjuvant versus adjuvant systemic treatment in breast cancer: a meta-analysis. *J Natl Cancer Inst* 2005;97(3):188.
28. Mansi JL, Smith IE, Walsh G *et al.* Primary medical therapy for operable breast cancer. *Eur J Cancer Clin Oncol* 1989;25:1623-27.
29. Semiglazov VF, Semiglazov V, Ivanov V *et al.* The relative efficacy of neoadjuvant endocrine therapy vs chemotherapy in postmenopausal women with ER-positive breast cancer. 40th Annual meeting New Orleans 2004 June 5-8. *Proc. ASCO* 2004;23:7, abstract 519.
30. Smith IE, Dowsett M, Ebbs SR *et al.* Neoadjuvant treatment of postmenopausal breast cancer with anastrozole, tamoxifen or both in combination: the impact multicentre doublé-blind randomised trial. *J Clin Oncol* 2005 Aug. 1;23(22):5108-16.
31. Ring AE, Smith IE, Jones A *et al.* Chemotherapy for breast cancer during pregnancy: an 18-year experience from five London teaching hospitals. *J Clin Oncol.* 2005 June 20;23(18):4192-97.
32. Hahn KM, Johnson PH, Gordon N *et al.* Treatment of pregnant breast cancer patients and outcomes of children exposed to chemotherapy in utero. *Cancer* 2006 Sept. 15;107(6):1219-26.
33. Mir O, Berveiller P, Goffinet F *et al.* Taxanes for breast cancer during pregnancy: a systematic review. *Ann Oncol* 2010 Feb.;21(2):425-26.
34. Mir O, Berveiller P, Ropert S *et al.* Emerging therapeutic options for breast cancer chemotherapy during pregnancy. *Ann Oncol* 2008 Apr.;19(4):607-13.
35. Van Calsteren K, Heyns L, De Smet F *et al.* Cancer during pregnancy: an analysis of 215 patients emphasizing the obstetrical and the neonatal outcomes. *J Clin Oncol* 2010 Feb. 1;28(4):683-89.
36. Guidroz JA, Scott-Conner CE, Weigel RJ. Management of pregnant women with breast cancer. *J Surg Oncol* 2011 Mar. 15;103(4):337-40, doi: 10.1002/jso.21673.
37. Giordano SH, Cohen DS, Buzdar AU *et al.* Breast carcinoma in men: a population-based study. *Cancer* 2004;101(1):51.
38. Giordano SH, Buzdar AU, Hortobagyi GN. Breast cancer in men. *Ann Intern Med* 2002;137(8):678.
39. Rudlowski C, Friedrichs N, Faridi A *et al.* Her-2/neu gene amplification and protein expression in primary male breast cancer. *Breast Cancer Res Treat* 2004 Apr.;84(3):215-23.
40. Bagley CS, Wesley MN, Young RC *et al.* Adjuvant chemotherapy in males with cancer of the breast. *Am J Clin Oncol* 1987;10(1):55-60.
41. Giordano SH, Perkins GH, Broglio K *et al.* Adjuvant systemic therapy for male breast carcinoma. *Cancer* 2005;104(11):2359.
42. Jemal A, Siegel R, Xu J *et al.* Cancer statistics, 2010. *CA Cancer J Clin* 2010;60:277. Disponível em: <www2.inca.gov.br/wps/wcm/connect/tiposdecancer/site/home/mama>

CAPÍTULO 142
Tratamento Sistêmico do Câncer de Mama Metastático

Alexandre Boukai

INTRODUÇÃO

O câncer de mama metastático é definido como a presença de doença que acomete outros sítios além da mama, da parede torácica e das cadeias regionais de drenagem linfática. Sabe-se que a disseminação da doença metastática pode ocorrer através da via linfática, sanguínea ou por extensão direta.[1] Mesmo sem a perspectiva de cura, uma boa parte destas pacientes consegue com o tratamento sistêmico uma sobrevida prolongada. A sobrevida mediana de uma paciente com doença metastática é de aproximadamente 2 anos, mas pode variar de poucos a muitos anos.[2] Na última década ocorreram avanços significativos no tratamento da doença metastática, possibilitando melhora dos resultados de sobrevida destas pacientes.[3]

A doença metastática pode ter um padrão de disseminação predominante específico (p. ex.: partes moles e osso *vs.* doença visceral predominante). Os principais sítios de disseminação metastática são: ossos, fígado, pulmão, gânglios linfáticos, parede torácica e cérebro.

Os sintomas e os achados ao exame físico estão relacionados com os sítios de metástase, sendo os mais comuns: dor óssea, linfonodomegalias, astenia, dispneia e tosse.

TRATAMENTO

Os objetivos principais do tratamento da doença metastática são: controle dos sintomas, reduzir a chance de complicações relacionadas com a doença, manter a qualidade de vida da paciente e prolongar a sua sobrevida.

Um grande número de pacientes experimenta sobrevida prolongada mesmo sob tratamento paliativo.

Não há estudos prospectivos que comprovem que o tratamento sistêmico prolongue a sobrevida global das pacientes com câncer de mama metastático, quando comparado ao suporte paliativo,[4] porém observou-se uma melhora na sobrevida das pacientes com câncer de mama após a inclusão de novas drogas, como taxanos, inibidores de aromatase e trastuzumabe.[5]

Durante o diagnóstico da doença metastática, devem-se avaliar alguns fatores biológicos, como o receptor hormonal de estrógeno, progesterona e o HER-2, que são importantes tanto para a definição prognóstica quanto terapêutica das pacientes. Estes fatores podem variar, na mesma paciente, entre o tumor primário e a doença metastática ou recidivada.[6] A decisão de realizar uma biópsia do sítio de doença metastática deve ser avaliada de forma individualizada.

Alguns indicadores de prognóstico considerados favoráveis também devem ser analisados como, por exemplo, o intervalo entre o tratamento primário e a recidiva maior que 2 anos, o padrão de doença nodal e óssea preponderante em vez de doença visceral maciça, receptores hormonais positivos em vez de doença triplo-negativa ou HER-2 positivo, e uma boa *performance status*.

De um modo geral podemos dividir as pacientes com doença recidivada entre duas apresentações: aquelas com doença rapidamente progressiva, doença visceral sintomática e volumosa, ou seja, mais agressiva, e aquelas com uma doença mais indolente, com metástases predominantemente em ossos e partes moles. Cada uma destas situações requer um tratamento específico.

As pacientes com doença mais agressiva necessitam, na maioria das vezes, de um tratamento que possibilite uma alta taxa de resposta em um intervalo de curto de tempo, enquanto as pacientes com doença mais indolente podem ser submetidas a tratamentos que proporcionem resposta em um período mais longo e que seja menos tóxico. Este tratamento varia de acordo com os fatores preditivos de resposta, como o *status* HER-2 e o receptor hormonal.

ALGORITMOS DE TRATAMENTO

Doença agressiva/visceral importante

- *HER-2 positivo/receptor hormonal negativo:* tratamento com trastuzumabe acrescido de quimioterapia.
- *HER-2 negativo/receptor hormonal negativo:* tratamento com quimioterapia isolada
- *HER-2 positivo/receptor hormonal positivo:* tratamento com trastuzumabe acrescido de quimioterapia, após o término da quimioterapia seguir com trastuzumabe acrescido de hormonoterapia paliativa.
- *HER-2 negativo/receptor hormonal positivo:* tratamento com quimioterapia isolada, após o término da quimioterapia seguir com hormonoterapia paliativa.

Doença indolente/predominantemente em partes moles e ossos

- *HER-2 positivo/receptor hormonal negativo:* tratamento com trastuzumabe acrescido de quimioterapia. Ao final do tratamento quimioterápico pode-se seguir com trastuzumabe isolado até a progressão da doença.
- *HER-2 negativo/receptor hormonal negativo:* tratamento com quimioterapia.
- *HER-2 positivo/receptor hormonal positivo:* tratamento com trastuzumabe ou Lapatinibe acrescido de hormonoterapia.
- *HER-2 negativo/receptor hormonal positivo:* tratamento com hormonoterapia isolada.

AVALIAÇÃO DE RESPOSTA AO TRATAMENTO

Como um dos principais objetivos do tratamento é a paliação de sintomas, é indispensável realizar uma anamnese e exame físico cuidadosos. Em pacientes com doença não mensurável clinicamente ao exame físico devem-se utilizar os exames de imagem, como radiografias, tomografia computadorizada e ressonância magnética para acessar a resposta ao tratamento proposto. O PET/TC é um exame com alta sensibilidade e especificidade que pode ser utilizado em casos selecionados para detecção de metástases e avaliação de resposta ao tratamento.[7]

Os marcadores tumorais são especialmente úteis para avaliar a resposta ao tratamento em doença não mensurável, como, por exemplo, nas pacientes com metástases ósseas apenas. Os marcadores mais utilizados atualmente são o CEA, CA 15-3 e o CA 29-27, porém deve-se ter muita cautela ao examinar estes marcadores durante as primeiras 4 a 6 semanas após o início do tratamento, pois há a possibilidade de aumento transitório dos mesmos nesta ocasião sem necessariamente significar progressão de doença.[8] Além disso, pacientes com disfunção hepática, anemia megaloblástica e deficiência de vitamina B12 podem apresentar elevação do CA 15-3.[9]

A utilidade na prática clínica da pesquisa de células tumorais circulantes na corrente sanguínea é foco atualmente de pesquisa e de grande interesse na avaliação de eficácia do tratamento sistêmico em doença metastática não mensurável e como fator prognóstico em pacientes recém-diagnosticadas com câncer de mama metastático. Pacientes consideradas com alto número de células tumorais isoladas na amostra de sangue periférico têm sobrevida global pior do que aquelas que apresentam baixa contagem de células circulantes.[10]

TRATAMENTO HORMONAL

O tratamento hormonal é extremamente importante no manejo das pacientes com câncer de mama metastático, já que a maioria delas tem doença hormônio-responsiva. Há mais de 1 século tem sido observado benefício da ooforectomia em pacientes com doença clinicamente avançada.[11]

Atualmente dispõe-se de uma ampla variedade de agentes para tratamento hormonal no câncer de mama metastático.

Em média, o tratamento hormonal em primeira linha pode obter o controle da doença metastática por 8 a 12 meses e em segunda linha por aproximadamente 4 a 6 meses. Algumas pacientes podem experimentar intervalos maiores de benefício com o uso de hormonoterapia e benefício prolongado com a administração de terceira ou quarta linha de tratamento.

Principais manipulações hormonais

Tamoxifeno

Inibidor seletivo do receptor de estrógeno que, ao se ligar a este receptor, tem ação antagonista e agonista e exerce um efeito cistostático.

Ablação ovariana

Realizada por ooforectomia, radioterapia ou aplicação de análogos do LHRH.

Inibidores da aromatase

Possibilitam a redução dos níveis de estrógeno circulante, bloqueando a ação da enzima aromatase que converte andrógenos em estrógenos. Atualmente há disponível duas classes de inibidores da aromatase, os esteroidais (p. ex.: exemestane) e os não esteroidais (p. ex.: anastrozol e letrozol). Não há dados na literatura que comprovem a superioridade de um inibidor sobre outro. Cabe ressaltar que não existe resistência cruzada entre inibidores esteroidais e não esteroidais, portanto na falha aos inibidores não esteroidais pode-se utilizar o exemestane.

Fulvestranto

É um antagonista do receptor de estrógeno, cuja administração deve ser mensal e intramuscular.

Progestágenos

Acetato de medroxiprogesterona ou o acetato de megestrol podem ser utilizados na falha ao tratamento com tamoxifeno. Seu mecanismo de ação ainda não foi completamente elucidado.

Ao oferecermos hormonoterapia paliativa como principal tratamento, devemos prestar bastante atenção ao *status* menopausal da paciente pois algumas opções, como os inibidores de aromatase e o fulvestranto, só devem ser oferecidas às pacientes na pós-menopausa, enquanto a supressão ovariana só deve ser oferecida às pacientes na pré-menopausa.

Opções terapêuticas

Pacientes em pré-menopausa

As pacientes que nunca foram submetidas a tratamento com tamoxifeno têm benefício com o uso desta droga, a ablação ovariana com o uso de análogo do LHRH (p. ex.: gosserelina) associada ao tamoxifeno está relacionada com o aumento de sobrevida global, quando comparado ao uso de tamoxifeno isolado, e deve ser considerada.[12] Nas pacientes que já foram tratadas com tamoxifeno na adjuvância ou naquelas que já falharam com o uso de tamoxifeno em primeira linha é preconizado o uso de um inibidor de aromatase associado à gosserelina em segunda linha.

Pacientes em pós-menopausa

Inibidores de aromatase ou tamoxifeno em primeira linha.

Os inibidores de aromatase, quando comparados ao tamoxifeno no tratamento em primeira linha destas pacientes, possuem melhor eficácia em sobrevida global.[13] Em segunda linha pode-se utilizar tamoxifeno nas pacientes submetidas a inibidor anteriormente ou inibidor nas pacientes submetidas a tamoxifeno em primeira linha. Outra opção para tratamento em segunda ou terceira linha é o fulvestranto. Na falha a inibidor não esteroidal (anastrozol ou letrozol), pode-se utilizar um inibidor esteroidal como opção (exemestano).

Nas primeiras 4 semanas do tratamento com moduladores do receptor de estrógeno (principalmente o tamoxifeno) pode ocorrer um fenômeno conhecido como *flare*, que consiste em exacerbação dos sintomas e pode ser confundido eventualmente com progressão de doença.

TRATAMENTO QUIMIOTERÁPICO

A terapia citotóxica é um tratamento bastante utilizado nas pacientes com doença metastática, principalmente naquelas com receptores hormonais negativos ou com receptores hormonais positivos que se tornaram hormônio refratárias e, ainda, naquelas com doença visceral ou agressiva.

O tratamento quimioterápico, ao contrário da hormonoterapia, possui efeitos colaterais importantes, dentre eles: fadiga, náuseas, vômitos, mielossupressão, neuropatia, cardiotoxicidade, diarreia e alopecia. O perfil de toxicidade varia de acordo com a droga e o protocolo a ser utilizado.

As drogas com maior atividade no câncer de mama metastático são os antraciclínicos (doxorrubicina ou epirrubicina) e taxanos (paclitaxel, docetaxel), porém atualmente pode-se utilizar uma série de outros agentes citotóxicos, dentre eles capecitabina, gencitabina, metrotrexato, pemetrexed, eribulina, ixabepilona, vinorelbina, etoposide, ciclofosfamida, cisplatina e irinotecano.

Antraciclínicos

Em pacientes nunca submetidas à quimioterapia com antraciclinas previamente ou naquelas com um intervalo de progressão maior que 12 meses após o uso de doxorrubicina ou epirrubicina, podemos reutilizar estas drogas como agentes isolados, proporcionando uma taxa de resposta objetiva em torno de 35 a 50%.[14] Os protocolos com doxorrubicina isolada variam de doses de 60 a 75 mg/m^2 a cada 3 semanas, e os protocolos com epirrubicina variam de 75 a 100 mg/m^2. Face à possibilidade de cardiotoxicidade irreversível deve-se ter extrema cautela com a administração de doses cumulativas de doxorrubcina maiores que 400 mg/m^2 e de epirrubicina maiores que 800 mg/m^2. A doxorrubicina lipossomal peguilada pode ser administrada também com um menor risco de cardiotoxicidade.[15]

Taxanos

Os taxanos (paclitaxel, docetaxel e nab-paclitaxel) são drogas muito utilizadas no tratamento do câncer de mama metastático em razão da sua eficácia comparável a dos antraciclínicos.[16] Estas drogas são eficazes inclusive em pacientes já expostas ao tratamento com antraciclinas. Os principais efeitos colaterais dos taxanos são: mielossupressão, alopecia, astenia e neuropatia periférica. Estudos recentes já demonstraram que o paclitaxel deve ser utilizado em protocolo semanal já que, dessa forma, proporciona melhor resultado no que diz respeito à sobrevida global.[17]

A escolha da droga ideal para o tratamento em primeira linha do câncer de mama vai depender principalmente do protocolo utilizado anteriormente em caráter adjuvante, do intervalo livre de progressão de doença entre a terapia adjuvante e o início do tratamento para a doença metastática e do perfil de toxicidade de cada droga.

O tratamento quimioterápico pode ser administrado como agente único ou em combinação, não há relato de benefício de sobrevida com a administração de quimioterapia em esquemas combinados de drogas, porém o tratamento combinado deve ser utilizado em pacientes com doença rapidamente progressiva que necessitem de resposta objetiva rápida a despeito da maior toxicidade proporcionada por este tratamento.

Não existe preferência sobre nenhum protocolo específico para uso em primeira linha, porém os mais utilizados são aqueles com base em antraciclinas. Segue adiante os protocolos de quimioterapia combinada mais utilizados:

- FAC (fluoruracil, doxorrubicina, ciclofosfamida).
- FEC (fluoruracil, epirrubicina, ciclofosfamida).
- AC (doxorrubicina, ciclofosfamida).
- EC (eporrubicina, ciclofosfamida).
- AT (doxorrubicina, docetaxel ou paclitaxel).
- CMF (ciclofosfamida, metrotrexato e fluoruracil).
- Gencitabina/docetaxel.
- Cisplatina/gencitabina.

QUIMIOTERAPIA PARA O CÂNCER DE MAMA METASTÁTICO HER-2 NEGATIVO

As pacientes com câncer de mama HER-2 negativo quando candidatas a tratamento de primeira linha com quimioterapia, ou quando apresentam também negatividade para os receptores hormonais, devem ser tratadas com quimioterapia citotóxica. Os protocolos quimioterápicos disponíveis já foram citados anteriormente.

A doença triplo-negativa metastática (HER-2 negativo, receptores hormonais negativos) consiste atualmente em um grande desafio terapêutico para os profissionais envolvidos no tratamento do câncer de mama pois, neste caso, a doença não apresenta fatores preditivos de resposta. Geralmente estas pacientes recebem tratamento com quimioterapia citotóxica com agente isolado ou protocolos de quimioterapia combinados. Recentemente foi comprovado que a associação de bevacizumabe, um anticorpo monoclonal anti-VEGF (fator de crescimento endotelial), quando administrado em combinação ao paclitaxel para pacientes com câncer de mama triplo-negativo proporciona um aumento na taxa de resposta e na sobrevida livre de progressão de doença sem alterar de fato a sobrevida mediana global dessas pacientes.[18] No momento existem diversos estudos em andamento com diversas drogas, dentre elas os inibidores da PARP (Poli [ADP-ribose] polymerase) que inativam um grupo de proteínas envolvidas principalmente no reparo do DNA tornando as células mais sensíveis ao tratamento com quimioterapia citotóxica, especialmente para as pacientes que possuem a mutação BRCA.[19,20]

QUIMIOTERAPIA PARA O CÂNCER DE MAMA METASTÁTICO HER-2 POSITIVO

A positividade para o HER-2 (receptor transmembrana de fator de crescimento epidérmico humano 2) é um importante fator preditivo de resposta para as drogas que bloqueiam esta via de sinalização. Aproximadamente 20% das pacientes com câncer de mama superexpressam o HER-2. Atualmente já existem duas drogas na prática clínica cujo alvo principal é o bloqueio da via do HER-2: o trastuzumabe, que é um anticorpo monoclonal que interfere diretamente com este receptor, e o lapatinibe que é um inibidor de tirosinoquinase que interfere com a via do HER-2 e do EGFR (receptor do fator de crescimento epidérmico).

As pacientes com câncer de mama HER-2 positivo quando candidatas a tratamento de primeira linha com quimioterapia devem ser tratadas com a associação de trastuzumabe e quimioterapia ou lapatinibe e quimioterapia. As drogas que, em geral, são associadas em concomitância ao trastuzumabe são: paclitaxel, docetaxel, vinorelbina e capecitabina. As drogas que podem ser associadas ao lapatinibe são a capecitabina e o paclitaxel.

De um modo geral não adicionamos a terapia anti-HER-2 com trastuzumabe aos antraciclínicos em virtude do potencial de cardiotoxicidade desta combinação.

Para as pacientes submetidas ao tratamento com trastuzumabe + quimioterapia, em geral suspendemos a quimioterapia após o registro de melhor resposta terapêutica e em seguida mantemos continuamente o tratamento com o trastuzumabe até a progressão de doença ou toxicidade inaceitável.

As pacientes que experimentam progressão de doença após tratamento em primeira linha com trastuzumabe devem continuar recebendo algum tratamento que bloqueie a via do HER-2. Existem estudos que confirmam a eficácia da associação de lapatinibe à capecitabina na falha de esquemas contendo trastuzumabe em primeira linha.[21] Outra possibilidade é seguir a trastuzumabe em segunda linha e trocar apenas o quimioterápico até uma nova progressão de doença.[22]

Atualmente o chamado duplo bloqueio da via do HER-2 é foco de grande interesse, pois consiste na associação de lapatinibe a trastuzumabe após a falha a esta última droga.[23] Além disso, novas drogas para bloqueio da via do HER-2 encontram-se em desenvolvimento, uma nova droga que mais recentemente mostrou benefício em sobrevida livre de progressão, quando associada ao trastuzumabe e quimioterapia em primeira linha, foi o pertuzumabe.[24]

Outro agente ainda em investigação é o T-DM1 que consiste na conjugação de uma droga citotóxica ao anticorpo monoclonal trastuzumabe.

CONSIDERAÇÕES ESPECIAIS

Pacientes com metástases ósseas devem receber o pamidronato ou o ácido zoledrônico além do tratamento sistêmico já mencionado anteriormente. Estas drogas ajudam a reduzir a dor, a incidência de fraturas e a hipercalcemia.[25] Deve-se prestar atenção especial à possibilidade de osteonecrose de mandíbula com uso prolongado de bifosfonatos. Pacientes com fratura óssea ou dor local podem beneficiar-se de tratamento com radioterapia localizada e devem ser avaliados em casos selecionados para tratamento cirúrgico.

Como o tratamento sistêmico não age efetivamente no sistema nervoso central percebe-se aumento cada vez maior de pacientes com bom estado geral e doença metastática isolada no cérebro. Estas pacientes devem receber tratamento individualizado com avaliação de um neurocirurgião experiente para ressecção da doença metastática ou alternativamente a radioterapia estereotáxica.

Algumas pacientes podem ainda apresentar padrão de recidiva sistêmica isolada, como, por exemplo, metástase pulmonar, óssea ou apenas nodal. Existem estudos que demonstram que o tratamento radical com ressecção destas metástases isoladas pode proporcionar longos períodos sem evidência de progressão de doença.[26]

Outro foco de intensa discussão versa sobre o tratamento da doença local em pacientes com diagnóstico de doença metastática ao diagnóstico de câncer de mama, já que no passado, a ressecção do tumor primário era reservada apenas para as pacientes com doença localizada, com intuito curativo. Um estudo retrospectivo mostrou que a ressecção do tumor primário com margens negativas pode reduzir o risco de morte mesmo para as pacientes com estágio IV.[27] Atualmente esta prática não está incluída como rotina no tratamento das pacientes com doença metastática, até que novos estudos confirmem esta hipótese.

REFERÊNCIAS BIBLIOGRÁFICAS

1. Burstein HJ, Harris JR, Morrow M. Malignant tumors of the breast. In: DeVita VT. *Principles & practice of oncology*. EUA: Lippincocott Williams & Wilkins, 2008. p. 1645.
2. Greenberg PA, Hortobagyi GN, Smith TL *et al.* Long-term follow-up of patients with complete remission following combination chemotherapy for metastatic breast cancer. *J Clin Oncol* 1996;14:2197.
3. Gennari A, Conte P, Rosso R *et al.* Survival of metastatic breast carcinoma patients over a 20-year period: a retrospective analysis based on individual patient data from six consecutive studies. *Cancer* 2005;104:1742.
4. Stockler M, Wilcken NR, Ghersi D *et al.* Systematic reviews of chemotherapy and endocrine therapy in metastatic breast cancer. *Cancer Treat Rev* 2000;26:151.
5. Chia SK, Speers CH, D'yachkova Y *et al.* The impact of new chemotherapeutic and hormone agents on survival in a population-based cohort of women with metastatic breast cancer. *Cancer* 2007;110:973.
6. Hull DF 3rd, Clark GM, Osborne CK *et al.* Multiple estrogen receptor assays in human breast cancer. *Cancer Res* 1983;43:413.
7. Constantinidou A, Martin A, Sharma B *et al.* Positron emission tomography/computed tomography in the management of recurrent/metastatic breast cancer: a large retrospective study from the Royal Marsden Hospital. *Ann Oncol* 2011;22(2):307-14.

8. Stearns V, Yamauchi H, Hayes DF. Circulating tumor markers in breast cancer: accepted utilities and novel prospects. *Breast Cancer Res Treat* 1998;52:239.
9. Symeonidis A, Kouraklis-Symeonidis A, Apostolopoulos D *et al*. Increased serum CA-15.3 levels in patients with megaloblastic anemia due to vitamin B12 deficiency. *Oncol* 2004;67:359.
10. Budd GT, Cristofanilli M, Ellis MJ *et al*. Circulating tumor cells versus imaging—predicting overall survival in metastatic breast cancer. *Clin Cancer Res* 2006;12:6403.
11. Stockwell S. Classics in oncology: George Thomas Beatson, M.D. (1848-1933). *CA Cancer J Clin* 1983;33:105.
12. Klijn JG, Blamey RW, Boccardo F *et al*. Combined tamoxifen and luteinizing hormone-releasin hormone (LHRH) agonist versus LHRH agonist alone in premenopausal advanced breast cancer: a meta-analysis of four randomized trials. *J Clin Oncol* 2001;19(2):343.
13. Mauri D, Pavlidis N, Polyzos NP *et al*. Survival with aromatase inhibitors and inactivators versus standard hormonal therapy in advanced breast cancer: meta-analysis. *J Natl Cancer Inst* 2006;98:1285.
14. Sledge GW, Neuberg D, Bernardo P *et al*. Phase III trial of doxorubicin, paclitaxel, and the combination of doxorubicin and paclitaxel as front-line chemotherapy for metastatic breast cancer: an intergroup trial (E1193). *J Clin Oncol* 2003;21:588.
15. O'Brien ME, Wigler N, Inbar M *et al*. Reduced cardiotoxicity and comparable efficacy in a phase III trial of pegylated liposomal doxorubicin HCl (CAELYX/Doxil) versus conventional doxorubicin for first-line treatment of metastatic breast cancer. *Ann Oncol* 2004;15:440.
16. Paridaens R, Biganzoli L, Bruning P *et al*. Paclitaxel versus doxorubicin as first-line single-agent chemotherapy for metastatic breast cancer: a European Organization for Research and Treatment of Cancer Randomized Study with cross-over. *J Clin Oncol* 2000;18:724.
17. Mauri D, Kamposioras K, Tsali L *et al*. Overall survival benefit for weekly vs. three-weekly taxanes regimens in advanced breast cancer: a meta-analysis. *Cancer Treat Rev* 2010;36:69.
18. Miller K, Wang M, Gralow J *et al*. Paclitaxel plus bevacizumab versus paclitaxel alone for metastatic breast cancer. *N Engl J Med* 2007;357:2666.
19. Fong PC, Boss DS, Yap TA *et al*. Inhibition of poly(ADP-ribose) polymerase in tumors from BRCA mutation carriers. *N Engl J Med* 2009;361:123.
20. Tutt A, Robson M, Garber JE *et al*. Oral poly(ADP-ribose) polymerase inhibitor olaparib in patients with BRCA1 or BRCA2 mutations and advanced breast cancer: a proof-of-concept trial. *Lancet* 2010;376:235.
21. Geyer CE, Forster J, Lindquist D *et al*. Lapatinib plus capecitabine for HER2-positive advanced breast cancer. *N Engl J Med* 2006;355:2733.
22. von Minckwitz G, du Bois A, Schmidt M *et al*. Trastuzumab beyond progression in human epidermal growth factor receptor 2-positive advanced breast cancer: a german breast group 26/breast international group 03-05 study. *J Clin Oncol* 2009;27:1999.
23. Blackwell KL, Burstein HJ, Storniolo AM *et al*. Randomized study of Lapatinib alone or in combination with trastuzumab in women with ErbB2-positive, trastuzumab-refractory metastatic breast cancer. *J Clin Oncol* 2010;28:1124.
24. Baselga J, Cortés J, Kim SB *et al*. Pertuzumab plus trastuzumab plus docetaxel for metastatic breast cancer. *N Engl J Med* 2012;366:109.
25. Lipton A, Theriault RL, Hortobagyi GN *et al*. Pamidronate prevents skeletal complications and is effective palliative treatment in women with breast carcinoma and osteolytic bone metastases: long term follow-up of two randomized, placebo-controlled trials. *Cancer* 2000;88:1082.
26. Rivera E, Holmes FA, Buzdar AU *et al*. Fluoracil, doxorubicin, and cyclophosphamide followed by tamoxifen as adjuvant treatment for patients with stage IV breast cancer with no evidence of disease. *Breast J* 2002;8(1):2.
27. Rapiti E, Verkoijen HM, Vlastos G *et al*. Complete excision of primary breast tumor improves survival of metastatic breast câncer at diagnosis. *J Clin Oncol* 2006;24(18):2743.

CAPÍTULO 143

Tratamento Hormonal Adjuvante

Erika Scofano Ebecken ■ Letícia Barbosa França

INTRODUÇÃO

A importância do estrógeno na patogenia do câncer de mama é conhecida há mais de 100 anos, a primeira forma de tratamento sistêmico para o câncer de mama metastático foi a ablação ovariana.[1]

Posteriormente foi demonstrado que este tratamento era efetivo apenas em mulheres que apresentavam expressão de receptores de hormonais nas células tumorais. Atualmente, a expressão de receptores de estrógeno e/ou progesterona pela imuno-histoquímica superior ou igual a 1% está associada à resposta à terapia endócrina.[2,3]

Com o desenvolvimento de alternativas medicamentosas para o bloqueio dos receptores hormonais com moduladores seletivos dos receptores de estrógeno (tamoxifeno), supressão da síntese de estrógenos com agonistas de LHRH (goserelina) e inibidores da aromatase (anastrozol, letrozol e exemestane), esta modalidade de tratamento foi estabelecida no cenário metastático e adjuvante.

O tratamento hormonal é a intervenção mais importante do tratamento adjuvante, quando consideramos a magnitude do seu benefício em relação à quimioterapia, e a proporção de pacientes que são candidatas a essa terapia (65% dos casos na pré-menopausa e 80% dos casos na pós menopausa, tem receptores hormonais positivos.[4]

O objetivo da terapia endócrina adjuvante é prevenir o estímulo do estrógeno endógeno sobre eventuais células tumorais residuais (micrometástases) após a cirurgia.

O início do uso da medicação antiestrógeno deve ser após o término da quimioterapia e/ou radioterapia, quando indicadas. A melhor droga ou esquema de tratamento, assim como a duração do tratamento ainda não estão definidas. A abordagem mais utilizada é o uso de tamoxifeno nas pacientes na pré-menopausa e de inibidores da aromatase na pós-menopausa, ambos por 5 anos de tratamento.

OPÇÕES DE TRATAMENTO

Tamoxifeno

O tamoxifeno foi a terapia antiestrógeno padrão por mais de 20 anos e continua como tratamento de escolha para as pacientes na pré-menopausa. Esta estratégia leva a reduções relativas da taxas de recidiva de 41% e de morte por câncer de mama de 34% como mostra a metanálise do *Early Breast Cancer Trialists Collaborative Group* (EBCTCG) que avaliou 194 estudos randomizados comparando 5 anos de tamoxifeno adjuvante *versus* placebo, com acompanhamento das pacientes por 15 anos.[4]

A redução de risco absoluto de câncer de mama em 15 anos foi de 9,2%, e o aumento de risco de morte relacionado com os eventos adversos do tamoxifeno não comprometeu os benefícios do tratamento.

A diminuição do risco relativo de recidiva foi independente da idade *status* menopausal, estadiamento nodal, ou uso de quimioterapia adjuvante. Maior benefício foi observado nas mulheres com linfonodos axilares comprometidos, o que foi atribuído ao perfil de maior risco destas pacientes.

Além disso, foi observada uma redução relativa no risco anual de desenvolvimento de câncer de mama contralateral de 39%.

A recomendação é utilizar tamoxifeno 20 mg uma vez ao dia por 5 anos. Estudos com uso de doses maiores (30 mg ou 40 mg) apresentaram resultados similares a doses de 20 mg.[4] Em relação ao tempo de tratamento, os resultados com uso por 5 anos foram superiores a 2 anos,[5-8] e o aumento de incidência de efeitos adversos graves ocorreu com uso prolongado, sem ganho adicional de sobrevida livre de progressão ou sobrevida global.[9,10]

A eficácia é dependente da adesão ao tratamento, resistência ao tamoxifeno e interações medicamentosas. O tamoxifeno é metabolizado em endoxifeno, seu principal metabólito ativo pela enzima CYP2D6, medicamentos que são capazes de inibir esta enzima, classicamente os antidepressivos do grupo dos inibidores da recaptação da serotonina (como paroxetina e fluoxetina) devem ser evitados. Outros inibidores desta enzima são: quinidina, bupropiona, difenidramina e cimetidina.

O mecanismo de ação desta droga, antagonismo competitivo do estrógeno nos seus receptores, leva a efeitos benéficos, como a prevenção da desmineralização óssea e adversos, como aumento do risco de câncer de útero e eventos tromboembólicos. Outros eventos descritos são: fogachos, corrimento ou sangramento vaginal, sintomas gastrointestinais, irregularidade menstrual. Leucopenia e trombocitopenia transitórias foram observadas. Além disso, foram observados, também, distúrbios visuais, inclusive alterações da córnea, catarata e retinopatia. Deve ser contraindicado na gravidez e na lactação e avaliado risco-benefício em pacientes com doenças da retina ou história de evento tromboembólico.

Inibidores da aromatase

Os inibidores da aromatase (IA) como monoterapia não são efetivos na pré-menopausa e estão sendo avaliados em combinação com ablação ovariana nesta situação clínica.

Em mulheres na pós-menopausa os IA são mais efetivos em prevenir a recidiva precoce de câncer de mama (nos 2 primeiros anos após cirurgia)[11] que o tamoxifeno. Não está definida qual a melhor estratégia: se o uso de 5 anos de IA ou se o uso de tratamento sequencial após 2, 3 ou 5 anos de tamoxifeno.

A produção de estrógeno derivada de androgênio é feita pela enzima aromatase, e sua inibição reversível ou irreversível pelos IA leva à supressão dos níveis plasmáticos de estrógeno nas mulheres na pós-menopausa. Os agentes de terceira geração, como anastrozol, letrozol e exemestane, parecem ter eficácia semelhante.[12-14]

Os efeitos adversos mais observados são mialgia e artralgia, assim como osteoporose e aumento do risco de fraturas. Cerca de um terço das pacientes tem dor ou rigidez articular, o que pode levar à descontinuação do tratamento em 10-20% dos casos.[15] O acompanhamento da densidade mineral óssea deve orientar a necessidade de medidas preventivas, como suplementação de cálcio e vitamina D e/ou tratamento com bifosfonato. O tratamento com ácido zolendrônico a cada 6 meses pode prevenir a perda de massa óssea em pacientes tratadas com letrozol.[16]

Inibidores de aromatase *vs.* tamoxifeno

Dois grandes estudos compararam tamoxifeno *versus* IA desde o início do tratamento: *ATAC (Anastrozol, Tamoxifen alone or in combination)*[17] comparou tamoxifeno ou anastrozol por 5 anos isolado *versus* sua combinação; e o *BIG 1-98 (Multicenter Breast International Group)*[18] comparou letrozol com tamoxifeno isolados ou sequencialmente. Em ambos estudos os IA foram superiores ao tamoxifeno na sobrevida livre de progressão, mas não foi evidenciado ganho de sobrevida global estatisticamente significativo. O tempo de acompanhamento dos estudos é curto, e o benefício da sobrevida global ainda pode ser observado com futuras análises.

Análises de subgrupo do estudo *BIG 1-98* revelaram que o o letrozol era mais eficaz no grupo de pacientes com quatro ou mais linfonodos axilares positivos e alto grau de proliferação, nos dois estudos não houve diferença em relação à expressão de receptores de progesterona ou HER-2.

Tratamento Sequencial

O uso dos inibidores de aromatase após 2 ou 3 anos de tamoxifeno *versus* tamoxifeno isolado por 5 anos foi testado em pelo menos cinco grandes estudos. *Intergroup Exemestane Study (IES)*,[19] *ARNO-95 (Arimidex-Novaldex Trial)*[20] e *Italian Tamoxifen Anastrozol Trial*[21] randomizaram pacientes que estavam livres de recidiva após 2 a 3 anos de tamoxifeno. *BIG 1-98* e *ABCSG-8*[20] randomizaram as pacientes logo após a cirurgia para tratamento com monoterapia ou sequencial. Assim os três primeiros estudos excluíram pacientes com recaída precoce ou com tumores relativamente hormônio-resistentes e incluíram casos com doença menos agressiva. No entanto, os resultados de todos os estudos foram similares. As pacientes que usaram inibidores de aromatase sequencialmente tiveram uma redução de recidiva de câncer de mama de, aproximadamente, 25-30%. O risco de morte foi reduzido em todos os estudos no braço de tratamento sequencial, e esta redução foi estatisticamente significativa no estudo *IES* e no *ARNO-95*.

Adjuvância estendida

O uso de inibidores da aromatase em mulheres que estão em remissão após 5 anos de uso de tamoxifeno foi superior ao placebo. Letrozol, exemestane e anastrozol[22-24] foram testados como terapia estendida, e os resultados foram similares, com redução do risco de recidiva em torno de 30%; o estudo *MA-17*[23] demonstrou ganho de sobrevida global nas pacientes com axila positiva.

Supressão ovariana

A supressão ovariana pode ser feita pelo uso de análogos do hormônio liberador de gonadotrofinas (LHRH), como a goserelina, ou pela ablação ovariana por ooforectomia ou radioterapia. Neste último caso, a confirmação de menopausa com dosagem de níveis hormonais é indicada.

No tratamento adjuvante, a supressão ovariana foi inicialmente testada em combinação com a quimioterapia em comparação a quimioterapia isolada, antes de o tamoxifeno ser estabelecido como tratamento padrão.[25] O benefício da adição da supressão ovariana foi pequeno, o que foi atribuído à disfunção ovariana temporária ou permanente que pode ser causada pela quimioterapia. Por outro lado algumas evidências apontam que o uso de análogos do LHRH inibe o eixo hipófise-gonadal e pode preservar a função ovariana e a fertilidade após a quimioterapia.[26-27]

Posteriormente, a combinação de tamoxifeno com ablação ovariana foi comparada com quimioterapia adjuvante isolada[27-37] e se mostrou pelo menos tão efetiva quanto a quimioterapia adjuvante em mulheres com receptores hormonais positivos na pré-menopausa.

A comparação indireta sugere que a magnitude do benefício da ablação ovariana sem quimioterapia adicional é semelhante à observada com quimioterapia (incluindo esquemas com antraciclinas) ou tamoxifeno adjuvante em mulheres jovens.[25]

Especificamente nas mulheres na pré-menopausa ainda não está definido se a combinação desta estratégia com o uso de tamoxifeno é superior ao uso de tamoxifeno isolado, o que está sendo investigado no estudo *SOFT (Supression of Ovarian Function Trial)*.[38] A associação de análogos de LHRH com exemestane ou tamoxifeno também está sendo avaliada no estudo *TEXT (Tamoxifen and Exemestane Trial)*.[39] Alternativas ao tamoxifeno na pré-menopausa são necessárias, quando se apresenta alguma contraindicação ao seu uso.

Tratamento adjuvante hormonal em homens

A incidência de câncer de mama em homens corresponde a 0,7% dos casos. As recomendações de tratamento são semelhantes.[40] Aproximadamente 80% dos casos tem receptores hormonais positivos e indicação de tratamento adjuvante. Existem apenas dados retrospectivos sobre a eficácia de tamoxifeno na sobrevida livre de progressão e na sobrevida global. Anastrozol não teve benefício em algumas séries de tratamento de doença metastática.[41] Dessa forma, o tamoxifeno por 5 anos permanece como tratamento adjuvante padrão para homens com câncer de mama.

PONTOS-CHAVE

- O tratamento hormonal adjuvante reduz o risco de recidiva e de morte por câncer de mama nas mulheres e com receptores hormonais positivos.
- Na pré-menopausa a opção mais utilizada é o tamoxifeno por 5 anos. A ablação/supressão ovariana é uma alternativa que pode ser utilizada. A combinação destas opções está em estudo.
- Na pós-menopausa o tratamento com IA por 5 anos é a opção mais utilizada. O tamoxifeno por 5 anos pode ser uma alternativa se existe contraindicação ou intolerância aos IA.
- As estratégias de tratamento sequencial ou adjuvância estendida podem ser utilizadas nas pacientes de maior risco (axila positiva) que entram na menopausa durante o uso do tamoxifeno.
- O tratamento hormonal deve ser iniciado após o término da quimio e radioterapia.

REFERÊNCIAS BIBLIOGRÁFICAS

1. Beatson GT. On the treatment of inoperable cases of carcinoma of the mamma: suggestions for a new method of treatment. *Lancet* 1896;2:104-7, 162-65.
2. Harvey JM, Clark GM, Osborne CK et al. Estrogen receptor status by immunohistochemistry is superior to the ligand-binding assay for predicting response to adjuvant endocrine therapy in breast cancer. *J Clin Oncol* 1999;17:1474-81.
3. Mohsin SK, Weiss H, Havighurst T et al. Progesterone receptor by immunohistochemistry and clinical outcome in breast cancer: avalidation study. *Mod Pathol* 2004;17:1545-54.
4. Early breast cancer trialists collaborative group (EBCTCG): effects of chemotherapy and hormonal therapy for early breast cancer on recurrence and 15-year survival: an overview of the randomized trials. *Lancet* 2005;365:1687-717.
5. Stewart HJ, Prescott RJ, Forrest AP. Scottish adjuvant tamoxifen trial: a randomized study updated to 15 years. *J Natl Cancer Inst* 2001;93:456.
6. Delozier T, Spielmann M, Macé-Lesec'h J et al. Tamoxifen adjuvant treatment duration in early breast cancer: initial results of a randomized study comparing short-term treatment with long-term treatment. Fédération Nationale des Centres de Lutte Contre le Cancer Breast Group. *J Clin Oncol* 2000;18:3507.
7. Randomized trial of two versus five years of adjuvant tamoxifen for postmenopausal early stage breast cancer. Swedish Breast Cancer Cooperative Group. *J Natl Cancer Inst* 1996;88:1543.
8. Belfiglio M, Valentini M, Pellegrini F et al. Twelve-year mortality results of a randomized trial of 2 versus 5 years of adjuvant tamoxifen for postmenopausal early-stage breast carcinoma patients (SITAM 01). *Cancer* 2005;104:2334.
9. Tormey DC, Gray R, Falkson HC. Postchemotherapy adjuvant tamoxifen therapy beyond five years in patients with lymph node-positive breast cancer. Eastern Cooperative Oncology Group. *J Natl Cancer Inst* 1996;88:1828.
10. Peto R, Davies C et al. ATLAS (Adjuvant Tamoxifen, Longer Against Shorter): International randomized trial of 10 versus 5 years of adjuvant tamoxifen among 11,5000 women- preliminary results (abstract 48). Data presented at the 30th annual San Antonio Breast Cancer Symposium, December 14, 2007. (Abstract available online at www.abstracts2view.com/sabcs/(accessed May 13, 2011).
11. Seruga B, Amir E. Cytochrome P450 2D6 and outcomes of adjuvant tamoxifen therapy: results of a meta-analysis. *Breast Cancer Res Treat* 2010;122:609.
12. Smith IE, Dowsett M. Aromatase inhibitors in breast cancer. *N Engl J Med* 2003;348:2431.
13. Dowsett M, Cuzick J, Ingle J et al. Meta-analysis of breast cancer outcomes in adjuvant trials of aromatase inhibitors versus tamoxifen. *J Clin Oncol* 2010;28:509.
14. Lønning PE. The potency and clinical efficacy of aromatase inhibitors across the breast cancer continuum. *Ann Oncol* 2011;22:503.
15. Whelan TJ, Goss PE, Ingle JN et al. Assessment of quality of life in MA.17: a randomized, placebo-controlled trial of letrozole after 5 years of tamoxifen in postmenopausal women. *J Clin Oncol* 2005;23:6931.

16. Brufsky A, Harker WG, Beck JT et al. Zoledronic acid inhibits adjuvant letrozole-induced bone loss in postmenopausal women with early breast cancer. J Clin Oncol 2007;25:829-36.
17. Forbes JF, Cusick J, Buzdar A et al. Effect of anastrozole and tamoxifen as adjuvant treatment for early-stage breast cancer: 100-month analysis of the ATAC trial. Lancet Oncol 2008;9:45-53.
18. Coates AS, Keshaviah A, Thurlimann B et al. Five years of letrozole compared with tamoxifen as initial adjuvant therapy for postmenopausal women with endocrine-responsive early breast cancer: update of study BIG1-98. J Clin Oncol 2007;25:486-92.
19. Coombes RC, Kilburn LS, Snowdon CF et al. Survival and safety of exemestane versus tamoxifen after 2-3 years' tamoxifen treatment (Intergroup Exemestane Study): a randomised controlled trial. Lancet 2007;369:559-70.
20. Jakesz R, Jonat W, Gnant M et al. Switching of postmenopausal women with endocrine-responsive early breast cancer to anastrozole after 2 years' adjuvant tamoxifen: combined results of ABCSG trial 8 and ARNO-95 trial. Lancet 2005;366:455-62.
21. Boccardo F, Rubagotti A, Guglielmini P et al. Switching to anastro zole versus continued tamoxifen treatment of early breast cancer. Updated results of the Italian tamoxifen anastrozole (ITA) trial. Ann Oncol 2006;17(Suppl 7):vii10-14.
22. Jonat W, Gnant M, Boccardo F et al. Effectiveness of switching from adjuvant tamoxifen to anastrozole in postmenopausal women with hormone-sensitive early-stage breast cancer: a meta-analysis. Lancet Oncol 2006;7:991-96.
23. Goss PE, Ingle JN, Martino S et al. Randomized trial of letrozole following tamoxifen as extended adjuvant therapy in receptor-positive breast cancer: updated ?ndings from NCIC CTG MA.17. J Natl Cancer Inst 2005;97:1262-71.
24. Mamounas E, Jeong JH, Wickerham DL et al. Bene?t from exemestane (EXE) as extended adjuvant therapy after 5 years of tamoxifen (TAM): intent-to-treat analysis of NSABP B-33. Breast Cancer Res Treat 2006;100(Suppl 1):S22 (abstract 49).
25. Early Breast Cancer Trialists' Collaborative Group: Ovarian ablation in early breast cancer: Overview of the randomised trials. Lancet 1996;348:1189-96.
26. Mardesic T, Snajderova M, Sramkova L et al. Protocol combining GnRH agonists and GnRH antagonists for rapid suppression and prevention of gonadal damage during cytotoxic therapy. Eur J Gynaecol Oncol 2004;25:90-92.
27. Pereyra Pacheco B, Mendez Ribas JM, Milone G et al. Use of GnRH analogs for functional protection of the ovary and preservation of fertility during cancer treatment in adolescents: A preliminary report. Gynecol Oncol 2001;81:391-97.
28. Jakesz R, Hausmaninger H, Kubista E et al. Randomized adjuvant trial of tamoxifen and goserelin versus cyclophosphamide, methotrexate, and fluorouracil: Evidence for the superiority of treatment with endocrine blockade in premenopausal patients with hormone-responsive breast cancer—Austrian Breast and Colorectal Cancer Study Group Trial 5. J Clin Oncol 2002;20:4621-27.
29. Boccardo F, Rubagotti A, Amoroso D et al. Cyclophosphamide, methotrexate and fluorouracil versus tamoxifen plus ovarian suppression asadjuvant treatment of estrogen receptor positivepre-/perimenopausal breast cancer patients: Results of the Italian Breast Cancer Adjuvant Study Group 02 randomized trial. J Clin Oncol 2000;18:2718-27.
30. Roché H, Mihura J, de Lafontan B et al. Castration and tamoxifen versus chemotherapy (FAC) for premenopausal, node and receptors positive breast cancer patients: A randomized trial with a 7 years median follow up. Proc Am Soc Clin Oncol 1996;15:117, (abstr 134).
31. Roché HH, Kerbrat P, Bonneterre J et al. Complete hormonal blockade versus chemotherapy in premenopausal early-stage breast cancer patients (pts) with positive hormone-receptor (HR) and 1-3 node-positive (N) tumor: results of the FASG 06 trial. Proc Am Soc Clin Oncol 2000;19:72a, (abstr 279).
32. Rutqvist LE. Zoladex and tamoxifen as adjuvant therapy in premenopausal breast cancer: A randomized trial by the Cancer Research Campaign (C.R.C.) Breast Cancer Trials Group, the Stockholm Breast Cancer Study Group, the South-East Sweden Breast Cancer Group & the Gruppo Interdisciplinare Valutazione Interventi in Oncologia (G.I.V.I.O). Proc Am Soc Clin Oncol 1999;18:67a, (abstr 251).
33. Davidson NE, O'Neill A, Vukov A et al. Chemohormonal therapy in premenopausal node-positive, receptor-positive breast cancer: An Eastern Cooperative Oncology Group phase III intergroup trial (E5188,INT-0101). Proc Am Soc Clin Oncol 2003;22:5, (abstr 15).
34. Love RR, Duc NB, Binh NG et al. Oophorectomy and tamoxifen adjuvant therapy in premenopausal Vietnamese and Chinese women with operable breast cancer. Proc Am Soc Clin Oncol 2001;20:26a, (abstr 99).
35. Arriagada R, Le MG, Spielmann M et al. Randomized trial of adjuvant ovarian suppressionin 926 premenopausal patients with early breast cancer treated with adjuvant chemotherapy. Proc Am Soc Clin Oncol 2003;22:4, (abstr 14) 80.
36. Bianco AR, Costanzo R, Di Lorenzo G et al. The Mam-1 GOCSI trial: a randomised trial with factorial design of chemo-endocrine adjuvant treatment in node-positive nearly breast cancer (EBC). Proc Am Soc Clin Oncol 2001;20:27a, (abstr 104).
37. International Breast Cancer Study Group. Randomized controlled trial of ovarian function suppression plus tamoxifen versus the same endocrine therapy plus chemotherapy: Is chemotherapy necessary for premenopausal women with node-positive, endocrine responsive breast cancer? First results of International Breast Cancer Study Group Trial 11-93. Breast 2001;10 (Suppl 3):130-38.
38. http://www.clinicaltrials.gov.ct2/show/NCT00066690
39. http://www.clinicaltrials.gov.ct2/show/NCT00066807
40. Kamila C, Jenny B, Per H et al. How to treat male breast cancer. Breast 2007;16:147-54.
41. Giordano SH, Perkins GH, Broglio K et al. Adjuvant systemic therapy for male breast carcinoma. Cancer 2005;104:2359-64.

SEÇÃO XI
Tratamento Radioterápico no Câncer de Mama

CAPÍTULO 144
Radioterapia Intraoperatória no Câncer de Mama

Telmo Alves Justo ■ João Carlos Arantes Junior ■ Adriana de Souza Sérgio Ferreira
Sérgio Calzavara ■ Jordana Bretas de Aquino

INTRODUÇÃO

Por muito tempo, desde as publicações dos estudos de Umberto Veronesi (Milan I), a irradiação inteira da mama foi utilizada para reduzir o risco de recidiva ipsilateral de câncer em mulheres submetidas à cirurgia conservadora. Passou a constituir, desde a década de 1970, protocolo de adjuvância, ao incrementar índices de sobrevida e redução nas taxas de mortalidade de 16% em 15 anos.[1-10] A radioterapia convencional no tratamento do câncer de mama inclui dose de 50 Gy adicionada a 16 Gy, denominada *boost* para volumes menores.[8]

Nos anos de 1920, Sir Geoffrey Keynes usou agulhas de rádio intersticial para tratar tumores de mama e linfáticos regionais. O benefício resultou em menor volume de irradiação e diminuição da distância entre a fonte e o ponto de lesão.[9]

Tumores detectados cada vez mais precoces requerem tratamentos de menor radicalidade/agressividade.[10] Neste contexto, a radioterapia apresenta importantes avanços tecnológicos e aumento significativo da precisão, direcionada para alvos bem definidos.

O protocolo B-17 do NSABP demonstrou que radioterapia após nodulectomia reduz a recidiva, tanto de doença *in situ* como invasiva.[9] Cerca de 3% das pacientes submetidas à cirurgia conservadora apresentarão recidiva no local da segmentectomia a partir do local primário de doença,[9,11] e 75% ocorrem próximo ao sítio da lesão primária.[11]

A radioterapia convencional é administrada em toda a mama residual, sendo o tratamento realizado em 5 ou 6 semanas, totalizando 50 Gy distribuídos em 25 a 30 frações.[7,9] Em 1992, 45% das pacientes com diagnóstico de carcinoma ductal *in situ* (CDIS) receberam radioterapia, aumentando para 54% 7 anos depois. Cerca de um terço das pacientes afro-americanas com CDIS comedo têm menos chances de receber radioterapia. Idade e localização geográfica podem influenciar nesta condição. APBI (*Accelerated Partial Breast Irradiation*) com MammoSite pode ser uma alternativa nestes casos. Tecnicamente utilizável, permite duração de tratamento menor.[7,12] Desde 1990, diversas investigações evidenciaram a eficácia e a segurança da APBI.[9] O número de pacientes submetidas à braquiterapia (mammosite, uma forma de APBI) aumentou 10 vezes do início até o final da década passada.[13]

Em maio de 2002, o FDA aprovou o uso do MammoSite com cateter, como modalidade de irradiação parcial da mama.[11,13-15]

APBI – *Irradiação Acelerada Parcial da Mama* – constitui alternativa recente, diminuindo o tempo de tratamento e a dose que acomete áreas não envolvidas da mama e de outros órgãos, como coração e pulmão. Contudo, há desvantagens como o não envolvimento de possíveis focos da doença no restante da mama. Não obstante, não há evidências nível "A" que suportem a ampliação do método em pacientes não incluídas nos ensaios clínicos.[7,9,16,17]

MODALIDADE IDEAL DE APBI

APBI[15,17] é definida como radioterapia que utiliza frações maiores que 1,8-2,0 Gy por dia por período menor que 5-6 semanas.

Baseia-se em quatro técnicas:

1. Braquiterapia intersticial (multicatéter).
2. Dispositivo MammoSite (Próxima Therapeutics, Inc. Alpharetta, GA).
3. Emissão de radiação tridimensional externa conformacional.
4. Radioterapia intraoperatória de dose única com prótons ou elétrons.

Cada modalidade de APBI[7,18-21] apresenta aspectos técnicos e dosimétricos diferentes. Até o momento, a braquiterapia intersticial é a mais estudada. O MammoSite, a radioterapia intraoperatória e a 3D-CRT/IMRT (radioterapia conformacional tridimensional/radioterapia de intensidade modulada) também já apresentam estudos de acompanhamento com algum nível de evidência. Ainda assim, a despeito da efetividade e da toxicidade, não há dados suficientes para que a ASTRO (*American Society for Radiation Oncology*) recomende uma ou outra técnica. O volume de mama tratado e a irradiação de tecido sadio vizinho acometido são semelhantes entre as modalidades de APBI.[22]

O MammoSite, técnica de APBI mais amplamente utilizada,[23] parece apresentar algumas vantagens dosimétricas sobre a emissão de elétrons, assim como a cobertura adequada da área a ser irradiada.[24] Não obstante, observa-se enorme variedade de resposta tecidual às diferentes modalidades e doses de radioterapia.[25]

O MammoSite foi idealizado a partir de dificuldades observadas com a braquiterapia intersticial[26-29] e com a radioterapia de mama inteira.[30]

Em função de sua natureza não invasiva,[15] a radioterapia de campo externo apresenta menores índices de infecção e seroma. A APBI, por sua vez, distribui menor dose de irradiação aos tecidos saudáveis vizinhos à mama, como coração e pulmão. A dose cutânea da braquiterapia, indubitavelmente, excede aquela da radioterapia de campo total. Portanto, cuidados, principalmente no que se refere à distância da pele, devem ser dedicados à primeira.

Os requisitos mínimos para os planejamentos terapêutico e dosimétrico da APBI são:

- Profissionais com experiência técnica para direcionamento da dose, de modo efetivo e seguro, ao alvo da terapia.
  - Delineamento do alvo da terapia.
  - Direcionamento da dose prescrita.
  - Otimização e homogeneização da dose.
  - Limitação da dose aos tecidos vizinhos.
  - Uso de programa de segurança qualificado que verifique se a dose prescrita está acuradamente direcionada.

- TC para avaliação do volume clínico a ser irradiado, incluindo no mínimo 1 e no máximo 2 cm de tecido mamário circunjacente. A premissa é de que, no mínimo, 90% do tecido-alvo seja coberto por 90% da dose prescrita.

Para o MammoSite a recomendação é de 34 Gy, fracionados em 10 doses de 3,4 Gy, por 5 a 7 dias, com intervalo mínimo de 6 horas entre cada aplicação.[7,12] Esquemas de fracionamento alternativos podem ser aceitos desde que sejam com doses biologicamente equivalentes.

Até 2009, mais de 32.000 mulheres foram tratadas com MammoSite.[7] Com o incremento de sua utilização, é possível que outras indicações surjam a partir de novos ensaios clínicos. Hoje, os critérios de elegibilidade devem ser respeitados para a correta aplicação da tecnologia.

A ASTRO reconhece as atuais limitações do método e que avanços ocorrerão para buscar novas indicações.[31] O órgão preparou documento, publicado em 2009 (*Int. J. Radiation Oncology Biol. Phys*), propondo protocolo para adoção de APBI como tratamento adjuvante de pacientes submetidas à cirurgia conservadora de câncer de mama. Compreende a denominada *Accelerated Partial Breast Irradiation Consensus Statement Task Force of the Health Services Research Committee of the American Society for Radiation Oncology*. Estabeleceu critérios para o uso de APBI em situações fora de ensaios clínicos.[32]

Para utilização do MammoSite, dois aspectos impulsionam a expansão das indicações: 1) possibilidade de otimização do número de cirurgias conservadoras por permitir maior aderência das pacientes ao tratamento adjuvante; 2) a radioterapia total da mama, por princípio, não está indicada para erradicar doença macroscópica residual.[9]

Ainda assim, não há diferença estatisticamente significativa na sobrevida entre pacientes tratadas com braquiterapia e irradiação de mama inteira.

POTENCIAIS VANTAGENS DA APBI[9,33-35]

Aumento do número de mulheres submetidas à irradiação parcial da mama

Diversas pacientes deixam de realizar radioterapia em razão de:

- Prolongado tempo de 6 semanas de tratamento.
- Impossibilidade de deslocamento de casa.
- Custo do deslocamento.
- Limitações físicas, incluindo idade.

Nos EUA, a taxa de adesão à radioterapia varia de 60 (Iowa) a 81% (Seatle). Mais de 20% das pacientes tratadas com cirurgia conservadora nos EUA não foram submetidas à radioterapia. Mulheres mais velhas apresentam maior probabilidade de não fazer radioterapia após cirurgia conservadora. APBI pode otimizar a utilização da radioterapia.

Potencial conservação da mama após recidiva local

Até o momento, recidiva local, pós-tratamento conservador, significa mastectomia. APBI pode permitir novo procedimento conservador em mulheres com recidiva. A terapêutica pode envolver tanto braquiterapia adicional como radiação de mama inteira.

Razões biológicas para APBI

Pacientes submetidas à cirurgia conservadora necessitam de adequado controle local. Terapia inadequada pode levar à falha local de tratamento. Permanece controverso a relação entre terapia local inadequada e desenvolvimento de metástase a distância e subsequente óbito, seguida de recidiva local.

Pacientes, candidatas à quimioterapia, poderão ter sua radioterapia retardada por 5 a 6 meses. Portanto, realizar braquiterapia em 4 a 5 dias traria vantagens importantes.

Localização das recidivas locais após conservação da mama

A proposta de irradiação após cirurgia conservadora da mama é prevenir recidiva local. O cálculo do volume de mama irradiado é fundamentado no volume teórico da mama. Em geral, toda a mama é considerada de risco, e todo o volume é incluído no tratamento. No entanto, a maioria das recidivas locais do câncer de mama ocorre na região próximo à lumpectomia prévia, com ou sem irradiação adjuvante. O percentual de recidivas na vizinhança da lumpectomia primária varia de 44 a 86% (média de 71%). Protocolo B-06 do NSABP demonstrou que 75% das recidivas ocorrem próximo ou na própria região de lumpectomia. A taxa média de recidiva foi de 3,3% (0,6 a 5,8%).[9] O risco de desenvolvimento de um segundo tumor primário fora da área do tumor original (tumor mamário primário ipsilateral) é semelhante ao risco de desenvolvimento de câncer de mama contralateral. Nos casos de DCIS a apresentação é a mesma: 3% recorrem, e 75 a 80% ocorrem no sítio original da doença.

Incidência de ocorrência simultânea de carcinoma no local da mama próximo à localização do tumor primário

Incidência de multifocalidade e multicentricidade. Irradiando-se somente uma porção da mama, qual o risco de doença na porção não tratada?

Tumores maiores que 2 cm apresentam maior risco de lesão residual distante do tumor primário. Outro dado importante é o componente intraductal extenso (44% dos casos com EIC apresentam carcinoma intraductal residual contra 3% dos casos sem EIC).

Mulheres com menos de 40 anos apresentam maior risco de tumor distante do tumor primário. Alguns autores acreditam que DCIS apresenta maior risco de multicentricidade ou multifocalidade do que o carcinoma invasivo, não confirmado pelos dados da literatura.

Pacientes com menor probabilidade de tumor residual além de 2 cm do núcleo do tumor: ausência radiográfica de calcificações ou densidade tumoral ao redor do núcleo tumoral, margem microscopicamente livre de 1 cm ou mais, idade acima de 40 anos, ausência de carcinoma lobular ou componente intraductal extenso, pacientes sem DCIS puro.

Estudo fase II do *National Institute of Oncology*, na Hungria, acrescentou que ausência de doença axilar também diminui o risco de recidiva.

Equivalência de irradiação pós-lumpectomia padronizada e fração-acelerada

Em 2002, estudo canadense com 1.234 mulheres comparou irradiação de mama total de 3 semanas com a de 5 a 6 semanas. Constatou que o controle local e o resultado cosmético foram similares. Porém, a terapia com período reduzido foi mais conveniente e ocasionou menos reconvocação por inadimplência. Este conceito tem base radiobiológica: maior dose por fração por menor período pode ser mais efetiva. Portanto, APBI pode ser mais efetivo do que a irradiação por longo período.

APBI x radioterapia de mama inteira[9]

- Quatro a 5 dias, por 6 semanas.
- Menor exposição de tecido mamário normal.
- Melhor acessibilidade de pacientes idosos e pacientes com residência distante.
- Menor atraso da quimioterapia.
- Menor custo.

Questões

- Ótima seleção de paciente.
- Volume de tratamento adequado.
- Segurança a longo prazo.
- Eficácia.

MAMMOSITE

Braquiterapia com balão intracavitário[9,11,35,36] utiliza dispositivo de HDR, denominado MammoSite (MammoSite RTS: próxima Therapeutics Alpharetta, GA), contendo balão inflável e colocado na cavidade resultante da lumpectomia no momento da cirurgia. Pode ser inserido também no pós-operatório, quando o estudo definitivo da margem é conhecido. Provê bom resultado cosmético com mínima toxicidade. Ótimos resultados foram obtidos com adequada distância dispositivo-pele (maior ou igual a 7 mm). Um dos grandes problemas é a heterogeneidade da natureza das patologias mamárias.

Assemelha-se a catéter de Folley, com 15 cm de extensão e 6 mm de calibre, podendo inflar 4 a 5 cm de diâmetro, que comportaria de 30 a 70 mL de solução salina. Na injeção, associa-se contraste radiológico para avaliação do posicionamento. O balão deve adaptar-se à cavidade da segmentectomia, para que a dose prescrita atinja uniformemente 1 cm além da superfície. Distância da pele menor que 1 cm acarretará dose maior do que a suportável, causando lesão no tegumento. Sugere-se que o parênquima superficial, entre o balão e a pele, seja aproximado com pontos de sutura para que haja distância suficiente entre eles. Antes de insuflar o balão, deve haver idealmente pelo menos 2 cm entre balão e pele, pois após a insuflação observar-se-á adelgaçamento. O MammoSite apresenta limitação em relação à conformação do tamanho com a forma da cavidade. Não raro, a cavidade da lumpectomia não é regularmente redonda. A ótima lumpectomia para inserção do MammoSite seria aquela em que excisar-se-ia tecido sadio concentricamente suficiente ao redor do tumor. Ultrassonografia na avaliação prévia e também na confirmação pós-operatória imediata da margem pode ser útil.[9,11] Edmundson[9] relata que o MammoSite só é efetivo, se a remoção de tecido for até 50 mL, porém em geral, o volume retirado é maior (em média 65 mL). Comete-se erro importante ao se remover menor quantidade de tecido para adequar o uso do MammoSite, podendo ocasionar maior número de recidivas. Espaço e conformação da cavidade devem ser avaliados por tomografia computadorizada.[36,37] O ponto de inserção do catéter é importante referencial para drenagem de secreções; a superfície do balão deve estar totalmente em contato com a superfície da cavidade da lumpectomia, o que pode não ocorrer na presença de seroma. A deformação do balão[36] na cavidade não deve exceder 2 mm.

Critérios de elegibilidade, indicações e acompanhamento

O tratamento cirúrgico conservador da mama produz os mesmos resultados de prognóstico da mastectomia nos casos de carcinoma inicial. O objetivo da irradiação de mama inteira é atingir presumível doença microscópica oculta.[7] O esquema de hipofracionamento acelerado de irradiação da mama é uma alternativa interessante para pacientes selecionadas. O MammoSite está indicado como método simples de realizar a braquiterapia.[9]

Entre 20 e 25% das pacientes submetidas à cirurgia conservadora de câncer de mama são candidatas para receber braquiterapia com balão do MammoSite.[38]

Limitando-se o volume de mama exposto à irradiação, observam-se algumas vantagens dosimétricas, como a mínima ou nenhuma exposição das estruturas normais vizinhas (pulmão e coração).

A maioria das recidivas ocorre próximo ao leito tumoral.[1]

O controle local da doença pode ser comparável quando se utiliza APBI pós-cirurgia, tanto no que se refere aos resultados cosméticos, quanto à toxicidade a longo prazo.[9,14] Estudos fases I e II: estudos sugerem que toxicidade, resultado cosmético e controle local são comparáveis com os da radioterapia de mama total.[9]

Nos últimos anos, observa-se aumento do interesse de clínicos e pacientes pela técnica do balão intracavitário, que oferece potenciais vantagens sobre a tradicional braquiterapia intersticial.[9]

A ASTRO definiu os critérios de elegibilidade das pacientes submetidas à cirurgia conservadora quanto à APBI:[7,39-41]

Há três grupos de pacientes:

1. Adequado para APBI *(suitable)* (Quadro 1).
2. APBI com cautela *(cautionary)*: pacientes que podem ser consideradas para utilização de APBI, mesmo fora dos critérios de elegibilidade definidos pelos ensaios clínicos (Quadro 2).
3. APBI não adequado *(insuitable)*: grupo em que a APBI não deve ser considerada (Quadro 3).

A classificação em um desses três grupos visa identificar pacientes submetidas à cirurgia conservadora com baixo risco para doença oculta. Não estão incluídos outros critérios, como resultado cosmético e toxicidade.[7]

Pacientes candidatas para APBI devem ser suficientemente informadas de que a irradiação de mama inteira encerra método de tratamento bem estabelecido e consolidado, com muitos anos de utilização.

Quadro 1. Grupo 1 – Pacientes adequadas para APBI *(suitable)*

SE TODOS OS CRITÉRIOS ESTÃO PRESENTES	
FATOR	CRITÉRIO
I. DO PACIENTE	
Idade	60 ou mais
Mutação BRCA1/2	Ausente
II. PATOLÓGICO	
Tamanho tumoral	Até 2 cm
T (TNM)	T1
Margens	Negativas, no mínimo 2 mm
Grau histológico	Todos
Invasão linfovascular	Negativa
Receptor estrógeno	Positivo
Uni/multicentricidade	Unicentricidade somente
Uni/multifocalidade	Clinicamente unifocal (tamanho até 2 cm)
Histologia	Ductal invasivo (ou outro subtipo favorável)
CDIS puro	Não
Comp. intraductal extenso	Não
CLIS associado	Permitido
III. LINFONODAL	
Estado linfonodal (TNM)	pN0 (i⁻, i⁺)
Cirurgia do(s) linfonodo(s)	Biópsia do linfonodo sentinela Linfadenectomia axilar completa
IV. DO TRATAMENTO	
Terapia neoadjuvante	Não

Obs.: Pacientes com foco isolado de metástase linfonodal (< 0,2 mm) são consideradas axila-negativas pelo AJCC).

Quadro 2. Grupo 2 – Pacientes adequadas com precaução para APBI *(cautionary)*

ALGUNS DOS CRITÉRIOS INVOCAM ATENÇÃO E CUIDADO ESPECIAL NA CONSIDERAÇÃO PARA ADOÇÃO DA APBI	
FATOR	CRITÉRIO
I. DO PACIENTE	
Idade	59 a 59 anos
II. PATOLÓGICO	
Tamanho tumoral	2,1 a 3 cm
T (TNM)	T0 ou T2
Margens	Próximas (menor que 2 mm)
Invasão linfovascular	Presente (limitada ou focal)
Receptor estrógeno	Negativo
Uni/multicentricidade	Unicentricidade somente
Uni/multifocalidade	Clinicamente unifocal (entre 2,1 e 3 cm)
Histologia	Lobular invasivo
CDIS puro	Até 3 cm
Comp. intraductal extenso	Até 3 cm

Observações:
1. Tamanho tumoral e do componente tumoral invasivo definidos pela AJCC (*American Joint Committee on Cancer*).
2. A multifocalidade microscópica pode ser considerada unifocalidade clínica quando a avaliação clínica por exame físico, ultrassonografia ou mamografia evidencia lesão única. O tamanho total da lesão (incluindo a área de multifocalidade e o parênquima circunjacente não excederem 2 cm para o Grupo 1 e estarem entre 2,1 e 3 cm no Grupo 2).
3. Subtipos considerados favoráveis: carcinomas medular, tubular e coloide.

Quadro 3. Grupo 3 – Pacientes não adequadas para APBI *(not suitable)*

SE TODOS OS CRITÉRIOS ESTÃO PRESENTES	
FATOR	CRITÉRIO
I. DO PACIENTE	
Idade	Abaixo de 50 anos
Mutação BRCA1/2	Presente
II. PATOLÓGICO	
Tamanho tumoral	Maior que 3 cm
T (TNM)	T3-4
Margens	Positivas
Grau histológico	Todos
Invasão linfovascular	Positiva
Receptor estrógeno	Positivo
Multicentricidade	Presente
Multifocalidade	Maior que 3 cm – clinicamente multifocal
CDIS puro	Acima de 3 cm
Comp. intraductal extenso	Acima de 3 cm
III. LINFONODAL	
Estado linfonodal (TNM)	pN1, N2, N3
Cirurgia do(s) linfonodo(s)	Nenhuma técnica realizada
IV. DO TRATAMENTO	
Terapia neoadjuvante	Sim (já aplicada)

Os critérios para utilização de APBI basearam-se na análise de 645 artigos (inicialmente 3.831), que incluíram quatro ensaios clínicos randomizados e 38 estudos prospectivos.

Para se aventar a indicação de APBI, fora de ensaios clínicos, deve-se considerar que (além da indicação de cirurgia conservadora):

- Não haja qualquer tipo de radioterapia prévia.
- Paciente não ser portadora de doenças vasculares do colágeno.
- Paciente não gestante.
- Haja possibilidade de acompanhamento a longo prazo para avaliação de recidivas, segundo tumor primário e toxicidade.

Avaliações[39]

1. Recidiva tumoral na mama ipsilateral.
2. Falha no linfonodo regional.
3. Metástase a distância.
4. Sobrevida livre de doença.
5. Sobrevida causa-específica.
6. Sobrevida geral.

Pacientes[7] abaixo de 50 anos, receptor negativo e pN1 podem ser encorajadas a participar de ensaios clínicos para indicação de APBI. A invasão do espaço linfovascular parece encerrar importante fator para determinação de doença residual após tratamento conservador. Pacientes portadoras de tumores multifocais, definidos como focos separados de câncer dentro do mesmo quadrante ou na vizinhança, podem receber APBI se toda a extensão da doença estiver compreendida no raio de atuação do dispositivo. Pacientes com unifocalidade clínica (somente uma lesão de câncer identificada por métodos clínicos, de ultrassonografia ou de mamografia, porém multifocal à histopatologia com tamanho tumoral – incluindo a área de multifocalidade patológica e o parênquima circunjacente – até 2 cm) podem ser incluídas no Grupo 1 (adequadas para APBI). Se essa extensão estiver entre 2,1 e 3 cm, a paciente enquadra-se no Grupo 2 (adequada com precauções). Acima de 3 cm, no Grupo 3 (não adequadas).

CRITÉRIOS DE ELEGIBILIDADE PARA BRAQUITERAPIA[9,13,14,23,36,42-45]

Pacientes elegíveis para o procedimento são aquelas nos estágios 0, I e II, definidas pela União Internacional contra o Câncer de Mama (*Guidelines*, quinta edição).

- Ressecção total da lesão, macroscopicamente:
  - Reexcisão, se necessário, para obter margem cirúrgica negativa (maior ou igual a 2 mm).
- Parâmetros:
  - Tamanho tumoral.
  - Estado linfonodal.
  - Idade da paciente.
  - Margem da excisão.
  - Estado dos receptores de estrógeno.
  - Uso de tamoxifeno.
- Critérios:
  - Tumores menores que 3 cm.
  - Sem EIC.
  - Margens microscopicamente negativas.
  - Sem achado de microcalcificações na mamografia por segmentectomia.
  - No máximo, três linfonodos positivos na axila, nenhum com extravazamento extracapsular.
- Critérios de elegibilidade para o MammoSite:[9,13,42,43]
  - Idade acima de 45 anos.
  - Ausência de metástases axilares ou até 3+.
  - Margens de ressecção cirúrgica histopatologicamente negativas (critérios definidos pelo NSABP).
  - Distância mínima do balão à superfície da pele = 5 mm.
  - Estadiamento clínico 0, I ou II.
  - Tumores até 3 cm.
- Recomendações da ASBS (*American Society of Breast Surgeons*):[46,11]
  - Idade Igual Ou Superior A 50 Anos.
  - CDIS ou CDI.
  - Tamanho tumoral até 2 cm.
  - Margem cirúrgica negativa.
  - Estado linfonodal negativo.
- Outros critérios de elegibilidade citados:
  - DCIS acima de 4,5 cm medido pela Mx.
  - Colocação do balão até 10 semanas após a lumpectomia.
  - Um dos diâmetros pós-lumpectomia de, no mínimo, 3,0 cm.
- Critérios técnicos:
  a) Distância do aplicador à pele:
    - Mínimo: 5 mm.
    - Preferível: 7 mm.
  b) Dose prescrita: 1 cm ao redor da cavidade da lumpectomia.
  c) Simetricidade do centro do catéter.
  d) Diâmetro aceitável: de 4 a 6 cm, correspondendo entre 35 e 125 mL
  e) Dose: 34 Gy, em doses fracionadas, 2 ×/dia, com intervalo mínimo de 6 horas, por 5 a 7 dias.[11,15]
- Critérios de exclusão:[11,47,48]
  - Problemas com a conformidade da cavidade.
  - Distância até a pele subideal.
  - Margem de ressecção positiva.
  - Componente intraductal extenso.
  - Preferência da Paciente.
  - Infecção.
  - Doença vascular do colágeno.
  - Previsão de distância pele-balão insuficiente.
  - Cavidade de tamanho excessivo.
  - Conformação inadequada da cavidade.
  - Histopatologia de lesão lobular invasiva.
  - CDIS.*
  - Áreas de CLIS clinicamente significativas.
    Nessas pacientes, admite-se fazer APBI se houver recusa em fazer mastectomia e/ou radioterapia de mama inteira.

---

*Carcinoma ductal *in situ* não apresenta consenso quanto aos critérios de inclusão ou exclusão.

EXAMES IMAGENOLÓGICOS

Cuidados para indicação de APBI[7]

Avaliação imagenológica padrão

- Mamografia.
- Ultrassonografia.

Até o momento, não há dados suficientes que justifiquem a Ressonância Magnética na rotina de avaliação pré-terapêutica em paciente candidatas à APBI. Poucos estudos avaliaram a utilização da ressonância magnética pré-APBI.[32,49] Detectou-se doença multicêntrica histologicamente confirmada em 10% e doença multifocal adicional em 28%. Apesar disso, não há evidência que indique a incorporação da Ressonância Magnética na avaliação rotineira pré-APBI para reduzir o risco de recidiva ipsilateral.

- Critérios para conformação adequada do balão:[48,50]
  - Distância do balão à pele: mínimo 5 mm (preferencialmente 7 mm).
  - Conformação ideal (acomodação) da margem do dispositivo (balão) à cavidade da lumpectomia.
  - Simetricidade do balão ao redor do centro determinado pelo catéter.

O volume planejado de tumor a ser irradiado[15] é definido como o volume da cavidade resultante da excisão mais 2 cm de margem. Isso pode ser obtido por visualização direta ou por clipe cirúrgico, radiografias ortogonais, TC ou US.[15,23,50,51] Todas as pacientes devem ser submetidas à TC para dosimetria no pós-operatório.

Um sistema de planejamento de HDR comercial deve ser usado para o cálculo da isodose. Para maximizar a homogeneidade da dose por todo volume de implante, utiliza-se ajuste de manutenção da fonte de irídio. Utiliza-se um índice de homogeneidade da dose (IHD) para avaliar a qualidade do implante.

O cálculo da distribuição da dose dentro do volume tratado é:

$$IHD = \frac{V100 - V150}{V100}$$

No acompanhamento imagenológico, não se observa diferença nos achados da mamografia, quando comparadas APBI e irradiação total de mama. A incidência de seroma é maior com MammoSite.[34,52,53] Uma das imagens mais frequentes é a distorção arquitetural,[53,54] que atinge o seu pico com menos de 2 anos. Em geral, não há necessidade de biópsia.

Cuidados

Alguns cuidados multidisciplinares, integrados às ações do cirurgião e do oncologista clínico, são fundamentais. Pacientes selecionadas para APBI devem receber irradiação antes da quimioterapia, e o intervalo mínimo entre o fim da braquiterapia e o início da quimioterapia deve ser de 2 ou 3 semanas. Para pacientes que iniciam a quimioterapia antes de 3 semanas, há maior risco de dermatite actínica e resultado cosmético subideal. Ainda não há dados para determinar o prazo ideal de início da endocrinoterapia.

A ASTRO recomenda que o catéter de braquiterapia seja inserido no momento da cirurgia conservadora, mesmo que vários autores tenham demonstrado que isto dobra a possibilidade de formação de seroma.

É mandatório TC após colocação do dispositivo.[11,55]

Esclarecimento de pacientes candidatas à APBI fora de ensaios clínicos[7]

A radioterapia de mama inteira é um método bem estabelecido, com longo período de validação e com efetividade e segurança documentadas.[5,7] A APBI é um método relativamente recente, com registros limitados e que, consequentemente, suas efetividade e segurança a longo prazo ainda não foram totalmente estabelecidas. APBI pode levar a risco aumentado de recidiva ipsilateral, com conseguinte mastectomia e maior possibilidade de quimioterapia. Não obstante, poderia estar associado a maior risco de metástase e óbito. APBI pode acarretar maior risco de toxicidade, incluindo fibrose e pior resultado cosmético. Paradoxalmente, pode gerar melhor resultado cosmético por abranger menor quantidade de tecido irradiado. Para pacientes do Grupo 2 (adequadas com precaução), deve-se enfatizar o fato de que poucos conhecimentos a longo prazo existem, especialmente nesse grupo. Reitera-se que alguns dos trabalhos incluíram pacientes deste grupo (2), dificultando análise de eficácia e segurança. Por outro lado, os dados encorajam o uso da APBI em função dos índices semelhantes de recidiva ipsilateral, ainda sem evidência estatística.

Os resultados cosméticos foram considerados bons ou ótimos entre 80 e 95% das pacientes, semelhante àqueles observados com radioterapia de mama inteira. Ainda assim, a incidência de necrose gordurosa, telangiectasia e fibrose foi maior em pacientes submetidas à APBI. Ainda assim, fibrose intensa de tecidos moles e toxicidade pulmonar não excederam àquelas observadas no tratamento convencional.

As abordagens braquiterápicas apresentam risco aumentado de celulites e, consequentemente, de infecções. A ASTRO recomenda que pacientes candidatas à APBI e com perfil adequado sejam encorajadas a participar dos ensaios clínicos.

TOXICIDADE, RESULTADO COSMÉTICO E RECIDIVA[9]

A maioria das complicações é autolimitada e resolve sem intervenção. Mais de 98% das pacientes relataram que a experiência foi boa ou ótima, e 90,4% relataram nenhum ou mínimo efeito colateral.[56] MammoSite apresenta resultados de eficácia, cosméticos e de toxicidade semelhantes a outros dispositivos de APBI.[57,58]

- Efeitos colaterais mais comuns:[9]
  - Eritema no ponto de drenagem do catéter.
  - Dor mamária.
  - Equimose.

Parâmetros de toxicidade[14,42,44,57]

Classificação da morbidade tardia da irradiação da RTGO (*Radiation Therapy Oncology Group*) e ECOG (*Eastern Cooperative Oncology Group*):

- Dor mamária.
- Edema mamário.
- Eritema.
- Fibrose mamária.
- Hiperpigmentação.
- Hipopigmentação.
- Infecção.
- Telangiectasia.
- Necrose gordurosa.

Graduação

- *Grau 0:* sem efeitos observáveis de irradiação.
- *Grau 1:* efeitos leves de irradiação.
- *Grau 2:* efeitos moderados de irradiação.
- *Grau 3:* efeitos severos de irradiação.

Resultados

A) Necrose gordurosa aumenta ao longo dos anos após o tratamento: 1% aos 6 meses, 9% aos 2 anos e 11% em 5 anos.

Pode, quando intensa, exigir intervenção cirúrgica. A detecção é mais fácil em pacientes que receberam irradiação em uma só porção da mama. Estudo de Wazer evidenciou necrose gordurosa em 27% em pacientes que receberam duas frações diárias por 5 dias (total de 34 Gy).

- Na maioria dos casos é assintomática e detectada somente por mamografia.
- Grande maioria requer conduta expectante.

B) Edema mamário: tende a ocorrer no primeiro ano e diminuir lentamente a seguir.

C) Hiperpigmentação: menor frequência a longo prazo.

D) *Hipopigmentação*: aumentou nos primeiros 2 anos, principalmente no ponto de inserção do catéter.
E) *Telangiectasia*: varia de 3,7 a 22,7% (considerando todos os casos, mesmo menores de 2 mm, chega a 34% em 5 anos), aumentando ao longo dos anos.
F) Infecção: 11%, a maior parte no primeiro mês – infecções mamárias, mastites, celulites ou abscessos
   - Requer antibioticoterapia e, poucas vezes, exigiu drenagem e desbridamento.
   - Abscesso é muito raro e, quando presente, deve ser drenado.
G) Dermatite actínica:
   - Grau 1 = discreto eritema e descamação.
   - Grau 2 = eritema mais exuberante, maior descamação.
   - Grau 3 = descamação além do campo irradiado e sangramento a partir de um ponto de abrasão.
   - Grau 4 = necrose ou ulceração ou sangramento espontâneo.
H) Alterações cutâneas tardias relacionadas com a radiação.
- Definidas como alterações no subcutâneo:
   - Grau 1 = discreto endurado (fibrose) e perda da gordura subcutânea.
   - Grau 2 = fibrose moderada, porém assintomática, com discreta contratura e redução linear menor que 10%.
   - Grau 3 = endurado severo, perda do TCSC e ampla contratura, maior que 10% na medida linear.
   - Grau 4 = necrose.

As alterações fibróticas podem ser difíceis de distinguir quanto à sua origem: Sequela de alterações cirúrgicas, de efeitos actínicos, ou ambas. A fibrose é um *continuum*.

- Alterações na pele:
  - Grau 1 = atrofia, pigmentação e alguma perda da pilificação.
  - Grau 2 = atrofia mais intensa e telangiectasia moderada.
  - Grau 3 = atrofia intensa e telangiectasia intensa.
  - Grau 4 = ulceração.

Outros efeitos que podem ocorrer são o edema do membro superior homolateral e a retração da pele.[14]

Não se observou diferença estatisticamente significativa, quanto à toxicidade e resultados cosméticos, em relação à utilização de tamoxifeno, aos diferentes tipos de braquiterapia (LDR ou HDR) e ao tamanho tumoral (T1 ou T2). Contudo, pacientes que recebem QT apresentam maior incidência de eritema, assim como o risco de infecção tardia.

Resultado cosmético[11,12,14,42-44,56,57,59]

Bom e ótimo resultados cosméticos ocorreram invariavelmente acima de 90%, com estabilidade em 2 anos. Estes índices oscilaram entre 83 e 99%.[12,28,43,44,60,61]

Parâmetros de resultados cosméticos[11]

Com base nos critérios de Harvard.

Critérios de Harvard

- *Ótimo escore cosmético*: quando a mama tratada apresenta efeitos mínimos da radiação, porém identificáveis. A mama tratada encontra-se praticamente igual à mama não tratada.
- *Médio escore cosmético*: efeitos pequenos da radiação, porém facilmente identificáveis.
- *Péssimo escore cosmético*: sequelas severas sobre o tecido mamário, secundárias aos efeitos da radiação.

A utilização de quimioterapia com adriamicina após APBI esteve associada a aumento na incidência de toxicidade cutânea de maior intensidade e maior risco de necrose gordurosa, além de resultado cosmético subideal.[15,60] O intervalo mínimo entre o final da aplicação da irradiação pelo MammoSite e o início da quimioterapia deve ser de 3 semanas.[62]

Idade da paciente, volume de ressecção, extensão da dissecção axilar, história de diabetes e HAS e uso de tamoxifeno não estiveram significativamente associados à evolução cosmética ou a complicações teciduais tardias. Parâmetros dosimétricos podem ser utilizados para minimizar o risco de agressão tecidual após APBI.[15] Volume de ressecção acima de 100 cm³ implica em pior resultado cosmético.[63]

Estudos de acompanhamento por períodos maiores ainda não estão disponíveis para avaliação dos efeitos colaterais a longo prazo.[20,64] Tais aspectos podem alterar os atuais conceitos de boa tolerabilidade da irradiação, utilizando APBI.

Recidiva local[14]

Definida como reaparecimento (histopatológico) de câncer em mama previamente tratada.

Em acompanhamento de 53 meses, Shaitelman e Vicini[39] observaram recidiva tumoral na mama ipsilateral, a partir dos grupos definidos pela ASTRO, maior no Grupo 1 (2,59%). Nos outros dois grupos, esta incidência excedeu os 5% (Grupo 2: 5,43% e Grupo 3: 5,28%). Nos casos de carcinoma invasivo, ausência de receptores de estrógeno também foi responsável pelo aumento da recidiva tumoral local. Tamanho tumoral (> 3 cm) foi associado à metástase a distância.

Para o Grupo 2 da ASTRO (*Cautinary*), o fator mais importante que interfere na recidiva ipsilateral é o estado do receptor de estrógeno.[65]

Carcinoma ductal *in situ* parece aumentar a chance de falha no tratamento quando comparado à doença invasiva, tanto no que concerne ao intervalo livre de doença como sobrevida global.[66] Recidiva axilar[57] ocorre em 0,4% dos casos de utilização da APBI. Quando critérios para indicação de APBI são respeitados, as taxas de recidiva em caso de carcinoma ductal *in situ* se assemelham àquelas da radioterapia de mama inteira.[5] Idade inferior a 50 anos foi responsável por maior taxa de recidiva local, assim como o parâmetro "margem restrita".[39]

Outros aspectos importantes são idade abaixo de 50 anos, multifocalidade, componente intraductal extenso e margem exígua (< 2 mm) ou comprometida.[67-69] Idade abaixo de 40 anos, isoladamente, apresenta maior risco de recidiva local.[70]

A recidiva local apresenta, invariavelmente, o mesmo aspecto histopatológico do tumor inicial.[71]

A recidiva axilar é semelhante àquela observada com a radioterapia de mama inteira.[72-75]

Efeitos cardíacos e pulmonares[76,77]

Cuidado especial deve ser destinado à braquiterapia com MammoSite em pacientes portadoras de doença na mama esquerda. Dados dosimétricos cardíacos permitem observar que, independente da localização do balão, nenhum tecido cardíaco recebe mais de 30Gy. Inserção do MammoSite nos quadrantes superiores resulta em maior dose de irradiação sobre o coração e, em geral, os ventrículos são as porções mais afetadas. Estudos a longo prazo fornecerão mais informações.

Após aplicação de 34Gy com extensão até 1 cm do balão, a dosimetria do MammoSite foi inferior, tanto sobre o coração como sobre o pulmão esquerdo, comparada à da radioterapia de mama inteira, com ou sem correção radiobiológica (Figs. 1 e 2).

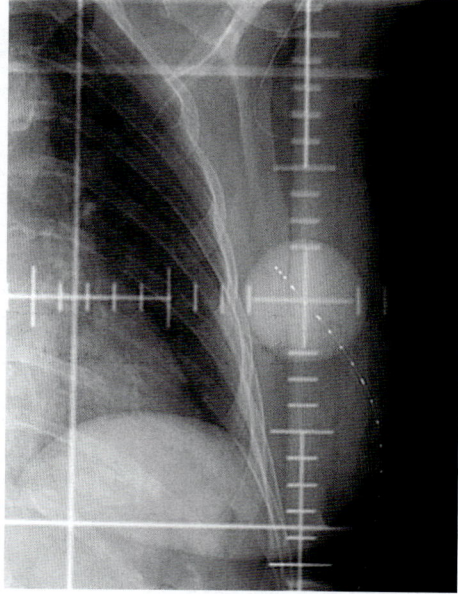

◀ **FIGURA 1.** Radiografia em incidência anteroposterior do tórax. Deve ser realizada diariamente para avaliar a distância de segurança do diâmetro do balão de MammoSite. O catéter contém produto radiopaco, marcado a cada 1 cm.[34]

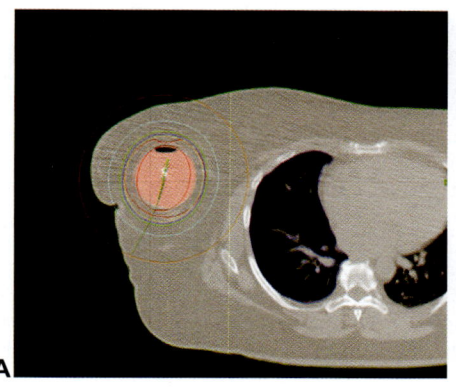
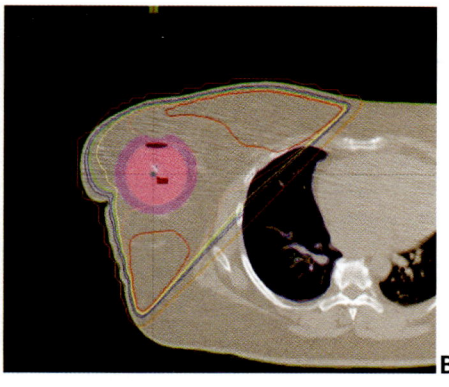

◀ **FIGURA 2.** TC em incidência axial, demonstrando: **(A)** a dosimetria com o MammoSite e **(B)** com radioterapia de mama inteira.[34]

Outras complicações

Angiossarcoma[54,78,79]

Tumor endotelial raro, ocorre com maior probabilidade em pacientes submetidas ao tratamento adjuvante com MammoSite, quando comparado à irradiação de mama inteira. Ainda assim, é evento raro e, consequentemente, de difícil diagnóstico. O diagnóstico é obtido por biópsia da lesão dérmica suspeita.

Fratura de arco costal[30]

Outra possível complicação do uso do MammoSite é fratura de costela, que ocorreu em menos de 3%, segundo Brashears.[30]

TÉCNICA DE APLICAÇÃO E RETIRADA DO MAMMOSITE

Antes de planejar o tratamento adjuvante,[11] as pacientes devem ser estratificadas em três classes quanto ao volume estimado a ser tratado com a braquiterapia fracionada:

- *Leve:* até 150 mL.
- *Moderado:* 151 a 200 mL.
- *Acentuado:* acima de 200 mL.

Avaliações

- Volume coberto.
- Resultado cosmético.
- Complicações na parede.
- Recidiva de câncer de mama ipsilateral.
- Relação custo-benefício comparada à radioterapia tradicional de mama inteira.

Dose de 34 Gy, divididas em duas frações diárias de 3,4 Gy por 5 dias com braquiterapia HDR,[11,42,57,60,80,81] prescrita até 1 cm da superfície do balão.

Há descrição de dose de 28 Gy com quatro doses de 700 cGy distribuídas em 2 dias.[61]

Potencial desvantagem seria dificuldade técnica para o ensino do correto local de inserção do balão. Outro fator aventado é a aparência do cateter de braquiterapia, descrito por algumas pacientes como "aspecto doloroso".[11]

A ASBS (*American Society of Breast Surgeons*) – novembro de 2003.[15] O implante do cateter do MammoSite pode ocorrer intraoperatório ou até 8 semanas após a cirurgia definitiva das mamas. A ABS (*American Brachytherapy Society*) admite até 10 semanas para inserção do cateter.[48]

Técnica de inserção do MammoSite[11,28,48,58,80]

O dispositivo pode ser inserido por três técnicas:

1. No momento da lumpectomia, com cavidade aberta.
2. Após a cirurgia, guiado por USG, por uma nova incisão lateral, próximo à cavidade.
3. Após a cirurgia diretamente por meio da própria incisão de lumpectomia.

Alguns aspectos devem ser avaliados após longo prazo, para se observar qual a melhor técnica:

- Técnica de inserção.
- Idade da paciente.
- Tamanho tumoral.
- Distância da pele.
- Taxa de retirada de cateter e suas razões.
- Infecção.
- Reirradiação.
- Cosmética.
- Recidiva.

As técnicas 1 (44%) e 2 (41%) são as mais empregadas. A técnica 3 representa 14% das inserções. Maior incidência de remoção do cateter com a técnica 1 pode ser observada, comparado às outras duas, em função do relatório anatomopatológico final, que desaconselhava o MammoSite.

O dispositivo utilizado é um cateter de duplo-lume com um balão esférico inflável com lume central acessível à fonte de irídio de alta dose. Há disponíveis dois tamanhos de balão de conformação esférica, com volumes de 70 e 120 cc.[69] O diâmetro do balão de tamanho regular atinge 4 ou 5 cm que corresponde entre 35 e 70 cc de volume, enquanto os de tamanho maior chegam a 5-6 cm de diâmetro, que corresponde a 70-125 cc de volume.

Técnica 1: cavidade aberta

No momento da lumpectomia, após remoção de todo o tecido mamário desejado. Colocação de clipe metálico nas paredes da lumpectomia para posterior radiografia de identificação e avaliação do local de colocação do balão. Utiliza-se um trocarte para criar o trajeto de instalação do cateter até a cavidade da lumpectomia. Colocação do cateter desinflado. Insufla-se o balão para adequada conformação à cavidade. Desinsufla-se o balão para aproximação do tecido subcutâneo e da pele. Devem-se evitar fios que possam lesar o balão. Cuidados com o material utilizado (evitar monofilamento) e com a posição dos nós e seminós (preferencialmente voltados para a pele e não para a cavidade) são imperativos. Insufla-se o balão com solução salina contendo contraste (proporção 1:10) para ótima visualização à TC até o volume originalmente avaliado. Pode-se proceder à ultrassonografia intraoperatória. Não se deve suturar o cateter à pele no seu ponto de entrada para permitir a drenagem de seroma, mas envolvê-lo com gaze. Durante as sessões de irradiação, TC deve ser realizada com intuito de verificar a conformidade do balão à cavidade da lumpectomia e a distância entre a pele e o balão (Fig. 3).

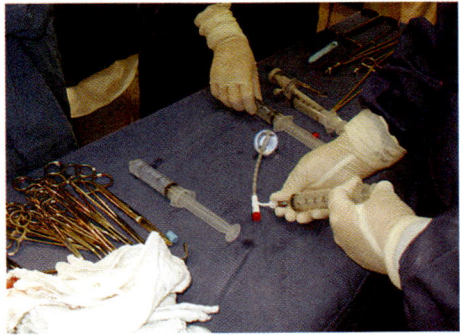

◀ **FIGURA 3.** Preparação do cateter de MammoSite para inserção no intraoperatório. (Imagem cedida pelo Hospital Nove de Julho e Centro de Mastologia de Juiz de Fora).

Técnica 2: Técnica lateral, guiada por USG

Realizada após a cirurgia e envolve visualização ecográfica para determinação do tamanho da cavidade e medida da distância pele-balão. Após anestesia local, introduz-se o trocarte, 1 cm lateralmente à incisão da lumpectomia, até a cavidade, monitorizado por USG. Invariavelmente ocorre drenagem de seroma. Introduz-se, então, o catéter desinsuflado até a cavidade. Após injeção pelo catéter de solução salina contendo contraste (1:10), confirma-se com USG.

Técnica 3: SET

Introdução do catéter pela incisão de lumpectomia, auxiliado por ultrassonografia. Abre-se a incisão em cerca de 1 cm. Antes de insuflar o balão com solução salina contendo contraste (1:10), sutura-se a abertura da pele.

Preconiza-se, além dos cuidados em relação à distância da pele,[74] a utilização de antibiótico-profilaxia.

Ao longo da curva de aprendizado, observa-se tendência de se preferir as técnicas pós-operatórias. O intervalo para início da braquiterapia parece não ser clinicamente importante.

Enfatizam-se os aspectos relacionados com a Anatomia Patológica que desqualificaram a técnica 1 (cavidade aberta): tumores maiores que 2 cm, margens positivas, histologia de lesão lobular, componente intraductal extenso, linfonodos positivos. Houve discreto aumento da incidência de infecção com a técnica 1.

A retirada do MammoSite compreende procedimento simples e de fácil execução.[11] Na maior parte dos casos (67,46%), realiza-se sem anestesia. Anestesia local, medicações orais para dor e outras formas de analgesia podem ser utilizadas. Pacientes que requereram anestesia geral correspondem a menos de 2%.

▪ REFERÊNCIAS BIBLIOGRÁFICAS

1. Polgár C *et al*. Radiotherapy confined to the tumor bed following breast conserving surgery current status, controversies, and future projects. *Strahlenther Onkol* 2002 Nov.;178(11):597-606.
2. Coles CE *et al*. Reduction of radiotherapy-induced late complications in early breast cancer: the role of intensity-modulated radiation therapy and partial breast irradiation. Part I—normal tissue complications. *Clin Oncol* (R Coll Radiol) 2005 Feb.;17(1):16-24.
3. Orecchia R *et al*. Integrated breast conservation and intraoperative radiation therapy. *Breast* 2009 Oct.;18(Suppl 3):S98-102.
4. Merrick HW 3rd *et al*. Future directions in intraoperative radiation therapy. *Surg Oncol Clin N Am* 2003 Oct.;12(4):1099-105.
5. Goyal S, Vicini F, Beitsch PD *et al*. Ductal carcinoma in situ treated with breast-conserving surgery and accelerated partial breast irradiation: comparison of the Mammosite registry trial with intergroup study E5194. *Cancer* 2011 Mar. 15;117(6):1149-55; doi: 10.1002/cncr.25615.
6. Lehman M, Hickey B. The less than whole breast radiotherapy approach. *Breast* 2010 June;19(3):180-87.
7. Smith BD, Arthur DW, Buchholz TA *et al*. Accelerated parcial breast irradiation consensus statement from the American Society for Radiotion Oncology (ASTRO). *Int J Radiation Oncology Biol Phys* 2009;74(4):987-1001.
8. Azria D, Hennequin C. Impact of radiotherapy modalities on local control and survival in adjuvant breast cancer treatment. *Cancer Radiother* 2009 Sept.;13(5):434-45.
9. Kuerer HM, Julian TB, Strom EA *et al*. Accelerated partial breast irradiation after conservative surgery for breast cancer. *Ann Surg* 2004 Mar.;239(3):338-51.
10. Belkacémi Y, Azria D. New tools in adjuvant breast cancer radiotherapy. *Bull Cancer* 2007 Apr.;94(4):389-97.
11. Jeruss JS, Vicini FA, Beitsch PD *et al*. Initial outcomes for patients trated on the American Society of Breast Surgeons MammoSite Clinical Trial for ductal carcinoma-in-situ of the breast. *Ann Surg Oncol* 2006 May;13(7):967-76.
12. Bensaleh S, Bezak E, Borg M. Review of MammoSite brachytherapy: advantages, disadvantages and clinical outcomes. *Acta Oncol* 2009;48(4):487-94.
13. Husain ZA *et al*. Accelerated partial breast irradiation via brachytherapy: A patterns-of-care analysis with ASTRO consensus statement groupings. *Brachytherapy* 2011 Nov.-Dec.;10(6):479-85.
14. Chen PY, Vicini FA, Benitez P *et al*. Long-term cosmetic results and toxicity after accelerated partial breast irradiation. A method of radiation delivery by interstitial brachytherapy for the treatment of early-stage breast carcinoma. *Cancer* 2006 Mar.;106(5):991-99.
15. Wazer DE, Kaufman S, Cuttino L *et al*. Accelerated partial breast irradiation: an analisis of variables associated with late toxicity and long-term cosmetic outcome after high-dose-rate interstitial brachytherapy. *Int J Radiotion Oncology Biol Phys* 2006;64(2):489-95.
16. Dirbas FM. Accelerated partial breast irradiation: where do we stand? *J Natl Compr Canc Netw* 2009 Feb.;7(2):215-25.
17. Dickler A, Patel RR, Wazer D. Breast brachytherapy devices. *Expert Rev Med Devices* 2009 May;6(3):325-33.
18. Sauer R *et al*. Accelerated partial breast irradiation: consensus statement of 3 German Oncology societies. *Cancer* 2007 Sept. 15;110(6):1187-94.
19. Hepel JT *et al*. Toxicity of three-dimensional conformal radiotherapy for accelerated partial breast irradiation. *Int J Radiat Oncol Biol Phys* 2009 Dec. 1;75(5):1290-96.
20. Dubray B *et al*. Late effects of mammary radiotherapy on skin and subcutaneous tissues. *Cancer Radiother* 1997;1(6):744-52.
21. Jagsi R *et al*. Unacceptable cosmesis in a protocol investigating intensity-modulated radiotherapy with active breathing control for accelerated partial-breast irradiation. *Int J Radiat Oncol Biol Phys* 2010 Jan. 1;76(1):71-78.
22. Dickler A *et al*. Treatment volume and dose optimization of MammoSite breast brachytherapy applicator. *Int J Radiat Oncol Biol Phys* 2004 June 1;59(2):469-74.
23. Beitsch PD, Hodge CW, Dowlat K *et al*. The surgeon's role in breast brachytherapy. *Breast J* 2009 Jan.-Feb.;15(1):93-100.
24. Shah AP *et al*. A dosimetric analysis comparing electron beam with the MammoSite brachytherapy applicator for intact breast boost. *Phys Med* 2010 Apr.;26(2):80-87.
25. Burnet NG *et al*. The relationship between cellular radiation sensitivity and tissue response may provide the basis for individualising radiotherapy schedules. *Radiother Oncol* 1994 Dec.;33(3):228-38.
26. Dickler A. Technology insight: MammoSite—a new device for delivering brachytherapy following breast-conserving therapy. *Nat Clin Pract Oncol* 2007 Mar.;4(3):190-96.
27. Dickler A. The MammoSite breast brachytherapy device: targeted delivery of breast brachytherapy. *Future Oncol* 2005 Dec.;1(6):799-804.
28. Dickler A *et al*. The MammoSite breast brachytherapy applicator: a review of technique and outcomes. *Brachytherapy* 2005;4(2):130-36.
29. Beitsch PD, Shaitelman SF, Vicini FA. Accelerated partial breast irradiation. *J Surg Oncol* 2011 Mar. 15;103(4):362-68; doi: 10.1002/jso.21785.
30. Brashears JH, Dragun AE, Jenrette JM. Late chest wall toxicity after MammoSite breast brachytherapy. *Brachytherapy* 2009 Jan.-Mar.;8(1):19-25.
31. McHaffie DR *et al*. Outcomes After accelerated partial breast irradiation in patients with ASTRO Consensus statement cautionary features. *Int J Radiat Oncol Biol Phys* 2011 Sept. 1;81(1):46-51.
32. Kühr M, Wolfgarten M, Stölzle M *et al*. Potential impact of preoperative magnetic resonance imaging of the breast on patient selection for accelera ted partial breast irradiation. *Int J Radiat Oncol Biol Phys* 2011 Nov. 15;81(4):e541-46.
33. Jeruss JS, Kuerer HM, Beitsch PD *et al*. Update on DCIS outcomes from the American Society of Breast Surgeons accelerated partial breast irradiation registry trial. *Ann Surg Oncol* 2011 Jan.;18(1):65-71.
34. Ko EC, Koprowski CD, Dickson-Witmer D *et al*. Partial vs. whole breast irradiation in a community hospital: a retrospective cohort analysis of 200 patients. *Brachytherapy* 2010 July-Sept.;9(3):248-53.
35. Keisch M. MammoSite. *Expert Rev Med Devices* 2005 July;2(4):387-94.
36. Bensaleh S, Bezak E. Investigation of source position uncertainties & balloon deformation in MammoSite brachytherapy on treatment effectiveness. *Australas Phys Eng Sci Med* 2010 Mar.;33(1):35-44.
37. Baltas D, Lymperopoulou G, Zamboglou N. On the use of HDR 60Co source with the MammoSite radiation therapy system. *Med Phys* 2008 Dec.;35(12):5263-68.
38. Pawlik TM *et al*. Potential applicability of balloon catheter-based accelerated partial breast irradiation after conservative surgery for breast carcinoma. *Cancer* 2004 Feb. 1;100(3):490-98.
39. Shaitelman SF *et al*. Five-year outcome of patients classified using the American Society for Radiation Oncology consensus statement guidelines for the application of accelerated partial breast irradiation: an analysis of patients treated on the American Society of Breast Surgeons MammoSite Registry Trial. *Cancer* 2010 Oct. 15;116(20):4677-85.
40. Smith B.D *et al*. Accelerated partial breast irradiation consensus statement from the American Society for Radiation Oncology (ASTRO). *Int J Radiat Oncol Biol Phys* 2009 July 15;74(4):987-1001.
41. Polgár C *et al*. Patient selection for accelerated partial-breast irradiation (APBI) after breast-conserving surgery: recommendations of the Groupe Européen de Curiethérapie-European Society for Therapeutic Radiology

and Oncology (GEC-ESTRO) breast cancer working group based on clinical evidence (2009). *Radiother Oncol* 2010 Mar.;94(3):264-73. Epub 2010 Feb 22.

42. Chao KK *et al*. Analysis of treatment efficacy, cosmesis, and toxicity using the MammoSite breast brachytherapy catheter to deliver accelerated partial-breast irradiation: the william beaumont hospital experience. *Int J Radiat Oncol Biol Phys* 2007 Sept. 1;69(1):32-40. Epub 2007 Apr. 30.

43. Benitez PR *et al*. Five-year results: the initial clinical trial of MammoSite balloon brachytherapy for partial breast irradiation in early-stage breast cancer. *Am J Surg* 2007 Oct.;194(4):456-62.

44. Vicini FA *et al*. First analysis of patient demographics, technical reproducibility, cosmesis, and early toxicity: results of the American Society of Breast Surgeons MammoSite breast brachytherapy trial. *Cancer* 2005 Sept. 15;104(6):1138-48.

45. Vicini F, Arthur D, Wazer D *et al*. Limitations of the American Society of therapeutic radiology and oncology consensus panel guidelines on the use of accelerated partial breast irradiation. *Int J Radiat Oncol Biol Phys* 2011 Mar. 15;79(4):977-84.

46. Keisch M, Vicini F, Beitsch P *et al*. American Society of Breast Surgeons MammoSite Radiation Therapy System Registry Trial: ductal carcinoma-in-situ subset analysis—4-year data in 194 treated lesions. *Am J Surg* 2009 Oct.;198(4):505-7.

47. Fowler AM, Andersen JJ, Conway PD. Local recurrence of invasive micropapillary breast cancer after MammoSite brachytherapy: a case report and literature review. *Clin Breast Cancer* 2009 Nov.;9(4):253-57.

48. Zannis V, Beitsch P, Vicini F *et al*. Deccriptions and outcomes of insertion techniques of a breast brachytherapy balloon catheter in 1403 patients enrolled in the American Society of Breast Surgeons MammoSite breast brachytherapy registry trial. *Am J Surg* 2005 Oct.;190(4):530-38.

49. Tendulkar RD, Chellman-Jeffers M, Rybicki LA *et al*. Preoperative breast magnetic resonance imaging in early breast cancer: implications for partial breast irradiation. *Cancer* 2009 Apr. 15;115(8):1621-30.

50. Chen PY, Vicini FA. Partial breast irradiation. Patient selection, guidelines for treatment, and current results. *Front Radiat Ther Oncol* 2007;40:253-71.

51. Wilkinson JB, Boyle T, Song J *et al*. Surgeon-performed ultrasound reliably predicts skin spacing and may decrease the rate of MammoSite balloon catheter explantation in patients undergoing brachytherapy for breast cancer. *Am J Surg* 2008 Aug.;196(2):289-92.

52. Monticciolo DL, Biggs K, Gist AK *et al*. Breast conserving therapy with accelerated partial breast versus external beam whole breast irradiation: comparison of imaging sequela and complications in a matched population. *Breast J* 2011 Mar.-Apr.;17(2):187-90; doi: 10.1111/j.1524-4741.2010.01041.x.

53. Dragun AE, Jenrette JM, Ackerman SJ *et al*. Mammographic surveillance after MammoSite breast brachytherapy: analysis of architectural patterns and additional interventions. *Am J Clin Oncol* 2007 Dec.;30(6):574-79.

54. Ahmed HM, Dipiro PJ, Devlin PM *et al*. Mammographic appearance following accelerated partial breast irradiation by using MammoSite brachytherapy. *Radiology* 2010 May;255(2):362-68.

55. Esthappan J, Santanam L, Yang D *et al*. Use of serial CT imaging for the quality assurance of MammoSite therapy. *Brachytherapy* 2009 Oct.-Dec.;8(4):379-84.

56. Dragun AE, Harper JL, Taylor CE *et al*. Patient satisfaction and quality of life after MammoSite breast brachytherapy. *Am J Surg* 2008 Oct.;196(4):545-48.

57. Vicini F *et al*. Three-year analysis of treatment efficacy, cosmesis, and toxicity by the American Society of Breast Surgeons MammoSite Breast Brachytherapy Registry Trial in patients treated with accelerated partial breast irradiation (APBI). *Cancer* 2008 Feb. 15;112(4):758-66.

58. Soran A, Evrensel T, Beriwal S *et al*. Placement technique and the early complications of balloon breast brachytherapy: Magee-Womens Hospital experience. *Am J Clin Oncol* 2007 Apr.;30(2):152-55.

59. Benitez PR *et al*. Preliminary results and evaluation of MammoSite balloon brachytherapy for partial breast irradiation for pure ductal carcinoma in situ: a phase II clinical study. *Am J Surg* 2006 Oct.;192(4):427-33.

60. Goyal S *et al*. Factors associated with optimal cosmetic results at 36 months in patients treated with accelerated partial breast irradiation (APBI) on the American Society of Breast Surgeons (ASBrS) MammoSite Breast Brachytherapy Registry Trial. *Ann Surg Oncol* 2009 Sept.;16(9):2450-58. Epub 2009 June 11.

61. Wallace M, Martinez A, Mitchell C *et al*. Phase I/II study evaluating early tolerance in breast cancer patients undergoing accelerated partial breast irradiation treated with the mammosite balloon breast brachytherapy catheter using a 2-day dose schedule. *Int J Radiat Oncol Biol Phys* 2010 June 1;77(2):531-36.

62. Haffty BG *et al*. Timing of Chemotherapy after MammoSite radiation therapy system breast brachytherapy: analysis of the American Society of Breast Surgeons MammoSite breast brachytherapy registry trial. *Int J Radiat Oncol Biol Phys* 2008 Dec. 1;72(5):1441-8. Epub 2008 Aug. 7.

63. Taylor ME *et al*. Factors influencing cosmetic results after conservation therapy for breast cancer. *Int J Radiat Oncol Biol Phys* 1995 Feb. 15;31(4):753-64.

64. Bentzen SM, Yarnold JR. Reports of unexpected late side-effects of accelerated partial breast irradiation – Radiobiological considerations. *Int J Radiat Oncol Biol Phys* 2010 July 15;77(4):969-73.

65. Stull TS *et al*. A single-institution review of accelerated partial breast irradiation in patients considered "cautionary" by the American Society for Radiation Oncology. *Ann Surg Oncol* 2012 Feb.;19(2):553-59. 2011 July 19.

66. Zauls AJ *et al*. Outcomes in women treated with MammoSite Brachytherapy or whole breast irradiation stratified by ASTRO Accelerated Partial Breast Irradiation Consensus Statement Groups. *Int J Radiat Oncol Biol Phys* 2012 Jan. 1;82:21.

67. Touboul E *et al*. Local recurrences and distant metastases after breast-conserving surgery and radiation therapy for early breast cancer. *Int J Radiat Oncol Biol Phys* 1999 Jan. 1;43(1):25-38.

68. Freedman G *et al*. Patients with early stage invasive cancer with close or positive margins treated with conservative surgery and radiation have an increased risk of breast recurrence that is delayed by adjuvant systemic therapy. *Int J Radiat Oncol Biol Phys* 1999 July 15;44(5):1005-15.

69. Kaufman SA, Dipetrillo TA, Ruthazer R *et al*. MammoSite excision volume as a predictor for residual disease. *Cancer* 2005 Sept. 1;104(5):906-12.

70. Fodor J *et al*. Local relapse in young (< or = 40 years) women with breast cancer after mastectomy or breast conserving surgery: 15-year results. *Magy Onkol* 2005;49(3):203, 205-8.

71. Voth M, Budway R, Keleher A *et al*. Local recurrence of breast cancer after MammoSite brachytherapy. *Am Surg* 2006 Sept.;72(9):798-800; discussion 800-1.

72. Aburabia M, Roses RE, Kuerer HM *et al*. Axillary failure in patients treated with MammoSite accelerated partial breast irradiation. *Ann Surg Oncol* 2011 Nov.;18(12):3415-21.

73. Dekhne N, Shah C, Wilkinson JB *et al*. Axillary lymph node failure in patients treated with accelerated partial breast irradiation. *Cancer* 2012 Jan. 1;118(1):38-43; doi: 10.1002/cncr.26305.

74. Ravi A, Lee S, Karsif K *et al*. Intraoperative placement of MammoSite for breast brachytherapy treatment and seroma incidence. *Brachytherapy* 2010 Jan.-Mar.;9(1):76-80.

75. Harper JL, Watkins JM, Zauls AJ *et al*. Six-year experience: long-term disease control outcomes for partial breast irradiation using MammoSite balloon brachytherapy. *Am J Surg* 2010 Feb.;199(2):204-9.

76. Valakh V *et al*. A Comprehensive analysis of cardiac dose in balloon-based high-dose-rate brachytherapy for left-sided breast cancer. *Int J Radiat Oncol Biol Phys* 2012 Apr. 1.;82(5):1698-705.

77. Stewart A.J *et al*. Dose volume histogram analysis of normal structures associated with accelerated partial breast irradiation delivered by high dose rate brachytherapy and comparison with whole breast external beam radiotherapy fields. *Radiat Oncol* 2008 Nov. 19;3:39.

78. Andrews S, Wilcoxon R, Benda J *et al*. Angiosarcoma following MammoSite partial breast irradiation. *Breast Cancer Res Treat* 2010 Nov.;124(1):279-82.

79. Bolin DJ, Lukas GM. Low-grade dermal angiosarcoma of the breast following radiotherapy. *Am Surg* 1996 Aug.;62(8):668-72.

80. Niehoff P *et al*. Early European experience with the MammoSite radiation therapy system for partial breast brachytherapy following breast conservation operation in low-risk breast cancer. *Breast* 2006 June;15(3):319-25.

81. Patel RR, Christensen ME, Hodge CW *et al*. Clinical outcome analysis in "high-risk" versus "low-risk" patients eligible for national surgical adjuvant breast and bowel B-39/radiation therapy oncology group 0413 trial: five-year results. *Int J Radiat Oncol Biol Phys* 2008 Mar. 15;70(4):970-73.

CAPÍTULO 145

Radioterapia no Carcinoma *In Situ* da Mama

Rachele Marina Santoro

INTRODUÇÃO

O carcinoma *in situ* de mama é um exemplo claro de doença em que uma terapia local adequada faz a diferença. Aproximadamente 50% das recidivas locais que ocorrem após as cirurgias conservadoras de mama com ou sem radioterapia são carcinomas invasivos. A taxa de mortalidade em pacientes com recidivas invasivas não são insignificantes e representam aproximadamente 25%. Uma atenção meticulosa no controle local claramente diminui o risco de morte por câncer de mama.[1]

Os estudos iniciais demonstraram uma taxa de recaída local que variava de 6 a 21%, porém, esses estudos não contemplaram alguns fatores prognósticos importantes, como margens negativas, estudo da lesão residual pós-operatória e a dimensão das lesões.[2-7]

O NSABP-B06 foi desenhado para avaliar o papel da radioterapia no tratamento do carcinoma infiltrante. Posteriormente, 51 pacientes foram selecionados por apresentarem carcinoma *in situ*, desses 51 pacientes, 22 foram submetidos à tumorectomia exclusiva, enquanto as 29 pacientes restantes receberam radioterapia complementar. Após 39 meses, o primeiro grupo apresentou uma taxa de recidiva de 23% contra 7% documentada no segundo grupo.[8] O breve acompanhamento, o desconhecimento do *status* das margens de ressecção e o fato que a maior parte dos carcinomas *in situ* eram massas palpáveis não permitiram concluir o real benefício do tratamento.

No NSABP-B17 (n = 828), as pacientes que foram selecionadas para a cirurgia conservadora seguida de radioterapia apresentaram uma taxa de recidiva local inferior às pacientes submetidas à cirurgia isolada, em um acompanhamento de 8 anos (84,4 × 73,8% p = 0,001). Também foi demonstrado nesse estudo que a metade dos pacientes que apresentaram recidiva era de caráter infiltrante, enquanto que somente 28% dos pacientes submetidos à radioterapia apresentavam lesões invasivas. Algumas considerações desse estudo inicial foram apontadas de forma crítica como desconhecimento das margens de ressecção, o subtipo histológico, o grau nuclear e o fato de que a maioria das lesões tinham menos que 0,1 cm de diâmetro, e que somente 18% das lesões possuíam dimensões maiores que 2 cm. Esse estudo foi atualizado, e novos resultados demonstraram o efeito protetor da radioterapia, confirmando a diminuição de risco em 3 vezes e a incidência menor de lesões infiltrantes.[9-10]

O estudo EORTC 10853 (n = 1.010) incluiu pacientes num desenho similar ao do NSABP. Em um acompanhamento de 4 anos, a taxa de recidiva foi de 0,62% (0,64-0,87%), para os pacientes submetidos à radioterapia comparados aos pacientes submetidos à cirurgia conservadora isolada (p = 0,005).[11]

No estudo do UK, 1.694 pacientes foram randomizados em um desenho "2 × 2", no qual 544 pacientes receberam somente cirurgia, 567 pacientes, cirurgia e tamoxifeno, e 316 pacientes foram submetidas às três modalidades de tratamento (cirurgia, radioterapia e hormonoterapia), com semelhante resultado aos dois estudos anteriores. Apresentou-se uma redução significativa das recidivas nas pacientes submetidas à radioterapia comparadas às que não receberam radioterapia em um período de 5 anos de acompanhamento (0,38%; p < 0,001).[12]

FATORES PROGNÓSTICOS QUE INFLUENCIAM NA RADIOTERAPIA

- *Status das margens cirúrgicas:* é considerado o fator prognóstico mais importante. Aparentemente o carcinoma *in situ* seria uma doença unifocal, com apenas 8% dos pacientes apresentando um padrão de crescimento multifocal com intervalos de tecido mamário sem apresentar doenças maiores que 10 mm entre os focos de carcinoma *in situ*, porém mesmo naqueles pacientes que foram submetidos à cirurgia com margens negativas, o papel da radioterapia seria o de esterilizar possíveis focos de doença. Não existe nenhuma série randomizada determinando a margem ideal para a cirurgia conservadora no carcinoma *in situ*.[13] Futuramente, os marcadores moleculares vão ter um grande papel na definição da extensão das margens de ressecção.
- *Multifocalidade:* existe uma imprecisão na definição do termo multifocalidade. A multifocalidade foi definida com várias dimensões e extensões. Tanto a multifocalidade como a multicentricidade são fatores prognósticos importantes, mas taxas baixas de recidiva local poderão ser obtidas com o emprego da radioterapia.[14]
- *Idade:* em acordo com os estudos recentes, a questão do reforço ou *boost* em idade jovem (até 50 anos) é encorajada. A dose varia de 1.000 cGy a 1.600 cGy, de acordo com a instituição.[15]

O carcinoma *in situ* de mama deve ser gerido dentro da equipe multidisciplinar e o seu manejo adaptado aos fatores do paciente e do tumor. São necessárias mais pesquisas para determinar o papel dos regimes contemporâneos de radioterapia e terapias endócrinas. O perfil biológico e a análise molecular representam uma oportunidade para melhorar a nossa compreensão da biologia tumoral desta condição e racionalizar o seu tratamento. A identificação confiável das lesões de baixo risco pode permitir o tratamento menos radical ou omitido com segurança.

REFERÊNCIAS BIBLIOGRÁFICAS

1. Morrow M. Ductal carcinoma *in situ*: no margin for errror. *Breast Diseases: a Year Book Quartely* 2000;10.
2. Bornstein BA, Recht A, Connolly JL *et al.* Results of treating ductal carcinoma *in situ* of the breast with conservative surgery and radiation therapy. *Cancer* 1991 Jan. 1;67(1):7-13.
3. Silverstein MJ, Cohlan BF, Gierson ED *et al.* Duct carcinoma *in situ*: 227 cases without microinvasion. *Eur J Cancer* 1992;28(2-3):630-34.
4. Solin LJ, Yeh IT, Kurtz J *et al.* Ductal carcinoma *in situ* (intraductal carcinoma) of the breast treated with breast-conserving surgery and definitive irradiation. Correlation of pathologic parameters with outcome of treatment. *Cancer* 1993 Apr. 15;71(8):2532-42.
5. Warneke J, Grossklaus D, Davis J *et al.* Influence of local treatment on the recurrence rate of ductal carcinoma *in situ*. *J Am Coll Surg* 1995 June;180(6):683-88.
6. White J, Levine A, Gustafson G *et al.* Outcome and prognostic factors for local recurrence in mammographically detected ductal carcinoma *in situ* of the breast treated with conservative surgery and radiation therapy. *Int J Radiat Oncol Biol Phys* 1995 Feb. 15;31(4):791-97.
7. Amichetti M, Caffo O, Richetti A *et al.* Ten-year results of treatment of ductal carcinoma *in situ* (DCIS) of the breast with conservative surgery and radiotherapy. *Eur J Cancer* 1997 Sept.;33(10):1559-65.
8. Fisher ER, Anderson S, Redmond C *et al.* Pathologic findings from the National Surgical Adjuvant Breast Project protocol B-06. 10-year pathologic and clinical prognostic discriminants. *Cancer* 1993 Apr. 15;71(8):2507-14.
9. Fisher ER, Costantino J, Fisher B *et al.* Pathologic findings from the National Surgical Adjuvant Breast Project (NSABP) Protocol B-17. Intraductal carcinoma (ductal carcinoma *in situ*). The National Surgical Adjuvant Breast and Bowel Project Collaborating Investigators. *Cancer* 1995 Mar. 15;75(6):1310-19.

10. Wapnir IL, Dignam JJ, Fisher B *et al.* Long-term outcomes of invasive ipsilateral breast tumor recurrences after lumpectomy in NSABP B-17 and B-24 randomized clinical trials for DCIS. *J Natl Cancer Inst* 2011 Mar. 16;103(6):478-88. Epub 2011 Mar. 11.
11. Bijker N, Meijnen P, Peterse JL *et al.* Breast-conserving treatment with or without radiotherapy in ductal carcinoma-in-situ: ten-year results of European Organisation for Research and Treatment of Cancer randomized phase III trial 10853—a study by the EORTC Breast Cancer Cooperative Group and EORTC Radiotherapy Group. EORTC Breast Cancer Cooperative Group; EORTC Radiotherapy Group. *J Clin Oncol* 2006 July 20;24(21):3381-87. Epub 2006 June 26.
12. Cuzick J, Sestak I, Pinder SE *et al.* Effect of tamoxifen and radiotherapy in women with locally excised ductal carcinoma *in situ*: long-term results from the UK/ANZ DCIS trial. *Lancet Oncol* 2011 Jan.;12(1):21-29. Epub 2010 Dec. 7.
13. Dunne C, Burke JP, Morrow M *et al.* Effect of margin status on local recurrence after breast conservation and radiation therapy for ductal carcinoma *in situ*. *J Clin Oncol* 2009 Apr. 1;27(10):1615-20. Epub 2009 Mar. 2.
14. Rakovitch E, Pignol JP, Hanna W *et al.* Significance of multifocality in ductal carcinoma *in situ*: outcomes of women treated with breast-conserving therapy. *J Clin Oncol* 2007 Dec. 10;25(35):5591-96. Epub 2007 Nov. 5.
15. Omlin A, Amichetti M, Azria D *et al.* Boost radiotherapy in young women with ductal carcinoma *in situ*: a multicentre, retrospective study of the Rare Cancer Network. *Lancet Oncol* 2006 Aug.;7(8):652-56.

CAPÍTULO 146

Radioterapia Pós-Cirurgia Conservadora

Guilherme José Rodrigues Pereira ■ Bettina Wolff

INTRODUÇÃO

Nas últimas 3 décadas, muito tem avançado o conhecimento sobre o comportamento dessa doença, tanto na melhor compreensão de seu caráter local e sistêmico, por individualização de fatores de risco – clínicos, biológicos e genéticos, assim como modificaram-se propostas terapêuticas por aperfeiçoamento de medidas diagnósticas – mais estágios iniciais – e por processamento patológico mais refinado. Tais fatos, aliados à oferta seletiva de tratamento químico e percepção de benefícios cosméticos quanto à menor extensão da cirurgia, têm selecionado pacientes para ressecção local ou mastectomia segmentar. A partir da publicação do consenso norte-americano (NIH – *National Institutes of Health*), na década de 1990, no século passado, e vários estudos posteriores propondo os critérios de seleção para tais pacientes, tal conduta prevalece nos estágios iniciais.[1]

No entanto, nada seria possível sem envolvimento direto da radioterapia, com papel cada vez mais destacado na abordagem do câncer de mama. Desde os estudos NSABP (B-06) (*National Surgical Adjuvant Breast and Bowel Project*[2,3]) em Milão, que confrontaram abordagens cirúrgicas menos agressivas *vs.* mais agressivas, associadas à radioterapia, e mais recentemente a metanálise do EBCTCG (*Early Breast Cancer Trialists' Collaborative Group*[4]) confirma-se o impacto da radioterapia adjuvante no controle local, sobrevida global e causa-específica, sem diferença de resultados quando comparadas àquelas pacientes tratadas de forma mais agressiva. De outra forma, relevante desenvolvimento tecnológico, do ponto de vista de equipamentos, disponibilização de sistemas de planejamento refinados e constante qualificação de recursos humanos têm afastado o risco expressivo de efeitos agudos e tardios.

Neste capítulo, serão apresentados estudos preferencialmente prospectivos, que substanciam a política de radioterapia pós-tratamento cirúrgico conservador da doença invasiva, não objetivando discriminar estágios. Da mesma forma, fatores prognósticos relevantes, propostas técnicas e alguns cenários especiais também serão considerados. Em outros capítulos serão discutidos a indicação de radioterapia na doença não invasiva e pós-tratamento cirúrgico radical.

ESTUDOS COMPARATIVOS

Cirurgia conservadora e radioterapia *vs.* mastectomia

No estudo de Milão, conduzido por Veronesi *et al.*,[5] 701 pacientes com doença inicial, estágio I, com axila clinicamente negativa, foram randomizadas para quadrantectomia com esvaziamento axilar ou mastectomia radical, utilizando dose e fracionamento convencionais (50 Gy-2,0 Gy/dia), associado ou não à quimioterapia (esquema CMF) de acordo com *status* axilar. Em análise atuarial, foram obtidos resultados equivalentes quanto à sobrevida global e livre de doença nos dois grupos (58%). Da mesma forma, ainda que houvesse maior taxa de recaída local no grupo de tratamento conservador (8,8% *vs.* 2,3%), não houve tradução na morte causa-específica. No estudo italiano, a morte por todas as causas também foi absolutamente comparável – 41,7 *vs.* 41,2%.

No protocolo NSABP B-06, conduzido por Fisher *et al.*,[6] foram alocadas 1.843 pacientes, estágios I e II, em três braços: mastectomia, segmentectomia com radioterapia em dose convencional, sem reforço local e segmentectomia isolada. Em acompanhamento de 20 anos, as curvas de sobrevida livre de doença local e a distância, assim como sobrevida global, foram muito semelhantes (em torno de 40%). Destaca-se, no entanto, taxa de recaída local de 39,2% no grupo tratado com segmentectomia isolada, e apenas 14,1% naquelas submetidas à radioterapia adjuvante, fato mais pronunciado quando apresentavam axila positiva. Em relação à morte causa-específica, houve aumento marginal no primeiro grupo (risco 1,05, p = 0,51).

O EORTC (*European Organization for Research and Treatment of Cancer*) – no estudo 10801, randomizou 868 pacientes, estágios I e II, para tratamento conservador ou mastectomia modificada, com esvaziamento axilar. Destaca-se o fato de 80% apresentarem T > 2,1 cm, e a dose final de radioterapia incluir reforço pericicatricial.[7]

Em análise de 10 anos, não havia diferença de sobrevida global (65 *vs.* 66%; p = 0,1) ou livre de metástase. Apenas recaída locorregional (evento ocorrendo antes ou simultaneamente com doença a distância) mostrou-se superior no primeiro grupo, estatisticamente significativo (20 *vs.* 12%; p = 0,01).

Cirurgia conservadora e radioterapia *vs.* cirurgia conservadora isolada

A metanálise conduzida pelo EBCTCG reuniu 10.801 mulheres em 17 estudos randomizados submetidas à cirurgia conservadora, com ou sem radioterapia adjuvante. Com 8.337 pacientes patologicamente definidas quanto ao envolvimento axilar (pN0, p N+), a radioterapia reduziu o risco de qualquer recidiva locorregional ou a distância, de 35,0 para 19,3% (p < 0,0001).[8] A redução absoluta naquelas com axila negativa foi de 15,4%. Já nas pacientes com axila positiva, redução absoluta de 21,2%, com queda na mortalidade em 8,5% (p < 0,01). Na avaliação do estudo, outras variáveis, como idade, grau, *status* hormonal, extensão da cirurgia, terapia adjuvante com tamoxifeno, foram de impacto nos percentuais encontrados. Em geral, foi concluído que para cada quatro recidivas evitadas em 10 anos, havia uma morte a menos em 15 anos, por câncer de mama.

Vinh-Hung *et al.*,[9] em análise semelhante ao relatado anteriormente, reunindo 15 estudos prospectivos, observaram risco de recaída ipsilateral até 3 vezes maior naquelas pacientes não irradiadas, inclusive elevando risco relativo de mortalidade.

Estudos menores, como o conduzido por Sarrazin *et al.*[10] no *Institut Gustave-Roussy*, com menos de 100 pacientes em cada braço e tumores de até 2 cm, o acompanhamento em 15 anos apontou vantagem tanto no controle local, como na sobrevida livre de doença nas mulheres submetidas a tratamento cirúrgico conservador e radioterapia (91 *vs.* 86%). Até mesmo aqueles que propuseram abordagem menos agressiva, sugerindo apenas controle hormonal em pacientes acima de 70 anos – Hughes *et al.*[11] – com resultados bastante aceitáveis, obtiveram melhora de controle local quando tratadas pelas radiações.

Além dessas, diversas publicações, randomizadas ou não, têm estabelecido o caráter equivalente das abordagens conservadoras ou radicais, quando presente a radioterapia.

Parece claro que persistência de doença locorregional pode ser esperada, em especial após cirurgia parcial, sendo a magnitude desses riscos associada a fatores inerentes a cada paciente. A interdependência dos mesmos e a complexidade de análise da importância de cada um justificam tantas buscas. Muitas respostas ainda nos faltam, como o impacto da radioterapia nas mulheres HER-2 positivas. Seriam equivalentes sua dimensão no comportamento locorregional e sistêmico? Cabe-nos estabelecer a melhor identificação dos mesmos e a seleção de pacientes na escolha terapêutica.

FATORES PROGNÓSTICOS

Até pouco mais da metade do século passado, as teorias se confrontavam quanto à percepção do conceito de doença local ou sistêmica. Inicialmente, com base no pensamento de Halsted, com sua teoria de disseminação por contiguidade, muito se apostava na abordagem locorregional, já que a verdade de momento apontava para uma sequência lógica de progressão, a partir da invasão linfática local. Em contraponto, Fisher questionou tal comportamento, sugerindo dois tipos de doença – as capazes de metastatizar e as incapazes de fazê-lo.[12] Com isso, alguns não levavam em conta a necessidade de investimento local radical, já que a sobrevida era comprometida pela disseminação sistêmica, enfatizando tratamento químico.

Naturalmente que respostas como essas não são tão simples de serem dadas. No entendimento atual, um largo espectro de fatores pode determinar o perfil da doença, por vezes estabelecendo proposta locorregional mais agressiva, ora mais econômica.

Diferentemente do que ocorre em relação aos fatores determinantes na recaída a distância, muitas vezes interdependentes, ainda há certa dificuldade de se estabelecerem fatores determinantes na recaída local isolada. Talvez, a teoria do espectro possa justificar tantas dúvidas. Ainda assim, muitos autores apontam idade, margens cirúrgicas, apresentação histológica e componente intraductal extenso, como aspectos de maior relevância na resposta local. Aspectos moleculares ou mesmo *status* nodal, estágio "T", embora de maior expressão, devem ser vistos prioritariamente como preditores de doença a distância.

Idade

Diversas publicações têm demonstrado a influência da idade na incidência de recaída na mama operada. Ainda que muitos investigadores não apresentem um mesmo ponto de corte, observa-se comportamento diferenciado naquelas com menos de 50 anos de idade. Por exemplo, o estudo de Milão apontou taxas de recaída maiores no tratamento conservador quando especialmente referia-se a pacientes abaixo de 45 anos. Em análise recente, Beadle *et al.*[13] observaram em grandes séries a importância da idade no comportamento da doença a longo prazo (NSABP B-06, EORTC 10801, DBCG-82, *Inst. Gustave-Roussy*).

Nesse estudo, os autores concluem como 35 anos a idade de corte, com base em série publicada por Zhou *et al.*,[14] mas chamam atenção a pequena população de pacientes nessa faixa etária (em torno de 4%).

Utilizando esse conceito, Fowble *et al.*[16] relatam taxa de 76% de sobrevida livre de recaída local em 8 anos, abaixo dos 35 anos, comparado a 86% acima de 35 anos e 88% acima de 50 anos. Mesma expressão foi vista na recidiva regional nessas faixas etárias.

De grande significado, o EORTC estudo 22881-10882 que sugere reforço de dose em região pericicatricial, apontou maior benefício na faixa mais jovem, com maior redução abaixo de 40 anos. Nesse grupo, em 10 anos, houve queda no risco de recidiva de 23,9 para 13,5% (p = 0,0014). Para aquelas abaixo dos 50 anos, houve redução de 19,4 para 11,4% (p = 0,0046). Numerosos estudos têm reproduzido esses resultados e, em análise uni ou multivariada, reafirmam a diferença entre grupos etários.[15]

Margens

Considerada como um dos mais importantes fatores no comportamento local das doenças malignas, em especial no câncer de mama tem sido objeto de infinitas discussões. A começar, não tem sido estabelecido consenso quanto à definição de margens negativas, já que para alguns, o simples fato de não identificar-se células malignas na margem do espécime, configuraria margens negativas. Conforme sugerido pela Sociedade Americana de Radioterapia (ASTRO), com base em diversas publicações, margens > 2 mm têm apresentado melhores taxas de controle pós-cirurgia conservadora. Outro aspecto, controverso é quantificar quanto de doença se mantém presente nas margens, focal ou difusamente invasiva. Ainda outra dificuldade é estabelecer seu valor como fator isolado, tanto na recaída local ou sistêmica.

Leong *et al.*,[17] em *British Columbia,* retrospectivamente reuniram 452 pacientes tratadas de forma conservadora, com axila negativa, submetidas à radioterapia pós-operatória, em instituição australiana. Naquele grupo, diversos fatores foram considerados, como componente intraductal extenso, grau histológico, invasão linfovascular. A dose variou entre 45 e 50,4 Gy, com reforço pericicatricial de 8 a 30 Gy, na maioria das pacientes. Com acompanhamento mediano de 80 meses, as margens, quando positivas, representaram 11,9%, e quando negativas, 3,1% das recaídas. Em 10 anos, a sobrevida atuarial livre de falha local foi de 92 *vs.* 75%.

Freedman *et al.*[18] analisaram o comportamento em 1.262 pacientes, estágios I e II, com dissecção axilar, considerando margens negativas acima de 2 mm (77%). Como escassas ou positivas, havia 11 e 12%, respectivamente, inclusive tratadas com elevação de dose (66 Gy). Embora em 5 anos, não tenha havido maior expressão comparativa na falha local (4 a 7%), com diferença significativa apenas entre os grupos submetidos à quimioterapia/tamoxifeno adjuvante e sem adjuvância (1 *vs.* 13%), em 10 anos, no entanto, 18 *versus* 14% de falha foi registrada nesses grupos, mostrando que mesmo com tratamento sistêmico, não houve proteção contra recidiva a longo prazo.

Conclusão semelhante foi obtida por Haffty *et al.*,[19] quando analisaram grupo de 871 pacientes, das quais 68% encontravam-se com margens comprometidas, escassas ou indeterminadas. Na projeção em 10 anos, 18% de recidiva foi registrada. Ainda que maior proporção de pacientes recebesse quimioterapia adjuvante, não houve melhora no controle local.

Conforme exposto, parece-nos claro a situação das margens em relação ao desenvolvimento de falhas *in loco*, ainda que muitas vezes em análise multivariada se revele a influência de fatores, como a idade (EORTC 10882) ou o componente intraductal extenso (CIE). O último, aliás, por muitos considerado fator de risco nas cirurgias conservadoras, talvez se associe ao fato de não permitir margens mais seguras de ressecção. Gage *et al.*[20] destacaram 343 mulheres submetidas a tratamento conservador, para as quais se identificava CIE, e constataram que a situação das margens era fator determinante na recaída local, em 5 anos (2% margens negativas *vs.* 16%, margens positivas). Holland *et al.*,[21] em seus estudos de processamento histopatológico, chamaram atenção para presença de doença residual nas espécimes de pacientes submetidas à mastectomia, chegando a 44% naquelas com componente proeminente.

Histologia

Diversos aspectos têm sido considerados em torno das características patológicas da peça cirúrgica, traduzindo-se em interesse quanto à influência nos seus comportamentos locorregional e sistêmico. Menos olhares para o tipo histológico, sabido que é da maior agressividade dos carcinomas ductais, embora para histologias menos frequentes, como os carcinomas medulares e tubulares, algumas especulações sejam levantadas.

No caso do primeiro, parece acompanhar pacientes mais jovens, o que poderia exigir elevação de dose ou maior ligação familiar. Para o segundo, especialmente em pacientes acima de 70 anos, o papel da radioterapia adjuvante poderia ser irrelevante.[22] Já o lobular infiltrante, com suposto comportamento multicêntrico, seria motivo de maior vigilância quanto à recaída local. Para os tumores filoides, mesmo com comportamento maligno, e pouco frequentes, aqueles em menor extensão poderão ser tratados de forma conservadora. Historicamente, essa abordagem pode representar taxas de recaída absolutamente proibitivas (acima de 25%). Barth *et al.*[24] submeteram prospectivamente, em diversas instituições, 46 pacientes a tratamento cirúrgico local, e garantindo margens negativas. Com acompanhamento mediano de 56 meses, obtiveram 100% de controle local, justificando radioterapia complementar.

Conhecimento atual nos remete à presença de invasão linfovascular como objeto de preocupação ou pelo menos de investigação quanto à modificação prognóstica. Truong *et al.*[22] em estudo retrospectivo, identificaram falha local de até 15%, mesmo com tratamento cirúrgico radical, contra 5% para aquelas que recebiam tratamentos local e sistêmico. Mesmo reconhecendo as dificuldades de análise retrospectiva e interferência de outros fatores, como idade e grau histológico, a autora sugere prosseguir com estudos prospectivos para quantificar a contribuição da radioterapia na resposta final.

Tal fato é bem exemplificado nos achados de Sundquist *et al.*,[25] que confrontaram 629 pacientes submetidas à cirurgia radical ou conservadora, quanto ao controle locorregional, com base na presença de invasão linfovascular. Quando associada a grau histológico III, havia 17% de falha locorregional, contra 3,1% para aquelas com grau I/II, sem invasão linfovascular.

Aspectos genéticos e moleculares

Destacam-se cada vez mais os estudos envolvendo aspectos genéticos e marcadores moleculares, com tradução em melhor ou pior prognóstico, fundamentalmente pelo comportamento sistêmico que tais modificações podem acarretar e possibilidade de desenvolvimento de terapias-alvo. No que se refere ao comportamento locorregional, caminhamos, ainda, no campo das especulações. Diversos autores, como Haffty, Pierce, Silvestrini, têm-se dedicado à investigação de tais fatores, com interesse especial na influência de resposta à radioterapia.

Nenhum tem concluído a respeito da influência das radiações, embora observem diferenças de resposta conforme a existência dos mesmos. Notadamente, a ausência de estudos prospectivos, relacionando diretamente a radioterapia com o controle local, torna limitada as conclusões à cerca do seu papel.

Em análise de 753 pacientes, T1 e T2, Freedman et al.[26] selecionaram três grupos de pacientes: RE/RP+; RE/RP- com HER-2+; triplo-negativo. Embora envolvesse outros fatores, o objetivo final em 5 anos avaliava taxa de recaída locorregional em função daquelas características. Com taxas de progressão a distância diferenciadas, não havia, no entanto, a mesma percepção quanto ao comportamento local (recaída local < 5% nos três grupos).

Da mesma forma, alterações na linhagem BRCA1 e BRCA2 são ligadas a maior risco de surgimento de câncer de mama. Seria razoável questionarem-se abordagens menos agressivas nessas pacientes. Kirova et al.[27] examinaram 131 pacientes com história familiar para câncer de mama/ovário, submetidas a tratamento cirúrgico conservador e radioterapia, quanto à existência de mutação genética, comparando a grupo-controle com 261 pacientes, sem história familiar. No primeiro grupo, identificaram 20,6% de mulheres com mutação, sendo BRCA1 – 19% e BRCA2 – 8%. Também nesse grupo, havia maior incidência de grau histológico III e receptor estrogênico negativo. Em acompanhamento mediano de 8 anos e 9 meses, nenhuma diferença expressiva foi percebida quanto à falha local como primeiro evento, entre grupos BRCA1/2 e controle.

Na análise multivariada, apenas a idade assumia importância como fator preditivo de recaída.

Pierce et al.,[28] em recente publicação, compararam resultado em 655 pacientes portadoras de mutação BRCA1/2, de acordo com proposta cirúrgica e registraram taxas de falha local e recaída contralateral superiores no grupo tratado de forma conservadora.

Nesse estudo, multi-institucional, foram considerados estágios I-III, sem randomização para proposta cirúrgica. Embora taxas de recaída maiores naquelas submetidas à segmentectomia, contraditoriamente não houve diferenças nas sobrevidas causa-específica e global. Outra observação relevante foi o fato de as falhas ocorrerem tardiamente nessa população de portadoras com mutação BRCA1/2, podendo sugerir o desenvolvimento de novos tumores primários. Provável análise do perfil genético dessas doenças poderá discernir entre recidiva ou segundo primário. Reconhecidamente, diante de tais observações, o impacto dessas características não deve nortear, até o momento, nossas decisões cirúrgicas.

Estágio T e *status* nodal

Considerados dos mais importantes fatores prognósticos no câncer de mama, são sempre apontados como determinantes para o controle local e a sobrevida. No entanto, não têm sido motivo de questionamentos quanto à proposta cirúrgica, desde que tecnicamente viáveis e com garantia de ressecção completa. No que se refere à radioterapia, entretanto, é sempre motivo de discussão, se menos ou mais inclusão de drenagem está fundamentado pelo *status* axilar ou se tumores maiores que 5 cm devem gerar tratamento complementar pós-mastectomia. Estudos, como os realizados pelo DBCG ou *British Columbia*, no passado, apontaram resultados favoráveis em relação à sobrevida quando volumes mais generosos, incluindo drenagem linfática, foram irradiados. Em curso, avaliações semelhantes, conduzidas pelo NCIC (Instituto de Câncer do Canadá) e pelo EORTC, tentam estabelecer melhor o desenho da radioterapia, individualizando as populações em risco.

ABORDAGEM DE CADEIAS LINFÁTICAS

Embora mais frequentemente indicada nas pacientes com doença avançada, nas abordagens cirúrgicas conservadoras a necessidade de irradiarem-se as cadeias linfáticas também se faz presente em muitas ocasiões. Naturalmente, a extensão do esvaziamento axilar ou mesmo características inerentes à doença devem conduzir nossa decisão. Desde estudos passados, que relacionaram a importância da inclusão das cadeias no resultado de sobrevida, até estudos atuais, que novamente suscitam inclusão da cadeia mamária, as rotinas diferem em muitos centros de radioterapia. Surgem, também, conceitos, como taxa nodal, que relaciona número de linfonodos comprometidos com linfonodos estudados. Ainda que pareça mais atraente do que apenas determinar o número de gânglios comprometidos (como estabelece sistema TNM), há certamente dificuldade de introduzir tal conceito em nossa rotina por falta de padronização no esvaziamento axilar, assim como estudos prospectivos concluindo qual taxa a considerar (0,2; 0,25; 0,30...). Autores, como Truong, têm sugerido sua utilização na seleção de pacientes de maior risco, que apresentam até três linfonodos axilares comprometidos.[29] Da mesma forma, evidências sugerem maior risco de acometimento da cadeia mamária em pacientes com doença em quadrantes internos e axila positiva.

Considerando a não abordagem cirúrgica ou omissão de estudo sentinela, seria razoável admitir-se irradiá-la (controle de doença microscópica, impacto na sobrevida). No entanto, Veronesi et al.[30] observaram que tumores maiores que 2 cm e axila com mais de cinco linfonodos acometidos acarretavam doença mamária na ordem de 20%. Vale balancear limitações técnicas e risco de morbidade em função do benefício (5:1). Melhor identificação das pacientes em risco, melhor individualização de doença intramamária por exames de imagem, como PET-CT, e aprimoramento técnico (IMRT – radioterapia com intensidade modulada) poderá objetivar o tratamento. No momento, talvez se mantenha rotina tratar-se aquelas mulheres com doença clinicamente presente.

De outra forma, o reforço axilar posterior, para inclusão do nível baixo da axila, parece impor-se em situações específicas. Na rotina da maioria dos serviços de radioterapia, está indicada na axila não abordada cirurgicamente, quando não avaliado estudo sentinela ou mesmo naquelas em que se tem doença reconhecida sem esvaziamento axilar ou número insuficiente de linfonodos estudados. Conforme sugerido pelo NIH *(National Institute of Health)* e Sociedade Americana de Radioterapia (ASTRO), pelo menos 10 gânglios devem ser isolados do oco axilar. Como já comentado anteriormente, alguns centros vêm aplicando o conceito da taxa nodal, para tal decisão. Ceilley et al.[31] aplicaram questionário a centros europeus e norte-americanos e tiveram 75% de concordância em relação ao reforço axilar nas pacientes estágio N3, com extravasamento axilar.

Outro aspecto de interesse, há muitos anos, é a conduta diante do extravasamento capsular, que reconhecidamente agrega pior prognóstico. Diversos estudos consideram prejuízo à sobrevida global e taxas de recidiva local mais expressivas. No entanto, não deve ser visto como fator independente, e claramente está associado a número maior de linfonodos comprometidos. Aliás, muitas vezes o que se revela são conglomerados de linfonodos, com extravasamento para gordura, outras vezes são apenas rupturas de cápsula com doença pouco expressiva no oco axilar. Do ponto de vista técnico, não é consenso inclusão de axila baixa na abordagem com radioterapia, embora seja rotina irradiarem-se sítio primário e drenagem alta (FSC e axila alta).

ASPECTOS TÉCNICOS

Quase sempre, as pacientes em decúbito dorsal são posicionadas em suportes torácicos, conhecidos como *breast board*, de forma que se mantenha leve inclinação do tronco, com abdução do braço acima da linha do ombro.

Mais recentemente, utilização de imobilizadores plásticos ou contornos produzidos a vácuo (*alpha cradle*) também têm garantido a reprodutibilidade diária do tratamento. Posicionamentos alternativos ou aplicação de moldes individualizados podem ser recursos necessários para algumas pacientes, a critério da experiência do radioterapeuta.

Devemos incluir a mama na sua integralidade ou plastrão, quando considerado tratamento em sítio primário, assim como a fossa supraclavicular com níveis altos da axila, quando considerada irradiação de drenagem. Reforço axilar, sugerido para abordagem do nível I da axila, pode ser utilizado em casos específicos.

Considerando técnica bidimensional, quando indicada terapia na mama, delineamos o campo superiormente pela inserção alta da mama, geralmente na margem inferior da clavícula e inferiormente a 2 cm da prega inframamária. Internamente, o limite fica a 1 cm da margem esternal e lateralmente a 2 cm da margem externa da mama (geralmente na linha axilar média). A distribuição dos campos ocorre de forma tangencial, em incidências paralelas e opostas, quando selecionada energia de fótons ou em incidência direta quando aplicada energia de elétrons (somente no caráter pericicatricial, no intuito de reforço de dose). A opção deve ser por megavoltagem, podendo variar de 1,25 Mv até 6 Mv. No caso de tratar-se de mama mais volumosa, a homogeneidade de dose fica comprometida, e a utilização de maiores energias pode ser necessária. A aplicação de filtros compensadores reduz a interferência dos relevos tão diferentes entre as diversas pacientes.

A escolha por técnicas mais refinadas, tais quais a radioterapia tridimensional ou a radioterapia com intensidade modulada (IMRT), embora com resultados cosméticos e menor toxicidade não se traduz em melhor controle de doença. Ainda assim, é inegável o ganho em relação à homogeneidade de dose no volume tratado e controle de morbidade especialmente nos tratamentos sobre o lado esquerdo, para os quais impõem-se preocupações quanto à cardiotoxicidade agregada ao uso frequente de antraciclínicos (a construção dos chamados histogramas permite análise de dose sobre as diversas estruturas envolvidas no tratamento). Diferente da técnica bidimensional, define-se o volume a ser irradiado por imagem tomográfica e não por referências anatômicas, com exigência de sistemas de planejamento modernos e métodos mais precisos de posicionamento.

O esquema de dose mais usado encontra-se entre 45 e 50 Gy, com fração diária de 1,8 Gy a 2,0 Gy.

Pequenas variações no fracionamento ou dose total são encontradas em alguns centros, com extensão até 54 Gy. A aplicação de reforço pericicatricial consolidou-se a partir do estudo de Lyon e o estudo 22881/10882 do EORTC. Neste, com doses finais variando de 60 a 66 Gy, ficou definido benefício no controle local em todas as faixas etárias, embora mais significativo o resultado para pacientes abaixo de 50 anos.

Na contramão, estudos mais antigos e publicações recentes têm-se ocupado de analisar menor número de frações, com redução de dose final, conhecida por radioterapia hipofracionada. De forma compensatória há elevação da dose/fração, e para regiões onde há risco de maior absenteísmo, em particular por situações meteorológicas, o interesse tem-se justificado. Em estudo randomizado, Whelan et al.[32] selecionaram 1.234 pacientes com tumores inferiores a 5 cm e axila negativa. Naquelas mulheres foram aplicadas dose/dia de 2,67 Gy versus fração convencional de 2,0 Gy/dia, para dose final de 42,5 Gy/16 frações (22 dias) e 50 Gy/25 frações (35 dias), respectivamente. Tinha como objetivo primário taxa de recaída local, e como objetivos secundários sobrevida livre de doença a distância (SVLD), sobrevida global (SVG) e resultado cosmético, com base no sistema de avaliação do EORTC. Os dois braços tiveram número balanceado (622 no hipofracionamento, 612 no convencional) e acompanhamento mediano de 69 meses. Análise final apontou sobrevida livre de recaída (SVLR) de 97,2 versus 96,8% e cosmese (boa ou excelente) em 76,8 versus 77,4%, respectivamente. Nenhuma diferença em SVLD e SVG foi identificada entre os dois grupos, embora sem significância estatística.

Dois outros estudos randomizados com esquemas diferenciados, produzidos em sequência, foram conduzidos em centros britânicos por Yarnold et al.[33,34] O primeiro, START trial A, arrolou 1.410 pacientes, entre 1986 e 1998, com tumores mamários T1–T3 e axila N0–N1, alocadas em três regimes de tratamento após abordagem cirúrgica conservadora; 50 Gy/25 frações, 39 Gy/13 frações, 42,9 Gy/13 frações, em 5 semanas com frações de 2, 3 e 3,3 Gy, respectivamente.[33] A finalidade (objetivo primário) foi observar impacto em cosmese tardia e, secundariamente, padrão de fibrose local e recaída ipsilateral. Com acompanhamento mínimo de 5 anos, alterações mais expressivas foram identificadas no grupo que recebeu 3,3 Gy/fração.

Com base nessas observações, em um segundo estudo a seguir, START trial B, os mesmos autores reuniram 2.215 pacientes, entre janeiro/1999 e outubro/2001, com características semelhantes (T1 – T3, N0 – N1), em 23 centros do Reino Unido.[34] Novamente, após tratamento cirúrgico conservador ou radical, foram confrontados o regime convencional em 5 semanas (50 Gy/25fr/2Gy em 1.091 pacientes) com regime hipofracionado em 3 semanas (40 Gy/15fr/2,67 Gy em 1.103 pacientes), buscando análise de recaída locorregional, efeitos tardios e qualidade de vida, sendo oferecido reforço com 10 Gy, de forma convencional a 41,4% no primeiro grupo e 43,8% no segundo grupo. Em acompanhamento mediano de 6 anos, a taxa de recaída local foi de 2,2% versus 3,1% favorável ao grupo que recebeu esquema hipofracionado, com HR (taxa de risco) de 0,72 e taxa de recaída locorregional de 2,6 versus 3,2%, com HR de 0,79. Quanto à cosmese, apenas 28 pacientes (3%) obtiveram importante mudança local em 5 anos, com HR de 0,83 para o grupo que recebeu 40 Gy. Eventos diversos, como cardiopatia isquêmica, fibrose pulmonar, plexopatia braquial, doença contralateral, não se apresentaram com importância percentual, mesmo considerando curto acompanhamento para tais ocorrências. Vale ressaltar que algumas dessas pacientes receberam radiação em área de drenagem (82 pacientes no grupo de 40 Gy e 79 pacientes no grupo de 50 Gy), sem registro de plexopatia braquial. Quanto à quimioterapia, 58,4% no grupo dos 40 Gy e 59,7% no grupo dos 50 Gy, utilizaram regime fundamentado em antraciclina. Em autoanálise (96,1%), avaliação de qualidade de vida apontou menores consequências para o grupo com hipofracionamento.

Seguindo o mesmo princípio na redução de tempo para tratamento, a utilização das braquiterapias com implante intersticial ou uso do aplicador MammoSite® tem sido testado por diversos centros. No estudo NSABP B-39/RTOG 0413 são arroladas mulheres com doença inicial, comparando-se tratamento convencional a esquema hipofracionado, utilizando radioterapia conformacional ou braquiterapia com 3,4 Gy, 2 vezes ao dia, por 5 dias, totalizando 34 Gy. Autores, como Kuske e Polgar, também têm avaliado o resultado em pacientes submetidas à braquiterapia intersticial, com excelentes taxas de controle local e cosmese.

SITUAÇÕES ESPECIAIS

Surgem situações que impõem incertezas sobre a decisão de tratar conservadoramente algumas pacientes. Gravidez e lactação são limitantes ao tratamento conservador? Colagenoses permitem radioterapia pós-operatória? Questões, como radioterapia torácica prévia, mesmo que 10 ou 20 anos antes, ou mamoplastia com inclusão de prótese de silicone, podem gerar dificuldades na adjuvância? Aliás, nas últimas 2 décadas, esse tipo de prática, na maior parte das vezes relacionada com jovens, vai criando cenários cada vez mais habituais em nossa rotina. Da mesma forma, o crescente conhecimento de fatores moleculares e genéticos, como já discutido anteriormente, leva-nos a individualizações e exige discussão.

Gravidez e lactação

Dúvidas a cerca da maior agressividade da doença nesse período ainda convivem conosco, quando imaginamos que estímulos hormonais na gravidez sejam fomentadores do seu desenvolvimento. Na verdade, publicações sobre o tema têm observado pior prognóstico relacionado com um atraso diagnóstico. Modificações anatômicas inerentes à gravidez e investigação radiológica limitada ou até mesmo idade mais jovem, devem justificar essa observação. Zemlickis et al.[35] analisaram 387 mulheres com câncer de mama, entre grávidas (118) e grupo-controle (269). Embora no primeiro grupo houvesse maior incidência de doença avançada, quando comparadas por estadiamento, não havia diferença de resultado entre as mesmas. Parece consenso, nos dias atuais, que precocidade diagnóstica, associada à introdução de quimioterapia a partir do segundo trimestre de gestação, possa permitir intervenção radioterápica após o parto, ainda que este ocorra mais precocemente. A restrição à radioterapia baseia-se no risco de absorção de dose pelo feto. Mesmo que esse risco seja maior na fase avançada da gravidez (já que o útero gravídico está mais próximo ao tórax nesse momento), eliminando risco de teratogênese, não há precisão na dose absorvida e segurança quanto às consequências tardias na vida do indivíduo. Quanto à lactação, poucas séries foram publicadas, e, notoriamente, o número de pacientes avaliadas não era expressivo. Entretanto, não identifica-se prejuízo à amamentação contralateral, ou impedimento em fazê-lo no lado irradiado, embora haja menção à menor quantidade de leite produzido deste lado ou temor não justificado de oferecer a mama aos lactentes.

Colagenoses

Sempre que associamos a ideia de radioterapia e colagenoses, surgem especulações quanto à possibilidade de maior morbidade aguda e tardia. Portadoras de artrite reumatoide, lúpus ou esclerodermia são naturalmente pacientes que exigem olhar individualizado. A grande heterogeneidade clínica dessas patologias, fases diferentes de evolução e paucidade de casos dificultam comparações entre estudos. São divergentes alguns resultados, porém em análise de 36 pacientes com doença do colágeno comparadas a grupo-controle, Chen et al.[36] não identificaram significativa morbidade tardia naquelas mulheres, embora para portadoras de esclerodermia havia resultados inferiores.

Mesmo com as limitações apresentadas, sugere-se não submeter essa população de mulheres (com esclerodermia) à radioterapia pós-operatória. E mesmo nos outros grupos, em que não há contraindicação à radioterapia, escolha de doses menores (em torno de 45 Gy) e qualificação de planejamento técnico devem ser exigidas.

Mamoplastia com prótese

A expectativa de um número cada vez maior de mulheres submetidas à mamoplastia com instalação de prótese, notoriamente em idade jovem, cria um universo também progressivamente maior de pacientes com tais características, levando-nos a confrontar-se com o dilema de radicalizar a cirurgia ou manter postura conservadora, incluindo a radioterapia adjuvante. Retrospectivamente, Clark et al.[37] observaram pequeno grupo de mulheres submetidas a aumento das mamas e comparando com grupo-controle sem mamoplastia, não detectaram diferença na extensão mamográfica da doença ao diagnóstico. Embora no primeiro grupo o tamanho da doença clinicamente palpável fosse menor, também não havia diferença na incidência de doença intraductal e invasiva entre os mesmos, com percentual elevado de doença axilar no segundo grupo. Limitação à análise era o pequeno número de mulheres no primeiro grupo. Quanto à resposta à radioterapia, autores, como Guenther e Kuske, não identificaram piora nas taxas de controle local ou sobrevida livre de recaída em pacientes com características semelhantes. Novamente, a limitação no número de mulheres arroladas e heterogeneidade de propostas técnicas entre estudos dificultam conclusões definitivas. Da mesma forma, acompanhamento curto em muitos desses estudos e avaliação subjetiva de satisfação, não permitem estabelecer resultado cosmético. Cabe individualização de cada caso na decisão terapêutica, e reconhecer a prioridade no controle à doença, muitas vezes em detrimento à manutenção da mama.

Em contraponto, deparamo-nos com mamas pêndulas ou muito volumosas, para as quais o uso das radiações gera pior distribuição de dose (inomogeneidade) e, por consequência, evidente morbidade local acentuada, especialmente radioepitelite, por vezes impondo interrupção nas aplicações. De relevante interesse mostra-se a redução imediata dessas mamas, com benefícios terapêutico e cosmético.

SEQUELAS DE TRATAMENTO

Mesmo com todo desenvolvimento técnico, algumas alterações agudas e tardias ainda pontuam no cenário de tratamento, com direta associação de dose e volume tratados.

O maior desconforto relatado pelas pacientes, durante e pós-radioterapia imediata, é a radioepitelite. Quando confrontamos essas pacientes com aquelas submetidas à mastectomia, no entanto, identificamos quadro sempre mais tolerável para as tratadas conservadoramente, seja por maior facilidade de planejamento ou por mais branda abordagem sistêmica. De relevância pelo caráter muitas vezes irreversível e comprometimento na qualidade de vida, consideraremos a seguir aquelas sequelas tardias.

Fibrose cutânea

Manifestação que se apresenta clinicamente por espessamento cutâneo e alteração na tonalidade da pele. Embora dolorosa por vezes e comprometendo estética mamária, não se tem traduzido em grande preocupação, ainda que possa afetar diretamente o conforto e autoestima das pacientes. Especulações em torno da associação a tamoxifeno foram revistas em algumas publicações, sugerindo indução da secreção de fator de crescimento tumoral (TGF-β), com consequente fibrose. Fowble et al.[38] não observaram qualquer impacto no resultado cosmético ou complicações em 154 pacientes, utilizando tamoxifeno associado à radioterapia. Outros autores, como Harris, Vicini, Pierce, também não identificaram maior ônus relacionado com tal associação.

Linfedema

Geralmente relacionado com abordagem axilar, mesmo em extensão mais limitada, após o advento do estudo sentinela parece ter reduzido sua prevalência entre os efeitos tardios nas pacientes abordadas conservadoramente. Por outro lado, a maior sobrevida das pacientes torna a vigilância permanente. Diagnóstico diferencial com recidivas axilares deve ser imposto antes de qualquer medida terapêutica objetiva. Complicação com substancial impacto funcional e emocional, por vezes, caracteriza-se por sintomatologia álgica expressiva e enorme dificuldade de regressão. Medidas fisioterápicas, como bandagens compressivas, drenagem linfática e exercícios específicos, têm amenizado o sofrimento daquelas mulheres acometidas, sem que se determine, no entanto, medida farmacológica eficaz no seu controle. Estratégias preventivas e disciplina da paciente ainda são a melhor recomendação.

Cardiotoxicidade

O risco potencial de cardiotoxicidade tem sido, por muitos anos, motivo de preocupação, e por algum tempo foi evidenciada com impacto negativo na sobrevida de pacientes submetidas à radioterapia. Evidentemente que esses estudos, quase sempre retrospectivos, agregavam limitações técnicas e, especialmente com uso mais frequente de quimioterapia com tal potencial, causavam resultados desfavoráveis. Anos depois de se submeterem ao tratamento, eventos isquêmicos ainda eram percebidos. Com advento de tratamentos tridimensionais, com melhor dimensionamento do volume irradiado, controle de dose e métodos mais precisos em determinar disfunções prévias, a radioterapia tem atenuado efeitos mórbidos. Análise de dados multi-institucionais recolhidos por Patt et al.[39], com mais de 15.000 mulheres e acompanhamento de 9,5 anos, considerando eventos isquêmicos ou processos congestivos, não apontou diferença quando avaliadas por lateralidade da doença. Portanto, com adequação de tratamento, pouca toxicidade pode ser esperada.

Malignidades secundárias

De pouca incidência, as segundas malignidades foram referidas em algumas publicações, seguindo exposição à radiação. Assim como o câncer de mama pode surgir a partir de tratamentos em fases anteriores, de destaque na infância ou juventude, como para doenças linfoproliferativas, a radioterapia sobre estruturas torácicas por ocasião do tratamento das mamas, pode associar-se ao surgimento de tumores. Os sarcomas, em especial os angiossarcomas, são de maior prevalência, ainda que pontuais quando comparados ao diagnóstico dos sarcomas não radioinduzidos. De característica relevante é o aparecimento dessas doenças de forma precoce, em geral, com menos de 5 anos após a radioterapia. Galper et al.[40] avaliaram o desenvolvimento de outros tumores em pacientes submetidas à irradiação sobre as mamas. Em 1.884 mulheres, estágio inicial, o risco absoluto encontrado era de apenas 1% na população estudada. O surgimento de câncer de pulmão chamou atenção. Talvez o tabagismo pudesse ter sinergismo no evento apresentado, já que quando selecionadas as não fumantes, o risco praticamente se igualou ao risco na população em geral.

REFERÊNCIAS BIBLIOGRÁFICAS

1. Veronesi U. NIH consensus meeting on early breast cancer. *Eur J Cancer* 1990;26:843-44.
2. Fisher B, Anderson S. Conservative surgery for the management of invasive and non-invasive carcinoma of the breast: NSABP trials. *World J Surg* 1994;18:63-69.
3. Veronesi U, Salvadori B, Luini A et al. Conservative treatment of early breast cancer. Long term results of 1232 cases treated with quadrantectomy, axillary dissection and radiotherapy. *Ann Surg* 1990;211:250-59.
4. Clarke M, Collins R, Darby S et al. Effects of radiotherapy and of differences in the extent of surgery for early breast cancer on local recurrence and 15-year survival: an overview of the randomized trials. *Lancet* 2005;366:2087-106.
5. Veronesi U, Cascinelli N, Mariani L et al. Twenty year follow-up of randomized study comparing breast-conserving surgery with radical mastectomy for early breast cancer. *N Eng J of Med* 2002;347:1227-32.
6. Fisher B, Anderson S, Bryant J et al. Twenty-year follow-up of a randomized trial comparing total mastectomy, lumpectomy and lumpectomy plus irradiation for the treatment of invasive breast cancer. *N Eng J Med* 2002;347:1233-41.
7. van Dongen JA, Voogd AC, Fentiman IS et al. Long-Term results of a randomized trial comparing breast-cancer therapy with mastectomy: EORTC 10801 trial. *J Natl Cancer Inst* 2000;92:1143-49.
8. EBCTCG; Effect of radiotherapy after breast-conserving surgery on 10-year recurrence and 15-year breast cancer death: meta-analysis of individual patient data for 10801 women in 17 randomised trials. *Lancet* 2011;378:1707-16.
9. Vinh-Hung V, Verschraegen C. Breast-conserving surgery with or without radiotherapy: pooled analysis for risks of ipsilateral breast tumor recurrence and mortality. *J Natl Cancer Inst* 2004;96:115-21.
10. Sarrazin D, Le M, Rouesse J et al. Conservative treatment vs. mastectomy in breast cancer tumors with macroscopy diameter of 20 mm or less. The experience of the Institute Gustav-Roussy. *Cancer* 1984;53:1209-13.
11. Hughes KS et al. Lumpectomy plus tamoxifen with or without irradiation in women 70 years of age or older with early breast cancer. *N Eng J Med* 2004;351(10):971-77.
12. Punglia RS, Morrow M, Winer EP et al. Current concepts: local therapy and survival in breast cancer. *N Eng J Med* 2007;356(23):2399-405.
13. Beadle B, Woodward W, Buchholz T et al. The impact of age on outcome in early stage breast cancer. *Semin Rad Oncol* 2011;21(1):26-34.
14. Zhou P, Recht A et al. Younge age and outcome for women with early-stage invasive breast carcinoma. *Cancer* 2004;101:1264-74.
15. Fowble BL, Schultz DJ, Overmoyer B et al. The influence of young age on outcome in early stage breast cancer. *Int J Rad Onc Biol Phys* 1994;30:23-33.
16. Bartelink H, Horiot J, Poortmans P et al. Impact of a higher radiation dose on local control and survival in breast-conserving therapy of early breast cancer: 10-year results of randomized boost vs. no boost. EORTC trial 22881/10882. *N Eng J Med* 2001;345:1378-87.
17. Leong C, Boyages J, Jaya singhe UW et al. Effect of margins on ipsilateral breast tumor recurrence after breast conservative therapy for lymph node-negative breast carcinoma *Cancer* 2004;100(9):1823-32.
18. Freedman G, Fowble BL, Hanlon A, Patients with early stage invasive cancer with close or positive margins treated with conservative surgery and radiation have an increased risk of breast recurrence that is delayed by adjuvant systemic therapy. *Int J Rad Onc Biol Phys* 1999;44:1005-15.
19. Obedian E, Haffty BG. Negative margins status improves local control in conservatively managed breast cancer patients. *Cancer J Sci Am* 2000;6:28-33.
20. Gage I, Schnitt SJ, Nixon AJ. Pathologic margin involvement and the risk of recurrence in patients treated with breast-conserving therapy *Cancer* 1996;78:1921-28.
21. Holland R, Connolly JL, Gelman R et al. The presence of an extensive intraductal component following a limited excision correlates with prominent residual disease in the remainder of the breast. *J Clin Oncol* 1990;8:113-18.
22. Sullivan T, Raad RA, Goldberg S. et al. Tubular carcinoma of the breast: a retrospective analysis and review of the literature. *Breast Cancer Res Treat* 2005;93:199-205.
23. Barth RJ Jr, Wells WA, Mitchell SE, A prospective, multi-institutional study of adjuvant radiotherapy after resection of malignant phylloides tumors. *Am Surg Oncol* 2009;16(8):2288-94.
24. Truong P, Yong C, Abnousi F et al. Lymphovascular invasion is associated with reduced locoregional control and survival in women with node-negative breast cancer treated with mastectomy and systemic therapy. *J Am Coll Surg* 2005;200:912-21.
25. Sundquist M, Thorstenson S, Klintenberg C. Indications of locoregional recurrence in breast cancer. *Eur J Surg Oncol* 2000;26:357-62.
26. Freedman G, Anderson P, Tianyn L et al. Locoregional recurrence of triple-negative breast cancer after breast-conserving surgery and radiation. *Cancer* 2009;115(5):946-51.
27. Kirova Y, Stoppa-Lyonnet D, Savignoni A et al. Risk of breast cancer recurrence and contralateral breast cancer in relation to BRCA1 and BRCA2 mutation status following breast-conserving surgery and radiotherapy. *Eur J Cancer* 2005;41(15):2305-11.
28. Pierce L, Phillips KA, Griffith K et al. Local therapy in BRCA1 and BRCA2 mutation carriers with operable breast cancer: comparison of breast conservation and mastectomy. *Breast Cancer Res Treat* 2010;121(2):389-98.
29. Truong P, Woodward W, Thames H et al. The ratio of positive to excised nodes identifies high-risk subsets and reduces inter-institutional differences in locoregional recurrence risk estimates in breast cancer patients with 1-3 positve nodes: an analysis of prospective data from British Columbia and MD Anderson Cancer Center. *Int J Rad Onc Biol Phys* 2007;68(1);59-65.
30. Veronesi U, Arnone P, Veronesi P et al. The value of radiotherapy on metastatic internal mammary nodes in breast cancer. Results on a large series. *Ann Oncol* 2008;19(9):1553-60.
31. Ceilley E, Jagsi R, Goldberg S et al. Radiotherapy for invasive breast cancer in North America and Europe: results of a survey. *Int J Radiat Onc Biol Phys* 2005;61(2):365-73.
32. Whelan T, Mac Kenzie R, Julian J et al. Randomized trial of breast irradiation after lumpectomy for women with lymph node-negative breast cancer. *J Natl Can Inst* 2002;94(15):1143-50.
33. Yarnold J, Ashton A, Bliss J et al. Fractionation sensitivity and dose response of late adverse effects in the breast of radiotherapy in early breast cancer: long-term results of a randomized trial. *Radiother Oncol* 2005;75:9-17.
34. Yarnold J, Magee B, Bliss J et al. START trial B of radiotherapy hypofractionated for treatment of early breast cancer; a randomized trial. Published on line. *Lancet* 2008 Mar. 29;371(9618):1098-107; doi:10 1016/S0140 6736(08) 60348-7.
35. Zemlickis D, Lishner M, Degendorfer P et al. Maternal and fetal outcome after breast cancer in pregnancy. *Am J Obstet Gynecol* 1992;166:781-87.
36. Chen AM, Obedian E, Haffty BG, Breast-conserving therapy in the setting of collagen vascular disease. *Cancer J* 2001;7(6):480-91.
37. Clark CP 3rd, Peters GN, O'Brien KM. Cancer in the augmented breast. Diagnosis and prognosis. *Cancer* 1993;72:2170-74.
38. Fowble B, Fein DA, Hanlon AL et al. The impact of tamoxifen on breast recurrence, cosmesis, complications, and survival in estrogen receptor-positive in early-stage breast cancer. *Int J Radiat Onc Biol Phys* 1996;35;669-77.
39. Patt DA, Goodwin JS, Kuo YF et al. Cardiac morbidity of adjuvant radiotherapy for breast cancer. *J Clin Oncol* 2005;23:7475-82.
40. Galper S, Gelman R, Recht A et al. Second nonbreast malignancies after conservative surgery and radiation therapy for early-stage breast cancer. *Int J Radiat Onc Biol Phys* 2002;52:406-14.

CAPÍTULO 147

Radioterapia Pós-Mastectomia

Arthur Aciolly Rosa ■ Igor Moreira Veras ■ Conceição Aparecida Machado de Souza Campos

INTRODUÇÃO

A evolução das terapêuticas das neoplasias de mama tem sido bastante expressiva nestes últimos anos. O maior entendimento da biologia tumoral, juntamente com o surgimento de novos agentes antineoplásicos, além da melhora das técnicas de cirurgia e radioterapia, vem mudando esses conceitos. Essa evolução tem mudado o direcionamento no tratamento, ampliando as indicações de radioterapia, através da identificação de subgrupos que possuem um maior benefício na utilização da radioterapia. Nesse capítulo abordaremos as indicações de radioterapia pós-mastectomia, associada ou não aos mais diversos tipos de reconstrução, pós-quimioterapia neoadjuvante e a utilização da radioterapia neoadjuvante, bem como alguns aspectos técnicos do tratamento radioterápico.

RADIOTERAPIA PÓS-MASTECTOMIA

A radioterapia adjuvante vem sendo utilizada após a mastectomia há décadas, e alguns dos primeiros trabalhos prospectivos randomizados em radioterapia foram realizados para comprovar a eficácia da radioterapia pós-mastectomia. Apesar disso, sua indicação até hoje ainda é alvo de diversas controvérsias. Está claro que a mastectomia sem radioterapia oferece um excelente controle local para os pacientes com tumores não invasivos, ou para aqueles invasivos estágios clínicos (EC) I e IIa. Da mesma forma que aqueles pacientes com câncer de mama EC III (com quatro ou mais linfonodos positivos ou T3 ou T4) apresentam um risco relativo elevado de recidiva local pós-mastectomia, o que leva a um benefício na utilização da radioterapia adjuvante. O que é menos claro é se a radioterapia traz algum ganho naqueles pacientes com EC II ou com um a três linfonodos axilares comprometidos.[1]

Em 1987, Cuzik et al.[2] publicaram a primeira metanálise de trabalhos utilizando radioterapia pós-mastectomia e relataram que o uso da radioterapia estava associado a piora na sobrevida das pacientes. Em uma nova análise, o mesmo grupo descreveu que o uso da radioterapia trouxe uma diminuição das mortes por câncer, havendo, porém, um aumento nas mortes por outras causas não neoplásicas. Esse incremento na mortalidade foi sobretudo associado a mortes por eventos cardíacos em pacientes jovens, o que resultou em uma taxa de sobrevida global semelhante nos grupos que receberam e que não receberam radioterapia. Essas análises apresentam uma importância principalmente histórica, em razão de uma grande diversidade nos tratamentos cirúrgicos e radioterápicos utilizados no passado, em comparação às modernas técnicas de tratamento utilizadas atualmente. Existe ainda uma heterogeneidade em relação aos pacientes, com a inclusão de casos em estágios iniciais, além de se tratar de uma época em que não se utilizava o tratamento sistêmico.[3] Após a metanálise inicial de Cuzik, o Early Breast Cancer Trialists' Collaborative Group (EBTCG) publicou uma série de metanálises ao longo dos anos, que trouxeram informações importantes a respeito dos riscos e benefícios da radioterapia pós-mastectomia.[4] Sua publicação mais recente foi com base nas informações de 9.933 pacientes submetidos à radioterapia pós-mastectomia, mostrando uma redução no risco de recidiva locorregional isolada em 15 anos para os pacientes com linfonodos axilares positivos, de 29 para 8%, e uma redução de 5% na taxa de mortalidade desses pacientes (60 vs. 55%).[5] Nos pacientes com linfonodos negativos, uma redução proporcional similar na recidiva locorregional foi vista, porém com menor expressão absoluta em decorrência do já conhecido menor risco de recidiva presente no contexto (8 vs. 3%).[5] Para esses pacientes, essa redução não se refletiu em uma diferença na sobrevida global.

É importante, porém, reconhecer as limitações de estudos do tipo metanálise, em que são analisados grupos grandes de pacientes, em diferentes períodos de tempo, com diferentes esquemas de dose, fracionamento, técnicas de radioterapia e terapias sistêmicas. Para tentar minimizar essas diferenças, Van de Steene et al.[6] conduziram um estudo excluindo todos aqueles trabalhos realizados antes de 1970, além de trabalhos com pequeno número de pacientes e com esquemas de dose e fracionamento não considerados como padrão. Quando esses estudos foram excluídos, o uso da radioterapia pós-mastectomia foi associado a maior vantagem em relação à sobrevida global. Essa melhora é verificada quando ocorre uma diminuição no risco de morte por micrometástases, através do uso da terapia sistêmica. Para investigar essa questão, Whelan et al.[7] realizaram outra metanálise dos trabalhos que incluíam o tratamento sistêmico em ambos os grupos de tratamento. Nessa análise, a adição de radioterapia pós-mastectomia levou a uma redução significativa nos riscos de recidiva (odds ratio 0,69) e no risco de morte (odds ratio 0,83).

Em resumo, essas metanálises demonstraram que a radioterapia tem um importante papel no tratamento do câncer de mama localmente avançado, por meio da redução do risco de recidiva, oferecendo uma melhora na sobrevida global, principalmente com a utilização de técnicas modernas de radioterapia, quando realizada em pacientes que também foram submetidos a tratamento sistêmico. Essas técnicas minimizam o risco de lesão ao tecido sadio e maximizam a probabilidade de controle tumoral.

ESTUDOS RANDOMIZADOS INVESTIGANDO RADIOTERAPIA PÓS-MASTECTOMIA

As evidências mais recentes a respeito da eficácia da radioterapia pós-mastectomia são resultado do acompanhamento de 15 a 20 anos de três estudos randomizados que investigaram pacientes com câncer de mama EC II e III, que também receberam tratamento sistêmico. O maior desses estudos é o dinamarquês, coordenado pelo Danish Breast Cancer Cooperative Group (DBCCG) protocolo 82b, que randomizou 1.708 mulheres pré-menopausadas com estágios clínicos II e III, submetidas à mastectomia, seguido de nove ciclos de quimioterapia com CMF, versus mastectomia, seguido de radioterapia e oito ciclos de CMF.[8] Ao mesmo tempo, esse grupo coordenou, também, o protocolo 82c no qual mais de 1.300 mulheres em pós-menopausa foram randomizadas para receber em um grupo mastectomia e tamoxifeno por 1 ano versus mastectomia, radioterapia e tamoxifeno.[9] Outro estudo prospectivo randomizado é o canadense realizado na Columbia Britânica, que randomizou 318 mulheres pré-menopausadas, com linfonodos positivos, para serem submetidas à mastectomia e CMF, com ou sem a utilização de radioterapia pós-mastectomia.[10] Em todos os três trabalhos, nos pacientes submetidos à radioterapia foi observada menor taxa de recidiva locorregional isolada. Essa diminuição na recidiva levou a menor desenvolvimento de metástases a distância e, consequentemente, a melhora na sobrevida global.[10,11]

Alguns conceitos importantes puderam ser inferidos a partir desses estudos. Em primeiro lugar, que a redução da recidiva locorregional com a radioterapia adjuvante pode levar a melhora na sobrevida global. Outro conceito é que esses pacientes apresentam um risco relevante de recidiva locorregional, apesar do uso de quimioterapia com CMF ou tamoxifeno. Esses achados sugerem que os benefícios do tratamento sistêmico são, predominantemente, a diminuição no risco de metástases a distância, tornando a obtenção de um controle locorregional de extrema importância.

Como o espectro de risco de recidiva estaria condicionado à extensão das doenças local e locorregional, levantou-se o questionamento sobre o papel da radioterapia adjuvante nos pacientes de EC II, com um a três linfonodos axilares acometidos.[9,10,12] A maioria dos pacientes nesses estudos apresentava EC II com um a três linfonodos positivos, o que poderia sugerir que todos os pacientes com linfonodos positivos poderiam beneficiar-se com o uso da radioterapia. Porém existe uma dificuldade em interpretar esses dados, pois a maior parte desses pacientes não foi submetida a esvaziamento axilar adequado, com média observada de linfonodos isolados de apenas sete.[11] Esse número está abaixo do padrão mínimo recomendado de dez linfonodos, o que poderia ter implicado em um subestadiamento dessas pacientes. A realidade é que com maior número absoluto de linfonodos poderia haver um maior risco de recidiva em parede torácica e fossa supraclavicular. Além do mais, a dissecção axilar inadequada pode ter aumentado o risco de recidiva axilar nesses pacientes, o que é demonstrado na mais recente atualização do trabalho dinamarquês, no qual 43% de todas as recidivas locorregionais incluíam recidiva na axila.[11] Outra crítica a esses trabalhos é o número elevado de recidivas locorregionais observado em pacientes com um a três linfonodos positivos, superior aos demonstrados nos trabalhos norte-americanos, em que se realizaram uma mastectomia radical modificada e tratamento sistêmico. Outro aspecto observado foi que não fossem consideradas como recidivas locorregionais aquelas que se desenvolveram juntamente com metástases a distância, ou após o desenvolvimento de metástases. Isso provavelmente subestimou o verdadeiro percentual de pacientes que tiveram uma recidiva locorregional persistente após a mastectomia e o tratamento sistêmico. Recentemente, o grupo do NCI apresentou um estudo randomizado no qual 1.832 mulheres com câncer de mama de alto risco com axila positiva ou negativa foram submetidas à cirurgia conservadora de mama, seguido de irradiação da mama, associado ou não à irradiação das cadeias de drenagem (fossa supraclavicular, axila e mamária interna), e essas mulheres foram acompanhadas por um tempo médio de 62 meses, nesse estudo, 83% das mulheres apresentavam de um a três linfonodos comprometidos, sendo demonstrado que aquelas pacientes, que receberam irradiação sobre as cadeias de drenagem, tiveram um impacto positivo na sobrevida livre de doença local (96,8 × 94,5% p = 0,02), sistêmica (92,5 × 87% p = 0,002) e na sobrevida global (92,3 × 90,7% p = 0,07). Apesar do tempo de acompanhamento ainda ser curto para se avaliar o impacto em sobrevida global, esse estudo pode vir a trazer uma mudança na indicação de irradiação de cadeias de drenagem nas pacientes com um a três linfonodos acometidos submetidos à cirurgia conservadora.[13]

Outro grupo de pacientes em que o uso de radioterapia adjuvante é controverso é aquele com uma doença T3N0, na qual existem poucas informações específicas quanto a risco e evolução. Isso se deve ao fato de a maioria dos pacientes com tumor acima de 5 cm apresentar linfonodos comprometidos, e que um grande percentual de pacientes com T3 será submetido à quimioterapia neoadjuvante. Historicamente, os pacientes com esse estadiamento são tratados inicialmente com mastectomia e, posteriormente, submetidos à radioterapia adjuvante. No entanto, duas publicações recentes têm indicado que o risco de recidiva locorregional nesses grupos é relativamente baixo. Floyd et al.[14] publicaram um estudo multicêntrico com 70 pacientes T3N0 submetidos à mastectomia radical e tratamento sistêmico sem radioterapia. Os resultados observados apresentaram uma recidiva locorregional em 5 anos de apenas 8%, sendo que naqueles pacientes que apresentou invasão linfovascular, a taxa de recidiva foi de 21% contra 4% daqueles que não apresentavam. Outro fato importante foi que, daqueles que apresentaram recidiva, um total de 89% apresentou recidiva apenas na parede torácica. Na mesma linha de investigação, Taghian et al.[15] analisaram os resultados de 133 pacientes com EC T3N0 tratados nos protocolos do NSABP com mastectomia e tratamento sistêmico, sem radioterapia. A taxa de recidiva locorregional em 10 anos foi de 7% com 24 dessas 28 recidivas ocorrendo apenas na parede torácica. Esses resultados sugerem que o benefício de radioterapia adjuvante deve ser apenas no tratamento da parede torácica.

RISCOS DE RECIDIVA LOCORREGIONAL APÓS MASTECTOMIA RADICAL E TRATAMENTO SISTÊMICO

Os riscos de recidiva observado nos dois grandes trabalhos prospectivos randomizados após mastectomia e quimioterapia foram relativamente altos comparados aos demonstrados pelos trabalhos realizados nos Estados Unidos e pelo grupo do ECOG.[16] Para ajudar na definição das indicações de radioterapia adjuvante, vários grupos têm realizado estudos para verificar quais pacientes apresentam um risco de recidiva locorregional após o tratamento com mastectomia associado à dissecção axilar níveis I e II e tratamento sistêmico, sem a realização de radioterapia. Em geral, os resultados sugerem que o risco de recidiva locorregional em 10 anos nos pacientes com um a três linfonodos positivos é de, aproximadamente, 12 a 15%. Devendo levar-se em consideração que nos estudos dinamarquês e canadense, que já apresentam um acompanhamento de 20 anos, 20% das recidivas locorregionais no grupo que não recebeu radioterapia aconteceram tardiamente, após 10 anos de acompanhamento.[10,11]

O estágio clínico II, com um a três linfonodos positivos, é um grupo heterogêneo de pacientes em relação a outros fatores prognósticos, que podem interferir no risco de recidiva locorregional. São quatro os principais fatores de risco que podem estar associados: tumor maior ou igual a 3 cm, receptores hormonais negativos, idade abaixo de 40 anos e presença de invasão linfovascular. Para efeito prático, dividem-se os pacientes em grupos de alto risco (presença de três a quatro fatores) e baixo risco (dois ou menos fatores).[17] Resultados de um estudo do *International Breast Cancer Study Group* mostraram que pacientes com um a três linfonodos apresentaram um risco maior de recidiva locorregional, se associados a um tumor com grau nuclear 2 ou 3 e invasão linfovascular. Esse risco variou entre 19 e 27%, e foi inferior a 15% nos pacientes com grau 1, sem invasão linfovascular.[6] Entre aquelas pacientes pós-menopausadas com um a três linfonodos positivos, o grau 3 e tumores maiores que 2 cm apresentaram um risco de recidiva locorregional de 24% comparado a taxas inferiores a 15% naquelas com grau 1 ou 2 e com tumores menores que 2 cm.

A margem de ressecção é outro importante fator de risco. Pacientes com margens positivas ou exíguas, tumores menores que 5 cm, com um a três linfonodos positivos e que não recebem radioterapia possuem um risco aumentado de recidiva locorregional. Freedman et al.[18] identificaram um risco aumentado de recidiva local, exclusivamente em pacientes jovens, com uma taxa de recidiva em parede torácica de 28% nas pacientes abaixo de 50 anos *versus* 0% naquelas com idade acima de 50 anos. O *status* das margens de ressecção foi um fator independente no risco de recidiva local pós-mastectomia, segundo o estudo de Katz et al.,[19] porém sem influência da idade na amostra. O risco em 10 anos de 29 pacientes com margens positivas ou exíguas foi de 45%, enquanto esse mesmo risco foi de 33% para aqueles com invasão da fáscia peitoral, mesmo quando margens negativas foram obtidas.

A presença de doença multicêntrica é fortemente associada a risco de recidiva locorregional, porém em pacientes com doença estágio II com um a três linfonodos positivos, a doença multicêntrica não parece elevar o risco de recidiva locorregional. Fowble et al.[20] identificaram que em pacientes com doença multicêntrica, sem outros fatores de risco para recidiva local, o risco de recidiva local isolada em 5 anos é de 5%. Em comparação, Katz et al.[19] encontraram um risco de recidiva em 10 anos de 37% para aqueles pacientes com doença multicêntrica, devendo, então, ser indicada a radioterapia adjuvante nesses casos.

Mesmo que o risco de recidiva locorregional seja relativamente baixo para a maioria dos pacientes com um a três linfonodos positivos após mastectomia radical modificada e quimioterapia, a adição de radioterapia locorregional pode trazer benefícios. Woodward et al.[21] encontraram risco de recidiva locorregional nesse contexto de apenas 13%, porém, na mesma instituição, esse grupo, quando submetido à radioterapia adjuvante, apresentou uma taxa de recidiva local de apenas 3%. Não foi estudado o benefício de sobrevida para esses pacientes.

As Sociedades Americanas de Radioterapia (ASTRO) e de Oncologia Clínica (ASCO) têm publicado consensos recomendando a radioterapia pós-mastectomia para pacientes com quatro ou mais linfonodos positivos ou doença localmente avançada (T3 ou T4). Ambos os consensos recomendam que sejam realizados novos estudos para que seja definido o papel da radioterapia nos grupos de pacientes EC II com um a três linfonodos positivos.[22,23] Infelizmente, o trabalho proposto pelo *Intergroup* para determinar os benefícios da radioterapia pós-operatória nesse grupo de pacientes foi fechado precocemente em razão da baixa inclusão de casos. No entanto, o trabalho intitulado de SUPREMO (*Selective Use of Postoperative Radiotherapy after Mastectomy*) foi recentemente aberto e poderá, no futuro, trazer respostas para essas questões.

Em resumo, é evidente que a radioterapia pós-mastectomia oferece um benefício significativo aos pacientes, com uma diminuição em torno de 20 a 40% no risco de recidiva locorregional. Devem-se discutir os riscos e os benefícios de sua indicação naqueles pacientes com um risco intermediário de recidiva, como aqueles com estágio clínico II. Recomenda-se nesses casos considerar outros fatores de risco, como as margens de ressecção, invasão linfovascular, idade, grau tumoral, extensão da dissecção axilar e presença de invasão extracapsular.

RADIOTERAPIA PÓS-MASTECTOMIA APÓS QUIMIOTERAPIA NEOADJUVANTE

As pacientes portadores de câncer de mama localmente avançado, na maioria das vezes, têm sido submetidas à quimioterapia neoadjuvante como tratamento inicial. À medida que essa prática vem tornando-se mais comum, novas questões têm sido levantadas em relação às indicações de radioterapia pós-mastectomia nessas pacientes. Historicamente, a decisão de administrar uma radioterapia adjuvante era com base no estadiamento patológico da paciente. Porém, a quimioterapia neoadjuvante modifica a extensão patológica da doença em 80 a 90% dos casos, e ainda não está claro se as informações patológicas pós-quimioterapia podem orientar a conduta radioterápica. O que se têm observado é que a correlação entre o estadiamento patológico da doença e o risco de recidiva locorregional é diferente quando se compara àquelas pacientes que foram submetidas primeiro à cirurgia ou à quimioterapia.[24] Um estudo específico encontrou que a taxa de recidiva correlacionada com o estadiamento patológico foi maior nas pacientes que haviam recebido quimioterapia neoadjuvante, o que implica que nessas pacientes o risco de recidiva é determinado pelo estadiamento pré-tratamento e não pela doença residual pós-quimioterapia. As evidências, na literatura nesse sentido, ainda são escassas. Um dos únicos trabalhos publicados compara os resultados de 579 pacientes que receberam quimioterapia neoadjuvante, mastectomia e radioterapia. Parte da amostra, 136 pacientes, foi tratada sem radioterapia.[25] Os casos foram avaliados retrospectivamente, não havendo randomização quanto ao uso da radioterapia, além da falta de balanceamento entre os fatores de risco dos dois grupos, em que os pacientes com fatores prognósticos piores foram mais frequentemente tratados com radioterapia. Apesar disso, a taxa de recidiva foi significativamente menor no grupo tratado com radioterapia adjuvante do que no grupo sem radioterapia (taxa de recidiva locorregional em 10 anos de 8 e 22% respectivamente, p = 0,001). Naqueles pacientes com estágio clínico III ou doença extensa após a quimioterapia, a radioterapia trouxe melhoras significativas em relação à recidiva locorregional e as taxas de sobrevida causa-específica. Análises multivariadas indicaram que o uso da radioterapia foi indicada como um fator independente de diminuição da recidiva locorregional (p < 0,0001). O mesmo grupo de investigadores mostrou que, também entre os pacientes com estágio III que obtiveram uma resposta patológica completa pós-quimioterapia, a taxa de recidiva locorregional, naqueles tratados com radioterapia adjuvante, foi de 7 *versus* 33% naqueles não tratados (p = 0,040). O uso da radioterapia nesse grupo também mostrou uma melhora na sobrevida. Finalmente, esse grupo tentou definir quais pacientes inicialmente estágio clínico II, submetidas à quimioterapia neoadjuvante, deveriam receber radioterapia. Foram examinadas 132 pacientes que não receberam radioterapia sendo demonstrado que um pequeno grupo de T3N0 clínico, e aqueles com quatro ou mais linfonodos positivos tiveram uma alta taxa de recidiva locorregional.[26] Por outro lado, 42 pacientes com estágio clínico II com um a três linfonodos acometidos após quimioterapia neoadjuvante tiveram uma taxa de recidiva locorregional relativamente baixa (recidiva em 5 anos de 8%). Esses achados sugerem que a radioterapia adjuvante seja indicada naqueles pacientes com tumores T3 ou T4 e naqueles com estágio clínico III independente da sua resposta à quimioterapia neoadjuvante. E naqueles com estágios clínicos I e II, a radioterapia deve ser recomendada quando quatro ou mais linfonodos estiverem positivos pós-quimioterapia, ou naqueles que se submetam à cirurgia conservadora.

RADIOTERAPIA PRÉ-OPERATÓRIA

Uma situação complexa é observada naqueles pacientes em que o tumor de mama permanece irressecável após quimioterapia neoadjuvante. Nesses casos a radioterapia pré-operatória ou definitiva é o tratamento de escolha, sendo fundamental a avaliação multidisciplinar quanto à ressecabilidade da lesão, pois o edema da mama causado pela radioterapia pode simular uma eventual progressão de doença. Um estudo de 38 pacientes que foram submetidas à radioterapia neoadjuvante, com ou sem mastectomia, identificou que 46% das pacientes estavam vivas, e 33% estavam sem doença a distância 5 anos após o tratamento.[27] Aquelas pacientes que alcançaram *status* de ressecabilidade e foram submetidas à mastectomia após a radioterapia pré-operatória obtiveram melhor controle locorregional. Maior taxa de complicações cirúrgicas ocorreu naquelas pacientes submetidas à radioterapia com dose acima de 54 Gy.

Alguns centros têm preconizado o uso de quimioterapia concomitante nestes casos. Em um estudo recente a utilização de paclitaxel neoadjuvante, seguido de paclitaxel concomitante à radioterapia em pacientes com tumores estágios clínicos II e III operáveis, promoveu uma resposta patológica completa em 13 de 38 pacientes (34%).[28] Outra possibilidade é a associação de derivados de fluoropirimidinas venosa ou oral à radioterapia.

CONDUTA NA RECIDIVA LOCORREGIONAL

As recidivas locorregionais, em especial aquelas que ocorrem após mastectomia, são condições extremamente desafiadoras, sendo consenso que todos os pacientes devam ser reestadiadas para se descartar uma recidiva sistêmica concomitante. A ideia de que todos os pacientes devem ser rebiopsiados é fundamental tanto para a confirmação da recidiva, como para que sejam reavaliados os receptores hormonais e o *status* HER-2 da paciente. O tratamento deve ser individualizado, e a reirradiação com energia de elétrons pode ser uma opção.

RECIDIVA PÓS-CIRURGIA CONSERVADORA

A mastectomia permanece como o tratamento padrão de resgate nas pacientes com recidiva pós-cirurgia conservadora. Vale a consideração que essas pacientes foram submetidas previamente à radioterapia e não são candidatas a tratamento conservador. Entretanto, existem alguns trabalhos investigando um novo tratamento conservador associado ou não à radioterapia. Salvadori *et al.*[29] compararam os resultados de 134 pacientes tratadas com mastectomia em uma recidiva, com um grupo de 54 pacientes extremamente selecionadas, tratadas com uma segunda cirurgia conservadora. Seus resultados verificaram uma recidiva em 5 anos maior no grupo da reexcisão (19 *vs.* 4%). Os estudos de reirradiação após uma segunda cirurgia conservadora são limitados e geralmente contemplam uma reirradiação parcial da mama, sendo a maior série, aqueia publicada por Hannoun-Levi.[24] Nela, 69 pacientes foram tratadas com braquiterapia intersticial após uma segunda nodulectomia. Após acompanhamento de 50 meses, encontrou-se recidiva em 16% das pacientes.

Pacientes com recidiva na mama também apresentam um risco aumentado de recidiva em axila. Aquelas, que foram inicialmente submetidas a uma pesquisa de linfonodo sentinela, devem ser submetidos ao esvaziamento axilar no momento da recidiva, e a radioterapia de drenagem será decidida de acordo com o *status* axilar e com o histórico de radioterapia prévia. Alguns autores têm detectado fatores prognósticos associados à recidiva, sendo verificado que as recidivas que ocorrem em menos de 2 anos apresentam um prognóstico pior, tendo em vista que as recidivas precoces em geral estão relacionadas com a persistência de clones tumorais rádio e quimiorresistentes, o que pode diminuir a eficácia de um novo tratamento.

RECIDIVA LOCORREGIONAL PÓS-MASTECTOMIA

Pacientes com uma recidiva após mastectomia inicial apresentam prognóstico pior do que aqueles com recidiva após cirurgia conservadora. Nos trabalhos prospectivos do Canadá e da Dinamarca, que avaliaram a radioterapia pós-mastectomia, as pacientes que desenvolveram recidiva locorregional apresentaram uma taxa muito alta de metástases a distância.[11] No trabalho dinamarquês, a taxa de recidiva a distância em 5 anos após o aparecimento de uma recidiva locorregional foi de 73%. Da mesma forma, no trabalho da Colúmbia Britânica, dos 39 pacientes que desenvolveram recidiva locorregional, 37 desenvolveram doença metastática associada.

Diversos estudos tentam identificar fatores prognósticos relacionados com os pacientes que apresentaram recidiva locorregional. Uma das maiores séries foi proveniente da investigação de 535 pacientes que desenvolveram recidiva pós-mastectomia após o tratamento nos protocolos *Danish Trial* 82b e 82c.[24] Em uma análise multivariada, os investigadores encontraram os seguintes fatores relacionados com um prognóstico ruim: tumor primário inicial volumoso, axila maciçamente comprometida, recidiva na região infra ou supraclavicular e intervalo livre de doença menor que 2 anos. Geralmente, aos pacientes que desenvolvem recidiva em parede torácica ressecável e que não foram submetidas à radioterapia prévia possuem uma maior probabilidade de controle local.

A estratégia de tratamento de uma recidiva local isolada após uma mastectomia requer uma abordagem multidisciplinar. A avaliação inicial deve definir se a recidiva é realmente somente local e se trata-se de uma recidiva passível de ressecção com margens cirúrgicas negativas. O tratamento cirúrgico deve ser realizado naquelas pacientes com doença ressecável, desde que a paciente tolere a cirurgia com uma morbidade aceitável. Após a cirurgia, caso a paciente não tenha sido submetida à radioterapia prévia, deve ser realizada radioterapia em parede torácica e cadeias de drenagem,[30] sendo instituído tratamento sistêmico de acordo com os esquemas quimioterápicos prévios, *status* hormonal e HER-2.

Nos casos de doença volumosa e irressecável, deve considerar-se quimioterapia neoadjuvante. Caso a doença responda de forma satisfatória, segue o tratamento cirúrgico com ou sem radioterapia, de acordo com o critério já descrito anteriormente. O prognóstico daqueles pacientes que não respondem à quimioterapia é muito reservado. A radioterapia isolada não é suficiente para que se obtenha um controle local satisfatório, porém pode ser indicada individualmente, com intenção paliativa.

A dose de radiação a ser utilizada na recidiva depende da presença ou da ausência de doença macroscópica e de qual dose de radiação o paciente recebeu previamente. Nos pacientes que não receberam radioterapia anteriormente, e não apresentam doença macroscópica residual, a dose recomendada varia entre 50-54Gy sobre parede torácica e drenagem linfática. Esse programa deve ser seguido de reforço sobre parede torácica até uma dose de 60-66Gy, nas pacientes com doença macroscópica. Naquelas pacientes que já receberam radioterapia prévia deve avaliar-se caso a caso, levando em consideração a dose recebida e área irradiada anteriormente. É imperativa a avaliação do custo-benefício do tratamento, em relação à paliação dos sintomas e a sobrevida esperada para a paciente. A dose de tolerância dos tecidos envolvidos certamente será ultrapassada com proporcional toxicidade associada.[31]

As pacientes que apresentam recidiva nodal, em geral, apresentam pior prognóstico do que aquelas com recidiva isolada em plastrão. Nos casos de uma recidiva axilar ressecável o tratamento deve ser o esvaziamento axilar, seguido de radioterapia nas áreas não irradiadas anteriormente, incluindo também a parede torácica, seguido de terapia sistêmica. A maioria das pacientes com recidiva em fossa supraclavicular e mamária interna apresenta doença irressecável, devendo-se nesses casos considerar o uso de tratamento sistêmico seguido de radioterapia.

RADIOTERAPIA PÓS-RECONSTRUÇÃO MAMÁRIA

Cada vez mais pacientes mastectomizadas são submetidas à reconstrução imediata, o que requer uma coordenação clara entre mastologista, cirurgião plástico, radioterapeuta e a paciente no sentido de escolher não só o melhor momento, como o melhor tipo de reconstrução. Existem muitos fatores a ser considerados, mas o principal seria a indicação precisa da radioterapia. Nesse contexto devemos pesar o custo-benefício da reconstrução em cada caso específico, levando-se em conta a obtenção do máximo controle local e melhor resultado estético a longo prazo para a paciente.

As duas principais modalidades de reconstrução imediata são a utilização de tecido autólogo ou retalho biológico, e a utilização de prótese, sendo a utilização de expansor uma variação dessa técnica. Existem vantagens e desvantagens nas duas abordagens, particulares a cada situação. Os implantes apresentam a vantagem de permitir uma cirurgia mais rápida e de não causar morbidade em uma área doadora de um retalho biológico. Além do mais, ela pode ser utilizada naquelas pacientes que não apresentam tecido suficiente para ser utilizado na reconstrução da mama. Na reconstrução com uso de retalhos biológicos, pode-se lançar mão do músculo reto abdominal (TRAM) ou do músculo grande dorsal. Apesar de ser uma cirurgia mais demorada, as pacientes costumam sofrer menos dos efeitos tardios da radiação e, consequentemente, apresentam um melhor resultado estético.

A maioria das pacientes submetidas a reconstrução imediata e que necessitam de radioterapia pós-mastectomia, apresentou uma mudança estética em consequência do tratamento. Em geral, as reconstruções com prótese apresentam uma alta taxa de complicações tardias, como contratura, fibrose e fixação da prótese, podendo levar a um resultado estético ruim. A maioria dessas complicações tem início 6 meses após o tratamento e progride insidiosamente por um longo tempo. Spear e Onuewu *et al*.[31] revisaram seus resultados com a reconstrução imediata e encontraram 53% de complicações nas pacientes submetidas a reconstrução, comparado a 10% naquelas pacientes que não realizaram radioterapia (p < 0,001). No entanto, essas complicações vão desde uma hipercromia, até a contratura capsular com perda da prótese, que ocorre em menos de 10% dos casos e não necessariamente estão exclusivamente relacionadas com a adição da radioterapia. Quando avaliado o grau de satisfação da paciente, houve incidência semelhante a daquelas que não realizaram radioterapia.[32] Nas pacientes submetidas à reconstrução com tecido autólogo, registram-se complicações menos severas, sendo as mais comuns a perda de volume e a esteatonecrose. Um grupo do Hospital M.D. Anderson comparou a taxa de complicações naquelas pacientes submetidas à radioterapia e reconstrução com tecido autólogo. Aquelas submetidos à reconstrução imediata tiveram uma taxa de complicações maior comparada com aquelas que realizaram uma reconstrução tardia (87,5 *vs.* 6%; p < 0,001).[34] Além do mais, 28% das pacientes submetidas à reconstrução imediata precisaram de uma cirurgia adicional para melhorar o resultado estético.

Existem alguns fatores que parecem implicar em pior resultado estético, dentre eles: o uso de tamoxifeno durante à radioterapia, a presença de doenças do colágeno, principalmente o lúpus e a esclerodermia, o tabagismo, e algumas características genéticas da paciente, dentre elas a alteração do gene ataxia-telangiectasia (ATM1). Essa característica genética está associada a respostas mais intensas à radioterapia e pode conduzir um pior resultado estético.[35] O uso de novas tecnologias no tratamento radioterápico, dentre eles a radioterapia por intensidade modulada (IMRT), leva a melhor distribuição da dose na mama e, provavelmente, pode promover melhor resultado estético (Fig. 1), como foi demonstrado no trabalho recentemente publicado por Anderson *et al*.[34] Nele foram estudados 74 pacientes submetidas à reconstrução imediata com prótese e radioterapia, usando IMRT. O resultado cosmético observado foi excelente ou bom em 90% das pacientes, bem superior ao daqueles observados em pacientes submetidas à radioterapia convencional. Entretanto, devemos esperar acompanhamento maior e maior número de trabalhos para que essa superioridade técnica seja comprovada na obtenção de melhores resultados.

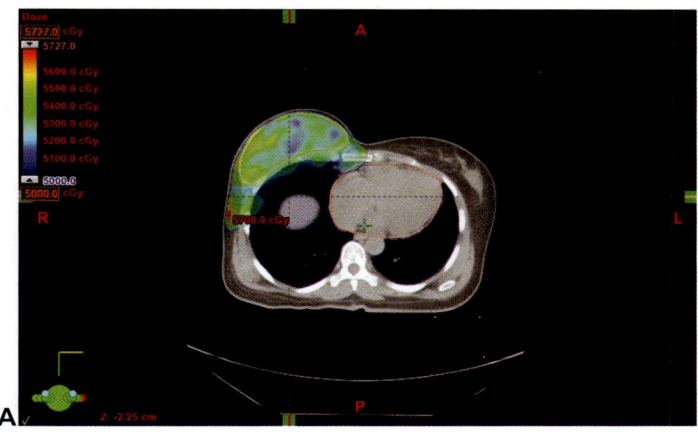
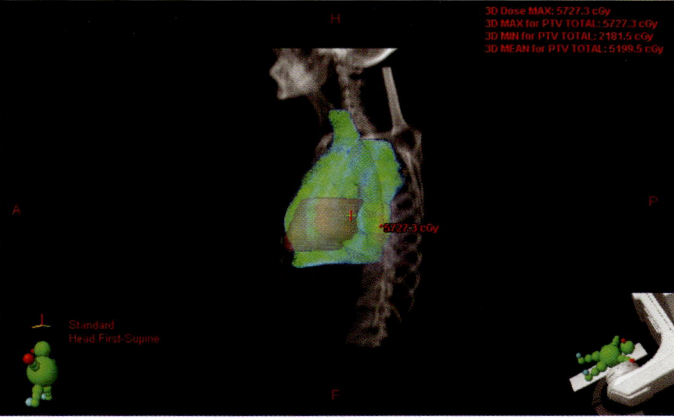
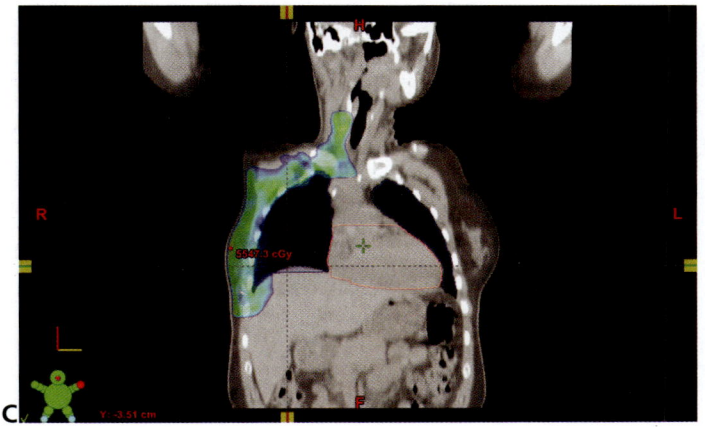
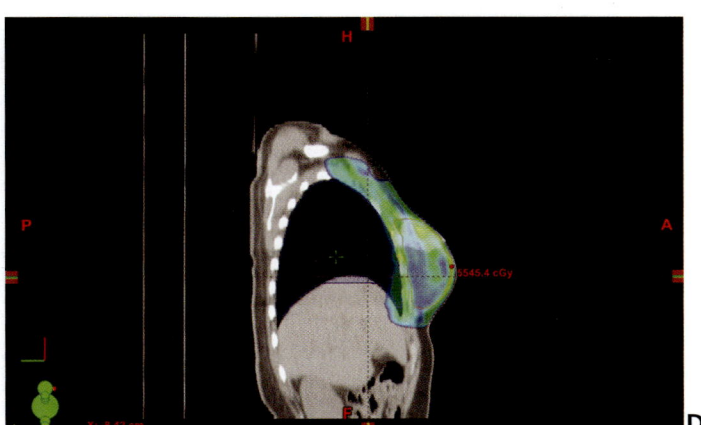

▲ **FIGURA 1. (A-D)** Radioterapia por intensidade modulada (IMRT).

TÉCNICAS DE RADIOTERAPIA PÓS-MASTECTOMIA

Tradicionalmente, a radioterapia pós-mastectomia inclui o tratamento da parede torácica e da drenagem linfática da mama. É bem estabelecido, pelos estudos dos padrões de recidiva, que a parede torácica é o sítio mais comum de falha compreendendo de dois terços a três quartos de todos os casos de recidiva locorregional naqueles pacientes que não são irradiados. É também estabelecido que aqueles pacientes com estágio clínico III apresentam um risco clinicamente relevante de recidiva em fossa supraclavicular. Um estudo recente com mais de 1.000 pacientes que não receberam radioterapia após um tratamento com mastectomia e quimioterapia encontrou um risco de recidiva em 10 anos em fossa supraclavicular de 14 a 19%, naqueles pacientes com quatro ou mais linfonodos, e 20% naqueles pacientes com extravasamento capsular maior que 2 mm.[36,37]

Os benefícios da radioterapia no tratamento da axila esvaziada nos níveis 1 e 2 não estão bem estabelecidos. No mesmo estudo em que todos os pacientes foram submetidos a esvaziamento axilar padrão (média de 17 linfonodos isolados), o risco de recidiva axilar em 10 anos foi de apenas 3%, e não se relacionou com a extensão da dissecção nem com a presença de extravasamento capsular.[15] Em contraste aos 43% dos pacientes que não foram irradiados no trabalho dinamarquês. Essas informações sugerem que a irradiação da axila deve ser realizada naqueles pacientes que não realizaram um esvaziamento axilar completo.

A irradiação dos linfonodos da mamária interna é um tema muito controverso. A justificativa para irradiar essa região é com base em trabalhos anteriores de dissecção da cadeia mamária interna, no qual se encontrou que 35 a 50% das pacientes com doença localmente avançada apresentavam comprometimento microscópico dos linfonodos desta região.[38,34] Outra justificativa seria que a inclusão da mamária interna levaria a cobertura mais ampla da parede torácica, evitando que áreas dessa região deixem de ser irradiadas. Por outro lado, as recidivas isoladas na mamária interna são raras, e geralmente a metástase em mamária interna serve como um marcador de doença a distância. A maioria desses pacientes apresenta recaída a distância precocemente, antes mesmo de uma manifestação clínica de acometimento da mamária interna. Essa situação não justificaria um potencial aumento das toxicidades pulmonar e cardíaca observadas nas pacientes submetidas à irradiação da mamária interna, à custa de um pequeno benefício em relação ao controle local. Porém esse é um tema ainda em aberto, e que deverá ser alvo de um estudo fase III.

Quando a radioterapia é realizada após mastectomia nas pacientes com estágio II, a definição da área a ser irradiada não está muito clara. Nas pacientes com estágio II que apresentam um a três linfonodos axilares, o risco de falha é predominantemente na parede torácica, com um risco de recaída em fossa e axila de menos de 4%.[37,38] O planejamento com base em tomografia (radioterapia tridimensional) é essencial nos casos em que a cadeia mamária interna será irradiada, onde é possível uma localização mais precisa desses linfonodos, e na abordagem dos linfonodos da fossa supraclavicular para a determinação da profundidade dos mesmos e de sua cobertura adequada de dose.

Em relação à técnica de tratamento, a paciente deve ser imobilizada com o braço abduzido em um ângulo de 90 a 120 graus com uma leve rotação externa. A paciente posicionada em um suporte indexado com uma angulação de 10 a 15 graus para retificar a curvatura da parede torácica. Os limites de campo da parede torácica são: linha axilar média, 3 cm abaixo do sulco inframamário, linha médio-esternal e fúrcula esternal (Fig. 2). O tratamento da fossa supraclavicular é feito por um campo direto angulado a 15 graus para evitar que a divergência do feixe de radiação venha a irradiar a medula, prescrito em uma profundidade de 1,5 a 3 cm, com proteções no esôfago e traqueia (Fig. 2), e na cabeça do úmero. A dose utilizada é de 50 a 50,4 Gy em 25 a 28 frações (1,8-2 Gy/dia), podendo acrescentar-se um reforço de 10 Gy em parede torácica nos casos de margens comprometidas.

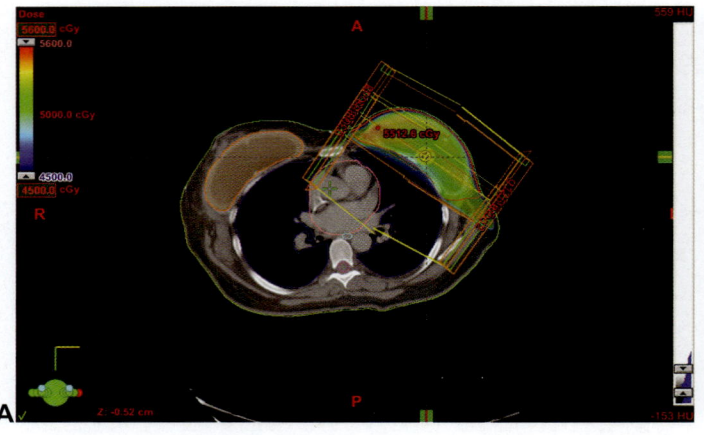
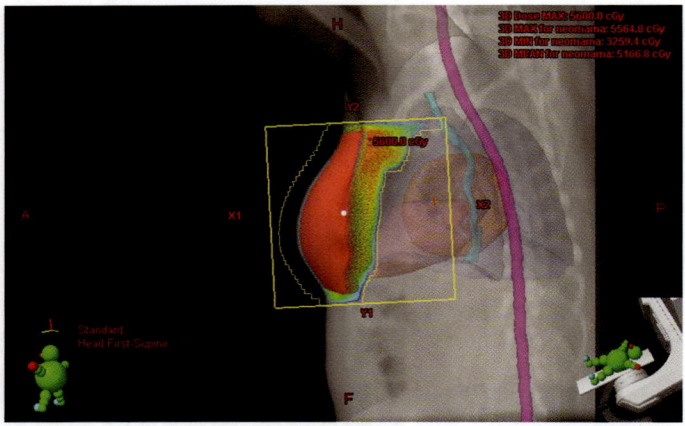
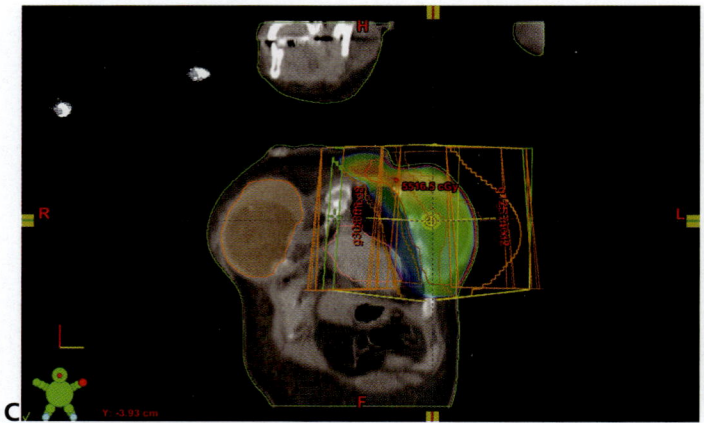
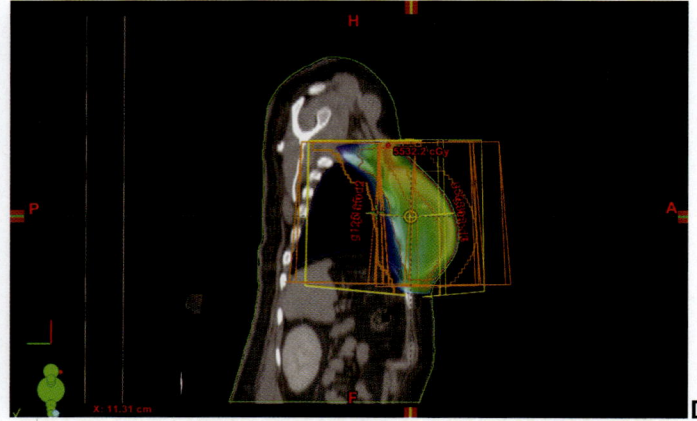

▲ **FIGURA 2. (A-D)** Planejamento do tratamento radioterápico da mama.

REFERÊNCIAS BIBLIOGRÁFICAS

1. Marie ET, Haftty BG, Rabinowitch R *et al*. ACR appropriateness criteria on postmastectomy radiotherapy: expert panel on radiation oncology-breast. *Int J Radiat Oncol Biol Phys* 2009;73:997-1002.
2. Cuzick J, Stewart H, Peto R *et al*. Overview of randomized trials of postoperative adjuvant radiotherapy in breast cancer. *Cancer Treat Rep* 1987;71:15-29.
3. Cuzick J, Stewart H, Rutqvist L *et al*. Cause-specific mortality in long-term survivors of breast cancer who participated in trials of radiotherapy. *J Clin Oncol* 1994;12:447-53.
4. Group EBCTC. Favourable and unfavourable effects on long-term survival of radiotherapy for early breast cancer: An overview of the randomized trials. *Lancet* 2000;355:1757-70.
5. Group EBCTC. Effects of radiotherapy and differences in the extent of surgery for early breast cancer on local recurrence and 15-year survival. An overview of the randomized trials. *Lancet* 2005;366:2087-106.
6. Van de Steene J, Soete G, Storme G. Adjuvant radiotherapy for breast cancer significantly improves overall survival. The missing link. *Radiother Oncol* 2000;55:263-72.
7. Whelan TJ, Julian J, Wrigth J *et al*. Does locoregional radiation therapy improve survival in breast cancer? A meta-analysis. *J Clin Oncol* 2000;18:1220-29.
8. Overgaard M, Hansen PS, Overgaard J *et al*. Postoperative radiotherapy in high-risk premenopausal women with breast cancer who receive adjuvant chemotherapy. *N Engl J Med* 1997;337:949-55.
9. Overgaard M, Jensen MB, Overgaard J *et al*. Randomized trial evaluating postoperative radiotherapy in high-risk postmenopausal breast cancer patients given adjuvant Tamoxifem: Results from the DBCG 82c trial. *Lancet* 1999;353:1641-48.
10. Ragaz J, Olivotto IA, Spinelli JJ *et al*. Locoregional radiation therapy in patients with high-risk breast cancer receiving adjuvant chemotherapy: 20-year results of the British Columbia randomized trial. *J Natl Cancer Inst* 2005;97:116-26.
11. Nielsen HM, Overgaard M, Grau C *et al*. Study of failure pattern among high-risk breast cancer patients with or without postmastectomy radiotherapy in addition to adjuvant systemic therapy: Long-term results from the Danish Breast Cancer Cooperative Group DBCG 82b and c randomized studies. *J Clin Oncol* 2006;24:2268-75.
12. Cheng JC, Chen CM, Liu MC *et al*. Locoregional failure of postmastectomy patients with 1-3 positive axillary lymph nodes without adjuvant radiotherapy. *Int J Radiat Oncol Biol Phys* 2002;52:980-88.
13. Whelan TJ, Olivotto I, Ackerman JW *et al*. NCI-CTG MA.20: An Intergroup trial of regional nodal irradiation in early breast cancer. *J Clin. Oncol* 2011;29:(Suppl; abstr LBA 1003).
14. Floyd SR, Buchholz TA, Haffty BG *et al*. Low local recurrence rate without post-mastectomy radiation in node-negative breast cancer patients with tumors 5 cm and larger. *Int J Radiat Oncol Biol Phys* 2006;358-64.
15. Taghian AG, Jeong JH, Mamounas EP *et al*. Low locoregional recurrence rate among node-negative breast cancer patients with tumors 5 cm or larger treated by mastectomy with or without adjuvant systemic therapy and without radiotherapy. Results from five National Surgical Adjuvant Breast and Bowel project randomized clinical trials. *J Clin Oncol* 2006;24:3927-32.
16. Resch A, Fellner C, Mock U *et al*. Locally recurrent breast cancer: Pulse dose rate brachytherapy for repeat irradiation following lumpectomy- a second chance to preserve the breast. *Radiology* 2002;225:713-18.
17. Ho AY, Fan G *et al*. Possesion of ATM sequence variants as predictor for late normal tissue responses in breast cancer patients treated with radiotherapy. *Int J Radiat Oncol Biol Phys* 2007;69(3):677-84.
18. Freedman GM, Fowble BL, Hanlon AL *et al*. A close or positive margin after mastectomy is not an indication for chest wall irradiation except in women aged fifty or younger. *Int J Radiat Oncol Biol Phys* 1998;41:599-605.
19. Katz A, Strom EA, Buchholz TA *et al*. Loco-regional recurrence paterns following mastectomy and doxorubicin-based chemotherapy: Implications for postoperative irradiation. *J Clin Oncol* 2000;18:2817-27.
20. Fowble B, Yeh IT, Schultz DJ *et al*. The role of mastectomy in the patients with stage I-II breast cancer presenting with gross multifocal or multicentric disease or diffuse microcalcifications. *Int J Radiat Oncol Biol Phys* 1993;27:567-73.
21. Woodward WA, Strom EA, Tucker SI *et al*. Changes in the 2003 American Joint Committee on Cancer Staging for breast cancer dramatically affect stage-specific survival. *J Clin Oncol* 2003;21:3244-48.
22. Recht A, Edge SB, Solin LJ *et al*. Postmastectomy radiotherapy: Clinical practice guidelines of the American Society of Clinical Oncology. *J Clin Oncol* 2001;19:1539-69.

23. Buchholz TA, Katz A, Strom EA et al. Pathologic tumor size and lymph node status predict for different rates of locoregional recurrence after mastectomy for breast cancer patients treated with neoadjuvant versus adjuvant chemotherapy. *Int J Radiat Oncol Biol Phys* 2002;53:880-88.
24. Hannoun-Levi JM, Houvenaeghel G, Ellis S et al. Partial breast irradiation as second conservative treatment for local breast cancer recurrence. *Int J Radiat Oncol Biol Phys* 2004;60:1385-92.
25. Garg A, Strom EA, Mcneese MD et al. T3 disease at presentation or pathologic involvment of four or more lymph nodes predict for local-regional recurrence in stage II breast cancer treated with neoadjuvant chemotherapy and mastectomy without radiation. *Int J Radiat Oncol Biol Phys* 2004;59:138-45.
26. Huang E, McNeese MD, Strom EA et al. Locoregional treatment outcomes for inoperable anthracycline-resistant breast cancer. *Int J Radiat Oncol Biol Phys* 2002;53:1225-33.
27. Lerouge D, Touboul E et al. Combined chemotherapy and preoperative irradiation for locally advanced noninflammatory breast cancer: updated results in a series of 120 patients. *Int J Radiat Oncol Biol Phys* 2004;59(4):1062-73.
28. Salvadori B, Marulbini E, Micelli R et al. Reoperation for locally recurrent breast cancer in patients previously treated with conservative surgery. *Br J Surg* 1999;86:84-87.
29. Halverson KJ, Perez CA, Kuske RR et al. Isolated local-regional recurrence of breast cancer following mastectomy. Radiotherapeutic management. *Int J Radiat Oncol Biol Phys* 1990;851-58.
30. Ballo MT, Strom EA, Prost H et al. Local-regional control of recurrent breast carcinoma after mastectomy: Does hyperfractionated accelerated radiotherapy improve local control. *Int J Radiat Oncol Biol Phys* 1999;44:105-12.
31. Spear SL, Onyewu C. Staged breast reconstruction with saline-filled implants in the irradiated breast: Recent trends and therapeutic implications. *Plast Reconstr Surg* 2000;105:930-42.
32. Krueger EA, Wilkins GE, Strawderman M et al. Complications and patient satisfaction following expander/implant breast reconstruction with and without radiotherapy. *Int J Radiat Oncol Biol Phys* 2001;49(3):713-21.
33. Urban JA, Marjani MA. Significance of internal mammary lymph node metastases in breast cancer. *Am J Roentgenol Radium Ther Nucl Med* 1971;111:130-36.
34. Anderson PR, Freedman G, Nicolau N et al. Postmastectomy chest wall radiation to a temporary tissue-expander or permanent breast implant- Is there a difference in complication rates? *Int J Radiat Oncol Biol Phys* 2009;74(1):81-85.
35. Tran NV, Chang DW, Gupta A et al. Comparison of immediate and delayed free TRAM flap breast reconstruction in patients receiving postmastectomy radiation therapy. *Plast Reconstruc Surg* 2001;108:78-82.
36. Handley RS. Carcinoma of the breast. *Ann R Coll Surg Engl* 1975;57:59-66.
37. Strom EA, Woodward WA, Katz A et al. Clinical investigation: Regional Nodal failure patterns in breast cancer patients treated with mastectomy without radiotherapy. *Int J Radiat Oncol Biol Phys* 2005;63:1508-13.
38. Wallgren A, Bonetti M, Gelber BD et al. Risk factors for locoregional recurrence among breast cancer patients: results from International Breast Cancer Study Group Trials I though VII. *J Clin Oncol* 2003;21:1205-13.

Parte VIII

GINECOLOGIA

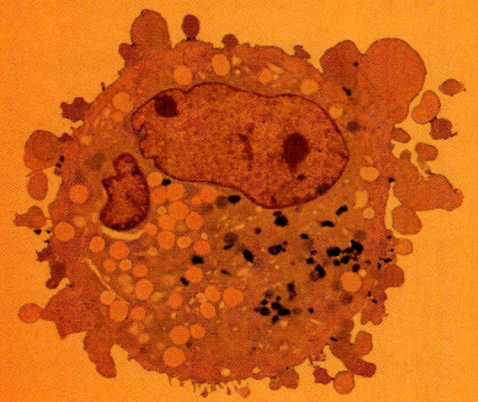

SEÇÃO I
Doença Pré-Invasiva

CAPÍTULO 148
Doenças Precursoras do Câncer de Vulva e Vagina

Francisco Carlos do Nascimento Júnior ■ Herbert Ives Barretto Almeida

INTRODUÇÃO

As lesões pré-invasoras da vulva e vagina eram, até a década de 1970, consideradas de pouca importância em relação ao colo uterino, decorrente de sua pequena prevalência. Os transplantes com o uso da imunossupressão, a síndrome da imunodeficiência adquirida, o papilomavírus humano (HPV) e as mudanças dos hábitos sexuais elevaram essa prevalência.

As neoplasias de vagina e vulva representam 4% das malignidades do trato genital inferior feminino. No entanto, a incidência de lesões neoplásicas precursoras vem aumentando.

Os relatos da infecção pelo HPV e sua associação ao câncer datam de 1922, quando Lewandowsky e Lutz descreveram uma condição hereditária rara de epidermodisplasia verrucosa. Apesar de a incidência das neoplasias intraepiteliais apresentar um aumento acentuado nas últimas décadas, a incidência do carcinoma invasor de vulva permanece estável. A razão para esse fato se deve ao diagnóstico precoce das lesões pré-invasoras, levando ao tratamento imediato. Não há consenso de que o carcinoma invasor sempre se desenvolva de uma lesão pré-invasora com possibilidade maior para as lesões de alto grau.

NEOPLASIA INTRAEPITELIAL DE VULVA

Terminologia e classificação

Historicamente, vários termos têm sido utilizados para definir as lesões precursoras do câncer de vulva. Desde Bowen, em 1912, que primeiro descreveu lesões intraepiteliais escamosas, uma miríade de termos clínicos e histopatológicos tem sido utilizada para descrever a neoplasia intraepitelial de vulva (NIV). Desta forma, muita confusão com as desordens epiteliais não neoplásicas existiu, o que colocou algumas pacientes em risco de abordagens desnecessárias.[1]

O primeiro passo para a separação entre as lesões neoplásicas e as não neoplásicas foi dado por Raymond Kaufman, que, em 1965, agrupou as lesões pré-cancerosas em três categorias: eritroplasia de Queyrat, carcinoma bowenoide *in situ* e carcinoma simples (Fig. 1). Em 1976, a Sociedade Internacional para Estudo das Doenças Vulvovaginais (ISSVD) simplificou a terminologia em carcinoma *in situ* e atipia vulvar. Em 1986 essa mesma entidade cunhou o termo NIV, desencorajando o uso de outros termos preexistentes e aplicando uma graduação extrapolada da utilizada para a neoplasia intraepitelial cervical (NIC). O espectro contínuo do sistema de graduação posteriormente não viria a se confirmar pelas evidências de dados clinicopatológicos.[2]

A simplificação da nomenclatura apesar da vantagem implícita da facilidade na identificação por médicos e pacientes, das lesões em risco para degeneração em câncer, colocava sob o mesmo termo lesões com biologia e potencial oncológico distintos.[1]

Trabalhos posteriores viriam a mostrar que existem dois tipos de carcinoma espinocelular (CEC) de vulva, com suas respectivas lesões precursoras, um relacionado à infecção pelo HPV e outro não relacionado. Os dois grupos apresentam epidemiologia, clínica e histopatologia, bem como perfil molecular distintos. O grupo de lesão relacionada ao HPV ocorre em pacientes mais jovens (< 50 anos) tabagistas e com outras lesões sincrônicas ou metacrônicas do trato genital inferior relacionadas ao HPV. O segundo grupo é composto por mulheres mais velhas (> 50 anos) sem lesões associadas ao HPV ou antecedente de tabagismo, porém com processos dermatológicos crônicos muitas vezes relacionados a hiperplasia de células escamosas (p. ex.: líquen escleroso e líquen plano).[1]

Em 2004, a ISSVD, considerando a ausência de reprodutibilidade no diagnóstico histopatológico de NIV 1, bem como a superposição entre os diagnósticos de NIV 2 e 3, sugeriu uma nova classificação, abandonando a expressão NIV 1 e unificando as definições de NIV 2 e 3 no termo único de NIV. As NIV passam, então, a ser subdivididas em NIV tipo usual (relacionada ao HPV) e NIV diferenciado (não relacionado ao HPV).[1]

O tipo usual tem relação com a maior frequência no diagnóstico da lesão precursora relacionada ao HPV (aproximadamente 2/3 das lesões), sendo os tipos 16 e 18 os de alto risco mais relacionados às lesões precursoras de vulva.[3-5] Curiosamente, 1/3 das neoplasias invasivas de vulva tem relação com o HPV, o que sugere um menor potencial da NIV tipo usual para degeneração em lesões invasivas. As NIV tipo usual podem ainda ser subdivididas em verrucosas, basaloides e mistas. As lesões verrucosas mostram mais frequentemente DNA de HPV nas análises moleculares, ocorrem em uma idade mais precoce e possuem uma aparência clínica distinta (verrucosa), sendo frequentemente multifocal.

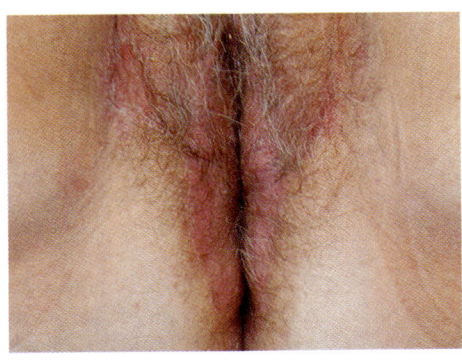

◀ FIGURA 1.
Eritroplasia de Queyrat em paciente idosa.

As lesões basaloides ocorrem em uma idade um pouco mais avançada em relação às lesões verrucosas e têm uma apresentação frequentemente como lesão única bem demarcada.[1]

O tipo diferenciado refere-se ao aspecto patológico desta rara lesão, que mostra atipia basal em um contexto de um epitélio vulvar completamente diferenciado. Apesar do termo "diferenciado", este tipo de lesão possui o maior potencial oncogênico entre as NIV. Desta forma, 2/3 dos CEC de vulva não têm relação com o HPV e desenvolvem-se em um processo crônico que leva a estresse oxidativo, instabilidade genética, atipia e finalmente câncer. Líquen escleroso é a condição dermatológica mais frequentemente associada ao CEC de vulva, podendo ser considerado o ambiente onde a NIV diferenciada se desenvolve, em um contexto de inflamação crônica, comprometimento de imunidade e hiperplasia epitelial.[1]

Epidemiologia

No início dos anos de 1970, Woodruff relatou um aumento na incidência de neoplasia intraepitelial de vulva (NIV - do inglês *vulvar intraepithelial neoplasia*). Essa tendência, inicialmente atribuída a uma maior taxa de detecção, continuou nas duas décadas seguintes, com uma incidência global inalterada de câncer de vulva. Consequentemente, supunha-se que a NIV associada ao HPV em mulheres jovens não evoluía para neoplasia invasiva, permanecendo como lesão *in situ* ou desaparecendo. Posteriormente, relatos de casos e estudos de coorte documentaram um aumento na incidência de carcinoma associado à NIV em mulheres jovens (< 50 anos). Esses relatos sugeriam heterogeneidade no CEC de vulva e inferiam um papel do sistema imunológico na progressão da NIV para neoplasia invasiva.[1,6]

Supressão imunológica ocorre naturalmente na infecção pelo HIV e é iatrogenicamente induzida em pacientes afetados por doenças autoimunes. Enquanto existem poucos relatos disponíveis sobre a supressão imunológica como resultado do tratamento de sarcoidose, lúpus eritematoso sistêmico, transplante renal ou em pacientes gestantes, grandes estudos observacionais em mulheres infectadas pelo HIV mostram forte associação entre coinfecção HIV e HPV com um risco aumentado de desenvolvimento de NIV e neoplasia invasiva de vulva e vagina.[1]

Achados clínicos

A NIV apresenta um amplo espectro de diferentes lesões, e assim não possui um padrão clínico único, podendo ser descoberta como achado incidental durante o exame ginecológico ou diagnosticada durante exame vulvar solicitado pela paciente devido aos sintomas. Não existem achados patognomônicos ao exame físico, porém há quatro características clínicas que podem ajudar no correto diagnóstico: cor, que pode ser marrom, branca, cinza ou vermelha; espessura; superfície; e focalidade. Uma vez descoberta a lesão, lentes de magnificação e colposcópio são ferramentas úteis para destacar os detalhes da lesão.[1]

Em geral, a NIV tipo usual difere na apresentação clínica da NIV diferenciada. A NIV tipo usual é uma doença associada ao HPV, sendo comumente diagnosticada durante o exame clínico em uma paciente com um exame de Papanicolaou positivo ou com lesões verrucosas genitais. Em outras ocasiões a lesão é descoberta em uma paciente assintomática, e raramente em uma paciente com uma queixa localizada de prurido vulvar. Esse tipo de lesão é quase invariavelmente visto como uma lesão com cor distinta e limites bem demarcados em relação à pele adjacente, sendo frequentemente elevadas com uma superfície rugosa, algumas vezes lembrando verrugas planas. Outra característica marcante da NIV tipo usual é a multifocalidade. Uma vez descoberta uma lesão, toda a vulva, o períneo e a região perianal devem ser cuidadosamente investigados em busca de lesões similares. Do mesmo modo, o exame deve incluir avaliação de colo uterino e vagina em busca de lesões multicêntricas.[1]

A NIV tipo diferenciado ocorre em pacientes de idade mais avançada e é observada em áreas de líquen escleroso e líquen plano. As pacientes são frequentemente sintomáticas, com uma longa história de prurido e queimação. A ocorrência frequente desses sintomas em pacientes com dermatoses vulvares benignas deve diminuir o limiar para a realização de biópsia em lesões suspeitas que persistem ou são refratárias ao tratamento instituído. Qualquer área de hiperceratose, superfície rugosa e irregular, e áreas de erosão devem ser biopsiadas, dando-se preferência a biópsias excisionais em vez de *punch biopsy* (Fig. 2).[1]

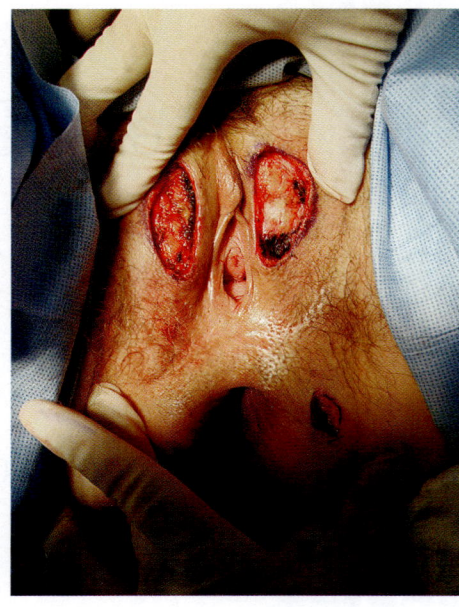

◄ FIGURA 2. Ressecção de lesões VIN III, com apresentação multicêntrica.

Patologia

A NIV é caracterizada pela perda da maturação celular epitelial com hipercromasia nuclear associada, pleomorfismo e figuras mitóticas anormais. De acordo com a espessura de pele envolvida e o nível de desarranjo celular, a NIV pode ser graduada em NIV 1, NIV 2 e NIV 3, apesar da ausência de evidência de uma continuidade biológica.[2]

NIV 1 é um achado histológico incomum e difícil de discriminar do epitélio normal. As alterações celulares da camada basal são mais provavelmente atipia reativa ou uma variante diferenciada da NIV. Um estudo de variação interobservador no diagnóstico e graduação da NIV descobriu que a categoria NIV 1 não é reprodutível. Boa concordância foi observada, entretanto, para NIV de alto grau (NIV 2 e 3), o que levou a incluir essas lesões em um único grupo.[2]

A NIV tipo usual verrucosa é caracterizada por uma aparência condilomatosa, paraceratose, hiperceratose e um impressionante pleomorfismo celular, com evidência de maturação celular anormal. Multinucleação, corpos redondos, acantose e coilocitose são comuns, assim como figuras mitóticas.[2]

A NIV tipo usual basaloide é caracterizada pelo epitélio espesso, com uma superfície relativamente plana e não papilomatosa. A epiderme consiste em uma proliferação monótona de células indiferenciadas relativamente uniformes com uma aparência basaloide. Células coilocitóticas e corpos redondos podem estar presentes, mas menos frequentemente que na NIV verrucosa. Figuras mitóticas são numerosas, e como na NIV verrucosa, o processo intraepitelial pode envolver os apêndices cutâneos subjacentes.[2]

A NIV tipo diferenciada, por sua vez, é relativamente incomum e não relacionada ao HPV. Células eosinofílicas proeminentes estão presentes nas áreas basal e parabasal, frequentemente com formação de queratina ou formações "peroladas" dentro das criptas cutâneas. Os queratinócitos prematuramente diferenciados usualmente têm núcleos vesiculares com nucléolos proeminentes. Este alto grau de diferenciação celular e a ausência de desarranjo arquitetural disseminado tornam difícil o reconhecimento deste tipo de NIV, sendo a coloração imuno-histoquímica para p53 útil na diferenciação deste tipo de NIV com lesões benignas.[2]

Tratamento

A abordagem terapêutica da NIV ainda é um desafio, devendo-se levar em consideração vários aspectos como o risco potencial de desenvolvimento de uma condição potencialmente letal (CEC de vulva) e o aumento da frequência de NIV na população jovem.[6]

Neste contexto, é importante lembrar, ao tratar qualquer grupo etário, que a remoção cirúrgica das áreas de risco para desenvolvimento de câncer pode resultar em distorção da anatomia vulvar. Isto pode potencialmente afetar a imagem sexual corpórea e associar-se a algum grau de dispareunia.[6]

Terapia excisional

A real possibilidade de se prevenir doença invasiva em pacientes afetados por NIV com uso de cirurgia vulvar extensa é questionada pela possibilidade de recidiva e invasão poderem ocorrer, a despeito do procedimento. Adicionalmente, sequelas associadas ao tratamento com terapia excisional ampla, especialmente em casos de doença multifocal, podem ter alto impacto psicológico na imagem corpórea das pacientes tratadas. Ainda assim, cirurgia é o padrão para tratamento de NIV, sendo os objetivos a avaliação histológica completa do tecido afetado combinada com a eliminação completa da lesão pré-cancerosa.[7]

A excisão das áreas de NIV pode ser realizada com diferentes tipos de material: bisturi, eletrocautério ou *laser*. Frequentemente o tratamento pode ser realizado de maneira ambulatorial com o uso somente de anestesia local, não sendo relatada diferença substancial entre as várias técnicas reportadas. O objetivo é sempre excisão com margens livres e preservação das estruturas não envolvidas, de forma a não distorcer a anatomia.[7]

Especial atenção é dada à profundidade da remoção cirúrgica, tendo vários estudos demonstrado que a espessura do tecido envolvido normalmente não excede 2 mm. Deste modo, a excisão cirúrgica não deve ser tão profunda em áreas que não abrigam pelos. Nas áreas que abrigam pelos na vulva a NIV se estende aos folículos pilosos mais profundos, mais de 2 mm de profundidade, porém não mais que 4 mm. A espessura média do epitélio vulvar é 0,5 +/- 0,2 mm e a espessura média das lesões de NIV varia de 0,1 a 1,9 mm, o que destaca a necessidade de se evitar excisões cirúrgicas profundas, independentemente da técnica utilizada (Fig. 2).[7]

NIV do tipo usual em áreas portadoras de pelos pode ser facilmente excisada, com fechamento primário. As ressecções no lábio menor frequentemente levam a algum grau de mutilação; devendo-se ter cuidado de remover a menor quantidade de tecido necessária, de forma a poder eventualmente restaurar a anatomia. NIV em região da fúrcula pode ser ressecada com reconstrução por meio de avanço da parede vaginal posterior, como em vulvoperineoplastia. O prepúcio do clitóris pode ser removido, permitindo a preservação do mesmo e em caso de lesões localizadas no clitóris, pode-se optar por observação ou fulguração ou vaporização a *laser*.[7]

NIV do tipo diferenciado geralmente requer uma abordagem cirúrgica mais extensa. As lesões são usualmente confinadas às áreas portadoras de pelos ou ao lado externo do lábio menor atrófico, onde a reconstrução vulvar é factível. Novamente a técnica de avanço vaginal é uma opção para se evitar a estenose do introito e diminuir o risco de dispareunia associado ao procedimento.[7]

Excisão cirúrgica a *laser*

A cirurgia vulvar com *laser* foi introduzida há mais de duas décadas e devido ao baixo efeito térmico nos tecidos vulvares, parece ser ideal para o tratamento de NIV. A excisão a *laser* é uma técnica que requer mais experiência que a vaporização a *laser*, porém oferece a possibilidade de exame do espécime cirúrgico, combinando as vantagens da excisão cirúrgica, com suas taxas de cura e diagnóstico corretos, e da vaporização a *laser*, no que diz respeito ao efeito cosmético e resultado funcional.[7]

A base da excisão cirúrgica a *laser* é o baixo efeito térmico tecidual, que permite o reconhecimento colposcópico do plano estromal cirúrgico durante o procedimento excisional, como descrito por Reid. O feixe de *laser* é dirigido ao tecido vulvar sob controle colposcópico com um micromanipulador e desta forma a cirurgia é extremamente acurada. Inicialmente uma incisão com *laser* é feita na periferia da lesão, no terceiro plano cirúrgico; então, focando o feixe de *laser* para o menor tamanho, uma excisão ao longo do terceiro plano cirúrgico é conduzida até a completa remoção da lesão. Ao final do procedimento, as áreas tratadas são aferidas com ácido acético a 5% para a presença de possíveis lesões residuais. A cicatrização se faz por segunda intenção, porém o baixo efeito térmico tecidual induz cicatrização muito limitada.[7]

Vaporização a *laser*/aspiração ultrassônica

O tratamento a *laser* da NIV tem geralmente focado na vaporização a *laser*, que tem a desvantagem de destruir o tecido tratado, não permitindo a avaliação histológica. Essa modalidade de tratamento é usada em pacientes jovens, geralmente em pequenas lesões mucosas, de forma a limitar a mutilação cirúrgica.[7]

Quando biópsias representativas são realizadas, a ablação é uma opção efetiva para o tratamento de NIV em áreas não portadoras de pelos, frequentemente em combinação com outras técnicas de excisão. A taxa de cura relatada, entretanto, é em geral inferior às das técnicas excisionais, o que faz com que a vaporização a *laser* não ganhe ampla aceitação.[7]

Recentemente, Grueningen *et al.* compararam as técnicas de vaporização a *laser* e aspiração ultrassônica, sendo atribuída menor dor pósoperatória e cicatriz à segunda técnica. Apesar de não ter sido encontrada diferença na taxa de recidiva, o estudo não teve poder para definir diferença para esse desfecho.[7]

Terapias clínicas

A frequência cada vez maior de NIV em mulheres jovens levou à investigação de terapias efetivas não mutiladoras ou funcionalmente incapacitantes para as pacientes. Desta forma, várias opções de terapias clínicas no manejo da NIV têm sido investigadas, variando de quimioterapia local a imunoterapia. O tratamento tópico é atraente por ser aplicado diretamente pela paciente e facilmente monitorado para eficácia. Infelizmente, os estudos têm demonstrado pouca resposta, com altas taxas de complicação e recidiva. Além disso, os tratamentos locais têm que se basear na biópsia somente, com o risco de que uma lesão invasiva passe despercebida.[6]

Apesar de atraente do ponto de vista da aplicação tópica, o 5-fluorouracil demonstrou resultados inconsistentes e baixa adesão dos pacientes em função dos efeitos colaterais locais, frequentemente graves. Outro quimioterápico estudado para uso tópico foi a bleomicina, que aplicada via intradérmica apresentou baixas taxas de resposta.[6]

Em vista da resposta insatisfatória aos tratamentos com quimioterápicos de aplicação local, deu-se início às terapias imunomoduladoras. A primeira medicação estudada nesse sentido foi o dinitroclorobenzeno (DNCB), que induz um tipo de reação de hipersensibilidade tardio no sítio de aplicação tópica. As taxas de recidiva e os extensos e eventualmente intoleráveis efeitos colaterais diminuíram o seu uso. Melhores resultados foram alcançados com interferon α (IFN α), atraente para uso nas lesões associadas ao HPV, decorrente de seu efeito inibitório na replicação viral e crescimento celular. O uso do IFN α pode ser feito sistemicamente, intralesional ou tópico, e resulta em altas taxas de resposta, com baixa morbidade.[6]

Mais recentemente, têm-se investigado novas terapias no tratamento da NIV, todas com potencial imunomodulador e possibilidade de *clearance* do HPV 6. A terapia fotodinâmica é uma técnica relativamente nova que utiliza um fotossensibilizador (ácido 5 amino-levulínico), que é ativado por uma luz não térmica em uma amplitude de onda apropriada para geração de morte celular induzida por oxigênio. Tal terapia tem demonstrado *clearance* completo de 66% das lesões condilomatosas e de 57% das NIV de alto grau.[6]

Imiquimod é um modificador de resposta imune com propriedades antiviral e antitumoral, o qual se tem demonstrado seguro e eficaz no tratamento de lesões genitais associadas ao HPV. Idealizou-se que este tratamento tópico poderia ser efetivo em estimular a imunidade celular contra diferentes tipos de HPV e assim encorajar a regressão de lesões precursoras vulvares.[1] Várias pequenas séries demonstrando alta taxa de resposta com uso do imiquimod têm sido descritas desde então.[8] Mais recentemente, van Seters *et al.* compararam imiquimod com placebo no tratamento de NIV 2 e 3, descobrindo que o tamanho da lesão reduziu em mais de 25% com 20 semanas de tratamento e em 81% das pacientes, comparado com nenhuma paciente no grupo placebo. Além disso, todas as pacientes com resposta completa permaneceram livres de lesão aos 12 meses. Os autores colocam que a regressão das lesões parece associar-se ao *clearance* do HPV.[9]

Vacinas para HPV

Vacinação é uma estratégia óbvia, porque a imunidade do hospedeiro desempenha um papel importante na efetivação do *clearance* viral.[6] Neste campo muitas abordagens têm-se concentrado em oferecer imunidade específica contra as oncoproteínas E6 e E7 do HPV, as quais são expressas por todo o espectro de neoplasias intraepiteliais anogenitais associadas ao HPV.[10]

Existem várias estratégias de vacina profilática e terapêutica, sendo avaliadas em ensaios clínicos, incluindo uma versão tetravalente (anti-HPV 6, 11, 16 e 18).[11] Dos resultados obtidos até o momento, parece não haver relação simples entre indução de imunidade sistêmica HPV-16 específica e o desfecho clínico. Outros fatores parecem desempenhar papel na erradicação de neoplasias intraepiteliais anogenitais estabelecidas a longo prazo.

NEOPLASIA INTRAEPITELIAL VAGINAL

Introdução

O diagnóstico de neoplasia intraepitelial vaginal (NIVA) tem aumentado em relação às décadas passadas, em função do aumento do rastreamento citológico e do maior uso da colposcopia, mantendo ainda uma relativa raridade em relação à neoplasia intraepitelial cervical (NIC) e neoplasia intraepitelial vulvar (NIV).[12]

São lesões induzidas pelo HPV que podem ou não evoluir com carcinomas invasivos. Essa evolução dependerá principalmente do grau de displasia que as lesões apresentam.[13]

Classificação

NIVA é definida como a presença de células escamosas com atipia, sem invasão além da epiderme. A doença foi classificada inicialmente de acordo com as definições do envolvimento epitelial:

- NIVA 1: menos de 1/3 do epitélio.
- NIVA 2: menos que 2/3 do epitélio.
- NIVA 3: envolve mais de 2/3 do epitélio.
- Carcinoma *in situ*, envolve mais profundamente que a NIVA 3.[3]

Posteriormente, foi lançada uma classificação que levava em conta o grau de displasia apresentado pelo epitélio acometido. Essa classificação foi a que perdurou por mais tempo e dividia-se da seguinte forma:

- *NIVA 1:* displasia leve.
- *NIVA 2:* displasia moderada.
- *NIVA 3:* displasia severa/carcinoma *in situ*.

Atualmente, essa classificação está sendo substituída, e as lesões antes denominadas NIVA 1 agora correspondem a NIVA de baixo grau e NIVA 2 e 3, a NIVA de alto grau. Essa classificação hoje é preferida em função da diferença de comportamento, prognóstico e tratamento que a neoplasia intraepitelial vaginal pode apresentar.[14]

Epidemiologia

A verdadeira incidência do NIVA é desconhecida, mas estima-se que seja de 0,2 a 0,3/100.000 mulheres nos EUA. Acomete mulheres, principalmente entre a quarta e a sexta década de vida.

Existem muitos fatores de risco associados à origem de neoplasias do trato genital baixo, sendo a infecção por HPV a mais comum. A imunodeficiência e a imunossupressão aumentam tanto a chance da infecção por HPV, quanto o desenvolvimento da NIVA.

NIVA geralmente se associa a neoplasias em outros locais do trato genital baixo. Cinquenta a 90% das pacientes com NIVA apresentam NIV ou NIC. Além disso, aproximadamente 1-7% das pacientes submetidas à histerectomia por NIC desenvolverão NIVA alguns meses após a cirurgia. Existem evidências que algumas NIV e NIVA são uma lesão monoclonal derivada de uma lesão maligna cervical ou de uma lesão de alto grau.

Algumas informações sugerem que mulheres com alto risco para HPV e que fumam têm maior chance de desenvolver NIVA de alto grau. Uma história prévia de tratamento para câncer cervical e fumo são os maiores fatores de risco para o desenvolvimento de NIVA de alto grau, além desses fatores, a imunossupressão observada no paciente com AIDS e transplantadas também está fortemente associada ao surgimento do NIVA.[15]

Etiologia

Duas etiologias propostas estão fortemente associadas a todas as neoplasias no trato genital baixo. A primeira possibilidade é que a mulher desenvolve NIVA simplesmente por extensão da doença cervical, essa seria uma explicação para os casos de NIVA que surgem após tratamento de lesões intraepiteliais cervicais de diversos graus. NIVA é frequentemente uma doença multifocal, e pode se desenvolver alguns anos depois de uma histerectomia para neoplasia, independentemente do montante do manguito vaginal extirpado.[16]

Uma segunda teoria é que as neoplasias do trato genital inferior se originam de fatores comuns, sendo que metade se associa a neoplasia cervical e vulvar concomitante. Isso se deve à origem embriológica semelhante e aos estímulos carcinogênicos similares. O principal fator de estímulo ao desenvolvimento do NIVA é a exposição ao HPV.[16]

Infecção pelo HPV

Lesões associadas ao HPV geralmente são multifocais ou multicêntricas. Sua associação é bem conhecida com o colo uterino, porém existem poucas informações quanto ao acometimento vaginal.

Alguns subtipos virais são mais associados a NIVA, como os subtipos 16 e 18. A prevalência de oncogênese na vagina é similar entre as mulheres que fizeram, ou não, histerectomia. Ao contrário do que encontramos nas neoplasias intraepiteliais cervicais, em que a associação do HPV com o surgimento das lesões já está fortemente documentada, a NIVA necessita de mais informações sobre a interação viral com o epitélio vaginal.

A disparidade entre a alta incidência do NIC e a baixa de NIVA para as mulheres com teste de HPV positivo pode ser decorrente da alta suscetibilidade de transformação metaplásica no colo uterino, pois o epitélio vaginal é maduro e estável, o que o torna menos vulnerável ao estímulo do HPV.[17]

Diagnóstico

A NIVA é frequentemente assintomática, mas as pacientes podem apresentar dispareunia, dor pós-coital ou sangramento.

O exame deve incluir a palpação à procura de espessamentos ou irregularidades da parede vaginal e a colposcopia vaginal. Em pacientes idosas, na pós-menopausa, o uso de estrogênio tópico na vagina facilita a detecção da NIVA.

A maioria das lesões está localizada no terço superior da vagina. A presença de uma superfície espessada e irregular e anormalidades vasculares severas sugerem processo invasivo, o qual indica uma biópsia excisional.

NIVA de alto grau é geralmente diagnosticada por histologia de biópsias guiadas colposcopicamente. Nos casos em que as lesões não são visíveis, com a aplicação do ácido acético passam a apresentar uma coloração que varia de avermelhada a branca, sendo identificadas com maior facilidade. Esse aspecto clínico é mais frequente estre as mulheres mais jovens. Na pós-menopausa a NIVA pode ser encontrada com aspecto de hiperceratose, leucoplasia, ulcerações ou lesões condilomatosas. Quando apresentam esse aspecto, essas lesões devem ser biopsiadas para identificar quais são precursoras e quais são neoplasias invasivas.[18]

Indicações de colposcopia vaginal:

1. Citologia anormal após aparente sucesso no tratamento do NIC.
2. Citologia anormal do fundo vaginal após histerectomia.
3. Citologia anormal na presença de colo normal, sobretudo se a colposcopia for satisfatória.
4. Lesão intraepitelial de alto grau em paciente imunossuprimida.
5. Diagnóstico confirmado de NIV de alto grau.
6. Exame vaginal grosseiramente anormal.
7. Exposição intrauterina, suspeita ou confirmada, ao dietilestilbestrol.
8. Diagnóstico e tratamento de infecção multicêntrica de HPV, particularmente se resistente ao tratamento conservador.

NIVA tem a aparência similar à da neoplasia intraepitelial cervical após a aplicação de àcido acético 5%. Um fino pontilhado capilar pode ser visto após a reação com ácido acético. Pontos varicosos e o mosaicismo ocorrem em área da NIVA de alto grau e são altamente suspeitos de câncer invasivo. A habilidade de predizer o *status* histológico é dependente da experiência do colposcopista. Uma lesão que aparentemente não é suspeita ou é trivial pode revelar displasia na biópsia. O exame sob anestesia geral ou local pode ser necessário, principalmente na presença de doença extensa, para definir o diagnóstico.

A dificuldade na avaliação colposcópica da vagina é minimizada após a aplicação de solução aquosa de iodo. As lesões de NIVA de alto grau aparecem amarelo-mostarda contra a mucosa normal amarronzada. A aplicação da solução de iodo é mandatória no delineamento das margens para o tratamento.

Tratamento

Uma grande variedade de tratamentos está disponível para a NIVA. Falhas em tratamentos prévios, presença de doença multifocal, saúde em geral da paciente, risco cirúrgico, desejo de preservar a função sexual e a certeza de se tratar de doença invasiva são os fatores que influenciam na escolha do tratamento mais adequado. Pacientes com NIVA de baixo grau são apenas acompanhadas, já em casos de NIVA de alto grau as pacientes têm que ser submetidas a alguma forma de tratamento.

Cirurgia

A excisão cirúrgica é o principal tratamento da NIVA, pois permite o diagnóstico histológico e uma significante vantagem sobre os outros tratamentos, uma vez que invasão focal é identificada em aproximadamente 28% dos casos. A abordagem cirúrgica envolve excisão local, colpectomia parcial e, mais raramente, colpectomia total para doença extensa e persistência de doença. A maioria das abordagens é transvaginal, entretanto uma abordagem transabdominal pode ser necessária. Uma colpectomia parcial é necessária quando NIVA de alto grau é identificada após histerectomia vaginal e a lesão é irressecável por outra forma de abordagem. Tratamento pré-cirúrgico tópico pode reduzir o tamanho da lesão, tornando-a menos aderida ao plano profundo e de mais fácil ressecção. Em geral, ressecções locais, principalmente em jovens, são evitadas ao máximo por conta de multilações.

As complicações da terapia cirúrgica são estenose e encurtamento da vagina em função da ampla ressecção. As complicações são mais frequentes em pacientes tratadas previamente com radioterapia. As abordagens com excisão eletrocirúrgica com alça diatérmica, colpectomia com *laser* e aspiração cirúrgica ultrassônica são alternativas cirúrgicas com menores complicações.[19]

Após a cirúrgica, a taxa de recidiva é de aproximadamente 18%.

Ablação

O *laser* com CO_2 tem sido a técnica preferida para a ablação do tecido local. Aproximadamente 1/3 dos pacientes requer mais de um tratamento e sua realização frequentemente é bem tolerada, cura satisfatoriamente e resulta em mínima disfunção sexual. As complicações mais comuns são dor e sangramento no pós-operatório imediato e ocorrem em 20% dos casos.[20]

Sua aplicação não pode ser feita se não for possível visualizar toda a área acometida e se na colposcopia for identificada área suspeita de invasão.

Terapia tópica

Enquanto a colpectomia total ou parcial parece ser um método seguro de tratamento para NIVA de alto grau multifocal, diversas modalidades menos radicais têm sido estudadas e aplicadas. A aplicação tópica de agentes terapêuticos tem a vantagem de tratar toda a mucosa vaginal com boa cobertura da doença multifocal e da doença nas dobras e recessos vaginais. Não existem protocolos de rotina claramente definidos sobre qual o tratamento ideal para doença multifocal de alto grau. Esse tipo de terapia parece ser apropriado como primeira forma de tratamento em mulheres com doença precoce e multifocal e naquelas em que a cirurgia não é muito indicada. Como na ablação, é necessário excluir invasão por biópsia e colposcopia.

As drogas usadas atualmente são o imiquimod e o 5-fluorouracil. Podem ser usadas como terapia pré-cirúrgica 3 vezes/semana por 8 semanas, seguida ou não de tratamento cirúrgico. Os principais efeitos colaterais são ardência intensa e dor. Apresentam a inconveniência de não poderem ser aplicados em locais ulcerados.

O 5-fluorouracil creme (tópico) pode ser usado com bons efeitos para pacientes cuidadosamente selecionados, podendo causar inflamação e ulceração das lesões de NIVA. O cuidado deve ser tomado com a pele da vulva e evitar a persistente desnudação da mucosa vaginal.[21]

Aplicação de creme de imiquimod 5% pode ser considerada uma alternativa de tratamento para NIVA de alto grau, quando a excisão não é indicada. As informações ainda são limitadas, mas o imiquimod tem demonstrado boa resposta na NIVA. As taxas de recidiva não são maiores que as dos demais tratamentos tópicos e tem sido seguro e bem tolerado pelos pacientes. O imiquimod tem sido usado como tratamento primário de NIVA extensa e multifocal, causando a diminuição das lesões antes da ablação.[22]

Radioterapia

A radioterapia intracavitária, enquanto uma forma efetiva de tratamento, está associada a uma maior taxa de morbidade que outras terapias. É raramente usada porque a ressecção ou o tratamento ablativo têm sucesso. A radioterapia é reservada para os casos de falha em tratamento prévio, pacientes sem indicação cirúrgica ou naquelas que têm doença multifocal. A dose ideal não é definida.

Suas complicações são atrofia, estenose e encurtamento vaginais. Essas distorções anatômicas podem interferir na função sexual e impedir as colposcopias de seguimento. Como complicações, ainda identificamos alterações intestinais e vesicais.[23]

REFERÊNCIAS BIBLIOGRÁFICAS

1. Preti M, van Seters M, Sideri M et al. Squamous vulvar intraepithelial neoplasia. *Clin Obst Gynecol* 2005;48(4):845-61.
2. Selim MA, Hoang MP. A histologic review of vulvar inflammatory dermatoses and intraepithelial neoplasm. *Dermatol Clin* 2010;28:649-67.
3. Smith JS, Backes DM, Hoots BE et al. Human papillomavirus type distribution in vulvar and vaginal cancers and their associated precursors. *Obst Gynecol* 2009;113(4):917-24.
4. Paavonen J. Human papillomavirus infection and the development of cervical cancer and related genital neoplasias. *Int J Infect Dis* 2007;11(S2):S3-9.
5. Garland SM, Insinga RP, Sings HL et al. Human papillomavirus infections and vulvar disease development. *Cancer Epidemiol Biomarkers Prev* 2009;18(6):1777-84.
6. Kennedy CM, Boardman LA. New approaches to external genital warts and vulvar intraepithelial neoplasia. *Clin Obst Gynecol* 2008;51(3):518-26.
7. Von Gruenigen VE, Gibbons HE, Gibbins K et al. Surgical treatments for vulvar and vaginal dysplasia. *Obst Gynecol* 2007;109(4):942-47.
8. Iavazzo C, Pitsouni E, Athanasiou S et al. Imiquimod for treatment of vulvar and vaginal intraepithelial neoplasia. *Int J Gynecol Obst* 2008;101:3-10.
9. van Seters M, van Beurden M, ten Kate FJW et al. Treatment of vulvar intraepithelial neoplasia with topical imiquimod. *New Engl J Med* 2008;358:1465-73.
10. Kenter GG, Welters MJP, Valentijn ARPM et al. Vaccination against HPV-16 oncoproteins for vulvar intraepithelial neoplasia. *New Engl J Med* 2009;361:1838-47.
11. The Future I/II Study Group. Four year efficacy of prophylatic human papillomavirus quadrivalent vaccine against low grade cervical, vulvar, and vaginal intraepithelial neoplasia and anogenital warts: randomised controlled trial. BMJ 2010;340:c3493.
12. Townsend DE. Intraepithelial neoplasia of the vagina. In: Coppleson M. (Ed.). Gynecologic oncology. Fundamental principles and clinical practice. Edinburgh: Churchill Livingstone; 1992. p. 493.
13. Wharton JT, Tortolero-Luna G, Linares AC et al. Vaginal intraepithelial neoplasia and vaginal cancer. *Obstet Gynecol Clin North Am* 1996;23:325.
14. Benedet JL, Sanders BH. Carcinoma in situ of the vagina. *Am J Obstet Gynecol* 1984;148:695.
15. Vinokurova S, Wentzensen N, Einenkel J et al. Clonal history of papillomavirus-induced dysplasia in the female lower genital tract. *J Natl Cancer Inst* 2005;97:1816.

16. Aho M, Vesterinen E, Meyer B et al. Natural history of vaginal intraepithelial neoplasia. *Cancer* 1991;68:195.
17. Insinga RP, Liaw KL, Johnson LG et al. A systematic review of the prevalence and attribution of human papillomavirus types among cervical, vaginal, and vulvar precancers and cancers in the United States. *Cancer Epidemiol Biomarkers Prev* 2008;17:1611.
18. Nwabineli NJ, Monaghan JM. Vaginal epithelial abnormalities in patients with CIN: clinical and pathological features and management. *Br J Obstet Gynaecol* 1991;98:25.
19. Von Gruenigen VE, Gibbons HE, Gibbins K et al. Surgical treatments for vulvar and vaginal dysplasia: a randomized controlled trial. *Obstet Gynecol* 2007;109:942.
20. Townsend DE, Levine RU, Crum CP et al. Treatment of vaginal carcinoma *in situ* with the carbon dioxide laser. *Am J Obstet Gynecol* 1982;143:565.
21. Kirwan P, Naftalin NJ. Topical 5-fluorouracil in the treatment of vaginal intraepithelial neoplasia. *Br J Obstet Gynaecol* 1985;92:287.
22. Iavazzo C, Pitsouni E, Athanasiou S et al. Imiquimod for treatment of vulvar and vaginal intraepithelial neoplasia. *Int J Gynaecol Obstet* 2008;101:3.
23. Graham K, Wright K, Cadwallader B et al. 20-year retrospective review of medium dose rate intracavitary brachytherapy in VAIN3. *Gynecol Oncol* 2007;106:105.

CAPÍTULO 149
Lesões Pré-Malignas do Colo Uterino

Caroline Maria Gomes Magalhães ■ Juliana Monteiro Ramos
Liane Mansur de Mello Gonçalves Pinheiro ■ Renato Moretti Marques

INTRODUÇÃO

O diagnóstico e o tratamento das lesões intraepiteliais escamosas do trato genital inferior sofreram diversas modificações nos últimos 25 anos. Antes do teste de Papanicolaou, os diagnósticos de tumores do colo uterino e da vagina ocorriam quando eram observados ao acaso, porque não existiam testes para detecção de massa. Apesar de a incidência do câncer cervical ter diminuído significativamente nos últimos 40 anos, em virtude do teste de Papanicolaou, o câncer cervical continua a ser a segunda malignidade mais comum em todo o mundo, respondendo por 15% de todos os tumores diagnosticados nas mulheres.[1] No Brasil, é a neoplasia do trato genital feminino mais frequente, sendo que 90% dos casos evoluem a partir da neoplasia intraepitelial cervical (NIC).[2,3] Trata-se de um problema de saúde da maior importância, especialmente nos países em que o acesso à medicina preventiva é limitado.

Acredita-se que as lesões intraepiteliais (SIL) são precursoras destes tumores. O tratamento é feito idealmente antes do desenvolvimento do câncer, ainda que continuem a existir controvérsias relativas ao tratamento destas lesões pré-neoplásicas. Ainda não existe um método seguro e eficaz de distinguir as lesões que irão regredir, estacionar ou progredir culminando no câncer.

As indicações da população-alvo a ser rastreada, bem como sua periodicidade para uma detecção das lesões precursoras do câncer de colo uterino, mesmo que assintomáticas, devem ser analisadas valorizando suas vantagens, custos, impacto na vida sexual e avaliação do tratamento em pacientes sem prole definida.[4]

No Brasil, foi implementado o Sistema de Informações do Câncer de Colo do Útero (SISCOLO), que vem sendo aprimorado desde 1998. Esse sistema gerencia e avalia o impacto da implantação da Nomenclatura Brasileira para Laudos Cervicais e Condutas Preconizadas.

Atualmente, o SISCOLO ainda não permite a identificação do número de mulheres examinadas, mas apenas a quantidade de exames realizados, dificultando o conhecimento preciso das taxas de captação e cobertura, essenciais ao acompanhamento da população-alvo.

É importante também melhorar o SISCOLO em sua forma de seguimento, permitindo um acompanhamento qualitativo das mulheres com exames alterados desde a sua entrada no sistema, através da coleta do exame citopatológico, até o seu desfecho (seguimento, tratamento e cura).

A realização do exame citopatológico continua sendo a estratégia mais adotada para o rastreamento do câncer do colo uterino. Países com cobertura superior a 50% do exame citopatológico realizado a cada 3-5 anos apresentam taxas inferiores a três mortes por 100.000 mulheres por ano e, para aqueles com cobertura superior a 70%, esta taxa é igual ou menor que duas mortes por 100 mil mulheres por ano.[5-7] A grande diferença entre essa cobertura existente em países desenvolvidos e no Brasil, é que não possuímos um cadastro universal de base populacional, que permite o recrutamento de mulheres dessa população-alvo que não realizaram o exame citopatológico.

Outra alternativa à técnica de Papanicolaou é a citologia em base líquida, em que as células coletadas são transferidas na própria escova de coleta para um frasco contendo líquido fixador. Essa técnica traz a vantagem de uma interpretação mais rápida e oferece a possibilidade de testagem adicional para detecção DNA do papilomavírus humano (HPV) no líquido remanescente. Como desvantagem essa técnica é mais cara e não traz mais sensibilidade ou especificidade do que a citologia convencional, levando em consideração a detecção de lesão de alto grau ou lesão mais grave.[8]

A automação é outra técnica citológica que consiste na leitura automatizada das lâminas, com identificação de campos anormais através da análise de núcleos, tamanho e forma celulares, exibição das imagens em tela para avaliação humana e separação de casos para microscopia dirigida. A vantagem dessa técnica é aumento de produtividade e redução de necessidade de profissionais especializados. Entretanto, não há diferenças nas taxas de incidência e mortalidade por câncer de colo uterino quando o rastreamento é realizado através de citologia convencional ou automatizada.[8]

Apesar de o SISCOLO ter registrado cerca de 11 milhões de exames citopatológicos no Brasil somente no ano de 2009 e dos avanços em nível de atenção primária, reduzir a taxa de mortalidade por câncer do colo do útero ainda é um desafio a ser vencido.[4]

COLPOSCOPIA

Hinselmann, na década de 1920, na Alemanha, foi o primeiro a descrever a colposcopia como método diagnóstico para lesões invasivas utilizando a descrição das várias mudanças superficiais do epitélio escamoso do colo uterino, que denominou epitélio atípico. Somente após a Primeira Grande Guerra Mundial a colposcopia foi difundida para Europa e o Brasil, nas décadas de 1930 e 1940, sendo fundada a Sociedade Brasileira de Colposcopia somente em 1958.

Atualmente, a colposcopia tornou-se método padrão para o estudo subsequente a um esfregaço anormal de Papanicolaou. Além de ser um procedimento para diagnóstico de lesões pré-invasivas e invasivas, também determina sua localização, tamanho e extensão. É necessário que haja na colposcopia o diagnóstico histopatológico de confirmação realizado através de biópsias múltiplas dirigidas ou excisões por alça elétricas (LEEP).

Um colposcópio é composto de um microscópio binocular com aumento variável, uma potente fonte de luz, filtro verde que revela padrão vascular, dispositivo ocular com graduação milimétrica e uma câmera para registro fotográfico ou em vídeo (Fig. 1).

A técnica colposcópica consiste na inspeção após aplicação de:

- *Soro fisiológico:* esse artifício destacará a arquitetura vascular subepitelial juntamente com a utilização do filtro verde e um aumento de 25×.

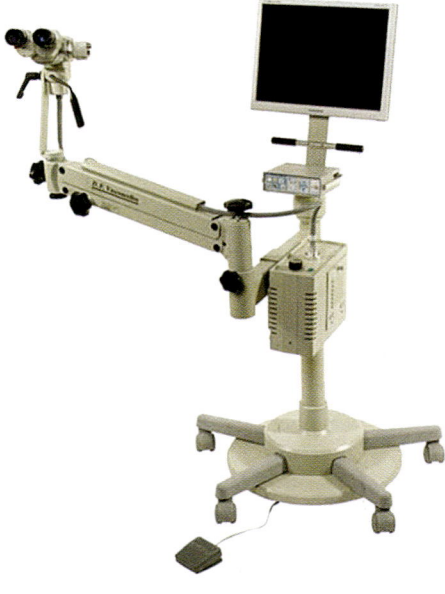

◀ **FIGURA 1.**
Colposcópio com registro fotográfico e vídeo.

- *Solução de ácido acético:* é utilizada uma solução aquosa de ácido acético 3-5% para contrair a vascularização e provocar edema das papilas do epitélio colunar normal. Quando essas mudanças se estendem ao epiélio metaplásico e displásico tornam-se opacas e esbranquiçadas. Os padrões anômalos característicos do tecido acetobranco são provocados pela vascularização anômala subjacente do epitélio atípico que demoram um pouco mais de 30 segundos para aparecerem.
- *Teste de iodo ou de Schiller:* a solução é composta por iodo cristalino (2 g), iodeto de potássio (4 g) e água destilada (100 mL). O grau de coloração é proporcional à quantidade de glicogênio que a célula possui e desaparece após 10 minutos.

Seu papel na prática clínica se baseia em: 1) definir os limites ectocervicais de uma lesão antes de tratar; 2) ajudar na diferenciação das lesões pré-neoplásicas e infecção por HPV (frequentemente esta infecção recebe tratamento excessivo por meio da excisão por alça elétrica (LEEP) ou biópsias múltiplas); 3) demonstrar a presença de áreas não reativas ao iodo presentes tanto nas queratoses, colpites assintomáticas quanto nas associações ao câncer e lesões pré-invasivas.[8]

A colposcopia é dita satisfatória se a junção escamocolunar (JEC) é completamente visível e insatisfatória se não é completamente visualizada mesmo após tentativas de uso de afastadores dos lábios cervicais ou mesmo dilatador cervical (Fig. 2).

Em estudos prospectivos, a colposcopia apresentou uma sensibilidadede 69 a 95% e uma especificidade de 67 a 93% no diagnóstico da NIC: foram feitos três diagnósticos de microinvasão e/ou invasão no momento da colposcopia, ou seja, com laudos histopatológicos de biópsias ainda em andamento.[1-3,5,6]

A colposcopia permite a seleção das neoplasias cervicais para tratamento conservador e possibilita a biópsia dirigida, acelerando assim, o diagnóstico precoce e tratamento de lesões pré-invasivas e/ou invasivas.

Desde 1975, a Federação Internacional de Patologia Cervical e Colposcopia (IFCPC) vem aprimorando e desenvolvendo uma terminologia básica mediante observações colposcópicas com o intuito de padronizar internacionalmete a leitura dos laudos, facilitando dessa maneira o diagnóstico e o tratamento das lesões cervicais. Atualmente, a Associação Brasileira de Patologia do Trato Genital Inferior (PTGI) e Colposcopia recomenda a terminologia colposcópica revisada e aprovada no 11° Congresso Mundial em Barcelona em 2002 para diagnóstico clínico, tratamento e pesquisa em câncer cervical (Quadro 1).

Características específicas

Características colposcópicas sugestivas de alterações metaplásicas

A) Superfície lisa com vasos finos, de calibre uniforme.
B) Alterações acetobrancas leves.
C) Iodo negativo ou parcialmente positivo com solução de lugol.

Características colposcópicas sugestivas de alterações de baixo grau (alterações menores)

A) Superfície lisa com borda externa irregular (Fig. 3).
B) Alteração acetobranca leve, que aparece lentamente e desaparece rapidamente (Fig. 3).
C) Iodo negativo, ou mais frequentemente captação parcial do iodo.
D) Pontilhado fino e mosaico fino regular.

Quadro 1. Terminologia colposcópica – Barcelona 2002

I. ACHADOS COLPOSCÓPICOS NORMAIS
- Epitélio escamoso original
- Epitélio colunar
- Zona de transformação
II. ACHADOS COLPOSCÓPICOS ANORMAIS
- Epitélio acetobranco plano
- Epitélio acetobranco denso
- Mosaico fino
- Mosaico grosseiro
- Pontilhado fino
- Pontilhado grosseiro
- Iodo parcialmente positivo
- Iodo negativo
- Vasos atípicos
III. ALTERAÇÕES COLPOSCÓPICAS SUGESTIVAS DE CÂNCER INVASIVO
IV. COLPOSCOPIA INSATISFATÓRIA
- Junção escamocolunar não visível
- Inflamação severa, atrofia severa, trauma
- Cérvice não visível
V. MISCELÂNEA
- Condiloma
- Queratose
- Erosão
- Inflamação
- Atrofia
- Deciduose
- Pólipo

Características colposcópicas sugestivas de alterações de alto grau (alterações maiores)

A) Superfície lisa com borda externa bem marcada.
B) Alteração acetobranca densa, que aparece rapidamente e desaparece lentamente; podendo apresentar um branco nacarado que lembra o de ostra (Fig. 4).
C) Iodo negativo (coloração amarelo-mostarda) em epitélio densamente acetobranco.
D) Pontilhado grosseiro e mosaico de campos largos e irregulares e de tamanhos diferentes.
E) Acetobranqueamento denso no epitélio colunar pode indicar doença glandular (Fig. 4).

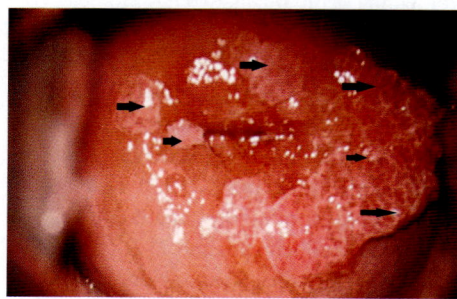

◀ **FIGURA 3.**
Colposcopia sugestiva de lesão de baixo grau.

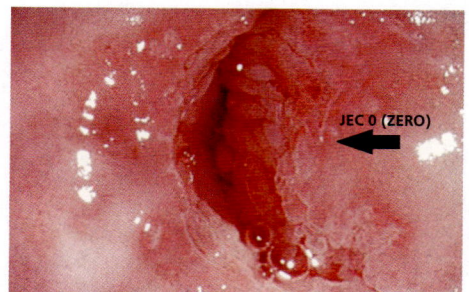

◀ **FIGURA 2.**
Visualização da JEC em colo normal.

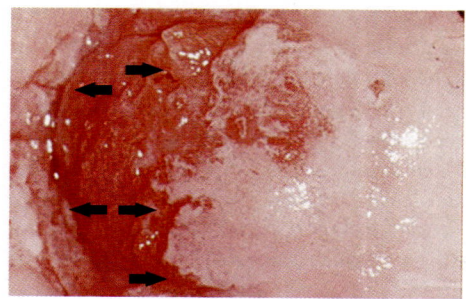

◀ **FIGURA 4.**
Colposcopia sugestiva de lesão de alto grau.

Características colposcópicas sugestivas de câncer invasivo
A) Superfície irregular, erosão ou ulceração.
B) Acetobranqueamento denso.
C) Pontilhado grosseiro e irregular e mosaico grosseiro de campos largos desiguais.
D) Vasos atípicos.[9]

Em qualquer unidade colposcópica com experiência é preciso dispor de um registro iconográfico para as diversas características colposcópicas, de modo que sejam compreendidos facilmente até por não especialistas. Recomenda-se constar sempre no laudo e no prontuário do paciente. O tipo de documentação (gráfico, fotografia, vídeo etc.) é opcional e depende da disponibilidade do ambulatório, do consultório ou do serviço.

Biópsia

Para se estabelecer um diagnóstico definitivo das lesões cervicais, disponibilizamos da integração citológica, colposcópica e histológica. As biópsias dirigidas podem ser realizadas sob visão colposcópica ou a olho nu, porém com a área biopsiada identificada previamente mediante colposcopia.

O material mais comumente utilizado é a biópsia em saca-bocado que só representa 40 mm^2 de uma área de zona de transformação anormal (ZTA) que pode se estender a 800 mm^2. Portanto, quando existem diversas imagens colposcópicas é apropriado realizar múltiplas biópsias, reduzindo o risco de passar despercebida uma lesão invasora precoce. Observamos que quanto mais experiente o colposcopista for, menos biópsias serão realizadas.

As elevadas taxas de regressão das neoplasias intraepiteliais podem ter relação com a área cervical biopsiada, pois a própria biópsia pode ter eliminado toda a lesão ou provocar uma resposta inflamatória e imune capaz de erradicar doença residual. Sempre que as características colposcópicas sugiram uma possível lesão microinvasora, é obrigatório realizar uma cone-biópsia.[10]

Curetagem endocervical

É considerado um procedimento doloroso para a paciente e criticado pelo colposcopista por não colher material do estroma subjacente. Os defensores da curetagem endocervical se apoiam nas evidências de que uma curetagem endocervical positiva traduz mais chance de apresentar um tumor invasivo ou microinvasivo.[10]

A sua principal desvantagem é uma qualidade ruim do tecido fragmentado e quando alcança a ZTA ectocervical, leva-nos a resultados falso-positivos que podem gerar conizações desnecessárias. Atualmente, a técnica do escovado endocervical para citologia cervical é superior (mais sensível e específica) à da curetagem.

Crioterapia

É o método ablativo de menor custo e complicações. O equipamento consiste em sondas metálicas de diferentes formas e tamanhos que se adaptam ao colo uterino. Através do esfriamento do óxido nítrico até 80-90° C negativos, a lesão se congela e ocorre a morte celular. Observamos o congelamento através da cor branca, chamado efeito "bola de neve". O tratamento é simples e indolor, desde que não atinja a parede vaginal. O efeito colateral é a produção de um intenso fluxo aquoso não hemorrágico que pode persistir por 2 a 3 semanas. Sua grande desvantagem é a recidiva em lesões de alto grau e lesões de baixo grau extensas (Fig. 5).[10]

Atualmente a eletrocoagulação é realizada em ambulatório com anestesia local. Através da colposcopia e solução de Lugol, a área da ZTA a ser tratada é delimitada, e, posteriormente, é realizada a fulguração e a coagulação dessa área e de sua adjacência. A destruição da área demarcada é feita com eletrodo esférico, podendo-se utilizar a seguir um eletrodo agulha para uma coagulação mais profunda. O momento final da diatermia é avaliado quando não se observa exsudação de muco adicional. A vantagem desse procedimento é não ter efeito adverso para a função cervical, fertilidade, gravidez ou trabalho de parto.

Devemos sempre lembrar que esse método tem sua eficácia inversamente proporcional à profundidade da lesão, o que nos faz questionar sua utilização, já que em estudos recentes podemos observar a remissão espontânea das lesões de baixo grau em quase 80% de sua totalidade.[8,10]

Conização ou ablação por *laser*

A conização por *laser* tornou-se popular com o maior uso do *laser* como instrumento de ablação e cirurgia. Foi introduzida em 1979 e realizada de forma ambulatorial com anestesia local e controle colposcópio, utilizando um micromanipulador.[10] O feixe de *laser* é utilizado tanto para a incisão como para a coagulação. Visto que cada lesão apresenta suas próprias características, não existe uma forma padrão de ressecção, podendo variar entre cone, disco ou cilindro.

Esse método não apresenta vantagens em relação à conização clássica, é tecnicamente mais difícil e requer um equipamento caro, portanto não é utilizado com grande frequência.

LEEP/LETZ

Nos Estados Unidos esse procedimento de excisão eletrocirúrgica com alça se denomina LEEP, enquanto na Europa é utilizado o termo LLETZ, que significa excisão da zona de transformação (ZT) com alça de grande tamanho. Foi inicialmente idealizado em 1984 por Cartier, que almejava um fragmento maior para as biópsias das lesões cervicais. Posteriormente, em 1989, Prendiville *et al.* modificaram a técnica com uma alça de maior tamanho com a finalidade de tratamento através de exérese total da lesão. Essa técnica foi amplamente utilizada no Reino Unido, de onde surgiram os primeiros estudos mostrando que se tratava de um método eficaz e com baixa taxa de morbidade.[11]

A eletrocirurgia consiste no processo de cortar e coagular tecidos mediante corrente de alta frequência. A alça diatérmica é um instrumento ablativo constituído por um conjunto de eletrodos ativos acoplados a um filamento de tungstênio, que pode ser de vários formatos e tamanhos. Pode ser utilizada para corte e coagulação simultaneamente ou isolados, facilitando a exérese e hemostasia em razão da corrente alternada de alta frequência. A largura da alça varia de 1,5 a 2,0 cm. Podendo também ser de outros formatos e larguras, proporcionando um leque de escolhas para vários procedimentos, desde simples biópsias até excisões mais profundas que adentram a JEC (Fig. 6).

Através da colposcopia determinamos a zona de transformação anormal (ZTA), infiltramos o colo com anestésico local nos quatro pontos cardinais e iniciamos a exérese da lesão com a alça, deslizando lateralmente de 3-5 mm fora da margem da lesão na posição de 3 horas e alcançando a margem oposta (Fig. 7). A profundidade do tecido retirado varia entre 6 a 8 mm do epitélio superficial. Quando a zona de transformação (ZT) é mais larga, devemos ressecar a lesão em duas etapas (lábio anterior e posterior) ou três etapas (central, lábio posterior e anterior) para que toda a lesão seja resseca-

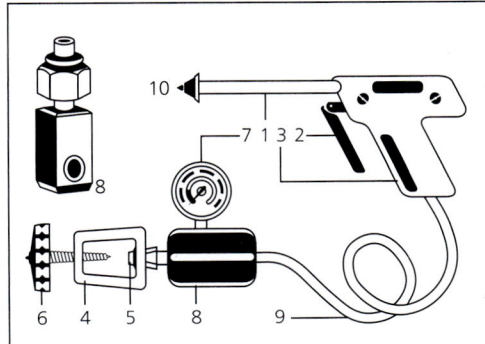

1. Criocautério
2. Disparador
3. Cabo (fibra de vidro)
4. Junta
5. Entrada de gás do aparelho para o cilindro
6. Botão de tensão
7. Manômetro que mostra a pressão do cilindro
8. Silenciador (saída)
9. Tubo condutor de gás
10. Ponta do criocautério

◀ **FIGURA 5.** Eletrocauterização.

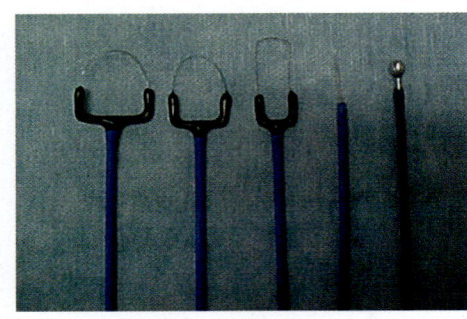

◀ **FIGURA 6.** Modelos de alças e eletrocautério.

da. É importante identificar a JEC para um laudo histopatológico satisfatório, principalmente quando há o envio de peças separadas. Quando a lesão afeta também a endocérvice, podemos ampliar a profundidade até 1 cm utilizando uma alça pequena.

Após o término da ressecção devemos observar atentamente qualquer processo hemorrágico e coagular com o eletrodo esférico, assim como as margens ressecadas. Pode-se ou não utilizar a solução de Monsel para ajudar na hemostasia.[10] A cicatrização ocorre em média entre 30 a 60 dias, sendo que a paciente pode receber alta em questão de horas. As complicações esperadas são: hemorragia no intra e pós-operatório e estenose de canal, sendo aceitáveis as taxas até 12% do total de procedimentos realizados. Normalmente as amostras histológicas são de boa qualidade e não apresentam dificuldade para diagnóstico (Figs. 8 e 9).

A grande vantagem desse método em relação à conização clássica (bisturi frio) é a utilização ambulatorial, uma técnica mais fácil de ser divulgada e com adesão elevada das pacientes. Pode trazer como desvantagem uma lesão térmica eventual da parede vaginal e artefatos térmicos que podem dificultar a avaliação histopatológica.

Conização com bisturi frio

A conização a frio constitui a extirpação de um cone incompleto do colo uterino. É realizada ligadura nos pontos às 3 e 9 horas, por onde correm os vasos cervicais, logo acima da região a ser retirada, a fim de diminuir o sangramento durante procedimento. A ressecção é feita com bisturi frio após coloração com Lugol, de modo que a base do cone ultrapasse a área iodo negativa da lesão. A peça é marcada com fio às 12 horas na margem ectocervical para orientação espacial do patologista. Pode-se também realizar injeção com anestésico e vasoconstritor diluído previamente à incisão para ajudar coibir o sangramento intraoperatório, porém essa técnica nem sempre é utilizada, sendo justificada pelo sangramento tardio após término do efeito vasoconstritor, quando a paciente já está fora do centro cirúrgico. Após exérese da peça é realizada hemostasia com bisturi monopolar, sendo rara a necessidade de pontos decorrente do sangramento.[12]

O objetivo da conização é tanto diagnóstico quanto terapêutico, principalmente referente às lesões microinvasoras e naquelas lesões de alto grau com diagnóstico duvidoso em procedimentos anteriores.

Apesar da grande vantagem na exatidão da avaliação das margens cirúrgicas pelo patologista, esse procedimento vem cedendo espaço para métodos mais conservadores, seja pela maior adesão das pacientes em procedimentos ambulatoriais, maior custo hospitalar, e aumento de mulheres com lesões intraepiteliais sem prole definida.

PERIODICIDADE E POPULAÇÃO-ALVO PARA REALIZAÇÃO DE EXAME CITOPATOLÓGICO

A realização do exame citopatológico de Papanicolaou tem sido reconhecida mundialmente. A razão da sua eficácia está na ocorrência de lesões precursoras do câncer de colo uterino que podem existir no estágio não invasivo por até 20 anos e eliminar células anormais que são reconhecidas no exame citológico.[13]

As alterações pré-cancerosas podem ser observadas lembrando das seguintes considerações: 1) representam alterações morfológicas em continuidade com limites pouco nítidos; 2) não vão progredir para um câncer e podem regredir espontaneamente. O risco de progressão é proporcional à gravidade de alterações precursoras; 3) as associações com os papilomavírus de alto risco são encontradas com frequência crescente nas lesões precursoras de alto grau.[14]

A recomendação de periodicidade se aplica somente àquelas mulheres sem uma história prévia de lesões precursoras e exames anteriores dentro da normalidade.

O intervalo de coleta do exame citopatológico deve ser trienal, após dois exames citopatológicos negativos anuais.

O início da coleta deve ser aos 25 anos de idade para mulheres que já tiveram início da atividade sexual, chegando até 64 anos, e devem ser interrompida quando após esta idade as mulheres tiverem dois exames negativos consecutivos em 5 anos.

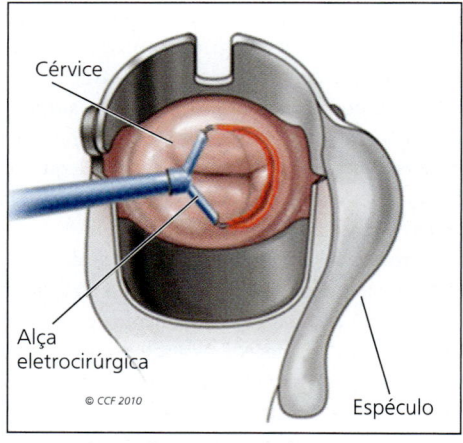

▲ **FIGURA 7.** Alça diatérmica correndo lateralmente.

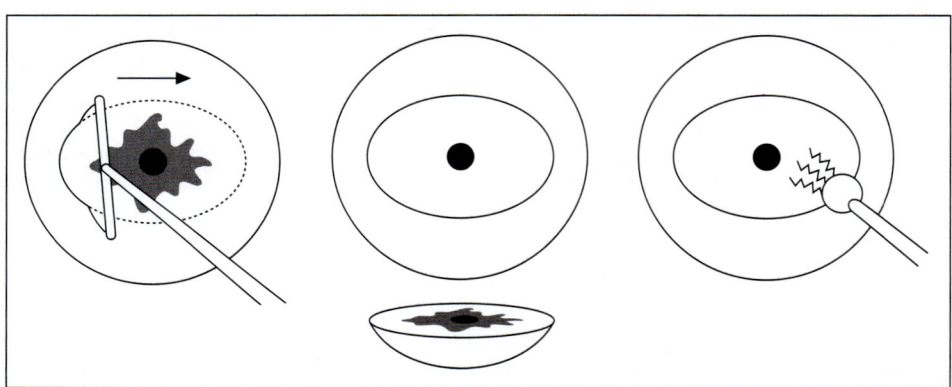

▲ **FIGURA 8.** Excisão de uma lesão ectocervical em uma passagem.

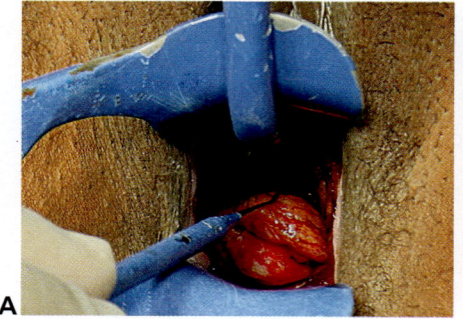

A

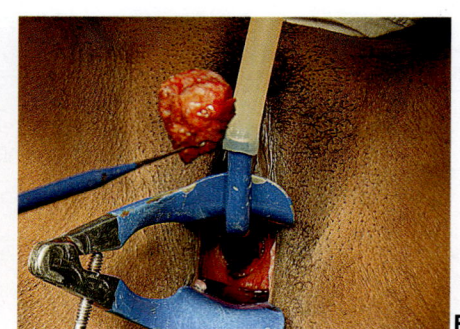

B

◀ **FIGURA 9. (A e B)** Ressecção de toda lesão em uma única peça satisfatória para análise histopatológica (eletroconização com eletrodo agulha).

Situações especiais

- *Histerectomizadas:* pacientes submetidas a esse procedimento cirúrgico por lesões benignas e com exames citopatológicos previamente normais podem ser excluídas do rastreamento.
- *Imunossuprimidas:* considera-se paciente imunodeprimida aquela portadora do vírus da imunodeficiência humana (HIV), usuária de corticoides, transplantada, entre outras.

A persistência de infecções virais e maior incidência da variabilidade dos tipos de HPV é mais presente nesse grupo de mulheres. As pacientes portadoras de HIV e com lesões precursoras cervicais têm uma progressão da lesão mais rápida e uma recidiva mais frequente que aquelas mulheres não portadoras. Para afastar tanto quanto possível os resultados falso-negativos dessas pacientes, alguns autores preconizam a complementação colposcópica.[15]

Nas mulheres imunossuprimidas o exame citopatológico deve ser realizado com intervalos semestrais após o início da atividade sexual e, se normais, manter seguimento anual enquanto houver o fator de imunossupressão. Pacientes HIV-positivo com CD4 abaixo de 200 células/mm^3 devem realizar exame semestralmente até a correção dos níveis de CD4.

Exame citopatológico normal

- Resultado normal, alterações benignas e queixas ginecológicas.
- Dentro dos limites da normalidade no material examinado.
- Diagnóstico completamente normal.

Conduta clínica: exame trienal após duas citologias anuais normais.

Alterações celulares benignas (reativas ou reparativas)

- *Inflamação sem identificação de agente:* caracterizada pela presença de alterações celulares epiteliais, geralmente determinadas pela ação de agentes físicos, mecânicos ou térmicos, e químicos sobre o epitélio glandular.

Ocasionalmente, podem-se observar alterações, em decorrência do uso do dispositivo intrauterino (DIU), em células endometriais.

Conduta clínica: havendo queixa clínica de leucorreia, a paciente deverá ser encaminhada para exame ginecológico. Os achados comuns são ectopias, vaginites e cervicites. O tratamento deve seguir recomendação específica. Seguir a rotina de rastreamento citológico, independentemente do exame ginecológico.[4]

Resultado indicando metaplasia escamosa imatura

A palavra "imatura", em metaplasia escamosa, foi incluída na Nomenclatura Brasileira buscando caracterizar células associadas a fenômenos reparativos, que na Figura 10 é considerada como do tipo inflamatório.

Conduta clínica: seguir a rotina de rastreamento citológico.

Resultado indicando reparação

Alterações reativas nas células são normalmente inespecíficas e independentes do fator causal. A infecção é uma causa comum, mas a reação também segue ao trauma e concomitantemente, à reparação tecidual.

Decorre de lesões da mucosa com exposição do estroma e pode ser determinada por quaisquer dos agentes que determinam a inflamação. É, geralmente, a fase final do processo inflamatório, momento em que o epitélio está vulnerável à ação de agentes microbianos e em especial do HPV.[16]

Conduta clínica: seguir a rotina de rastreamento citológico.

Resultado indicando atrofia com inflamação

Na ausência de atipias, é um achado normal do período do climatério. Avaliar sintomas que possam sugerir vaginite atrófica podendo ser tratada com estrogênios tópicos conjugados por 4 semanas (Figs. 11 e 12).

Conduta clínica: seguir a rotina de rastreamento citológico. Se o laudo citopatológico descrever dificuldade diagnóstica em decorrência da atrofia, deve ser feita nova coleta após 7 dias do término do tratamento tópico.

Resultado indicando radiação

O tratamento radioterápico deverá ser mencionado no preenchimento dos dados de anamnese na requisição do exame.

Nos casos de câncer do colo do útero, o exame citopatológico deve ser realizado para controle de possível persistência de neoplasia residual ou de recidiva da neoplasia após tratamento radioterápico.

Conduta clínica: nos casos em que a citopatologia diagnosticar lesão intraepitelial (LIE), previsível após tratamento radioterápico, a conduta deverá ser a mesma indicada para lesão intraepitelial em pacientes submetidas a esse tratamento, devendo ser seguida de acordo com o grau da LIE (Fig. 13).

Achados microbiológicos

- *Lactobacillus sp.*
- Cocos.
- Outros bacilos.

São considerados achados normais. Fazem parte da flora vaginal e não caracterizam infecções que necessitem de tratamento.

Conduta clínica: a paciente com sintomatologia deve ser encaminhada para avaliação ginecológica. Seguir a rotina de rastreamento citológico.

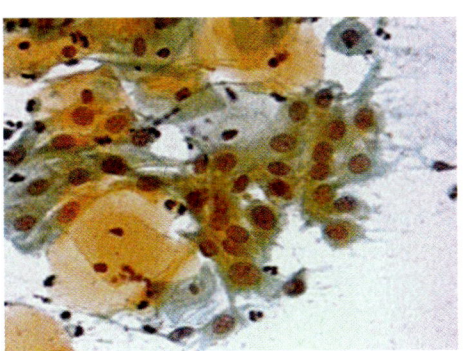

◄ **FIGURA 10.** Metaplasia escamosa imatura (Eleutério Jr J – Atlas de Citologia Ginecológica).

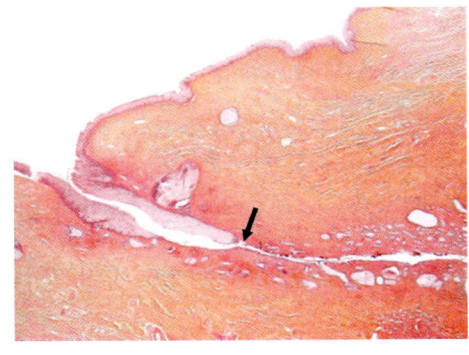

◄ **FIGURA 12.** Colo uterino de mulher pós-menopausada, retração da zona de junção para dentro do canal cervical (seta).

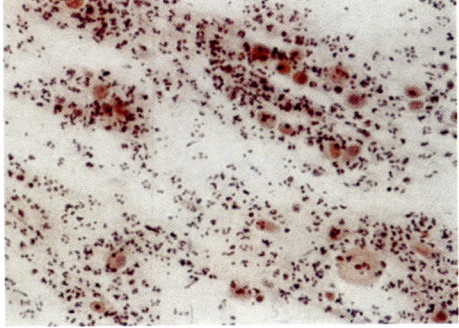

◄ **FIGURA 11.** Vaginite atrófica. Mostra uma reação de coloração pobre. O fundo consiste principalmente em polimorfos e restos nucleares. Algumas células parabasais apresentam núcleo reativo, pálido e grande. (80 ×).

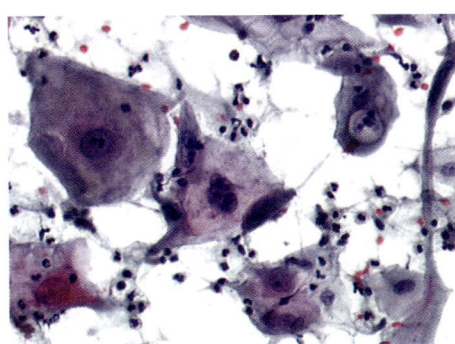

◄ **FIGURA 13.** Esfregaço de uma paciente tratada com radioterapia decorrente de um câncer do canal anal: macrocitose, macronucleose e vacúolos citoplasmáticos.

Atipias celulares

O sistema de Bethesda vem adaptando-se com reclassificações desde sua criação, em 1988.

Essas mudanças são o resultado do aprofundamento dos estudos citopatológicos que, juntamente com as considerações clínicas, visam a padronização do tratamento e do rastreamento de mulheres com lesões precursoras. O termo atipia celular foi considerado por achados citopatológicos que visualizavam alterações celulares que podiam desencadear um processo reacional ou neoplásico.[17]

O sistema Bethesda de 2001 subdividiu as células escamosas atípicas (ASC) em duas categorias: células escamosas atípicas de significado indeterminado (ASC-US) e células escamosas atípicas em que não se pode excluir lesão de alto grau (HSIL) (ASC-H).[4]

Células atípicas de significado indeterminado

- Escamosas possivelmente não neoplásicas.
- Não se pode afastar lesão intraepitelial de alto grau.
- Glandulares possivelmente não neoplásicas.
- Não se pode afastar lesão intraepitelial de alto grau.
- De origem indefinida: possivelmente não neoplásicas.
- Não se pode afastar lesão intraepitelial de alto grau.

Células escamosas atípicas de significado indeterminado possivelmente não neoplásicas – ASC-US

Atualmente, esse diagnóstico citopatológico é o mais prevalente entre os laudos do colo uterino. A *American Society for Colposcopy and Cervical Pathology* (ASCCP) refere que o número de esfregaços de Papanicolaou com ASC-US é superior ao justificado, e seu risco de desenvolver uma lesão de alto grau é de apenas 9%, sendo que a probabilidade de essa lesão, caso não tratada, evoluir para um câncer, é de apenas 1% ou menos. Esses dados nos levam a crer que a probabilidade das pacientes com esse diagnóstico desenvolverem uma lesão mais grave é baixa, tornando a colposcopia e múltiplas biópsias um tratamento inaceitavelmente caro.

No Brasil, o resultado citopatológico de ASC-US em 2009 foi de 1,3% dentre todos os exames realizados e 46% dos resultados alterados (Brasil/MS/SISCOLO, 2010), estando dentro da taxa de 5% do total de exames realizados, considerada aceitável pelos citopatologistas experientes.

Existe uma concordância para repetição da citologia entre os programas de rastreamento de diferentes países: Estados Unidos (ASCCP, 2008), Reino Unido (*United Kindom/NHS Cancer Screening Programmes*, 2004) entre outros. A ASCCP cita que a indicação de alguns médicos para investigação de HPV oncogênico e colposcopia imediata mesmo nos casos de ASC-US, deve-se ao fato de que 30% das mulheres voltaram para acompanhamento citológico em intervalo correto (Fig. 14).

Estudos demonstraram que 70% das mulhreres com lesão de baixo grau e ASC-US tiveram esfregaços de Papanicolaou posteriores com citologias normais; lembrando também o fato de que a colposcopia apresenta alta sensibilidade (96%) e baixa especificidade (48%), devemos evitar um supertratamento dessas pacientes.[18]

Conduta clínica: repetição da citologia, em 6 meses, na Unidade da Atenção Básica nas pacientes acima de 30 anos, precedida, caso necessário, do tratamento de processos infecciosos e/ou trofismo vaginal. Para mulheres com idade inferior a 30 anos esse intervalo é de 12 meses, levando em conta a prevalência do câncer do colo uterino ser na quarta e quinta décadas de vida.[15]

Se dois exames citopatológicos subsequentes forem negativos, a paciente deverá retornar à rotina de rastreamento citológico trienal. Porém, se o resultado de alguma citologia de repetição for igual ou mais grave, a paciente deverá ser encaminhada à Unidade de Referência de Média Complexidade para colposcopia imediata. Apresentando lesão, deve-se proceder a biópsia, e recomendação específica a partir do laudo histopatológico. Em caso de a colposcopia sugerir baixo grau, a paciente poderá ser apenas acompanhada, sempre levando em consideração idade, citologia prévia e passado de lesão de baixo e/ou alto grau. Se a biópsia vier como lesão de alto grau ou câncer, a conduta é específica para este diagnóstico.

Caso a colposcopia não apresente alteração, deve-se repetir a citologia no intervalo referente à faixa etária (em 6 meses ou 12 meses), na Unidade de Referência Básica.

Situações especiais

- *Mulheres até 20 anos:* o fator preditivo mais importante para progressão das lesões precursoras é o tipo de HPV cada vez mais comum em adolescentes e mulheres jovens que tenham iniciado sua atividade sexual. Apesar do aumento de sua incidência, não se justifica a exarcebação no rastreio dessa faixa etária que apresenta frequentemente uma remissão espontânea.[19]

Conduta clínica: citopatologia anual por 2 anos até regressão das alterações (duas citologias consecutivas negativas). Caso haja persistência da lesão ou outras alterações celulares mais graves após esse período, realizar colposcopia.

- *Imunossuprimidas:* decorrente da progressão mais rápida das lesões precursoras nas pacientes portadoras do HIV, devemos encaminhá-las para colposcopia no primeiro exame citológico alterado.

Células escamosas atípicas de significado indeterminado, quando não se pode excluir lesão intraepitelial de alto grau – ASC-H.

A prevalência desse diagnóstico no Brasil foi de 0,2% de todos os exames realizados e 7% dos alterados em 2009. (Brasil/MS/SISCOLO, 2010).

Apesar de a ASC-H ser uma alteração preocupante porque pode indicar uma lesão de alto grau subjacente ou um câncer, um estudo brasileiro com usuárias do SUS revelou uma prevalência de 19,29% de lesões de alto grau nas mulheres com laudos citopatológicos de ASC-H.[20]

Uma alta porcentagem das mulheres (82%) com diagnóstico de lesão epitelial de baixo grau é positiva para DNA do HPV pelo teste HC II (*Hybrid Capture* II), podendo ser útil nas mulheres com diagnóstico de ASC-H, pois o HC II apresenta maior sensibilidade na detecção das lesões mais graves do que um único teste citológico adicional indicando ASC-US; porém sua especificidade é comparável à da repetição citológica.[21] Portanto, não há evidência de vantagem custo-efetividade desta prática em relação ao seguimento da citologia oncótica.

Conduta clínica: devem ser encaminhadas à unidade secundária para colposcopia.

Caso a colposcopia seja satisfatória e sem lesões, uma nova citologia está indicada em 6 meses na unidade secundária mesmo, e só deverá retornar à unidade primária com duas citologias consecutivas negativas.

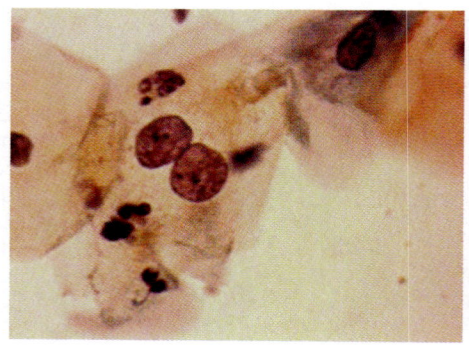

◄ **FIGURA 14.** Células escamosas que apresentam núcleo aumentado entre 2,5 a 3 vezes o volume do núcleo de uma célula intermediária normal. Leve hipercromasia e discreta irregularidade de contorno nuclear. ASC-US – Células escamosas atípicas de significado indeterminado (Pap 1.000 ×) (Eleutério Jr J – Atlas de Citologia Ginecológica).

Caso não haja alterações colposcópicas, mas a citologia mantiver o mesmo resultado ou mais grave, é indicada a exérese da zona de transformação (EZT).[4]

Toda alteração colposcópica deve ser seguida de biópsia. Quando o resultado da biópsia for NIC II/III ou câncer, seguir orientação específica. Se o resultado histopatológico for negativo ou NIC I, a paciente deverá permanecer na unidade secundária até dois exames citopatológicos negativos consecutivos com intervalo de 6 meses, para então ser encaminhada à unidade primária.

Na persistência deste diagnóstico ou mais relevante, a paciente deverá ser submetida a conização.

A colposcopia pode também revelar-se insatisfatória, sendo indicada uma nova citologia endocervical. Se essa citologia tiver resultado igual ou com lesão mais grave, é recomendável a conização para esclarecimento diagnóstico. Caso a última citologia (endocervical) seja negativa, a paciente deverá retornar à unidade primária somente após duas citologias consecutivas negativas com intervalo de 6 meses na unidade secundária.

Outra alternativa à coleta endocervical é a revisão de lâmina nos casos de colposcopia insatisfatória sem alterações aparentes. Quando na revisão vier resultado negativo, a paciente retorna à unidade primária para rastreio habitual. Se o resultado se mantiver ou apresentar lesões de alto grau/câncer, devemos optar por conização.

Situações especiais

- *Gestantes:* estudos demonstraram que há a possibilidade de adiar o tratamento das lesões pré-invasivas durante a gestação para o puerpério sem causar alteração do prognóstico da paciente.[8]

Conduta clínica: paciente gestante com ASC-H deve realizar colposcopia e está indicada a biópsia somente no caso de suspeita de invasão; caso contrário, deverá ser reavaliada em 2 meses após parto em unidade secundária para definição terapêutica.

Células atípicas de origem indefinida

Este laudo citopatológico é raro; segundo dados do programa SISCOLO, foi registrada uma prevalência de 0,5% dentro os exames alterados e 0,015% dentre todos exames realizados. (SISCOLO, 2010). Isto se deve ao fato de que o diagnóstico de "origem indefinida" pode sofrer influência de fatores externos como artefatos de técnica, e que na maioria das vezes é possível elucidar a origem da atipia – glandular ou escamosa com uma revisão de lâmina em condições favoráveis. Podemos acrescentar a colposcopia e o estudo das citologias anteriores e subsequentes como meios de ajuda para definição da origem da atipia.[4] Quando a paciente for submetida à colposcopia e apresentar achados colposcópicos atípicos, deve ser realizada biópsia e seguir tratamento específico de acordo com o resultado histopatológico.

Caso a paciente mantenha o laudo citopatológico em exames subsequentes e apresente sangramento vaginal, deverá ser encaminhada para centro especializado para investigação endometrial e anexial, através de amostragem endometrial ou exames de imagem.

Atipias de significado indeterminado em células glandulares (AGC)

- Células glandulares atípicas de significado indeterminado, possivelmente não neoplásicas ou em que não se pode excluir lesão intraepitelial de alto grau: um número significativo de pacientes com esse resultado citopalógico poderá apresentar lesão clinicamente importante tanto no colo uterino como no endométrio. Em um estudo realizado, 25% das pacientes apresentaram lesões significativas: 18% comprometiam o colo uterino (LSIL, HSIL, adenocarcinoma *in situ*/microinvasivo e invasivo) e 7% das lesões eram de endométrio – menos da metade – e incluíam hiperplasia, adenocarcinoma, tumor de Müller e adenocarcinoma metastático. Por esse motivo um esfregaço de Papanicolaou com esse resultado é sempre motivo para investigação criteriosa e cuidados redobrados.[22]

Outro dilema desta investigação é que, durante a colposcopia, não raramente encontramos lesões multifocais e ausência de aspecto sugestivo desta patologia.[11]

Outros achados benignos, como adenose vaginal, pólipos endometriais e endocervicais e alterações reativas também podem ser responsáveis por essa atipia celular.[23]

A associação de lesões de alto grau foi observada em 57% dos diagnósticos de atipias glandulares, favorecendo neoplasia, e 29% nas atipias glandulares possivelmente não neoplásicas.[24]

Conduta clínica: todas as pacientes com esse diagnóstico devem realizar colposcopia, durante a qual deve ser coletado novo material citológico endocervical. Todas as alterações encontradas devem ser biopsiadas. Caso a biópsia venha positiva para:

- Adenocarcinoma *in situ* ou qualquer tipo de carcinoma invasor; deve-se seguir recomendações específicas.
- Lesões de alto grau excluindo doença glandular com a citologia endocervical e outros métodos de investigação de endométrio e órgãos pélvicos; deve-se seguir conduta específica.
- Lesões de alto grau com citologia endocervical mantendo diagnóstico de atipia glandular; é indicada a conização preservando integridade das margens.
- Lesões de alto grau com citologia endocervical negativa; seguir condutas específicas.
- Células atípicas de significado indeterminado não podendo afastar lesão de alto grau em células glandulares (AGC); seguir com conização do colo.

Se a biópsia vier negativa ou na ausência de lesões colposcópicas, seguir orientação de acordo com citologia endocervical:

- Citologia mantendo AGC; seguir conização.
- Citologia negativa; seguir citologia semestral na unidade secundária. Após 2 anos com exames normais deve-se retornar o rastreio trienal na unidade primária.

O método recomendado para a coleta endocervical é o da escovinha (*cytobrush*), que apresenta maior sensibilidade e especificidade que a curetagem endocervical. Além do mais, a curetagem endocervical pode ocasionar alterações no epitélio do canal cervical que dificultarão a avaliação histopatológica da peça de conização, caso esta venha a ser realizada.[4]

Deve-se recomendar investigação endometrial e anexial nas pacientes com mais de 35 anos, mesmo sem irregularidade menstrual, assim como nas pacientes mais jovens com sangramento vaginal anormal. As investigações endometrial e anexial devem ser feitas por amostragem endometrial e/ou por exame de imagem. A investigação de patologia extrauterina também se faz presente nas pacientes que persistirem com diagnóstico exclusivo de AGC no final da investigação.[4]

Situações especiais

- *Gestantes:* devem proceder a investigação padrão, exceto pelo estudo endometrial. A biópsia do colo está indicada quando houver suspeita de doença invasiva e a conização deverá ser realizada 90 dias após o parto.

Lesão intraepitelial de baixo grau (LSIL)

A associação das lesões epiteliais de baixo grau com o HPV cervical nos traz uma série de alterações morfológicas, que podem ter um aspecto elevado igual ao do condiloma acuminado e macular semelhante ao condiloma plano. Estas lesões são frequentemente múltiplas e exibem atipia coilocítica (efeito viral citopático) sem muitas alterações em outras células do epitélio e enquadram-se às neoplasias cervicais grau I e têm íntima relação com HPV de baixo e médio riscos.[8]

A prevalência de LSIL foi de 0,8% de todos exames citopatológicos realizados no Brasil em 2009 e de 31%, considerando apenas exames alterados (SISCOLO, 2010).

As condutas inéditas preconizadas em vários países variam entre:

- Indicação imediata da colposcopia, defendida pelo fato de diminuir o risco de passar despercebidas lesões de alto grau, já que a colposcopia tem grande sensibilidade e pouca especificidade.
- Aguardar repetição da citologia, trazendo a vantagem de permitir a normalização de anomalias transitórias.

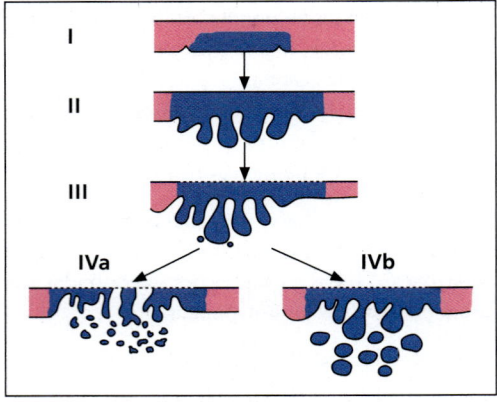

◀ **FIGURA 15.** Esquema proposto por Hamperl: I = NIC 2; II = carcinoma *in situ* com comprometimento das glândulas endocervicais; III = invasão inicial do estroma; IV = carcinoma microinvasor; IVa = invasão avançada do estroma; IVb = crescimento avançado volumoso (ver classificações TNM e FIGO).

- Investigação para tipagem de HPV; permitindo aumentar a vigilância daquelas mulheres com DNA de HPV de alto risco, porém não influencia o manejo clínico.

Estudos após 1970 mostraram que 47,4% das LSIL regridem após 24 meses e que apenas 0,2% das mulheres com este diagnóstico citológico evoluem para carcinoma invasor (Fig. 15).[25]

Conduta clínica: repetição do exame citopatológico em 6 meses na unidade primária; com dois exames normais consecutivos negativos retorna à rotina trienal. Caso a repetição subsequente seja positiva, encaminhar para colposcopia em unidade secundária.

As alterações colposcópicas devem ser seguidas de biópsia e da conduta, de acordo com o resultado histopatológico. As alterações colposcópicas menores em mulheres abaixo de 30 anos com rastreio citológico prévio negativo são dispensadas de biópsia. Se houver persistência de NIC I no resultado histopatológico, recomenda-se o seguimento citológico semestral ou anual.

Na colposcopia sem alterações é indicado o controle citológico semestral e retornar à rotina trienal após dois exames consecutivos normais.[4]

Caso seja mantido o diagnóstico citopatológico de LSIL, a mulher deverá ser mantida em seguimento até normalização dos exames. Nas mulheres acima de 21 anos com persistência de NIC I por 24 meses, tanto o seguimento quanto o tratamento são aceitáveis, podendo-se utilizar eletrocauterização, criocauterização ou laserterapia ou EZT para tratamento naquelas pacientes com colposcopia satisfatória. No caso de recidiva, a excisão está indicada, bem como a conização na colposcopia insatisfatótia.

Situações especiais

- *Gestantes:* gestantes acima de 30 semanas serão avaliadas na colposcopia somente 3 meses após o parto. Apenas têm indicação de biópsia as alterações sugestivas de invasão. Pacientes com histopatológico de NIC I serão reavaliadas após 3 meses do parto.
- *Mulheres na pós-menopausa:* decorrente da deficiência de estrogênio, algumas alterações celulares podem induzir ao laudo citológico de NIC I. Portanto, a segunda coleta citopatológica deve ser precedida de tratamento tópico para colpite atrófica.
- *Imunossuprimidas:* devem ser encaminhadas a colposcopia no primeiro exame alterado, sendo que as lesões persistentes devem ser excisionadas com EZT com zona de transformação ectocervical e conização para zona de transformação não completamente visualizada.
O seguimento dessas pacientes inclui citologia e colposcopia por 2 anos, com intervalo anual.
- *Mulheres até 20 anos:* devido à maior incidência e probabilidade de regressão das LSIL nessa faixa etária e levando em conta a maior prevalência de carcinoma invasor cervical ser na quarta e quinta décadas de vida, optou-se por um tratamento mais conservador visando também evitar complicações obstétricas futuras e ansiedade infundada.
Essas pacientes com diagnóstico de LSIL deverão repetir o exame a cada 12 meses e somente serão encaminhadas para colposcopia se houver persistência deste diagnóstico por 24 meses; métodos excisionais não estão indicados antes de 21 anos.[4]

Caso haja alterações citológicas sugestivas de lesões mais graves, a paciente deverá ser encaminhada a colposcopias; se algum resultado citopatológico for sugestivo de células escamosas atípicas e/ou glandulares, novamente a paciente deverá ser avaliada pela colposcopia. Se a colposcopia de repetição não mostrar lesão e a citologia de repetição mantiver laudo sugestivo de lesão de baixo grau ou de células escamosas atípicas de significado indeterminado, possivelmente não neoplásico, a paciente deve continuar em controle citológico e colposcópico semestral, até que o achado citopatológico diferente do anterior ou a lesão colposcópica venha a aparecer. Outros achados citopatológicos sem lesão colposcópica deverão ser conduzidos de acordo com as condutas padronizadas para cada caso.

Lesão intraepitelial de alto grau (HSIL)

A distribuição anatômica das neoplasias intraepiteliais (NIC) cervicais pode confinar-se à ectocérvice, estender-se pelo canal endocervical a distâncias variáveis, localizar-se inteiramente na endocérvice com ou sem extensão nas criptas. A extensão linear das NIC pode variar de 5 a 22 mm, geralmente quanto mais larga é a base da lesão, menos provável que se estenda ao canal endocervical. Em geral, a frequência e a profundidade de comprometimento das criptas parece estar diretamente proporcional ao grau das NIC. As mudanças morfológicas que caracterizam as NIC II passam por alterações na proporção núcleo/citoplasma; anisocariose; aumento do número de figuras mitóticas, inclusive anormais, e hipercromasia; ou seja, apresentam características de células malignas, mas ainda manifestam maturação de superfície. A progressiva perda dessa diferenciação, combinada à associação de infecções por HPV de alto risco compromete mais camadas do epitélio, até serem completamente substituídas por células atípicas imaturas, não havendo mais diferenciação de superfície e originando dessa forma a NIC III.

A prevalência de HSIL no Brasil foi de 0,25% de todos exames realizados e 9,7% dos exames alterados (Brasil/MS/SISCOLO, 2010).

Cerca de 70 a 75% das pacientes com laudo citológico de lesão intraepitelial de alto grau apresentam confirmação diagnóstica histopatológica e 1 a 2% terão diagnóstico histopatológico de carcinoma invasor.[26,27]

É de concordância internacional o tratamento das HSIL para impedir sua progressão para carcinoma invasor, tendo como tratamento padrão os métodos excisionais. A estratégia de "ver & tratar" – V & T implantada no Brasil foi considerada vantajosa, já que diminui o tempo entre a captação das pacientes e o seu tratamento.

Conduta clínica: todas as pacientes com esse diagnóstico deverão ser encaminhadas para colposcopia na unidade secundária até 3 meses após o resultado citológico. Sendo a colposcopia compatível com alterações maiores e a lesão totalmente visualizada e restrita ao colo, deve-se empregar a EZT (V & T); caso não seja possível o procedimento ambulatorial, deve-se encaminhar a paciente para procedimento em centro cirúrgico o quanto antes.

Caso a colposcopia seja satisfatória e mostre lesão não concordante com a citopatologia, uma biópsia deve ser realizada. Se a biópsia for negativa ou apresentar diagnóstico de menor gravidade, deve-se repetir a citologia em entre 3 e 6 meses a contar do dia da realização da biópsia, e adotar conduta específica de acordo com esse novo laudo citopatológico. Se a biópsia confirmar HSIL deve-se realizar EZT no caso de colposcopia satisfatória, e conização no caso de colposcopia insatisfatória.

Se não houver alteração colposcópica, deve-se realizar uma nova citologia com ênfase endocervical após 3 meses da última coleta. Caso a nova citologia permaneça com diagnóstico de HSIL, realizar EZT para colposcopia satisfatória e conização para colposcopia insatisfatória.

Quando a colposcopia for insatisfatória e sugerir alteração de maior ou menor grau, está indicada conização.

A biópsia só está indicada nos casos suspeitos de invasão, sendo uma tentativa de excluir a necessidade da conização agilizando o início do tratamento adequado em unidade terciária.

Podem existir alterações colposcópicas que vão até a periferia do colo, nessa situação é comum a associação de LSIL, sendo indicada a biópsia dessas áreas. Caso confirme o diagnóstico de LSIL na periferia, pode-se restringir o tratamento excisional para local com HSIL e tratar as áreas de LSIL com métodos destrutivos (cauterização, criocauterização) ou deixar sem tratamento.

Seguimento pós-tratamento de NIC II/NIC III

Quando houver margens comprometidas no laudo histopatológico do tratamento excisional, não há necessidade de uma nova conduta imediata, pois raramente essas pacientes terão uma lesão residual decorrente principalmente da fulguração na periferia da lesão.[28]

Outros fatores se mostram relacionados com a recidiva; mulheres acima 50 anos, grau da doença tratada, persistência de HPV oncogênico, tabagismo, multiparidade, imunodeficiência e lesões fora da área de transformação.[29]

Conduta clínica: em caso de margens comprometidas, a paciente deverá ficar em acompanhamento citológico e colposcópico semestral por 2 anos. Se no seguimento os resultados forem citologias normais, retornar ao rastreio trienal.

No caso de laudo histopatológico com margens comprometidas por NIC I ou livres, o seguimento será com exames citopatológicos semestrais por 1 ano; retornando à unidade primária após dois exames citopatológicos consecutivos negativos.

Quando a citologia de seguimento vier HSIL ou na evidência de doença residual, um novo procedimento excisional é indicado.

Situações especiais

- *Gestantes:* gestantes com citologias de HSIL devem ser encaminhadas para colposcopia, porém só é indicada realização de biópsia caso houver suspeita de invasão. Caso essa suspeita não aconteça, a paciente deverá realizar um novo exame citopatológico e colposcópico após 90 dias do parto.

  Caso haja um laudo histopatológico de NIC II/III, continuamos com conduta expectante até 90 dias pós-parto para realizar nova citologia e colposcopia. Caso haja diagnóstico de invasão, a paciente deverá ser encaminhada para unidade terciária.
- *Mulheres na pós-menopausa:* decorrente do déficit de estrogênio é mais difícil a avaliação endocervical sendo indicado o tratamento tópico com estrogênio local.
- *Mulheres até 20 anos:* estudos mostram que o comportamento da NIC II nessa faixa etária se compara ao da NIC I, mostrando uma regressão de 60% no seguimento de 12 meses.[30]

Conduta clínica: encaminhar as pacientes para colposcopia até 3 meses após resultado da citologia, sendo inaceitável a repetição da citologia e/ou traçar a conduta "V & T" como conduta inicial.

Caso a colposcopia não apresente alteração colposcópica maior ou outra alteração colposcópica, a paciente deverá realizar outro exame citológico em 3 a 6 meses. Após dois exames consecutivos negativos com intervalo de 6 meses ela retornará ao rastreio trienal.

Caso a colposcopia mostre uma alteração maior, deverá ser realizada a biópsia. Se a biópsia for negativa ou de menor gravidade, deve-se repetir a citologia entre 3 a 6 meses do dia da biópsia. Se a biópsia vier NIC II/NIC III, a paciente deverá realizar citologia semestral por até 2 anos. Se houver persistência do diagnóstico, poderá ser tratada de forma conservadora em seguimento ou de forma intervencionista, como excisional ou destrutiva.

Caso a colposcopia seja insatisfatória com biópsia positiva para HSIL, é indicada a conização.

A paciente deverá retornar ao rastreio trienal quando houver dois exames citológicos consecutivos normais.

É mandatório o exame minucioso concomitante da vagina em todas as situações.

- *Imunossuprimidas:* como há risco maior de recidiva em pacientes imunossuprimidas, é indicado exame citopatológico semestral por 2 anos e anual após esse período.

Lesão de alto grau não podendo excluir microinvasão ou carcinoma epidermoide invasor

Devemos enfatizar que o diagnóstico de microinvasão só pode ser feito em uma amostra contendo toda a lesão. O patologista deve avaliar um número suficiente de cortes – geralmente um corte a cada 2 mm do produto excisionado (cone). Algumas alterações celulares são identificadas no carcinoma microinvasor: maturação focal nítida do epitélio neoplásico com nucléolos proeminentes; perda de nitidez da interface do epitélio do estroma; perda da polaridade dos núcleos no bordo epitelial do estroma e ausência do padrão característico da NIC.

As características colposcópicas que podem avaliar a presença de carcinoma microinvasor são: pontilhado grosseiro e mosaico grosseiro, vasos horizontais e proeminentes, área extensa da zona de transformação com orifícios glandulares queratinizados e aspecto matizado. Quanto mais nítidas forem essas alterações, mais chance de se estabelecer uma invasão.

É uma lesão definida microscopicamente, e subdivide-se em duas categorias ou estágios da Federação Internacional de Ginecologia e Obstetrícia (FIGO): IA1 (profundidade de invasão até 3 mm e extensão menor ou igual a 7 mm no epitélio) e IA2 (profundidade de invasão maior que 3 mm e menor ou igual a 5 mm e extensão menor ou igual a 7 mm no epitélio). Medidas de invasão superiores às definidas para microcarcinoma passam para os estágios a partir de IB. A invasão do espaço linfovascular não está incluída como parte do estadiamento, mas sugere um maior acometimento das metástases ganglionares linfáticas.

Conduta clínica: as pacientes com esse diagnóstico devem ser encaminhadas diretamente para colposcopia como conduta inicial.

Quando a colposcopia mostrar alterações não sugestivas de invasão, é indicada EZT na colposcopia satisfatória e conização na colposcopia insatisfatória.

Caso a colposcopia mostre alterações sugestivas de invasão, deverão ser realizadas uma ou mais biópsias concomitantes. Se o resultado da biópsia não comprovar invasão, apresentar HSIL ou sugerir microinvasão, deverá ser realizada EZT na colposcopia satisfatória e conização na colposcopia insatisfatória. Caso não seja possível nenhum procedimento invasivo para confirmação histológica, a paciente deverá ser encaminhada a unidade terciária.[4]

Se na peça cirúrgica do cone obtivermos um carcinoma microinvasor classificado em IA1 com margens livres e sem comprometimento linfovascular, a paciente sem prole definida é considerada tratada. Se a peça for produto de EZT, deverá ser realizado um cone.

O seguimento ocorre a cada 4 ou 6 meses nos 2 primeiros anos e anual nos próximos 3 a 5 anos em unidade secundária.

Se a peça cirúrgica apresentar um laudo histopatológico de carcinoma microinvasor concomitante a um ou mais dos seguintes itens:

- Paciente com prole definida.
- Peça com margens comprometidas ou com comprometimento linfovascular.
- Estadiamento IA2, a paciente deverá ser encaminhada para unidade terciária.

A biópsia é imperativa nos casos de suspeita de recidiva.

Quando o resultado da peça cirúrgica (EZT ou conização) excluir invasão, a paciente deve ser tratada conforme diagnóstico.

Se o resultado histopatológico (biópsia, EZT ou conização) for de carcinoma invasor, a paciente deverá ser encaminhada ao setor terciário.

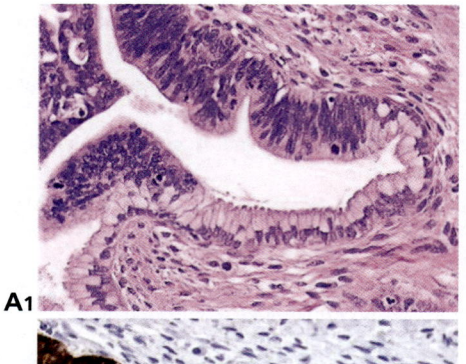
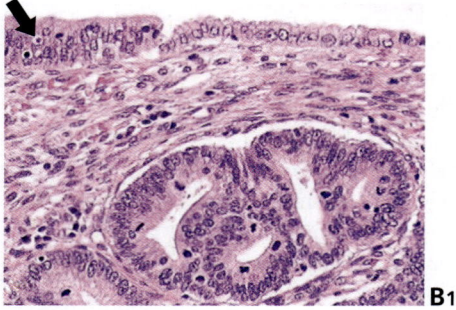
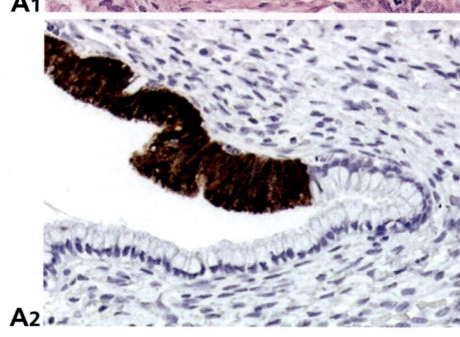
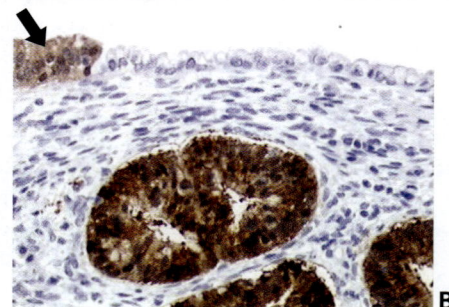

◀ **FIGURA 16.** Adenocarcinoma endocervical *in situ*. (A1 e A2) Intensa positividade do epitélio neoplásico glandular. O epitélio endocervical normal não apresenta marcação. A transição entre o epitélio normal e o neoplásico é abrupta. (B1 e B2) A mesma lesão com displasia glandular superficial apresenta pouca imunorreatividade ao p16 (setas).

Situações especiais

- *Gestantes:* a biópsia deverá ser realizada somente nos casos de suspeita clínica de invasão; caso contrário, os demais procedimentos invasivos deverão ser realizados com 90 dias pós-parto.

Adenocarcinoma *in situ*/invasor

O adenocarcinoma *in situ* (AIS) foi descrito pela primeira vez em 1953, por Friedell e MacKay; e é definido como um tumor intraepitelial glandular precursor do carcinoma invasivo. Não se trata de uma lesão frequente e sua incidência ocorre em mulheres mais jovens que as NIC (37 a 41 anos). No Brasil, a prevalência do citopatológico AIS ou invasor é menor que 0,01% entre todos os exames e de 0,34% entre todos os exames alterados em 2009 (Brasil/MS/SISCOLO, 2010).

Esta é uma lesão de difícil diagnóstico, pois é multifocal em 15% dos casos; além de ser possível coexistir com carcinoma invasor, lesões escamosas precursoras, principalmente NIC III, e HPV em 50% dos casos.[31] Essa multifocalidade implica no fato de que a obtenção de margens cirúrgicas negativas (conização) não necessariamente quer dizer que a lesão foi totalmente extirpada. Consequentemente, a recidiva da doença é identificada em 15-19% das pacientes com peça cirúrgica (conização) que apresentam margens livres e 50-60% com margens comprometidas.[32] Portanto, o *status* das margens, bem como sua interpretação, são fundamentais para planejar o tratamento e seguimento dessas pacientes, fazendo com que a escolha excisional e de sua técnica sejam feitas com a cautela necessária.

As principais características morfológicas são glândulas ocupadas por núcleos estratificados, aumentados, hipercromáticos, e atividade mitótica. O rastreamento é realizado pelo esfregaço de Papanicolaou, porém é menos eficaz do que nas neoplasias escamosas, possivelmente pela dificuldade de obter amostras adequadas do canal endocervical. Na colposcopia o AIS é observado perto da JEC, porém pode localizar-se em qualquer ponto anatômico do canal endocervical.

Conduta clínica: as pacientes com exames citológicos sugestivos de AIS/invasor devem ser encaminhadas para colposcopia na unidade secundária.

A colposcopia sugestiva de invasão deverá ser seguida de biópsia. Se a biópsia for positiva a paciente será encaminhada para unidade terciária.

A conização do colo uterino está indicada na colposcopia sugestiva de AIS, e caso a biópsia seja negativa naquelas pacientes clinicamente suspeitas de invasão.

A investigação endometrial é indicada nas pacientes acima de 35 anos (ultrassonografia com ou sem investigação histopatológica); e abaixo de 35 anos caso haja história de sangramento uterino anormal.[4]

A histerectomia simples está indicada para aquelas pacientes com diagnóstico histopatológico de conização de AIS que têm prole constituída. Caso apresente margens cirúrgicas comprometidas deve-se realizar um recone, se possível, para descartar invasão. Se a peça cirúrgica já vier com diagnóstico de invasão, a paciente é encaminhada para atendimento em unidade terciária.

Uma nova citologia deverá ser realizada após 6 meses da conização (se esta vier com margens livres) e, se após 2 anos com citologias semestrais normais, a paciente deve retornar ao rastreio trienal.

Se houver evidência de lesão residual está indicado um recone e, na sua impossibilidade, uma histerectomia simples.

Situações especiais

- *Gestantes:* a biópsia está indicada somente nos casos suspeitos de invasão. A conização, caso indicada, deverá ser realizada 90 dias após o parto (Fig. 16).

REFERÊNCIAS BIBLIOGRÁFICAS

1. Koss LG. The Papanicolaou test for cervical cancer detection. A triumph and a tragedy. *JAMA J Am Med Association* 1989;261(5):737-43. Epub 1989/02/03.
2. Wright Jr TC, Massad LS, Dunton CJ *et al.* 2006 consensus guidelines for the management of women with cervical intraepithelial neoplasia or adenocarcinoma in situ. *J Lower Genital Tract Disease* 2007;11(4):223-39. Epub 2007/10/06.
3. Wright Jr TC, Massad LS, Dunton CJ *et al.* 2006 consensus guidelines for the management of women with cervical intraepithelial neoplasia or adenocarcinoma in situ. *Am J Obstet Gynecol* 2007;197(4):340-45. Epub 2007/10/02.
4. Ministério da Saúde. Instituto Nacional de Câncer. Diretrizes brasileiras para rastreamento do câncer do colo do útero. Rio de Janeiro, 2011. 104p. Disponível em: http://bvsms.saude.gov.br/bvs/controle_cancer e no Portal do INCA http://www.inca.gov.br
5. Saúde Md, Saúde SdAà, Câncer. INd, Vigilância CdPe. Nomenclatura brasileira para laudos cervicais e condutas preconizadas recomendações para profissionais de saúde. 2. ed. Rio de Janeiro 2006. 56p.
6. Arbyn M, Raifu AO, Weiderpass E *et al.* Trends of cervical cancer mortality in the member states of the European Union. *Eur J Cancer* 2009;45(15):2640-48. Epub 2009/08/22.
7. Arbyn M, Bergeron C, Klinkhamer P *et al.* Liquid compared with conventional cervical cytology: a systematic review and meta-analysis. *Obstet Gynecol* 2008;111(1):167-77. Epub 2008/01/01.
8. Palo de G, Chanen W, Dexeus S. Patologia e tratamento do trato genital inferior. Rio de Janeiro: Medsi, 2002. 293p.
9. ABPTGIC, sd. Laudo colposcópico. Acesso em: 15 Nov. 2010. Disponível em: http://colposcopy.org.br/laudo.php
10. Eifel PJ, Levenback C. Cancer of the female lower genital tract. Rio de Janeiro: Revinter; 2001. 278p.

11. Cullimore J. The management of atypical intraepithelial glandular lesions. In: Prendiville W, Ritter J, Taitti S et al. Colposcopy: management options. Philadelphia: Saunders; 2003. p. 165-70.
12. Maluf FC, Azevedo FCC, Souza CE et al. Câncer ginecológico: tratamento multidisciplinar. São Paulo: Dendrix; 2010. 542p.
13. Wright T, Kurman RJ, Ferenczy A. Precursors of cervical carcinoma. In: Kurman R. (Ed.). Blaustein's pathology of the female genital tract. 4th ed. New York: Springer-Verlag; 1994. p. 229-77.
14. Crum CP, Mitao M, Levine RU et al. Cervical papillomaviruses segregate within morphologically distinct precancerous lesions. *J Virol* 1985;54(3):675-81. Epub 1985/06/01.
15. Boardman LA, Kennedy CM. Management of atypical squamous cells, low-grade squamous intraepithelial lesions, and cervical intraepithelial neoplasia 1. *Obstet Gynecol Clin North Am* 2008;35(4):599-614; ix. Epub 2008/12/09.
16. Malik SN, Wilkinson EJ, Drew PA et al. Benign cellular changes in Pap smears. Causes and significance. *Acta Cytologica* 2001;45(1):5-8. Epub 2001/02/24.
17. Widra EA, Dookhan D, Jordan A et al. Evaluation of the atypical cytologic smear. Validity of the 1991 Bethesda System. *J Reprod Med* 1994;39(9):682-84. Epub 1994/09/01.
18. Jones BA, Novis DA. Follow-up of abnormal gynecologic cytology: a college of American pathologists Q-probes study of 16132 cases from 306 laboratories. *Arch Pathol Lab Med* 2000;124(5):665-71. Epub 2000/04/27.
19. Schiffman M, Castle PE, Jeronimo J et al. Human papillomavirus and cervical cancer. *Lancet* 2007;370(9590):890-907. Epub 2007/09/11.
20. Cytryn A, Russomano FB, Camargo MJ et al. Prevalence of cervical intraepithelial neoplasia grades II/III andcervical cancer in patients with cytological diagnosis of atypical squamous cells when high-grade intraepithelial lesions (ASC-H) cannot be ruled out. São Paulo Medical Journal = *Rev Paulista de Medicina* 2009;127(5):283-87. Epub 2010/02/20.
21. Human papillomavirus testing for triage of women with cytologic evidence of low-grade squamous intraepithelial lesions: baseline data from a randomized trial. The Atypical Squamous Cells of Undetermined Significance/Low-Grade Squamous Intraepithelial Lesions Triage Study (ALTS) Group. *J National Cancer Institute* 2000;92(5):397-402. Epub 2000/03/04.
22. Kim TJ, Kim HS, Park CT et al. Clinical evaluation of follow-up methods and results of atypical glandular cells of undetermined significance (AGUS) detected on cervicovaginal Pap smears. *Gynecologic oncology* 1999;73(2):292-98. Epub 1999/05/18.
23. Kumar N, Bongiovanni M, Molliet MJ et al. Diverse glandular pathologies coexist with high-grade squamous intraepithelial lesion in cyto-histological review of atypical glandular cells on ThinPrep specimens. Cytopathology: *J Br Soc Clin Cytol* 2009;20(6):351-58. Epub 2008/06/05.
24. Scheiden R, Wagener C, Knolle U et al. Atypical glandular cells in conventional cervical smears: incidence and follow-up. *BMC Cancer* 2004;4:37. Epub 2004/07/20.
25. Melnikow J, Nuovo J, Willan AR et al. Natural history of cervical squamous intraepithelial lesions: a meta-analysis. *Obstetr Gynecol* 1998;92(4 Pt 2):727-35. Epub 1998/10/09.
26. Kinney WK, Manos MM, Hurley LB et al. Where's the high-grade cervical neoplasia? The importance of minimally abnormal Papanicolaou diagnoses. *Obstetr Gynecol* 1998;91(6):973-76. Epub 1998/06/04.
27. Laverty CR, Farnsworth A, Thurloe J et al. The reliability of a cytological prediction of cervical adenocarcinoma in situ. *Aust N Z J Obstetr Gynaecol* 1988;28(4):307-12. Epub 1988/11/01.
28. Ghaem-Maghami S, Sagi S, Majeed G et al. Incomplete excision of cervical intraepithelial neoplasia and risk of treatment failure: a meta-analysis. *Lancet Oncol* 2007;8(11):985-93. Epub 2007/10/12.
29. Flannelly G, Bolger B, Fawzi H et al. Follow up after LLETZ: could schedules be modified according to risk of recurrence? *BJOG* 2001;108(10):1025-30. Epub 2001/11/13.
30. Moscicki AB, Cox JT. Practice improvement in cervical screening and management (PICSM): symposium on management of cervical abnormalities in adolescents and young women. *J Low Gen Tract Dis* 2010;14(1):73-80. Epub 2010/01/02.
31. Denehy TR, Gregori CA, Breen JL. Endocervical curettage, cone margins, and residual adenocarcinoma in situ of the cervix. *Obstetr Gynecol* 1997;90(1):1-6. Epub 1997/07/01.
32. Soutter WP, Haidopoulos D, Gornall RJ et al. Is conservative treatment for adenocarcinoma in situ of the cervix safe? *BJOG* 2001;108(11):1184-9. Epub 2002/01/05.

CAPÍTULO 150

Como Conduzir as Doenças Pré-Invasivas do Colo Uterino – Uma Visão Geral

Thalita Costa Bonates ■ Peter Solts Rosa

INTRODUÇÃO

O câncer de colo uterino é a segunda neoplasia ginecológica mais prevalente após o câncer de mama, sendo cerca de 2 vezes mais prevalente nos países em desenvolvimento, quando comparado aos desenvolvidos (Estimativa 2012 – Incidência de Câncer no Brasil/INCA, 2011), representando a quarta causa de morte em mulheres por câncer, no Brasil, com 4.800 mortes fatais registradas no ano de 2008 (INCA/MS).

Mediante o fato de o câncer cervical contribuir com alta morbidade e mortalidade feminina, a ampliação de programas de prevenção e detecção precoce apresenta impacto significativo nos indicadores epidemiológicos da doença, com redução na incidência e com índice de curabilidade próximo a 100% nesta fase. Os principais fatores de risco são o início de atividade sexual precoce, múltiplos parceiros sexuais, tabagismo e uso prolongado de anticoncepcionais. A infecção crônica sexualmente transmissível pelos subtipos oncogênicos do papilomavírus humano, o HPV (16,18, 31, 33, 35, 39, 45, 51, 52, 56, 58), denominados de alto risco, representa o fator de risco predominante na carcinogênese da neoplasia maligna cervical. Cerca de 85% de todos os cânceres de colo contêm DNA de HPV de alto risco integrado ao genoma humano, embora a maioria das alterações cervicais relacionadas a este vírus apresente baixa probabilidade de desenvolvimento deste câncer.[1]

Para o manejo satisfatório das lesões precursoras do câncer de colo uterino, na tentativa de diminuição na incidência do câncer em questão, faz-se necessária a implementação de uma visão geral na abordagem do rastreamento destas lesões a partir do nível de atenção primária, onde é realizada a coleta colpocitológica. A partir da década de 1950, programas de rastreamento foram introduzidos, tendo a colpocitologia e a colposcopia como instrumentos utilizados no processo. Estudos descritivos, desde então, caracterizam uma fase pré-clínica do câncer de colo uterino, bem como alterações colpocitológicas definidas como precursoras da neoplasia invasora, chamadas por Richart, em 1973, de neoplasias intraepiteliais cervicais (NIC).[2] As NIC foram divididas em NIC I (displasia leve), NIC II (displasia moderada) e NIC III (displasia severa/ca *in situ*) de acordo com a espessura do epitélio com células maduras e bem diferenciadas. Vários estudos publicados sugeriram maior propensão de persistência ou progressão das lesões intraepiteliais nas lesões do tipo NIC III/ca *in situ* do que nas do tipo NIC I. Além disso, não há uma progressão ordenada para o câncer invasor, podendo uma NIC inicial progredir diretamente para a neoplasia invasora.[1,3]

Com o avanço no conhecimento da história natural das lesões pré-invasivas, bem como do papel do HPV, o Consenso de Bethesda, Maryland/EUA (1989, 1991, 2001)[4] definiu as lesões com maior potencial de resolução espontânea ou de não progressão, como lesões intraepiteliais de baixo grau/LSIL (NIC I/infecção simples pelo HPV) e as com maior propensão de progressão, como lesões intraepiteliais de alto grau/HSIL (NIC II, NIC III/ca *in situ*), bem como a caracterização da amostra colpocitológica como sendo negativa para lesões intraepiteliais ou para malignidade ou com anormalidades celulares epiteliais, diferenciando-se as de células escamosas e de células glandulares. Assim, no intuito de normatização de laudos e padronização de condutas, surge o conceito de atipias em células escamosas, as ASC-US, quando de significado indeterminado e ASC-H, quando não se pode afastar lesão de alto grau e as atipias presentes em células glandulares, AGC.

A citologia cervical periódica consiste na base estratégica do rastreamento do câncer de colo uterino que, associada a uma cobertura de exames realizados em cerca de 80% das pacientes consideradas como população-alvo (com base nos fatores epidemiológicos da doença) pode representar redução na incidência a longo prazo de até 90%.[2,5] De acordo com as Diretrizes Brasileiras para o Rastreamento de Câncer de Colo Uterino (INCA/MS, 2011), a população-alvo é constituída de mulheres com idade entre 25 e 64 anos e que já tiveram atividade sexual. As mulheres com mais de 64 anos de idade, quando houver dois exames negativos consecutivos nos últimos 5 anos, ou as que nunca haviam realizado exame preventivo prévio, quando houver dois exames negativos no intervalo de 1 a 3 anos, podem ser dispensadas do rastreamento.

Tendo em vista o papel do HPV na carcinogênese do câncer cervical e o padrão de transmissão sexual do vírus, o risco de desenvolver a neoplasia invasora é desprezível nessa população, portanto, tais recomendações são dispensáveis em mulheres sem atividade sexual.

Em situações especiais, tais como nas gestantes, a recomendação é a mesma que para as demais mulheres; em mulheres na pós-menopausa deve-se proceder ao tratamento tópico com estrogênio antes da coleta, quando presente amostra com evidência de atrofia (aumento de casos falso-positivos). Mulheres histerectomizadas previamente por doença benigna, sem histórico de lesões precursoras, podem ser excluídas do rastreio após dois exames negativos. Pacientes imunossuprimidas (portadoras do HIV, usuárias crônicas de corticosteroides e transplantadas de órgãos sólidos) devem ter amostras colpocitológicas semestrais por 1 ano após início de atividade sexual e, se normais, seguimento anual. Por outro lado, pacientes imunossuprimidas, HIV-positivo com taxa de CD4 < 200 cels/mm^3 devem ter a correção da taxa, com colpocitologia semestral até então.

O intervalo entre os exames colpocitológicos deve ser anual e após dois exames consecutivos normais, o intervalo pode ser de 3 anos (INCA, 1988).

A periodicidade da coleta baseia-se na recomendação da Organização Mundial de Saúde, a partir da publicação pela *International Agency for Research on Cancer* (IARC) de um estudo com a participação de oito países, com a evidência de proteção conferida por um exame prévio negativo de 58% e de 80%, se dois exames fossem negativos.[6,7] Em 2001, a Sociedade Americana de Colposcopia e Patologia Cervical (ASCCP) desenvolveu o consenso para o manejo de mulheres com anormalidades citológicas. Posteriormente, com as novas informações sobre a história natural das NIC (especialmente em adolescentes e mulheres jovens), sobre o impacto do tratamento dessas lesões em futuras gestações e sobre o manejo do adenocarcinoma *in situ*, ocorreu a revisão pela ASCCP do Consenso de Bethesda, em 2006.[8] Com base nesta revisão, o INCA/MS/Brasil, em 2011 publicou as recomendações brasileiras frente ao diagnóstico das lesões precursoras do colo uterino.[5]

A seguir, as recomendações são expostas de acordo com o laudo citopatológico.

CÉLULAS ESCAMOSAS ATÍPICAS (ASC)

Em 2001 foi realizada uma revisão do Sistema Bethesda.[4]

A categoria de células atípicas de significado indeterminado (ASCUS) foi subdividida em dois grupos: células escamosas atípicas de significado indeterminado (ASC-US) e células escamosas atípicas, que não se pode excluir lesão de alto grau (ASC-H). Estes dois subgrupos foram adotados pela Sociedade Brasileira de Citopatologia em 2002, com as seguintes categorias: células escamosas atípicas de significado indeterminado, possivelmente não neoplásicas (ASC-US) e células escamosas atípicas, em que não se pode excluir lesão de alto grau (ASC-H).

Alguns fatores devem ser considerados no manejo de mulheres com **ASC**. Primeiro, a prevalência de câncer invasivo é baixa em mulheres com atipias de células escamosas (0,1 a 0,2%). Segundo, a prevalência de NIC II, III é maior entre mulheres com ASC-H que em mulheres com ASC-US; assim, ASC-H deve ser considerada uma possível HSIL.

A prevalência de um teste do DNA do HPV positivo muda conforme a idade em mulheres com ASC-US. As taxas de teste positivo são maiores em mulheres mais jovens, possivelmente pela maior atividade metabólica cervical, favorecendo a replicação viral e pela característica transitória da infecção deste vírus nessa população.

Assim, o uso do teste do DNA do HPV para o manejo de adolescentes com ASC-US resultaria em um aumento da realização de colposcopia em mulheres com baixo risco para o câncer cervical, resultando em maior custo e gerando maiores expectativas e ansiedade frente ao possível diagnóstico.

ASC-US é bem comum em portadoras do HIV. Com base em estudos que relatam uma alta prevalência de positividade para o DNA do HPV e patologia cervical nesta população, recomenda-se que todas as mulheres imunossuprimidas sejam submetidas à colposcopia.[9]

Manejo de mulheres com ASC-US

Há três abordagens aceitáveis para o manejo de mulheres com ASC-US na colpocitologia oncótica e idade acima de 20 anos:

1. Repetir colpocitologia após intervalo de 6 meses.
2. Realização do teste de DNA para HPV de alto risco, que em caso de positividade indica necessidade de colposcopia.
3. Realização de colposcopia.

Salienta-se que o teste de DNA do HPV é um exame de alto custo, o que levou a uma preferência no Brasil pela abordagem de repetir a colpocitologia.

Mulheres com ASC-US que apresentam teste de DNA do HPV negativo podem ser acompanhadas com colpocitologia após 12 meses. As que apresentam teste de DNA do HPV de alto risco positivo devem ser manejadas da mesma forma que mulheres com LSIL, sendo referidas para colposcopia.

Quando a colposcopia for insatisfatória ou não mostrar lesão, deve-se realizar uma amostragem endocervical (escovado endocervical).

Opções aceitáveis para o seguimento pós-colposcopia de mulheres com ASC-US + HPV de alto risco positivos e sem NIC identificável são: teste do DNA do HPV após 12 meses ou repetir colpocitologia após 6 e 12 meses.[3]

Quando for escolhida a abordagem de repetir colpocitologia, recomenda-se que esta seja realizada a cada 6 meses até que se obtenham dois resultados negativos. Neste caso, a mulher pode retornar à rotina de rastreamento anual. Por outro lado, se ocorrer ASC-US ou lesão mais grave, deve-se realizar outra colposcopia.

Devido à possibilidade de tratamento desnecessário, o uso rotineiro de procedimentos excisionais é inaceitável para mulheres com ASC-US, na ausência de NIC II ou III diagnosticadas em biópsia guiada por alterações colposcópicas.

Em adolescentes com ASC-US, recomenda-se seguimento com colpocitologia anual. Após 12 meses, apenas aquelas que apresentarem HSIL ou lesão mais grave devem ser referidas para colposcopia. Aos 24 meses, mulheres com ASC-US ou lesão mais grave devem ser referidas para colposcopia. A realização de teste de DNA para HPV é uma abordagem inaceitável neste universo de adolescentes com ASC-US, e se for inadvertidamente realizado, seu resultado não deve alterar a conduta, uma vez que nesta população a infecção pelo HPV é na maioria das vezes transitória e relacionada a lesões não precursoras.

Mulheres portadoras do HIV ou imunossuprimidas, e mulheres na pós-menopausa com ASC-US devem ser manejadas da mesma forma que a população em geral. Considerar tratamento estrogênico tópico antes da coleta, quando presente amostra com evidência de atrofia nas pacientes menopausadas.

Na gestação, as opções de manejo são as mesmas que fora da gestação, exceto pelo fato de se poder postergar a realização da colposcopia para 6 semanas após o parto (Fig. 1).

Manejo de mulheres com ASC-H

Recomenda-se a realização de colposcopia em mulheres cuja colpocitologia evidencia ASC-H, sendo a conduta determinada pelo padrão de visualização da JEC (colposcopia satisfatória *versus* insatisfatória).

Se a colposcopia for satisfatória e sem achados anormais, deve-se realizar nova colpocitologia em 6 meses. Se o resultado da colpocitologia mantiver ASC-H ou mais grave, mesmo na ausência de achados colposcópicos anormais, deve-se realizar a exérese da zona de transformação (EZT). Caso a nova colpocitologia seja negativa, uma nova colpocitologia deverá ser obtida aos 12 meses e retornar ao rastreio anual após duas colpocitologias negativas seguidas. Na presença de alterações colposcópicas deve-se proceder à biópsia. Caso se confirme NIC II ou III ou câncer, deve-se seguir conduta específica.

Apesar de não ser rotina do Ministério da Saúde no Brasil, as pacientes com achados anormais à colposcopia satisfatória podem ser acompanhadas com teste de DNA do HPV oncogênico após 12 meses. Caso o teste de DNA do HPV seja positivo para subtipos de alto risco, deve-se repetir a colposcopia. Se o teste de DNA do HPV for negativo, recomenda-se o retorno para rotina de rastreamento anual.

Nos casos em que a colposcopia for insatisfatória e sem alterações, deve-se colher uma nova colpocitologia endocervical. Se a nova colpocitologia mantiver o mesmo resultado ou mostrar lesão de alto grau ou suspeita de câncer, é recomendável a conização para diagnóstico. Caso a nova colpocitologia seja negativa, uma nova colpocitologia deverá ser obtida aos 12 meses, retornando a paciente ao rastreio anual após duas citologias negativas seguidas (Fig. 2).

CÉLULAS GLANDULARES ATÍPICAS E ADENOCARCINOMA *IN SITU* E INVASOR

As atipias de células glandulares (AGC) foram redefinidas no sistema Bethesda em 2001, sendo subdivididas em AGC-SOE, sem outra especificação e AGC favorecendo neoplasia. A nomenclatura brasileira análoga à de Bethesda consiste em células glandulares atípicas de significado indeterminado, possivelmente não neoplásicas e células glandulares atípicas de significado indeterminado em que não se pode excluir lesão intraepitelial de alto grau.

Existe associação frequente entre as atipias glandulares e alterações neoplásicas, como neoplasia intraepitelial escamosa, adenocarcinoma *in situ* e adenocarcinoma invasor de colo e endométrio, além de associação a outras lesões benignas tais como pólipos endocervicais e endometriais e quadros inflamatórios ou reativos cervicovaginais.

Um laudo citológico de AGC pode corresponder a diagnóstico histopatológico de lesão de alto grau ou câncer invasivo em 9-41% dos casos, quando AGC-SOE, comparada a 27 a 96%, quando AGC favorecendo neoplasia, demonstrando maior probabilidade da existência de lesão de alto grau ou câncer invasivo quando colpocitologia de AGC favorecendo neoplasia.

Uma vez diagnosticadas atipias de células glandulares à colpocitologia, a associação com HSIL ou câncer é de 15 a 56% dos casos, sendo o câncer mais frequente nas pacientes acima de 40 anos. Ao individualizar em atipias em células glandulares sem especificação (AGC-SOE), a associação com HSIL é de cerca de 29%, enquanto nos casos de AGC favorecendo neoplasia pode-se chegar a 57%. O achado citológico de adenocarcinoma *in situ* (AIS) está presente, no Brasil, em menos de 0,01% das colpocitologias satisfatórias (Brasil/SISCOLO, 2010) e está associado a um alto risco de correspondência histopatológica de AIS (48-69%) ou adenocarcinoma invasor (38%).

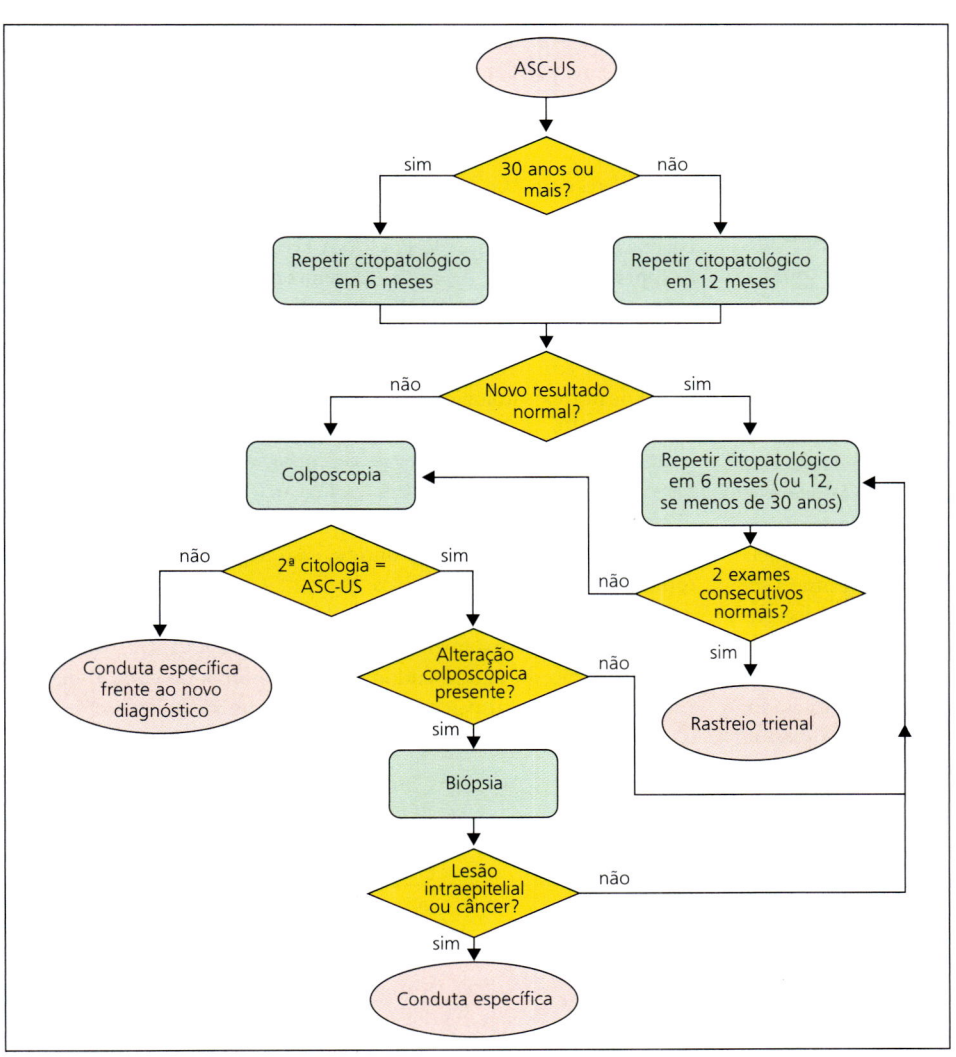

◀ **FIGURA 1.** Condutas para mulheres com colpocitologia de ASC-US.

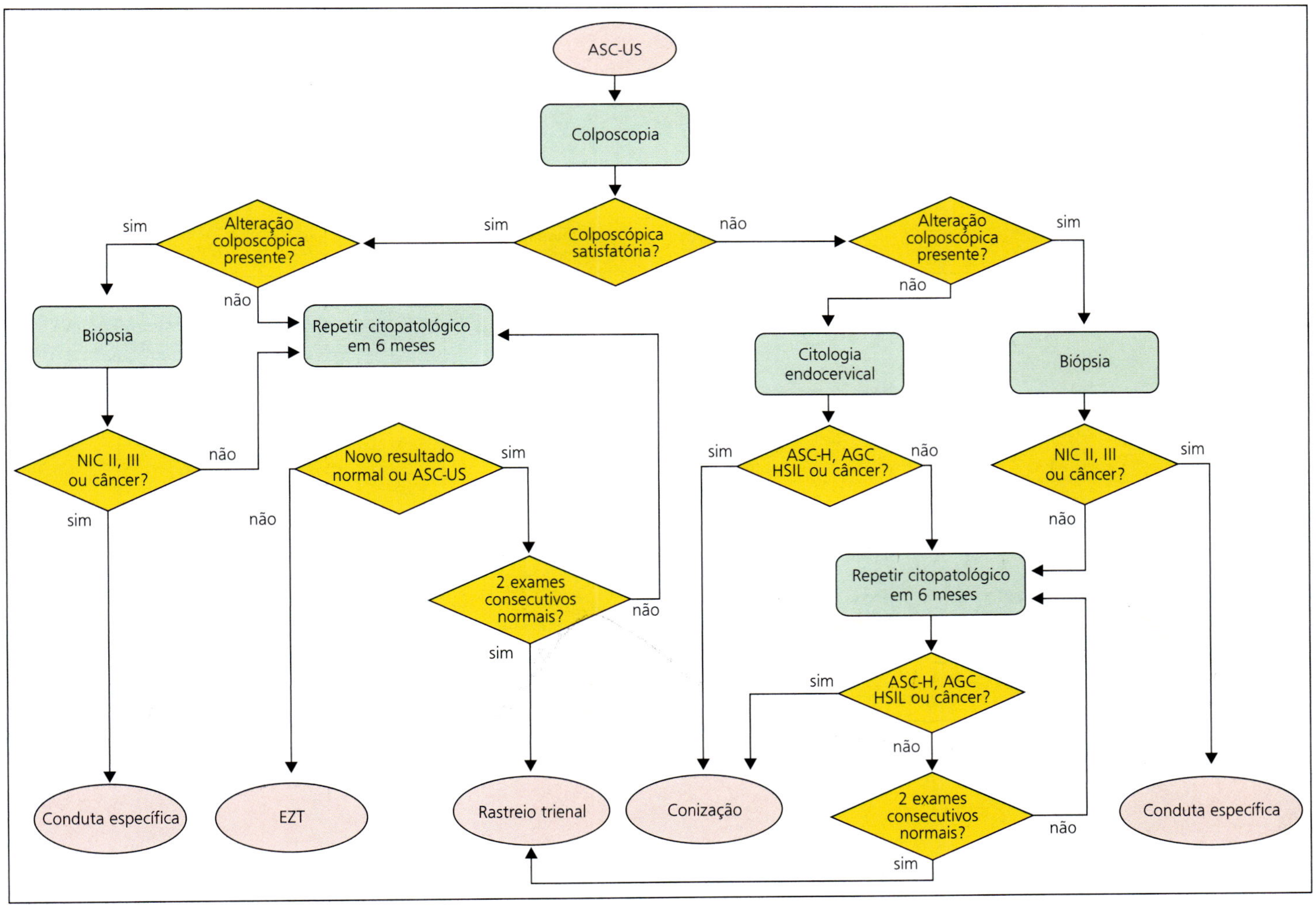

▲ **FIGURA 2.** Condutas para mulheres com colpocitologia de ASC-H.

MANEJO INICIAL

Recomenda-se a realização de colposcopia com amostragem endocervical (citologia obtida por escovado e disposta em lâmina única) para todas as subcategorias de AGC e adenocarcinoma *in situ* (AIS), além da realização de ultrassonografia e/ou coleta de amostra endometrial em mulheres com 35 anos ou mais ou com menos de 35 anos e com sintomas de sangramento vaginal anormal ou fatores de risco para câncer endometrial (obesidade, hipertensão, diabetes), pela possibilidade de invasão cervical deste tumor e pela necessidade de diagnóstico de exclusão nestes casos.

Durante a colposcopia, pode-se também colher material para o teste de DNA do HPV, se este ainda não tiver sido realizado. Contudo, somente a realização do teste de DNA do HPV ou da colpocitologia oncótica seriada é inadequada para o rastreio inicial de AGC e AIS.

Caso seja encontrada lesão sugestiva de invasão à colposcopia, essa deve ser biopsiada. Se o resultado desta biópsia for NIC II ou III, deve-se excluir lesão glandular através da citologia endocervical. Se o resultado da citologia for AGC ou AIS, deve-se proceder à conização a frio, pela necessidade de inclusão de todo o canal endocervical no espécime a ser estudado, tendo em vista a característica do AIS de multifocalidade e por vezes ausência de continuidade da lesão. Além disso, existem relatos de danos térmicos comprometendo a análise de margens de cones excisados por técnicas eletrocirúrgicas. Em caso de AIS no espécime excisado, o tratamento é a histerectomia simples quando a prole for completa e, quando incompleta, reconização se houver comprometimento de margens no cone previamente ressecado.

Controle

As mulheres com AGC que não apresentarem NIC ou neoplasia glandular devem repetir colpocitologia ou realizar o teste de DNA do HPV oncogênico após 6 meses, se forem DNA HPV-positivo ou após 12 meses se forem DNA HPV-negativo. Devem ser referidas para colposcopia aquelas que tiverem teste de DNA do HPV positivo para subtipos de alto risco ou apresentarem ASC-US ou lesão mais grave na colpocitologia de controle. Se ambos os testes forem negativos, a mulher deverá retornar à rotina de rastreio citológico. Se não foi realizado anteriormente o teste de DNA do HPV, deve-se repetir colpocitologia a cada 6 meses até que se tenham quatro resultados negativos consecutivos, podendo, a seguir, retornar para a rotina de rastreio citológico.

Mulheres com diagnóstico histopatológico de AIS tratadas devem ter citologias semestrais por 2 anos e, caso negativas, devem retornar à rotina de rastreio colpocitológico.

Mulheres com menos de 20 anos e imunossuprimidas devem ser investigadas da mesma forma que as demais. Em gestantes, não é possível a realização do estudo endometrial e a biópsia do colo só deve ser realizada se houver suspeita de invasão. Caso contrário, deve ser reavaliada em 90 dias após o parto (Figs. 3 e 4).

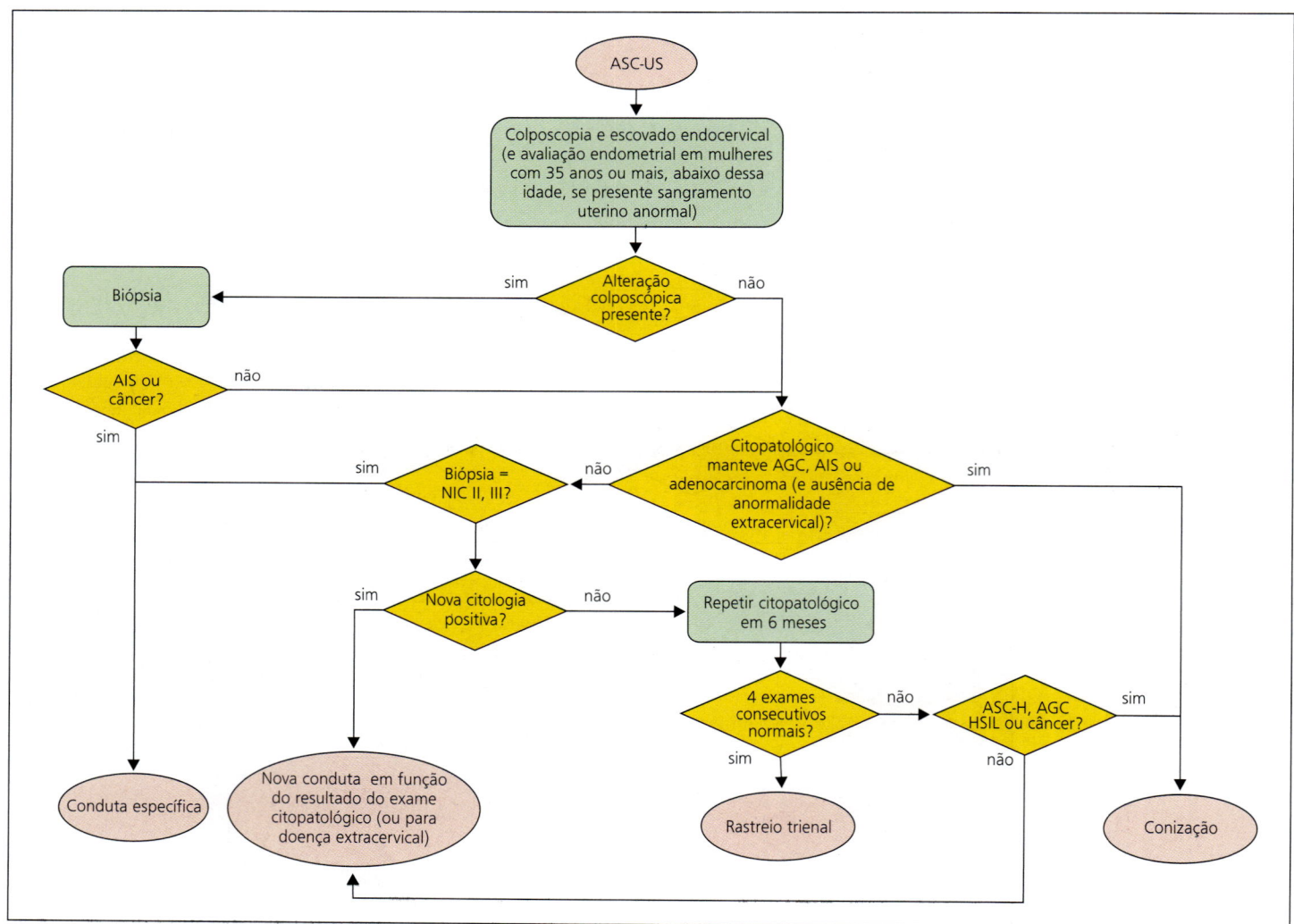

▲ **FIGURA 3.** Condutas para mulheres com colpocitologia de AGC possivelmente não neoplásica e quando não se pode excluir lesão intraepitelial de alto grau.

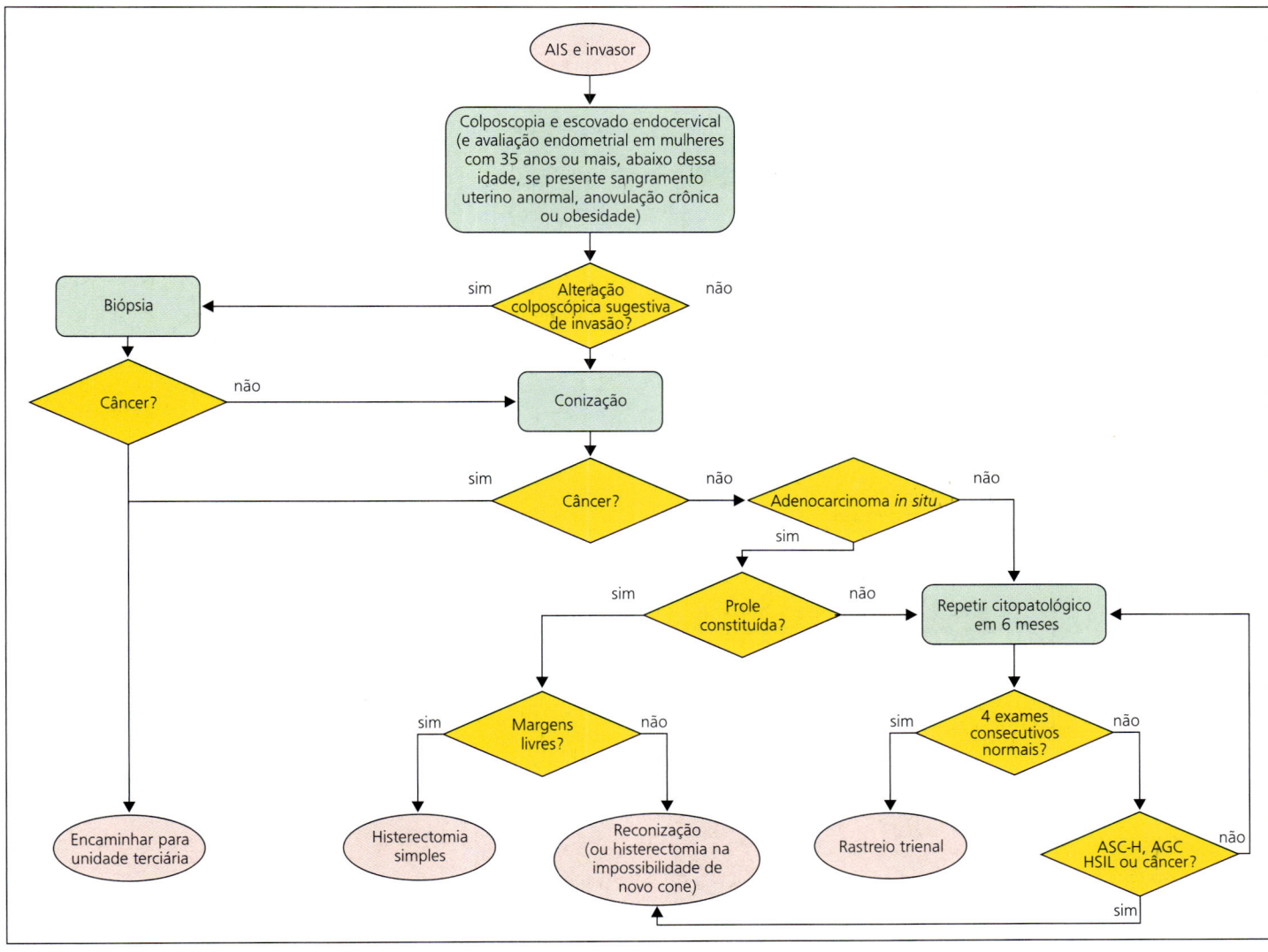

▲ **FIGURA 4.** Condutas para mulheres com colpocitologia de adenocarcinoma *in situ* e invasor.

LESÃO INTRAEPITELIAL DE BAIXO GRAU (LSIL)

A prevalência de LSIL foi de 0,8% em todos os exames citopatológicos no Brasil em 2009, sendo o segundo diagnóstico mais frequente em exames anormais (Brasil/MS/SISCOLO, 2010). A maioria dessas alterações regride espontaneamente, porém a prevalência de lesões pré-invasivas (NIC II, NIC III/ca *in situ*) ou invasora em citopatológicos compatíveis com LSIL varia de 11,8 a 23,3%. Um ensaio clínico americano ASCUS-LSIL *Triage Study*, 2003, concluiu que tanto o encaminhamento imediato para colposcopia quanto o seguimento citológico são condutas aceitáveis.

Diante do resultado de LSIL, o exame deve ser repetido em 6 meses.

Caso infecção ou atrofia tenham sido identificadas, o tratamento antibiótico ou estrogênico tópico adequado deve ser feito antes da nova coleta.

Se duas citologias subsequentes forem negativas, a paciente retorna à rotina de rastreamento.

Se persiste colpocitologia positiva em amostra subsequente e a colposcopia com identificação de alterações cervicais, deve ser realizada uma biópsia dirigida com posterior conduta específica frente ao resultado histopatológico.

Caso o diagnóstico histopatológico seja de LSIL, o seguimento citológico deve ser semestral ou anual.

Em pacientes a partir de 21 anos com NIC I por mais de 2 anos, pode-se manter o seguimento ou optar pelo tratamento (modalidades descritas a seguir).

Em caso de colposcopia satisfatória (junção escamocolunar visível) o tratamento pode ser por método destrutivo (eletrocauterização, criocauterização ou laserterapia) ou excisional (exérese de zona de transformação-EZT). Quando a colposcopia for insatisfatória (junção escamocolunar não visível) está indicada conização e em caso de recidiva, o tratamento deve ser excisional.

Uma vez que efeitos adversos psíquicos e físicos são evidenciados na abordagem excisional, como hemorragia, infecção e aumento no risco de aborto e partos prematuros em gestações futuras, a abordagem menos invasiva é favorecida (Fig. 5).

As mulheres com exame citopatológico cervical realizado antes dos 20 anos (caso sejam submetidas à amostragem citológica) e com diagnóstico de LSIL apresentam maior probabilidade de regressão da lesão (60% em 12 meses e 90% em 3 anos), infecção por HPV transitória em até 90% e raramente cursam com lesão invasiva; por isso devem ter exame de seguimento anual e serem referidas para colposcopia se houver persistência da lesão por mais de 24 meses ou caso apresentem alterações mais graves à colpocitologia. A partir de 21 anos, as mesmas devem ser abordadas como as demais pacientes com LSIL (Fig. 6).

As mulheres gestantes seguem o fluxograma das demais mulheres, devendo ser submetidas à biópsia somente se houver suspeita de invasão. Gestantes com 30 semanas ou mais de gestação deverão ser encaminhadas para colposcopia somente 3 meses após o parto, bem como serem reavaliadas após este período aquelas com diagnóstico histológico de LSIL.

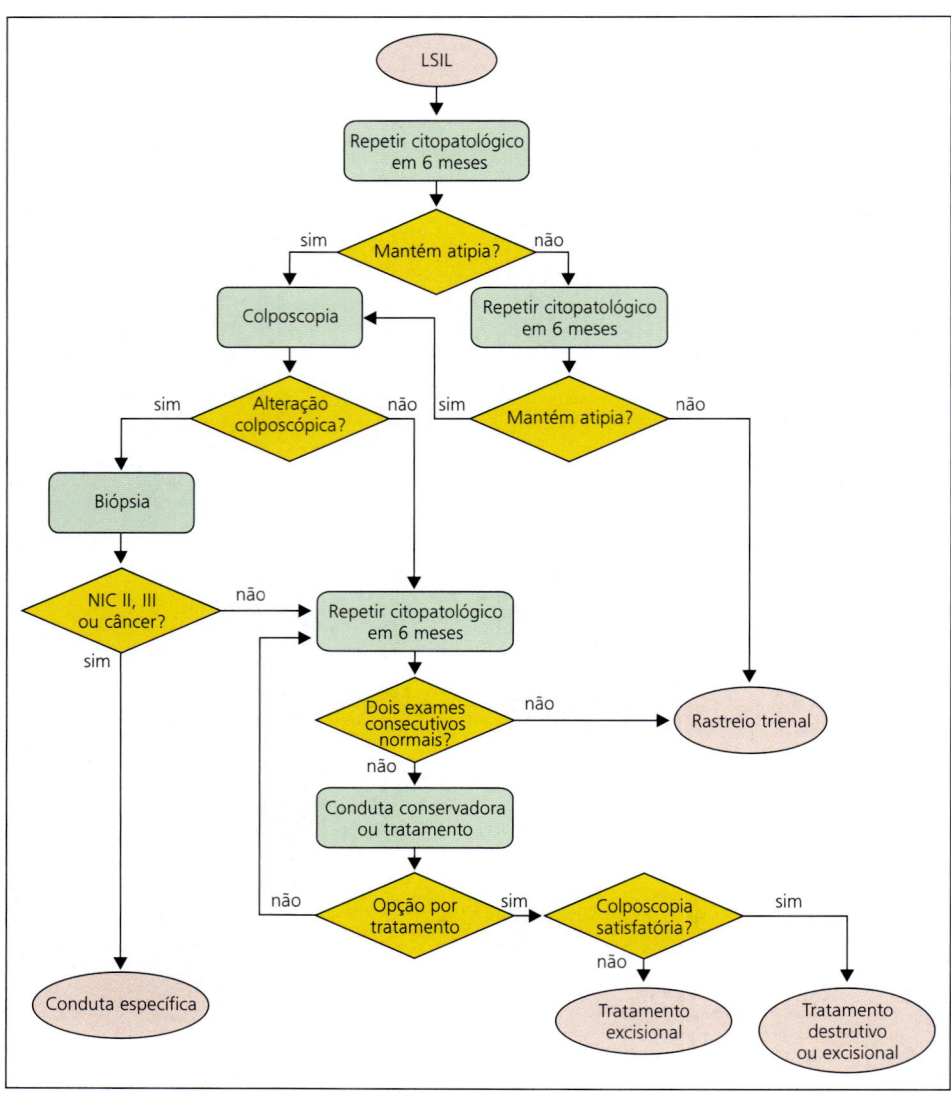

◀ **FIGURA 5.** Condutas para mulheres com colpocitologia de LSIL.

As mulheres na pós-menopausa devem ser abordadas como as demais pacientes com LSIL, porém devem ter a segunda coleta precedida de tratamento estrogênico tópico para cervicite e colpite atrófica, por melhorar a amostragem celular do esfregaço e minimizar os casos falso-positivos.

As pacientes imunossuprimidas devem ser encaminhadas para colposcopia após primeiro resultado de LSIL. As lesões persistentes devem ser tratadas por EZT, quando a colposcopia for satisfatória, e por conização quando insatisfatória. O seguimento após tratamento pode ser anual, incluindo colpocitologia e colposcopia por 2 anos, passando a colpocitologia anual após esse período.

LESÃO INTRAEPITELIAL DE ALTO GRAU

A abordagem das mulheres com evidência de lesões de alto grau (HSIL) consiste em confirmação diagnóstica e tratamento específico para impedir sua progressão para câncer invasor.

A prevalência de HSIL no Brasil foi de 0,25% dos exames citopatológicos realizados em 2010 e 9,7% dos exames alterados. Cerca de 75% dessas pacientes apresentam compatibilidade cito-histopatológica e em 1 a 2%, o diagnóstico é de carcinoma invasor.

O tratamento deve ser por métodos excisionais (EZT), possibilitando o diagnóstico de microinvasão ou invasão, ou ainda de lesões pré-invasivas glandulares, além de viabilizar a ressecção de toda a lesão (margens livres).

Em 2006, o método ver e tratar, recomendado pelo Instituto Nacional de Câncer (INCA), favorecia a realização da colposcopia e exérese da lesão em uma mesma consulta, em nível ambulatorial, sob anestesia local. Comparando-se ao tratamento por biópsia prévia, guiada por colposcopia, apresenta a vantagem de menor perda de seguimento, menor custo e de gerar menos ansiedade à paciente, e a desvantagem do potencial de tratamento desnecessário em pacientes cuja possível biópsia dirigida não fosse compatível com HSIL.

Diante de uma paciente com colpocitologia de HSIL, a mesma deverá ser submetida a colposcopia em até 3 meses após o resultado. Se a colposcopia for satisfatória (junção escamocolunar – JEC – totalmente visível), sugestiva de lesão de alto grau e sem se estender pelo canal por mais de 1 cm, faz-se EZT, baseando-se no método ver e tratar. Se for identificada na colposcopia lesão fora da JEC ou na vagina, deve-se avaliar se sugestiva de NIC I ou NIC II/NIC III, pelos critérios colposcópicos. Caso seja sugestiva NIC I, pode-se ressecar apenas a lesão de maior gravidade e optar por seguimento da NIC I ou tratamento destrutivo (eletrocauterização, crioterapia ou laserterapia).

Em caso de colposcopia sugestiva de lesão de alto grau ou de câncer, uma biópsia deve ser realizada. Caso a mesma seja negativa ou compatível com LSIL, deve-se repetir a colpocitologia e colposcopia em 3 meses, guiando-se pelo novo laudo. Se a biópsia evidenciar NIC II, NIC III ou sugestiva de microinvasão, realiza-se EZT se colposcopia satisfatória for ou conização, se insatisfatória.

No caso de biópsia compatível com carcinoma invasor, a paciente deverá seguir tratamento específico, de acordo com o estadiamento clínico.

Na possibilidade de colposcopia normal (incongruência citocolposcópica), nova colpocitologia com ênfase no canal endocervical deve ser realizada em 3 meses, bem como um exame vaginal minucioso, pelo risco de tratar-se de lesão nesta topografia. Mantida a colpocitologia de

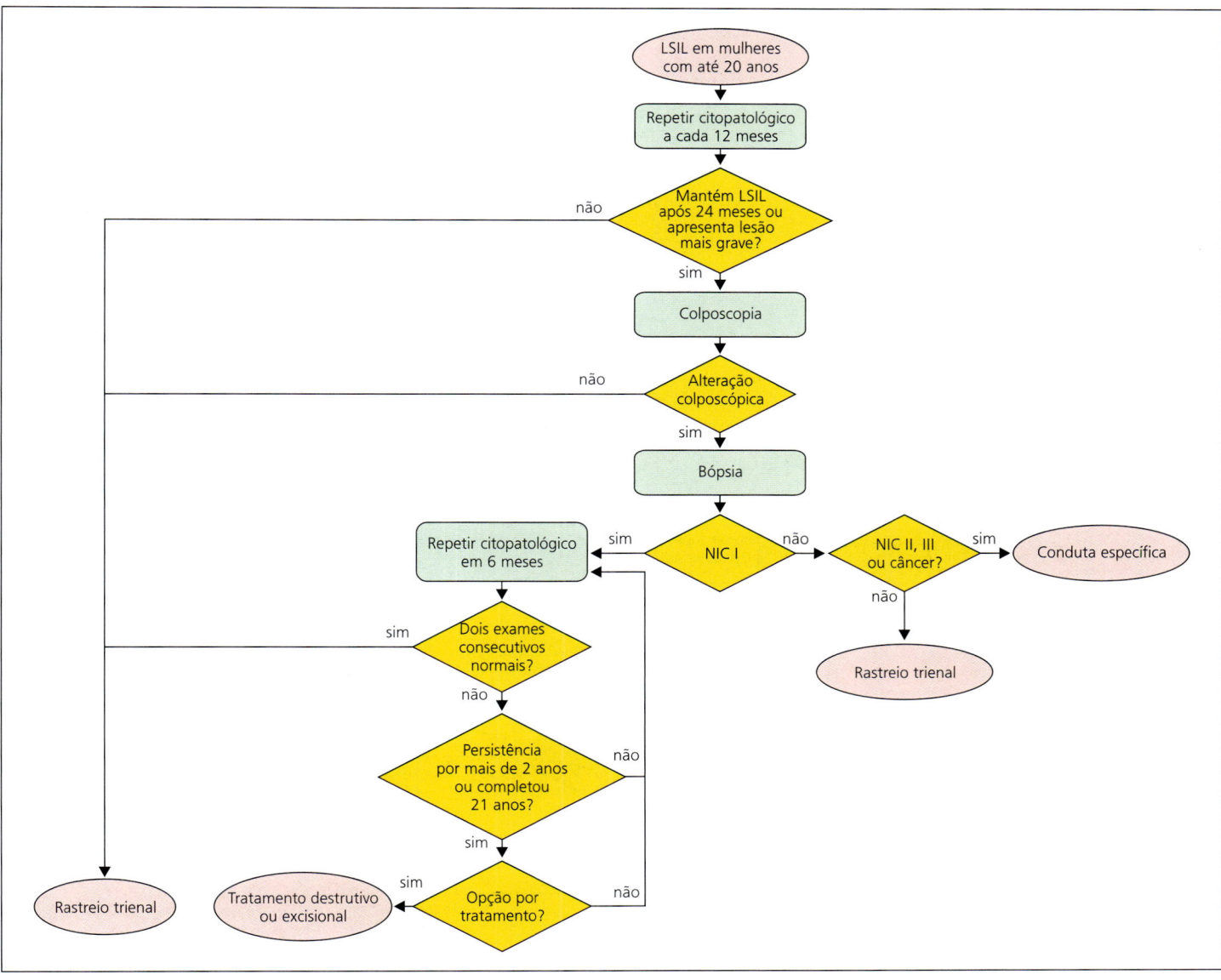

▲ **FIGURA 6.** Condutas para mulheres até 20 anos com colpocitologia de LSIL.

alto grau, EZT ou conização são recomendadas de acordo com a visibilidade da JEC à colposcopia (Fig. 7).

No seguimento das pacientes com diagnóstico de HSIL e tratadas, deve-se levar em consideração o risco de recidiva ou a presença de doença persistente pós-tratamento excisional, principalmente relacionado aos espécimes com margens comprometidas, embora a maioria não tenha lesão remanescente microscópica. Assim, não há indicação de novo tratamento imediato. Desta forma, se as margens forem comprometidas por NIC II/NIC III, a paciente deverá ser reavaliada com exame citológico e colposcópico a cada 6 meses, por 2 anos. Caso haja a certeza de ausência de lesão residual, o seguimento passa a ser citológico a cada 3 anos. Por outro lado, se as margens forem positivas para NIC I ou margens livres, o seguimento citopatológico é semestral por 1 ano e após dois exames negativos, a coleta citopatológica passa a ser trienal. Nova abordagem excisional será necessária quando uma nova colpocitologia ou nova biópsia mostrar HSIL, ou ainda quando não for possível o seguimento das pacientes com margens comprometidas.

Em gestantes com colpocitologia de HSIL, a probabilidade de progressão nessa fase é mínima e os procedimentos excisionais aumentam o risco de abortamento, parto prematuro e sangramento excessivo. Assim, as mesmas devem ser encaminhadas a colposcopia, realizando-se a biópsia apenas se houver suspeita de invasão ou, caso contrário, realizar nova colpocitologia e colposcopia 90 dias após o parto. Caso o diagnóstico citológico e colposcópico tenham sido no primeiro trimestre, nova avaliação poderá ser realizada durante a gestação e, em situação de agravamento da lesão, biópsias podem ser realizadas. No entanto, procedimento excisional está indicado apenas se houver suspeita de invasão e se for mudar a conduta quanto a prosseguir ou não a gestação. Vale ressaltar que a presença de NIC não contraindica o parto vaginal.

Em mulheres na pós-menopausa, a conduta deve ser a mesma que nas demais mulheres, atentando-se para o fato de que nessa população pode haver necessidade de tratamento estrogênico tópico antes de uma avaliação colposcópica ou de um novo exame citológico.

As pacientes imunossuprimidas, notoriamente as infectadas pelo HIV, têm maior chance de desenvolver HSIL, além de maior risco de recidiva pós-tratamento, o que diferencia o seguimento, com avaliação semestral por 2 anos e anual por 36 meses.

Em mulheres com menos de 20 anos que apresentem colpocitologia cervical de HSIL, a colposcopia deverá ser realizada em um prazo de 3 meses e diante do comportamento transitório destas lesões nesse grupo de pacientes, o método ver e tratar não é aplicável. Em caso de colposcopia negativa ou ausência de lesão maior, a colpocitologia deverá ser repetida em 3 a 6 meses, sendo a conduta baseada no resultado. Depois de dois exames negativos em intervalo de 6 meses, a coleta citológica

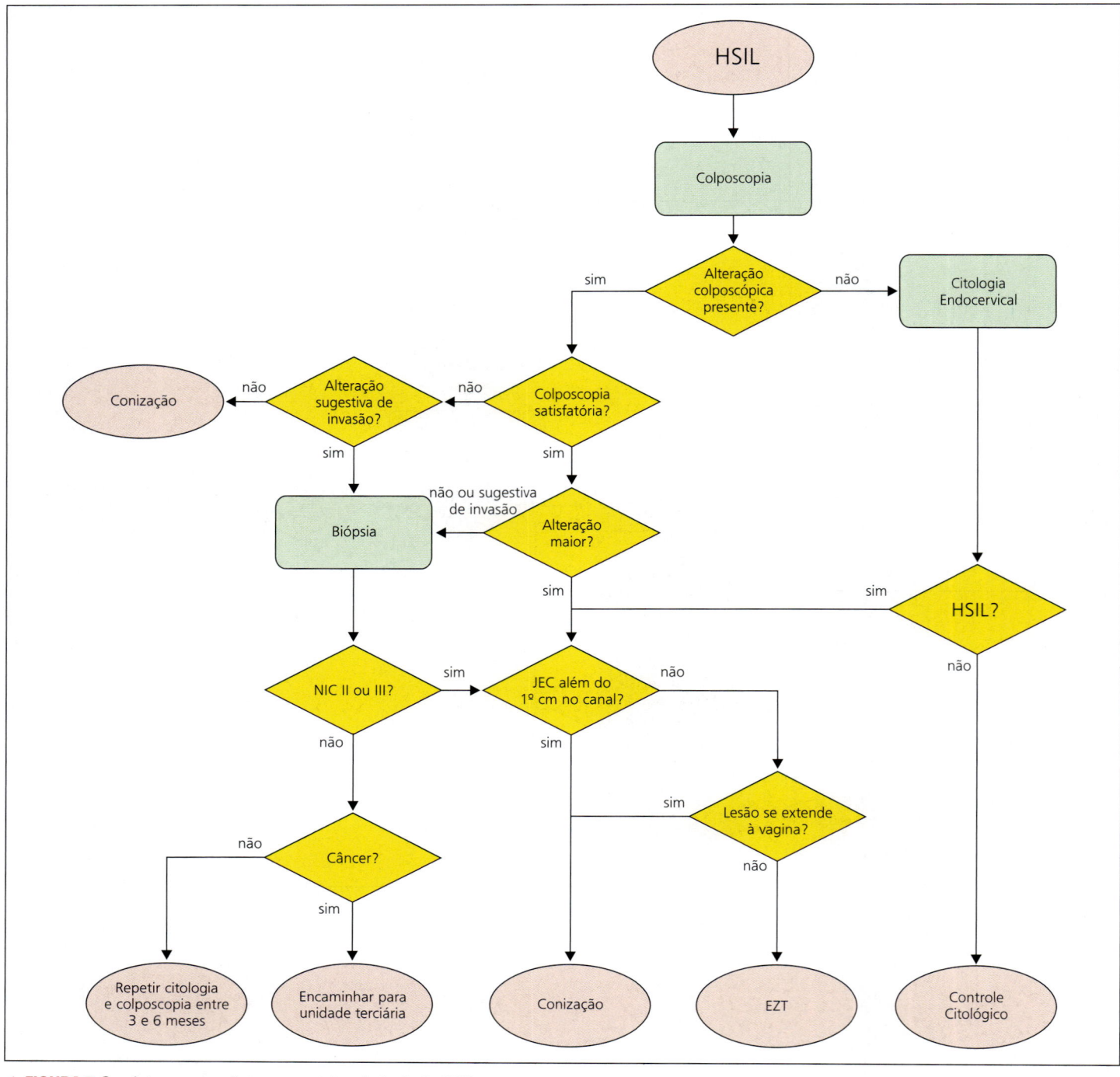

▲ **FIGURA 7.** Condutas para mulheres com colpocitologia de HSIL.

torna-se trienal. Mediante alteração colposcópica maior, realiza-se uma biópsia. Se negativa ou de menor gravidade, deve-se repetir a colpocitologia em 3 a 6 meses, com posterior conduta laudo-específica. Se a biópsia for compatível com HSIL, faz-se seguimento com colpocitologia semestral por 2 anos. Se passado tal período houver lesão persistente, opta-se por manter seguimento ou por tratamento (excisional ou destrutivo). Durante esse período, em caso de ausência de lesão, o seguimento citológico será mantido até que dois exames consecutivos sejam negativos no intervalo de 6 meses. Após, rastreio trienal. Se a colposcopia for insatisfatória, deve-se realizar a conização (Fig. 8).

■ LESÃO INTRAEPITELIAL DE ALTO GRAU NÃO PODENDO EXCLUIR MICROINVASÃO OU CARCINOMA EPIDERMOIDE INVASOR

O diagnóstico de lesão de alto grau não podendo excluir microinvasão ou carcinoma invasor é infrequente, cerca de 0,025 e 0,02% nos exames realizados e satisfatórios e 0,95 e 0,75% dos exames alterados (Brasil/MS/SISCOLO, 2010).

Diante de colpocitologia compatível com tal lesão ou ainda suspeita clínica, deve ser alcançado o diagnóstico histopatológico. Todas as pacientes devem ser submetidas à colposcopia. Caso não apresentem lesão neste exame ou a lesão não seja sugestiva de invasão, procede-se a EZT (se colposcopia satisfatória) ou conização (se insatisfatória).

Na vigência de alterações sugestivas de invasão, uma ou mais biópsias devem ser realizadas.

Se o laudo de biópsia de HSIL for sugestivo de carcinoma ou este não comprovar de forma franca a invasão, realizar EZT ou conização.

Em caso de lesão microinvasora, recomenda-se que a conização seja efetuada utilizando-se técnicas clássicas, pois existe maior probabilidade de fragmentação do espécime e artefatos térmicos nos espécimes obtidos por técnicas eletrocirúrgicas, dificultando a avaliação de parâmetros como profundidade de invasão e envolvimento de espaço linfovascular.[10]

Em caso de diagnóstico de carcinoma microinvasor IA1 (invasão de até 3 mm de profundidade e menor ou igual a 7 mm de extensão) em cone com margens livres e sem invasão linfovascular, a paciente com

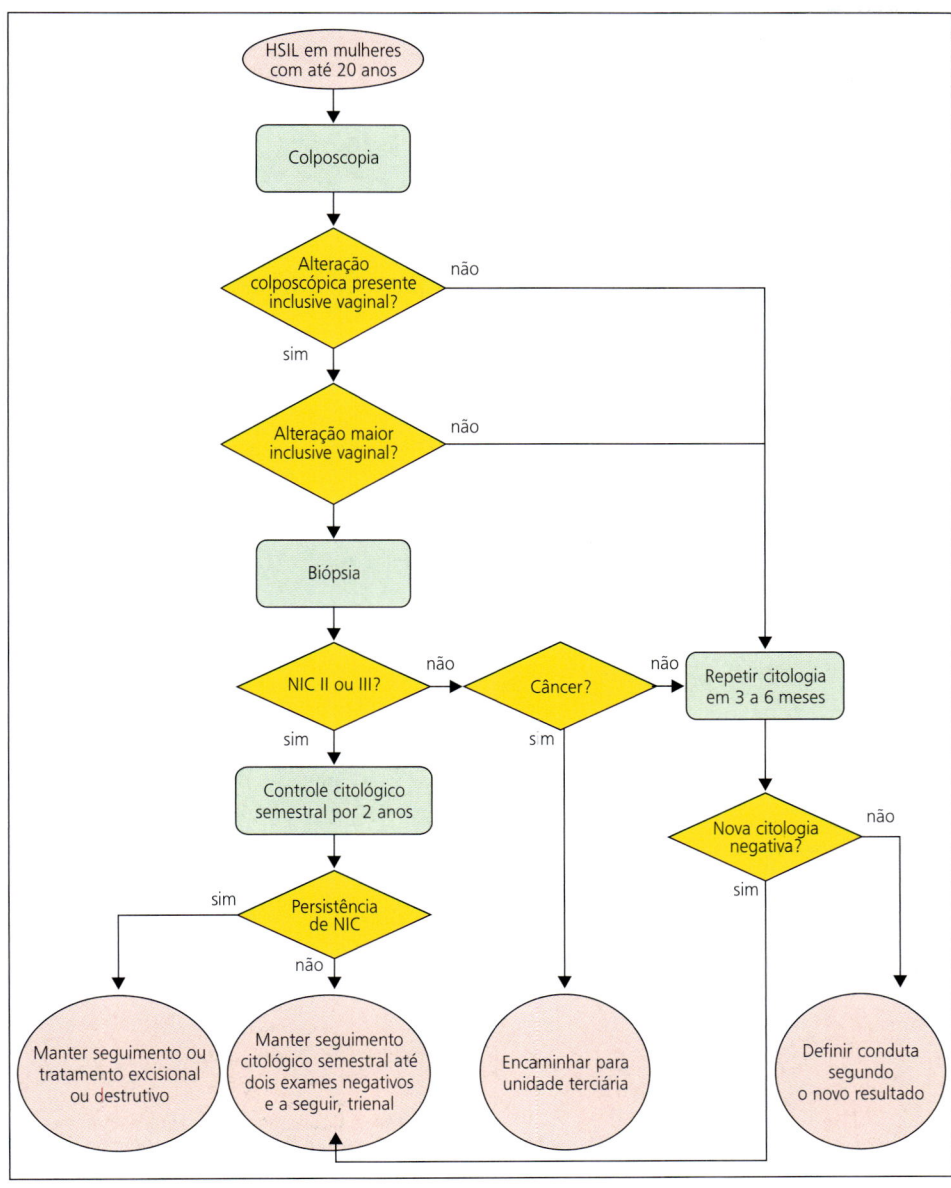

◀ **FIGURA 8.** Condutas para mulheres até 20 anos com colpocitologia de HSIL.

prole incompleta pode ser considerada tratada. Se o espécime foi obtido por EZT, um cone, preferencialmente a frio, deve ser realizado.

Após, o seguimento é de 4 a 6 meses no primeiro ano e anual nos próximos 3 a 5 anos. Se o histopatológico for de carcinoma microinvasor em pacientes com prole completa ou presença de invasão linfovascular ou margens comprometidas ou estágio IA2 (invasão de 3 a 5 mm de profundidade e menor ou igual a 7 mm de extensão), a paciente deverá ser tratada de acordo com o estadiamento, sendo preconizada a histerectomia simples nos dois primeiros casos e histerectomia radical tipo II de Rutledge – Piver com linfadenectomia pélvica. Se após a avaliação histológica a partir do espécime do cone ou EZT não houver invasão, a conduta irá variar de acordo com o laudo e se positiva para carcinoma invasor, tratamento específico baseado no estadiamento clínico (Fig. 9).

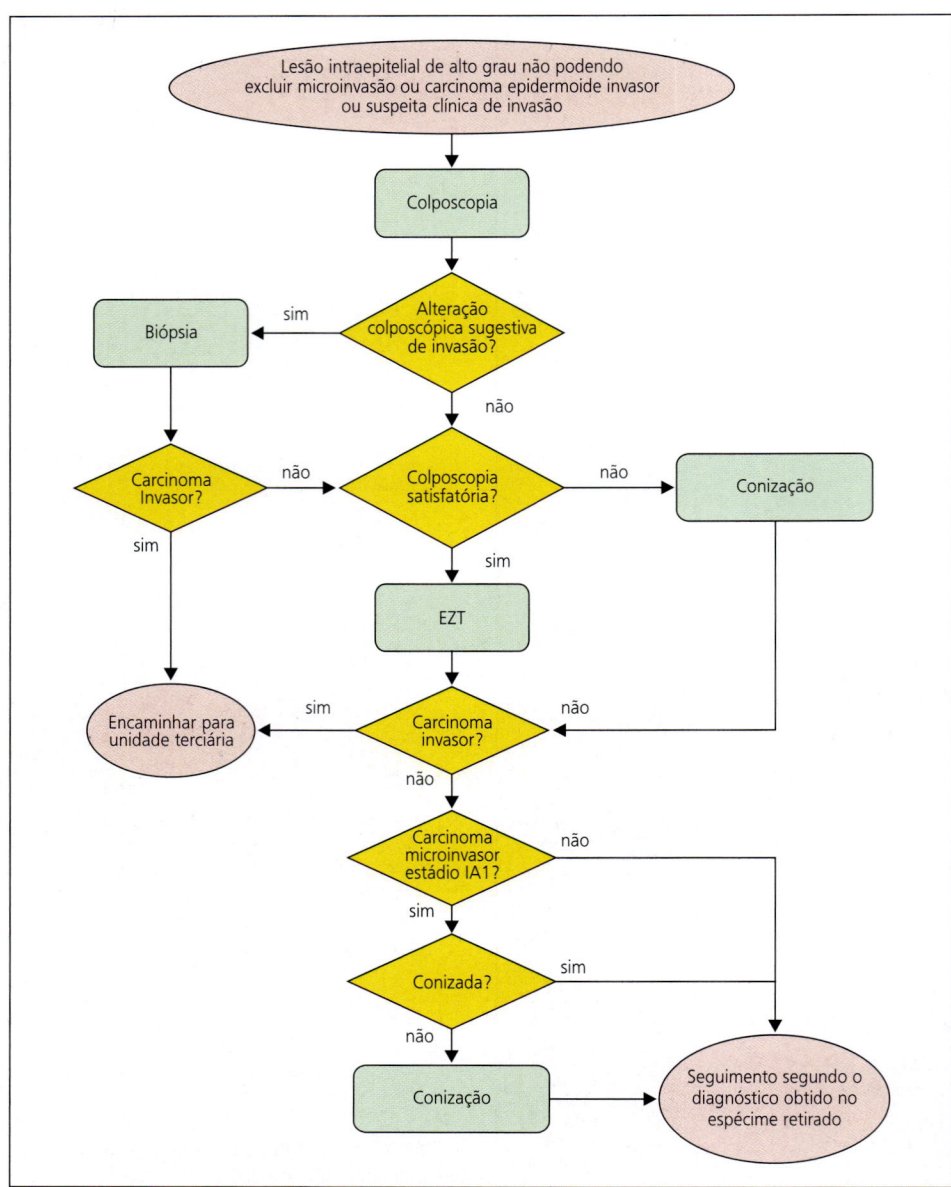

◀ **FIGURA 9.** Condutas para mulheres com colpocitologia de HSIL, não podendo afastar microinvasão ou carcinoma invasor.

REFERÊNCIAS BIBLIOGRÁFICAS

1. Creasman WT. Preinvasive disease of the cervix em Disaia e Creasman. In: Clinical Gynecologic Oncology. 7th ed. St. Louis: Mosby Elsevier, 2007. p. 1-36. Cap 1.
2. Brasil. Ministério da Saúde. Instituto Nacional de Câncer. Coordenação de Prevenção e Vigilância. 2006. Nomenclatura brasileira para laudos cervicais e condutas preconizadas - Recomendações para profissionais de saúde. *Rev Bras Cancerol* 2006;52(3):213-36.
3. Wright Jr TC. Pathogenesis and diagnosis of preinvasive lesions of the lower genital tract. In: Principles and practice of gynecologic oncology. 5th ed. Philadelphia: Lippicott Williams & Wilkins; 1999. p. 523-52.
4. Solomon D, Davey D, Kurman R et al. The 2001 Bethesda System: terminology for reporting results of cervical cytology. *JAMA* 2002;287(16):2114-19.
5. Brasil. Ministério da Saúde. Instituto Nacional do Câncer. Diretrizes brasileiras para o rastreamento do câncer do colo do útero. Disponível em: http://bvsms.saude.gov.br/bvs/controle_cancer e no Portal do INCA ou http://www.inca.gov.br
6. Brasil. Ministério da Saúde. Instituto Nacional do Câncer. Normas e recomendações do INCA. Periodicidade de realização do exame preventivo do câncer de colo do útero. *Rev Bras Cancerol* 2002;48(1):13-15.
7. International Agency of Research on Cancer IARC working Group on evaluation of cervical cancer screening programmes. Screening for squamous cervical cancer: duration of low risk after negative results of cervical cytology and its implication for screening policies. *BMJ* 1986;293:659-64.
8. Wright Jr TC, Massad LS, Dunton CJ et al. 2006 Consensus guidelines for the management of women with cervical intraepithelial neoplasia or adenocarcinoma in situ. *Am J Obstet Gynecol* 2007 Oct.,197:340-45.
9. American College of Obstetricians and Gynecologists. ACOG Practice Bulletin no. 109. Cervical cytology screening. *Obstet Gynecol* 2009;114(6):1409-20.
10. Tseng CJ et al. Loop conization for the treatment of microinvasive carcinoma of the cervix. *Int J Gynecol Cancer* 2006;16:1574-78.

CAPÍTULO 151

Hiperplasia Epitelial Endometrial

Patrícia Ribeiro Bragança ■ Ana Luiza Miranda Cardona Machado

INTRODUÇÃO

A hiperplasia endometrial é a consequência de uma estimulação estrogênica prolongada sobre as células glandulares e estromais endometriais, sem o efeito contrabalanceador da progesterona. Este estímulo exacerbado leva à proliferação das glândulas endometriais, alterando a relação glandular/estromal em um endométrio normal, sendo portanto, um diagnóstico histopatológico. Este equilíbrio pode ser desfeito por um excesso de estrogênio que ocorre, por exemplo, em uma reposição estrogênica isolada ou com excesso de estrogênio em relação à progesterona, como ocorre com a anovulação. O uso de estrógenos por longos períodos para a reposição hormonal em mulheres menopausadas não histerectomizadas sem a administração concomitante de progestágenos estimula a hiperplasia.[1-4]

A hiperplasia típica simples e complexa são mais comumente encontrada em mulheres a partir dos 50 anos e a hiperplasia complexa a partir dos 60 anos.[1] A hiperplasia complexa com atipias está fortemente associada ao câncer endometrial, aumentando o risco para mais que dez vezes.[5] O risco aumenta com o uso de doses maiores de estrogênios (> 0,625 mg de estrogênios conjugados) e com o uso mais prolongado. Scheen e Gaspard demonstraram em seu trabalho que uma terapia de reposição hormonal utilizando baixas dosagens de esteroides é eficaz no combate aos sintomas da menopausa e ao mesmo tempo opõe-se ao desenvolvimento da hiperplasia.[6,7]

A hiperplasia complexa atípica é precursora do câncer de endométrio estrogênio-dependente. Observa-se uma redução no desenvolvimento do câncer endometrial com o uso da terapia combinada em baixas dosagens, ocorrendo uma proteção que se inicia ao fim do primeiro ano de uso e pode permanecer até aproximadamente 15 anos após a descontinuação.[8] A estimulação estrogênica do endométrio durante longo período pode ocorrer nos primeiros ciclos menstruais, geralmente anovulatórios, na menopausa e também na presença da síndrome dos ovários policísticos (síndrome de Stein-Leventhal) e dos tumores ovarianos secretores de hormônios, bastante raros, que são também associados ao aumento do risco do câncer endometrial. Ocorre, nestes casos, secreção endógena contínua de estradiol, com a conversão da androstenediona em estrona e da testosterona em estradiol no tecido adiposo periférico.[9] Este processo explica os índices aumentados de hiperplasia nas pacientes obesas.[4]

Epplein et al. avaliaram, em uma metanálise com 45 ensaios randomizados, utilizando mais de 38.000 mulheres na pós-menopausa e com útero intacto, o risco de qualquer tipo de hiperplasia endometrial (simples, atípica ou complexa), tratados por 12 meses ou mais com estrogênio em oposição a estrogênio e progesterona combinados ou ao placebo. As mulheres foram avaliadas anualmente com amostragem endometrial ou ultrassonográfica seguida por amostragem endometrial se a espessura do endométrio excedesse 5 mm. Neste estudo, observou-se que a terapia estrogênica sem oposição utilizada por 1 ou 2 anos aumenta significativamente o risco de hiperplasia endometrial, comparada com o placebo e com a terapia combinada com estrogênio e progesterona contínua ou cíclica. Sugeriu-se que o risco era dose e tempo-dependente.[4]

A relação entre obesidade, diabetes tipo II e câncer endometrial tem sido largamente estudada. Mas a hiperplasia e o câncer do endométrio também têm sido encontrados em estudos com mulheres portadoras de diabetes tipo I, sem relação com a obesidade. Uma das hipóteses é que a variação dos níveis de insulina pode contribuir para o desenvolvimento do câncer.[9] Um estudo prospectivo analisando 24.000 mulheres na pós-menopausa conclui que o diabetes, independentemente da obesidade, foi associado a aumento do risco de câncer endometrial.[10,11]

O sedentarismo também é um fator de risco para a hiperplasia e consequentemente para o desenvolvimento do câncer do endométrio. Estudo realizado por Al Jarrah et al. em 40 ratos, os quais foram divididos em quatro grupos: sedentários, não sedentários, diabéticos sedentários (diabetes induzida farmacologicamente) e diabéticos não sedentários, obteve resultados em que o diabetes severo induziu à hiperplasia endometrial em 70% dos ratos diabéticos sedentários, ao passo que não houve casos de hiperplasia no grupo dos diabéticos e não diabéticos não sedentários.[12]

HISTOPATOLOGIA

O estrogênio atua como um agente mitógeno, levando a uma proliferação anormalmente exacerbada das glândulas do estroma, que culmina no aumento do volume glandular e em graus variados de desarranjo arquitetural em uma relação glândula/estroma maior que a observada em um endométrio normal.[3] As glândulas que proliferam variam em tamanho e forma, podendo evoluir desde simples proliferações desordenadas presentes no endométrio proliferativo até quadros de alterações citológicas que se assemelham às presentes no adenocarcinoma bem diferenciado, podendo progredir ou coexistir com câncer de endométrio. No entanto, na hiperplasia, as células continuam obedecendo a um comando fisiológico regulatório, o que não acontece com a neoplasia maligna. Ferenczy et al. defenderam que a presença de hiperplasia com atipias já deveria ser considerada neoplasia endometrial epitelial[13] A hiperplasia simples sem atipias progride em até 1% para câncer, a hiperplasia simples com atipia em 3%, a complexa sem atipia em 8% e a hiperplasia complexa com atipia em 29%.

Mutações genéticas ocorridas a partir do desenvolvimento da hiperplasia podem resultar em instabilidade genética e evoluir para o câncer endometrial.[14,15] Mutações genéticas são raras na hiperplasia endometrial e muitas vezes frequentes no câncer endometrial. O gene supressor tumoral p53, por exemplo, não está presente na hiperplasia endometrial, mas é detectado em 20% no carcinoma tipo endometrioide e em mais de 90% no tipo seroso.[16,17] No entanto, a mutação da proteína PTEN, que leva à perda da expressão desta, ocorre precocemente no processo de evolução da hiperplasia atípica para o câncer endometrioide.[18]

Miller e Bidus estudaram a relevância clínica de 78 pacientes submetidos à biópsia e subsequentemente à histerectomia. Os resultados das biópsias foram graduados em hiperplasia endometrial complexa atípica e hiperplasia endometrial atípica, não podendo afastar uma lesão mais severa, e comparados com a histopatologia obtida com a histerectomia. Os resultados mostraram que as biópsias endometriais foram associadas a carcinoma em 37,5% dos casos de hiperplasia complexa atípica e em 60% dos casos de hiperplasia atípica-câncer. Conclui-se que um achado de hiperplasia endometrial atípica na biópsia estava associado a risco aumentado de malignidade.[19] Kurman estudou o comportamento histopatológico e arquitetural do endométrio de 170 mulheres submetidas à curetagem que apresentavam diferentes graus de atipias e observou

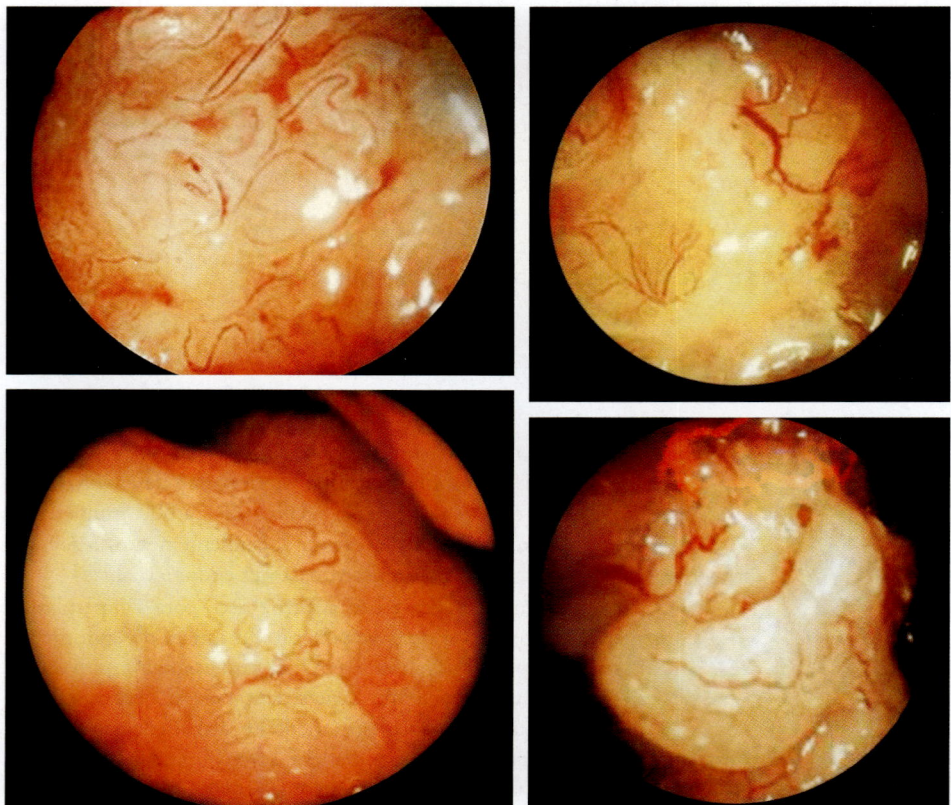

◀ **FIGURA 1.** Hiperplasia endometrial em achados vídeo-histeroscópicos.

que 3% das mulheres portadoras de hiperplasia complexa sem atipias e 29% das que apresentavam hiperplasia complexa com atipia evoluíram para neoplasia maligna, concluindo que a presença de alterações arquiteturais deve identificar um subgrupo com maior risco de evolução para o câncer.[5]

CLASSIFICAÇÃO

A terminologia adotada pela Organização Mundial de Saúde (OMS) é baseada em dois fatores: no padrão arquitetural glandular/estromal, simples ou complexo e na presença ou ausência de atipia nuclear.[20] Ela descreve a hiperplasia endometrial e seu potencial pré-maligno em duas categorias distintas: a hiperplasia típica e a atípica, sendo subdivididas em simples e complexa, esta última também sendo chamada de adenomatosa.

Os termos simples e complexa relacionam-se ao grau de desarranjo arquitetural, enquanto atipia denota alteração citológica e constitui-se no achado histopatológico mais importante na predição de risco para carcinoma de endométrio.[21] Mulheres com hiperplasia atípica são mais raras, porém é o tipo com mais chances de evoluir para carcinoma endometrial tipo I em 97% dos casos.[22]

Hiperplasia simples

Na hiperplasia simples sem atipias as glândulas estão dilatadas, com evaginação ocasional, às vezes, com a presença de mitoses, mas a estrutura básica endometrial está preservada. É a hiperplasia com o menor potencial para progressão maligna.

A hiperplasia simples com atipias é caracterizada por glândulas delineadas por células atípicas, aumentadas em seu volume e separadas por quantidade significativa de estroma normal. É o tipo que menos responde à terapia com progesterona. O termo hiperplasia cística tem sido utilizado para descrever a dilatação de glândulas endometriais que frequentemente ocorre em um endométrio hiperplásico em uma mulher na menopausa ou na pós-menopausa.

Hiperplasia complexa sem atipia

Consiste em glândulas endometriais que estão dilatadas, podem estar aumentadas em seu volume individualmente, com lúmen evaginado; as mitoses podem ou não estar presentes. A estrutura endometrial apresenta-se alterada (Fig. 1). As glândulas têm um padrão bastante complexo, além de um estroma endometrial escasso. Na terminologia tradicional, existe uma variante de hiperplasia adenomatosa com graus moderados a severos de atipia arquitetural, porém sem atipia citológica. Esse tipo de hiperplasia tem um baixo potencial de transformação maligna.

Hiperplasia complexa com atipias

Neste tipo de hiperplasia encontramos glândulas com alto grau de desarranjo arquitetural. Há um aumento na relação núcleo/citoplasma, com irregularidade no tamanho e na forma do núcleo. Hiperplasia complexa atípica tem um potencial maligno maior, podendo evoluir para o câncer do endométrio em até 4 anos (Fig. 2).[20,23]

Sobre o Sistema de Classificação Alternativo, muitos patologistas utilizam a classificação da Organização Mundial da Saúde (OMS) para a interpretação da hiperplasia endometrial. Apesar das tentativas de criar uma classificação prognóstica utilizando a arquitetura glandular/estromal e a presença ou ausência de células atípicas, existe uma importante variação entre patologistas revisando os mesmos casos.[21] Kendall *et al.*, em um estudo prospectivo observaram uma subestimação ou superestimação no diagnóstico de hiperplasia complexa atípica de patologistas trabalhando em uma mesma instituição.[24-26] A distinção entre hiperplasia simples e complexa e, principalmente, a diferenciação entre carcinoma bem diferenciado de hiperplasia complexa atípica ainda é complicada. Neste estudo foram encontrados 69% de concordância entre os patologistas para o diagnóstico de endométrio proliferativo, hiperplasia sem atipia, hiperplasia atípica e carcinoma endometrioide bem diferenciado. O diagnóstico de hiperplasia atípica apresentou apenas 47% de concordância. Trabalhos europeus, como de Bergeron *et al.*, recomendam a simplificação do sistema de classificação agrupando a hiperplasia simples e a complexa em um

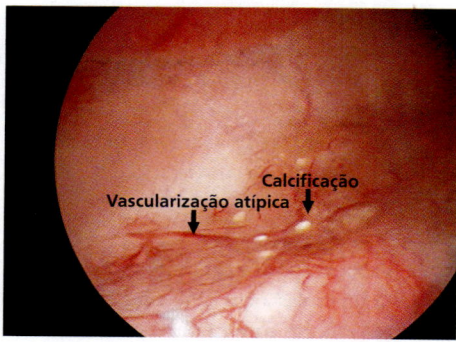

◀ **FIGURA 2.** Hiperplasia de endométrio com atipias localizadas na face posterior do útero, onde se observam áreas de vascularização grosseira e calcificações.

grupo chamado de hiperplasia endometrial, e a hiperplasia atípica complexa e o adenocarcinoma bem diferenciado no grupo das neoplasias endometriais. Esse sistema aumenta a concordância da amostragem endometrial e do espécime de histerectomia.[27,28]

Existe uma nova classificação, elaborada pelo *Endometrial Collaborative Group* que define os três seguintes grupos: hiperplasia endometrial (HE), neoplasia intraepitelial endometrial (NIE), e adenocarcinoma.[29] A hiperplasia endometrial deve ser diferenciada das alterações observadas com a anovulação e a neoplasia das lesões pré-malignas. Esta terminologia mais atual traz uniformidade ao diagnóstico e tratamento e simplifica a comunicação entre patologistas e clínicos. Esta nova classificação baseia-se na histopatologia, relacionando o volume estromal ao volume tecidual total (estroma + epitélio + lúmen glandular). O D-Score (DS) é calculado através da complexidade arquitetural, medidas do volume glandular e atipia citológica: DS ≥ 1 ou volume percentual do estroma (VPE) ≥ 55% = NIE; DS < 1 ou VPE < 55% aponta para NIE.[30-32] Dietel realizou um estudo comparando esta nova classificação com a classificação adotada pela OMS. Amostras classificadas como não NIE apresentaram um risco de progressão de 0,6%, enquanto nas classificadas como NIE o risco foi de 19%. Ele concluiu então que a nova classificação apresentou maior acurácia na avaliação de progressão da hiperplasia para carcinoma.[33]

REFERÊNCIAS BIBLIOGRÁFICAS

1. Reed SD, Newton KM, Clinton WL *et al.* Incidence of endometrial hyperplasia. *Am J Obstet Gynecol* 2009;200:678.el-6.
2. Furness S, Roberts H, Marjoribanks J *et al.* Hormone therapy in postmenopausal women and risk of endometrial hyperplasia. *Cochrane Database Syst Rev* 2009 Apr. 15;(2):CD 000402.
3. Kurman RJ, Norris HJ. Endometrial hyperplasia and related cellular changes. In: Kurman RJ. (Ed) Blaustein's pathology of the female genital tract. 4th ed. New York: Springer Verlag; 1994. p. 441.
4. Epplein M, Reed SD, Voigt LF *et al.* Risk of complex and atypical endometrial hyperplasia in relation to anthropometric measures and reproductive history. *Am J Epidemiol* 2008;168:563-70.
5. Kurman RJ, Kaminski PF, Norris HJ. The behavior of endometrial hyperplasia. A long term study of "untreated" hyperplasia in 170 patients. *Cancer* 1985 July 15;56(2):403-12.
6. Scheen AJ, Gaspard U. Femoston Low (0.5 mg estradiol plus 2.5 mg dydrogesterone) for menopausal hormonal replacement therapy. *Rev Med Liege* 2011 Apr.;66(4);209-14.
7. Mueck AO, Seeger H, Rabe T. Hormonal contraception and risk of endometrial cancer: a systematic review. Department of Endocrinology and Menopause, Centre for Women's Health BW, University Women's Hospital, Calwer Strasse 7, D. 72076.
8. Grimes DA, Economy KE. Primary prevention of gynaecologic cancers. *Am J Obstet Gynecol* 1995 Jan.;172(1 Pt 1):227-35.
9. Potischman N, Swanson CA, Siiteri P *et al.* Reversal of relation between body mass and endogenous estrogen concentrations with menopausal status. *J Natl Cancer Inst* 1996;88(11):756.
10. Moore MA, Park CB, Tsuda H. Implications of the hyperinsulinemia-diabetes-cancer link for preventive efforts. *Eur J Cancer. Prev* 1998;7(2):89-107.
11. Anderson KE, Anderson E, Mink PJ *et al.* Diabetes and and endometrial cancer in the Iowa women's health study. *Cancer Epidemiol Biomarkers Prev* 2001;10(6):611-16.
12. Al-Jarrah M, Matalka I, Aseri HA *et al.* Exercise training prevents endometrial hyperplasia and biomarkers for endometrial cancer in rat model of type 1 diabetes. Department of Allied Medical Sciences, Faculty of Applied Medical Sciences, Jordan. University of Science and Technology, Jordan. *J Clin Med Res* 2010 Oct. 11;2(5):207-14.
13. Ferenczy A, Gelfand M, Tzipris F. The cytodynamics of endometrial hyperplasia and carcinoma. A review. *Ann Pathol* 1983;3:189-91.
14. Pennant S, Manek S, Kehoe S. Endometrial atypical hyperplasia and subsequent diagnosis of endometrial cancer: a Gynecology Oncology Group Study. *J Obstet Gynaecol* 2008 Aug.;28(6):632-33.
15. Guerra F, Kurelac I, Cormio A *et al.* Placing mitochondrial DNA mutations within the progression model of type I endometrial carcinoma. *Hum Mol Genet* 2011 June 15;20(12):2394-405.
16. Kohler MF, Nishii H, Humprey PA *et al.* Mutation of the p53 tumor. suppressor gene is not a feature of endometrial hyperplasias. *Am J Obstet Gynecol* 1993;169(3):690.
17. Tashiro H, Isacson C, Levine R *et al.* p53 gene mutation are common in uterine serous carcinoma and occur early in their pathogenesis. *Am J Pathol* 1997;150(1):177.
18. Mutter GL, Lin MC, Fitzgerald JT *et al.* Altered PTEN expression as a diagnostic marker for the earliest endometrial precancers. *J Natl Cancer Inst* 2000;92(11):924.
19. Miller C, Bidus MA, Pulcini JP *et al.* The ability of endometrial biopsies with atypical complex hyperplasia to guide surgical management. *Am J Obstet Gynecol* 2008;199:69.el-4.
20. Kurman RJ, Norris HJ.Endometrial hyperplasia and related cellular changes. In: Kurman RJ. (Ed.). Blaustein's pathology of the female genital tract. 4th ed. New York: Springer Verlag; 1994. p. 411-37.
21. Zaino RJ, Kauderer J, Trimble CL *et al.* Reproducibility of the diagnosis of atypical endometrial hyperplasia: a Gynecologic Oncology Group study. *Cancer* 2006;106:804.
22. Reed SD, Newton KM, Garcia RL *et al.* Complex hyperplasia with or without atypia: clinical outcomes and implications of progestin therapy. *Obstet Gynecol* 2010 Aug.;116(2 Pt 1):365-73.
23. Munro MG, Critchley HO, Fraser IS. The FIGO Menstrual Disorders Working Group. Department of Obstetrics and Gynecology. In: David Geffen School of Medicine at UCLA and Kaiser Permanente, Los Angeles Medical Center, Los Angeles, California. *Fertil Steril.* 2011 June;95(7):2204-8.e3. Epub 2011 Apr. 15.
24. Kendall BS, Ronnett BM, Isacson C *et al.* Reproducibility of the diagnosis of endometrial hyperplasia, atypical hyperplasia, and well. differentiated carcinoma. *Am J Surg Pathol* 1998;22:1012.
25. Skov BG, Broholm H, Engel U *et al.* Comparison of the reproducibility of the WHO classifications of 1975 and 1994 of endometrial hyperplasia. *Int J Gynecol Pathol* 1997;16(1):33.
26. Baak JP, Mutter GL, Robboy S *et al.* The molecular genetics and morphometry based endometrial intraepithelial neoplasia classification system predicts disease progression in endometrial hyperplasia more accurately than the 1994 World Health Organization classification system. *Cancer* 2005;103:2304-12.
27. Bergeron C, Nogales FF, Masseroli M *et al.* A multicentric European study testing the reproducibility of the WHO classification of endometrial hyperplasia with a proposal of a simplified working classification for biopsy and curettage specimens. *Am J Surg Pathol* 1999;23:1102.
28. Fox H, Buckley CH. The endometrial hyperplasias and their relationship to endometrial neoplasia. *Histopathology.* 1982;6:493.
29. Mills AM, Longracre TA. Endometrial hyperplasia. *Semin Diagn Pathol* 2010 Nov.;27(4):199-214.
30. Mutter GL. Endometrial intraepithelial neoplasia (EIN): will it bring order to chaos? The Endometrial Collaborative Group. *Gynecol Oncol* 2000;76:287.
31. Lacey Jr JV, Mutter GL, Nucci MR *et al.* Risk of subsequent endometrial carcinoma associated with endometrial intraepithelial neoplasia classification of endometrial biopsies. *Cancer* 2008 Oct. 15;113(8):2073-81.
32. Baak JP, Orbo A, van Diest PJ *et al.*Prospective multicenter evaluation of the morphometric D. score for prediction of the outcome of endometrial hyperplasias. *Am J Surg Pathol* 2001;25:930.
33. Dietel M. The histological diagnosis of endometrial hyperplasia.Is there a need to simplify? *Virchows Arch* 2001;439:604-31.

CAPÍTULO 152

HPV e Carcinogênese

Joana Fróes Bragança Bastos ■ Juliana Yoko Yoneda ■ Kátia Píton Serra

INTRODUÇÃO

O primeiro a relacionar o câncer cervical à atividade sexual foi Rigoni-Stern, em 1842. Ao revisar atestados de óbito de mulheres entre 1760 a 1839, em Verona-Itália, percebeu uma alta frequência de câncer de colo uterino entre mulheres casadas, viúvas e prostitutas e rara ocorrência entre virgens e freiras.[1] Durante o século XIX, com o advento da bacteriologia, vários autores também relacionaram o câncer de colo à transmissão sexual, porém, sem conhecer seu agente causal.[2] Foi apenas no final da década de 1960, com a evolução da tecnologia, que apareceu o primeiro vírus suspeito de causar câncer cervical: o *Herpes simplex 2* (HSV 2),[3-5] porém essa hipótese não foi confirmada posteriormente.

Entre as décadas de 1920 e 1930 foi postulada origem viral para as verrugas genitais e começaram os estudos sobre seu potencial carcinogênico. Na segunda metade da década de 1960 e anos 1970 os papilomavírus humanos (HPV) foram isolados nas verrugas cutâneas e genitais e classificados.[2] Durst *et al.*, 1983[6] e Boshart *et al.*, 1984[7] isolaram e classificaram pela primeira vez, em biópsias de câncer de colo uterino, respectivamente, os HPV 16 e 18. Nas décadas subsequentes os estudos voltaram-se para o conhecimento da carcinogênese do HPV.[2] Hoje esta relação está bem estabelecida e a carcinogênese em grande parte elucidada, sendo a infecção persistente pelo HPV de alto risco oncogênico considerada causa necessária para o desenvolvimento do câncer de colo uterino. Entretanto, esta infecção, isoladamente, está longe de ser o único fator relevante para o aparecimento deste câncer.

O risco de uma mulher sexualmente ativa entrar em contato com o vírus HPV ao longo de sua vida é de aproximadamente 80%, porém a maioria das infecções, mesmo as associadas ao HPV de alto risco oncogênico, é transiente, não evoluindo sequer para lesões morfológicas no colo uterino. Na realidade, o câncer de colo é uma complicação rara desta infecção, pois requer condições específicas e eventos epigenéticos adicionais para seu aparecimento.[8]

A elucidação da causa da heterogeneidade do comportamento destas infecções: por que algumas tendem a persistir levando a lesões e ao câncer e outras são eliminadas, ainda não é completamente esclarecida, porém as variações desta capacidade estão estreitamente relacionadas à resposta imune individual. O conhecimento do processo de carcinogênese, nos dias de hoje, é fator indispensável para a aplicação prática dos avanços trazidos por pesquisas nesta área, como o desenvolvimento de novos métodos de rastreamento e a vacina contra o HPV.

ESTRUTURA DO PAPILLOMAVÍRUS HUMANO

Os HPV são vírus pertencentes à família *Papillomaviridae*, que representa um grupo heterogêneo, sendo descritos aproximadamente 120 tipos, dos quais mais de 40 infectam a região anogenital. Alguns dos HPV estão associados às lesões benignas, como verrugas e condilomas, classificados como de baixo risco oncogênico, HPV 6, 11, 13, 42, 43 e 44. Outros, como os HPV 16, 18, 31, 33, 35, 45, 52 e 58, são denominados HPV de alto risco oncogênico, por estarem associados a lesões intraepiteliais de alto grau e carcinoma do colo do útero.[9,10]

A definição dos genótipos de HPV era baseada na comparação de DNA viral com um conjunto de genomas referência dos diferentes tipos já caracterizados por ensaios de hibridização, agora esta definição é determinada pela quantidade de variações nucleotídicas. Variações no gene L1 menores que 2% são consideradas variantes do mesmo tipo de HPV, entre 2 e 10% são subtipos e maiores que 10% são consideradas novos tipos de HPV. Os diferentes tipos foram agrupados em uma árvore filogenética, com base na sequência nucleotídica do gene L1 e os grandes ramos considerados gênero, identificados por letras gregas. Os HPV que infectam a região anogenital são essencialmente do gênero denominado alfapapilomavírus.

Os HPV constituem-se de um capsídeo não envelopado de aproximadamente 50 nm de diâmetro, que engloba uma molécula de DNA dupla fita e circular, de aproximadamente 8.000 pares de base (pb). O DNA viral está associado a proteínas semelhantes a histonas. O genoma viral está dividido em três regiões: regulatória (LCR – *long control region*), precoce (*early*) e tardia (*late*). A região LCR se encontra entre os genes L1 e E6, em um segmento de aproximadamente 1.000 pb, onde não existe uma ORF (*Open Reading Frame*/fase aberta de leitura) de tamanho detectável. Nessa região ligam-se os fatores de transcrição celulares e virais que regulam a transcrição e replicação do vírus (Fig. 1).

As regiões precoce e tardia são divididas em genes. Sete ou oito genes estão na região precoce e dois na região tardia. Os genes da região precoce são numerados de E1 a E8, acumulando função de controle da replicação e transcrição do DNA (E1, E2) e transformação celular (E5, E6, E7). Os genes L1 e L2, da região tardia, codificam as proteínas principal e secundária do capsídeo viral. A proteína L1 é a mais abundante, contribuindo com aproximadamente 80% das proteínas virais, possui epítopos (menor parte de um antígeno capaz de estimular resposta imunológica se ligando ao anticorpo) tipo-específicos, sendo altamente imunogênica. A proteína L2 é menos abundante, mas tem papel importante na incorporação do DNA viral dentro do vírion, por meio da adição gradual de proteínas do capsídeo ao redor do genoma do papilomavírus.[11,12]

CARCINOGÊNESE

Diferentemente dos demais vírus, o HPV necessita de células capazes de se proliferar para completar seu ciclo celular, infectando células das camadas basais dos epitélios.[13] Esta infecção se dá por microlesões epiteliais que permitem acesso das partículas virais à camada basal. As células infectadas, ao se proliferarem, expandem-se para as laterais e para as camadas superficiais do tecido e, ao mesmo tempo, sofrem alterações no genoma que permitem sua transformação e imortalização das células malignas. Durante esse processo o DNA viral latente na célula hospedeira inicia replicação e sintetiza proteínas estruturais virais. Assim, quando a célula infectada atinge o ápice do epitélio, as partículas virais agrupam-se e são liberadas do epitélio, podendo infectar outros tecidos ou serem transmitidas a outros hospedeiros.[14]

O DNA circular viral possui genes capazes de estimular a proliferação celular: E5, E6 e E7, que sintetizam proteínas com o mesmo nome, responsáveis pela ação na carcinogênese viral atuando em duas etapas distintas do ciclo celular: regulação da entrada da célula em apoptose e controle da passagem da fase G1 para S.

É provável que a diferença do potencial oncogênico dos diversos tipos virais esteja ligada, pelo menos em parte, à expressão destes oncogenes, sendo considerada imperativa para iniciar e manter o fenótipo maligno celular.[15,16] Estas proteínas atuam através de mecanismos individuais, mas sua ação na imortalização das células malignas é potencializada quando atuam em conjunto,[14] sendo a expressão de E6/E7 mais pronunciada nos carcinomas cervicais *in situ* e invasivos em relação às lesões de baixo grau.[15]

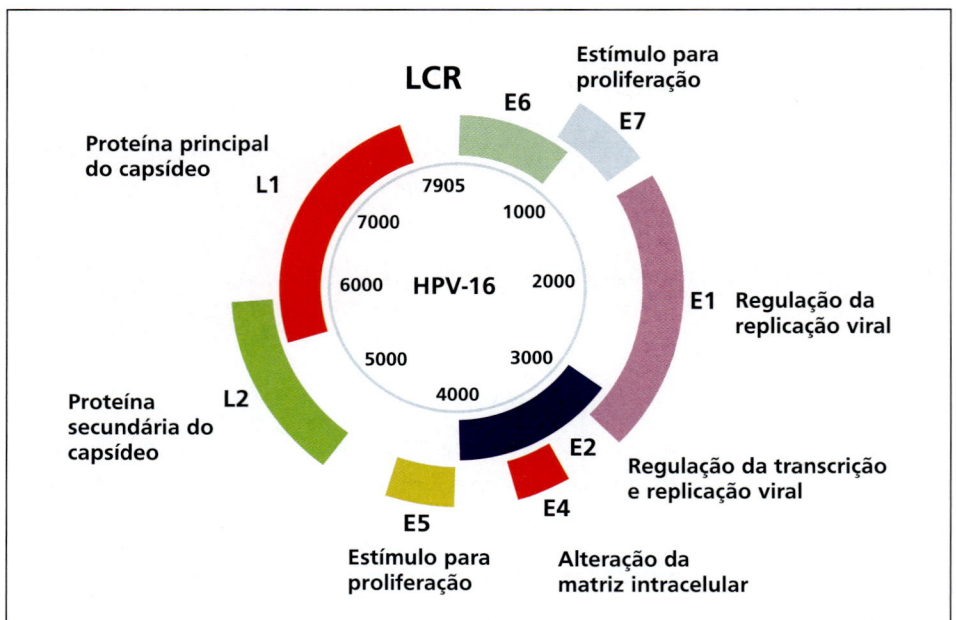

◀ **FIGURA 1.** Mapa do genoma HPV 16. E = região precoce (*early*); L = tardia (*late*); LCR = regulatória (*long control region*) ou região regulatória.

O oncogene E6 de HPV liga-se à fosfoproteína nuclear p53, que é codificada pelo gene localizado no cromossoma 17p, tendo atividade na supressão tumoral. Mutações neste gene têm sido descritas em uma grande variedade de carcinomas de diferentes órgãos, como mama, pulmão, fígado, cólon e pele, sendo sua expressão relacionada a um pior prognóstico nos tumores de mama e pulmão.[17,18] A expressão do p53 na evolução do carcinoma cervical tem sido muito estudada, assim como sua associação a outros fatores carcinogênicos como o HPV, sendo Scheffner *et al*.[19] em 1991 os pioneiros em demonstrar a ligação do oncogene E6 do HPV 16 e18 à proteína p53.

O oncogene E6 atua ligando-se à proteína p53, degradando-a. A p53 é fosforilada, tornando-se ativa, em situações onde há dano ao DNA. A p53 ativada atua como fator de transcrição para a proteína inibidora de ciclinas dependentes de quinase 1A, também chamada p21, responsável pela inativação das ciclinas envolvidas na replicação do DNA e proliferação celular. A p53 fosforilada atua ativando outras enzimas que conduzem ao processo de morte celular programada, ou apoptose. Desta forma, o oncogene viral E6, ao ligar-se e degradar p53, impede a transcrição de p21, que inibiria a passagem da célula de G1 para S, ao mesmo tempo em que impede a morte de células com DNA alterado.[20] A ação deste oncogene também está relacionada à degradação da proteína pró-apoptótica BAK, resultando em resistência à apoptose e aumento da instabilidade genômica da célula.

Outro passo importante para a perda da regulação do ciclo celular é a ação do oncogene viral E7, que se liga ao gene do retinoblastoma, ou proteína do retinoblastoma (pRb), inativando-a. A pRb, codificada no gene 9p21, tem papel fundamental na manutenção da célula em G1, exercendo sua função por formar complexos estáveis com o fator de transcrição E2F. O E2F, quando livre, ativa diversas quinases dependentes de ciclinas, desencadeando o processo de replicação do DNA. A pRb também atua sobre o inibidor de ciclina dependente de quinase (CDK) 2 A, chamado abreviadamente de p16^{INK4a}, e sobre o inibidor de ciclina dependente de quinase 1B, ou p27, os quais são importantes moduladores da parada do ciclo celular em G1. O p16^{INK4a} é parte integral da via do pRb, atuando conjuntamente com este no bloqueio do ciclo celular por inativação das CDK. Sabe-se que o p16^{INK4a} e o p27 não podem exercer suas funções na ausência de pRb, liberando a célula para a replicação.

Em síntese, o oncogene viral E7 atua reduzindo as concentrações de pRb e, por conseguinte, alterando a expressão do p16^{INK4a} e do p27, acarretando o aumento de concentração de ciclinas A e E dependentes de quinases que, em pleno funcionamento, permitem a entrada e manutenção da célula na fase S.[20] Também induz amplificação dos centríolos, induzindo aneuploidia.[2] A inativação de pRB estimula positivamente a ação de p16^{INK4}, porém promove a inativação da mesma.[2] A E7 expressa pelos HPV de alto risco favorece a integração do DNA viral ao da célula hospedeira, aumenta as mutações e favorece a mutagenicidade causada pelos agentes químicos carcinogênicos.[21]

A ação sinérgica de E6/E7 na imortalização celular se dá à medida que E6 previne apoptose induzida por E7 através da inativação de p53 e BAK. Em contrapartida, E7 resgata a inibição de E6 pela p16^{INK4} através da ativação das ciclinas A e E, que estimulam a proliferação celular.[21]

A proteína E5 parece estar relacionada aos eventos iniciais na carcinogênese, ao estimular o crescimento celular pela formação de complexos com o receptor do fator de crescimento epidérmico (EGFR), o receptor do fator de crescimento B derivado de plaquetas e o receptor do fator estimulador de colônias 1.[22] Também parece atuar na prevenção da apoptose,[23] porém, durante a progressão da célula infectada para câncer cervical, parte do genoma viral é deletada, incluindo a região E5. Portanto, essa região não está relacionada aos eventos tardios que levam à transformação maligna e à imortalização das células cancerosas.[14,24]

■ RESPOSTA DO HOSPEDEIRO À INFECÇÃO PELO HPV

O sistema imunológico exerce importante função no controle da infecção pelo HPV. Após a infecção viral em pacientes imunocompetentes, o sistema imunológico é capaz de promover o clareamento viral na maioria das mulheres em um período de 6 a 12 meses. Mesmo os HPV de alto risco proporcionam progressão para câncer cervical em pequena porcentagem de mulheres infectadas.[14]

O primeiro passo na tentativa de conter a infecção pelo HPV se dá pela resposta imunológica através da imunidade humoral e celular, através da produção de anticorpos contra os antígenos virais. Nessa fase, o principal meio de escape viral é a modificação na apresentação de antígenos por alteração do sistema HLA classe I, responsável pela manutenção da infecção por mais de 2 anos.[14]

Não só o sistema imunológico atua no controle da infecção. Há mecanismos intracelulares de controle de transcrição das oncoproteínas virais e de sua função, como citado anteriormente. Esse mecanismo se dá pela ação dos inibidores de ciclina-dependente-quinase p16^{INK4} e p14^{ARF}. Esse efeito inibitório é contornado pela ação sinérgica das oncoproteínas virais E6 e E7. Ao superar esse segundo passo da cascata regulatória, clinicamente se manifestam as lesões intraepiteliais de baixo grau, ou LSIL (*low grade squamous intraepithelial lesions*).[21]

O terceiro passo no controle dos danos causados pelo HPV ocorre através do controle parácrino. Aqui atuam citocinas específicas e fator de necrose tumoral alfa proveniente de macrófagos ativados. Esses mecanismos suprimem a maior parte da transcrição viral. Porém, quando os vírus escapam a esse mecanismo, estão em uma fase de alta expressão de oncoproteínas. Clinicamente correspondem às lesões intraepiteliais de alto grau LIAG, ou HSIL (*high grade squamous intraepithelial lesions*) e carcinoma *in situ*. A partir dessa fase, através de outras modificações genômicas causadas pelo vírus, a célula hospedeira progride para carcinoma invasivo (Fig. 2).[21]

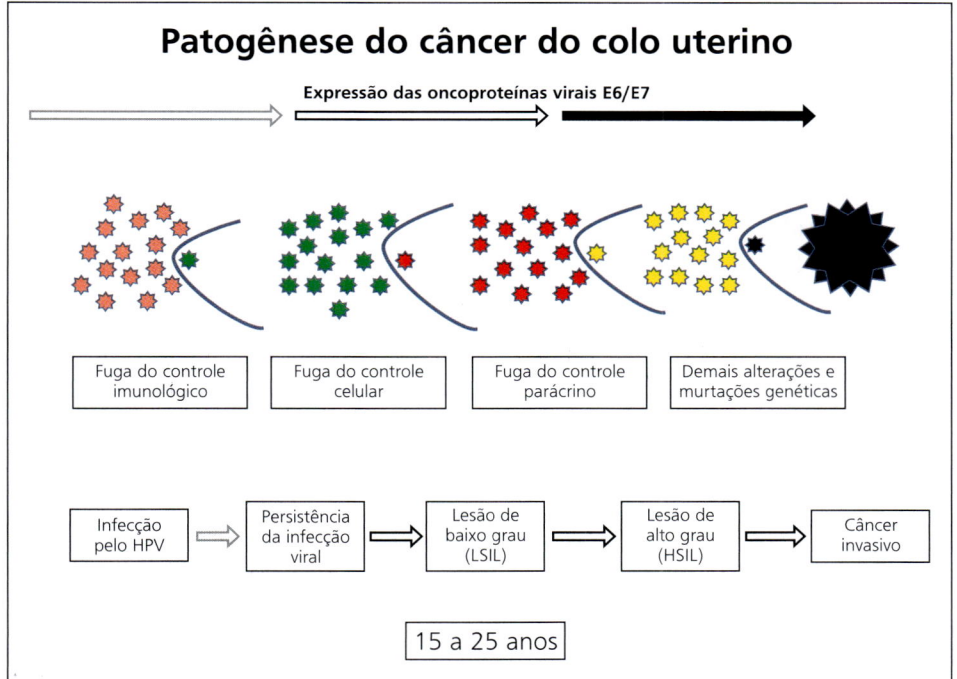

◄ **FIGURA 2.** Desenvolvimento do câncer de colo uterino após a infecção pelo HPV.

FATORES DE RISCO

Os fatores de risco para o desenvolvimento do câncer de colo uterino podem ser dependentes ou não dependentes do vírus HPV. Os fatores virais mais importantes são ser HPV de alto risco[25] e o tipo do HPV de alto risco. O mais frequente e importante é o HPV 16[26], seguido pelo HPV 18.[21,27]

Entre os fatores de risco não relacionados ao HPV, tabagismo, multiparidade, uso de contraceptivos orais, multiplicidade de parceiros sexuais, infecções genitais, agentes mutagênicos, imunossupressão e predisposição genética são os mais significativos.[21,27] Entretanto, os mecanismos de atuação de todos estes fatores na carcinogênese ainda não estão totalmente elucidados.

É importante ressaltar que os fatores hormonais (estrógeno e seus derivados) ativam o HPV, atuam como promotores da carcinogênese e facilitam imortalização das células infectadas.[14] Os agentes mutagênicos auxiliam na manutenção do DNA viral, potencializam a progressão através da modificação das cascatas que controlam a persistência do HPV ou aumentam a expressão das oncoproteínas virais.[14]

Pesquisas recentes sobre a carcinogênese do HPV vêm sendo conduzidas globalmente, com resultados promissores no esclarecimento de pontos ainda não elucidados. Cardeal *et al.*, em 2012, encontraram associação entre a expressão de metaloproteinases e E6/E7.[28] De Marco *et al.*, em 2012, encontraram associação entre oxidação e progressão neoplásica em células infectadas pelo HPV 16[29]. Leonard *et al.*,[30] em 2012, encontraram associação entre fenômenos epigenéticos como metilação na carcinogênese do HPV 16 e do HPV 18. Embora apresentando grandes avanços, a pesquisa da carcinogênese do HPV é um desafio da ciência atual, trazendo conhecimentos originais não só para a prevenção e o tratamento do câncer de colo uterino, como também para diversas áreas da oncologia.

VACINA CONTRA HPV

As estimativas mundiais presumem que aproximadamente 20% dos indivíduos normais estão infectados pelo papilomavírus humano (HPV), e que mundialmente, a cada ano, ocorrem 500 mil casos novos de câncer de colo, sendo 80% desses casos em países em desenvolvimento. No Brasil, em 2012 esperam-se 17.540 casos novos, configurando-se a quarta causa de morte por câncer na população feminina, com mortalidade anual de aproximadamente cinco mil mulheres.[31]

O programa atual de rastreamento baseado na citologia, pela avaliação morfológica dos esfregaços cervicais estabelecido por G. Papanicolaou, reduziu a incidência e mortalidade por câncer de colo nos países onde os programas de rastreamento foram bem estabelecidos, permitindo o diagnóstico precoce e o tratamento das lesões precursoras, porém ainda persiste uma série de obstáculos.

A dificuldade dos países em desenvolvimento de estabelecer programas de rastreamento efetivos contribui para as altas taxas de incidência do câncer de colo.[32] Mais de 80% dos casos ocorrem nesses países, onde não há recursos necessários para prevenção. Mesmo nos países desenvolvidos, com ampla taxa de cobertura por programas de rastreamento, o câncer de colo é responsável por 15% das neoplasias malignas em mulheres.[33] No Brasil, estima-se que apenas 15% das mulheres estejam inseridas em um programa efetivo de rastreamento.

O reconhecimento da necessidade de infecção persistente pelo HPV de alto risco como causa necessária para o desenvolvimento de lesões precursoras e do câncer de colo de útero,[34] somado ao conhecimento sobre o ciclo de vida do HPV e sobre a resposta imunológica do hospedeiro impulsionaram as pesquisas para o desenvolvimento das vacinas profiláticas para a prevenção primária do câncer de colo de útero.[35]

Princípio das vacinas

Existem dois tipos de vacinas contra o papilomavírus humano: as profiláticas e as terapêuticas. No primeiro grupo, objetiva-se impedir a infecção e no segundo grupo, tratar o indivíduo já infectado ou mesmo portador de lesão precursora. A diferença fundamental entre elas está na proteína utilizada para imunização: a proteína principal do capsídeo viral (L1) é o alvo das vacinas profiláticas, visto que com a vacinação deveria ocorrer resposta imune capaz de impedir a entrada do vírus na célula. Já nas vacinas terapêuticas, o objetivo é eliminar as células infectadas e/ou alteradas pelo vírus, devendo ocorrer respostas contra as principais proteínas oncogênicas do HPV, E6 e E7.[36]

A descoberta de que a proteína HPV L1 com ou sem a proteína HPV L2 poderia gerar partículas semelhantes a vírus ou VLP (*vírus like particles*) foi o passo principal no desenvolvimento e na aplicação clínica das vacinas profiláticas contra o HPV. Essas partículas mantêm os epítopos conformacionais contra os quais são disparadas respostas imunes específicas e eficientes em neutralizar os víreons, impedindo a sua entrada na célula, com alta segurança por não conter o DNA viral.

Também é possível sintetizar VLP de L1/L2 e de uma das proteínas precoces internas à estrutura do capsídeo viral, as VLP quiméricas. Esses antígenos vacinais poderiam ser utilizados tanto na profilaxia como no tratamento das lesões, sendo testados em modelos experimentais com comprovada eficácia terapêutica. Alguns grupos propuseram seu uso em humanos com intuito terapêutico,[37] porém até o momento não foram encontrados resultados promissores.

Mecanismo de ação das vacinas:

As VLP são geometricamente e antigenicamente idênticas aos HPV nativos, porém não causam infecção por não conterem DNA viral.

Uma vez introduzidas no músculo, as vacinas VLP geram altos níveis de anticorpos anti HPV-L1 imunoglobulina G (IgG).[38] Acredita-se que os anticorpos IgG neutralizantes se desloquem para a superfície epitelial da região anogenital por difusão ou microtrauma, protegendo as células epiteliais de infecções dos tipos de HPV incluídos na vacina.

A proteção é em princípio tipo-específica, porém podem ocorrer reações cruzadas, pois os tipos de HPV filogeneticamente relacionados compartilham epítopos neutralizantes.[39] As vacinas contra HPV induzem memória imunológica, provavelmente mantendo a imunidade em longo prazo, mesmo quando os altos títulos de anticorpos IgG já declinaram.

Três vacinas profiláticas com VLP-HPV foram clinicamente avaliadas até a presente data, incluindo a vacina monovalente contra HPV 16 L1 VLP (Merck Research Laboratories, West Point, PA, USA), a bivalente HPV 16/18 L1 VLP (Cervarix ™; GlaxoSmithKline Biologicals, Rixensart, Belgium) e a quadrivalente HPV 6/11/16/18 L1 VLP (GARDASIL®; Merck, Whitehouse Sation, NJ, USA, comercializada na Europa por Sanofi Pasteur, MSD), sendo apenas as duas últimas comercializadas atualmente.

A vacina bivalente foi licenciada pela EMEA (*European Medicines and Evaluation Agency*) e pela FDA Americana (*Federal Drug Admnistration*) para uso em mulheres de 9 a 25 anos e a vacina quadrivalente aprovada pelos dois órgãos para uso em homens e mulheres de 9 a 26 anos, sendo hoje também aprovada em mais de 70 países.

No Brasil, as vacinas bivalente e quadrivalente estão aprovadas para o uso em mulheres de 9 a 26 anos e a quadrivalente aprovada também, em maio de 2011, para o uso em homens de 9 a 26 anos. Entretanto estas vacinas estão disponíveis apenas nas redes privadas e não fazem parte do calendário vacinal do Ministério da Saúde.

As vacinas são administradas por via intramuscular, na dose de 20-40 µg de cada VLP por três vezes em um período de 6 meses (0, 1ou 2, e 6 meses).[40]

Após a aplicação observou-se que a resposta imune (produção de anticorpos) é mais de uma centena de vezes maior do que a desencadeada pela infecção natural, demonstrando eficácia entre 90 a 100% na prevenção de infecções e entre 95 e 100% na prevenção das lesões causadas por esses vírus.

Os ensaios clínicos randomizados (fase III) estão em andamento desde 2002, com dezenas de milhares de voluntários, em diversos países, incluindo o Brasil. Os primeiros resultados publicados foram referentes à vacina quadrivalente, na prevenção de lesão precursora do câncer de colo uterino, com eficácia de quase 100%, para os HPV contidos na vacina, em mulheres naive, isto é, sem exposição anterior aos HPV contidos na vacina (*Future II Study Group*)[41]. Outro ensaio clínico de fase III, foi realizado para avaliar a eficácia da vacina quadrivalente na prevenção de patologias anogenitais associadas à infecção pelos HPV dos tipos incluídos na vacina, sendo observada eficácia de 100% na prevenção de verrugas genitais, neoplasia intraepitelial ou câncer de vulva ou vagina, e na incidência de neoplasia intraepitelial cervical, adenocarcinoma *in situ* ou câncer associados. Além disso, observou-se 34% menos lesões de vulva, vagina e perianais, e 20% menos lesões cervicais, independentemente do tipo de HPV considerado (mesmo os não incluídos na vacina).[42]

Os resultados dos ensaios clínicos duplo-cego, randomizado e controlados por placebo da vacina bivalente demonstraram eficácia de 96,9% na prevenção de infecção incidente, 94,3% na prevenção de infecção persistente em 6 meses e 100% na prevenção de infecção persistente em 12 meses pelos HPV 16 e 18. A análise combinada da eficácia inicial e durante seguimento demonstra efetividade de quase 100% na prevenção de NIC associadas aos tipos de HPV incluídos na vacina.[43]

Um estudo recente sobre a eficácia da vacina bivalente na prevenção de NIC 3 e adenocarcinoma *in situ* demonstrou eficácia de 100% na prevenção de lesão NIC 3 mais relacionada aos HPV 16 e 18 nas pacientes vacinadas sem evidência de infecção prévia por HPV e de 45,7% nas pacientes já sexualmente ativas. Nas pacientes sem evidência de infecção a eficácia da vacina foi maior que 90% em todas as faixas etárias, e nas pacientes já sexualmente ativas, a eficácia foi maior no grupo de 15-17 anos, declinando progressivamente com 18-20 anos e 21-25 anos. A eficácia contra o adenocarcinoma *in situ* foi de 100% nos grupos sem infecção e de 76,9% nas já sexualmente ativas (PATRICIA *trial*).[44]

A duração da imunidade produzida pela vacina é objetivo de estudos, que necessitam de longo seguimento, sendo já bem estabelecida a eficácia por pelo menos 5 anos.[43,45] Recente estudo sobre a vacina bivalente demonstrou eficácia mantida da vacina por período de 8,4 anos.[46]

Mark Eistein *et al.*[47] avaliaram a imunogenicidade das duas vacinas comercializadas. Os resultados apontaram para resultados similares nos testes de ELISA sérico e de IgG da secreção vaginal nas duas vacinas. As respostas mediadas por CD4+ (células T) para HPV 16 e 18 foram maiores na vacina bivalente e a memória imunológica associada a linfócitos B para HPV 18 foi maior na vacina bivalente e para HPV 16 foi semelhante nas duas vacinas. O estudo conclui que a manutenção de maior resposta imunológica poderá estar associada à duração da proteção vacinal.

As vacinas têm potencial de proteção cruzada, como observado nos grupos filogeneticamente semelhantes, que contêm sequências de genes L1 muito similares. Doze HPV oncogênicos pertencentes a dois grupos, especificamente: A7 (HPV 18, 39, 45, 59 E 68) e A9 (16, 31, 33, 35, 52, 58, 67) são candidatos à proteção cruzada.[48] Estudos demonstraram algum grau de proteção cruzada para HPV 33, 31, 45 e 51 na população vacinada. Estudo publicado pelo HPV-010 *Study Group*[49] comparou a imunogenicidade das duas vacinas contra os HPV 31 e 45. Este estudo conclui que a proteção cruzada para os dois sorotipos de HPV ocorre nas duas vacinas de forma similar à exceção da resposta mediada por linfócitos T, que é maior na vacina bivalente.

Apesar das diferenças nas formulações das vacinas e no desenho dos estudos, os resultados indicam que um regime de três doses de qualquer uma delas é seguro e altamente eficiente na prevenção das infecções e lesões causadas por HPV.

Recomendações atuais de vacinação em crianças e adolescentes

No âmbito mundial, a Organização Mundial da Saúde recomenda que a vacinação rotineira contra HPV seja incluída nos programas nacionais de imunização, contanto que a prevenção do câncer colo do útero e de outras doenças relacionadas ao HPV represente uma prioridade em saúde pública; seja factível a introdução da vacinação através do programa nacional de imunização; a sustentabilidade do financiamento possa ser assegurada e a relação custo-efetividade das estratégias de vacinação no país ou região seja considerada.

Segundo a OMS, as vacinas contra HPV devem ser introduzidas como parte de uma estratégia coordenada para a prevenção do câncer colo do útero e de outras doenças relacionadas ao HPV, e, principalmente, não deve diminuir ou desviar recursos dos programas de rastreamento, pois a continuidade dos mesmos é imprescindível.[50]

No caso de a vacinação ser implementada, é necessário garantir o monitoramento e registro em longo prazo da cobertura alcançada; dados individuais da população vacinada; vigilância de efeitos adversos; impacto na prevalência de subtipos de HPV, incidência de condilomatose anogenital, anormalidades citológicas, lesões precursoras e câncer invasivo e mortalidade por câncer invasivo.

A discussão sobre a incorporação da vacina contra HPV no Brasil, no âmbito do Ministério da Saúde, até o momento, foi feita em duas etapas, a primeira pelo Grupo de Trabalho constituído pela Portaria GM/MS Nº 3.124, de 7 de dezembro de 2006, sob a coordenação executiva do Instituto Nacional de Câncer, cujas principais conclusões e sugestões foram publicadas em 11 de abril de 2007. Em 10 de fevereiro de 2010 o Instituto Nacional de Câncer publicou parecer sobre a vacinação para HPV no Brasil.[51] Foram consideradas as duas vacinas atualmente disponíveis e aprovadas pela ANVISA para uso no Brasil, sendo uma quadrivalente (Gardasil, Merck®)[52] e outra bivalente (Cervarix, Glaxo-Smith-Kline®)[53] com fim de prevenção primária para câncer do colo de útero. O parecer conclui ambas as vacinas são profiláticas, isto é, a proteção conferida é maior quando aplicada em mulheres livres da infecção, ou antes do início da vida sexual, e que não há diferença de eficácia entre as duas vacinas em relação à prevenção de lesões intraepiteliais cervicais.

Refere que dificuldades de adesão ao esquema vacinal apontam para efetividade menor do que aquela observada nos ensaios clínicos e que ainda existem lacunas de conhecimento relacionadas à duração da eficácia, à eventual necessidade de dose de reforço e à proteção cruzada. A abrangência da proteção conferida pela vacina é dependente da proporção dos tipos 16 e 18 de HPV prevalentes na população e que não exclui a necessidade do rastreio e causa impacto significativo no custo do sistema de saúde sem correspondente economia para as ações de rastreamento. A redução da prevalência de lesões intraepiteliais cervicais aponta para a necessidade de utilização de testes mais sensíveis e específicos para o rastreio de populações vacinadas e que as desigualdades existentes de acesso ao rastreio poderão ser perpetuadas no acesso às vacinas.

O parecer sugere criar condições para a produção nacional de vacina através do desenvolvimento interno ou pelo processo de transferência de tecnologia para o parque produtor nacional público, com vistas à garantia de autonomia e sustentabilidade da vacinação contra o HPV. O grupo não recomenda a incorporação da vacina contra o HPV, no momento, como política de saúde pública, além de ressaltar que esta recomendação deverá ser revista assim que as medidas sugeridas possam oferecer subsídios suficientes para análise ou a partir de estudos populacionais de grande impacto na ocorrência do câncer do colo do útero.

Vacinação profilática para HPV: perspectivas e desafios

O uso da vacinação profilática para HPV está difundido por todo o mundo, impulsionando novas pesquisas e, ao mesmo tempo, trazendo novos desafios a serem solucionados.

Segundo a OMS, 33 países incorporaram a vacina HPV em seus programas nacionais de imunizações, majoritariamente países desenvolvidos com taxas de cobertura variadas. As maiores taxas são encontradas em países com programas organizados de rastreamento, geralmente baseados em vacinação associada à escola.[54] Nas Américas, o Panamá e o México incluíram a vacinação contra o HPV em seus programas de imunização e Argentina, Guiana, Peru, Suriname já planejam implementar programas nacionais de imunização com a vacina de HPV.

Com uma elevada cobertura da vacina HPV em meninas de 12 a 17 anos, a Austrália já apresenta dados sobre o impacto de seu programa. Em clínicas de atendimento a doenças sexualmente transmissíveis houve uma redução de 77% em verrugas genitais em mulheres com idade contemplada em programas de vacinação, bem como uma diminuição de 44% entre homens heterossexuais da mesma faixa etária não vacinados entre 2007 e 2010. Houve também redução significativa em verrugas genitais de 25% entre homens mais velhos (não elegíveis para vacina) o que pode sugerir uma possível imunidade de rebanho. Análises de tendência dos dados do Registro de Citologia Cervical deste país têm indicado declínio na incidência de lesões de alto grau em mulheres de idade inferior a 18 anos entre 2007 e 2009, mas não há declínios similares em lesões de baixo grau em mulheres mais velhas. Embora esta seja uma análise precoce para confirmar que esta correlação ecológica se deve à vacinação, o declínio substancial observado sugere uma resposta promissora aos programas de vacinação bem organizados.[55]

Embora apresente esperado impacto favorável, a implantação de um sistema eficaz de vacinação para adolescentes tem sido um desafio mundial. A vacina contra HPV é de desenvolvimento recente e ainda não é possível quantificar a duração da proteção vacinal em longo prazo. Com isso, seu uso está indicado em uma faixa etária, 9 a 26 anos, que em sua maioria já completou o calendário vacinal preconizado e tem pequena frequência aos sistemas de saúde, levando a baixa cobertura da população-alvo e da aderência para completar as três doses do esquema vacinal preconizado. Para solucionar este desafio, múltiplos modelos têm sido propostos, com relativo sucesso de programas que incluem vacinação realizada ou associada à escola, que apresenta boa cobertura vacinal em adolescentes.[56] Vale lembrar que a maioria dos dados relativos à eficácia vacinal publicados até agora traduz dados de projetos de pesquisa, onde a população é comprometida com o estudo e seguida rigorosamente, o que não ocorre na aplicação populacional em larga escala.

Outro desafio a ser superado é a reformulação dos programas de rastreamento que incluem a população vacinada com o objetivo de otimizar a utilização de recursos e pela diminuição dos casos de lesões precursoras e câncer. Os métodos de rastreio, faixa etária e intervalo têm sido alvos de inúmeras pesquisas que consideram importantes questões como aderência da população vacinada ao programa, diminuição esperada da sensibilidade do exame de colpocitologia oncológica pelo declínio da incidência das lesões e ainda a heterogeneidade da população-alvo que, por longo período, consistirá em mulheres vacinadas e não vacinadas e, portanto, com riscos diferentes para câncer de colo uterino, demandando esquemas de rastreamento potencialmente diferentes.[56]

O rastreamento primário com pesquisa de DNA-HPV seguido por citologia nos casos alterados com intervalos estendidos para 5 anos é uma das propostas mais relevantes na literatura.[56] Esquemas de rastreamento primário com inspeção visual com ácido acético seguidos de colpocitologia oncológica ou DNA-HPV têm sido cogitados para países em desenvolvimento, com o intuito de aumentar a relação custo-efetividade da implantação de um programa vacinal. Ainda a incorporação de novas tecnologias na triagem da população vacinada, como HPV E6/E7 mRNA, tipagem para HPV, pesquisa de P16 e outros biomarcadores tem sido proposta para aumento da sensibilidade e especificidade do rastreamento, porém em modelos de pesquisa sem aplicação populacional.

Uma importante questão a ser respondida refere-se à proteção cruzada observada em grupos filogeneticamente semelhantes aos HPV 16 e 18, como os HPV 33, 31, 45 e 51, já demonstrada em alguns estudos em populações vacinadas. A associação desta proteção adicional poderá levar a uma mudança favorável na diminuição de incidência e prevalência de câncer de colo uterino e lesões precursoras, porém esta perspectiva ainda demanda estudos sobre o perfil de proteção encontrado nas populações vacinadas.

Novos estudos têm sido conduzidos com o objetivo de elucidar a quantidade de doses eficaz para proteção vacinal. Krajden *et al.* publicaram estudo demonstrando níveis de anticorpos semelhantes para HPV 16 e 18, após 1 mês de vacinação, em meninas de 9 a 13 anos que receberam duas ou três doses da vacina tetravalente.[57] Entretanto, estes dados são preliminares e não configuram uma mudança no modelo vacinal. A OMS conduz estudo prospectivo na Índia incluindo 20.000 meninas de 10 a 18 anos randomizadas para receber duas ou três doses de vacina tetravalente. Serão avaliadas eficácia, aceitabilidade e segurança dos dois esquemas vacinais com seguimento por 5 anos, com possível extensão para 20 anos.[58] Este estudo proverá dados robustos em relação à possível mudança do esquema vacinal para duas doses, gerando melhora da relação custo-efetividade e aceitabilidade dos programas de vacinação.

CONSIDERAÇÕES FINAIS

O impacto da vacina profilática contra HPV na redução do risco de câncer de colo de útero dependerá de uma gama de fatores, incluindo grau de cobertura vacinal, número e tipos de HPV incluídos na vacina, durabilidade da proteção vacinal e continuação dos programas de rastreamento das lesões precursoras de neoplasia cervical. Mesmo em condições ideais, algumas décadas serão necessárias para que os efeitos substanciais dessa intervenção sejam percebidos na redução das taxas de incidência de lesões precursoras e redução do câncer de colo de útero. Se a imunidade não for persistente, a continuação da redução de risco dependerá da porcentagem da população que terá acesso a uma nova dose da vacina (*booster*) e da eficácia da mesma.

É importante ressaltar que a possibilidade de redução da participação nos programas de rastreamento poderá levar a um aumento da incidência de um câncer potencialmente prevenível.

Esforços contínuos serão necessários para que mulheres já expostas ao HPV, principalmente em áreas pouco desenvolvidas, tenham acesso ao rastreamento, considerando o baixo ou nenhum acesso à vacina.

Embora a vacinação promova a proteção contra os cânceres relacionados aos HPV 16 e 18 em longo prazo, seu potencial imediato está relacionado à redução das citologias alteradas, procedimentos diagnósticos relacionados (incluindo colposcopias e biópsias), verrugas genitais, lesões intraepiteliais de baixo grau, reduzindo assim a carga emocional e os custos do manejo de milhões de indivíduos. Apesar de não diretamente relacionados à redução de câncer, esses benefícios econômicos e emocionais também serão tão importantes quanto à eliminação virtual do câncer cervical.

Os principais objetivos no campo da prevenção do câncer cervical deverão ser, em um futuro próximo, pesquisas em estratégias custo-efetivas de prevenção e rastreamento, seguidas de uma abordagem organizada integrando as prevenções primária e secundária, de acordo com evidências científicas, mas também, adaptados a situações locais, com especial atenção às regiões com a maior incidência do câncer de colo uterino.[54]

REFERÊNCIAS BIBLIOGRÁFICAS

1. Rigoni-Stern D. Fatti statistici relative alle mallatie cancrosi che servirono de base alla poche cose dette dal dott. *Giornale Service Propr Pathol Terap Ser* 1842;2:507-17.
2. zur Hausen H. Papillomaviruses in the causation of human cancers – a brief historical account. *Virology* 2009;384:260-65.
3. Rawls WE, Tompkins WA, Figueroa ME et al. Herpesvirus type 2: association with cancer of the cervix. *Science* 1968;161:1255-56.
4. Naib ZM, Nahmias AJ, Josey WE et al. Genital herpetic infections. Association with cervical dysplasia and carcinoma. *Cancer* 1969;23:940-45.
5. Nahmias AJ, Josey WE, Naib ZM et al. Antibodies to Herpesvirus hominis types 1 and 2 in humans. II. Women with cervical cancer. *Am J Epidemiol* 1970;91:547-52.
6. Dürst M, Gissmann L, Ikenberg H et al. A papillomavirus DNA from a cervical carcinoma and its prevalence in cancer biopsy samples from different geographic regions. *Proc Natl Acad Sci U S A* 1983;80:3812-15.
7. Boshart M, Gissmann L, Ikenberg H et al. A new type of papillomavirus DNA, its presence in genital cancer and in cell lines derived from genital cancer. *EMBO J* 1984;3:1151-57.
8. Snijders PJ, Steenbergen RD, Heideman DA et al. HPV-mediated cervical carcinogenesis: concepts and clinical implications. *J Pathol* 2006 Jan.;208(2):152-64.
9. Lorincz AT, Reid R, Jenson AB et al. Human papillomavirus infection of the cervix: relative risk associations of 15 common anogenital types. *Obstet Gynecol* 1992 Mar.;79(3):328-37.
10. de Sanjose S, Quint WG, Alemany L et al. Retrospective International Survey and HPV Time Trends Study Group. Human papillomavirus genotype attribution in invasive cervical cancer: a retrospective cross-sectional worldwide study. *Lancet Oncol* 2010 Nov.;11(11):1048-56.
11. Villa LL, Costa RL, Petta CA et al. High sustained efficacy of a prophylactic quadrivalent human papillomavirus types 6/11/16/18 L1 virus like particle vaccine through 5 years of follow up. *Br J Cancer* 2006;95(11):1459-66.
12. Schwarz E, Freese UK, Gissmann L et al. Structure and transcription of human papillomavirus type 18 and 16 sequences in cervical carcinoma cells. *Nature* 1985;314:111-14.
13. zur Hausen H. Papillomavirus infections: a major cause of human cancers. *Biochem Biophys Acta* 1996;1288:F55-78.
14. zur Hausen H. Papillomavirurses and cancer: from basic studies to clinical application. *Nature* 2002;2:342-50.
15. Syrjanen SM, Syrjanen KJ. New concepts on the role of human papillomavirus in cell cycle regulation. *Ann Med* 1999 June;31(3):175-87. Review.
16. Wentzensen N, Vinokurova S, von Knebel Doeberitz M. Systematic review of genomic integration sites of human papillomavirus genomes in epithelial dysplasia and invasive cancer of the female lower genital tract. *Cancer Res* 2004;64:3878-84.
17. Levine AJ, Momand J, Finlay CA. The p53 tumour suppressor gene. *Nature* 1991 6;351(6326):453-56.
18. Hollstein M, Sidransky D, Vogelstein B et al. p53 mutations in human cancers. *Science* 1991 July 5;253(5015):49-53.
19. Scheffner M, Münger K, Byrne JC et al. The state of the p53 and retinoblastoma genes in human cervical carcinoma cell lines. *Proc Natl Acad Sci USA* 1991 1;88(13):5523-27.
20. Baak JP, Kruse AJ, Robboy SJ, Janssen EA, van Diermen B, Skaland I. Dynamic behavioural interpretation of cervical intraepithelial neoplasia with molecular biomarkers. *J Clin Pathol* 2006;59(10):1017-28.
21. zur Hausen H. Papillomaviruses – To vaccination and beyond. *Biochemistry* 2008;73(5):498-503.
22. Hwang ES, Nottoli T, Dimaio D. The HPV 16 E5 protein: expression, detection, and stable complex formation with transmembrane proteins in COS cells. *Virology* 1995;211:227-33.
23. Zhang B, Spandau DF, Roman AS. E5 protein of human papillomavirus type 16 protects human foreskin keratinocytes from UV B-irradiation-induced apoptosis. *J Virol* 2002;76:220-31.
24. zur Hausen H. Immortalization of human cells and their malignant conversion by high risk human papillomavirus genotypes. *Semin Cancer Biol* 1999;9:405-11.
25. Syrjanen K, Shabalova I, Naud P et al. Co-factors of high-risk human papillomavirus infections display unique profiles in incident CIN1, CIN2 and CIN3. *Int J STD AIDS* 2011;22:263-72.
26. Li K, Jin X, Fang Y et al. Correlation between physical status of human papilloma virus and cervical carcinogenesis. *J Huazhong Univ Sci Technol* 2012;32(1):97-102.
27. Wang SS, Zuna RE, Wentzensen N et al. Human papillomavirus (HPV) cofactors by disease progression and HPV types in the Study to understand cervical cancer early endpoints and determinants (SUCCEED). *Cancer Epidemiol Biomarkers Prev* 2009;18(1):113-20.
28. Cardeal LBS, Boccardo E, Termini L et al. HPV16 oncoproteins induce MMPs/RECK-TIMP-2 imbalance in primary keratinocytes: possible implications in cervical carcinogenesis. *PLoS ONE* 2012;7(3):e33585.
29. De Marco F, Bucaj E, Foppoli C et al. Oxidative stress in HPV-driven viral carcinogenesis: redox proteomics analysis of HPV-16 dysplastic and neoplastic tissues. *PLoS ONE* 2012;7(3):e34366.
30. Leonard SM, Wei W, Collins SI et al. Oncogenic human papillomavirus imposes an instructive pattern of DNA methylation changes which parallel the natural history of cervical HPV infection in young women. *Carcinogenesis* 2012 Jul 5. [Epub ahead of print].
31. Brasil. Ministério da Saúde. INCA – Instituto Nacional de Câncer. Estimativa 2012. Acesso em: 27 Maio 2012. Disponível em: http://www2.inca.gov.br/wps/wcm/connect/tiposdecancer/site/home/colo_utero
32. Agosti JM., Goldie SJ. Introducing HPV Vaccine in developing countries – Key challenges and issues. *N Eng J Med* 2007;356:1908-1910.
33. Parkin DM, Bray F. Chapter 2: The burden of HPV related cancers. *Vaccine* 2006;24:S3/11-S3/25.
34. Walboomers JM, Jacobs MV, Manos MM et al. Human papillomavirus is a necessary cause of invasive cervical câncer worldwide. *J Pathol* 1999;189:12-19.
35. Garcia FAR, Saslow D, Prophylatic human papillomavirus vaccination: a breakthrough in primary cervical cancer prevention. *Obstet Gynecol Clin N Am* 2007;34:761-81.
36. Kirnbauer R, Chandrachud LM, O'Neil BW et al. Virus like particles of bovine papillomavirus type 4 in prophylactic and therapeutic immunization. *Virology* 1996;219(1):37-44.
37. Gissman L, Osen W, Muller M et al. Therapeutic Vaccines for human papillomaviruses. *Intervirology* 2001;44(2-3):167-17.
38. Stanley MA. Human papillomavirus vaccines. *Rev Med Virol* 2006 May-June;16(3):139-49. Review.
39. Roden RB, Yutzy WH, Fallon R et al. Minor capsid protein of human genital papillomaviruses contains subdominant, cross neutralizing epitopes. *Virology* 2007;270:254-57.
40. Arbyn M, Dillner J. Review of current knowledge on HPV Vaccination: an appendix to the European guidelines for quality assurance in cervical cancer screening. *J Clin Virol* 2007;38:189-97.
41. Future II Study Group. Quadrivalent Vaccine against human papillomavirus to prevent high grade cervical lesions. *N Eng J Med* 2007;356:1915-27.
42. Gardland SM, Hernandez-Avila M, Wheeler CM et al. Females united ro unilaterally reduce endo/ectocervical disease (FUTURE) I Investigators. Quadrivalent vaccine against human papillomavirus to prevent anogenital diseases. *N Eng J Med* 2007;356(19):1928-43.
43. Harper DM, Franco EL, Wheeler CM et al. Sustained efficacy up to 4.5 years of a bivalent L1 virus like particle vaccine against human papillomavirus types 16 and 18: follow up from a randomized contol trial. *Lancet* 2006;367(9518):1247-55.
44. Lehtinen M, Paavonen J, Wheeler CM et al. HPV Patricia Study Group. Overall efficacy of HPV-16/18 AS04-adjuvanted vaccine against grade 3 or greater cervical intraepithelial neoplasia: 4-year end-of-study analysis of the randomised, double-blind Patricia trial. *Lancet Oncol* 2012 Jan.;13(1):89-99.
45. Villa LL, Costa RL, Petta CA et al. Prophylactic quadrivalent human papillomavirus (types 6, 11, 16 and 18) L1 virus like particle vaccine in Young women: a randomized double blind placebo-controlled multicentre phase II efficacy trial. *Lancet Oncol* 2005;6:271-78.
46. Roteli-Martins C, Naud P, De Borba P et al. Sustained imunogennicity and efficacy of the 16/18 AD04 adjuvant vaccine: up to 8.4 years of follow up. *Hum Vacc Imunomother* 2012 Mar. 1;8(3). Epub ahead of print.
47. Einstein MH, Baron M, Levin MJ et al. HPV-010 Study Group. Comparative immunogenicity and safety of human papillomavirus (HPV)-16/18 vaccine and HPV-6/11/16/18 vaccine: follow-up from

months 12-24 in a Phase III randomized study of healthy women aged 18-45 years. *Hum Vaccin* 2011 Dec.;7(12):1343-58. Epub 2011 Dec. 1.
48. Ault KA. Human papillomavirus vaccines and the potential for cross-protection between related HPV types. *Gynecol Oncol* 2007 Nov.;107(2 Suppl 1):S31-33.
49. Einstein MH, Baron M, Levin MJ *et al.* HPV-010 Study Group. Comparison of the immunogenicity of the human papillomavirus (HPV)-16/18 vaccine and the HPV-6/11/16/18 vaccine for oncogenic non-vaccine types HPV-31 and HPV-45 in healthy women aged 18-45 years. *Hum Vaccin* 2011 Dec.;7(12):1359-73. Epub 2011 Dec. 1
50. Vaccines against Human Papillomavirus (HPV) on 9 April 2009. Acesso em: 02 Jul. 2012. Word Health Organization in: http://www.who.int/immunization/documents/HPV_PP_summary_LE_03-04-09.pdf
51. Brasil. Ministério da Saúde. INCA. Parecer sobre a vacina profilática contra o HPV. Acesso em: 02 Jul. 2012. Disponível em: http://www.inca.gov.br/conteudo_view.asp?id=327
52. Gardasil: acesso em: 02 Jul. 2012. Disponível em: http://www.fda.gov/BiologicsBloodVaccines/Vaccines/ApprovedProducts/ucm094042.htm
53. Cevarix: acesso em: 02 Jul. 2012. Disponível em: http://www.fda.gov/BiologicsBloodVaccines/Vaccines/ApprovedProducts/ucm172678.htm
54. Arbyn M, Sanjosé SD, Saraiya M *et al.* EUROGIN 2011 roadmap on prevention and treatment of HPV-related disease. *Int J Cancer* 2012 May 24. doi: 10.1002/ijc.27650.
55. Brotherton JM, Fridman M, May CL *et al.* Early effect of the HPV vaccination programme on cervical abnormalities in Victoria, Australia: an ecological study. *Lancet* 2011;377:2085-92.
56. Franco EL, Cuzick J. Cervical cancer screening following prophylactic human papillomavirus vaccination. *Vaccine* 2008;26(Suppl 1):A16-23.
57. Krajden M, Cook D, Yu A *et al.* Human papillomavirus 16 (HPV 16) and HPV 18 antibody responses measured by pseudovirus neutralization and competitive Luminex assays in a two- versus three-dose HPV vaccine trial. *Clin Vaccine Immunol* 2011 Mar.;18(3):418-23. Epub 2011 Jan. 19.
58. Ramdomized Trial of 2 versus 3 Doses of HPV Vaccine in India. IARC World Health Organization in: http://screening.iarc.fr/hpvvaccine.php acesso em: 02 Jul. 2012.

CAPÍTULO 153

Sequelas Clínicas da Infecção por Papilomavírus Humano

Antoninho Ricardo Sabbi

INTRODUÇÃO

O HPV (papilomavírus humano) é membro da família *Papovaviridae*, que reúne gêneros distintos: a) papilomavírus, b) polyomavírus e outros. Estes gêneros são distintos pelo tamanho do seu capsídeo e pelo peso molecular dos ácidos nucleicos, além de suas propriedades biológicas.

Este vírus é encontrado nos seres humanos e também em alguns animais. Nos seres humanos, o HPV infecta os queratinócitos da pele ou o epitélio das mucosas. Já foram reconhecidos perto de 200 subtipos deste vírus infectante. A maioria deles causa verrugas na pele de características benignas. Cerca de 40 subtipos são transmitidos sexualmente e causam lesões nas mucosas em genitália, boca e trato respiratório superior. Alguns subgrupos são de alto risco e estão associados a lesões neoplásicas, principalmente no colo uterino, vulva, vagina, pênis, ânus e cabeça e pescoço.

O vírus infecta homens e mulheres. Estima-se que 25-50% da população feminina mundial estejam infectados pelo vírus e que perto de 80% das mulheres terão contato com ele em algum momento de suas vidas. Cerca de 50% da população masculina mundial também estão infectados.

A infecção costuma ser transitória. Cura-se espontaneamente sem causar sintomas nem deixar sequelas em cerca de 80% dos casos. Mas, em 20% das vezes, a infecção é persistente e deixa sequelas importantes de ordem física e emocional.

As sequelas clínicas principais da infecção pelo HPV são as verrugas na pele, os condilomas genitais, as lesões pré-neoplásicas e o câncer.

Na mulher, a sequela mais importante é o câncer de colo uterino, quer pela sua frequência, quer pela sua grande repercussão social. Somente no Brasil, ocorrem cerca de 20.000 novos casos anuais de câncer cervical, dos quais, aproximadamente 7.000 ainda vão a óbito pela doença.

O tratamento da infecção sintomática ou persistente é complicado e tem eficácia limitada. A sequela mais temida é a evolução para a neoplasia. A cura das lesões verrucosas, quando não espontânea, é conseguida pela eliminação cirúrgica ou medicamentosa das lesões, com o auxílio de imunomoduladores que reforçam a imunidade.

A prevenção passa pelo controle do comportamento de risco. Já estão disponíveis vacinas que previnem as infecções pelos subtipos mais frequentes nos indivíduos ainda não contaminados.

A gravidade das lesões depende de sua extensão, do subtipo infectante e do local infectado.

A infecção não causa viremia. Isto dificulta o seu reconhecimento e a consequente formação de anticorpos pelo sistema imunológico. A epidemiologia das infecções causadas pelo HPV é dinâmica. Os jovens são mais suscetíveis à infecção, que tem seu pico maior no início da exposição às atividades sexuais. As verrugas, quer na pele, quer nas mucosas, são geralmente visíveis e de fácil identificação clínica (Figs. 1 e 2). Mas a infecção pode ser latente ou subclínica. No primeiro caso, não há lesão, e a identificação só pode ser feita por métodos biológicos que reconheçam a presença do vírus. No segundo, existem lesões, mas estas são microscópicas, tornando mais difícil o diagnóstico pela inexistência de sintomatologia. Isto ocorre com frequência no colo do útero e na vagina, em que podem progredir silenciosamente para lesões pré-malignas e para o câncer. O desenvolvimento de lesão clínica ou subclínica em outras regiões do corpo, que não a pele e as mucosas da genitália, é bastante raro. O câncer causado por HPV ocorre com certa frequência na esfera genital e anal, mas pode ser encontrado também na região de cabeça e pescoço.

O vírus é altamente contagioso. A transmissão se faz por contato direto. Ao nível da genitália acontece por meio da relação sexual de qualquer tipo, seja vaginal, oral ou anal. É possível adquiri-lo com uma única exposição. Estima-se que muitas pessoas adquirem o HPV nos primeiros 3 anos de vida sexual ativa. Dois terços das pessoas que tiveram contato sexual com um parceiro infectado vão desenvolver uma infecção pelo HPV no período de 3 meses, de acordo com a OMS. É importante lembrar que a infecção das mucosas pode ocorrer também sem o contato sexual, embora isto seja muito raro. Muitas pessoas portadoras do HPV não apresentam sintomas. O homem geralmente é um transmissor assintomático. Qualquer pessoa infectada com HPV desenvolve anticorpos que poderão ser detectados no organismo, mas nem sempre estes são suficientemente competentes para eliminar o vírus.

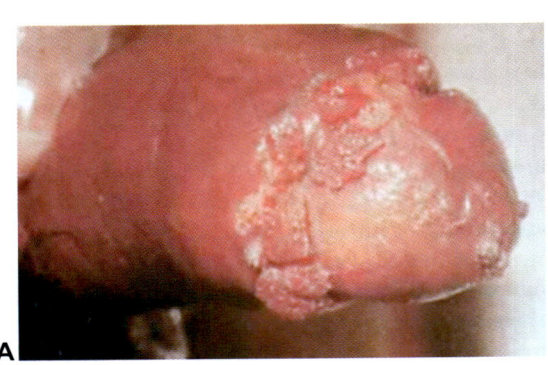
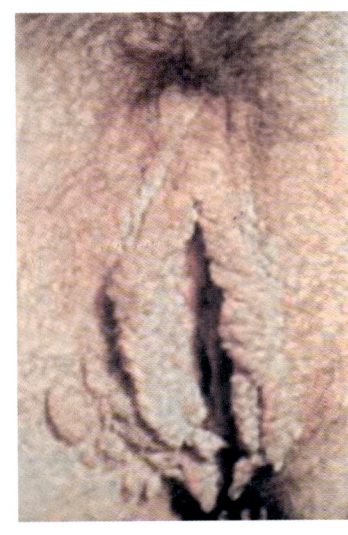

FIGURA 1. (A e B) Condilomas acuminados.

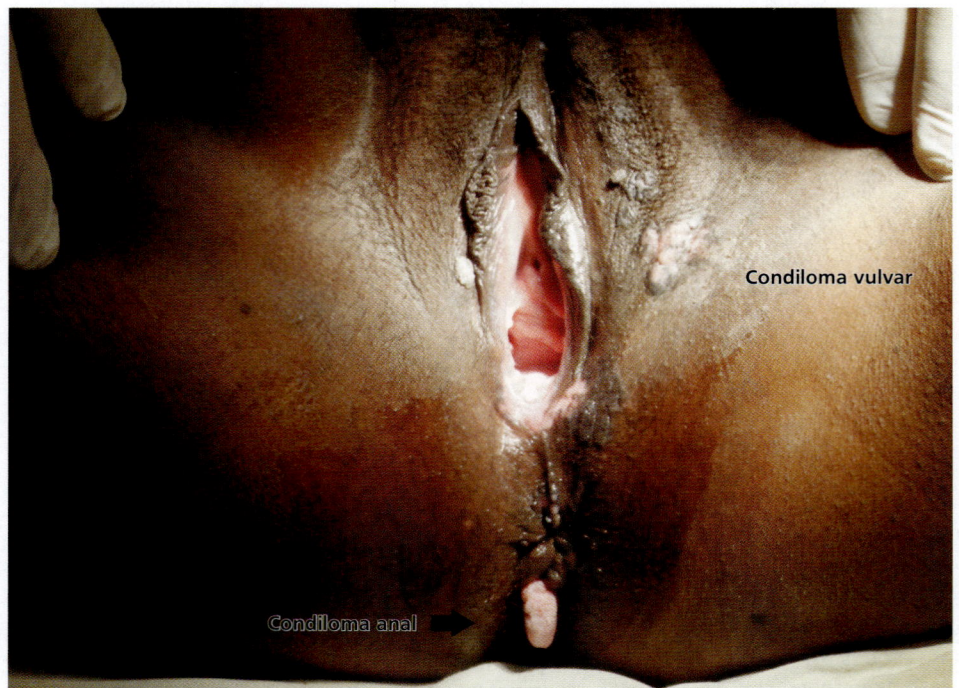

◀ **FIGURA 2.** Condilomatose anal e vulvar.

VERRUGAS GENITAIS

A infecção genital por HPV é a doença sexualmente transmissível mais frequente no mundo. Cerca de 40 subtipos do HPV infectam as mucosas, especialmente as da área genital, onde formam verrugas denominadas de condilomas acuminados (Figs. 1 e 2). Os subtipos mais associados às verrugas genitais são os classificados como de baixo risco oncogênico (6, 11, 41, 42, 43 e 44). Só os dois primeiros respondem por 90% das verrugas genitais e papilomatoses laríngeas recidivadas. Observa-se, atualmente, um aumento da incidência destas lesões, apesar das campanhas de esclarecimento desenvolvidas a partir de 1980 em nosso país. Embora benignas, as lesões condilomatosas têm forte impacto psicológico, social e econômico, com seu elevado índice de recidiva que chega em torno de 30% dos casos, qualquer que seja o tipo de tratamento empregado.

Escritos da Grécia Antiga já faziam referência às verrugas genitais. É criação dos gregos o termo *Kondyloma* que significa tumor duro. Os romanos criaram o termo *Accuminatus* traduzido como pontiagudo, originado pela analogia à forma de certas frutas da época. Entre os antigos, as lesões papilomatosas tinham conotação de doença sexualmente transmissível, por serem vistas com frequência em indivíduos de comportamento homossexual ou promíscuo.

Na Idade Média não se encontram referências ao condiloma acuminado. Na época, as verrugas genitais eram consideradas manifestação da sífilis e de outras doenças venéreas.

Mas, no fim do século XVIII chamava muita atenção o fato de que muitos portadores de verrugas na pele também tinham verrugas genitais.

Nos primórdios do século passado, estudos epidemiológicos começaram a sugerir que a via sexual era o meio de transmissão das verrugas genitais.

No início do século XX, começaram a surgir estudos epidemiológicos sugerindo o contato sexual como meio principal de transmissão das verrugas genitais. Em 1954, Barret *et al.* chamavam atenção para a simultaneidade de verrugas genitais em soldados que retornavam da guerra da Coreia e do Japão e em suas esposas, sendo que nestas era observado um período de incubação de 4 a 6 semanas. O estudo de filtrado celular de verrugas genitais já indicava a origem viral da infecção. Novos estudos de Teokharov (1969) e Oriel, (1971) confirmavam estas observações.

Na realidade, foi na década de 1950, com o surgimento do microscópio eletrônico, que se conseguiu detectar e caracterizar partículas virais em amostras de verrugas genitais. Dung (1968), depois Oriel e Almeira (1970) identificaram o HPV como agente causal dos condilomas acuminados (Figs. 1 e 2).

O diagnóstico clínico dos condilomas acuminados não oferece dificuldade. Encontrados com frequência na esfera genital, mas também na orofaringe, exibem aspecto vegetante típico, com lesões que lembram a couve-flor. A dificuldade existe nas formas latentes e subclínicas da infecção. Nestes casos a captura híbrida ou a PCR são importantes no diagnóstico, porque confirmam a presença do HPV. Na prática clínica, a colposcopia, a peniscopia, a citologia e a biópsia são métodos facilmente disponíveis na maioria dos serviços médicos especializados. Estes métodos não identificam o vírus, mas sim as alterações celulares provocadas pelo agente infectante.

O tratamento apresenta um arsenal muito amplo. Fatores como a localização e extensão das lesões, a possibilidade de recidiva e a presença de gravidez determinam a terapia mais adequada para cada caso.

As lesões da pele, localizadas na camada de queratina e base dos folículos pilosos, apresentam grande hiperqueratose, o que torna menos eficaz o tratamento com quimioterápicos. Eles funcionam melhor na mucosa, que é mais vascularizada e macia, permitindo maior penetração do fármaco aplicado. A destruição superficial da pele geralmente leva à cura da lesão. Quando está presente a infecção, ocorre facilmente a recidiva a partir do eixo piloso e das glândulas sudoríparas. Por isto é importante a avaliação semanal e a consideração sobre a imunidade do paciente. A recidiva ocorre com mais frequência na região perianal e na mucosa retal, pela infecção mais fácil neste local, o que pode exigir a aplicação de agentes tópicos, métodos ablativos excisionais e a imunoterapia.

A podofilina a 25% em solução oleosa é muito usada nos condilomas. É aplicada sobre a lesão, com a recomendação de remover o medicamento com água e sabão neutro após 4 a 6 horas. Exige reavaliação semanal e pode ser necessária a repetição do tratamento. Tem índices de cura inferiores a 50%. Pode ter efeitos colaterais como neurotoxicidade, mielotoxicidade, hipertermia, ulcerações, fístulas e óbitos. Seu uso deve ser evitado na vagina e na pele com soluções de continuidade. Formalmente contraindicado na gestação, em face a possíveis efeitos teratogênicos, polineurite, coma e óbito do concepto.

O ácido tricloroacético na concentração de 70-85% é indicado nos condilomas da pele. Na vagina seu uso é discutível. Fazem-se aplicações semanais até o desaparecimento da lesão. A dor é intensa, e ocorre reação inflamatória dos tecidos cincunjacentes, ainda que em menor grau do que pela podofilina. Pode ser usado na gestação, decorrente da não absorção sistêmica do fármaco.

O 5-fluorouracil creme a 5% é usado desde 1960. Tem bom efeito antiproliferativo, especialmente na vulva e vagina. Aplicado profundamente na vagina, uma vez por semana, na dose de 2,5 g, por período de 8 semanas, costuma dar bom resultado. Produz vulvite. Por isto se recomenda a proteção da pele vulvar. Um creme vaginal com antibiótico de amplo espectro ameniza a colpite que acompanha o tratamento. Podem ocorrer úlceras vaginais e há casos relatados de estenose parcial da vagina.

Seu uso está cada vez mais restrito para os casos de doença subclínica do colo com comprometimento vaginal difuso.

O tratamento ablativo é feito pela eletrocoagulação, pela crioterapia e laserterapia. A crioterapia tem resultados pobres. A laserterapia tem custos elevados. Daí a preferência pela eletrocoagulação. Produz certo grau de fibrose, despigmentação e perda de pelos da região tratada, por isso não deve ser a primeira opção de tratamento. Usa-se no períneo e na genitália externa, quando há falha do tratamento medicamentoso. Atualmente, a cirurgia de alta frequência (CAF) substitui com vantagem os antigos equipamentos de eletrocoagulação. No colo uterino, este método está indicado quando a lesão compromete a metade ou menos da área cervical, quando presente e concordante o tríplice diagnóstico (citologia, colposcopia e biópsia), e quando os limites superiores (no canal da cérvice) da lesão são visíveis. Nas pequenas lesões vaginais o método pode ser também indicado, com cuidados para preservação do córion que, se for lesado, pode ocasionar fístulas de difícil solução.

O tratamento excisional é efetuado com bisturi a frio, a *laser* e por CAF. Esta é preferível por seus aspectos práticos e por seu baixo custo, podendo ser realizada de forma ambulatorial. No caso do condiloma do colo, somente é indicada na ausência de comprometimento difuso.

A imunoterapia ocorre espontaneamente em 30% dos casos de infecção por HPV. Por isto, em muitos casos a doença é transitória e não deixa sequelas. Indivíduos com moléstias sistêmicas como diabetes, lúpus eritematoso, AIDS, ou que usam drogas imunossupressoras como corticoides, quimioterápicos e até contraceptivos orais, apresentam uma predisposição para desenvolver condilomas persistentes ou recidivantes. Estudos têm demonstrado que indivíduos com recidiva de condilomas acuminados têm deficiência de interleucina-2 e interferon-gama e têm menor ação da atividade *killer* celular. Esta constatação estimulou o uso de agentes imunoterápicos. Inicialmente, usaram-se vacinas autógenas, depois, imunomoduladores, como isoprinosine e benzidamina, mas os resultados nunca foram satisfatórios. O interferon passou a ser usado na forma de gel, na forma intralesional ou intramuscular, ou na combinação de duas destas formas. Os resultados são controversos e pouco promissores. Por isto, o tratamento continua indicado apenas nos imunodeprimidos ou nos que não tiveram bom resultado com outras terapias. Consideram-se curados os pacientes que obtiveram três consultas com resultados negativos para a presença do HPV.

Qualquer que seja o tratamento escolhido, o exame do parceiro é fundamental. Devem ser examinadas suas mucosas orogenitais. A citologia do sulco balanoprepucial, a peniscopia com ácido acético e o escovado da uretra distal para o parceiro masculino são indispensáveis. Qualquer tratamento tem menor resultado se não for considerado o parceiro.

LEOSÕES PRÉ-NEOPLÁSICAS

Na década de 1920, o médico grego George Papanicolaou, da Universidade de Cornell, em Nova York, ao estudar as variações do colo uterino no ciclo reprodutivo da mulher, começou a perceber que certas mulheres apresentavam alterações nas células deste órgão (Fig. 3). Aprofundando suas observações, notou que estas alterações celulares tinham a ver com o surgimento do câncer de colo uterino. Na década de 1940, o teste para detectar tais alterações já se integrava na prática médica, com o nome de exame de Papanicolaou, como o conhecemos hoje. Koss e Durfee, em 1956, criaram o termo coilocitose atípica para designar as anormalidades celulares encontradas em esfregaços cervicovaginais relacionadas ao agente mais tarde identificado como HPV.

Os subtipos do HPV envolvidos nas alterações das células cervicais são do tipo de "alto risco" e podem ocasionar câncer na cérvice, na vulva e na vagina na mulher, no pênis no homem, no ânus, na boca e no trato respiratório alto em ambos os sexos.

A história das sequelas destas doenças começa na adolescência, com as infecções evoluindo para lesões pré-cancerosas ao redor dos 30 anos. Aos 35 já se observa o câncer. Há outro pico de incidência, mais tarde, em torno dos 60 anos, por causas ainda não bem esclarecidas. Os subtipos de alto risco mais associados ao câncer da cérvice são o 16, 18, 45, 31, 33, 51, 52, 58, 35 e 61, sendo constatada a presença de um ou mais deles em mais de 98% dos casos de câncer cervical. Em 70% dos casos, o 16 e o 18 são os encontrados.

Os tipos de HPV que infectam a área genital são transmitidos principalmente pelo contato genital. A maioria das infecções internas do HPV é subclínica. Não apresentam sinais ou sintomas. As pessoas portadoras nem sempre sabem que estão infectadas. O indivíduo pode passar o vírus ao parceiro sexual, mesmo sendo assintomático. Em raros casos a mulher grávida pode passar HPV ao bebê durante o parto natural. Raramente, a transmissão pode ocorrer por auto e heteroinoculação, pela saliva ou por fomites (toalhas, roupas íntimas, aparelhos ginecológicos contaminados). O que chama a atenção é o fato de que mulheres virgens com exercício sexual sem penetração também podem infectar-se pelo HPV, indicando que o contato genital externo é suficiente para a aquisição do vírus. O principal fator de risco para a infecção pelo HPV é o número de parceiros durante a vida. Alguns pesquisadores mais pessimistas avaliam em cerca de 80 a 85% o risco de contaminação pelo HPV em mulheres heterossexuais sexualmente ativas.

A maioria das mulheres tem o diagnóstico de HPV com base no teste de Papanicolaou anormal. Cerca de 2 a 3% das citologias de rastreio acusam alterações celulares, que são indícios da presença do HPV. Mas este teste nada indica quando não há alterações celulares, mesmo que o vírus já esteja presente (infecção latente). Neste caso, o diagnóstico é possível por testes específicos que identifiquem o DNA do HPV. A captura híbrida e a PCR são muito empregadas, embora não sejam exames de rotina. Já está em uso na Inglaterra, na Holanda e na Finlândia, um novo teste totalmente automatizado para detectar a presença do HPV e está sendo avaliado pela ANVISA para ser liberado, ao menos nas clínicas particulares, por um custo semelhante ao do Papanicolaou. Ele detecta a presença do HPV com uma margem de erro de 1% e também identifica o subtipo do vírus. Associado ao Papanicolaou, representa um avanço no diagnóstico das lesões pré-neoplásicas de colo uterino.

Não há critérios de "cura" para a infecção subclínica do HPV. O meio mais seguro de diminuir o risco de infecção é evitar contato genital com outras pessoas. Para aqueles sexualmente ativos, o relacionamento mutuamente monogâmico com um parceiro não infectado é a forma mais segura de prevenir infecções por HPV. Porém, é difícil determinar se o parceiro que esteve sexualmente ativo no passado não está infectado. Para aqueles sexualmente ativos que não têm relação monogâmica de longo prazo, reduzir a quantidade de parceiros sexuais e escolher parceiro de menor risco diminui a probabilidade de contrair a infecção. Parceiros de menor risco são aqueles que têm menos chances de estarem infectados, por terem poucos parceiros sexuais anteriores. A infecção por HPV pode ocorrer em áreas genitais de homens e mulheres não cobertas pelo preservativo de látex, de modo que a eficiência deste para prevenir a infecção não é totalmente garantida. Porém, o uso de preservativos tem sido associado a uma menor taxa de câncer cervical, uma doença reconhecidamente relacionada à infecção por HPV.

A nomenclatura das alterações celulares encontradas por Papanicolaou passou por diferentes fases. Pela década de 1960 usavam-se os termos displasia leve, moderada, intensa e carcinoma *in situ* para as lesões pré-malignas. Em 1968, Richart introduziu a terminologia NIC I, NIC II e NIC III (neoplasia intraepitelial escamosa cervical), incorporada pela OMS em 1973, passando a ser amplamente utilizada; mas havia certa dificuldade na linguagem. Então foi desenvolvido o sistema de Bethesda, implantado em 1988 e revisto pela segunda vez em 2001. É a nomenclatura cada vez mais usada. A lesão de baixo grau corresponde à NIC I de Richart. As lesões de alto grau englobam NIC II, NIC III e carcinoma *in situ* (Fig. 4).

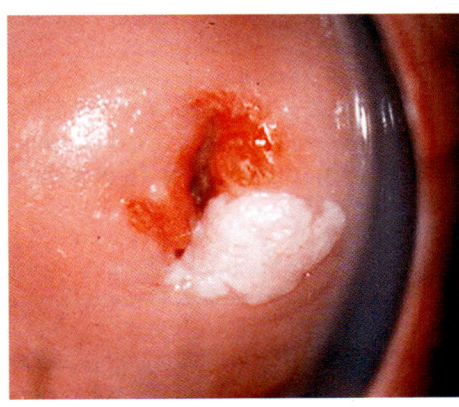

◄ **FIGURA 3.** Lesão pré-neoplásica em colo de útero.

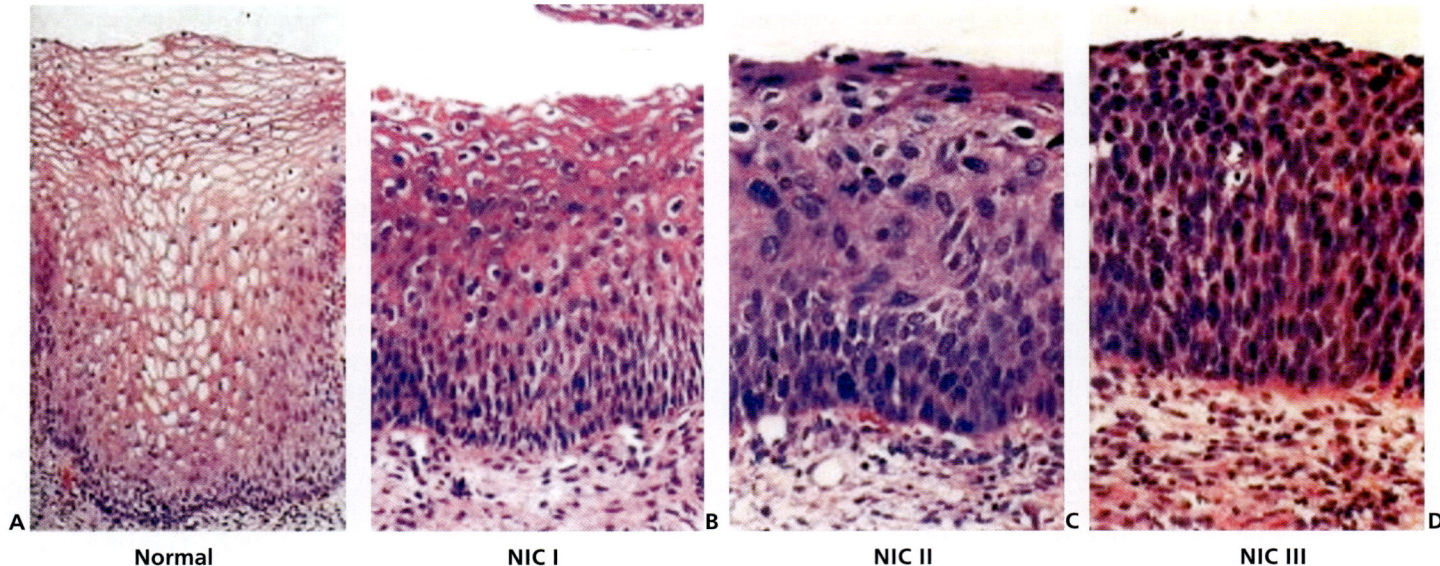

▲ **FIGURA 4.** Alterações celulares no rastreio do HPV. (**A**) Normal. (**B**) NIC I. (**C**) NIC II. (**D**) NIC III.

Existe um longo processo desde a infecção até o aparecimento do câncer. A probabilidade e a rapidez em evoluir para a lesão invasiva é proporcional ao grau da lesão, ao subtipo de vírus infectante e à imunidade da pessoa infectada.

O genoma do HPV expressa diferentes genes. Dentre eles, o E6 e o E7. Estes são conhecidos como oncogenes, porque induzem a transformações malignas nas células infectadas. Codificam oncoproteínas-alvo das proteínas Rb e p53, codificadas por genes supressores tumorais. A Rb (gene do retinoblastoma) bloqueia a divisão celular, interferindo no fator de transcrição E2F. A p53 age de maneira semelhante, aumentando a expressão da p21, além de desencadear a apoptose nos casos de dano importante ao DNA. Desta forma, os oncogenes E6 e E7 promovem a divisão celular e inibem a apoptose, passos importantes da carcinogênese.

E1 e E2 controlam a replicação e a transcrição do DNA; E4 altera a matriz intracelular; E5 estimula a proliferação celular; E6 e E7 transformam a célula normal em cancerosa.

O HPV se estabelece nas células da camada basal do epitélio. Ele insere o seu DNA no núcleo da célula epitelial, de forma que pode ser copiado na replicação celular. Então são expressos os *early genes*. Se uma célula transformada migra para longe da lâmina basal, adquire maior diferenciação, o que é suficiente para constituir um sinal para a expressão dos *late genes*, que irão codificar as proteínas L1 e L2, responsáveis pela síntese do capsídeo para a criação de novos vírus.

A inibição da apoptose e a promoção da divisão celular são mecanismos importantes na formação da neoplasia cervical. A infecção do HPV no colo uterino (e mais raramente no pênis, no ânus, na vulva, na vagina e na cabeça e no pescoço) evolui para alteração crescente das células, que passam a invadir os tecidos adjacentes e deslocam-se para formar metástases.

O envolvimento do HPV na carcinogênese da cérvice uterina já não se discute. Mas o número relativamente pequeno de mulheres infectadas que desenvolvem o câncer (11%) sugere que há outros fatores implicados no processo carcinogênico. Algumas mulheres carregam o HPV por muitos anos com sequelas mínimas, enquanto outras rapidamente evoluem para a neoplasia cervical. Deve haver, portanto, influência de fatores independentes, sexuais ou não, para que o câncer se desenvolva. Um dos fatores que se costuma associar à malignização da cérvice uterina é o fumo. Ele reduz a resposta imunológica da fumante, a qual tem duas vezes mais câncer de colo uterino. A contracepção hormonal oral, após 5 anos de uso, também aumenta a incidência das lesões pré-neoplásicas e do câncer invasivo do colo uterino. Pode ser que as mulheres que fazem a contracepção hormonal se protejam menos com preservativos. O maior número de gestações a termo também é um fator predisponente citado na literatura. Talvez, a maior incidência de ectrópio nas mulheres de maior paridade seja a explicação para a sua maior predisposição para o câncer da cérvice. Um fator de risco mais fácil de entender é a condição de baixa imunidade. Portadoras de AIDS, especialmente as que têm contagem de células CD4 menor que 200/mm^3, têm maior incidência de infecção por HPV e consequentemente maior índice de lesões pré-malignas.

As lesões de baixo grau (NIC I) regridem e desaparecem em 80% dos casos e persistem em 20%. São lesões consideradas transitórias. O tratamento delas é discutível. Cerca de 1% delas evolui para o câncer invasivo.

As lesões de alto grau NIC II têm maior risco. Regridem em 40%, persistem em outros 40% e progridem para o câncer em 5%. Já nas NIC III, a regressão é menor (33%) e a persistência aumenta. Os casos que evoluem para o câncer são mais numerosos (12%). Estudos têm demonstrado que, de forma geral, o tempo médio entre o aparecimento de uma NIC I e o de uma NIC III ou carcinoma *in situ* é de 5 a 20 anos, e que o intervalo médio entre o aparecimento desta lesão e a invasão neoplásica é em média de 10 anos.

Existem alterações celulares indeterminadas, cujas transformações são ainda insuficientes para caracterizar uma lesão de baixo grau (NIC I). Recebem o nome de ASC-US (*atipical squamous cells of undertermined significance*). Elas são atribuídas a processos reativos. Ocorrem em 4-5% dos esfregaços do Papanicolaou positivos. Em alguns casos, não é possível descartar uma lesão de alto grau, e então se usa a sigla ASC-H (*atipical squamous cells-H*). Estima-se que 5-17% das lesões ASC-US, e 24,94% das lesões ASC-H têm lesão de alto grau subdiagnosticada. Em cerca de 1% das ASC-US é encontrado um carcinoma invasor. Quando as transformações são encontradas no epitélio glandular são denominadas pela sigla AG-US (*atipical glandular cells of undetermined significance*). Em geral tais alterações indeterminadas são de origem inflamatória e desaparecem com o tratamento.

As alterações claramente caracterizadas como de baixo grau de Bethesda (antigas NIC I de Richart) são aquelas que produzem atividade proliferativa anormal somente na camada basal. É restrita ao terço inferior do epitélio escamoso do colo uterino, com atipias nucleares e maturação celular nas camadas mais superficiais, onde se observa coilocitose (vacúolos citoplastmáticos) exuberante. Existem, portanto, células escamosas maduras na superfície ou na camada intermediária alta, havendo aumento do volume do núcleo, hipercromasia e irregularidade do contorno celular. Alterações nucleares e citoplasmáticas sugestivas de infecção por HPV, como núcleos mais densos, degenerados, multinucleação, e clareamento do citoplasma perinuclear são frequentes. As alterações de alto grau incluem as antigas NIC II e NIC III de Richart.

A NIC II se caracteriza por proliferação celular atípica entre 1/3 e 2/3 da espessura epitelial. Na camada superficial as células apresentam maturação reduzida e coilocitose em menor proporção em relação à NIC I.

Na NIC III existem células imaturas atípicas verticalmente em todas as camadas do epitélio. Nas alterações celulares de alto grau existem cariomegalia, hipercromasia, anisocariose e irregularidade da carioteca, mostrando aumento da relação núcleo-citoplasmática.

O diagnóstico completo das alterações pré-malignas do colo uterino é feito pela colpocitologia, seguida da colposcopia e biópsia. Ainda não se fazem de rotina testes moleculares com o fim de detectar o HPV nos casos em que o Papanicolaou não detecta alterações, nem para identificar o subtipo nos casos em que se detecta o vírus.

Cerca de 97% das citologias de rastreio são normais. Em 3% dos exames ocorrem alterações. Dentre as alterações, 4 a 5% correspondem a ASC-US e AG-US, 75% correspondem a lesões de baixo grau e 20% a lesões de alto grau.

Os resultados falso-negativos da citologia podem ir de 1 a 69% dos casos, sendo aceitável uma taxa de 10%. Cerca de 3% das amostras obtidas na colheita são consideradas insatisfatórias para o exame. Espátulas inadequadas e colheita incorreta respondem por 20% dos falso-negativos. Mas pode haver falhas ainda no preparo da lâmina, na coloração do material, na leitura e na interpretação do exame.

Decorrente de suas falhas, o teste de Papanicoloau não pode ser critério para tratamento, sendo sempre necessária a biópsia. Em cerca de 20% das citologias indicativas de lesões de baixo grau, este diagnóstico é mudado para lesão de alto grau com o estudo histológico.

CÂNCER

O câncer é a sequela mais temível da infecção por HPV. Ele ocorre em 1 a 3% dos infectados. Incide mais no colo uterino, e mais raramente, na vagina, na vulva, no pênis, no ânus, na boca e na orofaringe (Fig. 5).

O tumor de colo uterino é causa frequente de morte entre mulheres de baixo nível socioeconômico, que não recebem assistência médica adequada, a despeito de se tratar de um tipo singular de câncer, verdadeiramente passível de prevenção. O câncer de colo uterino está relacionado ao HPV em mais de 98% dos casos. Ele representa 6% das neoplasias malignas em mulheres, sendo a segunda causa de morte por câncer feminino. Em alguns países menos desenvolvidos assume o primeiro lugar entre as causas de morte por câncer na mulher.

Com aproximadamente 500 mil casos novos por ano no mundo, o câncer do colo do útero é o segundo tipo de câncer mais comum entre as mulheres. Responde pela morte de 230 mil mulheres anualmente. No Brasil, em 2010, foram registrados cerca de 18.500 casos novos, com uma incidência estimada de 18 casos para cada 100 mil mulheres. Os óbitos computados foram em torno de 7.000 nesse período.

Quando o câncer tem seu diagnóstico na fase pré-maligna, o controle é praticamente total. Cerca de 3% das neoplasias cervicais são detectadas na fase inicial de microinvasão, na qual é possível ainda uma cirurgia mais conservadora com excelentes índices de cura.

Na fase invasiva, de acordo com seu estágio, o câncer de colo exige tratamento radical com cirurgia alargada, quimioterapia, radioterapia e nem sempre consegue ser totalmente controlado, havendo ainda considerável número de óbitos pela doença.

O câncer anal é provocado pelo HPV em cerca de 90% dos casos. O subtipo mais associado a esta neoplasia é o 16, seguido de perto pelo 18, mas o 31, o 33 e o 45 também são de risco para esta doença. A FDA (*Food and Drug Administration*) aprovou o uso da vacina anti-HPV para prevenção do câncer anal em homens e mulheres entre 9 e 26 anos, após comprovar que a vacina é segura e eficaz também para este tipo de neoplasia.

No câncer de pênis não há uma correlação direta entre a neoplasia e o HPV. Porém é constatada a presença do vírus em cerca de 50% dos homens que desenvolveram câncer de pênis. Geralmente ocorre mais tardiamente em relação ao câncer de colo uterino. Os avanços na prevenção e no tratamento do HPV também devem resultar em redução na incidência desta neoplasia. Observa-se que é mais frequente nas áreas de maior incidência do câncer da cérvice. Independentemente de o homem ser ou não circuncidado, bons hábitos de higiene podem reduzir bastante a chance de ele desenvolver uma neoplasia no pênis.

As lesões orofaríngeas relacionadas ao HPV, transmitido via orogenital, são mais comuns *em indivíduos com menos de 40 anos e com vida sexual de hábitos mais liberais, introduzidos a partir da "revolução sexual" iniciada nos anos 1960. O número de casos de carcinoma na região orofaríngea relacionados ao papilomavírus humano (HPV) teve um rápido crescimento.* É o que diz a edição de março de 2010 da *British Medical Journal*, em editorial assinado por especialistas britânicos, belgas e americanos das áreas da oncologia e radiologia. Confirmando os achados da prática clínica, os estudiosos basearam-se em resultados de pesquisas realizadas na Europa e nos Estados Unidos sobre a incidência do carcinoma de células escamosas de cabeça e pescoço relacionado ao HPV. Os dados epidemiológicos surpreendem. Nos Estados Unidos, a incidência desse tipo de câncer cresceu 22% entre os anos de 1999 e 2006. O Reino Unido registrou um aumento de 51% no número de casos de carcinomas oral e orofaríngeo relacionados ao HPV entre a população masculina, no período de 1989 a 2006. Um estudo de Estocolmo, (1970) mostrou um crescimento progressivo e constante da presença do HPV nas biópsias tomadas de pacientes com câncer orofaríngeo na Suécia: 23,3% nos anos 1970, 29% nos 1980, 57% nos 1990, 68% entre 2000 e 2002 e 93% entre 2006 e 2007. O fenômeno, observado principalmente na população dos países desenvolvidos, onde é realizada a maioria dos estudos, pode ser explicado, em parte, pelo aperfeiçoamento e pela ampliação das técnicas de detecção da doença. Contudo, especialistas apontam, também, forte conexão desses casos com as mudanças nos hábitos sociais e sexuais, ocorridas a partir dos anos 1960 e 1970. Estudos sobre a história natural dos carcinomas de colo de útero e de ânus mostram que, em média, os tumores causados por HPV se desenvolvem ao longo de 10 a 15 anos de exposição ao vírus.

O câncer de cabeça e pescoço atinge, principalmente, homens com mais de 50 anos de idade, que fazem uso, com maior frequência, do tabaco e do álcool. Estes são, comprovadamente, os principais fatores de risco para esse tipo de tumor. Já as lesões orofaríngeas relacionadas ao HPV, nas quais provavelmente está envolvida a transmissão por via orogenital, são mais incidentes em indivíduos mais jovens que desenvol-

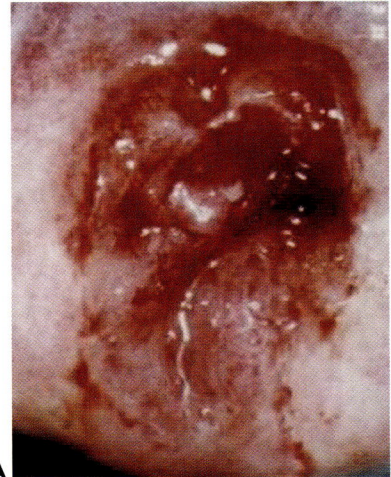 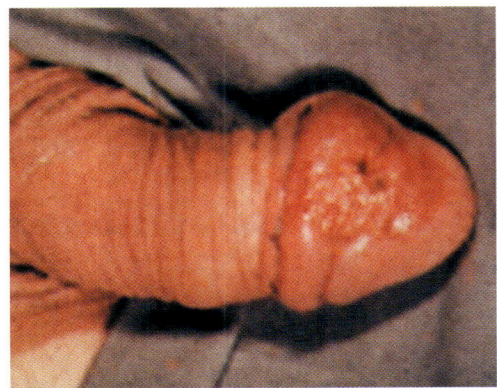 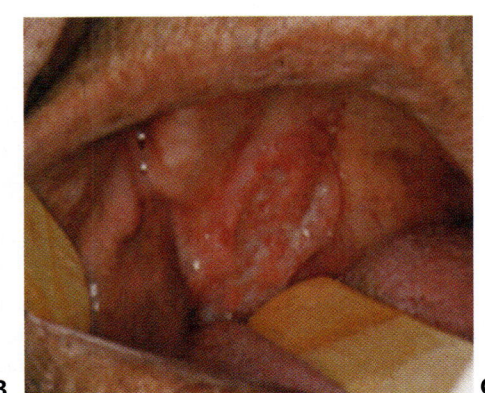

▲ **FIGURA 5.** Câncer por HPV. (**A**) Câncer da cérvice. (**B**) Câncer de pênis. (**C**) Câncer de orofaringe.

veram a vida sexual já desfrutando dos hábitos mais liberais introduzidos pela chamada "revolução sexual". "O tema merece mais estudo, mas, ao que parece, hábitos sexuais entre os mais jovens, incluindo a prática do sexo oral, e uma redução do uso do cigarro e do álcool entre essa população, em comparação às gerações anteriores, levaram o HPV a ocupar o nicho nessa faixa etária abaixo dos 40 anos", diz Luisa Villa Lina, professora da Faculdade de Ciências Médicas da Santa Casa de São Paulo (FCMSC-SP) e coordenadora do Instituto Nacional de Ciência e Tecnologia das Doenças do Papilomavírus Humano (INCT-HPV).

Tais dados antecipam os resultados de uma pesquisa ainda não publicada, realizada em colaboração com o Dr. Luiz Paulo Kowalski, no Hospital A. C. Camargo. Uma análise conjunta de oito estudos multinacionais realizados em 12 países, publicada em dezembro de 2009, no *International Journal of Epidemiology*, corrobora a relação com os hábitos sexuais. A pesquisa comparou 5.642 casos de câncer de cabeça e pescoço com 6.069 controles, calculados com base em associações entre câncer e comportamentos sexuais específicos, como a prática do sexo oral, número de parceiros sexuais durante a vida, número de parceiros de sexo oral durante a vida, idade ao iniciar a vida sexual, histórico de contato com o mesmo sexo e histórico de contato com o mesmo sexo incluindo relação oral/anal. Os resultados mostraram um risco maior de desenvolver carcinoma orofaríngeo em indivíduos com histórico sexual do qual constem seis ou mais parceiros sexuais, quatro ou mais parceiros de sexo oral e, em se tratando de homens, maior precocidade no início da vida sexual.

"Temos observado casos de pacientes não fumantes e não consumidores de álcool com câncer de orofaringe positivos para o HPV", diz Henrique Olival, professor titular da Disciplina de Otorrinolaringologia e coordenador de Pesquisa da FCMSC-SP. "Como esse tipo de paciente é raro, talvez estejamos presenciando mesmo uma nova coorte." Já se sabe que o carcinoma orofaríngeo causado por infecção por HPV é uma nova e diferente entidade, que atinge preferencialmente as tonsilas. "Na orofaringe, os tumores com maior associação ao HPV são os da tonsila palatina", informa Luisa Villa. "Em 70 a 90% dos casos, esses cânceres estão associados ao HPV 16, o tipo que afeta mais comumente a região genital." O assoalho da língua e a laringe, comparativamente, registram incidência muito menor de carcinoma associado ao HPV. "Há uma diferença marcante nos três compartimentos adjacentes da região – boca, orofaringe e laringe – e isso deve ter relação com o tipo de epitélio que os compõe", pondera Henrique Olival. "Suspeita-se que a tonsila palatina, por ser essencialmente um órgão de filtração, reúna condições que favoreçam o aparecimento do tumor", complementa Luisa Villa.

Outro aspecto já mais bem caracterizado a respeito da doença é o seu prognóstico. "Pesquisas mostram que os tumores de orofaringe que contêm DNA de HPV 16 têm melhor prognóstico que os sem HPV, pois respondem melhor à quimioterapia e à radioterapia, o que aumenta a sobrevida dos pacientes", afirma Luisa Villa. "Essa é uma das razões pelas quais queremos saber da presença do vírus nos pacientes, pois no futuro poderemos gerar protocolos de tratamento diferenciados", diz Henrique Olival. Um estudo multicêntrico realizado nos Estados Unidos e no Canadá com 323 pacientes de carcinoma orofaríngeo de células escamosas submetidos à radioterapia mostrou que o grupo que apresentava tumores causados por HPV (63,8% da amostra) teve maiores chances de sobrevida em um período de 3 anos do que aqueles indivíduos com câncer não relacionado ao papilomavírus (82,4 contra 57,1%).

CONSIDERAÇÕES FINAIS

A maioria das infecções por HPV desaparece espontaneamente dentro de 6 meses a 2 anos sem apresentar sequelas. Mas, quando cronificam, podem evoluir para o câncer de colo uterino, o câncer anal, o de pênis, da vulva, da vagina e ainda os da boca e da orofaringe.

A relação sexual é o principal meio de transmissão do vírus na maior parte das vezes. O simples contato com a região genital e anal contaminada pode transmitir o agente infectante.

A infecção é mais comum nos indivíduos que têm vários parceiros, ou que se relacionam com indivíduos que tiveram múltiplos parceiros. A deficiente higiene íntima e o não uso da camisinha são fatores que contribuem para disseminar a infecção ocasional e consequente neoplasia. Importante frisar que somente a camisinha não é suficiente para a prevenção, visto que o vírus pode estar presente em áreas genitais não cobertas pelo látex do preservativo.

As meninas e os meninos ainda não contaminados pelo vírus são os maiores beneficiados das vacinas anti-HPV. As mulheres sexualmente ativas deverão manter a rotina do Papanicolaou. A redução da doença pela vacina pode demorar ainda algumas décadas. Por isto não devem ser dispensados os cuidados com as DST e a conscientização da necessidade de um comportamento de menor risco e uma vida sexual mais segura, o que exige novos hábitos e novos valores culturais.

A infecção pelo papilomavírus humano (HPV) é a doença sexualmente transmissível (DST) mais comum da atualidade. Aproximadamente 70% das mulheres sexualmente ativas entram em contato com o vírus. Cerca de 11% delas terão lesões pré-neoplásicas ou um câncer de colo uterino. Cerca de metade da população masculina adulta pode estar contaminada. Um a 3% de todos os indivíduos contaminados pode desenvolver uma neoplasia por esta infecção viral.

BIBLIOGRAFIA

Almeida Figueiredo EM. Ginecologia oncológica. Rio de Janeiro: Revinter; 2004.
Anhang R *et al.* HPV communication: review of existing research and recommendations for patient education. *CA Cancer J Clin* 2004 Sept.-Oct.;54(5):248-59.
Botacini das Dores G. HPV na genitália feminina. Ceará: Multigraf; 1994.
Burd EM. Human papillomavirus and cervical cancer. *Clin Microbiol Rev* 2003 Jan.;16(1):1-17.
Ferenczy A. Human papillomavirus. *Obstet Gynecol Report* 1989;2(1):167.
Focchi J, Nicolaou MS, Dores GB. Infecção genital pelo pailomavirus humano. Porto Alegra: Artes Médicas; 1995.
Jacynto C, Almeida Filho G, Maldonado P. Papilomavirose peniana. Rio de Janeiro: Revinter; 1994. p. 67.
Jastreboff AM, Cymet T. Role of the human papilloma vírus in the development of cervical intraepithelial neoplasia and malignancy. *Postgrad Med J* 2002 Apr.;78(918):225-28.
Jung WW *et al.* Strategies against human papillomavirus infection and cervical cancer. *J Microbiol* 2004 Dec.;42(4):255-66.
Kreimer AR *et al.* Human papillomavirus types in head and neck squamous cell carcinomas worldwide: a systematic review. *Cancer Epidemiol Biomarkers Prev* 2005 Feb.;14(2):467-75.
Longworth MS, Laimins LA. Pathogenesis of human papillomaviruses in differentiating epithelia. *Microbiol Mol Biol Rev* 2004 June;68(2):362-72.
Lowy DR *et al.* Genital human papillomavirus infection. *Proc Natl Acad Sci USA* 1994 Mar. 29;91(7):2436-40.
Lowy DR, Schiller JT. Prophylactic human papillomavirus vaccines. *J Clin Invest* 2006 May;116(5):1167-73.
Medina J, Slavatore CA, Bastos AC. *Propedeutica ginecológica*. 3. ed. São Paulo: Manole; 1997. p. 524.
Mougin C *et al.* Human papillomaviruses, cell cycle and cervical cancer. *J Gynecol Obstet Biol Reprod* (Paris) 2000 Feb.;29(1):13-20.
Nicolau SM. Diagnostico da infecção por papilomavirus huano da genitalia masculina. Tese de Doutorado. Universidade Federal de São Paulo. Escola Paulista de Medicina, 1997. 125 p.
Oriel JD. Natural history of genital warts. *Br J Verner Dis* 1971;47(1):1-13.
Richart RM, Wright TC. Controversies in the management of low-grade cervical intraepithelial neoplasia. *Cancer Suppl* 1993;71(4):1413-21.
Richart RM. História natural de la neoplasia cervical intraepitelial. *Clin Obstet Gynecol* 1967;10:748-84.
RichartM RM, Sciarra II. Treatment of cervical dysplasia by out patient electrocauterization. *Am J Obst Gynecol* 1968;101:200-5.
Rodrigues de Lima G *et al. Ginecologia oncológica*. São Paulo: Atheneu; 1999.
Russomano F. 2000. Presença de HPV nos fluidos em geral. Disponível em: http://www.cervical.com.br
Sabbi AR. Cancer conheça o inimigo. Rio de Janeiro: Revinter; 2000. p. 95-101.
Sabbi AR. Fisiopatologia e prevenção do câncer de colo uterino. Prog Nac Atual Médica FW, 1982.
Scheinfeld N, Lehman DS. An evidence-based review of medical and surgical treatments of genital warts. *Dermatol Online J* 2006 Mar. 30;12(3):5.
Syrjanen S, Puranen M. Human papillomavirus infections in children: the potential role of maternal transmission. *Crit Rev Oral Biol Med* 2000;11(2):259-74.
Van Regenmortel HV *et al.* Virus taxonomy: eighth report of the International Committee on taxonomy of viruses. Academic Press; San Diego, California, 2005.
Zur Hausen H *et al.* Papilomavirus infection and human genital cancer. *Ginecol Oncol* 1981;12:S124-28.

CAPÍTULO 154

Condilomas – Tratamento Médico e Cirúrgico Baseado em Evidências

Gustavo Iglesias

INTRODUÇÃO

A condilomatose é uma manifestação clínica da infecção pelo papilomavírus humano (HPV). Em 90% dos casos está associada à infecção pelos tipos 6 e/ou 11 do HPV, com outras cepas podendo se encontrar associadas em regime de coinfecção.[2,14]

Por se tratarem os tipos 6 e 11 de cepas de baixo poder carcinogênico, o condiloma não é considerado uma lesão pré-maligna, e seu tratamento não tem relevância para a prevenção dos cânceres associados ao HPV (colo uterino, vulva, canal anal etc.). No entanto, a coinfecção com cepas oncogênicas, e mesmo a associação com neoplasia subjacente são achados incomuns, mas bem documentados pela literatura.[5,6]

A maioria das pacientes afligidas pela condilomatose que buscam tratamento, o faz motivada por preocupações estéticas; pelo estigma de uma lesão associada a doenças sexualmente transmissíveis e pela presença de sintomas incômodos relacionados ao número, à localização e ao tamanho das lesões.[6]

Os tratamentos existentes têm caráter local, e não erradicam a infecção pelo HPV, que é a causa subjacente da doença; o que torna a recidiva um problema prevalente, do qual a paciente deve ser conscientizada quando da decisão sobre condutas terapêuticas. É ainda necessário que a paciente se prepare para tratamentos eventualmente prolongados, que podem demandar múltiplas intervenções seriadas, e um seguimento clínico frequente e meticuloso.[6,15]

É crucial ainda compreender que o corpo de evidência científica publicada não apresenta nenhuma opção de tratamento como superior às demais em termos de resultados, devendo o planejamento terapêutico ser condicionado por fatores como localização, número e dimensões das lesões; fatores relacionados à paciente (estados comórbidos, função imunológica, gravidez, adesão terapêutica etc.); disponibilidade de recursos; treinamento e experiência do médico responsável; e a preferência da paciente, informada quanto a custo financeiro, conveniência e efeitos colaterais das diferentes alternativas.[5,6,15]

INDICAÇÕES

A principal indicação de tratamento é a presença de sintomas que interferem com a qualidade de vida da paciente. Lesões anogenitais, as mais comumente diagnosticadas e tratadas, podem evoluir com desconforto, alodinia, prurido, sangramento, leucorreia e mesmo obstrução vaginal.[5,6]

O sofrimento psíquico, ligado ao impacto estético das lesões ou à associação a doenças sexualmente transmissíveis (e mesmo, excepcionalmente, pela cancerofobia) também pode ser considerado uma indicação terapêutica válida, mesmo em pacientes sem outros sintomas. Cabe ao médico-assistente avaliar seriamente as preocupações e os anseios da paciente, discutir francamente as motivações por detrás destas emoções, oferecer aconselhamento e reassegurar a paciente quanto ao caráter não neoplásico das lesões, além de oferecer o tratamento específico para a doença.

BIÓPSIA PRÉ-TRATAMENTO

O diagnóstico da condilomatose é eminentemente clínico, e baseia-se no aspecto característico das lesões (Fig. 1). O exame histopatológico é dispensável, exceto na presença de achados clínicos que suscitem suspeição razoável de neoplasia subjacente ou associada, como lesões planas (condiloma plano), fixação a planos profundos, enduramento, ulceração, friabilidade com sangramento, pigmentação aberrante ou uma história de aumento de volume recente. O surgimento de lesões de aspecto condilomatoso em pacientes pós-menopausa e/ou sem atividade sexual deve igualmente suscitar a suspeita de malignidade.[6,14]

Outra indicação para biópsia e análise histopatológica é o diagnóstico diferencial de doença vulvar benigna, que pode não ser imediatamente evidente.

Por fim, a biópsia é mandatória para lesões refratárias ao tratamento executado de forma adequada, particularmente em pacientes imunocomprometidas, que apresentam uma elevada prevalência de coinfecção com cepas oncogênicas e lesões pré-malignas associadas.

Caso se opte pela biópsia, ela deve idealmente representar a área de aspecto mais anormal, e uma margem de tecido adjacente de aspecto normal à ectoscopia.

TRATAMENTOS MEDICAMENTOSOS

Ácido tricloroacético

Um dos tratamentos mais conhecidos e empregados (em grande parte pela sua ampla disponibilidade e preço acessível), o ácido tricloroacético (TCA) destrói as lesões através de coagulação (desnaturação) proteica e encontra-se disponível em soluções de 80 e 90%.

Deve ser aplicado por profissional de saúde. A prescrição típica é semanal, por 4 a 6 semanas. Substâncias como vaselina ou lidocaína gel podem ser empregadas para proteger a pele adjacente aos condilomas da toxicidade local do tratamento. Pode ser usado em áreas de mucosa (vagina e colo uterino) e durante a gravidez, sendo considerado o tratamento medicamentoso de primeira linha para estas lesões.

O único ensaio que mediu sua eficácia, em 1993, demonstrou uma taxa de remissão de 70% após até 6 semanas de tratamento.[1]

Podofilina e podofilotoxina

A podofilotoxina é uma toxina não alcaloide (lignano) extraída da mandrágora americana (*Podophyllum peltatum*); apresenta-se sob forma de precipitado da resina da *Podophyllum peltatum*, rico em podofilotoxina.[4,8,9]

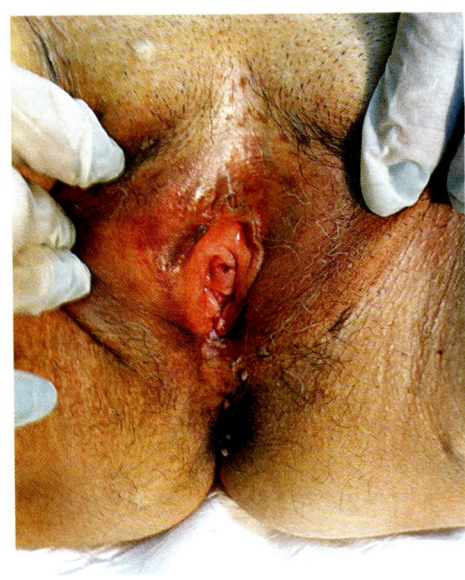

◀ **FIGURA 1.** Condilomatose vulvar e perineal. (Imagem cedida pela Dra. Euridice Figueiredo.)

A podofilotoxina é um agente antimitótico que se liga à tubulina, inibindo a formação do fuso mitótico e interrompendo a divisão celular na metáfase; em altas concentrações intracelulares, interfere ainda com o transporte de nucleosídeos através da membrana nuclear. A disrupção da divisão celular impede a replicação viral.[5]

Preparações de creme de podofilotoxina com concentrações de 0,15 e 0,5% podem ser utilizadas para o tratamento domiciliar, administrado pela própria paciente, sobre os condilomas genitais. Pelo menos um estudo sugere que a solução de 0,5% deve ser empregada em condilomas penianos, e a solução de 0,15% reservada para lesões vulvares e anais.[7] Seu uso é contraindicado em lesões cervicais ou vaginais devido ao risco de queimadura química.

A prescrição habitual se dá como duas aplicações diárias por 3 dias, seguidas por um intervalo de repouso de 4 dias, seguido de mais 3 dias e novo intervalo, até completar quatro "ciclos" de administração.

A toxicidade local é mínima e pode causar eritema, alodinia, parestesias e dor em queimação.

Para ambas as medicações, a cada aplicação, a área tratada não deve exceder 10 cm², nem o volume usado deve ultrapassar 0,5 mL, dado o risco de efeitos colaterais, principalmente dor associada à necrose das lesões.

Existem, ainda, soluções de podofilina em concentração elevada (soluções de 10 e 25% em tintura de benjoim) para aplicação por profissional de saúde (médico ou profissional de enfermagem), em regime ambulatorial. Maior cautela é necessária, devido ao risco maior de absorção sistêmica e efeitos colaterais locais como necrose cutânea e neurotoxicidade. Um ensaio randomizado sugere que, em adultos imunocompetentes, a autoadministração domiciliar com soluções de podofilotoxina tem maior adesão e eficácia que a aplicação ambulatorial de podofilina.[9]

A podofilotoxina é teratogênica e ambos os tratamentos estão absolutamente contraindicados na vigência de gravidez.

O único estudo randomizado comparando podofilina e podofilotoxina encontrou melhores resultados com esta última.[8]

Imiquimod

O imiquimod é um agente imunomodulador, agonista do *toll-like receptor 7* (TLR7), cuja ação induz a produção de citocinas que regulam positivamente a imunidade celular local, observando-se aumento da concentração local de interferon e diminuição da carga viral.

Formulações com concentração de 3,75 e 5% existem, não havendo estudos comparativos entre o uso de ambas; a opção por uma ou outra é informada por preferência e conveniência da paciente, disponibilidade e custo.[15]

A formulação de 3,75% é aplicada diariamente por até 8 semanas, enquanto a de 5% deve ser administrada 3 vezes por semana ao longo de 4 a 16 semanas. A administração deve continuar até que se observe a regressão das lesões ou até o prazo máximo estipulado.

Uma reação inflamatória local, com eritema, enduramento, prurido, dor em queimação, formação de vesículas e até mesmo erosão ou ulceração é frequente; raramente impede a continuidade do tratamento, mas em casos mais severos pode-se interromper o uso da medicação até a resolução completa do processo inflamatório, após o qual pode ser reiniciado, preferencialmente com maior intervalo de tempo entre cada aplicação.

A aplicação pela paciente requer cuidados. Após higiene das mãos e higiene local, o creme é aplicado sobre as lesões limpas e secas, e distribuído sobre as mesmas até não estar mais visível. Imediatamente após a aplicação, a paciente deve lavar novamente as mãos. A área de aplicação deve ser lavada com água e sabonete neutro, 6 a 10 horas depois. Não deve ser aplicado em áreas de mucosa. Recomenda-se abstinência sexual durante o tratamento.

Foi observado que 40 a 50% das pacientes apresentaram resolução completa das lesões, e a maioria das demais pacientes relatou resposta parcial. No entanto, até 30% evoluem com recidiva em até 12 semanas.[7]

Não existem estudos sobre o uso do imiquimod durante a gravidez, motivo pelo qual o mesmo não é recomendado.[15]

Interferon alfa

O interferon alfa (IFN-α) é uma citocina que regula positivamente a resposta imune celular, com importantes efeitos antivirais e antiproliferativos.

A terapia sistêmica primária com IFN-α (3 milhões de unidades IM diariamente por 3 semanas; ou SC 3 vezes por semana, por 4 semanas) leva a taxas de remissão completa que variam de 25 a 80%, porém com consideráveis efeitos colaterais, e uma taxa de recidiva tardia inferior àquela observada com tratamentos locais menos mórbidos.

Atualmente, dá-se preferência às injeções intralesionais, em conjunto com outro método terapêutico (ver tópico "Tratamentos combinados").[5,7]

Sinecatequinas

Introduzidas recentemente (2008), sinecatequinas ou cunecatequinas são uma mistura de flavonoides extraída da folha do chá-verde (*Camellia sinensis*), cujo mecanismo de ação no combate ao HPV ainda não é plenamente evidente, podendo envolver efeitos imunomoduladores, antivirais e antioxidantes.[10]

A apresentação consiste de creme ou pomada para aplicação tópica, sobre as lesões, três vezes por dia, e por até 16 semanas. Não deve ser empregado em áreas de mucosa. A área de aplicação deve ser lavada antes do contato sexual, ou mesmo antes do uso de absorvente íntimo.

Não deve ser utilizado por pacientes imunocomprometidas, nem durante a gravidez.

O principal ensaio clínico prospectivo e randomizado, comparando uma preparação de sinecatequinas com placebo, evidenciou resposta completa em 57,2% dos pacientes, com reposta parcial de pelo menos 50% relatada por 78%. Significativamente, menos de 10% dos pacientes com reposta completa referiram o surgimento de novas lesões.[13]

No mesmo estudo, 90% dos pacientes observaram efeitos locais (eritema, enduramento, erupção vesicular, dor em queimação), porém menos de 5% interromperam o tratamento devido a reações adversas.

TRATAMENTOS CIRÚRGICOS

Indicados em casos refratários ao tratamento medicamentoso e em pacientes com doença extensa, volumosa e/ou multifocal. É considerada ainda a melhor opção em pacientes codiagnosticadas com neoplasia intraepitelial associada e adjacente.[5,7]

Crioterapia

Destrói o tecido condilomatoso por congelamento e lise celular. Consiste na aplicação tópica de óxido nitroso (com uma sonda especial) ou nitrogênio líquido (como *spray* ou com um *swab*). A aplicação é mantida até que a área de congelamento englobe toda a lesão e se estenda por uma margem de 1 a 3 mm (5 mm em lesões cervicais). Reaplicações semanais frequentemente são necessárias.[1,5]

A aplicação pode ser dolorosa, impondo a necessidade de anestesia local. Alterações inflamatórias após a crioterapia são comuns, quais sejam, edema, eritema, vesiculação, ulceração e, tardiamente, hipopigmentação; decorrente do risco de complicações, recomenda-se que a crioterapia seja tentada após um ou mais cursos, pelo menos parciais, de tratamento medicamentoso.[5,12]

A sonda de óxido nítrico permite uma ação mais penetrante em termos de profundidade; seu uso está contraindicado em lesões vaginais, pelo risco de perfuração vaginal e formação de fístula; porém é particularmente eficaz no tratamento da condilomatose do colo uterino.[12]

Está bem indicado seu uso durante a gravidez.[12,15]

Eletrocauterização

A fulguração das lesões com eletrocautério ("bisturi elétrico") monopolar cria a necessidade de anestesia e uso de sala de centro cirúrgico, porém se encontra amplamente disponível; em geral requer uma única sessão; permite o tratamento de lesão em área de mucosa; e não está contraindicada na gravidez.

Sangramento e desconforto após o procedimento são mais comuns do que em outros métodos, podendo ser prolongados.[5]

Excisão

A excisão a lâmina fria envolve os recursos e riscos comuns a procedimentos cirúrgicos de pequeno a médio porte. Pode ser complementada por eletrocauterização ou curetagem do leito de ressecção (devendo-se observar a cautela habitual em relação à eletrocoagulação excessiva, e ao risco de cicatrização estenótica, quando em áreas de mucosa). A taxa de resposta completa em 3 meses é de 36%. Recomenda-se o exame histopatológico das lesões ressecadas.

Pacientes gestantes com lesões que obstruem o canal de parto, e/ou passíveis de laceração, devem ser tratadas agressivamente, com ressecção da lesão. Se necessário, deve-se indicar o parto cesáreo.[5,11]

Laser

O *laser* age por geração de calor e necrose de coagulação térmica do tecido acometido. A ablação de lesões com *laser* de gás carbônico (CO_2), ou de neodímio-ítrio-alumínio-granada (Nd:YAG), é o mais dispendioso dos métodos terapêuticos descritos neste capítulo. É realizada em centro cirúrgico, sob anestesia, e necessita de treinamento específico e de equipamento de proteção individual específico para a equipe cirúrgica.[3,12]

Está bem indicado para lesões extensas e multifocais, em que seria necessária uma ressecção cirúrgica muito ampla, bem como na coexistência com lesões pré-malignas (caso em que o uso do colposcópio orienta a aplicação do *laser*).[3,5,6]

O *laser* permite ao cirurgião um controle mais fino sobre a profundidade de penetração do efeito térmico, preservando melhor a anatomia genital e minimizando a formação de tecido cicatricial (que, no entanto ainda pode ser observada em até 28% das pacientes).[3] Outros riscos, menos comuns, incluem sinéquias vulvares, dor crônica e hiperpigmentação.[3,12]

Analgesia e higiene local são cruciais no período pós-operatório, a fim de evitar complicações como infecção e sinéquias.[3]

TRATAMENTOS COMBINADOS

O corpo de evidências que diz respeito à combinação de modalidades terapêuticas é, por vezes, contraditório, e não permite apontar com clareza uma combinação mais eficaz do que um dado esquema de monoterapia.

No entanto, o uso de múltiplas opções, de forma sequencial, é comum, dados os altos índices de recidiva para a maioria dos tratamentos.

Como uma regra geral, quando a combinação se faz necessária, busca-se sinergizar tratamentos imunomoduladores (com o intuito de reduzir a carga viral) e ablativos químicos ou cirúrgicos (que citorreduzem e erradicam o tecido infectado).[5-7]

Uma opção particularmente pesquisada, com resultados em geral favoráveis, é a combinação de interferon (sistêmico ou, preferencialmente, intralesional) com ácido tricloroacético ou tratamentos cirúrgicos.[5]

Um estudo retrospectivo por uma organização não governamental estadunidense, levantando resultados do tratamento da condilomatose em 422 mulheres e 78 homens, sugeriu que a combinação de TCA e imiquimod seria o melhor esquema terapêutico inicial em termos de custo-benefício, em especial para pacientes com múltiplas lesões, ou lesões em mais de uma localização, ou ainda pacientes refratárias à crioterapia ou à monoterapia com TCA.[7]

PERSPECTIVAS

Opções terapêuticas em fase de investigação incluem preparações tópicas de cidofovir, um agente antiviral; injeções intralesionais de gel de 5-fluorouracil; e a administração local do bacilo de Calmette-Guérin (BCG) como imunomodulador.[6]

PREVENÇÃO

A vacina quadrivalente contra o HPV contempla os sorotipos 6 e 11, responsáveis pela maior parte dos casos de condilomatose, porém não existem estudos clínicos específicos quanto à eficácia da vacina no tocante à prevenção da condilomatose.[5,15]

Até a obtenção de dados concretos sobre a mesma, a principal abordagem para a prevenção da condilomatose permanece a educação dos pacientes quanto à transmissão.[15]

REFERÊNCIAS BIBLIOGRÁFICAS

1. Abdullah AN, Walzman M, Wade A. Treatment of external genital warts comparing cryotherapy (liquid nitrogen) and trichloroacetic acid. *Sex Transm Dis* 1993;20(6):344.
2. Aubin F, Prétet JL, Jacquard AC et al. EDiTH Study Group. Human papillomavirus genotype distribution in external acuminata condylomata: a Large French National Study (EDiTH IV). *Clin Infect Dis* 2008;47(5):610.
3. Bellina JH. The use of carbon dioxide laser in the management of condyloma acuminatum with eight-year follow-up. *Am J Obstet Gynecol* 1983;147(4):375.
4. Bonnez W, Elswick Jr RK, Bailey-Farchione A et al. Efficacy and safety of 0.5% podofilox solution in the treatment and suppression of anogenital warts. *Am J Med* 1994;96(5):420.
5. Breen E, Bleday R. Condylomata acuminata (anogenital warts). UpToDate.com. Acesso em: 16 Ago. 2011. Disponível em: http://www.uptodate.com/contents/condylomata-acuminata-anogenital-warts
6. Carusi DA, Garner EIO. Treatment of vulvar and vaginal warts. UpToDate.com. Acesso em: 16 Ago. 2011. Disponível em: http://www.uptodate.com/contents/treatment-of-vulvar-and-vaginal-warts
7. Fine P, Ball C, Pelta M et al. Treatment of external genital warts at Planned Parenthood Federation of America centers. *J Reprod Med* 2007;52(12):1090.
8. Hellberg D, Svarrer T, Nilsson S et al. Self-treatment of female external genital warts with 0.5% podophyllotoxin cream (Condyline) vs weekly applications of 20% podophyllin solution. *Int J STD AIDS* 1995;6(4):257.
9. Lacey CJ, Goodall RL, Tennvall GR et al. For the Perstop Pharma Genital Warts Clinical Trial Group. Randomised controlled trial and economic evaluation of podophyllotoxin solution, podophyllotoxin cream, and podophyllin in the treatment of genital warts. *Sex Transm Infect* 2003;79(4):270.
10. Meltzer SM, Monk BJ, Tewari KS. Green tea catechins for treatment of external genital warts. *Am J Obstet Gynecol* 2009;200(3):233.
11. Reid R, Greenberg MD, Pizzuti DJ et al. Superficial laser vulvectomy. V. Surgical excision is enhanced by adjuvant systemic interferon. *Am J Obstet Gynecol* 1992;166(3):815.
12. Sedlacek TV. Advances in the diagnosis and treatment of human papillomavirus infections. *Clin Obstet Gynecol* 1999;42(2):206.
13. Tatti S, Swinehart JM, Thielert C et al. Sinecatechins, a defined green tea extract, in the treatment of external anogenital warts: a randomized controlled trial. *Obstet Gynecol* 2008;111(6):1371.
14. Von Krogh G, Lacey CJ, Gross G et al. European course on HPV associated pathology: guidelines for primary care physicians for the diagnosis and management of anogenital warts. *Sex Transm Infect* 2000;76(3):162.
15. Workowski KA, Berman S. For the United States Centers for Disease Control and Prevention (CDC). Sexually transmitted diseases treatment guidelines, 2010. *MMWR Recomm Rep* 2010;59(RR12):1.

SEÇÃO II

Bases Biomoleculares Aplicadas à Ginecologia Oncológica

CAPÍTULO 155

Biologia Molecular do Câncer Ginecológico

Andréia Cristina de Melo ■ Angélica Nogueira-Rodrigues

INTRODUÇÃO

O tratamento atual das neoplasias tem ligação direta com o desenvolvimento da biologia molecular e o melhor entendimento das vias de sinalização intracelulares. O grande desafio é identificar subgrupos específicos de pacientes através de biomarcadores de suscetibilidade à doença, predição de resposta ao tratamento e prognóstico. No câncer ginecológico não é diferente, e a evolução na abordagem das diferentes doenças estará baseada, em um futuro próximo, na incorporação dos biomarcadores.

Este capítulo discutirá as principais alterações moleculares já descritas nos tumores de endométrio, ovário e colo uterino.

CÂNCER DE ENDOMÉTRIO

A perspectiva de aumento progressivo da incidência de câncer de endométrio, influenciada pelo aumento da expectativa de vida e agravamento do cenário de obesidade mundial, e a limitação dos resultados terapêuticos com quimioterápicos citotóxicos clássicos, expõem a necessidade de melhor conhecer sua biologia molecular e identificar novos biomarcadores que possam ser explorados como alvos terapêuticos e fatores preditivos, além de fornecer informações sobre fatores prognósticos ao tratamento.

O carcinoma de endométrio pode ser dividido em dois grandes subgrupos que apresentam comportamento clínico e assinatura molecular distintos. Os adenocarcinomas do tipo I decorrem de exposição hormonal, são do subtipo histopatológico endometrioide, (que correspondem a aproximadamente 80% dos tumores de endométrio), geralmente acometem mulheres mais jovens e são menos agressivos. Estudos moleculares evidenciam perfil genético também distinto. As anormalidades genéticas mais frequentes são encontradas desde a hiperplasia até o carcinoma e consistem em mutações no proto-oncogene *RAS* e no gene supressor tumoral PTEN, instabilidade de microssatélite e defeitos em genes de reparo ao DNA.[1-3] A perda funcional de PTEN, por mutação ou deleção, é uma etapa carcinogênica precoce e parece ter valor prognóstico.[4] As mutações em KRAS na neoplasia do endométrio consistem basicamente em mutações pontuais nos códons 12 e 13 e podem ser encontradas em 15% das hiperplasias atípicas e até 37% dos tumores. O significado prognóstico desta mutação ainda não está claro. As mutações de TP53 são infrequentes e ocorrem tardiamente na carcinogênese dos tumores do tipo I.[2] ARID1A é um gene supressor tumoral, identificado recentemente, que se encontra mutado em 50% dos tumores ovarianos de células claras e 30% dos endometrioides. Também em tumores de endométrio, estudos iniciais sugerem inativação de ARID1A em aproximadamente 25% dos tumores endometrioides.[5]

Os carcinomas do tipo II têm nos subtipos serosos papilíferos e células claras suas histologias mais frequentes. Distintamente dos tumores tipo I, habitualmente têm como principal defeito estrutural a mutação de *TP53*, que ocorre precocemente no processo carcinogênico e parece ser responsável pelo ritmo de crescimento tumoral acelerado dos carcinomas tipo II.[2] Serosos papilíferos expressam receptores de estrógeno (RE) em 31% dos casos e receptores de progesterona (RP) em 12%, enquanto células claras raramente expressam estas proteínas.

Muitos marcadores moleculares se correlacionam com prognóstico, sendo a mutação de TP53 o principal preditor de evolução desfavorável e a expressão de RE e RP indicadores de um curso favorável no carcinoma de endométrio. Há crescente interesse na exploração destes e de outros alvos para o desenvolvimento de terapias biológicas alvo-específicas em câncer de endométrio. A observação da dependência hormonal, característica dos tumores tipo I, levou à exploração e validação do uso de receptores hormonais como alvos terapêuticos e biomarcadores preditivos. A expressão conjunta de RE e RP ocorre em até 92% dos casos, com redução progressiva com o aumento do grau tumoral. A descoberta do valor terapêutico de progestágenos no câncer de endométrio remonta à década de 1950, mas, apenas mais recentemente, estudos prospectivos em pacientes com diagnóstico de carcinoma de endométrio avançado confirmaram a correlação entre expressão de RE e RP e resposta terapêutica, caracterizando-os também como biomarcadores preditivos, os únicos validados no momento para o manejo clínico do câncer de endométrio.[6] Os avanços no entendimento dos eventos moleculares que levam ao desenvolvimento do câncer de endométrio têm focado o desenvolvimento terapêutico na inibição de vias de sinalização dependentes da regulação de PTEN. Nesta linha, inibidores m-TOR, como everolimo e temsirolimo, foram avaliados em estudos de fase II apresentando atividade clínica considerável.[7] A evidência de que os RE funcionam através de vias genômicas, não genômicas e mitocondriais em parte mediadas por MAPK levou à recente exploração, em um estudo de fase II, da combinação de um bloqueador hormonal, o inibidor de aromatase letrozol, com o inibidor m-TOR everolimus; a combinação mostrou atividade clínica promissora, superior ao uso isodado de cada um dos agentes.[8]

CÂNCER DE OVÁRIO

Aproximadamente 90% dos tumores primários do ovário são de origem epitelial e formam um grupo heterogêneo de neoplasias tradicionalmente classificadas à microscopia óptica de acordo com o subtipo histológico (seroso, endometrioide, células claras e mucinoso são os mais comuns) e o grau de diferenciação (que é determinado pela razão entre estruturas glandulares e componente sólido). Até o momento, esses fatores pouco influenciam no manejo clínico da doença que consiste, na maioria dos casos, em uma cirurgia inicial seguida de quimioterapia sistêmica com uma platina e um taxano.

Entretanto, tem-se tornado evidente que subtipos histológicos diferentes têm apresentações clínicas, sensibilidade ao tratamento e prognóstico distintos, além de alterações citogenéticas e moleculares específicas que incluem aneuploidias, alterações cromossômicas, mutações e expressão proteica que por fim desregulam vias de sinalização, levam a proliferação, sobrevida celular, angiogênese e metástase. O melhor entendimento da tumorigênese do câncer de ovário é de extrema importância na descoberta de alvos potenciais ao desenvolvimento de novas terapias.

A revisão das características clínicas, patológicas e moleculares gerou um modelo no qual os tumores de ovário, à semelhança dos de endométrio, são divididos em duas grandes categorias, designadas tumores dos tipos I e II, que não se relacionam especificamente com particularidades histopatológicas, e sim com alterações em vias de carcinogênese. Tumores do tipo I incluem o carcinoma seroso e o endometrioide de baixo grau, o carcinoma mucinoso e uma fração dos carcinomas de células claras; são tumores que se desenvolvem de forma gradual, de crescimento lento e na maior parte das vezes estão confinados ao ovário no momento do diagnóstico. Os tumores do tipo II são o carcinoma seroso e o endometrioide de alto grau, o carcinoma indiferenciado, o carcinossarcoma e parte dos carcinomas de células claras; apresentam comportamento mais agressivo e quase sempre na apresentação não se localizam apenas nos ovários por se disseminarem precocemente.[9]

Tumores dos tipos I e II apresentam perfis moleculares distintos. A presença de instabilidade cromossômica, por exemplo, é muito mais comum em tumores tipo II. Tumores tipo I normalmente apresentam mutações somáticas nos genes que codificam cinases como KRAS, BRAF, PI3K e HER2, além de outras moléculas sinalizadoras incluindo CTNNB1 (gene que codifica β-catenina) e PTEN. Tumores do tipo II têm alta frequência de mutações no gene TP53.[10]

Nos tumores endometrioides é comum a ativação constitutiva da via Wnt usualmente por mutação no gene CTNNB1 (26% dos casos aproximadamente). Essas mutações alteram tipicamente resíduos de fosforilação e assim a proteína β-catenina deixa de ser degradada, transloca para o núcleo e ativa genes-alvo que são importantes para transformação e progressão tumoral. Na prática, a imuno-histoquímica para β-catenina pode ser usada para predizer se a via Wnt está ou não ativada em uma amostra tumoral (acúmulo nuclear de β-catenina). Notavelmente defeitos nessa via estão associados a tumores de baixo grau e estágio inicial ao diagnóstico. Também no adenocarcinoma endometrioide de ovário a via PI3K/AKT pode estar desregulada por mutações que inativam PTEN ou por mutações ativadoras de PIK3CA e estão presentes em 15% dos casos. Existem relatos de alterações concomitantes das vias de Wnt e PIK3CA em alguns casos de tumores endometrioides, sugerindo que ocorra uma cooperação entre as mesmas na carcinogênese desses; mutações em BRAF e KRAS estão presentes em 10% dos casos. Os carcinomas serosos de baixo grau apresentam mutações em *BRAF* e *KRAS* em aproximadamente 2/3 dos casos e mutações em TP53 são incomuns com o inverso acontecendo nos tumores de alto grau onde as mutações de TP53 ocorrem de 50-80% dos casos, onde também são mais comuns as mutações no gene BRCA. Os carcinomas mucinosos ovarianos comumente exibem mutações em KRAS (até 60% dos casos).[10] Mutações ativadoras no domínio tirosina cinase de EGFR são encontradas em um pequeno número dos tumores de ovário (3,5%).[11] Mutações no gene supressor de tumor ARID1A foram recentemente descritas em carcinomas de células claras de ovário (46%) e endometrioides (30%) e aparentemente não estão presentes nos carcinomas serosos.[12]

Outras alterações moleculares menos estudadas e que podem também contribuir na patogênese do câncer de ovário têm sido descritas. Amplificações no gene de Notch 3 são encontradas em até 20% dos carcinomas serosos; a expressão de mucina, mesotelina e osteopontina são outros marcadores em estudo. Receptores de folato alfa são encontrados em quantidade muito limitada nos tecidos normais e em grande quantidade em tumores de diferentes origens, incluindo tumores de ovário não mucinosos (mais de 90% dos casos) e sua maior expressão está correlacionada com o maior grau de malignidade.[13]

A angiogênese tem um papel crítico no prognóstico e na progressão no câncer de ovário. Os tumores de ovário expressam marcadores como VEGF, VEGFR, VEGFR2 e o nível dos mesmos parece estar associado a pior sobrevida.[11]

Apesar de todo o avanço no entendimento da patogênese do câncer de ovário nos últimos anos, nenhum dos marcadores mencionados foi, até o momento, suficientemente estudado e validado para seu uso na prática clínica como fatores prognósticos ou preditivos.

CÂNCER DE COLO UTERINO

Com aproximadamente 550 mil casos novos por ano, o câncer de colo do útero é o segundo tipo em frequência e a terceira causa de óbito por câncer no sexo feminino no mundo, sendo responsável pela morte de cerca de 300 mil mulheres por ano.[14] Desde 1992, a Organização Mundial de Saúde (OMS) considera que a persistência do vírus HPV em altas cargas virais representa o principal fator de risco para o desenvolvimento da doença. Pesquisas que utilizam método de hibridização têm demonstrado que mais de 99% dos casos podem ser atribuídos a algum tipo de HPV. Dos cerca de 200 subtipos de HPV conhecidos, mais de 40 tipos sabidamente infectam a mucosa cervical. Estudos epidemiológicos revelaram subtipos de baixo risco (incluindo 6, 11, 40, 42, 54 e 57) e de alto risco (incluindo 16, 18, 26, 31, 33, 39, 45, 51, 52, 53, 56, 58, 59, 66 e 68) para o câncer de colo uterino,[15,16] sendo o HPV 16 o responsável pela maior proporção de casos (50%), seguido pelo HPV 18 (12%), HPV 45 (8%) e HPV 31 (5%).

A patogênese do câncer de colo uterino é um processo multifatorial envolvendo vários estágios sequenciais e expressão aberrante de genes celulares e virais. O HPV tem um genoma circular dupla-fita que pode ser dividido em janelas de leitura precoces (E1-E7) e tardias (L1 e L2). Na infecção por HPV produtiva, o DNA viral permanece em estado episomal e E1/E2 reprime a expressão das duas oncoproteínas mais importantes, E6 e E7.[17] Nas neoplasias intraepiteliais cervicais (NIC) e no câncer, o DNA viral se integra ao genoma humano, não permanecendo como capsídeo intacto.[18] E1/E2 é frequentemente rompido pela integração do DNA viral ao genoma hospedeiro, resultando em superexpressão de E6 e E7.[17,19] A superexpressão de E6 promove a degradação da proteína regulatória do ciclo celular p53, resultando em progressão celular descontrolada.[15,20] Por sua vez, a oncoproteína E7 se liga e promove degradação do gene do retinoblastoma (*Rb*), resultando em ruptura da via regulatória do ciclo celular Rb ciclina/p16^{INK4a}. Isto leva à proliferação celular contínua, com acúmulo de dano ao DNA, que culmina na progressão para neoplasia.[21] E6 e E7 são ainda capazes de interagir com proteínas precursoras que regulam a proliferação celular, regular diretamente a atividade de receptores de fatores de crescimento, inibir apoptose e promover angiogênese,[22] alterando o ciclo e o programa de diferenciação destas células, promovendo o acúmulo de defeitos mitóticos que promovem instabilidade genômica e contribuindo para a manutenção do fenótipo maligno. Este processo carcinogênico confere uma assinatura molecular cujas alterações mais relevantes são a superexpressão do receptor de fator de crescimento epitelial (EGFR), o que se correlaciona com pior prognóstico,[23,24] a baixa frequência de superexpressão de HER2 e de mutação nos genes EGFR e KRAS, além de ativação constitutiva das vias de sinalização de PI3K/AKT/mTOR[25-27] e ativação aberrante das vias MAPK, IGF-1/IGF-1R e HGF/c-MET.[28-30] Estes defeitos celulares diretamente causados pela infecção por HPV podem ser explorados como alvos para o desenvolvimento de novas estratégias terapêuticas nos carcinomas HPV-dependentes.

Cirurgia radical ou radioterapia definitiva são tratamentos efetivos para muitas mulheres com diagnóstico de câncer de colo uterino inical (IB1 a IIA). No entanto, em pacientes com doença localmente avançada ou metastática, os resultados terapêuticos com essas modalidades isoladamente deixam a desejar. Os padrões de falha ao tratamento são resistência primária tumoral, recidiva pélvica ou metástase a distância. A principal causa de falha terapêutica é a persistência de doença pélvica, o que enfatiza a necessidade de novas opções terapêuticas que otimizem o controle local. Uma vez que o melhor quociente entre eficácia e toxicidade com a combinação de radioterapia e quimioterapia baseada em platina provavelmente já tenha sido obtido com os tratamentos disponíveis,[31] a exploração de novas estratégias terapêuticas se faz necessária para a redução das altas taxas de mortalidade vigentes. Responsável por virtualmente 100% dos casos de carcinoma uterino, o HPV e sua interação com a célula do hospedeiro são alvos atrativos.

Dada a importância das oncoproteínas E6 e E7 no processo carcinogênico induzido por HPV, elas são alvos terapêuticos a serem explorados. Conceitualmente, a estratégia mais eficiente seria interferir com a expressão de E6 e E7 ou identificar pequenas moléculas que interferissem na associação de E6 e E7 com alvos celulares críticos como *p53* e *pRB*. Apesar de experimentos de prova de princípio apoiarem a viabilidade destas estratégias, elas ainda se encontram em estágios muito iniciais de desenvolvimento e enfrentam limitações bioquímicas e farmacológicas para seu desenvolvimento. Em estágios um pouco mais avançados, estão as estratégias que exploram como alvos as enzimas que são reprogramadas por E6 e E7 e vias de sinalização que cooperam com estas oncoproteínas em prol da carcinogênese. Acredita-se que vias de transdução de sinal que são redundantes em células normais se tornem essenciais, como consequência da expressão das oncoproteínas do HPV, e que o seu bloqueio possa culminar na perda da viabilidade celular.

À medida que esses dados se tornam claros e em face da disponibilidade de drogas que atuam nessas vias desenvolvidas para outras indicações, emerge uma janela de oportunidades para se explorar defeitos celulares diretamente causados pela infecção por HPV como alvos para o desenvolvimento de novas estratégias terapêuticas nos carcinomas HPV dependentes. Alguns grupos de pesquisa, dentre eles o nosso, vem desenvolvendo essa estratégia, explorando tanto *in vitro*,[32] quanto em ensaios clínicos,[33] alvos como EGFR, mTOR, PI3K, angiogênese, dentre outros, com resultados promissores.

No contexto atual de incorporação da vacina profilática anti-HPV, é necessária a conscientização de que, pelos altos custos vigentes, o acesso à vacina tem ido na contramão das áreas de maior necessidade, fato que, somado à inexistência de efeito terapêutico sobre as infecções instaladas, tem levado a projeções de que não haverá redução na incidência nas neoplasias HPV relacionadas antes de 2040; especificamente em relação ao câncer de colo uterino, há projeções de aumento das atuais 300.000 mortes/ano para 400.000 no ano de 2030, não podendo ser arrefecidos os esforços de rastreamento e desenvolvimento de novos tratamentos, sob risco de agravamento do cenário atual. E, sendo provável que o melhor quociente entre eficácia e tolerabilidade do binômio quimioterapia/radioterapia já tenha sido atingido com os esquemas terapêuticos em uso atualmente, há necessidade de exploração de novas combinações, com efeitos terapêuticos aditivos e menor sobreposição de efeitos adversos. A exploração de alvos celulares influenciados por oncoproteínas virais tem um sólido racional e parece ser a melhor janela atual para o desenvolvimento de novas estratégias terapêuticas neste tumor com assinatura molecular HPV-dependente.

PERSPECTIVAS

Ainda que o tratamento atual das neoplasias ginecológicas esteja baseado, principalmente, na cirurgia, na radioterapia e na quimioterapia, muito tem sido feito para compreender a biologia dos tumores e identificar potenciais alvos para o tratamento, que no futuro devem ser validados em estudos clínicos.

REFERÊNCIAS BIBLIOGRÁFICAS

1. Sherman ME. Theories of endometrial carcinogenesis: a multidisciplinary approach. *Mod Pathol* 2000 Mar.;13(3):295-308.
2. Lax SF, Kurman RJ. A dualistic model for endometrial carcinogenesis based on immunohistochemical and molecular genetic analyses. *Verh Dtsch Ges Pathol* 1997;81:228-32.
3. Bussaglia E, del Rio E, Matias-Guiu X et al. PTEN mutations in endometrial carcinomas: a molecular and clinicopathologic analysis of 38 cases. *Hum Pathol* 2000 Mar.;31(3):312-17.
4. Mutter GL, Lin MC, Fitzgerald JT et al. Altered PTEN expression as a diagnostic marker for the earliest endometrial precancers. *J Natl Cancer Inst* 2000 June 7;92(11):924-30.
5. Guan B, Tsui-Lien M, Panuganti P et al. Mutation and loss of expression of ARID1A in uterine low-grade endometrioid carcinoma. *Am J Surg Pathol* 2011 May;35(5):625-32.
6. Thigpen JT, Brady MF, Alvarez RD et al. Oral medroxyprogesterone acetate in the treatment of advanced or recurrent endometrial carcinoma: a dose-response study by the Gynecologic Oncology. *J Clin Oncol* 1999;17(6):1736-44.
7. Slomovitz BM, Lu KH, Johnston TA et al. A phase 2 study of oral mammalian target of rapamycin (mTOR) inhibitor, RAD001 (everolimus), in patients with recurrent endometrial carcinoma. *J Clin Oncol* 2008 May;26(Suppl):293, abstr 5502.
8. Slomovitz BM, Brown K, Johnston TA et al. A phase II study of everolimus and letrozol in patients with recurrent endometrial carcinoma. *J Clin Oncol* 2011 May;29(Suppl), abstr 5012.
9. Kurman RJ, Shih IeM. The origin and pathogenesis of epithelial ovarian cancer: a proposed unifying theory. *Am J Surg Pathol* 2010 Mar.;34(3):433-43.
10. Cho KR. Ovarian cancer update: lessons from morphology, molecules, and mice. *Arch Pathol Lab Med* 2009 Nov.;133(11):1775-81.
11. Darcy KM, Schilder RJ. Relevant molecular markers and targets. *Gynecol Oncol* 2006 Nov.;103(Suppl 1):S6-13.
12. Wiegand KC, Shah SP, Al-Agha OM et al. ARID1A mutations in endometriosis-associated ovarian carcinomas. *N Engl J Med* 2010 Oct. 14;363(16):1532-43.
13. Shih IeM, Davidson B. Pathogenesis of ovarian cancer: clues from selected overexpressed genes. *Future Oncol* 2009 Dec.;5(10):1641-57.
14. Parkin DM. The global health burden of infection-associated cancers in the year 2002. *Int J Cancer* 2006;118(12):3030-44.
15. Wolf JK, Ramirez PT. The molecular biology of cervical cancer. *Cancer Invest* 2001;19:621-29.
16. zur Hausen H. Papillomaviruses in human cancers. *Proc Assoc Am Physicians* 1999;111:581-87.
17. Doorbar J. The papillomavirus life cycle. *J Clin Virol* 2005;32(Suppl 1):S7-15.
18. Winkler B, Richart RM. HPV and gynecologic neoplasia. *Curr Probl Obstet Gynecol Fertil* 1987;10:49.
19. Scheuer ME, Tortolero-Luna G, Adler-Storthz K. Human papillomavirus infection: biology, epidemiology, and prevention. *Int J Gynecol Cancer* 2005;15:727-46.
20. Scheffner M, Werness BA, Huibregtse JM et al. The E6 oncoprotein encoded by human HPV types 16 and 18 promotes the degradation of p53. *Cell* 1990 Dec. 21;63(6):1129-36.
21. Martin CM, Astbury K, O'Leary JJ. Molecular profiling of cervical neoplasia. *Expert Rev Mol Diagn* 2006;6(2):217-29.
22. Chen W, Li F, Mead L et al. Human papillomavirus causes an angiogenic switch in keratinocyteswhich is sufficient to alter endothelial cell behavior. *Virology* 2007;367:168-74.
23. Chen TP, Chen CM, Chang HW et al. Increased expression of SKP2 and phospho-MAPK/ERK1/2 and decreased expression of p27 during tumor progression of cervical neoplasms. *Gynecol Oncol* 2007 Mar.;104(3):516-23.
24. Gaffney DK, Haslam D, Tsodikov A et al. Epidermal growth factor receptor (EGFR) andvascular endothelial growth factor (VEGF) negatively affectoverall survival in carcinoma of the cervix treated with radiotherapy. *Int J Radiat Oncol Biol Phys* 2003;56:922-28.
25. Meira DD, Nóbrega I, de Almeida VH et al. Different antiproliferative effects of matuzumab and cetuximab in A431 cellsare associated with persistent activity of the MAPK pathway. *Eur J Cancer* 2009;45:1265-73.
26. Brown RE, Zhang PL, Lun M et al. Morphoproteomic andpharmacoproteomic rationale for mTOR effectors as therapeutictargets in head and neck squamous cell carcinoma. *Ann Clin Lab Sci* 2006;36:273-82.
27. Bertelsen BI, Steine SJ, Sandvei R et al. Molecular analysis of the PI3K-AKT pathway in uterine cervical neoplasia: frequent PIK3CA amplification and AKT phosphorylation. *Int J Cancer* 2006;118:1877-83.
28. Serrano ML, Sánchez-Gómez M, Bravo MM et al. Differential expression of IGF-I and insulin receptorisoforms in HPV positive and negative human cervical cancer cell lines. *Horm Metab Res* 2008;40:661-67.
29. DiPaolo JA, Woodworth CD, Popescu NC et al. Induction of human cervical squamous cell carcinomaby sequential transfection with humanpapillomavirus 16 DNA and viral Harvey RAS. *Oncogene* 1989;4:395-99.
30. Durst M, Gallahan D, Jay G et al. Glucocorticoidenhancedneoplastic transformation of human keratinocytes byhuman papillomavirus type 16 and an activated *RAS* oncogene. *Virology* 1989;173:767-71.
31. Gillian T. Are we making progress in curing advanced cervical cancer? *J Clin Oncol* 2011 May;29:1654-56.
32. Meira DD, de Almeida VH, Mororó JS et al. Combination of cetuximab with chemoradiation, trastuzumab or MAPK inhibitors: mechanism of sensitisation of cervical cancer cells. *Br J Cancer* 2009 Sept. 1;101(5):782-91.
33. Nogueira-Rodrigues A, Carmo CC, Viegas C et al. Phase I trial of erlotinib combined with cisplatin and radiotherapy for patients with locally advanced cervical squamous cell cancer. *Clin Cancer Res* 2008;14:6324-29.

CAPÍTULO 156

Genética no Câncer Ginecológico

Angélica Nogueira-Rodrigues ■ Andréia Cristina de Melo

INTRODUÇÃO

Câncer hereditário é o desenvolvimento de uma neoplasia secundária à herança de um gene mutado, passado dos pais para o filho na concepção. Ao longo das últimas 3 décadas, cientistas descobriram genes específicos que contribuem ao desenvolvimento de vários tumores hereditários, como mama, ovário, endométrio, cólon, além de outros menos frequentes. Aconselhamento e testagem genéticos são, hoje, disponíveis em centros especializados com o objetivo de que a detecção de um risco genético elevado permita intervenções clínicas ou cirúrgicas, incentive mudanças de estilo de vida e, por fim, reduza a incidência e a mortalidade específica pela doença em questão.

Este capítulo abordará questões clínicas envolvidas na abordagem de pacientes portadores das principais síndromes que incluem tumores ginecológicos em seu espectro de manifestações clínicas.

GENÉTICA NA PRÁTICA CLÍNICA DO CÂNCER DE OVÁRIO

Um novo componente à prática da ginecologia oncológica foi introduzido com a identificação dos genes BRCA1 e BRCA2 como preditores de suscetibilidade ao câncer de ovário. Estima-se que 10 a 15% das mulheres com câncer de ovário carreiem mutações germinativas em genes de alta penetrância, sendo os genes BRCA1 ou BRCA2 os responsáveis pela síndrome de câncer de mama e ovário hereditária (HBOC). Na sequência destes achados, os genes MLH1, MSH2 e MSH6 foram implicados no desenvolvimento da síndrome de Lynch, responsável por adicionais 2% dos cânceres de ovário,[1-3] levando à sugestão por muitos grupos de que a testagem genética rotineira devesse ser oferecida a todas as mulheres com diagnóstico de câncer de ovário.

Os genes BRCA1 e BRCA2 são supressores de tumor e estão diretamente ligados à manutenção da integridade do genoma com suas atividades no *checkpoint* do ciclo celular e no reparo de quebras da fita dupla do DNA. Na população geral a frequência de mutações nos genes BRCA1 e BRCA2 é estimada em 1/800 a 1/1.000 por gene. A frequência da mutação de BRCA varia entre grupos étnicos distintos, podendo ser tão alta como 40% entre mulheres judias Ashkenazi com diagnóstico de câncer de ovário.[4] Em populações com alta miscigenação, aproximadamente 13% das mulheres apresentam alguma mutação em BRCA1 ou BRCA2.[5] Neste grupo, o espectro de mutações possíveis é muito amplo, necessitando de rastreamento genômico completo para sua identificação. A HBOC segue um padrão de herança autossômico dominante, e a penetrância chega a 40% de desenvolvimento de câncer de ovário. Entre portadoras de mutação em BRCA1, o risco de desenvolver câncer de ovário é de aproximadamente 1% ao ano a partir dos 35 anos, perfazendo aproximadamente 40% de chance acumulada ao longo da vida. Entre portadoras de mutações em BRCA2, o risco é menor, aproximadamente 15%, e geralmente não se manifesta antes dos 50 anos de idade (Quadro 1). Apesar de a mutação ser a mesma, indivíduos de uma mesma família podem desenvolver tumores com características distintas e em idades variadas, provavelmente em decorrência da interferência de fatores exógenos.

O fato de a mutação germinativa poder ser transmitida aos descendentes confere a esta síndrome padrão familiar e esta hipótese clínica deve sempre ser levantada diante de casos repetidos em uma mesma família, diagnósticos em idade jovem e tumores múltiplos em um mesmo indivíduo. O diagnóstico da síndrome baseia-se na história pessoal e familial do paciente, e diversos critérios já foram propostos, como os recentemente atualizados pelo *National Comprehensive Cancer Network* (NCCN) (Quadro 2). O diagnóstico molecular deve ser indicado para os indivíduos que preencham critérios de risco e deve ser solicitado no contexto de um aconselhamento genético multidisciplinar.

A apresentação clínica do câncer de ovário hereditário é similar à do esporádico, salvo pelo fato de que tumores de baixo potencial de malignidade e mucinosos são raramente observados. Como ainda não estão adequadamente estruturados os programas de rastreamento para pacientes de alto risco, também predominam neste grupo os estágios avançados ao diagnóstico. A sobrevida das pacientes, no entanto, parece ser melhor em portadoras de mutações do *BRCA*, não estando claro no momento se decorrente da história natural da doença ou de melhor resposta ao tratamento.[6]

Quadro 1. Risco de desenvolvimento de câncer por mutação específica

	BRCA1	BRCA2	MMR[a]
Mama	50-85%	50-85%	NA
Ovário	30-40%	15-25%	5-10%
Endométrio	NA	NA	40-60%

[a]*Mismatch repair genes* MSH2, MLH1 e MSH6.
NA = não aumentado

Quadro 2. Critérios do NCCN (versão 1.2010) para solicitação dos testes genéticos BRCA1 e BRCA2

INDIVÍDUOS PERTENCENTES À FAMÍLIA COM MUTAÇÃO CONHECIDA NOS GENES BRCA1 E BRCA2

História pessoal de câncer de mama acrescida de qualquer um dos seguintes:
- Diagnóstico com idade ≤ 45 anos
- Diagnóstico com idade ≤ 50 anos + um ou mais parentes próximos* com câncer de mama diagnosticado ≤ 50 anos e/ou com câncer de ovário/tubário/peritoneal primário em qualquer idade
- Dois cânceres de mama primários sincrônicos ou metacrônicos, sendo o primeiro deles < 50 anos
- Diagnóstico em qualquer idade + dois ou mais parentes de 1º ou 2º graus do mesmo lado da família com câncer de mama e/ou com câncer de ovário/tubário/peritoneal primário em qualquer idade
- Diagnóstico em qualquer idade + parente próximo com câncer de mama masculino
- História pessoal de câncer de ovário/tubário/peritoneal primário em qualquer idade (além do câncer de mama)
- Etnia judia Ashkenazi, independentemente da presença ou não de outros casos na família

HISTÓRIA PESSOAL DE CÂNCER DE OVÁRIO/TUBÁRIO/PERITONEAL PRIMÁRIO EM QUALQUER IDADE**

HISTÓRIA PESSOAL DE CÂNCER DE MAMA MASCULINO

Apenas com história familiar de:
- Parente em 1º ou 2º graus com qualquer um dos critérios acima
- Parente de 3º grau com dois ou mais parentes de 1º ou 2º graus do mesmo lado da família com câncer de mama e/ou com câncer de ovário/tubário/peritoneal primário, sendo pelo menos um deles com diagnóstico ≤ 50 anos

* Parente próximo: familiar em 1º grau (pais, irmãos e filhos), 2º grau (tios, avós, sobrinhos e netos), ou 3º grau (primos de primeiro grau, tios-avós).
** Excluir a possibilidade de síndrome de Lynch (HNPCC) pela história familiar.

Apesar de não haver estudos de rastreamento randomizados em carreadores de mutações no *BRCA* e das limitações metodológicas para a detecção da doença em estágios iniciais, recomenda-se semestralmente a realização de ultrassonografia transvaginal e dosagem sérica de CA-125 (de preferência nos primeiros 10 dias do ciclo menstrual para as mulheres em pré-menopausa) com início aos 35 anos, ou 5 a 10 anos mais cedo do que a mais tenra idade do primeiro diagnóstico de câncer de ovário na família. O uso de anticoncepcional oral já foi apontado como redutor de risco de câncer de ovário hereditário,[7] assim como a laqueadura de trompas também parece conferir proteção. A salpingo-ooforectomia profilática é recomendada para mulheres com mais de 35 anos ou com prole completa, determinando redução de risco de 96% (IC 95% 0,84-0,99).[8] Apesar de remota, o procedimento não elimina a chance de carcinoma de ovário no peritônio, que pode desenvolver-se a partir de doença previamente implantada em sua superfície ou por surgimento *de novo*.[9] A salpingo-ooforectomia profilática determina proteção adicional contra o câncer de mama, com uma redução de até 56% nos carreadores de mutações em *BRCA1* e de até 46% nos de *BRCA2*.[10] Estudo recente sugere não haver aumento de risco de câncer de mama com reposição hormonal após salpingo-ooforectomia profilática.

GENÉTICA NA PRÁTICA CLÍNICA DO CÂNCER DE ENDOMÉTRIO

Os genes de suscetibilidade ao câncer de endométrio hoje conhecidos são o PTEN e os genes de reparo MLH1, MSH2 e MSH6. Há controvérsias se a mutação no BRCA1 confere aumento de risco ou se a maior incidência se deve ao uso de tamoxifeno prévio, comum neste grupo de pacientes.[11]

Apesar de mutações somáticas no PTEN estarem presentes em até 70% das pacientes portadoras de carcinoma de endométrio, mutações constitutivas hereditárias são raras e, quando presentes, são vistas dentro do contexto da síndrome de Cowden, na qual ocorrem lesões cutâneas e concomitante aumento de suscetibilidade aos cânceres de mama (risco de 25 a 50% ao longo da vida) e tireoide (risco aproximado de 10% ao longo da vida). A síndrome de Cowden é uma doença rara e um filho de um portador tem 50% de chance de recebê-la. A síndrome não salta gerações, mas as manifestações clínicas habitualmente diferem entre os indivíduos afetados.

MLH1, MSH2 e MSH6 são genes de reparo do DNA que, quando mutados, aumentam o risco de desenvolvimento de câncer de cólon, endométrio e outros (síndrome de câncer colorretal hereditário sem polipose – HNPCC, ou síndrome de Lynch).[12] O risco de desenvolvimento de câncer de endométrio ao longo da vida, em mulheres carreadoras destas mutações, pode chegar a 60% (Quadro 1). O risco de desenvolver câncer é dependente do gene que carreia a mutação, sendo infrequente nas famílias com mutações do MLH1. A idade de diagnóstico geralmente é 10 anos inferior à daquelas não mutadas. Mais de 90% dos tumores de portadores de síndrome de Lynch apresentam instabilidade microssatélite, também presente em até 25% dos tumores esporádicos. Se a mutação estiver presente na linhagem germinativa, ela poderá ser transmitida entre gerações e aconselhamento genético é necessário, ao contrário das mutações restritas aos tumores.

O diagnóstico da síndrome de Lynch é baseado fundamentalmente em critérios clínicos e confirmado por testes moleculares. Com a intenção de padronização internacional do diagnóstico, foram publicados em 1991 os critérios de Amsterdam, ampliados em 1999 com a inclusão dos tumores extracolônicos (Quadros 3 e 4). É importante ressaltar que não há necessidade de tumor colônico para diagnóstico clínico da síndrome.[13,14] Mais sensíveis e menos específicos, e mais comumente usados para a indicação do teste genético, são os critérios de Bethesda, publicados em 1997 pelo Instituto Nacional de Câncer dos Estados Unidos[15] (Quadro 5). A indicação do teste genético deve ser feita às pacientes que preencherem critérios clínicos, dentro do contexto de aconselhamento genético multidisciplinar.

Não há consenso de rastreamento para as pacientes de alto risco. Ultrassonografia abdominal e pélvica transvaginal a partir dos 25 anos, anualmente, vem sendo recomendada. Histerectomia total com salpingo-ooforectomia bilateral profilática deve ser discutida com pacientes em pós-menopausa ou após prole completa.

Quadro 3. Critérios de Amsterdam I

- Pelo menos três membros de uma mesma família com CCR
- Um dos membros parente em 1º grau dos outros dois
- Pelo menos duas gerações acometidas
- Pelo menos um dos membros com CCR e idade menor que 50 anos
- Exclusão de polipose adenomatosa familiar

Quadro 4. Critérios de Amsterdam II

- Mesmos critérios de Amsterdam
- Incluindo os seguintes tumores como parte da síndrome:
  - Adenocarcinoma de endométrio
  - Adenocarcinoma de intestino delgado
  - Carcinoma de células transicionais de vias excretoras renais

Quadro 5. Critérios de Bethesda revisados

- CCR diagnosticado antes dos 50 anos
- Presença de CCR sincrônico ou metacrônico, ou outro tumor extracolônico, associado à síndrome, independentemente da idade
- CCR com histologia sugerindo MSI, diagnosticado antes dos 60 anos
- CCR diagnosticado em um ou mais parentes de 1º grau, com tumor relacionado à síndrome, com um dos tumores diagnosticado antes dos 50 anos
- CCR diagnosticado em um ou mais parentes de 1º ou 2º graus, com tumores relacionados à síndrome, independentemente da idade

Presença de linfócitos infiltrando o tumor, reação linfocítica *Crohn-like*, diferenciação mucinosa ou em anel de sinete ou padrão de crescimento medular.
CCR = câncer colorretal; MSI = instabilidade microssatélite

REFERÊNCIAS BIBLIOGRÁFICAS

1. Foulkes WD. Inherited susceptibility to common cancers. *N Engl J Med* 2008;359(20):2143-53.
2. Daly MB, Axilbund JE, Buys S et al. Genetic/familial high-risk assessment: breast and ovarian. *J Natl Compr Canc Netw* 2010;8:562-94.
3. Schorge JO, Modesitt SC, Coleman RL et al. SGO White Paper on ovarian cancer: etiology, screening and surveillance. *Gynecol Oncol* 2010;119:7-17.
4. Liede A, Karlan BY, Baldwin RL et al. Cancer incidence in a population of Jewish women at risk of ovarian cancer. *J Clin Oncol* 2002;20:1570-77.
5. Risch HA, McLaughlin JR, Cole DEC et al. Prevalence and penetrance of germline BRCA1 and BRCA2 mutations in a population series of 649 women with ovarian cancer. *Am J Hum Genet* 2001;68:700-10.
6. Gallagher DJ, Konner JA, Bell-McGuinn KM et al. Survival in epithelial ovarian cancer: a multivariate analysis incorporating BRCA mutation status and platinum sensitivity. *Ann Oncol* 2011 May;22(5):1127-32.
7. Narod SA, Risch H, Mosleh R et al. Oral contraceptives and the risk of hereditary ovarian cancer. *N Engl J Med* 1998;339:424-28.
8. Rebbeck TR, Lynch HT, Neuhausen SL et al. Prophylactic oophorectomy in carriers of BRCA1 and BRCA2 mutation. *N Engl J Med* 2002;346:1616-22.
9. Piver MS, Jishi MF, Tsukada Y et al. Primary peritoneal carcinoma after prophylactic oophorectomy in women with a family history of ovarian cancer. A report from the Gilda Radner Family Ovarian Cancer Registry. *Cancer* 1993;71:2751-55.
10. Eisen A, Lubinski J, Klijn J et al. Breast cancer risk following bilateral oophorectomy in BRCA1 and BRCA2 mutation carriers: an international case-control study. *J Clin Oncol* 2005;23:7491-96.
11. Levine DA, Lin O, Barakat RR et al. Risk of endometrial carcinoma associated with BRCA mutation. *Gynecol Oncol* 2001;80:395-98.
12. Goodfellow PJ, Buttin BM, Herzog TJ et al. Prevalence of defective DNA mismatch repair and MSH6 mutation in an unselected series of endometrial cancers. *Proc Natl Acad Sci USA* 2003;100:5908-13.
13. Vasen HFA, Mecklin JP, Khan PM et al. The International Collaborative Group on hereditary non-polyposis colorectal cancer (ICG-HNPCC). *Dis Colon Rectum* 1991;34:424-25.
14. Vasen HFA, Watson P, Mecklin JP et al. New clinical criteria for hereditary nonpolyposis colorectal cancer (HNPCC, Lynch syndrome) proposed by the International Collaborative Group on HNPCC. *Gastroenterology* 1999;116:1453-56.
15. Rodriguez-Bigas MA, Bolan CR, Hamilton SR et al. A National Cancer Institute workshop on hereditary nonpolyposis colorectal cancer syndrome: meeting highlights and Bethesda Guidelines. *J Natl Cancer Inst* 1997;89:1758-62.

CAPÍTULO 157

Fatores Prognósticos em Tumores Ginecológicos

Rodrigo Nascimento Pinheiro ■ Daniel Damas de Matos
Gustavo de Castro Gouveia ■ Viviane Rezende de Oliveira

INTRODUÇÃO

Prognóstico, do latim *prognosticu* [*pro*="antecipado, anterior, prévio" & *gnosticu*="alusivo ao conhecimento de"]), *lato sensu*, em Medicina vem a ser juízo médico, baseado no diagnóstico e nas possibilidades terapêuticas, acerca da duração, evolução e termo de uma doença. Das tarefas mais importantes a serem realizadas pelo cirurgião oncológico no manejo das neoplasias ginecológicas está a análise de fatores prognósticos e sua correlação com dados clínicos, radiológicos e histopatológicos, estadiamento mais acurado, a fim de fornecer um prognóstico mais confiável. A definição e o estudo profundo dos fatores que influenciam a resposta ao tratamento são fundamentais no desenho de estratégias de combate e prevenção desta doença.

Em razão de os tumores ginecológicos serem bastante heterogêneos do ponto de vista anatômico, histopatológico e em comportamento biológico, realizamos uma divisão por órgãos para uma melhor compreensão de seus fatores prognósticos.

TUMORES VULVARES

O prognóstico de pacientes com câncer de vulva é diretamente relacionado a quatro variáveis fundamentais: diâmetro do tumor, profundidade da invasão tumoral, metástases nodais e doença a distância. Essas quatro características tumorais foram incorporadas ao estadiamento da FIGO. Todavia, algumas outras características podem ser úteis na maior acurácia do prognóstico em alguns subtipos de pacientes.[1-3]

O fator prognóstico isolado mais importante em pacientes com neoplasias vulvares é a presença e a quantidade de linfonodos inguinais acometidos. Pacientes que não apresentam metástases linfonodais ipsilaterais possuem uma sobrevida de até 91% em 5 anos. Já as que apresentam um ou dois, três ou quatro, cinco ou seis linfonodos apresentam sobrevida em 5 anos de 75, 36 e 24% respectivamente. Pacientes com sete ou mais linfonodos não sobreviveram a 5 anos.[4,5]

Pacientes com metástases linfonodais bilaterais apresentam um prognóstico consideravelmente pior que aquelas com linfadenopatia ipsilateral. A sobrevida em 5 anos de pacientes com linfonodos comprometidos bilateralmente é de 23%, enquanto a de pacientes com comprometimento unilateral é da ordem de 71%.

O comprometimento de linfonodos pélvicos de maneira geral está relacionado a um prognóstico muito ruim com sobrevida de menos de 23% em 3 anos. Tanto que a FIGO considera linfonodos pélvicos comprometidos como doença em estágio IV.

Um trabalho correlaciona o grau de ploidia do DNA e sua significância prognóstica. Pacientes com DNA diploide apresentavam sobrevida de 62%, enquanto aquelas com DNA aneuploide apresentavam sobrevida bem pior, próxima aos 23%.[6]

Outros fatores que têm importância menor no prognóstico são quantidade de queratina no tumor,[7-10] taxa mitótica, expressão de p16 e p21[11] e presença de HPV no DNA local,[12,13] que se relacionam com o grau de agressividade do tumor e idade superior a 70 anos[9] e estão relacionadas a pior resposta ao tratamento por menor reserva funcional e comorbidades.

TUMORES DE CORPO UTERINO

Tumores de endométrio

As neoplasias endometriais devem ser, conforme padronização da FIGO, estadiadas cirurgicamente. E este estágio cirúrgico ainda permanece como o fator prognóstico mais importante para os tumores endometriais. A sobrevida media é de 87, 76, 63, e 37% para estágios I, II, III e IV, respectivamente.[14]

A idade parece ser uma variável independente de prognóstico. Usando modelos de sobrevida e tendo 45 anos de idade como ponto de referência arbitrária, os riscos relativos de morte por doença foram os seguintes: 2,0 aos 55 anos; 3,4 aos 65 anos e 4,7 aos 75 anos de idade, em pacientes em estágios I ou II.[15] Um estudo de 51.471 pacientes da base de dados SEER (*Surveillance Epidemiology and End Results*) do Instituto Nacional de Câncer dos EUA demonstrou que as pacientes de 40 anos e mais jovens tinham uma vantagem de sobrevida global em comparação com as mulheres mais de 40 anos, independentemente de outros fatores clínicos.[16]

Os fatores correlacionados ao estadiamento cirúrgico mais importantes para o prognóstico e o desenvolvimento de doença metastática são o subtipo histológico, o grau de diferenciação e a apresentação clínica da doença ao diagnóstico.

Os diversos subtipos histológicos de carcinomas endometriais apresentam significativa diferença quanto ao seu comportamento biológico. Entre os tumores de alto risco encontram-se os de células claras e os serosos. São tumores de ocorrência baixa (5 e 6%, respectivamente), e são sempre, por definição, mal diferenciados. Mulheres que eventualmente apresentem um desses dois últimos tipos histológicos têm um mau prognóstico, independentemente de quaisquer outros fatores prognósticos.[17-21]

Dados atuais sugerem que, independentemente da presença de um componente escamoso (benigno ou maligno), o prognóstico está relacionado ao grau do componente adenocarcinoma. Se um componente escamoso maligno estiver presente, uma maior tendência existe para um componente mal diferenciado estar presente.[22]

O grau de diferenciação histológica do câncer endometrial muito tempo foi aceito como um indicador sensível de prognóstico. Pacientes com adenocarcinomas bem diferenciados tendem a ter envolvimento do endométrio ou miometrial superficial e a presença de doença extrauterina é incomum. Por outro lado, se a doença é mal diferenciada, essas neoplasias tendem a ser muito mais agressivas, com invasão significativa do miométrio e muitas vezes com metástases extrauterinas, com citologia peritoneal positiva, propagação retroperitoneal ou envolvimento dos gânglios linfáticos pélvicos e/ou para-aórticos.[23-26]

A profundidade de penetração miometrial é um fator prognóstico independente importante. A maior penetração tumoral no miométrio está associada a maiores probabilidades de recidiva da doença, embora profundidade da invasão se correlacione com um aumento do grau do tumor. Também parece ser um fator prognóstico que pode prever a presença de doença extrauterina.[27,28] Independentemente do grau, no entanto, apenas 1% das pacientes com doença confinada ao endométrio tem doença extrauterina, comparadas com pacientes com invasão muscular profunda, para as quais a incidência de invasão de linfonodos pélvicos sobe para 17% e envolvimento de linfonodos para-aórticos sobe para 25%.[23] DiSaia *et al.*[29] descobriram que as pacientes com envolvimento apenas endometrial tinham uma taxa de recidiva de 8% em comparação a 12%, se houvesse invasão miometrial superficial ou intermediária contra 46% se apresentassem uma infiltração do terço externo do miométrio.

A invasão do espaço vascular parece ser um fator de risco independente para recidiva e óbito por carcinoma endometrial, independentemente do tipo histológico.[30] Aalders et al.[31] relataram recidiva e morte em 26,7% das pacientes com doença em estágio I, com invasão do espaço vascular em comparação a 9,1% das mulheres sem invasão. Abeler et al.[32] relatou uma taxa de sobrevivência de 5 anos de 83,5% para pacientes sem invasão vascular demonstrável, em comparação a 64,5% para aquelas nas quais estava presente invasão. Um estudo japonês correlacionou invasão do espaço vascular com o número de linfonodos pélvicos e para-aórticos positivos. Foram considerados fatores prognósticos independentes para pacientes com estágio IIIC.[33,34] Um estudo do GOG conclui que a invasão do espaço vascular leva a um risco relativo de morte em uma vez e meia, em comparação às demais pacientes.[15]

O significado de um resultado positivo de citologia peritoneal é controverso. Lavados positivos são mais comuns em pacientes com tipo histológico grau 3, metástases para os anexos, invasão miometrial profunda, ou linfonodos positivos em região pélvica ou para-aórtica. Morrow reportou que em 697 pacientes analisados houve retorno de doença em 25 de 86 pacientes (29,1%) com lavados positivos, em comparação a 64 de 611 pacientes (10,5%) com lavados negativos. No entanto, os autores notaram que 17 das 25 recidivas eram extraperitoneais. Estima-se que o risco relativo de morte para pacientes com lavados positivos é aumentado em 3 vezes.[35] Em uma revisão da literatura, Milosevic[36] relatou citologia peritoneal positiva em 8,3, 12,1 e 15,9% das pacientes com tipos histológicos graus 1, 2 e 3, respectivamente. Invasão miometrial superficial e profunda foi associada a lavagens positivas em 7,6 e 17,2% dos casos, respectivamente. Ele conclui que o mau prognóstico associado a lavados positivos foi em grande parte uma reflexão de outros fatores de prognósticos adversos. Para outros autores, porém, as conclusões ainda são contraditórias.[37-40] A despeito destes fatores, o lavado peritoneal diagnóstico não é mais considerado no estadiamento atual.

A superexpressão de p53 e Ki-67 parece indicar um fenótipo mais maligno, ao passo que a expressão de Bcl-2, na dependência de positividade de receptores de esteroides, poderia contribuir para a identificação de tumores de alto risco.[41-43]

TUMORES OVARIANOS

Tumores epiteliais

As neoplasias ovarianas são, conforme orientação da FIGO, estadiadas cirurgicamente, e após uma laparotomia padronizada obtemos o estágio da doença e diversas variáveis clinicocirúrgicas que são fundamentais para o prognóstico e o manejo pós-operatório dos tumores ovarianos.

O fator prognóstico mais importante para o câncer de ovário ainda é o estágio da doença. Em muitos trabalhos, as pacientes são divididas entre tumores iniciais (estágios I e II) e tumores avançados (estágios III e IV), pois a sobrevida no estágio inicial é significativamente melhor que na doença avançada.

Estudos iniciais demonstravam que a sobrevida em 5 anos de pacientes com neoplasias ovarianas ficava em torno de 60 a 80%. Entretanto, várias pacientes eram inadequadamente estadiadas, e boa parte delas apresentava na realidade tumores de pior estágio e prognóstico. Hoje se considera que pacientes com estágio IA ou IB e diferenciação grau I apresentam uma sobrevida em 5 anos superior a 90%.[44] Pacientes que se enquadram no estágio II apresentam sobrevida de 80% em 5 anos. Aquelas que apresentam estágio III ou IV apresentam sobrevida em 5 anos de 15 a 20 e 5%, respectivamente.[45]

Em pacientes em estágio inicial os fatores de pior prognóstico são: subtipo histopatológico (seroso versus não seroso), grau de diferenciação, presença de aderências densas, ascite volumosa e rotura espontânea de um cisto.[46,47] Entretanto, comparando-se doença em estágio mais avançado, com exceção dos tumores de células claras, de pior comportamento, não parece haver diferença no prognóstico entre os diferentes subtipos histopatológicos.

O grau histológico tumoral parece ser um fator prognóstico importante em pacientes com doença em estágio inicial. Pacientes em estágio I com tumores G1 ou G2 têm sobrevida em 5 anos superior a 90%. Entretanto, pacientes com tumores G3 têm sobrevida significativamente pior, e, portanto, têm indicação de terapia adjuvante.[48]

A idade avançada continua a ser um fator prognóstico negativo. Jovens pacientes têm taxas de sobrevida global de 75% em comparação a 40% da população global. Um aumento de 10 anos na idade induz a maior risco de morte 1,6 maior que na população mais jovem.[49]

Vários fatores biológicos têm sido correlacionados com o prognóstico no câncer de ovário epitelial. Usando citometria de fluxo, Friedlander demonstrou que neoplasias ovarianas são comumente aneuploides e que existe uma correlação entre estágio e ploidia, (tumores de baixo grau tendem a ser diploides e tumores de alto grau tendem a ser aneuploides). Pacientes com tumores diploides têm uma mediana de sobrevida significativamente maior que aquelas com tumores aneuploides: 5 anos versus 1 ano, respectivamente. Análises multivariadas demonstraram que a ploidia de DNA é uma variável independente de prognóstico e um dos preditores mais significativos da sobrevida.[50-52]

A terapia padrão para tumores avançados consiste em citorredução ótima, reduzindo o tamanho do tumor a < 2 cm, seguida de quimioterapia com base em platina. Atingir a citorredução ótima é um dos mais poderosos determinantes de sobrevida. Hacker e Berek demonstraram que aquelas mulheres submetidas à laparotomia com lesões residuais ≤ 5 mm tinham melhor sobrevida. A sobrevida mediana de pacientes nessa classificação foi de 40 meses, comparada a 18 meses das pacientes com tumores ≤ 1,5 cm e 6 meses para aquelas com nódulos >1,5 cm. Pacientes com ressecção completa têm indubitavelmente a melhor sobrevida, próxima aos 60%.[53-59]

Defensores dessa teoria salientam que o prognóstico e a sobrevida têm ampla correlação com o tamanho e a extensão da doença residual.[53-60] Os críticos dessa teoria argumentam que a vantagem de sobrevivência resulta da predisposição biológica inerente, e que a citorredução ótima nem sempre é fator prognóstico, uma vez que outros fatores biológicos desconhecidos influenciariam a sobrevida[61].

Outros fatores observados no intraoperatório, como tamanho do tumor, bilateralidade e ascite sem células malignas não são considerados de relevância prognóstica em pacientes com doença inicial. Entretanto, extravasamento tumoral, penetração capsular e ascite maligna (estágio FIGO IC), apresentam um prognóstico pior que os demais.[61]

Fatores biológicos de menor relevância como p53, Bcl-2, K-ras, Ki67, interleucina 6, PTEN, lisofosfolipídios e fator de crescimento derivado de plaquetas também foram estudados e atuam de forma variável, como fatores prognósticos, no câncer de ovário.[62]

Tumores não epiteliais de ovário

Os tumores não epiteliais de ovário são incomuns e correspondem a menos de 10% dos tumores de ovário. Incluem tumores de origem e histopatologia bastante heterogênea. De todos esses, apenas o teratoma imaturo e o disgerminoma apresentam literatura mais farta no que concerne aos fatores prognósticos.

Os disgerminomas, de maneira geral, apresentam um bom prognóstico. Em pacientes com estágio IA, a taxa de cura é da ordem de 95%.[63] Tumores com 10 a 15 cm, idade inferior a 20 anos, e um padrão microscópico de numerosas mitoses, anaplasia, e padrão medular indicam um prognóstico pior.[64] Hoje, com os esquemas mais modernos de quimioterapia, como BEP ou EC, a taxa de cura varia entre 90 a 100%, mesmo em pacientes com lesões mais avançadas.[65,66]

Já no caso do teratoma imaturo, a característica prognóstica mais importante é o grau da lesão imatura.[63] Além disso, o estágio da doença e a extensão do tumor no momento do início do tratamento também têm um impacto sobre a curabilidade. Pacientes com ressecção R2 (resíduo macroscópico de doença) têm uma sobrevida em 5 anos pior do que aquelas com lesão R0 (sem resíduo oncológico) ou seja, 94 versus 50%.[67] Em geral, a sobrevida para pacientes com teratomas imaturos puros é de 70 a 80%, e de 90 a 95% de pacientes com lesões estágio I.[68-70]

O grau de imaturidade geralmente prevê o potencial metastático e a curabilidade. As taxas de sobrevivência de 5 anos são de 82, 62 e 30% para as pacientes com graus 1, 2 e 3, respectivamente.[68] No entanto, muitas destas pacientes foram tratadas em uma época antes dos esquemas de quimioterapia atuais, e estes números não correspondem aos dados mais novos. Há trabalhos mais recentes que indicam uma sobrevida de até 97,4% com esquemas mais modernos de QT.[71]

TUMORES DE VAGINA

Os tumores de vagina são raros, representando cerca de 2% das neoplasias ginecológicas, sendo 86% carcinoma epidermoide e 8% adenocarcinoma. Vários autores informam que seus principais fatores prognósticos são idade, localização no órgão, tipo e grau histológicos, estadiamento e tamanho tumoral.[72,73]

O adenocarcinoma apresenta menor sobrevida e maior tendência a recidivas e falhas locorregionais e a distância, maior resistência a tratamentos convencionais, além de sua raridade ser fator decisivo no pouco conhecimento desta enfermidade, influenciando condutas por vezes adaptadas de outros tipos histológicos.[74]

A idade precoce de surgimento pode estar relacionada a comportamento mais agressivo do tumor e quando avançada se correlaciona com comorbidades e maiores riscos de complicação no tratamento.

Algumas séries relatam a localização do tumor na vagina (terços superior, médio ou inferior) como fator prognóstico, estando os tumores do terço superior correlacionados com melhor sobrevida e controle regional, dado negado por alguns investigadores. Parece-nos razoável citar a menor proximidade anatômica de tumores proximais e dos terços superiores da genitália com estruturas pélvicas importantes, como uretra e canal anal, podendo reduzir, nestes, a necessidade de ressecções alargadas.

Estadiamento, o principal fator prognóstico, impõe-se como ponto pacífico na literatura, sendo o tamanho tumoral, a presença de metástases e acometimento de outras estruturas, informações fundamentais na definição da melhor conduta e de seus resultados em sobrevida, que pode variar em 5 anos de 95% para estágio 0, 75% para estágio I, 60% para estágio II, 35% para estágio III, 20% para estágio IVa, a 0% para o estágio IVb.[72-75]

TUMORES DO COLO UTERINO

De modo geral, a sobrevida de 5 anos após tratamento cirúrgico padrão para o câncer de colo uterino (não pequenas células) em estágios iniciais (estágios I e II não volumoso) está entre 80 e 95%.

Conclui-se daí que o principal fator prognóstico no câncer de colo uterino é precisamente o estágio da doença no momento do diagnóstico e início de tratamento. (Quadro 1)

Dos fatores prognósticos independentes, podemos citar tamanho tumoral, profundidade de invasão estromal, invasão linfovascular, extensão parametrial, tipo histológico (carcinoma de pequenas células tem prognóstico particularmente reservado), envolvimento linfonodal e margens de ressecção positivas.[76,77]

O comprometimento linfonodal é o fator prognóstico independente mais relevante na doença. O risco de metástase a distância nestas pacientes é muito maior que nas pacientes com linfonodos negativos.

O risco de metástase a distância também se correlaciona com o estadiamento inicial. Em uma série de 1.211 mulheres submetidas a radioterapia exclusiva como tratamento, a incidência de doença metastática em 10 anos foi de 3, 16, 31, 26, 39 e 75%, respectivamente, para os estágios IA, IB, IIA, IIB, III e IVA.[78] O tratamento instituído também parece relacionar-se ao prognóstico. Para pacientes com doença inicial, não parece haver diferença prognóstica entre cirurgia e radioterapia.[79]

Pacientes que recebem radio e quimioterapia, em vez de radioterapia exclusiva, parecem apresentar um risco significativamente menor de recidiva locorregional: 18 versus 34% em um estudo.[80] Não há estudos comparando tratamento cirúrgico versus quimiorradioterapia como tratamento exclusivo.

Na recidiva local, os principais fatores prognósticos favoráveis são: doença localizada no centro da pelve sem fixação às paredes laterais; intervalo livre de doença maior que 6 meses e tamanho da recidiva menor que 3 cm.

REFERÊNCIAS BIBLIOGRÁFICAS

1. Boutselis JG. Radical vulvectomy for invasive squamous cell carcinoma of the vulva. *Obstet Gynecol* 1972;39:827-33.
2. Iversen T, Aalders JG, Christensen A et al. Squamous cell carcinoma of the vulva: a review of 424 patients, 1956-1974. *Gynecol Oncol* 1980;9:271-79.
3. Podratz KC, Symmonds RE, Taylor WF. Carcinoma of the vulva: analysis of treatment failures. *Am J Obstet Gynecol* 1982;143:340-45.
4. Homesley HD, Bundy BN, Sedlis A et al. Assessment of current International Federation of Gynecology and Obstetrics staging of vulvar carcinoma relative to prognostic factors for survival (a Gynecologic Oncology Group study). *Am J Obstet Gynecol* 1991;164:997.
5. Homesley HD, Bundy BN, Sedlis A et al. Radiation therapy versus pelvic node resection for carcinoma of the vulva with positive groin nodes. *Obstet Gynecol* 1986;68:733.
6. Beller U, Quinn MA, Benedet JL et al. Carcinoma of the vulva: In 26th Annual Report on the Results of Treatment in Gynecological Cancer. *Int J Gynecol Obstet* 2006;95:S7-27.
7. Binder SW, Huang I, Fu YS et al. Risk factors for the development of lymph node metastasis in vulvar squamous carcinoma. *Gynecol Oncol* 1990;37:9.
8. Heaps JM, Fu YS, Montz FJ et al. Surgical-pathologic variables predictive of local recurrence in squamous cell carcinoma of the vulva. *Gynecol Oncol* 1990;38:309.
9. Pinto AP, Signorello LB, Crum CP et al. Squamous cell carcinoma of the vulva in Brazil: prognostic importance of host and viral variables. *Gynecol Oncol* 1999;74:61.
10. Smyczek-Gargya B, Volz B, Geppert M et al. A multivariate analysis of clinical and morphological prognostic factors in squamous cell carcinoma of the vulva. *Gynecol Obstet Invest* 1997;43:261.
11. Knopp S, Bjorge T, Nesland JM et al. p16INK4a and p27Waf1/Cip1 expression correlates with clinical outcome in vulvar carcinomas. *Gynecol Oncol* 2004;95:37-45.
12. Ansink AC, Krul MR, De Weger RA et al. Human papillomavirus, lichen sclerosus, and squamous cell carcinoma of the vulva: detection and prognostic significance. *Gynecol Oncol* 1994;52:180.
13. Monk BJ, Burger RA, Lin F et al. Prognostic significance of human papillomavirus (HPV) DNA in primary invasive vulvar cancer. *Obstet Gynecol* 1995;85:709.
14. Creasman WT, Odicino F, Mausinneuve P et al. Carcinoma of the corpus uteri. FIGO Annual Report, Vol 26. *Int J Gynaecol Obstet* 2006;95(Suppl 1):S105-43.
15. Zaino RJ, Kurman RJ, Diana KL et al. Prognostic models to predict outcome for women with endometrial adenocarcinoma. *Cancer* 1996;77:1115-21.
16. Lee NK, Cheung MK, Shin JY et al. Prognostic factors for uterine cancer in reproductive-aged women. *Obstet Gynecol* 2007;109:655-62.
17. Kadar N, Homesley HD, Malfetano JH. Positive peritoneal cytology is an adverse factor in endometrial carcinoma only if there is other evidence of extrauterine disease. *Gynecol Oncol* 1992;46:145.
18. Sherman ME, Bitterman P, Rosenshein NB et al. Uterine serous carcinoma. *Am J Surg Pathol* 1992;16:600-10.
19. Sakuragi N, Hareyama H, Todo Y et al. Prognostic significance of serous and clear cell adenocarcinoma in surgically staged endometrial carcinoma. *Acta Obstet Gynecol Scand* 2000;79:311-16.
20. Hamilton CA, Cheung MK, Osann K et al. Uterine papillary serous and clear cell carcinomas predict for poorer survival compared to grade 3 endometrioid corpus cancers. *Brit J Cancer* 2006;94:642-46.
21. Sherman ME, Bur ME, Kurman RJ. P53 in endometrial carcinoma and its putative precursors: evidence for diverse pathways for tumorigenesis. *Hum Pathol* 1995;26:1268-74.
22. Zaino RJ, Kurman R, Herbold D et al. The significance of squamous differentiation in endometrial carcinoma. *Cancer* 1991;68:2293-302.
23. Creasman WT, Morrow CP, Bundy BN et al. Surgical pathologic spread patterns of endometrial cancer. *Cancer* 1987;60:2035-41.
24. Chambers SK, Kapp DS, Peschel RE. Prognostic factors and sites of failure in FIGO stage I, grade 3 endometrial carcinoma. *Gynecol Oncol* 1987;27:180.

Quadro 1. Sobrevida de tumores do colo uterino segundo estadiamento FIGO – estatísticas FIGO 1999-2001

ESTADIAMENTO FIGO	N (PACIENTES)	SOBREVIDA 5 ANOS (%)
IA1	829	97,5
IA2	275	94,8
IB1	3.020	89,1
IB2	1.090	75,7
IIA	1.007	73,4
IIB	2.510	65,8
IIIA	211	39,7
IIIB	2.028	41,5
IVA	326	22
IVB	343	9,3

25. Sutton GP, Geiser HE, Stehman FB. Features associated with survival and disease-free survival in early endometrial cancer. *Am J Obstet Gynecol* 1989;160:1385.
26. Wharton JT, Mikuta JJ. Risk factors and current management in carcinoma of the endometrium. *Surg Gynecol Obstet* 1986 June;162(6):515-20.
27. Bucy GS, Mendenhall WM, Morgan LS. Clinical Stage I and II endometrial carcinoma treated with surgery and/or radiation therapy: analysis of prognostic and treatment-related factors. *Gynecol Oncol* 1989;33:290.
28. Jones HW III. Treatment of adenocarcinoma of the endometrium. *Obstet Gynecol Surv* 1975;33:290.
29. DiSaia PJ, Creasman WT. Adenocarcinoma of the uterus. In: DiSaia PJ, Creasman WT. (Eds.). *Clinical gynecologic oncology.* St Louis: Mosby, 1997. p. 134.
30. Mariani A, Dowdy SC, Keeney GL et al. Predictors of vaginal relapse in stage I endometrial cancer. *Gynecol Oncol* 2005;97:820-27.
31. Aalders J, Abeler V, Kolstad P et al. Postoperative external irradiation and prognostic parameters in stage I endometrial carcinoma. *Obstet Gynecol* 1980;56:419-24.
32. Abeler VM, Kjorstad KE, Berle E. Carcinoma of the endometrium in Norway: a histopathological and prognostic survey of a total population. *Int J Gynecol Cancer* 1992;2:9-22.
33. Cohn D, Horowitz N, Mutch D et al. Should the presence of lymphvascular space involvement be used to assign patients to adjuvant therapy following hysterectomy for unstaged endometrial cancer? *Gynecol Oncol* 2002;87:249-52.
34. Watari H, Todo Y, Takeda M et al. Lymph-vascular space invasion and number of positive paraaortic node groups predict survival in node positive patients with endometrial cancer. *Gynecol Oncol* 2005;96:651-57.
35. Morrow CP, Bundy BN, Kurman RJ et al. Relationship between surgical-pathologic risk factors and outcome in clinical stage I and II carcinoma of the endometrium: a Gynecologic Oncology Group study. *Gynecol Oncol* 1991;40:55-65.
36. Milosevic MF, Dembo AJ, Thomas GM. The clinical significance of malignant peritoneal cytology in stage I endometrial carcinoma. *Int J Gynecol Cancer* 1992;2:225-35.
37. Hirai Y, Takeshima N, Kato T et al. Malignant potential of positive peritoneal cytology in endometrial cancer. *Obstet Gynecol* 2001;97:725-28.
38. Grimshaw RN, Tupper WC, Fraser RC et al. Prognostic value of peritoneal cytology in endometrial cancer. *Gynecol Oncol* 1990;36:97-100.
39. Kasamatsu T, Onda T, Katsumata N et al. Prognostic significance of positive peritoneal cytology in endometrial carcinoma confined to the uterus. *Brit J Cancer* 2003;88:245-50.
40. Tebeu PM, Popowski Y, Verkooijen HM et al. Positive peritoneal cytology in early-stage endometrial cancer does not influence prognosis. *Brit J Cancer* 2004;91:720-24.
41. Athanassiadou P, Athanassiades P, Grapsa D et al. The prognostic value of PTEN, p53, and beta-catenin in endometrial carcinoma: a prospective immunocytochemical study. *Int J Gynecol Cancer* 2007;17:697-704.
42. Sakuragi N, Ohkouchi T, Hareyama H et al. Bcl-2 expression and prognosis of patients with endometrial carcinoma. *Int J Cancer* 1998;79:153-58.
43. Salvesen H, Iversen OE, Akslen LA. Prognostic significance of angiogenesis and Ki-67, p53, and p21 expression: a population based endometrial carcinoma study. *J Clin Oncol* 1999;17:1382-90.
44. Munoz KA, Harlan LC, Trimble EL. Patterns of care for women with ovarian cancer in the United States. *J Clin Oncol* 1997;15:3408-15.
45. Petterson F. *Annual report on the results of treatment in gynecological cancer.* FIGO. Stockholm: Panorama Press AB, 1988. p. 110, vol. 20.
46. Dembo AJ, Davy M, Stenwig AE et al. Prognostic factors in patients with stage I epithelial ovarian cancer. *Obstet Gynecol* 1990;75:263-73.
47. Sjövall K, Nilsson B, Einhorn N. Different types of rupture of the tumour capsule and the impact on survival in early ovarian cancer. *Int J Gynecol Cancer* 1994;4:333-36.
48. Young RC, Walton LA, Ellenberg SS et al. Adjuvant therapy in stage I and stage II epithelial ovarian cancer: results of two prospective randomized trials. *N Engl J Med* 1990;322:1021-27.
49. Neijt JP, ten Bokkel Huinink WW, van der Burg MEL et al. Randomized trial comparing two combination chemotherapy regimens (CHAP-5 versus CP) in advanced ovarian carcinoma: a randomized trial of the Netherlands joint study group for ovarian cancer. *J Clin Oncol* 1987;5:1157-68.
50. Friedlander ML, Hedley DW, Swanson C et al. Prediction of long term survivals by flow cyto-metric analysis of cellular DNA content in patients with advanced ovarian cancer. *J Clin Oncol* 1988;6:282-90.
51. Rice LW, Mark SD, Berkowitz RS et al. Clinicopathologic variables, operative characteristics, and DNA ploidy in predicting outcome in epithelial ovarian carcinoma. *Obstet Gynecol* 1995;86:379-85.
52. Vergote IB, Kaern J, Abeler VM et al. Analysis of prognostic factors in stage I epithelial ovarian cancer. Importance of degree of differentiation and deoxyribonucleic acid ploidy in predicting relapse. *Am J Obstet Gynecol* 1993;169:40-52.
53. Hacker NF, Berek JS, Lagasse LD et al. Primary cytoreductive surgery for epithelial ovarian cancer. *Obstet Gynecol* 1983;61:413-20.
54. Hoskins WJ, Bundy BN, Thigpen JT et al. The influence of cytoreductive surgery on recurrence-free interval and survival in small volume stage III epithelial ovarian cancer: a Gynecologic Oncology Group study. *Gynecol Oncol* 1992;47:159-66.
55. Hoskins WJ, McGuire WP, Brady MF et al. The effect of diameter of largest residual disease on survival after primary cytoreductive surgery in patients with suboptimal residual epithelial ovarian carcinoma. *Am J Obstet Gynecol* 1994;170:974-79.
56. Farias-Eisner R, Teng F, Oliveira M et al. The influence of tumor grade, distribution and extent of carcinomatosis in minimal residual epithelial ovarian cancer after optimal primary cytoreductive surgery. *Gynecol Oncol* 1994;55:108-10.
57. Berek JS. Complete debulking of advanced ovarian cancer. *Cancer J* 1996;2:134-35.
58. Farias-Eisner R, Kim YB, Berek JS. Surgical management of ovarian cancer. *Semin Surg Oncol* 1994;10:268-75.
59. Hacker NF. Cytoreduction for advanced ovarian cancer in perspective. *Int J Gynecol Cancer* 1996;6:159-60.
60. Piver MS, Lele SB, Marchetti DL. The impact of aggressive debulking surgery and cisplatin-based chemotherapy on progression-free survival in stage III and IV ovarian carcinoma. *J Clin Oncol* 1988;6:983-89.
61. Friedlander ML. Prognostic Factors in ovarian cancer. *Semin Oncol* 1998;25:305-14.
62. Liu J, Yang G, Thompson-Lanza JA et al. A genetically defined model for human ovarian cancer. *Cancer Res* 2004;64:1655-63.
63. Thomas GM, Dembo AJ, Hacker NF et al. Current therapy for dysgerminoma of the ovary. *Obstet Gynecol* 1987;70:268-75.
64. Scully RE, Young RH, Clement RB. Tumors of the ovary, maldeveloped gonads, fallopian tube, and broad ligament. In: *Atlas of tumor pathology.* Washington, DC: Armed Forces Institute of Pathology; 1998. p. 169-498, 3rd series, fascicle 23.
65. El-Lamie IK, Shehata NA, Abou-Loz SK et al. Conservative surgical management of malignant ovarian germ cell tumors: the experience of the Gynecologic Oncology Unit at Ain Shams University. *Eur J Gynaecol Oncol* 2000;21:605-9.
66. Williams SD, Wong LC, Ngan HYS. Management of ovarian germ cell tumors. In: Gershenson DM, McGuire WP. (Eds.). *Ovarian cancer.* New York: Churchill-Livingstone; 1998. p. 399-415.
67. Gershenson DM. Management of early ovarian cancer: germ cell and sex-cord stromal tumors. *Gynecol Oncol* 1994;55:S62-S72.
68. O'Conner DM, Norris HJ. The influence of grade on the outcome of stage I ovarian immature (malignant) teratomas and the reproducibility of grading. *Int J Gynecol Pathol* 1994;13:283-89.
69. Williams SD, Blessing JA, DiSaia PJ et al. Second-look laparotomy in ovarian germ cell tumors. *Gynecol Oncol* 1994;52:287-91.
70. De Palo G, Zambetli M, Pilotti S et al. Non-dysgerminomatous tumors of the ovary treated with cisplatin, vinblastine, and bleomycin: long-term results. *Gynecol Oncol* 1992;47:239-46.
71. Lai CH, Chang TC, Hsueh S et al. Outcome and prognostic factors in ovarian germ cell malignancies. *Gynecol Oncol.* 2005 Mar.;96:784-91.
72. Stryker JA. Radiotherapy for vaginal carcinoma: a 23-year review. *Br J Radiol* 2000 Nov.;73:1200-5.
73. Lilic V, Lilic G, Filipovic S, Visnjic M et al. Primary carcinoma of the vagina. *J BUON* 2010 Apr.-June;15(2):241-47.
74. Nasu K, Kai K, Matsumoto H et al. Primary mucinous adenocarcinoma of the vagina. *Eur J Gynaecol Oncol* 2010;31(6):679-81.
75. Creasman WT. Vaginal cancers. *Curr Opin Obstet Gynecol* 2005 Feb.;17(1):71-76.
76. Quinn MA, Benedet JL, Odicino F et al. Carcinoma of the cervix uteri. FIGO 26th Annual Report on the Results of Treatment in Gynecological Cancer. *Int J Gynaecol Obstet* 2006;95(Suppl 1):S43.
77. Sartori E, Pasinetti B, Carrara L et al. Pattern of failure and value of follow-up procedures in endometrial and cervical cancer patients. *Gynecol Oncol* 2007;107(1 Suppl 1):S241.
78. Fagundes H, Perez CA, Grigsby PW et al. Distant metastases after irradiation alone in carcinoma of the uterine cervix. *Int J Radiat Oncol. Biol Phys* 1992;24(2):197.
79. Landoni F, Maneo A, Colombo A et al. Randomised study of radical surgery versus radiotherapy for stage Ib-IIa cervical cancer. *Lancet* 1997;350(9077):535.
80. Eifel PJ, Winter K, Morris M et al. Pelvic irradiation with concurrent chemotherapy versus pelvic and para-aortic irradiation for high-risk cervical cancer: an update of radiation therapy oncology group trial (RTOG) 90-01. *J Clin Oncol* 2004;22(5):872.

CAPÍTULO 158

Marcadores Tumorais em Ginecologia

Gustavo Advíncula

INTRODUÇÃO

Classicamente os marcadores tumorais eram entendidos como moléculas encontradas, na maioria das vezes, no sangue dos pacientes com câncer e que eram usadas no diagnóstico e no acompanhamento de resposta aos tratamentos desses pacientes. Recentemente o entendimento do que é um marcador tumoral se ampliou para incluir proteínas presentes nas membranas e citoplasmas das células tumorais e até mesmo genes presentes nos núcleos destas células. Então, os marcadores tumorais (ou marcadores biológicos) podem ser entendidos como macromoléculas presentes no tumor, no sangue ou em outros líquidos biológicos, cujo aparecimento e/ou alterações em suas concentrações estão relacionados ao surgimento e crescimento de células tumorais, assim sendo, essas substâncias funcionam como indicadores indiretos da presença do tumor.[1,2] Os marcadores tumorais, em sua maioria, são proteínas ou pedaços de proteínas, incluindo antígenos de superfície celular, proteínas citoplasmáticas, enzimas e hormônios.[3,4] Esses marcadores podem ser úteis no manejo clínico dos pacientes com câncer, auxiliando nos processos de diagnóstico, estadiamento, avaliação de resposta terapêutica, detecção de recidivas e prognóstico, além de mais recentemente servirem de base para o desenvolvimento de novos tratamentos medicamentosos.[4-7]

Cada marcador tumoral tem um valor de referência determinado de acordo com o método utilizado para sua detecção e devem sempre ser contextualizados com a história da doença e o quadro clínico dos pacientes, sendo o seu valor alterado isolado de relativa importância na tomada de decisão e na estratégia de diagnóstico e tratamento dos pacientes. Os marcadores podem ser caracterizados ou quantificados por meios bioquímicos ou imuno-histoquímicos nos tecidos ou no sangue, e por testes genéticos para pesquisas de oncogenes, genes supressores de tumores e alterações genéticas.[4]

O marcador ideal deve reunir as seguintes características: ser sensível e específico para o diagnóstico precoce de uma neoplasia, da sua origem ou recidiva, estabelecer nexo com a extensão da doença, auxiliar na monitoração da resposta terapêutica aos tratamentos,[8-10] além de ter meia-vida curta, permitindo acompanhar temporariamente as mudanças do tumor.[2] Talvez entre os marcadores tumorais hoje disponíveis o que melhor representa este protótipo de marcador tumoral ideal seja o PSA, que é utilizado no acompanhamento dos tumores de próstata.[11] Neste capítulo apresentaremos os marcadores tumorais de interesse para ginecologia oncológica.

AFP (ALFAFETOPROTEÍNA)

A alfafetoproteína é uma importante proteína do soro fetal, sintetizada no fígado, saco vitelino e intestino do feto com funções de transporte plasmático e manutenção da pressão oncótica, desaparecendo no primeiro ano de vida.[3,9,10,12] Na vida adulta, seus níveis séricos encontram-se entre 5 e 15 ng/mL, possui vida média de 5-7 dias.[9,11] Níveis acima de 500 ng/mL são altamente sugestivos de malignidade, e valores acima 1.000 ng/mL são indicativos de presença de neoplasias.[3] Esta proteína pode estar elevada em pacientes portadores de tumores gastrointestinais, hepatocarcinoma e tumores de testículo; hepatite, cirrose, além de pacientes gestantes.[9] Para ginecologia oncológica, a alfafetoproteína pode estar alterada nos tumores germinativos de ovário, participando inclusive do prognóstico deste tumor, quanto mais aumentada, pior o prognóstico, além de propiciar uma expectativa de tempo do crescimento tumoral.[9,12]

MCA (ANTÍGENO MUCOIDE ASSOCIADO AO CARCINOMA)

O MCA é uma glicoproteína com peso molecular de 350 kDa, utilizada para monitorar o carcinoma mamário. Seu valor de referência é 11 U/mL. Não há indicação para seu uso no rastreamento da doença. Possui especificidade de 87% mas uma sensibilidade inferior à do CA 15-3, sendo aumentada em 60% nos casos de doença metastática.[3] Existem outras situações nas quais este marcador pode se encontrar elevado, como por exemplo, em doenças benignas de mama (15%), tumores epiteliais de ovário, tumores de colo uterino e endométrio.[3]

CYFRA 21.1

O cyfra 21.1 é um antígeno formado por um fragmento da citoqueratina 19 encontrado no soro. Na população, o nível de cyfra 21.1 geralmente é inferior a 3,3 ng/mL, por isso seu valor de referência é 3,5 ng/mL.[3,10] Este marcador tem alta sensibilidade para carcinoma de células escamosas (entre 38 e 79%, de acordo com o estágio), e é um fator de prognóstico ruim no carcinoma de células escamosas do pulmão. Encontra-se elevado também em carcinoma pulmonar de pequenas células, câncer de bexiga, de colo uterino e de cabeça e pescoço. Aumenta inespecificamente em algumas patologias benignas pulmonares, gastrointestinais, ginecológicas, urológicas e de mama, podendo gerar falso-positivos.[3]

CA 72-4

O CA 72-4 é também denominado TAG-72. Este marcador tumoral tem elevada especificidade para neoplasias, mas sem sensibilidade órgão-específica.[10] No momento do diagnóstico, cada órgão possui uma respectiva porcentagem de sensibilidade, sendo: 55% para câncer de cólon, 50% para câncer de estômago, 45% para tumores de pâncreas e trato biliar e 63% para carcinoma mucinoso de ovário. O valor de referência para o CA 72-4 é 6 U/mL. Em doenças benignas, surge em menos de 10% e em menos de 30% de outras neoplasias metastáticas que não digestivas ou ovarianas.[13] Este marcador tumoral pode ser utilizado no controle de remissão e recidiva de carcinomas de trato gastrointestinal e em ginecologia oncológica.

β-HCG (GONADOTROFINA CORIÔNICA HUMANA)

A gonadotrofina coriônica humana é uma glicoproteína composta por duas subunidades: *alfa* partilhada por outros hormônios hipofisários; e *beta* específica com 24-34 kDa e com meia-vida de 18-36 horas.[14] Mais especificamente a fração β-HCG é utilizada para diagnóstico, monitoração e prognóstico de pacientes com tumores de células germinativas (testículo e ovário).[2,9,11] Todos os pacientes com coriocarcinoma apresentarão elevação da β-HCG, contra apenas 40 a 60% dos pacientes com carcinoma embrionário. Cinco a 10% dos pacientes com seminomas puros podem apresentar níveis de β-HCG detectáveis.[9] Ainda participa do diagnóstico e acompanhamento da mola hidatiforme.

INIBINA

Inibinas são glicoproteínas da família do fator de crescimento TGF-β, produzidas por diversos tipos celulares em vários tecidos e órgãos, com destaque para os ovários, os testículos e a placenta. As inibinas A e B são formadas por uma subunidade α, comum a ambas, e uma subunidade β, que pode ser do tipo βA (presente na inibina A) ou βB (presente na inibina B). Atuam fundamentalmente como antagonistas das ativinas, com quem compartilham grande homologia estrutural, uma vez que a subunidade proteica beta das inibinas é a mesma que se combina em homodímero para dar origem às ativinas.[15] As primeiras dosagens de inibinas foram feitas por um radioimunoensaio inespecífico, desenvolvido em 1987, capaz de detectar indistintamente as formas diméricas ativas das inibinas A e B e seus precursores inativos, como a subunidade β isolada. Mais atualmente os imunoenzimáticos (ELISA) usam um par de anticorpos monoclonais para capturar as duas subunidades das inibinas e permitem quantificar com precisão as concentrações de inibina A ou inibina B no soro e em outros fluidos biológicos. O processo é semiautomatizado, semelhante a diversas outras dosagens feitas de rotina nos laboratórios clínicos, utiliza *kits* comercialmente disponíveis e o resultado é obtido em poucas horas.[16,17] Valores de referência foram estabelecidos para as diferentes fases do ciclo menstrual (para ambas as inibinas) e da gestação (para inibina A). Os coeficientes de variação se situam em torno de 4 a 8%.[3] O uso diagnóstico das inibinas é baseado em uma série de constatações fisiológicas. Na mulher, a principal fonte de inibina B são as células da granulosa de folículos em crescimento, o que faz da inibina B um marcador de atividade folicular e reserva ovariana, com níveis mais altos na fase folicular do ciclo menstrual, redução na perimenopausa, níveis mínimos ou indetectáveis na pós-menopausa e elevação considerável em caso de tumor das células da granulosa, sendo considerada seu marcador padrão.[17-19]

CA 125

O CA 125 é talvez o mais importante marcador e provavelmente o mais solicitado em Ginecologia Oncológica. Este marcador é formado por uma glicoproteína de alto peso molecular. Atualmente, sua principal aplicação é permitir o seguimento da resposta bioquímica ao tratamento e predizer a recaída em casos de câncer epitelial de ovário.[11,15] Seu valor de referência é 35 U/mL, podendo ser considerado 65 U/mL quando o objetivo é uma maior especificidade.[10,11] A sensibilidade para diagnóstico de câncer de ovário é de 80 a 85% no tipo epitelial, variando de acordo com o estadiamento, sendo 50% no estágio I, 90% no estágio II, 92 e 94% nos estágios III e IV, respectivamente.[16] Um estudo mostrou que o CA 125 apresentou sensibilidade de 94% para predizer a progressão da doença após quimioterapia, nos casos em que ocorreu aumento superior a 2 vezes o valor do nadir.[11,17] A elevação do CA 125 pode ocorrer de 2 a 12 meses antes de qualquer evidência clínica de recidiva.[3] O CA 125 também parece ser útil em tumores ovarianos *borderline*, sendo utilizado no acompanhamento e na detecção precoce de recaída em uma pequena parcela de pacientes com esses tumores.[18] Existe uma grande discussão na literatura médica sobre se o CA 125 pode ser usado no rastreamento do câncer de ovário, mas existem poucas evidências para seu uso, em rastreamento, fora de protocolos clínicos.[19,20] Habitualmente, 75% dos cânceres de ovário apresentam-se como doença extraovariana, decorrente da frequente ausência de sintomas nas fases iniciais. Todavia, a prática do rastreamento para câncer de ovário encontra uma série de limitações. O CA 125 se eleva em várias situações clínicas (cirrose, cistos de ovário, endometriose, hepatite e pancreatite). O CA 125 tem sido estudado em outros tipos de tumores, além do câncer de ovário. Na doença trofoblástica gestacional, a elevação persistente após quimioterapia pode indicar tumor residual.[21] O CA 125 pode ter relação com o prognóstico de neoplasia endometrial e sua elevação sérica pode predizer recidiva.[2]

CA 15-3

O antígeno do câncer 15-3 é uma glicoproteína de 300-400 kDa produzida pelas células epiteliais glandulares.[12] Seu valor normal de referência é 25 U/mL. Apenas 1,3% da população sadia tem CA 15-3 elevado.[23] O CA 15-3 é o marcador tumoral, por excelência, do câncer de mama, pois é o mais sensível e específico. Estudos indicam que a elevação do CA 15-3 varia de acordo com o estadiamento da paciente, sendo de 5 a 30% no estágio I, 15 a 50% no estágio II, 60 a 70% no estágio III, e de 65 a 90% no estágio IV.[11] A sensibilidade varia de acordo com a massa tumoral e o estadiamento clínico, sendo de 88 a 96% na doença disseminada.[22] Na fase inicial, apenas 23% dos casos apresentam aumento deste marcador.[24] Aumento superior a 25% na concentração do CA 15-3 correlaciona-se com a progressão da doença em 80 a 90% dos casos, e a diminuição em sua concentração está associada à regressão em 70 a 80%.[3] Além disso, níveis séricos muito elevados estão associados a pior sobrevida.[2] A grande utilização do CA 15-3 é para diagnóstico precoce de recidiva, precedendo os sinais clínicos em até 13 meses.[25] Recomenda-se a realização de dosagens seriadas de CA 15-3 no pré-tratamento, 2-4 semanas após tratamento cirúrgico e/ou início da quimioterapia e repetição a cada 3-6 meses.[26] Níveis elevados de CA 15-3 foram observados em várias outras neoplasias, como: câncer de ovário, pulmão, colo uterino, hepatocarcinoma e linfomas. Níveis elevados de CA 15-3 são também observados em várias outras doenças, como: hepatite crônica, tuberculose, sarcoidose e lúpus eritematoso sistêmico. Assim, em decorrência da baixa especificidade e da sensibilidade, o CA 15-3 não é recomendado para diagnóstico.[3,11,12] A ASCO considera que, atualmente, não há dados suficientes para recomendar o CA 15-3 para rastreamento, diagnóstico, estadiamento ou acompanhamento após tratamento primário do câncer de mama.[27]

CA 27-29

O antígeno do câncer 27-29, à semelhança do CA 15-3, também não tem sensibilidade e especificidade suficientes para ser utilizado como um teste diagnóstico, tendo sido liberado pela FDA para a detecção de recidiva de câncer de mama. Quando utilizado com este fim, possui sensibilidade de 58% e especificidade de 98%, e seu valor de referência é até 38 U/mL[3]. Então, a indicação do CA 27-29 fica limitada ao seguimento de pacientes com diagnóstico dessa neoplasia. Sua maior vantagem é possibilitar a detecção precoce de recidivas, permitido tempo suficiente para decisões terapêuticas apropriadas, sendo considerado melhor do que o CA 15-3 para esta finalidade. Esse marcador apresenta também boa correspondência com o curso da doença havendo, em geral, um paralelo entre sua concentração sérica e atividade da doença.[28]

CATEPSINA D

A catepsina D é uma endoprotease lisossomal ácida, encontrada em praticamente todas as células dos mamíferos, sendo um marcador tumoral muito estudado em câncer de mama.[29-31] Acredita-se que o papel da catepsina D na carcinogênese é estar associada à estimulação da síntese de DNA e mitose durante a regeneração tecidual e, decorrente de seu poder proteolítico, facilitar a disseminação tumoral por digestão de proteoglicanos da matriz intersticial e membrana basal.[30-32] Estas evidências levaram à elaboração da hipótese de que a secreção de catepsina D pelas células tumorais facilitaria a iniciação e a progressão do processo metastático.[30] Segundo Nakopoulou *et al.*,[31] a catepsina D é uma proteína claramente associada à invasividade tumoral e à presença de metástases para linfonodos axilares. Alguns estudos têm demonstrado que altos níveis de catepsina D associam-se a pior prognóstico de câncer de mama, e a maioria dos autores não encontrou associação entre o alto grau histológico e a positividade para catepsina D.[29-32] A associação entre a expressão aumentada de catepsina D e a sobrevida livre de doença é controversa. Para essa associação, Aaltonen *et al.*, Iwaya *et al.*. e Eng Tan *et al.* encontraram pouca significância estatística.[30,33-36]

CEA (ANTÍGENO CARCINOEMBRIONÁRIO)

O antígeno carcinoembrionário (CEA) é um marcador tumoral que tem sido extensivamente estudado desde sua identificação, em 1965. Originalmente foi descrito como presente em adenocarcinoma de cólon e reto,[37] mas ausente em tecidos colônicos de adultos normais. Atualmente, sabe-se que o CEA é produzido pelas células da mucosa gastrointestinal, tem peso molecular de aproximadamente 200 kDa e faz parte da família das imunoglobulinas.[11,38] Seu valor de referência é 3,5 ng/mL em não fumantes e 7 ng/mL em fumantes.[13,39] Na presença de neoplasia maligna, níveis elevados de CEA são detectados em 9% dos teratomas de testículo e, em aproximadamente 85% dos casos de carcinomas colorretais metastáticos.[39] Níveis elevados de CEA são também encontrados em outras neoplasias malignas, como por exemplo, pulmão (52 a 77%), pâncreas (61 a 68%), trato gastrointestinal (40 a 60%), trato biliar (80%), tireoide (50 a 70%), cérvice (42 a 50%) e mama (30 a 50%).[11,40,41] A sensibilidade do CEA oscila em torno de 40 a 47% e a especificidade, 90 a 95% para câncer colorretal; e 80 a 84% e 95 a 100% para câncer recidivado.[42] Elevações do CEA também foram relatadas em distúrbios benignos, como: cirrose alcoólica, doença de Crohn, doenças hepáticas, doenças intestinais, doença fibrocística da mama, bronquite, tabagismo e insuficiência renal.[42,43] Por conseguinte, os ensaios do CEA carecem de especificidade e de sensibilidade necessárias para a detecção de cânceres no estádio inicial.[43-45] Os níveis pré-operatórios do CEA possuem algum significado para o prognóstico, visto que o nível de elevação está relacionado à carga corporal do tumor. Os níveis séricos do CEA podem ser úteis para monitorizar o tratamento de câncer de mama metastático.[46,47]

C-ErbB2

O C-ErbB2 é um oncogene com peso molecular de 185 kDa. Foram encontrados, na literatura, vários nomes para este marcador e diferentes grafias: c-erbB-2; cerbB-2; C-erbB-2; HER-2; HER-2/neu; ERBB2; erbB2; neu/c-erbB-2; oncogene neu; proteína neu; neu. Neste trabalho será adotado "C-ErbB2". O oncogene C-ErbB2 pertence a uma família de receptores de membrana cujo domínio extracelular pode ser identificado, dosado em cultura ou liberado na circulação. Este é amplificado e hiperexpresso em 20 a 40% dos carcinomas primários de mama,[48] por isso seu papel nesta neoplasia tem sido extensivamente investigado; entretanto os resultados permanecem controversos.[36] A relação entre o C-ErbB2 e o prognóstico do câncer de mama tem sido extensivamente examinada, com considerável atenção à recidiva tumoral e à sobrevida de pacientes. Vários autores apontam que a expressão aumentada de C-ErbB2 é um indicador de prognóstico ruim.[49] De acordo com alguns investigadores, as pacientes cujos tumores exibem expressão aumentada de C-ErbB2 apresentam uma sobrevida livre de doença menor e também sobrevida geral menor.[50] Entretanto, outros autores, na análise multivariada, falharam em encontrar uma associação significativa entre a sobrevida geral, a sobrevida livre de doença e o C-ErbB2.[51] A associação da expressão aumentada de C-ErbB2 com a sobrevida geral e a sobrevida livre da doença, segundo DePotter e Schelfhout,[52] seria decorrente do aumento da atividade metastática das células tumorais que o expressam. O gene C-ErbB2 também se encontra superexpresso em outras neoplasias humanas, incluindo cerca de 1/3 dos carcinomas de pulmão, gástrico, de próstata e outros. Sua expressão no sangue periférico se correlaciona com a carga tumoral, encontrando-se níveis mais altos nos tumores dos estágios III e IV.[53] Pode, porém, ser detectado antes mesmo do diagnóstico clínico, estando elevado precocemente no processo de carcinogênese.[54] O C-ErbB2 apresenta também importância no tratamento de pacientes com câncer de mama: pacientes cujos tumores exibem expressão aumentada desse marcador podem ter maior benefício com altas doses de quimioterapia.[55-60]

O uso de marcadores tumorais em oncologia deve sempre ser contextualizado no curso do diagnóstico, tratamento e/ou acompanhamento de um paciente com neoplasia. Em razão de sua pouca especificidade, devemos ser bastante cautelosos em sua interpretação, utilizando-o sempre como um auxiliar, ou apenas como mais um elemento, na tomada de decisão.

REFERÊNCIAS BIBLIOGRÁFICAS

1. Capelozzi VL. Entendendo o papel de marcadores biológicos no câncer de pulmão. *J Pneumol* 2001;27(6):321-28.
2. Silveira AS. Câncer ginecológico: diagnóstico e tratamento. In: Gil RA. *Fatores prognósticos, preditivos e marcadores tumorais no câncer ginecológico.* Florianópolis: UFSC; 2005. p. 135-52.
3. Almeida JRC. *Farmacêuticos em oncologia: uma nova realidade.* São Paulo: Atheneu; 2004. p. 61-72.
4. Mattos LL, Machado LN, Sugiyama MM et al. Tecnologia aplicada na detecção de marcadores tumorais. *Arq Méd ABC* 2005;30(1):19-25.
5. Tomasich FDS, Augusto VC, Luz MA et al. Marcadores tumorais CEA e CA 72-4 na avaliação do câncer gástrico. *Rev Acta Oncol Brasil* 2001;21(1):211-15.
6. Alonzo TA. Standards for reporting prognostic tumor marker studies. *J Clin Oncol* 2005;23(36):9053-54.
7. Pacheco FA, Paschoal MEM, Carvalho MGC. Marcadores tumorais no câncer de pulmão: um caminho para uma terapia biológica. *J Pneumol* 2002;28(3):143-49.
8. Reis FJC. Rastreamento e diagnóstico das neoplasias de ovário: papel dos marcadores tumorais. *Rev Bras Ginecol Obstet* 2005;27(4):222-27.
9. Rosa GD, Barcellos GB, Carvalhal GF et al. Marcadores tumorais em urologia. *Acta Médica* (Porto Alegre) 2005;26:155-65.
10. Gomes FR. Marcadores tumorais (alcances e limites). *Acta Med Port* 1997;10(1):75-80.
11. Guimarães RC, Rodrigues VH, Pádua CAJ et al. Uso dos marcadores tumorais na prática clínica. *Prática Hospitalar* (Belo Horizonte) 2002;IV(23):1-8.
12. Murugaesu N et al. Malignant ovarian germ cell tumors: identification of novel prognostic markers and long-term outcome after multimodality treatment. *J Clin Oncol* 2006 Oct. 20;24(30):4862-66.
13. Schwartz M. Specialized techniques of cancer management and diagnosis. Section 3. Cancer markers. In: DeVita V, Hellman SJR, Rosenberg S. *Cancer: principles & practice of oncology.* Philadelphia: JB Lippincott; 1993. p. 531-42.
14. Doherty AP, Bower M, Christmas TJ. The role of tumour markers in the diagnosis and treatment of testicular germ cell cancers. *Br J Urol* 1997;79(2):247-52.
15. Reis FM, Rezende CP. Aplicações das dosagens de inibinas em ginecologia e obstetrícia. *Rev Bras Ginecol Obstet* 2009;31(12):621-25.
16. Tsigkou A, Luisi S, Reis FM et al. Inhibins as diagnostic 2. markers in human reproduction. *Adv Clin Chem* 2008;45(1):1-29.
17. Cobellis L, Luisi S, Pezzani I et al. Serum inhibin A, inhibin B, and pro-alphaC levels are altered after surgically or pharmacologically induced menopause. *Fertil Steril* 2002;77(4):745-49.
18. Sammel MD, Freeman EW, Liu Z et al. Factors that influence entry into stages of the menopausal transition. *Menopause* 2009;16(6):1218-27.
19. Petraglia F, Luisi S, Pautier P et al. Inhibin B is the major form of inhibin/activin family secreted by granulosa cell tumors. *J Clin Endocrinol Metab* 1998;83(3):1029-32.
20. Rustin GJ. Use of CA 125 to define progression of ovarian cancer in patients with persistently elevated levels. *J Clin Oncol* 2001;19(20):4054-57.
21. Jacobs I, Bast Jr RC. The CA 125 tumour-associated antigen a review of the literature. *Hum Reprod* 1989;4(1):1-12.
22. Tuxen MK, Sölétormos G, Dombernowsky P. Serum tumour marker CA 125 in monitoring of ovarian cancer during first-line chemotherapy. *Br J Cancer* 2001;84(10):1301-7.
23. Engelen MJ, de Bruijn HW, Hollema H et al. Serum CA 125, carcinoembryonic antigen, and CA 19-9 as tumor markers in borderline ovarian tumors. *Gynecol Oncol* 2000;78(1):16-20.
24. Kang S, Kim TJ, Nam BH et al. Preoperative serum CA-125 levels and risk of suboptimal cytoreduction in ovarian cancer: a meta-analysis. *J Surg Oncol* 2010;101:13-17.
25. Yedema CA, Kenemans P, Wobbes T et al. Use of serum tumor markers in the differential diagnosis between ovarian and colorectal adenocarcinomas. *Tumor Biol* 1992;13:18-26.
26. Koonings PP, Schalerth JB. CA 125: a marker for persistent gestational trophoblastic disease? *Gynaecol Oncol* 1993;49(2):240-42.
27. Geraghty JG, Coveney EC, Sherry F et al. CA 15-3 in patients with locoregional and metastatic breast carcinoma. *Cancer* 1992;70(12):2831-34.
28. Touitou Y, Bogdan A. Tumor marker in non malignant diseases. *Eur J Cancer Clin Oncol* 1998;24(7):1083-91.
29. Hayes DF, Tondini C, Kufe DW. Clinical applications of CA 15-3. In: Sell S. *Serological cancer markers.* New Jersey: Humana; 1992. p. 281-307.
30. Kallioniemi OP, Okasa H, Aaran RK et al. Serum CA 15-3 assay in the diagnosis and follow-up of breast cancer. *Br J Cancer* 1988;58(2):213-15.
31. Guedes Neto EP, Monteggia P, Fuhrmeister F et al. Avanços médicos: marcadores tumorais versus câncer de mama. *Rev Bras Cancerol* 1995;41(1):39-42.
32. Bast RC, Ravdin P, Hayes DF et al. 2000 Update of recommendations for the use of tumor markers in breast and colorectal cancer: clinical practice guidelines of the American Society of Clinical Oncology. *J Clin Oncol* 2001;19(6):1865-78.
33. Chan DW, Beveridge RA, Muss H et al. Use of Truquant BR radioimmunoassay for early detection of breast cancer recurrence in patients with stage II and stage III disease. *J Clin Oncol* 1997;15(6):2322-28.

34. Isola J, Weitz S, Visakorpi T et al. Cathepsin D expression detected by immunohistochemistry has independent prognostic value in axillary node-negative breast cancer. *J Clin Oncol* 1993;11:36-43.
35. Aaltonen M, Lipponen P, Kosma VW et al. Prognostic value of cathepsin expression in female breast cancer. *Anticancer Res* 1995;15:1033-37.
36. Derossi DR, Bacchi CE. Cathepsina D em carcinoma de mama: correlação com grau histológico e receptor de estrógeno. *J Bras Patol* 1995;31:100-5.
37. Nakopoulou L, Lazaris AC, Baltas D et al. Prognostic evaluation of estrogenregulated protein immunoreactivity in ductal invasive breast cancer. *Virchows Archiv* 1995;427:33-40.
38. Göhring UJ, Scharl A, Thelen U et al. Prognostic value of cathepsin D in breast cancer: comparison of immunohistochemical and immunoradiometric detection methods. *J Clin Pathol* 1996;49(1):57-64.
39. Iwaya K, Tsuda H, Fukutomi T et al. Histologic grade and p53 immunoreaction as indicators of early recurrence of node-negative breast cancer. *Jpn J Clin Oncol* 1997;27(1):6-12.
40. Eng Tan P, Benz CC, Dollbaum C et al. Prognostic value of cathepsin D expression in breast cancer: immunohistochemical assessment and correlation with radiometric assay. *Ann Oncol* 1994;5(4):329-36.
41. Eisenberg ALA, Koifman S. Câncer de mama: marcadores tumorais. *Rev Bras Cancerol* 2001;47(4):377-88.
42. Gold P, Friedman SO. Demonstration of tumor-specific antigens in human colonic carcinoma by immunological tolerance and absorption techniques. *J Exp Med* 1965;121:439-62.
43. Kasper DL, Braunwald E, Fauci AS et al. (Eds.). *Harrisons principles of internal medicine*. Part five: oncology and hematology. Section 1: Neoplastic Disorders. 16th ed. New York: McGraw-Hill Education; 2004. p. 240-50.
44. Mayer RJ, Garnick MB, Steele GD et al. Carcinoembryonic antigen (CEA) as a monitor of chemotherapy in disseminated colorectal cancer. *Cancer* 1978;42(3 Suppl):1428-33.
45. American Society of Clinical Oncology (ASCO). 1997 Update of recommendations for the use of tumor markers in breast and colorectal cancer. *J Clin Oncol* 1998;16:793-95.
46. American Society of Clinical Oncology (ASCO). Clinical practice guidelines for the use of tumor markers in breast and colorectal cancer. *J Clin Oncol* 1996;14(10):2843-77.
47. Fletcher RH. Carcinoembryonic antigen. *Ann Intern Med* 1986;104:66-73.
48. Cecil Goldman L, Ausiello D. Tratado de medicina interna. In: Cooper DL. *Marcadores tumorais*. 22. ed. Rio de Janeiro: Elsevier; 2005. p. 1309-12, vol. 2.
49. Canevari S, Pupa SM, Ménard S. 1975-1995 revised anticâncer serological response: biological significance and clinical implications. *Ann Oncol* 1997;7(3):227-32.
50. Macdonald JS. Carcinoembryonic antigen screening: prosand cons. *Semin Oncol* 1999;26(5):556-60.
51. Von Kleist S. Molecular biological of the carcinoembryonic antigen. In: Ballesta AM, Torre GC, Bombardieri E et al. (Eds.). *Up dating on tumor markers in tissue and in biological fluids*. Torino: Minerva Medica; 1993. p. 283-97.
52. Veronesi U, Luini A, Costa A et al. *Mastologia oncológica*. Milão: Medsi, 2002.
53. Gusterson BA, Gelber RD, Goldhirsch A et al. Prognostic importance of c-erbB-2 expression in breast cancer. International (Ludwig) Breast Cancer Study Group. *J Clin Oncol* 1992;10(7):1049-56.
54. Castiglioni T, Elsner B, Curutchet HP et al. Análisis munohistoquímico de p53 y c-erbb- 2 en el carcinoma de mama. *Medicina* (B Aires) 1995;55:415-20.
55. Molland JG, Barraclough BH, Gebski V, Milliken J, Bilous M.Prognostic significance of c-erbb-2 oncogene in axillary nodenegative breast cancer. *Aust N Z J Surg* 1996;66:64-70.
56. Haerslev T, Jacobsen GK. c-erbB-2 oncoprotein is not an independent prognostic parameter in primary breast carcinoma. An immunohistochemical study. *Acta Pathol Microbiol Immunol Scand* 1994;102(8):612-22.
57. DePotter CR, Scherlfhout AM. The neu-protein and breast cancer. *Virchows Archiv* 1995;426:107-15.
58. Weiner DB, Nordberg J, Robinson R et al. Expression of the neu gene-encoded protein (p185neu) in human non-small-cell carcinomas of the lung. *Cancer Res* 1990;50:421-25.
59. Osaki T, Mitsudomi T, Oyama T et al. Serum level and tissue expression of c-erbb-2 protein inlung adenocarcinoma. *Chest* 1995;106:157-62.
60. Brandt-Rauf PW, Luo JC, Carney WP et al. Detection on increased amounts of the extracellular domain on the c-erbb-2 oncoprotein in serum during pulmonary carcinogenesis in humans. *Int J Cancer* 1994;56:383-86.

SEÇÃO III

Doença Invasiva

CAPÍTULO 159

Exame Peroperatório de Congelação na Oncoginecologia – Indicações e Limitações

Rodrigo Aires de Morais

INTRODUÇÃO

O exame peroperatório de congelação (ou congelamento) é utilizado amplamente em diversas áreas da cirurgia, como a cirurgia oncológica, a mastologia, a neurocirurgia etc. O seu uso na cirurgia ginecológica não tem sido enfatizado na literatura, embora tenha tanta importância e aplicação como nas outras áreas de cirurgia do câncer.[1]

Espécimes ginecológicos são frequentemente submetidos à avaliação intraoperatória primariamente para guiar o procedimento cirúrgico. As principais indicações do exame de congelação são: a) garantir que a mostra seja suficiente para diagnóstico definitivo em parafina, b) determinar a natureza do processo patológico, c) planejar estudos complementares, d) determinar a extensão do comprometimento neoplásico e e) avaliar as margens cirúrgicas no intraoperatório.[1]

Comunicação adequada e cooperação entre patologista e cirurgião são pontos críticos para garantir um resultado oportuno e adequado.[2] Informações como marcadores sorológicos, história prévia de malignidade, exames de imagem e laudos histopatológicos anteriores devem ser fornecidos.[1]

Dentro da ginecologia oncológica, os espécimes ovarianos correspondem à maioria dos casos submetidos a exame de congelação, seguidos pelo útero (corpo e colo), vulva e vagina.[3]

MÉTODO

Ao ser solicitado para realizar o exame de congelação, o patologista segue alguns passos básicos, que visam evitar resultados equivocados. Antes da realização do procedimento em si, o patologista deve conversar com o cirurgião para conhecer o caso clínico, incluindo história clínica, achados de exame físico, hipóteses diagnósticas clínicas e resultados de exames complementares. Durante esta conversa o patologista questiona o cirurgião quanto ao objetivo do exame e informa-lhe as limitações do método, que podem ser gerais ou variáveis, de acordo com cada caso.

Quando recebe o espécime, o primeiro passo é conferir a amostra e a solicitação do exame, com objetivo de flagrar possíveis trocas, caso não tenha sido entregue em mãos pelo cirurgião.

Após esta etapa, o patologista traça estratégias de métodos a serem utilizados. A amostra pode ser submetida a cortes congelados e a exame citológico de lâminas obtidas por processo de raspados, esfregaços, citoimpressões etc., tanto isoladamente ou de maneira combinada. Essa escolha depende do tipo da amostra, suas dimensões, sua consistência, experiência do profissional, equipamentos disponíveis, entre outros. Às vezes, um mesmo tipo de amostra pode ser examinado por vários patologistas de diferentes maneiras, sem que isso represente algum tipo de problema no diagnóstico.

Os métodos citológicos (raspados, citoimpressões e esfregaços) são de fácil realização, não requerem equipamentos complexos e por isso são métodos rápidos e baratos. Consistem em obter células do tecido estudado raspando sua superfície com uma lâmina de bisturi, por exemplo, e posterior confecção de esfregaços com o material obtido; ou ainda esfregar o fragmento a ser examinado com uma pinça na lâmina de vidro; ou apenas tocar o tecido na mesma. As lâminas obtidas por estes métodos deverão ser fixadas em álcool com concentração mínima de 80%, por no mínimo 1 minuto antes de sua coloração, que poderá ser feita de diversas maneiras (azul de toluidina, Papanicolaou, hematoxilina e eosina etc.) com posterior análise das lâminas no microscópio.

Ao escolher realizar cortes de congelação, o patologista dispõe de dois tipos de equipamentos: criostato de chão e micrótomo de congelação. O criostato é um aparelho elétrico que congela rapidamente a amostra a temperaturas muito baixas, permitindo inclusive a congelação de várias amostras simultaneamente, que serão cortadas uma por vez. O objetivo de se congelar a amostra é simplesmente endurecê-la o suficiente para permitir a realização de cortes muito finos, que podem ser examinados durante a cirurgia. O criostato é um aparelho de alto custo, pesado e de grandes dimensões, o que faz com que muitos patologistas optem pela utilização de micrótomo de congelação, que é muito menor, mais leve e facilmente deslocado. A escolha do tipo de aparelho utilizado depende de questões financeiras, da organização do serviço de patologia e da preferência dos patologistas.

APLICAÇÕES E LIMITAÇÕES

Tumores ovarianos

Neoplasias epiteliais ovarianas são importantes causas de morbimortalidade em mulheres. As três principais categorias de neoplasias do epitélio superficial do ovário são benigno, maligno e *borderline*, que diferem em suas características biológicas, manejo e prognóstico.[4]

Os cortes de congelação têm valor estabelecido na avaliação de tumores suspeitos em diversas topografias anatômicas. Em alguns órgãos, a exploração pré-operatória através de biópsias e exames citológicos reduziu a necessidade de exames de congelação. Entretanto, enfermidades como massas anexiais e ovarianas são submetidas à cirurgia sem um diagnóstico definitivo. Desta forma, o exame de congelação é amplamente utilizado no diagnóstico intraoperatório de malignidade, o que muda a estratégia cirúrgica. Esta é uma técnica segura e sensível, permi-

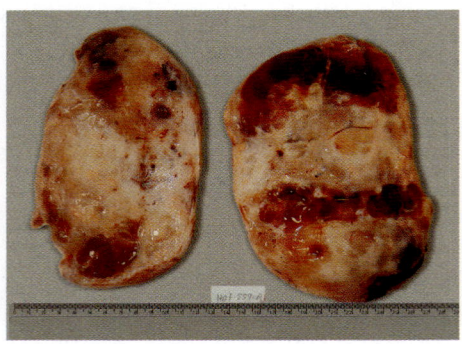

FIGURA 1. Tumor ovariano, seccionado no maior eixo. A avaliação macroscópica nos casos de ginecopatologia é tão importante quanto a microscópica. Áreas de hemorragia e o aspecto sólido da lesão apontam para a malignidade do caso. (imagem gentilmente cedida pela Dra. Renata Quintella Zamolyi).

tindo diagnóstico adequado em 87 a 96% dos casos.[4-6] Nos casos de câncer ovariano, além de diagnóstico, a congelação pode ter uso no estadiamento da paciente, por análise intraoperatória do omento, do peritônio etc. (Fig. 1).

Os casos de interpretação mais difícil são aqueles em que encontramos grandes massas ovarianas, tumores *borderline*, na subclassificação de tumores mucinosos e na distinção entre tumores primários e metastáticos, principalmente os mucinosos.[5,8] Erros na interpretação ocorrem por diversas causas, incluindo amostragem inapropriada ou inadequada de tecido, problemas técnicos que resultem em lâminas de baixa qualidade ou erros interpretativos por parte do patologista.[5]

Os tumores *borderline* do ovário são aqueles em que há proliferação epitelial (estratificação do epitélio, aumento do índice mitótico e atipia nuclear) sem invasão estromal. O tratamento de escolha para tais casos é a excisão cirúrgica, mas há controvérsia na extensão da cirurgia. Tumores benignos e *borderline* podem ser tratados com cirurgia conservadora, que pode garantir a preservação da fertilidade de pacientes jovens. Em contraste, tumores malignos, especialmente de natureza epitelial, requerem procedimento radical, com histerectomia total, anexectomia bilateral, omentectomia, linfadenectomia pélvica e peritoneal e biópsias peritoneais.[4] O diagnóstico intraoperatório de tumores *borderline* é mais difícil que de tumores benignos e malignos, com sensibilidade que varia de 45,5 e 71,6%.[4,6] Fatores relacionados ao subdiagnóstico dessas lesões são: histologia mucinosa, tamanho maior que 3 cm e a experiência do patologista. O principal fator isolado relacionado ao subdiagnóstico é o tamanho maior que 20 cm. Embora o exame de congelação seja uma ferramenta no manejo clínico das pacientes com tumores ovarianos, sobrediagnóstico e subdiagnóstico são relativamente frequentes nos casos *borderline*. A escolha da conduta cirúrgica a ser adotada nesses casos deve ser feita de maneira cuidadosa, especialmente em tumores volumosos.[6]

Tumores vulvares

Exame intraoperatório de tumor vulvar não é um evento comum. Sua indicação é feita primordialmente para avaliação de margens em casos de carcinoma de células escamosas e doença de Paget, bem como para avaliar a profundidade e a extensão da invasão. Suas limitações são: possibilidade de resultado equivocado, em função da natureza multifocal da doença, nos casos de carcinoma de células escamosas e da falta de acurácia da congelação no estabelecimento do *status* das margens, nos casos de doença de Paget. Nestes casos, a opção por este método deve ser individualizada, não sendo rotineiramente indicada.

Em outros carcinomas vulvares, como o basocelular, por exemplo, a avaliação de margens pode ser realizada por este método. Nos casos suspeitos ou com diagnóstico de melanoma, contraindica-se a congelação decorrente da distorção e perda tecidual provocada pelo processo de congelamento.

Tumores vaginais

Em razão de sua raridade e sua natureza em geral metastática, raramente se indica congelação para tumores vaginais. Apenas 1 a 2% dos tumores vaginais serão primários, e destes, 85% serão do tipo histológico carcinoma de células escamosas (epidermoide). Nestes casos, o exame intraoperatório pode ser indicado para avaliação de margens, bem como nos demais tumores vaginais (exceção é feita ao melanoma, quando o exame de congelação é contraindicado).

As principais limitações nos tumores vaginais são: dificuldade de determinar se a lesão é primária ou metastática; distinção de atipias reacionais *versus* neoplasia e ainda de adenocarcinoma *versus* lesões benignas da vagina. Após radioterapia, não se deve indicar exame de congelação para nódulos vaginais, bem como de nódulos pós-operatórios, devido à possibilidade de resultado falso-positivo induzido pelas intensas atipias reacionais observadas nestas situações.

Tumores cervicais

A congelação nos casos de tumores cervicais deve limitar-se aos casos em que a conduta cirúrgica pode ser imediatamente modificada de acordo com o diagnóstico.[3] No Instituto Nacional de Câncer não se examina amostras de colo uterino em exame de congelação, a não ser em casos excepcionais, que devem ser discutidos previamente com o patologista. Na literatura as opiniões são controversas sobre indicações e contraindicações de exame de congelação no colo uterino.

Material de biópsia não deve ser submetido à congelação devido aos artefatos produzidos por este método, que podem prejudicar a avaliação diagnóstica. Cenários possíveis incluem biópsia prévia mostrando dúvida na invasão, incerteza na profundidade e questões relacionadas a fertilidade.[1]

A avaliação de grau de displasia através da congelação é fortemente desencorajada, em decorrência da possibilidade de erro na avaliação. Entretanto, o cirurgião pode solicitar a avaliação da profundidade de invasão pela congelação.

Nos casos em que tal avaliação é solicitada, uma importante limitação é o tempo do procedimento, que pode durar cerca de 1 hora, pela necessidade de se examinar múltiplas secções do colo, e o cirurgião deve ser adequadamente avisado sobre isso. Outra importante limitação está na confecção de cortes com qualidade suficiente para avaliar toda a espessura do colo, sem com isso consumir o material, possibilitando sua análise posterior em parafina. Em micrótomos de mesa isso é mais difícil do que em micrótomos de chão. Lesões pequenas podem ser consumidas e desaparecerem durante a congelação, e por isso o método deve ser desencorajado em tais situações.

Tumores do corpo uterino

Avaliação de tumores de músculo liso é uma das indicações mais comuns de congelação em patologia ginecológica, principalmente em casos de tumores de crescimento rápido ou de aparência incomum. Na maioria de tais casos, o exame macroscópico cuidadoso é suficiente para estabelecer diagnóstico de benignidade. Se áreas suspeitas forem observadas (áreas mixoides, necrose, bordos irregulares, coloração castanho-amarelada, áreas hemorrágicas ou amolecidas), um ou mais cortes devem ser realizados em tais áreas. Se qualquer aspecto atípico for observado, é necessário exame em parafina antes de um diagnóstico definitivo.[1]

Outra situação em que o patologista frequentemente é requerido para exame intraoperatório é na avaliação da profundidade de invasão mural de tumores endometriais. O risco de doença extrauterina, particularmente linfonodal, será tanto maior, quanto mais profunda for a invasão, motivando assim a dissecção de linfonodos. Uma situação que pode induzir a uma avaliação incorreta da profundidade é no caso de envolvimento tumoral de um foco de adenomiose.[1]

A congelação não está indicada em casos de material obtido por curetagem com finalidade diagnóstica, decorrente da grande possibilidade de erro em tais situações. Nesses casos, o material deve ser integralmente submetido a exame em parafina.[1]

Linfonodos

A avaliação intraoperatória de linfonodos na ginecologia oncológica não é uma prática uniforme. Há evidências de que o valor prognóstico do linfonodo sentinela na patologia vulvar e cervical é semelhante ao do linfonodo sentinela na mama, entretanto evidências recentes falam contra a avaliação intraoperatória de tais linfonodos. A avaliação intraoperatória de linfonodos por palpação na cirurgia para o câncer endometrial é imprecisa, com apenas 10% dos pacientes apresentando linfonodos aumentados macroscopicamente.[1]

CONSIDERAÇÕES FINAIS

A avaliação intraoperatória de espécimes ginecológicos é uma importante ferramenta utilizada na ginecologia oncológica, por permitir que se defina o diagnóstico durante o ato operatório, possibilitando o tratamento cirúrgico adequado ao caso. Trata-se de método sensível e específico, mas com limitações principalmente em tumores *borderline* e mucinosos ovarianos, grandes massas anexiais, lesões cervicais, vulvares e vaginais. Por esse motivo, é necessário que o cirurgião conheça os cenários possíveis de sub ou sobrediagnóstico, para que possa definir a conduta cirúrgica com cautela em tais situações.

REFERÊNCIAS BIBLIOGÁFICAS

1. Baker P, Oliva E. A Practical approach to intraoperative consultation in gynecological pathology. *Int J Gynecol Pathol* 2008;27:353-65.
2. Horn LC, Wagner S. Frozen section analysis of vulvectomy specimens: result of a 5-year study period. *Int J Gynecol Pathol* 2010;29:165-72.
3. Coffey D, Kaplan AL, Ramzy I. Intraoperative consultation in gynecologic pathology. *Arch Pathol Lab Med* 2005;129:1544-57.
4. Maheshwari A, Gupta S, Kane S. Accuracy of intraoperative frozen section in the diagnosis of ovarian neoplasms: experience at a tertiary oncology center. *World J Surg Oncol* 2006;4:12.
5. Stewart CJR, Brennan BA, Hammond IG *et al*. Intraoperative assesment of ovarian tumors: a 5-year rewiew with assesment of discrepant diagnostic cases. *Int J Gynecol Pathol* 2006;25:216-22.
6. Kim JH, Kim TJ, Park YG. Clinical analysis of intraoperative frozen section proven borderline tumors of the ovary. *J Gynecol Oncol* 2009;20(3):176-80.
7. Stewart CJR, Brennan BA, Hammond IG *et al*. Accuracy of frozen section in distinguishing primary ovarian neoplasia from tumors metastatic to the ovary. *Int J Gynecol Pathol* 2006;24:356-62.
8. Ghaemmaghami F, Behnamfar F, Ensani F. Intraoperative frozen sections foor assessment of female cancers. *Asian Pac J Cancer Prev* 2007;8:635-39.

CAPÍTULO 160

A Relevância da Imuno-Histoquímica

Renata Quintella Zamolyi

INTRODUÇÃO

A imuno-histoquímica é uma técnica laboratorial que consiste na utilização de anticorpos específicos para a localização de antígenos em amostras de células e tecidos fixados em formol a 10% e processados para a análise histológica de rotina, baseada no reconhecimento da ligação antígeno-anticorpo através de sua marcação com cromógeno, permitindo a observação da reação em microscópio óptico.

O desenvolvimento do princípio básico da imuno-histoquímica data de 1940, quando Coons[1] desenvolveu uma técnica com imunofluorescência para detectar antígenos em tecidos congelados. Entretanto, o método só encontrou aplicação geral na patologia cirúrgica após 1991, com o desenvolvimento do método de recuperação antigênica através de calor úmido,[2] sistemas de detecção mais sensíveis e com a marcação colorimétrica da reação, eliminando a necessidade de cortes de tecido congelado e um microscópio de fluorescência para avaliação das lâminas.[3,4]

Desde então, o uso da imuno-histoquímica em questões práticas na rotina diagnóstica da patologia vem crescendo amplamente, não só em relação ao diagnóstico e à classificação dos tumores, mas também na identificação e na demonstração de marcadores prognósticos e preditivos, o que requer, em alguns casos, não só a confecção de laudos com a avaliação qualitativa, mas também uma avaliação semiquantitativa da marcação.

A maior significância do desenvolvimento das técnicas imuno-histoquímicas na atualidade é a possibilidade da realização da mesma no material de rotina, fixado em formol e emblocado em parafina, atuando como um adjuvante da avaliação histológica (e não um substituto a ela), sendo imperiosa a avaliação conjunta dos aspectos clínicos, histopatológicos e imuno-histoquímicos para a definição diagnóstica.

Convém ressaltar que a conservação das estruturas celulares e de sua antigenicidade, através da fixação adequada dos espécimes cirúrgicos e biópsias, em geral com formol diluído a 10%, é essencial para o estudo imuno-histoquímico, já que este requer a recuperação antigênica do material para a obtenção da ligação antígeno-anticorpo. O retardo no processo de fixação das amostras, ou o uso de fixadores inadequados, pode causar autólise do material e dano nas estruturas celulares, comprometendo a capacidade de recuperação antigênica do mesmo e limitando o uso da técnica de imuno-histoquímica.

A IMUNO-HISTOQUÍMICA NO TRATO GENITAL FEMININO

Este capítulo é constituído de uma descrição resumida das propriedades e da aplicação dos anticorpos mais utilizados atualmente, para a resolução de questões práticas no diagnóstico das lesões ginecológicas, e não se propõe a esgotar o assunto, referindo-se apenas aos principais marcadores imuno-histoquímicos já consagrados na rotina diária do laboratório de patologia.

Como ocorre na maioria dos tumores, em qualquer topografia, alguns casos podem apresentar expressões aberrantes de anticorpos, superpondo os achados imuno-histoquímicos entre diferentes sítios de origem. Dessa forma, a abordagem com um painel de anticorpos é mais apropriada do que a escolha de um único marcador para o diagnóstico diferencial das lesões.

Nunca é demais enfatizar que a técnica imuno-histoquímica só deve ser utilizada e interpretada em conjunto com os achados histológicos na coloração de rotina pela hematoxilina-eosina (HE) e em correlação com dados clínicos.

Por razões didáticas, as estruturas correlatas do trato genital feminino serão agrupadas neste capítulo da seguinte forma:

- Vulva e vagina.
- Colo uterino.
- Útero.
- Doença trofoblástica gestacional.
- Ovários e peritônio.
- Tubas uterinas e ligamento largo.

Vulva e vagina

Lesões epiteliais vulvovaginais

Os principais diagnósticos desta categoria de lesões são: pólipo fibroepitelial, papiloma escamoso, condiloma, neoplasia intraepitelial escamosa vulvar e vaginal (respectivamente, NIV e NIVA), carcinoma escamoso, doença de Paget vulvar e melanoma.

O anticorpo mais comumente utilizado no trato ginecológico inferior é o p16, uma proteína supressora tumoral essencial na regulação do ciclo celular. O princípio para a utilização deste anticorpo é que o papilomavírus humano (HPV) possui oncogenes E6 e E7 que inativam a pRB e levam a uma superexpressão de p16.[4] Sendo assim, a superexpressão de p16 é considerada um biomarcador substituto da infecção pelo papilomavírus humano (HPV),[5] especialmente os subtipos de alto risco, tornando-se um marcador útil na avaliação de neoplasias escamosas e glandulares associadas ao HPV.[6-8] A interpretação dos achados imuno-histoquímicos nesses, casos, leva em consideração não só a intensidade e distribuição da positividade do p16, mas também sua localização na célula (se nuclear ou citoplasmática).[9]

Como existem mecanismos independentes de superexpressão de p16, a observação deste marcador em outros tumores que não abrigam necessariamente o HPV pode ocorrer, como, por exemplo, nos carcinomas serosos.[10]

O anticorpo Ki67 (MIB-1) também pode ser útil na distinção diagnóstica destas lesões, já que a marcação nuclear positiva está confinada às células parabasais nos casos de pólipo fibroepitelial e papiloma escamoso. Já nos condilomas e nas NIV/NIVA, a expressão do Ki67 é vista nos terços médio e superior do epitélio.[11,12]

A grande questão para o uso desses critérios morfológicos é a avaliação cuidadosa da histologia, uma vez que a inclusão oblíqua dos fragmentos pode expressar Ki67 em células parabasais que parecem "deslocadas" acima da camada basal devido à orientação tangencial da amostra.

A doença de Paget vulvar representa um adenocarcinoma intraepidérmico, de origem primária ou metastática. A utilização da imuno-histoquímica nestes casos pode auxiliar na determinação do sítio de origem, na exclusão dos diagnósticos diferenciais morfológicos, na avaliação de margens de ressecção e de invasão estromal.

A doença de Paget vulvar primária é tipicamente um tumor intraepidérmico, positivo para CK7, CEA, GCDFP-15 e HER2/neu, sendo negativo para CDX-2, S-100, HMB-45 e RE/RP. Células neoplásicas isoladas com morfologia questionável na coloração de rotina pela hematoxilina-eosina (HE) junto às margens de ressecção e diminutos focos de invasão estromal podem ser avaliadas com CK7, já que a epiderme normal é negativa para este anticorpo.[13-19]

A doença de Paget vulvar secundária geralmente representa a disseminação de sítios primários urinário e colorretal. A imuno-histoquímica reflete a origem colorretal das células neoplásicas com positividade para CK20, CDX-2 e CEA,[13] ou a origem urotelial das mesmas expressando CK20, uroplaquina e trombomodulina.[20]

Os principais mimetizadores morfológicos da doença de Paget vulvar são o melanoma e a neoplasia intraepitelial vulvar (NIV); nesse contexto, a imuno-histoquímica é de grande auxílio já que, na doença de Paget, os marcadores melanocíticos S-100 e HMB-45 são negativos, sendo obviamente positivos nos melanomas.[18] Quanto à NIV pagetoide, esta também pode expressar CK7, sendo aconselhável o uso de p16 e p63 para distinção entre elas.[21-23]

Lesões mesenquimais vulvovaginais

Embora pouco frequentes, lesões mesenquimais podem ocorrer na região vulvovaginal. Entre as lesões mais comumente observadas nessa localização está o angiomixoma agressivo, uma neoplasia de aspecto histológico brando, porém com potencial de infiltração profunda e recidiva local, que faz diagnóstico diferencial com outras lesões benignas mesenquimais como angiomiofibroblastoma, angiofibroma celular, leiomioma mixoide e fasciíte nodular.[24,25]

Infelizmente, a imuno-histoquímica tem pouco valor diagnóstico nesses casos, já que não há um imunofenótipo específico para cada uma dessas lesões, sendo a maioria delas positiva para vimentina, RE e RP e, em quantidades variáveis, desmina, actina músculo-específica e CD34.[26] Este seria um exemplo de neoplasias em que o diagnóstico é primariamente baseado em critérios clinicopatológicos, mais do que em técnicas auxiliares.

O tumor de células granulares é uma neoplasia derivada da bainha de nervos periféricos que expressa S-100, inibina e calretinina,[27,28] tendo como diagnósticos diferenciais uma simples coleção de histiócitos ou até mesmo uma reação decidual das células estromais.

Entre as neoplasias malignas mais comuns dessa região, está o rabdomiossarcoma, que expressa positividade imuno-histoquímica para desmina e outros marcadores miogênicos, como miogenina e Myo-D1.[29]

No que diz respeito ao diagnóstico diferencial de lesões mesenquimais com histologia fusocelular, a marcação com CD117 (*c-kit*) pode auxiliar na indicação de metástases ou extensão local de tumores estromais do trato gastrointestinal (GIST).[30]

Colo uterino

Lesões escamosas cervicais

O maior papel da imuno-histoquímica na avaliação da lesão intraepitelial escamosa (LIE) é distinguir a displasia epitelial de lesões benignas que são seus mimetizadores morfológicos.

Os marcadores mais utilizados para esta finalidade são Ki67 (MIB-1) e p16.[31,32]

O Ki67(MIB-1) auxilia no diagnóstico diferencial entre lesões escamosas benignas e as lesões displásicas (LIE).[33]

As células parabasais do epitélio escamoso normal, da metaplasia imatura, das alterações atróficas e da metaplasia transicional expressam Ki67 apenas na camada basal epitelial.[34] Já nos casos de LIE de alto grau plenamente desenvolvidos, toda a espessura do epitélio é positiva para Ki67.[35] Nestes casos, a orientação da inclusão dos fragmentos analisados é crítica para a avaliação do Ki67, uma vez que os cortes tangenciais, a inclusão oblíqua, a perda artefatual das camadas superficiais do epitélio e um epitélio extremamente fino podem causar dificuldades na avaliação correta da localização das células parabasais, não sendo possível saber se as células marcadas positivamente estão na camada basal ou acima dela (Fig. 1).

A expressão imuno-histoquímica do p16 é observada na maioria dos casos de lesão escamosa associada ao HPV de alto risco.[36] O epitélio normal, inflamado, atrófico e a metaplasia transicional são negativos ou têm expressão apenas fraca e focal de p16. Na LIE de alto grau (H-SIL), a expressão forte e difusa de p16, tanto no núcleo quanto no citoplasma da célula, ocorre em graus variáveis, ocupando entre 2/3 e toda a espessura do epitélio, embora raros casos possam ser negativos.[7,36,37]

Na LIE de baixo grau (L-SIL), a expressão de p16 é ainda mais variável e tipicamente limitada à metade inferior do epitélio.

Desta forma, a imuno-histoquímica auxilia no diagnóstico diferencial entre as lesões benignas e as lesões displásicas, mas é considerada pouco útil na graduação das displasias, que permanece sendo estritamente morfológica.

Lesões glandulares cervicais

Remanescentes de ductos mesonéfricos podem ser encontrados profundamente situados na miocérvice, causando alguma dúvida morfológica com adenocarcinoma endocervical de desvio mínimo. A expressão imuno-histoquímica de CD10 pode ser vista nesses remanescentes mesonéfricos, sendo negativa no adenocarcinoma do tipo desvio mínimo.[38] Contudo, esta marcação não é patognomônica, já que alguns adenocarcinomas endometriais e até mesmo alguns adenocarcinomas endocervicais (que não o tipo desvio mínimo) também podem expressar CD10.

Quanto ao adenocarcinoma endocervical *in situ*, a principal utilidade da imuno-histoquímica é distinguir esta neoplasia de seus mimetizadores morfológicos, como metaplasia tubária, hiperplasia microglandular, endometriose e alterações inflamatórias com algum grau de atipia.

O adenocarcinoma *in situ* expressa um alto índice de células positivas para Ki67, positividade forte e difusa para p16 e CEA monoclonal, mas é negativo para RE, RP, vimentina e BCL-2. A metaplasia tubária e endometriose mostram positividade citoplasmática para BCL-2, mas são p16 negativo (ou apenas fraco e focal), baixo índice de Ki67 e CEA negativo.[39] Já a hiperplasia microglandular é negativa para p16 e CEA, com baixo índice de Ki67.[40]

Em relação ao adenocarcinoma endocervical invasivo, o principal papel da imuno-histoquímica é na distinção da origem endocervical *versus* endometrial de alguns adenocarcinomas.[41] Nenhum marcador isoladamente, e nem mesmo um painel de anticorpos é perfeito para resolver esta situação, de forma que uma estreita correlação clinicopatológica deve ser a base da conclusão diagnóstica.

Normalmente, o adenocarcinoma endocervical expressa CEA monoclonal e p16,[42] sendo negativo para vimentina, RE e RP. Em geral, os adenocarciomas endometriais de baixo grau expressam o padrão inverso.[43] Entretanto, tanto o CEA quanto o p16 podem ser encontrados nos adenocarcinomas endometrioides, embora de forma fraca e focal.[44] Por causa desta potencial sobreposição de padrão imuno-histoquímico, a interpretação em pequenas amostras deve ser bem cuidadosa.

Adenocarcinoma endocervical do tipo intestinal e com células caliciformes pode ser confundido com metástases de tumores colônicos. O marcador intestinal CDX-2 é expresso em ambos os casos (tanto nos de origem endocervical quanto nos de origem colônica), não sendo considerado útil na distinção do sítio primário.[45] Entretanto, um painel com CK7, CK20 e p16 pode resolver a questão, considerando-se que no colo uterino CK7 e p16 são positivos e o CK20, negativo. E o padrão inverso é observado nos adenocarcinomas colônicos metastáticos.

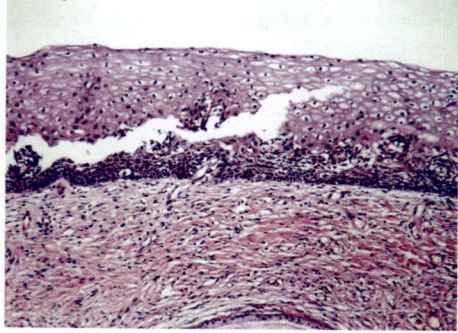

◀ **FIGURA 1.** Epitélio escamoso do colo uterino (HE). Notar fenda artefatual no epitélio, que em biópsias pequenas pode se destacar e ocasionar a perda das camadas superficiais do epitélio, limitando a avaliação ao terço basal, com consequente perda de parâmetros morfológicos.

Outros tipos de carcinoma no colo uterino

O carcinoma adenoide cístico é um tumor similar ao seu homônimo encontrado em glândulas salivares, tanto morfológica quanto imunofenotipicamente.

Pode surgir no colo uterino, na vulva e na vagina como uma neoplasia composta por dupla população celular, com células basaloides de características mioepiteliais e, portanto, positivas para p63 e actina de músculo liso. O segundo componente celular é epitelial, formando pequenos ductos inconspícuos que expressam ceratina e CD117 (*c-kit*).[46]

A distinção do carcinoma adenoide cístico com carcinoma escamoso basaloide é baseada apenas na avaliação morfológica da lesão, já que a marcação imuno-histoquímica se superpõe, sendo ambos positivos para p63.[47] A dica diagnóstica, entretanto, é que o p63 é difusamente positivo no carcinoma escamoso basaloide, enquanto a positividade no carcinoma adenoide cístico é observada apenas nas células basaloides da neoplasia, sendo negativa no epitélio ductular.[48]

O carcinoma neuroendócrino ou carcinoma de pequenas células da cérvice é um tumor agressivo que deve ser distinguido do carcinoma escamoso pouco diferenciado e dos linfomas. A distinção entre o carcinoma de pequenas células e o carcinoma escamoso pouco diferenciado não pode ser feita pela positividade de p16, que é observada em ambos.[49] Entretanto, a maioria dos carcinomas neuroendócrinos de pequenas células expressa ao menos um dos marcadores neuroendócrinos, como a sinaptofisina, a cromogranina ou o CD56.[50,51] O uso de p63 também pode ser útil, uma vez que é negativo nos carcinomas neuroendócrinos e positivo nos carcinomas escamosos.[52] O diagnóstico diferencial com linfoma é feito com marcadores linfoides, como CD45, que é negativo em carcinoma, seja ele neuroendócrino ou escamoso.

Útero

Carcinomas endometriais

A expressão de citoceratinas (AE1/AE3 e CAM5.2) é geralmente suficiente para confirmar a linhagem epitelial de tumores na maioria dos órgãos (Fig. 2).

Curiosamente, no útero, a expressão das citoceratinas não está limitada às células epiteliais, pois tanto as células estromais endometriais, quanto células musculares lisas podem mostrar expressão fraca e/ou focal de citoceratinas, que, entretanto, são negativas para EMA (Epithelial Membrane Antigen).[53,54]

A vimentina é expressa nos tecidos mesenquimais, mas também nas células epiteliais normais do endométrio proliferativo, justificando a sua observação na maioria dos carcinomas endometriais.[55] Sendo assim, a coexpressão de vimentina e citoceratina pode auxiliar na distinção entre a origem endocervical ou endometrial de alguns adenocarcinomas uterinos, quando o sítio primário é duvidoso.

A p53 é uma proteína de supressão tumoral que está superexpressa na maioria dos carcinomas serosos uterinos e em suas lesões precursoras (carcinoma intraepitelial endometrial).[56] O padrão de marcação é intenso, com mais de 75% das células tumorais positivas na neoplasia e uma negatividade abrupta no endométrio atrófico adjacente aos tumores. Quanto aos carcinomas endometrioides, observa-se um aumento da expressão de p53 à medida que o grau da neoplasia aumenta, sendo geralmente fraco e focal nos tumores de baixo grau e mais intenso nos tumores de alto grau.[57,58]

A expressão de RE (receptor de estrogênio) e RP (receptor de progesterona) pode ser vista em um amplo espectro de tecidos não uterinos, tanto benignos quanto malignos. A positividade para RE e RP nos adenocarcinomas endometrioides varia de moderada a forte, sendo fraca ou ausente nos tumores de alto grau (carcinomas de células claras do endométrio, carcinoma seroso e até mesmo nos carcinomas endometrioides pouco diferenciados).[59-61]

Com relação ao carcinoma endometrial, os fatores prognósticos mais importantes ainda são o estágio e o grau da neoplasia. Dentre os possíveis marcadores imuno-histoquímicos preditivos de prognóstico, o único com relevância clínica seria o p53, no sentido de que a superexpressão do mesmo seria um fator desfavorável.[62-65]

Tem-se aventado que a expressão de RE e RP também tenha alguma relevância terapêutica ou mesmo prognóstica, considerando-se que os tumores endometriais com superexpressão de p53 quando coexpressam RE e RP, aparentam ser menos agressivos do que aqueles nos quais o RE e o RP são negativos.[66]

Um grande percentual dos carcinomas serosos uterinos possui positividade imuno-histoquímica para HER2/neu.[67-69] Entretanto, não há boa correlação entre a positividade observada com a técnica imuno-histoquímica e a amplificação do gene HER2/neu com a realização de técnicas citogenéticas e moleculares.

Carcinoma endometrioide

O carcinoma endometrioide é uma neoplasia que recapitula os aspectos histológicos do endométrio na maioria dos casos, ou seja, é formado por túbulos endometrioides com algum grau de alterações citoplasmáticas e metaplásicas vistas no endométrio normal e imunofenotipicamente expressa citoceratinas (CK), EMA, CA 125, Ber-EP4 e B72.3, entre outros.[70]

Praticamente todos os carcinomas endometrioides são CK7 positivos e CK20 negativos[71] e coexpressam vimentina (uma característica incomum para os carcinomas não endometrioides).[72]

A expressão de CEA é incomum e limitada à membrana apical das células ou nos tumores com características mucinosas.[73] As variantes mucinosas também podem expressar CDX2.[74]

A maioria dos carcinomas endometriais de baixo grau (G1 e G2) expressa RE e RP, mas somente 50% dos carcinomas endometriais de alto grau (G3) expressam esses receptores hormonais.[61,75]

A expressão de p53 é vista de forma fraca e focal na maioria dos carcinomas endometrioides, entretanto, a superexpressão de p53 (positividade forte nuclear acima de 75%) pode ser observada apenas nos carcinomas endometrioides de alto grau e não nos de baixo grau, em contraste com os carcinomas serosos, onde a superexpressão de p53 é frequentemente encontrada.[56,76]

Carcinoma seroso endometrial

O carcinoma seroso é de fácil reconhecimento morfológico quando as características arquiteturais e citológicas, como padrão papilífero e núcleos com alto grau de atipia, são encontradas.

Entretanto, podem ser difíceis de diagnosticar quando outras características morfológicas predominam na amostra, como, por exemplo, estruturas glandulares ou sólidas, em vez de papilíferas e áreas do tipo células claras. Ou ainda, quando a lesão é intraepitelial ou aparentemente confinada a um pólipo endometrial. Nestes casos, o estudo imuno-histoquímico pode auxiliar no diagnóstico e na classificação da neoplasia.

Assim como os carcinomas endometrioides, os carcinomas serosos expressam CK7, EMA, CA 125, Ber-EP4, B72.3 e vimentina, sendo negativos para CK20 e CEA; porém, mais de 90% dos carcinomas serosos endometriais mostram superexpressão de p53 (marcação forte nuclear em mais de 75% das células tumorais) como resultado da mutação do gene p53 e consequente acúmulo da proteína mutante.[56,58]

Além disso, a atividade proliferativa é extremamente alta, sendo o índice de Ki-67 de cerca de 75% e estes tumores são tipicamente negativos para RE e RP,[75,77] embora tumores híbridos, com áreas endometrioides, possam mostrar alguma positividade para RE.[66]

O p16 pode ser positivo, mas, em contraste com os carcinomas endocervicais, não implica em associação com infecção por HPV e sim distúrbios do ciclo celular pela atividade hiperproliferativa.

A principal diferença entre o carcinoma seroso endometrial e o ovariano é a pequena expressão de WT-1 nos carcinomas endometriais, diferentemente da expressão difusa nuclear de WT-1 nos carcinomas ovarianos, tubários e peritoneais.[78-80]

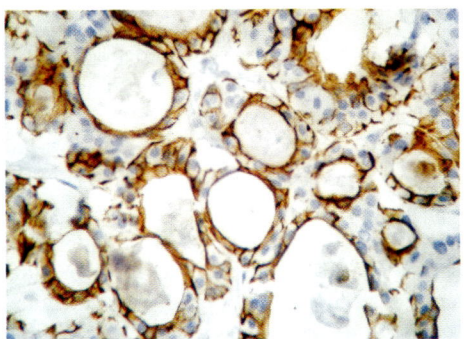

◀ **FIGURA 2.** Adenocarcinoma endometrioide e sua positividade para citoceratina AE1/AE3.

Carcinoma de células claras

Os carcinomas de células claras endometriais são neoplasias de alto grau, que expressam CK7, CA 125 e vimentina, e são negativas para CK20 e CEA, assim como os carcinomas endometrioides e serosos.[59]

Entretanto, diferentemente dos carcinomas serosos, a superexpressão de p16 e de p53 é rara no carcinoma de células claras.[60] E diferentemente dos carcinomas endometroides, que comumente são positivos para RE e RP, a presença destes receptores hormonais no carcinoma de células claras é fraca ou ausente.

Outros tipos de carcinomas endometriais e metástases

Carcinomas neuroendócrinos endometriais, assim como em outros sítios, expressam os marcadores neuroendócrinos sinaptofisina, cromogranina, enolase (NSE) e CD56.[81,82]

É importante lembrar que alguns carcinomas endometriais podem conter subpopulações de células neuroendócrinas. A simples existência de uma marcação imuno-histoquímica positiva para os marcadores neuroendócrinos não autoriza de imediato o diagnóstico de carcinoma neuroendócrino.

Uma marcação neuroendócrina expressiva, acima de 20% das células tumorais, deve estar presente para se classificar uma neoplasia não pequenas células como neuroendócrina, especialmente se os critérios morfológicos observados nos cortes de rotina corados pela hematoxilina-eosina não contribuírem para este diagnóstico.

Quanto às metástases, as fontes de carcinomas metastáticos para o endométrio são limitadas e geralmente representadas pelo carcinoma lobular de mama, carcinomas serosos ovarianos e tubários, adenocarcinomas endocervicais e colorretais. O perfil imuno-histoquímico dessas metástases será detalhado em conjunto com as metástases ovarianas (ver tópico Tumores Metastáticos).

Tumores mesenquimais uterinos

Leiomioma e leiomiossarcoma

As neoplasias fusocelulares uterinas, particularmente as neoplasias de músculo liso, expressam actina de músculo liso (SMA), actina músculo-específica (HHF-35), desmina, h-caldesmon e vimentina.[83,84]

Leiomiossarcomas também expressam frequentemente WT-1, BCL-2, RE/RP e CD10.[85-89]

A expressão de citoceratina pode ser vista em 25% dos casos de tumores de músculo liso, particularmente nas variantes epitelioides dos leiomiomas e leiomiossarcomas.[90]

Embora os leiomiossarcomas expressem mais p53 e Ki67 e menos BCL-2, RE e RP que os leiomiomas, este painel imuno-histoquímico não é útil no diagnóstico diferencial entre eles, pois os resultados apresentam um amplo gradiente de expressão de positividade, com valores superponíveis dentro do espectro diagnóstico dos leiomiomas, tumores atípicos de músculo liso (STUMP) e leiomiossarcomas, inviabilizando a demarcação de pontos de corte precisos para o diagnóstico diferencial.[91] De forma geral, a avaliação de RE e RP em sarcomas uterinos tem sido considerada desnecessária, uma vez que mais de 90% dos sarcomas uterinos de baixo grau são positivos para os receptores hormonais de estrogênio e progestrona.[87]

Nódulo e sarcoma estromal endometrial de baixo grau

As neoplasias do estroma endometrial, tanto as classificadas como nódulo do estroma endometrial, quanto o sarcoma estromal endometrial, expressam CD10, RE, RP e WT-1.[92]

O CD10 é reconhecido como um marcador de células estromais endometriais normais e também tumorais.[93] Seu uso pode auxiliar na distinção entre neoplasia do estroma endometrial e neoplasia de músculo liso. Contudo essa avaliação deve ser vista com cautela, já que pode haver expressão ocasional de CD10 em neoplasias de músculo liso ou, ainda, a perda de sua expressão nas neoplasias do estroma endometrial com diferenciação divergente.

A maioria das neoplasias do estroma endometrial também expressa betacatenina e frequentemente SMA (actina de músculo liso) e citoceratina.[89,94,95]

É interessante notar que raramente expressam desmina, de forma semelhante ao perfil imuno-histoquímico do endométrio proliferativo não neoplásico. Com isso, a expressão difusa de desmina e h-caldesmon em um tumor uterino favorece o diagnóstico de neoplasia de músculo liso, seja ela benigna ou maligna.[83,96]

Entretanto, formas tumorais híbridas podem complicar a interpretação diagnóstica e as variantes do nódulo ou sarcoma do estroma endometrial que contêm elementos metaplásicos, podem apresentar desmina (no componente muscular metaplásico), EMA (no componente glandular) e inibina (nos componentes do tipo cordão sexual estromal),[97] tornando indispensável a avaliação conjunta da histologia com a imuno-histoquímica para a avaliação da positividade ou negatividade de cada anticorpo apenas nas células de interesse.

Adenossarcoma mülleriano e carcinossarcoma

O adenossarcoma mülleriano é uma neoplasia mista, epitelial e mesenquimal, onde o componente epitelial é benigno e o componente mesenquimal, sarcomatoso. O imunofenótipo desta neoplasia é parecido com as neoplasias do estroma endometrial, tipicamente positivos para RE e RP, CD10 e WT-1, sendo que a minoria deles expressa SMA e citoceratina no componente mesenquimal/estromal.[98]

Já o carcinossarcoma ou tumor mülleriano misto maligno (TMMM) requer a observação inquestionável de componentes carcinomatosos e sarcomatosos independentes. Se o diagnóstico morfológico não estiver claro nos cortes de rotina corados pela hematoxilina-eosina, o estudo imuno-histoquímico dificilmente poderá sustentar o diagnóstico. Isso porque os carcinomas endometriais em geral expressam tanto marcadores epiteliais (citoceratina) quanto mesenquimais (vimentina), assim como o componente sarcomatoso dos carcinossarcomas frequentemente coexpressa citoceratina e marcadores mesenquimais.[99,100] Sendo assim, o único dado que teria algum valor, sob o ponto de vista da imuno-histoquímica, para sustentar o diagnóstico de carcinossarcoma, seria a observação de áreas malignas geograficamente demarcadas com expressão exclusiva de citoceratina, separadas de áreas malignas que contenham exclusivamente marcadores mesenquimais. Outros padrões de imunorreatividade não são informativos.

Tanto nos adenossarcomas quanto nos carcinossarcomas, a presença de diferenciação heteróloga com rabdomioblastos indica um comportamento altamente agressivo[101] e denota um pior prognóstico. Por esta razão, a marcação imuno-histoquímica com desmina, miogenina ou Myo-D1 pode ser recomendável, no sentido de facilitar a identificação de diferenciação muscular esquelética, isto é, de rabdomioblastos, quando há a suspeita nos cortes de rotina.

Doença trofoblástica gestacional

Tumores trofoblásticos incluem mola hidatiforme, coriocarcinoma, tumor trofoblástico do sítio placentário e tumor trofoblástico epitelioide.

Os vários tipos de células trofoblásticas (citotrofoblasto, trofoblasto intermediário e sinciciotrofoblasto) têm diferentes imunofenótipos, sendo possível utilizar a avaliação imuno-histoquímica para auxiliar no diagnóstico dessas neoplasias.

Mola hidatiforme

A avaliação imuno-histoquímica de p57 tem surgido como um adjuvante no estudo da mola hidatiforme, em associação à citometria de fluxo e os estudos citogenéticos. Enquanto o p57 é expresso nos trofoblastos intermediários da mola completa, as molas parciais e os abortos genéticos não molares são negativos para p57. O citotrofoblasto e as células estromais da mola completa também são negativos.[102,103]

O uso de técnicas auxiliares incluindo citogenética e estudos de ploidia de DNA demonstraram que algumas molas completas iniciais (isto é, do primeiro trimestre gestacional) têm sido mal interpretadas como molas parciais ou abortos não molares. Esta interpretação equivocada faz parecer que o coriocarcinoma desenvolvendo-se a partir de uma mola parcial seja um evento comum. No entanto, o coriocarcinoma praticamente nunca se desenvolve de uma mola parcial, quando esta é diagnosticada corretamente. Em contraste, molas completas iniciais continuam sendo fonte frequente do surgimento de coriocarcinomas.

Nódulo do sítio placentário

O tumor conhecido como nódulo do sítio placentário é composto por células trofoblásticas intermediárias mitoticamente inativas, em meio a um estroma nodular hialinizado. As células desta lesão expressam marcadores pan-trofoblásticos bem como marcadores associados ao trofoblasto intermediário coriônico, como PLAP (Placental Alkaline Phosphatase) e p63. O índice de proliferação celular visto pelo Ki-67 é menor que 10%.[104,105]

Tumor trofoblástico do sítio placentário

É uma neoplasia composta de implantação de trofoblastos intermediários neoplásicos no sítio placentário, infiltrando o miométrio. Tipicamente expressam hPL e HLA-G, podendo conter algumas células HCG positivas no sinciciotrofoblasto, aleatoriamente situadas e não intimamente relacionadas aos trofoblastos mononucleares, como é típico do coriocarcinoma.[105]

Tumor trofoblástico epitelioide

É uma neoplasia composta por trofoblastos intermediários coriônicos na cérvice, com um contorno arredondado e margens de infiltração rombas.[106]

São positivos para PLAP e p63, mas não para hPL e HLA-G.[107,108]

Decorrente de sua localização cervical e seu aspecto epitelioide, este tumor pode ser confundido com um carcinoma escamoso. Embora ambos expressem p63, somente o tumor trofoblástico epitelioide expressa marcadores trofoblásticos, inibina, CD10 e CK18.[109] Além disso, somente o carcinoma escamoso associado ao HPV expressa p16.

Coriocarcinoma

O coriocarcinoma é um tumor trifásico composto por citotrofoblastos, trofoblasto intermediário e sinciciotrofoblasto.[110]

Os citotrofoblastos, que mostram positividade nuclear para betacatenina representam uma minoria das células mononucleares. A maioria das células mononucleares do coriocarcinoma é de trofoblastos intemediários.[110]

Os diagnósticos diferenciais do coriocarcinoma são mola hidatiforme completa com vilos esparsos, tumor trofoblástico do sítio placentário e carcinomas contendo elementos trofoblásticos.

Em relação à mola hidatiforme, o diagnóstico diferencial é eminentemente morfológico, já que os coriocarcinomas não possuem vilosidades coriônicas.

Já a positividade de HCG nos sinciciotrofoblastos é muito mais numerosa no coriocarcinoma do que no tumor trofoblástico do sítio placentário.[111]

O Ki67 (MIB-1) é bastante útil quando os sinciciotrofoblastos são escassos, sendo o índice de proliferação de 15 a 25% nos tumores derivados do trofoblasto intermediário e frequentemente acima de 70% nos coriocarcinomas.[105]

Com base nos dados atuais, o estudo imuno-histoquímico não é relevante na separação de coriocarcinonas gestacionais dos carcinomas em geral com elementos trofoblásticos, sejam eles carcinomas escamosos cervicais ou carcinomas transicionais de bexiga, pois os sinciciotrofoblastos encontrados em ambos os casos expressam HCG. Nesses casos, a avaliação clínica será fundamental para o diagnóstico diferencial.[112,113]

Ovários e peritônio

As neoplasias ovarianas podem ser divididas em quatro grandes grupos: tumores epiteliais, tumores do cordão sexual estromal, tumores de células germinativas e outros tumores (incluindo-se nesta categoria os tumores metastáticos, mesoteliomas, neoplasias mesenquimais, linfomas e leucemias) (Fig. 3).[114]

Cada um desses grupos possui características imuno-histoquímicas distintas, que podem ser úteis para confirmar o diagnóstico e classificar as neoplasias ovarianas.

Embora os fatores prognósticos mais importantes nos tumores ovarianos sejam o estadiamento patológico, o grau tumoral e o tipo histológico, a imuno-histoquímica pode ter papel fundamental, auxiliando na acurácia da classificação histológica das neoplasias ovarianas. Entretanto, nenhum marcador imuno-histoquímico é aceito como tendo valor prognóstico isoladamente, não havendo necessidade de nenhum estudo imuno-histoquímico neste sentido.

Tumores epiteliais

Os tumores epiteliais são as neoplasias mais comuns ovarianas e o uso de ceratinas específicas é útil no diagnóstico desses tumores.

A CK7 é uma citoceratina de baixo peso molecular encontrada em epitélios simples de uma variedade de órgãos, incluindo o epitélio do trato genital feminino e está presente em todos os tumores epiteliais ovarianos e tubários. Esta característica é geralmente usada em conjunto com outras ceratinas, como a CK20, para diferenciar a origem dessas neoplasias.[115-117]

A CK20 também é uma citoceratina de baixo peso molecular, mas é encontrada normalmente no estômago, intestino, urotélio e células de Merkel.

Um painel imuno-histoquímico, e não um anticorpo isolado, deve ser avaliado, pois raras vezes os tumores ovarianos não marcam com CK7 e alguns tumores mtastáticos podem ser positivos para CK7. Além disso, a CK20 pode ser positiva em tumores mucinosos do ovário, embora a maioria dos tumores ovarianos não mucinosos seja negativa.[118-120]

Resumidamente, a imunopositividade para CK7 é característica dos carcinomas do trato genital feminino em quase a totalidade dos casos (cerca de 100%).[121,122] Portanto, a negatividade deste anticorpo deve sugerir a possibilidade de neoplasia metastática. A CK20 é geralmente negativa nos tumores ovarianos e tubários, exceto nos casos de neoplasias mucinosas, em que pode ser positiva (Figs. 4 e 5).

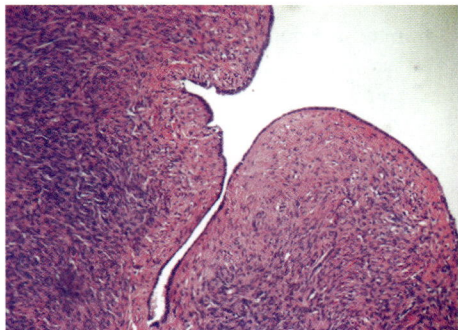

◀ **FIGURA 3.** Ovário (HE). Notar o revestimento epitelial de criptas da superfície ovariana, de onde se originam os tumores epiteliais ovarianos.

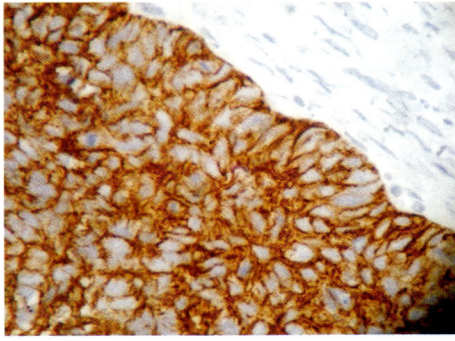

◀ **FIGURA 4.** Tumor epitelial ovariano com positividade difusa para CK7.

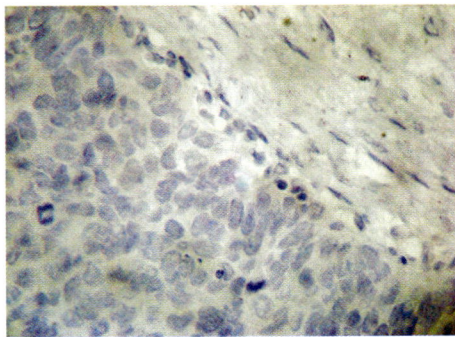

◀ **FIGURA 5.** Tumor epitelial ovariano negativo para CK20.

Tumores epiteliais serosos

Os tumores epiteliais serosos são CK7 positivos e CK20 negativos.[121,122]

O uso de CK7 também pode auxiliar na identificação de focos de microinvasão nos tumores serosos *borderline*.[123]

Observa-se também marcação de membrana positiva para CA 125 e positividade de RE e RP em 50% dos casos.[124,125]

Além disso, há forte positividade nuclear para p53 em cerca de 40% dos carcinomas serosos, o que pode ser útil nos casos de pequenos focos de carcinoma intraepitelial na superfície ovariana ou tubária, que podem ser evidenciados com essa marcação imuno-histoquímica, já que os tumores serosos benignos e *borderline* são negativos para p53.[79,126,127]

Os carcinomas serosos de baixo grau, que parecem surgir de uma via diferente dos carcinomas serosos de alto grau, expressam significativamente menos p53.[128]

Positividade nuclear para WT-1 é observada em extensão e intensidade variáveis nos carcinomas serosos e tumores serosos *borderline* ovarianos, sendo negativo ou com positividade apenas fraca e focal nos carcinomas serosos do endométrio.[78,129-133] Desta forma, um tumor seroso negativo para WT-1 e fortemente positivo para p53, sugere origem endometrial em vez de ovariana.

Tumores do cordão sexual estromal também podem exibir marcação nuclear de WT-1.[134]

Tumores epiteliais mucinosos

A imuno-histoquímica tem um papel importante no diagnóstico e na classificação dos tumores mucinosos do ovário, que podem ser de dois tipos: tumores mucinosos compostos de células do tipo intestinal e tumores mucinosos com células do tipo endocervical ou seromucinosas.

Estes dois subtipos morfológicos têm imunofenótipos diferentes, a saber:

- Os tumores mucinosos ovarianos de tipo intestinal são difusamente positivos para CK7 e, em sua maioria, também são positivos para CK20, mesmo que de maneira focal ou multifocal.[120,135,136] A marcação com CEA cora a mucina luminal, as bordas apicais e o citoplasma das células neoplásicas.[129,137] Cromogranina e sinaptofisina podem corar células endócrinas basais entre as células colunares. Além disso, o epitélio mucinoso é tipicamente negativo para inibina e com frequência negativo para RE e RP.[138]

  A grande questão nesses casos é o diagnóstico diferencial com as metástases de tumores mucinosos de origem colorretal, que pode ser feito pela positividade forte e difusa de CDX2 nos carcinomas colorretais e suas metástases.[139-141] Desta forma, o padrão típico imuno-histoquímico que caracteriza os carcinomas colorretais é CK7 negativo, CK20 e CDX2 positivos,[71,121,122,124] ressaltando que este padrão de marcação também pode ser observado em uma minoria dos carcinomas mucinosos ovarianos[135,142-145] e tumores mucinosos ovarianos que surgem em associação a um teratoma cístico podem ter um padrão intestinal de marcação,[146] sendo indispensável a correlação clinicopatológica.

- Os tumores mucinosos ovarianos do tipo endocervical ou seromucinoso são CK7 positivo e CK20 negativo, com CDX2 negativo[135] e tendendo a ser CEA também negativo.[147] Frequentemente exibem positividade nuclear de RE/RP e positividade citoplasmática para vimentina.[148,149]

Além da questão da classificação diagnóstica, a imuno-histoquímica com citoceratinas e EMA pode auxiliar na identificação de focos de microinvasão.

Pseudomixoma *peritonei* pode ocorrer em pacientes com tumores mucinosos de ovário, seja ele benigno, *borderline* ou maligno. Entretanto, estudos clinicopatológicos sugerem que, geralmente, o pseudomixoma seja secundário a tumores do trato gastrointestinal, especialmente do apêndice cecal, sendo a presença de tumores ovarianos nesse contexto, a representação do envolvimento secundário dos ovários por neoplasia metastática. Os achados imuno-histoquímicos corroboram esta ideia, já que os pseudomixomas são CK7 negativos e MUC2 (mucina intestinal) positivos.[136,150,151]

Tumores epiteliais endometrioides

Tumores endometrioides benignos, *borderline* e malignos podem ocorrer no ovário e todos os tumores endometrioides têm um imunofenótipo semelhante.

Os carcinomas endometrioides são CK7 positivo e CK20 negativo (ou apenas fraca e focalmente positivo).[141] Aproximadamente 1/3 dos carcinomas endometrioides é positivo para vimentina.[55]

A maioria dos tumores epiteliais mostra positividade de membrana para betacatenina, entretanto, só a positividade nuclear, que é mais comum nos carcinomas endometrioides do que nas outras neoplasias epiteliais, está associada à mutação de betacatenina.[81] Os tumores com mutação de betacatenina tendem a ser de baixo grau, com diferenciação escamosa ou mórulas e apresentar-se em um baixo estágio e, portanto, ter um prognóstico favorável.[152] As mórulas e os focos de diferenciação escamosa também mostram positividade nuclear para CDX2 e positividade citoplasmática para CD10, entretanto, o CDX2 nesses casos tende a ser de fraca intensidade, não devendo ser confundido com a marcação forte e difusa observada nos adenocarcinomas colorretais metastáticos que, além disso, são CK7 negativos e CK20 positivos.[121,141]

Alguns carcinomas endometrioides podem conter áreas que mimetizam tumores do cordão sexual. Estas variantes sertoliformes do carcinoma endometrioide podem ser diferenciadas dos verdadeiros tumores do cordão sexual pelo perfil imuno-histoquímico, sendo os carcinomas endometrioides positivos para EMA, RE e RP e, negativos para inibina e calretinina.[153,154] Os tumores do cordão sexual verdadeiros podem até marcar para citoceratina mas são negativos para EMA e positivos para inibina (padrão citoplasmático) e também para calretinina (padrão nuclear e citoplasmático).[155]

Alguns adenocarcinomas cervicais metastáticos podem simular o carcinoma endometrioide. Nestes casos, a positividade de CEA, p16 (forte e difuso) e testes moleculares (como a hibridização *in situ*) para HPV, favorecem o diagnóstico de adenocarcinoma cervical.[156]

Carcinoma de células claras

Os carcinomas de células claras mostram o mesmo padrão de imunorreatividade visto em outros tumores epiteliais do ovário. Sendo assim, os carcinomas de células claras são positivos para CK7, ceratinas de alto peso molecular e EMA.[60,157]

Também são positivos para CD15, como alguns adenocarcinomas e são geralmente negativos para CK20.[60]

São observados resultados variáveis com RE e RP, mas estudos mais recentes apontam para uma marcação mínima ou até mesmo negatividade destes anticorpos.[127,157] Recentemente, o anticorpo HNF-1b tem surgido como um marcador sensível e específico para os tumores de células claras, particularmente os carcinomas em que a marcação nuclear forte e difusa de HNF-1b é observada em mais de 80% dos casos.[127,158,159]

Um painel imuno-histoquímico que inclui HNF-1b, WT-1 e RE é considerado efetivo em resolver o problema diagnóstico diferencial mais comum entre carcinoma de células claras *versus* carcinoma seroso, sendo o HNF-1 positivo nos carcinomas de células claras e WT-1 e RE positivos no carcinoma seroso.

O carcinoma de células claras contém material eosinofílico hialino no estroma entre as glândulas ou papilas. Este material eosinofílico, que não é observado em outros tipos tumorais epiteliais, parece ser material de membrana basal e cora-se positivamente com os anticorpos laminina e colágeno tipo IV.[160,161]

O diagnóstico diferencial com tumor do seio endodérmico pode ser feito com o anticorpo alfafetoproteína, que é positivo, ao menos focalmente, nos tumores do seio endodérmico, e é negativo nos carcinomas.[162] Além disso, o carcinoma de células claras é fortemente positivo para CK7, CD15 e EMA, que são negativos ou apenas fracamente positivos nos tumores do seio endodérmico.[163]

O carcinoma renal de células claras metastático pode simular o carcinoma de células claras primário do ovário. Os tumores primários ovarianos são tipicamente CK7 positivo enquanto as metástases renais, não.[157] Além disso, o CD10 é negativo nos carcinomas de células claras do ovário e positivo no carcinoma de células claras renal. Outros marcadores que tendem a ser positivos no carcinoma de células claras ovariano são as ceratinas de alto peso, CA 125, RE e RP.[164] A marcação positiva com o anticorpo RCC (*Renal Cell Carcinoma antigen*) favorece tumor renal metastático.[157] Desta forma, o painel imuno-histoquímico mais útil para o diagnóstico diferencial entre primário ovariano *versus* renal inclui CK7, CD10 e RCC, sendo a positividade forte do CK7 e a negatividade de CD10 e RCC favoráveis à origem ovariana.

Tumor de Brenner e carcinoma de células transicionais

As similaridades imunofenotípicas entre os tumores de Brenner e os tumores do epitélio transicional urotelial sugerem que o aspecto morfológico semelhante a células transicionais observadas nos tumores de Brenner represente verdadeiramente uma metaplasia urotelial.

A maioria dos estudos atualmente indica que o tumor de Brenner é positivo para CK7 e CEA, mas também para uroplaquina III e trombomodulina.[165-169] Alguns estudos citam também uma positividade para CK20[167,170] e os tumores de Brenner também mostram positividade nuclear forte e difusa para p63, assim como os tumores uroteliais, favorecendo uma vez mais o fenótipo urotelial dessas lesões.[171] Embora os estudos com p63 ainda sejam em número limitado, o mesmo parece ser um bom marcador para os tumores de Brenner, já que são positivos nestes casos e negativos nas outras neoplasias ovarianas.

Os tumores de Brenner *borderline* e malignos expressam esses marcadores uroteliais com menor frequência do que os benignos.[165]

O carcinoma de células transicionais do ovário apresenta o mesmo perfil imuno-histoquímico que outros carcinomas de superfície ovariana, particularmente os carcinomas serosos e, dessa forma, seu imunofenótipo é diferente dos carcinomas de células transicionais do urotélio propriamente dito. Isto é, o carcinoma de células transicionais do ovário expressa CK7, CA 125 e WT-1, mas raramente expressa os marcadores uroteliais como CK20, uroplaquina III, trombomodulina ou p63.[165,167,168,171,172]

Dessa forma, o painel imuno-histoquímico que inclui CK7, CK20, trombomodulina, p63 e WT-1 é bastante útil no diagnóstico diferencial entre o carcinoma de células transicionais primário do ovário e as metástases dos carcinomas de células transicionais de urotélio e da bexiga.

Outros tumores epiteliais do ovário

O imunofenótipo dos carcinomas pouco diferenciados/indiferenciados primários ovarianos não é bem definido. A morfologia geralmente é representada por pequenas células e, nesse sentido, a marcação com citoceratinas e EMA auxilia no diagnóstico diferencial entre os carcinomas e os demais tumores de pequenas células que podem ocorrer no ovário.

Carcinomas de pequenas células do tipo neuroendócrino podem surgir no ovário como uma neoplasia pura ou, mais frequentemente, associada a outras neoplasias primárias epiteliais, como carcinomas endometrioides e mucinosos.

Geralmente o imunofenótipo dos carcinomas de pequenas células mostra marcação fraca e focal para citoceratina e EMA, marcação fraca para p53 em cerca de 50% dos núcleos tumorais e marcação forte e difusa para WT-1.[173]

Seja o carcinoma de pequenas células neuroendócrino primário do ovário ou metastático (do pulmão, por exemplo) ele é tipicamente positivo para os marcadores neuroendócrinos como NSE e CD56, podendo apresentar positividade para sinaptofisina e cromogranina. Estes tumores mostram marcação limitada para as citoceratinas, geralmente apenas com um padrão focal paranuclear (padrão em *dot*) ou uma rima citoplasmática, o que é altamente sugestivo dos carcinomas de pequenas células (Fig. 6).

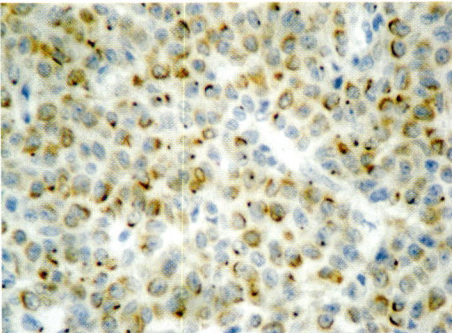

◀ **FIGURA 6.**
Carcinoma com padrão neuroendócrino, exibindo positividade paranuclear (em *dot*) para citoceratina AE1/AE3.

Curiosamente, mesmo os carcinomas de pequenas células extrapulmonares podem corar para TTF-1 e, sendo assim, a positividade para este anticorpo nesses casos não garante que a neoplasia seja metastática do pulmão.[174]

A maioria dos tumores do cordão sexual, incluindo os tumores de células da granulosa, também é positiva para CD56, então a marcação de CD56 por si só não garante o diagnóstico de carcinoma de pequenas células neuroendócrino.[175,176]

O segundo tipo de carcinoma de pequenas células é o tipo hipercalcemiante, que também ocorre no ovário. Esta é uma neoplasia altamente agressiva, que geralmente acomete mulheres jovens e cerca de 2/3 das pacientes apresentam hipercalcemia. A natureza desta neoplasia é controversa, mas estudos recentes tendem a agrupá-la como um tumor epitelial, pela positividade para EMA e citoceratinas.[173,177-179] Estudos recentes mostram positividade também para WT-1, CD10 e p53 em uma porcentagem significativa dos casos.[174,180] Outros marcadores frequentemente positivos, porém não específicos são vimentina, NSE, cromogranina e CD99.[173,178]

A ausência de marcação para inibina, a marcação fraca para calretinina e a positividade de EMA ajudam a diferenciar o carcinoma de pequenas células do tumor de células da granulosa juvenil.[177,178,181,182]

Os demais tumores de pequenas células que podem surgir no ovário e devem ser diferenciados dos carcinomas de pequenas células acima citados são os linfomas, melanomas, tumor desmoplásico de pequenas células redondas, sarcoma de Ewing/PNET e sarcomas de pequenas células redondas metastáticos como o rabdomiossarcoma.[183-192]

Os anticorpos úteis nesta distinção são: no caso dos linfomas, o CD45 e demais anticorpos relacionados às células linfoides. No caso dos melanomas, a proteína S-100, HMB-45 e demais marcadores melanocíticos. No caso do tumor desmoplásico de pequenas células redondas, a citoceratina, desmina, FLI-1 e NSE. No caso do sarcoma de Ewing/PNET, o CD99 e FLI-1.[186-188] E no caso dos rabdomiossarcomas, a desmina e miogenina.[190-192]

Tumores do cordão sexual estromal

Os tumores derivados do cordão sexual ou mesênquima ovariano compreendem cerca de 5 a 12% de todas as neoplasias ovarianas.[193,194]

Os representantes benignos dessa categoria, como fibromas e tecomas, são relativamente comuns e correspondem à maioria dos casos. O tumor do cordão sexual maligno mais comum é o tumor de células da granulosa, que compreende apenas 1 a 2% de todos os tumores malignos do ovário. Outros tumores do cordão sexual, que frequentemente causam problemas diagnósticos e requerem a realização de imuno-histoquímica, são os tumores de células de Sertoli-Leydig, tumor de células de Sertoli, tumor do cordão sexual com túbulos anulares, tumor de células de Leydig e tumor de células esteroides.

Os anticorpos que auxiliam no diagnóstico desses tumores são, de forma geral, inibina e calretinina, positivas na maioria desses tumores, e EMA, que é negativo, um achado que exclui o diagnóstico diferencial de carcinomas.

A inibina é o marcador imuno-histoquímico mais específico para os tumores do cordão sexual e sua positividade pode ser vista focalmente e com intensidade variável.[155,178,181,195-199] A calretinina é um marcador mais sensível, corando diferentes tipos tumorais, porém é menos específica e também é positiva nos mesoteliomas e em cerca de 20% das neoplasias epiteliais.[182,198,200]

As células estromais ovarianas e a maioria dos tumores do cordão sexual são positivos para CD56 (marcação de membrana e citoplasmática) e WT-1 (marcação nuclear).[176]

Além disso, os tumores de células de Leydig e os tumores de células esteroides são fortemente positivos para Melan-A.[201]

O CD10 é expresso na maioria dos casos, mas apenas de forma fraca e focal, sendo pouco útil na definição diagnóstica.[202]

O painel imuno-histoquímico padrão para os tumores do cordão sexual inclui inibina, calretinina e EMA. A inclusão dos demais marcadores depende da ocasião, isto é, de que diagnóstico está sendo considerado nos cortes histológicos de rotina.

Fibroma, tecoma e tumor estromal esclerosante

Fibroma é um tumor benigno estromal ovariano, no qual as células fusiformes crescem em meio a abundante estroma colagenoso.

O estudo imuno-histoquímico nos fibromas e seus correlatos, como o fibroma celular e o fibrossarcoma ovariano, é infrequentemente positivo para inibina, sendo a maioria deles calretinina positiva.[134,181,182] Além disso, podem mostrar uma marcação fraca e focal para CD56 e WT-1.[203] Curiosamente, a marcação do CD56 tende a ser citoplasmática, e não de membrana como é visto na maioria dos tumores do cordão sexual.[176]

Tecoma também é um tumor benigno estromal ovariano, de aspecto fusocelular, que difere do fibroma por ter atividade hormonal, usualmente secretor de estrogênio. Também existem algumas diferenças morfológicas, como a presença de células mais volumosas, com citoplasma claro e vacuolado e menos colágeno ao fundo. Além disso, os tecomas são geralmente positivos para inibina e calretinina.[134,181,182,196]

Desta forma, a marcação difusa para inibina favorece sua classificação como um tecoma em vez de fibroma.

Positividade para marcadores mioides como actina de músculo liso também pode ser encontrada.[203,204]

Tumor estromal esclerosante é um tumor estromal ovariano benigno, hormonalmente inativo.[205,206] Seu aspecto histológico é variável, com zonas celulares e fusiformes, alternando com áreas hipocelulares fibrosas, permeadas por vasos de aspecto hemangiopericitoide. As células adjacentes aos vasos são mais poligonais e vagamente mioides. De forma geral, esses tumores são positivos para vimentina e frequentemente também para actina de músculo liso, sobretudo nas células poligonais perivasculares.[207-209] Inibina e calretinina são positivas em mais de 50% dos casos.[181,182,207]

Tumores de células da granulosa

Existem dois tipos de tumores de células da granulosa: o tipo adulto e o tipo juvenil.

O tipo adulto é o mais comum e constitui uma neoplasia indolente, de baixo potencial maligno, com recidivas tardias, em alguns casos detectáveis 20 anos após a terapia primária.[210]

Microscopicamente, as células tumorais são pequenas e uniformes, com núcleos hipercromáticos e citoplasma escasso. A neoplasia é geralmente reconhecida pelo seu arranjo celular com padrão insular, microfolicular, trabecular e difuso.

O perfil imuno-histoquímico é positivo para inibina e calretinina, de forma forte e difusa na maioria dos casos, podendo apresentar positividade apenas focal para inibina (Fig. 7).[155,178,181,182,195,196,200,211,212]

Alguns casos podem ser positivos para citoceratinas de baixo peso molecular, em geral de forma focal, mas são EMA negativos.[213-215]

Outros anticorpos frequentemente positivos nos tumores de células da granulosa são CD56, WT-1, actina de músculo liso, S-100 e CD99.[134,155,176,213,216-220]

Os receptores hormonais geralmente também são positivos, com o RP sendo mais extenso que o RE.[221]

O principal diagnóstico diferencial é com carcinoma pouco diferenciado, seja ovariano ou metastático. A imuno-histoquímica pode auxiliar a estabelecer o diagnóstico, já que os carcinomas são difusamente positivos para citoceratina e EMA, com inibina e calretinina negativas.

Tumores carcinoides também podem mimetizar o tumor de células da granulosa, principalmente pelo padrão insular de ambos. Entretanto, o núcleo dos tumores carcinoides tem cromatina mais grosseira e granular. O imunofenótipo também difere no sentido de que os carcinoides tendem a ser difusamente positivos para citoceratina e marcadores neuroendócrinos, como sinaptofisina e cromogranina, além de serem negativos para inibina e calretinina.

O segundo tipo de tumor de células da granulosa é o juvenil, que ocorre geralmente em crianças e adultos jovens, mas pode ocorrer em qualquer idade, inclusive pós-menopausa.[222] Tem um prognóstico favorável quando restrito ao ovário, a despeito de seu aspecto histológico preocupante, já que as células tumorais são grandes, com núcleos atípicos e nucléolo proeminente, com figuras de mitose frequentes. O imunofenótipo é semelhante ao tipo adulto, sendo positivo para inibina e calretinina,[155,181,223] com marcação de membrana para CD99.[155] WT-1 e CD56 também são frequentemente positivos.[176] Pode haver marcação para EMA,[134,224] o que pode confundir o diagnóstico diferencial com carcinoma, mas geralmente a marcação de EMA é fraca e focal e, além disso os carcinomas não coram com inibina. A calretinina pode ser positiva nos carcinomas de pequenas células, mas geralmente a positividade é mais fraca do que a observada nos tumores de células da granulosa e os carcinomas são geralmente CD99 negativos.[177,178]

Tumor de células de Sertoli-Leydig

Tumores de células de Sertoli-Leydig ocorrem em mulheres jovens e a metade é virilizante.[225] A maioria é confinada ao ovário e tem um prognóstico favorável.

Nas variantes bem diferenciadas, as células de Sertoli formam estruturas tubulares em meio a um estroma fibroso que contém agregados de células poligonais de Leydig. As variantes moderadamente e pouco diferenciadas, mais comuns, são formadas por células de Sertoli dispostas em trabéculas, ninhos ou túbulos retiformes em meio a estroma celular e imaturo com células de Leydig isoladas ou em grupamentos.[226-229]

O estudo imuno-histoquímico tem um papel importante nessas neoplasias, pois a presença desses dois tipos celulares pode ser difícil de identificar e seu arranjo arquitetural pode facilmente ser confundido com alguns carcinomas e outros tumores.

O perfil imuno-histoquímico observado é positivo para citoceratina e negativo para EMA nas células de Sertoli.[134,155,230,231] Já as células estromais e as células de Leydig são negativas tanto para citoceratina quanto para EMA (Figs. 8 a 10).

Inibina e calretinina são geralmente positivas, embora possam ser observadas apenas de maneira focal, sendo mais intensa nas células de Leydig.[178,182,195-197,220,223,232,233]

As células de Sertoli mostram forte marcação de membrana para CD99[219] e WT-1.[198]

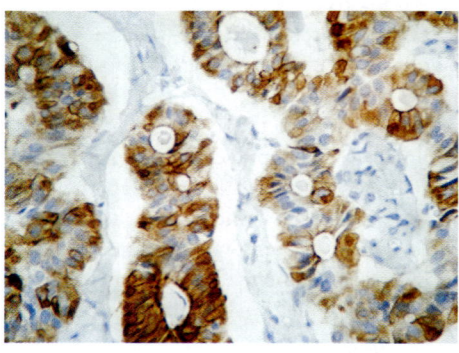

◄ **FIGURA 8.** Tumor de células de Sertoli-Leydig, com positividade para citoceratina AE1/AE3 nas células de Sertoli e negatividade nas células de Leydig.

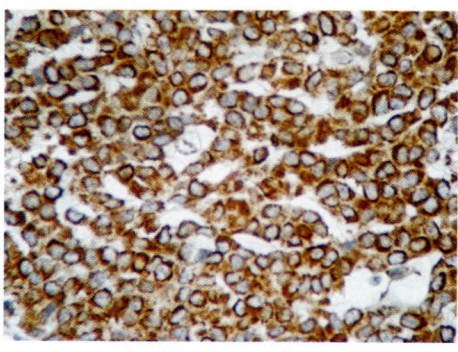

◄ **FIGURA 7.** Tumor de células da granulosa ovariano, com positividade difusa para inibina.

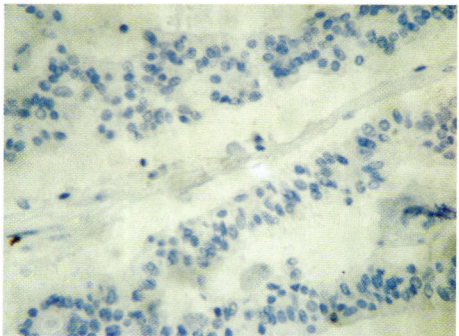

◄ **FIGURA 9.** Tumor de células de Sertoli-Leydig, com EMA negativo, tanto nas células de Sertoli quanto nas células de Leydig.

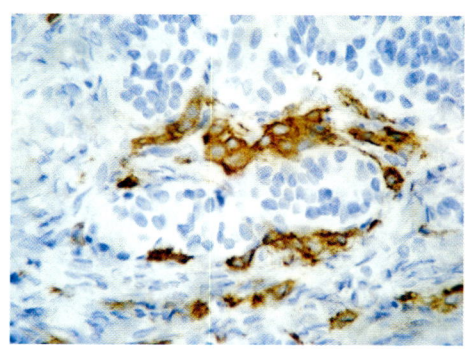

◄ **FIGURA 10.** Tumor de células de Sertoli-Leydig, com positividade para inibina nas células de Leydig e negatividade nas células de Sertoli.

RE e RP podem ser positivos, sendo o RE mais expressivo que o RP.[221]

Elementos heterólogos que podem estar presentes nessas neoplasias, como epitélio do tipo intestinal e mais raramente hepático, carcinoide, rabdomioblástico e esses componentes mostram imunomarcação correspondente às suas linhagens primárias.[234-237]

Uma variante incomum do carcinoma endometrioide, do tipo sertoliforme, pode ser diferenciada imuno-histoquimicamente, uma vez que é citoceratina e EMA positivos e calretinina e inibina negativas.[153,230,231,238]

Tumor de células de Sertoli

O tumor de células de Sertoli é uma neoplasia benigna rara, em que as células de Sertoli se alinham em forma de túbulos ou trabéculas, mas não possuem o estroma primitivo e as células de Leydig observadas nos tumores de Sertoli-Leydig.[183,239] As variantes oxifílica e rica em lipídios têm sido descritas.[240]

A imuno-histoquímica é positiva para vimentina e citoceratina, mas negativa para EMA.[241] Esses tumores também são inibina e calretinina positivas e a maioria cora para CD99.[182,241]

Tumor do cordão sexual com túbulos anulares

Os tumores do cordão sexual com túbulos anulares são tumores não classificados do cordão sexual, que ocorrem em duas situações clínicas: em pacientes com síndrome de Peutz-Jeghers e pacientes sem a síndrome.

As pacientes com síndrome de Peutz-Jeghers compreendem cerca de 1/3 dos casos e apresentam tumores pequenos, geralmente multifocais, porém microscópicos e tendem a ser bilaterais.

As pacientes sem a síndrome (2/3 dos casos) tendem a ter tumores maiores, unilaterais, podendo ser hormonalmente ativos e apresentar recidivas e metástases.

Independentemente do quadro clínico, o aspecto morfológico dos tumores é o mesmo, sendo composto de células colunares com núcleo basal, dispostas em forma de túbulos anulares que circundam um eixo de material hialino eosinofílico.

O imunofenótipo é semelhante ao dos demais tumores do cordão sexual, isto é, positivo para vimentina, citoceratina, inibina e calretinina e negativo para EMA.[134,181,223,242]

Tumor de células de Leydig

Os tumores de células de Leydig são tumores benignos, geralmente situados no hilo ovariano, que secretam testosterona em quantidade suficiente para causar sintomas e serem descobertos ainda em tamanho pequeno. Sua morfologia é composta por células poligonais de Leydig, com núcleo vesicular e nucléolo, além de citoplasma abundante eosinofílico ou pálido vacuolado, contendo glóbulos hialinos conhecidos como cristaloides de Reinke. Embora sejam patognomônicos do tumor de células de Leydig, a presença dos cristaloides só é observada em cerca de 50% dos casos.

A imuno-histoquímica das células de Leydig é positiva para inibina, calretinina e melan-A e negativa para citoceratina e EMA.[233]

Tumor de células esteroides

Os tumores de células esteroides ovarianos tendem a ser grandes e unilaterais. A maioria deles é secretante hormonal de testosterona e outros hormônios. Morfologicamente são compostos por grandes células poligonais com citoplasma abundante, por vezes claro e vacuolado, lembrando células do córtex adrenal e, outras vezes, citoplasma eosinofílico, semelhante às células de Leydig, mas sem os cristaloides de Reinke. Esses dois tipos celulares podem estar presentes em quantidades variáveis e, em alguns casos, um deles pode predominar. Os tumores com tamanho avantajado, atipias nucleares e alto índice mitótico geralmente apresentam comportamento maligno.

O perfil imuno-histoquímico é tipicamente positivo para inibina, calretinina e melan-A.[181,195,198,216,243] Pode ser observada positividade fraca para CD99 mas WT-1 é geralmente negativo. A maioria dos tumores é positiva para vimentina, cerca de 50% são positivos para citoceratina e EMA é negativo.[244]

Tumores de células germinativas

Os tumores de células germinativas do ovário podem ser classificados em dois grandes grupos. O primeiro grupo, e o único classificado como benigno, consiste no teratoma cístico maduro que, felizmente, compreende a maioria dos tumores germinativos observados na prática geral. A realização de estudo imuno-histoquímico é raramente necessária para este diagnóstico.

O segundo grupo inclui variantes do teratoma, em que uma linhagem de diferenciação predomina ou representa totalmente a neoplasia. Tumores dessa categoria incluem *struma ovarii*, tumores carcinoides e tumores malignos como carcinomas e melanomas surgindo em teratoma. O estudo imuno-histoquímico pode ser útil em tumores dessa categoria e nos demais tumores germinativos, considerados malignos como o disgerminoma, teratoma imaturo, tumor do seio endodérmico (ou tumor do saco vitelino), carcinoma embrionário, coriocarcinoma, poliembrioma e tumores germinativos mistos (que contêm dois ou mais dos tipos dos tumores acima citados).

Os tumores desse segundo grupo são raros e tendem a ocorrer em pacientes jovens. O tratamento é feito com cirurgia conservadora, podendo ser seguida de quimioterapia. Sendo assim, o diagnóstico acurado é essencial para assegurar o manejo clínico e terapêutico apropriado e a imuno-histoquímica é geralmente utilizada no sentido de confirmar o diagnóstico histológico.

Teratomas

A imuno-histoquímica raramente é necessária nos teratomas císticos maduros, entretanto ela pode ter um valioso papel na diferenciação entre teratomas sólidos maduros e imaturos. Por exemplo, o uso do marcador de proliferação Ki67 (MIB-1) pode auxiliar na distinção das rosetas ependimárias (que podem ser encontradas nos teratomas maduros e mostram baixa atividade proliferativa) dos túbulos neuroepiteliais dos teratomas imaturos, que mostram alta proliferação celular. Assim como a alfafetoproteína, pode corar vesículas glandulares endodérmicas, epitélio entérico imaturo e células hepáticas em teratomas imaturos.[245,246]

O papel da imuno-histoquímica pode ser ainda maior nos teratomas monodérmicos, como alguns exemplos de *struma ovarii* que são amplamente císticos e contêm poucos folículos tireoidianos.[247] Nesses casos, pode ser necessária a utilização de marcadores como a tireoglobulina ou TTF-1 para a confirmação diagnóstica.

Além disso, tumores carcinoides podem estar associados a elementos teratomatosos no ovário e podem mimetizar tumores do cordão sexual estromal, tumores de células da granulosa e tumores de Sertoli-Leydig. Entretanto, os carcinoides exibem marcação difusamente positiva para ceratina e marcadores neuroendócrinos, fato que, associado à negatividade de inibina e calretinina, estabelece o diagnóstico correto.

Disgerminoma

O disgerminoma é o análogo ovariano do seminoma testicular. Consiste em tumor de células grandes poligonais com núcleo arredondado vesicular e nucléolo proeminente. As células têm citoplasma abundante claro ou eosinofílico, com membrana celular bem definida e arranjam-se em ninhos ou lençóis celulares, separados por trabéculas fibrosas, geralmente permeadas por linfócitos, em número variável, podendo também permear as células tumorais.

O imunofenótipo do disgerminoma mostra positividade citoplasmática e de membrana para PLAP e positividade de membrana para CD117 (*c-kit*).[180,248,249] A marcação de CD117 é útil no diagnóstico diferencial dos disgerminomas, pois outras neoplasias, como o carcinoma embrionário e o tumor de seio endodérmico, são negativas para a marcação de membrana do CD117.[162]

Oct-a é um excelente marcador para o disgerminoma, com sua forte positividade nuclear.[250,251] Convém lembrar que Oct-4 também é positivo no carcinoma embrionário, entretanto é negativo no coriocarcinoma e tumor de seio endodérmico.

Além disso, os disgerminomas podem ter marcação focal para ceratina (geralmente com o padrão em *dot* ou rima citoplasmática),[252] mas nunca a marcação difusa como é comum nos carcinomas. EMA e CD30 são negativos, assim como S-100, marcadores linfoides e marcadores neuroendócrinos. As células gigantes do tipo sinciciotrofoblasto que podem ocorrer nos disgerminomas são positivas para citoceratina e HCG.[253]

Tumor do seio endodérmico

O tumor do seio endodérmico é um tumor de células germinativas incomum, que possui uma variedade de aspectos histológicos, causando algumas confusões diagnósticas. Nesses casos, a imuno-histoquímica pode ser importante para estabelecer o diagnóstico correto. A imuno-histoquímica é particularmente útil na identificação de algumas variantes mais raras do tumor do seio endodérmico, com as variantes endometrioides e hepatoide.

O anticorpo mais útil é a alfafetoproteína, já que a sua marcação positiva é característica dos tumores do seio endodérmico,[254] embora esta positividade possa ser variável e focal.[162] Na verdade, a marcação forte e difusa de alfafetoproteína não é um evento comumente observado, mas cerca de 75% dos casos mostram alguma positividade citoplasmática para este anticorpo. Os glóbulos hialinos encontrados nesse tumor e o material secretado nos lúmens glandulares também podem ser positivos para alfafetoproteína. Glypican-3 mostra forte positividade em mais de 95% dos tumores do seio endodérmico e surge como um marcador adicional na confirmação deste tumores.[255]

Quanto aos demais anticorpos, os tumores do seio endodérmico são positivos para citoceratina AE1/AE3 na forma citoplasmática, em contraste com a marcação de membrana observada nos carcinomas embrionários e são negativos para EMA, CK7 e CD15.[162,255,256] PLAP é geralmente positivo, mas não é específico, já que cora outros tumores germinativos e até alguns carcinomas.[256] Em geral, a HCG é negativa, exceto nas células gigantes do tipo sinciciotrofoblasto, que ocasionalmente podem estar presentes.

Carcinoma embrionário

Embora o carcinoma embrionário seja uma forma comum de tumor germinativo no testículo, ele é raramente observado no ovário. Quando ocorre, é mais frequentemente como um constituinte de um tumor germinativo misto do que sua forma pura.

O estudo imuno-histoquímico ajuda a confirmar o diagnóstico e a delinear áreas de carcinoma embrionário em tumores mistos, o que pode ser difícil nos cortes de rotina corados pela hematoxilina-eosina.

A citoceratina AE1/AE3 cora positivamente a membrana celular do carcinoma embrionário, em contraste com a marcação citoplasmática observada nos tumores do seio endodérmico.

Entretanto, as duas maiores características imuno-histoquímicas do carcinoma embrionário são a marcação nuclear forte e difusa para Oct-4 e a marcação de membrana forte e difusa para CD30.[257,258]

O carcinoma embrionário e o disgerminoma são os dois únicos tumores positivos para Oct-4, mas o carcinoma embrionário é o único tumor germinativo positivo para CD30 e o disgerminoma é positivo para CD117, enquanto o carcinoma embrionário, não.

PLAP é frequentemente positivo e EMA é negativo.[259]

As células gigantes do tipo sinciciotrofoblasto são positivas para HCG e a marcação focal de alfafetoproteína pode ser vista em alguns carcinomas embrionários, representando uma diferenciação funcional do tipo seio endodérmico ou mesmo um componente de tumor do seio endodérmico difícil de reconhecer morfologicamente em um tumor misto.

Coriocarcinoma

O coriocarcinoma raramente ocorre na forma pura em topografia ovariana e, em geral, representa um dos constituintes de um tumor germinativo misto. Morfologicamente é caracterizado pela mistura de citotrofoblasto, trofoblasto intermediário e sinciciotrofoblasto.

A imuno-histoquímica cora positivamente a HCG no citoplasma dos sinciciotrofoblastos (células gigantes), mas não no citotrofoblasto ou no trofoblasto intermediário. Entretanto, esta marcação pode ser difícil de interpretar, pela positividade de fundo causada pela HCG plasmática. Em substituição à HCG, a inibina pode ser usada como um marcador dos sinciciotrofoblastos e não causa o problema de interpretação de fundo nas lâminas.[109,260-262] O CD10 é positivo nas células trofoblásticas, que também são positivas para citoceratina, mas negativas para EMA.

Gonadoblastomas

Gonadoblastomas contêm uma mistura de células primitivas germinativas e células do cordão sexual tipicamente arranjadas em torno de um eixo de material hialino. Em alguns casos, um tumor germinativo maligno (geralmente um disgerminona) surge em um gonadoblastoma. A imuno-histoquímica revela positividade para PLAP, CD117 e Oct-4 nas células germinativas e positividade de vimentina, citoceratina e inibina nas células do cordão sexual.[181,199,250,263,264] O material hialino em torno do qual as células se arranjam é positivo para laminina, indicando que este seja um material de membrana basal.[264]

Outros tumores ovarianos

Tumores metastáticos

Metástases para o ovário são comuns e representam cerca de 10% das malignidades ovarianas. Geralmente as metástases são de linhagem epitelial e o sítio primário que mais comumente metastatiza para o ovário é o trato gastrointestinal, particularmente cólon, estômago e apêndice vermiforme. Os outros sítios primários incluem mama, pâncreas e o próprio trato genital feminino, incluindo endométrio e colo uterino.[265]

A distinção entre um tumor de superfície epitelial primário do ovário e uma metástase de um tumor primário extragenital pode ser difícil, ou até mesmo impossível, se o patologista e o cirurgião não conhecerem a história clínica da paciente.

Alguns aspectos morfológicos podem ser úteis nessa distinção, mas chances há de levarem ao diagnóstico incorreto se não forem observados os dados clínicos da paciente.

A imuno-histoquímica pode ser valiosa em alguns casos, principalmente na identificação de sítios primários não genitais.

A distinção entre um tumor ovariano e uma metástase de sítio genital, como endométrio, pode ser bem mais difícil, e a imuno-histoquímica pode não contribuir para o diagnóstico diferencial.

Em geral, os adenocarcinomas metastáticos frequentemente mimetizam tumores mucinosos e endometriais, sendo os tumores serosos mais comumente primários do ovário.

Tumores primários mucinosos e endometrioides tendem a ser unilaterais e grandes (acima de 10 cm de diâmetro),[266] enquanto focos mucinosos pequenos e bilateralidade sugerem a possibilidade de metástases.[267] Esta regra se aplica a tumores francamente invasivos e também de aspecto *borderline*, já que os adenocarcinomas mucinosos metastáticos de apêndice, cólon e pâncreas podem apresentar aspecto histológico que mimetiza tumores mucinosos *borderline*.

A avaliação imuno-histoquímica nesse contexto inclui CK7, CK20 e CDX-2.

Os carcinomas primários ovarianos são difusamente positivos para CK7 e as metástases de colorretais são quase invariavelmente negativas ou apresentam positividade apenas focal para CK7, sendo difusamente positivos para CK20 e CDX-2.[268]

Uma característica especial dos carcinomas mucinosos primários ovarianos é que eles podem também ser positivos para CK20 e CDX-2, ainda que de forma fraca e focal,[136,144] o que pode dificultar o diagnóstico diferencial com metástases, baseado apenas no estudo imuno-histoquímico.

Resumidamente, o imunofenótipo CK7(+), CK20(-) e CDX-2 (-) ou CK7(+), CK20(+) e CDX-2(+) favorece tumor primário ovariano; enquanto o imunofenótipo CK7(-), CK20(+) e CDX-2(+) favorece metástase colorretal.[119,144,269]

Os carcinomas metastáticos provenientes de sítio primário gástrico tendem a ser bilaterais e conter células "em anel de sinete" (tumor de Krukemberg).[270] As células "em anel de sinete" são raramente vistas em tumores ovarianos primários,[271,272] portanto a sua presença deve levantar suspeita quanto à possibilidade de se tratar de uma lesão metastática e não primária do ovário.[273] Quanto ao perfil imuno-histoquímico, as metástases da carcinomas gástricos também são CK7(+) e, em cerca de 1/3 dos casos, CK20(+).

Outro exemplo em que a imuno-histoquímica pode ter valor limitado corresponde ao adenocarcinoma ductal pancreático, que possui um padrão variável de positividade imuno-histoquímica para CK7 e CK20, podendo se sobrepor ao padrão observado nos carcinomas mucinosos do ovário. Sendo assim, a correlação clinicopatológica é mandatória para o diagnóstico diferencial. Adenocarcinomas acinares pancreáticos raramente são fonte de metástases e, nesses casos, a positividade imuno-histoquímica para tripsina e quimotripsina pode facilitar o seu reconhecimento como carcinoma metastático.[274]

O carcinoma de células claras renais metastático pode mimetizar o carcinoma de células claras ovariano, mas na prática este tipo de metástase raramente ocorre no ovário. Entretanto, no caso de uma metástase renal o imunofenótipo seria CK7(-), CD10(+) e RCC(+), enquanto o primário ovariano seria CK7(+), CD10(-) e RCC(-).

Finalmente, o diagnóstico de um carcinoma transicional primário ovariano, na ausência de um componente de tumor de Brenner, pode requerer a distinção de uma metástase urotelial. O imunofenótipo do carcinoma de células transicionais primário ovariano é CK7(+) e WT-1(+), podendo ser positivo para RE e RP, enquanto a metástase de carcinoma urotelial também é CK7(+), entretanto, havendo a positividade concomitante para CK20, trombomodulina e uroplaquina, favorece o diagnóstico de origem metastática.

Carcinomas mamários metastáticos geralmente se acompanham de história positiva. O que é importante, pois a imuno-histoquímica não seria suficiente isoladamente, já que os achados se sobrepõem entre os dois diagnósticos. Ambos são CK7(+) e CK20(-), com graus variáveis de positividade para RE e RP. Alguns tumores mamários contêm GCDFP-15 e gamaglobulina, o que poderia facilitar o diagnóstico.[275,276]

Metástases originadas do pulmão ou tireoide seriam TTF-1 positivas. Entretanto, carcinomas de pequenas células não pulmonares também podem marcar TTF-1.[277-279] Desta forma, a positividade de TTF-1 por si só não garante que um carcinoma de pequenas células seja necessariamente de origem metastática. Mais uma vez, a correlação clinicopatológica é fundamental para estabelecer o diagnóstico.

Metástases do trato genital são ainda mais difíceis de diferenciar de tumores primários ovarianos. Na maioria dos casos, a imuno-histoquímica isoladamente não é útil em resolver a questão, já que os imunofenótipos são semelhantes. Além disso, podem existir casos de neoplasias sincrônicas endometriais e ovarianas.

Na avaliação dos carcinomas serosos, a forte positividade de WT-1 observada nos primários ovarianos pode auxiliar o diagnóstico em relação aos carcinomas serosos endometriais, que tendem a ser negativos para esse anticorpo.[78,132]

Adenocarcinomas cervicais geralmente são CEA positivos e, quando relacionados ao HPV, mostram positividade para p16. Sendo assim, uma positividade forte para CEA e a marcação em mais de 75% dos núcleos para p16 em um tumor ovariano favorecem o diagnóstico de metástase de adenocarcinoma cervical.[280]

Virtualmente todos os tipos de tumores, incluindo tumores de partes moles e tumores hematológicos, podem envolver os ovários de forma primária ou metastática. Nesses casos, marcadores específicos para cada linhagem celular podem auxiliar o diagnóstico.

Mesotelioma

Alguns tumores serosos envolvendo os ovários e a superfície peritoneal podem levantar a possibilidade de mesotelioma. Embora incomum, uma vez aventada a hipótese de mesotelioma, o painel imuno-histoquímico para o diagnóstico diferencial entre mesotelioma e carcinoma seroso contempla os marcadores calretinina, D2-40 e h-caldesmon, que são positivos no caso do mesotelioma e negativos no caso dos carcinomas. Os carcinomas seriam positivos para Ber-EP4, MOC-31 e RE, isto é, anticorpos que seriam negativos no mesotelioma.[281-283]

Trompas uterinas e ligamento largo

O tipo histológico mais comum de câncer tubário é o carcinoma seroso, seguido do carcinoma endometrioide, do carcinoma de células transicionais e do carcinoma indiferenciado.[284-286]

As caraterísticas imuno-histoquímicas são semelhantes às observadas no ovário, sendo a maioria dos tumores postivos para WT-1, p53, CK7 e CA 125, com alto índice de Ki67.

Os outros tipos tumorais encontrados preferencialmente na região tubária e no ligamento largo são: tumor adenomatoide e tumor anexial de origem wolffiana.

Os tumores adenomatoides representam a neoplasia benigna mais comum da trompa uterina[287], entretanto o aspecto ligeiramente infiltrativo de seus elementos epiteliais pode requerer o diagnóstico diferencial com neoplasias malignas. O perfil imuno-histoquímico encontrado indica uma origem mesotelial dessa neoplasia, com positividade para citoceratina, calretinina, CK5/6 e WT-1.[288,289]

O tumor anexial wolffiano é uma neoplasia que se origina no ligamento largo uterino, adjacente à mesossalpinge ou mais raramente ao meso-ovário.[290-292] Acredita-se que seja derivado de remanescentes mesonéfricos comuns nessa região. As principais considerações no diagnóstico diferencial morfológico dessa neoplasia são as variantes tubárias do carcinoma endometrioide,[293-295] o tumor de células da granulosa e o tumor de células de Sertoli. Os achados imuno-histoquímicos não são definitivos, uma vez que podem ser superpostos entre esses diagnósticos diferenciais, sendo citoceratina positivos e EMA negativos.[296-298] Calretinina e inibina também são frequentemente positivas.[181,296] O marcador mais útil na distinção diagnóstica seria o CD10; com positividade citoplasmática nos tumores wolffianos e não nos demais diagnósticos anteriormente considerados.[296]

REFERÊNCIAS BIBLIOGRÁFICAS

1. Coons AH, Creech HJ, Jones RN. Immunological properties of an antibody containing a fluorescent group. *Proc Soc Exp Biol Med* 1941;47:200.
2. Shi SR, Key ME, Kalra KL. Antigen retrieval in formalin-fixed, paraffin-embedded tissues: an enhancement method for immunohistochemical staining based on microwave oven heating of tissue sections. *J Histochem Cytochem* 1991;39:741-48.
3. Taylor CR. The current role of immunohistochemistry in diagnostic pathology. *Adv Pathol Lab Med* 1994;7:59.
4. Taylor CR, Cote RJ. (Eds.). *Immunomicroscopy: a diagnostic tool for the surgical patholgist.* 2nd ed. Philadelphia: WB Saunders, 1994.
5. Sano T, Oyama T, Kashiwabara K *et al.* Expression status of p16 protein is associated with human papillomavirus oncogenic potential in cervical and genital lesions. *Am J Pathol* 1998;153:1741-48.
6. Keating JT, Cviko A, Riethdorf S *et al.* Ki-67, cyclin E, and p16INK4 are complimentary surrogate biomarkers for human papilloma virus-related cervical neoplasia. *Am J Surg Pathol* 2001;25:884-91.
7. Klaes R, Benner A, Friedrich T *et al.* p16INK4a immunohistochemistry improves interobserver agreement in the diagnosis of cervical intraepithelial neoplasia. *Am J Surg Pathol* 2002;26:1389-99.
8. Tringler B, Gup CJ, Singh M *et al.* Evaluation of p16INK4a and pRb expression in cervical squamous and glandular neoplasia. *Hum Pathol* 2004;35:689-96.
9. O'Neill CJ, McCluggage WG. p16 expression in the female genital tract and its value in diagnosis. *Adv Anat Pathol* 2006;13:8-15.
10. Armes JE, Lourie R, de Silva M *et al.* Abnormalities of the RB1 pathway in ovarian serous papillary carcinoma as determined by overexpression of the p16(INK4A) protein. *Int J Gynecol Pathol* 2005;24:363-68.

11. Pirog EC, Chen YT, Isacson C. MIB-1 immunostaining is a beneficial adjunct test for accurate diagnosis of vulvar condyloma acuminatum. *Am J Surg Pathol* 2000;24:1393-99.
12. van Hoeven KH, Kovatich AJ. Immunohistochemical staining for proliferating cell nuclear antigen, BCL2, and Ki-67 in vulvar tissues. *Int J Gynecol Pathol* 1996;15:10-16.
13. Ohnishi T, Watanabe S. The use of cytokeratins 7 and 20 in the diagnosis of primary and secondary extramammary Paget's disease. *Br J Dermatol* 2000;142:243-47.
14. Battles OE, Page DL, Johnson JE. Cytokeratins, CEA, and mucin histochemistry in the diagnosis and characterization of extramammary Paget's disease. *Am J Clin Pathol* 1997;108:6-12.
15. Nowak MA, Guerriere-Kovach P, Pathan A et al. Perianal Paget's disease: Distinguishing primary and secondary lesions using immunohistochemical studies including gross cystic disease fluid protein-15 and cytokeratin 20 expression. *Arch Pathol Lab Med* 1998;122:1077-81.
16. Brummer O, Stegner HE, Bohmer G et al. HER-2/neu expression in Paget disease of the vulva and the female breast. *Gynecol Oncol* 2004;95:336-40.
17. Goldblum JR, Hart WR. Vulvar Paget's disease: a clinicopathologic and immunohistochemical study of 19 cases. *Am J Surg Pathol* 1997;21:1178-87.
18. Glasgow BJ, Wen DR, Al-Jitawi S et al. Antibody to S-100 protein aids the separation of pagetoid melanoma from mammary and extramammary Paget's disease. *J Cutan Pathol* 1987;14:223-26.
19. Diaz de Leon E, Carcangiu ML, Prieto VG et al. Extramammary Paget disease is characterized by the consistent lack of estrogen and progesterone receptors but frequently expresses androgen receptor. *Am J Clin Pathol* 2000;113:572-75.
20. Brown HM, Wilkinson EJ. Uroplakin-III to distinguish primary vulvar Paget disease from Paget disease secondary to urothelial carcinoma. *Hum Pathol* 2002;33:545-48.
21. Armes JE, Lourie R, Bowlay G et al. Pagetoid squamous cell carcinoma in situ of the vulva: Comparison with extramammary Paget disease and nonpagetoid squamous cell neoplasia. *Int J Gynecol Pathol* 2008;27:118-24.
22. Raju RR, Goldblum JR, Hart WR. Pagetoid squamous cell carcinoma in situ (pagetoid Bowen's disease) of the external genitalia. *Int J Gynecol Pathol* 2003;22:127-35.
23. Williamson JD, Colome MI, Sahin A et al. Pagetoid bowen disease: A report of 2 cases that express cytokeratin 7. *Arch Pathol Lab Med* 2000;124:427-30.
24. Medeiros F, Oliveira AM, Lloyd R. HMGA2 expression as a biomarker for aggressive angiomyxoma. *Mod Pathol* 2008;21:214A.
25. McCluggage WG, Ganesan R, Hirschowitz L et al. Cellular angiofibroma and related fibromatous lesions of the vulva: Report of a series of cases with a morphological spectrum wider than previously described. *Histopathology* 2004;45:360-68.
26. McCluggage WG. Recent developments in vulvovaginal pathology. *Histopathology* 2009 Jan.;54(2):156-73.
27. Horowitz IR, Copas P, Majmudar B. Granular cell tumors of the vulva. *Am J Obstet Gynecol* 1995;173:1710-13.
28. Le BH, Boyer PJ, Lewis JE et al. Granular cell tumor: Immunohistochemical assessment of inhibin-alpha, protein gene product 9.5, S100 protein, CD68, and Ki-67 proliferative index with clinical correlation. *Arch Pathol Lab Med* 2004;128:771-75.
29. Cessna MH, Zhou H, Perkins SL et al. Are myogenin and myoD1 expression specific for rhabdomyosarcoma? A study of 150 cases, with emphasis on spindle cell mimics. *Am J Surg Pathol* 2001;25:1150-57.
30. Lam MM, Corless CL, Goldblum JR et al. Extragastrointestinal stromal tumors presenting as vulvovaginal/rectovaginal septal masses: a diagnostic pitfall. *Int J Gynecol Pathol* 2006;25:228-92.
31. Klaes R, Friedrich T, Spitkovsky D et al. Overexpression of p16(INK4A) as a specific marker for dysplastic and neoplastic epithelial cells of the cervix uteri. *Int J Cancer* 2001;92:276-84.
32. Pinto AP, Schlecht NF, Woo TY et al. Biomarker (ProEx C, p16(INK4A), and MiB-1) distinction of high-grade squamous intraepithelial lesion from its mimics. *Mod Pathol* 2008;21:1067-74.
33. Pirog EC, Baergen RN, Soslow RA et al. Diagnostic Accuracy of Cervical Low-Grade Squamous Intraepithelial Lesions Is Improved With MIB-1 Immunostaining. *Am J Surg Pathol* 2002;26:70-75.
34. Mittal K, Mesia A, Demopoulos RI. MIB-1 expression is useful in distinguishing dysplasia from atrophy in elderly women. *Int J Gynecol Pathol* 1999;18:122-24.
35. Kruse AJ, Baak JP, Helliesen T et al. Evaluation of MIB-1-positive cell clusters as a diagnostic marker for cervical intraepithelial neoplasia. *Am J Surg Pathol* 2002;26:1501-7.
36. Agoff SN, Lin P, Morihara J et al. p16(INK4a) expression correlates with degree of cervical neoplasia: A comparison with Ki-67 expression and detection of high-risk HPV types. *Mod Pathol* 2003;16:665-73.
37. Benevolo M, Mottolese M, Marandino F et al. Immunohistochemical expression of p16(INK4a) is predictive of HR-HPV infection in cervical low-grade lesions. *Mod Pathol* 2006;19:384-91.
38. McCluggage WG, Oliva E, Herrington CS et al. CD10 and calretinin staining of endocervical glandular lesions, endocervical stroma and endometrioid adenocarcinomas of the uterine corpus: CD10 positivity is characteristic of, but not specific for, mesonephric lesions and is not specific for endometrial stroma. *Histopathology* 2003;43:144-50.
39. McCluggage WG, Maxwell P, McBride HA et al. Monoclonal antibodies Ki-67 and MIB1 in the distinction of tuboendometrial metaplasia from endocervical adenocarcinoma and adenocarcinoma in situ in formalin-fixed material. *Int J Gynecol Pathol* 1995;14:209-16.
40. Cameron RI, Maxwell P, Jenkins D et al. Immunohistochemical staining with MIB1, bcl2 and p16 assists in the distinction of cervical glandular intraepithelial neoplasia from tubo-endometrial metaplasia, endometriosis and microglandular hyperplasia. *Histopathology* 2002;41:313-21.
41. Castrillon DH, Lee KR, Nucci MR. Distinction between endometrial and endocervical adenocarcinoma: An immunohistochemical study. *Int J Gynecol Pathol* 2002;21:4-10.
42. Ansari-Lari MA, Staebler A, Zaino RJ et al. Distinction of endocervical and endometrial adenocarcinomas: Immunohistochemical p16 expression correlated with human papillomavirus (HPV) DNA detection. *Am J Surg Pathol* 2004;28:160-67.
43. Kamoi S, Al-Juboury MI, Akin MR et al. Immunohistochemical staining in the distinction between primary endometrial and endocervical adenocarcinomas: Another viewpoint. *Int J Gynecol Pathol* 2002;21:217-23.
44. McCluggage WG, Jenkins D. p16 immunoreactivity may assist in the distinction between endometrial and endocervical adenocarcinoma. *Int J Gynecol Pathol* 2003;22:231-35.
45. Sullivan LM, Smolkin ME, Frierson Jr HF et al. Comprehensive Evaluation of CDX2 in Invasive Cervical Adenocarcinomas: Immunopositivity in the Absence of Overt Colorectal Morphology. *Am J Surg Pathol* 2008;32(11):1608-12.
46. Mino M, Pilch BZ, Faquin WC. Expression of KIT (CD117) in neoplasms of the head and neck: Na ancillary marker for adenoid cystic carcinoma. *Mod Pathol* 2003;16:1224-31.
47. Grayson W, Taylor LF, Cooper K. Adenoid cystic and adenoid basal carcinoma of the uterine cervix: Comparative morphologic, mucin, and immunohistochemical profile of two rare neoplasms of putative "reserve cell" origin. *Am J Surg Pathol* 1999;23:448-58.
48. Emanuel P, Wang B, Wu M et al. p63 Immunohistochemistry in the distinction of adenoid cystic carcinoma from basaloid squamous cell carcinoma. *Mod Pathol* 2005;18:645-50.
49. Masumoto N, Fujii T, Ishikawa M et al. P16 overexpression and human papillomavirus infection in small cell carcinoma of the uterine cervix. *Hum Pathol* 2003;34:778-83.
50. Albores-Saavedra J, Latif S, Carrick KS et al. CD56 reactivity in small cell carcinoma of the uterine cervix. *Int J Gynecol Pathol* 2005;24:113-17.
51. Gilks CB, Young RH, Gersell DJ et al. Large cell neuroendocrine carcinoma of the uterine cervix: A clinicopathologic study of 12 cases. *Am J Surg Pathol* 1997;21:905-14.
52. Wang TY, Chen BF, Yang YC et al. Histologic and immunophenotypic classification of cervical carcinomas by expression of the p53 homologue p63: a study of 250 cases. *Hum Pathol* 2001;32:479-86.
53. Franquemont DW, Frierson Jr HF, Mills SE. An immunohistochemical study of normal endometrial stroma and endometrial stromal neoplasms. Evidence for smooth muscle differentiation. *Am J Surg Pathol* 1991;15:861-70.
54. Oliva E, Young RH, Clement PB et al. Cellular benign mesenchymal tumors of the uterus: A comparative morphologic and immunohistochemical analysis of 33 highly cellular leiomyomas and six endometrial stromal nodules, two frequently confused tumors. *Am J Surg Pathol* 1995;19:757-68.
55. Dabbs DJ, Sturtz K, Zaino RJ. The immunohistochemical discrimination of endometrioid adenocarcinomas. *Hum Pathol* 1996;27:172-77.
56. Zheng WX, Khurana R, Farahmand S et al. p53 immunostaining as a significant adjunct diagnostic method for uterine surface carcinoma – Precursor of uterine papillary serous carcinoma. *Am J Surg Pathol* 1998;22:1463-73.
57. Kohler MF, Kerns BJM, Humphrey PA et al. Mutation and over expression of p53 in early-stage epithelial ovarian cancer. *Obstet Gynecol* 1993;81:643-50.

58. Lax SF, Kendall B, Tashiro H et al. The frequency of p53, K-ras mutations, and microsatellite instability differs in uterine endometrioid and serous carcinoma – Evidence of distinct molecular genetic pathways. Cancer 2000;88:814-24.
59. Lax SF, Pizer ES, Ronnett BM et al. Clear cell carcinoma of the endometrium is characterized by a distinctive profile of p53, Ki-67, estrogen, and progesterone receptor expression. Hum Pathol 1998;29:551-58.
60. Vang R, Whitaker BP, Farhood AI et al. Immunohistochemical analysis of clear cell carcinoma of the gynecologic tract. Int J Gynecol Pathol 2001;20:252-59.
61. Reid-Nicholson M, Iyengar P, Hummer AJ et al. Immunophenotypic diversity of endometrial adenocarcinomas: Implications for differential diagnosis. Mod Pathol 2006;19:1091-100.
62. Dupont J, Wang X, Marshall DA et al. Wilms Tumor Gene(WT1) and p53 expression in endometrial carcinomas: A study of 130 cases using a tissue microarray. Gynecol Oncol 2004;94:449-55.
63. Ito K, Watanabe K, Nasim S et al. Prognostic significance of p53 overexpression in endometrial cancer. Cancer Res 1994;54:4667-70.
64. Sung CJ, Zheng Y, Quddus MR et al. p53 as a significant prognostic marker in endometrial carcinoma. Int J Gynecol Cancer 2000;10:119-27.
65. Alkushi A, Lim P, Coldman A et al. Interpretation of p53 immunoreactivity in endometrial carcinoma: Establishing a clinically relevant cut-off level. Int J Gynecol Pathol 2004;23:129-37.
66. Alkushi A, Clarke BA, Akbari M et al. Identification of prognostically relevant and reproducible subsets of endometrial adenocarcinoma based on clustering analysis of immunostaining data. Mod Pathol 2007;20:1156-65.
67. Santin AD, Bellone S, Gokden M et al. Overexpression of HER-2/neu in uterine serous papillary cancer. Clin Cancer Res 2002;8:1271-79.
68. Slomovitz BM, Broaddus RR, Burke TW et al. Her-2/neu overexpression and amplification in uterine papillary serous carcinoma. J Clin Oncol 2004;22:3126-32.
69. Odicino FE, Bignotti E, Rossi E et al. HER-2/neu overexpression and amplification in uterine serous papillary carcinoma: comparative analysis of immunohistochemistry, real-time reverse transcription-polymerase chain reaction, and fluorescence in situ hybridization. Int J Gynecol Cancer 2008;18:14-21.
70. Yaziji H, Gown AM. Immunohistochemical analysis of gynecologic tumors. Int J Gynecol Pathol 2001;20:64-78.
71. Wang NP, Zee S, Zarbo RJ et al. Coordinate expression of cytokeratins 7 and 20 defines unique subsets of carcinomas. Appl Immunohistochem 1995;3:99-107.
72. Azumi N, Battifora H. The distribution of vimentin and keratin in epithelial and nonepithelial neoplasms. A comprehensive immunohistochemical study on form. Am J Clin Pathol 1987;88:286-96.
73. McCluggage WG, Sumathi VP, McBride HA et al. A panel of immunohistochemical stains, including, carcinoembryonic antigen, vimentin, and estrogen receptor, aids the distinction between primary endometrial and endocervical adenocarcinomas. Int J Gynecol Pathol 2002;21:11-15.
74. Park KJ, Bramlage MP, Ellenson LH et al. Immunoprofile of adenocarcinomas of the endometrium, endocervix, and ovary with mucinous differentiation. Appl Immunohistochem Mol Morphol 2009;17:8-11.
75. Lax SF, Pizer ES, Ronnett BM et al. Comparison of estrogen and progesterone receptor, Ki-67, and p53 immunoreactivity in uterine endometrioid carcinoma and endometrioid carcinoma with squamous, mucinous, secretory, and ciliated cell differentiation. Hum Pathol 1998;29:924-31.
76. Koshiyama M, Konishi I, Wang DP et al. Immunohistochemical analysis of p53 protein over-expression in endometrial carcinomas: Inverse correlation with sex steroid receptor status. Virchows Arch A Pathol Anat Histopathol 1993;423:265-71.
77. Carcangiu ML, Chambers JT, Voynick IM et al. Immunohistochemical evaluation of estrogen and progesterone receptor content in 183 patients with endometrial carcinoma. Part I: clinical and histologic correlations. Am J Clin Pathol 1990;94:247-54.
78. Goldstein NS, Uzieblo A. WT1 immunoreactivity in uterine papillary serous carcinomas is different from ovarian serous carcinomas. Am J Clin Pathol 2002;117:541-45.
79. Acs G, Pasha T, Zhang PJ. WT1 is differentially expressed in serous, endometrioid, clear cell, and mucinous carcinomas of the peritoneum, fallopian tube, ovary, and endometrium. Int J Gynecol Pathol 2004;23:110-18.
80. Egan JA, Ionescu MC, Eapen E et al. Differential expression of WT1 and p53 in serous and endometrioid carcinomas of the endometrium. Int J Gynecol Pathol 2004;23:119-22.
81. Huntsman DG, Clement PB, Gilks CB et al. Small-cell carcinoma of the endometrium: a clinicopathological study of sixteen cases. Int J Surg Pathol 1994;18:364-75.
82. Mulvany NJ, Allen DG. Combined large cell neuroendocrine and endometrioid carcinoma of the endometrium. Int J Gynecol Pathol 2008;27:49-57.
83. Nucci MR, O'Connell JT, Huettner PC et al. h-Caldesmon expression effectively distinguishes endometrial stromal tumors from uterine smooth muscle tumors. Am J Surg Pathol 2001;25:455-63.
84. Rush DS, Tan JY, Baergen RN et al. h-caldesmon, a novel smooth muscle-specific antibody, distinguishes between cellular leiomyoma and endometrial stromal sarcoma. Am J Surg Pathol 2001;25:253-58.
85. Coosemans A, Nik SA, Caluwaerts S et al. Upregulation of Wilms' tumour gene 1 (WT1) in uterine sarcomas. Eur J Cancer 2007;43:1630-37.
86. Zhai YL, Nikaido T, Toki T et al. Prognostic significance of bcl-2 expression in leiomyosarcoma of the uterus. Br J Cancer 1999;80:1658-64.
87. Sutton GP, Stehman FB, Michael H et al. Estrogen and progesterone receptors in uterine sarcomas. Obstet Gynecol 1986;68:709-14.
88. Leitao MM, Soslow RA, Nonaka D et al. Tissue microarray immunohistochemical expression of estrogen, progesterone, and androgen receptors in uterine leiomyomata and leiomyosarcoma. Cancer 2004;101:1455-62.
89. Oliva E, Young RH, Amin MB et al. An immunohistochemical analysis of endometrial stromal and smooth muscle tumors of the uterus – A study of 54 cases emphasizing the importance of using a panel because of overlap in immunoreactivity for individual antibodies. Am J Surg Pathol 2002;26:403-12.
90. Rizeq MN, Van de Rijn M, Hendrickson MR et al. A comparative immunohistochemical study of uterine smooth muscle neoplasms with emphasis on the epithelioid variant. Hum Pathol 1994;25:671-77.
91. Moinfar F, Regitnig P, Tabrizi AD et al. Expression of androgen receptors in benign and malignant endometrial stromal neoplasms. Virchows Arch 2004;444:410-14.
92. Agoff SN, Grieco VS, Garcia R et al. Immunohistochemical distinction of endometrial stromal sarcoma and cellular leiomyoma. Appl Immunohistochem Mol Morphol 2001;9:164-69.
93. Chu PG, Arber DA, Weiss LM et al. Utility of CD10 in distinguishing between endometrial stromal sarcoma and uterine smooth muscle tumors: an immunohistochemical comparison of 34 cases. Mod Pathol 2001;14:465-71.
94. Jung CK, Jung JH, Lee A et al. Diagnostic use of nuclear beta-catenin expression for the assessment of endometrial stromal tumors. Mod Pathol 2008;21:756-63.
95. Farhood AI, Abrams J. Immunohistochemistry of endometrial stromal sarcoma. Hum Pathol 1991;22:224-30.
96. Devaney K, Tavassoli FA. Immunohistochemistry as a diagnostic aid in the interpretation of unusual mesenchymal tumors of the uterus. Mod Pathol 1991;4:225-31.
97. Baker RJ, Hildebrandt RH, Rouse RV et al. Inhibin and CD99(MIC2) expression in uterine stromal neoplasms with sex-cord like elements. Hum Pathol 1999;30:671-79.
98. Soslow RA, Ali A, Oliva E. Mullerian adenosarcomas: An immunophenotypic analysis of 35 cases. Am J Surg Pathol 2008;32:1013-21.
99. Bitterman P, Chun B, Kurman RJ. The significance of epithelial differentiation in mixed mesodermal tumors of the uterus. A clinicopathological and immunohistochemical study. Am J Surg Pathol 1990;14:317-28.
100. George E, Manivel JC, Dehner LP et al. Malignant mixed multerian tumors: An immunohistochemical study of 47 cases, with histogenetic considerations and clinical correlation. Hum Pathol 1991;22:215-23.
101. Ferguson SE, Tornos C, Hummer A et al. Prognostic features of surgical stage I uterine carcinosarcoma. Am J Surg Pathol 2007;31:1653-61.
102. Castrillon DH, Sun DQ, Weremowicz S et al. Discrimination of complete hydatidiform mole from its mimics by immunohistochemistry of the paternally imprinted gene product p57KIP2. Am J Surg Pathol 2001;25:1225-30.
103. Fukunaga M. Immunohistochemical characterization of p57(KIP2) expression in early hydatidiform moles. Hum Pathol 2002;33:1188-92.
104. Shih IM, Seidman JD, Kurman RJ. Placental site nodule and characterization of distinctive types of intermediate trophoblast. Hum Pathol 1999;30:687-94.
105. Shih IM, Kurman RJ. Ki-67 labeling index in the differential diagnosis of exaggerated placental site, placental site trophoblastic tumor, and choriocarcinoma: A double immunohistochemical staining technique using Ki-67 and Mel-CAM antibodies. Hum Pathol 1998;29:27-33.

106. Shih IM, Kurman RJ. Epithelioid trophoblastic tumor – A neoplasm distinct from choriocarcinoma and placental site trophoblastic tumor simulating carcinoma. *Am J Surg Pathol* 1998;22:1393-403.
107. Shih IM, Kurman RJ. p63 Expression is useful in the distinction of epithelioid trophoblastic and placental site trophoblastic tumors by profiling trophoblastic subpopulations. *Am J Surg Pathol* 2004;28:1177-83.
108. Shih I. Trophogram, an immunohistochemistry-based algorithmic approach, in the differential diagnosis of trophoblastic tumors and tumorlike lesions. *Ann Diagn Pathol* 2007;11:228-34.
109. Shih IM, Kurman RJ. Immunohistochemical localization of inhibin-alpha in the placenta and gestational trophoblastic lesions. *Int J Gynecol Pathol* 1999;18:144-50.
110. Mao TL, Kurman RJ, Huang CC et al. Immunohistochemistry of choriocarcinoma: An aid in differential diagnosis and in elucidating pathogenesis. *Am J Surg Pathol* 2007;31:1726-32.
111. Kurman RJ, Young RH, Norris HJ et al. Immunocytochemical localization of placental lactogen and chorionic gonadotropin in the normal placenta and trophoblastic tumors, with emphasis on intermediate trophoblast and the placental site trophoblastic tumor. *Int J Gynecol Pathol* 1984;3:101-21.
112. Bacchi CE, Coelho KI, Goldberg J. Expression of beta-human chorionic gonadotropin (beta-hCG) in non-trophoblastic elements of transitional cell carcinoma of the bladder: Possible relationship with the prognosis. *Rev Paul Med* 1993;111:412-16.
113. Hameed A, Miller DS, Muller CY et al. Frequent expression of beta-human chorionic gonadotropin (beta-hCG) in squamous cell carcinoma of the cervix. *Int J Gynecol Pathol* 1999;18:381-86.
114. Tavassoli FA, Devilee P, International Agency for Research on Cancer et al. *Pathology and genetics of tumours of the breast and female genital organs.* Lyon: International Agency for Research on Cancer, 2003.
115. Moll R, Franke WW, Schiller DL et al. The catalog of human cytokeratins: Patterns of expression in normal epithelia, tumors and cultured cells. *Cell* 1982;31:11-24.
116. Moll R, Levy R, Czernobilsky B et al. Cytokeratins of normal epithelia and some neoplasms of the female genital tract. *Lab Invest* 1983;49:599-610.
117. Chu P, Wu E, Weiss LM. Cytokeratin 7 and cytokeratin 20 expression in epitelial neoplasms: A survey of 435 cases. *Mod Pathol* 2000;13:962-72.
118. Wauters CC, Smedts F, Gerrits LG et al. Keratins 7 and 20 as diagnostic markers of carcinomas metastatic to the ovary. *Hum Pathol* 1995;26:852-55.
119. Loy TS, Calaluce RD, Keeney GL. Cytokeratin immunostaining in differentiating primary ovarian carcinoma from metastatic colonic adenocarcinoma. *Mod Pathol* 1996;9:1040-44.
120. Ji H, Isacson C, Seidman JD et al. Cytokeratins 7 and 20, Dpc4, and MUC5AC in the distinction of metastatic mucinous carcinomas in the ovary from primary ovarian mucinous tumors: Dpc4 assists in identifying metastatic pancreatic carcinomas. *Int J Gynecol Pathol* 2002;21:391-400.
121. Berezowski K, Stastny JF, Kornstein MJ. Cytokeratins 7 and 20 and carcinoembryonic antigen in ovarian and colonic carcinoma. *Mod Pathol* 1996;9:426-29.
122. Cathro HP, Stoler MH. Expression of cytokeratins 7 and 20 in ovarian neoplasia. *Am J Clin Pathol* 2002;117:944-51.
123. Hanselaar AG, Vooijs GP, Mayall B et al. Epithelial markers to detect occult microinvasion in serous ovarian tumors. *Int J Gynecol Pathol* 1993;12:20-27.
124. Multhaupt HAB, Arenas-Elliott CP, Warhol MJ. Comparison of glycoprotein expression between ovarian and colon adenocarcinomas. *Arch Pathol Lab Med* 1999;123:909-16.
125. Halperin R, Zehavi S, Hadas E et al. Immunohistochemical comparison of primary peritoneal and primary ovarian serous papillary carcinoma. *Int J Gynecol Pathol* 2001;20:341-45.
126. Geisler JP, Geisler HE, Wiemann MC et al. Quantification of p53 in epithelial ovarian cancer. *Gynecol Oncol* 1997;66:435-38.
127. Köbel M, Kalloger SE, Carrick J et al. A limited panel of immunomarkers can reliably distinguish between clear cell and high-grade serous carcinoma of the ovary. *Am J Surg Pathol* 2009;33:14-21.
128. O'Neill CJ, Deavers MT, Malpica A et al. An immunohistochemical comparison between low-grade and high-greade ovarian serous carcinomas: Significantly higher expression of p53, MIB1, BCL2, HER-2/neu, and C-KIT in high-grade neoplasms. *Am J Surg Pathol* 2005;29:1034-41.
129. Goldstein NS, Bassi D, Uzieblo A. WT1 is an integral component of an antibody panel to distinguish pancreaticobiliary and some ovarian epithelial neoplasms. *Am J Clin Pathol* 2001;116:246-52.
130. Hwang H, Quenneville L, Yaziji H et al. Wilms tumor gene product: Sensitive and contextually specific marker of serous carcinomas of ovarian surface epithelial origin. *Appl Immunohistochem Mol Morphol* 2004;12:122-26.
131. Hashi A, Yuminamochi T, Murata S et al. Wilms tumor gene immunoreactivity in primary serous carcinomas of the fallopian tube, ovary, endometrium, and peritoneum. *Int J Gynecol Pathol* 2003;22:374-77.
132. Al Hussaini M, Stockman A, Foster H et al. WT-1 assists in distinguishing ovarian from uterine serous carcinoma and in distinguishing between serous and endometrioid ovarian carcinoma. *Histopathology* 2004;44:109-15.
133. Waldstrom M, Grove A. Immunohistochemical expression of wilms tumor gene protein in different histologic subtypes of ovarian carcinomas. *Arch Pathol Lab Med* 2005;129:85-88.
134. Deavers MT, Malpica A, Liu J et al. Ovarian sex cord-stromal tumors: An immunohistochemical study including a comparison of calretinin and inhibin. *Mod Pathol* 2003;16:584-90.
135. Lin X, Lindner JL, Silverman JF et al. Intestinal type and endocervical-like ovarian mucinous neoplasms are immunophenotypically distinct entities. *Appl Immunohistochem Mol Morphol* 2008;16:453-58.
136. Vang R, Gown AM, Barry TS et al. Cytokeratins 7 and 20 in primary and secondary mucinous tumors of the ovary: Analysis of coordinate immunohistochemical expression profiles and staining distribution in 179 cases. *Am J Surg Pathol* 2006;30:1130-39.
137. Rutgers JL, Bell DA. Immunohistochemical characterization of ovarian borderline tumors of intestinal and mullerian types. *Mod Pathol* 1992;5:367-71.
138. Vang R, Gown AM, Barry TS et al. Immunohistochemistry for estrogen and progesterone receptors in the distinction of primary and metastatic mucinous tumors in the ovary: An analysis of 124 cases. *Mod Pathol* 2006;19:97-105.
139. Werling RW, Yaziji H, Bacchi CE et al. CDX2, a highly sensitive and specific marker of adenocarcinomas of intestinal origin: An immunohistochemical survey of 476 primary and metastatic carcinomas. *Am J Surg Pathol* 2003;27:303-10.
140. Moskaluk CA, Zhang H, Powell SM et al. Cdx2 protein expression in normal and malignant human tissues: An immunohistochemical survey using tissue microarrays. *Mod Pathol* 2003;16:913-19.
141. Groisman GM, Meir A, Sabo E. The value of Cdx2 immunostaining in differentiating primary ovarian carcinomas from colonic carcinomas metastatic to the ovaries. *Int J Gynecol Pathol* 2004;23:52-57.
142. Tornillo L, Moch H, Diener PA et al. CDX-2 immunostaining in primary and secondary ovarian carcinomas. *J Clin Pathol* 2004;57:641-43.
143. Logani S, Oliva E, Arnell PM et al. Use of novel immunohistochemical markers expressed in colonic adenocarcinoma to distinguish primary ovarian tumors from metastatic colorectal carcinoma. *Mod Pathol* 2005;18:19-25.
144. Vang R, Gown AM, Wu LS et al. Immunohistochemical expression of CDX2 in primary ovarian mucinous tumors and metastatic mucinous carcinomas involving the ovary: Comparison with CK20 and correlation with coordinate expression of CK7. *Mod Pathol* 2006;19:1421-28.
145. Raspollini MR, Amunni G, Villanucci A et al. Utility of CDX-2 in distinguishing between primary and secondary (intestinal) mucinous ovarian carcinoma: An immunohistochemical comparison of 43 cases. *Appl Immunohistochem Mol Morphol* 2004;12:127-31.
146. Vang R, Gown AM, Zhao C et al. Ovarian mucinous tumors associated with mature cystic teratomas: Morphologic and immunohistochemical analysis identifies a subset of potential teratomatous origin that shares features of lower gastrointestinal tract mucinous tumors more commonly encountered as secondary tumors in the ovary. *Am J Surg Pathol* 2007;31:854-69.
147. Rutgers JL, Bell DA. Immunohistochemical characterization of ovarian borderline tumors of intestinal and mullerian types. *Mod Pathol* 1992;5:367-71.
148. Vang R, Gown AM, Barry TS et al. Immunohistochemistry for estrogen and progesterone receptors in the distinction of primary and metastatic mucinous tumors in the ovary: an analysis of 124 cases. *Mod Pathol* 2006;19:97-105.
149. Lee KR, Nucci MR. Ovarian mucinous and mixed epithelial carcinomas of mullerian (endocervical-like) type: A clinicopathologic analysis of four cases of an uncommon variant associated with endometriosis. *Int J Gynecol Pathol* 2003;22:42-51.
150. Ronnett BM, Shmookler BM, Diener-West M et al. Immunohistochemical evidence supporting the appendiceal origin of pseudomyxoma peritonei in women. *Int J Gynecol Pathol* 1997;16:1-9.

151. O'Connell JT, Tomlinson JS, Roberts AA et al. Pseudomyxoma peritonei is a disease of MUC2-expressing goblet cells. *Am J Pathol* 2002;161:551-64.
152. Oliva E, Sarrio D, Brachtel EF et al. High frequency of beta-catenin mutations in borderline endometrioid tumours of the ovary. *J Pathol* 2006;208:708-13.
153. Ordi J, Schammel DP, Rasekh L et al. Sertoliform endometrioid carcinomas of the ovary: A clinicopathologic and immunohistochemical study of 13 cases. *Mod Pathol* 1999;12:933-40.
154. Misir A, Sur M. Sertoliform endometrioid carcinoma of the ovary: A potential diagnostic pitfall. *Arch Pathol Lab Med* 2007;131:979-81.
155. Matias-Guiu X, Pons C, Prat J. Mullerian inhibiting substance, alpha-inhibin, and CD99 expression in sex cord-stromal tumors and endometrioid ovarian carcinomas resembling sex cord-stromal tumors. *Hum Pathol* 1998;29:840-45.
156. Elishaev E, Gilks CB, Miller D et al. Synchronous and metachronous endocervical and ovarian neoplasms: Evidence supporting interpretation of the ovarian neoplasms as metastatic endocervical adenocarcinomas simulating primary ovarian surface epithelial neoplasms. *Am J Surg Pathol* 2005;29:281-94.
157. Cameron RI, Ashe P, O'Rourke DM et al. A panel of immunohistochemical stains assists in the distinction between ovarian and renal clear cell carcinoma. *Int J Gynecol Pathol* 2003;22:272-76.
158. Yamamoto S, Tsuda H, Aida S et al. Immunohistochemical detection of hepatocyte nuclear factor 1beta in ovarian and endometrial clear-cell adenocarcinomas and nonneoplastic endometrium. *Hum Pathol* 2007;38:1074-80.
159. Kato N, Sasou S, Motoyama T. Expression of hepatocyte nuclear factor-1beta (HNF-1beta) in clear cell tumors and endometriosis of the ovary. *Mod Pathol* 2006;19:83-89.
160. Kwon TJ, Ro JY, Tornos C et al. Reduplicated basal lamina in clear-cell carcinoma of the ovary: An immunohistochemical and electron microscopic study. *Ultrastruct Pathol* 1996;20:529-36.
161. Mikami Y, Hata S, Melamed J et al. Basement membrane material in ovarian clear cell carcinoma: Correlation with growth pattern and nuclear grade. *Int J Gynecol Pathol* 1999;18:52-57.
162. Ramalingam P, Malpica A, Silva EG et al. The use of cytokeratin 7 and EMA in differentiating ovarian yolk sac tumors from endometrioid and clear cell carcinomas. *Am J Surg Pathol* 2004;28:1499-505.
163. Zirker TA, Silva EG, Morris M et al. Immunohistochemical differentiation of clear-cell carcinoma of the female genital tract and endodermal sinus tumor with the use of alpha-fetoprotein and Leu-M1. *Am J Clin Pathol* 1989;91:511-14.
164. Nolan LP, Heatley MK. The value of immunocytochemistry in distinguishing between clear cell carcinoma of the kidney and ovary. *Int J Gynecol Pathol* 2001;20:155-59.
165. Logani S, Oliva E, Amin MB et al. Immunoprofile of ovarian tumors with putative transitional cell (urothelial) differentiation using novel urothelial markers: Histogenetic and diagnostic implications. *Am J Surg Pathol* 2003;27:1434-41.
166. Ordonez NG, Mackay B. Brenner tumor of the ovary: a comparative immunohistochemical and ultrastructural study with transitional cell carcinoma of the bladder. *Ultrastruct Pathol* 2000;24:157-67.
167. Riedel I, Czernobilsky B, Lifschitz-Mercer B et al. Brenner tumors but not transitional cell carcinomas of the ovary show urothelial differentiation: Immunohistochemical staining of urothelial markers, including cytokeratins and uroplakins. *Virchows Arch Int J Pathol* 2001;438:181-91.
168. Soslow RA, Rouse RV, Hendrickson MR et al. Transitional cell neoplasms of the ovary and urinary bladder: A comparative immunohistochemical analysis. *Int J Gynecol Pathol* 1996;15:257-65.
169. Kaufmann O, Volmerig J, Dietel M. Uroplakin III is a highly specific and moderately sensitive immunohistochemical marker for primary and metastatic urothelial carcinomas. *Am J Clin Pathol* 2000;113:683-87.
170. Ogawa K, Johansson SL, Cohen SM. Immunohistochemical analysis of uroplakins, urothelial specific proteins, in ovarian Brenner tumors, normal tissues, and benign and neoplastic lesions of the female genital tract. *Am J Pathol* 1999;155:1047-50.
171. Liao XY, Xue WC, Shen DH et al. p63 expression in ovarian tumours: A marker for Brenner tumours but not transitional cell carcinomas. *Histopathology* 2007;51:477-83.
172. Ordonez NG. Transitional cell carcinomas of the ovary and bladder are immunophenotypically different. *Histopathology* 2000;36:433-38.
173. Aguirre P, Thor AD, Scully RE. Ovarian small cell carcinoma. Histogenetic considerations based on immunohistochemical and other findings. *Am J Clin Pathol* 1989;92:140-49.
174. Carlson JW, Nucci MR, Brodsky J et al. Biomarker-assisted diagnosis of ovarian, cervical and pulmonary small cell carcinomas: The role of TTF-1, WT-1 and HPV analysis. *Histopathology* 2007;51:305-12.
175. Ohishi Y, Kaku T, Oya M et al. CD56 expression in ovarian granulose cell tumors, and its diagnostic utility and pitfalls. *Gynecol Oncol* 2007;107:30-38.
176. McCluggage WG, McKenna M, McBride HA. CD56 is a sensitive and diagnostically useful immunohistochemical marker of ovarian sex cord-stromal tumors. *Int J Gynecol Pathol* 2007;26:322-27.
177. McCluggage WG, Oliva E, Connolly LE et al. An immunohistochemical analysis of ovarian small cell carcinoma of hypercalcemic type. *Int J Gynecol Pathol* 2004;23:330-36.
178. Riopel MA, Perlman EJ, Seidman JD et al. Inhibin and epithelial membrane antigen immunohistochemistry assist in the diagnosis of sex cord-stromal tumors and provide clues to the histogenesis of hypercalcemic small cell carcinomas. *Int J Gynecol Pathol* 1998;17:46-53.
179. Young RH, Oliva E, Scully RE. Small cell carcinoma of the ovary, hypercalcemic type: A clinicopathological analysis of 150 cases. *Am J Surg Pathol* 1994;18:1102-16.
180. Lifschitz-Mercer B, Walt H, Kushnir I et al. Differentiation potential of ovarian dysgerminoma: An immunohistochemical study of 15 cases. *Hum Pathol* 1995;26:62-66.
181. Kommoss F, Oliva E, Bhan AK et al. Inhibin expression in ovarian tumors and tumor-like lesions: An immunohistochemical study. *Mod Pathol* 1998;11:656-64.
182. Movahedi-Lankarani S, Kurman RJ. Calretinin, a more sensitive but less specific marker than alpha-inhibin for ovarian sex cord-stromal neoplasms – An immunohistochemical study of 215 cases. *Am J Surg Pathol.* 2002;26:1477-83.
183. Gupta D, Deavers MT, Silva EG et al. Malignant melanoma involving the ovary: A clinicopathologic and immunohistochemical study of 23 cases. *Am J Surg Pathol* 2004;28:771-80.
184. Young RH, Scully RE. Malignant melanoma metastatic to the ovary: A clinicopathologic analysis of 20 cases. *Am J Surg Pathol* 1991;15:849-60.
185. McCluggage WG, Bissonnette JP, Young RH. Primary malignant melanoma of the ovary: A report of 9 definite or probable cases with emphasis on their morphologic diversity and mimicry of other primary and secondary ovarian neoplasms. *Int J Gynecol Pathol* 2006;25:321-29.
186. Young RH, Eichhorn JH, Dickersin GR et al. Ovarian involvement by the intra-abdominal desmoplastic small round cell tumor with divergent differentiation: a report of three cases. *Hum Pathol* 1992;23:454-64.
187. Zaloudek C, Miller TR, Stern JL. Desmoplastic small cell tumor of the ovary: A unique polyphenotypic tumor with an unfavorable prognosis. *Int J Gynecol Pathol* 1995;14:260-65.
188. Fang X, Rodabaugh K, Penetrante R et al. Desmoplastic small round cell tumor (DSRCT) with ovarian involvement in 2 young women. *Appl Immunohistochem Mol Morphol* 2008;16:94-99.
189. Kawauchi S, Fukuda T, Miyamoto S et al. Peripheral primitive neuroectodermal tumor of the ovary confirmed by CD99 immunostaining, karyotypic analysis, and RT-PCR for EWS/FLI-1 chimeric mRNA. *Am J Surg Pathol* 1998;22:1417-22.
190. Young RH, Scully RE. Alveolar rhabdomyosarcoma metastatic to the ovary. A report of two cases and a discussion of the differential diagnosis of small cell malignant tumors of the ovary. *Cancer* 1989;64:899-904.
191. Nielsen GP, Oliva E, Young RH et al. Primary ovarian rhabdomyosarcoma: a report of 13 cases. *Int J Gynecol Pathol* 1998;17:113-19.
192. Paler RJ, Felix JC. Desmin, myoglobin, and muscle-specific actin immunohistochemical staining in a case of embryonal rhabdomyosarcoma of the ovary. *Appl Immunohistochem Mol Morphol* 1999;7:237-41.
193. Katsube Y, Berg JW, Silverberg SG. Epidemiologic pathology of ovarian tumors: A histopathologic review of primary ovarian neoplasms diagnosed in the Denver Standard Metropolitan Statistical Area, 1 July-31 Dec. 1969 and 1 July-31 Dec. 1979. *Int J Gynecol Pathol* 1982;1:3-16.
194. Koonings PP, Campbell K, Mishell Jr DR et al. Relative frequency of primary ovarian neoplasms: A 10-year review. *Obstet Gynecol* 1989;74:921-26.
195. Rishi M, Howard LN, Bratthauer GL et al. Use of monoclonal antibody against human inhibin as a marker for sex cord stromal tumors of the ovary. *Am J Surg Pathol* 1997;21:583-89.
196. Costa MJ, Ames PF, Walls J et al. Inhibin immunohistochemistry applied to ovarian neoplasms: A novel, effective, diagnostic tool. *Hum Pathol* 1997;28:1247-54.
197. McCluggage WG. Value of inhibin staining in gynecological pathology. *Int I Gynecol Pathol* 2001;20:79-85.
198. Deavers MT, Malpica A, Ordonez NG et al. Ovarian steroid cell tumors: An immunohistochemical study including a comparison of calretinin with inhibin. *Int J Gynecol Pathol* 2003;22:162-67.

199. Stewart CJR, Jeffers MD, Kennedy A. Diagnostic value of inhibin immunoreactivity in ovarian gonadal stromal tumours and their histological mimics. *Histopathology* 1997;31:67-74.
200. McCluggage WG, Maxwell P. Immunohistochemical staining for calretinin is useful in the diagnosis of ovarian sex cord-stromal tumours. *Histopathology* 2001;38:403-8.
201. Busam KJ, Iversen K, Coplan KA et al. Immunoreactivity for A103, an antibody to Melan-A (MART-1), in adrenocortical and other steroid tumors. *Am J Surg Pathol* 1998;22:57-63.
202. Oliva E, Garcia-Miralles N, Vu Q et al. CD10 expression in pure stromal and sex cord-stromal tumors of the ovary: An immunohistochemical analysis of 101 cases. *Int J Gynecol Pathol* 2007;26:359-67.
203. He H, Luthringer DJ, Hui P et al. Expression of CD56 and WT1 in ovarian stroma and ovarian stromal tumors. *Am J Surg Pathol* 2008;32:884-90.
204. Tiltman AJ, Haffajee Z. Sclerosing stromal tumors, thecomas, and fibromas of the ovary: An immunohistochemical profile. *Int J Gynecol Pathol* 1999;18:254-58.
205. Chalvardjian A, Scully RE. Sclerosing stromal tumors of the ovary. *Cancer* 1973;31:664-70.
206. Kawauchi S, Tsuji T, Kaku T et al. Sclerosing stromal tumor of the ovary. A clinicopathologic, immunohistochemical, ultrastructural, and cytogenetic analysis with special reference to its vasculature. *Am J Surg Pathol* 1998;22:83-92.
207. Sabah M, Leader M, Kay E. The problem with KIT: clinical implications and practical difficulties with CD117 immunostaining. *Appl Immunohistochem Mol Morphol* 2003;11:56-61.
208. Saitoh A, Tsutsumi Y, Osamura RY et al. Sclerosing stromal tumor of the ovary. Immunohistochemical and electron microscopic demonstration of smooth-muscle differentiation. *Arch Pathol Lab Med* 1989;113:372-76.
209. Shaw JA, Dabbs DJ, Geisinger KR. Sclerosing stromal tumor of the ovary: An ultrastructural and immunohistochemical analysis with histogenetic considerations. *Ultrastruct Pathol* 1992;16:363-77.
210. Hines JF, Khalifa MA, Moore JL et al. Recurrent granulosa cell tumor of the ovary 37 years after initial diagnosis: A case report and review of the literature. *Gynecol Oncol* 1996;60:484-88.
211. Yao DX, Soslow RA, Hedvat CV et al. Melan-A (A103) and inhibin expression in ovarian neoplasms. *Appl Immunohistochem Mol Morphol* 2003;11:244-49.
212. Shah VI, Freites NO, Maxwell P et al. Inhibin is more specific than calretinin as an immunohistochemical marker for differentiating sarcomatoid granulosa cell tumour of the ovary from other spindle cell neoplasms. *J Clin Pathol* 2003;56:221-24.
213. Costa MJ, DeRose PB, Roth LM et al. Immunohistochemical phenotype of ovarian granulosa cell tumors: Absence of epithelial membrane antigen has diagnostic value. *Hum Pathol* 1994;25:60-66.
214. Gitsch G, Kohlberger P, Steiner A et al. Expression of cytokeratins in granulosa cell tumors and ovarian carcinomas. *Arch Gynecol Obstet* 1992;251:193-97.
215. Otis CN, Powell JL, Barbuto D et al. Intermediate filamentous proteins in adult granulosa cell tumors: An immunohistochemical study of 25 cases. *Am J Surg Pathol* 1992;16:962-68.
216. Zhao C, Vinh TN, McManus K et al. Identification of the most sensitive and robust immunohistochemical markers in different categories of ovarian sex cord-stromal tumors. *Am J Surg Pathol* 2009;33:354-66.
217. Young RH. Sertoli-Leydig cell tumors of the ovary: Review with emphasis on historical aspects and unusual forms. *Int J Gynecol Pathol* 1993;12:141-47.
218. Choi YL, Kim HS, Ahn G. Immunoexpression of inhibin alpha subunit, inhibin/activin beta subunit and CD99 in ovarian tumors. *Arch Pathol Lab Med* 2000;124:563-69.
219. Gordon MD, Corless C, Renshaw AA et al. CD99, keratin, and vimentin staining of sex cord-stromal tumors, normal ovary, and testis. *Mod Pathol* 1998;11:769-73.
220. Cathro HP, Stoler MH. The utility of calretinin, inhibin, and WT1 immunohistochemical staining in the differential diagnosis of ovarian tumors. *Hum Pathol* 2005;36:195-201.
221. Farinola MA, Gown AM, Judson K et al. Estrogen receptor alpha and progesterone receptor expression in ovarian adult granulose cell tumors and Sertoli-Leydig cell tumors. *Int J Gynecol Pathol* 2007;26:375-82.
222. Rakheja D, Sharma S. Pathologic quiz case – Cystic and solid ovarian tumor in a 43-year-old woman – Pathologic diagnosis: Cystic juvenile-type granulosa cell tumor of the ovary in an adult. *Arch Pathol Lab Med* 2002;126:1123-24.
223. Hildebrandt RH, Rouse RV, Longacre TA. Value of inhibin in the identification of granulosa cell tumors of the ovary. *Hum Pathol* 1997;28:1387-95.
224. McCluggage WG. Immunoreactivity of ovarian juvenile granulose cell tumours with epithelial membrane antigen. *Histopathology* 2005;46:235-36.
225. Young RH. Sertoli-Leydig cell tumors of the ovary: Review with emphasis on historical aspects and unusual forms. *Int J Gynecol Pathol* 1993;12:141-47.
226. Zaloudek C, Norris HJ. Sertoli-Leydig tumors of the ovary. A clinicopathologic study of 64 intermediate and poorly differentiated neoplasms. *Am J Surg Pathol* 1984;8:405-18.
227. Young RH, Scully RE. Ovarian Sertoli-Leydig cell tumors. A clinicopathological analysis of 207 cases. *Am J Surg Pathol* 1985;9:543-69.
228. Young RH, Scully RE. Ovarian Sertoli-Leydig cell tumors with a retiform pattern – A problem in diagnosis: a report of 25 cases. *Am J Surg Pathol* 1983;7:755-71.
229. Mooney EE, Nogales FF, Bergeron C et al. Retiform Sertoli-Leydig cell tumours: clinical, morphological and immunohistochemical findings. *Histopathology* 2002;41:110-17.
230. Guerrieri C, Franlund B, Malmstrom H et al. Ovarian endometrioid carcinomas simulating sex cord-stromal tumors: A study using inhibin and cytokeratin 7. *Int J Gynecol Pathol* 1998;17:266-71.
231. McCluggage WG, Young RH. Ovarian sertoli-leydig cell tumors with pseudoendometrioid tubules (pseudoendometrioid sertoli-leydig cell tumors). *Am J Surg Pathol* 2007;31:592-97.
232. Zheng W, Senturk BZ, Parkash V. Inhibin immunohistochemical staining: A practical approach for the surgical pathologist in the diagnoses of ovarian sex cord-stromal tumors. *Adv Anat Pathol* 2003;10:27-38.
233. Cao QJ, Jones JG, Li M. Expression of calretinin in human ovary, testis, and ovarian sex Cord-stromal tumors. *Int J Gynecol Pathol* 2001;20:346-52.
234. Young RH, Prat J, Scully RE. Ovarian Sertoli-Leydig cell tumors with heterologous elements. I. Gastrointestinal epithelium and carcinoid: a clinicopathologic analysis of 36 cases. *Cancer* 1982;50:2448-56.
235. Aguirre P, Scully RE, DeLellis RA. Ovarian heterologous Sertoli-Leydig cell tumors with gastrointestinal-type epithelium. An immunohistochemical analysis. *Arch Pathol Lab Med* 1986;110:528-33.
236. Gagnon S, Tëtu B, Silva EG et al. Frequency of alpha-fetoprotein production by Sertoli-Leydig cell tumors of the ovary: an immunohistochemical study of eight cases. *Mod Pathol* 1989;2:63-67.
237. Mooney EE, Nogales FF, Tavassoli FA. Hepatocytic differentiation in retiform Sertoli-Leydig cell tumors: distinguishing a heterologous element from Leydig cells. *Hum Pathol* 1999;30:611-17.
238. Roth LM, Liban E, Czernobilsky B. Ovarian endometrioid tumors mimicking Sertoli and Sertoli-Leydig cell tumors: sertoliform variant of endometrioid carcinoma. *Cancer* 1982;50:1322-31.
239. Young RH, Scully RE. Ovarian Sertoli cell tumors. A report of 10 cases. *Int J Gynecol Pathol* 1984;2:349-63.
240. Ferry JA, Young RH, Engel G et al. Oxyphilic Sertoli cell tumor of the ovary: a report of three cases, two in patients with the Peutz-Jeghers syndrome. *Int J Gynecol Pathol* 1994;13:259-66.
241. Oliva E, Alvarez T, Young RH. Sertoli cell tumors of the ovary: a clinicopathologic and immunohistochemical study of 54 cases. *Am J Surg Pathol* 2005;29:143-56.
242. Benjamin E, Law S, Bobrow LG. Intermediate filaments cytokeratin and vimentin in ovarian sex cord-stromal tumours with correlative studies in adult and fetal ovaries. *J Pathol* 1987;152:253-63.
243. Stewart GJR, Nandini CL, Richmond JA. Value of A103 (melan-A) immunostaining in the differential diagnosis of ovarian sex cord stromal tumours. *J Clin Pathol* 2000;53:206-11.
244. Seidman JD, Abbondanzo SL, Bratthauer GL. Lipid cell (steroid cell) tumor of the ovary: immunophenotype with analysis of potential pitfall due to endogenous biotin-like activity. *Int J Gynecol Pathol* 1995;14:331-38.
245. Perrone T, Steeper TA, Dehner LP. Alpha-fetoprotein localization in pure ovarian teratoma. An immunohistochemical study of 12 cases. *Am J Clin Pathol* 1987;88:713-17.
246. Nogales FF, Avila IR, Concha A et al. Immature endodermal teratoma of the ovary: Embryologic correlations and immunohistochemistry. *Hum Pathol* 1993;24:364-70.
247. Szyfelbein WM, Young RH, Scully RE. Cystic struma ovarii: A frequently unrecognized tumor: a report of 20 cases. *Am J Surg Pathol* 1994;18:785-88.
248. Sever M, Jones TD, Roth LM et al. Expression of CD117 (c-kit) receptor in dysgerminoma of the ovary: Diagnostic and therapeutic implications. *Mod Pathol* 2005;18:1411-16.
249. Hoei-Hansen CE, Kraggerud SM, Abeler VM et al. Ovarian dysgerminomas are characterized by frequent KIT mutations and abundant expression of pluripotency markers. *Mol Cancer* 2007;6:12.

250. Cheng L, Thomas A, Roth LM et al. OCT4: a novel biomarker for dysgerminoma of the ovary. *Am J Surg Pathol* 2004;28:1341-46.
251. Pelkey TJ, Frierson HFJ, Mills SE et al. The diagnostic utility of inhibin staining in ovarian neoplasms. *Int J Gynecol Pathol* 1998;17:97-105.
252. Lau SK, Weiss LM, Chu PG. D2-40 immunohistochemistry in the differential diagnosis of seminoma and embryonal carcinoma: A comparative immunohistochemical study with KIT (CD117) and CD30. *Mod Pathol* 2007;20:320-25.
253. Zaloudek CJ, Tavassoli FA, Norris HJ. Dysgerminoma with syncytiotrophoblastic giant cells: A histologically and clinically distinctive subtype of dysgerminoma. *Am J Surg Pathol* 1981;5:361-67.
254. Harms D, Janig U. Germ cell tumours of childhood. Report of 170 cases including 59 pure and partial yolk-sac tumours. *Virchows Arch A* 1986;409:223-39.
255. Esheba GE, Pate LL, Longacre TA. Oncofetal protein glypican-3 distinguishes yolk sac tumor clear cell carcinoma of the ovary. *Am J Surg Pathol* 2008;32:600-7.
256. Niehans GA, Manivel JC, Copland GT et al. Immunohistochemistry of germ cell and trophoblastic neoplasms. *Cancer* 1988;62:1113-23.
257. Kurman RJ, Norris HJ. Embryonal carcinoma of the ovary: a clinicopathologic entity distinct from endodermal sinus tumor resembling embryonal carcinoma of the adult testis. *Cancer* 1976;38:2420-33.
258. Ueda G, Abe Y, Yoshida M et al. Embryonal carcinoma of the ovary: a six-year survival. *Int J Gynaecol Obstet* 1990;31:287-92.
259. Leroy X, Augusto D, Leteurtre E et al. CD30 and CD117 (c-kit) used in combination are useful for distinguishing embryonal carcinoma from seminoma. *J Histochem Cytochem* 2002;50:283-85.
260. Kommoss F, Schmidt D, Coerdt W et al. Immunohistochemical expression analysis of inhibin-alpha and –beta subnits in partial and complete moles, trophoblastic tumors, and endometrial decidua. *Int J Gynecol Pathol* 2001;20:380-85.
261. McCluggage WG, Ashe P, McBride H et al. Localization of the cellular expression of inhibin in trophoblastic tissue. *Histopathology* 1998;32:252-56.
262. Pelkey TJ, Frierson HFJ, Mills SE et al. Detection of the alpha-subunit of inhibin in trophoblastic neoplasia. *Hum Pathol* 1999;30:26-31.
263. Hussong J, Crussi FG, Chou PM. Gonadoblastoma: Immunohistochemical localization of Müllerian-inhibiting substance, inhibin, WT-1, and p53. *Mod Pathol* 1997;10:1101-5.
264. Roth LM, Eglen DE. Gonadoblastoma. Immunohistochemical and ultrastructural observations. *Int J Gynecol Pathol* 1989;8:72-81.
265. Moore RG, Chung M, Granai CO et al. Incidence of metastasis to the ovaries from nongenital tract primary tumors. *Gynecol Oncol* 2004;93:87-91.
266. Seidman JD, Kurman RJ, Ronnett BM. Primary and metastatic mucinous adenocarcinomas in the ovaries: Incidence in routine practice with a new approach to improve intraoperative diagnosis. *Am J Surg Pathol* 2003;27:985-93.
267. Yemelyanova AV, Vang R, Judson K et al. Distinction of primary and metastatic mucinous tumors involving the ovary: Analysis of size and laterality data by primary site with reevaluation of na algorithm for tumor classification. *Am J Surg Pathol* 2008;32:128-38.
268. Lewis MR, Deavers MT, Silva EG et al. Ovarian involvement by metastatic colorectal adenocarcinoma: still a diagnostic challenge. *Am J Surg Pathol* 2006;30:177-84.
269. Park SY, Kim HS, Hong EK et al. Expression of cytokeratins 7 and 20 in primary carcinomas of the stomach and colorectum and their value in the differential diagnosis of metastatic carcinomas to the ovary. *Hum Pathol* 2002;33:1078-85.
270. Lerwill MF, Young RH. Ovarian metastases of intestinal-type gastric carcinoma: A clinicopathologic study of 4 cases with contrasting features to those of the Krukenberg tumor. *Am J Surg Pathol* 2006;30:1382-88.
271. McCluggage WG, Young RH. Primary ovarian mucinous tumors with signet ring cells: Report of 3 cases with discussion of so-called primary Krukenberg tumor. *Am J Surg Pathol* 2008;32:1373-79.
272. Reichert RA. Primary ovarian adenofibromatous neoplasms with mucin-containing signet-ring cells: a report of 2 cases. *Int J Gynecol Pathol* 2007;26:165-72.
273. Kiyokawa T, Young RH, Scully RE. Krukenberg tumors of the ovary: a clinicopathologic analysis of 120 cases with emphasis on their variable pathologic manifestations. *Am J Surg Pathol* 2006;30:277-99.
274. Vakiani E, Young RH, Carcangiu ML et al. Acinar cell carcinoma of the pancreas metastatic to the ovary: a report of 4 cases. *Am J Surg Pathol* 2008;32:1540-45.
275. Lagendijk JH, Mullink H, Van Diest PJ et al. Immunohistochemical differentiation between primary adenocarcinomas of the ovary and ovarian metastases of colonic and breast origin. Comparison between a statistical and an intuitive approach. *J Clin Pathol* 1999;52:283-90.
276. Monteagudo C, Merino MJ, LaPorte N et al. Value of Gross cystic disease fluid protein-15 in distinguishing metastatic breast carcinomas among poorly differentiated neoplasms involving the ovary. *Hum Pathol* 1991;22:368-72.
277. Agoff SN, Lamps LW, Philip AT et al. Thyroid transcription factor-1 is expressed in extrapulmonary small cell carcinomas but not in other extrapulmonary neuroendocrine tumors. *Mod Pathol* 2000;13:238-42.
278. Kaufmann O, Dietel M. Expression of thyroid transcription factor-1 in pulmonary and extrapulmonary small cell carcinomas and other neuroendocrine carcinomas of various primary sites. *Histopathology* 2000;36:415-20.
279. Ordonez NG. Value of thyroid transcription factor-1 immunostaining in distinguishing small cell lung carcinomas from other small cell carcinomas. *Am J Surg Pathol* 2000;24:1217-23.
280. Vang R, Gown AM, Farinola M et al. p16 expression in primary ovarian mucinous and endometrioid tumors and metastatic adenocarcinomas in the ovary: utility for identification of metastatic HPV-related endocervical adenocarcinomas. *Am J Surg Pathol* 2007;31:653-63.
281. Comin CE, Saieva C, Messerini L. h-caldesmon, calretinin, estrogen receptor, and Ber-EP4: a useful combination of immunohistochemical markers for differentiating epithelioid peritoneal mesothelioma from serous papillary carcinoma of the ovary. *Am J Surg Pathol* 2007;31:1139-48.
282. Barnetson RJ, Burnett RA, Downie I et al. Immunohistochemical analysis of peritoneal mesothelioma and primary and secondary serous carcinoma of the peritoneum: antibodies to estrogen and progesterone receptors are useful. *Am J Clin Pathol* 2006;125:67-76.
283. Ordonez NG. Value of immunohistochemistry in distinguishing peritoneal mesothelioma from serous carcinoma of the ovary and peritoneum: a review and update. *Adv Anat Pathol* 2006;13:16-25.
284. Baekelandt M, Nesbakken AJ, Kristensen GB et al. Carcinoma of the fallopian tube – Clinicopathologic study of 151 patients treated at the Norwegian Radium Hospital. *Cancer* 2000;89:2076-84.
285. Piura B, Rabinovich A. Primary carcinoma of the fallopian tube: study of 11 cases. *Eur J Obstet Gynecol Reprod Biol* 2000;91:169-75.
286. di Re E, Grosso G, Raspagliesi F et al. Fallopian tube cancer: Incidence and role of lymphatic spread. *Gynecol Oncol* 1996;62:199-202.
287. Youngs LA, Taylor HB. Adenomatoid tumors of the uterus and fallopian tube. *Am J Clin Pathol* 1967;48:537-45.
288. Nogales FF, Isaac MA, Hardisson D et al. Adenomatoid tumors of the uterus: an analysis of 60 cases. *Int J Gynecol Pathol* 2002;21:34-40.
289. Schwartz EJ, Longacre TA. Adenomatoid tumors of the female and male genital tracts express WT1. *Int J Gynecol Pathol* 2004;23:123-28.
290. Kariminejad MH, Scully RE. Female adnexal tumor of probable Wolffian origin: a distinctive pathologic entity. *Cancer* 1973;31:671-77.
291. Young RH, Scully RE. Ovarian tumors of probable Wolffian origin: a report of 11 cases. *Am J Surg Pathol* 1983;7:125-36.
292. Tavassoli FA, Andrade R, Merino M. Retiform wolffian adenoma. In: Fenoglio-Preiser CM, Wolffe M, Rilke F. (Eds.). *Progress in surgical pathology*. New York: Field and Wood Medical Publishers 1990;121-36, vol. XI.
293. Daya D, Young RH, Scully RE. Endometrioid carcinoma of the fallopian tube resembling an adnexal tumor of probable Wolffian origin: a report of six cases. *Int J Gynecol Pathol* 1992;11:122-30.
294. Karpuz V, Berger SD, Burkhardt K et al. A case of endometrioid carcinoma of the fallopian tube mimicking an adnexal tumor of probable Wolffian origin. *APMIS* 1999;107:550-54.
295. Fukunaga M, Bisceglia M, Dimitri L. Endometrioid carcinoma of the fallopian tube resembling a female adnexal tumor of probable wolffian origin. *Adv Anat Pathol* 2004;11:269-72.
296. Devouassoux-Shisheboran M, Silver SA, Tavassoli FA. Wolffian adnexal tumor, so-called female adnexal tumor of probable Wolffian origin (FATWO): immunohistochemical evidence in support of a Wolffian origin. *Hum Pathol* 1999;30:856-63.
297. Rahilly MA, Williams ARW, Krausz T et al. Female adnexal tumour of probable Wolffian origin: a clinicopathological and immunohistochemical study of three cases. *Histopathology* 1995;26:69-74.
298. Tiltman AJ, Allard U. Female adnexal tumours of probable Wolffian origin: an immunohistochemical study comparing tumours, mesonephric remnants and paramesonephric derivatives. *Histopathology* 2001;38:237-42.

CAPÍTULO 161
Estadiamento dos Tumores Ginecológicos Segundo a FIGO/TNM

Janina Ferreira Loureiro Huguenin
Vitor Vargas Zampieri de Azevedo ■ Solange Maria Diniz Bizzo

INTRODUÇÃO

As primeiras regras para classificação e estadiamento dos cânceres do trato genital feminino foram adotadas pela Federação Internacional de Ginecologia e Obstetrícia (FIGO) em 1958, com o objetivo de se alcançar a uniformidade e a unidade na terminologia oncológica entre os profissionais de saúde.

Cada neoplasia apresenta seu estadiamento particular, levando-se em consideração a história natural da doença, sua biologia molecular, epidemiologia, fatores prognósticos e experiência de especialistas, modificando-se à medida que evolui o conhecimento científico e tecnológico. Portanto, o estadiamento dos tumores encontra-se em constante adaptação.

A padronização do estadiamento é essencial para que se consiga inserir cada paciente com sua enfermidade específica, em seu momento evolutivo particular, em uma terapia adequada de forma mais eficaz. Com base em discussões e consensos que nortearam a Oncologia Ginecológica nos últimos anos, especialistas na área se reuniram para revisar o estadiamento dos tumores ginecológicos. Essas últimas alterações foram divulgadas para a comunidade científica em maio de 2009.

Neste capítulo apresentamos a última atualização do estadiamento dos tumores ginecológicos malignos pelo sistema TNM[1-3] e pela FIGO.[4]

CÂNCER DO COLO DO ÚTERO

Por ser uma doença tratada na maior parte das vezes por radioterapia, quimioterapia e braquiterapia, o sistema de estadiamento da FIGO para o câncer de colo uterino é baseado em dados clínicos. Assim, a avaliação deve ser realizada por um examinador experiente (Quadro 1).

Todo estadiamento clínico não é acurado para definir a real extensão da doença. Um estudo publicado pelo *Gynecologic Oncology Group*[5] mostra que em um grupo de 290 pacientes portadoras de tumor de colo uterino submetidas a tratamento cirúrgico, 24% das pacientes estadiadas inicialmente como IB, II ou III apresentaram metástase linfonodal para-aórtica. Os autores consideraram este tipo de comprometimento como metástase a distância. Analisando apenas as pacientes estadiadas clinicamente como IB, 24% apresentavam doença mais avançada. Essa situação é descoberta com maior frequência pela presença de micrometástases em linfonodos pélvicos e/ou para-aórticos, doença oculta em paramétrio, peritônio ou omento. De outra forma, pacientes portadoras de comorbidades pélvicas benignas, como doença inflamatória pélvica ou endometriose, podem ser alocadas erroneamente em estágios mais avançados, decorrente das limitações clínicas causadas por enfermidades associadas.[6]

Quadro 1. Sistema FIGO de estadiamento do tumor de colo uterino

Estágio I	Tumor confinado à cérvice (extensão para o corpo uterino deve ser ignorada)
IA	Carcinoma invasivo microscópico com invasão em profundidade ≤ 5 mm e em extensão ≤ 7 mm
IA1	Invasão estromal ≤ 3 mm em profundidade com extensão ≤ 7 mm
IA2	Invasão estromal de 3 a 5 mm em profundidade e extensão até 7 mm
IB	Tumor clinicamente visível, limitado à cérvice uterina ou tumor pré-clínico maior que o estágio IA
IB1	Tumor ≤ 4 cm
IB2	Tumor > 4 cm
Estágio II	Carcinoma invade além do útero, porém sem comprometer parede pélvica ou terço inferior da vagina
IIA	Sem invasão parametrial
IIA1	Tumor ≤ 4 cm
IIA2	Tumor > 4 cm
IIB	Com invasão parametrial
Estágio III	Carcinoma invade parede pélvica ou envolve terço inferior da vagina ou causa hidronefrose ou disfunção renal
IIIA	Tumor invade terço inferior da vagina sem extensão para parede pélvica
IIIB	Tumor invade parede pélvica e/ou hidronefrose ou disfunção renal
Estágio IV	Carcinoma invade além da pelve ou envolve a mucosa da bexiga ou reto (comprovado por biópsia)
IVA	Compromete os órgãos adjacentes
IVB	Compromete órgãos a distância

O sistema TNM para o câncer cervical traz a amostragem linfonodal como importante fator prognóstico que influencia o tratamento dessas pacientes (Quadro 2). A vantagem teórica da realização de linfadenectomia pélvica e para-aórtica com o intuito de estadiamento cirúrgico não se mostrou efetiva na prática.

Sendo assim, levando-se em conta o comportamento local de extensão tumoral, colo uterino, vagina e paramétrios devem ser avaliados criteriosamente. Nesse contexto, exames complementares como colonoscopia, histeroscopia, cistoscopia e retossigmoidoscopia podem ser usados para definir o real comprometimento das estruturas adjacentes. Estudos radiológicos do tórax, pielografia e as provas de funções hepáticas são considerados importantes na avaliação da doença metastática.

A Figura 1 revela a principal modificação realizada no estadiamento atual da FIGO.

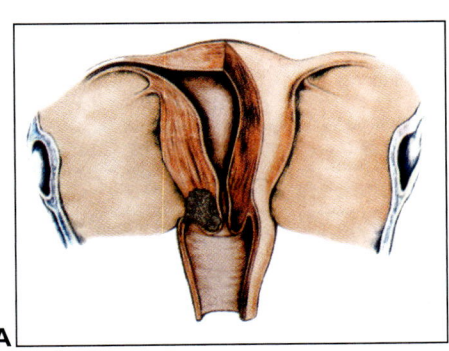
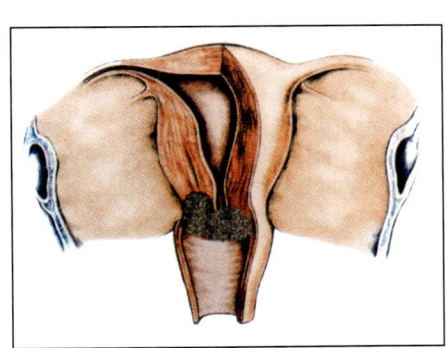

◀ **FIGURA 1.** No atual estadiamento da FIGO 2010, o estágio II, que se estende além do útero sem comprometer paramétrios nem o terço inferior da vagina, fica subdividido em IIA (**A**) quando o tumor tem até 4 cm de diâmetro e IIB (**B**) quando maior que 4 cm.

Quadro 2. Sistema TNM de estadiamento do tumor de colo uterino

ESTADIAMENTO TNM – TUMOR CERVICAL – TUMOR PRIMÁRIO - T	
Tx	Tumor primário não pode ser definido
T0	Não há evidência de tumor primário
Tis	Carcinoma in situ
T1	Tumor confinado ao útero
T1a	Tumor microscópico. Invasão estromal até 5 mm e extensão superficial de até 7 mm
T1a1	Invasão estromal menor que 3 mm e extensão superficial de até 7 mm
T1a2	Invasão estromal entre 3 e 5 mm e extensão superficial de até 7 mm
T1b	Tumor clinicamente visível confinado na cérvice ou microscópico maior que T1a
T1b1	Tumor clinicamente visível menor ou igual a 4 cm
T1b2	Tumor clinicamente visível maior que 4 cm
T2	Tumor invade além do útero, porém não invade terço inferior de vagina ou parede pélvica
T2a	Tumor sem invasão parametrial
T2a1	Tumor clinicamente visível menor ou igual a 4 cm
T2a2	Tumor clinicamente visível maior que 4 cm
T2b	Tumor com invasão parametrial
T3	Tumor estendendo-se para parede pélvica e/ou envolvendo terço inferior da vagina e/ou hidronefrose e/ou rim não funcionante
T3a	Tumor envolve terço inferior de vagina, sem extensão para parede pélvica
T3b	Tumor estende-se para parede pélvica e/ou hidronefrose ou rim não funcionante
T4	Tumor invade mucosa de bexiga ou reto, e/ou estende-se além da pelve verdadeira

ESTADIAMENTO TNM – TUMOR CERVICAL – LINFONODOS - N	
Nx	Invasão linfonodal regional não pode ser definida
N0	Não há invasão de linfonodos regionais
N1	Presença de metástase em linfonodos regionais

ESTADIAMENTO TNM – TUMOR CERVICAL – METÁSTASE - M	
M0	Ausência de metástase a distância
M1	Mestástase a distância (incluindo disseminação peritoneal, envolvimento supraclavicular, mediastinal, linfonodos para-aórticos, fígado, pulmão ou osso)

ESTADIAMENTO TNM – GRUPO PROGNÓSTICO			
Estágio 0	Tis	N0	M0
Estágio I	T1	N0	M0
Estágio IA	T1a	N0	M0
Estágio IA1	T1a1	N0	M0
Estágio IA2	T1a2	N0	M0
Estágio IB	T1b	N0	M0
Estágio IB1	T1b1	N0	M0
Estágio IB2	T1b2	N0	M0
Estágio II	T2	N0	M0
Estágio IIA	T2a	N0	M0
Estágio IIA1	T2a1	N0	M0
Estágio IIA2	T2a2	N0	M0
Estágio IIB	T2b	N0	M0
Estágio III	T3	N0	M0
Estágio IIIA	T3a	N0	M0
Estágio IIIB	T3b	Qualquer N	M0
	T1-3	N1	M0
Estágio IVA	T4	Qualquer N	M0
Estágio IVB	Qualquer T	Qualquer N	M1

A tomografia computadorizada (TC) não se mostrou eficaz na identificação de acometimento nodal, uma vez que apenas identifica linfonodos aumentados de tamanho, o que pode não corresponder à doença nodal presente. Uma revisão de literatura mostra uma acurácia de 84% na detecção de linfonodos para-aórticos, com 21% dos exames falso-positivos e 13% de falso-negativos.[7]

Uma vez que a TC não discrimina o colo e o corpo uterino normal ou tumoral (em estágios iniciais), a ressonância nuclear magnética (RNM) tem seu papel na identificação do tamanho tumoral, grau de penetração estromal, linfadenomegalias (envolvimento nodal só pode ser confirmado cirurgicamente) e extensão para vagina, paramétrio e corpo uterino.

Os exames de imagem, como a TC, a RNM e a tomografia com emissão de prótons (PET-CT) podem ter seu valor no planejamento do tratamento, porém não podem ser usados para atribuir estágios na classificação FIGO.

CÂNCER DE ENDOMÉTRIO

Em 1988, a FIGO alterou o antigo estadiamento clínico do câncer de endométrio, passando a utilizar o sistema de estadiamento cirúrgico. Esta alteração se deu pela evidência científica da elevada incidência de linfonodos pélvicos comprometidos em tumores que apresentam alto risco, conforme os achados encontrados no espécime cirúrgico.[8,9] Isso mostrou que as pacientes com prognóstico pior se beneficiam da realização da linfadenectomia pélvica e, por outro lado, a linfadenectomia pode ser desnecessária em pacientes de baixo risco, embora isto ainda seja matéria controversa.

As últimas mudanças do estadiamento do câncer de endométrio pela FIGO são poucas, porém bastante significativas (Quadro 3). O estágio I passou a incluir apenas dois subestágios: IA (tumor invade menos da metade do miométrio) e IB (tumor invade mais da metade do miométrio), diferentemente da antiga classificação, que dividia tal grupo em três categorias, considerando IA aqueles tumores confinados ao endométrio. Outra mudança ocorreu no estágio II, que passou a representar os casos em que o tumor invade o estroma cervical sem se

Quadro 3. Sistema FIGO de estadiamento do câncer de endométrio

Estágio I	Tumor restrito ao corpo uterino
IA	Invade menos da metade do miométrio
IB	Invade metade ou mais da metade do miométrio
Estágio II	Tumor invade o estroma cervical *
Estágio III	Disseminação local e/ou regional
IIIA	Tumor envolve a serosa e/ou anexos (extensão direta ou metástase)
IIIB	Tumor envolve a vagina (extensão direta ou metástase) ou paramétrio
IIIC1	Linfonodos pélvicos metastáticos
IIIC2	Linfonodos para-aórticos metastáticos (com ou sem linfonodos pélvicos comprometidos)
Estágio IV	Tumor invade a mucosa da bexiga e/ou intestinal e/ou metástase a distância
IVA	Tumor envolve mucosa da bexiga e/ou intestinal
IVB	Metástase a distância (incluindo metástase linfonodal inguinal, pulmão, fígado e ossos)

(*) Se envolvimento for apenas glandular endocervical, considerar como estadiamento I.

Quadro 4. Sistema TNM de estadiamento do câncer de endométrio

ESTADIAMENTO TNM - TUMOR DE ENDOMÉTRIO – TUMOR PRIMÁRIO - T	
Tx	Tumor primário não pode ser avaliado
T0	Sem evidência de tumor primário
Tis	Carcinoma *in situ*
T1	Tumor restrito ao corpo uterino
T1a	Invade menos da metade do miométrio
T1b	Invade metade ou mais do miométrio
T2	Tumor invade o estroma cervical
T3a	Tumor envolve a serosa e/ou anexos (extensão direta ou metástase)
T3b	Tumor envolve a vagina (extensão direta ou metástase) ou paramétrio
T4	Tumor envolve mucosa da bexiga e/ou a mucosa intestinal
ESTADIAMENTO TNM – TUMOR DE ENDOMÉTRIO – LINFONODO REGIONAL - N	
Nx	Linfonodos regionais não podem ser avaliados
N0	Não há linfonodos regionais metastáticos
N1	Linfonodos pélvicos metastáticos
N2	Linfonodos para-aórticos metastáticos (com ou sem linfonodos pélvicos comprometidos)

ESTADIAMENTO TNM – TUMOR DE ENDOMÉTRIO – METÁSTASE A DISTÂNCIA - M			
M0	Sem metástase a distância		
M1	Metástase a distância (incluindo metástase linfonodal inguinal, pulmão, fígado e ossos)		
ESTADIAMENTO TNM – GRUPO PROGNÓSTICO			
Estágio 0	Tis	N0	M0
Estágio I	T1	N0	M0
Estágio IA	T1a	N0	M0
Estágio IB	T1b	N0	M0
Estágio II	T2	N0	M0
Estágio III	T3	N0	M0
Estágio IIIA	T3a	N0	M0
Estágio IIIB	T3b	N0	M0
Estágio IIIC1	T1-T3	N1	M0
Estágio IIIC2	T1-T3	N2	M0
Estágio IVA	T4	Qualquer N	M0
Estágio IVB	Qualquer T	Qualquer N	M1

estender além do útero, caindo assim a subdivisão em IIA e B. Desta forma, o envolvimento apenas endocervical glandular ainda é considerado estágio I. Pelas novas regras, o lavado peritoneal não é mais considerado como parte do estadiamento, pois esta informação não se apresentou como fator prognóstico nos estudos realizados.

Nesse contexto, é pertinente lembrar que a mesma classificação FIGO é utilizada para os carcinossarcomas. O estadiamento TNM é apresentado no Quadro 4.

CÂNCER DE OVÁRIO

Embora a neoplasia ovariana compreenda um grande número de tumores de biologia e comportamento muito distintos, o estadiamento é único e cirúrgico. Desde 1988 o estadiamento da FIGO é o mesmo, não sofrendo alterações na última atualização de 2009 (Quadro 5).

É muito importante que no ato cirúrgico a laparotomia estadiadora seja realizada, uma vez que o estadiamento destes tumores determinará a adjuvância destas pacientes. Essa laparotomia é representada por: avaliação citológica por aspirado do líquido ascítico ou lavado peritoneal, inventário dos órgãos abdominais e superfícies, biópsias peritoneais, linfadenectomia pélvica e para-aórtica, omentectomia e histerectomia total abdominal com salpingo-ooforectomia bilateral. A seguir, apresentamos o estadiamento TNM (Quadro 6).

Durante a avaliação do comprometimento hepático ressalta-se que o envolvimento capsular representa o estágio T3/III (TNM/FIGO), enquanto o comprometimento metastático do parênquima hepático corresponde ao estágio M1/IVB (TNM/FIGO). Quanto ao líquido ascítico, está firmado que o estadiamento só será alterado quando constatada a presença de células malignas na avaliação citológica. O derrame pleural positivo para células malignas deve ser considerado como estágio IVA.

CÂNCER DE TUBA UTERINA

A tuba uterina representa uma neoplasia rara, onde muitas vezes a distinção entre a malignidade ovariana e tubária é de difícil realização. Alguns estudos moleculares e genéticos sugerem que o câncer seroso ovariano pode originar-se da porção distal da tuba uterina. O estadiamento desse câncer é eminentemente cirúrgico e baseia-se nos achados de laparotomia.

Na classificação TNM/FIGO as metástases para a cápsula hepática são consideradas como T3/III (TNM/FIGO), porém metástases intraparenquimatosas hepáticas representam M1/IV (TNM/FIGO). Quanto à avaliação do derrame pleural nesse cenário, só é considerado como M1/IVA (TNM/FIGO) quando positivo para células malignas (Quadro 7).

CÂNCER DE VULVA

O estadiamento clínico do câncer de vulva baseado no TNM foi adotado pela FIGO em 1969. Com o passar dos anos, percebeu-se que a avaliação clínica dos linfonodos inguinais não correspondia aos achados histopatológicos em cerca de 30% dos casos. Metástases microscópicas podem existir em linfonodos clinicamente normais, assim como linfonodos aumentados de tamanho podem representar apenas a uma resposta inflamatória.

Quadro 5. Sistema FIGO de estadiamento do câncer de ovário

ESTADIAMENTO FIGO – CÂNCER DE OVÁRIO	
I	Tumor limitado aos ovários
IA	Tumor limitado a um ovário, cápsula intacta; sem tumor na superfície ovariana; sem células malignas no líquido ascítico ou lavado peritoneal
IB	Tumor limitado a ambos os ovários; cápsula intacta; sem tumor na superfície ovariana; sem células malignas no líquido ascítico ou lavado peritoneal
IC	Tumor limitado a um ou ambos os ovários, com qualquer um dos seguintes achados: cápsula rota, tumor na superfície ovariana ou células malignas em líquido ascítico ou lavado peritoneal
II	Tumor compromete um ou ambos os ovários com extensão pélvica
IIA	Extensão e/ou implantes no útero e/ou tubas, sem células malignas em líquido ascítico ou lavado peritoneal
IIB	Extensão para outros tecidos pélvicos; sem células malignas em líquido ascítico ou lavado peritoneal
IIC	Extensão pélvica (IIA ou IIB) com células malignas em líquido ascítico ou lavado peritoneal
III	Tumor compromete um ou ambos os ovários com metástase peritoneal fora da pelve microscopicamente comprovada
IIIA	Metástase peritoneal microscópica além da pelve com 2 cm ou menos em sua maior dimensão
IIIB	Metástase peritoneal macroscópica além da pelve com mais de 2 cm em sua maior dimensão
IIIC	Metástase peritoneal além da pelve com mais de 2 cm em sua maior dimensão ou metástases regionais (linfonodos retroperitoneais ou inguinais)
IV	Metástase a distância

Quadro 6. Sistema TNM de estadiamento do câncer de ovário

ESTADIAMENTO TNM – CÂNCER DE OVÁRIO – TUMOR PRIMÁRIO - T	
TX	Tumor primário não pode ser avaliado
T0	Sem evidência de tumor primário
T1	Tumor limitado aos ovários
T1a	Tumor limitado a um ovário, cápsula intacta; sem tumor na superfície ovariana; sem células malignas no líquido ascítico ou lavado peritoneal
T1b	Tumor limitado a ambos os ovários; cápsula intacta; sem tumor na superfície ovariana; sem células malignas no líquido ascítico ou lavado peritoneal
T1c	Tumor limitado a um ou ambos os ovários, com qualquer um dos seguintes achados: cápsula rota, tumor na superfície ovariana ou células malignas em líquido ascítico ou lavado peritoneal
T2	Tumor compromete um ou ambos os ovários com extensão pélvica
T2a	Extensão e/ou implantes no útero e/ou tubas, sem células malignas em líquido ascítico ou lavado peritoneal
T2b	Extensão para outros tecidos pélvicos; sem células malignas em líquido ascítico ou lavado peritoneal
T2c	Extensão pélvica (IIA ou IIB) com células malignas em líquido ascítico ou lavado peritoneal
T3	Tumor compromete um ou ambos os ovários com metástase peritoneal fora da pelve microscopicamente comprovada
T3a	Metástase peritoneal microscópica além da pelve com 2 cm ou menos em sua maior dimensão
T3b	Metástase peritoneal macroscópica além da pelve com mais de 2 cm em sua maior dimensão
T3c	Metástase peritoneal além da pelve com mais de 2 cm em sua maior dimensão e/ou metástases regionais

ESTADIAMENTO TNM - LINFONODOS REGIONAIS - N	
Nx	Linfonodos regionais não podem avaliados
N0	Sem metástase em linfonodos regionais
N1	Metástase em linfonodos regionais

ESTADIAMENTO TNM – METÁSTASE - M	
Mx	Metástase a distância não pode ser avaliada
M0	Sem metástase a distância
M1	Metástase a distância

ESTADIAMENTO TNM – GRUPO DE RISCO			
Estágio I	T1	N0	M0
Estágio IA	T1a	N0	M0
Estágio IB	T1b	N0	M0
Estágio IC	T1c	N0	M0
Estágio II	T2	N0	M0
Estágio IIA	T2a	N0	M0
Estágio IIB	T2b	N0	M0
Estágio IIC	T2c	N0	M0
Estágio III	T3	N0	M0
Estágio IIIA	T3a	N0	M0
Estágio IIIB	T3b	N0	M0
Estágio IIIC	T3c	N1	M0
	Qualquer T	N0	M0
Estágio IV	Qualquer T	Qualquer N	M1

Quadro 7. Sistema FIGO e TNM de estadiamento do câncer de tuba uterina

CLASSIFICAÇÃO TNM – FIGO – CÂNCER DA TROMPA DE FALÓPIO		
Tx		Tumor primário não pode ser avaliado
T0		Sem evidências de tumor primário
Tis	0	Carcinoma *in situ*
T1	I	Tumor confinado à tuba uterina
T1a	IA	Tumor limitado a uma tuba sem penetração da superfície serosa
T1b	IB	Tumor limitado a ambas as tubas sem penetração da superfície serosa
T1c	IC	Tumor limitado a uma ou ambas as tubas com extensão para ou através da serosa tubária, ou com células malignas no líquido ascítico ou lavado peritoneal
T2	II	Tumor compromete uma ou ambas as tubas sem extensão pélvica
T2a	IIA	Extensão e/ou metástase para o útero e/ou ovários
T2b	IIB	Extensão para outras estruturas pélvicas
T2c	IIC	Extensão pélvica (2a ou 2b) com células malignas em líquido ascítico e/ou lavado peritoneal
T3	III	Tumor invade uma ou ambas as tubas com implantes peritoneais fora da pelve
T3a	IIIA	Metástase peritoneal microscópica fora da pelve
T3b	IIIB	Metástase peritoneal macroscópica para fora da pelve com 2 cm ou menos em sua maior dimensão

ESTADIAMENTO TNM/FIGO – LINFONODOS REGIONAIS - N		
Nx		Linfonodos regionais não podem ser avaliados
N0		Sem metástases em linfonodos regionais
NI	IIIC	Metástase em linfonodos regionais

ESTADIAMENTO TNM/FIGO – METÁSTASE - M		
Mx		Metástase a distância não pode ser avaliada
M0		Sem metástases a distância
MI	IV	Metástase a distância

ESTADIAMENTO TNM – GRUPO PROGNÓSTICO			
Estágio 0	T*is*	N0	M0
Estágio I	TI	N0	M0
Estágio IA	TIa	N0	M0
Estágio IB	TIb	N0	M0
Estágio IC	TIc	N0	M0
Estágio II	T2	N0	M0
Estágio IIA	T2a	N0	M0
Estágio IIB	T2b	N0	M0
Estágio IIC	T2c	N0	M0
Estágio III	T3	No	M0
Estágio IIIA	T3a	No	M0
Estágio IIIB	T3b	N0	M0
Estágio IIIC	T3c	No	M0
	Quaquer T	NI	M0
Estágio IV	Qualquer T	Qualquer	MI

Quadro 8. Sistema FIGO de estadiamento do câncer de vulva

Estágio I	Tumor confinado à vulva
IA	Lesão < 2 cm, confinada à vulva ou períneo e com invasão estromal ≤ 1 mm. Sem linfonodos metastáticos
IB	Lesão > 2 cm ou invasão estromal > 1 mm confinado a vulva ou períneo com linfonodos negativos
Estágio II	Tumor de qualquer tamanho com extensão para estruturas perineais adjacentes (terço inferior da uretra, vagina ou ânus) com linfonodos negativos
Estágio III	Tumor de qualquer tamanho com ou sem extensão para estruturas perineais adjacentes (terço inferior da uretra, terço inferior da vagina ou ânus) com linfonodos inguinofemorais positivos
IIIA	Um linfonodo metastático (> 5 mm) ou 1 a 2 linfonodos metastáticos (< 5 mm)
IIIB	Dois ou mais linfonodos metastáticos (> 5 mm) ou 3 ou mais linfonodos metastáticos (< 5 mm)
IIIC	Linfonodo positivo com comprometimento extracapsular
Estágio IV	Tumor invade outra região (2/3 superior da uretra, 2/3 superiores da vagina) ou estruturas distantes
IVA	Tumor invade qualquer estrutura que se segue: porção superior da uretra ou mucosa vaginal ou mucosa da bexiga ou mucosa do reto ou se fixa à parede pélvica ou na presença de adenomegalia inguinal fixa ou ulcerada
IVB	Qualquer metástase a distância (incluindo linfonodos pélvicos)

Quadro 9. Sistema TNM de estadiamento do câncer de vulva

ESTADIAMENTO TNM – TUMOR DE VULVA – TUMOR PRIMÁRIO - T			
Tx	Tumor primário não pode ser definido		
T0	Não há evidência de tumor primário		
Tis	Carcinoma *in situ*		
T1a	Tumor de até 2 cm com invasão estromal menor ou igual a 1,0 mm, confinado à vulva ou períneo		
T1b	Tumor maior que 2 cm ou invasão estromal maior que 1,0 mm, confinado a vulva ou períneo		
T2	Tumor de qualquer tamanho com extensão às estruturas perineais adjacentes (terço distal ou médio da uretra, terço distal ou médio da vagina, envolvimento anal)		
T3	Tumor de qualquer tamanho com extensão para uma das estruturas: terço superior de vagina ou uretra, mucosa vesical, mucosa retal ou fixado ao osso		
ESTADIAMENTO TNM – TUMOR DE VULVA – LINFONODOS - N			
Nx	Invasão linfonodal regional não pode ser definida		
N0	Não há invasão de linfonodos regionais		
N1	Presença de metástase em 1 ou 2 linfonodos regionais		
N1a	1 ou 2 linfonodos positivos menores ou iguais a 5 mm cada		
N1b	1 linfonodo positivo maior que 5 mm		
N2	Presença de metástase em linfonodos regionais como se segue		
N2a	3 ou mais linfonodos positivos menores ou iguais a 5 mm cada		
N2b	2 ou mais linfonodos positivos maiores que 5 mm		
N2c	Metástase linfonodal com invasão extracapsular		
N3	Linfonodomegalia regional fixa ou ulcerada		
ESTADIAMENTO TNM – TUMOR DE VULVA – METÁSTASE - M			
M0	Ausência de metástase a distância		
M1	Metástase a distância (incluindo linfonodos pélvicos)		
ESTADIAMENTO TNM – GRUPO PROGNÓSTICO			
Estágio 0	Tis	N0	M0
Estágio I	T1	N0	M0
Estágio IA	T1a	N0	M0
Estágio IB	T1b	N0	M0
Estágio II	T2	N0	M0
Estágio IIIA	T1, T2	N1a, N1b	M0
Estágio IIIB	T1, T2	N2a, N2b	M0
Estágio IIIC	T1, T2	N2c	M0
Estágio IVA	T1, T2	N3	M0
	T3	Qualquer N	M0
Estágio IVB	Qualquer T	Qualquer N	M1

As maiores alterações do estadiamento dos tumores ginecológicos se deram no câncer de vulva, uma vez que grandes discussões ocorreram nos últimos anos em relação ao tamanho do tumor e do acometimento linfonodal. A última atualização da FIGO 2009 e TNM caracterizam melhor o acometimento linfonodal dos tumores de vulva (Quadros 8 e 9). O estadiamento e o tratamento cirúrgico são normalmente realizados em um único momento, levando em conta fatores importantes relacionados ao prognóstico, como: o tamanho do tumor, a profundidade da invasão tumoral, o comprometimento linfonodal e a presença de metástases a distância. Com a nova classificação, o estágio II aloca todas as pacientes com tumores maiores que 2 cm com extensão para estruturas adjacentes, porém sem acometimento dos linfonodos inguinofemorais. Por outro lado, o estágio III refere-se a tumores de qualquer tamanho e extensão, mas com comprometimento linfonodal locorregional. Neste grupo, a classificação em subestágios dependerá do tamanho do tumor, do número de linfonodos comprometidos e da disseminação linfonodal extracapsular. O estágio IVA também foi subdividido para situar melhor o grau de extensão da doença.

CÂNCER DE VAGINA

O estadiamento é clínico, baseado em exame físico, cistoscopia, proctoscopia e radiografia de tórax. Essa classificação TNM/FIGO fica destinada apenas aos carcinomas primários, sendo excluídos os outros tumores vaginais de crescimento em sítios genitais ou extragenitais (Quadro 10).

TUMORES TROFOBLÁSTICOS GESTACIONAIS

Essa neoplasia está entre uma das raras enfermidades malignas que, mesmo quando disseminadas, são passíveis de cura, apresentando um amplo espectro de tumores inter-relacionados. Nesse contexto, a classificação TNM/FIGO se aplica a estadiar o coriocarcinoma, a mola hidatiforme invasiva e o tumor trofoblástico placentário. Neste grupo de enfermidades não se considera o envolvimento linfonodal como parte do estadiamento (Quadro 11).

As metástases genitais (vagina, tuba e ligamento largo) são consideradas como T2, porém qualquer envolvimento de estruturas não genitais por metástases e/ou invasão direta é estadiado usando a classificação M. A última atualização realizada para o estadiamento deste grupo de tumores foi realizada em 2001 e é bastante complexa.[10]

Os estágios são divididos em alto e baixo risco, conforme o escore prognóstico (Quadro 12).

CONSIDERAÇÕES FINAIS

Apesar de sistematizarem a apresentação dos tumores ginecológicos de uma maneira mais racional, observamos que os padrões de estadiamento são ocasionalmente revistos e modificados conforme novos fatores prognósticos são apresentados e aceitos pelas instituições científicas envolvidas, como realmente úteis para criar modificações de aceitação universal. Para oferecer opções terapêuticas e acompanhar os avanços nos tratamentos das neoplasias, a paciente deve ter sua doença corretamente alocada em estágios, sempre que possível.

Quadro 10. Sistema FIGO/TNM de estadiamento do câncer de vagina

ESTADIAMENTO TNM/FIGO – TUMOR PRIMÁRIO - T

TX		Tumor primário não pode ser avaliado
T0		Sem evidência de tumor primário
Tis	0	Carcinoma in situ
T1	I	Tumor confinado a vagina
T2	II	Tumor invade os tecidos perivaginais, mas não invade a parede pélvica*
T3	III	Tumor com extensão para a parede pélvica
T4	IVB	Tumor invade a mucosa da bexiga ou reto e/ou estende-se além da pelve verdadeira

ESTADIAMENTO TNM/FIGO – LINFONODOS REGIONAIS - N

NX		Linfonodos regionais não podem ser avaliados
N0		Sem metástases em linfonodos regionais
N1	IVB	Metástases em linfonodos pélvicos e inguinais

ESTADIAMENTO TNM/FIGO – METÁSTASE - M

MX		Metástase a distância não pode ser avaliada
M0		Sem metástase a distância
M1	IVb	Metástase a distância

ESTADIAMENTO TNM – GRUPO PROGNÓSTICO

0	Tis	N0	M0
I	T1	N0	M0
II	T2	N0	M0
III	T1-T3	N1	M0
	T3	N1	M0
IVA	T4	Qualquer N	M0
IVB	Qualquer T	Qualquer N	M1

*Parede pélvica é representada por musculatura, fáscia, estruturas neovasculares ou osso.

Quadro 11. Sistema FIGO/TNM de estadiamento dos tumores trofoblásticos gestacionais

ESTADIAMENTO TNM/FIGO – TUMOR PRIMÁRIO - T

TX		Tumor primário não pode ser avaliado
T0		Sem evidências de tumor primário
T1	I	Tumor confinado ao útero
T2	II	Tumor estende-se a outras estruturas genitais (ovário, tuba, vagina e ligamento largo)

ESTADIAMENTO TNM/FIGO – METÁSTASE

MX		Metástase a distância não pode ser avaliada
M0		Sem metástase a distância
M1A	III	Metástase para o pulmão
M1B	IV	Outras metástases a distância

ESTADIAMENTO TNM – GRUPO PROGNÓSTICO

I	T1	M0	Ignorado
IA	T1	M0	Baixo
IB	T1	M0	Alto
II	T2	M0	Ignorado
IIA	T2	M0	Baixo
IIB	T2	M0	Alto
III	Qualquer T	M1A	Ignorado
IIIA	Qualquer T	M1A	Baixo
IIIB	Qualquer T	M1A	Alto
IV	Qualquer T	M1B	Ignorado
IVA	Qualquer T	M1B	Baixo
IVB	Qualquer T	M1B	Alto

Quadro 12. Escore de risco dos tumores trofoblásticos gestacionais

FATOR PROGNÓSTICO	ESCORE DE RISCO			
	0	1	2	3
Idade (anos)	< 40	≥ 40	–	–
Antecedentes gestacionais	Mola hidatiforme	Aborto	Gravidez a termo	–
Intervalo desde a gravidez-índice (meses)	< 4	≥ +4 e < 7	7-12	> 12
β-HCG pré-tratamento	< 1.000	≥ 1.000 e < 10.000	≥ 10.000 e < 100.000	≥ 100.000
Maior tumor incluindo o útero	< 3 cm	≥ 3 cm e < 5 cm	≥ 5cm	–
Local da metástase	Pulmão	Baço e rim	Trato gastrointestinal	Cérebro e fígado
Número de metástases	–	1-4	5-8	> 8
Falha da quimioterapia prévia	–	–	Droga única	Duas drogas ou mais

REFERÊNCIAS BIBLIOGRÁFICAS

1. American Joint Committee on Cancer. *Cancer staging manual.* 7th ed. Spriger-Verlag. 2009.
2. Fritz A, Percy C, Jack A et al. *International classification of diseases for oncology.* 3th ed. Geneva: Word Health Organization. 2000.
3. Sobin LH, Witteking CH. *TNM classification of malignant tumors.* 7th ed. New-York: Wiley-Liss, 2009.
4. Pecorelli S. FIGO Committee on gynecologic oncology: revised FIGO staging for carcinoma of vulva, cervix and endometrium. *Int J Gynecol Oncol* 2009;105:103-4.
5. Lagasse LD, Creasman WT, Shingleton HM et al. Results and complications of operative staging in cervical cancer: experience of Gynecology Oncology Group. *Gynecol Oncol* 1980;9:90-98.
6. La Polla JP, Schaerth JB, Gaddis O et al. The influence of surgical staging on the evaluation and treatment of patients with cervical cancer. *Gynecol Oncol* 1986;24:194-99.
7. Hackcer NF, Berek JS. Surgical staging of cervical cancer. In: Surwit EA, Alberts DS. (Eds.). *Cervix cancer.* Boston: Martinus Nijhoff, 1987. p. 43-47.
8. Boronow RC, Morrow CP, Creasman WT et al. Surgical staging in endometrial cancer: clinic-pathologic findings of a prospective study. *Obstet Gynecol* 1984;63:825-32.
9. Creasman WT, Morrow CP, Bundy BN et al. Surgical pathologic spread patterns of endometrial cancer. *Cancer* 1987;60:2035-41.
10. Ngan HYS, Odicino F, Maisonneuve P et al. Gestational trophoblastic tumours. *J Epidemiol Biostatist* 2001;6:175-84.

CAPÍTULO 162

Câncer de Colo de Útero

162-1 Tratamento do Câncer Inicial de Colo do Útero

Antônio Augusto Ribeiro Dias Pires ■ Solange Maria Diniz Bizzo
Sandra Maria Moura de Souza ■ Juliano Noronha Ribeiro ■ Euridice Maria de Almeida Figueiredo

INTRODUÇÃO

O rastreamento do câncer inicial de colo uterino é possível pelo exame de citologia colpovaginal, descoberto pelo grego Georgios Nicholas Papanicolaou, inicialmente descrito em 1928. Porém, o procedimento só recebeu crédito em 1943 com a publicação *Diagnosis of Uterine Cancer by the Vaginal Smear*.

O *human papillomavirus* (HPV) de alto risco está associado a cerca de 99% dos cânceres de colo uterino. Apesar de a maioria das infecções ser transitória, quando persistentes, podem levar em média 15 anos para desenvolver a neoplasia intraepitelial e em última análise o câncer invasor.[1]

O câncer do colo uterino é um dos tipos mais prevalentes no mundo, sendo o terceiro mais comum. É a segunda neoplasia feminina mais frequente e a quarta causa de morte relacionada ao câncer mundialmente, concorrendo para a segunda causa em países em desenvolvimento.[1,2] Quando considerado o potencial de prevenção e cura, é a segunda enfermidade passível deste potencial, atrás somente do câncer de pele não melanoma.[3]

Segundo a estimativa de 2012 do Instituto Nacional de Câncer (INCA), são esperados 17.540 novos casos da doença no Brasil, com cerca de 17 casos para cada 100 mil mulheres. Considerando-se a distribuição geográfica entre regiões do país, a maior incidência é encontrada na Região Norte, como o segundo câncer mais incidente, com proporção de 24 casos para cada 100 mil mulheres. A menor incidência é esperada na Região Sul, sendo o quinto câncer mais frequente, com a proporção de 14 casos para cada 100 mil mulheres. Esse dado, associado à informação de que a prevalência é quase o dobro nos países em desenvolvimento, fortalece a necessidade de bons e amplos programas de prevenção.[3]

Além da já citada infecção pelo HPV, fumo ativo e passivo, multiparidade, grande número de parceiros sexuais, início precoce da atividade sexual, uso prolongado de anticoncepcionais e baixa condição socioeconômica são relacionados ao aumento da incidência de câncer do colo do útero, bem como outras doenças sexualmente transmissíveis, sendo importantes como fatores de proteção a abstinência sexual e o uso de contraceptivos tipo barreira.[1]

O tratamento do câncer de colo de útero inicial se baseia no estadiamento proposto pela Federação Internacional de Ginecologia e Obstetrícia (FIGO), universalmente aceito por sua simplicidade na obtenção do estágio da doença, já que usa somente parâmetros clínicos (Quadro 1).

É possível acrescentar na avaliação clínica inicial da doença métodos de imagem, sendo que o mais utilizado por sua maior sensibilidade é a ressonância nuclear magnética (RM). Sua melhor acurácia se evidencia na detecção da extensão tumoral, avaliação de paramétrios e envolvimento linfonodal, que é o mais importante fator de baixo prognóstico, embora nenhum dos achados deste método de imagem tenha o poder de mudar o estadiamento clínico inicial.[1,4] Ademais, a tomografia computadorizada (TC) e a RM apresentam baixa sensibilidade para detectar linfonodos para-aórticos comprometidos, quando menores que 1 cm.

TRATAMENTO

A abordagem primária do câncer inicial do colo do útero se faz por meio de cirurgia. Consideram-se tratáveis cirurgicamente pacientes que estão incluídas nos estágios I a casos selecionados no estágio IIA1. No entanto, pode-se optar por quimiorradioterapia combinada, em pacientes nos quais a abordagem cirúrgica inicial esteja contraindicada por presença de comorbidades.

Embora atualmente seja bem sedimentada a ideia de que o limite para indicação cirúrgica em tumores cervicais seja de 4 cm em seu maior diâmetro, Bansal *et al.* em estudo utilizando uma coorte retrospectiva

Quadro 1. Estadiamento da FIGO 2009

ESTÁGIO FIGO	DEFINIÇÃO
I*	Tumor confinado ao colo do útero
IA*	Invade membrana basal até 5 mm de profundidade e 7 mm de extensão Tumor microscópico
IA1*	Invasão até 3 mm de profundidade e 7 mm de extensão
IA2*	Invasão até 5 mm de profundidade e 7 mm de extensão
IB*	Lesão visível, porém confinada ao colo uterino ou lesões microscópicas Estende-se além do limite do IA
IB1*	Lesão < 4 cm
IB2*	Lesão > 4 cm
II*	Lesão ultrapassa os limites do colo Lesão não alcança terço inferior de vagina ou parede pélvica
IIA*	Tumor sem invasão parametrial
IIA1*	Lesão menor que 4 cm
IIA2	Lesão maior que 4 cm
IIB	Invasão tumoral parcial do paramétrio
III	Tumor invade terço inferior de vagina estende-se à parede pélvica Presente hidronefrose ou rim não funcionante
IIIA	Invade terço inferior da vagina
IIIB	Tumor estende-se à parede pélvica Presente hidronefrose ou rim não funcionante
IV	Tumor estende-se além da pelve ou invade órgãos adjacentes
IparIVA	Tumor invade órgãos adjacentes ou estende-se além da pelve
IVB	Metástase a distância, incluindo acometimento peritoneal, linfonodos para-aórticos, supraclaviculares, mediastinais ou órgãos a distância

* Estágios considerados iniciais e passíveis de abordagem cirúrgica inicial.

comparando cirurgia radical *versus* a combinação radiobraquiterapia, em pacientes estágio IB1-IIA com tumores menores que 6 cm, demonstraram a superioridade da histerectomia radical em relação à radioterapia no que tange à sobrevida. Em tumores maiores que 6 cm foram encontrados resultados semelhantes em ambos os grupos.[5]

Por outro lado, um dos argumentos contra a cirurgia em tumores volumosos é a necessidade de radioterapia adjuvante, o que aumentaria a morbidade desta sequência terapêutica. Ainda neste estudo, após estratificação por tamanho tumoral, foi observada a vantagem da cirurgia radical na redução da taxa de mortalidade. Em tumores de 4-6 cm esta taxa foi de 49% e de 62% em tumores menores que 4 cm. A análise de Kaplan-Meier também demonstrou melhor sobrevida para pacientes tratadas com histerectomia radical, comparadas a pacientes tratadas com radioterapia.

Alguns fatores prognósticos devem ser lembrados na escolha do tratamento, além da condição clínica da paciente. Em estudo retrospectivo, pacientes em estágios IB a IIB, submetidas à cirurgia radical, a presença de metástase linfonodal foi o fator prognóstico mais importante, assim como o volume do tumor < 2 cm *versus* > 4 cm. A presença de invasão angiolinfática foi considerada fator de pior prognóstico quando pesquisadas a sobrevida e o intervalo livre de doença.[6]

Quando comparado adenocarcinoma (AdenoCA) de colo uterino com carcinoma epidermoide (CEC), não houve diferenças quanto ao intervalo de recidiva, porém a falha a distância é maior no AdenoCA, o que levanta a discussão sobre a agressividade deste tipo histopatológico e, da mesma forma, a questão sobre a necessidade de tratamentos sistêmicos adjuvantes após tratamento cirúrgico nestas pacientes. Isto é particularmente reforçado quando observado que a sobrevida livre de doença e a sobrevida global são significativamente menores no grupo de AdenoCA em análise multivariada. A infiltração parametrial e a metástase linfonodal foram considerados fatores de risco com significância estatística para ambos os tumores.[7]

Com os avanços da cirurgia videolaparoscópica houve diminuição da dor, da infecção do sítio operatório, do tempo de hospitalização e retorno mais rápido às atividades, além de diminuir os riscos de aderências pós-operatórias em cerca de 60%.[8] Embora nos tenha proporcionado grandes ganhos em termos de menor número de complicações, os pontos fracos deste procedimento são a visão em duas dimensões e o comprometimento técnico da mobilidade do instrumental videolaparoscópico.

Fanning *et al.*, em 2008, com uma série ininterrupta de 20 histerectomias radicais, em pacientes IB1, IB2 e IIA pela técnica robótica, mostraram excelente tempo de hospitalização com alta no primeiro dia de pós-operatório. Neste estudo, após seguimento médio de 2 anos, 90% das pacientes estão vivas e livres de doença. Os autores ressaltaram como vantagens da técnica a visão em três dimensões e a grande mobilidade dos braços do robô, o que facilitou muito a dissecção e a realização dos nós de sutura. Além disto, houve redução do sangramento intraoperatório e das taxas de complicações.[8]

Estágio IA1

A maioria dos autores relata um baixo risco de metástase linfonodal neste estágio, variando de 0,8 a 1,5% e com mortalidade menor que 1%.[1,2,4]

Os tratamentos recomendados vão da conização à histerectomia tipo I de Piver (via abdominal ou transvaginal), sendo esta última o tratamento de escolha caso não se tenha intenção de manter a fertilidade ou haja margens comprometidas na peça do cone.

O achado de invasão angiolinfática aumenta a chance de recidiva e metástase linfonodal em 5 a 9,7%, o que faz alguns autores optarem por histerectomia radical modificada tipo II de Piver (HTA II, Quadro 2) com linfadenectomia pélvica nestes casos.[1,2]

A situação do AdenoCA em cirurgia conservadora é muito controversa, especialmente quando se trata de avaliar microinvasão. Preferencialmente ela é utilizada quando não há invasão angiolinfática. Em série de casos de adenocarcinoma *in situ* tratados por conização seguidos de histerectomia e com margens do cone livres de doença, 25% destes possuíam doença residual na peça. Já nos casos que apresentavam margens comprometidas, 50% das peças cirúrgicas possuíam doença residual pós-histerectomia. Foi observado que a curetagem do canal endocervical pós-conização nos casos de adenocarcinoma *in situ* teve

Quadro 2. Classificação de Piver-Rutledge para histerectomia[22]

TIPO	DESCRIÇÃO
1	Histerectomia extrafascial: com ressecção de todo útero
2	Histerectomia radical modificada: ressecção de 50% dos ligamentos cardinais e uterossacros, com secção dos vasos uterinos ao cruzarem os ureteres; ressecção de 1/3 superior da vagina
3	Equivale à tradicional cirurgia de Wertheim-Meigs; Histerectomia com ressecção radical de paramétrios e uterossacros, ligadura dos vasos uterinos próximos à origem, ressecção de 1/3 superior da vagina, linfadenectomia pélvica
4	Além dos procedimentos da radical tipo III, ligadura da artéria vesical superior, com excisão de 2/3 superiores da vagina. Maior descolamento do ureter do ligamento pubovesical. Ampla ressecção dos paracolpos
5	Mesmo que classe 4, porém com ressecção das porções ureteral e vesical afetadas (ureteroneocistostomia)

valor preditivo positivo de 100% para detecção de doença residual. Nos caso de cirurgia conservadora para AdenoCa são recomendados controle citológico e curetagem de canal a cada 4 meses.[2]

Estágio IA2

Neste grupo, a chance de metástase linfonodal e recidiva tumoral pode chegar a 13% em pacientes com invasão angiolinfática. O tratamento cirúrgico preconizado para estas pacientes é a HTA II com linfadenectomia pélvica.[1,2,4] Pacientes com alto risco cirúrgico têm a opção da radioterapia e/ou braquiterapia com intenção curativa. Em uma série de 151 pacientes, Hamberger *et al.* demonstraram que pacientes em estágio I foram tratadas com braquiterapia exclusiva e nenhuma paciente neste estágio teve recidiva. Atualmente, considera-se esta alternativa terapêutica em pacientes cuja abordagem cirúrgica está contraindicada.[9]

Kodama *et al.* relataram que histerectomia tipo I de Piver (HTA I) seria suficiente para estágio IA2, diferentemente de Gadducci *et al.*, que relataram que HTA I associada à linfadenectomia pélvica seriam os tratamentos de escolha.[10,11]

Estágio IB1 e IIA1

Os tumores nestes estágios podem ser tratados preferencialmente com a histerectomia radical tipo III de Piver (HTA III). Em casos de comorbidades graves, a quimiorradioterapia tem seu papel em eficácia semelhante ao da cirurgia. Pode-se também optar pela HTA II em tumores clinicamente menores que 2 cm.

Em estudo comparando cirurgia radical *versus* radioterapia exclusiva para câncer cervical estágios IB a IIA, as sobrevidas global e livre de doença em 5 anos foram estatisticamente semelhantes. Quando o tipo histológico foi adenocarcinoma, o grupo cirúrgico foi superior tanto na sobrevida global quanto na sobrevida livre de doença. Maior número de morbidades severas foi registrado no grupo submetido à cirurgia.[12] Decorrente destes achados, a cirurgia é o tratamento preferido em pacientes jovens com função ovariana e vida sexual ativa. A transposição ovariana para parede abdominal ou goteiras parietocólicas, afastando-os do campo de radiação, pode prevenir a falência ovariana radioinduzida. Portanto, a ooforectomia deve ser baseada na idade da paciente e em outros fatores de comorbidades e história familiar, como forte história familiar para câncer de ovário. Além disto, devemos lembrar que o percentual de metástase ovariana é de cerca de 0,9%, sendo de 0,5% no CEC e de 2% no adenocarcinoma.[1,2]

Comparando a cirurgia videolaparoscópica com a cirurgia convencional, foi encontrado menor tempo de internação no grupo submetido à videolaparoscopia, porém a taxa de recidiva tumoral foi menor no grupo submetido à cirurgia convencional, o que leva os autores a limitarem o uso de videolaparoscopia para pacientes com tumor menores que 2 cm.[13]

Estágio IB2

Estes tumores possuem maior chance de recidiva central, metástases linfonodais pélvicas, para-aórticas e metástases a distância.

O tratamento convencional constitui-se de quimiorradioterapia. Em estudo comparando pacientes submetidas à radiobraquiterapia com pacientes submetidas à radioterapia, seguido de baixa dose de radiação na braquiterapia e posterior histerectomia extrafascial adjuvante, a histerectomia extrafascial não adicionou vantagem terapêutica na sobrevida de portadoras de tumores volumosos.[14] Neste grupo de pacientes, estudos mostram que a sobrevida global em pacientes submetidas à histerectomia radical gira em torno de 72%. Parte das pacientes foi submetida à radioterapia adjuvante, com mínima taxa de complicação.[2] Bansal *et al.* mostraram melhora da sobrevida em tumores de 4 a 6 cm quando submetidos a cirurgia e radioterapia.[5] Outros autores simplesmente não fazem distinção entre tumores IB1 e IB2 ao indicar tratamento cirúrgico.[1]

A quimiorradioterapia é a opção padrão para o câncer cervical IB2, apesar de muitos estudos constantemente publicados procurarem analisar outras estratégias, como quimioterapia neoadjuvante, histerectomia radical com tratamento adjuvante e a própria radioterapia com histerectomia extrafascial.[4,14] Procedimentos cirúrgicos nestes estágios somente estão indicados em vigência de contraindicações do tratamento padrão. A neoadjuvância quimioterápica ainda é considerada investigacional.

Traquelectomia radical

Criada por Daniel Dargent, em 1986, e publicada em 1994, a traquelectomia radical, com linfadenectomia pélvica por via videolaparoscópica, surgiu como opção cirúrgica para pacientes com câncer de colo do útero em fase inicial que demonstravam forte desejo de procriação.[15] A escolha das pacientes deve atentar para a seleção apropriada, como ausência de invasão angiolinfática, tumores menores que 2 cm, podendo ser utilizada a RM para avaliar a extensão tumoral para além do colo uterino, contraindicando, então, o procedimento.

Estudos comparando a eficácia deste procedimento relativamente novo *versus* a já consagrada histerectomia radical demonstraram que as taxas de recidiva e de sobrevida são estatisticamente semelhantes entre os dois procedimentos, assim como as complicações intra e pós-operatórias.[1,16,17] Foi demonstrado que houve menor perda sanguínea e menor tempo de hospitalização nas pacientes submetidas à traquelectomia radical.[16,17]

Quanto à capacidade de gestação, variou de 41-79% a 70%.[16,17] Nos estudos analisados, as principais complicações quanto à gestação foram o aborto no segundo trimestre e partos prematuros, sendo que no primeiro trimestre a taxa de aborto foi similar à da população geral.[2,16,17] Dargent *et al.* advogaram em favor da cerclagem com 14 semanas de gestação para diminuir a incidência de abortamentos.[15]

Histerectomia radical: técnica

Como já exposto, a histerectomia radical está indicada em tumores IB1 e IIA1 sem extenso comprometimento vaginal. Embora a quimiorradioterapia seja uma alternativa para estes estágios, esta cirurgia está reservada para mulheres jovens, com baixo índice de massa corporal (IMC), ausência de comorbidades, histologia tumoral favorável e volume tumoral pequeno. A idade e a obesidade não são contraindicações de cirurgia, mas mulheres idosas e obesas apresentam maior morbidade peroperatória. Além disso, os radioterapeutas consideram a cirurgia radical mais passível de morbidades severas que a radioterapia.[12] Vale relembrar que os ovários podem ser poupados em pacientes jovens e, se houver possibilidade de radioterapia adjuvante, eles podem ser posicionados na parede abdominal ou nas goteiras parietocólicas, fora do campo de radioterapia. A palpação da cadeia para-aórtica constitui a abordagem inicial, seguida de inventário cirúrgico abdominopélvico. O comprometimento linfonodal para-aórtico em exame de congelação é indicativo de abortamento do procedimento cirúrgico. Quando a metástase linfonodal para-aórtica é confirmada posteriormente em laudo histopatológico realizado em parafina, esta informação deve ser relatada ao radioterapeuta, pois neste caso deve-se estender o campo da radioterapia a este sítio na adjuvância radioterápica.

Não havendo achados impeditivos para o prosseguimento da cirurgia, após inventário cirúrgico inicia-se a linfadenectomia pélvica, através da dissecção das cadeias ganglionares ilíacas e fossas obturadoras. É necessária a análise do espécime cirúrgico por congelação. O comprometimento de linfonodos pélvicos é motivo de controvérsia quanto ao abortamento do procedimento, pois a histerectomia radical pode estar relacionada ao aumento das morbidades na adjuvância radioterápica. Não há, no entanto, consenso em relação a este ponto. Alguns estudos apontam para a retirada apenas de linfonodos grosseiramente aumentados e encaminhamento da paciente à quimiorradioterapia.[18-21]

Os diversos tipos de histerectomia descritos inicialmente por Piver *et al.* variam de acordo com o manejo anatômico, e em última análise se baseiam no estadiamento clínico, em achados de imagem e laudos histopatológicos prévios.[22] O Quadro 3 revela as principais diferenças entre as diversas abordagens. Os níveis de ressecção dos ligamentos e a confecção das fossas pararretais e paravesicais podem ser observados na Figura 1.

Está descrita também a pesquisa de linfonodo sentinela em câncer de colo uterino. Esta técnica já é consagrada para outros tumores, como o melanoma cutâneo, tumor de mama e vulva. Porém, ainda não foi validada como método de rastreamento de metástase linfonodal para tumores cervicais. Pode ser feita por linfocintilografia e/ou injeção de corante azul (azul isosulfan e azul de metileno). As técnicas de infusão são semelhantes.[21]

Quadro 3. Principais diferenças anatomocirúrgicas nas histerectomias para câncer cervical

TIPO DE CIRURGIA	INTRAFASCIAL	EXTRAFASCIAL TIPO I	MODIFICADA TIPO II	RADICAL TIPO III
Fáscia cervical	Parcialmente removida	Removida completamente	Completamente removida	Completamente removida
Remoção de manguito vaginal	–	Ressecção ao nível da inserção colpocervical	Remoção de 1 a 2 cm	Remoção de 1/3 à metade
Bexiga	Parcialmente mobilizada	Parcialmente mobilizada	Parcialmente mobilizada	Mobilizada
Reto	–	Septo retovaginal pouco mobilizado	Septo retovaginal mobilizado para melhor individualização dos ligamentos uterossacros	Mobilizado
Ureteres	–	–	Desnudado o túnel do ureter no paramétrio; ligadura da artéria uterina feita lateralmente ao cruzamento	Completamente dissecados até sua entrada na bexiga; ligadura da artéria uterina feita na sua origem
Paramétrios	Ressecção ao nível justauterino	Ressecção ao nível parauterino, medialmente aos ureteres	Ressecados medialmente aos ureteres desnudados	Ressecados até a parede pélvica
Ligamentos uterossacros	Ressecção ao nível justauterino	Ressecados ao nível cervical	Parcialmente ressecados	Ressecados até o nível pararretal
Útero	Removido	Removido	Removido	Removido
Cérvice	Parcialmente removida	Completamente removida	Completamente removida	Completamente removida
Fossas paravesicais e pararretais	–	–	–	Confeccionadas por dissecção romba, para melhor exposição do paramétrio*

*A preservação dos nervos hipogástricos direito e esquerdo em pacientes com baixo risco diminui as taxas de comorbidades urinárias e intestinais. A técnica está bem descrita em Charoenkwan K. A simplified technique for nerve-sparing type III radical hysterectomy: by reorganizing their surgical sequence, surgeons could more easily identify key nerves. *Am J Obstet Gynecol* 2010;203(6):600.e1-6.

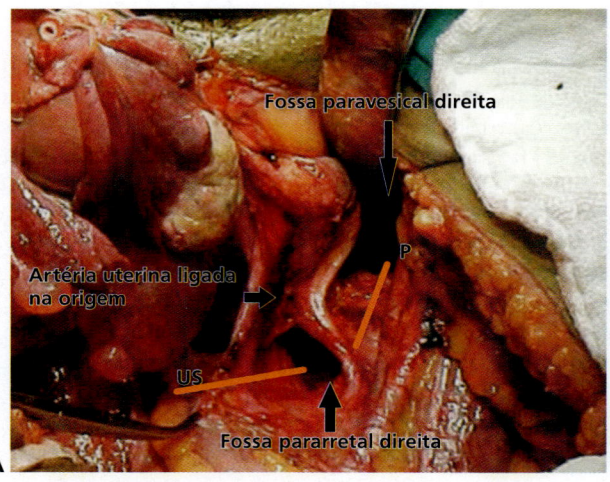
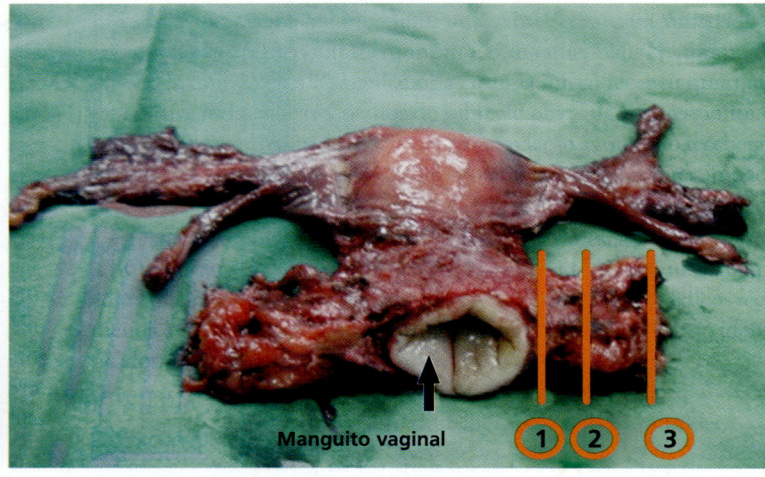

▲ **FIGURA 1.** Histerectomia radical tipo 3. (**A**) Evidencia a ligadura da artéria uterina na origem; observa-se a confecção das fossas pararretal e paravesical direita; linhas demonstram nível de ligadura dos ligamentos uterossacro e paramétrio direito. (**B**) Evidencia, no espécime cirúrgico obtido, os diferentes níveis de secção do paramétrio na HTA I (1), HTA II (2), HTA II (3); o manguito vaginal, com cerca de metade da estrutura, oculta o colo uterino.

Carcinoma cervical invasivo em achado incidental de histerectomia simples

Embora existam casos, eles são raros e geralmente são decorrentes de histerectomia para tratamento de lesões de alto grau, microinvasoras ou até mesmo diante da falha do exame citológico prévio em mulheres histerectomizadas por doença benigna. A escolha do tratamento se dá após análise do espécime cirúrgico, pois se for um carcinoma microinvasor e não ocorrer invasão angiolinfática, a complementação da cirurgia não é indicada. Em um estudo realizado em 25 pacientes nesta situação, Smith *et al.* observaram que a melhor escolha nunca é a radioterapia quando se trata de tumores em estágios IA2 a II, pois as taxas de morbidades severas são altas. Em casos de tumores invasivos, a ressecção de porção superior de vagina associada a parametrectomia radical, com linfadenectomia pélvica é a abordagem mais recomendada. Eles acreditam que a braquiterapia vaginal isolada como terapia adjuvante nestas pacientes com margens cirúrgicas negativas e invasão tumoral menor que 10 mm envolve menos morbidade que outras abordagens. Nas demais situações, eles defendem o resgate cirúrgico.[23] Em outra análise comparativa entre as duas opções, a sobrevida geral em 5 anos foi maior no grupo que recebeu quimiorradioterapia (68,7 *versus* 49,2%).[24] As complicações de ambos os tratamentos após a histerectomia simples foram altas. O uso de quimioterapia baseada em platina é recomendado em pacientes com cirurgia R2 (doença macroscópica residual), exames de imagem positivos para presença de doença, margens positivas e invasão parametrial ou linfonodal.

Carcinoma de coto cervical remanescente ou de cúpula vaginal pós-histerectomia inadequada

Pacientes com coto cervical remanescente pós-histerectomia subtotal ou supracervical são achados raros atualmente. Nestes casos, a investigação propedêutica, o estadiamento e as bases terapêuticas são semelhantes aos oferecidos às pacientes com útero intacto, assim como nos casos de tumor de vagina residual do colo uterino. Se escolhido o tratamento cirúrgico apropriado para o estágio da doença, ele deve ter o mesmo caráter radical, como se o colo estivesse presente. No entanto, a aplicação da técnica é dificultada pela cirurgia anterior e consequentes aderências cirúrgicas. O controle local é basicamente igual se escolhida cirurgia ou radioterapia com braquiterapia. Embora os resultados sejam divergentes quanto à melhor modalidade a ser utilizada, o especialista deve considerar comorbidades que contraindiquem cirurgia ou radioterapia, dificuldades de acomodação do *tandem*, comprometimento de doses adequadas de radioterapia em pacientes com útero ausente etc.[25-27] É importante a discussão multidisciplinar caso a caso.

REFERÊNCIAS BIBLIOGRÁFICAS

1. Lea JS, Lin KY. Cervical cancer. *Obstet Gynecol Clin North Am* 2012;39(2):233-53.
2. Barakat RR, Markman M, Randall ME. Principles and practice of gynecologic oncology. 5th ed. Philadelphia: Lippincott Wiliams & Wilkins, 2009.
3. Brasil. Ministério da Saúde. Instituto Nacional de Câncer José Alencar Gomes da Silva. *Estimativa 2012: incidência de câncer no Brasil.* INCA, 2012.
4. Holland CM, Shafi MI. Radical hysterectomy. *Best Pract Res Clin Obstet Gynaecol* 2005;19(3):387-401.
5. Bansal N, Herzog TJ, Shaw RE *et al.* Primary therapy for early- stage cervical cancer: radical hysterectomy vs radiation. *Am J Obstet Gynecol* 2009;201:485.e1-9.
6. Comerci G, Bolger BS, Flannelly G *et al.* Prognostic factors in surgically treated stage IB–IIB carcinoma of the cervix with negative lymph nodes. *Int J Gynecol Cancer* 1998;8(1):23-26.
7. Park JY, Kim DY, Kim JH *et al.* Outcomes after radical hysterectomy in patients with early-stage adenocarcinoma of uterine cervix. *Br J Cancer* 2010;102:1692-98.
8. Fanning J, Fenton B, Purohit M. Robotic radical hysterectoomy. *Am J Obst Gynecol* 2008;198:649.e1-e4.
9. Hamberger AD, Fletcher GH, Wharton JT. Results of treatment of early stage I carcinoma of the uterine cervix with intracavitary radium alone. *Cancer* 1978;41:980-85.
10. Kodama J, Mizutani Y, Hongo A *et al.* Optimal surgery and diagnostic approach of stage IA2 squamous cell carcinoma of the cervix. *Eur J Obstet Gynecol Reprod Biol* 2002;101:192-95.
11. Gadducci A, Sartori E, Maggino T *et al.* The clinical outcome of patients with stage IA1 and IA2 squamous cell carcinoma of the cervix: a cooperation task force (CTF) study. *Eur J Gynaecol Oncol* 2003;24:513-16.
12. Landoni F, Maneo A, Colombo A *et al.* Randomised study of radical surgery versus radiotherapy for stage Ib-IIa cervical cancer. *Lancet* 1997;350:535-40.
13. Nam JH, Kim JH, Kim DY *et al.* Comparative study of laparoscopicovaginal radical hysterectomy and abdominal radical hysterectomy in patients with early cervical cancer. *Gynecol Oncol* 2004;92:277-83.
14. Keys HM, Bundy BN, Stehman FB *et al.* Radiation Therapy with and without extrafascial hysterectomyfor bulky stage IB cervical adenocarcinoma: a randomized trial of the Gynecologic Oncology Group. *Gynecol Oncol* 2003;89:343-53.
15. Dargent D, Brun JL, Roy M *et al.* La trachélectomie élargie (T.E.), une alternative à hysterectomie radicale dans le traitement des cancers infiltrants developpes sur la face externe du col utérin. *J Obstet Gynecol* 1994;2:285-92.
16. Xu L, Sun FQ, Wang ZH. Radical trachelectomy versus radical hysterectomy for the treatment of early cervical cancer: a systematic review. *Acta Obstet Gynecol Scand* 2011;90:1200-9.
17. Han L, Yang XY, Zheng A *et al.* Systematic comparison of radical vaginal trachelectomy and radical hysterectomy in tha treatment of early-stage cervical cancer. *Int J Gynecol Obstet* 2011;112:149-53.
18. Cosin JA, Fowler JM, Chen MD *et al.* Pretreatment surgical staging of patients with cervical carcinoma; the case for lymph nodes debulking. *Cancer* 1998;82:2241-48.
19. Hacker NF, Wain GV, Nickling JL. Ressection of bulky positive lymph nodes in patients with cervical carcinoma. *Int J Gynecol Cancer* 1995;5(4):250-56.
20. Kinney WK, Hodge DO, Egorshin EV *et al.* Surgical treatment of patients with stagesIB and IIA carcinoma of cervix and palpably positive lymph nodes. *Gynecol Oncol* 1995;57:145-49.

21. Abu-Rustum NR, Khoury-Collado F, Gemignani ML. Techniques of sentinel lymph node identification for early-stage cervical and uterine cancer. *Gynecol Oncol* 2008;111:44-50.
22. Piver MS, Rutledge F, Smith JP. Five classes of extended hysterectomy for women with cervical cancer. *Obstet Gynecol* 1975;44(2):265-72.
23. Smith KB, Ambur RJ, Yeng AR *et al.* Postoperative radiotherapy for cervix cancer incidentally discovered after a simple hysterectomy for either benign conditios or noninvasive pathology. *Am J Clin Oncol* 2010;33(3):229-32.
24. Münstedt K, Johnson P, von Georgi R *et al.* Consequences of inadvertent, suboptimal primary surgery in carcinoma of the uterine cervix. *Gynecol Oncol* 2004;94(2):515-20.
25. Barillot I, Horiot JC, Cuisenier J *et al.* Carcinoma of cervical stump: a review of 213 cases. *Eur J Cancer* 1993;29A:1231-36.
26. Miller BE, Copeland JL, Hamberger AD *et al.* Carcinoma of the cervical stump. *Gynecol Oncol* 1984;18:100-8.
27. Petersen LK, Mamsen A, Jakobsen A. Carcinoma of the cervical stump. *Gynecol Oncol* 1992;46:199-202.

162-2 Câncer Cervical Localmente Avançado

Leonardo Pires Ferreira ▪ Anderson Cesar Dalla Benetta
Frutuoso Lins Cavalcante ▪ Allex Jardim da Fonseca ▪ Cibelli Navarro Roldan Martin

INTRODUÇÃO

O câncer do colo do útero ainda é a segunda neoplasia mais comum e a segunda causa de morte relacionada ao câncer em mulheres no mundo todo.[1]

A distribuição geográfica dos casos de câncer cervical está associada ao nível de desenvolvimento. Até 80% de todos os casos incidentes deste câncer ocorrem em populações mais pobres, com as maiores taxas de incidência observadas na África subsaariana, Melanésia, América Latina, Caribe, Centro-Sul da Ásia e Sudeste Asiático. Em contrapartida, nas nações industrializadas, o uso generalizado do Papanicolaou tem reduzido as taxas de câncer cervical em cerca de 80% nos últimos 50 anos.[2] Esta distribuição da neoplasia pode ter algum impacto sobre a evolução da doença em decorrência das dificuldades no acesso a formas de terapia-padrão em algumas partes do mundo.[3]

Neste capítulo será discutido, dentre o câncer de colo uterino, especificamente a abordagem dos classificados pela FIGO de IIb a IVa.

RADIOTERAPIA EXCLUSIVA

A radioterapia tem sido usada com sucesso para tratar o câncer do colo do útero durante quase um século. A combinação de radioterapia externa (RE) e braquiterapia intracavitária (BTI) tornou-se a modalidade de tratamento padrão para o câncer nesses estágios.

No que se trata da BTI em uma metanálise realizada pela Cochrane em 2010, chegou-se à conclusão de que não existem diferenças significativas entre alta taxa de dose (HDR) e baixa taxa de dose (LDR) ao considerar sobrevida global, sobrevida livre da doença, sobrevida livre de recidiva, taxa de controle local, recidiva, metástase e complicações relacionadas ao tratamento. Em razão de algumas vantagens potenciais da HDR (imobilização rígida, tratamento ambulatorial, comodidade do paciente, exatidão da fonte e posicionamento do aplicador, e de tratamento individualizado), esta deve ser o método de escolha para o tratamento.[4]

Outra alternativa para as pacientes que não podem receber quimioterapia é a radioterapia associada a hipertermia.[5]

As indicações para o tratamento exclusivo com radioterapia incluem a redução da intensidade dos sintomas decorrentes do estadiamento da doença, para melhorar a qualidade de vida, reduzindo o sangramento, eliminando o odor fétido e reduzindo a dor.[6]

QUIMIORRADIOTERAPIA COMBINADA

Até 1999 a radioterapia exclusiva foi muito utilizada como tratamento primário para a maioria das pacientes com carcinoma cervical locorregional avançado. Taxas de sobrevida em 5 anos de 65 a 75%, 35 a 50% e 15 a 20% são relatadas para pacientes tratadas com essa modalidade em tumores dos estágios IIb, IIIb e IVa respectivamente.[7-11]

Numerosos estudos de fase I, II e poucos de fase III tinham até essa data usado combinação de radioterapia com quimioterapia para os tumores localmente avançados, entretanto não havia consenso quanto ao seu benefício.[12] Contudo, a partir desse ano vieram a público os resultados de cinco grandes estudos clínicos, prospectivos e randomizados de fase III demonstrando que a quimiorradioterapia baseada em cisplatina foi capaz de reduzir por 30 a 50% o risco de morte por câncer de colo uterino.[6] Estes estudos compararam quimioradioterapia com cisplatina com a radioterapia exclusiva ou com quimioradioterapia baseada em hidroxiureia. Coletivamente, esses ensaios clínicos envolveram um total de 1.894 mulheres com câncer do colo do útero de diversos estágios que exigiam radioterapia.[13]

Destes, o único com seguimento mediano superior a 5 anos é o protocolo do Grupo de Oncologia Ginecológica dos EUA (GOG), GOG #85, relatado por Whitney et al. Foram randomizadas 388 pacientes com câncer estágios IIb a IVa. Cento e oitenta e oito receberam radioterapia concomitante com 5-FU infusional 1.000 mg/m²/dia, D1 a D4, e cisplatina 50 mg/m², no D1, 4 horas antes do início da radioterapia. O esquema era repetido no 29º dia do tratamento. Duzentas pacientes receberam hidroxiureia na dose de 80 mg/kg de peso, na dose máxima de 6.000 mg/dia, durante todo o tratamento com radioterapia. Pacientes no braço contendo cisplatina apresentaram toxicidade hematológica significativamente menor e uma taxa de sobrevida global melhor (63 versus 47% em 5 anos) quando comparadas àquelas tratadas com radioterapia mais hidroxiureia.[14]

Já o Grupo de Oncologia Radioterápica dos EUA (RTOG) randomizou 401 pacientes com estágios Ib a IVa para receber quimiorradioterapia com cisplatina e 5-FU ou radioterapia de campo alargado.[15] Este braço-controle foi baseado em um estudo RTOG anterior, que demonstrou melhora na sobrevida quando a radioterapia para-órtica foi adicionada à radioterapia pélvica padrão para pacientes com estágios Ib e IIb.[16] No entanto, a taxa de sobrevida global em 5 anos foi superior para as pacientes que foram tratadas com quimioterapia e radiação pélvica, quando comparada às tratadas com radioterapia de campo alargado (73 versus 58%). Neste estudo, a quimiorradioterapia diminuiu a taxa de recidiva local e metástases a distância. A toxicidade aguda foi maior com quimiorradioterapia. Mas após acompanhamento médio de 43 meses, o número de complicações tardias foi semelhante.

Outro ensaio GOG relatado por Rose et al.[17] usou radioterapia em combinação com a cisplatina, ou cisplatina, 5-FU e hidroxiureia ou hidroxiureia em 575 pacientes com estágios IIb a IVa. As taxas de sobrevida dos dois grupos que receberam cisplatina (66 e 64%, respectivamente) foram superiores às do grupo tratado apenas com hidroxiureia concomitante (39%). A taxa de recidiva local foi significativamente menor nos grupos que receberam cisplatina, o que sugere que a quimioterapia estava agindo como um sensibilizador de radiação. A toxicidade da cisplatina como agente único foi significativamente menor que o regime de três drogas.[17]

Keys et al. relataram um estudo GOG que examinou se o regime de cisplatina semanal, na dose de 40 mg/m², por até 6 doses, na dose máxima semanal de 70 mg, durante o feixe externo de radioterapia melhora a sobrevida em comparação à radioterapia isolada em pacientes com câncer cervical em estágios Ib a IIa. Ambos os braços deste estudo incluíram a histerectomia complementar porque os resultados preliminares de um estudo randomizado anterior sugeriram uma menor taxa de recaída para as pacientes que receberam histerectomia adjuvante. Neste ensaio, o exame histopatológico demonstrou de forma significativa uma doença persistente menor nas amostras de pacientes que receberam a quimiorradioterapia. Diferenças significativas na sobrevida livre de doença e sobrevida global também ocorreram no braço de quimiorradioterapia, com taxas de sobrevida estimadas em 48 meses de 82 e 68%, respectivamente. Reações adversas mais frequentes foram leucopenia e toxicidade gastrointestinal com quimiorradioterapia, mas transitória.[18]

Finalmente, Peters et al. relataram os resultados de um estudo cooperativo do Grupo de Oncologia do Sudoeste-EUA, GOG e RTOG em pacientes selecionadas com estágios Ia2, Ib e IIa e que possuíam simultaneamente fatores de alto risco (metástase linfonodal, extensão parametrial ou margens comprometidas) após histerectomia radical. Duzentas e sessenta e oito pacientes foram randomizadas para receber radioterapia com cisplatina e 5-FU ou radioterapia isolada. Este estudo difere dos outros quatro estudos, pois as pacientes receberam dois ciclos de quimioterapia após a radioterapia, além dos dois ciclos dados concomitantemente com radioterapia pélvica. Neste ensaio, a taxa de sobrevida também foi melhor no grupo de pacientes que receberam quimiorradioterapia (81 versus 63%).[19]

Os resultados destes cinco ensaios foram significativamente consistentes, podendo ser o avanço mais importante no tratamento do câncer cervical nos últimos 50 anos. Isso levou o Instituto Nacional de Câncer dos Estados Unidos a recomendar que as pacientes necessitando de radioterapia, na abordagem do câncer da cérvice, devem receber quimioterapia concomitante baseada em cisplatina.[20]

Reafirmando tudo isso, Wang *et al.* publicaram em 2011 um estudo altamente relevante, que mostra o resultado de uma grande metanálise para comparar a efetividade e a segurança da quimiorradioterapia com a radioterapia isolada nos tumores localmente avançados (Quadro 4). As fontes de dados pesquisadas foram a biblioteca da Cochrane, Medline, EMBASE, banco de dados de literatura de biomedicina chinesa, banco de dados científico chinês, e banco de dados do jornal chinês para artigos relevantes. A busca por meio dos sistemas informatizados foi complementada com uma busca manual de listas de referências para todos os artigos de revisão disponíveis. A lista de referências dos estudos incluídos também foram revisadas. Foram incluídos 18 estudos envolvendo 3.517 pacientes. Os resultados da metanálise mostraram que a taxa de resposta e as taxas de sobrevida em 3 e 5 anos foram significativamente melhores nas pacientes no grupo quimiorradioterapia do que no grupo radioterapia isolada. Em relação aos efeitos adversos, evidências limitadas sugerem que não houve diferença significativa entre os dois grupos em relação a retite, cistite, náuseas e vômitos. Mas o grupo de quimiorradioterapia tem maiores taxas de incidência de complicações gastrointestinais, mielossupressão e leucopenia. Assim concluiu-se que a combinação de radioterapia e quimioterapia foi mais efetiva do que radioterapia isolada, sem complicações significativas.[21]

Após a consolidação desta terapia, passou-se a estudar outros agentes citotóxicos em combinação com a radioterapia, como carboplatina, paclitaxel, gencitabina e topotecano. A gencitabina tem apresentado resultados promissores, e a combinação de paclitaxel e carboplatina tem se mostrado segura e eficaz. Entretanto, até o momento nenhum agente ou combinação de agentes tem mostrado superioridade à cisplatina semanal.[12]

Agentes biológicos como o bevacizumab, cetuximab, sorafenib e erlotinibe estão sendo analisados em diferentes ensaios, em combinação com radioterapia e cisplatina. Celecoxib, um inibidor de COX-2, foi avaliado em um estudo RTOG em combinação com cisplatina e 5-FU e radioterapia sem efeito aparente na sobrevida livre de doença e baixos índices de controle locorregional.[12]

Um estudo recente de Veerasarn *et al.* randomizou 469 pacientes com estágios IIb a IIIb para receber tegafur-uracila e carboplatina concomitante com radioterapia padrão ou carboplatina isolada concomitante com radioterapia. Quimiorradioterapia concomitante com tegafur-uracila e carboplatina não mostrou diferença na taxa de resposta do tumor ou toxicidade ao tratamento quando comparada a carboplatina sozinha. A combinação de drogas pode ter benefícios em pacientes com prognóstico pobre como Hb < 10 gm/dL.[13]

Em conclusão, quimiorradioterapia baseada em platina é o tratamento padrão no carcinoma localmente avançado do colo do útero, garantindo um benefício significativo na sobrevida com baixa toxicidade e boa tolerância. A adição de novos agentes será estabelecida por ensaios clínicos em andamento.

■ TERAPIA NEOADJUVANTE

Até 1983, o carcinoma do colo do útero era considerado um tumor resistente à quimioterapia e, como tal, era tratado com quimioterapia apenas depois que todos os outros tratamentos falhavam.[22]

Logo após a descoberta de que o carcinoma da cérvice é um tumor quimiossensível[23] a estratégia de utilização de quimioterapia neoadjuvante (QTNA) seguida da cirurgia radical ou a radioterapia (RT) tem adquirido crescente interesse.[24]

Em 1983 Friedlander *et al.*[23] relataram o primeiro estudo com o uso da quimioterapia primária. As justificativas para o uso de quimioterapia neoadjuvante são diversas. A redução do tamanho do tumor pode diminuir a distorção pélvica e a massa tumoral e facilitar a posterior RT.[25,26] A redução de tamanho é também associada a uma simplificação dos procedimentos cirúrgicos e a eventual transformação do tumor inoperável em um tumor radicalmente operável.[27]

A quimioterapia neoadjuvante pode também aumentar a radiossensibilidade e diminuir a fração de células hipóxicas.[27-29] Alguns regimes, especialmente os baseados em platina, também atuam diretamente como potencializadores de radiação.[30] Outra vantagem é que a vascularização e consequente distribuição de medicamentos são melhores em um tecido não danificado, em comparação a um iatrogenicamente danificado, seja pela radioterapia ou cirurgia.[29,31] Para concluir, deve-se dizer que a resposta à QTNA é um fator prognóstico importante[32] e isso ajuda na decisão de abordagens terapêuticas sucessivas, seja cirurgia radical ou radioterapia.[27,30,33]

Quadro 4. Características dos estudos relatados por Wang *et al.*[4]

ESTUDO	PAÍS	PACIENTES (E/C)	IDADE	ESTÁGIO FIGO	TRATAMENTO (E/C)	ALOCAÇÃO OCULTA	DUPLO-CEGO	RANDOMIZAÇÃO
Ma *et al.*	China	46/41	49	Incerto	RT + CT(DDP)/RT	Adequado	Adequado	Adequado
Herod *et al.*	Inglaterra	86/86	47	Ib, IIa, IIb, IIIa, IIIb, Iva	RT + CT (DDP + BLM + IFO)/RT	Adequado	Adequado	Adequado
Fu *et al.*	China	50/50	55	III, IV	RT + CT(DDP + BLM)/RT	Incerto	Incerto	Adequado
Keys *et al.*	EUA	183/186	45	Ib	RT + CT(DDP)/RT	Adequado	Adequado	Adequado
Monk *et al.*	EUA	127/116	39	Ia, Ib, IIa	RT + CT(DDP + 5-Fu)/RT	Adequado	Adequado	Adequado
Morris *et al.*	EUA	195/193	47	Ib, IIa, IIb, III, Iva	RT + CT(DDP + 5Fu)/RT	Adequado	Adequado	Adequado
Nagy *et al.*	Romênia	282/284	46	IIb, IIIa, IIIb	RT + CT(DDP)/RT	Adequado	Adequado	Adequado
Pearcey *et al.*	Canadá	127/126	45	Ib, IIb, IIIb, Iva	RT + CT(DDP)/RT	Adequado	Adequado	Adequado
Peaters *et al.*	EUA	127/16	40	Ia, Ib, IIa	RT + CT(DDP + 5Fu)/RT	Adequado	Adequado	Adequado
Stehman *et al.*	EUA	183/186	43	IB2	RT + CT(DDP)/RT	Adequado	Adequado	Adequado
Yang *et al.*	China	30/25	54	IIb, III, IV	RT + CT(DDP + VP-16)/RT	Inadequado	Incerto	Adequado
Fu *et al.*	China	33/33	50	III, IV	RT + CT(DDP + 5Fu)/RT	Adequado	Adequado	Adequado
Wang *et al.*	China	42/36	50	IIb, III, IVa	RT + CT(DDP + CF + 5Fu)/RT	Incerto	Incerto	Adequado
Chen *et al.*	China	88/88	49	IIa, IIIa, IIIb	RT + CT(DDP + 5Fu)/RT	Incerto	Incerto	Adequado
Chen e Xu	China	40/34	56	IIa, IIIa, IIIb	RT + CT(DDP)/RT	Incerto	Incerto	Adequado
Yazigi *et al.*	Chile	36/38	50	IIIb	RT + CT(a-2b)/RT	Adequado	Adequado	Adequado
Gao *et al.*	China	42/50	50	IIb, III	RT + CT(DDP + 5Fu)/RT	Incerto	Incerto	Adequado
Lu *et al.*	China	32/25	47	Incerto	RT + CT(DDP + 5Fu)/RT	Incerto	Incerto	Adequado

E = grupo de experimento; C = grupo-controle; DDP = cisplatina; BLN = bleomicina; IFO = ifosfamida; VP-16 = etoposide; CF = folinato de cálcio; a-2b = interferon a-2b.

Vários estudos-piloto foram e estão sendo realizados sobre quimioterapia neoadjuvante em pacientes com câncer cervical. Uma extensa revisão desses estudos tem sido relatada em diversos artigos que serão citados a seguir.

Ensaios randomizados investigando quimioterapia neoadjuvante seguida de radioterapia demonstraram a ausência de benefício desta estratégia em relação à terapia de radiação isolada.[34] Resultados divergentes têm sido obtidos por estudos analisando QTNA seguida por cirurgia radical.[26,35-37] Alguns mostraram um significativo aumento da sobrevida em pacientes submetidas à quimioterapia neoadjuvante e cirurgia em comparação àquelas tratadas com radioterapia isolada.[26,38,39]

De particular interesse são os resultados apresentados por uma metanálise realizada pelo Grupo Europeu de Colaboração de Metanálises de Quimioterapia Neoadjuvante para Câncer Cervical Localmente Avançado. Neste estudo, duas diferentes comparações foram feitas: quimioterapia neoadjuvante seguida de radioterapia comparada a radioterapia isolada e quimiorradioterapia neoadjuvante seguida de cirurgia radical, em comparação a radioterapia isolada.[40]

A primeira comparação foi capaz de demonstrar que os ensaios com duração de ciclos de quimioterapia de 14 dias ou menores e intensidade de dose de cisplatina maior ou igual a 25 mg/m^2 por semana tendem a mostrar uma vantagem para quimioterapia neoadjuvante na sobrevida. Em contraste, os ensaios com duração de ciclo de mais de 14 dias, ou dose de cisplatina mais baixa do que 25 mg/m^2 por semana tenderam a apresentar efeitos nocivos da quimioterapia neoadjuvante na sobrevida. A segunda comparação mostrou uma redução muito significativa no risco de morte com quimioterapia neoadjuvante seguida de cirurgia. A maioria dos autores concorda que cisplatina representa um medicamento fundamental para o tratamento desta neoplasia, mesmo que nenhuma comparação entre a cisplatina com outros compostos baseados em platina tenha sido avaliada.[41]

Em 1985, uma comparação entre três diferentes regimes de dose da cisplatina foi estudada. Os pacientes foram randomizados para cisplatina 50 mg/m^2 21 dias, 100 mg/m^2 a cada 21 dias, e 20 mg/m^2 5 dias consecutivos a cada 21 dias. O esquema de 100 mg/m^2 obteve taxas de resposta significativamente maiores, quando comparado ao de 50 mg/m^2, mas decorrente da ausência de um benefício na sobrevida e um aumento de toxicidade, os resultados foram interpretados em favor deste último regime.

Em um ensaio GOG[42] as pacientes foram randomizadas para receber cisplatina 50 mg/m^2 ou a mesma dose de cisplatina mais mitolactol (C + M) 180 mg/m^2 por via oral nos dias 2 a 6 ou cisplatina mais ifosfamida 5 g/m^2 em infusão por 24 h com mesna 6 g/m^2 por 12 h após a infusão de ifosfamida a cada 3 semanas por até seis cursos. A resposta objetiva documentada foi de 19% nos pacientes no braço de cisplatina isolada *versus* 36% no braço de combinação (p = 0,002). Houve um significativo aumento na sobrevida livre de doença em pacientes tratados no braço de combinação. Isso não se traduziu em um aumento na sobrevida global. Em pacientes não tratados com QTRT primária, mas sim com a quimioterapia, houve um discreto, mas não significativo benefício no braço de quimioterapia combinada.

Resultados semelhantes foram relatados por Moore[43] sobre a adição de paclitaxel a cisplatina.

Recentemente, Long *et al.*[44] relataram os resultados obtidos em um ensaio randomizado controlado comparando cisplatina como agente único a cisplatina e topotecan. Este estudo é de extremo interesse, porque demonstra, pela primeira vez, uma vantagem significativa em termos de sobrevida de regimes combinados, em comparação a cisplatina isolada. Além disso, uma análise cuidadosa realizada desses pacientes por Monk *et al.*[45] demonstrou que a qualidade de vida não era modificada de forma relevante pela adoção de uma combinação de esquemas.

Nas pacientes que irão submeter-se a QTNA seguida de cirurgia, deve-se ter um cuidado especial ao analisar os dados do ensaio, pois o objetivo primário de quimioterapia neste cenário é o aumento taxa de operabilidade. De fato, submeter-se à cirurgia após quimioterapia representa um dos fatores prognósticos mais importantes.[46,47]

Em todos os ensaios anteriormente mencionados, os clones resistentes à quimioterapia não foram removidos após ou durante a quimioterapia e isto provavelmente justifica os resultados de sobrevida relativamente pobres, em comparação ao aumento na resposta clínica objetiva.

Em um cenário neoadjuvante, resposta tumoral local é extremamente importante, pois determina a possibilidade de submeter a paciente à cirurgia radical.

Quando se analisam os diferentes regimes de quimioterapia neoadjuvante, duas considerações importantes podem ser extraídas da literatura atual. Em primeiro lugar, de extremo interesse são os resultados obtidos pela metanálise randomizada sobre quimioterapia neoadjuvante seguida de radioterapia.[40] Esta metanálise mostra um possível benefício da quimioterapia neoadjuvante seguida de radioterapia de regimes curtos e intensos. Esta observação é de particular importância quando as pacientes, considerando o alto risco de não serem passíveis de cirurgia, mesmo após a quimioterapia neoadjuvante terão como tratamento definitivo a radioterapia.

Um segundo estudo importante, realizado na Itália, é *Studio Neoadjuvante Portio* SNAP-01.[48] Este estudo comparou cisplatina e ifosfamida com cisplatina, ifosfamida e paclitaxel (TIP). O estudo foi desenhado para identificar possível benefício no braço das três drogas em termos da resposta. O esquema TIP demonstrou melhorar as taxas de resposta, mas não demonstrou tendência de aumento de sobrevida significativa. Um estudo comparando cisplatina e ifosfamida com cisplatina e paclitaxel e com paclitaxel isolado está atualmente em curso.

Finalmente, embora não seja padrão ouro de tratamento de acordo com a literatura, associação de cisplatina com paclitaxel e ifosfamida ou com paclitaxel ou topotecan parecem escolhas razoáveis.

A quimioterapia neoadjuvante seguida de cirurgia radical representa assim uma alternativa válida à quimiorradioterapia concomitante em pacientes afetados por câncer localmente avançado do colo do útero. Em locais mais remotos onde não se dispõem de aparelhos de radioterapia, esta modalidade terapêutica pode representar uma boa opção. Para ser considerada uma opção terapêutica nas pacientes localmente avançadas, QTNA seguida de cirurgia deve ser comparada ao padrão atual de tratamento que é QTRT.

No entanto, não houve nenhum estudo randomizado comparando QTNA com QTRT concluído até momento. Portanto, a comparação pode ser feita apenas indiretamente com a análise paralela de estudos relatados. Considerando um estudo com pacientes com estágio Ib2, o intervalo livre de doença em 3 anos e as taxas de sobrevida global foram comparáveis aos resultados anteriores da QTRT (81 e 91% *versus* 78 e 83%, respectivamente).[49]

A sobrevida global das pacientes (Ib2 a IVa) tratadas com a estratégia neoadjuvante nos estudos anteriores foi comparável aos resultados da QTRT (63-71 *versus* 63-73%, respectivamente).[14,17,26,40,48,50,51]

Uma análise que comparou dois estudos de fase II de QTNA seguida de cirurgia *versus* tratamento padrão de QTRT baseado em platinas também mostrou que a quimioterapia neoadjuvante é pelo menos tão eficaz em termos de resposta e sobrevida quanto o padrão QTRT.[52]

Um estudo lançado pela Organização Europeia para a Investigação e Tratamento do Câncer (EORTC) compara QTNA seguida de cirurgia com QTRT concomitante. O EORTC 55994 está recrutando pacientes com estadiamento FIGO Ib2, IIa e II com *performance status* 0-2, idade de 18-75 anos e qualquer histologia (carcinoma epidermoide, adenocarcinoma ou carcinoma adenoescamoso).[53]

As pacientes são randomizadas para receber quimioterapia neoadjuvante baseada em cisplatina seguida de histerectomia ou receber QTRT. A QTNA deve incluir uma dose mínima total de 225 mg/m^2, com uma intensidade de dose de, pelo menos, 25 mg/m^2 por semana, e a dose final deve ser administrada o mais tardar até 8ª semana. O braço QTRT consiste na dosagem padrão de cisplatina em 40 mg/m^2 por semana durante 6 semanas, concomitantemente com radioterapia (45-50 Gy).

Este estudo foi iniciado em 2002 com um acréscimo previsto de 686 pacientes e conclusão prevista para 2013. Até agora, cerca de metade das pacientes foi recrutada.

Os Estados Unidos, por meio da NTC, patrocinam um estudo na Índia também comparando quimioterapia neoadjuvante e cirurgia *versus* quimiorradioterapia. Este teve início em 2007 e está em fase de conclusão.[54]

Como os estudos estão em andamento, aguardamos os resultados com interesse, pois a comparação de QTNA seguida de cirurgia com QTRT por meio desses protocolos pode desenhar uma nova linha de tratamento a ser adotada com segurança e eficácia.

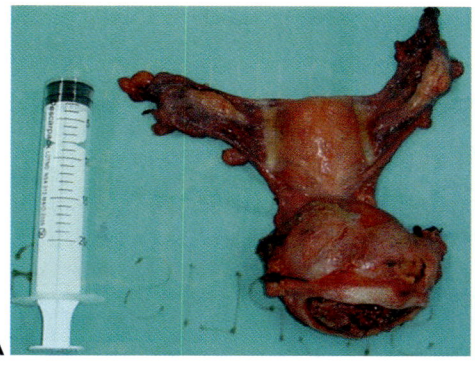 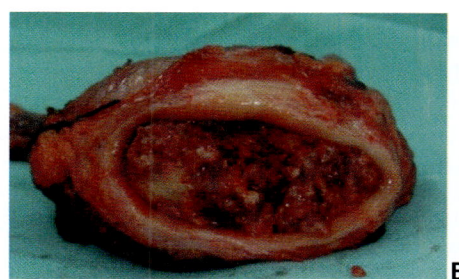 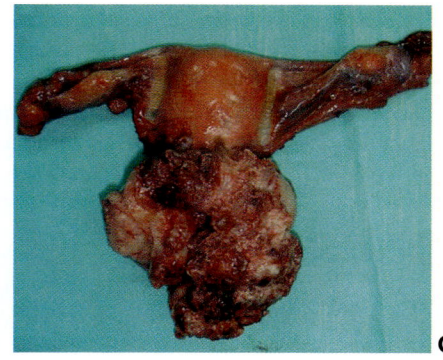

▲ **FIGURA 2. (A)** Peça cirúrgica de HTA III após quimioterapia neoadjuvante – EC IIIb. **(B)** A mesma peça com visão do tumor através da vagina. **(C)** Após rebater a vagina para visualizar o tamanho do tumor.

Em nosso serviço está sendo desenvolvido um protocolo de estudo para tumores IIb a IVa. As pacientes são submetidas a três ciclos de quimioterapia neoadjuvante. O esquema quimioterápico a ser aplicado foi descrito por Buda et al.[49] como eficaz e bem tolerado, e consta de ifosfamida 5.000 mg/m² diluídos em 1.000 mL de solução salina, a serem administrados em 24 h por bomba infusora (D1 a D2). A infusão da ifosfamida será precedida por infusão rápida de *bolus* de mesna (uroprotetor) na dose de 1.000 mg/m², e acompanhada por infusão concomitante de mesna (em 48 h - D1 a D3) na dose de 5.000 mg/m². No D2, ao final da infusão da ifosfamida, será administrada infusão de cisplatina 100 mg/m² em 2 h, concomitante a manitol 20% 200 mL intravenoso. Ao término da quimioterapia, as pacientes são reavaliadas pela equipe de cirurgia oncológica, após exame físico constata-se existência ou não de margem cirúrgica parametrial. Caso exista a possibilidade cirúrgica, indica-se em 4 semanas cirurgia radical, na inexistência de ressecabilidade as pacientes recebem radioterapia complementar. Após a cirurgia radical oferece-se radioterapia nos casos de comprometimento linfonodal ou margens positivas. Embora o estudo ainda seja muito preliminar, observamos que a ressecabilidade cirúrgica atinge quase a totalidade das pacientes e com margens negativas (Fig. 2).

GESTAÇÃO NO CÂNCER LOCALMENTE AVANÇADO

O câncer de colo de útero é um dos cânceres mais danosos que afetam mulheres em idade fértil, especialmente em países em desenvolvimento. Aproximadamente 2% desses tumores ocorrem em mulheres grávidas, sendo metade dos casos descobertos no puerpério, 30% durante o parto, e apenas 20% no período pré-natal.[55] Isto torna esta neoplasia uma das malignidades mais comuns durante a gestação, com incidência estimada de aproximadamente um caso por 1.000 a 2.500 nascidos vivos.[55-60]

Apesar de estudos retrospectivos não revelarem diferença no prognóstico das pacientes grávidas em comparação às não grávidas, os dados são limitados, especialmente quanto ao seguimento de longo prazo.

Alguns autores têm publicado resultados de atrasos deliberados para o tratamento radical (cirurgia com ou sem tratamento adjuvante e quimiorradioterapia) com o intuito de alcançar a maturidade fetal.[60-63] Sugere-se evitar o atraso no tratamento para pacientes com tumor maior que 4 cm ou com linfonodos positivos. A avaliação linfonodal pode ser realizada por via laparoscópica.[64]

A dificuldade de fazer predições sobre o prognóstico gera incertezas para pacientes e médicos.

Apesar do risco teratogênico da quimioterapia isolada (7 a 17%) ou em combinação (até 25%) quando aplicada no primeiro trimestre da gestação, o risco de complicações fetais ao nascimento quando a quimioterapia é administrada no segundo ou terceiro semestre é similar ao da população de grávidas em geral (1 a 2%).[65,66] As complicações fetais mais comumente relacionadas ao tratamento quimioterápico no segundo e terceiro trimestres são crescimento intrauterino retardado, prematuridade e baixo peso ao nascer. Neutropenia transitória no recém-nascido é uma reação adversa conhecida. Por isso recomenda-se que a última aplicação de quimioterapia preceda em, pelo menos, 3 semanas a data planejada do parto.

Encorajados por estes resultados, alguns autores relataram suas experiências com o uso de quimioterapia neoadjuvante para o tratamento de mulheres grávidas, com o intuito de atingir regressão tumoral ou estabilização enquanto se aguarda a viabilidade fetal.

Até a presente data, encontramos dados disponíveis de 18 casos na literatura mundial.[67,68] A análise dos casos relatados até o momento revela que a maioria das pacientes apresentava neoplasia do tipo histológico carcinoma de células escamosas e foram estadiadas como I ou II. Em média três ciclos de quimioterapia foram administrados durante a gravidez. A cisplatina foi o quimioterápico mais utilizado, comumente associado a vincristina ou paclitaxel. A quimioterapia neoadjuvante foi eficaz em todos os casos para atingir a viabilidade fetal, e não foram relatadas complicações nos recém-nascidos. Revelou-se também eficiente em reduzir ou estabilizar a neoplasia em todos os casos, com exceção de um. Onze das 18 pacientes encontravam-se sem evidência da doença até o momento dos relatos de casos.[68]

Portanto, para tumores localmente avançados, quimioterapia neoadjuvante durante a gestação, aguardando o nascimento fetal, com cirurgia radical realizada logo após o parto pode ser uma opção terapêutica segura. Uma vez que se evita o abortamento, garante-se o nascimento de fetos viáveis, e acima de tudo garante-se o tratamento oncológico adequado à mãe (Fig. 3).

TUMORES ESTÁGIO IVA

A exenteração pélvica foi inicialmente descrita pelo Dr. Alexandre Brunschwig, em 1948, primeiramente como um tratamento paliativo para câncer pélvico avançado.[69] Enquanto a taxa de mortalidade operatória de 23% foi extremamente alta, também tiveram vários pacientes vivos em longo prazo, indicando um potencial para ir além do paliativo. Desde então, a exenteração evoluiu para uma terapia de resgate potencialmente curativa para recidiva pélvica central após a radioterapia.[70]

Nos últimos 50 anos, com o advento da mais cuidadosa seleção das pacientes, técnicas cirúrgicas avançadas e melhora da terapia intensiva no pós-operatório fizeram as taxas de mortalidade operatória drasticamente diminuírem para 0-5,3%.[71]

Apesar de sua natureza agressiva e alta morbidade, a exenteração pélvica permanece justificada na neoplasia pélvica localmente avançada ou mesmo na recidiva pélvica isolada, pois pode conferir maior controle da neoplasia em longo prazo.[72]

A modalidade que também pode ser utilizada aqui é a radioterapia intracavitária, com radioterapia pélvica associada à quimioterapia com cisplatina ou cisplatina e 5-FU.[14,73,74] A braquiterapia de alta dose (HDR) está sendo rapidamente substituída pela de baixa dose (LDR).

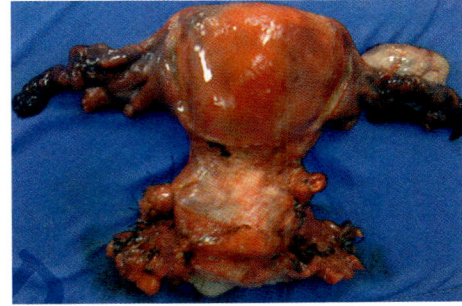

◀ **FIGURA 3.** Peça cirúrgica de HTA III após quimioterapia neoadjuvante durante gestação. Paciente teve parto normal 1 semana antes – EC IIb.[68]

Em três estudos randomizados a braquiterapia de alta dose foi comparável à de baixa dose em termos de controle locorregional e taxas de complicação.[75,76]

Assim a Sociedade Americana de Braquiterapia publicou as diretrizes para a utilização da LDR e HDR como um componente do tratamento do câncer cervical IVa.[76-78]

REFERÊNCIAS BIBLIOGRÁFICAS

1. WHO. World Health Organization Report: comprehensive cervical cancer control: a guide to essential practice. Disponível em: www.who.int/reproductive-health/publications/cervical_cancer_gep/index.htm
2. Parkin M, Bray F. The burden of HPV-related cancers. *Vaccine* 2006;24(Suppl 3):S11-25.
3. Campo M *et al.* Update on novel therapeutic agents for cervical cancer. *Gynecol Oncol* 2008;110:S72-76.
4. Wang X, Liu R, Ma B *et al.* High dose rate versus low dose rate intracavity brachytherapy for locally advanced uterine cervix cancer. *Cochrane Database of Syst Rev* 2010;(7):CD007563. DOI: 10.1002/14651858.CD007563.pub2.
5. Franckena M, Stalpers LJ, Koper PC *et al.* Long-term improvement in treatment outcome after radiotherapy and hyperthermia in locoregionally advanced cervix cancer: an update of the dutch deep hyperthermia trial. *Int J Radiat Oncol Biol Phys* 2008;70:1176.
6. Coelho FRG, Soares FA, Focchi J *et al. Câncer do colo do útero*. São Paulo, SP: Tecmedd, 2008. p. 502.
7. Lowrey GC, Mendenhall WM, Million RR. Stage IB or IIA-B carcinoma of the intact uterine cervix treated with irradiation: a multivariate analysis. *Int J Radiat Oncol Biol Phys* 1992;24(2):205-10.
8. Perez CA, Grigsby PW, Nene SM *et al.* Effect of tumor size on the prognosis of carcinoma of the uterine cervix treated with irradiation alone. *Cancer* 1992;69(11):2796-806.
9. Horiot JC, Pigneux J, Pourquier H *et al.* Radiotherapy alone in carcinoma of the intact uterine cervix according to G. H. Fletcher guidelines: a French cooperative study of 1383 cases. *Int J Radiat Oncol Biol Phys* 1988;14(4):605-11.
10. Lanciano RM, Won M, Coia L *et al.* Pretreatment and treatment factors associated with improved outcome in squamous cell carcinoma of the uterine cervix: a final report of the 1973 and 1978 patterns of care studies. *Int J Radiat Oncol Biol Phys* 1991;20(4):667-76.
11. Annual report on the results of treatment in gynecological cancer. In: Pettersson F. (Ed.). *International federation of gynecology and obstetrics*. Stockholm: Radium Hemmet, 1994.
12. Gonzalez-Cortijo L, Carballo N, Gonzalez-Martin A *et al.* Novel chemotherapy approaches in chemoradiation protocols. *Gynecol Oncol* 2008;110:S45-48.
13. Veerasarn V, Lorvidhaya V, Kamnerdsupaphon P *et al.* A randomized phase III trial of concurrent chemoradiotherapy in locally advanced cervical cancer: preliminary results. *Gynecol Oncol* 2007;104:15-23.
14. Whitney CW, Sause W, Bundy BN *et al.* Randomized comparison of fluorouracil plus cisplatin versus hydroxyurea as an adjunct to radiation therapy in stages IIB–IVA carcinoma of the cervix with negative paraaortic lymph nodes: a Gynecologic Oncology Group and Southwest Oncology Group study. *J Clin Oncol* 1999;17(5):1339-48.
15. Morris M, Eifel PJ, Lu J *et al.* Pelvic radiation with concurrent chemotherapy compared with pelvic and paraaortic radiation for highrisk cervical cancer. *N Engl J Med* 1999;340(15):1137-43.
16. Rotman M, Pajak M, Choi K *et al.* Prophylactic extended-field irradiation of para-aortic lymph nodes in stages IIB and bulky IB and IIA cervical carcinomas: ten-year treatment results of RTOG 79-20. *JAMA* 1995;274(5):387-93.
17. Rose PG, Bundy BN, Watkins EB *et al.* Concurrent cisplatin-based chemotherapy and radiotherapy for locally advanced cervical cancer. *N Engl J Med* 1999;340(15):1144-53.
18. Keys HM, Bundy BN, Stehman FB *et al.* Cisplatin, radiation, and adjuvant hysterectomy for bulky stage IB cervical carcinoma. *N Engl J Med* 1999;340(15):1154-61.
19. Peters WAI, Liu PY, Barrett R *et al.* Cisplatin, 5-fluorouracil plus radiation therapy are superior to radiation therapy as adjunctive therapy in high-risk, early-stage carcinoma of the cervix after radical hysterectomy and pelvic lymphadenectomy: report of a phase III Intergroup study. *Gynecol Oncol* 1999;72(3):443.
20. Follen M, Tortolero-Luna G, Vlastos AT *et al.* Câncer de colo de útero e lesões precursoras. In: Pollock R, Doroshow JH, Khayat D. (Ed.). *Manual de oncologia clínica UICC*. 8. ed. São Paulo, SP: Fundação Oncocentro de São Paulo, 2006. p. 551.
21. Wang N, Guan QL, Wang K *et al.* Radiochemotherapy versus radiotherapy in locally advanced cervical cancer: a meta-analysis. *Arch Gynecol Obstet* 2011;283:103-8.
22. Benedetti-Panici P, Bellati F, Pastore M *et al.* An update in neoadjuvant chemotherapy in cervical cancer. *Gynecol Oncol* 2007;107(1 Suppl 1):20-22.
23. Friedlander M, Kate SB, Sullivan A *et al.* Cervical carcinoma: a drug-responsive tumour—experience with combined cisplatin, vinblastine, and bleomycin therapy. *Gynecol Oncol* 1983;16:275-81.
24. Friedlander ML, Atkinson K, Coppleson JV *et al.* The integration of chemotherapy into the management of locally advanced cervical cancer: a pilot study. *Gynecol Oncol* 1984;19(1):1-7.
25. Sardi JE, di Paola GR, Cachau A *et al.* Possible new trend in the management of the carcinoma of the cervix uteri. *Gynecol Oncol* 1986;25(2):139-49.
26. Benedetti-Panici P, Greggi S, Colombo A *et al.* Neoadjuvant chemotherapy and radical surgery versus exclusively radiotherapy in locally advanced squamous cell cervical cancer: results from the Italian multi-centre randomised study. *J Clin Oncol* 2002 Jan. 1;20(1):179-88.
27. Sardi J, Sananes C, Giaroli A *et al.* Neoadjuvant chemotherapy in locally advanced carcinoma of the cervix uteri. *Gynecol Oncol* 1990;38(3):486-93.
28. Souhami L, Gill RA, Allan SE *et al.* A randomized trial of chemotherapy followed by radiation therapy in stage IIIB carcinoma of the cervix. *JCO* 1991;9(6):970-77.
29. Eddy GL. Neoadjuvant chemotherapy before surgery in cervical cancer. *J Natl Cancer Inst Monogr* 1996;(21):93-99.
30. Muss HB, Jobson VW, Homesley HD *et al.* Neoadjuvant therapy for advanced squamous cell carcinoma of the cervix: cisplatin followed by radiation therapy—a pilot study of the Gynecologic Oncology Group. *Gynecol Oncol* 1987;26(1):35-40.
31. Tokuhashi Y, Kikkawa F, Ishikawa H *et al.* Distribution of platinum in human gynecologic tissues and pelvic lymph nodes after administration of cisplatin. *Gynecol Obstet Invest* 1997;44(4):270-74.
32. Benedetti Panici P, Greggi S, Scambia G *et al.* Long term survival following neoadjuvant chemotherapy and radical surgery in locally advanced cervical cancer. *Eur J Cancer* 1998;34:341-46.
33. Benedetti-Panici PL, Zullo MA, Muzii L *et al.* The role of neoadjuvant chemotherapy followed by radical surgery in the treatment of locally advanced cervical cancer. *Eur J Gynaecol Oncol* 2003;24(6):467-70.
34. Tierney JF, Stewart LA. Can the published data tell us about the effectiveness of neoadjuvant chemotherapy for locally advanced cancer of the uterine cervix? *Eur J Cancer* 1999;35(3):406-9.
35. Chang TC, Lai CH, Hong JH *et al.* Randomized trial of neoadjuvant cisplatin, vincristine, bleomycin, and radical hysterectomy versus radiation therapy for bulky stage IB and IIA cervical cancer. *J Clin Oncol* 2000;18(8):1740-47.
36. Sardi J, Sananes CE, Giaroli A *et al.* Neoadjuvant chemotherapy in cervical carcinoma stage IIB: a randomized controlled trial. *Int J Gynecol Cancer* 1998;8:441-50.
37. Sardi J, Sananes C, Giaroli A *et al.* Results of a prospective randomized trial with neoadjuvant chemotherapy in stage IB, bulky, squamous carcinoma of the cervix. *Gynecol Oncol* 1993;49(2):156-65.
38. Sardi JE. Phase II trial with neoadjuvant chemotherapy. *Gynecol Oncol* 1996;62(2):321-22.
39. Sananes C, Giaroli A, Soderini A *et al.* Neoadjuvant chemotherapy followed by radical hysterectomy and postoperative adjuvant chemotherapy in the treatment of carcinoma of the cervix uteri: long-term follow-up of a pilot study. *Eur J Gynaecol Oncol* 1998;19(4):368-73.
40. Tierney J. Neoadjuvant chemotherapy for locally advanced cervical cancer: a systematic review and meta-analysis of individual patient data from 21 randomised trials. *Eur J Cancer* 2003;39:2470-86.
41. Heaton D, Yordan E, Reddy S *et al.* Treatment of 29 patients with bulky squamous cell carcinoma of the cervix with simultaneous cisplatin, 5-fluorouracil, and split-course hyperfractionated radiation therapy. *Gynecol Oncol* 1990;38(3):323-27.
42. Omura GA. Current status of chemotherapy for cancer of the cervix. *Oncology* 1992;6(4):27-32.
43. Lanciano R, Calkins A, Bundy BN *et al.* Randomized comparison of weekly cisplatin or protracted venous infusion of fluorouracil in combination with pelvic radiation in advanced cervix cancer: a Gynecologic Oncology Group study. *J Clin Oncol* 2005 Nov. 20;23(33):8289-95.
44. Long III HJ, Bundy BN, Grendys Jr EC *et al.* Randomized phase III trial of cisplatin with or without topotecan in carcinoma of the uterine cervix: a Gynecologic Oncology Group study. *J Clin Oncol* 2005 July 20;23(21):4626-33.

45. Tewari KS, Monk BJ. Gynecologic oncology group trials of chemotherapy for metastatic and recurrent cervical cancer. *Curr Oncol Rep* 2005;7(6):419-34.
46. Dowdy SC, Boardman CH, Wilson TO *et al.* Multimodal therapy including neoadjuvant methotrexate, vinblastine, doxorubicin, and cisplatin (MVAC) for stage IIB to IV cervical cancer. *Am J Obstet Gynecol* 2002;186(6):1167-73.
47. Benedetti Panici PL, Bellati F, Manci N *et al.* Neoadjuvant chemotherapy followed by radical surgery in patients affected by FIGO stage IV A cervical cancer. *Ann Surg Oncol* 2007 Sept.;14(9):2643-48.
48. Buda A, Fossati R, Colombo N *et al.* Randomized trial of neoadjuvant chemotherapy comparing paclitaxel, ifosfamide, and cisplatin with ifosfamide and cisplatin followed by radical surgery in patients with locally advanced squamous cell cervical carcinoma: the SNAP01 (Studio Neo-Adiuvante Portio) Italian Collaborative Study. *J Clin Oncol* 2005;23(18):4137-45.
49. Bae JH *et al.* Neoadjuvant cisplatin and etoposide followed by radical hysterectomy for stage 1B–2B cervical cancer. *Gynecol Oncol* 2008;111:444-48.
50. Morris M, Eifel PJ, Lu J *et al.* Pelvic radiation with concurrent chemotherapy compared with pelvic and para-aortic radiation for highrisk cervical cancer. *N Engl J Med* 1999;340:1137-43.
51. Chen H *et al.* Clinical efficacy of modified preoperative neoadjuvant chemotherapy in the treatment of locally advanced (stage IB2 to IIB) cervical cancer: a randomized study. *Gynecol Oncol* 2008;110:308-15.
52. Duenas-Gonzalez A, Lopez-Graniel C, Gonzalez-Enciso A *et al.* Concomitant chemoradiation versus neoadjuvant chemotherapy in locally advanced cervical carcinoma: results from two consecutive phase II studies. *Ann Oncol* 2002;13:1212-19.
53. Protocolo EORTC 55994. Acesso em: 15 Maio 2011. Disponível em: http://www.eortc.be/protoc/details.asp?protocol=55994
54. Protocolo NCT 00193739. Acesso em: 15 Maio 2011. Disponível em: http://data.linkedct.org/page/trials/NCT00193739
55. Smith LH, Dalrymple JL, Leiserowitz GS *et al.* Obstetrical deliveries associated with maternal malignancy in California, 1992 through 1997. *Am J Obstet Gynecol* 2001;184:1504-13.
56. Creasman WT. Cancer and pregnancy. *Ann N Y Acad Sci* 2001;943:281.
57. Nguyen C, Montz FJ, Bristow RE. Management of stage I cervical cancer in pregnancy. *Obstet Gynecol Surv* 2000;55:633.
58. Smith LH, Danielsen B, Allen ME *et al.* Cancer associated with obstetric delivery: results of linkage with the California cancer registry. *Am J Obstet Gynecol* 2003;189:1128.
59. Van Calsteren K, Vergote I, Amant F. Cervical neoplasia during pregnancy: diagnosis, management and prognosis. *Best Pract Res Clin Obstet Gynaecol* 2005;19:611.
60. Sood AK, Sorosky JI, Krogman S *et al.* Surgical management of cervical cancer complicating pregnancy: a case-control study. *Gynecol Oncol* 1996;63:294-98.
61. Ishioka S, Ezaka Y, Endo T *et al.* Outcomes of planned delivery delay in pregnant patients with invasive gynecologic cancer. *Int J Clin Oncol* 2009 Aug.;14(4):321-25.
62. Germann N, Haie-Meder C, Morice P *et al.* Management and clinical outcomes of pregnant patients with invasive cervical cancer. *Ann Oncol* 2005;16:397.
63. Favero G, Chiantera V, Oleszczuk A *et al.* Invasive cervical cancer during pregnancy: laparoscopic nodal evaluation before oncologic treatment delay. *Gynecol Oncol* 2010 Aug. 1;118(2):123-27.
64. Weisz B, Schiff E, Lishner M. Cancer in pregnancy: maternal and fetal implications. *Hum Reprod Update* 2001;7:384-93.
65. Cardonick E, Iacobucci A. Use of chemotherapy during human pregnancy. *Lancet Oncol* 2004;5:283.
66. Palaia I, Pernice M, Graziano M *et al.* Neoadjuvant chemotherapy plus radical surgery in locally advanced cervical cancer during pregnancy: a case report. *Am J Obstet Gynecol* 2007;197:5.
67. Boyd A, Cowie V, Gourley C. The use of cisplatin to treat advanced-stage cervical cancer during pregnancy allows fetal development and prevents cancer progression: report of a case and review of the literature. *Int J Gynecol Cancer* 2009;19(2):273-76.
68. Fonseca AJ, Benetta ACD, Ferreira LP *et al.* Quimioterapia neoadjuvante seguida de cirurgia radical em paciente grávida com câncer de colo de útero: relato de caso e revisão de literatura. *Rev Bras Ginecol Obstet* In Press 2011.
69. Brunschwig A. Complete excision of pelvic viscera for advanced carcinoma. *Cancer* 1948;1:177-83.
70. Hatch KD, Berek JS. Pelvic exenteration. In: Berek JS, Hacker NF. (Eds.). Practical gynecologic oncology. 4. ed. Philadelphia: Lippincott Williams and Wilkins, 2005. p. 801-16.
71. Berek JS, Howe C, Lagasse LD *et al.* Pelvic exenteration for recurrent gynecologic malignancy: Survival and morbidity analysis of the 45-year experience at UCLA. *Gynecol Oncol* 2005;99:153-59.
72. Costa SRP, Antunes RCP, Lupinacci RA. A exenteração pélvica para o tratamento da neoplasia pélvica localmente avançada e recorrente: experiência de 54 casos operados. *Einstein* 2008;6(3):302-10.
73. Thomas GM. Improved treatment for cervical cancer: concurrent chemotherapy and radiotherapy. *N Engl J Med* 1999;340(15):1198-200.
74. Monk BJ, Tewari KS, Koh WJ. Multimodality therapy for locally advanced cervical carcinoma: state of the art and future directions. *J Clin Oncol* 2007;25(20):2952-65.
75. Patel FD, Sharma SC, Negi PS *et al.* Low dose rate vs. high dose rate brachytherapy in the treatment of carcinoma of the uterine cervix: a clinical trial. *Int J Radiat Oncol Biol Phys* 1994;28(2):335-41.
76. Lertsanguansinchai P, Lertbutsayanukul C, Shotelersuk K *et al.* Phase III randomized trial comparing LDR and HDR brachytherapy in treatment of cervical carcinoma. *Int J Radiat Oncol Biol Phys* 2004;59(5):1424-31.
77. Nag S, Chao C, Erickson B *et al.* The American Brachytherapy Society recommendations for low-dose-rate brachytherapy for carcinoma of the cervix. *Int J Radiat Oncol Biol Phys* 2002;52(1):33-48.
78. Nag S, Erickson B, Thomadsen B *et al.* The American Brachytherapy Society recommendations for high-dose-rate brachytherapy for carcinoma of the cervix. *Int J Radiat Oncol Biol Phys* 2000;48(1):201-11.

CAPÍTULO 163

Câncer de Corpo Uterino

163-1 Câncer de Endométrio

Glauco Baiocchi Neto ■ Carlos Chaves Faloppa

INTRODUÇÃO

O câncer do endométrio é a 7ª causa de câncer no mundo, sendo diagnosticados cerca de 200 mil casos novos por ano.[1] É ainda a neoplasia do trato genital feminino mais frequente nos países desenvolvidos. Nos Estados Unidos foram estimados 47.130 casos novos de câncer de corpo de útero em 2012, sendo responsável por 8.010 óbitos.[2]

O câncer de endométrio usualmente ocorre em mulheres na pós-menopausa, com mediana de idade de 60 anos. Cerca de 20% dos casos são diagnosticados em mulheres entre 40-50 anos e apenas 5% em mulheres com idade abaixo de 40 anos.[3,4]

Na grande maioria dos casos, o diagnóstico é feito em estágios iniciais e com doença restrita ao útero. Apesar do prognóstico geralmente favorável, algumas pacientes podem apresentar tumores agressivos como neoplasias de alto grau, invasão profunda miometrial ou histologias não endometrioides.[4]

Os fatores prognósticos incluem idade, raça, estágio, grau, profundidade de invasão miometrial, tamanho do tumor e tipo histológico.[5] O principal fator de risco para o câncer de endométrio é a exposição ao estrogênio sem oposição da progesterona. Estudos caso-controle sugerem que o risco de desenvolver câncer de endométrio é de 2 a 10 vezes para mulheres que usam estrogênio sem oposição da progesterona.[6,7] A obesidade também é importante fator de risco mesmo na pré-menopausa. O resultado de metanálise sugere que o câncer de endométrio é uma das principais neoplasias relacionadas com a obesidade.[8]

O câncer de endométrio é classificado em dois tipos, de acordo com sua histologia.[9] O tipo 1 é o mais comum (80%), inclui a histologia endometrioide, estrógeno-dependente e geralmente se origina de hiperplasia endometrial atípica. O tipo 2 inclui variantes histológicas pouco diferenciadas, como seroso-papilífero e células claras.

FATORES DE RISCO

Os fatores de risco para o desenvolvimento de hiperplasia endometrial e câncer de endométrio tipo 1 (adenocarcinoma do tipo endometrioide) são os mesmos: a menopausa tardia, a menarca precoce, o uso do estrógeno sem antagonismo da progesterona, a obesidade, o diabetes, a síndrome dos ovários policísticos, a nuliparidade e o uso de tamoxifeno.[4]

Fatores relacionados à menstruação, como: menarca precoce, menopausa tardia e nuliparidade, aumentam a exposição cumulativa ao estrógeno em decorrência do aumento do número de ciclos menstruais durante a vida. Mesmo na síndrome dos ovários policísticos, caracterizada por anovulação e virilização, é postulado que a elevação crônica do hormônio luteinizante promove aumento do hormônio androstenediona pelo ovário, sendo convertido em estrona perifericamente. Além disso, os ciclos anovulatórios são pobres em progesterona. O desenvolvimento de hiperplasia endometrial secundária a anovulação na menacme é incomum, e geralmente reversível com a normalização do ciclo menstrual ou com a utilização de contraceptivos.

O risco de neoplasia endometrial associada ao uso de estrógeno após a menopausa aumenta cerca de 10 vezes por década de uso de hormônio.[10] Porém, a utilização de progesterona por 12 dias do ciclo menstrual é suficiente para diminuir esses riscos.[11]

A obesidade é um significativo fator de risco para o câncer de endométrio. Uma metanálise envolvendo 19 estudos retrospectivos com 3 milhões de mulheres demonstrou que o aumento no índice de massa corpórea (IMC) em 5 kg/m² eleva significativamente o risco de desenvolver câncer de endométrio (RR 1,59).[12] O IMC também está associado a aumento de risco de óbito por neoplasia de endométrio. A magnitude desse risco foi avaliada num estudo de coorte (*Cancer Prevention Study II*) com 495.477 mulheres seguidas por 16 anos (1982 a 1998). O risco de óbito por neoplasia de endométrio em pacientes com IMC ≥ 40 kg/m² foi 6,25 vezes maior que o das mulheres com IMC entre 18,5 e 24,9 kg/m².[13]

A obesidade aumenta o risco do câncer de endométrio por vias endócrinas paralelas. A obesidade está associada ao aumento do nível de insulina, que leva ao aumento da atividade do fator de crescimento insulina-*like* (IGF1), que por sua vez pode aumentar a produção dos andrógenos pelos ovários. A produção excessiva dos andrógenos inibe a ovulação cronicamente, que por sua vez leva a deficiência de progesterona. O tecido adiposo é importante fonte das aromatases (enzimas que convertem andrógenos produzidos nas glândulas suprarrenais e nos ovários em estrógenos), e portanto a obesidade leva ao aumento do nível de estrogênio biodisponível também na pós-menopausa. Os estrógenios aumentam a proliferação endometrial e inibem a apoptose, parcialmente, através da síntese local do IGF1. A progesterona geralmente contrapõe este estímulo através de vários mecanismos, como o estímulo da síntese de proteína ligante de IGF1 (IGFBP1). A falta da progesterona é então um importante fator de risco fisiológico para a proliferação endometrial. Em adição ao estrogênio, a própria insulina pode promover a proliferação endometrial através da redução da concentração sérica de SHBG (globina ligante de hormônio sexual), com consequente aumento do estrogênio biodisponível.[14]

Apesar de a maioria ser esporádica, cerca de 10% dos casos de câncer de endométrio têm predisposição genética e componente hereditário.[4] A síndrome genética mais frequente é o HNPCC (*Hereditary Non-Polyposis Colorectal Cancer*) ou síndrome de Lynch.[15] É autossômica dominante e está geralmente relacionada à mutação herdada dos genes de reparo do DNA: MLH1, MSH2, MSH6 ou PMS2.[15,16] O câncer de endométrio na síndrome de Lynch ocorre em mulheres em idade mais jovem e o risco estimado de desenvolver câncer de endométrio durante a vida é de 40-60%.[16-18]

O uso do tamoxifeno também está associado ao risco aumentado de câncer de endométrio. Mulheres com câncer de mama em uso de tamoxifeno têm risco relativo de 7,5 vezes mais para desenvolver câncer de endométrio quando comparadas a controles, apesar do risco absoluto baixo (1,6/1.000 *versus* 0,2/1.000).[19]

A presença de pólipo endometrial não pode ser considerada como fator de risco. Em estudo com 1.467 pacientes com pólipos, Perri et al.[20] encontraram 125 cânceres de endométrio (8,5%), sendo que em apenas 13 (0,89%) casos o câncer estava restrito ao pólipo. Em uma metanálise que incluiu 10.572 casos, a incidência de malignidade foi de 3,57%.[21] Presença de sangramento anormal e *status* menopausal estão associados ao risco aumentado de malignidade do pólipo. Em relação ao *status* menopausal, na pré-menopausa o risco de malignidade é 1,7% e na pós-menopausa, 5,42% (RR 3,86). Quando sangramento uterino anormal presente, o risco de malignidade é 4,15% contra 2,16% no caso de ausente (RR 1,97). Para pacientes na pós-menopausa, caso haja sangramento o risco de malignidade é 4,47 *versus* 1,15% para pacientes assintomáticas (RR 3,36).[21]

RASTREAMENTO

A principal ferramenta de avaliação do endométrio é o ultrassom pélvico/transvaginal. A mulher na pós-menopausa, sem terapia hormonal e com espessura endometrial de 4-5 mm tem muito baixo risco de doença endometrial.[22]

Apesar da fácil realização, do ponto de vista populacional não há evidência que sustente o uso do ultrassom como método de rastreamento, já que a maioria das neoplasias malignas do endométrio é sintomática e diagnosticada em estágios iniciais.

MANIFESTAÇÕES CLÍNICAS E DIAGNÓSTICO

O principal sintoma do câncer de endométrio é o sangramento anormal que ocorre em cerca de 90-95% dos casos, seguido de manifestações menos características, como corrimento (10%) e dor em baixo ventre (3%).[23]

Cerca de 5 a 20% das mulheres menopausadas com sangramento ginecológico apresentarão câncer de endométrio e a probabilidade é diretamente proporcional à idade após a menopausa.[23]

Por outro lado, a principal causa de sangramento na pós-menopausa sem uso de terapia hormonal é a atrofia endometrial. Em metanálise que incluiu 5.892 mulheres com sangramento na pós-menopausa, o risco de câncer de endométrio em mulheres sintomáticas com espessura endometrial até 5 mm é de 1%. A sensibilidade na detecção de câncer com o valor de corte de 5 mm é de 96%.[24]

O principal método diagnóstico é a biópsia endometrial, que pode ser realizada em ambulatório com a cureta de Pipelle/Novak ou em centro cirúrgico com a dilatação do canal endocervical e histeroscopia ou curetagem.

Nas pacientes na pós-menopausa, assintomáticas (sem sangramento vaginal) e em tratamento de câncer de mama com tamoxifeno, tem-se preconizado investigação do endométrio caso haja espessura maior que 15 mm.[25]

CARCINOGÊNESE DO CÂNCER DE ENDOMÉTRIO

O modelo de carcinogênese dualístico é o mais aceito atualmente, sendo baseado nas diferenças morfológicas e genéticas, classificando o câncer do endométrio em duas categorias: tipo 1 e o tipo 2 (Fig. 1).[9,26]

O tipo 1 representa a maioria dos casos esporádicos, correspondendo a cerca de 80% dos casos novos. São do tipo endometrioide e estão primariamente associados a uma estimulação estrogênica. As alterações genéticas moleculares iniciais mais frequentes são mutações do gene supressor tumoral PTEN, do oncogene K-ras e instabilidade microssatélite. Apresentam características menos agressivas, originam-se das glândulas hiperplásicas e comumente expressam receptores de estrógeno e progesterona.[9,26]

As neoplasias endometriais do tipo 2 ocorrem em mulheres um pouco mais idosas, são histologias mais agressivas, originam-se do endométrio atrófico, e as mutações do p53 e HER-2 são as mais frequentes (Quadro 1).[9,10,26]

O modelo de progressão de tumores de endométrio tipo 1 mais aceito é de que a ação estrogênica sem oposição da progesterona resulta na hiperplasia endometrial que se torna progressivamente mais complexa do ponto de vista arquitetural e pode ou não estar associado a atipia citológica. Em alguns casos, as lesões hiperplásicas atípicas quando não tratadas podem desenvolver-se em adenocarcinoma.[27]

Quadro 1. Divisão clinicopatológica do adenocarcinoma de endométrio[9]

	TIPO 1	TIPO 2
Status menopausal	Pré ou perimenopausa	Pós-menopausa
Associação a estrógeno	Sim	Não
Característica do endométrio	Hiperplasia atípica	Atrofia
Obesidade	Sim	Não
Paridade	Nulípara	–
Grau	Baixo	Alto
Subtipo histológico	Endometrioide	Seroso-papilífero/células claras
Comportamento	Indolente	Agressivo
Genômica	Mutação do PTEN	Mutação do p53

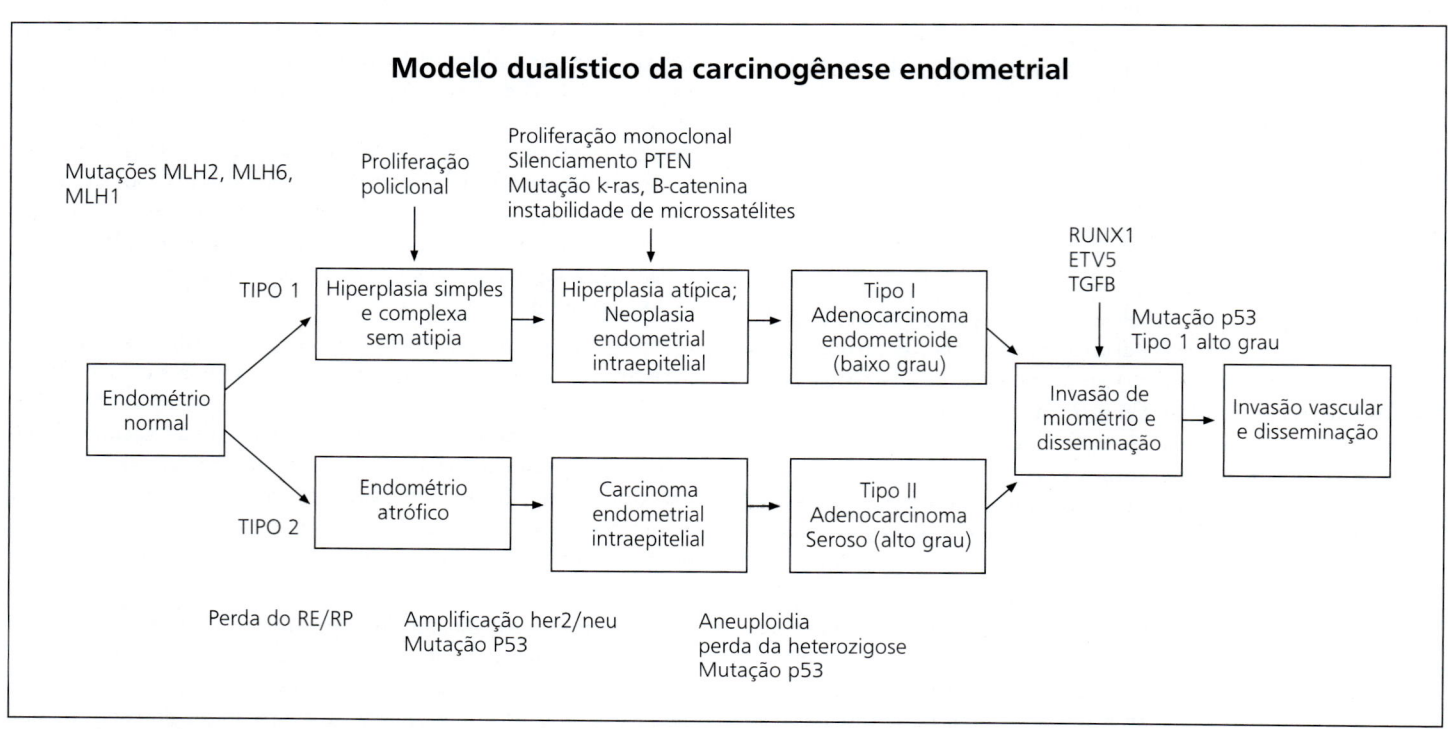

▲ **FIGURA 1.** Modelo dualístico da carcinogênese do câncer de endométrio - Modificado de Doll et al.[26]

A Sociedade Internacional de Patologia Ginecológica (ISGYP), a FIGO e a Organização Mundial da Saúde (WHO), classificaram a hiperplasia endometrial em quatro grupos de acordo com a presença ou ausência de atipias e de acordo com a presença de complexidade arquitetural. São eles: hiperplasia simples, hiperplasia complexa, hiperplasia simples atípica e hiperplasia complexa atípica.[28,29]

Alguns autores americanos têm adotado uma nova classificação para as patologias endometriais em hiperplasias endometriais benignas, neoplasia intraepitelial endometrial (NIE) e adenocarcinomas.[11]

Não há concordância direta entre a hiperplasia pela classificação de WHO e NIE. Cerca de 85% das NIE são classificadas como hiperplasias atípicas pelo sistema WHO. Por outro lado, cerca de 15% das NIE não apresentam atipias citológicas e não deveriam ser consideradas de alto risco para progressão pelo sistema WHO.[11]

As NIE são lesões pré-malignas resultantes de expansão clonal de células aberrantes. A mutação do PTEN é frequentemente a primeira a ser reconhecida. O intervalo médio do diagnóstico de NIE e a transformação em adenocarcinoma é de 4 anos. Aproximadamente 40% das mulheres com diagnóstico de NIE apresentarão um adenocarcinoma em 1 ano.[11]

As hiperplasias endometriais simples são caracterizadas por aumento no volume das glândulas endometriais. As glândulas apresentam irregularidade no tamanho e na forma, com alterações císticas e poucas mitoses. A história natural da hiperplasia simples sem atipia tem um curso benigno. É geralmente identificada em mulheres na perimenopausa, nas quais são comuns ciclos anovulatórios que levam ao estímulo estrogênico persistente. A remoção do estímulo estrogênico ou o tratamento com progestágeno influenciam negativamente na progressão da lesão. Estudos demonstraram altas concentrações de receptores de progesterona em hiperplasias sem atipias, enquanto baixos níveis de receptores são encontrados em hiperplasias com atipias. Esse fato se correlaciona clinicamente com a resposta a terapia com progestágeno. As hiperplasias atípicas respondem inicialmente a terapia com progesterona, porém podem recorrer quando a terapia é descontinuada. A maioria das hiperplasias simples regride sem tratamento (60%) ou com tratamento com progesterona (84%) e raramente evoluem para o adenocarcinoma (1%).[28,29]

Nas hiperplasias endometriais complexas ocorre o aumento do número e do tamanho das glândulas endometriais, assim como há a presença de processos papilares e pontes intraluminares. Aproximadamente 3% dessas lesões evoluem para adenocarcinoma.[28]

As hiperplasias atípicas são caracterizadas por citologia atípica das glândulas endometriais, há a presença de atipia nuclear, que pode ser difusa ou focal. Podem apresentar um formato simples ou complexo, sendo mais comum a sua associação a hiperplasias complexas. A presença de atipia parece ser o mais importante critério para a progressão para carcinoma, ou a coexistência de adenocarcinoma endometrioide.

Mulheres com hiperplasia endometrial atípica têm um risco relativo 14 vezes maior de desenvolver câncer de endométrio, se comparadas àquelas com hiperplasia endometrial sem atipia. No estudo clássico de Kurman et al.,[28] as hiperplasias atípicas evoluem para adenocarcinoma em 8% quando associadas a hiperplasia simples e em 29% quando associadas a hiperplasia complexa. Ainda em relação à história natural das hiperplasias com atipia, Lacey Jr. et al.[30] em estudo caso-controle que incluiu 7.947 mulheres com hiperplasia endometrial, sugeriram que o risco acumulado de desenvolver câncer de endométrio após diagnóstico de hiperplasia sem atipia é de 1,9% em 9 anos e 4,6% em 19 anos. Nos casos da hiperplasia com atipia, o risco passa a ser de 8,2% em 4 anos, 12,4% em 9 anos e 27,5% em 19 anos de seguimento.

A literatura sugere, ainda, uma alta prevalência do diagnóstico de adenocarcinoma entre os pacientes com hiperplasia endometrial atípica, variando entre 17 e 52%.[31] Em estudo do GOG, 289 pacientes com biópsias no pré-operatório de hiperplasia endometrial atípica foram posteriormente submetidas à histerectomia e a prevalência encontrada de carcinoma endometrioide foi de 42,6%.[31] Das pacientes com câncer de endométrio, 30,9% apresentavam invasão miometrial e 10,3%, invasão maior que 50% do miométrio.[31] Giede et al.[32] também relataram valores expressivos de concomitância de hiperplasia atípica e câncer de endométrio, de 35,7%.

É importante ressaltar que a distinção entre hiperplasia atípica complexa e adenocarcinoma pode ser difícil no material de biópsia. Estrutura cribriforme e desmoplasia no estroma indicam progressão para carcinoma, porém esses critérios podem ser de difícil distinção em pequenas amostras de endométrio.[11]

FATORES PROGNÓSTICOS

A disseminação linfonodal é o mais importante fator prognóstico no câncer de endométrio.[4] As séries cirúrgico-anatomopatológicas associaram vários fatores de risco uterinos, como grau, invasão miometrial, invasão do espaço linfovascular e invasão do colo uterino com a presença de doença linfonodal.[5,33,34] O risco de metástase linfonodal é 5 vezes maior com invasão miometrial profunda e 6 vezes maior para tumores pouco diferenciados.[5]

Estadiamento

A distribuição da frequência por estágio ao diagnóstico (dados do SEER) é: estágio I: 72%; estágio II: 12%; estágio III: 13%, e estágio IV: 3% dos casos.[23] A taxa de sobrevida em 5 anos em câncer de endométrio localizado, disseminação regional e metastática é de 95, 67, e 23%, respectivamente.[23]

O estadiamento representa o mais importante fator prognóstico. Em 1988, a Federação Internacional de Ginecologia e Obstetrícia (FIGO) reconheceu a importância dos fatores de risco uterinos e da metástase linfonodal e determinou que o estadiamento do câncer de endométrio passasse a ser baseado nos achados cirúrgicos (anatomopatológicos), devendo-se realizar a histerectomia total com salpingo-ooforectomia bilateral, citologia peritoneal, avaliação linfonodal pélvica e retroperitoneal, avaliação do andar superior de abdome e da superfície peritoneal (Quadro 2).[35,36]

O estágio cirúrgico tem melhor acurácia para avaliar doença extrauterina do que a avaliação clínica. No estágio clínico prévio considerado como I, cerca de 1/4 das mulheres apresentava doença extrauterina. Nesse estudo (GOG 33)[5] foram incluídas 621 pacientes, em que 6% apresentavam metástase peritoneal, 5%, metástase anexial, 16%, infiltração de colo uterino e 11%, metástase linfonodal (Figs. 2 e 3).

Em 2009 houve a atualização do estadiamento da FIGO[36] (Quadro 3), em que as principais modificações foram: 1) a doença restrita ao endométrio e com invasão miometrial superficial foi agrupada no mesmo estágio (IA); 2) considerado estágio II apenas se houver invasão do estroma cervical; 3) a citologia peritoneal foi excluída; 4) o comprometimento linfonodal foi estratificado em pélvico e retroperitoneal; 5) invasão de paramétrio foi incluída no estágio III.

Tipo histológico

O adenocarcinoma endometrioide ou do tipo 1 é geralmente bem ou moderadamente diferenciado, tende a apresentar invasão mais superficial no miométrio, tem sensibilidade maior a progesterona e um prog-

Quadro 2. Estadiamento do câncer do corpo uterino – FIGO, 1988[35]

	ESTÁDIO I (73% DOS CASOS): DOENÇA CONFINADA AO CORPO UTERINO
Ia	Tumor limitado ao endométrio grau 1, 2 e 3 de diferenciação histológica (G1, G2 e G3 respectivamente)
Ib	Invasão até a metade da espessura do miométrio (G1, G2 e G3)
Ic	Invasão maior que a metade da espessura do miométrio (G1, G2 e G3)
	ESTÁDIO II (11% DOS CASOS): O CARCINOMA ACOMETE CORPO E COLO UTERINO
IIa	Envolvimento endocervical somente glandular (G1, G2 e G3)
IIb	Invasão do estroma cervical (G1, G2 e G3)
	ESTÁDIO III (13% DOS CASOS)
IIIa	Tumor invadindo serosa e/ou anexos e/ou citologia peritoneal positiva (G1, G2 e G3)
IIIb	Comprometimento vaginal por extensão direta ou metástase (G1, G2 e G3)
IIIc	Metástase à pélve e/ou linfonodos para-aórticos (G1, G2 e G3)
	ESTÁDIO IV (3% DOS CASOS)
IVa	Tumor invade mucosa vesical e/ou mucosa intestinal (G1, G2 e G3)

Quadro 3. Estadiamento do câncer do corpo uterino – FIGO, 2009[36]

ESTÁGIO I: O CARCINOMA ESTÁ CONFINADO AO CORPO UTERINO	
Ia	Tumor limitado ao endométrio ou invasão menor que a metade da espessura do miométrio (G1, G2 e G3)
Ib	Invasão igual ou maior que a metade da espessura do miométrio (G1, G2 e G3). Invasão glandular do colo deve ser considerada estágio I
ESTÁGIO II: O CARCINOMA INVADE DO ESTROMA CERVICAL (G1, G2 E G3), MAS AINDA ESTÁ LIMITADO AO ÚTERO	
ESTÁGIO III: CARCINOMA COM INFILTRAÇÃO LOCAL OU REGIONAL	
IIIa	Tumor invadindo serosa e/ou anexos e/ou citologia peritoneal positiva (G1, G2 e G3)
IIIb	Envolvimento vaginal e/ou parametrial (G1, G2 e G3)
IIIc	Metástase para linfonodos pélvicos e/ou para-aórticos (G1, G2 e G3)
IIIC1	Linfonodos pélvicos comprometidos
IIIC2	Linfonodos retroperitoneais comprometidos Lavado peritoneal deve ser reportado, porém sem alterar o estadiamento
ESTÁGIO IV: INVASÃO DE ÓRGÃOS ADJACENTES OU A DISTÂNCIA	
IVa	Tumor invadindo bexiga e/ou mucosa intestinal (G1, G2 e G3)
IVb	Metástases à distância, incluindo as intra-abdominais e/ou linfonodos inguinais

nóstico mais favorável (sobrevida de 85% em 5 anos). Os adenocarcinomas do tipo 2 (não endometrioides) são representados pelos carcinomas seroso (papilíferos) e de células claras. São de alto grau, tendem a apresentar invasão mais profunda no miométrio e pior prognóstico (sobrevida de 58% em 5 anos).[4,9]

Localização do tumor

A localização do tumor na cavidade endometrial é um fator de risco em relação ao comprometimento linfonodal. As neoplasias localizadas na parte inferior poderão envolver a cérvice uterina mais precocemente se comparadas com localizações fúndicas. No estudo GOG 33, 16% das pacientes com doença localizada no segmento inferior do útero apresentaram linfonodo pélvico comprometido, enquanto no caso da doença localizada no fundo uterino, 8%. Da mesma forma, a frequência de linfonodo comprometido em região para-aórtica foi de 16% para doença localizada no segmento inferior e de 4% para doença localizada no fundo uterino.[5]

Tamanho do tumor

Mariani et al.[37] avaliaram 328 pacientes com neoplasia de endométrio do tipo endometrioide, graus 1 e 2, apresentando comprometimento de menos de 50% do miométrio e ausência de doença extrauterina no intraoperatório. A linfadenectomia pélvica foi realizada em 187 casos (57%), sendo encontrados linfonodos comprometidos em nove casos (5%). Nenhuma paciente com tumor menor ou igual a 2 cm apresentou linfonodo comprometido ou morreu pela doença, demonstrando, dessa forma, a importância do tamanho do tumor como fator prognóstico também para o comprometimento linfonodal.[37]

Invasão do miométrio

DiSaia et al.[38] notaram que nas pacientes com estágio I tratadas primariamente com cirurgia, a recidiva tumoral estava diretamente relacionada à profundidade de invasão miometrial (Fig. 4). A profundidade de invasão miometrial também está relacionada a outros fatores prognósticos, como o grau histológico e a taxa de sobrevida em lesões mais indiferenciadas e com invasão miometrial profunda é pior se comparadas com pacientes com lesões bem diferenciadas e sem invasão miometrial.[38] Dessa forma, comportamento e risco de recidiva da neoplasia podem ser estratificados pela profundidade de invasão miometrial ou invasão do colo uterino e pelo grau histológico. Pacientes com risco baixo, risco moderado/intermediário e risco alto de têm chance de recidiva de respectivamente 2-4%, 5-10% e > 10%.[38,39] Sendo assim, tratamento específico adjuvante pode ser indicado levando-se em consideração esses fatores prognósticos (Fig. 5).[38,39]

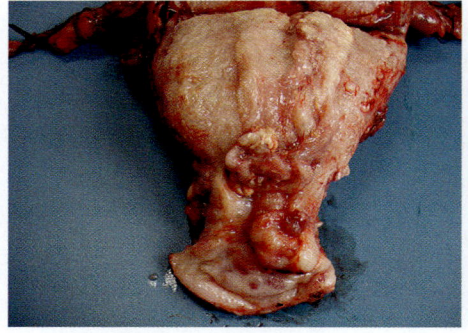

▲ **FIGURA 2.** Exemplo de peça cirúrgica de cavidade uterina com adenocarcinoma endometrioide com extensão para colo uterino.

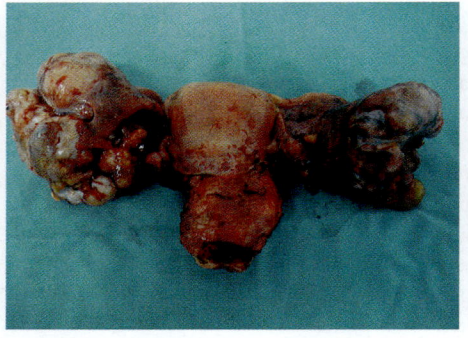

▲ **FIGURA 3.** Exemplo de peça cirúrgica (histerectomia total com salpingo-ooforectomia bilateral) de adenocarcinoma endometrioide G3 de endométrio com metástase anexial bilateral.

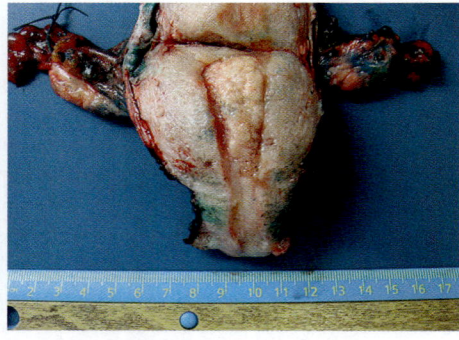

▲ **FIGURA 4.** Exemplo de peça cirúrgica de histerectomia total com salpingo-ooforectomia bilateral mostrando adenocarcinoma endometrioide G2 em cavidade uterina com infiltração superficial miometrial.

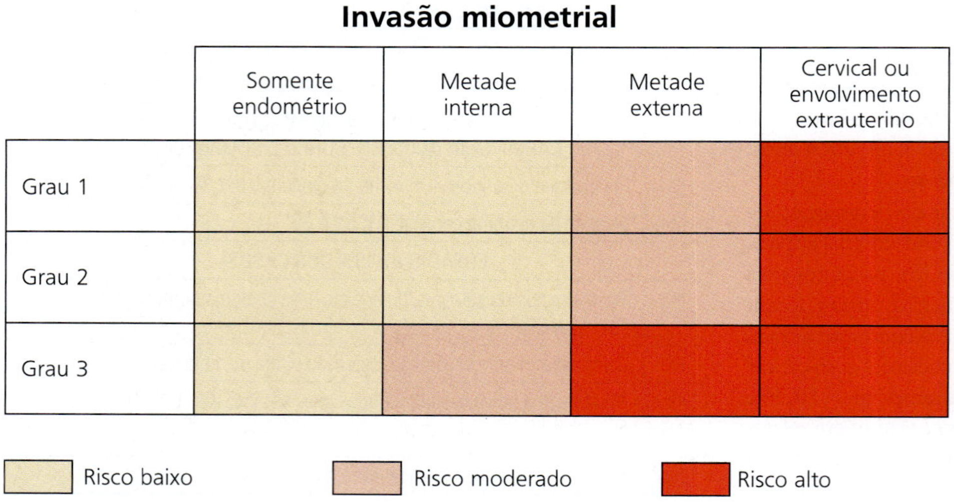

Invasão miometrial

	Somente endométrio	Metade interna	Metade externa	Cervical ou envolvimento extrauterino
Grau 1	Risco baixo	Risco baixo	Risco moderado	Risco alto
Grau 2	Risco baixo	Risco baixo	Risco moderado	Risco alto
Grau 3	Risco baixo	Risco baixo	Risco alto	Risco alto

◀ **FIGURA 5.** Risco atribuído com base no estadiamento cirúrgico e na extensão da doença uterina em pacientes com câncer de endométrio. (Adaptada de DiSaia et al.[38])

Lavado peritoneal

A presença de células neoplásicas no lavado peritoneal, sem evidência de doença extrauterina, tem sido muito questionada como fator prognóstico adverso de forma isolada. A grande maioria das pacientes com citologia peritoneal positiva apresenta também doença extrauterina. No estudo GOG 33, em que foram estudadas 621 pacientes, 76 (21%) apresentaram células neoplásicas no lavado peritoneal.[5] Dessas pacientes, 25% apresentaram linfonodos comprometidos. Dessa forma, quando a citologia peritoneal é positiva para células neoplásicas; outros fatores prognósticos adversos estão frequentemente presentes.

Por outro lado, outros estudos sugerem a citologia positiva como fator prognóstico. Grimshaw et al.[40] notaram que 24 das 381 pacientes com citologia peritoneal positiva apresentaram menor taxa de sobrevida. Três outros grandes estudos totalizando mais de 1.700 pacientes utilizando análise multivariada sugerem que a presença de células malignas na citologia peritoneal foi um fator de risco independente para recidiva e óbito.[39,41,42]

Metástase linfonodal

A prevalência de metástase linfonodal no câncer de endométrio gira em torno de 10%, e como previamente descrito correlaciona-se com fatores de risco uterino como tipo histológico/grau, invasão miometrial, invasão do espaço linfovascular e invasão do colo uterino.[5,33,34]

Na década de 1970, Morrow et al.[43] e Creasman et al.[44] encontraram doença linfonodal pélvica em respectivamente 39 de 369 (10,5%) e 16 de 140 (11,4%) pacientes consideradas inicialmente como estágio clínico I. Em 1987, Creasman et al.[5] reportaram os dados do GOG 33, onde das 621 pacientes consideradas estágio clínico I, foram encontradas 58 (9%) pacientes com linfonodos comprometidos na pelve e 34 pacientes com linfonodos comprometidos em região para-aórtica e dentre essas pacientes, 11% apresentavam doença linfonodal em ambas as localizações. Mariani et al.[45] identificaram como fatores de risco para a ocorrência de disseminação linfonodal para-aórtica, a presença de linfonodos pélvicos comprometidos e o acometimento do espaço linfovascular, sendo evidenciada a ocorrência de linfonodos para-aórticos em 47% dos pacientes com linfonodos pélvicos acometidos.

A ocorrência de doença linfonodal é maior quando há invasão do colo uterino. No estudo do GOG 33, de 148 pacientes consideradas como estágio clínico II, 66 apresentavam envolvimento cervical.[5] Apenas três (17%) pacientes que apresentavam somente envolvimento glandular endocervical apresentavam linfonodo pélvico comprometido, se comparadas com 35% das que apresentavam envolvimento do estroma cervical. Nenhuma das que apresentavam apenas envolvimento glandular cervical apresentou linfonodo para-aórtico comprometido em comparação a 23% de positividade das que apresentavam envolvimento do estroma cervical.[5]

Em estudo retrospectivo realizado com 281 pacientes com câncer de endométrio submetidas a linfadenectomia pélvica e retroperitoneal sistemáticas, por Mariani et al., a prevalência de metástase linfonodal entre os tipos endometrioides e não endometrioides foi respectivamente de 16% (34/209) e 40% (29/72). Das pacientes com metástase linfonodal, 44% foram em localização pélvica e retroperitoneal e 19% apenas retroperitoneal.[35] Dentre as pacientes com metástase linfonodal retroperitoneal, 77% estavam localizadas acima da artéria mesentérica inferior. Os autores preconizam a realização de linfadenectomia pélvica e retroperitoneal até o nível dos vasos renais para os tipos histológicos não endometrioides e, nos casos dos endometrioides, somente omitir caso ausência de doença extrauterina, ausência de invasão miometrial, ou invasão miometrial de até 50% da espessura e grau de diferenciação G1/G2 e tumor com maior diâmetro até 2 cm.

O comprometimento linfonodal tem impacto negativo na sobrevida e por ser importante fator prognóstico determina mudança no estadiamento (estágio III).

TRATAMENTO CIRÚRGICO

Ainda há controvérsia em relação à via de acesso e ao papel do estadiamento completo no câncer de endométrio, mais especificamente quando deve ser realizada e qual deve ser a extensão da linfadenectomia. É importante lembrar que um grande número de pacientes com câncer de endométrio é de idosas e com comorbidades, e por isso tanto o tratamento cirúrgico primário quanto o tratamento adjuvante devem muitas vezes ser individualizados.

A histerectomia total com salpingo-ooforectomia bilateral é o tratamento fundamental do câncer de endométrio. Tradicionalmente a histerectomia é realizada via abdominal, porém a via de sua realização mudou substancialmente na última década com o advento da laparoscopia e posteriormente da cirurgia robótica. Em 1993, Childers et al.[46] sugeriram a viabilidade e segurança da laparoscopia no tratamento do câncer de endométrio que incluía linfadenectomia. Seu resultado foi confirmado por outros estudos e um estudo fase III (GOG-LAP2), incluiu 2.616 pacientes estágio I ou IIa, randomizadas para histerectomia, anexectomia e linfadenectomia via laparotomia ou laparoscopia.[47] A via laparoscópica correlacionou com maior tempo cirúrgico, porém menor tempo de internação e menor taxa de complicações. A taxa de conversão foi 25,8%. O número mediano de linfonodos ressecados foi equivalente (laparoscopia, 24; laparotomia, 25). Em 2012 foi publicado o primeiro resultado do seguimento do estudo LAP2,[48] que resultou em recidiva em 3 anos de 11,4% para laparoscopia e 10,4% para laparotomia, com sobrevida global de 89,9% para ambos os grupos. Interessante reportar que a incidência de recidiva foi menor que o estimado inicialmente, de 15%.

Há outros dois estudos fase III que confirmaram a viabilidade e a menor morbidade da cirurgia minimamente invasiva no câncer de endométrio. Porém nesses estudos foram incluídas apenas pacientes com histologia endometrioide, sendo que no estudo holandês não inclui a linfadenectomia e no estudo australiano LACE (*Laparoscopy Approach to Cancer of the Endometrium*) a linfadenectomia somente é recomendada e não é obrigatoriamente indicada a conversão a laparotomia para estadiamento completo.[49,50] Os resultados de sobrevida ainda são aguardados.

A cirurgia robótica vem apresentando-se como uma importante e útil alternativa minimamente invasiva à laparoscopia.[51] As vantagens descritas são a visão tridimensional, maior mobilidade das pinças e movimentos, menor curva de aprendizado e tornar factível a cirurgia completa minimamente invasiva com linfadenectomia em pacientes muito obesas.[52] Porém, as potenciais vantagens são barradas pelo custo substancial na aquisição e manutenção dessa tecnologia.

Há ainda muita controvérsia em relação ao papel da linfadenectomia no tratamento cirúrgico do câncer de endométrio e principalmente para o tipo endometrioide (tipo 1). Apesar de o papel no estadiamento ser pouco questionado, o impacto em sobrevida ainda é motivo de grande discussão. Entretanto, é importante ressaltar que cerca de 1/3 dos óbitos de pacientes com câncer de endométrio ocorrem em pacientes inicialmente rotuladas como estágio I e com doença aparentemente restrita ao corpo uterino. O subestadiamento pode levar ao tratamento inicial inadequado. O estadiamento cirúrgico completo incluindo a linfadenectomia pode: 1) identificar pacientes na doença extrauterina e com alto risco de recidiva; 2) adequar o melhor tratamento adjuvante; 3) potencialmente reduzir a adição de tratamento adjuvante inadequado.[53]

Em geral, tem sido proposto não realizar a linfadenectomia em pacientes com estágio inicial e neoplasias de baixo grau e realizá-la em neoplasias uterinas de alto grau e invasão profunda do miométrio. Na decisão, é importante lembrar que a acurácia da congelação transoperatória é de cerca de 85% para avaliar a invasão profunda do miométrio e que 15-20% dos graus são subavaliados no pré-operatório.[54]

Alguns estudos retrospectivos têm sugerido o papel terapêutico e quanto mais extensa for a linfadenectomia, melhor seria a sobrevida. Cragun et al. sugeriram que a linfadenectomia seletiva em neoplasias iniciais tem impacto em sobrevida.[55] Chan et al. demonstraram que a linfadenectomia extensa tem um impacto na sobrevida câncer-específica nos estágio IB, grau 3 (FIGO 1988); estágio IC e II-IV considerando todos os graus.[56,57] Nos pacientes estágios IIIC-IV com linfadenectomia extensa com número de linfonodos maior que 20 houve um ganho na sobrevida de 51% (considerando um linfonodo) para 72% (considerando 20 linfonodos). Nos pacientes com doença de baixo risco (estágio IA, considedo todos os graus; estádio IB, graus 1 e 2), a linfadenectomia não melhorou a sobrevida.

Todo et al. publicaram estudo retrospectivo (SEPAL, 2010) que incluiu 671 pacientes e sugeriram que houve benefício em sobrevida para o grupo de pacientes com risco intermediário e alto risco, submetidas a linfadenectomia pélvica e retroperitoneal, quando comparado com o grupo submetido a apenas linfadenectomia pélvica.[58]

Há dois estudos fase III na literatura, que avaliaram o papel da linfadenectomia pélvica no câncer de endométrio. O estudo ASTEC (*A Study in the Treatment of Endometrial Cancer*)[59] incluiu 1.400 mulheres com adenocarcinoma endometrial e que foram randomizadas em cirurgia-padrão (histerectomia com salpingo-ooforectomia bilateral, lavado peritoneal e palpação linfonodal) *versus* cirurgia padrão associada a linfadenectomia pélvica. Os autores não encontraram benefício em relação à sobrevida global e sobrevida livre de doença com a adição da linfadenectomia. Porém, os resultados desse estudo são muito criticados.[60] Houve uma segunda randomização para radioterapia externa adjuvante *versus* seguimento, onde também foram incluídos os pacientes com linfonodos comprometidos. Somente foi considerado para segunda randomização o achado da peça do útero e apenas 1/3 dos casos foi incluído na segunda randomização (IAG3, IBG3, IC, IIA). Porém grande parte dos 2/3 restantes também recebeu adjuvância, porém sem critérios bem definidos. Um terço das pacientes randomizadas para não receber radioterapia externa recebeu braquiterapia vaginal. Os grupos também não foram homogêneos, sendo que o grupo submetido a linfadenectomia teve 3% mais histologias desfavoráveis, 3% mais G3, 3% mais invasão linfática e 10% mais invasão profunda. Houve, ainda, violações importantes do protocolo. Primeiro, pacientes registradas no grupo da linfadenectomia e que não tinham *performance* para linfadenectomia foram passadas para o outro grupo e não excluídas. Segundo, mesmo a população-alvo sendo de doença confinada ao útero, os casos com diagnóstico pré-operatório de metástase linfonodal por TC/RNM não foram excluídos. Terceiro, 5% das pacientes do grupo de não linfadenectomia recebeu linfadenectomia e com 30% de metástase linfonodal, tornando obscura a comparação. Quarto, a dissecção linfonodal do grupo com linfadenectomia foi inadequada, já que 8% na verdade não foram submetidas a "linfadenectomia" e cerca de 1/3 dos casos tiveram somente até nove linfonodos ressecados.

O outro estudo fase III teve delineamento adequado. Benedetti-Panici et al.[61] avaliaram pacientes com câncer de endométrio em estágio inicial tratadas com histerectomia e salpingo-ooforectomia bilateral associadas a linfadenectomia pélvica sistemática (n = 264) ou sem linfadenectomia pélvica sistemática (n = 250) e demonstraram que a linfadenectomia pélvica sistemática não teve impacto em relação à sobrevida livre de doença ou sobrevida global. A principal crítica foi a inclusão de pacientes com baixo risco de doença linfonodal (67% G1,G2/35% IC) e o tratamento adjuvante ter sido feito a critério do médico-assistente.

A proposta do Departamento de Ginecologia Oncológica do Hospital A.C. Camargo é a realização das linfadenectomias pélvica e retroperitoneal sistemáticas até haja nível dos vasos renais, caso o evidência de doença extrauterina, tipos histológicos não endometrioides (seroso, células claras), endometrioide grau 3, invasão maior que 50% do miométrio e invasão do colo uterino. Caso a paciente apresente tumor com diâmetro maior que 2 cm e invasão miometrial menor que 50%, a linfadenectomia pélvica deve ser realizada e, caso linfonodo pélvico comprometido seja encontrado no transoperatório, a linfadenectomia deve ser estendida para o retroperitônio até o nível dos vasos renais. Pacientes com histologia endometrioide graus 1 e 2 e doença restrita ao endométrio ou com tumores até 2 cm de tamanho e invasão menor que 50% não se beneficiariam da linfadenectomia (Figs. 6 e 7).

PRESERVAÇÃO DE FERTILIDADE

Cerca de 25% das pacientes com câncer de endométrio estão na pré-menopausa e 5% abaixo dos 40 anos de idade. Portanto, para pacientes jovens a preservação ovariana tem sido avaliada para pacientes bastante selecionadas.[42-44,62-64] Em revisão do SEER, 402 em 3.269 pacientes com idade abaixo de 45 anos tiveram os ovários preservados e não houve impacto negativo em sobrevida.[64] Entretanto, deve ser levado em conta que essas pacientes têm risco aumentado para câncer de ovário sincrônico ou metacrônico. Enquanto na paciente com idade > 45 anos a incidência de câncer de ovário sincrônico é 2-4,6%, para a paciente com idade < 45 anos passa a ser de 10-29,4%.[65] Em 15% dos casos com câncer sincrônico, o achado intraoperatório é de ovário com aspecto preservado.[66]

Para mulheres sem prole constituída, a preservação de fertilidade (útero) através do uso de progestágenos pode ser considerada. Vários estudos observacionais sugeriram que até 3/4 dos casos com tumores bem diferenciados têm resposta completa à terapia baseada em progestágenos após mediana de tratamento de 12 semanas.[67,68] O seguimento rigoroso é mandatório e a recidiva, comum, sendo que apenas 51% têm resposta persistente.[67,68] Em estudo fase II com uso medroxiprogesterona, a taxa de resposta completa foi de 55%.[69] O agente progestágeno ideal (medroxiprogesterona, megestrol, DIU de levonorgestrel) e duração do tratamento ainda não estão estabelecidos.

RADIOTERAPIA ADJUVANTE

O uso de radioterapia em neoplasia endometrial estágio inicial ainda é motivo de debate. O estudo GOG 99[70] avaliou pacientes com adenocarcinoma endometrioide nos estágios FIGO IB, IC e IIA (oculto). Pacientes com adenocarcinoma seroso papilífero e células claras foram excluídas. Após a cirurgia (histerectomia abdominal com salpingo-ooforectomia bilateral e linfadenectomia seletiva pélvica), foram randomizados em dois grupos: sem radioterapia adjuvante e com radioterapia externa pélvica (50,5 Gy divididos em 28 frações). O risco acumulado de recidiva em 2 anos foi maior no grupo que não recebeu radioterapia, se comparado com o que recebeu radioterapia (12 *versus* 3%; HR: 0,42; p = 0,0007) e a diferença foi maior no subgrupo de risco intermediário (26 *versus* 6%; p = 0,042). Contudo, a estimativa de sobrevida em 4 anos não apresentou diferença entre os dois grupos (92 *versus* 86%; p = 0,56).

Creutzberg et al. (PORTEC – *Postoperative Radiation Therapy for Endometrial Carcinoma*)[71] compararam o controle locorregional, a sobrevida global e morbidade relacionada ao tratamento em câncer endometrial (qualquer tipo histológico) estágio I de pacientes submetidas a cirurgia com a radioterapia pélvica pós-operatória. Pacientes com

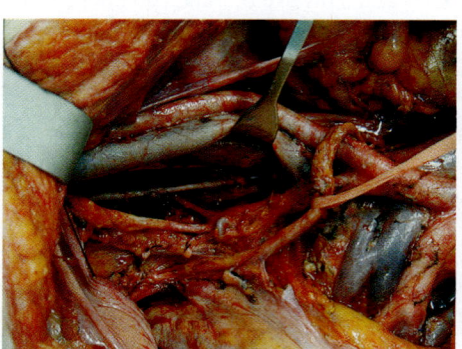

◀ **FIGURA 6.** Exemplo do aspecto final da hemipelve direita após a linfadenectomia pélvica sistemática por câncer de endométrio. Os vasos ilíacos externos estão sendo tracionados para melhor visualização da fossa obturatória.

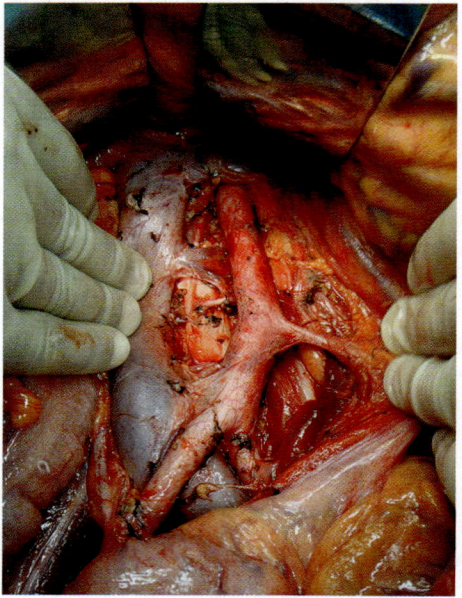

◀ **FIGURA 7.** Exemplo de aspecto final do retroperitônio após a linfadenectomia retroperitoneal sistemática por câncer de endométrio até o nível dos vasos renais.

estágio I: grau 1 e invasão de mais que 50% do miométrio, grau 2 com qualquer invasão e grau 3 com invasão superficial (menor que 50% de invasão miometrial) foram randomizadas a receber ou não radioterapia pélvica adjuvante (46 Gy em 23 frações). A taxa de recidiva locorregional foi de 4% no grupo que recebeu radioterapia *versus* 14% no grupo-controle (P < 0,001), a taxa de sobrevida global em 5 anos foi similar nos dois grupos (81% no grupo que recebeu radioterapia *versus* 85% no grupo que não recebeu radioterapia; p = 0,31) e a taxa de complicações foi maior no grupo que recebeu radioterapia (25 *versus* 6% no grupo-controle; P < 0,0001).

Esses estudos tiveram algumas limitações, diferenças entre os equipamentos de radioterapia e as técnicas aplicadas. Apenas no GOG-99 foi realizada linfadenectomia pélvica de maneira seletiva, sendo provável que pacientes, principalmente do estudo PORTEC, possam não ter tido diagnosticada metástase linfonodal oculta.[70,71] No PORTEC, apesar de não terem sido randomizadas pacientes consideradas estágio ICG3, 104 casos eram ICG3 e receberam radioterapia pélvica, porém sem avaliação linfonodal. Esse grupo de pacientes teve 14% de recidiva pélvica, 31% de recidiva a distância e sobrevida de 58% em 5 anos. Portanto, parte destes pacientes eram provavelmente estágio IIIC.[72]

Notou-se que aproximadamente 75% das recidivas do PORTEC e GOG-99 ocorreram no manguito vaginal, sugerindo que a braquiterapia apenas pudesse ter impacto nesta recidiva, com menor custo, menor morbidade e menores complicações. Com esse propósito idealizou-se outro estudo, o PORTEC-2.[70,71]

O estudo PORTEC-2[73] avaliou o uso de braquiterapia vaginal comparada a radioterapia externa em relação ao controle local e à qualidade de vida. Foram avaliadas pacientes com adenocarcinoma endometrial risco intermediário: idade menor que 60 anos e estágio IC graus 1-2 ou estágio IB grau 3, qualquer idade e estágio IIA graus 1-2 ou grau 3 com < 50% de invasão miometrial. Foram randomizados a receber radioterapia externa (46 Gy em 23 sessões) ou braquiterapia vaginal (21 Gy em alta taxa de dose em três frações ou 30 Gy em baixa taxa de dose). A recidiva vaginal em 3 anos foi de 1,6% no braço que realizou braquiterapia *versus* 1,8% no braço que realizou radioterapia externa e a recidiva pélvica foi, respectivamente, 1,3 *versus* 0,7%. A taxa de recidiva à distância em 3 anos foi de 6,4% no braço que realizou braquiterapia *versus* 6,0% no braço que realizou radioterapia externa. Não houve diferença significativa em termo de sobrevida global (85 *versus* 80%; p = 0,57) e sobrevida livre de doença (83 *versus* 78%; p = 0,74). Em relação à qualidade de vida, esta foi melhor no grupo submetido a braquiterapia vaginal e a taxa de toxicidade gastrointestinal aguda também foi menor no grupo que realizou braquiterapia (13 *versus* 54%).

Recentemente, em 2012, Kong *et al.*, em revisão da Cochrane, sugerem que: 1) radioterapia externa reduz o risco de recidiva local, mas não tem impacto em sobrevida global ou câncer-específica; 2) a radioterapia externa está relacionada a morbidade significativa e piora da qualidade de vida; 3) os dados para tumores de alto risco são limitados, mas não pode ser excluído possível pequeno benefício da radioterapia externa; 4) para tumores de risco intermediário-alto, braquiterapia em cúpula vaginal apresenta-se como adequada para controle local.[74]

Dessa forma, o papel da radioterapia nas neoplasias endometriais em estágios iniciais deve ser individualizado tomando-se em conta múltiplos fatores: risco de recidiva local e a distância, possibilidade de doença linfonodal não identificada decorrente de um estadiamento cirúrgico incompleto e avaliação dos efeitos da radioterapia.

QUIMIOTERAPIA ADJUVANTE

O câncer de endométrio foi inicialmente considerado como doença de disseminação linfonodal, porém uma parcela dos tumores aparentemente confinados ao útero apresenta disseminação a distância. No caso de pacientes com tumores de alto grau e invasão miometrial profunda, cerca de 1/3 poderá desenvolver metástase a distância.[72] Portanto, a alta taxa de recidiva sistêmica para um subgrupo de pacientes e a resposta à quimioterapia na doença avançada justificariam a investigação da quimioterapia como tratamento adjuvante. Porém, o papel da quimioterapia no câncer de endométrio estágio inicial (I e II) de alto risco ainda permanece controverso.

No estudo GOG-34, avaliaram-se 192 pacientes com estágios clínicos I e II (oculto) utilizando a doxorrubicina como agente quimioterápico único e não foi demonstrado benefício.[75]

Maggi *et al.*[76] conduziram um estudo randomizado com 345 pacientes com neoplasia endometrial com alto risco de recidiva, sendo comparados cinco ciclos de quimioterapia (cisplatina, doxorrubicina e ciclofosfamida) com radioterapia pélvica externa, não demonstrando benefício em termo sobrevida global e sobrevida livre de doença.

Um estudo randomizado multicêntrico japonês (JGOG)[77] comparou radioterapia pélvica total com três ou mais ciclos de ciclofosfamida, doxorrubicina e cisplatina. Foram avaliados 385 pacientes com adenocarcinoma endometrioide, correspondendo aos estágios IC a IIIC. Num seguimento médio de 5 anos, não houve diferença significativa em relação à sobrevida livre de doença ou sobrevida global. No subgrupo que corresponde a intermediário e alto risco para recidiva (estágio IC, idade > 70 anos; estágio IC grau 3; estágio II ou estágio IIIA (citológico), n = 120), foi sugerido benefício em sobrevida a favor do grupo que recebeu quimioterapia.

Em 2010, Hogberg *et al.*[78] publicaram estudo em que foram incluídas duas séries fase III (NSGO/EORTC e MaNGO) randomizadas para receber radioterapia adjuvante *versus* quimioterapia (83% receberam doxo/epirrubicina e cisplatina) sequenciais. No total foram incluídas 383 pacientes do NSGO/EORTC e 157 do MaNGO, 534 foram avaliáveis (estágio I-III com alto risco para recidiva). Na análise combinada dos dois estudos, a adição de quimioterapia teve impacto positivo em sobrevida livre de doença (69 *versus* 78%; p = 0,009), sobrevida câncer-específica (78 *versus* 87%; p = 0,01), porém não em sobrevida global (75 *versus* 82%; p = 0,07). Quando avaliado o estudo do EORTC (incluiu tumores tipo 2), não houve impacto em sobrevida global e livre de doença para os subtipos histológicos seroso e de células claras.

No caso das neoplasias endometriais do tipo seroso-papilífero, são esperadas altas taxas de recidiva a distância após somente radioterapia adjuvante. Kelly *et al.* notaram uma taxa de recidiva de 43% em pacientes no estágio I que não fizeram tratamento recidiva após a cirurgia.[79]

Em uma série retrospectiva, avaliando-se 141 casos de pacientes com neoplasia endometrial seroso-papilífero em estágio cirúrgico inicial (estágio I), Fader *et al.* sugeriram que essas pacientes tinham aumento significativo no risco de recidiva extrapélvica e haveria ganho em relação à recidiva e sobrevida com a associação de quimioterapia (platina/taxano) à radioterapia adjuvante.[80]

Em outra recente revisão da Cochrane (2011), Johnson *et al.*[81] sugerem que o uso de quimioterapia baseada em platina reduz o risco da primeira recidiva fora da pelve (RR 0,79 - redução em valor absoluto 5%), risco de óbito (RR 0,85 – redução em valor absoluto 4%). O significado em valores absolutos é de uma mulher curada para cada 25 submetidas a quimioterapia.

Ainda em relação à adição de quimioterapia à radioterapia, encontram-se abertos dois importantes estudos fase III. O GOG 249 está randomizando pacientes de alto risco pelos critérios de estudo do GOG 99 tipo endometrioide e seroso/células claras estágios I e II para receber radioterapia pélvica *versus* braquiterapia seguida de três ciclos de carboplatina e paclitaxel. No caso do PORTEC-3, pacientes tipo endometrioide estágio IBG3 com invasão linfovascular, ICG3, III e seroso/células claras estágio IB-III estão sendo randomizadas para receber radioterapia pélvica *versus* radioterapia pélvica concomitante a dois ciclos de cisplatina seguidos de quatro ciclos de carboplatina e paclitaxel.

No caso do câncer de endométrio avançado, estágios III e IV com doença peritoneal, tem-se preconizado cirurgia citorredutora.[82] A terapia adjuvante com quimioterapia nesses casos parece ter importante papel. O estudo GOG 122 randomizou pacientes com câncer de endométrio estágios III e IV para receber radioterapia abdominal total *versus* doxorrubicina e cisplatina, sendo concluído que o grupo que recebeu quimioterapia teve benefício em relação à sobrevida livre de progressão e sobrevida global (53 *versus* 42%).[83]

O tratamento multimodal combinaria os efeitos sistêmicos da quimioterapia com o controle locorregional da radioterapia. Porém, os subgrupos de pacientes que realmente se beneficiariam do tratamento multimodal, o regime da quimioterapia e a sequência do tratamento estão ainda sob investigação.

Quadro 4. Correlação entre estadiamento e grau (FIGO) com sobrevida em 5 anos

ESTÁGIO	SOBREVIDA (%)
IA	91
IB	88
IC	81
IIA	77
IIB	67
IIIA	60
IIIB	41
IIIC	32
IVA	20
IVB	5
GRAU	SOBREVIDA (%)
1	92
2	87
3	74

DOENÇA RECIDIVADA

Pacientes com câncer de endométrio recidivado compõem um grupo bastante heterogêneo, variando desde de pacientes com recidiva vaginal, nas quais ainda é possível o tratamento curativo, até pacientes com doença disseminada a distância, nas quais o objeto passa a ser a paliação. Portanto, a conduta deve ser individualizada. Cirurgia, radioterapia e hormonoterapia são utilizadas no tratamento da doença recidivada.[4]

Para pacientes com recidiva vaginal exclusiva, o tratamento preferencial é a radioterapia, em que a sobrevida estimada em 2 anos é de 75%.[70,84,85] Pacientes que receberam previamente radioterapia são candidatas a cirurgia. No caso de recidivas extensas, cirurgias radicais como exenteração pélvica e ressecções com extensão para a parede pélvica podem ser indicadas para um grupo selecionado de pacientes com doença avançada locorregional e bom *performance status* com intenção curativa.[86]

O câncer de endométrio é hormônio-responsivo, porém o uso de progestágenos mostrou taxa de resposta de 15-30%, com mediana de sobrevida somente de 7-11 meses.[87-89] Entretanto, a resposta é melhor nos tumores bem diferenciados, em que há receptor positivo de progesterona, sendo que em estudo do GOG, a resposta para receptor positivo e negativo foi de 37 e 8%, respectivamente.

Quimioterapia usualmente é administrada para doença sistêmica. Apesar de diversos esquemas de quimioterapias terem sido empregados, doxorrubicina e cisplatina são tradicionalmente consideradas as drogas mais eficazes. A taxa de resposta com doxorrubicina como agente único é de 17-25%.[90-93] Apesar de a taxa de resposta ser maior da combinação com cisplatina, não há impacto na sobrevida.[92,94]

A combinação do paclitaxel com análogo da platina mostrou taxa de resposta de 40%.[95,96] Em estudo do GOG, a combinação doxorrubicina e paclitaxel mostrou resposta similar a doxorrubicina e cisplatina.[97] O mesmo grupo comparou o regime com duas drogas (doxorrubicina e cisplatina) ou três drogas (doxorrubicina, cisplatina e paclitaxel) e houve melhora na resposta objetiva (34 *versus* 57%) e sobrevida global (12,3 *versus* 15,3 meses) a favor do uso das três drogas, porém às custas de maior toxicidade.[98]

Os resultados finais do estudo GOG 209, onde foram randomizadas 1.381 pacientes para receber doxorrubicina, cisplatina e paclitaxel ou carboplatina e paclitaxel ainda não foram publicados, porém os resultados atuais mostraram que o esquema com carboplatina e paclitaxel não se mostrou inferior e houve menor toxicidade.[99]

SEGUIMENTO

O seguimento deve ser realizado a cada 3 meses no 1º ano, a cada 4 meses no 2º e 3º ano e após este período, a cada 6 meses até completar 5 anos de seguimento e depois anualmente. O exame físico deve ser realizado a cada retorno e os exames de imagem e laboratoriais devem ser individualizados. Cerca de 70% das recidivas são sintomáticas e entre 68-100% ocorrem nos primeiros 3 anos de seguimento (Quadro 4).[100] Os Quadros 1 e 2 mostram a sobrevida em 5 anos em relação ao estágio e grau.

REFERÊNCIAS BIBLIOGRÁFICAS

1. Jemal A, Bray F, Center MM et al. Global cancer statistics. *CA Cancer J Clin* 2011;61(2):69-90.
2. Siegel R, Naishadham D, Jemal A. Cancer statistics, 2012. *CA Cancer J Clin* 2012;62(1):10-29.
3. Howlader N, Noone AM, Krapcho M et al. (Eds.). *SEER Cancer Statistics Review, 1975-2009* (vintage 2009 populations). Bethesda, MD: National Cancer Institute. http://seer.cancer.gov/csr/1975_2009_pops09/, based on November 2011 SEER data submission, posted to the SEER web site, 2012.
4. Wright JD, Barrena Medel NI, Sehouli J et al. Contemporary management of endometrial cancer. *Lancet* 2012;379(9823):1352-60.
5. Creasman WT, Morrow CP, Bundy BN et al. Surgical pathologic spread patterns of endometrial cancer: a Gynecologic Oncology Group Study. *Cancer* 1987;60:2035-41.
6. Grady D, Gebretsadik T, Kerlikowske K et al. Hormone replacement therapy and endometrial cancer risk: a meta-analysis. *Obstet Gynecol* 1995;85:304-13.
7. Weiderpass E, Adami HO, Baron JA et al. Risk of endometrial cancer following estrogen replacement with and without progestins. *J Natl Cancer Inst* 1999;91:1131-37.
8. Renehan AG, Tyson M, Egger M et al. Body-mass index and incidence of cancer: a systematic review and meta-analysis of prospective observational studies. *Lancet* 2008;371:569-78.
9. Bokhman JV. Two pathogenetic types of endometrial carcinoma. *Gynecol Oncol* 1983;15:10-17.
10. Sherman ME. Theories of endometrial carcinogenesis: a multidisciplinary approach. *Mod Pathol* 2000;13:295-308.
11. Hannemann MM, Alexancer HM, Cope NJ et al. Endometrial hyperplasia: a clinician`s review. *Obstetr Gynaecol Reproductive Med* 2010;20(4):116-20.
12. Pellerin GP, Finan MA. Endometrial cancer in women 45 years of age or younger: a clinicopathological analysis. *Am J Obstet Gynecol* 2005;193:1640-44.
13. Calle EE, Rodriguez C, Walker-Thurmond K et al. Overweight, obesity, and mortality from cancer in a prospectively studied cohort of US adults. *N Engl J Med* 2003;348:1625-38.
14. Calle EE, Kaaks R. Overweight, obesity and cancer: epidemiological evidence and proposed mechanisms. *Nat Rev Cancer* 2004;4(8):579-91.
15. Lindor NM, Petersen GM, Hadley DW et al. Recommendations for the care of individuals with an inherited predisposition to Lynch syndrome: a systematic review. *JAMA* 2006;296:1507-17.
16. Lu KH, Schorge JO, Rodabaugh KJ et al. Prospective determination of prevalence of lynch syndrome in young women with endometrial cancer. *J Clin Oncol* 2007;25:5158-64.
17. Aarnio M, Sankila R, Pukkala E et al. Cancer risk in mutation carriers of DNA-mismatch-repair genes. *Int J Cancer* 1999;81:214-18.
18. Dunlop MG, Farrington SM, Carothers AD et al. Cancer risk associated with germline DNA mismatch repair gene mutations. *Hum Mol Genet* 1997;6:105-10.
19. Fisher B, Costantino JP, Redmond CK et al. Endometrial cancer in tamoxifen-treated breast cancer patients: findings from the National Surgical Adjuvant Breast and Bowel Project (NSABP) B-14. *J Natl Cancer Inst* 1994;86:527-37.
20. Perri T, Rahimi K, Ramanakumar AV et al. Are endometrial polyps true cancer precursors? *Am J Obstet Gynecol* 2010;203(3):232.e1-e6.
21. Lee SC, Kaunitz AM, Sanchez-Ramos L et al. The oncogenic potential of endometrial polyps: a systematic review and meta-analysis. *Obstet Gynecol* 2010;116(5):1197-205.
22. Goldstein SR, Nachtigall M, Snyder JR et al. Endometrial assessment by vaginal ultrasonography before endometrial sampling in patient with postmenopausal bleeding. *Am J Obstet Gynecol* 1990;163:119.
23. American College of Obstetricians and Gynecologists. ACOG practice bulletin, clinical management guidelines for obstetrician-gynecologists, number 65, August 2005: management of endometrial cancer. *Obstet Gynecol* 2005;106:413-25.
24. Smith-Bindman R, Kerlikowske K, Feldstein VA et al. Endovaginal ultrasound to exclude endometrial cancer and other endometrial abnormalities. *JAMA* 1998;280(17):1510-17.
25. Markovitch O, Tepper R, Fishman A et al. The value of transvaginal ultrasonography in the prediction of endometrial pathologies in

asymptomatic postmenopausal breast cancer tamoxifen-treated patients. *Gynecol Oncol* 2004;95(3):456-62.
26. Doll A, Abal M, Rigau M et al. Novel molecular profiles of endometrial cancer-new light through old windows. *J Steroid Biochem Mol Biol* 2008;108:221-29.
27. Kurman RJ, McConnell TG. Precursors of endometrial and ovarian carcinoma. *Virchows Arch* 2010;456(1):1-12.
28. Kurman RJ, Kaminski PF, Norris HJ. The behavior of endometrial hyperplasia. A long-term study of "untreated" hyperplasia in 170 patients. *Cancer* 1985;56(2):403-12.
29. Baak JP, Nauta JJ, Wisse-Brekelmans EC et al. Architectural and nuclear morphometrical features together are more important prognosticators in endometrial hyperplasias than nuclear morphometrical features alone. *J Pathol* 1988;154(4):335-41.
30. Lacey Jr JV, Sherman ME, Rush BB et al. Absolute risk of endometrial carcinoma during 20-year follow-up among women with endometrial hyperplasia. *J Clin Oncol* 2010;28(5):788-92.
31. Trimble CL, Kauderer J, Zaino R et al. Concurrent endometrial carcinoma in women with a biopsy diagnosis of atypical endometrial hyperplasia: a Gynecologic Oncology Group study. *Cancer* 2006;106:812-19.
32. Giede KC, Yen TW, Chibbar R et al. Significance of concurrent endometrial cancer in women with a preoperative diagnosis of atypical endometrial hyperplasia. *J Obstet Gynaecol Cancer* 2008;30:896-901.
33. Boronow RC, Morrow CP, Creasman WT et al. Surgical staging in endometrial cancer: clinical-pathologic findings of a prospective study. *Obstet Gynecol* 1984;63:825-32.
34. Mariani A, Webb MJ, Keeney GL et al. Surgical stage I endometrial cancer: predictors of distant failure and death. *Gynecol Oncol* 2002;87:274-80.
35. Mariani A, Dowdy SC, Cliby WA et al. Prospective assessment of lymphatic dissemination in endometrial cancer: a paradigm shift in surgical staging. *Gynecol Oncol* 2008;109(1):11-18.
36. International Federation of Gynecology and Obstetrics. Revised FIGO staging for carcinoma of the vulva, cervix and endometrium. *Int J Gynaecol Obstet* 2009;105:103-4.
37. Mariani A, Webb MJ, Keeney GL et al. Low-risk corpus cancer: is lymphadenectomy or radiotherapy necessary? *Am J Obstet Gynecol* 2000;182:1506-19.
38. DiSaia PJ, Creasman WT, Boronow RC et al. Risk factors and recurrent patterns in Stage I endometrial cancer. *Am J Obstet Gynecol* 1985;151:1009-15.
39. Morrow CP, Bundy BN, Kurman R et al. Relationship between surgical – pathological risk factors and outcome in clinical stages I and II carcinoma of the endometrium (a Gynecologic Oncology Group study). *Gynecol Oncol* 1991;40:55-65.
40. Grimshaw RN, Tupper WC, Fraser RC et al. Prognostic value of peritoneal cytology in endometrial carcinoma. *Gynecol Oncol* 1990;36:97-100.
41. Harouny VR, Sutton GP, Clark SA et al. The importance of peritoneal cytology in endometrial carcinoma. *Obstetr Gynecol* 1988;72:394-98.
42. Turner DA, Gershenson DM, Atkinson N et al. The prognostic significance of peritoneal cytology for stage I endometrial cancer. *Obstetr Gynecol* 1989;74:775-80.
43. Morrow CP, Di Saia PJ, Townsend DE. Current management of endometrial carcinoma. *Obstetr Gynecol* 1973;42:399-406.
44. Creasman WT, Boronow RC, Morrow CP et al. Adenocarcinoma of the endometrium: its metastatic lymph node potential. A preliminary report. *Gynecol Oncol* 1976;4(3):239-43.
45. Mariani A, Keeney GL, Aletti G et al. Endometrial carcinoma: paraaortic dissemination. *Gynecol Oncol* 2004;92(3):833-38.
46. Childers JM, Brzechff PR, Hatch KD et al. Laparoscopically assisted surgical staging (LASS) of endometrial cancer. *Gynecol Oncol* 1993;51:33-38.
47. Walker JL, Piedmonte MR, Spirtos NM et al. Laparoscopy compared with laparotomy for comprehensive surgical staging of uterine cancer: Gynecologic Oncology Group Study LAP2. *J Clin Oncol* 2009;27:5331-36.
48. Walker JL, Piedmonte MR, Spirtos NM et al. Recurrence and survival after random assignment to laparoscopy versus laparotomy for comprehensive surgical staging of uterine cancer: Gynecologic Oncology Group LAP2 Study. *J Clin Oncol* 2012;30(7):695-700.
49. Mourits MJ, Bijen CB, Arts HJ et al. Safety of laparoscopy versus laparotomy in early-stage endometrial cancer: a randomised trial. *Lancet Oncol* 2010 Aug.;11(8):763-71.
50. Janda M, Gebski V, Brand A et al. Quality of life after total laparoscopic hysterectomy versus total abdominal hysterectomy for stage I endometrial cancer (LACE): a randomised trial. *Lancet Oncol* 2010 11:772-80.

51. Boggess JF, Gehrig PA, Cantrell L et al. A comparative study of 3 surgical methods for hysterectomy with staging for endometrial cancer: robotic assistance, laparoscopy, laparotomy. *Am J Obstet Gynecol* 2008;199:360.e1-e9.
52. Seamon LG, Bryant SA, Rheaume PS et al. Comprehensive surgical staging for endometrial cancer in obese patients: comparing robotics and laparotomy. *Obstet Gynecol* 2009;114:16-21.
53. Mariani A, El-Nashar SA, Dowdy SC. Lymphadenectomy in endometrial cancer: which is the right question? *Int J Gynecol Cancer* 2010 Oct.;20(11 Suppl 2):S52-54.
54. Franchi M, Ghezzi F et al. Clinical value of intraoperative gross examination in endometrial cancer. *Gynecol Oncol* 2000;76:357-61.
55. Cragun JM, Havrilesky LJ, Calingaert B et al. Retrospective analysis of selective lymphadenectomy in apparent early-stage endometrial cancer. *J Clin Oncol* 2005;23:3668-75.
56. Chan JK, Kapp DS. Role of complete lymphadenectomy in endometrioid uterine cancer. *Lancet Oncol* 2007;8(9):831-41.
57. Chan JK, Wu H, Cheung MK et al. The outcomes of 27,063 women with unstaged endometrioid uterine cancer. *Gynecol Oncol* 2007;106(2):282-88.
58. Todo Y, Kato H, Kaneuchi M et al. Survival effect of para-aortic lymphadenectomy in endometrial cancer (SEPAL study): a retrospective cohort analysis. *Lancet Oncol* 2010;375(9721):1165-72.
59. ASTEC study group. Efficacy of systematic pelvic lymphadenectomy in endometrial cancer (MRC ASTEC trial): a randomised study. *Lancet* 2009;373:125-36.
60. Creasman WT, Mutch DE, Herzog TJ. ASTEC lymphadenectomy and radiation therapy studies: are conclusions valid? *Gynecol Oncol* 2010;116:293-94.
61. Benedetti Panici P, Basile S, Maneschi F et al. Systematic pelvic lymphadenectomy vs. no lymphadenectomy in early-stage endometrial carcinoma: randomized clinical trial. *J Natl Cancer Inst* 2008;100:1707-16.
62. Lee TS, Kim JW, Kim TJ et al. Ovarian preservation during the surgical treatment of early stage endometrial cancer: a nation-wide study conducted by the Korean Gynecologic Oncology Group. *Gynecol Oncol* 2009;115:26-31.
63. Richter CE, Qian B, Martel M et al. Ovarian preservation and staging in reproductive-age endometrial cancer patients. *Gynecol Oncol* 2009;114:99-104.
64. Wright JD, Buck AM, Shah M et al. Safety of ovarian preservation in premenopausal women with endometrial cancer. *J Clin Oncol* 2009;27:1214-19.
65. Rackow BW, Arici A. Endometrial cancer and fertility. *Curr Opin Obstet Gynecol* 2006;18(3):245-52.
66. Walsh C, Holschneider C, Hoang Y et al. Coexisting ovarian malignancy in young women with endometrial cancer. *Obstet Gynecol* 2005;106(4):693-99.
67. Ramirez PT, Frumovitz M, Bodurka DC et al. Hormonal therapy for the management of grade 1 endometrial adenocarcinoma: a literature review. *Gynecol Oncol* 2004;95:133-38.
68. Chiva L, Lapuente F, González-Cortijo L et al. Sparing fertility in young patients with endometrial cancer. *Gynecol Oncol* 2008;111(2 Suppl):S101-4.
69. Ushijima K, Yahata H, Yoshikawa H et al. Multicenter phase II study of fertility-sparing treatment with medroxyprogesterone acetate for endometrial carcinoma and atypical hyperplasia in young women. *J Clin Oncol* 2007;25(19):2798-803.
70. Keys HM, Roberts JA, Brunetto VL et al. A phase III trial of surgery with or without adjunctive external pelvic radiation therapy in intermediate risk endometrial adenocarcinoma: a Gynecol Oncol Group study. *Gynecol Oncol* 2004;92:744-51.
71. Creutzberg CL, van Putten WL, Koper PC et al. Surgery and postoperative radiotherapy versus surgery alone for patients with stage-1 endometrial carcinoma: Multicentre randomised trial. PORTEC Study Group. Post Operative Radiation Therapy in Endometrial Carcinoma. *Lancet* 2000;355:1404-11.
72. Creutzberg CL, van Putten WL, Wárlám-Rodenhuis CC et al. Postoperative radiation therapy in endometrial carcinoma trial. Outcome of high-risk stage IC, grade 3, compared with stage I endometrial carcinoma patients: the postoperative radiation therapy in endometrial carcinoma trial. *J Clin Oncol* 2004;22(7):1234-41.
73. Nout RA, Smit VT, Putter H et al. Vaginal brachytherapy versus pelvic external beam radiotherapy for patients with endometrial cancer of high-intermediate risk (PORTEC-2): an open-label, non-inferiority, randomised trial. *Lancet* 2010;375(9717):816-23.
74. Kong A, Johnson N, Kitchener HC et al. Adjuvant radiotherapy for stage I endometrial cancer. *Cochrane Database Syst Rev* 2012 Apr. 18;4:CD003916.

75. Morrow CP, Bundy BN, Homesley HD et al. Doxorubicin as an adjuvant following surgery and radiation therapy in patients with high-risk endometrial carcinoma, stage I and occult stage II: a Gynecologic Oncology Group study. *Gynecol Oncol* 1990;36(2):166-71.

76. Maggi R, Lissoni A, Spina F et al. Adjuvant chemotherapy vs radiotherapy in high-risk endometrial carcinoma: results of a randomised trial. *Br J Cancer* 2006;95(3):266-271.

77. Susumu N, Sagae S, Udagawa Y et al. Randomized phase III trial of pelvic radiotherapy versus cisplatin-based combined chemo- therapy in patients with intermediate- and high-risk endome- trial cancer: a Japanese Gynecologic Oncology Group study. *Gynecol Oncol* 2008;108:226-33.

78. Hogberg T, Signorelli M, de Oliveira CF et al. Sequential adjuvant chemotherapy and radiotherapy in endometrial cancer-results from two randomised studies. *Eur J Cancer* 2010;46(13):2422-31.

79. Kelly MG, O'malley DM, Hui P et al. Improved survival in surgical stage I patients with uterine papillary serous carcinoma (UPSC) treated with adjuvant platinum-based chemotherapy. *Gynecol Oncol* 2005;98(3):353-59.

80. Fader AN, Drake RD, O'Malley DM et al. Platinum/taxane-based chemotherapy with or without radiotherapy favorably impacts survival outcomes in stage I uterine papillary serous carcinoma. *Cancer* 2009;115(10):2119-27.

81. Johnson N, Bryant A, Miles T et al. Adjuvant chemotherapy for endometrial cancer after hysterectomy. *Cochrane Database Syst Rev* 2011 Oct. 5;(10):CD003175.

82. Bristow RE, Zerbe MJ, Rosenshein NB et al. Stage IVB endometrial carcinoma: the role of cytoreductive surgery and determinants of survival. *Gynecol Oncol* 2000;78(2):85-91.

83. Randall ME, Filiaci VL, Muss H et al. Randomized phase III trial of whole- abdominal irradiation versus doxorubicin and cisplatin chemotherapy in advanced endometrial carcinoma: a gynecologic cisplatin and doxorubicin with or without paclitaxel: a Gynecologic Oncology Group study. *Gynecol Oncol* 2009;112:543-52.

84. Creutzberg CL, van Putten WL, Koper PC et al. Survival after relapse in patients with endometrial cancer: results from a randomized trial. *Gynecol Oncol* 2003;89:201-9.

85. Huh WK, Straughn Jr JM, Mariani A et al. Salvage of isolated vaginal recurrences in women with surgical stage I endometrial cancer: a multiinstitutional experience. *Int J Gynecol Cancer* 2007;17:886-89.

86. Bristow RE, Santillan A, Zahurak ML et al. Salvage cytoreductive surgery for recurrent endometrial cancer. *Gynecol Oncol* 2006;103:281-87.

87. Thigpen JT, Brady MF, Alvarez RD et al. Oral medroxyprogesterone acetate in the treatment of advanced or recurrent endometrial carcinoma: a dose-response study by the Gynecologic Oncology Group. *J Clin Oncol* 1999;17:1736-44.

88. Ma BB, Oza A, Eisenhauer E et al. The activity of letrozole in patients with advanced or recurrent endometrial cancer and correlation with biological markers—a study of the National Cancer Institute of Canada Clinical Trials Group. *Int J Gynecol Cancer* 2004;14:650-58.

89. Asbury RF, Brunetto VL, Lee RB et al. Goserelin acetate as treatment for recurrent endometrial carcinoma: a Gynecologic Oncology Group study. *Am J Clin Oncol* 2002;25:557-60.

90. Carey MS, Gawlik C, Fung-Kee-Fung M et al. Systematic review of systemic therapy for advanced or recurrent endometrial cancer. *Gynecol Oncol* 2006;101:158-67.

91. Gallion HH, Brunetto VL, Cibull M et al. Randomized phase III trial of standard timed doxorubicin plus cisplatin versus circadian timed doxorubicin plus cisplatin in stage III and IV or recurrent endometrial carcinoma: a Gynecologic Oncology Group Study. *J Clin Oncol* 2003;21:3808-13.

92. Thigpen JT, Brady MF, Homesley HD et al. Phase III trial of doxorubicin with or without cisplatin in advanced endometrial carcinoma: a gynecologic oncology group study. *J Clin Oncol* 2004;22:3902-8.

93. Thigpen JT, Blessing JA, DiSaia PJ et al. A randomized comparison of doxorubicin alone versus doxorubicin plus cyclophosphamide in the management of advanced or recurrent endometrial carcinoma: a Gynecologic Oncology Group study. *J Clin Oncol* 1994;12:1408-14.

94. Aapro MS, van Wijk FH, Bolis G et al. Doxorubicin versus doxorubicin and cisplatin in endometrial carcinoma: definitive results of a randomised study (55872) by the EORTC Gynaecological Cancer Group. *Ann Oncol* 2003;14:441-48.

95. Dimopoulos MA, Papadimitriou CA, Georgoulias V et al. Paclitaxel and cisplatin in advanced or recurrent carcinoma of the endometrium: long-term results of a phase II multicenter study. *Gynecol Oncol* 2000;78:52-57.

96. Sovak MA, Hensley ML, Dupont J et al. Paclitaxel and carboplatin in the adjuvant treatment of patients with high-risk stage III and IV endometrial cancer: a retrospective study. *Gynecol Oncol* 2006;103:451-57.

97. Fleming GF, Filiaci VL, Bentley RC et al. Phase III randomized trial of doxorubicin + cisplatin versus doxorubicin + 24-h paclitaxel + filgrastim in endometrial carcinoma: a Gynecologic Oncology Group study. *Ann Oncol* 2004;15:1173-78.

98. Fleming GF, Brunetto VL, Cella D et al. Phase III trial of doxorubicin plus cisplatin with or without paclitaxel plus filgrastim in advanced endometrial carcinoma: a Gynecologic Oncology Group Study. *J Clin Oncol* 2004;22:2159-66.

99. Miller D, Filiaci V. Fleming G et al. Late-Breaking Abstract 1: Randomized phase III noninferiority trial of first line chemotherapy for metastatic or recurrent endometrial carcinoma: A Gynecologic Oncology Group study. *Gynecol Oncol* 2012 June;125(3):771. 10.1016/j.ygyno.2012.03.034.

100. Fung-Kee-Fung M, Dodge J, Elit L et al. Cancer care ontario program in evidence-based care gynecology cancer disease Site Group. Follow-up after primary therapy for endometrial cancer: a systematic review. *Gynecol Oncol* 2006;101(3):520-29.

163-2 Cânceres de Linhagens Diversas

Francisco Carlos do Nascimento Júnior
Gustavo Luís Soares Carvalho

INTRODUÇÃO

Esse capítulo compreende um variado grupo de enfermidades do corpo uterino, que vão desde tumores benignos com poucos ou nenhum sinal e sintoma, até tumores malignos com elevado grau de agressividade, que apresentam grande crescimento local com invasão direta de estruturas circunjacentes e possibilidade de acometimento de órgãos a distância.

Dentre os tumores benignos serão citados: os leiomiomas e os adenofibromas. Esses tumores serão abordados de forma superficial, haja vista que o foco principal são as neoplasias malignas. Os motivos de estarem aqui presentes é que fazem parte do diagnóstico diferencial entre os tumores do corpo uterino.

Maior atenção será dada às doenças malignas que podem se desenvolver no corpo do útero, excluindo as que são próprias do endométrio, as quais receberão um capítulo à parte. Esses tumores malignos são denominados genericamente como sarcomas uterinos e correspondem a uma forma de malignidade uterina que se origina dos elementos mesenquimais, isto é, miométrio e tecido conectivo. Geralmente são mais agressivos que os carcinomas endometriais e se associam a um pior prognóstico para a paciente (Fig. 8).

EPIDEMIOLOGIA E FATORES DE RISCO

Leiomiomas são tumores benignos. Estão presentes em aproximadamente 25% das mulheres e cerca de 75% dos casos são assintomáticos, encontrados ocasionalmente durante exame abdominal e pélvico bimanual ou ultrassonografia. O sangramento uterino aumentado é a queixa mais comum, podendo levar à anemia. Já os adenofibromas são tumores frequentemente assintomáticos e na grande maioria das vezes correspondem a achados histopatológicos de peças cirúrgicas.

Sarcomas uterinos são tumores raros, sendo a incidência anual nos EUA 0,36/100.000 mulheres entre 1979 e 2001. A taxa de sarcomas uterinos parece estar aumentando, pois identificamos que sua incidência foi de 7,6 para 9,1% dos cânceres uterinos no período de 1988 a 2001.

Como fatores de risco para os sarcomas uterinos, temos:

- *Raça:* as mulheres americanas afro-descendentes apresentam uma incidência 2 vezes maior de leiomiossarcoma que as caucasianas, não sendo válido esse achado em relação aos demais subtipos.
- *Tamoxifeno:* o uso de tamoxifeno por longos períodos parece estar associado a maior risco de desenvolvimento de sarcomas uterinos. Estudos randomizados em pacientes que fazem tratamento para câncer de mama encontraram uma incidência de 17/100.000 mulheres-ano com sarcoma entre as que usaram tamoxifeno. É um risco pequeno, mas presente e que deve ser informado à paciente.
- *Irradiação pélvica:* a irradiação aumenta o risco de desenvolvimento de sarcoma uterino, mas essa associação parece ser mais forte para o carcinossarcoma, que antes era classificado como subtipo de sarcoma uterino.

HISTOLOGIA

Tumores não epiteliais

Sarcoma estromal endometrial

Os tumores estromais endometriais podem ser benignos, que são nódulos estromais endometriais, ou malignos, que são sarcomas estromais endometriais (ESS), sendo estes com evolução mais indolente, por serem bem diferenciados e de baixo grau. Têm origem endometrial, envolvidos por uma rede vascular de arteríolas que infiltra o miométrio e tende a apresentar disseminação linfática.

Sarcoma endometrial indiferenciado

São tumores com tendência mais agressiva, não apresentando diferenciação específica e sem as características do estroma endometrial. Apresentam grande atipia celular e intensa atividade mitótica. São identificados normalmente como massas polipoides de consistência endurecida, que podem atingir grandes tamanhos. Em função do volume, é comum encontrar áreas de hemorragia e necrose no interior do tumor.

Leiomiossarcoma

São tumores caracterizados por proeminente atipia celular, intensa atividade mitótica e também apresentam em seu interior áreas com necrose e hemorragia. Macroscopicamente são lesões grandes, solitárias, maiores que 10 cm, amareladas, de consistência macia e superfície rugosa. O seu crescimento geralmente é em direção ao interior da cavidade uterina, abaulando o miométrio. O leiomiossarcoma pode ser dividido em duas variantes:

- *Epitelioide:* caracterizado por apresentar células poligonais com grande quantidade de citoplasma de aspecto eosinofílico ou claro. Leiomomas epitelioides que apresentam mais de cinco mitoses/dez CGa são classificados como leiomiossarcomas epitelioides, mesmo que não apresen-

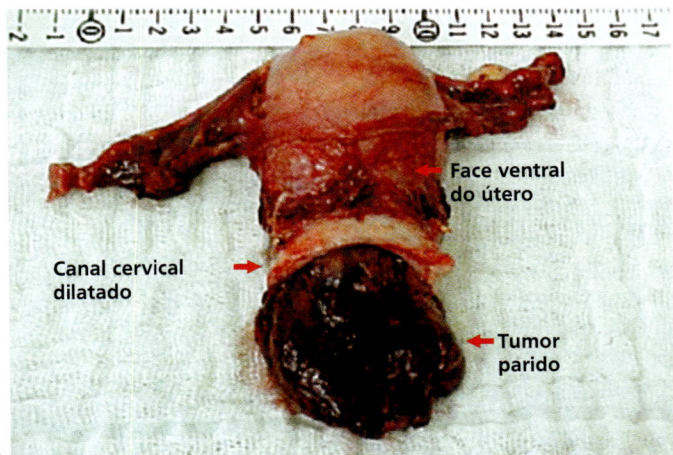
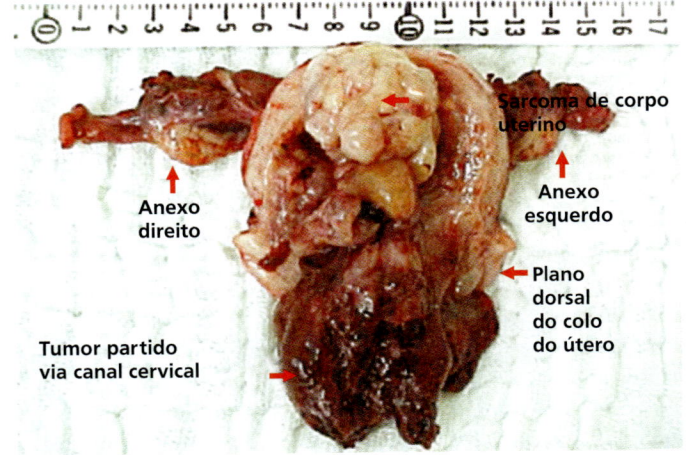

▲ **FIGURA 8.** (**A**) Peça de histerectomia e salpingo-ooforectomia bilateral em paciente com sangramento vaginal anormal. Ao toque vaginal, volumoso tumor em parturição pelo canal cervical. (**B**) Abertura da peça, sendo observado volumoso sarcoma de corpo uterino com áreas de hemorragia principalmente ao nível do canal cervical.

tem necrose ou hemorragia em seu interior. Tumores entre 6 e 10 cm de tamanho, com atividade mitótica moderada (duas a quatro mitoses/dez CGa) não apresentam comportamento clínico bem estabelecido, sendo então denominados tumores epitelioides de músculo liso com potencial maligno incerto.

- **Mixoide:** a aparência mixoide densa do tumor pode esconder a sua origem muscular lisa, o pleomorfismo nuclear e o verdadeiro número de figuras mitóticas nucleares. Macroscopicamente são tumores com aspecto pouco agressivo, o que, na verdade, contrapõe o seu comportamento biológico.

Leiomiomas

Os leiomiomas são os tumores mais comuns em mulheres, sendo conhecidos de modo coloquial como fibroides. São encontrados em pelo menos 25% das mulheres com vida produtiva ativa, sendo mais comuns em negras. Respondem ao estrogênio, regridem ou, até mesmo, sofrem calcificação após castração ou menopausa, e podem aumentar rapidamente de tamanho durante a gravidez. Sua causa é desconhecida, embora, de modo semelhante à patogenia dos pólipos endometriais, as aberrações cromossômicas possam desempenhar algum papel. Dependendo de sua localização, podem ser classificados como submucosos, intramurais e subserosos. Os tumores grandes podem apresentar áreas amolecidas, denominadas áreas de degeneração vermelha.

Histologicamente, os leiomiomas são compostos de feixes espiralados de células musculares lisas, que lembram a arquitetura normal do miométrio.

As variantes benignas do leiomioma incluem tumores atípicos ou bizarros, com atipia nuclear e células gigantes. É importante assinalar que ambos apresentam baixo índice mitótico. Uma variante extremamente rara é denominada leiomioma benigno metastatizante, consiste em um tumor uterino que se estende até os vasos sanguíneos e migra até outros locais, mais comumente para o pulmão.

Mulheres com miomatose assintomática não necessitam de tratamento, apenas acompanhamento e exame ginecológico de rotina, exceto aquelas com miomas muito volumosos ou que provoquem compressão ureteral.

O tratamento das pacientes com miomas sintomáticos deve ser individualizado, levando-se em consideração a idade da paciente (proximidade da menopausa), o desejo de gestação, os sintomas provocados, o tamanho e a localização dos miomas. O objetivo do tratamento clínico é o alívio dos sintomas. Como a grande maioria das pacientes com miomatose se torna assintomática após a menopausa, o tratamento medicamentoso pode tornar os sintomas aceitáveis até a chegada da menopausa, evitando-se os riscos associados aos tratamentos cirúrgicos.

Tumor com associação estromal, endometrial e de muscular lisa

São definidos como tumores com 30% de cada componente, estromal, endometrial e de muscular lisa. São denominados como estromomiomas e existe pouca informação disponível sobre esses tumores.

Tumores que associam componentes epiteliais e não epiteliais

Adenossarcomas

São tumores extremamente raros, descritos a primeira vez em 1974, por Clement *et al.*, e caracterizam-se por associação de um componente estromal maligno (fibrossarcomatoso ou sarcomatoso) a um componente epitelial benigno.

A maioria ocorre na pós-menopausa, com uma idade média de 57 anos. Cerca de 40% ocorrem em mulheres jovens, incluindo adolescentes. O sintoma mais comum é o sangramento vaginal e os sinais que encontramos com mais frequência são aumento uterino, dor pélvica e queixas urinárias.

Apresentam-se como uma tumoração polipoide, com base larga e coloração acinzentada ou marrom, com áreas de necrose e hemorragia, e geralmente estão localizados no fundo uterino.

Em função do crescimento indolente, constantemente esse tumor é diagnosticado no estágio IV. Aproximadamente 15% dos adenossarcomas invadem o miométrio, porém menos de 5% apresentam invasão profunda.

São tumores com baixo potencial de malignidade, entretanto 40% apresentam metástases ou recidivam, sendo a pelve e a vagina os sítios mais comuns. A única característica morfológica que se associa à recidiva é a invasão miometrial. As recidivas e as metástases são compostas unicamente pelo elemento sarcomatoso.

Adenofibroma

É um tumor comum em idosas com idade média de 68 anos. Não ocorre predileção por raça e seu sintoma mais comum é o sangramento vaginal e história prévia de ressecção de pólipos endometriais.

Caracteriza-se por ser benigno, polipoide, de coloração amarronzada, com focos de necrose e hemorragia e baixo índice mitótico. O tratamento é a excisão local dessa enfermidade, que é benigna.

Carcinossarcoma (tumor mülleriano misto)

É o mais comum dos sarcomas uterinos, embora corresponda somente a 1,5% de todos os tumores malignos do útero. A idade média das pacientes no diagnóstico é de 65 anos. O sintoma mais comum é o sangramento vaginal pós-menopausa, podendo estar acompanhado de dor em baixo ventre e distensão abdominal. Por ser um tumor de disseminação precoce, sintomas gastrointestinais e/ou urinários acompanham a sintomatologia da paciente.

São tumores que frequentemente preenchem a cavidade uterina e tendem a exteriorizar-se através do canal cervical. Sua superfície ao corte é de cor marrom, amolecida, com áreas de hemorragia e necrose, pode ocorrer presença de tecido ósseo e cartilaginoso.

Esses tumores são um misto de epitélio maligno, estroma sarcomatoso, com predominância do segundo. O componente glandular é semelhante ao do adenocarcinoma de endométrio, podendo ocorrer células claras e células mucinosas.

Geralmente as metástases se apresentam como um adenocarcinoma endometrial pouco diferenciado. Em aproximadamente 5% dos carcinossarcomas, o componente epitelial é um carcinoma escamoso, sendo mais comum desses casos no tumor que se localiza no colo uterino.

A extensão da neoplasia, no momento do diagnóstico, o estadiamento cirúrgico e a profundidade da invasão miometrial são os parâmetros mais importantes para o prognóstico. Quando o tumor invade mais de 50% da profundidade da parede, o comprometimento linfonodal ocorre em 30%.

Os estágios mais avançados possuem mau prognóstico e a proporção de 12 a 50% de casos avançados no momento do diagnóstico reflete a agressividade natural do tumor. A sobrevida das pacientes com esse tipo histopatológico tumoral varia de 20 a 40% em 5 anos.

MANIFESTAÇÕES CLÍNICAS

Tipicamente se apresentam por meio de sangramento vaginal, sensação de peso na pelve, aumento do volume uterino e distensão abdominal. No exame pélvico encontramos o útero aumentado de tamanho, não sendo possível distinguir, através da história e do exame físico, se estamos tratando de doença miomatosa ou de sarcoma uterino.

A hipótese diagnóstica de sarcoma uterino deve ser pensada principalmente em mulheres na pós-menopausa, que anteriormente apresentavam miomatose uterina sem sintomas e que passaram a ser sintomáticas. Nesse grupo de pacientes a incidência de sarcoma uterino é de 1-2%.

Outro sinal importante, que pode também indicar que estamos tratando de um sarcoma uterino, é o crescimento rápido do tumor, fato que dificilmente ocorre com leiomiomas.

DIAGNÓSTICO

O diagnóstico de sarcoma uterino é baseado no exame histopatológico pelo patologista. Mais comumente a conclusão desse diagnóstico é feita após miomectomia ou avaliação de peça cirúrgica como produto de histerectomia. A biópsia endometrial também é uma alternativa para a realização do diagnóstico, mas não concorre para o estadiamento e nem na avaliação de invasão miometrial. Além disso, quando a amostragem endometrial é feita por meio de curetagem, e não por histeroscopia seguida de biópsia, pode ocorrer de não ser conseguido material satisfatório para o diagnóstico, ou mesmo de o material não possuir elementos sarcomatosos.

AVALIAÇÃO PRÉ-CIRÚRGICA

Uma completa avaliação física e da pelve deve ser feita antes da indicação do tratamento, principalmente quando a paciente apresenta indícios de que o tratamento será cirúrgico. Principal atenção deve ser dada para o tamanho uterino, mobilidade do útero, presença de outras tumorações extrauterinas e de linfadenopatias.

As metástases a distância se dão por via hematogênica e linfática, sendo a primeira mais precoce, levando ao acometimento hepático e pulmonar precoce. Em função deste fato, todas as pacientes com diagnóstico de sarcoma uterino devem ser submetidas a exames de imagem que avaliem tórax, abdome e pelve. A tomografia computadorizada se presta muito bem à avaliação destes pacientes, porém algumas vezes é necessária a realização de ressonância magnética para avaliação da pelve, uma vez que esse exame é mais fidedigno para avaliação da ressecabilidade do tumor.

Ainda não foram identificados marcadores tumorais que sejam estritamente relacionados aos sarcomas uterinos. Alguns estudos, ainda com resultados inconsistentes, relacionam aumento no CA 125 e sarcoma uterino, sendo necessárias mais pesquisas nessa área para concluir se existe esta associação.

ESTADIAMENTO E TRATAMENTO CIRÚRGICO PRIMÁRIO DOS SARCOMAS UTERINOS

Assim como a maioria das malignidades ginecológicas, os sarcomas uterinos são mais bem estadiados através de cirurgia do que clinicamente. Para os vários tipos histopatológicos, o estadiamento cirúrgico é o mais importante fator prognóstico. Além deste, o índice mitótico é outro importante fator prognóstico.

A histerectomia abdominal extrafascial com salpingo-ooforectomia bilateral e biópsias das áreas que possam estar comprometidas por metástases fazem parte do estadiamento-padrão para os sarcomas uterinos. Alguns cirurgiões rotineiramente realizam a omentectomia, mas não existem informações que sustentem a ressecção deste elemento anatômico.

Quando a doença se encontra restrita ao útero, a histerectomia extrafascial é potencialmente curativa, não existindo benefício adicional na realização de uma cirurgia mais agressiva.

Os efeitos de uma citorredução ótima na sobrevida das mulheres que apresentam doença extrauterina têm sido avaliados em alguns estudos, mas os achados ainda são controversos.

O Grupo de Ginecologia Oncológica (GOG) define como citorredução ótima quando a doença residual é menor que 1 cm de diâmetro. Existem relatos para os tumores uterinos de que existe uma melhora na sobrevida quando essa doença residual visível, pós-citorredução, cai para menos de 1 mm de diâmetro. Não é sabido se essa teoria se aplica também aos sarcomas uterinos, pois são tumores mais agressivos e que respondem muito mal ao tratamento adjuvante.

A linfadenectomia é variável de acordo com o tipo histopatológico do tumor. Para o leiomiossarcoma, o sarcoma endometrial indiferenciado e o sarcoma estromal endometrial, a linfadenectomia não está ainda bem definida, podendo ser até contraindicada em determinados serviços. Para todos os outros tipos tumorais, a indicação é a ressecção dos maiores linfonodos, sem fazer linfadenectomia completa. A incidência de envolvimento linfonodal no sarcoma estromal endometrial varia de 0-33%. Os estudos indicam que a linfadenectomia não aumenta a sobrevida, mas esses são em pequeno número e pouco detalhados. Entre as mulheres com o leiomiossarcoma, as metástases linfonodais são raras na ausência de doença extrauterina e a linfadenectomia não está associada a qualquer aumento na sobrevida livre de doença.

Existem poucas informações sobre a incidência de metástases linfonodais no sarcoma endometrial indiferenciado. Alguns estudos sugerem que as pacientes com linfonodos positivos e que foram submetidas à linfadenectomia completa apresentam uma maior sobrevida que as pacientes que não foram submetidas à linfadenectomia.

As informações são escassas e variam de acordo com o tumor, quando avaliamos a conservação ovariana nas pacientes que desejam manter os ovários. Não existem informações sobre a conservação uterina para esse grupo de neoplasias e, portanto, é contraindicada.

A expressão dos receptores de estrogênio no sarcoma estromal endometrial é variável e o efeito da salpingo-ooforectomia bilateral na sobrevida ainda é controverso. São necessários mais estudos para avaliar a segurança da conservação ovariana e as mulheres que optarem pela cirurgia menos radical devem ser acompanhadas periodicamente com exames de imagem da pelve, do abdome e torácicos. Habitualmente, usamos a tomografia computadorizada e a ressonância magnética para esse acompanhamento, mas alguns médicos e serviços de ginecologia são adeptos da PET-CT. Na maioria dos serviços o seguimento clínico se faz a cada 3 meses nos primeiros 2 anos e depois semestral até completar 5 anos, quando então passa a ser anual. Já os exames de imagem devem ser solicitados em 4-6 meses nos primeiros 2 anos e depois anualmente nos anos seguintes.

Nas mulheres com leiomiossarcoma é possível omitir a salpingo-ooforectomia do tratamento cirúrgico, pois foi avaliado em alguns estudos que não há diferença na sobrevida em 5 anos entre as pacientes que foram submetidas ou não à salpingo-ooforectomia bilateral. Semelhante ao que ocorre no sarcoma estromal endometrial, as mulheres com leiomiossarcoma que preferem a preservação ovariana requerem um seguimento mais próximo e exames de imagem seriados, com a mesma periodicidade.

Nas pacientes com muitas comorbidades e *performance status* ruim, para as quais a cirurgia é contraindicada pelo risco cirúrgico, a opção é a radioterapia exclusiva, mas é sabido que apresenta uma menor sobrevida que o tratamento cirúrgico e é feita através de radioterapia externa e braquiterapia.

TERAPIA ADJUVANTE

O benefício da terapia adjuvante ainda não foi avaliado em estudos randomizados e não existe um consenso sobre a indicação e o melhor esquema de tratamento para cada tipo histopatológico dentre o grupo dos sarcomas uterinos. A maioria das informações vem de estudos retrospectivos e relatos de casos e a maioria conclui que esse tratamento reduz a taxa de recidiva local, sem aumento da sobrevida.

As evidências sobre a radioterapia adjuvante levam a acreditar que este tratamento causa uma menor taxa de recidiva local, mas as opiniões ainda são divergentes. A sua indicação principal é a doença residual pós-cirúrgica, podendo também ser aplicada nos casos em que os linfonodos são positivos. A toxicidade desse tratamento é mínima, sendo as maiores complicações identificadas na bexiga e intestinal, e está presente em 7% das pacientes.

Os sarcomas expressam vários fatores angiogênicos, que são os potenciais alvos da terapia sistêmica. Os carcinossarcomas e os leiomiossarcomas, que são os sarcomas uterinos mais frequentes, são sensíveis a quimioterápicos como os antracíclicos, a ifosfamida e os derivados platínicos. Não existem evidências ainda de que o uso combinado de drogas quimioterápicas seja mais, ou menos, eficiente no tratamento dos sarcomas uterinos. Tal fato ocorre, pois se trata de uma doença rara e que necessita de muitos estudos clínicos quanto a esquemas quimioterápicos a serem utilizados.

A presença de receptores hormonais de esteroides nos sarcomas estromais endometriais permite que seja usado tratamento hormonal nesses tumores. As pacientes com altos níveis de receptores de progesterona parecem responder ao tratamento com esse hormônio, ou com a ooforectomia, com remissão completa ou parcial das recidivas locais e das metástases. Cerca de 30% dos tumores müllerianos mistos apresentam receptores de progesterona, entretanto não há correlação entre a presença deste receptor e seu comportamento clínico.

RECIDIVA E DOENÇA METASTÁTICA

Os sarcomas uterinos comumente apresentam metástase para pulmão, órgãos abdominais, linfonodos pélvicos e para-aórticos, sendo incomuns as metástases ósseas e para o sistema nervoso central.

Geralmente os casos de recidiva e metástases são tratados da seguinte forma:

- *Lesão isolada:* ressecção das metástases.
- *Controle locorregional da doença:* radioterapia.
- *Doença disseminada:* terapia paliativa sistêmica.
- *Sarcoma estromal endometrial:* hormonoterapia.

As pacientes que apresentam recidiva localizada ou doença metastática limitada são as que têm intervalo livre de doença mais longo (12-18 meses) e são as mais fortes candidatas a novo tratamento cirúrgico, apresentando melhor prognóstico.

SEGUIMENTO DOS SARCOMAS UTERINOS

O acompanhamento ideal para os sarcomas uterinos ainda está se desenvolvendo, dada a raridade deste grupo tumoral. Mas são tumores com alta taxa de recidivas e metástases, o que indica um seguimento com pequeno intervalo entre as consultas e os exames realizados.

O seguimento mais aplicado nos dois primeiros anos é com consultas com exames físicos a cada 3 meses e exames de imagem semestrais. Nos anos seguintes, consultas semestrais e exames de imagem anuais.

Dessa forma, ocorre a chance de diagnóstico de recidiva ou metástases em estágios ainda passíveis de tratamento que não seja o paliativo.

BIBLIOGRAFIA

American college of obstetricians and gynecologists committee on gynecologic practice. ACOG committee opinion. No. 336: tamoxifen and uterine cancer. *Obstet Gynecol* 2006;107:1475-78.

Arend R, Bagaria M, Lewin SN et al. Long-term outcome and natural history of uterine adenosarcomas. *Gynecol Oncol* 2010;119:305.

Bansal N, Herzog TJ, Burke W et al. The utility of preoperative endometrial sampling for the detection of uterine sarcomas. *Gynecol Oncol* 2008;110:43.

Bodner K, Bodner-Adler B, Kimberger O et al. Estrogen and progesterone receptor expression in patients with uterine leiomyosarcoma and correlation with different clinicopathological parameters. *Anticancer Res* 2003;23:729.

Brooks SE, Zhan M, Cote T et al. Surveillance, epidemiology, and end results analysis of 2677 cases of uterine sarcoma 1989-1999. *Gynecol Oncol* 2004;93:204.

Contran RS, Kumar V, Collins T. Patologia estrutural e funcional. 7th ed. Rio de Janeiro: Guanabara Koogan, 2005. p. 945-55.

Gadducci A, Cosio S, Romanini A et al. The management of patients with uterine sarcoma: a debated clinical challenge. *Crit Rev Oncol Hematol* 2008;65:129.

Giuntoli RL 2nd, Metzinger DS, DiMarco CS et al. Retrospective review of 208 patients with leiomyosarcoma of the uterus: prognostic indicators, surgical management, and adjuvant therapy. *Gynecol Oncol* 2003;89:460.

Gonzalez Bosquet J, Terstriep SA, Cliby WA et al. The impact of multi-modal therapy on survival for uterine carcinosarcomas. *Gynecol Oncol* 2010;116:419.

Karpathiou G, Sividris E, Giatromanolaki A. Myxoid leiomyosarcoma of the uterus: a diagnostic challenge. *Eur J Gynaecol Oncol* 2010;31:446.

Kitajima K, Murakami K, Kaji Y et al. Spectrum of FDG PET/CT findings of uterine tumors. *AJR Am J Roentgenol* 2010;195:737.

Koivisto-Korander R, Butzow R, Koivisto AM et al. Clinical outcome and prognostic factors in 100 cases of uterine sarcoma: experience in Helsinki University Central Hospital 1990-2001. *Gynecol Oncol* 2008;111:74.

Moinfar F, Azodi M, Tavassoli FA. Uterine sarcomas. *Pathology* 2007;39:55.

Rha SE, Byun JY, Jung SE et al. CT and MRI of uterine sarcomas and their mimickers. *AJR Am J Roentgenol* 2003;181:1369.

Sandberg AA. Updates on the cytogenetics and molecular genetics of bone and soft tissue tumors: leiomyosarcoma. *Cancer Genet Cytogenet* 2005;161:1.

Sherman ME, Devesa SS. Analysis of racial differences in incidence, survival, and mortality for malignant tumors of the uterine corpus. *Cancer* 2003;98:176.

Silverberg SG, Major FJ, Blessing JA et al. Carcinosarcoma (malignant mixed mesodermal tumor) of the uterus. A Gynecologic Oncology Group pathologic study of 203 cases. *Int J Gynecol Pathol* 1990;9:1.

Sreenan JJ, Hart WR. Carcinosarcomas of the female genital tract. A pathologic study of 29 metastatic tumors: further evidence for the dominant role of the epithelial component and the conversion theory of histogenesis. *Am J Surg Pathol* 1995;19:666.

Toro JR, Travis LB, Wu HJ et al. Incidence patterns of soft tissue sarcomas, regardless of primary site, in the surveillance, epidemiology and end results program, 1978-2001: an analysis of 26,758 cases. *Int J Cancer* 2006;119:2922.

Ueda SM, Kapp DS, Cheung MK et al. Trends in demographic and clinical characteristics in women diagnosed with corpus cancer and their potential impact on the increasing number of deaths. *Am J Obstet Gynecol* 2008;198:218.e1.

Verschraegen CF, Vasuratna A, Edwards C et al. Clinicopathologic analysis of mullerian adenosarcoma: the MD Anderson Cancer Center experience. *Oncol Rep* 1998;5:939.

Yildirim Y, Inal MM, Sanci M et al. Development of uterine sarcoma after tamoxifen treatment for breast cancer: report of four cases. *Int J Gynecol Cancer* 2005;15:1239.

Zaloudek CJ, Norris HJ. Mesenquimal tumors os the uterus. In: Blaunstein A. Blaunsteins' patology of the female genital tract. 3rd ed. New York: Spring Velarg, 2005. p. 373-408.

CAPÍTULO 164

Câncer de Vulva

164-1 Câncer de Vulva Inicial

Bruno Marcondes Kozlowski ■ Bruno de Ávila Vidigal

INTRODUÇÃO

Os tumores malignos da vulva são considerados raros, correspondendo de 4 a 5% das neoplasias malignas do trato ginecológico. Estima-se que nos Estados Unidos anualmente sejam diagnosticados aproximadamente 3.800 novos casos, com 880 desses casos resultando em óbito.[1] A incidência desta neoplasia vem mantendo-se estável nas últimas décadas, confrontando com o aumento alarmante de casos de lesões precursoras (neoplasia intraepitelial vulvar – NIV).

O câncer de vulva acomete principalmente mulheres idosas com idade igual ou superior aos 60 anos, sendo incomum na pré-menopausa. O tipo histológico mais frequente é o carcinoma epidermoide, correspondendo a mais de 90% dos casos (Figs. 1 e 2). Outros tipos histológicos incluem: melanoma, adenocarcinoma da glândula de Bartholin, carcinoma de células basais, carcinoma verrucoso, carcinoma de células transicionais e sarcomas. Podem ocorrer ainda tumores metastáticos ou invasão tumoral da vulva por disseminação local de neoplasias de outros órgãos pélvicos.

Os sintomas podem ser inespecíficos, incluindo prurido local, hiperemia e dor. Muitas pacientes são tratadas de forma equivocada nesta fase, postergando o tratamento específico. Na presença de tumoração persistente o diagnóstico fica mais evidente, sendo a biópsia aventada.

A Federação Internacional de Ginecologia e Obstetrícia (FIGO) baseia-se, para estadiar o câncer de vulva, na avaliação histopatológica da biópsia da lesão, sua localização, seu tamanho e acometimento linfonodal. O câncer de vulva inicial se refere aos estágios I e II dessa classificação. Nestes estágios as pacientes têm melhor prognóstico, sobrevida livre de doença e sobrevida global, além do melhor resultado estético proporcionado por tratamentos mais conservadores.[2]

O tratamento mais comum para o câncer de vulva é a cirurgia, porém outras modalidades estão disponíveis, incluindo quimioterapia, radioterapia e terapias locais.[3] O diagnóstico precoce é fundamental para diminuir a morbidade e a mortalidade relacionadas ao tratamento do tumor de vulva.

EPIDEMIOLOGIA

A maioria dos tumores de vulva acomete pacientes na pós-menopausa, com um aumento na incidência após a sexta década de vida. Alguns estudos observacionais sugerem associação entre hipertensão, diabetes, obesidade e carcinoma de vulva.[1,4,5] Outros fatores de risco incluem radioterapia, imunossupressão, história prévia de câncer de colo uterino, tabagismo e infecções virais, tendo o HPV destaque nos estudos.

O HPV tem sido apontado como responsável por até 60% dos casos de câncer de vulva.[6] Especificamente, os subtipos 13 e 16 têm sido isolados em quase 50% dos casos de câncer de vulva associados a este vírus.[7]

Algumas doenças crônicas da vulva também já foram associadas ao carcinoma de vulva em estudos observacionais. Considerados como lesões precursoras, podemos citar a distrofia vulvar, o líquen escleroso, lesões intraepiteliais e o carcinoma *in situ*.[5,7]

O câncer de vulva normalmente tem crescimento lento, com tendência a se manter como doença localizada por muitos anos. Um estudo observacional avaliou a idade e o estadiamento das pacientes no momento do diagnóstico, e revelou que o diagnóstico em estágio inicial era realizado mais comumente naquelas pacientes mais jovens.[8]

A neoplasia pode localizar-se em qualquer área da vulva ou períneo. A maioria das lesões se encontra nos grandes lábios, sendo curiosamente mais comum à direita, seguido por pequenos lábios, clitóris, fúrcula vaginal, períneo e região periuretral.[6]

O carcinoma epidermoide é o tipo histológico mais comum, representando mais de 90% dos casos. O melanoma ocupa o segundo lugar, correspondendo de 5 a 10% dos cânceres de vulva. Seu tratamento é diferenciado, seguindo os preceitos do melanoma de pele. Sarcomas, carcinomas de células basais, adenocarcinoma da glândula de Bartholin e doença de Paget são ainda mais raros, ocorrendo em 1 a 2% dos casos (Quadro 1).

MANIFESTAÇÕES CLÍNICAS

A maioria das mulheres queixa-se de prurido local, desconforto ou surgimento de ferida que não melhora. O prurido vulvar, por ser um sintoma

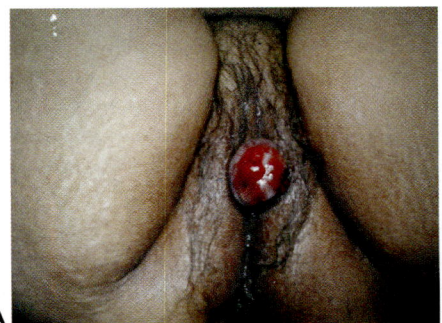
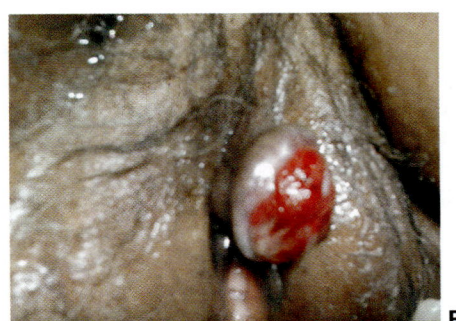

▲ **FIGURA 1.** (**A** e **B**) Paciente com lesão vegetante em vulva com 1 ano de evolução. Biópsia confirmou o diagnóstico de carcinoma epidermoide.

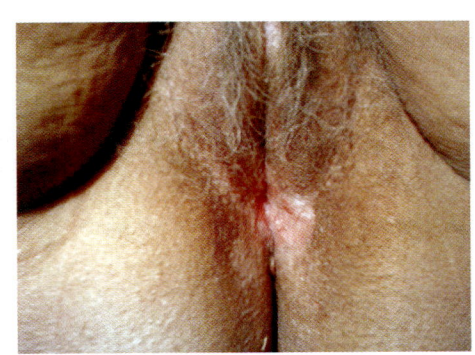

▲ **FIGURA 2.** Paciente com prurido crônico persistente após tratamento. Biópsia compatível com carcinoma epidermoide.

Quadro 1. Tipos histológicos câncer de vulva[39]

CÂNCER DE VULVA – TIPOS HISTOLÓGICOS	( )%
Carcinoma epidermoide	90%
Melanoma	5-10%
Adenocarcinoma de glândula de Bartholin	0-1%
Sarcomas	1-2%
Carcinoma de células basais	2%
Carcinoma verrucoso	1-2%
Carcinoma de células transicionais	0-1%
Doença de Paget extramamária	0-1%

Quadro 2. Estadiamento segundo a FIGO[2]

ESTADIAMENTO DO CÂNCER DA VULVA	
Estágio I	Tumor restrito a vulva
IA	Tumor < 2 cm de extensão restrito a vulva ou períneo e com invasão estromal < 1 mm, sem metástases linfáticas
IB	Tumor > 2 cm de extensão ou com invasão estromal > 1 mm, restrito a vulva ou períneo, sem metástases linfáticas
Estágio II	Tumor de qualquer tamanho com extensão ao terço inferior da uretra, terço inferior da vagina ou ânus. Linfonodos inguinofemorais negativos
Estágio III	Tumor de qualquer tamanho com ou sem extensão à uretra, vagina ou ânus com linfonodos inguinofemorais positivos
IIIA	(i) 1 linfonodo positivo > 5 mm (ii) 1-2 linfonodos positivos (< 5 mm)
IIIB	(i) 2 ou mais linfonodos comprometidos (> 5 mm) (ii) 3 ou mais linfonodos positivos (< 5 mm)
IIIC	Linfonodos positivos com extensão extracapsular
Estágio IV	Tumor invade 2/3 superiores da uretra, 2/3 superiores da vagina ou estruturas distantes
IVA	Tumor invade qualquer uma das estruturas abaixo: (i) terço superior da mucosa uretral ou vaginal, mucosa vesical, retal ou fixo à parede óssea (pelve) (ii) Linfonodos inguinofemorais fixos ou ulcerados
IVB	Qualquer metástase a distância incluindo linfonodos pélvicos

comum a outras enfermidades ginecológicas, pode, em parte, contribuir para o retardo no diagnóstico e tratamento do câncer de vulva. Se, após tratamento específico, os sintomas persistirem, a biópsia orientada por vulvoscopia deve ser realizada.

A lesão geralmente é única, sendo multifocal em apenas 5% dos casos. Em até 22% dos casos, um segundo tumor primário pode ser identificado (principalmente do colo uterino), demonstrando a importância do exame físico completo, incluindo toda a propedêutica ginecológica.[9]

Sangramento, secreção vulvar, disúria, linfonodomegalia inguinofemoral e dor intensa estão associadas à doença avançada. Por outro lado, o câncer precoce da vulva apresenta-se sem sintomas em muitas pacientes no momento do diagnóstico.

DIAGNÓSTICO

O diagnóstico é feito por meio de história clínica e exame físico detalhado. Sintomas recorrentes ou persistentes após tratamento adequado merecem atenção especial. Em qualquer lesão suspeita, a biópsia deve ser realizada para avaliação de lesões pré-invasivas e invasivas. A biópsia deve ser capaz de avaliar o grau de invasão estromal e o tipo histológico, servindo de base para o tratamento. Áreas de necrose devem ser evitadas, pois dificultam o estudo pelo patologista e prejudicam a avaliação do nível de invasão, sendo necessárias novas biópsias para o diagnóstico.

Quando o grau de suspeição para câncer de vulva for alto e não houver lesão clínica aparente, a vulvoscopia deve ser realizada. Com a utilização de ácido acético 2 a 3%, as áreas que se tornarem acetobrancas são consideradas suspeitas, assim devem ser identificadas e biopsiadas.

Exames mais complexos, como a tomografia computadorizada de abdome e pelve e exames endoscópicos, devem ser realizados na suspeita de doença avançada e não são rotineiramente indicados no estadiamento dos tumores iniciais da vulva. Já o exame colpocitológico é obrigatório em todas as pacientes.

VIAS DE DISSEMINAÇÃO

As vias de disseminação do câncer de vulva ocorrem por invasão local, embolização linfática ou disseminação hematogênica. Vagina, uretra, clitóris e ânus são os mais acometidos por invasão local. Disseminação linfática para linfonodos regionais pode ocorrer mesmo em pacientes com pequenas lesões. Cerca de 10% dos cânceres vulvares superficialmente invasivos (ou seja, lesões entre 1 e 3 mm de invasão estromal) terão metástases linfonodais no momento do diagnóstico. Os primeiros linfonodos a serem comprometidos sao os inguinais, razão pela qual são avaliados como parte do estadiamento. Lesões que acometem apenas um lado da vulva geralmente metastatizam apenas para a região inguinal ipsilateral. A disseminação hematogênica normalmente ocorre no final do curso da doença e é rara em pacientes sem envolvimento linfonodal.[10]

ESTADIAMENTO

O estadiamento preconizado pela FIGO é o mais utilizado atualmente e foi atualizado recentemente, em 2009 (Quadro 2). A principal modificação se aplica à subdivisão do estágio III, que agora leva em consideração o tipo de envolvimento nodal e o número de linfonodos comprometidos.

O estadiamento é fundamentalmente cirúrgico e baseia-se na análise histológica da lesão e dos linfonodos ressecados, quando indicado. A avaliação clínica ajuda na definição de conduta quando o paciente não é elegível para tratamento cirúrgico.

É de extrema importância para o adequado estadiamento clínico, a realização de exame ginecológico acurado, com especial atenção à localização e extensão da lesão, seu tamanho e se há linfonodomegalia suspeita. Deve ser preconizado o rastreamento de tumores sincrônicos na vulva, vagina, ânus e colo de útero, com utilização de colposcopia, anuscopia e vulvoscopia.

TRATAMENTO

Historicamente, a vulvectomia radical em bloco, descrita em 1912, por Basset, que consiste na ressecção da vulva até o plano músculo-aponeurótico desde o monte de Vênus até o diafragma urogenital associada à linfadenectomia inguinal bilateral, superficial e profunda (femoral), era o tratamento de escolha para as pacientes com câncer de vulva. Apesar de diminuir o risco de morte associado ao câncer de vulva, acarretava grande morbidade, disfunção sexual e taxa de mortalidade maior que 2%.[11]

Em pacientes nos estágios I e II (FIGO), a vulvectomia radical não resultou em beneficio significativo, comparada a ressecção local alargada ou cirurgia conservadora. Farias-Eisner *et al.* reportaram em seu trabalho taxa de sobrevida em 5 anos de 9 e 90% após vulvectomia modificada nos estágios I e II, respectivamente. Nas pacientes tratadas com vulvectomia radical, taxa 100 e 75%, respectivamente, não apresentando diferença estatística significativa na sobrevida.[12]

Por se tratar de doença relativamente rara, não foi possível, até o momento, realizar estudo prospectivo randomizado comparando as modalidades terapêuticas. Mesmo assim, foi possível traçar diretrizes para o tratamento do câncer de vulva inicial de acordo com o estadiamento da doença com base em estudos observacionais, históricos e retrospectivos.

Para pacientes em estágio Ia pode ser indicada a ressecção local ampla, não está indicada a linfadenectomia inguinal, visto que a possibilidade de metástase linfonodal nesses casos é inferior a 1%. Para lesões situadas nos grandes lábios, longe da linha média, a margem cirúrgica deve ser de 1 cm. A margem pode ser menor, quando se quer evitar danos ao clitóris ou distorção da vulva. A profundidade da excisão inclui o tecido adiposo subcutâneo subjacente. A forma da incisão deve ser elíptica, no maior eixo, paralelo às estruturas vizinhas, sendo passíveis de síntese primária, na maioria dos casos. As complicações potenciais incluem sangramento, infecção, hematomas e deiscência de sutura.[13,14]

Caso ocorra margem cirúrgica comprometida ou inferior a 0,8 cm, é preferível realizar nova ressecção para ampliação das margens. A radioterapia adjuvante pode ser indicada quando a ampliação das margens não for possível, acarretando aumento na morbidade sem aumento na sobrevida, se comparada à nova ressecção.

Pacientes em estágios Ib e II devem ser submetidas à ressecção local alargada, associada a algum tipo de linfadenectomia inguinal, visto que pacientes nesses estágios têm risco de 10% de apresentarem comprometimento linfonodal. Pacientes com lesão que envolva linha média devem ser submetidas à linfadenectomia inguinal bilateral.

A maioria das lesões se localiza em um dos grandes lábios, sendo tratadas com ressecção alargada ou vulvectomia associada à linfadenectomia inguinal ipsilateral.

A vulvectomia se refere à remoção de toda a vulva incluindo tecido subcutâneo. Os tecidos perineais e o clitóris são removidos, dependendo da extensão da doença. Vulvectomia parcial ou hemivulvectomia pode ser realizada de acordo com a extensão da doença, determinando melhor resultado estético e preservação da função sexual.[13-15]

Após a introdução do catéter vesical, a incisão é planejada, deixando o maximo de pele do vestíbulo vaginal em torno da uretra para facilitar o fechamento e evitar distorções do meato uretral. Inicia-se a cirurgia por uma incisão posterior através da pele e depois lateralmente, até ao nível da uretra.[13-15]

O ângulo inferior do limite da ressecção é apreendido com uma pinça, permitindo ao cirurgião mobilizar a peça enquanto continua a dissecção até o limite superior, utilizando tesoura ou bisturi. Neste momento da dissecção, deve-se ter cuidado para evitar danos ao reto.

A incisão é, então, estendida superior e lateralmente, prosseguindo-se a dissecção de lateral para medial, aproximando-se da margem de ressecção vaginal. A peça é completamente extirpada e marcada para orientação do patologista. A seguir procede-se a hemostasia e o fechamento primário da ferida ou por rotação de retalhos.[15]

No pós-operatório, realizar higiene perineal com banhos de assento e limpeza suave com solução salina. A sonda vesical deverá ser mantida por 7 dias.

As complicações mais comuns são infecção, deiscências da ferida e hematomas, porém o uso de drenos de sucção reduz a chance destas complicações.[13-15]

Para as lesões vulvares intraepiteliais extensas ou multifocais poderá ser realizada a vulvectomia *skinning*, que consiste na remoção de toda a pele vulvar e síntese com enxerto de pele de espessura parcial. A pele vulvar é removida preservando o tecido subcutâneo, assim se mantêm os contornos da vulva, melhorando o resultado estético e psicológico dessas pacientes. Os bordos da incisão são marcados, e a pele é incisada até a fáscia superficial do tecido subcutâneo. As margens da pele são elevadas com o auxílio de uma pinça e dissecadas superiormente ao tecido subcutâneo. Um enxerto de pele de espessura parcial é retirado da parte interna da coxa e aplicado ao defeito, sendo as bordas fixadas às extremidades da ferida utilizando pontos de poliglactina 3-0. A sondagem vesical é realizada ao final do procedimento e mantida até atingir a viabilidade do enxerto, geralmente em 7 dias. As possíveis complicações são deiscência parcial ou completa do enxerto, infecção, sangramento e dispareunia.[16-18]

Biópsia do linfonodo sentinela

A biópsia ou pesquisa do linfonodo sentinela (BLS ou PLS) está sob investigação como uma alternativa para linfadenectomia inguinofemoral, diminuindo a morbidade, sem comprometer a detecção de metástases linfonodais. Não existem ensaios clínicos randomizados comparando BLS e linfadenectomia tradicional, porém uma série de casos e estudos múltiplos foi publicada sobre o tema. A técnica consiste na injeção peritumoral de um corante azul ou traçador marcado radioativamente e permite a identificação de um linfonodo sentinela (LS) na maioria das pacientes. A avaliação pelo patologista é capaz de predizer o estado dos linfonodos restantes. A primeira área a receber a drenagem linfática de uma lesão vulvar lateral é geralmente a dos linfonodos inguinais ipsilaterais superficiais. Pelo menos em teoria, se o LS não mostra evidência de comprometimento metastático, então todos os outros linfonodos devem ser negativos, tornando a linfadenectomia-padrão desnecessária. As pacientes ideais para a PLS são as mulheres com tumores não infectados limitados à hemivulva, sem linfonodos palpáveis na região inguinal e sem história de cirurgia vulvar. O envolvimento inguinal bilateral é comum em pacientes com lesão vulvar na linha média, assim, a BLS deve ser realizada bilateralmente. Caso o LS não seja encontrado, a linfadenectomia formal deve ser realizada.[19-23]

Uma metanálise de estudos observacionais comparou as seguintes abordagens para detecção de metástases linfonodais em mulheres com câncer vulvar: BLS (usando corante azul ou tecnécio-99 m), ultrassonografia inguinal, com ou sem aspiração com agulha fina, tomografia computadorizada, ressonância magnética e tomografia por emissão de pósitrons. Os testes mais precisos na identificação de linfonodos inguinais comprometidos foram BLS com tecnécio (sensibilidade 97%) ou com corante azul (sensibilidade 95%) e para os outros testes essas taxas variaram de 45 a 86%.[24,25]

No maior estudo observacional, 403 mulheres com CEC de vulva (tumor < 4 cm) foram submetidas a BLS. O LS foi então removido e estudado. Para pacientes com LS identificado e com resultado negativo no estudo de congelação (n = 276), nenhum tratamento adicional foi realizado. Se o LS nao foi detectado ou se foi detectado e considerado positivo no estudo de congelação, a linfadenectomia inguinal foi realizada. Tempo médio de seguimento foi de 35 meses. A taxa de recidiva inguinal nas mulheres com PLS negativo foi de 2,9%. A taxa de recidiva inguinal após a linfadenectomia-padrão variou de 1 a 10%. O tempo médio para recidiva foi de 12 meses. Estes dados são promissores, mas limitados, e BLS para câncer vulvar é indicada apenas para uso experimental.[26,27]

Por fim, o planejamento do tratamento e o aconselhamento à paciente devem incluir esclarecimentos quanto à possibilidade de alterações da função sexual e imagem corporal. Tais efeitos parecem ser menores em mulheres submetidas à excisão local vulvar com uma margem de ≤ 1 cm.[28-30]

PROGNÓSTICO

A presença de comprometimento linfonodal é o principal fator prognóstico de sobrevida nas pacientes com câncer de vulva.[31,32]

A sobrevida global em 5 anos variou entre 70 e 93% em pacientes sem comprometimento nodal. Já as pacientes com comprometimento nodal tiveram sobrevida variando entre 25 e 41%.[33]

Outros fatores de mau prognóstico incluem estadiamento avançado, invasão angiolinfática e idade avançada.

A taxa de sobrevida estratificada pelo estadiamento FIGO é representada no Quadro 3.[33]

SEGUIMENTO

As pacientes com diagnóstico de câncer de vulva devem ser acompanhadas por pelo menos 5 anos após tratamento inicial, já que 90% das recidivas ocorrem neste período. As consultas devem ser realizadas semestralmente e devem incluir exame ginecológico completo. Exames mais complexos, como colposcopia, vulvoscopia e tomografia devem ser solicitados na suspeita de recidiva, conforme sintomatologia da paciente. Alguns trabalhos sugerem acompanhamento a longo prazo, lembrando que 10% das recidivas acontecem tardiamente.

PERSPECTIVAS

O câncer de vulva é raro, dificultando a realização de estudos prospectivos controlados e randomizados. Os trabalhos mais atuais têm focado na avaliação de uma abordagem menos radical com resultados prognósticos semelhantes. Estudos sobre ressecções locais alargadas e reconstruções

Quadro 3. Taxa de sobrevida por estádio segundo a FIGO[33]

ESTADIAMENTO FIGO	TAXA SOBREVIDA	
	1 ANO	5 ANOS
I	96%	78%
II	87%	58%
III	74%	43%
IV	35%	13%

primárias buscam resultados melhores, comparados ao tratamento radical tradicional.

O papel da pesquisa do linfonodo sentinela no câncer de vulva vem se destacando nos trabalhos mais atuais, na busca por procedimentos menos mutilantes e apresentando resultados preliminares promissores. Parry Jones foi o primeiro a descrever a drenagem linfática da vulva em 1963.[34] Em 1975, Cabanas introduziu o conceito de linfonodo sentinela em seu estudo sobre adenocarcinoma de pênis.[35] Apenas em 1994 surgiram os primeiros trabalhos avaliando a pesquisa de linfonodo sentinela no câncer de vulva, com Levenback sendo um dos pioneiros.[36]

Em um estudo prospectivo observacional, pacientes com faixa etária média de 64 anos, diagnosticadas como portadoras de carcinoma de vulva estágios I ou II (66 e 22%, respectivamente) e invasão superior a 1,0 mm, foram submetidas a tratamento cirúrgico constituído por vulvectomia radical ou excisão radical ampla da lesão associadas à dissecção do linfonodo sentinela unilateral (em pacientes com lesão distando mais do que 1,0 cm da linha média) ou bilateral (lesão distando menos que 1,0 cm da linha média). Após avaliação histopatológica dos linfonodos sentinela ressecados, pacientes identificadas como portadoras de metástase linfonodal foram submetidas à ressecção completa da região inguinal. Observou-se, no período de seguimento médio de 29 meses, que 6,4% das pacientes com linfonodo sentinela negativo apresentaram recidiva inguinal.[37-40]

A pesquisa do linfonodo sentinela é adequada apenas em protocolos investigacionais, e não está liberada, até o momento, para uso na prática clínica.

O tratamento do câncer de vulva permanece como um desafio aos que cuidam desta patologia, seja pelo estágio avançado em que as pacientes se apresentam, ou pela morbidade da cirurgia. Os estudos atuais focam em qualidade de vida, diminuição de taxas de complicações e sequelas, aumento de sobrevida e na pesquisa do linfonodo sentinela.

REFERÊNCIAS BIBLIOGRÁFICAS

1. American Cancer Society. Cancer facts & figures. Atlanta: American Cancer Society, 2007.
2. Han JJ, Kohn EC. *The new FIGO staging for carcinoma of the vulva, cervix, endometrium, and sarcomas.* Acesso em: 22 May 2012. Disponível em: http://www.medscape.com/viewarticle/722721
3. Tyring SK. Vulvar squamous cell carcinoma: guidelines for early diagnosis and treatment. *Am J Obstet Gynecol* 2003;189(3):S17-23.
4. Franklin EW, Rutledge FD. Epidemiology of epidermoid carcinoma of the vulva. *Obstet Gynecol* 1972;39:165-72.
5. Insinga RP, Liaw KL, Johnson LG et al. A systematic review of the prevalence and attribution of HPV types among cervical, vaginal and vulvar precancers and cancers in the United States. *Cancer Epidemiol Biomarkers Prev* 2008;17:1611.
6. Monaghan JM, Elliott PM. Early invasive carcinoma of the vulva: definition, clinical features and management. In: Coppleson M. (Ed). *Gynecological Oncology.* Edinburgh: Churchill Livingstone, 1992. p. 469, cap. 27.
7. Monk BJ, Burger RA, Lin F et al. Prognostic significance of human papillomavirus DNA in vulvar cancer. *Obatet Gynecol* 1995;85:709.
8. Stroup AM, Harlan LC, Trimble EL. Dermographic, clinical, and treatment trends among women diagnosed with vulvar cancer in the United States. *Gynecol Oncol* 2008;108:577-83.
9. Collins CG, Lee FY, Roman-Lopez JJ. Invasive carcinoma of the vulva with lymph node metastasis. *Am J Obstet Gynecol* 1997;109:446.
10. Origoni M, Dindelli M, Ferrari D et al. Surgical staging of invasive squamous cell carcinomaof the vulva: analysis of treatment and survival. *Int Surg* 1996;81:67-70.
11. Hacker NF, Van der Velden J. Conservative management of early vulvar cancer. *Cancer* 1993;71:1673-77.
12. Burger MP, Hollema H, Emanuels AG et al. The importance of the groin node status for the survival of T1 and T2 vulval carcinoma patients. *Gynecol Oncol* 1995;57:327.
13. Chafe W, Richards A, Morgan L et al. Unrecognized invasive carcinoma in vulvar intraepithelial neoplasia (VIN). *Gynecol Oncol* 1988;31:154.
14. Modesitt SC, Waters AB, Walton L et al. Vulvar intraepithelial neoplasia III: occult cancer and the impact of margin status on recurrence. *Obstet Gynecol* 1998;92:962.
15. Di Saia PJ, Rich WM. Surgical approach to multifocal carcinoma in situ of the vulva. *Am J Obstet Gynecol* 1981;140:136.
16. Rettenmaier MA, Berman ML, DiSaia PJ. Skinning vulvectomy for the treatment of multifocal vulvar intraepithelial neoplasia. *Obstet Gynecol* 1987;69:247.
17. Ayhan A, Tuncer ZS, Doðan L et al. Skinning vulvectomy for the treatment of vulvar intraepithelial neoplasia 2-3: a study of 21 cases. *Eur J Gynaecol Oncol* 1998;19:508.
18. Caglar H, Delgado G, Hreshchyshyn MM. Partial and total skinning vulvectomy in treatment of carcinoma in situ of the vulva. *Obstet Gynecol* 1986;68:504.
19. Stehman FB, Bundy BN, Dvoretsky PM et al. Early stage I carcinoma of the vulva treated with ipsilateral superficial inguinal lymphadenectomy and modified radical hemivulvectomy: a prospective study of the Gynecologic Oncology Group. *Obstet Gynecol* 1992;79:490.
20. Gonzalez Bosquet J, Magrina JF, Magtibay PM et al. Patterns of inguinal groin metastases in squamous cell carcinoma of the vulva. *Gynecol Oncol* 2007;105:742.
21. Dhar KK, Woolas RP. Lymphatic mapping and sentinel node biopsy in early vulvar cancer. *BJOG* 2005;112:696.
22. Selman TJ, Luesley DM, Acheson N et al. A systematic review of the accuracy of diagnostic tests for inguinal lymph node status in vulvar cancer. *Gynecol Oncol* 2005;99:206.
23. Stehman FB, Look KY. Carcinoma of the vulva. *Obstet Gynecol* 2006;107:719.
24. Podratz KC, Symmonds RE, Taylor WF et al. Carcinoma of the vulva: analysis of treatment and survival. *Obstet Gynecol* 1983;61:63.
25. Hacker NF, Nieberg RK, Berek JS et al. Superficially invasive vulvar cancer with nodal metastases. *Gynecol Oncol* 1983;15:65.
26. Hacker NF, Berek JS, Lagasse LD et al. Management of regional lymph nodes and their prognostic influence in vulvar cancer. *Obstet Gynecol* 1983;61:408.
27. Oonk MH, van de Nieuwenhof HP, van der Zee AG et al. Update on the sentinel lymph node procedure in vulvar cancer. *Expert Rev Anticancer Ther* 2010;10:61.
28. Jones RW, Rowan DM, Stewart AW. Vulvar intraepithelial neoplasia: aspects of the natural history and outcome in 405 women. *Obstet Gynecol* 2005;106:1319.
29. Fong KL, Jones RW, Rowan DM. Women's perception of the outcome of the surgical management of vulvar intraepithelial neoplasia. *J Reprod Med* 2008;53:952.
30. Likes WM, Stegbauer C, Tillmanns T et al. Pilot study of sexual function and quality of life after excision for vulvar intraepithelial neoplasia. *J Reprod Med* 2007;52:23.
31. Maggino T, Landoni F, Sartori E et al. Patterns of recurrence in patients with squamous cell carcinoma of the vulva. A multicenter CTF Study. *Cancer* 2000;89:116.
32. Gadducci A, Cionini L, Romanini A et al. Old and new perspectives in the management of high-risk, locally advanced or recurrent, and metastatic vulvar cancer. *Crit Rev Oncol Hematol* 2006;60:227.
33. Beller U, Quinn MA, Benedet JL et al. Carcinoma of the vulva. FIGO 26th annual report on the results of treatment in gynecological cancer. *Int J Gynaecol Obstet* 2006;95(Suppl 1):S7.
34. Parry-Jones E. Lymphatics of the vulva. *J Obstet Gynecol Br Empire* 1963;70:751-55.
35. Cabanas RM. An approach for the treatment of penile carcinoma. *Cancer* 1977;39:456-62.
36. Levenback C, Burke TW, Gershenson DM et al. Intraoperative lymphatic mapping for vulvar cancer. *Obstet Gynecol* 1994;84:163-67.
37. Pecorelli S. Revised FIGO staging for carcinoma of the vulva, cervix, and endometrium. *Int J Gynecol Obstet* 2009;105(2):103-94.
38. Canavan TP, Cohen D. Vulvar Cancer. *Am Fam Physician* 2002;66(7):1269-74.
39. Moore RG, Robison K, Brown AK et al. Isolated sentinel lymph node dissection with conservative management in patients with squamous cell carcinoma of the vulva: a prospective trial. *Gynecol Oncol* 2008;109:65-70.
40. Van der Zee AG, Oonk MH, De Hullu JA et al. Sentinel node dissection is safe in the treatment of early-stage vulvar cancer. *J Clin Oncol* 2008;26:884-89.

164-2 Câncer de Vulva – Doença Localmente Avançada, Recidivada e Metastática

Claudio Calazan ■ Marcos Luiz Bezerra Jr.

INTRODUÇÃO

O câncer de vulva é responsável aproximadamente por 5% dos casos de câncer ginecológico e ocorre mais frequentemente em mulheres idosas, entre 65 e 75 anos de idade.[1,2] De qualquer forma, 15% dos casos registrados em séries retrospectivas ocorreram em mulheres com menos de 40 anos e alguns estudos apontam para uma tendência de aumento de casos em pacientes mais jovens.[3,4] A grande maioria é representada por carcinoma epidermoide (90%), e outros tipos histológicos, como melanoma, adenocarcinoma e sarcomas correspondem pelos 10% restantes.[5]

Em geral, o surgimento dos tumores epiteliais da vulva está relacionado à presença de alterações teciduais pré-malignas e/ou malignas multifocais.[6,7] Parte dos casos surge de lesões *in situ*, similarmente aos tumores escamosos do colo uterino. Alterações pré-malignas têm sido relatadas de forma crescente em mulheres entre 20 e 30 anos de idade, possivelmente como resultado da exposição aumentada a doenças sexualmente transmissíveis, em particular o HPV.[8,9] Entretanto, a outra parte restante surge sem nenhuma presença de lesões pré-invasoras. Fatores de risco para o desenvolvimento do câncer vulvar invasor incluem a presença do HPV, a neoplasia intraepitelial vulvar (NIV), tabagismo e distrofias vulvares crônicas como líquen escleroso, doença de Paget e distrofia hiperplásica.[10] Apesar da frequente coexistência de lesões distróficas em mais de 50% dos casos de mulheres idosas, não se sabe exatamente se representam lesões precursoras verdadeiras. A presença do HPV em NIV ou tumores invasores é mais frequente em mulheres mais jovens. Essa observação sugere que as pacientes com câncer vulvar podem ser divididas em dois grupos: o de mulheres idosas com neoplasia associada às alterações distróficas, não associadas ao HPV, e aquele acometendo mulheres mais jovens relacionado ao HPV, geralmente em áreas adjacentes a lesões NIV.[7]

Os casos de câncer de vulva localmente avançado (estágios III e IV) são caracterizados por sinais de invasão extensa das estruturas geniturinárias, ou da região anorretal, ou de acometimento do plano ósseo, ou presença de linfonodomegalia pélvica ou inguinal (Fig. 3).[11] Cerca de 30 a 40% dos casos recém-diagnosticados encaixam-se nesta categoria.[12] Nestes casos, o plano terapêutico geralmente é individualizado, dado o prognóstico desfavorável e os poucos estudos disponíveis. Para os casos considerados irressecáveis, radioterapia e quimioterapia combinadas representam uma opção adequada, seguida ou não por abordagem cirúrgica. A quantidade de estudos referentes à doença avançada e/ou recidivada, com acometimento a distância, é ainda mais escassa.[13]

ESTADIAMENTO

Inicialmente, o estadiamento do câncer de vulva era baseado em fatores clínicos, utilizando o sistema TNM, adotado pela FIGO pela primeira vez em 1969. Este modelo era focado na avaliação clínica do tumor primário, dos linfonodos regionais e uma pesquisa complementar de acometimento a distância. Entretanto, a avaliação exclusivamente clínica dos linfonodos inguinocrurais é inacurada em 25 a 30% dos casos. E a percentagem de falso-negativo utilizando o estadiamento clínico aumenta de 18% em pacientes com estágio I para 44% naquelas em estágio IV. Em 1988, o estadiamento cirúrgico foi adotado e finalmente atualizado em 2010 (Quadro 4).[14] O estadiamento cirúrgico é preferencial, uma vez que o estadiamento dos linfonodos inguinocrurais representa individualmente o principal fator prognóstico nos casos de câncer de vulva localizado.[15]

Com base no modelo de estadiamento atual, quatro estágios são previstos. Conforme dito anteriormente, os estágios III e IVa caracterizam doença localmente avançada e são encontrados em cerca de 30 a 40% dos casos recém-diagnosticados. Já o estágio IVb configura doença avançada e é encontrado ao diagnóstico em cerca de 5 a 10% dos casos.[1]

Quadro 4. Estadiamento do câncer de vulva, FIGO 2009[14]

Estágio I	T1/2, N0, M0: tumor confinado a vulva e/ou períneo
IA	Lesão ≤ 2 cm, confinada a vulva ou períneo e com invasão estromal ≤ 1,0 mm; ausência de metástase nodal
IB	Lesão > 2 cm ou com invasão estromal > 1,0 mm
Estágio II	
T3N0M0	Tumor de qualquer tamanho com extensão às estruturas perineais adjacentes (1/3 inferior de uretra, 1/3 inferior de vagina e ânus), com linfonodos negativos
Estágio III	
T1 N1/2 M0	Tumor de qualquer tamanho com extensão às estruturas perineais adjacentes (1/3 inferior de uretra, 1/3 inferior de vagina e ânus), com linfonodo inguinocrural positivo
IIIA	(i) Com um único linfonodo metastático (≥ 5 mm) ou (ii) um ou dois linfonodos (< 5 mm)
IIIB	(i) Com dois ou mais linfonodos metastáticos (≥ 5 mm) ou (ii) 3 ou mais linfonodos < 5 mm
IIIC	Linfonodos com comprometimento extracapsular
Estágio IV	(i) Tumor invade outras estruturas regionais (2/3 superiores de uretra, mucosa de bexiga, mucosa retal, fixação ao plano ósseo pélvico, (ii) linfonodo inguinocrural fixo ou ulcerado, (iii) disseminação a distância
IVA	(i) Tumor invade outras estruturas regionais (2/3 superiores de uretra, mucosa de bexiga, mucosa retal, fixação ao plano ósseo pélvico, (ii) linfonodo inguinocrural fixo ou ulcerado
IVB	Disseminação a distância, incluindo linfonodos pélvicos
TNM	
T	Tumor primário
Tis	Carcinoma *in situ*
T1	Lesão ≤ 2 cm, confinada a vulva ou períneo
T2	Lesão > 2 cm
T3	Tumor de qualquer tamanho com extensão às estruturas perineais adjacentes (1/3 inferior de uretra, 1/3 inferior de vagina e ânus)
T4	(i) Tumor invade outras estruturas regionais (2/3 superiores de uretra, mucosa de bexiga, mucosa retal, fixação ao plano ósseo pélvico ou ao ânus)
N	Linfonodos regionais
N0	Ausência de linfonodos palpáveis
N1	Metástase em linfonodo unilateral
N2	Metástase em linfonodos bilaterais
M	Metástases a distância
M0	Ausência de metástases
M1	Metástases presentes

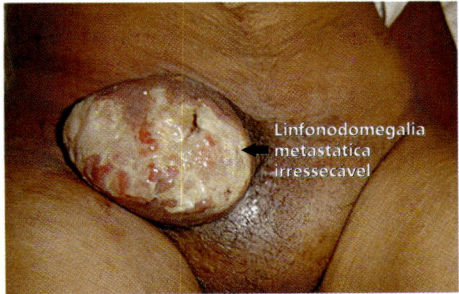

◄ **FIGURA 3.** Linfonodomegalia metastática de câncer de vulva localmente avançado, em paciente virgem de tratamento.

ABORDAGEM TERAPÊUTICA DA DOENÇA LOCALMENTE AVANÇADA

Doença localmente avançada compreende os casos classificados como T3, considerado quando o tumor acomete a uretra, a vagina, o períneo ou o ânus; e T4, quando há infiltração de mucosa da bexiga e/ou retal; terço superior da mucosa uretral; fixação ao plano ósseo; ou comprometimento volumoso de linfonodos inguinocrurais (Quadro 4). Nestes casos, a abordagem deve ser individualizada, e a presença de uma equipe multidisciplinar é fundamental. É importante determinar a melhor abordagem envolvendo o tumor primário, os linfonodos inguinocrurais e os linfonodos pélvicos.[16] O tratamento cirúrgico exclusivo, com intuito curativo, frequentemente leva a vulvectomia radical com exenteração pélvica e dissecção inguinal bilateral.[17] Embora algumas pacientes fiquem curadas com esta abordagem, as sequelas imediatas e tardias não podem ser desconsideradas. Em grande parte dos casos, quando se exclui a presença de metástases a distância, quimioterapia combinada com radioterapia pélvica e inguinal pode ser utilizada para se evitar um procedimento cirúrgico ultrarradical.[18]

Em alguns casos, tumores T3 que minimamente comprometem a uretra externa ou o ânus podem inicialmente ser tratados com vulvectomia sem prejuízos maiores para as demais estruturas, se margens menores em torno das demais estruturas forem aceitas. Radioterapia pós-operatória pode ser empregada de forma adjuvante.[19] Embora as recidivas locais possam ser ressecadas com novo procedimento cirúrgico, alguns estudos apontam que a sobrevida após a primeira recidiva é de apenas 40%, o que enfatiza a importância do bom controle local.[20] Os estudos apontam que radioterapia pós-operatória em casos de margem escassa pode reduzir a chance de recidiva local de 58 para 16%.[21] Habitualmente se empregam 50 a 55 Gy na vulva e nas proximidades das margens cirúrgicas, com campos inguinocrurais se a região também necessitar de tratamento.[22]

O emprego da radioterapia foi iniciado na década de 1980, quando estudos de radioterapia pré-operatória foram executados em pequenas séries de pacientes com doença localmente avançada. Estes trabalhos revelaram que doses de 45-55 Gy produziam respostas tumorais dramáticas em uma parte substancial das pacientes com tumores T3 e T4, o que permitia a execução de cirurgias conservadoras sem comprometer o controle tumoral.[23] Em um destes estudos, com oito pacientes, metade não apresentava doença residual na peça cirúrgica após tratamento com 45 a 54 Gy de radioterapia pré-operatória e apenas uma paciente não se beneficiou do tratamento para o controle local da doença.[24] Como consequência destes estudos iniciais, o emprego concomitante de quimioterapia conjunta à irradiação passou a ser testado com o intuito de aumentar o controle local.

QUIMIORRADIOTERAPIA NOS TUMORES LOCALMENTE AVANÇADOS

Quimiorradioterapia, com ou sem cirurgia complementar, é utilizada como alternativa à cirurgia radical em pacientes com doença localmente avançada (Figs. 4 e 5). O objetivo é causar citorredução tumoral o suficiente para minimizar a extensão da abordagem cirúrgica ou eventualmente tornar desnecessária a cirurgia.[25,26] A maioria dos estudos utilizou combinações com cisplatina, 5-FU e mitomicina C extrapolando dados relacionados ao efeito radiossensibilizador e às altas taxas de resposta observadas com estas combinações em casos de tumores de colo uterino, cabeça e pescoço e canal anal localmente avançados (Quadro 5).

Os esquemas de tratamento geralmente incluem 4 a 5 dias de quimioterapia infusional com 5-FU com ou sem outra droga, repetidos a cada 3 a 4 semanas. Estes estudos, na grande maioria, são formados por séries retrospectivas com pequeno número de pacientes apresentando doença localmente avançada. De qualquer forma, estes estudos apontam que a combinação oferece resultados de controle local superio-

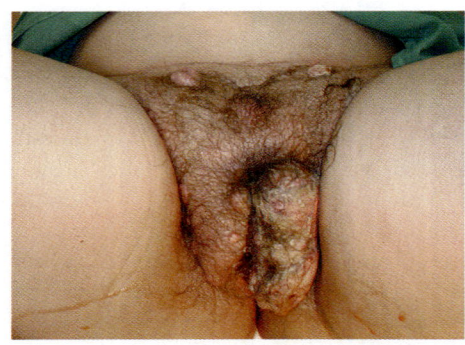

◀ **FIGURA 4.** Câncer de vulva localmente avançado com vários implantes satélites.

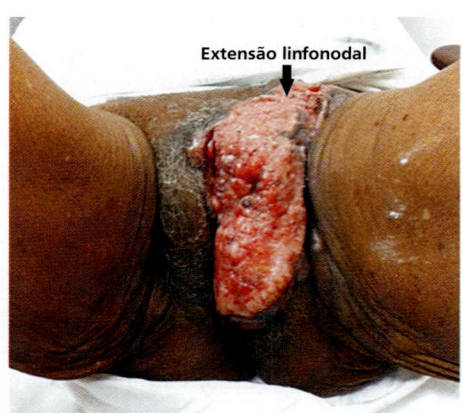

◀ **FIGURA 5.** Extenso câncer vulvar em paciente idosa. O tumor primário se funde com as linfadenomegalias inguinais à esquerda.

Quadro 5. Estudos com quimiorradioterapia concomitante para os casos de câncer de vulva localmente avançados e recidivados

INVESTIGADOR	Nº DE PACIENTES	QUIMIOTERAPIA	DOSE DE RT (GY)	Nº DE RECIDIVAS OU PERSISTÊNCIA APÓS RT +— CIRURGIA (%)	ACOMPANHAMENTO (MESES)
Moore et al.[30]	73	5-FU + CDDP	47,6	15 (21)	22-72
Cunningham et al.[27]	14	5-FU + CDDP	45,5	4 (29)	7-81
Landoni et al.[29]	58	5-FU + Mito	54	13 (22)	4-48
Lupi et al.[52]	31	5-FU + Mito	54	7 (23)	22-73
Whalen et al.[53]	19	5-FU + Mito	45,5	1 (5)	3-70
Eifel et al.[54]	12	5-FU + CDDP	40,5	5 (42)	17-30
Koh et al.[55]	20	5-FU ± CDDP ou Mito	30,5	9 (45)	1-75
Akl et al.[56]	12a	5-FU + Mito	36	0	8-125
Russell et al.[57]	25	5-FU ± CDDP	47,7	6 (24)	4-52
Han et al.[58]	14	5-FU + Mito ou CDDP	40–62	6 (43)	42-73
Scheistroen and Trope[59]	42	Bleomicina	45	39 (93)	7-60
Berek et al.[60]	12	5-FU + CDDP	44,5	0	7-60
Thomas et al.[25]	24	5-FU ± Mito	44,6	10 (42)	5-43
Evans et al.[61]	4	5-FU + Mito	25,7	2 (50)	20-29
Levin et al.[62]	6	5-FU + Mito	18,6	0	1-25
Iversen et al.[63]	15	Bleomicina	15,4	11 (83)	4

5-FU = 5-fluorouracil; Mito = mitomicina C; CDDP = cisplatina.

res aos da radioterapia isoladamente, sobretudo em estudos utilizando combinações contendo cisplatina. Um estudo fase II (GOG 101) demonstrou resultados clinicamente significativos. Neste estudo, 71 mulheres com tumores T3 e T4 receberam radioterapia *split-course* concomitante com cisplatina (50 mg/m² em infusão rápida no D1 e 5-fluouracil (5-FU) e 1.000 mg/m² em 96 h) seguida de tratamento cirúrgico com excisão tumoral de tumor residual e linfadenectomia inguinal bilateral.[27] Ao término do tratamento com quimiorradioterapia, 48% das pacientes não apresentavam doença residual visível no momento da cirurgia, e destas, 70% não apresentavam doença residual microscópica na peça cirúrgica. Doença residual grosseira estava presente em 54% dos casos e 3% foram consideradas com doença residual irressecável. No seguimento mediano de 50 meses, 55% estavam vivas e sem evidência de recidiva.

Em relação à analogia com os tumores de canal anal e colo uterino, cuidados especiais devem ser tomados nas pacientes com tumores de vulva localmente avançados que, em média, apresentam idade mais avançada e geralmente cursam com outras comorbidades, o que pode tornar a abordagem terapêutica mais tóxica. Nas maiores séries de casos publicadas, a toxicidade hematológica com mitomicina C e 5-FU foi aceitável, apesar de as doses de mitomicina C administradas serem mais baixas do que as que foram utilizadas no canal anal.[28,29]

O uso de cisplatina semanal com irradiação foi também testado em pacientes com doença localmente avançada e parece ser efetivo e bem tolerado. Atualmente há um estudo de fase II do GOG (205) avaliando o papel da cisplatina semanal em conjunto com radioterapia fracionada em casos localmente avançados, com o objetivo de verificar a taxa de resposta patológica completa e a taxa de controle tumoral.[30] Diferentemente do GOG 101, a dose total de irradiação preconizada é de 57,6 Gy (20% acima do estudo anterior), com dose única diária (o anterior tinha duas doses) e o "descanso" de 2 semanas, adotado no esquema anterior, foi eliminado. No encontro da Sociedade de Ginecologia Oncológica Americana, de 2011, uma análise interina deste estudo foi apresentada, apontando para resultados favoráveis. Resposta patológica completa foi verificada em 50% e resposta clínica completa, em 64%.

Mais recentemente, uma revisão da Cochrane levantou dúvidas quanto à toxicidade excessiva relacionada ao tratamento combinado e sugeriu que a cirurgia poderia ser uma abordagem de escolha para algumas dessas pacientes.[31] De qualquer forma, para a maioria, a extensão da lesão primária leva à necessidade de vulvectomia radical e exenteração pélvica e a quimiorradioterapia pode ser útil para se evitar colostomia e urostomia em pacientes com acometimento anorretal, vesical e fixação em plano ósseo.

A radioterapia em intensidade modulada (IMRT) é outra modalidade que pode ser utilizada para estes casos, em combinação com quimioterapia. Em uma análise retrospectiva, 18 pacientes foram tratadas com IMRT em duas doses diárias e cisplatina com 5-FU infusional durante a primeira e a última semana da irradiação.[32] Após um seguimento mediano de 22 meses, 14 pacientes foram à abordagem cirúrgica, com resposta patológica em 64% destes casos (nove casos). Não houve recidivas naquelas em que reposta patológica completa foi alcançada. Nenhuma paciente apresentou sinais de toxicidade actínica grau 3 ou maior, de forma aguda ou tardia, durante o período de seguimento. A sobrevida global em 2 anos foi de 70%.

CÂNCER DE VULVA COM RECIDIVA

O câncer de vulva recidivado ocorre em 24% dos casos depois do tratamento primário com cirurgia ou radioterapia.[33] Os locais mais frequentes em séries retrospectivas são o períneo (53%), região inguinal (19%), linfonodos pélvicos (6%) e a distância 8% (principalmente em retroperitônio, pulmões e fígado). A baixa incidência da doença associada ao baixo índice de recidiva tornam difícil a realização de estudos clínicos para documentar a abordagem terapêutica mais adequada para esses casos. Tradicionalmente, o resgate cirúrgico tem sido indicado[16]. Mais recentemente, quimioterapia e radioterapia têm sido utilizadas de forma combinada, com resultados animadores. A melhor abordagem fica na dependência do local e da extensão da recidiva.[34]

A maioria das recidivas ocorre nas proximidades da margem cirúrgica da lesão, nos linfonodos inguinocrurais ipsilaterais ou nos linfonodos pélvicos. Nestes casos, é possível empregar modalidades de resgate com sobrevida global em 5 anos que varia de 15% (linfonodos pélvicos) a 60% (vulva e períneo).[35]

No caso das recidivas na própria vulva, com pequeno volume de doença e lateralizado, a excisão alargada com linfadenectomia inguinocrural ipsilateral pode levar a taxa de cura de 70%.[34] Na recidiva pélvica central, com comprometimento de reto, bexiga ou segmento superior de uretra, na qual a radioterapia foi utilizada anteriormente, exenteração pélvica é a alternativa a ser utilizada ainda com intenção curativa.[36]

Para aqueles outros casos de recidiva pélvica em que o tratamento inicial foi exclusivamente cirúrgico, radioterapia exclusiva ou combinada com quimioterapia, acompanhada de ressecção cirúrgica ampla, é uma opção efetiva que pode evitar o resgate com exenteração.[37] Os estudos são limitados e a maioria que analisou este perfil de pacientes também incluiu pacientes com doença localmente avançada virgens de tratamento, o que dificulta a interpretação dos resultados.[18] As drogas utilizadas e as doses são semelhantes às anteriormente citadas para os casos localmente avançados e incluem cisplatina, mitomicina C e 5-FU. De qualquer forma, quimiorradioterapia complementada por excisão alargada da doença residual é uma opção terapêutica conservadora, mas ainda assim mantendo a intenção curativa.

Pacientes com recidiva locorregional que já tenham recebido quimiorradioterapia deverão ser cuidadosamente avaliadas quanto à exenteração pélvica. Outra opção para os casos inelegíveis para a cirurgia é a quimioterapia paliativa. As drogas utilizadas nesta situação seguem as orientações das drogas utilizadas nos casos metastáticos, descritas a seguir.

TRATAMENTO DA DOENÇA METASTÁTICA

Na literatura, estão disponíveis inúmeros pequenos estudos utilizando principalmente monoterapia para o tratamento do câncer de vulva metastático. Os relatos da década de 1970 apontavam que bleomicina poderia ser um agente ativo, mas as taxas de resposta não foram claramente demonstradas em estudos de fase II.[28] Outros estudos de fase II utilizando cisplatina, etoposídeo, mitoxantrona e piperazinedionas também falharam em documentar respostas objetivas.[38,39] A maioria dos dados referentes ao uso de combinações de quimioterápicos é limitada. Na maior destas séries, utilizando a combinação de bleomicina, lomustina e metotrexato para doença localmente avançada ou metastática, observou-se, no total de 25 pacientes, 12 respostas parciais e duas respostas completas. Entretanto, houve duas mortes associadas à toxicidade do tratamento, e a mediana para progressão foi de apenas 4,8 meses.[40]

Em geral, pacientes em estágio IV, virgens de tratamento quimioterápico ou com longo intervalo livre de progressão até a recidiva, recebem quimioterapia paliativa com o esquema 5-FU e cisplatina combinados.[41] A ausência de estudos robustos e com resultados estatisticamente significativos indicando que a quimioterapia possa efetivamente beneficiar pacientes com câncer de vulva avançado, não elegíveis para quimiorradioterapia, faz com que a maioria dos centros com experiência em carcinoma de vulva utilize esquemas que tenham alguma atividade em carcinoma de colo uterino (cisplatina, paclitaxel, vinorelbina).[37,42]

Novos agentes, como os inibidores de tirosinocinase anti-EGFR (erlotinibe), têm demonstrado resultados proeminentes em pequenas séries. Outro anti-EGFR, o cetuximabe, foi também testado em combinação com cisplatina, com resultados favoráveis, mas que precisam de validação.[43]

OUTROS SUBTIPOS HISTOLÓGICOS

Uma vez que as neoplasias malignas não escamosas de vulva são extremamente raras, muito pouca informação está disponível sobre as opções terapêuticas e o prognóstico a longo prazo.[1] A maioria dos dados é proveniente de relatos de casos e pequenas séries retrospectivas.

Melanoma de vulva localmente avançado ou metastático

É a segunda neoplasia mais comum na vulva.[44] A maior parte dos casos afeta mulheres brancas pós-menopausa. Apresentação típica inclui uma lesão pigmentada assintomática ou uma massa dolorosa e/ou com sangramento.

O tratamento de escolha é a excisão cirúrgica radical (vulvectomia com linfadenectomia inguinofemoral bilateral).[45] Entretanto, uma vez que a maioria das falhas ocorre a distância, hemivulvectomia tem sido aceita como forma adequada para controle local, desde que margens satisfatórias e livres sejam alcançadas.[46] Apesar de a linfadenectomia não ter efeito terapêutico comprovado no melanoma, ela traz importantes informações prognósticas que podem guiar a estratégia terapêutica subsequente. Dados referentes ao papel do linfonodo sentinela no câncer de vulva estão em andamento, mas parece ser uma técnica capaz de evitar uma abordagem mais radical em grande parte das pacientes.[47]

A abordagem terapêutica para os casos irressecáveis ou metastáticos segue as diretivas relacionadas ao tratamento do melanoma em outras partes do corpo e é discutida em outro capítulo.

Carcinoma verrucoso

É um subtipo de neoplasia epitelial vulvar que habitualmente se apresenta de forma localmente avançada e irressecável.[48] Quimiorradioterapia costuma ser a forma de tratamento habitualmente utilizada, conforme mencionado para os carcinomas usuais. Apesar de relatos de casos informarem sobre transformação anaplásica do tumor após irradiação, não há informações suficientemente robustas para contraindicação da radioterapia.

Adenocarcinoma

Esses casos inicialmente devem receber investigação complementar para se afastar a possibilidade de lesão metastática, principalmente outros tumores de origem ginecológica ou anorretal.[49] O tratamento para esses casos segue o previamente estabelecido para os tumores epiteliais de vulva com subtipo epidermoide. Cabe citar que a doxorrubicina lipossomal pode ser especialmente efetiva no acometimento avançado.[50]

Sarcomas

São extremamente raros. Os mais frequentes são leiomiossarcoma, fibro-histiocitoma maligno e rabdomiossarcoma.[51] O tratamento segue as diretivas para os sarcomas encontrados em outros sítios e será discutido em outro capítulo.

REFERÊNCIAS BIBLIOGRÁFICAS

1. Franklin EW, Rutledge FD. Epidemiology of epidermoid carcinoma of the vulva. *Obstet Gynecol* 1972;39:165.
2. Siegel R, Ward E, Brawley O et al. Cancer statistics, 2011: the impact of eliminating socioeconomic and racial disparities on premature cancer deaths. *CA Cancer J Clin* 2011;61:212.
3. Messing MJ, Gallup DG. Carcinoma of the vulva in young women. *Obstet Gynecol* 1995;86:51.
4. Ansink AC, Krul MRL, DeWeger RA et al. Human papillomavirus, lichen sclerosus, and squamous cell carcinoma of the vulva: detection and prognostic significance. *Gynecol Oncol* 1994;52:180.
5. Bloss JD, Liao S-Y, Wilczynski SP et al. Clinical and histologic features of vulvar carcinomas analyzed for human papillomavirus status: evidence that squamous cell carcinoma of the vulva has more than one etiology. *Hum Pathol* 1991;22:711.
6. Hording U, Junge J, Daugaard S et al. Vulvar squamous cell carcinoma and papillomaviruses: indications for two different etiologies. *Gynecol Oncol* 1994;52:241.
7. Ansink AC, Krul MRL, DeWeger RA et al. Human papillomavirus, lichen sclerosus, and squamous cell carcinoma of the vulva: detection and prognostic significance. *Gynecol Oncol* 1994;52:180.
8. Trimble CL, Hildesheim A, Brinton LA et al. Heterogeneous etiology of squamous carcinoma of the vulva. *Obstet Gynecol* 1996;87:59.
9. Downey GO, Okagaki T, Ostrow RS et al. Condylomatous carcinoma of the vulva with special reference to human papillomavirus DNA. *Obstet Gynecol* 1988;72:68.
10. Carli P, De Magnis A, Mannone F et al. Vulvar carcinoma associated with lichen sclerosus: experience at the Florence, Italy vulvar clinic. *J Reprod Med* 2003;48:313.
11. Beahrs OH, Henson DE, Hutter RVP et al. (Eds.). *Manual for staging of cancer*. 4th ed. Philadelphia: JB Lippincott, 1992.
12. Kurzl R, Messerer D. Prognostic factors in squamous cell carcinoma of the vulva: a multivariate analysis. *Gynecol Oncol* 1989;32:143.
13. Barton DP. The prevention and management of treatment related morbidity in vulval cancer. *Best Pract Res Clin Obstet Gynaecol* 2003;17:683.
14. Edge SB, Byrd DR, Compton CC et al. (Eds.). Vulva. In: American Joint Committee on Cancer Staging Manual, 7th New York: Springer, 2010. p. 379.
15. Gonzalez Bosquet J, Magrina JF, Magtibay PM et al. Patterns of inguinal groin metastases in squamous cell carcinoma of the vulva. *Gynecol Oncol* 2007;105:742.
16. Morgan MA, Mikuta JJ. Surgical management of vulvar cancer. *Semin Surg Oncol* 1999;17:168.
17. de Hullu JA, van der Zee AG. Surgery and radiotherapy in vulvar cancer. *Crit Rev Oncol Hematol* 2006;60:38.
18. Gadducci A, Cionini L, Romanini A et al. Old and new perspectives in the management of high-risk, locally advanced or recurrent, and metastatic vulvar cancer. *Crit Rev Oncol Hematol* 2006;60:227.
19. Dusenbery KE, Carlson JW, LaPorte RM et al. Radical vulvectomy with postoperative irradiation for vulvar cancer: therapeutic implications of a central block. *Int J Radiat Oncol Biol Phys* 1994;29:989.
20. van der Velden J, van Lindert AC, Lammes FB et al. Extracapsular growth of lymph node metastases in squamous cell carcinoma of the vulva. The impact on recurrence and survival. *Cancer* 1995 June 15;75(12):2885-90.
21. Faul CM, Mirrow D, Huang Q et al. Adjuvant radiation for vulvar carcinoma: improved local control. *Int J Radiat Oncol Biol Phys* 1997;38:381-89.
22. Homesley HD, Bundy BN, Sedlis A et al. Radiation therapy versus pelvic node resection for carcinoma of the vulva with positive groin nodes. *Obstet Gynecol* 1986 Dec.;68(6):733-40.
23. Busch M, Wagener B, Duhmke E. Long term results of radiotherapy alone for carcinoma of the vulva. *Adv Ther* 1999;16:89.
24. Fairey RN, MacKay PA, Benedet JL et al. Radiation treatment of carcinoma of the vulva, 1950–1980. *Am J Obstet Gynecol* 1985;151:591.
25. Thomas G, Dembo A, DePetrillo A et al. Concurrent radiation and chemotherapy in vulvar carcinoma. *Gynecol Oncol* 1989;34(3):263-67.
26. Gerszten K, Selvaraj RN, Kelley J et al. Preoperative chemoradiation for locally advanced carcinoma of the vulva. *Gynecol Oncol* 2005;99(3):640-44.
27. Cunningham MJ, Goyer RP, Gibbons SK et al. Primary radiation, cisplatin, and 5-fluorouracil for advanced squamous carcinoma of the vulva. *Gynecol Oncol* 1997;66:258.
28. Trope C, Johnsson JE, Larsson G et al. Bleomycin alone or combined with mitomycin C in treatment of advanced or recurrent squamous cell carcinoma of the vulva. *Cancer Treat Rep* 1980;64:639.
29. Landoni F, Maneo A, Zanetta G et al. Concurrent preoperative chemotherapy with 5-fluorouracil and mitomycin C and radiotherapy (FUMIR) followed by limited surgery in locally advanced and recurrent vulvar carcinoma. *Gynecol Oncol* 1996;61:321.
30. Moore DH, Thomas GM, Montana GS et al. Preoperative chemoradiation for advanced vulvar cancer: A phase II study of the Gynecologic Oncology Group. *Int J Radiat Oncol Biol Phys* 1998;42:1317.
31. van Doorn HC, Ansink A, Verhaar-Langereis M et al. Neoadjuvant chemoradiation for advanced primary vulvar cancer. *Cochrane Database Syst Rev* 2006;3:CD003752.
32. Beriwal S et al. Preoperative intensity-modulated radiotherapy and chemotherapy for locally advanced vulvar carcinoma. *Gynecol Oncol* 2008;109(2):291-95.
33. Piura B, Masotina A, Murdoch J et al. Recurrent squamous cell carcinoma of the vulva: a study of 73 cases. *Gynecol Oncol* 1993;48:189.
34. Salom EM, Penalver M. Recurrent vulvar cancer. *Curr Treat Options Oncol* 2002;3:143.
35. Maggino T, Landoni F, Sartori E et al. Patterns of recurrence in patients with squamous cell carcinoma of the vulva. A multicenter CTF Study. *Cancer* 2000;89:116.
36. Miller B, Morris M, Levenback C et al. Pelvic exenteration for primary and recurrent vulvar cancer. *Gynecol Oncol* 1995;58:189.
37. Landrum LM, Lanneau GS, Skaggs VJ et al. Gynecologic Oncology Group risk groups for vulvar carcinoma: improvement in survival in the modern era. *Gynecol Oncol* 2007;106:521.
38. Muss HB, Bundy BN, Christopherson WA. Mitoxantrone in the treatment of advanced vulvar and vaginal carcinoma. A gynecologic oncology group study. *Am J Clin Oncol* 1989;12:142.
39. Thigpen JT, Blessing JA, Homesley HD et al. Phase II trials of cisplatin and piperazinedione in advanced or recurrent squamous cell carcinoma of the vulva: a Gynecologic Oncology Group Study. *Gynecol Oncol* 1986;23:358.
40. Durrant KR, Mangioni C, Lacave AJ et al. Bleomycin, methotrexate, and CCNU in advanced inoperable squamous cell carcinoma of the

vulva: a phase II study of the EORTC Gynaecological Cancer Cooperative Group (GCCG). *Gynecol Oncol* 1990;37(3):359-62.

41. Woolderink JM, de Bock GH, de Hullu JA *et al.* Patterns and frequency of recurrences of squamous cell carcinoma of the vulva. *Gynecol Oncol* 2006;103:293.

42. Cormio G, Loizzi V, Gissi F *et al.* Cisplatin and vinorelbine chemotherapy in recurrent vulvar carcinoma. *Oncology* 2009;77(5):281-84.

43. Richard SD, Krivak TC, Beriwal S *et al.* Recurrent metastatic vulvar carcinoma treated with cisplatin plus cetuximab. *Int J Gynecol Cancer* 2008;18:1132.

44. Trimble EL, Lewis Jr JL, Williams LL *et al.* Management of vulvar melanoma. *Gynecol Oncol* 1992;45:254.

45. Sugiyama VE, Chan JK, Shin JY *et al.* Vulvar melanoma: a multivariable analysis of 644 patients. *Obstet Gynecol* 2007;110(2 Pt 1):296-301.

46. Phillips GL, Bundy BN, Okagaki T *et al.* Malignant melanoma of the vulva treated by radical hemivulvectomy: a prospective study of the Gynecology Oncology Group. *Cancer* 1994;73:2626.

47. Oonk MH, de Hullu JA, van der Zee AG. Current controversies in the management of patients with early-stage vulvar cancer. *Curr Opin Oncol* 2010 Sept.;22(5):481-86.

48. Japaze H, Dinh TV, Woodruff JD. Verrucous carcinoma of the vulva: study of 24 cases. Obstet Gynecol 1982;60:462.

49. Fanning J, Lambert L, Hale TM *et al.* Paget's disease of the vulva: prevalence of associated vulvar adenocarcinoma, invasive Paget's disease, and recurrence after surgical excision. *Am J Obstet Gynecol* 1999;180:24.

50. Huang GS, Juretzka M, Ciaravino G *et al.* Liposomal doxorubicin for treatment of metastatic chemorefractory vulvar adenocarcinoma. *Gynecol Oncol* 2002;87:313.

51. Nirenberg A, Ostor AG, Slavin J *et al.* Primary vulvar sarcomas. *Int J Gynecol Pathol* 1995;14:55.

52. Lupi G, Raspagliesi F, Zucali R *et al.* Combined preoperative chemoradiotherapy followed by radical surgery in locally advanced vulvar carcinoma: a pilot study. *Cancer* 1996;77:1472.

53. Whalen SA, Slater JD, Wagner RJ *et al.* Concurrent radiation therapy and chemotherapy in the treatment of primary squamous cell cancer of the vulva. *Cancer* 1995;75:2289.

54. Eifel PJ, Morris M, Burke TW *et al.* Preoperative continuous infusion cisplatinum and 5-fluorouracil with radiation for locally advanced or recurrent carcinoma of the vulva. *Gynecol Oncol* 1995;59:51.

55. Koh WJ, Wallace HJ, Greer BE *et al.* Combined radiotherapy and chemotherapy in the management of local-regionally advanced vulvar cancer. *Int J Radiat Oncol Biol Phys* 1993;26:809.

56. Akl A, Akl M, Boike G *et al.* Preliminary results of chemoradiation as a primary treatment for vulvar carcinoma. *Int J Radiat Biol Phys* 2000;48:415.

57. Russell AH, Mesic JB, Scudder SA *et al.* Synchronous radiation and cytotoxic chemotherapy for locally advanced or recurrent squamous cancer of the vulva. *Gynecol Oncol* 1992;47:14.

58. Han SC, Kim DH, Higgins SA *et al.* Chemoradiation as primary or adjuvant treatment for locally advanced carcinoma of the vulva. *Int J Radiat Oncol Biol Phys* 2000;47:1235.

59. Scheistroen M, Trope C. Combined bleomycin and irradiation in preoperative treatment of advanced squamous cell carcinoma of the vulva. *Acta Oncol* 1992;32:657.

60. Berek JS, Heaps JM, Fu YS *et al.* Concurrent cisplatin and 5-fluorouracil chemotherapy and radiation therapy for advanced-stage squamous carcinoma of the vulva. *Gynecol Oncol* 1991;42:197.

61. Evans LS, Kersh CR, Constable WC *et al.* Concomitant 5-fluorouracil, mitomycin C, and radiotherapy for advanced gynecologic malignancies. *Int J Radiat Oncol Biol Phys* 1988;15:901.

62. Levin W, Goldberg G, Altaras M *et al.* The use of concomitant chemotherapy and radiotherapy prior to surgery in advanced stage carcinoma of the vulva. *Gynecol Oncol* 1986;25:20.

63. Iversen T. Irradiation and bleomycin in the treatment of inoperable vulval carcinoma. *Acta Obstet Gynecol Scand* 1982;61:195.

CAPÍTULO 165

Câncer de Vagina

Eduardo Amaral Moura Sá ■ João Douglas Nico ■ José Pedro Ferreira de Bastos Vieira

INTRODUÇÃO

O câncer de vagina corresponde a uma enfermidade muito rara, estimando-se uma porcentagem de 1 a 2% das neoplasias que comprometem o trato genital feminino.[1,2] A incidência deste tumor é de aproximadamente um caso por 100 mil mulheres, sendo responsável por cerca de 780 mortes por ano nos Estados Unidos. As neoplasias que comprometem a vagina podem ser consideradas primárias quando, inicialmente, surgem no epitélio vaginal, ou secundárias, quando surgem fora do epitélio vaginal e, posteriormente, invadem a vagina. As neoplasias secundárias da vagina podem ocorrer por invasão direta, como nos casos do tumor de reto, colo de útero, vulva ou uretra, ou por metástase hematogênica, como nos casos de tumores do trato digestório, mama, ovários e rins.[3]

Como se pode observar no Quadro 1, o tumor mais comumente encontrado no epitélio vaginal corresponde ao carcinoma de células escamosas (epidermoide) (78%), sendo os outros tipos mais raros e entre eles podemos citar o adenocarcinoma (4%), melanoma (4%), carcinoma de células claras (3%) e endometrioide (1%).[4]

Os fatores de risco para o desenvolvimento do câncer de vagina são semelhantes aos do câncer de colo de útero e entre os principais pode-se citar a infecção crônica pelo *papilomavírus humano* (HPV), início precoce da atividade sexual, múltiplos parceiros, promiscuidade sexual, multiparidade, tabagismo, vaginite crônica, histerectomia por doença benigna, endometriose e irradiação vaginal prévia.[5-7] A maioria dos casos de câncer de vagina evolui de uma lesão intraepitelial prévia pré-maligna, associada a infecção crônica pelo HPV.[8]

Decorrente da incidência muito baixa, alguns fatores permanecem controversos em relação ao câncer de vagina, principalmente no que diz respeito a sua incidência, epidemiologia, estadiamento e terapêutica.

DIAGNÓSTICO

O diagnóstico do câncer de vagina é feito, inicialmente, assim como em outras neoplasias, por meio de uma anamnese criteriosa, associada a exame físico detalhado, principalmente com um exame ginecológico completo, incluindo exame especular, teste de Schiller, toque vaginal e retal (Fig. 1). Após o exame clínico é fundamental a realização dos exames complementares, sendo imprescindível a biópsia da lesão para confirmação histopatológica.

O diagnóstico, portanto, é somente concluído através de confirmação histopatológica após biópsia de qualquer lesão suspeita presente no epitélio vaginal. Se a lesão não for observada a vista desarmada e existir uma citologia vaginal prévia anormal, é indicada a realização de uma colposcopia detalhada para melhor visualização do epitélio da vagina, utilizando-se testes com ácido acético e lugol, seguidos de biópsia das lesões suspeitas.

Entre as manifestações clínicas presentes no câncer de vagina, podemos citar como principal o sangramento vaginal iniciado no período intermenstrual, pós-menopausa ou após o coito. Outros sintomas importantes incluem leucorreia de odor fétido, massa vaginal palpável, sintomas urinários (polaciúria, disúria e hematúria) e sintomas do trato digestório (tenesmo, constipação e melena).[9-11]

O diagnóstico do carcinoma vaginal, por vezes, pode ser difícil. A lesão localizada na vagina pode ser perdida na avaliação inicial, principalmente se for uma lesão muito pequena localizada na parte inferior da vagina, pois pode ficar encoberta pelo espéculo vaginal durante a realização do exame. Cerca de 20% dos tumores de vagina são detectados incidentalmente durante a realização da colpocitologia para rastreamento do carcinoma de colo uterino. As lesões grandes são facilmente detectadas ao exame ginecológico.[12,13]

Após a confirmação histopatológica da lesão vaginal, é fundamental a realização de exames de estadiamento clínico da neoplasia e entre eles podemos citar uma rotina laboratorial, estudo radiológico de tórax e tomografia computadorizada do abdome e da pelve. Em casos específicos e dependendo da sintomatologia, podem ser solicitados exames mais complexos, como uretrocistoscopia, retossigmoidoscopia e ressonância magnética de pelve.

ESTADIAMENTO

O estadiamento do câncer de vagina é determinado pelo TNM (6ª edição, 2004) elaborado pela União Internacional Contra o Câncer (UICC). As definições das categorias T e M correspondem aos estágios da Federação Internacional de Ginecologia e Obstetrícia (FIGO). Ambos os sistemas estão incluídos para comparação. Importante lembrar que esta classificação é aplicável somente para os tumores primários de vagina. Tumores encontrados na vagina como crescimento secundário de tumores de outra localização genital ou extragenital são excluídos deste estadiamento (Quadro 2).[14,15]

Quadro 1. Histologia da câncer de vagina
- Carcinoma de células escamosas (78%)
- Adenocarcinoma (4%)
- Melanoma (4%)
- Carcinoma de células claras (3%)
- Endometrioide (1%)
- Outros (10%)

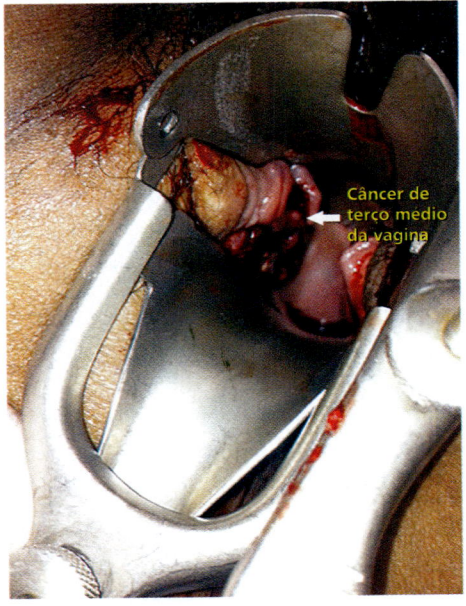

◀ **FIGURA 1.** Câncer de vagina observado ao exame especular.

Quadro 2. TNM – Classificação clínica

T – TUMOR PRIMÁRIO		
CATEGORIAS TNM	ESTÁDIOS DA FIGO	
TX		O tumor primário não pode ser avaliado
T0		Não há evidência de tumor primário
Tis	0	Carcinoma *in situ* (carcinoma pré-invasivo)
T1	I	Tumor confinado à vagina
T2	II	Tumor que invade os tecidos paravaginais, mas não se estende à parede pélvica
T3	III	Tumor que se estende à parede pélvica
T4	IVA	Tumor que invade a mucosa vesical ou retal, e/ou que se estende além da pelve verdadeira
M1	IVB	Metástase a distância
N		Linfonodos regionais
NX		Os linfonodos regionais não podem ser avaliados
N0		Ausência de metástase em linfonodo regional
N1		Metástase em linfonodo regional
M		Metástase à distância
MX		A presença de metástase à distância não pode ser avaliada
M0		Ausência de metástase à distância
M1		Metástase à distância

Os tumores da vagina podem invadir localmente estruturas adjacentes ou se difundir por várias rotas:

1. **Extensão direta para tecidos da pelve:** paramétrio, bexiga, uretra e reto (eventualmente os ossos da pelve também podem ser invadidos).
2. **Disseminação linfática:** linfonodos pélvicos, para-aórticos, inguinal e femoral. A drenagem linfática da vagina superior segue para o colo de útero e em seguida para linfonodos pélvicos e para-aórticos.
3. **Disseminação hematogênica:** incluindo pulmões, fígado e ossos.

O estadiamento final pode ser observado no Quadro 3, sendo fundamental para deliberação terapêutica e estimativa do prognóstico das pacientes portadoras de câncer de vagina.

PROGNÓSTICO

Diversos fatores são importantes para a determinação do prognóstico das pacientes portadoras de câncer de vagina e entre os principais podemos citar: idade da paciente, estadiamento, localização e tamanho do tumor, tipo histológico e grau de diferenciação celular.

A idade corresponde ao principal fator prognóstico relacionado a paciente, no qual alguns estudos demonstraram que a sobrevida é significativamente maior em pacientes jovens, quando comparadas às pacientes idosas (90 *versus* 30% respectivamente).[16,17]

O estadiamento, a localização e o tamanho do tumor correspondem aos principais fatores prognósticos das pacientes portadoras de câncer de vagina e importantes para orientação do tratamento. Diversos estudos demonstram que a sobrevida das pacientes é diretamente proporcional ao estadiamento da neoplasia. Piura *et al.* relatam uma sobrevida de 100% para as pacientes no estágio 0, 64 a 90% para o estágio I, 31 a 80% no estágio II, 0 a 79% no estágio III e de 0 a 62% no estágio IV.[18] Lesões na parte distal da vagina apresentam pior prognóstico quando comparadas às lesões na parte proximal da vagina.[19] Outros estudos demonstraram que tumores menores que 5 cm apresentam uma taxa de recidiva menor, quando comparados com tumores maiores que 5 cm (P =, 003).[20] Após análise do banco de dados do Instituto Nacional de Câncer dos Estados Unidos, ficou evidenciado um aumento da mortalidade das mulheres com câncer de vagina estágio II com doença maior que 4 cm (sobrevida em 5 anos de 65 *versus* 85% em tumores menor que 4 cm).[21]

A elevada mortalidade e o pior prognóstico do câncer de vagina, quando comparados ao câncer de colo uterino e de vulva estão relacionados, principalmente, à dificuldade do diagnóstico precoce desta neoplasia e ao grande potencial de complicações do tratamento, que impede a realização de um tratamento mais agressivo.

TRATAMENTO

O tratamento do câncer de vagina depende de diversos fatores. A localização é de fundamental importância, pois a lesão pode estar presente na parede anterior ou posterior, no terço superior, médio ou inferior da vagina, facilitando ou dificultando a abordagem cirúrgica. O tamanho da lesão também é de fundamental importância, pois decidirá sobre abordagens mais ou menos agressivas. História prévia de radioterapia, *performance status* da paciente, presença ou não de útero e tipo histológico do tumor também podem interferir na decisão terapêutica. Desta forma, a abordagem terapêutica das pacientes portadoras de neoplasia primária de vagina deve ser feita de forma individualizada, levando-se em conta o desejo da paciente de preservar sua função sexual.

Esquematicamente, dividimos o tratamento do carcinoma epidermoide de vagina de acordo com o estadiamento.

Neoplasia intraepitelial da vagina (NIVA)/Estágio 0

O tratamento terá uma abordagem mais conservadora e localizada. Para lesões únicas pode-se usar o *laser* de CO_2 ou a ressecção com bisturi de alta frequência, tendo-se como risco a possibilidade de estenose vaginal, perfuração intestinal e/ou vesical, além de perda de parâmetros das margens de ressecção na profundidade, principalmente com o bisturi de alta frequência. As lesões multicêntricas podem ser tratadas com quimioterapia tópica baseada em uma solução de 5-fluorouracil a 5% ou com colpectomia (parcial ou total). Esses casos também podem ser tratados com braquiterapia intracavitária, com cilindros vaginais, prescrevendo-se dose de 6.000 a 7.000 cGy cobrindo toda a mucosa vaginal, ou ainda com braquiterapia intersticial com agulhas radioativas.

Estágio I

A radioterapia é considerada como a principal opção terapêutica, contudo não existem protocolos universalmente aceitos. É utilizada com doses entre 4.500 e 5.000 cGy em 25 frações, com campos que englobem toda a pelve e os linfonodos extrapélvicos confirmadamente comprometidos por exploração cirúrgica ou tomografia, como cadeias para-aórtica e inguinal. A energia deverá ser a de fótons entre 10 e 20 MV e a técnica pode ser com radioterapia convencional, conformacional ou por IMRT, dando-se preferência para as duas últimas. Usualmente, utiliza-se complementação terapêutica com braquiterapia até atingir a dose tumor total de 7.500 a 8.500 cGy. A braquiterapia intracavitária de forma isolada tem pouco valor no tratamento de lesões localmente avançadas e, normalmente, deve ser antecedida de radioterapia externa. A braquiterapia intersticial com a utilização de agulhas radioativas pode oferecer uma melhor cobertura da lesão, porém, por ser uma técnica realizada à mão livre, os resultados dependem da experiência do médico radio-oncologista. Também se pode utilizar um *Template Perineal*, o que facilita a dosimetria e a distribuição das agulhas.

Tumores com menos de 0,5 cm de profundidade podem ser tratados com braquiterapia intracavitária isolada, com doses de 6.000 a 7.000 cGy, calculadas nessa profundidade.

Para lesões maiores que 2 cm, e demais estágios, deve-se utilizar radioterapia externa associada a braquiterapia intracavitária ou intersticial.

Quadro 3. Grupamento por estágio

Estádio 0	Tis	N0	M0
Estádio I	T1	N0	M0
Estádio II	T2	N0	M0
Estádio III	T3	N0	M0
	T1	N1	M0
	T2	N1	M0
	T3	N1	M0
Estádio IVa	T4	Qualquer N	M0
Estádio IVb	Qualquer T	Qualquer N	M1

Tumores do terço superior da vagina com até 2 cm são preferencialmente tratados com cirurgia radical, tipo Wertheim-Meigs com colpectomia do terço superior, com margens mínimas de 1,5 cm da lesão. A radioterapia pode ser adicionada na dependência do comprometimento das margens cirúrgicas ou margens exíguas, na dose de 4.500 cGy, com campos pélvicos, com aceleradores lineares. As pacientes previamente histerectomizadas por outras doenças deverão ser submetidas a colpectomia radical com linfadenectomia pélvica e deve-se avaliar a possibilidade de realizar uma neovagina naquelas que desejam preservar a atividade sexual.

Tumores do terço médio inferior são habitualmente abordados com radioterapia, contudo, tumores do terço inferior também podem ser abordados com cirurgia que consistirá em vulvectomia com colpectomia (radical ou parcial), com linfadenectomia inguinofemoral bilateral. Quando houver margens exíguas ou comprometidas, a radioterapia está indicada com dose de 4.500 cGy, em caráter adjuvante, incluindo as cadeias inguinais.

Estágio II

O tratamento consiste em radioterapia pélvica + braquiterapia intracavitária com dose tumor total de 7.000 a 8.000 cGy. Nas lesões do terço inferior deve-se incluir campos inguinais para receber de 4.500 a 5.000 cGy. Pode-se associar quimioterapia semanal com regimes que incluem cisplatina.

Estágio III

O tratamento é praticamente igual ao Ec II, com radioterapia pélvica com 4.500 CGy, incluindo ou não campos inguinais, com reforço nos paramétrios até atingir de 5.500 a 6.000 cGy, associada à braquiterapia intracavitária ou intersticial até alcançar a dose tumor total, de 7.500 a 8.000 cGy. Nestes casos, nos moldes do tratamento de colo uterino avançado, associa-se quimioterapia semanal com cisplatina, visando o efeito radiossensibilizante da droga administrada.

Estágio IV

Nesses casos, o tratamento deve ser bastante individualizado de acordo com a apresentação da doença e o estado geral da paciente, e poderá consistir em radioterapia +/- quimioterapia ou até mesmo cirurgia radical, que poderá resultar em exenteração pélvica.

Para o tratamento do câncer de vagina Ec I, do tipo histológico adenocarcinoma, utiliza-se a cirurgia como melhor opção terapêutica, visto que o tumor se dissemina por via subepitelial. A histerectomia radical, com colpectomia e linfadenectomia pélvica é o tratamento indicado para os tumores mais proximais e a linfadenectomia inguinal deve ser acrescentada nos tumores mais distais. Avaliar sempre a possibilidade de realizar uma neovagina conforme desejo da paciente e também as condições locais para o procedimento. A radioterapia pélvica está indicada em caráter adjuvante nos casos que apresentarem margens comprometidas ou margens exíguas. A braquiterapia intracavitária ou intersticial pode ser utilizada como forma isolada de tratamento das lesões menores, incluindo-se toda a mucosa vaginal na área de tratamento, para aquelas pacientes com alto risco cirúrgico. A braquiterapia pode também ser utilizada de forma complementar à radioterapia externa. Os demais estágios II, III e IV de adenocarcinoma de vagina são tratados da mesma forma que os carcinomas epidermoides.

Tumores primitivos da vagina com outras histologias, como rabdomiossarcoma, leiomiossarcoma e melanoma são extremamente raros e devem ser abordados de forma individual com tratamentos que incluem cirurgia, radioterapia, braquiterapia e quimioterapia, associados entre si ou de forma isolada.

REFERÊNCIAS BIBLIOGRÁFICAS

1. Jemal A, Siegel R, Xu J et al. Cancer statistics, 2010. *CA Cancer J Clin* 2010;60:277.
2. Daling JR, Madeleine MM, Schwartz SM et al. A population-based study of squamous cell vaginal cancer: HPV and cofactors. *Gynecol Oncol* 2002;84:263.
3. Dunn LJ, Napier JG. Primary carcinoma of the vagina. *Am J Obstet Gynecol* 1966;96:1112.
4. Beller U, Sideri M, Maisonneuve P et al. Carcinoma of the vagina. *J Epidemiol Biostat* 2001;6:141-52.
5. Pride GL, Schultz AE, Chuprevich TW et al. Primary invasive squamous carcinoma of the vagina. *Obstet Gynecol* 1979;53:218.
6. Madsen BS, Jensen HL, van den Brule AJ et al. Risk factors for invasive squamous cell carcinoma of the vulva and vagina—population-based case-control study in Denmark. *Int J Cancer* 2008;122:2827.
7. Merino MJ. Vaginal cancer: the role of infectious and environmental factors. *Am J Obstet Gynecol* 1991;165(4 Pt 2):1255-62.
8. Hampl M, Sarajuuri H, Wentzensen N et al. Effect of human papillomavirus vaccines on vulvar, vaginal, and anal intraepithelial esions and vulvar cancer. *Obstet Gynecol* 2006;108(6):1361-68.
9. Livingston RC. Primary carcinoma of the vagina. Springfield, IL: Thomas CC, 1950.
10. Choo YC, Anderson DG. Neoplasms of the vagina following cervical carcinoma. *Gynecol Oncol* 1982;14:125.
11. Herbst AL, Ulfelder H, Poskanzer DC. Adenocarcinoma of the vagina. Association of maternal stilbestrol therapy with tumor appearance in young women. *N Engl J Med* 1971;284:878.
12. Underwood Jr PB, Smith RT. Carcinoma of the vagina. *JAMA* 1971;217:46.
13. Gallup DG, Talledo OE, Shah KJ et al. Invasive squamous cell carcinoma of the vagina: a 14-year study. *Obstet Gynecol* 1987;69:782.
14. American Joint Committee on Cancer. Vagina. In: *AJCC Cancer Staging Manual*. 7th ed. New York: Springer, 2010. p. 387.
15. Benedet JL, Bender H, Jones H 3rd et al. FIGO staging classifications and clinical practice guidelines in the management of gynecologic cancers. FIGO Committee on Gynecologic Oncology. *Int J Gynaecol Obstet* 2000;70:209.
16. Urbanski K, Kojs Z, Reinfuss M et al. Primary invasive vaginal carcinoma treated with radiotherapy: Analysis of prognostic factors. *Gynecol Oncol* 1996;60:16-21.
17. Kirkbride P, Fyles A, Rawlings GA et al. Carcinoma of the vagina: Experience at the Margareth Hospital. *Gynecol Oncol* 1995;56:435-43.
18. Piura B, Rabinovich A, Cohen Y et al. Primary squamous cell carcinoma of the vagina: Reporto f four cases and review of the literature. *Eur J Gynaecol Oncol* 1998;19:60-63.
19. Ali MM, Huang DT, Goplerud DR et al. Radiatino Alone for carcinoma of the vagina: Variation in response related to the location of the primary tumor. *Cancer* 1996;77:1934-39.
20. Chyle V, Zagars GK, Wheeler JA et al. Definitive radiotherapy for carcinoma of the vagina: Outcome and prognostico factores. *Int J Radiat Oncol Biol Phys* 1996;35:891-905.
21. Beller U, Sideri M, Maisonneuve P et al. Carcinoma of the vagina. *J Epidemiol Biostat* 2001;6:141.
22. Perez CA, Grigsby PW, Garipagaoglu M et al. Factors affecting long-term outcome of irradiation in carcinoma of the vagina. *Int J Radiat Oncol Biol Phys* 1999;44:37.
23. Stock RG, Mychalczak B, Armstrong JG et al. The importance of brachytherapy technique in the management of primary carcinoma of the vagina. *Int J Radiat Oncol Biol Phys* 1992;24:747.
24. Pellizon ACA, Novaes PERS, Fagundes LA et al. Tumores ginecológicos. Rotinas e condutas em radioterapia. 3. ed. Lemar, 2008. p. 95.
25. SBRT. Radioterapia baseada em evidências. Recomendações da SBRT. 2011. p. 267-71.

CAPÍTULO 166

Câncer de Ovário

166-1 Tumores Ovarianos de Baixo Potencial de Malignidade

Sandra Marques Silva Gioia
Ciane Mendes Dayube ■ Joyce Christina Ribeiro de Souza

INTRODUÇÃO

Os tumores ovarianos de baixo potencial de malignidade, também conhecidos como tumores *borderlines* de ovário (TBO), foram descritos inicialmente por Taylor, em 1929, como tumores semimalignos ou hiperplásicos sem evidência de invasão estromal, porém com implantes peritoneais. Ele notou que pacientes portadoras destes tumores apresentavam um melhor prognóstico em relação às portadoras de tumores malignos. Em 1961, a Federação Internacional de Ginecologia e Obstetrícia (FIGO) reconheceu esta entidade como um tipo de carcinoma de baixo potencial de malignidade e em 1973, a OMS adotou o termo tumores *borderlines*.[1]

Os tumores *borderlines* correspondem 10-20% da incidência dos tumores malignos epiteliais ovarianos e geralmente ocorrem em pacientes jovens, manifestando-se em estágio mais precoce em relação aos carcinomas epiteliais ovarianos (CEO).[2,3] Tendem a ocorrer com maior frequência durante a vida reprodutiva. Cerca de 50-80% apresentam estágio I e 15-20% os estágios III-IV. Embora mutações no gene BRCA possam estar associados a um risco aumentado de desenvolver câncer de ovário invasivo, essas mutações parecem não conferir um risco aumentado para tumores de baixo potencial de malignidade.[4-6]

O uso de contraceptivo oral não parece ser fator de proteção, no entanto, a paridade crescente e lactação parecem reduzir o risco de TBO em mulheres de 50 a 74 anos.[7] Uso de medicamentos para a fertilidade ainda não está comprovadamente associado a risco aumentado para o desenvolvimento de TBO em alguns estudos.[8-10]

Estes tumores mantêm algumas das características histopatológicas de tumores ovarianos malignos, mas são caracterizados pela ausência de invasão estromal. Os critérios histopatológicos para o diagnóstico de TBO incluem atipia nuclear, estratificação do epitélio, formação de projeções papilares microscópicas e ausência de invasão estromal, representando um grupo de tumores com características histopatológica e biológicas intermediárias entre neoplasias benignas e malignas do ovário.[11]

CLASSIFICAÇÃO HISTOPATOLÓGICA

Os tipos histopatológicos incluem tumores serosos (mais comuns), mucinosos, endometrioides, células claras e de células transicionais (ou Brenner). Os três últimos são raros.

Os tumores *borderlines* serosos correspondem a 10-15% de todos os tumores serosos e 55% de todos os TBO. Aproximadamente 75% das pacientes são diagnosticadas com estágio I, com taxa de sobrevida de 99% em 15 anos; 25-50% dos tumores são bilaterais.[2,12] No estágio III, a taxa de mortalidade em 15 anos varia entre 0-50%. A taxa de sobrevida parece estar relacionada à extensão extraovariana e não à bilateralidade. Doença extraovariana e implantes peritoneais no momento do diagnóstico ocorrem em 35% dos casos, e representam uma questão em discussão se estes implantes são metástases verdadeiras ou manifestações de lesões *in situ* multifocais do peritônio. Alguns destes implantes podem tornar-se invasivos, porém a maioria se mantém estacionária ou até mesmo regride após ressecção do tumor primário.[13-19]

Os tumores *borderlines* mucinosos representam 10-15% de todos os tumores mucinosos de ovário e cerca de 40% dos tumores *borderlines*. Macroscopicamente não podem ser diferenciados dos cistoadenomas ou cistoadenocarcinomas de ovário. Em 75% dos casos aparecem como tumores grandes, multicísticos. Bilateralidade ocorre em menos de 10% dos casos, em média 6%, variando de 0-13%. A sobrevida é excelente para estágio I, com taxa de 97% em 15 anos. A taxa de mortalidade no estágio III está em torno de 64%. Doença extraovariana no diagnóstico é relatada em 10-15% dos casos e está mais relacionada a pseudomixoma *peritonei* do que com implantes peritoneais ou omentais. O pseudomixoma *peritonei* é caracterizado pela produção de grande quantidade de muco pobre em células, que é compactado em graus variados por tecido fibroso denso na cavidade abdominal. Esta condição ocorre mais frequentemente em associação a tumores *borderlines* mucinosos de ovário e tumores mucinosos benignos de ovário do que ao adenocarcinoma ovariano. Sabe-se que esta associação ao TBO afeta o prognóstico adversamente. Neste caso, é obrigatória a pesquisa de tumor mucinoso gastrointestinal, principalmente no apêndice.[20] Como no adenocarcinoma invasor do ovário, a apendicectomia está indicada nestes casos.

Os outros TBO representam cerca de 5% de todos os tumores *borderlines* (endometrioide 2%, mistos 2%, células claras <1% e Brenner <1%). O tipo endometrioide é o menos agressivo, ao contrário do tumor de células claras, que tem o comportamento mais agressivo de todos.

Significado e categorização do padrão micropapilar

Atualmente, as maiores controvérsias clínicas com respeito aos tumores *borderlines* serosos são o significado e a classificação do padrão micropapilar.

O termo carcinoma seroso micropapilar foi introduzido para descrever um subgrupo de pacientes com TBO seroso cujo tumor primário contém áreas de padrão filiforme ou cribriforme, ou ambos. Este padrão micropapilar pode ou não conter focos de invasão, frequentemente é bilateral, está mais comumente associado a implantes invasivos e associa-se a pior prognóstico que tumores *borderlines*. Segundo alguns autores, os TBO micropapilares deveriam ser classificados como malignos e tumores *borderlines* serosos sem padrão micropapilar seriam reclassificados como uma entidade benigna.[20]

Kempson e Hendrickson argumentaram que o prognóstico dos tumores micropapilares serosos é muito mais semelhante ao do tumores *borderlines* que ao dos carcinomas epiteliais. Acredita-se que o padrão micropapilar seja um fator de risco dentro da categoria *borderlines* e não uma categoria separada.[21]

A reclassificação dos TBO abandonaria a categoria *borderlines*, o que tem levado muitos patologistas e oncologistas ginecológicos a não adotarem este termo. Existem vários argumentos contra a proposta de reclassificação, incluindo: 1) não existe evidência de que o padrão micropapilar no estágio I seja associado a pior prognóstico; 2) a reprodutibilidade em reclassificar o padrão micropapilar *versus* o tumor *borderline* seroso é desconhecida; 3) o padrão típico com implantes peritoneais (invasivos ou não) está associado a desfecho desfavorável em vários estudos; 4) o padrão micropapilar com implantes não invasivos parece ter o mesmo prognóstico dos tumores com implantes não invasivos; e 5) o padrão micropapilar pode ser encontrado em carcinoma de baixo grau ou alto grau, sugerindo a representação de um padrão histopatológico, e não de uma entidade separada. Atualmente, refere-se que o padrão micropapilar é um fator de risco dentro dos tumores *borderlines* de ovário, e não outra categoria isolada.[21]

Significado da microinvasão no tumor ovariano primário

Embora os TBO serosos sejam distintos dos carcinomas serosos de baixo grau em relação à invasão estromal, tem sido descrito que 10-15% dos casos de TBO contêm focos de invasão de células intraestromais, que são muito pequenas e geralmente não causam reação estromal. Estes tumores parecem estar associados a prognóstico favorável e têm sido designados como TBO serosos com microinvasão por vários autores.[22]

Katzenstein *et al.*[23] inicialmente caracterizaram dois padrões de envolvimento estromal que não foram considerados padrões de invasão estromal, mas como carcinoma, ambos com evolução benigna. Estes padrões foram descritos como glândulas cribriformes dentro do estroma ovariano e células epiteliais únicas projetadas dentro do estroma como estruturas papilares.

Tavassoli[24] posteriormente descreveu uma série com 18 tumores *borderlines* com focos descritos como invasão estromal precoce ou microinvasão. Apesar desta terminologia de microinvasivo, nenhum critério de tamanho específico para este padrão foi mencionado. Não houve evidência de recidiva em 17 entre 18 pacientes com seguimento relativamente curto. Uma paciente com TBO seroso estágio III e microinvasão morreu com carcinoma extenso 1 mês após o diagnóstico, o que gerou dúvida em relação à correta inclusão da mesma na categoria *borderlines*.

Dois padrões de microinvasão têm sido identificados: o primeiro e mais comum é o padrão de células eosinofílicas, com células individuais ou ninhos celulares com abundante citoplasma eosinofílico no estroma de tumor. Quando este padrão de infiltração está presente em TBO seroso, o epitélio adjacente não invasivo geralmente contém células eosinofílicas semelhantes. O segundo padrão, mais incomum, apresenta infiltração estromal por pequenos ninhos de células, ramificação papilar, micropapilas alongadas, ou massas cribriformes de epitélio. Quando um destes padrões está presente no estroma, o epitélio não invasivo dos TBO serosos geralmente exibe características semelhantes, pelo menos focalmente.

Há um consenso de que TBO serosos, típicos ou micropapilares, com pequenos focos de invasão estromal confinados a um ou ambos os ovários (estágio I) têm o mesmo prognóstico que TBO serosos estágio I sem este achado.[22] Também houve concordância que pequenos focos de tumor intraestromal compostos de células eosinofílicas devem ser designados como TBO serosos com microinvasão. Nenhuma conclusão foi atingida em relação ao critério de tamanho para inclusão na categoria microinvasiva. A nomenclatura para os padrões histopatológicos mais raros de tumor microinvasivo intraestromal ainda está por ser definida.

Concluindo, TBO serosos com pequenos focos de tumor intraestromal (menores 3 mm em comprimento e 10 mm^2 por área) que se assemelham a carcinomas serosos de baixo grau podem ser designados como TBO serosos com microinvasão ou carcinoma microinvasivo, embora o primeiro termo seja preferido.

Implantes peritoneais

Doença extraovariana (estágios II a IV) ocorre em aproximadamente 30-35% das pacientes e é mais comum em TBO serosos.[11] Está presente em cerca de 20% dos casos, predominantemente no peritônio pélvico ou omento. Quando presente, a doença extraovariana raramente se apresenta como doença metastática volumosa; na maioria dos casos, apresentam-se como implantes peritoneais microscópicos ou macroscópicos pequenos (1-2 cm). Esses implantes, caracterizados por proliferações peritoneais complexas, são vistos em 20 a 30% dos TBO serosos na sua apresentação clínica.[22] A questão desses implantes está associada a várias controvérsias, principalmente ao que se refere à distinção entre implantes invasivos e não invasivos, de acordo com sua avaliação microscópica. Eles também têm sido descritos em linfonodos retroperitoneais e, embora mais raro, nos pulmões, fígado, cérebro e mama.

Ainda é incerto se estes implantes intra-abdominais representam a progressão de um TBO primário ou se resultam de neoplasia multifocal do peritônio. A aparência histológica variável desses implantes e seu significado prognóstico foram examinados em vários estudos entre 1979 e 1986; estes estudos falharam em documentar uma diferença clara na sobrevida entre pacientes com tipos de implantes diferentes. Sabe-se que quando uma das lesões peritoneais mostra alterações carcinomatosas de alto grau ou propriedades invasivas, o prognóstico altera-se negativamente e a paciente deve ser tratada de acordo com estas características.

A infiltração do tecido normal subjacente foi documentada como um forte fator prognóstico adverso, que distinguiram entre implantes não invasivos com abundante, mas superficial reação estromal e implantes invasivos com invasão definitiva do tecido subjacente.[25,26]

Muitos patologistas têm seguido os critérios publicados por Bell,[26] em 1988, em que ele define implantes não invasivos como ausência de invasão do tecido normal subjacente (subtipos epitelial e desmoplásico) e implantes invasivos, caracterizados por uma infiltração irregular do tecido normal subjacente. Estes implantes invasivos geralmente se assemelham a adenocarcinoma seroso invasivo de baixo grau.

Gershenson sugeriu achados histopatológicos adicionais nas lesões peritoneais sem invasão óbvia do tecido subjacente que podem também indicar um prognóstico reservado.[27] Neste estudo, usando o critério de infiltração de estroma por células individuais, nichos celulares e invasão tecidual, não houve diferença na sobrevida entre os tipos de implantes.

Seidman e Kurman[28] publicaram uma metanálise demonstrando um risco aumentado de morte para pacientes com implantes invasivos em relação às pacientes com implantes não invasivos. Dentre 23 estudos nos quais os implantes peritoneais foram subclassificados, 363 (78%) eram não invasivos e 104 (22%) eram invasivos. O seguimento médio foi de 7,4 anos. Implantes invasivos foram responsáveis por 35 (67%) dos 52 casos de morte descritos. A sobrevida total de pacientes com implantes não invasivos foi 95,3%, comparada a 66% para implantes invasivos ($p < 0,0001$).

Durante o *workshop* de tumores *borderlines* de ovário, ocorrido em agosto de 2003 em Bethesda,[22] houve concordância unânime de que pacientes com TBO serosos e implantes não invasivos têm um prognóstico muito bom e que invasão de tecido subjacente em implantes peritoneais está associada a pior prognóstico. Também houve unanimidade sobre implantes mostrando permeação do estroma por células individuais sem invasão do tecido subjacente, que devem ser incluídos na categoria não invasiva, pois este achado não tem sido associado a efeito adverso. Os participantes concluíram que tumores peritoneais associados a TBO serosos devem continuar a ser designados como implantes não invasivos e invasivos, e que invasão de tecido subjacente normal é um fator prognóstico adverso, demonstrado em vários estudos.

Envolvimento linfonodal

O envolvimento dos linfonodos regionais na apresentação inicial tem sido descrito em 21-25% de pacientes com TBO serosos que foram submetidos a amostragem linfonodal. Sítios de envolvimento, em ordem decrescente de frequência, incluem para-aórtico, pélvico, ilíaco, obturador e omento. A característica histológica do envolvimento linfonodal tem sido descrita na literatura raramente.[29]

Envolvimento de linfonodos regionais na apresentação não parece ter impacto adverso na sobrevida, visto que nenhuma morte de tumor foi descrita dentre os casos definitivamente identificados como do tipo seroso na literatura.

Comparando por estágios, a sobrevida global é superior à de pacientes com CEO e estimada em 95 e 80% em 5 e 10 anos, respectivamente.

Em virtude de seu comportamento menos agressivo ou baixo potencial de malignidade, alta taxa de sobrevida livre de doença associada à maior ocorrência em pacientes em idade reprodutiva, tratamentos conservadores de fertilidade têm sido propostos.

Princípios do tratamento de TBO têm evoluído nas últimas 2 décadas, assim como o seu comportamento biológico tem sido mais bem compreendido. Entretanto, existem algumas lacunas no entendimento destas neoplasias que resultam em controvérsias a respeito de seu comportamento biológico e diferentes abordagens terapêuticas. Dentre as principais controvérsias clínicas, destacam-se:

1. O papel do estadiamento cirúrgico.
2. O papel do tratamento pós-operatório para pacientes estágios II-IV.
3. O significado da microinvasão no tumor ovariano primário.
4. O risco de recidiva em pacientes com implantes peritoneais (estágios II-IV).
5. O significado do padrão micropapilar recentemente descrito.
6. A natureza do tumor recidivado.
7. O tratamento ótimo para a recidiva.

APRESENTAÇÃO CLÍNICA

Geralmente se apresentam de forma semelhante a outras massas anexiais. Pacientes podem queixar-se de dor pélvica ou dispareunia, embora sejam frequentemente assintomáticas. Massas anexiais podem ser palpadas durante o exame ginecológico. Ocasionalmente são detectados como achado incidental durante exame de rotina.

Em mulheres com massa anexial, a ultrassonografia pélvica suprapúbica e/ou transvaginal e CA 125 são recomendados. Na maioria dos casos, uma massa ovariana complexa é detectada durante o exame de imagem. Entretanto, não existe um sinal patognomônico associado ao TBO. A ultrassonografia com Doppler colorido pode fornecer informações de valor sobre a hemodinâmica tumoral. Alguns estudos demonstraram que o índice de resistência (IR) médio dos tumores ovarianos benignos é significantemente maior que o dos TBO e CEO. Na prática clínica, a combinação de características morfológicas ultrassonográficas, que são características de malignidade com características ao Doppler mais típicas de um tumor benigno levam a suspeição de TBO.[30-33]

Da mesma forma, o CA 125 sérico é um exame não específico. Estudos prévios demonstraram que os níveis de CA 125 estavam dentro dos níveis de normalidade em 32% dos casos de TBO serosos e em 48% dos casos de TBO mucinosos, e que 49% dos TBO apresentaram níveis de CA 125 normais e apenas 23% tinham níveis acima de 100 U/mL.[34]

ESTADIAMENTO

O estadiamento do TBO é semelhante ao estadiamento cirúrgico proposto pela FIGO para carcinomas invasivos de ovário. A determinação da extensão de doença em mulheres com câncer de ovário é importante no momento das decisões terapêuticas e no fornecimento de informações ao paciente e seus familiares. Da mesma forma, o estadiamento cirúrgico para pacientes com TBO, aparentemente confinada ao(s) ovário(s) inclui lavado peritoneal, omentectomia infracólica ou omentectomia parcial, biópsias peritoneais e amostragem linfonodal.[35]

Sabe-se que a maioria das pacientes portadoras destas neoplasias tem seu estadiamento cirúrgico feito de forma inadequada, e as razões para este fato mantêm-se incertas. Algumas explicações para esta observação incluem a falha de se obter o diagnóstico por exame de congelação, principalmente em mulheres jovens, nas quais um processo benigno é geralmente esperado, e falta de treinamento em técnicas cirúrgicas envolvendo andar superior do abdome e abordagem retroperitoneal. Além disso, o comportamento dos tumores *borderlines* é considerado por muitos autores controverso. Alguns acreditam no comportamento benigno independente do estadiamento e que, portanto, não precisaria de tratamento adjuvante. Outros defendem que certos pacientes com TBO associados a implantes peritoneais deveriam receber tratamento adjuvante.[35]

Hopkins e Morley[36] publicaram a experiência da Universidade de Michigan de 1970 e 1987, onde 15 pacientes com TBO submeteram-se a novo estadiamento cirúrgico após 3 meses do diagnóstico inicial. Doença extraovariana foi encontrada em sete casos (46%). Neste estudo, envolvendo 29 pacientes com TBO presumidamente com tumores estágio I ou II (baseado em laudo histopatológico ou inventário de cavidade), sete pacientes (24%) tiveram seu estadiamento modificado para estágio III após cirurgia para novo estadiamento. Os sítios mais comuns de metástases foram os linfonodos pélvicos (27%) e omento (13%). Snider *et al.*[37] publicaram que quatro entre 13 pacientes (31%) com TBO serosos, também tiveram seu estadiamento modificado após cirurgia complementar. Entretanto, nenhuma das 12 pacientes com tumores *borderlines* mucinosos tiveram seu estadiamento modificado, sugerindo uma baixa propensão para disseminação intraperitoneal para tumores mucinosos. A recomendação é o estadiamento cirúrgico completo para todas as pacientes com TBO. Para os tumores *borderlines* mucinosos, apendicectomia é recomendada, pois tumores mucinosos ovarianos *borderlines* podem ser confundidos com metástases de tumores apendiculares, principalmente quando associados a pseudomixoma *peritonei*.[38-47]

Decorrente do baixo índice de suspeição pré-operatório por parte dos cirurgiões, um cenário muito comum envolve uma paciente submetida à cirurgia com remoção dos ovários sem estadiamento completo de um TBO. Nestes casos, as opções de abordagem seriam a cirurgia de complementação (através de laparotomia ou laparoscopia) ou apenas acompanhamento.[39-46]

Fauvet *et al.*[40] publicaram um estudo comparando pacientes que foram submetidas à cirurgia com um grupo que não teve reestadiamento. Dentre 360 mulheres, 54 tiveram nova cirurgia de estadiamento. Observou-se uma maior chance de aumento de graduação de estadiamento entre as pacientes inicialmente diagnosticadas no estágio I, mulheres com TBO serosos e mulheres submetidas a exérese de cisto ovariano. Entretanto, não houve diferença nas taxas de recidiva entre os dois grupos. O autor conclui que, na ausência de doença macroscópica além do tumor primário, a cirurgia de complementação seria geralmente desnecessária.

Mais recentemente, Camatte *et al.*[43] publicaram um estudo com 101 pacientes, comparando dois grupos de pacientes com TBO: um grupo de pacientes que tiveram seu estadiamento completo (definido pelos autores como lavado peritoneal mais biópsias peritoneais mais omentectomia infracólica) e o outro com estadiamento incompleto (definido como omissão de qualquer procedimento acima descrito). Estadiamento cirúrgico completo foi realizado em 48 (48%) e 53 (53%) pacientes, respectivamente. Ocorreram quatro recidivas no segundo grupo, todas após cirurgias conservadoras, e nenhuma recidiva no grupo 1. Nenhuma recidiva com carcinoma invasivo ou doença peritoneal e nenhuma morte relacionada ao tumor foi observada em ambos os grupos. A ausência de estadiamento completo em pacientes com doença presumidamente estágio I aumentou a frequência de recidiva. Ele conclui que a cirurgia de estadiamento não modificou a sobrevida de pacientes com aparente doença estágio I na cirurgia inicial e que, portanto, este procedimento poderia ser omitido: 1) se o peritônio é claramente descrito como "normal" durante a cirurgia inicial; 2) na ausência de padrão micropapilar; e 3) se a paciente concorda em ser mantida em seguimento.

TRATAMENTO

TBO geralmente tem um excelente prognóstico e pode ser tratado de forma conservadora em mulheres que desejam preservar sua fertilidade ou estão grávidas no momento do diagnóstico. Salpingo-ooforectomia unilateral, ou, em alguns casos, cistectomia ovariana, podem ser realizadas. Toda doença macroscópica deve ser ressecada. A abordagem laparoscópica não foi avaliada em ensaios clínicos randomizados. Em geral, séries retrospectivas têm relatado que a abordagem laparoscópica apresenta maior chance de ruptura do cisto e o estadiamento completo foi menos provável do que com laparotomia, mas não houve diferença na taxa de recidiva.[47-49] Exploração abdominal e apendicectomia devem ser realizados em mulheres com tumores mucinosos.

O risco global de recidiva após cirurgia conservadora é de 7-30%,[50] e recidivas normalmente apresentam histopatologia *borderline*, não câncer invasivo.[51] Em uma revisão, incluindo 1.066 pacientes tratadas com cirurgia conservadora, havia 142 recidivas (13%), 134 eram tumores *borderlines* e oito eram malignos.[52] Cistectomia ovariana parece estar associada a maior risco de recidiva do que salpingo-ooforectomia (23 *versus* 7%), especialmente se as margens são positivas, mas estes dados são limitados.[50,53,54] O risco de recaída no ovário contralateral é maior em mulheres com doença em estágio avançado.

A histerectomia abdominal total mais salpingo-ooforectomia bilateral (HTA-SOB) é recomendada para mulheres que não estão planejando engravidar ou têm doença em estágio avançado (Fig. 1). A vantagem da HTA-SOB foi ilustrada em um estudo de pacientes com doença em estágios I-III, que mostrou que as taxas de recidiva do tumor após HTA-SOB, anexectomia e cistectomia foram 6, 15 e 36%, respectivamente.[51] No entanto, em outra série a taxa de recidiva após ambos os procedimentos cirúrgicos conservadores e radicais em estágio precoce foi baixa, 9 e 11,6%, respectivamente, e as taxas de sobrevida livre de doença e global para as duas abordagens não foram diferentes significativamente.[55]

As vantagens da cirurgia completa, envolvendo estadiamento cirúrgico adequado, são fornecer melhores informações do prognóstico, descobrir áreas de invasão oculta e obter informações sobre o comportamento biológico desses tumores. Por estas razões, recomenda-se um procedimento de preparação abrangente para todas as pacientes (Quadro 1).

A quimioterapia sistêmica é um componente padrão do tratamento primário para todas as mulheres com câncer de ovário epitelial invasivo. Neste cenário, a quimioterapia baseada em platina melhora significativamente a sobrevivência sobre a cirurgia isolada. O prognóstico dos TBO é mais favorável que o de câncer ovariano invasivo. Enquanto a maioria dos autores concorda que não há nenhuma vantagem para a quimioterapia em mulheres com doença em fase inicial e completamente ressecada,[56] o seu uso para mulheres com doença em estágio mais avançado é controverso. Não há ensaios clínicos randomizados. Alguns estudos retrospectivos sugerem benefício para quimioterapia adjuvante após citorredução ótima em estágios III ou IV da doença,[57,58] enquanto outros, não.[46-59] O maior desses relatórios consistia de 80 pacientes com estágios II a IV de tumores de serosos *borderlines*.[59] Em um acompanhamento médio de 4,8 anos, 17 (21%) desenvolveram doenças recidivadas, as quais tinham metástases para o omento ou para vários sítios na apresentação original. Os locais de doença recidivada incluíram pelve em 15, omento em 29, linfonodos isolados em duas, axila em uma, e vários sítios em 32. Nenhuma paciente com doença em estágio II recebeu quimioterapia adjuvante, enquanto os das 65 pacientes com estágios III ou IV, 17 receberam quimioterapia adjuvante (com uma variedade de regimes endovenosa e intraperitoneal) e o restante, não. Nenhuma das pacientes com doença residual após a cirurgia inicial recebeu quimioterapia. Para toda a coorte, 3 anos de sobrevida livre de progressão foi de 71 *versus* 90% para aquelas que fizeram em relação às que não receberam quimioterapia. Assim, o uso da quimioterapia não parece ter impacto no risco de recidiva.

Dado o resultado aparentemente favorável do estágio avançado do TBO, e o fato de que um benefício na sobrevida com quimioterapia adjuvante não foi claramente demonstrado, a maioria dos médicos recomenda a quimioterapia após a cirurgia se implantes invasivos são identificados.[60]

ACOMPANHAMENTO

Mulheres que se submetem à cirurgia conservadora estão em risco de doença persistente ou progressiva. Recidivas são mais frequentes após cistectomia, que podem ser microscópicas ou macroscópicas, mas geralmente não são volumosas.[27]

Muitos investigadores acreditam que a presença de implantes peritoneais invasivos está associada a pior prognóstico e deve impedir classificação como um tumor de baixo potencial de malignidade. Estas pacientes estão sob maior risco de doença persistente/recidivada, e podem ser consideradas para a quimioterapia, devendo ter rígido seguimento. Outros fatores de risco para a recidiva incluem o aumento da idade no momento do diagnóstico, elevado nível pré-operatório de CA 125, e histopatologia micropapilar.

Não há nenhuma evidência para apoiar uma estratégia de vigilância pós-tratamento em detrimento de outro:[61,62]

- Exame físico para os primeiros 5 anos, a cada 3 a 6 meses, em seguida, anualmente.
- Ultrassonografia transvaginal a cada 6 meses para as mulheres tratadas com cirurgia conservadora.
- CA 125 ou outros marcadores tumorais, se inicialmente elevados (de acordo com a SGO, *Society of Gynecologic Oncology*, a medição dos marcadores tumorais é opcional se não houver suspeita de recidiva) – a cada 3 a 6 meses.
- Se uma recidiva é suspeita, a tomografia computadorizada (TC) da pelve e dosagem de CA 125 sérico devem ser realizadas.
- Considerar cirurgia completa após a conclusão da gravidez para as mulheres com um ovário remanescente. Este tema é muito controverso.[12,39] Não há evidência de que as mulheres que se submetem à cirurgia conservadora e engravidam têm um risco aumentado de mortalidade por progressão da doença.[51,63-70] Tratamentos de fertilidade, como a indução da ovulação, também parecem ser seguros, se indicados.[68,71,72]
- Não há evidência de que os estrogênios estimulam o crescimento de serosos *borderlines* ou tumores mucinosos do ovário, ou que a sua utilização de forma alguma afeta negativamente a probabilidade de recidiva ou sobrevivência. O raro tumor endometrioide de baixo potencial de malignidade, como a endometriose, poderia teoricamente ser estimulado a crescer por estrógenos.

FATORES PROGNÓSTICOS

O prognóstico depende do estágio e das características histopatológicas do tumor, mas geralmente é bom (Quadro 2).

Subgrupos específicos de pacientes com tumores *borderlines* que não têm sobrevida > 90% têm sido identificados. Nestas pacientes, os TBO recidivam e causam morbidade ou mortalidade de forma análoga aos carcinomas invasivos. Pacientes com TBO em estágio avançado podem ocasionalmente ter características associadas a pior prognóstico. Entretanto, isto não ocorre em estágios mais precoces.[11]

Fatores como doença residual após tratamento primário, microinvasão, aneuploidia, alto índice mitótico e/ou atipia celular aumentada podem ser indicativos de risco aumentado para recidiva, persistência de doença ou morte, comparados em pacientes sem estes achados.[11]

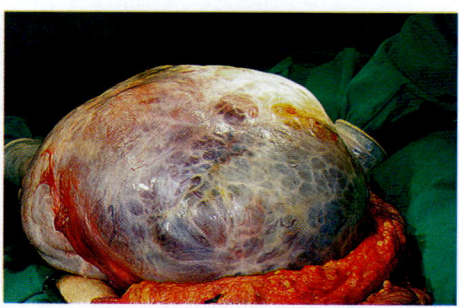

◀ **FIGURA 1.** Volumoso tumor *borderline* de ovário, tratado de forma radical conforme o estadiamento padrão da FIGO.

Quadro 1. Estadiamento do tumor *borderline* de ovário

1. Obtenção de líquido peritoneal livre na cavidade para avaliação citológica
2. Na ausência de líquido livre, recomenda-se a realização de lavado peritoneal através da irrigação com solução salina de fundo de saco, goteiras parietocólicas e regiões subdiafragmáticas
3. Inventário e exploração sistemática de todos os órgãos e superfícies abdominais: intestino, fígado, vesícula biliar, diafragma, mesentério, omento e todo peritônio devem ser visualizados e palpados
4. Áreas suspeitas e/ou aderências devem ser biopsiadas. Na ausência de áreas suspeitas, múltiplas biópsias devem ser obtidas do peritônio de fundo de saco, goteiras parietocólicas, bexiga e mesentério
5. O omento deve ser ressecado do cólon transverso
6. O retroperitônio deve ser explorado para avaliar a presença de linfonodos pélvicos e para-aórticos. Amostragem linfonodal é recomendada
7. A histerectomia total abdominal e salpingo-ooforectomia bilateral devem ser realizadas, embora a cirurgia com preservação da fertilidade possa ser uma opção para algumas mulheres

Quadro 2. Carcinoma de ovário - pacientes tratados em 1993-1995, 5 anos de sobrevida por estágio

ESTÁGIO FIGO	TUMORES DE BAIXO POTENCIAL DE MALIGNIDADE	
	PACIENTES	SOBREVIDA 5 ANOS,%
IA	296	95,6
IB	28	95,6
IC	90	96,3
IIA	6	100,0
IIB	7	85,7
IIC	14	59,5
IIIA	14	71,4
IIIB	22	62,0
IIIC	25	45,0
IV	18	–

Modificado de *J Epidemiol Biostat*. 2011; 6:116.

Alguns autores têm relacionado a presença de implantes peritoneais invasivos um sinal de pior prognóstico, enquanto outros não têm demonstrado risco aumentado para estas pacientes.[25,26]

Bell et al.[26] revisaram 56 pacientes com TBO e encontraram quatro fatores de alto risco associados a pior prognóstico: atipia celular, alto índice mitótico, invasividade da lesão metastática e doença residual após cirurgia primária.

Leake[73] resumiu os resultados de cinco estudos e demonstrou que pacientes com ausência de doença macroscópica após cirurgia inicial têm 10% de sobrevida e aquelas com doença residual macroscópica têm entre 60-100% de sobrevida a longo prazo. Então por que alguns pacientes cursam com pior prognóstico? Uma hipótese defendida é que um subgrupo de pacientes de TBO tem anormalidades genéticas que levam à progressão de doença mais agressiva. Abordagens moleculares têm sido usadas em uma tentativa de entender este prognóstico variado de alguns tumores *borderlines*.

RECIDIVA

Risco de recidiva de doença em pacientes com implantes peritoneais

A literatura em relação a este tópico é confusa, pois poucos autores classificam os implantes peritoneais e porque muitos estudos incluem os tumores *borderlines* serosos e mucinosos em um mesmo grupo. Assim, é difícil distinguir as características e o comportamento biológico dos dois tipos. A taxa de recidiva total para pacientes com implantes peritoneais é 21%, e a taxa de óbito total é 10%, sem definição da natureza do implante.

Tratamento ótimo para doença recidivada

A melhor abordagem para o tratamento da doença recidivada não foi determinada, mas parece ser citorredução cirúrgica, que está associada a melhor sobrevida em uma série observacional.[69-75] Em um estudo realizado por Bristow et al.,[76] 21 pacientes com tumores *borderlines* serosos recidivados com padrão micropapilar foram submetidas à cirurgia citorredutora secundária e ressecção ótima foi realizada em 71% (15/21 pacientes). A sobrevida global das pacientes com ressecção ótima foi significativamente melhor que a das pacientes com ressecção subidial (sobrevida média 61 meses *versus* 26 meses).

Crispens et al.[74] acharam resultados semelhantes em 35 pacientes com tumores *borderlines* serosos recidivados submetidas à ressecção ótima. Pacientes com doença residual tiveram maior risco de morrer da doença ($p = 0,007$).

Atualmente, a recomendação de cirurgia citorredutora secundária deve ser considerada para pacientes com TBO recidivados. O maior desafio é identificar mais terapias sistêmicas efetivas para estas neoplasias.[77]

SÍNTESE E RECOMENDAÇÕES[78]

- Tumores de ovário de baixo potencial de malignidade (também chamados de tumores *borderlines*) são um grupo heterogêneo de lesões definida histologicamente pela proliferação epitelial atípica sem invasão do estroma. Estes tumores são responsáveis por 1-20% dos tumores de ovário.
- A maioria dos tumores *borderlines* é serosa. Aproximadamente 75% das pacientes são diagnosticadas com doença em estágio I; 25-50% dos tumores são bilaterais. Para os tumores mucinosos, 90% são estágio I e menos de 10% são bilaterais.
- A maioria das pacientes se apresenta com uma massa assintomática anexial notada no exame bimanual ou como um achado incidental em ultrassonografia, no entanto, sintomas (ex.: abdominal/dor pélvica ou dispareunia) podem ocorrer, como em qualquer massa.
- Não existem aspectos ultrassonográficos fortemente sugestivos de histopatologia *borderline*. Faixas de aparência ultrassonográfica de cistos uniloculares para massas com componentes sólidos e líquidos; papilas são comuns. Dosagem de CA 125 sérico não é confiável para se prever histopatologia *borderline*.
- O diagnóstico dessas neoplasias é baseado no exame histopatológico. Congelação é comumente realizada no intraoperatório, e as informações são usadas para ajudar a determinar a extensão do procedimento cirúrgico.
- Tumores *borderlines* são tratados usando-se os mesmos critérios usados nos outros tumores ovarianos (Quadro 1). A maioria das mulheres se apresenta com doença em estágio I (aproximadamente 70%; estágios II e III da doença são relativamente pouco frequentes.
- Tumores *borderlines* geralmente têm um excelente prognóstico e podem ser tratados de forma conservadora em mulheres que desejam preservar sua fertilidade ou estão grávidas no momento do diagnóstico. Salpingo-ooforectomia unilateral ou, em alguns casos, cistectomia ovariana podem ser realizadas.
- O uso da quimioterapia adjuvante é controverso, não há vantagem para tratamento de mulheres com doença em estágio inicial. Há recomendação de quimioterapia após citorredução cirúrgica agressiva somente se implantes invasivos são identificados.
- Não há evidência de que os estrogênios estimulem o crescimento de TBO, ou que a sua utilização de forma alguma afete negativamente a probabilidade de recidiva ou sobrevida.
- O risco de transformação maligna não é claro. Progressão para câncer invasivo pode representar verdadeira transformação, desenvolvimento de um novo câncer primário de ovário, ou um câncer primário peritoneal.

REFERÊNCIAS BIBLIOGRÁFICAS

1. Seidman JD, Russell P, Kurman RJ. Surface epithelial tumors of the ovary. In: Kurman RJ. (Ed). Blaustein's pathology of the female genital tract. 5th ed. New York: Springer Verlag, 2002. p. 791.
2. Pecorelli S, Odicino F, Maisonneuve P *et al*. FIGO annual report of the results of treatment in gynaecological cancer. Carcinoma of the ovary. *J Epidemiol Biostat* 1998;3:75.
3. Skírnisdóttir I, Garmo H, Wilander E *et al*. Borderline ovarian tumors in Sweden 1960-2005: trends in incidence and age at diagnosis compared to ovarian cancer. *Int J Cancer* 2008;123:1897.
4. Gotlieb WH, Friedman E, Bar-Sade RB *et al*. Rates of Jewish ancestral mutations in BRCA1 and BRCA2 in borderline ovarian tumors. *J Natl Cancer Inst* 1998;90:995.
5. Gotlieb WH, Chetrit A, Menczer J *et al*. Demographic and genetic characteristics of patients with borderline ovarian tumors as compared to early stage invasive ovarian cancer. *Gynecol Oncol* 2005;97:780.
6. Lu KH, Cramer DW, Muto MG *et al*. A population-based study of BRCA1 and BRCA2 mutations in Jewish women with epithelial ovarian cancer. *Obstet Gynecol* 1999;93:34.
7. Riman T, Dickman PW, Nilsson S *et al*. Risk factors for epithelial borderline ovarian tumors: results of a Swedish case-control study. *Gynecol Oncol* 2001;83:575.
8. Ness RB, Cramer DW, Goodman MT *et al*. Infertility, fertility drugs, and ovarian cancer: a pooled analysis of case-control studies. *Am J Epidemiol* 2002;155:217.
9. Shushan A, Paltiel O, Iscovich J *et al*. Human menopausal gonadotropin and the risk of epithelial ovarian cancer. *Fertil Steril* 1996;65:13.

10. Parazzini F, Negri E, La Vecchia C et al. Treatment for fertility and risk of ovarian tumors of borderline malignancy. *Gynecol Oncol* 1998;68:226.
11. Trimble CL, Trimble EL. Ovarian tumors of low malignant potential. *Oncology* (Williston Park) 2003;17:1563.
12. Zanetta G, Rota S, Chiari S et al. Behavior of borderline tumors with particular interest to persistence, recurrence, and progression to invasive carcinoma: a prospective study. *J Clin Oncol* 2001;19:2658.
13. Winter WE 3rd, Kucera PR, Rodgers W et al. Surgical staging in patients with ovarian tumors of low malignant potential. *Obstet Gynecol* 2002;100:671.
14. Morice P, Camatte S, Rey A et al. Prognostic factors for patients with advanced stage serous borderline tumours of the ovary. *Ann Oncol* 2003;14:592.
15. Gershenson DM. Is micropapillary serous carcinoma for real? *Cancer* 2002;95:677.
16. Kaern J, Tropé CG, Kristensen GB et al. DNA ploidy; the most important prognostic factor in patients with borderline tumors of the ovary. *Int J Gynecol Cancer* 1993;3:349.
17. Buttin BM, Herzog TJ, Powell MA et al. Epithelial ovarian tumors of low malignant potential: the role of microinvasion. *Obstet Gynecol* 2002;99:11.
18. Longacre TA, McKenney JK, Tazelaar HD et al. Ovarian serous tumors of low malignant potential (borderline tumors): outcome-based study of 276 patients with long-term (> or =5-year) follow-up. *Am J Surg Pathol* 2005;29:707.
19. Sood AK, Abu-Rustum NR, Barakat RR et al. Fifth International Conference on Ovarian Cancer: challenges and opportunities. *Gynecol Oncol* 2005;97:916.
20. Seidman JD, Ronnett BM, Kurman RJ. Pathology of borderline (low malignant potential) ovarian tumours. *Best Pract Res Clin Obstet Gynaecol* 2002;16:499.
21. Kempson RL, Hendrickson MR. Ovarian serous borderline tumors: the citadel defended. *Hum Pathol* 2000 May;31(5):525-26.
22. Berman JJ. Borderline ovarian tumor workshop, bethesda, maryland, 27-28 Aug. 2003. *Hum Pathol* 2004 Aug.;35(8):907-9.
23. Katzenstein Al, Mazur Mt, Morgan Te et al. Proliferative serous tumors of the ovary: histologic features and prognosis. *Am J Surg Pathol* 1978 Dec.;2(4):339-55.
24. Tavassoli FA. Serous tumor of low malignant potential with early stromal invasion (serous LMP with microinvasion). *Mod Pathol* 1988 Nov.;1(6):407-14.
25. McCaughey WT, Kirk ME, Lester W et al. Peritoneal epithelial lesions associated with proliferative serous tumours of ovary. *Histopathology* 1984 Mar.;8(2):195-208.
26. Bell DA, Weinstock MA, Scully RE. Peritoneal implants of ovarian serous borderline tumors. Histologic features and prognosis. *Cancer* 1988 Nov. 15;62(10):2212-22.
27. Gershenson DM. Clinical management potential tumours of low malignancy. *Best Pract Res Clin Obstet Gynaecol* 2002 Aug.;16(4):513-27.
28. Seidman JD, Kurman RJ. Ovarian serous borderline tumors: a critical review of the literature with emphasis on prognostic indicators. *Hum Pathol* 2000 May;31(5):539-57.
29. Lesieur B, Kane A, Duvillard P et al. Prognostic value of lymph node involvement in ovarian serous borderline tumors. *Am J Obstet Gynecol* 2011;204:438.e1.
30. Exacoustos C, Romanini ME, Rinaldo D et al. Preoperative sonographic features of borderline ovarian tumors. *Ultrasound Obstet Gynecol* 2005;25:50.
31. Valentin L. Use of morphology to characterize and manage common adnexal masses. *Best Pract Res Clin Obstet Gynaecol* 2004;18:71.
32. Valentin L, Ameye L, Testa A et al. Ultrasound characteristics of different types of adnexal malignancies. *Gynecol Oncol* 2006;102:41.
33. Yazbek J, Raju KS, Ben-Nagi J et al. Accuracy of ultrasound subjective 'pattern recognition' for the diagnosis of borderline ovarian tumors. *Ultrasound Obstet Gynecol* 2007;29:489.
34. Ochiai K, Shinozaki H, Takada A et al. A retrospective study of 1069 epithelial borderline malignancies of the ovary treated in Japan. *Proceedings of the Annual Meeting of the American Society of Clinical Oncology* 1998;17:A1429.
35. Geomini P, Bremer G, Kruitwagen R et al. Diagnostic accuracy of frozen section diagnosis of the adnexal mass: a metaanalysis. *Gynecol Oncol* 2005;96:1.
36. Hopkins MP, Morley GW. The second-look operation and surgical reexploration in ovarian tumor of low malignant potential. *Obstet Gynecol* 1989 Sept.;74(3 Pt 1):375-78.
37. Snider DD, Stuart GC, Nation JG et al. Evaluation of surgical staging in stage I low malignant potential ovarian tumors. *Gynecol Oncol* 1991 Feb.;40(2):129-32.
38. Malpica A, Deavers MT, Gershenson D et al. Serous tumors involving extra-abdominal/extra-pelvic sites after the diagnosis of an ovarian serous neoplasm of low malignant potential. *Am J Surg Pathol* 2001 Aug.;25(8):988-96.
39. Tinelli R, Tinelli A, Tinelli FG et al. Conservative surgery for borderline ovarian tumors: a review. *Gynecol Oncol* 2006;100:185.
40. Fauvet R, Boccara J, Dufournet C et al. Restaging surgery for women with borderline ovarian tumors: results of a French multicenter study. *Cancer* 2004;100:1145.
41. Rao GG, Skinner E, Gehrig PA et al. Surgical staging of ovarian low malignant potential tumors. *Obstet Gynecol* 2004;104:261.
42. Lin PS, Gershenson DM, Bevers MW et al. The current status of surgical staging of ovarian serous borderline tumors. *Cancer* 1999;85:905.
43. Camatte S, Morice P, Thoury A et al. Impact of surgical staging in patients with macroscopic "stage I" ovarian borderline tumours: analysis of a continuous series of 101 cases. *Eur J Cancer* 2004;40:1842.
44. Trimble CL, Kosary C, Trimble EL. Long-term survival and patterns of care in women with ovarian tumors of low malignant potential. *Gynecol Oncol* 2002;86:34.
45. Barnhill DR, Kurman RJ, Brady MF et al. Preliminary analysis of the behavior of stage I ovarian serous tumors of low malignant potential: a Gynecologic Oncology Group study. *J Clin Oncol* 1995;13:2752.
46. Sutton GP, Bundy BN, Omura GA et al. Stage III ovarian tumors of low malignant potential treated with cisplatin combination therapy (a Gynecologic Oncology Group study). *Gynecol Oncol* 1991;41:230.
47. Desfeux P, Camatte S, Chatellier G et al. Impact of surgical approach on the management of macroscopic early ovarian borderline tumors. *Gynecol Oncol* 2005;98:390.
48. Fauvet R, Boccara J, Dufournet C et al. Laparoscopic management of borderline ovarian tumors: results of a French multicenter study. *Ann Oncol* 2005;16:403.
49. Maneo A, Vignali M, Chiari S et al. Are borderline tumors of the ovary safely treated by laparoscopy? *Gynecol Oncol* 2004;94:387.
50. Boran N, Cil AP, Tulunay G et al. Fertility and recurrence results of conservative surgery for borderline ovarian tumors. *Gynecol Oncol* 2005;97:845.
51. Morice P, Camatte S, El Hassan J et al. Clinical outcomes and fertility after conservative treatment of ovarian borderline tumors. *Fertil Steril* 2001;75:92.
52. Suh-Burgmann E. Long-term outcomes following conservative surgery for borderline tumor of the ovary: a large population-based study. *Gynecol Oncol* 2006;103:841.
53. Lim-Tan SK, Cajigas HE, Scully RE. Ovarian cystectomy for serous borderline tumors: a follow-up study of 35 cases. *Obstet Gynecol* 1988;72:775.
54. Yokoyama Y, Moriya T, Takano T et al. Clinical outcome and risk factors for recurrence in borderline ovarian tumours. *Br J Cancer* 2006;94:1586.
55. Ayhan A, Celik H, Taskiran C et al. Oncologic and reproductive outcome after fertility-saving surgery in ovarian cancer. *Eur J Gynaecol Oncol* 2003;24:223.
56. Tropé C, Kaern J, Vergote IB et al. Are borderline tumors of the ovary overtreated both surgically and systemically? A review of four prospective randomized trials including 253 patients with borderline tumors. *Gynecol Oncol* 1993;51:236.
57. Fort MG, Pierce VK, Saigo PE et al. Evidence for the efficacy of adjuvant therapy in epithelial ovarian tumors of low malignant potential. *Gynecol Oncol* 1989;32:269.
58. Barakat RR, Benjamin I, Lewis Jr JL et al. Platinum-based chemotherapy for advanced-stage serous ovarian carcinoma of low malignant potential. *Gynecol Oncol* 1995;59:390.
59. Shih KK, Zhou QC, Aghajanian C et al. Patterns of recurrence and role of adjuvant chemotherapy in stage II-IV serous ovarian borderline tumors. *Gynecol Oncol* 2010;119:270.
60. NIH consensus conference. Ovarian cancer. Screening, treatment, and follow-up. NIH Consensus Development Panel on Ovarian Cancer. *JAMA* 1995;273:491.
61. National Comprehensive Cancer Network (NCCN) guidelines. Acesso em: 13 Oct. 2011. Disponível em: www.nccn.org
62. Salani R, Backes FJ, Fung MF et al. Posttreatment surveillance and diagnosis of recurrence in women with gynecologic malignancies: Society of Gynecologic Oncologists recommendations. *Am J Obstet Gynecol* 2011;204:466.
63. Fauvet R, Poncelet C, Boccara J et al. Fertility after conservative treatment for borderline ovarian tumors: a French multicenter study. *Fertil Steril* 2005;83:284.
64. Chan JK, Lin YG, Loizzi V et al. Borderline ovarian tumors in reproductive-age women. Fertility-sparing surgery and outcome. *J Reprod Med* 2003;48:756.

65. Beiner ME, Gotlieb WH, Davidson B *et al.* Infertility treatment after conservative management of borderline ovarian tumors. *Cancer* 2001;92:320.
66. Seracchioli R, Venturoli S, Colombo FM *et al.* Fertility and tumor recurrence rate after conservative laparoscopic management of young women with early-stage borderline ovarian tumors. *Fertil Steril* 2001;76:999.
67. Camatte S, Morice P, Pautier P *et al.* Fertility results after conservative treatment of advanced stage serous borderline tumour of the ovary. *BJOG* 2002;109:376.
68. Donnez J, Munschke A, Berliere M *et al.* Safety of conservative management and fertility outcome in women with borderline tumors of the ovary. *Fertil Steril* 2003;79:1216.
69. Tinelli FG, Tinelli R, La Grotta F *et al.* Pregnancy outcome and recurrence after conservative laparoscopic surgery for borderline ovarian tumors. *Acta Obstet Gynecol Scand* 2007;86:81.
70. Marcickiewicz J, Brännström M. Fertility preserving surgical treatment of borderline ovarian tumour: long-term consequence for fertility and recurrence. *Acta Obstet Gynecol Scand* 2006;85:1496.
71. Fasouliotis SJ, Davis O, Schattman G *et al.* Safety and efficacy of infertility treatment after conservative management of borderline ovarian tumors: a preliminary report. *Fertil Steril* 2004;82:568.
72. Fortin A, Morice P, Thoury A *et al.* Impact of infertility drugs after treatment of borderline ovarian tumors: results of a retrospective multicenter study. *Fertil Steril* 2007;87:591.
73. Leake JF, Currie JL, Rosenshein NB *et al.* Long-term follow-up of serous ovarian tumors of low malignant potential. *Gynecol Oncol* 1992;47:150.
74. Crispens MA, Bodurka D, Deavers M *et al.* Response and survival in patients with progressive or recurrent serous ovarian tumors of low malignant potential. *Obstet Gynecol* 2002;99:3.
75. Bostwick DG, Tazelaar HD, Ballon SC *et al.* Ovarian epithelial tumors of borderline malignancy. A clinical and pathologic study of 109 cases. *Cancer* 1986;58:2052.
76. Bristow RE, Gossett DR, Shook DR *et al.* Recurrent micropapillary serous ovarian carcinoma. *Cancer* 2002;95:791.
77. Zang RY, Yang WT, Shi DR *et al.* Recurrent ovarian carcinoma of low malignant potential: the role of secondary surgical cytoreduction and the prognosis in Chinese patients. *J Surg Oncol* 2005;91:67.
78. Chen L, Berek J. *Ovarian tumors of low malignant potential.* UptoDate, 2012.

166-2 Câncer Epitelial de Ovário – Estágio Inicial

Alexsandro Saurine Farias ■ Biazi Ricieri Assis ■ Lucas Feijó Pereira ■ Solange Maria Diniz Bizzo

INTRODUÇÃO

O câncer de ovário é a segunda malignidade ginecológica mais comum nos Estados Unidos, sendo a causa mais comum de morte entre as mulheres com câncer ginecológico e a quinta causa de morte por câncer em todas as mulheres. Anualmente, cerca de 21.880 novos casos são diagnosticados, e cerca de 13.850 mulheres morrem por câncer de ovário, o que torna esta doença a mais letal dos tumores malignos ginecológicos.[1]

O risco de câncer de ovário na população em geral é de 1,4% e a taxa de incidência ajustada por idade é de 12,9 casos por 100 mil mulheres. A idade média do diagnóstico de câncer de ovário nos Estados Unidos 2003-2007 foi de 63 anos.[1]

A incidência de câncer epitelial de ovário (CEO) varia conforme a localização geográfica. Países ocidentais, incluindo os Estados Unidos, têm taxas de cerca de 3 a 7 vezes maiores que o Japão, embora a taxa seja mais elevada em imigrantes japoneses para os Estados Unidos.[2] No Brasil, segundo o Instituto Nacional de Câncer (INCA), a estimativa é de 6.190 novos casos de câncer de ovário diagnosticados no país em 2012. As estatísticas passadas revelaram 2.963 mortes por esse câncer no ano de 2009 no Brasil.[3]

A idade média no momento do diagnóstico de câncer de ovário é mais jovem entre as mulheres portadoras de síndrome hereditária de mutação dos genes BRCA1 ou BRCA2 e da síndrome de Lynch, também conhecida como síndrome de câncer colorretal hereditário não polipoide (HNPCC).[4]

Este capítulo abordará o câncer epitelial de ovário (CEO) nos estágios I e II de acordo com a classificação da Federação Internacional de Ginecologia e Obstetrícia da (FIGO).

PATOGÊNESE

Câncer epitelial de ovário deriva da transformação maligna do epitélio da superfície do ovário, que é contíguo ao mesotélio peritoneal.[5] Os eventos moleculares que conduzem ao desenvolvimento do CEO são desconhecidos. Mutações e/ou superexpressão de HER2, um receptor de membrana celular do tipo 2 para fator de crescimento epidérmico; mutação do gene regulador c-myc, responsável pela codificação do fator de transcrição; K-ras, gene responsável pela codificação de proteínas sinalizadoras de transdução; alterações da proteína Akt, responsável pela modulação de substratos para sobrevivência celular e do gene supressor de tumor p53 foram observadas em câncer de ovário esporádico, mas sua contribuição para a patogênese não está bem definida.[6-8] Inativação dos genes supressores de tumor PTEN e p16 também pode ocorrer nesta enfermidade. Fenômenos epigenéticos também desempenham um importante papel na carcinogênese ovariana. Elas se caracterizam por aberrações que incluem metilação de DNA, modificações de histonas e desregulação de micro-RNA.[9]

Apesar destes conhecimentos, as vias moleculares subjacentes à progressão do câncer de ovário são mal compreendidas. Embora mutações germinativas em BRCA1, BRCA2 e outros genes tenham sido implicadas em uma pequena fração dos casos, evidências experimentais sugerem que a carcinogênese ovariana é predominantemente impulsionada por fatores associados a reprodução e ovulação.[10,11]

Em um estudo, Slamon *et al.*, mostraram que 30% dos pacientes com tumor CEO expressaram amplificação do gene HER2/neu. Este grupo apresentou pior prognóstico, principalmente aqueles com mais de cinco cópias do gene, resultando em produção excessiva de proteína HER2, o que contribui para um crescimento celular anormal e facilita a transformação celular maligna.[12]

As características biológicas do câncer de ovário podem ajudar a predizer o prognóstico e a resposta aos tratamentos clínicos e cirúrgicos. Pacientes com tumores diploides possuem sobrevida média significativamente maior do que aquelas com tumores aneuploides: 5 anos *versus* 1 ano, respectivamente.[13]

O Maspin é uma protease pertencente à superfamília *serpin*. Esta proteína de 42 kD apresenta propriedades supressivas tumorais. Trabalhos recentes têm identificado mecanismos moleculares ocultos envolvendo o Maspin com funções pró-apoptóticas, antiangiogênicas, anti-invasivas e antimetastáticas na carcinogênese ovariana.[14]

Dentre as hipóteses propostas para explicar a patogênese do CEO, duas são as mais conhecidas:

- A ovulação incessante com trauma repetido e reparação ao epitélio da superfície do ovário, que proporciona uma oportunidade para mutação genética e neoplasia celular.[15,16] Esta teoria (hipótese da ovulação incessante de Fathalla) é apoiada pelo efeito protetor da multiparidade e contraceptivos orais sobre a incidência do CEO.
- A outra seria o excesso de secreção de gonadotrofinas endógenas, típica do climatério, e exógenas, que levam à proliferação epitelial e, possivelmente, à transformação maligna.[17]

Outras teorias incluem altas concentrações de androgênios, inflamação do epitélio ovariano e hiperatividade do estroma ovariano como fatores de risco e destacam a progesterona no papel de proteção da mutagênese do epitélio de superfície do ovário.[11,18-22]

FATORES DE RISCO

Os mecanismos patogenéticos que explicam a ligação entre muitos dos fatores de risco e o desenvolvimento de câncer de ovário ainda não foram bem determinados. Como já exposto, sucessivas ovulações resultantes em repetidos traumas ao epitélio da superfície ovariana parecem estar ligados à transformação maligna. A sustentação desta hipótese é derivada da observação de que as mulheres com supressão da ovulação periódica, como resultado do uso de contraceptivos orais, gravidez ou lactação têm uma menor incidência de câncer de ovário. Exposição persistente do ovário às gonadotrofinas e concentrações elevadas de estradiol parecem ser cancerígenas. Esta hipótese é apoiada pela observação de que tumores ovarianos induzidos experimentalmente contêm receptores de gonadotrofinas e estrogênio que podem estimular a proliferação celular em células que contêm receptores hormonais e são produtoras de estrogênio. Os fatores reprodutivos parecem desempenhar um papel na incidência de câncer de ovário. O risco de câncer de ovário parece ter um aumento com a infertilidade, e o uso de pílulas anticoncepcionais orais e multiparidade desempenham papel protetor. A menarca precoce ou menopausa tardia – idade de menarca antes dos 12 anos ou a idade da menopausa tardia após os 50 anos – estão associadas a risco aumentado de câncer de ovário.[23-26]

Sabidamente, a infertilidade é um fator de risco para câncer de ovário, mas o tratamento da infertilidade provavelmente não o seja. A aparente associação entre o uso de drogas e CEO parece estar relacionada ao fato de que as mulheres inférteis, já identificadas como grupo de risco, serem as que procuram tratamento para infertilidade e utilizem estimulante de ovulação como parte dele. Na verdade estas drogas parecem estar mais relacionadas aos tumores *borderline* de ovário do que aos tumores invasivos das diversas linhagens, embora este fato não seja ainda conclusivo.[27]

Evidências epidemiológicas sugerem que a endometriose é um fator de risco independente para CEO.[28] O risco de transformação maligna da endometriose de ovário foi estimado em 2,5%. Endometriose associada a câncer de ovário parece ocorrer em pacientes mais jovens e nulíparas. Em geral, esses tumores são bem diferenciados, de baixo estadiamento e resultam em uma melhor sobrevida.[29]

Mulheres com síndrome dos ovários policísticos têm um risco elevado de câncer de ovário; com base em uma metanálise de oito estudos casos-controle.[30] Outro fator é a relação entre a idade da primeira gravidez e o risco de CEO.[31,32]

Hipóteses existentes sobre as causas da carcinogênese ovariana preveem que as mulheres com história de gestações múltiplas devem estar em maior risco de CEO, porque elas têm níveis mais elevados de gonadotrofinas durante seus anos férteis e têm uma maior incidência de ovulações duplas por ciclo menstrual. No entanto, em um estudo caso-controle envolvendo 2.859 mulheres multíparas com CEO e 7.434 mulheres multíparas sem câncer de ovário, aquelas com CEO não mucinoso não eram mais propensas a ter uma história de gestações múltiplas do que outras mulheres multíparas.[33] Ao contrário, as mulheres com gestações múltiplas pareciam ter um risco ligeiramente menor de CEO.[34-36]

A terapia de reposição hormonal para menopausa constitui um fator de risco para câncer de ovário, principalmente para regimes sequenciais de estrogênio e progesterona.[37]

FATORES DE PROTEÇÃO

Estudos epidemiológicos têm mostrado consistentemente que o uso prolongado de contraceptivos orais (CO) reduz o risco de câncer de ovário. Uma análise de 45 estudos epidemiológicos de 21 países concluiu que, em comparação a mulheres que nunca haviam usado anticoncepcionais orais, qualquer uso de contraceptivos orais foi associado a uma redução significativa no risco de desenvolver câncer de ovário.[38] Maiores reduções no risco de câncer de ovário ocorreram com aumento da duração da utilização CO, chegando a reduzir o risco em 50% com 15 anos de uso. O efeito protetor persistiu por 30 anos após a cessação do CO, embora observado efeito atenuado ao longo do tempo (para as mulheres com 5 anos de uso CO, a redução do risco de câncer de ovário dentro de 10 anos de interrupção de CO versus 20 a 29 anos após a descontinuação do CO foi de 29 e 15%, respectivamente). A redução do risco para este fator foi menos robusta para os tumores mucinosos.

Baixa dose de CO (≤ 35 μg de etinilestradiol) é tão ou mais eficaz do que a dose mais elevada de CO usado em estudos anteriores.[39]

Histerectomia e ligadura de trompas estão associadas a uma redução no risco de câncer de ovário. Histerectomia isolada tem sido associada a uma redução de 34% no risco de câncer de ovário em uma metanálise de 12 estudos casos-controle.[40] Mulheres que foram submetidas à laqueadura tubária tiveram uma redução de 34% no risco de câncer de ovário em uma metanálise de 13 estudos casos-controle.[41] Dados não foram fornecidos sobre as técnicas de ligadura de trompas usadas.

A ligadura tubária reduziu o risco de câncer de ovário em 72% das mulheres de alto risco para câncer de ovário. A combinação do uso de anticoncepcionais orais e ligadura tubária é mais efetiva na proteção do câncer do que qualquer método isolado. A ligadura tubária mostrou-se importante como fator de proteção em mulheres carreadoras de BRCA1, sem efeito nas portadoras de BRCA2.[42]

A amamentação também se destaca como importante efeito protetor em relação à carcinogênese ovariana.[19]

O papel protetor da vitamina D na prevenção de câncer de ovário ainda está sob investigação. Uma metanálise de dez estudos observacionais não encontrou diminuição significativa na incidência de câncer de ovário associada a aumento sérico de 25-hidroxivitamina D em 20 ng/mL.[43]

DIAGNÓSTICO E SINTOMAS

Manifestações clínicas

A maioria das mulheres com CEO é diagnosticada entre as idades de 40 e 65 anos, enquanto histologias não epiteliais (tumores de células germinativas, tumores estromais e tumores de células mistas) são, em sua maioria, mais comuns em meninas e mulheres jovens.

Sintomas da doença em estágio inicial muitas vezes são vagos e insuficientes para motivar uma mulher a procurar atenção médica. No entanto, mulheres que apresentam início recente de sintomas abdominais ou pélvicos (ex.: inchaço, aumento do volume abdominal, urgência urinária ou polaciúria, anorexia ou sensação de plenitude pós-prandial e dor abdominal ou pélvica), dispneia por derrame pleural, ou mesmo massa hipogástrica ou abdominopélvica conseguem identificar em si algum tipo de anormalidade e procuram orientação médica. Na maioria das vezes, neste ponto, o diagnóstico já revela doença avançada (estágio III ou IV). Desta forma, o diagnóstico precoce é incomum, exceto em casos de sintomas agudos relacionados a ruptura ou torção do ovário.

Embora incomuns, são relatados fenômenos paraneoplásicos que incluem hipercalcemia tumoral maligna (com CEO subtipo células claras), degeneração cerebelar subaguda e o sinal de Leser-Trélat, caracterizada pelo aparecimento súbito de múltiplas ceratoses seborreicas. A síndrome de Trousseau (tromboflebite migratória) também pode ocorrer.

AVALIAÇÃO PRÉ-OPERATÓRIA

Os exames de rotina pré-operatórios incluem: exames laboratoriais (hemograma completo, função hepática, função renal, eletrólitos, glicemia, coagulograma, CA 125 basal); estudo radiológico de tórax, eletrocardiograma, dopplerfluxometria transvaginal colorida e tomografia computadorizada de abdome e pelve.

Em caso de a paciente apresentar sintomatologia digestiva alta ou baixa, é conveniente a solicitação de endoscopia digestiva alta e/ou colonoscopia, para diagnóstico diferencial de tumor digestivo com metástase ovariana. A dosagem do antígeno carcinoembriogênico também se faz necessária nestes casos.

Pacientes com risco aumentado para trombose venosa profunda (TVP) são candidatas ao esquema de tromboprofilaxia.

A videolaparoscopia deve ser indicada com cautela, decorrente do risco de ruptura tumoral. No entanto ela pode ser usada para diagnóstico e estadiamento, situações nas quais não há certeza sobre a natureza do tumor ou seja necessária a complementação de estadiamento em pacientes sem sinais de doença volumosa abdominal (*bulky tumors*). Um receio comum nesta abordagem é o implante tumoral nos portais dos trocanteres, portanto:

- *Videolaparoscopia diagnóstica:* pode ser utilizada para distinguir pacientes candidatas à citorredução ótima, e com isto teoricamente reduzir o número de laparotomias com grande probabilidade de citorredução subótima. Entretanto esse uso ainda é controverso e deve ser realizado apenas por cirurgiões experientes em oncologia ginecológica videolaparoscópica.[44]
- *Cirurgia de estadiamento padrão para câncer ovariano por via videolaparoscópica:* possível, porém não recomendada. Usualmente realizada quando há suspeita de lesão benigna em pacientes jovens. Há um risco de aproximadamente 25% de ruptura de massas císticas, podendo comprometer o prognóstico.[45]

CIRURGIA

O procedimento cirúrgico inicia-se por laparotomia mediana ampla com vistas a identificar o sítio primário do tumor, sua extensão e a possibilidade de citorredução ótima. A incisão de Pfannenstiel está contraindicada na suspeita de CEO, porém há certa controvérsia quando o diagnóstico presuntivo é de lesão benigna.

Os tumores ovarianos são estadiados cirurgicamente e classificados de acordo com a Federação Internacional de Ginecologia e Obstetrícia (FIGO). Os passos da cirurgia são os seguintes:

1. **Citologia do líquido ascítico:** coleta de líquido ascítico deve ser realizada. Se não estiver presente, deve ser realizado lavado peritoneal com 150 mL de soro fisiológico.
2. **Inventário da cavidade abdominal:** visualização dos órgãos pélvicos, intestinos delgado e grosso, mesentério, apêndice, estômago, fígado, vesícula biliar, baço, omento, ambas as cúpulas diafragmáticas e todo o peritônio. Estruturas retroperitoneais, como rins, pâncreas e linfonodos ilíacos e para-aórticos, devem ser palpadas.
3. **Congelação:** o ovário acometido deve ser ressecado intacto e enviado para avaliação por exame de congelação; pacientes jovens e sem prole definida, mesmo com congelação sugestiva de malignidade, devem aguardar diagnóstico em parafina, principalmente se o tumor aparentar ser inicial ou unilateral (Fig. 2).
4. **Biópsias:** todas as áreas suspeitas devem ser ressecadas e enviadas à análise por exame de congelação, quando houver material suficiente para isto. Não havendo áreas suspeitas, múltiplas biópsias são realizadas no peritônio (fundo de saco posterior, peritônio vesical,

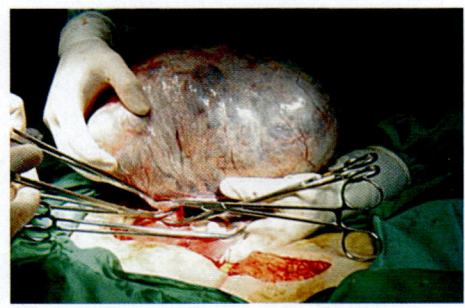

FIGURA 2.
Anexectomia unilateral por laparotomia mediana. Anexo enviado a exame de congelação, constatado tumor de ovário com cápsula íntegra. Procedeu-se o estadiamento cirúrgico padrão.

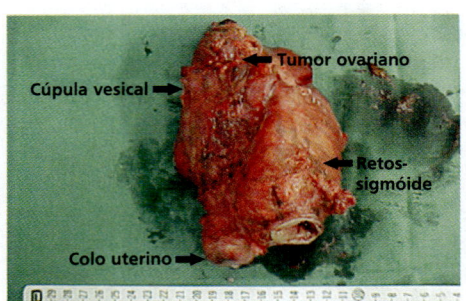

FIGURA 3.
Ressecção de tumor ovariano em bloco com cúpula vesical, útero e retossigmoide.

goteiras parietocólicas, peritônio diafragmático bilateralmente). Todas as irregularidades e aderências devem ser biopsiadas.

5. **Omentectomia:** o grande omento é ressecado e não biopsiado; havendo metástases grosseiras no grande omento como achado inesperado, a ressecção do omento é realizada mesmo quando não é possível fazer citorredução ótima, pois reduz o volume tumoral e a formação de ascite.

6. **Amostragem linfonodal:** amostragem pélvica e para-aórtica pode diagnosticar pacientes com doença em estágio III linfonodal, encontrada em até 1/3 das pacientes com aparente doença estágio I. Enquanto a amostragem parece não elevar a morbidade, ela pode dar resultados falso-negativos. A amostragem linfonodal deve ser bilateral, porém advoga-se que nos estágios IA G1 e G2, ela pode ser ipsilateral ao tumor decorrente da baixa probabilidade de metástase linfonodal contralateral.[46] Apesar de indicada em casos iniciais com vistas à preservação da fertilidade, não é universalmente aceita e é muitas vezes condenada.

7. **Apendicectomia:** metástases microscópicas estão presentes no apêndice em até 10% dos casos, porém são incomuns nos estágios I e II. Determinados autores defendem a apendicectomia como rotina do estadiamento do CEO, em razão de probabilidade de micrometástases peritoneais e risco de subestadiamento. O procedimento é particularmente importante nos tumores mucinosos, pois um apêndice aparentemente normal pode ocultar um tumor mucinoso primário de apêndice com metástase ovariana.[47]

8. **Histerectomia e salpingo-ooforectomia bilateral:** devem ser realizadas em todas as pacientes, com vistas a retirar metástases ocultas em ovário contralateral, anexos ou útero, ou ainda descartar diagnóstico de adenocarcinoma sincrônico de endométrio. Entretanto, há quem defenda salpingo-ooforectomia unilateral se o ovário contralateral parece normal e a lesão for considerada estágio IA em mulheres com forte desejo de preservar a fertilidade. Se uma cirurgia conservadora é considerada, um estadiamento cirúrgico completo deve ser realizado: lavado peritoneal, omentectomia, biópsias peritoneais e biópsia de qualquer lesão suspeita devem ser negativos. As pacientes que desejarem ser submetidas à cirurgia com preservação do ovário contralateral devem ser esclarecidas sobre as discussões e controvérsias existentes na literatura a respeito desta conduta a ser adotada, e devem ser sempre encorajadas a completar a cirurgia (histerectomia e salpingo-ooforectomia contralateral) após prole completa ou quando atingirem 35 anos.[48]

9. **Citorredução:** a citorredução cirúrgica ideal é aquela em que conseguimos retirar toda a doença visível. Devemos sempre buscar uma citorredução ótima (doença residual ≤ 1 cm). Desta forma, o cirurgião deve avaliar a possibilidade da ressecção do tumor, sendo que, se a lesão residual deixada for > 1 cm, não há benefícios em realizar uma cirurgia mais agressiva à paciente.

Particularidades

Pacientes com câncer de ovário em estágio II podem necessitar de ressecção intestinal ou de vias urinárias por relação de contiguidade tumoral com estas estruturas.

Ressecção intestinal

Implantes em retossigmoide de pequeno volume podem ser ressecados localmente, pois são geralmente apenas invasivos superficialmente. Implantes maiores podem necessitar de ressecção ampliada e anastomose intestinal, e, quando indicadas, devem ser realizadas apenas quando uma citorredução ótima é possível ou quando há risco de obstrução intestinal (Fig. 3).[39,49]

Ressecção de bexiga ou ureter

Raramente necessárias, exceto quando o tumor invade a bexiga ou obstrui o ureter, ou o ureter está envolvido pela massa pélvica.[49]

Linfadenectomia

Um estudo randomizado não demonstrou benefício em linfadenectomia pélvica e para-aórtica sistemática *versus* amostragem linfonodal em relação à sobrevida. Entretanto, demonstrou maior tempo livre de doença. Em pacientes com linfonodomegalias, a linfadenectomia tem 70% de positividade, enquanto a amostragem tem 40%. Pacientes em estágios I e II da FIGO, 268 mulheres foram randomizadas para linfadenectomia sistemática ou amostragem linfonodal. Todas as pacientes foram submetidas à citorredução agressiva, 96% delas com doença residual < 1 cm e 61% receberam quimioterapia adjuvante. O grupo que foi submetido à linfadenectomia teve 22% de linfonodos positivos contra 9% do grupo submetido à amostragem linfonodal. Não houve diferença estatística quanto à sobrevida global ou sobrevida livre de doença. Entretanto a morbidade foi maior no grupo submetido à linfadenectomia.[50]

Implante de catéter para quimioterapia

Defendido pelos autores do protocolo GOG 172, é de difícil reprodutibilidade, alta morbidade e resultados questionáveis em relação à robustez do estudo.[51]

TRATAMENTO ADJUVANTE

As pacientes com diagnóstico em estágio I (doença confinada ao ovário) ou estágio II (doença além do ovário, porém confinada à pelve) são inicialmente tratadas de forma cirúrgica.[52]

A terapia adjuvante baseada em platina e taxano geralmente não é recomendada para mulheres com tumores bem ou moderadamente diferenciados em estágios IA e IB. Já para as pacientes com doença estágio I de alto risco (IC, IA ou IB células claras) G3 e estágio II, a adjuvância com quimioterapia baseada em platina e taxano diminui a chance de recidiva.[53]

Prognóstico

O prognóstico das pacientes portadoras de CEO é particularmente sombrio em decorrência da alta letalidade desta enfermidade, que já se manifesta em estágios avançados. A sobrevida em pacientes com CEO inicial pode ser observada no Quadro 3.

Pacientes jovens tendem a ter tumores de histologia menos agressiva e de menor grau, além de melhor *performance status* basal, sendo propícias a terem melhor prognóstico.

O volume tumoral residual é o único fator prognóstico que o cirurgião pode mudar, sendo a ressecabilidade, de fato, influenciada pela experiência, pelo julgamento e esforço do cirurgião.[55,56]

Quadro 3. Sobrevida em estágios iniciais de câncer epitelial de ovário[54]

SOBREVIDA	1 ANO	2 ANOS	5 ANOS
IA	98,4	96,2	89,6
IB	100	93,9	86,1
IC	96,3	91,4	83,4
IIA	93,0	87,2	70,7
IIB	93,4	84,5	65,5
IIC	93,6	85,6	71,4

Seguimento

O seguimento pós-tratamento para detectar recidiva ou persistência de doença é realizado em intervalos regulares. Enquanto o seguimento ideal não está definido, as orientações do NCCN – *National Comprehensive Cancer Network*[57] – são as seguintes:

- Consultas a cada 2 a 4 meses por 2 anos, e então a cada 6 meses por 3 anos, e depois anualmente.
- Dosagem de CA 125 a cada consulta.
- Exame físico, incluindo ginecológico, radiografia de tórax; e tomografia de tórax, abdome e pelve, conforme clinicamente indicado.

No pós-operatório, um CA 125 elevado ou a elevação do mesmo por pelo menos três dosagens consecutivas geralmente sugerem recidiva ou persistência de doença. Entretanto, o valor de dosagem de marcador tumoral após o tratamento inicial é questionável, visto que estudos não demonstraram melhora na sobrevida (e piora da qualidade de vida) para instituição precoce de quimioterapia de segunda linha baseada isoladamente em elevação do CA 125, quando comparada à espera até progressão clínica ou radiológica.[57-61]

Há discussão em relação à terapia hormonal pós-menopausa em pacientes tratadas de CEO. Apesar de os dados serem limitados, ainda não se pode afirmar que haja risco aumentado de recidiva ou morte nas pacientes que utilizaram terapia estrógena depois da cirurgia, principalmente porque a maioria dos estudos analisados faz este tipo de avaliação em pacientes saudáveis.[62]

O diagnóstico precoce e o tratamento do câncer inicial de ovário ainda são um desafio, tanto em nosso país, quanto em países mais desenvolvidos. A falta de disponibilidade e acesso a técnicas de rastreio dificultam o diagnóstico precoce da doença na população. Geralmente, os diagnósticos são tardios e ocorrem de forma ocasional ou já na presença de sintomas, quando muitas das vezes o estágio da doença é avançado. Isso provoca um impacto direto nas taxas de sobrevida das pacientes.

A evolução e o melhor acesso aos métodos diagnósticos, aliados aos avanços nas pesquisas sobre genética e etiopatogenia do câncer de ovário serão ferramentas importantes no combate a esta doença.

REFERÊNCIAS BIBLIOGRÁFICAS

1. Jemal A, Siegel R, Xu J et al. Cancer statistics. *CA Cancer J Clin* 2010;60:277-300.
2. Jemal A, Bray F, Center MM et al. The global cancer statistics. *CA Cancer J Clin* 2011;61:69.
3. Brasil. Ministério da Saúde. *Estimativa 2012: Incidência de câncer no Brasil*. Acesso em: 27 Abr. 2012. Disponível em: http://www.inca.gov.br/estimativa/2012/
4. Daly M, Obrams GI. Epidemiology and risk assessment for ovarian cancer. *Semin Oncol* 1998;25:255.
5. Auersperg N, Wong AS, Choi KC et al. Ovarian surface epithelium: biology, endocrinology, and pathology. *Endocr Rev* 2001;22:255-88.
6. Aunoble B, Sanches R, Didier E et al. Major oncogenes and tumor suppressor genes involved in epithelial ovarian cancer (review). *Int J Oncol* 2000;16:567.
7. Havrilesky L, Darcy M, Hamdan H et al. Prognostic significance of p53 mutation and p53 overexpression in advanced epithelial ovarian cancer: a Gynecologic Oncology Group Study. *J Clin Oncol* 2003;21:3814.
8. Verri E, Guglielmini P, Puntoni M et al. HER2/neu oncoprotein overexpression in epithelial ovarian cancer: evaluation of its prevalence and prognostic significance: clinical study. *Oncology* 2005;68:154.
9. Balch C, Fang F, Matei DE et al. Minireview: epigenetic changes in ovarian cancer. *Endocrinology* 2009;150(9):4003.
10. Banks E, Beral V, Reeves G. The epidemiology of epithelial ovarian cancer: a review. *Int J Gynecol Cancer* 1997;7:425.
11. Risch HA. Hormonal etiology of epithelial ovarian cancer, with a hypothesis about the role of androgens and progesterone. *J Natl Cancer Inst* 1998;90:1774.
12. Slamon DJ, Godolphin W, Jones LA et al. Studies of the HER-2/neu protooncogenese in human breast and ovarian cancer. *Science* 1989;244:707.
13. Rice LW, Mark SD, Berkowitz TZ et al. Clinicopathologic variables, and DNA ploidy in predicting outcome in epithelial ovarian carcinoma. *Obstet Gynecol* 1995;86:379.
14. Balley CM, Khalkhali-Ellis Z, Seftor EA et al. Biological function of Maspin. *J Cell Physiol* 2006;209:617.
15. Casagrande JT, Louie EW, Pike MC et al. "Incessant ovulation" and ovarian cancer. *Lancet* 1979;2:170.
16. Fathalla MF. Incessant ovulation – A factor in ovarian neoplasia? *Lancet* 1971;2:163.
17. Cramer DW, Welch WR. Determinants of risk of ovarian cancer: inferences regarding pathogenesis. *J Natl Cancer Inst* 1983;71:717.
18. Helzlsouer KJ, Alberg AJ, Gordon GB et al. Serum gonadotropins and steroid hormones and the development of ovarian cancer. *JAMA* 1995;274:1926.
19. Ness RB, Grisso JA, Cottreau C et al. Factors related to inflammation of the ovarian epithelium and risk of ovarian cancer. *Epidemiology* 2000;11:111.
20. McSorley MA, Alberg AJ, Allen DS et al. C-reactive protein concentrations and risk of subsequent ovarian cancer. *Obstet Gynecol* 2007;109:933.
21. Cramer DW, Barbieri RL, Fraer AR et al. Determinants of early follicular phase gonadotropin and estradiol concentrations in women of reproductive age later. *Hum Reprod* 2002;17:221.
22. Modugno F. Ovarian cancer and high-risk women symposium presenters. Ovarian cancer and high-risk women-implications for prevention, screening and early detection. *Gynecol Oncol* 2003;91:15.
23. Ness RB, Grisso JA, Cottreau C et al. Factors related to inflammation of the ovarian epithelium and risk of ovarian cancer. *Epidemiology* 2000;11:111.
24. Titus-Ernstoff L, Perez K, Cramer DW et al. Menstrual and reproductive factors in relation to risk of ovarian cancer. *Br J Cancer*, 2001;84:714.
25. Hinkula M, Pukkala E, Kyyrönen P et al. Incidence of ovarian cancer of grand multiparous women - a population-based study in Finland. *Gynecol Oncol* 2006;103:207.
26. Banks E, Beral V, Reeves G. The epidemiology of epithelial ovarian cancer: a review. *Int J Gynecol Cancer* 1997;7:425.
27. Mahdavi A, Pejovic T, Nezhat F. Ovulation induction and ovarian cancer: a critical review of the literature. *Fertil Steril* 2006;85:819.
28. Van Gorp T, Amant F, Neven P et al. Endometriosis and the development of malignant tumors of the pelvis. The review of the literature. *Best Pract Res Clin Obstet Gynaecol* 2004;18:349.
29. Orezzoli JP, Russell AH, Oliva E et al. Prognostic implication of endometriosis in clear cell carcinoma of the ovary. *Gynecol Oncol* 2008;110:336.
30. Chittenden BG, Fullerton G, Maheshwari X. Bhattacharya polycystic ovary syndrome and risk of gynecological cancer: a systematic review. *Reprod Biomed Online* 2009;19:398.
31. Pike MC, Pearce CL, Peters R et al. Hormonal factors and risk of invasive ovarian cancer: a population-based study case control. *Fertil Steril* 2004;82:186.
32. Whiteman DC, Siskind V, Purdie DM et al. Time to pregnancy and risk of epithelial ovarian cancer. *Cancer Epidemiol Biomarkers Prev* 2003;12:42.
33. Whiteman DC, Murphy MF, Cook LS et al. Multiple births and risk of epithelial ovarian cancer. *J Natl Cancer Inst* 2000;92:1172.
34. Lambe M, Wuu J, Rossing MA et al. Twinning and maternal risk of ovarian cancer. *Lancet* 1999;353:1941.
35. Olsen J, Storm H. Pregnancy experience in women who later developed estrogen-related cancers (Denmark). *Cancer Causes Control* 1998;9:653.
36. Akhmedkhanov A, Toniolo P, Zeleniuch Jacquotte A et al. Luteinizing hormone, its beta subunit variant, and epithelial ovarian cancer: the gonadotropin hypothesis revisited. *Am J Epidemiol* 2001;154:43.
37. Lacey Jr JV, Brinton LA, Leitzmann MF et al. Menopausal hormone therapy and ovarian cancer risk in the national institutes of health – AARP Diet and Health Study Cohort. *J Nat Cancer Inst* 2006;98(19):1397.
38. Collaborative Group on Epidemiological Studies of Ovarian Cancer, Beral V, Doll R et al. Ovarian cancer and oral contraceptives: collaborative reanalysis of data from 45 epidemiological studies including 23,257 women with ovarian cancer and 87,303 controls. *Lancet* 2008;371:303.
39. Lurie G, Thompson P, McDuffie KE et al. Association of estrogen and progestin potency of oral contraceptives with ovarian carcinoma risk. *Obstet Gynecol* 2007;109:597.
40. Whittemore AS, Harris R, Itnyre J. Characteristics relating to ovarian cancer risk: collaborative analysis of 12 US case-control studies. II. Invasive epithelial ovarian cancers in white women. Collaborative Ovarian Cancer Group. *Am J Epidemiol* 1992;136:1184.
41. Cibula D, Widschwendter M, Májek O et al. Tubal ligation and the risk of ovarian cancer: review and meta-analysis. *Hum Reprod Update* 2011;17:55.

42. Narod SA, Sun P, Ghadirian P et al. Tubal ligation and risk of ovarian cancer in carriers of BRCA1 or BRCA2 mutations: a case-control study. *Lancet* 2001;357:1467.
43. Yin L, Grandi N, Raum E et al. Meta-analysis: circulating vitamin D and ovarian cancer risk. *Gynecol Oncol* 2011;121:369.
44. Fagotti A, Ferrandina G, Fanfani F et al. Prospective validation of a laparoscopic predictive model for optimal cytoreduction in advanced ovarian carcinoma. *Am J Obstet Gynecol* 2008;199:642.
45. Canis M, Botchorishvili R, Manhes H et al. Management of adnexal masses: role and risk of laparoscopy. *Semin Surg Oncol* 2000;19:28.
46. Ayhan A, Gultekin M, Taskiran C et al. Lymphatic metastasis in epithelial ovarian carcinoma with respect to clinicopathological variables. *Gynecol Oncol* 2005;97:400.
47. Ramirez PT, Slomovitz BM, McQuinn L et al. Role of appendectomy at the time of primary surgery in patients with early-stage ovarian cancer. *Gynecol Oncol* 2006;103:888.
48. Maltaris T, Boehm D, Dittrich R et al. Reproduction beyond cancer: a message of hope for young women. *Gynecol Oncol* 2006;103:1109.
49. Scholz HS, Tasdemir H, Hunlich T et al. Multivisceral cytoreductive surgery in FIGO stages IIIC and IV epithelial ovarian cancer: results and 5-year follow-up. *Gynecol Oncol* 2007;106:591.
50. Maggioni A, Benedetti Panici P, Dell'Anna T et al. Randomised study of systematic lymphadenectomy in patients with epithelial ovarian cancer macroscopically confined to the pelvis. *Br J Cancer* 2006;95:699.
51. Armstrong DK, Bundy B, Wenzel L et al. Intraperitoneal cisplatin and paclitaxel in ovarian cancer. *N Engl J Med* 2006;354:34.
52. International Federation of Gynecology and Obstetrics. *Staging classifications and clinical practiceguidelines for gynecological cancer, 2006*. Disponível em: http://www.figo.org/files/figo-corp/docs/staging_booklet.pdf; 06/05/2012
53. Whitney CW, Spirtos N. *Gynecologic Oncology Group surgical procedures manual*. Philadelphia (PA): Gynecologic Oncology Group, 2009.
54. Heintz AP, Odicino F, Maisonneuve P et al. Carcinoma of the ovary. FIGO 26th annual report on the results of treatment in gynecological cancer. *Int J Gynaecol Obstet* 2006;95(Suppl 1):S161.
55. Crawford SC, Vasey PA, Paul J et al. Does aggressive surgery only benefit patients with less advanced ovarian cancer? Results from an international comparison within the SCOTROC-1 Trial. *J Clin Oncol* 2005;23:8802.
56. Hoskins WJ, Bundy BN, Thigpen JT et al. The influence of cytoreductive surgery on recurrence-free interval and survival in small-volume stage III epithelial ovarian cancer: a Gynecologic Oncology Group study. *Gynecol Oncol* 1992;47:159.
57. National Comprehensive Cancer Network (NCCN) guidelines www.nccn.org
58. Chetrit A, Hirsh-Yechezkel G, Ben-David Y et al. Effect of BRCA1/2 mutations on long-term survival of patients with invasive ovarian cancer: the National Israeli study of ovarian cancer. *J Clin Oncol* 2008;26:20.
59. Zivanovic O, Sima CS, Iasonos A et al. Exploratory analysis of serum CA-125 response to surgery and the risk of relapse in patients with FIGO stage IIIC ovarian cancer. *Gynecol Oncol* 2009;115:209.
60. Rustin GJ, van der Burg ME, Griffin CL et al. Early versus delayed treatment of relapsed ovarian cancer (MRC OV05/EORTC 55955): a randomized trial. *Lancet* 2010;376:1155.
61. Winter-Roach BA, Kitchener HC, Dickinson HO. Adjuvant (post-surgery) chemotherapy for early stage epithelial ovarian cancer. *Cochrane Database Syst Rev* 2009 July 8;(3):CD004706.
62. Levgur M. Estrogen and combined hormone therapy for women after genital malignancies: a review. *Reprod Med* 2004 Oct.;49(10):837.

166-3 Câncer Epitelial de Ovário – Estágio Avançado

José Augusto Bellotti ■ José Marinaldo Lima

INTRODUÇÃO

O carcinoma epitelial ovariano apresenta-se com a maior taxa de mortalidade entre os tumores ginecológicos, reflexo direto do diagnóstico realizado em estágios avançados. Estima-se que aproximadamente 75% das pacientes com câncer de ovário se apresentam nos estágios III ou IV nos quais a sobrevida em 5 anos varia de 40% a 5%, respectivamente.

É considerado carcinoma de ovário avançado a doença que se apresenta nos estágios III (implantes extrapélvicos e/ou linfonodos retroperitoneais ou inguinais) e IV (metástases extraperitoneais e/ou derrame pleural neoplásico e/ou metástase hepática intraparenquimatosa).

Os principais fatores prognósticos do carcinoma epitelial ovariano relacionam-se ao estágio da doença no momento do diagnóstico, ao tipo histológico e ao grau de diferenciação e ao volume de doença residual após o tratamento cirúrgico inicial. Portanto, a abordagem cirúrgica apresenta papel relevante no tratamento, sendo esta a única variável com capacidade de modificar o prognóstico da doença.

Porém, a extensão da cirurgia a ser realizada tem sido motivo de controvérsia. Diversos trabalhos têm demonstrado que o volume tumoral residual após a cirurgia primária está diretamente relacionado ao prognóstico da doença, sendo a citorredução ótima seguida de quimioterapia considerada o tratamento padrão. Para isto, muitas vezes há necessidade de técnicas cirúrgicas avançadas: ressecções de intestino, diafragma, linfadenectomia pélvica e para-aórtica, omentectomia supracólica, esplenectomia e peritoniectomia. Porém, atualmente alguns estudos têm demonstrado que a utilização de quimioterapia neoadjuvante tem apresentado resultados semelhantes à abordagem tradicional, entretanto com menor morbidade cirúrgica. O cirurgião oncológico deve dominar o conhecimento da patologia e da biologia tumoral, do estadiamento e das opções terapêuticas, como quimioterapia e radioterapia. Todos esses conhecimentos são de grande relevância para a definição quanto a ressecções primárias ou tratamento neoadjuvante, aumentando com isso a sobrevida e a qualidade de vida destas pacientes.

AVALIAÇÃO PRÉ-TRATAMENTO

A definição de carcinoma ovariano com base em exames pré-operatórios é apenas presumida, uma vez que o diagnóstico conclusivo é exclusivamente anatomopatológico. A realização de uma anamnese e de um exame físico detalhado são de fundamental importância na determinação da suspeita diagnóstica e na definição da abordagem terapêutica inicial. A doença que se apresenta nos estágios iniciais é frequentemente assintomática ou oligossintomática, havendo surgimento dos sintomas apenas na doença avançada, sendo estes em sua maioria inespecíficos. Aumento do volume abdominal, perda ponderal, dor e sensação de peso na pelve, alterações no hábito intestinal e sintomas urinários são comumente relatados na doença avançada. Ao exame físico, poderemos observar aumento do volume abdominal decorrente da ascite ou presença de massa abdominopélvica. A presença de massa irregular ocupando a região epigástica sugere bolo omental (*omental cake*). Linfonodomegalia periférica fala a favor de doença no estágio IV. Ao exame ginecológico, além do exame especular, é fundamental a realização do toque vaginal, que irá avaliar a mobilidade da massa ovariana, bem como a presença de implantes em fundo de saco. Ao toque retal pode-se observar a presença de implantes infiltrando o septo retovaginal, invasão direta da mucosa retal e mais raramente infiltração de tecidos parauterinos. A identificação de pelve *congelada* poderá modificar a conduta terapêutica inicial, estando indicada quimioterapia neoadjuvante.

Apesar de não existirem exames de imagem com especificidade suficiente para diferenciação entre tumores ovarianos benignos e malignos, os exames radiológicos têm sua maior utilidade na definição da extensão da doença. Dentre as técnicas mais utilizadas, podemos citar a ultrassonografia, a tomografia computadorizada, a ressonância nuclear magnética e a tomografia computadorizada por emissão de pósitrons. A presença de massas anexiais complexas, sólido-císticas, com septações grosseiras, imagens sugestivas de carcinomatose peritoneal e ascite favorecem o diagnóstico de malignidade. A capacidade dos exames radiológicos em determinar com acurácia sobre quais pacientes não seriam candidatas a citorredução ótima ainda não foi adequadamente validada em nenhum estudo, porém diversos autores propuseram critérios que viriam a sugerir tal situação.

Acredita-se que dosagem do CA 125 sérico possa estar relacionada ao volume tumoral, ao estágio da doença e ao grau histológico do tumor. Apesar de controverso, foi sugerido que os níveis séricos de CA 125, bem como sua resposta à terapia sistêmica, tenham capacidade de predizer a ressecabilidade do tumor e o prognóstico da doença. Alguns estudos avaliaram a resposta do CA 125 à quimioterapia neoadjuvante como fator relacionado a ressecabilidade e sobrevida. Le *et al.* avaliaram que a redução em 50% no valor do CA 125 após a quimioterapia neoadjuvante não obteve associação significativa com a sobrevida livre de doença. Neveen *et al.* avaliaram a resposta do CA 125 em pacientes com carcinoma ovariano avançado submetidas à quimioterapia neoadjuvante e posterior citorredução cirúrgica. Foi concluído que um CA 125 persistentemente elevado, com meia-vida superior a 18 dias após cirurgia citorredutora, cursou com uma sobrevida global significativamente pior, quando comparada a meia-vida inferior a 12 dias, sendo considerado o CA 125 um fator preditivo independente. Além disso, o coeficiente de regressão do CA 125 também foi considerado fator preditivo de citorredução ótima.

A avaliação da ressecabilidade do câncer de ovário também é tema bastante discutido na atualidade. A pedra fundamental no tratamento do carcinoma epitelial ovariano é a citorredução cirúrgica máxima seguida de esquema quimioterápico baseado em platina e taxano. O principal objetivo da citorredução cirúrgica ótima é atingir a presença de doença residual com no máximo 1 cm de diâmetro, apesar de evidências recentes sugerirem que a ressecção completa de toda a doença macroscópica está associada a um prognóstico mais favorável. Entretanto, diversos estudos demonstraram que a realização de uma citorredução primária ótima varia de 20 a 85% e é influenciada por vários fatores, como habilidade do cirurgião, filosofia institucional e capacidade da paciente em suportar uma cirurgia extensa. Nos casos em que não há possibilidade de realização de cirurgia ótima, a utilização de quimioterapia como tratamento primário tem demonstrado resultados satisfatórios. O conceito de quimioterapia neoadjuvante para pacientes com carcinoma epitelial ovariano foi inicialmente proposto como uma alternativa para o tratamento de pacientes que apresentavam risco cirúrgico elevado. Posteriormente, esta abordagem foi estendida àquelas pacientes que supostamente apresentavam doença irressecável, favorecendo o início precoce do tratamento sistêmico, além de diminuir a morbidade cirúrgica. Diversos autores sugeriram escores para avaliar a irressecabilidade da doença baseados em critérios radiológicos ou laparoscópicos. Dentre os principais parâmetros avaliados podemos citar a presença de doença no estágio IV, baixo *performace status*, ascite volumosa, doença volumosa (*bulky*) no abdome superior, doença omental com extensão ao hilo esplênico, linfonodomegalia suprarrenal, metástase hepática intraparenquimatosa, implantes diafragmáticos e carcinomatose peritoneal.

Avaliação do estadiamento e da ressecabilidade utilizando métodos radiológicos ainda é tema controverso. A tomografia computadorizada (TC) apresenta elevada acurácia na detecção de implantes com 1 cm ou mais, porém baixa sensibilidade em doenças de menor diâmetro. Atualmente, a TC helicoidal com cortes mais finos e multiplanares, apresenta sensibilidade entre 85 e 93%, com especificidade próxima a 96% para a detecção de implantes tumorais menores, além de menor frequência de imagens falso-positivas. Para o diagnóstico e o estadiamento da doença avançada, tanto a TC helicoidal *multi-slice* como a ressonância nuclear magnética (RNM) apresentam resultados semelhantes e superiores aos da ultrassonografia, sendo que a RNM apresenta como possível vantagem melhor contraste e diferenciação entre as estruturas de partes moles. Ambos os métodos permitem boa avaliação dos espaços subdiafragmáticos e da superfície hepática. A limitação da RNM ainda está relacionada ao seu custo, disponibilidade e experiência dos profissionais na realização e interpretação. Na avaliação de doença linfonodal, tanto a TC como a RNM apresentam boa especificidade (próximo a 85%), mas com baixa sensibilidade (próximo a 40%), sobretudo em linfonodos não aumentados. Dentre as limitações associadas ao estadiamento por imagem na doença avançada encontra-se a dificuldade em se diferenciar um derrame pleural benigno de um maligno, sendo que a presença de espessamento e/ou nodulações sugere malignidade. Da mesma forma, tanto a TC como a RNM, em cortes axiais, apresentam dificuldade para diferenciação entre implantes tumorais na superfície hepática (estágio III) e metástase intraparenquimatosa (estágio IV), e esta avaliação deverá ser complementada através de cortes sagitais e/ou coronais. Os estudos com PET-CT no estadiamento inicial do câncer de ovário ainda são limitados pelo número pequenos de casos, porém os resultados são bons, com valor preditivo positivo de 86%, acurácia de 90%, sensibilidade de 96% e valor preditivo negativo de 75%. A grande limitação de todos os métodos de imagem está na detecção de implantes com diâmetro inferior a 0,5 cm. Em termos gerais, recomenda-se a avaliação pré-operatória das pacientes com suspeita de doença avançada através de TC de abdome e pelve e radiografia simples ou TC de tórax. A RNM é a alternativa à TC.

Uma alternativa bastante interessante, tanto para a determinação do estadiamento quanto para a avaliação da ressecabilidade da doença, é a utilização da videolaparoscopia. A avaliação da irressecabilidade da doença utilizando a abordagem videolaparoscópica parece fornecer dados mais adequados em relação aos critérios radiológicos. Porém, decorrente das limitações deste método utilizando a palpação manual, foram sugeridos critérios de irressecabilidade baseados na localização e na extensão dos implantes peritoneais. Fagotti *et al.* publicaram um estudo piloto validando um modelo de índice preditivo para citorredução ótima do carcinoma ovariano avançado utilizando a abordagem videolaparoscópica. As pacientes incluídas no estudo foram inicialmente submetidas à videolaparoscopia e subsequentemente a laparotomia com objetivo de citorredução ótima. Para cada parâmetro laparoscópico foram calculados sensibilidade, especificidade, valor preditivo positivo e negativo e acurácia, sendo selecionados sete parâmetros para inclusão no modelo final, cada parâmetro definido numericamente (Quadro 4)

Quadro 4. Escore de Fagotti para inclusão em modelo de ressecção ótima por avaliação videolaparoscópica seguida de laparotomia

PARÂMETROS	FAGOTTI
Omental cake	2
Carcinomatose peritoneal	2
Carcinomatose diafragmática	2
Retração mesentérica	2
Infiltração de cólon	2
Infiltração de estômago	2
Metástase hepática	2

Neste estudo, apenas 11% das pacientes com escore ≥ 8 conseguiram citorredução ótima, enquanto 56% das pacientes com escore < 8 foram submetidas a ressecção completa. A presença de *omental cake*, carcinomatose peritoneal e diafragmática, retração mesentérica, infiltração de cólon e estômago e metástase hepática são definidas durante a laparoscopia e, quando presentes e relacionadas a um escore ≥ 8, identificam pacientes nas quais a citorredução ótima provavelmente não será conseguida.

Um estudo publicado por Chéreau comparou todos os métodos de escores preditivos de ressecabilidade no câncer de ovário avançado e concluiu que, apesar de uma forte correlação entre os diferentes escores na determinação da ressecabilidade, o escore de Fagotti e o PCI (*peritoneal carcinomatosis index*) superaram os demais. Além disso, foi observado um alto valor preditivo na determinação de complicações pós-operatórias, após cirurgias extensas, para os escores de Aletti, PCI e Eisenkop (Fig. 4).

Além da determinação da ressecabilidade do tumor, a laparoscopia também permite a obtenção de material histopatológico, permitindo o correto diagnóstico do carcinoma ovariano. Apesar de muitos grandes centros utilizarem dados provenientes da citologia do líquido ascítico para iniciar o tratamento sistêmico, outras malignidades, particularmente do trato gastrointestinal, podem mimetizar o carcinoma ovariano. Em algumas séries, até 20% das pacientes com presumido carcinoma ovariano têm, na verdade, um tumor gastrointestinal primário. Este

Índice de Câncer Peritoneal (ICP)		
Regiões	Tamanho da lesão	Escore tamanho da lesão
0 Central	–	LS 0 Tumor não visualizado
1 Superior à direita	–	LS 1 Tumor até 0,5 cm
2 Epigástrio	–	LS 2 Tumor até 5,0 cm
3 Superior à esquerda	–	LS 3 Tumor > 5,0 cm ou confluente
4 Flanco à esquerda	–	
5 Fossa ilíaca à esquerda	–	
6 Pelve	–	
7 Fossa ilíaca à direita	–	
8 Flanco à direita	–	
9 Jejuno proximal	–	
10 Jejuno distal	–	
11 Íleo proximal	–	
12 Íleo distal	–	

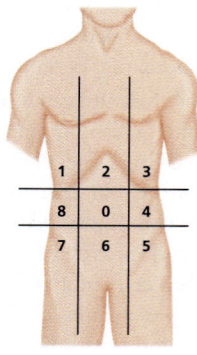
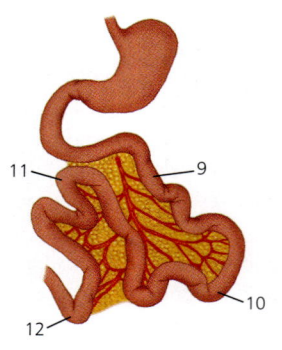

◀ **FIGURA 4.** Distribuição das metástases peritoneais e registros do escore do PCI.

fato se deve em parte à citologia inconclusiva do líquido ascítico, apesar de outros autores sugerirem extrema acurácia na utilização deste método. Nos casos em que o diagnóstico permanece incerto, a obtenção de amostragem anatomopatológica é fundamental para o início da quimioterapia neoadjuvante. A utilização de biópsia percutânea guiada por métodos de imagem nem sempre é uma opção segura.

Entretanto, existem alguns pontos a serem considerados na abordagem videolaparoscópica: primeiro, o grande volume de ascite pode reduzir a visibilidade da cavidade abdominal; segundo, a anatomia gastrointestinal pode sofrer distorções, ou podem ocorrer aderências entre o intestino delgado, o cólon, o omento e a parede abdominal, levando a um aumento no risco de lesões destas estruturas durante a introdução dos trocartes. A técnica de punção aberta parece ser preferível nestas situações, diminuindo os riscos de complicações operatórias. Por último, a questão referente ao implante de células no sítio de punção ainda é controversa. É sugerido que quando os sítios de punção são cuidadosamente fechados, a incidência desta complicação é baixa. Além disso, o início precoce da quimioterapia não permitiria tempo suficiente para o desenvolvimento desta situação.

Nos casos de carcinoma epitelial avançado, a videolaparoscopia parece ser um bom método de abordagem inicial, permitindo a obtenção de tecido tumoral para confirmação diagnóstica, realização do estadiamento e da avaliação da ressecabilidade do tumor.

ESTADIAMENTO E VIAS DE DISSEMINAÇÃO

O tratamento inicial do carcinoma epitelial ovariano é baseado no estágio da doença no momento do diagnóstico, como determinado pela Federação Internacional de Ginecologia e Obstetrícia (FIGO), conforme demonstrado no Quadro 5. O conhecimento das vias de disseminação do carcinoma ovariano é fundamental para a determinação do estadiamento, sendo este definido com base nos achados da cirurgia.

A principal via de disseminação do carcinoma epitelial ovariano é a celômica. Acredita-se que esta disseminação peritoneal ocorra inicialmente na pelve, havendo acometimento de ovário contralateral, tubas e útero. Posteriormente ocorre acometimento de outros órgãos pélvicos, como bexiga e reto. O revestimento epitelial simples do ovário, bem como seu posicionamento pélvico, favorece a disseminação direta para outros órgãos pélvicos. A mobilização fisiológica das alças intestinais e a circulação e drenagem do líquido peritoneal parecem contribuir para a disseminação extrapélvica através do carreamento de células malignas esfoliadas. Tal fluxo de disseminação parece explicar a presença de implantes seguindo localizações específicas, como no fundo de saco pélvico, na goteira parietocólica direita, no recesso subdiafragmático, hilo esplênico, ligamento falciforme, junção ileocecal, omento e retossigmoide. Apesar de a disseminação peritoneal ser considerada a mais frequente, foi sugerido que o carcinoma ovariano com origem epitelial poderia se desenvolver em qualquer superfície celômica, surgindo simultaneamente nos ovários e no peritônio (tumores sincrônicos ou *de novo*), contrariando a teoria da via de disseminação intraperitoneal progressiva.

A via de disseminação linfática para os linfonodos pélvicos e para-aórticos é relativamente comum, principalmente na doença avançada. Nestes estágios a taxa de acometimento nodal é superior a 60%. Burghardt *et al.* reportaram que 78% das pacientes no estágio III apresentam metástases para linfonodos pélvicos. Em outra série, a taxa de acometimento nodal para-aórtico nos estágios III e IV foi 42 e 67%, respectivamente. Esta via de disseminação parece respeitar dois trajetos: disseminação retrógrada pelo ligamento largo, linfáticos obturadores, ilíacos internos e externos, e por fim linfonodos para-aórticos; e via de disseminação direta, pelos ligamentos infundibulopélvicos até as regiões para-aórtica e paracaval. A drenagem através dos ductos linfáticos do diafragma e através dos linfonodos retroperitoneais pode levar a disseminação acima do diafragma, especialmente para linfonodos supraclaviculares.

A via de disseminação hematogênica é relativamente incomum no momento do diagnóstico, ocorrendo com maior frequência em algum momento após o tratamento. Disseminação para o parênquima pulmonar ou hepático ocorre em 2 a 3% dos casos.

A laparotomia exploradora deve ser realizada através de incisão mediana ampla. Inicia-se pela coleta do líquido peritoneal, que deve ser enviado à citologia. Caso não seja identificado líquido, um lavado deve ser realizado com aproximadamente 150 mL de solução salina. A seguir realiza-se inspeção cuidadosa de toda a cavidade abdominopélvica. Esta deve ser realizada no sentido horário, iniciando-se pela pelve, com cuidadosa avaliação do tumor e sua relação com outras estruturas, como bexiga e reto. Segue-se inspecionando o ceco, goteira parietocólica e cólon ascendente, superfície do fígado e do hilo hepático, da cúpula diafragmática, do omento, do baço e do hilo esplênico, do cólon transverso, do sigmoide e do reto. O intestino delgado e todo o mesentério devem ser inspecionados, da válvula ileocecal até o ligamento de Treitz, bem como avaliação de linfonodomegalia na região para-aórtica, intercavoaórtica e paracaval. Nos casos de doença avançada esta avaliação permite definir adequadamente a presença de doença macroscópica acometendo outros órgãos e principalmente a possibilidade de ressecabilidade. Cabe notar que a avaliação intraoperatória da ressecabilidade da doença deve ser criteriosa, levando-se sempre em consideração o risco/benefício envolvido nas ressecções multiorgânicas.

TRATAMENTO

Citorredução primária

A cirurgia proposta para o carcinoma epitelial ovariano tem como principal objetivo a estabelecer o diagnóstico e o estadiamento da doença. Porém, nos estágios avançados, a cirurgia também passa a ter conotação terapêutica, na medida em que há possibilidade da realização de citorredução completa.

Após a determinação do estágio e da extensão da doença, cabe definir a melhor conduta a ser estabelecida. Para a maioria dos tumores sólidos, uma ressecção cirúrgica agressiva é justificada apenas se o volume tumoral for completamente removido. O princípio da citorredução cirúrgica está diretamente relacionado à ação do agente quimioterápico na célula tumoral, uma vez que a citorredução favorece o aumento do aporte sanguíneo ao volume tumoral residual. Além disso, também favorece que a célula tumoral saia da fase de repouso no ciclo celular, fase esta menos sensível aos agentes quimioterápicos. A ressecção da massa tumoral também cursa com melhora dos sintomas, melhora do estado nutricional e redução das consequências metabólicas e imunológicas adversas do tumor.

Em 1968, Munnell introduziu o conceito de citorredução máxima para câncer de ovário, demonstrando uma melhora na sobrevida das pacientes que eram submetidas à ressecção completa em relação àquelas que eram submetidas à ressecção parcial ou apenas a biópsias. Griffiths

Quadro 5. Estadiamento do câncer de ovário, segundo a FIGO

ESTÁGIO	DESCRIÇÃO
I	Tumor limitado aos ovários
IA	Tumor limitado a um ovário, sem ascite, sem tumor na superfície ovariana, cápsula íntegra
IB	Tumor em ambos os ovários, sem ascite, sem tumor na superfície ovariana, cápsula íntegra
IC	Estágios I/II, com tumor na superfície de um ou ambos os ovários, ruptura de cápsula, ascite ou lavado peritoneal positivo
II	Tumor envolve um ou ambos os ovários com extensão pélvica
IIA	Extensão e/ou implantes no útero e/ou nas tubas
IIB	Extensão para outros órgãos pélvicos
IIC	IIA/B com células malignas na ascite ou lavado peritoneal positivo
III	Tumor envolve um ou ambos os ovários com metástase peritoneal fora da pelve e/ou metástase em linfonodos regionais
IIIA	Metástase peritoneal microscópica além da pelve
IIIB	Metástase peritoneal macroscópica além da pelve
IIIC	Metástase peritoneal além da pelve com mais de 2,0 cm e/ou metástase para linfonodos regionais
IV	Metástase a distância além da cavidade peritoneal

foi o primeiro a quantificar a presença de doença residual após a cirurgia de ressecção primária e correlacioná-la à sobrevida, reportando uma sobrevida média de 39 meses para pacientes sem doença residual, comparada a 12,7 meses para pacientes com doença residual > 1,45 cm, concluindo que cirurgias extensas, porém com falha em remover focos tumorais > 1,45 cm, não apresentaram influência na sobrevida. De acordo com a definição proposta pelo *Gynecologic Oncology Group* (GOG-protocolo 52), é considerada cirurgia subótima aquela em que existe a presença de doença residual ≥ 1,0 cm e foi observado que a manutenção de doença residual < 1 cm apresenta impacto significativo na sobrevida.

Foram publicadas três revisões sistemáticas relacionando a presença de doença residual e o prognóstico da doença, apresentando resultados conflitantes. Em uma análise com mais de 6.000 pacientes com carcinoma ovariano em estágio avançado, Bristow *et al.* definiram um acréscimo de 5,5% na sobrevida média para cada 10% de aumento na proporção de pacientes que atingiram citorredução máxima.

Contrariando estes achados, Hunter *et al.* publicaram uma metanálise, também com mais de 6.000 pacientes, em que foi concluído que a administração de platina foi mais impactante que a cirurgia com *debulking* ótimo.

O terceiro estudo, publicado por Allen *et al.*, concluiu que o *debulking* ótimo foi associado a melhora significativa na sobrevida, apesar de sugerir a necessidade de análises prospectivas.

Ainda é motivo de controvérsia se a habilidade do cirurgião ou a biologia da célula tumoral exerce maior impacto sobre o prognóstico da doença. Apesar disto, o conceito de citorredução cirúrgica com finalidade ótima e seguido de esquema quimioterápico com base em platina, continua sendo a abordagem padrão no tratamento do carcinoma ovariano avançado.

Ressecção da massa pélvica

O princípio técnico essencial para a ressecção da massa pélvica é a abordagem retroperitoneal, facilitando com isso a identificação dos ureteres e subsequente ligadura dos vasos ovarianos na altura dos infundíbulos pélvicos. Após, procede-se a secção do ligamento uteroovariano e, caso desejado, a peça cirúrgica pode ser enviada ao patologista para exame por congelação visando a confirmação diagnóstica. A complementação cirúrgica deve ser realizada, com salpingo-ooforectomia contralateral e histerectomia. Casos em que ocorre a presença de implantes no fundo de saco de Douglas podem cursar com invasão de retossigmoide e por vezes necessitam de retossigmoidectomia com o objetivo de citorredução máxima. Apendicetomia pode ser realizada, caso haja envolvimento tumoral ou aderência do mesmo à massa, bem como nos adenocarcinomas mucinosos. Ocasionalmente uma cistectomia parcial, geralmente em cúpula vesical, pode ser realizada, visando sempre a citorredução ótima. Porém, ressecções mais extensas, como cistectomia total ou ressecção de segmento ureteral, raramente são realizadas.

Omentectomia

Frequentemente o carcinoma ovariano avançado cursa com implantes no omento, sendo a invasão maciça definida como *omental cake*. Esta condição pode determinar dificuldade na abordagem da cavidade abdominal por aderências existentes entre o tumor e a parede abdominal. Para sua ressecção deve-se procurar um plano de clivagem entre a massa tumoral e o cólon transverso. O omento deve ser separado da grande curvatura gástrica e seus vasos gastroepiploicos direito e esquerdo. Eventualmente, pode ocorrer extensão da doença omental para o hilo esplênico, havendo necessidade de se realizar esplenectomia para ressecção de toda a doença. Em condições mais extremas, pode ocorrer invasão da camada muscular do cólon transverso. Nestes casos, a ressecção de cólon transverso com subsequente anastomose deve ser ponderada apenas na vigência da possibilidade de realização de cirurgia ótima ou de oclusão intestinal.

Ressecção intestinal

Cirurgias sobre os segmentos intestinais são frequentemente necessárias na abordagem do carcinoma ovariano avançado. Ressecções de cólon de segmentos de intestino delgado podem ser realizadas com o objetivo de se realizar uma citorredução ótima, bem como para o tratamento da obstrução mecânica destes segmentos. Estas lesões podem ocorrer sob a forma de pequenos implantes miliares focais sobre a serosa do delgado até mesmo como a invasão da camada muscular do retossigmoide, necessitando de uma ressecção em monobloco (Fig. 5). Diversas séries têm confirmado que a citorredução ótima com menos de 1 cm de doença residual resulta em aumento na sobrevida das pacientes submetidas a ressecção de cólon na cirurgia primária.

Ressecção de implantes no abdome superior

Para pacientes apresentando disseminação difusa da doença no abdome superior, há um aumento considerável na complexidade dos procedimentos envolvidos para a obtenção de uma citorredução ótima. Ressecção do peritônio diafragmático ou de segmento de diafragma, esplenectomia e ressecção de metástases hepáticas estão entre os procedimentos possíveis de serem realizados, com morbidade aceitável e, sobretudo, com evidências de benefício na sobrevida.

Eisenhauer *et al.* avaliaram o impacto da cirurgia extensa sobre o abdome superior nas pacientes com carcinoma epitelial ovariano avançado. Foi avaliado um grupo de pacientes submetidas à cirurgia extensa do abdome superior (ressecção de diafragma, esplenectomia, pancreatectomia distal, ressecção hepática, ressecção de implante na porta hepática) e comparado com um grupo submetido à citorredução ótima através de cirurgia convencional (histerectomia, ooforectomia, omentectomia, linfadenectomia retroperitoneal) e a outro grupo de pacientes submetidas à cirurgia subótima. Foi concluído que as pacientes submetidas à ressecção de abdome superior demonstraram sobrevida média livre de doença equivalente ao grupo submetido à citorredução ótima, conseguida através de cirurgia convencional, e ambos os grupos foram superiores ao grupo de cirurgia subótima (24; 23 e 11 meses, respectivamente). O tempo operatório e a perda sanguínea foram consideravelmente maiores no primeiro grupo. A taxa de complicações cirúrgicas relevantes não foi significativamente diferente entre os grupos. Foi sugerido que a presença de doença volumosa no abdome superior parece não estar associada a biologia tumoral mais agressiva (Fig. 6).

O diafragma tem sido reportado como o sítio mais comum de metástases extrapélvicas no carcinoma epitelial ovariano avançado, com incidência variando de 18 a 24%. De forma surpreendente, a ressecção de metástases diafragmáticas tem sido reportada como a segunda maior

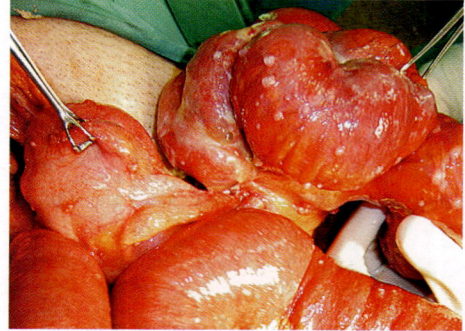

◀ **FIGURA 5.** Implantes miliares sobre alças de intestino delgado.

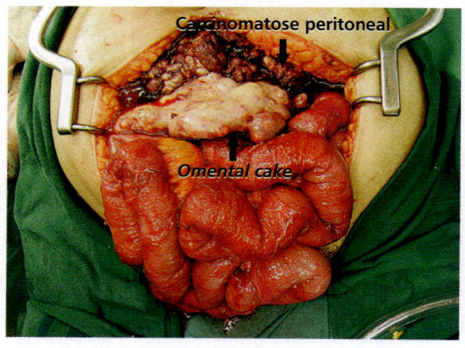

◀ **FIGURA 6.** Paciente com tumor de ovário avançado em que se observa *omental cake* e carcinomatose em andar superior de abdome.

dificuldade técnica, atrás apenas das metástases portais, para a realização da citorredução ótima. Este fato parece estar relacionado à limitada experiência, falta de treinamento específico e poucas publicações a respeito. Diversos autores têm proposto técnicas cirúrgicas variadas na abordagem das metástases diafragmáticas, dentre elas podemos citar: a ressecção isolada dos implantes, a ressecção *full thickness* diafragmática, a ablação por corrente monopolar, a utilização do aspirador cirúrgico ultrassônico e o *laser* de plasma de argônio.

Tsolakidis e Vergote publicaram um trabalho avaliando pacientes com carcinoma epitelial ovariano nos estágios III e IV, sendo que 89 pacientes foram submetidas à citorredução primária ótima envolvendo cirurgia diafragmática e 74 pacientes foram submetidas à laparotomia de intervalo seguida de citorredução também envolvendo abordagem diafragmática. Não houve diferença significativa entre a sobrevida livre de doença e a sobrevida global entre os dois grupos (15 *versus* 15% e 47 *versus* 40%, respectivamente). Apesar disto, a morbidade cirúrgica foi consideravelmente menor após laparotomia de intervalo, com menor taxa de hemotransfusão e menor permanência hospitalar.

Por outro lado, Fanfani e Fagotti publicaram um trabalho avaliando a abordagem cirúrgica diafragmática em 87 pacientes com carcinoma epitelial ovariano avançado ou recidivado. A sobrevida média livre de doença foi de 22 meses e a sobrevida global livre de doença foi de 30 meses nas pacientes submetidas à citorredução primária. Nas pacientes com doença recidivada, a sobrevida média global e livre de doença, calculada a partir do resgate cirúrgico, foi de 24 meses. A principal complicação pós-operatória foi o derrame pleural (42,5%) estando relacionado principalmente à mobilização hepática e ao tempo cirúrgico fundamental para uma segura e completa ressecção das metástases diafragmáticas. Foi concluído que a cirurgia diafragmática representa um passo crucial na citorredução das pacientes com carcinoma epitelial ovariano avançado ou recidivado.

Song *et al.* publicaram uma série com 11 pacientes com carcinoma epitelial ovariano avançado ou recidivado submetidas à citorredução ótima incluindo ressecção de implantes no sistema porta hepático. Não foram relatadas complicações maiores nem mortalidade relacionada ao ato operatório. A sobrevida média livre de doença foi 8 meses (1-21 meses). Os autores enfatizam a necessidade de abordagem cirúrgica conjunta com uma equipe de cirurgia hepatobiliar.

Linfadenectomia retroperitoneal

A drenagem de células malignas para linfonodos retroperitoneais é uma importante via de disseminação para o carcinoma ovariano. Diversos estudos têm demonstrado que esta área é um frequente sítio de disseminação, sendo que na doença inicial cerca da metade dos casos apresentará metástases com < 2 mm para os linfonodos retroperitoneais. Na doença avançada foi reportada uma média de 66% de acometimento nodal no estágio III. Apesar de diversos estudos avaliarem a incidência de acometimento nodal no câncer de ovário precoce e avançado, o real significado da abordagem cirúrgica dos linfonodos retroperitoneais ainda precisa ser mais bem esclarecido. Foi sugerido que os benefícios da linfadenectomia pélvica e para-aórtica são: estadiamento mais adequado da doença, definição do prognóstico e aumento da sobrevida. Porém, existe grande dificuldade em se estabelecer o real benefício da linfadenectomia retroperitoneal na doença avançada, principalmente decorrente da falta de uniformidade em relação ao conceito de cirurgia ótima, além de questões conceituais, como linfadenectomia seletiva, linfadenectomia sistemática e amostragem linfonodal.

Os proponentes da realização da linfadenectomia retroperitoneal sistemática no câncer de ovário sugerem que esta abordagem faz parte do princípio de citorredução ótima, além de sugerirem que o acometimento linfonodal ocorre em razão de uma doença mais agressiva, devendo ser tratada de forma mais radical (Fig. 7). Também é sugerido que as metástases nodais sejam relativamente quimiorresistentes em decorrência da menor aporte sanguíneo na região retroperitoneal (hipótese do santuário farmacológico). Um estudo norte-americano retrospectivo baseado nos dados do SEER (*Surveillance, Epidemiology, and End Results*) avaliou a importância da abordagem linfonodal nas pacientes com câncer de ovário em todos os estágios. Foi observado que mesmo

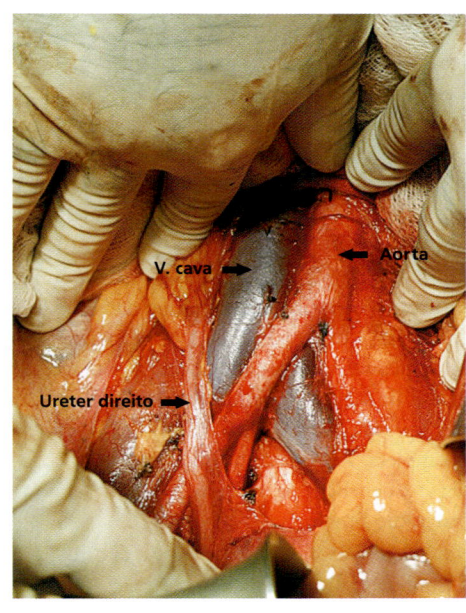

◀ **FIGURA 7.**
Linfadenectomia retroperitoneal intercavoaórtica por via transperitoneal até o nível das artérias renais e ilíaca bilateral.

nos estágios avançados, onde o risco de cirurgia incompleta e recidiva intraperitoneal aumenta, a linfadenectomia foi associada a um impacto positivo na sobrevida. Além disso, foi sugerido que, em uma análise univariada, existe uma associação significativa entre a extensão da linfadenectomia e o prognóstico da doença.

Por outro lado, um estudo europeu, prospectivo e multicêntrico, avaliou os resultados da linfadenectomia pélvica e para-aórtica nas pacientes com câncer de ovário avançado submetidas à citorredução ótima, sendo os resultados comparados com o grupo submetido também a cirurgia peritoneal ótima associada à abordagem retroperitoneal apenas para ressecção de linfonodos volumosos. Este estudo concluiu que, apesar de o grupo submetido à linfadenectomia sistemática apresentar sobrevida livre de doença em 5 anos superior (31,2 *versus* 21,6%), a sobrevida global em 5 anos foi semelhante para ambos os grupos (48,5 *versus* 47%). Além disso, o grupo submetido à linfadenectomia sistemática apresentou maior tempo cirúrgico, maior taxa de hemotransfusão e maior incidência de complicações, como linfedema e formação de linfocisto.

Apesar destas considerações, ainda não se sabe se as pacientes que apresentam doença residual mínima ou ausente após a citorredução ótima realizada através de histerectomia, salpingo-ooforectomia bilateral e omentectomia cursam com uma doença biologicamente menos agressiva em relação àquelas nas quais existe necessidade de citorredução radical através de ressecções multiorgânicas.

Neoadjuvância e laparotomia de intervalo

Levando-se em consideração que em muitos casos a citorredução cirúrgica ótima primária não é alcançada, os benefícios de um esquema quimioterápico de indução, antes da citorredução cirúrgica, têm sido testados, demonstrando aumento significativo na porcentagem de pacientes que conseguirão citorredução completa. Everett *et al.*, em uma série retrospectiva, observaram que a citorredução ótima foi conseguida em 86% das pacientes submetidas à quimioterapia neoadjuvante, contra 54% das pacientes abordadas com cirurgia primariamente.

Hegazy *et al.* sugeriram que em um subgrupo de pacientes com carcinoma ovariano avançado em que a ressecabilidade não é possível, a quimioterapia neoadjuvante ajuda a selecionar melhor as pacientes em que uma citorredução mais agressiva traria melhores resultados. Morris demonstrou que pacientes resistentes a quimioterapia neoadjuvante obtiveram pouco benefício com a citorredução subsequente. Rafii *et al.* também concluíram que a quimioterapia neoadjuvante poderia selecionar melhor as pacientes para a citorredução. Em um estudo recente, Le *et al.* observaram que após três ciclos de platina/taxano com caráter neoadjuvante, 36,1% das pacientes obtiveram resposta completa e após a cirurgia 80% das pacientes atingiram citorredução ótima (< 2 cm). Neste estudo, os resultados da quimioterapia neoadjuvante, em termos de sobrevida, foram comparáveis a todos os resultados publicados sobre pacientes tratadas com citorredução cirúrgica primária seguida de quimioterapia. Também foi concluído que a presença de doença residual após a cirurgia foi o único fator preditivo significativo relacionado à sobrevida livre de doença.

Colombo *et al.* publicaram um estudo em que as pacientes foram randomizadas em dois grupos: o grupo 1 submetido à cirurgia primária e o grupo 2 submetido à citorredução apenas ao término da quimioterapia. O grupo 1 teve sobrevida global de 38 meses, contra 26 meses no grupo 2, e apesar de 90% dos casos responderem a quimioterapia neoadjuvante, a sobrevida foi ainda menor nos casos em que a citorredução foi subótima. Foi sugerido que a sobrevida global está diretamente relacionada à extensão da doença no momento do diagnóstico, a biologia tumoral e a sensibilidade tumoral aos quimioterápicos. O autor conclui que a obtenção de uma cirurgia ótima com índices de morbidade limitados pode ser atingida em muitos casos com cirurgia primária. Porém, nos casos em que não há possibilidade de ressecção completa, a utilização de quimioterapia neoadjuvante acrescentou um ligeiro benefício na sobrevida livre de doença, desde que associada à citorredução ótima.

No início dos anos 1980, Bereck *et al.* noticiaram que a citorredução cirúrgica secundária também poderia melhorar os resultados da sobrevida naquelas pacientes em que a citorredução primária não foi alcançada. Este tipo de abordagem, conhecido como laparotomia de intervalo (*interval debulking*), foi definido como uma segunda cirurgia realizada após três ou quatro ciclos de quimioterapia em pacientes que tiveram uma citorredução primária subótima. Três estudos prospectivos e randomizados foram inicialmente realizados e atingiram conclusões diferentes.

Um trabalho conduzido por Redman *et al.* aparentemente falhou ao demonstrar algum benefício na laparotomia de intervalo, sendo fechado prematuramente.

Mais recentemente, o GOG publicou os resultados do protocolo 152, um estudo prospectivo e randomizado, avaliando os resultados da laparotomia de intervalo em pacientes com câncer de ovário avançado submetidas à cirurgia subótima. Foram avaliadas 550 pacientes com carcinoma ovariano estágio III/IV submetidas à citorredução subótima e posterior esquema com três ciclos de cisplatina com paclitaxel. Foram randomizadas em um grupo a ser submetido à laparotomia de intervalo e outro grupo-controle que seguiria com tratamento padrão. Não foi observada diferença significativa na sobrevida livre de doença e na sobrevida global entre os dois grupos (12,5 *versus* 12,7 meses e 36,2 *versus* 35,7 meses, respectivamente).

O ensaio europeu da EORTC, conduzido por Van de Burg, avaliou pacientes submetidas à citorredução subótima (> 1,0 cm) seguida de três ciclos de quimioterapia. Posteriormente foram randomizadas em um grupo submetido à laparotomia de intervalo seguida de quimioterapia adicional e outro grupo submetido apenas à quimioterapia adicional. As pacientes submetidas ao *interval debulking* demonstraram melhores resultados na sobrevida livre de doença e um aumento significativo de 6 meses na sobrevida média, quando comparadas àquelas não submetidas a tal.

Apesar de o EORTC ter sido o único trabalho prospectivo randomizado demonstrando benefício na sobrevida com a laparotomia de intervalo, algumas críticas foram feitas a ele: o esquema quimioterápico consistia em cisplatina/ciclofosfamida, enquanto no GOG 152 foi utilizado cisplatina/paclitaxel. Além disso, no EORTC a cirurgia primária não foi realizada por um ginecologista com treinamento oncológico, resultando em diferenças na extensão a citorredução, sendo encontrada doença residual > 1,0 cm após a cirurgia primária em 65% das pacientes *versus* 56% das pacientes no GOG 152. Isto foi traduzido em uma taxa de conversão de cirurgia subótima para ótima, após a quimioterapia, em 45% das pacientes no EORTC, comparadas com 36% no GOG 152. As diferenças nos resultados destes estudos parecem refletir diretamente o treinamento e a experiência dos cirurgiões envolvidos, sendo concluído que a cirurgia realizada por um ginecologista oncológico demonstrou evidente aumento na sobrevida, embora se continue a discussão sobre os benefícios da laparotomia de intervalo.

Quimioterapia intraperitoneal

O conceito de quimioterapia intraperitoneal para o tratamento do carcinoma epitelial ovariano existe há mais de 30 anos, porém até o momento sua utilização, técnica e resultados continuam controversos.

A presença de implantes disseminados pela superfície peritoneal, principal característica do carcinoma epitelial ovariano, torna esta modalidade terapêutica interessante, pois fornece o agente quimioterápico diretamente sobre o tumor. Os agentes quimioterápicos parecem se concentrar na cavidade peritoneal de forma mais efetiva, permitindo uma concentração local muito elevada, sem haver perda da concentração sistêmica.

Com base nestas observações Sugarbaker padronizou uma abordagem cirúrgica, inicialmente proposta para carcinomas gastrointestinais, incluindo a peritoniectomia durante a citorredução ótima e seguida da instilação do agente quimioterápico em temperaturas elevadas diretamente sobre a cavidade abdominopélvica. Atualmente utilizado para a carcinomatose peritoneal de origem ovariana, este procedimento envolve a ressecção ampla de toda a superfície peritoneal parietal e visceral com acometimento neoplásico, associado ou não à ressecção de outros órgãos e à linfadenectomia retroperitoneal seguida da instilação de cisplatina em altas doses, com temperatura entre 41° e 43° Celsius, mediante a colocação de catéteres peritoneais. O procedimento pode ser realizado pela técnica aberta (*Coliseum*) ou com abdome fechado, sem diferença nos resultados.

Sendo considerada a modalidade mais agressiva para o tratamento do carcinoma ovariano, cursa com considerável morbidade pós-operatória, apesar de relativa baixa mortalidade. Em uma análise sistemática, a mortalidade global foi inferior a 10%, sendo enfatizado que em dois centros com maior experiência não ocorreram óbitos, evidenciando que os resultados são diretamente relacionados à curva de aprendizado. Cabe ressaltar que se trata de uma cirurgia de alta complexidade e com morbidade elevada, devendo ser realizada por equipe multidisciplinar e treinada para tal procedimento, bem como um suporte hospitalar especializado para sua execução.

Cotte *et al.* publicaram uma série com 81 pacientes com carcinoma epitelial ovariano avançado ou recidivado tratadas com citorredução máxima, peritoniectomia e hipertermoquimioterapia, com cirurgia ótima sendo realizada em 45 pacientes. A sobrevida global foi de 28,4 meses e a sobrevida livre de doença foi de 19,2 meses. Raspagliesi *et al.* relataram uma sobrevida global em 5 anos de 15% e sobrevida livre de doença de 23,9 meses.

Um ensaio prospectivo e randomizado, protocolo GOG 104, avaliou 546 pacientes com carcinoma epitelial avançado submetidas à citorredução ótima (< 2,0 cm) e randomizadas para receber cisplatina intraperitoneal ou cisplatina intravenosa. O braço intraperitoneal teve sobrevida média global superior (49 *versus* 41 meses), porém, de forma surpreendente, naquelas pacientes em que a citorredução foi < 0,5 cm, não foi observada diferença significativa entre os dois tratamentos.

O ensaio GOG 172 utilizou combinação de cisplatina e paclitaxel intraperitoneal, sendo comparado com outro braço utilizando a mesma combinação intravenosa. A sobrevida média livre de doença foi de 23,8 meses no grupo intraperitoneal *versus* 18,3 meses no grupo-controle. Resposta patológica completa foi observada em 57% das pacientes no grupo intraperitoneal e 41% no grupo-controle.

Uma metanálise incluindo seis ensaios randomizados, totalizando 1.716 pacientes, conclui que a utilização de quimioterapia intraperitoneal está associada a melhor prognóstico, com aumento na sobrevida global e na sobrevida livre de doença nas pacientes com carcinoma epitelial ovariano no estágio III submetidas à citorredução ótima. Porém, também são relatadas as complicações relacionadas ao catéter e toxicidade relacionada à dose do quimioterápico.

Até o momento, a utilização de peritoniectomia seguida de hipertermoquimioterapia é considerada uma abordagem ainda em fase experimental, devendo ser realizada apenas dentro de protocolos específicos e em grandes centros com capacidade de suporte. Apesar de todas as evidências apontarem como uma técnica promissora, ainda são necessários mais estudos para definir seu real posicionamento no arsenal terapêutico contra o carcinoma epitelial ovariano.

Citorredução secundária

Inevitavelmente o carcinoma epitelial ovariano irá cursar com episódios de recidiva durante a história natural da doença. Uma das questões mais controversas no tratamento de segunda linha é a possível função da cirurgia durante a recidiva. Naquelas pacientes em que o intervalo livre de doença foi prolongado, principalmente acima de 24 meses, o principal argumento a favor da citorredução secundária é que a paciente apresenta alta probabilidade de responder novamente ao tratamento baseado em platina e a remoção da massa tumoral irá fornecer mais facilmente a droga ao sítio de recidiva. Nas pacientes apresentando progressão de doença ou consideradas quimiorresistentes, a função da citorredução secundária é ainda mais controversa. Apesar da possibilidade de remover grande parte ou toda a doença, o impacto desta abordagem sobre a história natural da doença deve ser questionado, pois uma quimioterapia subsequente provavelmente não traria benefícios a esta paciente quimiorresistente.

Um grande estudo retrospectivo norueguês com 789 pacientes avaliando a primeira recidiva do carcinoma ovariano em qualquer estágio concluiu que o intervalo livre de doença a partir do primeiro tratamento instituído é considerado fator prognóstico significativo para a sobrevida global. Também foi considerada como fator prognóstico a idade da paciente no momento da citorredução secundária. Benefício em termos de sobrevida foi claro para pacientes com citorredução secundária ótima seguida de quimioterapia quando comparadas com pacientes submetidas apenas à quimioterapia. Também foi concluído que a possibilidade de citorredução ótima é possível num significativo número de pacientes e que a presença de doença localizada torna mais factível a cirurgia, sendo a adequada seleção das pacientes considerada fator fundamental na decisão terapêutica. É sugerido que seja oferecida citorredução para pacientes com doença localizada independentemente do intervalo livre de doença e esta abordagem deve ser considerada para doença disseminada apenas caso o intervalo livre de doença seja superior a 24 meses.

Assim como na citorredução primária, a questão da recidiva em linfonodos retroperitoneais também é controversa. Um estudo publicado por Fotiou et al. avaliou a recidiva linfonodal isolada em pacientes com carcinoma epitelial ovariano. Foram avaliadas 21 pacientes submetidas à citorredução cirúrgica secundária para recidiva linfonodal isolada. A localização da doença linfonodal foi pélvica em quatro casos, para-aórtica em oito casos, pélvica e para-aórtica em quatro casos, inguinal em quatro casos e axilar em um caso. A citorredução completa foi conseguida em 17 (81%) pacientes. A sobrevida média livre de doença após a recidiva foi de 21 meses (0 a 115 meses) e a sobrevida média após a recidiva foi de 47 meses. A sobrevida média global após o diagnóstico inicial foi de 66 meses. Foi concluído que, quando bem selecionado, um subgrupo de pacientes com recidiva nodal isolada pode beneficiar-se da citorredução secundária, porém ainda são necessários mais estudos para definir a função da cirurgia nestas pacientes.

BIBLIOGRAFIA

Alberts DS, Liu PY, Hannigan EV et al. Intraperitoneal cisplatin plus intravenous cyclophosphamide versus intravenous cisplatin plus intravenous cyclophosphamide for stage III ovarian cancer. *N Engl J Med* 1996 Dec. 26;335(26):1950-55.

Aletti GD, Dowdy SC, Gostout BS et al. Aggressive surgical effort and improved survival in advanced-stage ovarian cancer. *Obstet Gynecol* 2006 Jan.;107(1):77-85.

Aletti GD, Dowdy SC, Podratz KC et al. Analysis of factors impacting operability in stage IV ovarian cancer: rationale use of a triage system. *Gynecol Oncol* 2007 Apr.;105(1):84-89. Epub 2006 Dec. 8.

Allen DG, Heintz AP, Touw FW. A meta-analysis of residual disease and survival in stage III and IV carcinoma of the ovary. *Eur J Gynaecol Oncol* 1995;16(5):349-56.

Berek JS, Hacker NF, Lagasse LD et al. Lower urinary tract resection as part of cytoreductive surgery for ovarian cancer. *Gynecol Oncol* 1982 Feb.;13(1):87-92.

Berek SJ, Friedlander M, Hacker FN. Epithelial ovarian, fallopian tube, and peritoneal cancer. Gynecologic oncology. 5th ed. Philadelphia. Lippincott, Williams & Wilkins, 2010. p. 453.

Bijelic L, Jonson A, Sugarbaker PH. Systematic review of cytoreductive surgery and heated intraoperative intraperitoneal chemotherapy for treatment of peritoneal carcinomatosis in primary and recurrent ovarian cancer. *Ann Oncol* 2007 Dec.;18(12):1943-50. Epub 2007 May 11.

Bridges J, Oram D. Management of advanced gynaecological malignancies. *Br J Hosp Med* 1993 Feb. 3-16; 49(3):191-99. Review.

Bristow RE, Montz FJ, Lagasse LD et al. Survival impact of surgical cytoreduction in stage IV epithelial ovarian cancer. *Gynecol Oncol* 1999 Mar.;72(3):278-87.

Brun JL, Rouzier R, Uzan S et al. External validation of a laparoscopic-based score to evaluate resectability of advanced ovarian cancers: clues for a simplified score. *Gynecol Oncol* 2008 Sept.;110(3):354-59. Epub 2008 June 24.

Burghardt E, Girardi F, Lahousen M et al. Patterns of pelvic and paraaortic lymph node involvement in ovarian cancer. *Gynecol Oncol* 1991 Feb.;40(2):103-6.

Cliby W, Dowdy S, Feitoza SS et al. Diaphragm resection for ovarian cancer: technique and short-term complications. *Gynecol Oncol* 2004 Sept.;94(3):655-60.

Colombo PE, Mourregot A, Fabbro M et al. Aggressive surgical strategies in advanced ovarian cancer: a monocentric study of 203 stage IIIC and IV patients. *Eur J Surg Oncol* 2009 Feb.;35(2):135-43. Epub 2008 Mar. 4.

Cotte E, Glehen O, Mohamed F et al. Cytoreductive surgery and intraperitoneal chemo-hyperthermia for chemo-resistant and recurrent advanced epithelial ovarian cancer: prospective study of 81 patients. *World J Surg* 2007 Sept.;31(9):1813-20.

Di Re F, Baiocchi G. Value of lymph node assessment in ovarian cancer: Status of the art at the end of the second millennium. *Int J Gynecol Cancer* 2000 Nov.;10(6):435-42.

Eisenhauer EL, Abu-Rustum NR, Sonoda Y et al. The addition of extensive upper abdominal surgery to achieve optimal cytoreduction improves survival in patients with stages IIIC-IV epithelial ovarian cancer. *Gynecol Oncol* 2006 Dec.;103(3):1083-90. Epub 2006 Aug. 4.

Eisenkop SM, Spirtos NM, Lin WC. "Optimal" cytoreduction for advanced epithelial ovarian cancer: a commentary. *Gynecol Oncol* 2006 Oct.;103(1):329-35. Epub 2006 July 31. Review.

Eisenkop SM, Spirtos NM, Lin WC. Splenectomy in the context of primary cytoreductive operations for advanced epithelial ovarian cancer. *Gynecol Oncol* 2006 Feb.;100(2):344-48. Epub 2005 Oct. 3.

Eisenkop SM, Spirtos NM. The clinical significance of occult macroscopically positive retroperitoneal nodes in patients with epithelial ovarian cancer. *Gynecol Oncol* 2001 July;82(1):143-49.

Everett EN, French AE, Stone RL et al. Initial chemotherapy followed by surgical cytoreduction for the treatment of stage III/IV epithelial ovarian cancer. *Am J Obstet Gynecol* 2006 Aug.;195(2):568-74.

Fagotti A, Ferrandina G, Fanfani F et al. Prospective validation of a laparoscopic predictive model for optimal cytoreduction in advanced ovarian carcinoma. *Am J Obstet Gynecol* 2008 Dec.;199(6):642.e1-e6. Epub 2008 Sept. 17.

Fanfani F, Fagotti A, Gallotta V et al. Upper abdominal surgery in advanced and recurrent ovarian cancer: role of diaphragmatic surgery. *Gynecol Oncol* 2010 Mar.;116(3):497-501. Epub 2009 Dec. 11.

Fotiou S, Aliki T, Petros Z et al. Secondary cytoreductive surgery in patients presenting with isolated nodal recurrence of epithelial ovarian cancer. *Gynecol Oncol* 2009 Aug.;114(2):178-82. Epub 2009 May 17.

Griffiths CT. Surgical resection of tumor bulk in the primary treatment of ovarian carcinoma. *Natl Cancer Inst Monogr* 1975 Oct.;42:101-4.

Hegazy MA, Hegazi RA, Elshafei MA et al. Neoadjuvant chemotherapy versus primary surgery in advanced ovarian carcinoma. *World J Surg Oncol* 2005 Aug. 31;3:57.

Hoskins WJ, Bundy BN, Thigpen JT et al. The influence of cytoreductive surgery on recurrence-free interval and survival in small-volume stage III epithelial ovarian cancer: a Gynecologic Oncology Group study. *Gynecol Oncol* 1992 Nov.;47(2):159-66.

Hunter RW, Alexander NDE, Soutter WP. Meta-analysis of surgery in advanced ovarian carcinoma: is maximum cytoreductive surgery an independent determinant of prognosis? *Am J Obstet Gynecol* 1992;166(2):504-11.

Jaaback J. Intraperitoneal chemotherapy for the initial management of primary epithelial ovarian cancer. *Cochrane Database of Systematic Reviews* 2006;(1):CD005340. DOI: 10.1002/14651858.CD005340. pub2.

Kehoe S, Powell J, Wilson S et al. The influence of the operating surgeon's specialisation on patient survival in ovarian carcinoma. *Br J Cancer* 1994 Nov.;70(5):1014-17.

Kikkawa F, Ishikawa H, Tamakoshi K et al. Prognostic evaluation of lymphadenectomy for epithelial ovarian cancer. *J Surg Oncol* 1995 Dec.;60(4):227-31.

Le T, Faught W, Hopkins L et al. Can surgical debulking reverse platinum resistance in patients with metastatic epithelial ovarian cancer? *J Obstet Gynaecol Can* 2009 Jan.;31(1):42-47.

Morris M, Gershenson DM, Wharton JT et al. Secondary cytoreductive surgery for recurrent epithelial ovarian cancer. *Gynecol Oncol* 1989 Sept.;34(3):334-38.

Motta EV. *Manejo cirúrgico dos tumores epiteliais avançados. Câncer ginecológico. tratamento multidisciplinar.* São Paulo: Dendrix, 2010. p. 46.

Oksefjell H, Sandstad B, Tropé C. The role of secondary cytoreduction in the management of the first relapse in ovarian cancer. *Ann Oncol* 2009 Feb.;20(2):286-93. Epub 2008 Aug. 25.

Ozols RF. Update on Gynecologic Oncology Group (GOG) trials in ovarian cancer. *Cancer Invest* 2004;22(Suppl 2):11-20.

Panici PB, Maggioni A, Hacker N et al. Systematic aortic and pelvic lymphadenectomy versus resection of bulky nodes only in optimally debulked advanced ovarian cancer: a randomized clinical trial. *J Natl Cancer Inst* 2005 Apr. 20;97(8):560-66.

Petru E, Lahousen M, Tamussino K et al. Lymphadenectomy in stage I ovarian cancer. *Am J Obstet Gynecol* 1994 Feb.;170(2):656-62.

Rafii A, Deval B, Geay JF et al. Treatment of FIGO stage IV ovarian carcinoma: results of primary surgery or interval surgery after neoadjuvant chemotherapy: a retrospective study. *Int J Gynecol Cancer.* 2007 July-Aug.;17(4):777-83. Epub 2007 Mar. 15.

Raspagliesi F, Kusamura S, Campos Torres JC et al. Cytoreduction combined with intraperitoneal hyperthermic perfusion chemotherapy in advanced/recurrent ovarian cancer patients: The experience of National Cancer Institute of Milan. *Eur J Surg Oncol* 2006 Aug.;32(6):671-75. Epub 2006 Apr. 18.

Redman CW, Warwick J, Luesley DM et al. Intervention debulking surgery in advanced epithelial ovarian cancer. *Br J Obstet Gynaecol* 1994 Feb.;101(2):142-46.

Robert E, Bristow, Rafael S et al. Survival effect of maximal cytoreductive surgery for advanced ovarian carcinoma during the platinum era: a meta-analysis. *J Clin Oncol* 2002 Mar.;20(5):1248-59.

Rose PG, Nerenstone S, Brady MF et al. Gynecologic Oncology Group. Secondary surgical cytoreduction for advanced ovarian carcinoma. *N Engl J Med* 2004 Dec. 9;351(24):2489-97.

Rouzier R, Bergzoll C, Brun JL et al. The role of lymph node resection in ovarian cancer: analysis of the Surveillance, Epidemiology, and End Results (SEER) database. *BJOG* 2010 Nov.;117(12):1451-58.

Salani R, Axtell A, Gerardi M et al. Limited utility of conventional criteria for predicting unresectable disease in patients with advanced stage epithelial ovarian cancer. *Gynecol Oncol* 2008 Feb.;108(2):271-75.

Song YJ, Lim MC, Kang S et al. Extended cytoreduction of tumor at the porta hepatis by an interdisciplinary team approach in patients with epithelial ovarian cancer. *Gynecol Oncol* 2011 May 1;121(2):253-57. Epub 2011 Jan. 28.

Spirtos NM, Eisenkop SM, Schlaerth JB et al. Second-look laparotomy after modified posterior exenteration: patterns of persistence and recurrence in patients with stage III and stage IV ovarian cancer. *Am J Obstet Gynecol* 2000 June;182(6):1321-27.

Steed H, Oza AM, Murphy J et al. A retrospective analysis of neoadjuvant platinum-based chemotherapy versus up-front surgery in advanced ovarian cancer. *Int J Gynecol Cancer* 2006 Jan.-Feb.;16(Suppl 1):47-53.

Tsolakidis D, Amant F, Leunen K et al. Comparison of diaphragmatic surgery at primary or interval debulking in advanced ovarian carcinoma: an analysis of 163 patients. *Eur J Cancer* 2011 Jan.;47(2):191-98. Epub 2010 Sept. 27.

van der Burg ME, van Lent M, Buyse M et al. The effect of debulking surgery after induction chemotherapy on the prognosis in advanced epithelial ovarian cancer. Gynecological Cancer Cooperative Group of the European Organization for Research and Treatment of Cancer. *N Engl J Med* 1995 Mar. 9;332(10):629-34.

Vasudev NS, Trigonis I, Cairns DA et al. The prognostic and predictive value of CA-125 regression during neoadjuvant chemotherapy for advanced ovarian or primary peritoneal carcinoma. *Arch Gynecol Obst* 2011 July;284(1):221-27.

Vergote I, De Wever I, Tjalma W et al. Neoadjuvant chemotherapy or primary debulking surgery in advanced ovarian carcinoma: a retrospective analysis of 285 patients. *Gynecol Oncol* 1998 Dec.;71(3):431-36.

Weber AM, Kennedy AW. The role of bowel resection in the primary surgical debulking of carcinoma of the ovary. *J Am Coll Surg* 1994 Oct.;179(4):465-70.

166-4 Câncer Não Epitelial de Ovário

Glauco Baiocchi Neto ■ Renato Almeida Rosa de Oliveira

INTRODUÇÃO

O câncer de ovário não epitelial compreende tumores de origem germinativa, do cordão sexual e do estroma, tumores metastáticos para os ovários e os subtipos muito raros, como os sarcomas ovarianos. Correspondem a cerca de 10% de todos os cânceres de ovário. Os tumores de células germinativas são mais comuns em jovens, sendo 5% de todas as neoplasias e 80% dos tumores malignos ovarianos dessa faixa etária. Os tumores derivados do cordão sexual e do estroma correspondem de 3 a 5% de todas as malignidades ovarianas, são mais comuns em mulheres adultas e têm manifestações clínicas que incluem alterações funcionais e hormonais. Ambas são neoplasias raras e têm incidência anual de 3,7/1.000.000 e 2,1/1.000.000 mulheres, respectivamente, para os tumores germinativos e para os de cordão sexual e estroma.[1,2]

As manifestações clínicas podem ser inespecíficas, porém a presença de dor pélvica aguda e sensação de peso na região hipogástrica é frequente. Alterações hormonais podem ocorrer, como irregularidade menstrual e alterações dos caracteres sexuais secundários nos tumores funcionantes, como será discutido adiante.

No Quadro 6 estão os subtipos histológicos, de acordo com a Organização Mundial da Saúde.[3,4]

TUMORES MALIGNOS DE CÉLULAS GERMINATIVAS DO OVÁRIO

São tumores originados das células germinativas primordiais ovarianas, com a maior parte ocorrendo na segunda e terceira décadas de vida. O subtipo histológico de tumor germinativo mais comum é o teratoma maduro ou cisto dermoide, uma lesão benigna que corresponde a 20% dos tumores dessa categoria. Entre as lesões malignas, o disgerminoma é o mais comumente encontrado.[5]

A manifestação clínica mais comum é o aparecimento de tumoração abdominal e dor, secundárias ao crescimento rápido, distensão da cápsula ovariana, hemorragia e necrose.

Apesar dessas características, a maioria dos casos é diagnosticada em estágio clínico precoce (EC I), em que a cirurgia pode ser a única modalidade terapêutica empregada, com sobrevida superior a 90%.[2]

Em virtude da idade jovem quando se apresentam tais lesões, o tratamento cirúrgico conservador deve ser sempre objetivado, com o intuito de preservar a fertilidade. O estadiamento cirúrgico adequado deve ser empregado e as indicações de quimioterapia adjuvante, consideradas e individualizadas, para alcançar os melhores resultados nesses tumores potencialmente curáveis.

A dosagem de marcadores tumorais deve ser sempre realizada no pré-operatório e inclui: alfafetoproteína (αFP), fração beta da gonadotrofina coriônica (β-HCG) e desidrogenase lática (DHL). O Quadro 7 resume as características clínicas de apresentação e a expressão de marcadores séricos que podem auxiliar no diagnóstico e seguimento das pacientes.

O estudo com exames de imagem no pré-operatório é fundamental. Usualmente a ultrassonografia é o exame inicialmente empregado. Podem ser utilizadas a tomografia computadorizada com contraste endovenoso e via oral e a ressonância nuclear magnética para refinamento diagnóstico e estadiamento. O achado de lesões sólidas em pacientes jovens deve aumentar a suspeita para disgerminoma. As características morfológicas do cisto dermoide são identificadas com facilidade pela ressonância.

Disgerminoma

É o tumor germinativo maligno mais comum, compreendendo 30 a 40% dos tumores germinativos, 1 a 3% de todos os tumores ovarianos e até 10% dos cânceres de ovário em mulheres com idade inferior a 20 anos.[1]

Aproximadamente 5% dos disgerminomas são encontrados em mulheres com anormalidades gonadais e de fenótipo. As meninas pré-menarca que se apresentam com massas pélvicas devem ter seu cariótipo determinado. Há associação ao gonadoblastoma, um tumor benigno com componentes de células germinativas e do cordão sexual-estroma.[2]

Quadro 6. Subtipos histológicos no câncer não epitelial de ovário

CLASSIFICAÇÃO DOS TUMORES DE CÉLULAS GERMINATIVAS

1. Disgerminoma
2. Teratoma
   - Maduro
   - Imaturo
3. Tumor do seio endodérmico *(yolk sac tumor)*
4. Carcinoma embrionário
5. Poliembrioma
6. Coriocarcinoma
7. Tumores mistos (dois ou mais componentes dos tipos acima)
8. Gonadoblastoma (composto de tumor de células germinativas e derivados do cordão sexual e estroma, ex.: Sertoli-Leydig)

CLASSIFICAÇÃO DE TUMORES DERIVADOS DE CORDÃO SEXUAL E ESTROMA

1. Tumor de células da granulosa
   - Juvenil
   - Adulto
2. Tumores do grupo tecoma-fibroma
   - Tecoma
   - Fibroma-fibrossarcoma
   - Tumor estroma esclerosante
3. Tumores de células de Sertoli-Leydig (androblastomas)
   - Tumor de células de Sertoli
   - Tumor de células de Leydig
   - Tumor de Sertoli-Leydig
4. Ginandroblastomas
5. Não classificados

Quadro 7. Relação entre tipo histológico do tumor germinativo maligno em relação a prevalência, lateralidade e expressão de marcadores tumorais

HISTOLOGIA	INCIDÊNCIA	BILATERALIDADE	β-HCG	AFP	LDH
Disgerminoma	40%	10-20%	+/−	−	+
Tumor do seio endomérmico	22%	Raro	−	+	+/−
Teratoma imaturo	20%	Raro, teratoma benigno comum no outro ovário	−	+/−	+/−
Carcinoma embrionário	Raro	Raro	+	+	+/−
Coriocarcinoma	Raro	Raro	+	−	−
Poliembrioma	Raro	Raro	+/−	+/−	+/−
Tumores mistos	10-15%	−			

Esses tumores podem chegar a apresentar grandes volumes e é comum a associação a outros tumores germinativos, formando os tumores mistos.

A elevação dos marcadores séricos é incomum, podendo ocorrer discreto aumento de β-HCG. A elevação do DHL está mais relacionada ao volume tumoral.[4]

Cerca de 65% dos disgerminomas encontram-se no estágio I ao diagnóstico (tumor confinado aos ovários), sendo 85 a 90% das vezes unilateral (estágio Ia: 65-75% dos casos; Ib: 10-15%; II e III: 15%; IV: 5%). Porém é o tumor germinativo com maior índice de bilateralidade.[5]

A disseminação preferencial do disgerminoma é por via linfática, com comprometimento retroperitoneal. A via hematogênica também pode ocorrer, porém a disseminação via transcelômica é incomum.[6]

Tratamento

O tratamento do disgerminoma é fundamentalmente cirúrgico, devendo-se realizar a ressecção do ovário comprometido pela lesão primária e estadiamento completo, incluindo lavado peritoneal, linfadenectomia pélvica e retroperitoneal sistemáticas e biópsias do peritônio. A preservação de fertilidade, com manutenção de útero, tuba uterina e ovário contralateral deverá ser sempre perseguida. A preservação da fertilidade pode ser realizada mesmo na presença de doença metastática, em virtude da grande sensibilidade à quimioterapia (Fig. 8).

A inspeção do ovário contralateral deve ser feita de forma cuidadosa, para considerar a preservação da fertilidade. Pequenos tumores encontrados na superfície ovariana remanescente poderão ser removidos cirurgicamente, preservando-se o órgão.

Com exceção dos casos em que a doença está comprovadamente confinada a um ovário (EC IA), a quimioterapia deverá ser empregada. A combinação de drogas mais comumente utilizada é bleomicina, platina e etoposide. As principais complicações a longo prazo são: fibrose pulmonar relacionada à bleomicina e leucemia mieloide aguda ao etoposide em 0,4 a 4,7% dos casos.

Controvérsia reside na reabordagem cirúrgica, que inclui a linfadenectomia com o objetivo de completar o estadiamento de tumores aparentemente EC IA sem estadiamento completo na cirurgia primária, pelo fato de a maioria dos tumores recidivados ser passível de resgate com quimioterapia. Em estudo recente do grupo MITO, todas as três pacientes com disgerminoma aparentemente EC IA que recidivaram foram resgatadas com sucesso pela quimioterapia, sugerindo que o seguimento vigilante nesses casos pode ser uma alternativa razoável.[7] Nas últimas 2 décadas, séries de grupos europeus sugeriram o seguimento e o estudo sobre o tema conduzido pelo *Children's Oncology Group*, em que foi avaliada a segurança da estratégia de seguimento, já foi fechado e seus resultados são aguardados.[8-12]

O disgerminoma também é um tumor sensível à radioterapia e tal modalidade de tratamento pode ser empregada mesmo em grandes volumes tumorais metastáticos. Porém a infertilidade é uma sequela deste tratamento e o emprego de radioterapia como primeira linha de tratamento deve ser conduta de exceção.

Doença recidivada

Aproximadamente 75% das recidivas ocorrem durante os primeiros 2 anos de seguimento.[5,6] Quimioterapia deverá ser oferecida, especialmente, nos casos em que não foi empregada como tratamento primário. Nos casos em que a quimioterapia foi previamente empregada, outro esquema de drogas deverá ser utilizado. O resgate cirúrgico poderá ser considerado em casos selecionados.

Prognóstico

O prognóstico geralmente é bom, mesmo nos casos recidivados (estágio Ia: sobrevida 95% em 5 anos; estágio avançado: sobrevida 85-90% em 5 anos).

Dados do SEER (*Surveillence, Epidemiology and End Results*) mostram taxa de acometimento linfonodal de 28% e sobrevida em 5 anos de 82,7%, comparada a 95,7% em casos de linfonodos negativos.[13]

Taxas de sobrevida entre 90% e 100% são observadas em pacientes com doença avançada que realizaram quimioterapia.[14]

Os fatores relacionados a mau prognóstico são: idade inferior a 20 anos ao diagnóstico, tamanho do tumor maior que 10-15 cm, alto índice mitótico, anaplasia e padrão medular. A bilateralidade está relacionada a doença mais avançada geralmente, porém não é fator independente de mau prognóstico.[15]

Teratoma imaturo

O teratoma imaturo contém elementos que se assemelham aos tecidos embriológicos e pode ocorrer de forma pura (1% de todos os tumores malignos do ovário) ou em associação a outros tumores germinativos. É responsável por até 20% dos casos de tumores malignos ovarianos em mulheres com idade inferior a 20 anos e por 30% das mortes nesse grupo.[1]

Histologicamente, a quantificação de tecido neural presente na lesão se correlaciona com o prognóstico. Lesões em que pequenas quantidades de neuroepitélio são identificadas (Grau 1) têm sobrevida de até 95%, enquanto as maiores quantidades (Graus 2 e 3) têm sobrevida de aproximadamente 85%. A transformação maligna dos teratomas maduros é evento raro e não é considerada como etiopatogenia desta doença.

Apresenta-se como lesão única, confinada a um ovário nas mulheres jovens, sendo a bilateralidade um evento raro. A forma de disseminação mais frequente é a peritoneal, e a disseminação linfática ocorre em menos de 10% dos casos.[13]

O controle da doença depende do emprego de quimioterapia e o papel da citorredução prévia à quimioterapia é controverso e sua indicação deve ser particularizada. A combinação de drogas mais comumente utilizada é de bleomicina, platina e etoposide.

Pacientes no estágio clínico IA, grau 1 têm bom prognóstico e não necessitam de quimioterapia adjuvante. Pacientes em estágios mais avançados se beneficiam do tratamento sistêmico.

A indicação de laparotomia *second-look* deve ser restrita aos casos de doença residual, pelo risco de *growing teratoma syndrome* devido ao crescimento de resquícios de teratoma maduro.[16]

O prognóstico está diretamente relacionado ao grau da lesão e ao emprego correto da cirurgia durante o tratamento primário. As ressecções incompletas ou a ruptura durante o procedimento podem comprometer de forma importante a sobrevida dessas pacientes.[17]

Tumor do seio endodérmico

São tumores raros derivados do saco vitelínico e acometem mulheres com idade média de 20 anos. É o terceiro tumor de células germinativas mais frequente e sua bilateralidade é muito rara.[1] A maior parte das pacientes se encontram em estágios precoces.

Sua sintomatologia é dor e tumoração pélvica em 2/3 dos casos. O marcador tumoral usualmente aumentado é a alfafetoproteína.

Histologicamente apresentam os corpúsculos de Schiller-Duval (ou do seio endodérmico) como sua característica.

O tratamento indicado é a cirurgia (salpingo-ooforectomia unilateral) seguida de quimioterapia em todos os casos. As drogas utilizadas são também bleomicina, platina e etoposide. A realização de histerectomia total e/ou salpingo-ooforectomia bilateral não altera a sobrevida.[18]

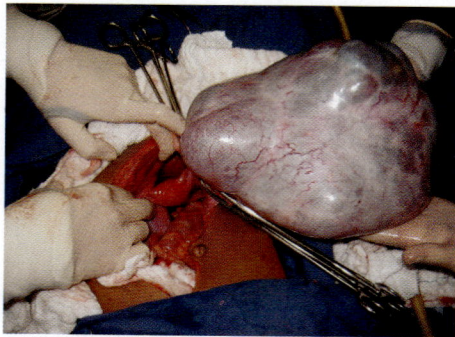

◀ **FIGURA 8.** Aspecto da pelve após laparotomia exploradora mostrando exemplo de disgerminoma puro em ovário direito.

Carcinoma embrionário

É um tumor extremamente raro, compreendendo apenas 4% de todos os tumores germinativos. A idade média de acometimento é de 15 anos.

Geralmente são tumores unilaterais e, em 50% dos casos são funcionantes, secretando estrógeno e levando a quadro de puberdade precoce e sangramento genital. Secretam alfafetoproteína e β-HCG.

O tratamento é cirúrgico, com salpingo-ooforectomia unilateral seguida de quimioterapia. Apresentam prognóstico ruim.

Coriocarcinoma

O coriocarcinoma se divide em gestacional e não gestacional sendo este último extremamente raro. Ocorre em 50% das vezes antes da pré-puberdade. Frequentemente aparece de forma mista associado a outros tumores de células germinativas, geralmente o disgerminoma. Secretam grandes quantidades de β-HCG.[19]

O tratamento cirúrgico prevê a salpingo-ooforectomia seguida de quimioterapia, a qual pode ser BEP (bleomicina, platina e etoposide) ou MAC (metotrexato, actinomicina D e ciclofosfamida), a exemplo do tratamento do tipo gestacional.[19]

TUMORES DERIVADOS DO CORDÃO SEXUAL E ESTROMA

Correspondem de 5 a 10% das neoplasias ovarianas, sendo o tumor de células da granulosa o mais frequente, com 70 a 85% dos casos. Noventa por cento do tumores ovarianos produtores de hormônios são derivados de cordão sexual e estroma.[1]

Tumores de células da granulosa

São os tumores mais frequentes desse grupo de neoplasias e perfazem um total de 1 a 2% de todas as malignidades ovarianas.[4]

Apresentam-se como tumorações com componente predominante sólido, unilaterais (bilateralidade em 2% dos casos) e o hemoperitônio por ruptura da cápsula ovariana é evento que pode ser encontrado.[4,20]

São divididos em dois grupos:

1. Subtipo adulto:
   - Corresponde a 95% dos casos.
   - Caracterizam-Se por produção de estrogênio.
   - Tumores geralmente de crescimento lento e baixo potencial de malignidade.
   - 5-10% ECI recorrem e normalmente após 5 anos de seguimento.
2. Subtipo juvenil:
   - Corresponde a 5% dos tumores de células granulosa.
   - Relacionado a puberdade precoce e sangramento uterino.
   - Normalmente limitado a um ovário.
   - Moderadamente diferenciado.

Decorrente da produção estrogênica, o câncer de endométrio sincrônico é encontrado em 5% dos casos e a hiperplasia endometrial, de 25 a 50% nas pacientes em pós-menopausa. Raramente podem causar virilização.[21-23]

Geralmente apresentam bom prognóstico por serem diagnosticados no estágio I. O padrão de recidiva é tardio, variando de 5 a 30 anos após o tratamento inicial.[24] A disseminação preferencial é peritoneal e hematogênica (pulmão e fígado), sendo as metástases linfáticas um evento menos frequente.

Histologicamente, identificam-se os corpúsculos de Carl-Exner e o marcador sérico específico que deve ser pesquisado é a inibina B, substância secretada por esses tumores e que está praticamente indetectável na pós-menopausa.

Tratamento

A cirurgia é o tratamento fundamental para os tumores das células da granulosa, sendo a salpingo-ooforectomia unilateral indicada nas pacientes jovens em que se deseja preservar a fertilidade. Atenção especial deve ser dada ao endométrio, o qual deve ser investigado, especialmente nos casos de sangramento anormal. Nas pacientes na pós-menopausa ou não desejosas de fertilidade, a histerectomia total com salpingo-ooforectomia bilateral é indicada, devendo-se realizar biópsia de congelação no transoperatório para avaliação endometrial (Fig. 9).

A realização de linfadenectomia de rotina nos tumores do cordão sexual-estroma não é indicada.[25-27] Brown *et al.* e Thrall *et al.* avaliaram respectivamente 58 e 47 pacientes submetidas a linfadenectomia para estadiamento e não foi encontrado nenhum caso de linfonodo comprometido.[25,27] Ainda no estudo de Brown *et al.*, dos 117 pacientes que recorreram, seis (5,1%) tinham metástase linfonodal associada no momento da recidiva e destes, apenas um caso apresentava recidiva linfonodal exclusiva.[27]

Os fatores de mau prognóstico são: estágio clínico, ruptura tumoral e índice mitótico > 10/10 cGA. O tamanho do tumor como fator prognóstico é controverso.

A indicação de tratamento adjuvante com quimioterapia é realizada nos estágios > I. Nos casos estágio I a indicação de quimioterapia adjuvante deverá ser individualizada. O melhor regime de quimioterapia baseado em platina não está bem estabelecido e o GOG está conduzindo um estudo comparando BEP *versus* carboplatina e paclitaxel.

Tumores das células de Sertoli-Leydig

São raras neoplasias ovarianas que compreendem apenas 0,2% dos cânceres de ovário. Acometem mulheres na terceira e quarta décadas de vida, com 75% das lesões em mulheres com idades inferiores a 40 anos. Usualmente são tumores de baixo potencial de malignidade. Seus sinônimos são androblastoma ou arrenoblastoma.

Tipicamente são produtores de hormônios e podem causar manifestações virilizantes ou feminilizantes. A bilateralidade é rara (2%).[28]

A amenorreia e os efeitos virilizantes são comuns, sendo estes encontrados em 70-85% dos casos (Fig. 10).[28]

Setenta por cento dos tumores de células de Sertoli produzem estrogênios e androgênios, enquanto 20% produzem androgênios apenas. Nos tumores de células de Leydig, 80% produzem androgênios, 10% produzem estrogênios e 10% são inertes.

Tratamento

A cirurgia é o tratamento fundamental nos tumores das células de Sertoli-Leydig, sendo a salpingo-ooforectomia o procedimento mais indicado nas pacientes em que se deseja preservar fertilidade.

A quimioterapia fica reservada aos raros casos de lesões pouco diferenciadas.

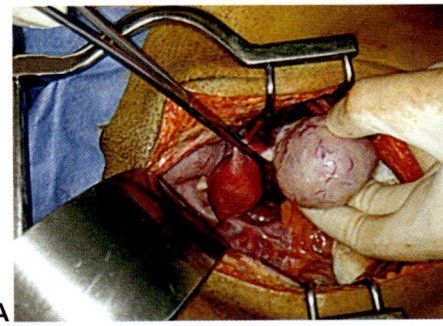
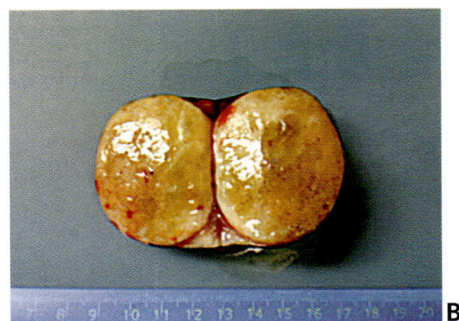

▲ **FIGURA 9.** (**A**) Aspecto da pelve após laparotomia exploradora mostrando exemplo de tumor da granulosa em ovário direito. (**B**) Aspecto da macroscopia do ovário.

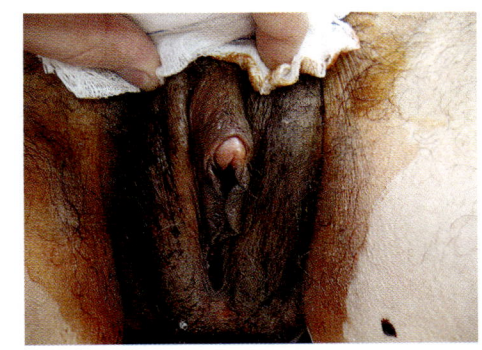

▲ **FIGURA 10.** Exemplo de virilização em paciente com tumor de cordão sexual ovariano.

Ginandroblastoma

São raros tumores unilaterais, mistos, caracterizados por conter células da granulosa e componentes de células de Sertoli-Leydig.[1]

Podem produzir estrogênio, portanto seus sintomas estão relacionados aos efeitos estrogênicos ou de virilização secundária.

Tumores de células da teca

Tumores benignos. Consistem em tumores formados por células neoplásicas do estroma ovariano com acúmulo de lipídios. A designação "tecoma" deve se restringir a tumores constituídos totalmente de células da teca benignas. Usualmente são unilaterais, sendo a bilateralidade encontrada em 2% dos casos.[1]

Os sintomas de sangramento uterino anormal e massa pélvica são encontrados, embora grande parte das pacientes possua sintomas inespecíficos ou seja totalmente assintomática.

Os tecomas são produtores de estrogênio. A associação com a hiperplasia endometrial se dá em 15 a 37% e com o câncer endometrial em até 25%.

O tratamento é exclusivamente cirúrgico com salpingo-ooforectomia unilateral.[1,23]

Fibromas

São os tumores ovarianos derivados do cordão sexual e estroma mais comuns. Ocorrem principalmente na pós-menopausa e são tumores benignos. A bilateralidade ocorre em 10% dos casos. Esses tumores não são produtores de estrogênio. Raramente podem apresentar aspectos de malignidade em sua constituição, sendo designados como fibrossarcomas.[1]

A sua associação a ascite e hidrotórax configura a síndrome de Meigs, que ocorre por alteração da capilaridade vascular secundária a substâncias secretadas pela lesão.

Estão presentes também no espectro de apresentação da síndrome de Gorlin, onde os fibromas aparecem em associação a múltiplos carcinomas basocelulares.[1]

O tratamento é exclusivamente cirúrgico, com salpingo-ooforectomia unilateral.

REFERÊNCIAS BIBLIOGRÁFICAS

1. Berek JS, Friedlander M, Hacker NF. Germ cell and other nonepithelial ovarian cancers. In: Berek JS, Hacker NF. (Eds.). *Berek & Hacker's gynecologic oncology*. 5th ed. Philadelphia: Lippincott Williams and Wilkins, 2010. p. 509-35.
2. Colombo N, Peiretti M, Castiglione M. Non-epithelial ovarian cancer: ESMO clincal recomendations for diagnosis, treatmente and follow up. *Ann Oncol* 2009;20:(S4)24-26.
3. Gershenson DM. Management of ovarian germ cells tumor. *J Clin Oncol* 2007;25(20):2938-43.
4. Reed N, Millan D, Verheijen R et al. Non-epithelial ovarian câncer: ESMO clinical guidelines for diagnosis, treatment and follow up. *Ann Oncol* 2010;21:(S5)31-36.
5. Gershenson DM. Management of early ovarian cancer: germ cell and sex-cord stromal tumors. *Gynecol Oncol* 1994;55:S62-72.
6. Mayordomo JI, Paz-Ares L, Rivera F et al. Ovarian and extragonadal malignant germ-cell tumors in females: a single institution experience with 43 patients. *Ann Oncol* 1994;5:225-31.
7. Mangili G, Sigismondi C, Lorusso D et al. Is surgical restaging indicated in apparent stage IA pure ovarian dysgerminoma? The MITO group retrospective experience. *Gynecol Oncol* 2011;121(2):280-84.
8. Dark GG, Bower M, Newlands ES et al. Surveillance policy for stage I ovarian germ cell tumors. *J Clin Oncol* 1997;15(2):620-24.
9. Mitchell PL, Al-Nasiri N, A'Hern R et al. Treatment of nondysgerminomatous ovarian germ cell tumors: an analysis of 69 cases. *Cancer* 1999;85(10):2232-44.
10. Cushing B, Giller R, Ablin A et al. Surgical resection alone is effective treatment for ovarian immature teratoma in children and adolescents: a report of the Pediatric Oncology Group and the Children's Cancer Group. *Am J Obstet Gynecol* 1999;181(2):353-58.
11. Marina NM, Cushing B, Giller R et al. Complete surgical excision is effective treatment for children with immature teratomas with or without malignant elements: a Pediatric Oncology Group/Children's Cancer Group Intergroup study. *J Clin Oncol* 1999;17(7):2137-43.
12. Göbel U, Schneider DT, Calaminus G et al. Germ-cell tumors in childhood and adolescence: GPOH MAKEI and the MAHO study groups. *Ann Oncol* 2000;11(3):263-71.
13. Kumar S, Shah JP, Bryant CS et al. The prevalence and prognostic impact of lymph node metastasis in malignant germ cell tumors of the ovary. *Gynecol Oncol* 2008;110(2):125-32.
14. Gershenson DM, Morris M, Cangir A et al. Treatment of malignant germ cell tumors of the ovary with bleomycin, etoposide, and cisplatin. *J Clin Oncol* 1990;8(4):715-20.
15. Mahdi H, Kumar S, Seward S. Prognostic impact of laterality in malignant ovarian germ cell tumors. *Int J Gynecol Cancer* 2011;21(2):257-62.
16. Culine S, Lhomme C, Michel G et al. Is there a role for second-look laparotomy in the management of malignant germ cell tumors of the ovary? Experience at Institut Gustave Roussy. *J Surg Oncol* 1996;62(1):40-45.
17. Lai CH, Chang TC, Hsueh S et al. Outcome and prognostic factors in ovarian germ cell malignancies. *Gynecol Oncol* 2005;96(3):784-91.
18. Fujita M, Inoue M, Tanizawa O et al. Retrospective review of 41 patients with endodermal sinus tumor of the ovary. *Int J Gynecol Cancer* 1993;3(5):329-35.
19. Oliva E, Andrada E, Pezzica E et al. Ovarian carcinomas with choriocarcinomatous differentiation. *Cancer* 1993;72(8):2441-46.
20. Miller BE, Barron BA, Wan JY et al. Prognostic factors in adult granulosa cell tumor of the ovary. *Cancer* 1997;79(10):1951-55.
21. Segal R, DePetrillo AD, Thomas G. Clinical review of adult granulosa cell tumors of the ovary. *Gynecol Oncol* 1995;56(3):338-44.
22. Cronjé HS, Niemand I, Bam RH et al. Review of the granulosa-theca cell tumors from the emil Novak ovarian tumor registry. *Am J Obstet Gynecol* 1999;180(2 Pt 1):323-27.
23. Aboud E. A review of granulosa cell tumours and thecomas of the ovary. *Arch Gynecol Obstet* 1997;259(4):161-65.
24. Malmström H, Högberg T, Risberg B et al. Granulosa cell tumors of the ovary: prognostic factors and outcome. *Gynecol Oncol* 1994;52(1):50-55.
25. Thrall MM, Paley P, Pizer E et al. Patterns of spread and recurrence of sex cord-stromal tumors of the ovary. *Gynecol Oncol* 2011;122(2):242-45.
26. Abu-Rustum NR, Restivo A, Ivy J et al. Retroperitoneal nodal metastasis in primary and recurrent granulosa cell tumors of the ovary. *Gynecol Oncol* 2006;103(1):31-34.
27. Brown J, Sood AK, Deavers MT et al. Patterns of metastasis in sex cord-stromal tumors of the ovary: can routine staging lymphadenectomy be omitted? *Gynecol Oncol* 2009;113(1):86-90.
28. Roth LM, Anderson MC, Govan AD et al. Sertoli-Leydig cell tumors: a clinicopathologic study of 34 cases. *Cancer* 1981;48(1):187-97.

SEÇÃO IV
Cirurgia em Ginecologia Oncológica

CAPÍTULO 167
Gravidez e Câncer Ginecológico

Juliano Rodrigues da Cunha ■ Marcelo Biasi Cavalcanti
Giulliana Martines Moralez ■ Joyce Christina Ribeiro de Souza

INTRODUÇÃO

O câncer ginecológico na gravidez é um evento pouco frequente, mas muito complexo para o casal, principalmente para a mulher. A preocupação com a gestação se mistura ao impacto que a doença causa, inclusive em termos de incerteza para o presente e o futuro. Por outro lado, a vida moderna fez com que as mulheres optassem por constituir a prole em uma fase mais tardia, o que em alguns momentos pode ser precedido por um diagnóstico de neoplasia ginecológica, gerando problemática bastante peculiar frente ao achado de um tumor maligno e a vontade de gestar (Fig. 1). As estatísticas americanas apresentam, respectivamente, um percentual de 8, 12 e 40% de diagnóstico de neoplasias de endométrio, ovário e colo uterino em mulheres na idade fértil.[1,2]

O foco primário do tratamento do câncer ginecológico foi, por muito tempo, baseado apenas na erradicação da doença, independentemente do impacto na fertilidade e na qualidade de vida. Nos dias atuais, com os avanços ocorridos nas diversas áreas da oncologia, já somos capazes de realizar tratamentos com excelentes resultados, incluindo qualidade de vida e a possibilidade de preservação da fertilidade ("oncofertilidade").[3]

A definição do melhor tratamento deve ser conduzida pelo cirurgião oncológico e sua equipe multiprofissional, juntamente com a paciente e seus familiares, para que possam ser esclarecidas todas as dúvidas acerca dos procedimentos, incluindo os riscos e resultados de cada tática escolhida.

A opção escolhida, independentemente de qual tenha sido, deverá ser realizada por uma equipe especializada, uma vez que o cirurgião e sua técnica cirúrgica são fatores determinantes para o sucesso do tratamento das neoplasias ginecológicas.

O objetivo deste capítulo é descrever as opções terapêuticas buscando sempre o equilíbrio entre o bem-estar materno-fetal associado à segurança oncológica. Abordaremos as neoplasias de colo uterino, de ovário (com suas variantes) e de endométrio mais prevalentes nas mulheres em idade fértil e que desejam preservar a fertilidade.

CÂNCER DE COLO UTERINO

A neoplasia do colo uterino é a neoplasia ginecológica mais frequente em nosso país, diretamente relacionada ao vírus HPV e suas lesões precursoras (lesões de baixo e alto graus – neoplasias intraepiteliais cervicais/NIC) acometendo número considerável de pacientes em idade fértil. A incidência de câncer de colo uterino invasor durante a gravidez varia de 0,02 a 0,9%. A partir de amplo conhecimento da carcinogênese cervical, conseguimos evoluir no diagnóstico precoce, o que possibilita atuarmos de maneira mais conservadora sem a diminuição das taxas de cura e sobrevida.[4-6]

A gravidez em pacientes com câncer cervical invasor usualmente varia entre 0,5 e 5%. A incidência de carcinoma cervical *in situ* é de

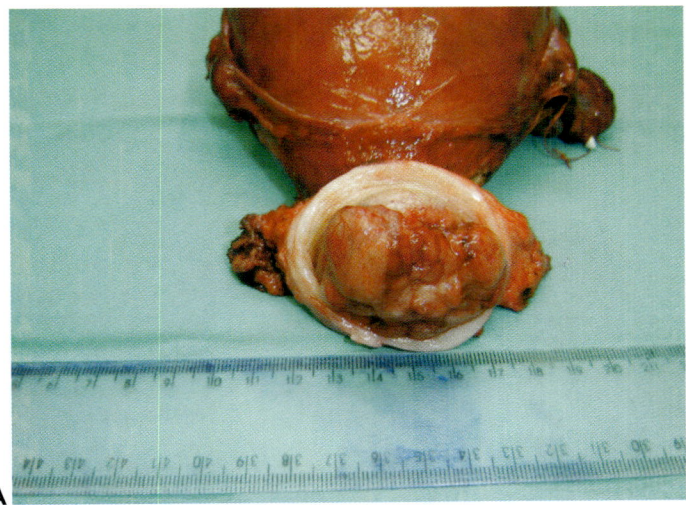 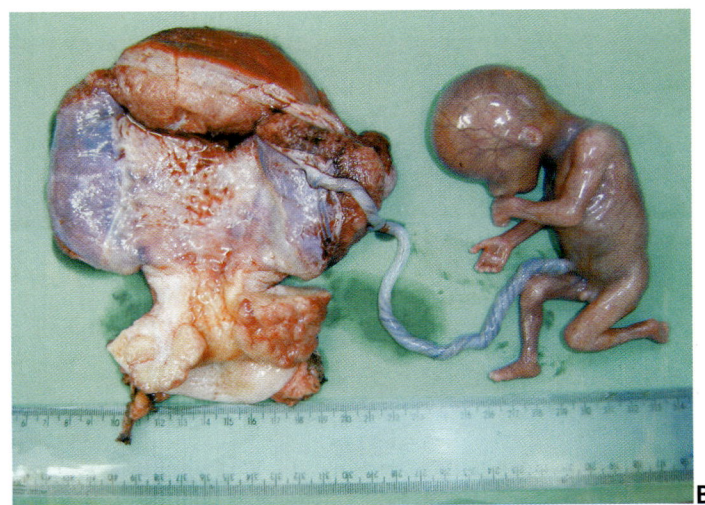

▲ **FIGURA 1.** Histerectomia com feto intraútero e do útero fechado. (**A**) Útero gravídico – Wertheim Meigs – Lesão IB2. (**B**) Wertheim Meigs em paciente de 28 anos – 14 semanas de gestação.

0,013% em mulheres grávidas.[4,5] A prevenção deve ser estimulada por meio das políticas públicas de saúde, o que também aumenta a frequência do diagnóstico da doença em fase inicial.

Qualquer lesão cervical suspeita observada durante a gestação deve ser avaliada e biopsiada. Nos casos em que a citologia cervicovaginal for positiva para células malignas e o diagnóstico de neoplasia invasora não puder ser realizado através de colposcopia e biópsia, deverá ser considerada a possibilidade de uma conização para confirmação.

A conização, por apresentar riscos à mulher e ao feto, só deverá ser feita no segundo trimestre, nos casos em que a colposcopia for insatisfatória e a citologia cervicovaginal apresentar forte evidência de neoplasia invasora. Quando realizada no primeiro trimestre, pode apresentar risco de abortamento em até 33%.[5]

Uma vez feito o diagnóstico, a terapêutica deve ser definida considerando tanto o estadiamento quanto a idade gestacional.

As pacientes com carcinoma *in situ* ou em estágio IA podem aguardar, com segurança, até a maturidade fetal para a realização do tratamento definitivo. Pacientes que apresentam invasão menor que 5 mm podem aguardar até o termo, com programação de cesariana seguida de histerectomia radical modificada ou traquelectomia radical associada a linfadenectomia pélvica (via laparoscópica ou laparotômica). Nos casos de doença mais avançada, a decisão do tratamento dependerá da idade gestacional e do desejo da paciente.[7,8]

As pacientes em estágio IB1 devem realizar o parto cesáreo seguido de histerectomia radical associada a linfadenectomia pélvica. Com os avanços dos métodos diagnósticos em obstetrícia e dos cuidados em neonatologia, tem sido cada vez maior a taxa de sucesso entre neonatos nascidos com mais de 28 semanas.[5]

As portadoras de carcinoma invasor que apresentam doença locorregional avançada tipo *bulky*, assim como aquelas em estágio II-IV são candidatas à radioterapia. Nos casos em que o diagnóstico já for feito com feto viável, deverá ser realizada a cesariana e iniciada a radioterapia no pós-operatório. Quando o diagnóstico ocorrer no primeiro trimestre, o tratamento radioterápico (radioterapia externa) deverá iniciar o abortamento espontâneo antes de atingir a dose de 40 Gy. A conduta de aguardar o início do tratamento baseando-se na maturidade respiratória fetal deve ser considerada quando o diagnóstico acontecer no segundo trimestre. A quimioterapia neoadjuvante baseada em paclitaxel e platina também tem sido relatada, em casos específicos, até a obtenção da maturidade fetal e a realização do tratamento definitivo.[8]

Há controvérsias quanto à existência de diferença de prognóstico ou de sobrevida entre as pacientes portadoras de câncer de colo uterino gestantes com aquelas não gestantes.

A literatura menciona episódios de recidiva no sítio da episiotomia nos casos em que a neoplasia invasora cervical foi diagnosticada após o parto vaginal.[9]

Pacientes com carcinoma estágios IA2 e IB1 diagnosticado no segundo trimestre de gestação têm sido tratadas com sucesso com traquelectomia radical abdominal e linfadenectomia pélvica, mantendo a viabilidade fetal.[10-16]

A traquelectomia radical para o tratamento de carcinoma cervical em estágios precoces tem sido utilizada também como uma opção para preservar a fertilidade em mulheres em idade reprodutiva. Esse procedimento – que pode ser feito por via transvaginal, transabdominal (Fig. 2), laparoscópica ou robótica – consiste na remoção de colo uterino, tecidos parametriais e paravaginais, porção superior da vagina, cerclagem uterina e anastomose istmovaginal, acompanhada de linfadenectomia pélvica. O tema será mais bem apresentado em capítulo específico.[17,18]

CÂNCER DE ENDOMÉTRIO

O câncer de endométrio ocupa a segunda posição em incidência entre tumores ginecológicos no Brasil e a primeira posição nos EUA.[1,2] Atualmente é dividido em tipo I ou II, sendo que o tipo I é representado em sua maioria pelo carcinoma endometrioide, responsável por 80% dos casos de câncer de endométrio, sendo que 20% destes casos ocorrem em mulheres no menacme, e 2 a 14% antes dos 40 anos.[19]

Carcinomas

A cirurgia conservadora, na maioria dos casos, não está indicada, devendo ser realizada a histerectomia total, salpingo-ooforectomia bilateral, omentectomia inframesocólica e linfadenectomia pélvica e para-aórtica nos casos específicos (histologia, invasão miometrial).[20]

A literatura demonstra que é possível preservar a fertilidade utilizando a hormonoterapia (medoxiprogesterona) no tratamento do câncer de endométrio, em casos específicos, sabendo que não é o tratamento padrão e sim de exceção. Também pode ser empregada a ablação endometrial histeroscópica associada a hormonoterapia sistêmica ou intrauterina, com bons resultados.[21]

Como critérios de seleção para tratamento com preservação da fertilidade no carcinoma de endométrio, temos:

1. Paciente: jovem nulípara com desejo de preservar fertilidade.
2. Tipo histológico: adenocarcinoma endometrioide bem-diferenciado.
3. Estágio: Ia, ou seja, invasão superficial do miométrio com ausência de linfonodo suspeito ou tumor sincrônico de ovário.
4. Ausência de contraindicações a hormonoterapia.
5. Consentimento informado: ressaltando que não é o tratamento padrão.
6. Paciente ciente de todo o protocolo de seguimento intensivo e da possibilidade de histerectomia em qualquer sinal de progressão.
7. Facilidade da paciente e do médico, em relação a acesso aos exames necessários ao seguimento.
8. Médico com experiência em tratamento de carcinoma endometrioide.

Com relação aos resultados obtidos com a hormonoterapia, os trabalhos demonstram cerca de 50% taxas de resposta completa, 25% de resposta não duradoura e 25% de ausência de resposta. O índice de gravidez após o tratamento conservador é de cerca de 30%.[22,23]

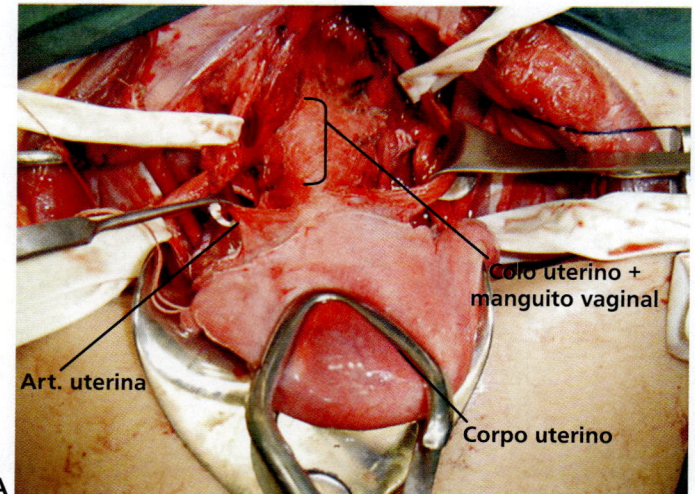
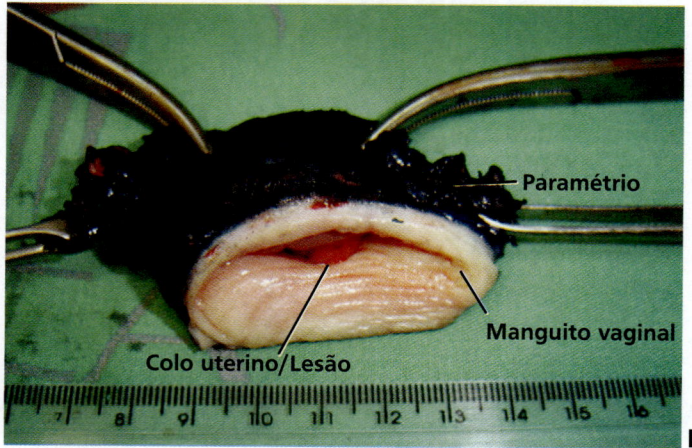

▲ **FIGURA 2.** (**A**) Traquelectomia radical em paciente nulípara de 19 anos. (**B**) Peça cirúrgica.

Após gestar não existe consenso, mas uma conduta razoável seria considerar a realização da cirurgia radical. As séries existentes são pequenas e demonstram taxas de recidiva tardia (acima de 1 ano da resposta completa). Destas, 80% parecem responder à nova hormonoterapia, porém há vários relatos de progressão de doença e intratabilidade em casos que inicialmente seriam curáveis com o tratamento padrão.[22]

SARCOMAS UTERINOS

Carcinossarcoma

São tumores de comportamento extremamente agressivo, não sendo possível propor a cirurgia preservada da fertilidade.[24]

Leiomiossarcoma

Os leiomiossarcomas são tumores raros e agressivos, entretanto, o diagnóstico incidental pode ser feito após miomectomia, em situações especiais, quando a histologia for de baixo grau pode ser tomada uma conduta preservadora da fertilidade, sendo imprescindível seguimento rigoroso e programação de complementação cirúrgica após constituição da prole. A linfadenectomia parece estar indicada apenas nos casos de doença extrauterina e achados de linfonodos suspeitos no intraoperatório.[25,26]

Sarcoma do estroma endometrial e adenossarcoma

A padronização de conduta nestes tumores é tarefa difícil, pela raridade; a indicação de cirurgia preservadora da fertilidade é semelhante aos casos de leiomiossarcoma. É importante o esclarecimento das pacientes quanto à necessidade de um controle rigoroso e a possibilidade de recidiva.[26]

CÂNCER DE OVÁRIO

Tumores epiteliais

Aproximadamente 25% das pacientes apresentam estágios iniciais ao diagnóstico, o que pode representar a preservação da fertilidade nos casos com doença confirmadamente restrita ao ovário (estágios IA e IB), para aquelas pacientes nulíparas e/ou que desejam constituir prole. Embora não haja consenso a respeito desta matéria, alguns raros autores realizam, nestes casos, o tratamento cirúrgico oncológico conservador (salpingo-ooforectomia unilateral, omentectomia inframesocólica, linfadenectomia pélvica e para-aórtica, biópsias peritoneais). Não é recomendada a biópsia do ovário contralateral.[27]

Vale ressaltar que, nos casos de prole constituída, independentemente do estágio da doença, o tratamento de escolha será o radical clássico. Nos casos de tumores epiteliais mucinosos, a apendicectomia também deverá ser realizada. A quimioterapia adjuvante não está indicada nos estágios IA e IB naqueles de histologia bem diferenciada.

A laparoscopia pode ser utilizada para abordagem das lesões de ovário com vistas à ressecabilidade e citorredução, com o cuidado de não romper o tumor, retirando-o sem contaminar a parede abdominal.[27]

Tumores borderline (baixo potencial de malignidade)

Os tumores borderline correspondem entre 10 a 20% dos tumores epiteliais de ovário, atingindo mulheres jovens, entre 15 e 29 anos, o diagnóstico da maioria é feito em estágio precoce, proporcionando taxas de sobrevida em 5 anos que chegam até a 98%.

As pacientes com diagnóstico de tumor borderline durante a gestação ou que desejam preservar a fertilidade têm como opção de tratamento a cirurgia conservadora com preservação de útero, ovário e tuba uterina contralaterais. A gravidez parece não afetar o prognóstico e a maioria das pacientes consegue evoluir ao termo sem intercorrências (Fig. 3).

Muitos estudos têm demonstrado excelentes resultados com a cirurgia conservadora (salpingo-ooforectomia unilateral, cistectomia). Entretanto, a taxa de recidiva chega a 12% nas pacientes tratadas com cirurgia conservadora, enquanto é de 2,5% nas pacientes tratadas com histerectomia e salpingo-ooforectomia bilateral.[28]

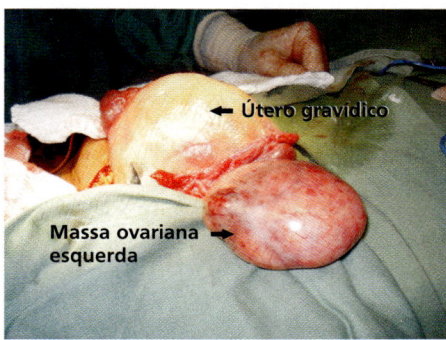

◀ **FIGURA 3.** Paciente com massa anexial esquerda que optou por levar sua gravidez a termo.

Disgerminomas

Os disgerminomas são os principais tumores da linhagem germinativa, acometem principalmente adolescentes e mulheres jovens, em idade reprodutiva e, na maioria das vezes, sem prole constituída. Em comparação com os tumores de linhagem epitelial, apresentam índices de sobrevida próximos de 96% em 5 anos para os estágios iniciais e próximos de 80% nos casos de doença avançada. Por apresentarem resultados satisfatórios de sobrevida e atingirem uma faixa etária peculiar, tornou-se possível a realização da cirurgia preservadora da fertilidade, constituída na salpingo-ooforectomia unilateral e até mesmo a cistectomia, em casos selecionados.[29,30]

Apesar da preservação da fertilidade, a abordagem cirúrgica deve contemplar o estudo da citologia peritoneal, biópsias peritoneais, omentectomia e a linfadenectomia pélvica e retroperitoneal (amostragem ou completa).[29,30]

Tumores do cordão sexual

Os tumores do cordão sexual são considerados, em sua maioria, como neoplasias de baixo grau de malignidade, geralmente diagnosticadas em estágio I, merecendo a análise para uma possível cirurgia preservadora da fertilidade. É importante esclarecer sobre o risco de recidiva nos tumores de células da granulosa, o que não inviabiliza a indicação da cirurgia conservadora.[31]

O benefício da linfadenectomia para os estágios iniciais é controverso, exceto nos tumores de grau histológico III.[32]

Massas abdominais durante a gestação

A cirurgia está indicada após 15 semanas de gestação para massas ovarianas que persistem no segundo trimestre e que são maiores que 5-10 cm de diâmetro ou têm um componente sólido à ultrassonografia. Durante a gestação, o estadiamento cirúrgico é feito com salpingo-ooforectomia unilateral, citologia peritoneal e exploração da cavidade. A maioria das massas é benigna, mas caso seja confirmada malignidade, os demais procedimentos de estadiamento devem ser concluídos após o parto. Se a quimioterapia é indicada, recomenda-se postergá-la até o parto, ou pelo menos até 20 semanas de gestação, para minimizar o risco de toxicidade fetal.[33]

TECNOLOGIAS DE REPRODUÇÃO ASSISTIDA

Em conjunto com o refinamento das técnicas cirúrgicas que buscam a preservação dos órgãos essenciais para a gestação, muitos avanços também têm ocorrido nas tecnologias de reprodução assistida, que auxiliam a manutenção da fertilidade nas mulheres com diagnóstico de neoplasia. Os dois principais métodos são a criopreservação de embriões e a criopreservação de oócitos, apresentando taxas de sucesso que variam de 30 a 60% em centros especializados. A criopreservação de oócitos ainda é considerada método experimental pela *American Society of Reproductive Medicine* (ASRM), tendo como característica não necessitar de doador de esperma.[3,34,35]

CONSIDERAÇÕES FINAIS

O tratamento oncológico deve ter como objetivo a busca pelos melhores resultados, incluindo qualidade de vida para as pacientes. Neste contexto, a cirurgia preservadora da fertilidade juntamente com as técnicas de reprodução assistida devem fazer parte do arsenal terapêutico do especialista, para que, em casos selecionados, seja possível tratar a neoplasia e preservar a possibilidade de gestar.

REFERÊNCIAS BIBLIOGRÁFICAS

1. Brasil. Ministério da Saúde. Instituto Nacional de Câncer. *Estimativa 2010: incidência de câncer no Brasil*. Rio de Janeiro: INCA, 2009. Disponível em: http://www.inca.gov.br/estimativa/2010/
2. SEER Cancer Statistics. Acesso em: 3 Feb. 2010. Disponível em: http://seer.cancer.gov
3. Noyes N et al. Fertility considerations in the management of gynecologic malignancies. *Gynecol Oncol* 2011;120:326-33.
4. Hacker NF, Berek JS, Lagasse LD et al. Carcinoma of the cervix associated with pregnancy. *Obstet Gynecol* 1982;59:735.
5. Tseng CJ, Horng SG, Soong YK et al. Conservative conization for microinvasive carcinoma of the cervix. *Am J Obstet Gynecol* 1997;176:1009.
6. Kivlahan C, Ingram E. Papanicolaou smears without endocervical cells. Are they inadequate? *Acta Cytol* 1986;30:258.
7. Shingleton HM, Orr JW. *Cancer of the cervix*. Philadelphia: JB Lippincott, 1995.
8. Sood AK, Sorosky JI, Mayr N et al. Radiotherapeutic management of cervical carcinoma that complicates pregnancy. *Cancer* 1997;80:1073.
9. Van den Broek NR, Lopes AD, Ansink A et al. "Microinvasive" adenocarcinoma of the cervix implanting in an episiotomy scar. *Gynecol Oncol* 1995;59:297.
10. Abu-Rustum NR, Tal MN, DeLair D et al. Radical abdominal trachelectomy for stage IB1 cervical cancer at 15-week gestation. *Gynecol Oncol* 2010 Jan.;116(1):151-52.
11. Ben-Arie A, Levy R, Lavie O et al. Conservative treatment of stage IA2 squamous cell carcinoma of the cervix during pregnancy. *Obstet Gynecol* 2004 Nov.;104(5 Pt 2):1129-31.
12. Enomoto T, Yoshino K, Fujita M et al. A successful case of abdominal radical trachelectomy forcervical cancer during pregnancy. *Eur J Obstet Gynecol Reprod Biol* 2011 Oct.;158(2):365-66.
13. Iwami N, Ishioka SI, Endo T et al. First case of vaginal radical trachelectomy in a pregnant Japanese woman. *Int J Clin Oncol* 2011 Dec.;16(6):737-40.
14. Mandic A, Novakovic P, Nincic D et al. Radical abdominaltrachelectomy in the 19th gestation week in patients with early invasive cervical carcinoma: case study and overview of literature. *Am J Obstet Gynecol* 2009 Aug.;201(2):e6-8.
15. Sioutas A, Schedvins K, Larson B et al. Three cases of vaginal radical trachelectomy during pregnancy. *Gynecol Oncol* 2011 May 1;121(2):420-21.
16. Ungár L, Smith JR, Pálfalvi L et al. Abdominal radical trachelectomy during pregnancy to preserve pregnancy and fertility. *Obstet Gynecol* 2006 Sept.;108(3 Pt 2):811-14.
17. Dargent D, Brun JL, Roy M et al. La trachelectomie elargie (T.E.), une alternative à l'hysterectomie radicale dans le traitement des cancers infiltrantes developpes sur la face externe du col uterin. *J Obstet Gynaecol* 1994;2:285-92.
18. Sonoda Y, Abu-Rustum NR, Gemignani ML et al. A fertility-sparing alternative to radical hysterectomy: how many patients may be eligible? *Gynecol Oncol* 2004;95(3):534-38.
19. Gallup DG, Stock RJ. Adenocarcinoma of the endometrium in women 40 years of age and younger. *Obstet Gynecol* 1984;64:417.
20. Creasman WT, Odicino F, Maisonneuve P et al.Carcinoma of the corpus uteri. *Int J Gynaecol Obstet* 2006;95(Suppl 1):S105-43.
21. Laurelli G, Di Vagno G, Scaffa C et al. Conservative treatment of early endometrial cancer: preliminary results of a pilot study. *Gynecol Oncol* 2011 Jan.;120(1):43-46.
22. Yamazawa K, Hirai M, Fujito A et al. Fertility-preserving treatment with progestin, and pathological criteria to predict responses, in young women with endometrial cancer *Hum Reprod* 2007;22(7):1953-58.
23. Sherman ME. Theories of endometrial carcinogenesis: a multidisciplinary approach. *Mod Pathol* 2001;13:295-308.
24. Amant F, Cardon I, Fuso L et al. Endometrial carcinosarcomas have a different prognosis and pattern of spread compared to high-risk epithelial endometrial câncer. *Gynecol Oncol* 2005;98:274-80.
25. Leitao MM, Sonoda Y, Brennan MF et al: Incidence of lymph node and ovarian metástases in leiomyosarcoma of the uterus. *Gynecol Oncol* 2003;91:209-12.
26. Hannigan E, Curtin JP, Silverberg SG et al. Corpus: mesenquimal tumors. In: Coppleson MJ. (Ed.). *Gynecologic oncology*. St Louis: Mosby, 1992. p. 695-714.
27. DiSaia PJ, Creasman WT. Epithelial ovarian cancer. In: DiSaia PJ, Creasman WT. (Eds.). Clinical gynecologic oncology. 6th ed. St Louis: Mosby, 2002. p. 289-350.
28. Trope C, Kaern J, Vergote IB et al. Are borderline tumors of the ovary overtreated both surgically and systemically? A review of four prospective randomized trials including 253 patients with borderline tumors. *Gynecol Oncol* 1993;51:236.
29. Gershenson DM. Management of ovarian germ cells tumors. *J Clin Oncol* 2007;25:2938-43.
30. Billmire D, Vinocur C, Rescorla F et al. Outcome and staging evaluation in malignant germ cell tumors of the ovary in children and adolescents: an intergroup study. *J Pediatr Surg* 2004;39:424-29.
31. Colombo N, Parma G, Zanagnolo V et al. Management of ovarian stromal cell tumors. *J Clin Oncol* 2007;25:2944-51.
32. Chan JK, Munro EG, Cheung MK et al. Association of lymphadenectomy and survival in stage I ovarian cancer patients. *Obstet Gynecol* 2007;109:12-19.
33. Marret H, Lhommé C, Lecuru F et al. Guidelines for the management of ovarian cancer during pregnancy. *Eur J Obstet Gynecol Reprod Biol* 2010 Mar.;149(1):18-21. Epub 2009 Dec. 29. Review.
34. Noyes N, Labella P, Grifo J et al. Oocyte cryopreservation: a feasible fertility preservation option for reproductive age cancer survivors. *J Assist Reprod Genet* 2010;27:495-99.
35. ASRM Practice Committee. ASRM Practice Committee response to Rybak and Lieman: elective self-donation of oocytes. *Fertil Steril* 2009;92:1513-14.

CAPÍTULO 168
Cirurgia da Conservação da Fertilidade em Câncer Ginecológico

Fernando Lopes Cordero ■ Luiz Mathias ■ Juliana Braz de Castilho

INTRODUÇÃO

Apesar de a maioria das neoplasias malignas ginecológicas ocorrer a partir da quinta década de vida, uma parcela delas ocorre em mulheres durante a idade fértil e sem prole constituída, o que torna a aceitação da castração cirúrgica uma situação difícil de ser assumida pela paciente, que normalmente tenta barganhar a radicalidade da cirurgia em troca da preservação de sua fertilidade. Nestes casos, o cirurgião necessita avaliar a possibilidade de uma conduta conservadora da fertilidade para aquelas pacientes que ainda desejam a gestação.

Abordaremos aqui as dificuldades de conservação de fertilidade em câncer ginecológico, de acordo com os sítios de localização primária.

ESTRATÉGIAS PARA PRESERVAÇÃO DA FERTILIDADE

Para a preservação da fertilidade no tratamento do câncer ginecológico subentende-se a preservação do útero, sendo o alvo de técnicas cirúrgicas empregadas com essa finalidade, porém existem aquelas pacientes que serão submetidas à quimioterapia com agentes citotóxicos ou radioterapia, que levariam à falência ovariana. Desta forma, devemos utilizar outros recursos que venham a permitir a preservação da fertilidade nessas pacientes.

Análogos de GnRH

Os ovários em pacientes na pré-puberdade são menos sensíveis aos agentes citotóxicos.[1] Desta forma, poderíamos assumir que com o uso de análogos de GnRH seria possível mimetizar essa situação e preservar a função ovariana em pacientes que irão se submeter a quimioterapia com drogas citotóxicas. Blumenfeld et al. observaram um grupo de mulheres que fizeram tratamento para linfoma com drogas citotóxicas, 60 pacientes fizeram uso de GnRH e foram comparadas a uma série histórica de 60 pacientes que não fizeram uso do análogo hormonal. Foram observadas taxas de preservação da função ovariana em 55 versus 5%, respectivamente. Porém, esse foi um estudo histórico com baixo significado estatístico.[2] Meirow acredita que as gônadas de pacientes na pré-puberdade tenham mais reserva funcional, o que, aparentemente, as tornem mais resistentes à quimioterapia e, portanto, possibilita que não percam toda a sua função.[3]

Transposição ovariana

Os ovários são também bastante radiossensíveis, perdendo seus folículos e apresentando atrofia quando submetidos à radiação ionizante.[4] A transposição ovariana pode reduzir a exposição à radioterapia e permitir que se mantenha a sua função.[5] Ovários traspostos mantêm os mesmos níveis séricos de estrogênio e progesterona que os prévios à cirurgia.[6] Por sua vez, os efeitos da radioterapia no útero são pouco previsíveis, uma vez que a maioria dos úteros irradiados perde sua função.[7] A transposição ovariana torna-se mais eficaz caso sejam colocados 3 cm acima do campo de radioterapia, com os vasos ovarianos retroperitoneais, de forma a evitar torções no seu pedículo.[5]

Criopreservação de oócitos

A criopreservação de oócitos é uma possível alternativa para a preservação das funções reprodutivas. No entanto, são relatadas poucas gestações com esse método.[8] O pequeno sucesso atribuído a esse método se deve à crioinjúria, com lesão de microtúbulos que são essenciais para a extrusão de corpúsculos polares e migração intracelular.[9]

Criopreservação de embriões após fertilização in vitro

A criopreservação de embriões é uma alternativa mais eficaz que a preservação de oócitos, com taxas de sobrevida de embriões variando entre 35 a 90%, taxas de implantação variando entre 8 a 30% e taxas cumulativas de gestação maiores que 60%.[10] Deve-se ressaltar que nas pacientes submetidas à radioterapia pélvica, decorrente da lesão uterina actínica, se faz necessária a utilização de gestação de substituição (barriga de aluguel) para que se possa levar a gestação a termo.

Transplante autólogo de tecido ovariano

É um procedimento ainda experimental, em que se congela o tecido ovariano e o reimplanta tanto intraperitoneal ou na parede abdominal. Callejo avaliou três pacientes com transplante autólogo e obteve função ovariana em dois casos.[11]

PRESERVAÇÃO DA FERTILIDADE POR LOCALIZAÇÃO PRIMÁRIA

Câncer do colo uterino

O câncer do colo uterino é a segunda neoplasia mais comum em mulheres no mundo, ocorrendo aproximadamente 471 mil casos anuais, com 233 mil mortes.[12]

Estima-se que aproximadamente 22% dos novos casos sejam em mulheres com menos de 34 anos.[13] Os fatores mais importantes que afetam o prognóstico são: volume tumoral, infiltração profunda da miocérvix, envolvimento do espaço linfovascular ou perineural, comprometimento linfonodal, parametrial ou das margens cirúrgicas.[14]

O carcinoma epidermoide microinvasor (Ia1), pode ser tratado com conização apenas, como propôs Raspagliesi et al., que estudaram as taxas de recidiva e observaram que variavam de 1 a 2%, de acordo com diferentes séries. Normalmente estas taxas estão relacionadas ao envolvimento do espaço linfovascular e das margens cirúrgicas e ainda são um pouco mais elevadas quando comparamos com a cirurgia não conservadora, que está em torno de 0,5%. Considera-se, porém, conduta bastante promissora quando a paciente deseja ainda a gestação.[15]

O tratamento conservador do adenocarcinoma microinvasor do colo uterino ainda se mantém controverso. Alguns autores sugerem que o fator limitante para a cirurgia conservadora é a multifocalidade, que é comum no adenocarcinoma e rara no carcinoma epidermoide.[16] Smith et al. revisaram 585 casos de adenocarcinomas do colo uterino no estágio Ia1 e observaram que a taxa de sobrevida foi de 99,1%, e que não houve recidivas em 98 casos tratados com conização, sugerindo que esses casos possam ser tratados com cirurgia conservadora, porém 10% dessas pacientes ou receberam radioterapia adjuvante ou foram submetidas à linfadenectomia pélvica, dificultando a comparação e, desse modo, não se pode recomendar o tratamento conservador para o adenocarcinoma de colo de útero neste estágio.[17]

A cirurgia conservadora da fertilidade nos estágios Ia2 e Ib, pode ser realizada (Fig. 1). Dargent reportou em 1994 uma cirurgia conservadora da fertilidade em uma paciente jovem com câncer do colo uterino, que ficou conhecida como traquelectomia radical.[18] Uma revisão da literatura revelou que 41 a 79% das pacientes submetidas à traquelectomia radical

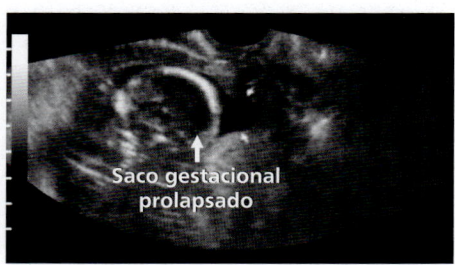

FIGURA 1. Ultrassonografia obstétrica realizada em paciente jovem após traquelectomia radical. Diante da eminência de abortamento pela ausência do colo uterino, o saco gestacional sofreu prolapso para a vagina, sendo necessária a sutura das paredes vaginais anteroposteriormente para que a paciente levasse sua gestação a termo. As setas apontam para o canal vaginal previamente suturado.

realizada por qualquer uma das técnicas descritas conseguiram engravidar (Fig. 2).[19] Dessas gestações, 18% resultaram em abortos e 38% resultaram em trabalho de parto prematuro (inferior a 37 semanas).

Smith *et al.* avaliaram 507 casos de histerectomias radicais, observando 53 pacientes que não apresentavam envolvimento do espaço linfovascular; esses casos não apresentavam comprometimento linfonodal nem parametrial, sugerindo que pudessem ser tratados com conização e linfadenectomia pélvica.[20]

Estágios mais avançados recebem tratamento combinando quimiorradiação que, dessa forma compromete a função uterina. No entanto, essas pacientes podem beneficiar-se de fertilização *in vitro* após criopreservação de embriões ou de oócitos.[12]

Câncer de ovário

O câncer de ovário, na verdade, corresponde a uma gama de enfermidades heterogêneas que variam de acordo com a sua origem embriológica, desta forma a avaliação do tratamento deve ser feita de forma individual e com base em cada apresentação histopatológica.

Tumores germinativos de ovário

O tratamento dos tumores germinativos de ovário sempre deve levar em conta a conservação da fertilidade. O pico de incidência ocorre normalmente na primeira ou segunda década de vida, sendo importante considerar que as pacientes acometidas por essa enfermidade ainda podem desejar gestar. O tratamento cirúrgico visa à ressecção da massa anexial e estadiamento, com vistas a avaliar o prognóstico.[21] A quimioterapia com o esquema BEP (bleomicina, etoposídeo e platina) tem altas taxas de cura, associadas à preservação da função ovariana.[22]

Tumores do cordão sexual

Os tumores derivados do cordão sexual do ovário podem ser tratados conservadoramente sem prejuízo. Mallory *et al.* avaliaram os fatores prognósticos responsáveis pela sobrevida de pacientes com tumores do cordão sexual, de 1988 até 2001, em 110 pacientes que se apresentavam nos estágios I e II. Foi realizada cirurgia conservadora da fertilidade, sendo observadas as mesmas taxas de sobrevida similares às pacientes que realizaram cirurgia completa.[23]

Tumores de linhagem epitelial

O tratamento padrão para tumores da linhagem epitelial de ovário inclui a histerectomia total abdominal com salpingo-ooforectomia bilateral. Ayhan *et al.* avaliaram a eficácia da cirurgia conservadora da fertilidade em pacientes portadoras de tumores de linhagem epitelial de ovário e observaram que nos estágios Ia e Ib e tumores GI podem ser tratados de forma conservadora, com as taxas de recidiva variando entre 9,0 e 11,6%, respectivamente, para cirurgias conservadoras e radicais, além de as taxas de sobrevida serem similares. Deve ser ressaltado que para que seja possível a preservação da fertilidade o estadiamento cirúrgico deve ser completo, incluindo, além da ooforectomia, a linfadenectomia pélvica e para-aórtica, omentectomia e biópsias peritoneais. Com isso, pode-se ter certeza do estadiamento e indicar o tratamento conservador.[24]

Os tumores *borderline* do ovário são tumores epiteliais com uma baixa taxa de crescimento e um baixo potencial de invadir tecidos adjacentes. Respondem por cerca de 10 a 15% de todos os tumores de ovário.[25,26] Eles afetam um grupo mais jovem das mulheres do que os tumores malignos de ovário, frequentemente durante a idade reprodutiva. As diretrizes para o tratamento cirúrgico dos tumores de ovário *borderline* são semelhantes às do câncer da linhagem epitelial. Para muitas dessas pacientes, a fertilidade é uma questão importante. Estudos anteriores sugeriram a segurança da cirurgia conservadora com salpingo-ooforectomia unilateral ou cistectomia para pacientes com estágio I de tumores ovarianos *borderline*.[27] Cistectomia unilateral pode ter mais chances de preservar fertilidade de uma mulher em comparação a anexectomia por causa da remoção de menos tecido ovariano. Seu maior perigo é o risco de inadvertidamente deixar para trás células tumorais. O desempenho reprodutivo de mulheres submetidas à cirurgia conservadora para tumores ovarianos *borderline* foi considerado adequado, e gravidez espontânea com bons resultados tem sido relatada. No entanto, a indução da ovulação é muitas vezes necessária para estas pacientes conceberem.[28] O tratamento conservador pode ser indicado em tumores estágio I da FIGO em mulheres que desejam conservar a fertilidade. Battaglia, em 2006, mostrou sucesso para o tratamento conservador mesmo para tumores estadiados como IC da FIGO.[29]

Para as mulheres que são tratadas de forma conservadora, o seguimento é de grande importância, Tinelli, em 2006, publicou uma revisão que observou que as recidivas podem ocorrer em até 36% das mulheres, de acordo com a literatura.[27]

Suh-Burgmann *et al.* avaliaram os padrões de recidiva a longo prazo e mostraram que os fatores de risco são doença em estágio avançado, tumor com arquitetura micropapilar e presença de implantes com invasão e destruição estromal.[30]

Camatte *et al.* reportaram 17 pacientes com tumores *borderline* de ovário nos estágios II ou III que foram submetidas à cirurgia conservadora da fertilidade. Apenas duas apresentaram recidiva e todas estavam vivas após 60 meses de seguimento.[31]

Câncer de endométrio

O câncer de endométrio é mais frequente em mulheres na pós-menopausa, atualmente, com as mudanças nos hábitos de vida, com o aumento da prevalência de obesidade nas mulheres em idade fértil e subsequente hiperestrogenemia secundária e anovulação crônica, começamos a observar a presença do câncer de endométrio em mulheres na menacme.

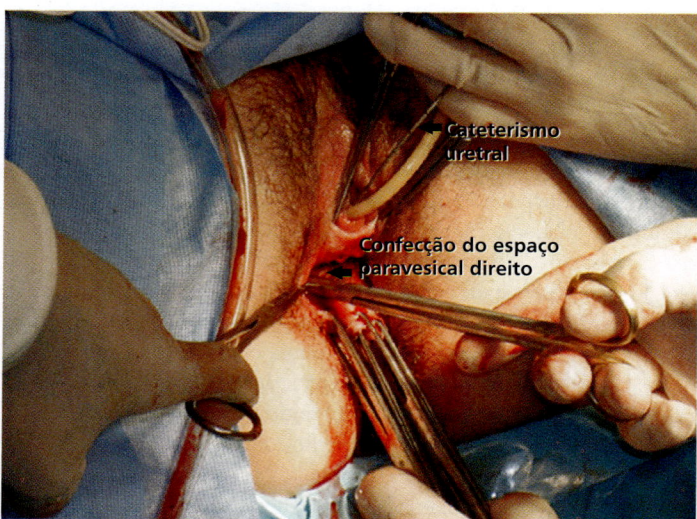

FIGURA 2. Traquelectomia radical em paciente jovem e nulípara. A abordagem transvaginal pode ser facilitada com o cateterismo ureteral. Após a confecção do espaço paravesical, o ureter cateterizado pode ser mais facilmente identificado à palpação.

A opção pelo tratamento conservador da fertilidade deve ser avaliada juntamente com a paciente, sendo indicada apenas para tumores bem diferenciados em estágio Ia da FIGO.[21] Ramirez et al., em 2004, avaliaram o uso de progestágenos no tratamento conservador da fertilidade e observaram taxas de sucesso razoáveis.[32,33] No entanto, as pacientes devem ser amplamente orientadas que, mesmo respondendo ao tratamento com progestágenos, há uma taxa de recidiva de 50%.[32] Exames de imagem, como a ressonância nuclear magnética de pelve e a PET-CT, devem ser empregados com o objetivo de avaliar o grau de invasão e a presença de acometimento linfonodal, e, dessa forma, contraindicar o possível tratamento conservador.[33]

Os progestágenos como o acetato de megestrol, na dose de 160 mg/dia e o acetato de medroxiprogesterona são os mais estudados atualmente para este tipo de tratamento, mas podem ser utilizados análogos da gonadotrofina associados ao tamoxifeno, sendo estes últimos considerados como segunda linha de tratamento.[32,33]

Wright et al. avaliaram a possibilidade da preservação ovariana em pacientes submetidas a histerectomias por câncer de endométrio, observando baixa taxa de acometimento anexial, sendo esta uma opção segura que oferece a possibilidade futura para a recuperação de oócitos para uma possível fertilização in vitro.[34] Walsh observou que esta estratégia pode apresentar risco, por ocultar metástases ovarianas e presença de tumores ovarianos primários sincrônicos, além de a estimulação hormonal poder ativar focos residuais microscópicos de câncer de endométrio, principalmente ao estimular a ovulação.[35]

Zivanovic et al. relataram uma série de 102 mulheres com menos de 45 anos com câncer endometrial. Eles descobriram a coexistência de tumores ovarianos epiteliais sincrônicos em 23 pacientes, além de doença metastática em três pacientes, correspondendo a 25% da coorte de estudo.[36]

Apesar do sucesso relatado em alguns casos, esse tema precisa ser mais estudado. Em geral, a maioria dos artigos apresenta uma coorte bem reduzida e seguimento curto, dessa forma subestimando as reais taxas de recidiva e metástase. Nos casos de detecção de recidiva local ou acometimento extrauterino, está indicado tratamento de resgate com quimioterapia ou cirurgia padrão para câncer de endométrio.

Nas pacientes que apresentam carcinossarcoma uterino não é possível a cirurgia de preservação da fertilidade decorrente da agressividade desta doença, mas a criopreservação de oócitos pode permitir que essas pacientes possam vir a ter filhos.[37] Os leiomiossarcomas uterinos normalmente aparecem em peças de miomectomia e são achados incidentais. A preservação da fertilidade nesta enfermidade é possível, desde que se trate de sarcomas de baixo grau, sendo importante que se faça um seguimento bem rígido, haja vista o caráter recidivante dessa enfermidade.[38,39]

Peres-Medina et al. estudaram o tratamento conservador da fertilidade em pacientes com hiperplasia complexa atípica, observando 84% de regressão nas lesões em pacientes tratadas com análogos do GnRH e progestágenos, demonstrando assim ser um tratamento tão factível como o do adenocarcinoma de endométrio.[40]

Por fim, as neoplasias ginecológicas apresentam uma grande heterogeneidade molecular, histopatológica e níveis diferentes de apresentação clínica, fatos que interferem na evolução da doença e na resposta ao tratamento. Um dos objetivos dos estudos mais recentes é o de identificar características biológicas dos tumores capazes de predizer o comportamento das neoplasias, como agressividade, resposta ao tratamento e risco de recidiva. Diante destas características peculiares de cada caso, quando há acometimento de mulheres jovens que desejam preservar a fertilidade por estas neoplasias, deve-se personalizar a estratégia terapêutica, analisando os potenciais riscos das medidas conservadoras e a necessidade de um seguimento mais efetivo.

REFERÊNCIAS BIBLIOGRÁFICAS

1. Chiarelli AM, Marrett LD, Darlington G. Early menopause and infertility in females after treatment for childhood cancer diagnosed in 1964-1988 in Ontario, Canada. *Am J Epidemiol* 1999;150:245-54.
2. Blumenfeld Z, Avivi I, Linn S et al. Prevention of irreversible chemotherapyinduced ovarian damage in young women with lymphoma by a gonadotrophin-releasing hormone agonist in parallel to chemotherapy. *Hum Reprod* 1996;11:1620-26.
3. Meirow D, Lewis H, Nugent D et al. Subclinical depletion of primordial follicular reserve in mice treated with cyclophosphamide: clinical importance and proposed accurate investigative tool. *Hum Reprod* 1999;14:1903-7.
4. Husseinzadeh N, Nahhas WA, Velkley DE et al. The preservation of ovarian function in young women undergoing pelvic radiation therapy. *Gynecol Oncol* 1984;18:373-79.
5. Bidzinski M, Lemieszczuk B, Zielinski J. Evaluation of the hormonal function and features of the ultrasound picture of transposed ovary in cervical cancer patients after surgery and pelvic irradiation. *Eur J Gynaecol Oncol* 1993;14:77-80.
6. Bieler EU, Schnabel T, Knobel J. Persisting cyclic ovarian activity in cervical cancer after surgical transposition of the ovaries and pelvic irradiation. *Br J Radiol* 1976;49:875-79.
7. Morice P, Thiam-Ba R, Castaigne D et al. Fertility results after ovarian transposition for pelvic malignancies treated by external irradiation or brachytherapy. *Hum Reprod* 1998;13:660-63.
8. Cha KY, Koo JJ, Ko JJ et al. Pregnancy after in vitro fertilization of human follicular oocytes collected from nonstimulated cycles, their culture in vitro and their transfer in a donor oocyte program. *Fertil Steril* 1991;55:109-13.
9. Vincent C, Pickering SJ, Johnson MH et al. Dimethylsulphoxide affects the organisation of microfilaments in the mouse oocyte. *Mol Reprod Dev* 1990;26:227-35.
10. Wang JX, Yap YY, Matthews CD. Frozen-thawed embryo transfer: influence of clinical factors on implantation rate and risk of multiple conception. *Hum Reprod* 2001;16:2316-19.
11. Callejo J, Salvador C, Miralles A et al. Long-term ovarian function evaluation after autografting by implantation with fresh and frozenthawed human ovarian tissue. *J Clin Endocrinol Metab* 2001;86:4489-94.
12. Conference Report – Conservative approaches in early stages of cervical cancer. *Gynecol Oncol* 2007;107:S13-15.
13. SEER Cancer Statistics Review 1975–2005. Disponível em: http://www.seer.cancer.gov/csr/1975-2005/results_single/sect_01_table.10_2pgs.pdf
14. Kodama J, Seki N, Ojima Y et al. Prognostic factors in node-positive patients with stage IB–IIB cervical cancer treated by radical hysterectomy and pelvic lymphadenectomy. *Int J Gynaecol Obstet* 2006 May;93(2):130-35.
15. Raspagliesi F, Ditto A, Quattrone P et al. Prognostic factors in microinvasive cervical squamous cell cancer: long-term results. *Int J Gynecol Cancer* 2005 Jan.-Feb.;15(1):88-93.
16. McHale MT, Le TD, Burger RA et al. Fertility sparing treatment for in situ and early invasive adenocarcinoma of the cervix. *Obstet Gynecol* 2001;98:726-31.
17. Smith HO, Qualls CR, Romero AA et al. Is there a difference in survival for IA1 and IA2 adenocarcinoma of the uterine cervix? *Gynecol Oncol* 2002;85:229-41.
18. Dargent D, Brun JL, Roy M et al. La trachelectomie elargie (te), une alternative a l'hysterectomie radicale dans le traitement des cancers infiltrants developpes sur la face externe du col uterin. *J Obstet Gynecol* 1994;2:2850-92.
19. Beiner ME, Covens A. Surgery insight: radical vaginal trachelectomy as a method of fertility preservation for cervical cancer. *Nat Clin Pract Oncol* 2007;4:353-61.
20. Smith AL, Frumovitz M, Schmeler KM et al. Conservative surgery in early-stage cervical cancer: What percentage of patients maybe eligible for conization and lymphadenectomy? *Gynecol Oncol* 2010;119:183-86.
21. Bailey J, Church D. Management of germ cell tumours of the ovary. *Reviews in Gynaecological Practice*, 2005;5(4):201-6.
22. Bakri YN, Ezzat A. Malignant germ cell tumors of the ovary: pregnancy considerations. *Eur J Obstetr Gynecol Reprod Biol* 2000;90:87-91.
23. Zhang M, Cheung MK, Shin JY et al. In prognostic factors responsible for survival in sex cord stromal tumors of the ovary—An analysis of 376 women. *Gynecol Oncol* 2007;104:396-400.
24. Ayhan A, Celik H, Taskiran C et al. Oncologic and reproductive outcome after fertility-saving surgery in ovarian cancer. *Eur J Gynaecol Oncol* 2003;24(3-4):223-32.
25. Harris R, Whittemore A, Itnyre J. Collaborative Ovarian Cancer Group. Characteristics relating to ovarian risk: a collaborative analysis of 12 US case-control studies Epithelial tumors of low malignant potential in whitewomen. *Am J Epidemiol* 1992;136:1204-11.
26. Kaern J, Trope CG, Abeler VM. A retrospective study of 370 borderlinetumors of the ovary treated at the Norwegian Radium Hospital from 1970 to 1982. A review of clinicopathologic features and treatment modalities. *Cancer* 1993;71:1810-20.
27. Tinelli R et al. Conservative surgery for borderline ovarian tumors: a review. *Gynecol Oncol* 2006;100:185-91.
28. Gotlieb WH, Flikker S, Davidson B et al. Borderline tumors of the ovary: fertility treatment, conservative management, and pregnancy outcome. *Cancer* 1998;82:141-46.

29. Battaglia *et al.* Successful pregnancy after conservative surgery for stage IC ovarian cancer with serous borderline tumor on controlateral ovary: a case report. *Gynecol Oncol* 2006;100:612-14.
30. Suh-Burgmann E. Long-term outcomes following conservative surgery for borderlinetumor of the ovary: a large population-based study. *Gynecol Oncol* 2006;103:841-47.
31. Camatte S, Morice P, Pautier P *et al.* Fertility results after conservative treatment of advanced stage serous borderline tumor of the ovary. *BJOG* 2002;109:376-80.
32. Ushijima K, Yahata H, Yoshikawa H *et al.* Multicenter phase II study of fertilitysparing treatment with medroxyprogesterone acetate for endometrial carcinoma and atypicalhyperplasia in young women. *J Clin Oncol* 2007;25(19):2798-803.
33. Ramirez PT, Frumovitz M, Bodurka DC *et al.* Hormonal therapy for the management of grade 1 endometrial a denocarcinoma: a literature review. *Gynecol Oncol* 2004;95(1):133-38.
34. Wright JD, Buck AM, Shah M *et al.* Safety of ovarian preservation in premenopausal women with endometrial Cancer. *J Clin Oncol* 2009;27(8):1214-19.
35. Walsh C, Holschneider C, Hoang Y *et al.* Coexisting ovarian malignancy in young women with endometrial Cancer. *Obstet Gynecol* 2005;106(4):693-99.
36. Zivanovic O *et al.* A review of the challenges faced in the conservative treatment of young women with endometrial carcinoma and risk of ovarian cancer. *Gynecol Oncol* 2009;115:504-9.
37. Amant F, Cardon I, Fuso L *et al.* Endometrial carcinosarcomas have a different prognosis and pattern of spread compared to high-risk epithelial endometrial câncer. *Gynecol Oncol* 2005;98:274-80.
38. Leitao MM, Sonoda Y, Brennan MF *et al.* Incidence of lymph node and ovarian metástases in leiomyosarcoma of the uterus. *Gynecol Oncol* 2003;91:209-12.
39. Hannigan E, Curtin JP, Silverberg SG *et al.* Corpus: mesenquimal tumors. In: Coppleson MJ. (Ed). *Gynecologic oncology.* St Louis: Mosby, 1992. p. 695-714.
40. Pérez-Medina T, Bajo J, Folgueira G *et al.* Atypical endometrial hyperplasia treatment with progestogens and gonadotropin-releasing hormone analogues: long-term follow-up. *Gynecol Oncol* 1999 May;73(2):299-304.

CAPÍTULO 169

Linfonodo Sentinela no Câncer de Colo Uterino

José Carlos Damian Júnior ■ Flávio Henrique Pereira Conte
Euridice Maria de Almeida Figueiredo ■ Juliana de Almeida Figueiredo

INTRODUÇÃO

Em 1977, Cabanas foi o primeiro a definir o conceito de linfonodo sentinela (LNS) no seu trabalho sobre câncer de pênis. O autor propôs que o linfonodo ou os linfonodos que primeiro recebem drenagem linfática do tumor, seriam chamados de sentinelas, e poderiam ser removidos separadamente por uma cirurgia limitada e examinados para determinar se uma linfadenectomia mais extensa seria necessária. Este conceito de linfonodo sentinela já está sendo aplicado para câncer de mama e em casos de melanoma.[39] A identificação do linfonodo sentinela foi inicialmente feita por linfangiografia, entretanto, este método é tecnicamente difícil e pode resultar em celulite e linfangite. Como alternativas, dois métodos diferentes são atualmente usados. O primeiro foi introduzido por Morton et al., que usaram corante azul de isosufan para identificar o ducto linfático que drenava em direção ao linfonodo sentinela em pacientes com melanoma.[27] Já o segundo, descrito por Alex e Krag, envolveu localização direta dos linfonodos sentinela usando marcadores radioativos e um detector manual de radiação *gamma*.[2]

Em tumores malignos ginecológicos, Levenback et al.[23] demonstraram que o mapeamento linfático intraoperatório é tecnicamente factível no câncer vulvar. Negishi et al., em 2004, publicaram seus achados de mapeamento linfático retroperitoneal após injeção de marcador no estroma ovariano onde foi detectado linfonodo sentinela nas onze pacientes injetadas.[28] Em adição, Burke et al.[10] propuseram que o mapeamento linfático intraoperatório pode indicar objetivamente para biópsia os linfonodos principais nas mulheres com câncer endometrial de alto risco. Rodier et al., em 1999, relataram um caso de identificação do linfonodo sentinela em melanoma primário de vagina.[37] Medl et al.[26] avaliaram três pacientes com câncer de colo uterino que foram à cirurgia, injetando corante azul de isosulfan antes do procedimento nos fórnices vaginais laterais. Nestes casos, foram identificados dois ou três linfonodos sentinela positivos e após dissecção completa retroperitoneal não houve resultados falso-negativos, sugerindo que o *status* do linfonodo sentinela representa o restante da cadeia de linfonodos.

Embora a disseminação do câncer para os linfonodos não seja usada para o estadiamento do câncer do colo uterino, ela é indicadora prognóstica para a doença.[42] No caso de metástase presente no linfonodo, a taxa de sobrevida de 5 anos cai de 85 para 50%. Até o momento, a linfadenectomia radical é necessária para avaliar o *status* linfonodal.[4]

Aproximadamente 25% de todas as pacientes diagnosticadas com câncer de colo uterino serão candidatas à histerectomia radical com linfadenectomia pélvica. As complicações como lesão vascular, neural, formação de linfocistos e formação de aderências podem ocorrer, sendo que a morbidade cirúrgica é em torno de 37,5% e o índice de mortalidade atinge 0,6%. A adição da radioterapia aumenta o risco de linfedema em seus diversos graus de intensidade.[1]

Para detecção do linfonodo sentinela em câncer de colo uterino pode ser usada a laparotomia ou a laparoscopia. Alguns centros no mundo já estão usando a laparoscopia para detecção do linfonodo usando corante azul e tecnécio-99 m. Atualmente, na maioria das pacientes com câncer de colo uterino que têm indicação de cirurgia radical (Wertheim-Meigs), só se saberá que ela possui linfonodos positivos após a realização da linfadenectomia pélvica total, com o laudo definitivo histopatológico. Em 20 a 50% dos casos, os linfonodos metastáticos em neoplasia de colo uterino não estão aumentados de tamanho, sendo o diagnóstico realizado somente após exame histopatológico do espécime da linfadenectomia.[38] Com a possibilidade de serem abordados apenas os linfonodo(s) que fazem a drenagem principal e inicial do tumor, é possível fazer biópsias seletivas. As complicações são menores e já no início do procedimento é possível saber se a paciente tem metástases linfonodais. Segundo Atallah et al., a possível detecção de linfonodo sentinela no câncer ginecológico é considerada o maior avanço cirúrgico dos últimos tempos, diminuindo significativamente a morbidade cirúrgica.[5]

DEFINIÇÃO DE LINFONODO SENTINELA

Morton et al., em 1992, definiram o linfonodo sentinela como sendo o primeiro linfonodo que recebe a drenagem linfática diretamente do sítio do tumor primário.[27] Em câncer de colo uterino os dados ainda são iniciais, porém muito promissores: a ausência de envolvimento do chamado linfonodo sentinela é provavelmente preditiva da ausência de envolvimento de outros linfonodos regionais que também recebem drenagem do tumor. Experiências crescentes com linfocintilografia e mapeamento linfático intraoperatório mostram que há milhares de variações anatômicas dos linfonodos sentinela. Thompson e Uren[40] sugeriram uma pequena modificação da definição de Morton: "qualquer linfonodo que recebe a drenagem linfática diretamente do tumor primário". Esta definição ajuda naqueles casos em que mais de um linfonodo recebe a drenagem primária do tumor em regiões diferentes ou dois linfonodos intercomunicados, na mesma região linfática, recebem a drenagem. Um problema prático é como determinar se dois linfonodos azuis ou quentes (com captação de radioisótopo) em uma única região linfática são ambos sentinelas ou um é o verdadeiro linfonodo sentinela e o outro é o segundo linfonodo na cadeia que recebe a drenagem do primeiro linfonodo, e não diretamente do tumor. A intensidade de coloração com o corante azul é difícil de ser quantificada, porém a quantidade de radiação pode ser medida. Quando o cirurgião se depara com dois linfonodos azuis ou quentes na mesma cadeia linfática, ele deve declarar ambos como sendo sentinelas.

DRENAGEM LINFÁTICA DO COLO UTERINO

A prevalência de doença em linfonodos se correlaciona com o estágio da doença. Nas pacientes com estágio I, a percentagem de metástases em linfonodos varia de 0 a 16% e no estágio II, de 24 a 31%.[18] Nestes grupos, a percentagem de pacientes com envolvimento de linfonodos para-aórticos varia de 0 a 22% e 11 a 19%, respectivamente (Quadro 1).[18]

A prevalência de doença em linfonodos se correlaciona bem com o estadiamento da doença (Quadro 2).

Quadro 1. Importância do linfonodo sentinela do colo uterino

IMPORTÂNCIA DO MAPEAMENTO LINFÁTICO EM CÂNCER DE COLO UTERINO
1. Colo uterino é acessível para injetar
2. Estrutura de linha média com complexa drenagem linfática
3. *Status* dos linfonodos é um fator prognóstico importante
4. *Status* dos linfonodos é um importante determinante para o tratamento adjuvante
5. Linfonodo sentinela pode ser identificado e removido laparoscopicamente

Quadro 2. Incidência de metástases em linfonodos pélvicos e para-aórticos segundo estadiamento (545 pacientes)[15]

ESTADIAMENTO	LINFONODOS PÉLVICOS POSITIVOS (%)	LINFONODOS PARA-AÓRTICOS POSITIVOS (%)
I	15,5	6,3
II	28,6	16,5
III	47,0	8,6

Quadro 3. Grupos de linfonodos com sua localização

GRUPO	LINFONODO	LOCALIZAÇÃO
Primário	Parametrial	Pequenos linfonodos junto ao paramétrio
	Paracervical ou uretral	Acima da artéria uterina onde cruza o ureter
	Obturador	Circundam os vasos e nervos obturadores
	Ilíaco interno	Cursam ao longo da veia ilíaca interna próximo à junção com a veia ilíaca externa
	Ilíaco externo	Cursam ao longo dos vasos ilíacos externos. São de 6 a 8 e tendem a ser uniformemente maiores que os linfonodos dos outros grupos ilíacos
	Sacral	Cursam ao longo das artérias sacral média e laterais
Secundário	Ilíaco comum	Cursam ao longo dos vasos ilíacos comuns
	Linfonodo inguinal	Consistem de linfonodos femorais superficiais e profundos
	Para-aórtico	Incluem os linfonodos da aorta e veia cava

Henriksen, estudando o envolvimento de linfonodos no câncer de colo uterino, descreveu os grupos de linfonodos primários e secundários, dispostos no Quadro 3.[20] Os gânglios linfáticos primários correspondem ao grupo de linfonodos parametriais, paracervicais, obturadores, ilíacos externos, ilíacos internos e o pré-sacrais. Os gânglios linfáticos secundários são os linfonodos ilíacos comuns, para-aórticos e inguinofemorais. Os linfonodos obturadores são os mais suscetíveis a serem envolvidos na doença metastática, seguidos pelos ilíacos externos, ilíacos comuns e linfonodos parametriais.

Plentl e Friedman também descreveram o padrão de drenagem linfática do colo uterino, o qual progride gradualmente do estroma cervical e linfáticos da serosa para os grupos de linfonodos nos parametrios, linfáticos pélvicos, linfáticos pararretais e linfáticos para-aórticos.[33]

Metástases salteadas para linfonodos para-aórticos são raramente observadas e são responsáveis por 1% dos casos. A biópsia do linfonodo sentinela em câncer do colo do útero está situada na região do obturador em 43% e na região ilíaca externa em 45 a 84% dos casos (Fig. 1).[12,36]

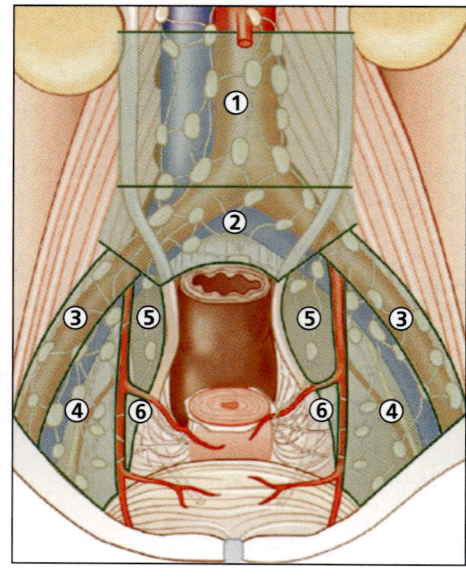

◀ **FIGURA 1.**
Grupamentos nodais.
(1) Para-aórtico;
(2) ilíaco comum; (3) ilíaco externo; (4) ilíaco interno; (5) parametrial e (6) obturador.

FATORES QUE INFLUENCIAM A DETECÇÃO DO LNS

A influência da conização diagnóstica é controversa, a maioria dos estudos não mostra comprometimento da eficácia do método, enquanto em um estudo com 70 pacientes a taxa de detecção foi significativamente menor após a conização.[11,12,24]

O'Boyle et al. mostraram que o diâmetro do tumor primário parece influenciar a taxa de detecção, que diminui de 73 para 20% em tumores maiores ou iguais a 4 cm de diâmetro.[31] Para Dargente et al., quando o corante azul foi aplicado, a taxa de detecção em tumores menores que 0,5 cm foi de 87 versus 85% para tumores entre 0,5 e 2 cm de diâmetro, e de 81% em tumores entre 2 e 4 cm versus 78% em tumores maiores que 4 cm.[12] Rob et al., em outro estudo, mostraram taxa de detecção de 91% em tumores menores ou iguais a 2 cm em comparação a 80% em tumores maiores que 2 cm de diâmetro.[35] Em outro estudo com 100 doentes, a taxa de detecção de tumores menores ou iguais a 2 cm de diâmetro foi de 95,6% em comparação a 58% em tumores maiores que 2 cm.[44] Com o aumento do tamanho da amostra, diminuem a sensibilidade e o valor preditivo negativo. As razões para achados falso-negativos são: o modo errado de aplicação, a falta de padronização do volume de corante injetado, a marcação radioativa com atividade de fundo alta quando o LNS se localiza perto do local da injeção e uma curva de aprendizagem curta.[22,24,32] A sobrecarga de corante azul ou de radiomarcador faz com que a detecção de pequenos linfonodos parametriais seja difícil. Um ângulo errado de *gamma probe* durante a linfadenectomia laparoscópica também pode influenciar negativamente a taxa de detecção.[25]

A linfocintilografia demonstra uma falta de captação de meio de contraste em linfonodos com metástases.[34] Uma falha na coloração azul em um LNS foi correlacionada com a presença de metástases.[12] Em pacientes com linfonodos preenchidos completamente por metástases a taxa de detecção é significativamente menor, o que é explicado por uma deficiência completa da captação do traçador ou por um *bypass* do traçador através da metástase linfonodal e consequente acúmulo do traçador em um segundo linfonodo seguindo a cadeia linfática.[8,9,32]

Quanto ao volume do corante injetado, Dargent et al.[12] avaliaram 35 pacientes com câncer de colo uterino através da injeção de azul patente ao redor do tumor e provaram que tanto é possível a identificação por via laparoscópica como o índice de detecção está diretamente relacionado com a quantidade de azul injetada, evidenciando apenas 10% de falha com injeção de 4 mL.

A influência da quimioterapia neoadjuvante na detecção de sentinela é controversa.[6,41] Não está claro se a frequência de detecção bilateral é diminuída pela terapia anterior ou pela doença inflamatória pélvica.[11,32,44]

TÉCNICAS DE IDENTIFICAÇÃO DO LNS

A identificação do linfonodo sentinela foi inicialmente feita por linfangiografia, entretanto, este método é tecnicamente difícil e pode resultar em celulite e linfangite. Dois métodos diferentes são atualmente usados. O primeiro método, introduzido por Morton et al., utiliza corante azul de isosulfan para identificar o ducto linfático que drenava em direção ao linfonodo sentinela em pacientes com melanoma.[27] O segundo método, descrito por Alex e Krag, envolveu localização direta dos linfonodos sentinela usando marcadores radioativos e um detector manual de radiação *gamma* (*handheld gamma probe*).[2] Apesar de não ser obrigatório, podemos realizar uma etapa pré-operatória de linfangiografia em gamacâmera estática, o que permite um planejamento pré-operatório melhor.

Corantes

Nessa técnica o cirurgião pode injetar o corante azul no fórnice vaginal ou ao redor do tumor no estroma do colo uterino (Fig. 2). Em função de o trajeto dos vasos linfáticos ser bem conhecido e os resultados com aplicação no fórnice vaginal apresentar menores taxas de detecção, a opção pela injeção no colo é a mais utilizada.[12] Durante a cirurgia, o cirurgião identifica os linfonodos sentinela acompanhando a rota de disseminação linfática a partir do tumor (Fig. 3).

Os corantes para mapeamento que têm sido usados incluem: a fluoresceína, o cyalume e o azul patente. O azul isosulfan é o corante mais

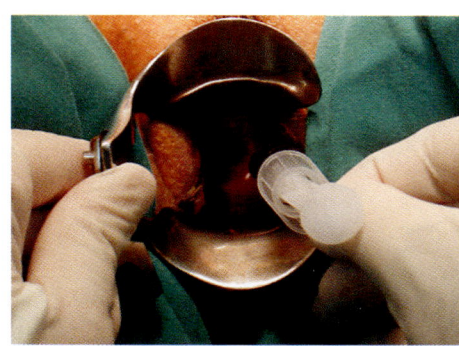

◀ **FIGURA 2.** Injeção do corante no colo uterino durante o ato operatório.

utilizado na América do Norte, e o azul patente é o corante mais utilizado na Europa, na Austrália e no Brasil. O tempo de trânsito para os linfonodos sentinela varia dependendo do sítio do tumor primário, da distância e da presença ou ausência de reação inflamatória junto ao tumor. No caso do colo uterino e da vulva, o tempo de trânsito para o linfonodo sentinela é menor que 10 minutos, (usualmente 5 minutos ou menos). O azul isosulfan permanece visível no linfonodo sentinela por 30 a 45 minutos.[17] Portanto, o melhor momento para realizar a injeção do corante é após a completa abertura da parede abdominal na laparotomia ou após o posicionamento dos trocartes na laparoscopia.[24]

A quantidade a ser injetada ainda não foi padronizada, apresentando variações com uso desde 2 até 8 mL, podendo ser ou não diluído em partes iguais com água destilada.[4,12] O local da aplicação também teve variações de acordo com o serviço onde o trabalho foi publicado. Foram publicados trabalhos variando de um até quatro sítios de aplicação no colo uterino. A aplicação em um único sítio foi feita nos casos de tumor grande, em que apenas um dos quadrantes do colo era poupado pelo tumor. A aplicação em dois sítios, na posição de 3 e 9 horas, ou em quatro sítios, na posição de 12, 3, 6 e 9 horas, foi usada de acordo com a preferência de cada serviço. Existe uma tendência de padronização para injeção de 1 mL de corante em cada quadrante do colo uterino.

Reações tóxicas ao corante azul são incomuns, porém podem ser significativas. O achado mais comum é o de que a urina fica com tonalidade azul ou verde por até 24 horas. Ocasionalmente a pele da paciente se tornará cinza na sala de recuperação; entretanto, esta descoloração desaparece em 24 horas. Reações alérgicas são as complicações mais graves e ocorrem em 1 a 2% dos casos. Urticária azul e reações anafiláticas completas têm sido descritas. Elas parecem ser mais comuns no mapeamento linfático do câncer de mama, no qual se requer injeção profunda de um grande volume de corante, diferente do mapeamento linfático para melanoma. Diminuição inexplicada na saturação de oxigênio medida pela oximetria de pulso tem sido descrita em paciente com câncer de colo uterino.[17] Na verdade, nada mais é que a leitura óptica do aparelho que detecta tonalidade azulada do sangue, decorrente da fuga do corante para o interior dos vasos.

A identificação do linfonodo sentinela com injeção do corante azul é rápida, de baixo custo e não requer tecnologia especial, que pode não ser disponível fora dos grandes centros médicos. A maioria das experiências indica que a curva de aprendizado para identificação do linfonodo sentinela é mais longa com corante azul isolado do que com os outros métodos. Com o corante azul não há possibilidade de estudo pré-operatório, que ajudaria o cirurgião a planejar o procedimento, e o tempo de oportunidade para identificar o linfonodo sentinela na sala operatória é curto.[17]

Linfocintilografia pré-operatória

A linfocintilografia é realizada através da injeção de um radioisótopo e obtém-se então uma imagem (linfocintilograma) usando uma gamacâmera estática (Figs. 4 a 6). Uma variedade de radiofármacos está disponível para uso. Na América do Norte, o radiofármaco mais utilizado para identificação do linfonodo sentinela é o tecnécio-99m (^{99m}Tc). Ele é obtido após a reação do cloreto de sódio com o molibdênio (Mo). Esse se reduz a tecnécio (^{98}Tc) com propriedade radioativa (^{99m}Tc) (Fig. 7). Cada radiofármaco tem diferentes características, porém todos parecem ser efetivos para revelar o linfonodo sentinela.[17] O ^{99m}Tc apresenta meia-vida curta, de 6 horas, o que evita uma exposição prolongada à radiação pelo paciente e permite uma detecção do linfonodo por cerca de 24 horas.[29] Esse marcador radioativo deverá ser combinado com um carreador antes de ser injetado na região peritumoral. Existem diversos carreadores, como: os coloides (macroagregado de soro albumina humana – MAA e o coloide de enxofre), o ácido fítico (fitato) e o metilenodifosfonato de sódio (MDP). Na linfocintilografia do colo uterino o carreador mais utilizado na Europa é a albumina, enquanto os coloides de enxofre são os mais utilizados nos Estados Unidos.[29] Cada carreador apresenta predileção para órgãos específicos e o tamanho dessa partícula é o fator crítico que determina a adaptabilidade clínica de um agente carreador. O fitato

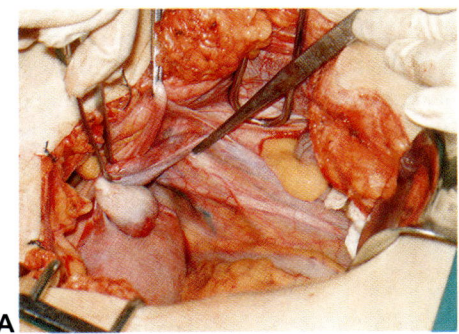
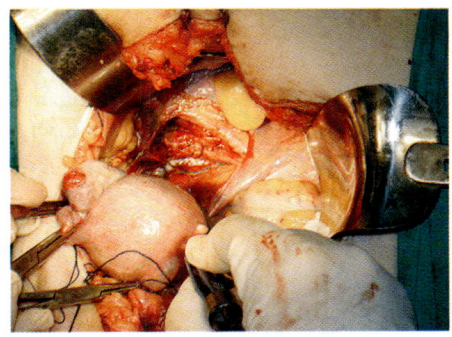
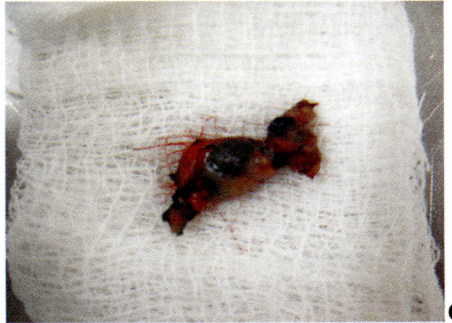

▲ **FIGURA 3.** Linfonodo pélvico marcado pelo corante. (**A**) Trajeto do corante antes da abertura do peritônio; (**B**) trajeto do corante após abertura do retroperitônio e (**C**) linfonodo sentinela corado após ressecção cirúrgica.

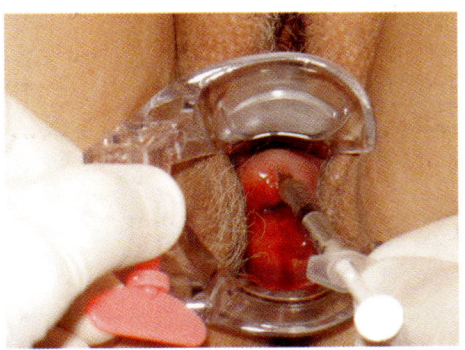

▲ **FIGURA 4.** Injeção do radioisótopo no colo uterino.

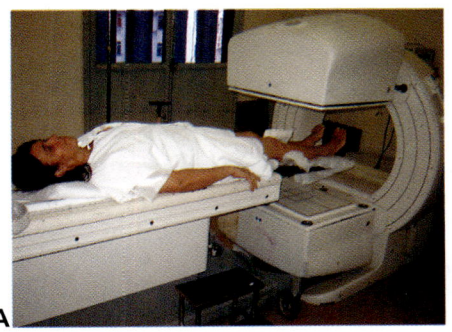
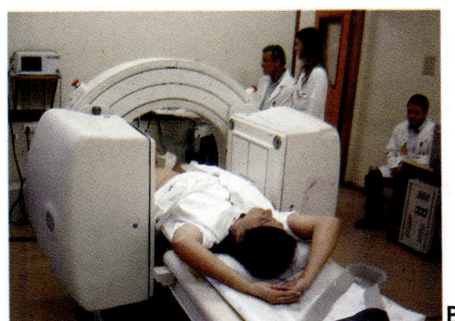

▲ **FIGURA 5.** Obtenção da linfocintilografia em gamacâmera estática. (**A**) Aquisição anterior e (**B**) aquisição lateral.

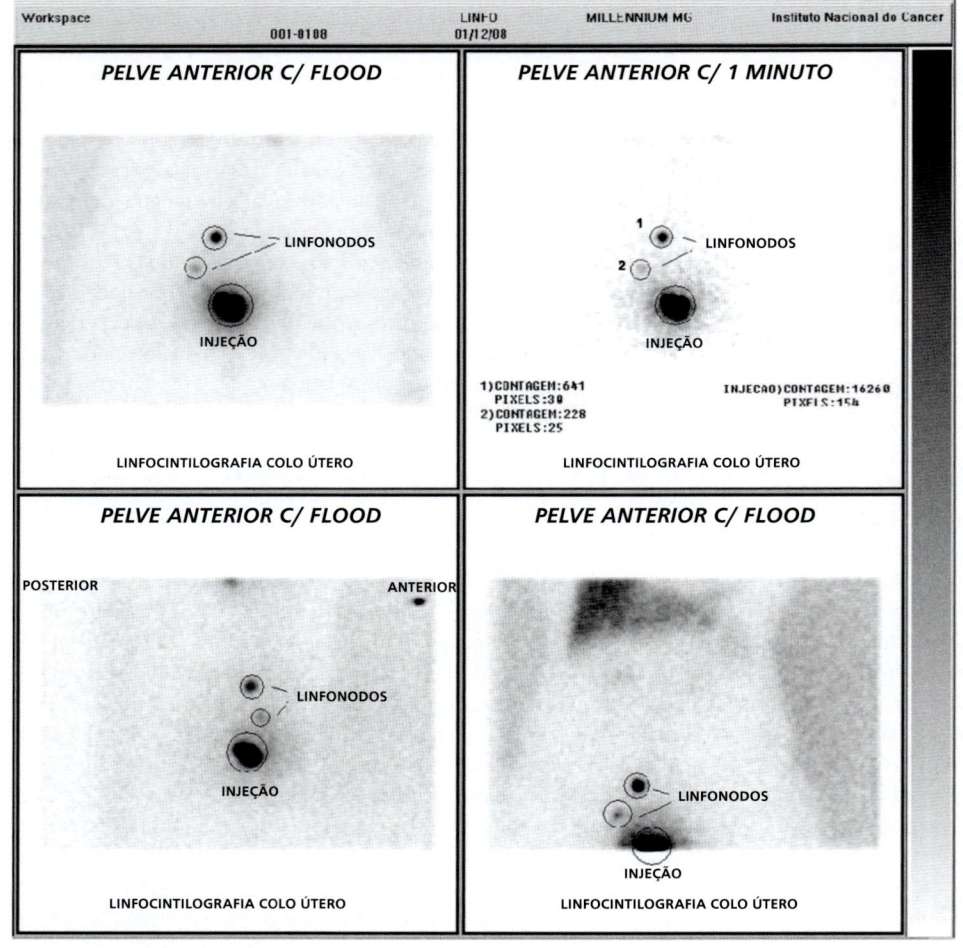

◄ **FIGURA 6.** Resultado de exame de linfocintolografia mostrando fixação do radiofármaco em linfonodos pélvicos.

apresenta um tamanho que varia de 200 a 1.000 nm em diâmetro, sendo, portanto, maior que a albumina e os coloides de enxofre. Se as partículas são muito pequenas, elas vão migrar para fora dos vasos linfáticos antes de chegarem ao linfonodo sentinela. Se as partículas são muito grandes, a proporção que chegará ao linfonodo sentinela será pequena e o índice de movimento pelos vasos linfáticos será muito lento. O tamanho adequado das partículas para o sistema linfático pélvico ainda não foi estabelecido.[29]

Estudos extensivos a respeito da exposição à radiação têm sido feitos para determinar a segurança da linfocintilografia para pacientes e trabalhadores da saúde. A quantidade de exposição à radiação por esta técnica é muito pequena e os efeitos cumulativos de muitos casos estão dentro dos níveis aceitáveis. É importante, no entanto, entender que a exposição à radiação depende de muitos fatores e que as precauções aplicáveis à radiação devem ser observadas.[17]

A área próxima ao local de injeção do radiofármaco pode ficar prejudicada para interpretação na linfocintilografia. A localização do linfonodo sentinela pode ser marcada na pele do abdome, guiada pelo resultado da linfocintilografia (Fig. 8). Normalmente o radiofármaco começará a depositar-se no linfonodo sentinela em 20 minutos, porém pode ser necessário esperar até 2 horas para se obter uma imagem satisfatória.[17]

Os maiores usos da linfocintilografia pré-operatória são nos casos de tumores que podem ter múltiplas rotas de disseminação linfática. Como exemplo, podemos citar o melanoma na região das costas, que pode drenar tanto para a axila como para a região inguinal e os tumores do terço medial da mama, que podem tanto drenar para a axila como para a cadeia da mamária interna. Em ambos os casos, a linfocintilografia pode direcionar o cirurgião para o correto sítio de incisão e dissecção. Se o linfonodo sentinela estiver muito próximo do tumor, pode não ser possível distinguir o linfonodo sentinela do tumor. Tumores de colo uterino e tireoide podem estar nesta categoria.[17]

Mapeamento intraoperatório com *gamma-probe*

A técnica final de identificação do linfonodo sentinela consiste no uso intraoperatório de *gamma probe* após injeção do radiofármaco no colo uterino. Há atualmente vários tipos destas sondas para uso intraoperatório, incluindo sondas laparoscópicas. No procedimento, estas sondas recebem capas esterilizadas para uso dentro da incisão. A identificação do lin-

◄ **FIGURA 7.** Gerador de tecnécio ativado (^{99m}Tc) após reação do cloreto de sódio com o molibdênio.

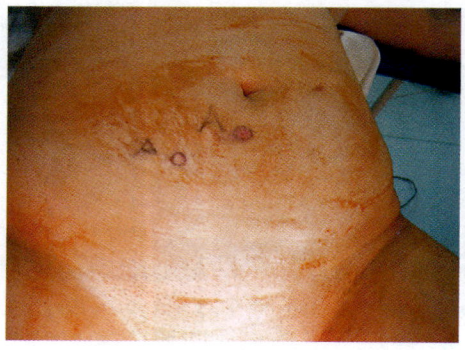

◄ **FIGURA 8.** Marcação cutânea da topografia do linfonodo sentinela identificado na linfocintilografia.

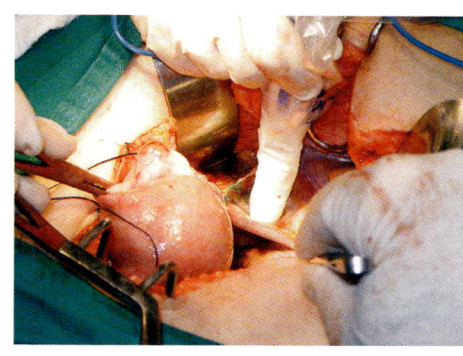

FIGURA 9. Detecção do linfonodo quente com *gamma probe* portátil.

fonodo sentinela através do uso de *gamma probe* manual permite a identificação de um nódulo que é altamente radioativo, quando comparado à radioatividade basal (no mínimo 10 vezes maior que o nível basal). É o chamado "nódulo quente", e este nódulo é o linfonodo sentinela (Fig. 9). Esta técnica pode ser usada isoladamente ou associada a técnicas baseadas em corantes azuis. O radiofármaco pode ser injetado antes da cirurgia ou na sala cirúrgica.[17]

Técnica de mapeamento linfático em pacientes com câncer de colo uterino

Tanto para a aplicação da substância traçadora como do corante, a camada subepitelial cervical é a preferencialmente utilizada. O colo do útero é visibilizado por um espéculo bivalve e a substância é injetada no epitélio escamoso intacto, após introdução de 5 a 10 mm da agulha.[12] A pressão de injeção deve ser baixa, diminuindo desta maneira o refluxo do líquido após retirada da agulha do tecido. O local da injeção, assim como o volume tanto do traçador como do corante, é igualmente distribuído nos quatro quadrantes do colo do útero. Sugerimos colocar as quantidades, tanto do corante como do radiotraçador, distribuídas em quatro seringas separadas, para garantir a injeção da quantidade certa em cada quadrante.

O ^{99m}Tc pode ser administrado no dia anterior ou na manhã da cirurgia. A dose de radioatividade pode variar de 10 a 111 MBq e é separada em 0,4 mL de solução, devendo ser usadas doses maiores quanto maior o intervalo de tempo entre a injeção e a cirurgia.[13,16] Os regulamentos de proteção contra as radiações devem ser implementados quando há a aplicação de um traçador de ^{99m}Tc.

Os linfonodos tingidos de azul são identificados facilmente no intraoperatório após a abertura do retroperitônio. Para a localização do linfonodo quente utilizamos uma sonda *gamma* (*gamma probe*), que detecta uma energia a radiação entre 130 e 150 keV. Temos utilizado fitato de ^{99m}Tc pela manhã e iniciamos a cirurgia no início da tarde, com um intervalo de cerca de 5 horas entre a aplicação do radiofármaco e o início da cirurgia. As topografias dos linfonodos são verificadas de forma sistemática seguindo o trajeto dos vasos. Começamos na pelve, na topografia do ligamento inguinal e seguimos os vasos cranialmente, terminando no abdome, na altura dos vasos renais. Os linfonodos sentinela são colhidos e avaliados pelo patologista.

Resultados

Uma revisão sistemática recente demonstrou uma taxa de detecção alta, de 97% (95% CI, 95-98%) com a combinação da linfocintilografia e do corante azul.[41] A biópsia LNS tem a maior taxa de detecção quando a linfocintilografia é usada em combinação com o corante azul, sendo um método confiável para detectar metástases linfonodais em estágio inicial de câncer do colo uterino. Mais recentemente, Altgassen *et al.* relataram seus resultados de um grande estudo multicêntrico, prospectivo, abrangendo o maior número de pacientes com câncer do colo uterino em um único estudo, submetidas ao mapeamento do LNS seguido da linfadenectomia sistemática pélvica e/ou para-aórtica.[3] Nesse estudo multicêntrico, 590 pacientes com câncer do colo do útero de todos os estágios foram admitidos entre dezembro de 1998 e outubro de 2006. Embora a maioria dos centros participantes tenha utilizado tanto o corante azul como o ^{99m}Tc para o mapeamento do LNS, o protocolo não se restringiu a uma técnica combinada. A taxa de detecção do LNS pélvico foi de 88,6% (95% CI, 85,8-91,1%), e foi maior com a combinação das técnicas (93,5%; 95% CI, 90,3-96%). Das 106 pacientes que apresentavam metástases linfonodais pélvicas, 82 tinham LNS pélvico positivo, que se traduz em uma sensibilidade de 77,4% (95% CI, 68,2-85,0%) e uma taxa de falso-negativo de 22,6%. A sensibilidade foi inferior à margem de não inferioridade predefinida de 90%. A análise de subgrupo foi realizada com base no tamanho da lesão tumoral. A sensibilidade do mapeamento do LNS foi de 90,9% em pacientes com tumores menores de 2 cm. O VPN também foi maior em pacientes com tumores menores (99,1%, 95% CI, 96,6%-100%) do que em pacientes com tumores maiores que 2 cm (88,5%; 95% CI, 82,9%-92,8%; p < 0,001).

Outra observação feita pelos autores foi que a sensibilidade foi mais alta quando o LNS foi detectado bilateralmente. Os autores concluíram que a linfadenectomia sistemática em pacientes com câncer cervical não deve ser omitida neste momento. Porém, este estudo prospectivo multicêntrico mostrou que o conceito LNS não é aplicável à população em geral. Foi previamente demonstrado que linfonodos com doença metastática e invasão parametrial podem alterar o padrão da drenagem linfática. Portanto, restringir o procedimento a pacientes com pequeno volume de câncer do colo do útero vai melhorar ainda mais a sensibilidade do procedimento.

Verheijen *et al.*[43] avaliaram dez pacientes submetidas à cirurgia de Wertheim-Meigs, nas quais realizaram mapeamento linfático com tecnécio-99m e corante azul, mostrando detecção de um ou mais linfonodos sentinela em oito de dez casos com o uso de radioisótopo.

O'Boyle *et al.*,[31] ao avaliarem 20 pacientes que se submeteram à cirurgia de Wertheim-Meigs, concluíram ser mais difícil a identificação do linfonodo sentinela em tumores de colo maiores que 4 cm.

Malur *et al.*[25] estudaram 50 pacientes com câncer de colo uterino através do uso de corante azul e tecnécio-99m e demonstraram que o índice de detecção de linfonodo sentinela, sensibilidade e valor preditivo negativo foi de 100%.

O aspecto técnico do processo é fundamental na maximização dos resultados. A garantia de qualidade, incluindo a formação e experiência médica, métodos de detecção e patologistas experientes são essenciais para maximizar a taxa de sucesso e minimizar os resultados falso-negativos.

Além do benefício da diminuição da morbidade utilizando o conceito LNS, há o benefício de segmentação de amostragem de linfonodos para regiões de interesse. Isto é baseado em dados que mostram que metástases linfáticas podem ser encontradas em regiões anatomicamente atípicas, como linfonodos ilíacos comuns, pré-sacral ou, ocasionalmente, gânglios linfáticos para-aórticos, sem observar metástases nos linfonodos mais comumente afetados como ilíacos externos, ilíacos internos ou obturadores.[19]

Um resumo de estudos selecionados e as taxas de detecção correspondentes, sensibilidades e o valor preditivo negativo (VPN) são ilustrados no Quadro 4.

CONSIDERAÇÕES FINAIS

Embora não faça parte do sistema de estadiamento para o câncer cervical da Federação Internacional de Ginecologia e Obstetrícia (FIGO), o estado linfonodal é o fator prognóstico isolado mais importante para pacientes com câncer do colo do útero e um determinante importante do tratamento adjuvante pós-operatório.[13,14] Portanto, a avaliação nodal da pel-

Quadro 4. Taxa de detecção, sensibilidade e valor preditivo negativo do linfonodo sentinela do colo uterino

ESTUDO	N	MÉTODO	TAXA DE DETECÇÃO	SENSIBILIDADE	VPN*
Rob *et al.* (2005)[36]	183	Corante com ou sem Tc	87%	97%	99,3%
Wydra *et al.* (2006)[44]	100	Tc/Corante	88%	86%	96%
Altgassen *et al.* (2008)[3]	590	Tc com ou sem Corante	89%	77%	94%

*Valor preditivo negativo.

ve e/ou para-aórtica continua sendo o padrão ouro no tratamento de câncer em estágio inicial cervical, em combinação com uma histerectomia radical ou traquelectomia radical. Na presença de metástases linfáticas, as taxas de sobrevivência global em 5 anos são dramaticamente mais baixas, menos de 50 *versus* 85%.[13,16] Os efeitos colaterais negativos da linfadenectomia pélvica e/ou para-aórtica incluem a formação no pós-operatório de linfedema em até 15% dos pacientes[7] e outros efeitos adversos, especialmente quando combinada com radioterapia adjuvante.[21] No entanto, apenas 8 a 30% das pacientes com doença em estádio inicial têm metástases linfonodais, resultando em linfadenectomias desnecessárias em um grande número de pacientes. Assim, a maioria das pacientes poderá ser protegida contra as possíveis sequelas de uma linfadenectomia regional se o conceito de LNS for validado. O colo do útero tem uma drenagem linfática complexa decorrente da sua posição na linha média. Desde a introdução do conceito LNS, muitos estudos têm sido realizados para analisar a sua viabilidade no câncer do colo uterino, demonstrando altas taxas de detecção de 8 a 100%.[14,30]

A literatura mostra uma grande variação nas técnicas utilizadas para detecção do LNS no câncer do colo uterino. As taxas de sucesso do procedimento variam, assim como a taxa detecção ou a sensibilidade do procedimento. Os resultados são difíceis de aplicar à população em geral, e uma padronização da técnica de detecção é necessária. Os métodos para diminuir a taxa de falso-negativos sugerem abortar o procedimento na presença de linfonodos aumentados grosseiramente ou com grandes tumores do colo do útero com a invasão do paramétrio. Só depois de melhorar as taxas de detecção e a sensibilidade do procedimento poderemos avançar e avaliar o papel de omitir uma linfadenectomia sistemática em pacientes com câncer em estágio inicial cervical.

REFERÊNCIAS BIBLIOGRÁFICAS

1. Abrao FS, Breitbarg RC, Oliveira AT et al. Complications of surgical treatment of cervical carcinoma. *Braz J Med Biol Res* 1997;30(1):29-33.
2. Alex JC, Weaver DL, Fairbank JT et al. Gamma-probe-guided lymph node localization in malignant melanoma. *Surg Oncol* 1993;2(5):303-8.
3. Altgassen C, Hertel H, Brandstädt A et al. Multicenter validation study of the sentinel lymph node concept in cervical cancer: AGO Study Group. *J Clin Oncol* 2008;26:2943-51.
4. Altgassen C, Poseka A, Urbanczyk H et al. Dilution of dye improves parametrial SLN detection in patients with cervical cancer. *Gynecol Oncol* 2007;105:329-34.
5. Atallah D, Rouzier R, Camatte S et al. Sentinel lymph nodes in gynecologic cancers. *Bull Cancer* 2002;89(7-8):681-88.
6. Barranger E, Cortez A, Grahek D et al. Laparoscopic sentinel node procedure for cervical cancer: Impact of neoadjuvant chemoradiotherapy. *Ann Surg Oncol* 2004;11:445-52.
7. Beesley V, Janda M, Eakin E et al. Lymphedema after gynecological can-cer treatment: Prevalence, correlates, and supportive care needs. *Cancer* 2007;109:2607-14.
8. Borgstein P, Pijpers R, Comans E et al. Sentinel lymph node biopsy in breast cancer: Guidelines and pitfalls of lymphoscintigraphy and gamma probe detection. *J Am Coll Surg* 1998;186:275-83.
9. Buist M, Pijpers R, van Lingen A et al. Laparoscopic detection of sentinel lymph nodes followed by lymph node dissection in patients with early stage cervical cancer. *Gynecol Oncol* 2003;90:290-96.
10. Burke TW, Levenback C, Tornos C et al. Intraabdominal lymphatic mapping to direct selective pelvic and paraaortic lymphadenectomy in women with high-risk endometrial cancer: results of a pilot study. *Gynecol Oncol* 1996;62(2):169-73.
11. Dargent D, Enria R. Laparoscopic assessment of the sentinel lymph nodes in early cervical câncer. Technique-preliminary results and future developments. *Crit Rev Oncol Hematol* 2003;48:305-10.
12. Dargent D, Martin X, Mathevet P. Laparoscopic assessment of the sentinel lymph node in early stage cervical cancer. *Gynecol Oncol* 2000;79(3):411-15.
13. Delgado G, Bundy B, Zaino R et al. Prospective surgical-pathological study of disease-free interval in patients with stage IB squamous cell car-cinoma of the cervix: A Gynecologic Oncology Group study. *Gynecol Oncol* 1990;38:352-57.
14. Di Stefano AB, Acquaviva G, Garozzo G et al. Lymph node mapping and sentinel node detection in patients with cervical carcinoma: a 2-year ex-perience. *Gynecol Oncol* 2005;99:671-79.
15. DiSaia PJ, Creasman WT. Invasive cervical cancer. In: DiSaia PJ, Creasman WT. (Eds.). Clinical gynecologic oncology. 6th ed. St Louis: Mosby, 2002. p. 53-113.
16. Fuller Jr AF, Elliott N, Kosloff C et al. Determinants of increased risk for recurrence in patients undergoing radical hysterectomy for stage IB and IIA carcinoma of the cervix. *Gynecol Oncol* 1989;33:34-39.
17. Gershenson D, McGuire WP. Lymphatic mapping of the female genital tract. In: *Gynecologic cancer – Controversies in management*. Elsevier, 2004.
18. Hatch KD. Cervical cancer. In: Berek JS, Hacker NF. (Eds.). *Practical gynecologic oncology*. Baltimore: Williams and Wilkins, 1994. p. 243-83.
19. Hauspy J, Beiner M, Harley I et al. Sentinel lymph nodes in early stage cervical cancer. *Gynecol Oncol* 2007;105:285-90.
20. Henriksen E. Distribution of metastases in stage I carcinoma of the cervix; a study of 66 autopsied cases. *Am J Obstet Gynecol* 1960;80:919-32.
21. Landoni F, Maneo A, Colombo A et al. Randomised study of radical sur-gery versus radiotherapy for stage Ib-IIa cervical cancer. *Lancet* 1997;350:535-40.
22. Lantzsch T, Wolters M, Grimm J et al.: Sentinel node procedure in Ib cervical cancer: A preliminary series. *Br J Cancer* 2001;85:791-94.
23. Levenback C, Burke TW, Gershenson DM et al. Intraoperative lymphatic mapping for vulvar cancer. *Obstet Gynecol* 1994;84(2):163.
24. Levenback C, Coleman RL, Burke T et al. Lymphatic mapping and sentinel node identification in patients with cervix cancer undergoing radical hysterectomy and pelvic lymphadenectomy. *J Clin Oncol* 2002;20:688-93.
25. Malur S, Krause N, Kohler C et al. Sentinel lymph node detection in patients with cervical cancer. *Gynecol Oncol* 2001;80(2):254-57.
26. Medl M, Peters-Engl C, Schutz P et al. First report of lymphatic mapping with isosulfan blue dye and sentinel node biopsy in cervical cancer. *Anticancer Res* 2000;20(2B):1133-34.
27. Morton DL, Wen DR, Wong JH et al. Technical details of intraoperative lymphatic mapping for early stage melanoma. *Arch Surg* 1992;127(4):392-99.
28. Negishi H, Takeda M, Fugimoto T et al. Lymphatic mapping and sentinel node identification as related to the primary sites of lymph node metastasis in early stage ovarian cancer. *Ginecologic Oncology* 2004;94:161-66.
29. Niikura H, Okamura C, Akahira J et al. Sentinel lymph node detection in erly cervical cancer with combination ^{99m}Tc phytate and patent blue. *Gynecol Oncol* 2004;94:528-32.
30. Niikura H, Okamura C, Utsunomiya H et al. Sentinel lymph node detection in patients with endometrial cancer. *Gynecol Oncol* 2004;92:669-74.
31. O'Boyle JD, Coleman RL, Bernstein SG et al. Intraoperative lymphatic mapping in cervix cancer patients undergoing radical hysterectomy: a pilot study. *Gynecol Oncol* 2000;79(2):238-43.
32. Plante M, Renaud MC, Tetu B et al. Laparoscopic sentinel node mapping in early-stage cervical cancer. *Gynecol Oncol* 2003;91:494-503.
33. Plentl AA, Friedman EA. Lymphatic system of the female genitalia. In: *Lymphatics of the Cervix Uteri*. Philadelphia: WB Saunders, 1971. p. 75-84.
34. RiverosM, Garcia R, Cabanas R. Lymphadenectomy of the dorsal lymphatics of the penis. *Cancer* 1967;20:2026-31.
35. Rob L, Charvat M, Robova H et al. Sentinel lymph node mapping in early-stage cervical cancer. *Ceska Gynekol* 2004;69: 273-77.
36. Rob L, Strnad P, Robova H et al. Study of lymphatic mapping and sentinel node identification in early stage cervical cancer. *Gynecol Oncol* 2005;98:281-88.
37. Rodier JF, Jauser JC, David E et al. Radiophamaceutial-guided surgery in primary malignant of the vagina. *Gynecol Oncol* 1999;75:308-9.
38. Sakuragi N, Satoh C, Takeda N et al. Incidence and distribution pattern of pelvic and paraaortic lymph node metastasis in patients with Stages IB, IIA, and IIB cervical carcinoma treated with radical hysterectomy. *Cancer* 1999;85(7):1547-54.
39. Silva LB, Silva-Filho AL, Triginelli SA et al. Sentinel node detection in cervical cancer with ^{99m}Tc-phytate. *Gynecol Oncol* 2005;97:588-95.
40. Thompson JF, Uren RF. What is a 'sentinel' lymph node? *Eur J Surg Oncol* 2000 Mar.;26(2):103-4.
41. van Dam P, Sonnemans H, van Dam PJ et al. Sentinel node detection in a patient with recurrent endometrial cancer initially treated by hysterectomy and radiotherapy. *Int J Gynecol Cancer* 2004;14:673-76.
42. Vande Londe J, Torrega B, Raijmakers PGHM et al. Sentinel lymph node detection in early stage uterine cervix carcinoma: A systematic review. *Ginecol Oncol* 2007;106:604-13.
43. Verheijen RH, Pijpers R, van Diest PJ et al. Sentinel node detection in cervical cancer. *Obstet Gynecol* 2000;96(1):135-38.
44. Wydra D, Sawicki S, Wojtylak S et al. Sentinel node identification in cervical cancer patients undergoing transperitoneal radical hysterectomy: a study of 100 cases. *Int J Gynecol Cancer* 2006;16:649-54.

CAPÍTULO 170

Traquelectomia Radical – Cirurgia Conservadora em Câncer do Colo de Útero

Marcelo Biasi Cavalcanti ■ Euridice Maria de Almeida Figueiredo
Giulliana Martines Moralez ■ Juliano Rodrigues da Cunha

INTRODUÇÃO

O câncer do colo do útero (CC) é o segundo mais comum entre mulheres no mundo.[1] O tratamento convencional para o CC em estágio inicial é a histerectomia radical (HR) ou radioterapia. No entanto, estes tratamentos anulam qualquer possibilidade futura de gestar.[1,2] Ao mesmo tempo, é crescente o número de mulheres em idade fértil que ainda não gestaram e que estão sendo acometidas pelo CC.[3] A estimativa do *Surveillance Epidemiology and End Results* é que 40% dos casos de CC ocorrem em mulheres em idade fértil.[4,5]

Em 1994, D'Argent descreveu a traquelectomia radical (TR) vaginal para o tratamento de CC em estágio precoce como uma opção para preservar a fertilidade em mulheres em idade reprodutiva.[4] Esse procedimento – que pode ser feito por via vaginal, abdominal, laparoscópica ou robótica – consiste na remoção de colo uterino até próximo ao istmo, tecidos parametriais e paravaginais, porção superior da vagina, cerclagem uterina e anastomose uterovaginal, acompanhada de linfadenectomia pélvica.

CRITÉRIOS DE SELEÇÃO E FATORES DE RISCO

A percentagem de TR planejadas e abortadas permanece significante, em torno de 10 a 17%.[5] Espera-se que com o aprimoramento dos exames pré-operatórios e aumento na detecção de doença metastática, a taxa de cirurgia abortada diminua.[6] Na série de Dargent,[7] das 108 TR planejadas, 95 foram realizadas. Dentre as 13 pacientes que tiveram suas cirurgias suspensas no transoperatório, oito foram devidas à presença de doença linfonodal e cinco por invasão tumoral até o nível do istmo. Na série de Plante,[3] das 82 mulheres que preencheram critério para a TR, dez casos tiveram suas cirurgias suspensas no transoperatório, nove suspensões foram por doença avançada (quatro com doença linfonodal e cinco com doença residual no coto de colo uterino) e uma decorrente da presença de aderências em tuba uterina.

A seleção criteriosa e de bom senso, individualizando particularidades do caso, ditará o sucesso terapêutico (Quadro 1).

ESTÁGIO

Pacientes com CC em idade fértil com estágio IA1 com invasão vascular, IA2 e IB1 em idade fértil são candidatas à cirurgia radical com preservação de fertilidade.[3,8]

Quadro 1. Critérios de seleção para realização da traquelectomia radical

1. Tipo histológico do câncer de colo do útero invasor: carcinoma epidermoide celular e adenocarcinoma ou adenoescamoso
2. Estágios da FIGO: IA1 com invasão linfovascular, IA2 e IB1
3. Desejo de preservar a fertilidade, ideal paciente nulípara abaixo de 40 anos
4. Paciente sem alteração irreversível da fertilidade
5. Tamanho da lesão: até 2 cm via vaginal e 3 cm via abdominal
6. Exames de imagem sem evidência de metástases
7. Envolvimento endocervical limitado na ressonância de pelve
8. Colo com tamanho estimado mínimo em 2 cm
9. Linfonodos pélvicos negativos na congelação e na parafina
10. Margem de canal mínima de 5 mm no tipo epidermoide e 8 mm no tipo adenocarcinoma
11. Margens livres (vagina, paramétrio)

Durante o pré-operatório, além do estadiamento recomendado pela FIGO, estas pacientes devem realizar colposcopia e ressonância nuclear magnética (RNM).

A tomografia computadorizada (TC) parece ter acurácia semelhante à da RNM para avaliar linfonodos pélvicos e para-aórticos, mas a RNM é o exame de imagem com maior acurácia para medir a extensão de invasão do colo de útero e dos tecidos que o circundam.[9] A RNM também possibilita medir o colo uterino e assim calcular o coto de colo residual pós-operatório, bem como excluir a cirurgia nos casos de invasão do útero ou ligamentos não percebida ao exame físico.[3,10] A ultrassonografia transvaginal, embora inferior à RNM, pode ser utilizada para medir a extensão do canal cervical como opção de menor custo para cálculo do coto remanescente pós-operatório, que terá implicação em futura gestação.[11,12]

TAMANHO TUMORAL

A extensão tumoral aparece como fator prognóstico independente em trabalhos que avaliaram a recidiva e letalidade da TR e a maioria dos autores defende a realização da TR em tumores menores que 2 cm.[3,8,9,13,14] Alguns autores são um pouco mais maleáveis na tentativa de preservar a fertilidade de pacientes com CC, e referem que para o tipo histológico carcinoma epidermoide celular com até 3 cm de extensão com padrão exofítico sem comprometimento de vagina a TR poderia ser realizada.[3,15,16] Para lesões entre 2 e 4 cm, a sua decisão quanto à forma de tratamento deve ser tomada em conjunto com a paciente, tendo em vista que o risco de recidiva aumenta para cerca de 10 a 15%.[15]

TIPO HISTOLÓGICO

Os tipos histológicos adenocarcinoma ou carcinoma epidermoide celular são passíveis de TR. Ficam excluídos tipos histológicos raros, como pequenas células ou neuroendócrino, que são de mau prognóstico,[1] como demonstrado na revisão de Plante e Dargent, com uma recidiva de tumor neuroendócrino de apenas 1 cm de extensão em cada série.[3,7] Contudo, há relatos isolados de sucesso em TR de tipos histológicos diferentes do epidermoide ou adenocarcinoma, como o de um tumor maligno da bainha de nervo periférico no colo de útero sem recidiva no seguimento de 20 meses.[17] Também foi utilizada a TR, por via abdominal, em dois casos de câncer de células claras do colo útero em crianças de 6 e 8 anos, respectivamente.[13] Conforme o autor, a TR mostrou ser um método factível e oncologicamente seguro no grupo pediátrico.[13]

MARGEM CIRÚRGICA LIVRE

A margem livre mínima aceitável para o tratamento conservador do CC é de 5 mm. Para o tipo histológico carcinoma epidermoide, 5 mm de margem livre podem ser aceitáveis, porém para adenocarcinoma é mais prudente observar uma margem livre entre 8 e 10 mm.[18,19] No tipo adenocarcinoma de colo uterino, o tamanho tumoral deve exercer influência na escolha da margem livre necessária, contudo mais estudos são necessários para se definir qual é a real correlação margem segura *versus* tamanho tumoral.[18]

As consequências de uma margem livre subótima diferem das consequências dos outros fatores de risco por terem implicação direta no manejo cirúrgico.[18] Se a margem não é suficiente, a tentativa de ampliação de margem endocervical pode ser uma opção à HR.[3,18] Na série de

Plante[3] optou-se por observar três pacientes que apresentaram margem próxima, com 5, 4 e 2 mm respectivamente, e não houve recidiva em coto de colo uterino residual. Sheperd[1] realizou a histerectomia radical em um caso de sua série por margem livre menor que 5 mm na peça de TR, e não encontrou doença residual no estudo por patologia final. O caso de uma recidiva central que se fez com 2 anos e 2 meses da cirurgia demonstra a falha no tratamento conservador de um adenocarcinoma moderadamente diferenciado com invasão linfovascular de 2 × 2,1 cm em extensão e 7 mm de profundidade com margem livre de 5 mm.[18]

Ainda em relação ao estudo da margem livre na TR, é necessário que se crie um protocolo padrão para estudo da peça de traquelectomia, pois a margem é de suma importância para a obtenção do resultado desejado.[3,18] Atualmente, utiliza-se da congelação no transoperatório da margem, para saber se a TR apresenta margem positiva, porém somente o exame final, da peça em parafina, é que dirá qual a distância de margem livre e se a cirurgia realizada foi oncologicamente segura e aceitável.[1,18]

INVASÃO LINFOVASCULAR

A invasão linfovascular não altera o estadiamento do CC, conforme os critérios da FIGO.[1,20,21] A presença de invasão linfovascular em CC está relacionada ao aumento na proporção de metástase para os linfonodos. A frequência de invasão linfovascular nos estágios IA1 e IA2 e a presença de linfonodo comprometido é de 0,5% de casos de comprometimento linfonodal na ausência de invasão linfovascular e 4,7% na presença de invasão para pacientes em estágio IA1.[22] Para o estágio IA2, estas proporções são de 3,4 e 4,7% na ausência ou presença de invasão linfovascular, respectivamente.[22]

A descoberta de invasão angiolinfática indica que se faça um estudo minucioso dos linfonodos no pré-operatório por exames de imagens e no transoperatório pela linfadenectomia como primeiro tempo da TR. Caso se confirme a metástase linfonodal, a TR deve ser suspensa e a radioterapia realizada.

Todavia, não há consenso se a presença de invasão linfovascular isolada, descoberta por estudo da peça no pós-operatório, deva levar à indicação de radioterapia adjuvante.[1,20] Creasman[20] no trabalho em que revisou com critério 25 estudos de fatores prognósticos em CC, somando um total de mais de 6.500 pacientes, refere que a metástase linfonodal é fator prognóstico de recidiva independente em câncer de colo de útero nos estágios IB1 e IIB em 20 de 22 estudos, junto com o volume tumoral em 15 de 24 estudos, em contraste com a presença de invasão linfovascular, que aparece em somente três dos 25 estudos. Também refere que a invasão linfovascular e de paramétrios são fatores subjetivos, ou seja, variam de patologista e com o tipo de processamento da peça. Para Creasman, o volume tumoral seria o fator de risco mais objetivo e reprodutível para o médico assistente acessar os resultados. É importante salientar que esta revisão sistemática não utilizou metodologia quantitativa apropriada (metanálise), de forma que as conclusões têm valor limitado.

Na análise unifatorial, a presença de invasão linfovascular não atingiu significância estatística em trabalho retrospectivo sobre fatores de risco para recidiva pós-TR, que revisou 96 casos. Neste trabalho, o diâmetro tumoral maior que 2 cm e a profundidade de infiltração maior que 1 cm atingiu significância estatística como fator de risco isolado para recidiva pós-TR ($p = 0,001$ e $p = 0,002$, respectivamente).[23]

As evidências atuais não são definitivas em apontar a invasão linfovascular como fator de piora do prognóstico em pacientes com CC, não devendo ser utilizada como fator isolado para indicar radioterapia adjuvante.[20]

INFERTILIDADE

Infertilidade parece ser uma contraindicação relativa à realização de TR, uma vez que atualmente métodos como inseminação artificial e fertilização *in vitro* possibilitaram a gestação em mulheres com disfunção ovulatória e alteração cervical que foram submetidas à TR. Houve inclusive casos que engravidaram sem auxílio tecnológico.[3,24] A dilatação de estenose de neo-orifício externo pode resolver alteração da fertilidade por este fator.[25] Contudo, infertilidade secundária ligada a fatores uterinos, masculinos ou idiopática associa-se a menor chance de gestar.[24]

FATORES QUE CONTRAINDICAM A TR

Como contraindicação à realização da TR são citados:

1. Paciente com indicação de radioterapia (por comorbidades).
2. Radioterapia pélvica pregressa decorrente da grande possibilidade de infertilidade já presente e impossibilidade da realização da técnica cirúrgica devida a aderências (fibrose) entre órgãos pélvicos.
3. Invasão profunda do estroma do colo uterino ou a presença de invasão parametrial em caso de margem livre são fatores de contraindicação relativa, já que, quando presentes, podem indicar radioterapia adjuvante.

Trabalhos mais recentes que adotaram critérios de seleção mais restritos (Quadro 1) obtiveram melhores resultados com relação a recidiva e mortalidade, tal como o realizado por Plante,[3] onde 60% das peças não tinham tumor residual e a taxa de recidiva e letalidade foi de 2,8% e 1,4%, respectivamente (excluindo um caso de tumor neuroendócrino). Trabalhos, como o do grupo de Sheperd,[14] com 26 casos de TR e um seguimento médio de 23 meses e do grupo de Burnett com 21 casos de TR e um seguimento médio de 31,5 meses, onde ambos os grupos não apresentaram casos de recidiva, reforçam o fato da seleção da paciente como o componente mais importante que ditará o sucesso desta terapia.[10]

Apesar de uma seleção criteriosa, pode haver recidiva, como no segundo caso de recidiva centropélvica da literatura, em que o cone demonstrou um adenocarcinoma bem diferenciado de 7 mm de extensão por 5 mm de profundidade sem invasão linfovascular. Após a TR a peça não apresentou tumor residual e tinha 1,5 cm de extensão, ou seja, foram conseguidos 15 mm de margens livres. A paciente apresentou recidiva central aos 6 anos e meio de seguimento, observada durante a colposcopia, que foi confirmada com biópsia. A peça de histerectomia radical mostrou um adenocarcinoma bem diferenciado sem invasão linfovascular com 30,5 mm de extensão por 10 mm de profundidade. A paciente não recebeu radioterapia e no seguimento de 1 ano e 3 meses mantém-se livre da doença. Este caso de recidiva central tardia fez com que o autor orientasse no seguimento destas pacientes, além da realização da RNM, a inclusão do teste de detecção do papilomavírus humano (HPV) na rotina, pois a recidiva central tardia pode ser em decorrência da doença latente alta no restante do útero ou persistência do HPV. Entretanto, os casos de recidiva lateral são devidos a doença latente ou provável presença de micrometástases no sistema linfático remanescente.[19]

O estudo retrospectivo realizado no *Memorial Sloan-Kettering Cancer Center* sobre quantas mulheres poderiam ter a cirurgia preservadora de fertilidade como opção à HR no tratamento do CC,[12] encontrou 186 mulheres com menos de 40 anos submetidas à HR no período de 12/1985 a 08/2001, a TR poderia ter sido realizada em 48% destas pacientes.

CONSENTIMENTO INFORMADO

O consentimento informado da paciente é sempre necessário. É fundamental que a paciente saiba das complicações transoperatórias e pós-operatórias, e implicações da TR em futura gravidez.[1] Também são informadas neste consentimento as situações que, se encontradas no transoperatório, impossibilitam a realização da TR, como a presença de linfonodo positivo, margens comprometidas ou metástases.[1]

ASPECTOS CIRÚRGICOS

TR é chamada de cirurgia preservadora da fertilidade em CC porque preserva o corpo uterino e os ovários. Consiste na retirada do terço superior da vagina, colo e canal uterino abaixo do nível do istmo uterino, paramétrio e ligamento uterossacro, associada à linfadenectomia pélvica. Devem ser administrados antibiótico e anticoagulante profilaticamente.[1]

LINFADENECTOMIA

Sabendo-se que em CC estágios IA2 e IB1 da FIGO a chance de linfonodo pélvico positivo é de 7,8 e 18%, respectivamente, e que invasão linfonodal indicaria radioterapia, o primeiro tempo da TR consiste no inventário da cavidade e estudo dos linfonodos pélvicos,[26] tanto na TR por via abdominal ou vaginal.

A linfadenectomia pode ser realizada por laparotomia, laparoscopia ou robótica, acesso extraperitoneal ou intraperitoneal.[27]

A técnica de linfadenectomia por laparoscopia é a mais defendida, pela recuperação em menor espaço de tempo da paciente e possivelmente por ter menos aderências, principalmente anexos.

Tecnicamente, a linfadenectomia pélvica é radical e bilateral, tendo como limite superolateral a bifurcação das artérias ilíaca comuns até o cruzamento da veia circunflexa profunda sobre a artéria ilíaca externa; inferomedialmente a a. hipogástrica até o nervo obturador, incluindo a fossa obturadora (Fig. 1). Para se diminuir a formação de linfocisto na via extraperitoneal, que é a menos utilizada para a pelve, uma abertura do peritônio perto do ligamento redondo pode ser realizada, para que aconteça a drenagem e absorção peritoneal da linfa.[27]

A cirurgia geralmente é feita em único tempo, e o linfonodo é estudado por congelação.[1,27] Caso ocorra em dois tempos, aguarda-se o estudo dos linfonodos por parafina.[7] Caso os linfonodos não apresentem malignidade, é iniciada a TR. Se o estudo do linfonodo pélvico for positivo para células malignas, a TR é contraindicada e a paciente é encaminhada para radioterapia. Além disso, é orientado que se faça o estudo dos linfonodos para-aórticos, para que se planeje a radioterapia externa com campo estendido.[3]

Atualmente existem grupos que em protocolo estudam a técnica de linfonodo sentinela para câncer de colo de útero, durante a TR.[3,7,11]

VIA DE ACESSO PARA A TR

A traquelectomia pode ser realizada por dois acessos: abdominal (laparotomia ou laparoscopia) ou vaginal. Atualmente, a maioria dos cirurgiões utiliza a via vaginal auxiliada pela linfadenectomia laparoscópica preconizada pelo Professor Dargent.[7] O acesso vaginal combinado com laparoscópico ou totalmente laparoscópico é o ideal, por menor potencial de causar aderência (e com isso talvez altere menos a fertilidade). Oferece maior conforto pós-operatório (menor uso de analgésico), com alta hospitalar e retorno às atividades em menor espaço de tempo, e por último, nunca perdendo o objetivo do tratamento, que é a cura, além da obtenção de cicatriz menor, que é esteticamente desejável.[7] A TR abdominal por laparotomia tem como grande vantagem em relação à via vaginal a sua proximidade técnica com a histerectomia radical abdominal, que é de domínio da maioria dos cirurgiões oncológicos,[3,28] bem como ao amplo acesso aos equipamentos de menor custo necessários para a cirurgia. A técnica aberta deve ser aceita levando em consideração a chance de cura, que é a mesma das outras técnicas, apesar de um índice menor de fertilidade, porém num País onde, por falta de investimento numa prevenção efetiva do CC, que permanece como o segundo carcinoma em incidência na mulher, os custos dos equipamentos e de treinamento técnico decidem a via.

VIA VAGINAL

As técnicas da TR vaginal são variantes da cirurgia de Schauta[29] que também levam o nome dos autores que as modificaram:

- Schauta-Amnreich equivale a uma histerectomia radical tipo III da classificação de Piver-Rutledge. Compreende a uma larga abertura da fossa pararretal por intermédio de uma incisão vaginal conhecida como Schuchardt.[30]

- Schauta-Stoeckel equivale a uma histerectomia radical tipo II da classificação de Piver-Rutledge, onde geralmente não é necessária a abertura do períneo, e a secção do paramétrio e de ligamentos uterossacros é mais limitada.[31] O emprego desta técnica por Dargent tem como base estudos recentes, que demonstraram que a histerectomia radical tipo II de Piver-Rutledge é segura para tratar o câncer do colo de útero com menos de 2 cm, com uma menor morbidade pós-operatória em relação à histerectomia radical tipo III de Piver-Rutledge.[32-34]

Na técnica vaginal, após ter sido realizado o inventário da cavidade abdominal e estudo dos linfonodos pélvicos, é desfeito o pneumoperitônio, porém permanecem os portais para que após a retirada da peça seja realizada a revisão da hemostasia por laparoscopia.[1] A paciente é colocada em posição de litotomia. Afastadores de Breisk expõem o colo do útero e terço superior da vagina. Para facilitar a exposição pode ser realizada uma episiotomia.[35]

A primeira etapa consiste em descolar os 2 cm distais do terço superior da vagina e cobrir o colo do útero.[1,3] A infiltração paracervical de xilocaína a 1% com adrenalina diminui o sangramento deste tempo operatório.[1] Pela face anterior do útero é realizado o descolamento do septo vesicovaginal pela linha média até a prega do peritônio, o que demarca o nível do istmo uterino. Deve-se tomar o cuidado para não abrir o peritônio e contaminar a cavidade abdominal com conteúdo vaginal nesta manobra.[1,3] Posteriormente, descola-se o septo retovaginal, com isolamento do ligamento uterossacro a ligadura e secção destes é feita. Para maior isolamento destes ligamentos é necessário realizar abertura do espaço retouterino.[1,3] O ramo descendente da artéria uterina é então ligado.[1,3] Aproximadamente 1 a 2 cm de paramétrio e paracolpo são retirados em bloco.[1] Pode-se retirar mais paramétrio, mas para isso é necessário seccionar o pilar vesical, com isto o ureter é afastado em bloco com a bexiga.[3] Para identificar o pilar vesical é necessário realizar a abertura do espaço vesicouterino, palpando-se o pilar vesical é identificado o "joelho" do ureter.[1,3] Para a retirada da peça, procede-se então a divisão do útero no nível do colo uterino a 1 cm distal do istmo.[3] Caso não exista evidência de tumor residual na peça, não é necessário a congelação, deixando a peça intacta para estudo final por parafina.[3] Ao contrário, existindo doença residual na peça cirúrgica é realizada a abertura da peça longitudinal de ectocervical para endocervical, e realizando-se o estudo por congelação para se garantir uma margem mínima 5 a 8 mm.[3] Podem ser retiradas fatias adicionais do coto de colo remanescente com a intenção de ampliação de margem, porém caso não se obtenha a margem mínima deverá ser realizada a histerectomia radical.[3] A aproximação da vagina com o istmo, já cerclado com fio inabsorvível Prolene 1, tendo como molde uma vela Hegar número 6, é feita com 4 pontos simples de fio absorvível nº 1, caso necessário são dados outros pontos para aproximar a vagina do útero. No grupo que utiliza a sonda de Foley, esta serve como molde do neo-orifício externo uterino e é retirada entre o terceiro e quinto dia de pós-operatório.[1] Para o término da cirurgia insufla-se o peritônio novamente e realiza-se a revisão da hemostasia da cavidade abdominal e portais de entrada dos trocartes.[1,3] Não é realizada a drenagem da cavidade abdominal.[3]

VIA ABDOMINAL

A TR por via abdominal pode ser realizada por laparotomia ou laparoscopia e é uma modificação da HR. O ureter é liberado até sua entrada na bexiga. A bexiga é separada da face anterior do útero até o isolamento e a ligadura do ligamento vesicouterino. Os vasos uterinos são isolados em sua origem ou no cruzamento com o ureter, de acordo com a radicalidade cirúrgica II ou III descrita por Piver e modificada por Rutledge.[36] Preferencialmente, apenas o ramo descendente da artéria uterina que irriga o colo e a vagina é ligado e seccionado, porém não existe implicação em futura gestação se a ligadura do vaso uterino acontecer na sua origem. A irrigação para o corpo uterino e os ovários é mantida através da circulação pelo ramo ascendente da artéria uterina, ligamento redondo e infundíbulo pélvico (Fig. 2).

Realiza-se a abertura dos espaços vesicouterino e retouterino, e o descolamento do septo retovaginal. Procede-se, então, a secção do útero, de preferência a 1 cm abaixo do istmo e a secção da vagina no nível de seu terço superior (Fig. 3).

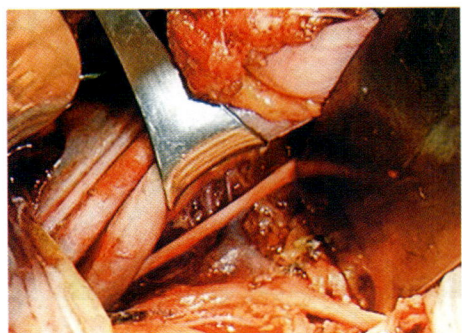

◀ **FIGURA 1.** Linfadenectomia pélvica, evidenciando-se o nervo obturador.

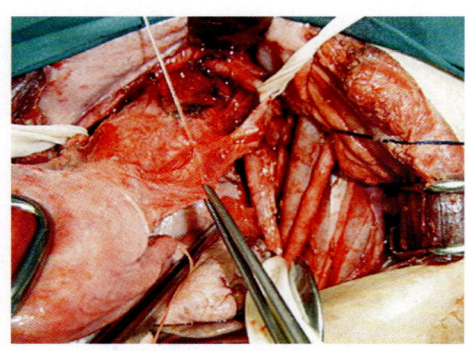

◄ **FIGURA 2.** Ramo descendente da artéria uterina isolado em fio e dreno de Penrose isolando ureter.

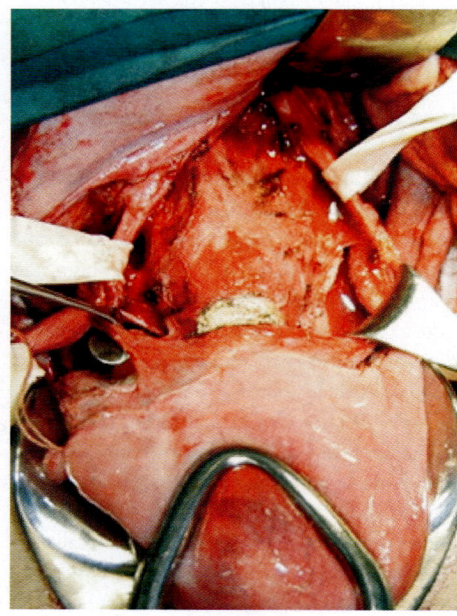

◄ **FIGURA 3.** Secção uterina próxima ao nível de istmo.

Seccionam-se distalmente ao colo do útero os ligamentos uterossacros e paramétrios, de acordo com a radicalidade cirúrgica II ou III descrita por Piver e Rutledge (Fig. 4). Neste momento, o útero está ligado inferiormente somente pela vagina.

A peça cirúrgica é, então, retirada em bloco e enviada para congelação das margens.

Procede-se então a cerclagem do útero. A fixação do útero à vagina é feita por pontos simples de fio absorvível, tendo cuidado durante a passagem destes para não transfixar o canal, causando a sua estenose (Fig. 5).[1] Por fim, é realizada a revisão da hemostasia para o fechamento da cavidade abdominal.

CERCLAGEM

A cerclagem do istmo é feita com o intuito de evitar incompetência ístmica. É feita no nível do istmo com fio inabsorvível Prolene 1 ou *nylon* 0. Antes da cerclagem, uma sonda pode ser utilizada para molde do canal e após, para auxílio na passagem dos pontos de fixação. Para evitar a estenose de canal durante a cerclagem existem autores que fazem o molde do canal podendo-se fazer uso de vários instrumentos como a vela de Hegar número 6,[1] a sonda Nelatom 14 Ch[8] ou a sonda de Foley número 12 *french* com o balão insuflado com 5 mL de líquido.

PRESERVAÇÃO OVARIANA

A preservação dos ovários é baseada em trabalho que revisou a patologia de 990 histerectomias radicais por câncer do colo de útero no estágio IB, onde foi encontrada uma taxa de metástase ovariana de 0,5% para carcinoma epidermoide e 1,7% para adenocarcinoma.[15]

LIGADURA DA ARTÉRIA UTERINA

A ligadura isolada do ramo descendente da artéria uterina parece não alterar a perfusão do útero, conforme estudo de 14 casos de TR por via vaginal, onde foi realizado Doppler intravaginal no 7° e 10° pós-operatório de TR e avaliou-se a perfusão da artéria uterina. Como grupo-controle, foram selecionadas mulheres 10 anos mais jovens. O estudo não encontrou diferença de irrigação entre os grupos.[21] Apesar de existirem relatos de casos de gravidez pós-TR com a ligadura da artéria uterina em sua origem,[37] a grande maioria dos autores preconiza a ligadura seletiva do ramo descendente da artéria uterina.

MORBIDADE TRANSOPERATÓRIA E PÓS-OPERATÓRIA

A taxa de complicação transoperatória reportada da TR varia de 1,0 a 6,9%,[1,3] a qual é muito semelhante à taxa de complicação transoperatória da histerectomia radical reportada, que varia de 1,1 a 7,4%.[38,39]

A taxa de complicação pós-operatória na TR varia de 2,1 a 33,3%, em que a grande maioria das complicações foi temporária e menor, ou seja, de pequeno impacto na recuperação.[3,7,27]

A linfadenectomia laparoscópica realizada na TR demonstra ser aceitável com relação à radicalidade, isolando em média de 21 a 32 linfonodos (Quadro 2),[3,7,27] tendo ainda um bom tempo médio de cirurgia, que varia de 161 a 252 minutos quando a TR é realizada por via vaginal. É importante mencionar que todo método novo possui uma curva de aprendizado. A TR parece ter uma curva de aprendizado relativamente rápida, que fica evidenciada quando são comparadas as taxas de complicações trans e pós-operatórias da histerectomia radical com as da TR.[27,38]

Na série de Dargent (Quadro 2) com 95 casos de TR, o tempo cirúrgico médio foi de 161 minutos (91 para a laparoscopia e 70 para o vaginal), com a média de 21 linfonodos isolados. Ocorreram dois casos de complicação maior, em uma paciente foi necessária reoperação decorrente da linfocele e outra evoluiu com episódio de flebite profunda de membro inferior.[7]

Na série de Plante (Quadro 2), o tempo cirúrgico médio foi de 252 (100-454) minutos, com retirada de 32 (11-107) linfonodos pélvicos em média. A perda de sangue média foi de 254 (25-1.200) mL. O período de internação médio foi de 3,7 (1-9) dias. Como complicações transoperatórias entre os 72 casos de TR, houve duas lesões vasculares pélvicas, um trauma de veia epigástrica superficial, uma cistostomia e um sangramento da ligadura do paramétrio, que necessitou ser reabordado. Como complicação pós-operatória tardia houve um caso que necessitou de autocateterização vesical por 2 meses e outro caso que teve diagnóstico de bexiga neurogênica. Ocorreram também complicações

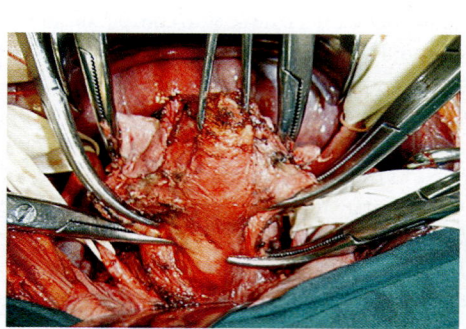

▲ **FIGURA 4.** Secção dos paramétrios.

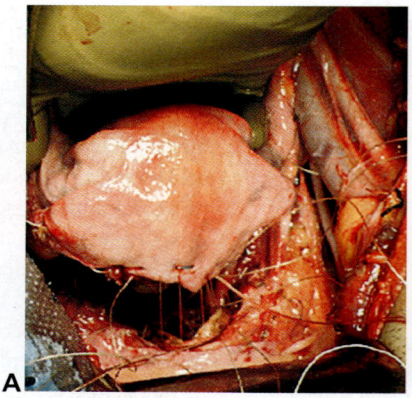 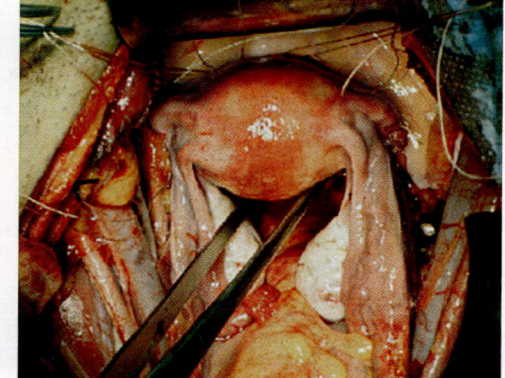

▲ **FIGURA 5. (A e B)** Anastomose uterovaginal.

Quadro 2. Traquelectomias radicais realizadas por autores, com médias de tempo, perda de sangue, dias internadas e complicações transoperatórias, pós-operatórias precoces e tardias

AUTOR	PLANTE[3]	BURNET[27]	DARGENT[7]
TR (n)	72	21	95
Tempo médio em minutos	252	320	161
Perda de sangue em mL	254	293	a
Número médio de linfonodos isolados (n)	32	22	21
Média de dias internadas	3,7	3	3
Complicações transoperatórias (n)	5	–	1
Complicações pós-operatórias precoces (n)	24	3	–
Complicações pós-operatórias tardias (n)	1	1	1

TR = traquelectomia radical; n = número; a = refere que apenas um paciente necessitou de transfusão no peroperatório; – = variável não citada no trabalho.

menores, como dez casos de edemas de vulva, três casos de hematomas suprapúbicos e nove linfoceles. Somente três destas linfoceles necessitaram de drenagem percutânea e nenhuma necessitou de reoperação. Não houve dismenorreia por estenose de istmo.[3]

Na série de Burnet (Quadro 2), o tempo cirúrgico médio foi de 5,3 (3 a 8) horas, com perda sanguínea média de 293 (mínima a 950) mL e isolamento médio de 22,7 (11-38) linfonodos. A média de dias internados foi de 3 (2 a 5) dias. Como complicações operatórias ocorreram três casos de neuropatias transitórias (dois em n. obturador e um em nervo fibular) e um caso de linfocisto de retroperitônio, que foi esclerosado com álcool a 100%.[27]

Em trabalho sobre formação de linfocele em pós-operatório de histerectomias radicais, em 100 cirurgias o linfocisto foi detectado em 16% ultrassonograficamente, porém teve manifestação clínica em somente 6%.[40] O uso do dreno abdominal parece não influenciar na formação de linfocisto em histerectomia radical.[41] Com a intenção de diminuição da formação de linfocisto em linfadenectomia retroperitoneal na TR, o grupo de Burnet[27] realiza uma abertura no peritônio próximo ao ligamento redondo, e refere que após o início desta manobra não houve caso de linfocele sintomática.

Sheperd[42] descreve que a taxa de complicação tardia foi mais elevada que em outras séries, chegando a 24% de dismenorreia, 17% de irregularidade menstrual, 14% de candidíase de repetição, 10% de estenose de istmo e 7% de amenorreia prolongada.

Como complicações incomuns, há o relato de um caso de TR que apresentou infecção pélvica por *Chlamydia*. Evoluiu com hidrossalpinge bilateral, e necessitou ser submetida à salpingectomia 3 anos após a cirurgia. No acompanhamento, permanece livre de recidiva, porém não consegue engravidar.[43]

Há também o relato de um caso de colonização por *Actinomyces* em cultura de vagina pós-TR em paciente assintomática. A paciente foi tratada mesmo sabendo que a infecção por este germe é rara. Foi levada em consideração a possibilidade de a infecção vir a ser sintomática e, assim, causar endometrite, cervicite ou abscesso tubo-ovariano, comprometendo a fertilidade.[44]

FERTILIDADE E COMPLICAÇÕES OBSTÉTRICAS

Entre 411 casos de TR por via vaginal, 143 mulheres gestaram, resultando em 166 gestações, onde algumas engravidaram mais de uma vez (Quadro 3). Nasceram 119 fetos vivos, sendo, destes, 16 partos prematuros. A média de idade foi de 30 a 32 (21-43) anos. A grande maioria das pacientes era de nulíparas.[1,3,7,27,45] A fertilidade parece estar levemente diminuída após a TR decorrente da redução do muco cervical, estenose de istmo, aderências cirúrgicas, estenose cervical e outros fatores preexistentes, como salpingite e endometriose.[3,8,25,45] A taxa de gravidez variou de 16 a 78%,[1,3,7,27,45] consideravelmente menor se comparada à da população geral, que possui 85% de fertilidade.[24] Nota-se que eventualmente nem todas as pacientes foram liberadas ou desejaram engravidar pós-TR. Observou-se também que o período de seguimento foi curto em alguns estudos.

No estudo de Bernardini (Quadro 3), que parece ser o mais detalhado sobre fertilidade pós-TR, 39 pacientes em 80 tentaram engravidar, resultando em 22 gestações em 18 pacientes (ou seja, 46%). Das 39 pacientes que foram liberadas e tentaram engravidar, 16 receberam diagnóstico de infertilidade.[45]

Havia infertilidade por anovulação em dois casos e sem causa identificada em outros dois casos, constatados antes da TR, e em 12 pacientes por fatores cervicais pós-TR. Destas 16 pacientes, seis conceberam com assistência à fertilidade, sendo para três pacientes usada fertilização *in vitro* (duas anovulações e um fator cervical) e para outras três, inseminação artificial (todas por fator cervical). A gravidez foi possível sem auxílio em dois casos que tinham diagnóstico de alteração na fertilidade ligada a fator cervical.[45]

Ainda na série de Bernardini ocorreram 22 gestações, que resultaram em 18 fetos viáveis e quatro não tiveram sucesso. Houve 12 nascimentos a termo. Entre as pacientes que tiveram seu parto a termo, em seis houve a necessidade de admissão hospitalar, em razão do trabalho de parto prematuro ou incompetência cervical. Dos seis partos prematuros, quatro foram por ruptura prematura de membrana (RPM), houve um caso de síndrome HELP (hemólise, aumento de enzimas hepáticas e plaquetopenia) e um caso de placenta prévia. Das quatro gestações que não tiveram sucesso, três abortaram espontaneamente no primeiro trimestre, não necessitando de curetagem. Houve uma RPM com 17 semanas de gestação que necessitou de retirada da cerclagem e indução. A taxa de RPM neste grupo é de 22% e demonstra ser bem elevada quando comparada à da população em geral, que chega a 5%.[45]

Na série de Sheperd (Quadro 3) com 95 casos de TR, 28 mulheres gestaram, com um total de 43 gestações, resultando em 26 nascimentos vivos em 18 mulheres. Ocorreram 17 abortos espontâneos, sendo 13 no primeiro trimestre e quatro no segundo trimestre. Das pacientes que tiveram aborto espontâneo, seis necessitaram de retirada da cerclagem para curetagem. O autor recomenda que nestes casos de retirada da cerclagem, a reinserção desta somente seja realizada após 12 semanas de gestação, com confirmação de feto viável, realizando o acesso por via abdominal e utilizando fio de Mersilene com nó no fundo de saco de Douglas.[1]

No estudo de Dargent (Quadro 3), das 42 pacientes de TR, 33 engravidaram, resultando em 56 gestações e 34 fetos vivos. Ocorreram oito perdas tardias, nove perdas precoces, duas gestações extrauterinas e três perdas com causa não descrita.[7]

Quadro 3. Pacientes que realizaram a cirurgia de traquelectomia radical com resultado em números de gestantes, gestações, nascimentos vivos e nascimentos com menos de 32 semanas, por autor e suas respectivas cidades

AUTOR (CIDADE)	TR (n)	GESTANTES (n)	GESTAÇÕES (n)	NASCIMENTOS VIVOS (n)	NASCIMENTOS ANTES DE 32 SEMANAS (n)
Sheperd et al.[1] (Londres)	95	28	43	26	6
Dargent et al.[23] (Lion)	95	33	56	34	1
Bernardini et al.[55] (Toronto)	80	18	22	12	2
Plante et al.[4] (Quebec)	72	31	50	36	3
Schneider et al.[1] (Jena)	36	7	7	4	1
Burnett et al.[19] (Los Angeles)	21	3	3	3	1
Sclaerth et al.[16] (Los Angeles)	12	4	4	4	2
Total	411	124	185	119	16

TR = traquelectomia radical; n = número.

Como demonstrado em trabalhos anteriores, a taxa de RPM nas pacientes submetidas a TR é mais elevada que a da população em geral. Existem duas hipóteses para a RPM pós-TR. A primeira, de origem mecânica, em que a cirurgia reduz de forma importante os meios para a contenção cervical do orifício interno.[21] A segunda tem relação com a destruição das glândulas cervicais, que seriam responsáveis pela produção do muco com função de barreira à infecção.[7,14,45]

Dargent refere que a taxa de perda da gestação tardia, que era de 50% em TR, passou para 22% com a cerclagem. Esta, somada à técnica descrita por Saling[46] para fechamento do neo-orifício externo, diminuiu ainda mais o nível de perda tardia, passando para 10%.[7] Na técnica de Saling descola-se um retalho de vagina anterior e posterior suficiente para ser suturado e ocluir o neo-orifício externo do útero. O procedimento é realizado com 14 semanas de gestação[7] e deve ser coberto com antibioticoterapia profilática (metronidazol ou clindamicina).[14] A oclusão do neo-orifício externo deve ser desfeita ao final da gravidez para que não se tenha alteração na menstruação e sejam possíveis futuras gestações.[7,14,45]

Outra questão é a RPM em pacientes que realizaram a cerclagem, atualmente não há trabalho específico de RPM em pacientes pós-TR e cerclagem. A literatura sugere que a manutenção da cerclagem em RPM prolongue a gestação, porém com um acréscimo importante na mortalidade por infecção neonatal, chegando a 70% de mortalidade nos casos que mantiveram e 10% nos que retiraram.[45]

No estudo de Plante ocorreram duas erosões na cerclagem durante a gravidez, que terminaram com completa expulsão do fio de cerclagem. Em um destes casos aconteceu uma nova gravidez e foi realizada a técnica de Saling com 14 semanas de gestação. Ao completar 34 semanas de gestação foi realizado o parto por cesárea, com sucesso.[24]

Na tentativa de evitar a RPM por vaginose assintomática,[24] alguns autores sugerem o uso da antibioticoterapia profilática com metronidazol ou clindamicina.[14,45] Para Carey,[47] que realizou estudo randomizado com metronidazol *versus* placebo de início entre 14 e 16 semanas de gestação acompanhado de cultura da vagina duas vezes ao mês, o uso de metronidazol oral *versus* placebo não mostrou diminuição da RPM em pacientes com colo íntegro.

A TR possui também uma alta taxa de parto prematuro, que varia de 21 a 33%.[3,25,45] Decorrente disto, é recomendado que mulheres grávidas pós-TR recebam uma dose de corticoide de acordo com orientações obstétricas para maturação pulmonar[24].

Em relação à via de parto, recomenda-se que se faça a cesariana por incisão mediana. A alteração da anatomia com posição mais baixa do istmo e a presença do fio da cerclagem podem levar, no caso de incisão transversa, à retirada da cerclagem, necessitando de recerclagem em futuras gestações, ou até lesão de vasos uterinos.[1]

No grupo de Plante (Quadro 4) a média de idade de suas pacientes foi de 32 (21-42) anos, com 53 pacientes nulíparas, 14 com um filho e cinco mulheres tinham dois ou mais filhos antes da TR. Ocorreram 50 gestações em 31 mulheres. Em 12 gestações não houve sucesso, oito destas abortaram no primeiro trimestre (duas necessitaram de curetagem), duas pacientes abortaram no segundo trimestre e outras duas pacientes foram orientadas a cessar a gestação. Houve o sucesso terminando a gestação com feto vivo em 38 gestações, em três destas, o parto ocorreu com menos de 32 semanas de gestação, em cinco casos o parto ocorreu entre 32 e 34 semanas e em 30 o término da gestação foi a termo, em um total de oito partos prematuros. Com relação à fertilidade, somente sete pacientes tiveram problema, quatro destas gestaram. Em dois casos de infertilidade em decorrência da estenose de canal, uma engravidou com fertilização *in vitro* e outra, naturalmente. E em dois casos de anovulação foi possível engravidar com auxílio da fertilização *in vitro*. Foi realizada a histerectomia definitiva por opção de uma paciente que sofria de transtorno de ansiedade severo e fobia de câncer. Foram vistos no transoperatório de TR seis casos de endometriose moderada. Destas, três engravidaram.[24] Houve dois casos de útero miomatoso, com 4 e 6 cm respectivamente, o último engravidou.[24]

Sugere-se que para reduzir o abortamento após o primeiro trimestre de gestação se diminua a frequência do exame digital e a relação sexual com penetração após completar 20 semanas de gestação.[24,48] Durante a gestação pós-TR, o seguimento do coto de colo uterino com ultrassonografia seriada para avaliar a competência cervical parece ser superior ao com exame digital ou especular.[24,48]

A taxa de parto prematuro, que chega a 16% pós-TR, parece discretamente aumentada em relação à da população em geral, que é de 12%.[24] No grupo de Plante, em que a gestante é orientada a acompanhar a gravidez pós-TR em centro especializado em gestação de alto risco, todas as crianças prematuras tiveram seu desenvolvimento normal.[24]

O aborto no primeiro trimestre pós-TR parece não estar aumentado, quando comparado ao da população geral.[24] De modo geral, o aborto no primeiro trimestre pós-TR pode ser manejado de forma conservadora e, quando necessário, a dilatação e curetagem podem ser realizadas sob anestesia, tendo cuidado para não romper a cerclagem.[2,24]

O manejo do aborto no segundo trimestre de gestação pós-TR parece ser um pouco mais complexo.[24] Primeiro deve ser tentado o manejo conservador, ficando a histerotomia reservada para a falha no tratamento conservador ou na presença de sinais de sepse.[2,24]

A TR abdominal por laparotomia com poucos casos publicados demonstra bons resultados em relação à fertilidade; de seis TR abdominais, duas engravidaram, com nascimento de quatro crianças a termo; nestes casos não houve recidiva.[27,49,50]

Há relato de um caso de TR realizada totalmente por via laparoscópica recentemente, mostrando que é um método factível, porém sem tempo suficiente para demonstrar resultado em relação à fertilidade.[51]

ACOMPANHAMENTO

Após 2 semanas da cirurgia a paciente retorna à consulta para receber orientação de seguimento de seu tratamento, de acordo com o estudo histopatológico da peça.[1] Caso exista algum fator prognóstico negativo, como margem comprometida ou linfonodo positivo, a complementação cirúrgica ou radioterapia deverá ser realizada dentro de 4 a 6 semanas da cirurgia. Caso não haja fator prognóstico adverso no estudo da peça, a paciente é orientada a evitar relação sexual com penetração por 6 semanas e iniciar algum método de anticoncepção nos próximos 6 a 12 meses.[1,14,24]

O seguimento é mais intenso nos primeiros anos, pois a maioria das recidivas reportadas aconteceu dentro de 2 anos pós-TR.[19] Nos 3 primeiros anos, a consulta será realizada a cada 3 meses e nos 2 anos seguintes, a cada 4 meses.[1] Aos 5 anos, o seguimento passa a ser anual e com 10 anos a paciente volta para seu ginecologista de origem.[1] Somente duas recidivas ocorreram com mais de 2 anos após a TR, o que demonstra a importância do esquema de seguimento intensivo nos primeiros anos.

Tabela 4. Número de traquelectomias radicais e de pacientes que tentaram gestar e conseguiram, gestações e tipos de parto em algumas séries de pacientes com câncer de colo de útero submetidas à TR

AUTOR	BERNARDINI[45]	SHEPERD[1]	DARGENT[7]	PLANTE[24]
TR (n)	80	95	95	72
Idade média (mínima e máxima) anos	32 (28-39)[a]	–	32 (22-43)	32 (21-42)
Pacientes livres para gestar (n)	39	–	42	–
Pacientes que gestaram (n)	18	28	33	31
Gestações (n)	22	43	56	50[b]
Fetos vivos (n)	18	26	34	38
Partos a termo (n)	12	–	–	30
Parto prematuro (n)	6	–	–	8
Perdas de gestação (n)	4	17	22	10
Perdas primeiro trimestre (n)	4	13	14	8
Perdas segundo trimestre (n)	0	4	8	2

TR = traquelectomia radical; n = número; a = idade na gravidez; – = não divulgado no trabalho; b = duas pacientes permanecem grávidas.

Em cada consulta é realizado o exame clínico e físico, que inclui a coleta do preventivo com amostra endocervical do istmo.[1] Colposcopia a cada 6 meses e RNM com 6 e 12 meses e após com 2 anos.[1] Morice,[18] que teve em sua série um caso de recidiva central, 2 meses após os exames clínico, citológico e colpocópico normais, e o professor Dargent[7] recomendam a realização de RNM a cada 6 meses. A RNM pós-TR apresenta alterações particulares que podem levar ao diagnóstico radiológico de recidiva. Neofórnice na anastomose entre útero e vagina, espessamento da parede vaginal e hematomas são alterações que podem levantar a hipótese de recidiva e levar à necessidade de biópsia para que esta hipótese seja afastada.[52]

Aos 6 meses, estando os exames normais, a paciente é liberada para tentar a gravidez.[1] Não existe uma diretriz para o acompanhamento da gestação em pacientes pós-TR; é orientado que a paciente acompanhe a gravidez em um centro com experiência em gestação de alto risco, para que tenha um bom suporte pré-natal e neonatal. Para este centro é enviado um relatório sobre a situação da paciente com os procedimentos realizados e seu estado atual. É importante que se faça o alerta para risco de parto prematuro, bem como para a RPM. O parto deve ser por cesárea ao completar 37 semanas de gestação, e a incisão deve ser mediana.[1,24]

A citologia de controle deve ser feita com citologista experiente decorrente da presença de células endometriais em grande número e suas várias configurações, o que pode levar a um aumento de 2% na taxa de falso-positivo de câncer. O caso que apresentar lâmina suspeita deve ser revisto por grupo multidisciplinar. Se necessário, a revisão de lâmina será realizada, fazendo com que se evitem investigações desnecessárias.[1]

RECIDIVA E MORTALIDADE

A avaliação da TR quanto à segurança oncológica pode ser feita estudando as séries dos grupos de Dargent,[7] Plante,[3] Burnett,[27] Sheperd[1] e Bernardini,[45] que juntas somam um total de 363 casos de TR. Tendo-se verificado 17 recidivas (4,6%) e seis mortes (1,6%). A TR apresenta uma baixa taxa de recidiva média de 4,6%, pois a taxa de recidiva média para tumores IB1 da FIGO esperada com o tratamento padrão está em torno de 15-20%.[1] A taxa de mortalidade pós-TR de 1,6%, também é melhor que a taxa de mortalidade pós-tratamento padrão de tumores de colo uterino de estágio semelhante. A taxa de sobrevida no estágio precoce do câncer do colo de útero varia de 80 a 90% nos diferentes tratamentos, radioterapia ou histerectomia radical[38,39,53,54]. O Quadro 5 demonstra a importância da seleção de pacientes na TR.

Recidiva central pós-TR é incomum, com relato de somente quatro recidivas centrais pós-TR.[18,19,50,55] O estudo destas recidivas centrais revela que metade foi por carcinoma epidermoide e a outra metade por adenocarcinoma, em todos os casos o diâmetro tumoral estava acima de 2 cm. Há relato de um único caso de recidiva em ovário após a TR por um adenocarcinoma de colo de útero.[56]

O adenocarcinoma é o tipo histológico presente em 25 a 30% dos casos descritos das TR por câncer de colo de útero (Quadro 5) e é responsável por quase metade das recidivas pós-TR.[19] Apesar de o tipo adenocarcinoma não atingir valor estatístico como fator de risco,[23] a realização da histerectomia radical em pacientes que constituíram prole pós-TR, principalmente neste tipo histológico, é uma questão controversa recentemente levantada e que permanece sem resposta.[19]

CONSIDERAÇÕES FINAIS

Indubitavelmente, quando se trata de câncer, o objetivo é a cura, porém, atualmente, a paciente tem papel ativo na decisão de seu tratamento, com desejos e perguntas que a fazem escolher determinado tratamento levando em consideração a morbidade cirúrgica e seu impacto na qualidade de vida, função sexual, estética e fertilidade.

A cirurgia de TR, difundida pelo professor Daniel Dargent, que inicialmente foi vista com ceticismo por cirurgiões ginecológicos oncológicos, já completou 20 anos e possui na literatura mais de 600 casos de pacientes tratadas de câncer de colo de útero com intenção de cura e preservação da fertilidade, resultando em mais de 100 gestações. A TR não é apenas mais uma entre as opções de tratamento do CC de estágio inicial em mulheres em idade fértil; acreditamos que ela deva ser oferecida como a primeira opção no tratamento padrão do CC.

Para o futuro é esperado que os exames diagnósticos aumentem a taxa de detecção de metástase no pré-operatório, para que menos cirurgias planejadas tenham de ser abandonadas no transoperatório. Espera-se que técnica do linfonodo sentinela em CC comprove sua eficácia e passe a ser utilizada fora de ensaios clínicos como método de estudo padrão dos linfonodos, e que o acesso ao treinamento e equipamentos de cirurgia minimamente invasiva, como laparoscopia e robótica, sejam ofertados aos médicos e aos pacientes do sistema público.

Quadro 5. Número de traquelectomias radicais planejadas e realizadas por autores com divisão por tipo histológico, estágio, tamanho e recidiva

AUTOR	DARGENT[7]	PLANTE[3]	BURNETT[27]
TR planejadas (n)	108	82	–
TR realizadas (n)	95	72	21
Seguimento médio em meses	75,6	60	31,5
Carcinoma epidermoide celular (n)	76	42	12
Adenocarcinoma (n)	19	27	9
Adenoescamoso (n)	0	3	0
IA1	13	4	1
IA2	14	23	20
IB1	56	43	0
IIA	7	2	0
IIB	5	0	0
≤ 2 cm	67	64	A
> 2 cm	28	8	A
Invasão linfovascular (n)	27	14	5
Recidiva (n)	4	3	0
Mortalidade	3	2	0

TR = traquelectomia radical; n = número; – = dado não citado; A = tamanho médio de 1,1 (0,3-3,0) cm.

REFERÊNCIAS BIBLIOGRÁFICAS

1. Shepherd JH. Uterus-conserving surgery for invasive cervical cancer. *Best Pract Res Clin Obstet Gynaecol* 2005;19(4):577-90.
2. Koliopoulos G, Sotiriadis A, Kyrgiou M et al. Conservative surgical methods for FIGO stage IA2 squamous cervical carcinoma and their role in preserving women's fertility. *Gynecol Oncol* 2004;93:469-73.
3. Plante M, Renaud M, François H et al. Vaginal radical trachelectomy: an oncologically safe fertility-preserving surgery. An updated series of 72 cases and review of the literature. *Gynecol Oncol* 2004;94(3):614-23.
4. Dargent D, Brun JL, Roy M et al. La trachelectomie elargie (T.E.), une alternative à l'hysterectomie radicale dans le traitement des cancers infiltrantes developpes sur la face externe du col uterin. *J Obstet Gynaecol* 1994;2:285-92.
5. Hertel H, Köhler C, Grund D et al. Radical vaginal trachelectomy combined with laparoscopic pelvic lymphadenectomy: prospective multicenter study of 100 patients with early cervical cancer. *Gynecol Oncol* 2006;103(2):506-11.
6. Ramirez PT, Levenback C. Radical trachelectomy: is here to stay? Editorial. *Gynecol Oncol* 2004;94:611-13.
7. Mathevet P, Kaszon EL, Dargent D. La préservation de la fertilité dans les cancers du col utérin de stade précoce: Fertility preservation in early cervical cancer. *Gynécol Obstét Fertil* 2003;31(9):706-12.
8. Benedet JL, Bender H, Jones III H et al. FIGO staging classifications and clinical practice guidelines of gynaecologic cancers. FIGO Committe on Gynecologic Oncology. *Int J Gynecol Obstet* 2000;70:207-312.
9. Baumgartner BR, Bernardino ME. MR imaging of the cervix: off axis scan to improve visualisation as a zonal anatomy. *Am J Roentgenol* 1989;153:1001-2.
10. de Souza NM, McIndoe GA, Soutter WP et al. Value of magnetic resonance imaging with an endovaginal receiver coil in the pre-operative assessment of Stage I and IIa cervical neoplasia. *Br J Obstet Gynaecol* 1998;105(5):500-7.
11. Klemm P, Tozzi R, Köhler C et al. Does radical trachelectomy influence uterine blood supply? *Gynecol Oncol* 2005;96:283-86.

12. Sonoda Y, Abu-Rustum NR, Gemignani ML et al. A fertility-sparing alternative to radical hysterectomy: how many patients may be eligible? *Gynecol Oncol* 2004;95(3):534-38.
13. Abu-Rustum NR, Su W, Levine DA et al. Pediatric radical abdominal trachelectomy for cervical clear cell carcinoma: a novel surgical approach. *Gynecol Oncol* 2005;97(1):296-300.
14. Shepherd JH, Mould T, Oram DH. Radical trachelectomy in early stage carcinoma of the cervix: outcome as judged by recurrence and fertility rates. *B J Obstet Gynaecol* 2001;108(8):882-85.
15. Sutton GP, Bundy BN, Delgado G et al. Ovarian metastases in stage IB carcinoma of the cervix: a Gynecologic Oncology Group study. *Am J Obstet Gynecol* 1992;166:50-53.
16. Schlearth JB, Spirtos NM, Schlearth AC. Radical trachelectomy and pelvic lymphadenectomy with uterine preservation in the treatment of cervical cancer. *Am J Obstet Gynecol* 2003;188(1):29-34.
17. Rodriguez AO, Truskinovsky AM, Kasrazadeh M et al. Case report: Malignant peripheral nerve sheath tumor of the uterine cervix treated with radical vaginal trachelectomy. *Gynecol Oncol* 2006;100(1):201-4.
18. Morice P, Dargent D, Haie-Meder C et al. First case of a centropelvic recurrence after radical trachelectomy: literature review and implications for the preoperative selection of patients. *Gynecol Oncol* 2004;92(3):1002-5.
19. Bali A, Weekes A, Van Trappen P et al. Central pelvic recurrence 7 years after radical vaginal trachelectomy. *Gynecol Oncol* 2005;96(3):854-56.
20. Creasman WT, Kohler MF. Is lymph vascular space involvement an independent prognostic factor in early cervical cancer? *Gynecol Oncol* 2004;92:525-29.
21. Raspagliesi F, Ditto A, Solima E et al. Microinvasive squamous cell carcinoma. *Crit Rev Oncol Hematol* 2003;48(3):251-61.
22. Rome R, Brown R. Management of superficially invasive carcinoma of the cervix. In: Gershenson DM, McGuire William P, Gore M et al. (Eds.). Gynecologic cancer: controversies in management. Philadelphia: Elsevier; 2004. p. 133-47.
23. Dargent D, Franzosi F, Ansquer Y et al. Extended trachelectomy relapse: plea for patient involvement in the medical decision. *Bull Cancer* 2002;89(12):1027-30.
24. Plante M, Renaud M, Hoskins IA et al. Vaginal radical trachelectomy: a valuable fertility-preserving option in the management of early-stage cervical cancer. A series of 50 pregnancies and review of the literature. *Gynecol Oncol* 2005;98(1):3-10.
25. Boss EA, van Golde RJT, Beerendonk CCM et al. Pregnancy after radical trachelectomy: a real option? *Gynecol Oncol* 2005;99(3):152-56.
26. Benedetti-Panici P, Maneschi F, D'Andrea G et al. Early cervical carcinoma: the natural history of lymph node involvement redefined on the basis of thorough parametrectomy and giant section study. *Cancer* 2000;88(10):2267-74.
27. Burnett AF, Roman LD, O'Meara AT et al. Radical vaginal trachelectomy and pelvic lymphadenectomy for preservation of fertility in early cervical carcinoma. *Gynecol Oncol* 2003;88(3):419-23.
28. Cibula D, Ungar L, Svarovsky J et al. Abdominal radical trachelectomy—technique and experience. *Ceska Gynekol* 2005;70(2):17-22.
29. Schauta F. Die operation des gebarmutterkrebes mittels des schuchardt' schen paravaginatschmittes. *Monatsschr Geburtshilfe Gynaekol* 1902;15:133.
30. Peham HV, Amreich J. (Eds.). *Operative gynecology*. Philadelphia: JB Lippencott:1934.
31. Stoeckel W. Zur Technik der vaginalen radikaloperation beim kollumkarinom. *Zentralbl Gynaekol* 1931;55:53-64.
32. Photopulos GV, Zwaag RV. Class II radical hysterectomy shows less morbidity and good treatment efficacy compared to class III. *Gynecol Oncol* 1991;40:21-24.
33. Magrina JF, Goodrich MA, Wlaver AL et al. Modified radical hysterectomy: morbidity and mortality. *Gynecol Oncol* 1995;59:277-82.
34. Landoni F, Maneo A, Cormio G et al. Class II versus class III radical hysterectomy in stage IB-IIA cervical cancer: a prospective randomized study. *Gynecol Oncol* 2001;80:3-12.
35. Mathevet P, Dargent D. Hystérctomie élargie par voie basse or peration de Schauta-Stoeckel. *EMC–Chirurgie* 2005;2(6):630-43.
36. Piver MS, Rutledge F, Smith JP. Five classes of extended hysterectomy for women with cervical cancer. *Obstet Gynecol* 1974;44:265-72.
37. Rodriguez M, Guimares O, Rose PG. Radical abdominal trachelectomy and pelvic lymphadenectomy with uterine conservation and subsequent pregnancy in the treatment of early invasive cervical cancer. *Am J Obstet Gynecol* 2001;185(2):370-74.
38. Kenter GG, Ansink AC, Heintz AP et al. Carcinoma of the uterine cervix stage I and IIA: results of surgical treatment: complications, recurrence and survival. *Eur J Surg Oncol* 1989;15:55-60.
39. Lee YN, Wang KL, Lin MH et al. Radical hysterectomy with pelvic lymph node dissection for treatment of cervical cancer: a clinical review of 954 cases. *Gynecol Oncol* 1989;32(2):135-42.
40. Holland CM, Shafi MI. Radical hysterectomy. *Best Pract Res Clin Obstet Gynaecol* 2005;19(3):387-401.
41. Lopes AD, Hall JR, Monaghan JM. Drainage following radical hysterectomy and pelvic lymphadenectomy: dogma or need? *Obstet Gynecol* 1995;86:960-63.
42. Alexander-Sefre F, Chee N, Spencer C et al. Surgical morbidity associated with radical trachelectomy and radical hysterectomy. *Gynecol Oncol* 2006;101(3):450-54.
43. Del Priore G, Ungar L, Smith JR. Complications after fertility-preserving radical trachelectomy. *Fertil Steril* 2006;85(1):227.
44. Kolomainen DF, Herod JJO, Holland N et al. Actomyces on a Papanicolou smear following a radical trachelectomy. *Br J Oncol Gynecol* 2003;110:1036-37.
45. Bernardini M, Barret J, Seaward G et al. Pregnancy outcomes in patients after radical trachelectomy. *Am J Obstet Gynecol* 2003;189(5):1378-82.
46. Saling E. Prevention of prematurity. A review of our activities during the last 25 years. *J Perinat Med* 1997;25:406-17.
47. Carey JC, Klebanoff MA, Hauth JC et al. Metronidazole to prevent delivery in pregnant women with asymptomatic bacterial vaginosis: National Institute of Child Health and Human Development Network of Maternal-Fetal Medicine Units. *N Engl J Med* 2000;342:534-40.
48. Petignat P, Stan C, Megevand E et al. Pregnancy after trachelectomy: a high-risk condition of preterm delivery. Report of a case and review of the literature. *Gynecol Oncol* 2004;94(2):575-77.
49. Palfavi L, Ungar L, Boyle DC et al. Announcement of healthy baby boy born following abdominal radical trachelectomy. *Int J Gynecol Cancer* 2003;13:250.
50. Del Priore G, Ungar L, Boyle D et al. Abdominal radical trachelectomy for fertility preservation in cervical cancer. *Obstet Gynecol* 2003;(Suppl 4):101-2.
51. Cibula D, Ungár L, Pálfalvi L et al. Laparoscopic abdominal radical trachelectomy. *Gynecol Oncol* 2005;97(2):707-9.
52. Sahdev A, Jones J, Shepherd JH et al. MR imaging appearances of the female pelvis after trachelectomy. *Radiographics* 2005;25(1):41-52.
53. Hopkins MP, Morley GW. Radical hysterectomy versus radiation therapy for stage IB squamous cell cancer of the cervix. *Cancer* 1991;68:272-77.
54. Landoni F, Maneo A, Colombo A et al. Randomized study of radical surgery versus radiotherapy for stage IB-IIA cervical cancer. *Lancet* 1997;350:535-40.
55. Del Priore G, Ungar L, Heller PB et al. Letters to the editor. *Gynecol Oncol* 2005;99:788-91.
56. Piketty M, Barranger E, Najat M et al. Ovarian recurrence after radical trachelectomy for adenocarcinoma of the cervix. *Am J Obstet Gynecol* 2005;193(4):1382-83.

CAPÍTULO 171

Cirurgia Minimamente Invasiva em Ginecologia Oncológica

Juliana de Almeida Figueiredo ■ Flávio Henrique Pereira Conte ■ Erico Lustosa

INTRODUÇÃO

O papel da videolaparoscopia envolve o diagnóstico, o estadiamento e o tratamento de vários tumores em ginecologia oncológica. Tem como vantagens oferecer às pacientes um menor tempo de internação, um retorno mais rápido às suas atividades, menores incisões, menos dor pós-operatória e poucas complicações.

Em enfermidades malignas, a cirurgia minimamente invasiva permite melhor visualização, decorrente da ampliação da imagem. Porém, é limitada pela necessidade de experiência do cirurgião, em razão da curva de aprendizado longa, da visão em duas dimensões e em razão da realização de movimentos não instintivos.

Em recente pesquisa realizada entre os membros da Sociedade de Ginecologia Oncológica (SGO) nos Estados Unidos, 85% dos ginecologistas oncológicos afirmaram não ter recebido nenhum ou pouco treinamento laparoscópico durante sua formação. Entre os que executam cirurgias minimamente invasivas, 67% relataram realizar menos de cinco cirurgias por mês.

CÂNCER DE COLO UTERINO

Estadiamento

A videolaparoscopia pode ser utilizada na avaliação inicial dos tumores de colo uterino, evitando assim, a morbidade relacionada a uma laparotomia desnecessária. No tratamento dos tumores em estágios precoces, a descoberta de linfonodos metastáticos durante o ato operatório é habitualmente uma contraindicação ao tratamento cirúrgico, indicação de linfadenectomia para-aórtica e de tratamento combinado com quimioterapia e radioterapia. Portanto, o estadiamento cirúrgico através de linfadenectomia videolaparoscópica pode, mais uma vez, ser utilizado para evitar uma laparotomia desnecessária, caso sejam identificados linfonodos positivos. O método também pode determinar a elegibilidade das pacientes para resgate cirúrgico em exenteração pélvica, pois permite a visualização direta de doença irressecável na pelve ou disseminação na cavidade peritoneal. Kohler *et al.* relataram a avaliação videolaparoscópica prévia à exenteração pélvica de 41 pacientes, através da qual evitaram uma laparotomia desnecessária em 48,7% dos casos.

Inúmeros estudos randomizados provam a equivalência da videolaparoscopia em número de linfonodos dissecados. Em mãos experientes, a taxa de conversão relacionada a complicações peroperatórias é mínima, em torno de 2%.

Tal avaliação pode ser ainda menos mórbida se utilizada a técnica de linfonodo sentinela. A descoberta de um linfonodo sentinela positivo já é suficiente para mudar a proposta inicial de tratamento. Porém, mesmo na presença de linfonodo sentinela negativo, a linfadenectomia pélvica se faz necessária na busca de falso-negativos.

Tratamento

A histerectomia total abdominal tipo III de Piver permanece o tratamento padrão ouro para o câncer de colo uterino precoce. Porém, a histerectomia radical videolaparoscópica tem mostrado-se como uma alternativa segura e razoável de tratamento. Todas as publicações sobre o assunto relatam uma diminuição significativa da perda sanguínea intraoperatória e das taxas de transfusão sanguínea, além da diminuição do tempo de internação hospitalar e do tempo de retorno da paciente às suas funções normais. Em 1996, Spirtos sistematizou a técnica descrita como histerectomia radical tipo III videolaparoscópica, que consiste em uma linfadenectomia pélvica e para-aórtica inicial, seguida da criação dos espaços paravesicais e pararretais para facilitar a ligadura da artéria uterina na origem. O desenvolvimento cuidadoso dos espaços permite a ressecção dos paramétrios e ligamentos uterossacros. Finalmente, a vagina é ressecada para completar o procedimento. Em 2002, o mesmo autor publicou uma série de 78 pacientes, apresentando tempo livre de doença de 95% num seguimento de no mínimo 3 anos. Desde então, diversos autores demonstraram resultados semelhantes. Em 2003, Pomel avaliou 50 pacientes com câncer de colo uterino estágios IA2 e IB1 tratadas com histerectomia radical videolaparoscópica, identificando uma taxa de sobrevida de 96% em 5 anos.

Outra alternativa à histerectomia radical abdominal é a histerectomia vaginal de Schauta, combinada a linfadenectomia videolaparoscópica. Na prática clínica, as técnicas minimamente invasivas não são concorrentes, mas complementares, uma vez que a indicação de cada uma delas pode ser adaptada à paciente.

A preservação dos plexos hipogástricos superiores e inferiores e do nervo hipogástrico, importantes nas funções vesical e retal, são o objetivo da histerectomia radical *nerve sparing*. A videolaparoscopia é uma técnica excelente para a identificação e preservação dos nervos, uma vez que magnifica pequenos vasos sanguíneos e nervos, de forma a permitir uma melhor identificação dos mesmos pelo cirurgião durante a histerectomia radical e uma dissecção mais precisa.

Tendo em vista a alta incidência do câncer de colo uterino entre pacientes jovens, muitas delas nulíparas, o desenvolvimento de técnicas cirúrgicas que permitam o tratamento adequado da doença e a preservação da fertilidade deve ser buscado. A cirurgia de Dargent, que consiste em linfadenectomia pélvica videolaparoscópica associada a traquelectomia radical via vaginal (inspirada na intervenção de Schauta), tem sido amplamente indicada para pacientes dentro dos critérios abaixo, com altas taxas de sucesso oncológico e obstétrico demonstradas em várias séries independentes (Quadro 1).

As indicações para a realização deste procedimento ainda não foram padronizadas, porém nas séries publicadas os critérios mais utilizados são:

- Desejo de procriar.
- Estágio IA1 com invasão linfovascular extensa.
- Estágio IA2.
- Estágio IB1 menor ou igual a 2 cm de diâmetro sem envolvimento da endocérvice na ressonância magnética ou no exame de congelação intraoperatório.
- Tipos histológicos: escamoso, adenocarcinoma ou adenoescamoso.
- Ausência de metástases em linfonodos.

Fatores de risco para recidiva incluem lesão maior que 2 cm, profundidade de invasão maior que 1 cm e invasão do espaço linfovascular.

CÂNCER DE ENDOMÉTRIO

Estadiamento

O estadiamento videolaparoscópico do câncer de endométrio inclui uma histerectomia videoassistida ou histerectomia vaginal total, associada a linfadenectomia pélvica e para-aórtica, lavado peritoneal e omentectomia (em pacientes com tumores serosos). Diversas séries independentes demonstraram que o manejo videolaparoscópico, quando comparado à histerectomia total abdominal, apresentava tempo de internação mais curto, menos despesas hospitalares e menos complicações.

Quadro 1. Traquelectomia radical para preservação da fertilidade em pacientes com câncer de colo avançado: resultados oncológicos

AUTORES	CASOS	TAMANHO		HISTOLOGIA		COMPLICAÇÕES INTRAOPERATÓRIAS N (%)	PROCEDIMENTOS ABORTADOS N/TOTAL (%)	SEGUIMENTO (MÉDIA, VARIAÇÃO)	RECORRÊNCIAS N (%)	ÓBITOS N (%)
		< 2 cm N (%)	> 2 cm N (%)	ESCAMOSO N (%)	ADENO N (%)					
Dargent et al. (2001, 2002)	118	91 (81)[a]	21 (19)	90 (76)	25 (21)	3 (2,5)	17/135 (13)	95 (31-234)	7 (6)	4 (4)
Plante et al. (2004)	72	64 (89)	8 (11)	42 (58)	30 (42)	5 (6)	10/82 (12)	60 (6-156)	2 (3)	1 (1)
Shepard et al. (2006)	123[b]	–	–	83 (66)	33 (27)	6 (5)	–	24	5 (4)	4 (3)
Steed and Covens (2003)	93	85 (91)	8 (9)	42 (48)	44 (52)	–	0/93 (0)	10 (1-103)	7 (7)	4 (4,2)
Burnett et al. (2003)	19	19 (100)	0 (0)	10 (53)	9 (47)	0 (0)	2/21 (10)	31 (22-44)	0 (0)	0 (0)
Schlaerth et al. (2003)	10	8 (80)	2 (20)	4 (40)	6 (60)	2 (17)	0 (0)	47 (28-84)	0 (0)	0 (0)
Sonoda et al. (2008)	43[c]	43 (100)	0 (0)	24 (55)	19 (44)	0 (0)	2/43	21 (3-60)[d]	1 (3)	0 (0)
Chen et al. (2008)	16	9 (56)	7 (44)	14 (88)	2 (13)	0 (0)	0 (0)	28 (8-50)	0 (0)	0 (0)

[a]Casos abortados/total de casos tentados.
[b]Excluindo seis pacientes com doença estádio IIa (tamanho não relatado).
[c]Número total de casos selecionados para traquelectomia radical.
[d]Seguimento de 36 pacientes sem procedimento abortado (2) ou tratamento pós-operatório (5).

Não é incomum pacientes com câncer de endométrio serem submetidas a um estadiamento cirúrgico incompleto na primeira cirurgia. O estadiamento videolaparoscópico, nestes casos, é uma opção segura e eficaz, com um tempo de internação mais curto. Um estudo do GOG avaliou o uso do estadiamento videolaparoscópico em pacientes com estadiamento cirúrgico inicial incompleto. A taxa de conversão para laparotomia foi de 20%, sendo a causa mais comum aderências intracavitárias. O estadiamento completo videolaparoscópico foi alcançado em 60% das pacientes, e em 10% foi incompleto. Dentre estas, 11% apresentavam doença mais avançada.

Tratamento

A histerectomia total videolaparoscópica ou vaginal videoassistida, associada à linfadenectomia videolaparoscópica para o câncer de endométrio, é uma indicação privilegiada da laparoscopia no manejo dos tumores ginecológicos, pois foi documentada em um estudo prospectivo randomizado que evidenciou taxas de sobrevida e de tempo livre de doença equivalentes entre a videolaparoscopia (91,2 e 86,3% respectivamente) e a laparotomia (93,8 e 89,7%). Tais resultados corroboram análises retrospectivas prévias já publicadas.

O estudo LAP 2, do *Gynecologic Oncology Group* (GOG), é uma análise prospectiva randomizada de 2.616 pacientes, que visa avaliar a equivalência, no câncer de endométrio inicial, da histerectomia total vaginal videoassistida com salpingo-ooforectomia e estadiamento cirúrgico com a histerectomia total abdominal com salpingo-ooforectomia e estadiamento cirúrgico. Foram 920 pacientes tratadas por laparotomia e 1.696 por laparoscopia. Dados preliminares revelaram uma taxa de conversão para laparotomia de 23%, tempo de internação diminuído em 1 dia e o aumento do tempo cirúrgico em 1 hora no grupo da laparoscopia. Os resultados definitivos deste estudo, fechado em 2005, ainda são aguardados.

A maior controvérsia em relação ao tratamento laparoscópico do câncer de endométrio é o aumento das taxas de citologia peritoneal positiva. Porém, esta não possui qualquer valor prognóstico. Apesar disso, parece razoável a adoção de alguns cuidados técnicos, como a ligadura ou selagem (com a pinça de Ligasure® ou equivalente) das tubas no início da intervenção cirúrgica e a seleção dos casos, excluindo os estágios II, a fim de evitar a rotura uterina.

MASSAS ANEXIAIS

Os métodos diagnósticos das massas anexiais incluem a ultrassonografia pélvica, a dosagem de CA 125 e a avaliação macroscópica por laparoscopia. Em geral, esta avaliação é suficiente para o diagnóstico eficaz das mesmas. A retirada completa do anexo não é considerada como abordagem padrão ouro, mas pode ser adequada em casos selecionados. A laparotomia é o tratamento padrão para o manejo de massas anexiais suspeitas. Porém, tanto na laparoscopia quanto na laparotomia pode haver manejo inadequado destes tumores.

As duas maiores controvérsias no uso da videolaparoscopia para diagnóstico e tratamento de massas anexiais são: retardo no diagnóstico e no tratamento subsequente e rotura de tumor com diagnóstico posterior de malignidade, que o tornaria estágio IC. Estudos em laparotomia revelaram que se o tumor for removido e o tratamento adequado rapidamente instituído, a rotura não tem impacto no resultado do mesmo. Ainda sim, é prudente evitar a rotura. Por precaução, o uso da videolaparoscopia deve ser limitado a massas suspeitas cujo tamanho permita sua remoção intacta, ou a utilização *endobag* para aspiração do conteúdo cístico sem extravasamento na cavidade peritoneal, o que depende de muita experiência do interventor, pois uma laceração tumoral pode prejudicar a análise histopatológica e disseminar doença na cavidade.

A incidência de malignidade em massas anexiais não suspeitas é de 0,4 a 2,9%. A descoberta de um câncer de ovário precoce no exame de congelação permite a realização de estadiamento no mesmo ato cirúrgico, através da laparoscopia. Em 1994, Querleu e LeBlanc descreveram o primeiro estadiamento laparoscópico adequado para pacientes com carcinoma ovariano precoce, que inclui omentectomia infracólica, lavado peritoneal, múltiplas biópsias de peritônio e cúpulas diafragmáticas, linfadenectomias pélvica e para-aórtica até o nível da veias renais. Outras pequenas séries publicadas posteriormente demonstraram que o estadiamento laparoscópico é factível, encorajando o desenvolvimento de estudos com grandes amostras e seguimento de longo prazo, o que pode ser difícil de ser realizado, uma vez que a incidência de câncer de ovário precoce é baixa. Devemos, portanto, considerar seu uso em pacientes com doença precoce na apresentação e para aquelas candidatas a procedimentos visando preservação da fertilidade (salpingo-ooforectomia e estadiamento) (Fig. 1).

CÂNCER DE OVÁRIO

Estadiamento

A cirurgia minimamente invasiva para pacientes com câncer de ovário pode ser incorporada de diversas maneiras, dependendo da doença. Na doença avançada, a laparoscopia é geralmente utilizada para confirmar o diagnóstico e predizer a probabilidade de realizar uma cirurgia ótima. A avaliação da impossibilidade de realizar uma citorredução ótima na pri-

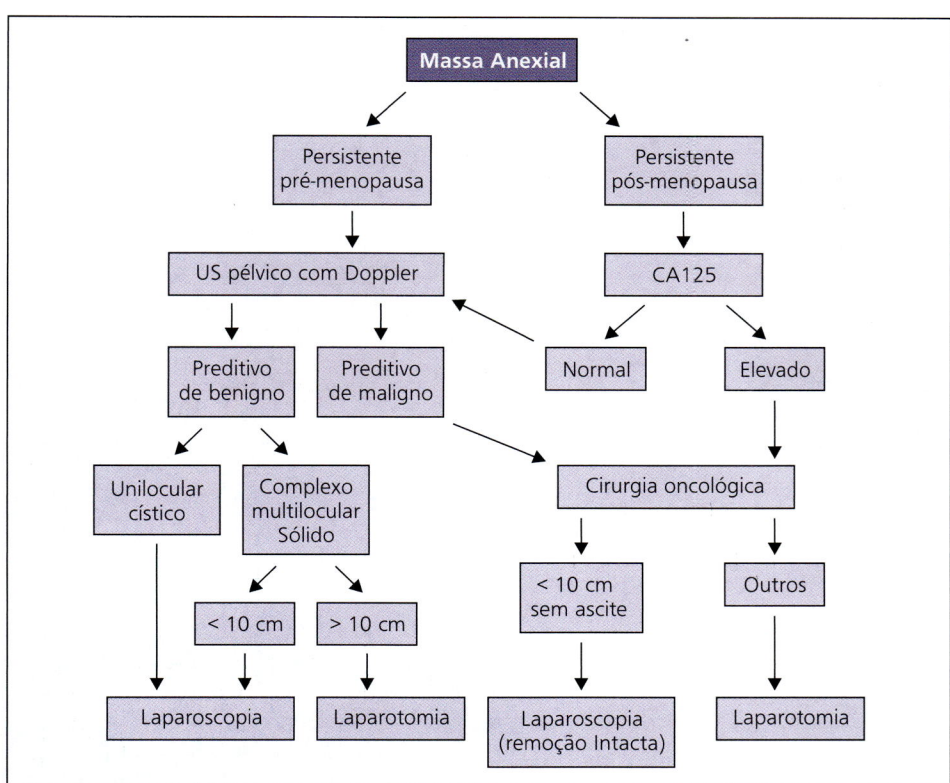

◀ **FIGURA 1.** Algoritmo de investigação de massa anexial.

meira cirurgia depende da presença de lesões extensas no mesentério, pequeno epíplon, no estômago, no duodeno e no diafragma. A laparoscopia é preferível à laparotomia neste contexto, com um valor preditivo positivo de 87%. A exploração visual da cavidade peritoneal, com a vantagem da magnificação da imagem, para realização de biópsias múltiplas, é uma boa indicação de videolaparoscopia. A omentectomia também pode ser realizada pela mesma via, graças aos novos métodos de hemostasia (Ligasure®, Ultracision®). O omento deve ser colocado em uma bolsa e pode ser retirado pela vagina ou por uma incisão abdominal mínima. A apendicectomia, necessária para os adenocarcinomas mucinosos, já é uma intervenção videolaparoscópica rotineira para os cirurgiões.

A complementação de estadiamento com avaliação peritoneal, associada à linfadenectomia, pode ser indicada nos tumores ovarianos já operados, porém estadiados de forma incompleta.

Tratamento

O tratamento dos tumores ovarianos *borderline* é cirúrgico, e a utilização da laparoscopia tanto para o tratamento primário quanto para o estadiamento é aceitável, desde que sejam respeitados os princípios oncológicos e que a massa seja retirada sem ruptura nem contaminação parietal. Nestes casos, os resultados da videolaparoscopia são equivalentes aos da laparotomia.

Em doença precoce, as pacientes podem ser completamente tratadas com histerectomia total, salpingo-ooforectomia bilateral, linfadenectomia pélvica e para-aórtica, omentectomia, lavado peritoneal e biópsias múltiplas. Chi *et al.* avaliaram 50 pacientes com câncer ovariano estágio I ou câncer de trompa, 20 submetidas a laparoscopia e 30 à laparotomia, concluindo que o estadiamento cirúrgico laparoscópico é seguro e adequado nestes casos, com menor tempo de internação hospitalar e menor perda sanguínea, porém com maior tempo operatório.

LINFADENECTOMIA LAPAROSCÓPICA EXTRAPERITONEAL

A linfadenectomia extraperitoneal para-aórtica é realizada para pesquisar metástases linfonodais pélvicas e para-aórticas e determinar modalidades apropriadas e extensão do tratamento (concernente a radiação em particular para campos estendidos). Evitando o acesso à cavidade peritoneal, evita-se complicações maiores como aderências, íleo paralítico e obstruções intestinais.

A linfadenectomia extraperitoneal para-aórtica em ginecologia foi inicialmente relatada por Daniel Dargent que, em sua série, encontrou uma média de 15 linfonodos, com tempo cirúrgico de 119 minutos. Querleu realizou linfadecnectomia para-aórtica extraperitoneal infrarrenal em 53 pacientes com duas conversões, 126 minutos de tempo cirúrgico e um número médio de 20,7 linfonodos. Encontrou 32% (17 pacientes) com linfonodos positivos. Deste então, e com estudos subsequentes de Eric Leblanc e Pedro Ramirez, entre outros, consolidou-se que esse procedimento hoje é indispensável para avaliação prognóstica correta em tumores do colo do útero avançado IB2 a IVA, como também em estadiamento de câncer de ovário e câncer de endométrio. Esta via diminui o risco de lesão dos vasos epigástricos inferiores, que causam hematomas, risco de injúrias eletrocirúrgicas em intestino, bem como enterotomias.

A abordagem videolaparoscópica extraperitoneal é proposta se a ressonância nuclear magnética ou PET-CT não diagnosticar invasão tumoral no retroperitônio. O procedimento inclui uma videolaparoscopia transumbilical diagnóstica, a qual deve excluir presença de carcinomatose peritoneal ou extravasamento tumoral em pelve para que se realize a cirurgia. Se os linfonodos estiverem comprometidos serão indicadas a quimioterapia e a radioterapia como tratamento paliativo (Figs. 2 e 3).

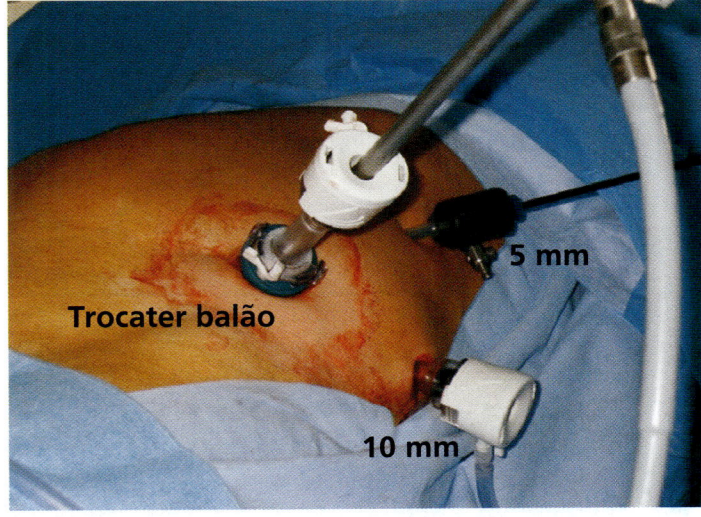

▲ **FIGURA 2.** Posição dos trocartes na abordagem extraperitoneal, à esquerda. Trocarte balão a 3 cm superior e medial da crista ilíaca anterossuperior. Em linha axilar média, porte de 10 mm. Em linha hemiclavicular, porte de 5 mm.

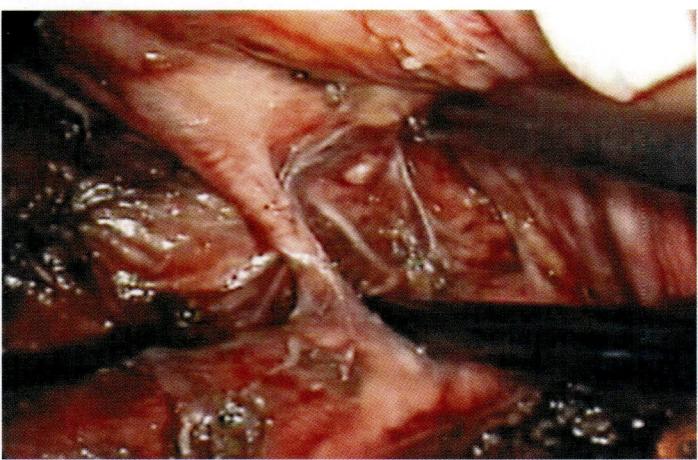

▲ **FIGURA 3.** Linfadenectomia para-aórtica extraperitoneal.

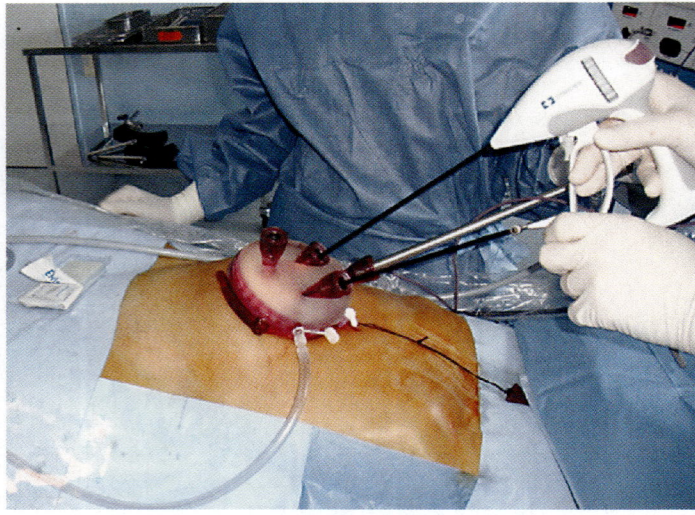

▲ **FIGURA 4.** Cirurgia por abordagem *single port*.

SINGLE PORT

A incisão única representa o último avanço da cirurgia minimamente invasiva. O uso de ópticas flexíveis ou instrumentos articulados permite ao cirurgião realizar procedimentos complexos através de incisão de 2 cm. A retirada de uma massa suspeita deverá ser realizada através de *endobags*.

Estão ocorrendo inovações em instrumentos cirúrgicos para facilitar a triangulação e evitar colisões de instrumentos. O benefício maior é cosmético (uma incisão em vez de quatro ou cinco no abdome), mas existem outros benefícios como redução da dor, do uso de analgésicos e das complicações relacionadas a múltiplos portais (hérnias, infecções, implantes tumorais etc.).

Em ginecologia oncológica a vantagem é a rápida recuperação, possibilitando imediato tratamento adjuvante. Escobar realizou linfadenectomia pélvica e para-aórtica mostrando baixa taxa de complicações operatórias (3,5%) e escore de dor menor que na laparoscopia convencional. No Brasil, estamos pioneiramente iniciando procedimentos de alta complexidade, como linfadenectomia pélvica e para-aórtica, além de histerectomia total. Estudos prospectivos serão necessários para comprovar a segurança e a possibilidade de redução de custos para procedimentos em regime de hospital-dia, obedecendo os princípios da cirurgia oncológica (Figs. 4 a 6).

CIRURGIA ROBÓTICA

A videolaparoscopia oferece múltiplas vantagens no manejo de malignidades: menores incisões, tempo de internação mais curto, recuperação mais rápida, visualização ampliada, menor necessidade de analgesia pós-operatória e menor risco de complicações em relação a menor perda sanguínea, infecção de ferida, hérnia e íleo. Tais características são particularmente importantes no contexto da oncologia, uma vez que uma recuperação mais rápida pode levar a um menor intervalo no início de tratamentos adjuvantes, como a quimioterapia e radioterapia.

As desvantagens incluem a longa curva de aprendizado, movimentos contrainstintivos, percepção de profundidade limitada, uma vez que a imagem se apresenta em duas dimensões. Em um esforço para ultrapassar estas limitações, muitas inovações ocorreram na última década. O instrumental videolaparoscópico expandiu-se, incluindo vários tipos de seladores de vasos com corte integrado, grampeadores endoscópicos, pinças articuladas e tecnologia computadorizada, desenvolvendo outra forma de abordagem, a cirurgia robótica.

A cirurgia robótica tem inúmeras vantagens: visão tridimensional, que facilita a percepção de profundidade; posição mais ergonômica, uma vez que o console se encontra longe do paciente e permite que o cirurgião opere sentado, de forma confortável; filtração de tremor, uma vez que as mãos humanas podem ficar cansadas ou tremer, enquanto o braço robótico permanece em posição fixa, o que permite dissecções mais precisas; o instrumental articulado possui não apenas capacidade rotacional, mas articulação de 90° independente da ponta. Tais características tornam a cirurgia robótica mais instintiva, consequentemente, com uma curva de aprendizado menor.

Obviamente, o método não é isento de limitações. O equipamento ainda é muito grande e caro. Há necessidade de uma equipe especificamente treinada para manter um tempo operatório eficiente. Limitações funcionais incluem a falta de sensação tátil, acesso vaginal limitado, instrumental limitado e incisões maiores nos portais, com necessidade de síntese da aponeurose (8-12 mm). A troca de instrumentos durante a cirurgia é mais trabalhosa e requer um cirurgião auxiliar para fazê-la. Ainda, não há atualmente grampeadores mecânicos ou seladores vasculares desenvolvidos para a cirurgia robótica.

No contexto da ginecologia oncológica, a videolaparoscopia e a robótica foram utilizadas na histerectomia radical. Na histerectomia radical, a dissecção das artérias uterinas, a confecção do túnel do ureter e o fechamento da cúpula vaginal estão entre as maiores indicações dos procedimentos robóticos. A maior possibilidade de movimentos do instrumental robótico facilita tais dissecções.

O papel da cirurgia robótica continua a se expandir. Além da histerectomia radical, os ginecologistas oncológicos estão utilizando esta tecnologia para realizar transposição ovariana, linfadenectomia e até citorredução tumoral (Figs. 7 a 10).

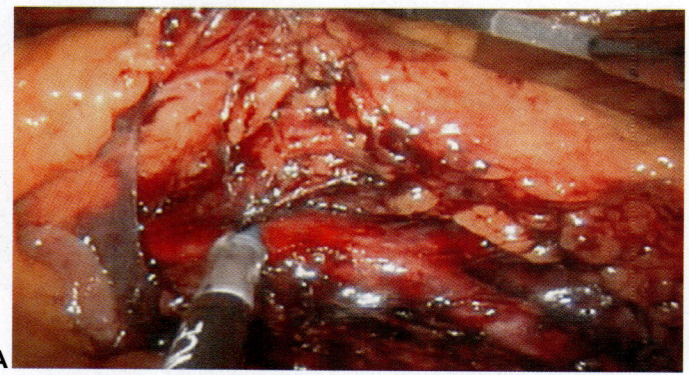
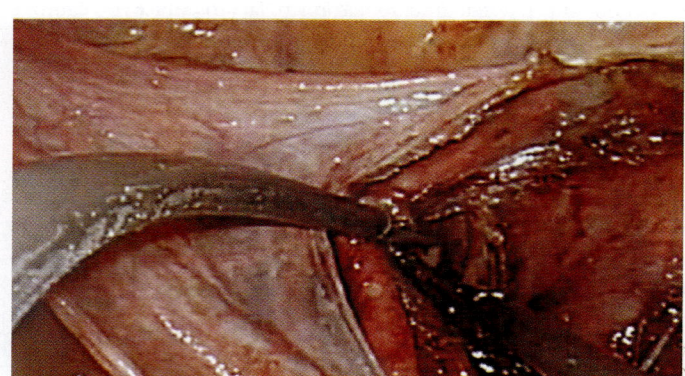

▲ **FIGURA 5. (A)** Linfadenectomia para-aórtica **(B)** e pélvica através da abordagem por *single port*. Uso de instrumental com angulação.

INSTRUMENTOS

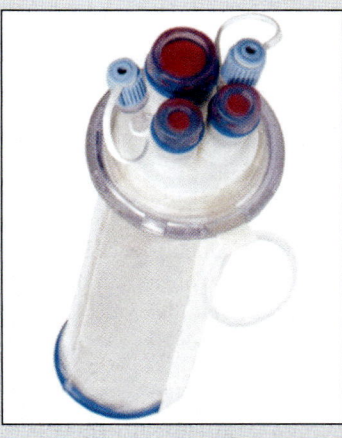
Triporte e Quadriporte
Advanced Surgical Concepts

SILS
Coviden

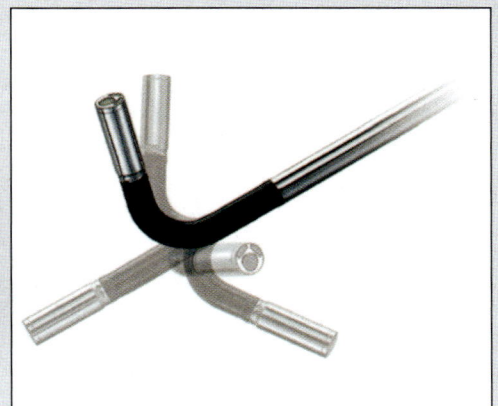
EndoEye
Olympus America Inc

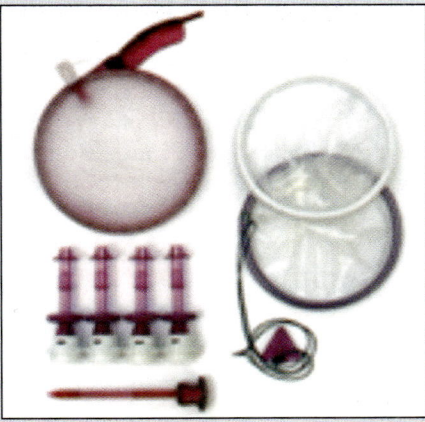
Gelpoint
Applied Medical Systems

Single Site
Ethicon Endosurgery

▲ **FIGURA 6.** Instrumental específico para cirurgia por *single port*.

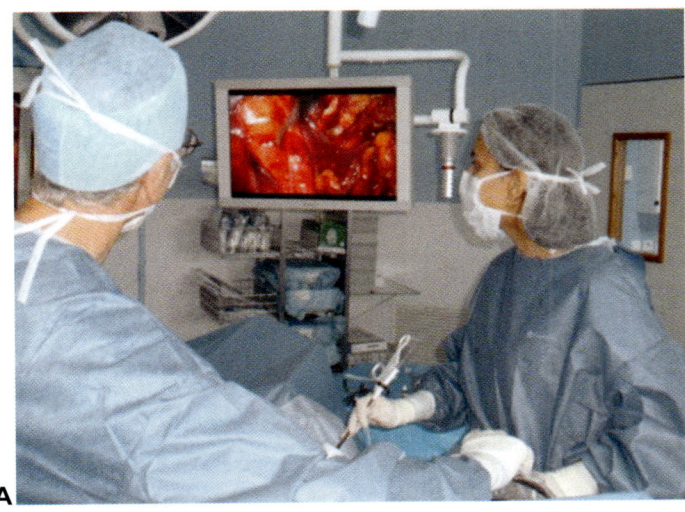
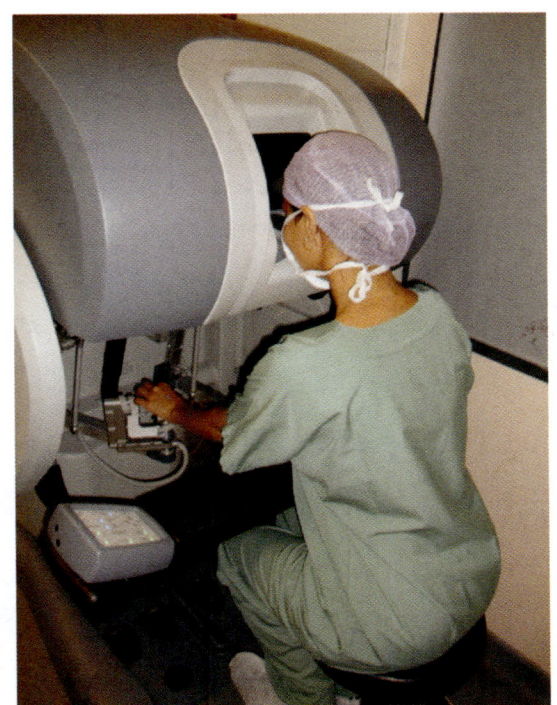

▲ **FIGURA 7. (A)** Posição do cirurgião na videolaparoscopia tradicional **(B)** e na cirurgia robótica. O console permite ao cirurgião operar sentado, de forma mais confortável e ergonômica.

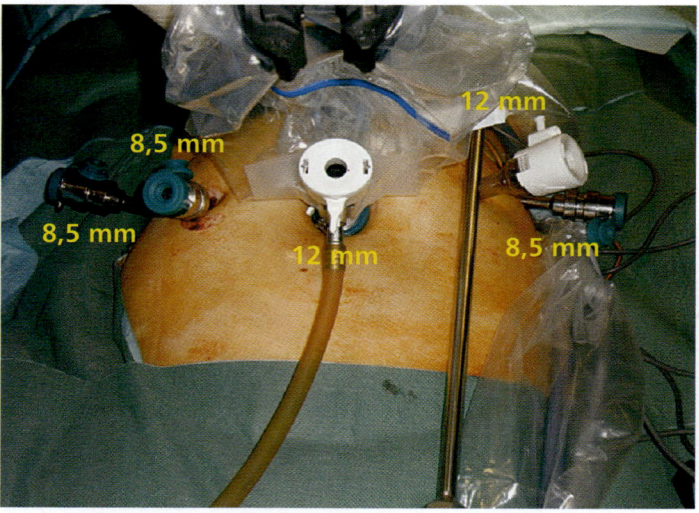

▲ **FIGURA 8.** Posição dos trocartes na cirurgia robótica e o tamanho dos mesmos.

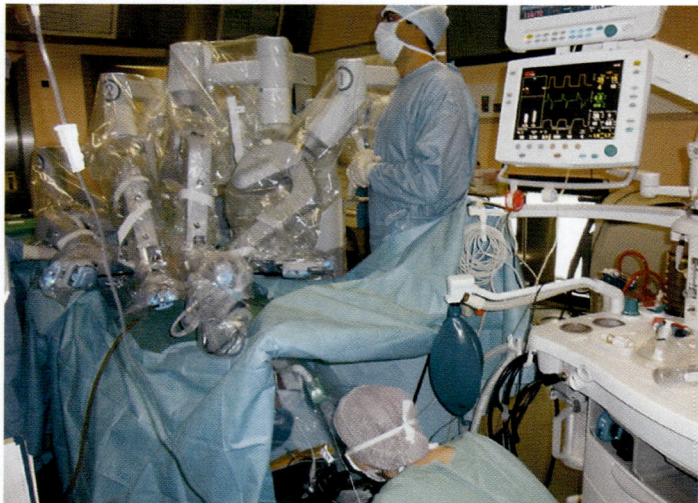

▲ **FIGURA 9.** Posição do paciente e dos braços do robô.

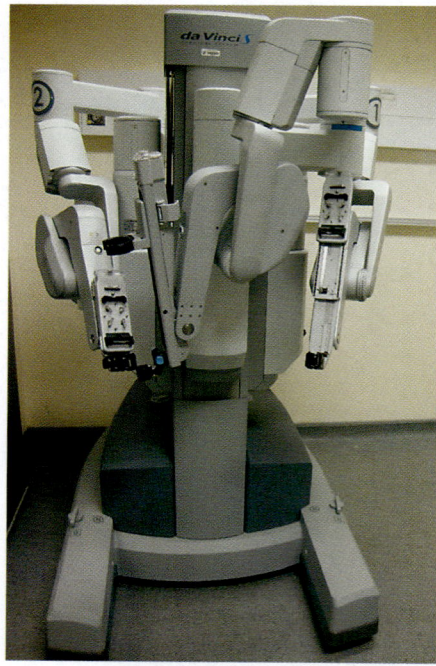

◄ **FIGURA 10.** O robô (Da Vinci *System*).

CONSIDERAÇÕES IMPORTANTES EM CIRURGIA MINIMAMENTE INVASIVA

Existe uma preocupação sobre uma maior frequência de implantes tumorais na cirurgia videolaparoscópica. Ramirez *et al.*, em 2003, revisaram 31 artigos descrevendo metástases em 58 casos, dos quais 33 eram câncer de ovário, sete tumores *borderline*, 12 de colo uterino, quatro de endométrio, um de vagina e um de tuba. Nos tumores de ovário, 83% apresentavam carcinomatose e ascite. Nos de colo uterino, 75% tinham linfonodos positivos, com média de recidiva nos portais de 5 meses. Após 12 meses de seguimento, 70% apresentavam doença em progressão. Nos tumores de endométrio, 75% apresentavam doença extrauterina.

Abu-Rustum *et al.* notaram que o implante tumoral não é limitado à videolaparoscopia. Em 12 anos, 1.288 pacientes foram submetidas a 1.335 videolaparoscopias. Implantes tumorais foram raros (0,97%) em mulheres submetidas a laparoscopias transperitoneais com doença maligna. Pacientes com doença intra-abdominal ou pélvica metastática e carcinomatose apresentaram um risco maior. Concluíram que o risco de implante em portais não deve impedir a realização de videolaparoscopia pelo cirurgião para o manejo do câncer ginecológico.

A obesidade pode ser desafiadora no tratamento do câncer endometrial por meio de uma abordagem minimamente invasiva. Eltabbakh *et al.* evidenciaram que, comparadas a controles históricos de laparotomia, mulheres obesas tratadas por videolaparoscopia apresentaram remoção de um maior número de linfonodos, uma perda sanguínea menor, necessitaram de menos analgesia pós-operatória e menor tempo de internação hospitalar. Concluíram, portanto, que obesas com câncer de endométrio precoce podem ser tratadas por videolaparoscopia, com excelentes resultados cirúrgicos.

Em relação às taxas de conversão para laparotomia, Chi *et al.* detectaram taxas baixas de complicação (2,5%) e de conversão (7%) em 10 anos de cirurgia minimamente invasiva. Identificaram como fatores de risco: idade avançada, própria malignidade, irradiação prévia e cirurgia abdominal prévia. Tais fatores devem guiar a seleção de pacientes e o planejamento cirúrgico, a fim de evitar complicações e conversões.

BIBLIOGRAFIA

Abu-Rustum NR, Gemignani ML, Moore K *et al.* Total laparoscopic radical hysterectomy with pelvic lymphadenectomy using the argon-beam coagulator: pilot data and comparison to laparotomy. *Gynecol Oncol* 2003;91:402-9.

Abu-Rustum NR, Rhee EH, Chi DS *et al.* Subcutaneous tumor implantation after laparoscopic precedures in women with malignant disease. *Obstet Gynecol* 2004;103:480-87.

Berek JS, Hacker NF. *Berek and Hacker's gynecologic oncology.* 5th ed. Philadelphia: Lippincott Williams and Wilkins, 2010.

Chi DS, Abu-Rustum NR, Sonoda Y *et al.* Tem-year experience with laparoscopy on gynecologic oncology service: analysis of risk factors for complications and conversion to lapatoromy. *Am J Obstet Gynecol* 2004;191:1138-45.

Childers JM, Brzechffa PR, Hatch KD *et al.* Laparoscopically assisted surgical staging (LASS) of endometrial cancer. *Gynecol Oncol* 1993;51:33-38.

DiSaia PJ, Creasman WT. *Clinical gnecologic oncology.* 7th ed. Elsevier, 2007.

Eltabbakh GH, Shamonki MI, Moody JM *et al.* Hysterectomy for obese women with endometrial cancer: laparoscopy or laparotomy? *Gynecol Oncol* 2000;78:329-35.

Escobar PF, Bedaiwy M, Fader AN *et al.* Laparoendoscopic single site (LESS) in patients with benign adnexal disease. *Fert Steril* 2010;93:2071.

Escobar PF, Fader AN, Paraiso MF *et al.* Robotic-assisted laparoendoscopic single-site surgery in gynecology: Initial report and technique. *J Minim Invasive Gynecol* 2009;16:589-91.

Escobar PF, Fader AN, Rojas L. LESS pelvic and para-aortic lymphadnectomy. *Int J Gynecol Oncol* 2010.

Fader AN, Rojas-Espaillat L, Ibeanu O *et al.* Laparoendoscopic single-site surgery (LESS) in gynecology: A multi-institutional evaluation. *Am J Obstet Gynecol* 2010 Nov.;203(5):501.e1-6.

Gil Moreno A, Franco-Camps S, Dias Feijo B *et al.* Usefulness of extraperitoneal laparoscopic para aortic lymphadenectomy for lymph node recurrence in gynecologic malignancy. *Acta Obstet Gynecol Scand* 2008;87(7):723-30.

Kohler C, Tozzi R. Explorative laparoscopy prior to exanterative surgery. *Gynecol Oncol* 2002;86(3):511-15.

Lanvin D, Elhage A, Henry B *et al.* Accuracy and safety of laparoscopic lymphadenectomy: an experimental prospective randomized study. *Gynecol Oncol* 1997;67:83-87.

Leblanc E, Narducci F, Frumotiz M *et al.* Therapeutic value of pre therapeutic extraperitoneal laparoscopic staging of locally advanced cervical carcinoma. *Gynecol Oncol* 2007;105:304-11.

Marchiole P, Buenerd A, Scoazec JY *et al.* Sentinel lymph node biopsy is not accurate in predicting lymph node status for patients with cervical carcinoma. *Cancer* 2004;100:2154-59.

Nezhat F. Minimally invasive surgery in gynecologic oncology: laparoscopy versus robotics. *Gynecologic Oncology* 2008;111:S29-32.

Plante M, Roy M. Operative laparoscopy prior to a pelvic exenteration in patients with recurrent cervical cancer. *Gynecol Oncol* 1998;69:94-99.

Plante M. Fertility preservation in the management of cervical cancer. *CME J Gynecol Oncol* 2003:8:128-38.

Pomel C, Atallah D, Le Bouedec G *et al.* Laparoscopic radical hysterectomy for invasive cervical cancer: 8-year experience of a pilot study. *Gynecol Oncol* 2003;91:534-39.

Querleu D, Dargent D, Ansquer Y *et al.* Extraperitoneal endosurgical aortic and common iliac artery dissection on the staging of bulky or advanced cervical carcinomas. *Cancer* 2000;88:1883-89.

Querleu D, Leblanc E, Cartron G *et al.* Audit of peroperative and early complications of laparoscopic lymph node dissection in 1000 gynecologic cancer patients. *Am J Obstet Gynecol* 2006;195:1287-92.

Querleu D, Leblanc E, Ferron G *et al.* Coeliochirurgie des cancers gynécologiques. *Bull Cancer* 2007;94(12):1063-71.

Querleu D, LeBlanc E. Laparoscopic infrarenal paraortic lymph node dissection for restaging of carcinoma of the ovary or fallopian tube. *Cancer* 1994;73:1467-71.

Ramirez PT, Jhiwgraw A, Frumotiz M *et al.* Laparoscopic extraperitoneal para aortic lymphadenectomy in locally advanced cervical cancer: a prospective correlation of surgical findings with positron emission computed tomography findings. *Cancer* 2011 May 1;117(9)1928-34.

Ramirez PT, Wolf JK, Levenback C. Laparoscopic port site metastasis: etiology and prevention. *Gynecol Oncol* 2003;91:179.

Schlaerth AC, Abu-Rustum NR. Role of minimally invasive surgery in gynecologic cancers. *Oncologist* 2006;11:895-901.

Spirtos NM, Eisenkop SM, Boike G *et al.* Laparoscopic staging in patients with incompletely staged cancers of the uterus, ovary, fallopian tube, and primary peritoneum: A Gynecologic Oncology Group (GOG) study. *Am J Obstet Gynecol* 2005;193:1645-49.

Spirtos NM, Eisenkop SM, Schlaerth JB *et al.* Laparoscopic radical hysterectomy (type III) with aortic and pelvic lymphadenectomy in patients with stage I cervical cancer: surgical morbidity and intermediate followup. *Am J Obstet Gynecol* 2002;187:340-48.

Spirtos NM, Schlaerth JB, Kimball RE *et al.* Laparoscopic radical hysterectomy (type III) with aortic and pelvic lymphadenectomy. *Am J Obstet Gynecol* 1996;174:1763-67; discussion 1767-68.

Tozzi R, Malur S, Koehler C *et al.* Laparoscopy vs. laparotomy in endometrial cancer: first analysis of survival of a randomized prospective study. *Gynecol Oncol* 2005;12:130-36.

Uppal S, Frumovitz M, Escobar P *et al.* Laparoscopic single site surgery gynecology: review of literature and available technology. *J Minim Invasive Gynecol* 2011;18:12-13.

Vasilec SA, McGonigle KF. Extraperitoneal laparoscopic para-aortic lymphonode dissection. *Gynecol Oncol* 1996;61:315-20.

CAPÍTULO 172

Massas Pélvicas – Achados Inesperados

Daniel Lourenço Lira ■ Euridice Maria de Almeida Figueiredo
Patrícia Isabel Bahia Mendes Freire

INTRODUÇÃO

Uma lesão expansiva pélvica pode ser encontrada em pacientes de todas as idades e ter origem nos mais variados órgãos pélvicos do trato digestório ou geniturinário, ou mesmo ser metastática de outros sítios primários a distância, como mama, trato digestório alto, tireoide ou até de tumores menos frequentes, como melanomas, sarcomas de estromas endometriais ou angiossarcomas. Isto implementa às massas pélvicas achados corriqueiramente diversos, seja na investigação etiológica, no planejamento da abordagem cirúrgica ou na mudança de tática intraoperatória.

As massas pélvicas são amiúde assintomáticas e detectadas em exames de rotina, durante rastreamento de outras queixas relacionadas ao trato digestório baixo ou durante avaliação de queixa ginecológica e, por último, na evidência de massas palpáveis assintomáticas. Os sintomas dependem da localização topográfica das massas e de sua relação de contiguidade com outras estruturas, como: ao reto, gerando hematoquezia ou obstrução intestinal; ao estômago, causando êmese ou alterações hormonais, resultando em hipermenorreia no caso de hiperestrogenização causada por tumores de células da granulosa ou virilização, nos tumores de células de Sertoli-Leydig.

DIAGNÓSTICO

A avaliação inicial da massa pélvica requer, além da história clínica, a consideração dos múltiplos sistemas orgânicos presentes na pelve e um entendimento adequado da anatomia da região. Qualquer estrutura anatômica que se localize na pelve tem a capacidade de formar tumores e isto deve ser valorizado no manejo clínico, bem como antecedente pessoal e/ou familiar de câncer de mama, ovário, cólon, mutações genéticas de origem autossômica dominante como a síndrome do câncer de ovário e mama (mutações no gene BRCA-1 e BRCA-2) e a síndrome hereditária não poliposa do câncer colorretal (HNPCC) ou na associação de outros dados epidemiológicos de risco, como nuliparidade, história de infertilidade ou endometriose. Nos casos de sintomas gastrointestinais, endoscopia digestiva alta e colonoscopia devem fazer parte da propedêutica para excluir estes sítios primários.

Nas mulheres, a maioria das massas pélvicas origina-se nos órgãos reprodutivos. Massas pélvicas císticas são comuns em mulheres de todas as faixas etárias, sendo que cerca de 8% das mulheres entre 25 a 40 anos apresentam cistos anexiais com mais de 2,5 cm. Evidências mostram que, entre mulheres com idade igual ou superior a 50 anos, 18% apresentam cisto ovariano unilocular com 10 cm ou menos. Em uma série de casos de mulheres submetidas à cirurgia, o diagnóstico pré-cirúrgico não pôde ser feito em 51%, houve diagnóstico correto em 42% e incorreto em 7% das pacientes.

A dificuldade no diagnóstico exato e na definição de conduta cirúrgica demanda uma boa avaliação clínica inicial, geralmente com auxílio de exames de imagem, uma vez que o exame físico exibe limitações. No entanto, este não deve ter seu valor minimizado, já que a associação aumenta a acurácia diagnóstica e permite melhor definição de conduta, pois, na verdade, os exames de imagem têm sua especificidade e sensibilidade limitadas na detecção de lesões malignas precoces. Um exemplo disto é a palpação dos anexos em mulheres menopausadas, que podem predizer doença maligna, já que nesta faixa etária não é normal palpar estas estruturas.

Devemos valorizar todo achado que indique enfermidade benigna, uma vez que doenças anexiais benignas podem ser tratadas de forma conservadora. A grande dificuldade é o diagnóstico de certeza sem estudo histopatológico. Desta forma, pode-se recorrer a métodos de imagem e, na persistência de dubiedade, a outros métodos mais invasivos. Atualmente a videolaparoscopia assume papel importante nesta avaliação, implementando as vantagens consolidadas no método em relação à diminuição de morbidade e melhor recuperação, permitindo, desta forma, o diagnóstico e o tratamento definitivos, já que a natureza da lesão é de determinação eminentemente histopatológica e torna-se mandatória em pacientes com risco elevado para malignidade.

Há casos em que o cirurgião se depara com indicação precisa de intervenção, porém o achado histopatológico peroperatório não condiz com a enfermidade suspeita de malignidade. Os cistoadenomas mucinosos podem ter como diagnóstico diferencial vários outros tipos de neoplasias: angiossarcomas, tumores müllerianos, malformações congênitas, linfangiomas, schwannomas (Fig. 1), mesoteliomas, cistos mesentéricos, além de também terem origem infecciosa, como salmonelose, hidatidose e actinomicose (Figs. 2 e 3).

Os tumores císticos abdominais são pouco frequentes e incluem os cistos de mesentério, omento e retroperitônio que podem confundir neoplasias malignas em exames pré-operatórios com tumores serosos associados a focos de outras linhagens histológicas. Porém, a abordagem diagnóstica por punção guiada por métodos radiológicos ou no intraoperatório não são condutas padrão, decorrente do elevado risco de originar implantes locais, perfuração de víscera oca ou causar hemorragias intra-abdominais. Nestes casos, todavia, podem ser abordados por via laparoscópica, dependendo de suas dimensões, ou por laparotomia exploradora.

Malformações orgânicas, vasculares e linfáticas também podem apresentar-se como massas pélvicas sintomáticas. Baço ectópico e aneurismas de vasos ilíacos já foram descobertos durante laparotomia diagnóstica mimetizando tumores malignos. Tumores benignos, como lipomas e shwannomas, também. Doença de Castelman, sarcomas, linfomas (Fig. 4) e câncer primário de intestino delgado (Fig. 5) são diagnosticados com frequência apenas durante o ato cirúrgico, pois são confundidos com tumores anexiais, especialmente quando há elevação do CA 125. O diagnóstico correto destas doenças se faz necessário, pois o tratamento pode envolver quimioterapia exclusiva ou combinada a cirurgia, diminuindo a necessidade de ressecções cirúrgicas extensas.

Achado intraoperatório de linfonodos retroperitoneais aumentados é mais frequente em carcinomas serosos do ovário, quando comparados aos subtipos não serosos, podendo comprometer os linfonodos pélvicos e para-aórticos, demandando linfadenectomia. As indicações de linfadenectomias retroperitoneal e pélvica serão abordadas em capítulos específicos.

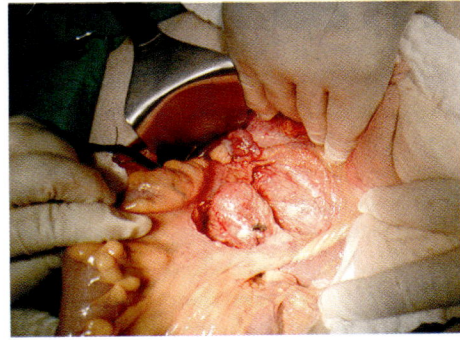

◀ **FIGURA 1.**
Schwannoma de retroperitônio simulando massa anexial.

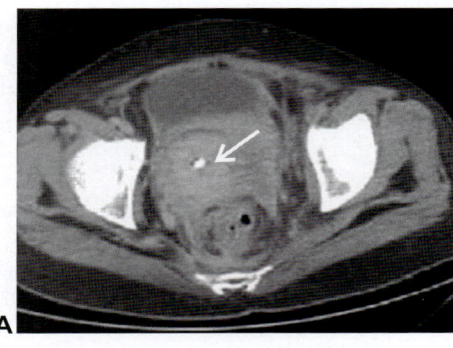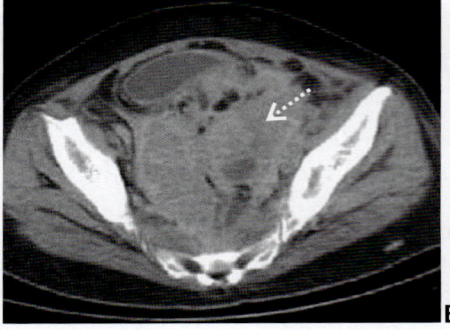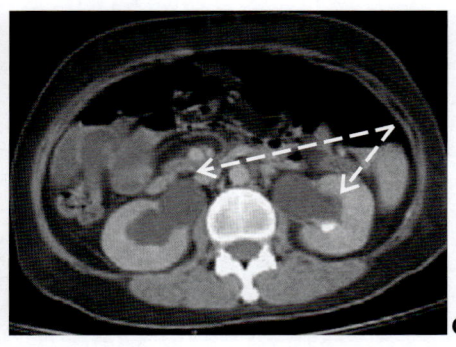

▲ **FIGURA 2. (A-C)** Paciente feminina, 40 anos, com queixas de dor pélvica, perda ponderal, febre, astenia e diminuição urinária por 6 meses. TC evidenciou DIU em cavidade uterina, massa pélvica englobando os ureteres e hidronefrose. CA 125 aumentado (97 U/mL). Paciente submetida à biópsia durante laparotomia, que confirmou actinomicose. Tratamento com antibioticoterapia.

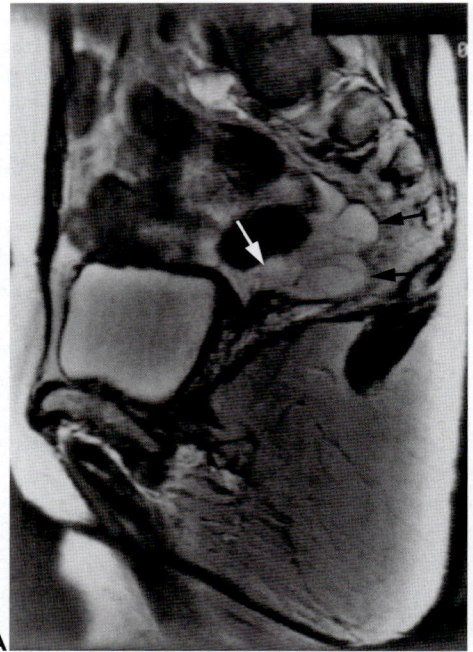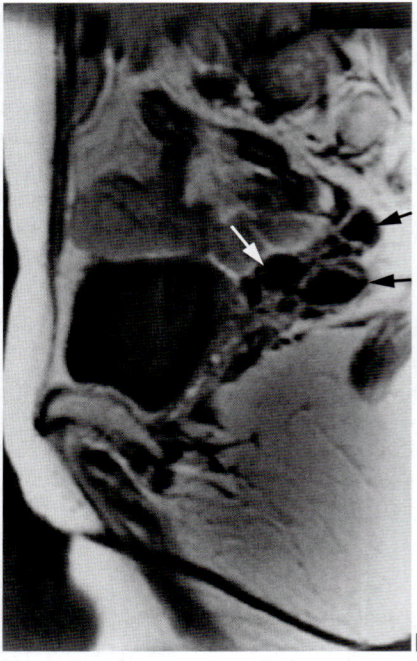

◀ **FIGURA 3. (A e B)** Ressonância magnética evidenciando imagens ovaladas em pelve, tratando-se de cistos mesoteliais.

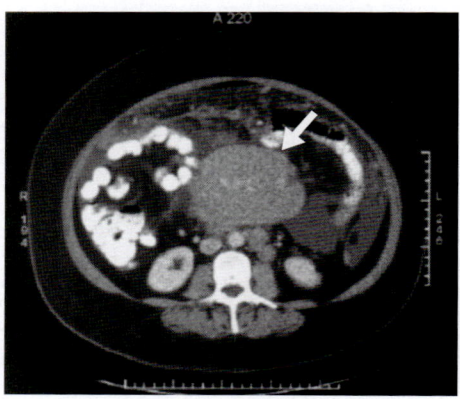

◀ **FIGURA 4.** Paciente feminina, 50 anos, com queixas de dispneia, saciedade precoce, perda ponderal e anorexia por 1 ano. Tomografia revelou massa pélvica, ascite e derrame pleural. CA 125 aumentado (701 U/mL). Face à função respiratória muito comprometida, a paciente não foi submetida à laparotomia exploradora. Sugerido tratamento empírico com paclitaxel e carboplatina. Realizada biópsia guiada por tomografia, que revelou linfoma de células B. Paciente tratada com esquema CHOP e radioterapia.[54]

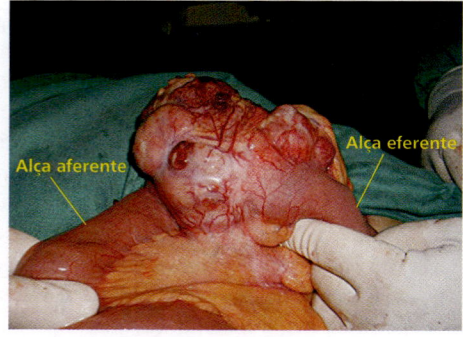

▲ **FIGURA 5.** Tumor de íleo mimetizando massa anexial.

Exames de imagem

A acurácia da ultrassonografia abdominopélvica (suprapúbica e transvaginal) na identificação dos tumores pélvicos é muito alta. Entretanto, a diferenciação entre tumores benignos e malignos é menos eficiente.

Os parâmetros morfológicos clássicos são: presença de cistos uni ou multiloculados, regularidade e espessura da parede, ocorrência de septações e tamanho do cisto. O fluxo sanguíneo alto no componente sólido é um sinal preditor de malignidade ao Doppler, assim como os índices de resistência e de pulsatilidade baixos (IR < 0,5). Em 1989, Bourne *et al.* sugeriram que a ausência de neovascularização intramural e o alto índice de pulsatilidade poderiam excluir tumores malignos. Porém estudos subsequentes não validaram este achado.

Timmerman *et al.*, em 2008, elaboraram um conjunto de dez regras simples para se identificar um tumor benigno ou maligno, atingindo sensibilidade de 92% e especificidade de 96%. As regras compreenderam cinco características de neoplasia maligna (tumor sólido irregular, presença de ascite, presença de pelo menos quatro estruturas papilares, tumor sólido irregular multilocular maior que 10 cm e fluxo sanguíneo muito intenso). As demais cinco características estão associadas a tumores benignos (unilocular, componentes sólidos menores que 7 mm, presença de sombra acústica, tumor multilocular com diâmetro menor que 10 cm e ausência de fluxo sanguíneo). Tumores com uma ou mais características malignas sem itens benignos foram considerados malignos. Tumores com uma ou mais características benignas sem itens malignos foram considerados benignos. E na ocorrência de ambas as características, malignas ou benignas, presentes ou ausentes, o teste era considerado inconclusivo.

Ultimamente, técnicas ultrassonográficas complementares, como a elastografia, têm contribuído para esclarecimentos sobre a natureza da lesão, e associadas à investigação por métodos moleculares, melhoraram o rastreamento, culminando com redução de mortalidade por neoplasias pélvicas.

Tomografia computadorizada (TC), assim como ressonância nuclear magnética (RNM), são úteis em avaliar massas que ultrapassam a pelve maior, tumores extraperitoneais, relacionados às fossas vesicais, retais e obturatórias, podendo complementar a investigação com informações importantes em relação às estruturas anatômicas adjacentes e à natureza do tumor. Lesões que se expressam com quadros hemorrágicos podem ser investigadas com cintilografia, a exemplo do GIST (*Gastrointestinal Stromal Tumor*), cujo diagnóstico atualmente se faz cada vez mais frequente e que demanda tratamento cirúrgico adequado. TC de abdome superior e tórax e PET-CT podem ser utilizadas na investigação de doença metastática à distância.

Marcadores tumorais

Marcadores tumorais não devem ser utilizados como exames de investigação rotineira, porém têm seu papel consolidado na determinação basal pré-tratamento da neoplasia maligna ovariana e como índice de resposta ao tratamento.

Antígeno cancerígeno 125 (CA 125)

Um dos mais conhecidos e utilizados marcadores tumorais na avaliação de massas pélvicas é o CA 125. Encontra-se aumentado em grande parte dos carcinomas ovarianos, principalmente quando avançados. Também são encontrados no âmnio e em tumores originados do epitélio celômico, como pleura, peritônio e pericárdio, principalmente em áreas com processos inflamatórios e com aderências. Portanto, não apresentam uma alta especificidade para determinação de malignidade.

Em algumas condições benignas também se observa elevação nos valores do CA 125, como durante a menstruação, no primeiro trimestre gestacional e principalmente na presença de endometriose. O estado hormonal (pré ou pós-menopausa) pode causar variação nos níveis de CA 125, sendo assim, mulheres na pós-menopausa ou pós-ooforectomia apresentam valores mais baixos que as na menacme.

Cerca de 85% dos tumores malignos de ovário em estágio avançado apresentam níveis elevados de CA 125, porém em estágios iniciais somente em 50% revelam estes valores; decorrente disto, a utilização deste marcador para rastreio não deve ser incentivada.

O monitoramento de seus níveis em pacientes com câncer de ovário é mandatório. A rápida e persistente diminuição após citorredução ou quimioterapia reflete bom prognóstico. A resposta ao tratamento é definida como redução de 50% ou mais do valor do CA 125, o qual deve permanecer por mais de 28 dias. A persistência de níveis altos é indicativa de doença ativa. A elevação dos níveis de CA 125 pode ocorrer até 3 meses antes de se detectar recidiva em exames de imagem.

Proteína 4 do epidídimo humano (HE4 - *human epididymis protein* 4)

Outros marcadores, como a proteína 4 do epidídimo humano (HE4 - *human epididymis protein 4*), expressada pelos tecidos neoplásicos malignos do ovário, pode ser utilizada no monitoramento de progressão de doença e na recidiva, porém o uso para diagnóstico diferencial está ainda em investigação, parecendo promissor em alguns casos, uma vez que ele não se eleva na endometriose profunda, ao contrário do CA 125, podendo auxiliar na escolha do método terapêutico e limitando a agressividade de ressecções ampliadas para enfermidades benignas ou a escolha inadequada do método de abordagem em doenças malignas, equívoco não infrequente na decisão do manejo cirúrgico, sobretudo em tempos de cirurgia minimamente invasiva. A acurácia na diferenciação entre o câncer de ovário e a endometriose chega a 94%.

Alfafetoproteína (AFP), desidrogenase lática (LDH) e gonadotrofina coriônica humana (HCG)

Quando um tumor ovariano não epitelial é suspeitado na presença de um tumor pélvico sólido em mulher na fase pré-menarca ou adolescente, a dosagem de marcadores tumorais pode ser útil. Pode ocorrer elevação da AFP nos tumores de seio endodérmico, de LDH no disgerminoma e do HCG no coriocarcinoma não gestacional. Tumores de células germinativas podem revelar padrões variados destes marcadores tumorais.

Antígeno carcinoembriogênico (CEA)

Este marcador tumoral é mais conhecido quando relacionado ao câncer colorretal. É um antígeno oncofetal e está elevado frequentemente em uma variedade de doenças benignas e malignas, incluindo o carcinoma de ovário. O achado de CEA elevado varia de acordo com o tipo histológico e o estágio da neoplasia de origem anexial, geralmente sendo mais elevado em pacientes com câncer de ovário mucinoso e em doença metastática originada no tecido mamário ou do trato gastrointestinal. A sensibilidade do CEA para detectar câncer de ovário é de aproximadamente 25%, e o valor preditivo positivo é de somente 14%. No entanto, este marcador é importante quando há suspeita de doença metastática de sítio primário no trato gastrointestinal e no seguimento de tumores de origem ginecológica que apresentavam elevação do mesmo antes do tratamento.

TRATAMENTO – O VALOR DO GINECOLOGISTA ONCOLÓGICO NO TRATAMENTO DE MASSAS PÉLVICAS

Múltiplos estudos mostraram que o tratamento de câncer de ovário feito por não especialistas e por serviços com baixo volume denotam cirurgias com resultados de citorredução insatisfatória, com doença residual macroscópica maior que 2 cm, subótimas, e com menor índice de sobrevida média.

Em 2001, Carney *et al.* publicaram estudo retrospectivo de 848 pacientes diagnosticadas com câncer de ovário do tipo epitelial no estado de Utah entre 1992 e 1998. Destas, somente 39,3% foram avaliadas por um ginecologista oncológico em algum momento entre seu diagnóstico e tratamento. A sobrevida das pacientes tratadas por especialistas foi maior, mesmo naquelas com doença avançada.

De forma semelhante, Eisenkop *et al.* estudaram 263 pacientes com câncer de ovário avançado e demonstraram que aquelas tratadas por ginecologistas oncológicos tiveram melhor manejo cirúrgico, com citorredução completa ou ótima, e melhor sobrevida, com mortalidade e morbidade semelhantes quando comparadas àquelas tratadas por não especialistas.

É necessária abordagem especializada desde o exame primário da paciente, uma vez que a definição diagnóstica e a linha de tratamento a ser tomada se fazem necessárias para que a paciente seja avaliada pelo cirurgião especialista em câncer. Isto se torna imprescindível principalmente nos casos iniciais, em que o diagnóstico diferencial entre lesão benigna e maligna pode ser bastante difícil, mas a definição terapêutica cirúrgica pode pedir abordagem precisa e necessidade de cirurgia extensa com estadiamento padronizado, como já estabelecido pela FIGO, que é mais bem realizado por profissional habilitado. Existe ainda outro fator que é a decisão entre realizar uma cirurgia radical ou tomar atitudes mais conservadoras, sem comprometer o resultado oncológico e a sobrevida da paciente. Isto depende estritamente não só de treinamento cirúrgico, mas do conhecimento histopatológico e molecular da patologia maligna, além das constantes atualizações médico-cirúrgicas publicadas na literatura. Neste sentido, evidências mostram que cirurgiões treinados em centros especializados têm melhores resultados em termos de radicalidade, ressecabilidade, índice de sobrevida e manejo das pacientes com câncer.

O *American College of Obstetricians and Gynecologists* (ACOG) associado ao *Society of Gynecologic Oncologists* (SGO) desenharam um *guideline* orientando ginecologistas gerais sobre a decisão de operar ou de referenciar a paciente ao ginecologista oncológico (Quadro 1). Em estudo retrospectivo com 1.035 mulheres, em que os refinamentos da ACOG foram considerados, 85% das mulheres na pré-menopausa e 90% na pós-menopausa foram corretamente referenciadas para especialista oncológico e tiveram manejo clínico adequado para câncer de ovário.

Quadro 1. *Guideline* para referenciamento de pacientes com massas pélvicas aos médicos-ginecologistas oncológicos. Adaptado *de ACOG Committee Opinion*

MULHERES PRÉ-MENOPAUSADAS
▪ CA125 maior que 200 U/mL
▪ Ascite
▪ História familiar em parente de primeiro grau de câncer de ovário ou mama

MULHERES PÓS-MENOPAUSADAS
▪ CA 125 maior que 35 U/mL
▪ Ascite
▪ Massa pélvica nodular ou fixa
▪ Metástases abdominais ou a distância
▪ História familiar em parente de primeiro grau de câncer de ovário ou mama

Massas com diagnóstico histopatológico de origem duvidosa, mas com características de benignidade, fazem parte do acervo de dúvidas com que o cirurgião pélvico se depara: realizar ressecções multiorgânicas ou não? É no cenário das ressecções ampliadas que surgem para o cirurgião especialista as surpresas que podem modificar o planejamento inicial, principalmente em pacientes que tiveram exploração pélvica anterior. Faz-se necessária não só a definição do momento cirúrgico, mas o planejamento da abordagem. Massas complexas em pelves irradiadas, comuns em tumores localmente avançados de origem digestiva e massas pélvicas em reoperações devem ser abordadas por cirurgião pélvico experiente e por equipe multiespecializada. A utilização de cistoscopia com passagem de catéter duplo J bilateralmente minimiza acidentes com as vias urinárias, podendo facilitar a identificação destas estruturas durante a dissecção. Deve-se levar em consideração que boa parte destas enfermidades malignas é de tumores de origem anexial em que a ressecção ótima deve ser perseguida como objetivo principal, por aumentar a sobrevida em decorrência de melhor taxa de resposta isoladamente ou em associação a tratamentos complementares. Ressecções alargadas são utilizadas rotineiramente na abordagem de massas pélvicas malignas complexas por cirurgiões oncologistas.

REFERÊNCIAS BIBLIOGRÁFICAS

ACOG Committee Opinion Number 280. The role of the generalist obstetrician gynecologist in the early detection of ovarian cancer. *Obstet Gynecol* 2002;100:1413.

Allen GW, Forouzannia A, Bailey HH et al. Non-Hodgkin's lymphoma presenting as a pelvic mass with elevated CA-125 *Gynecol Oncol* 2004;94:811-13.

Almeida DB, Freitas DM, Nogueira JA et al. Mesotelioma papilífero bem diferenciado do peritônio: Relato de caso e revisão de literatura. *J Bras Patol Med Lab* 2005;40(1):37-41.

American Association for Clinical Chemistry. NACB. Practice guidelines and recommendations for use of tumor markers in the clinic ovarian cancer (Section3E). Disponível em: http://www.aacc.org/SiteCollectionDocuments/NACB/LMPG/tumor/chp3e_ovarian.pdf

Andrade Neto F, Palma-Dias R, Costa FS. Ultrassonografia nas massas anexiais: aspectos de imagem. *Radiol Bras* 2011 Jan./Fev.;44(1):59-67.

Anton C. Predição de malignidade de tumores ovarianos utilizando marcadores tumorais, índice de risco e ROMA [dissertação]. Universidade de São Paulo. São Paulo: Faculdade de Medicina, 2011.

Aragon L, Terrenos D, Ho H et al. Angiosarcoma of the ovary arising in a mucinous cystadenoma. *J Clin Ultrasound* 2011;39(6):351-55.

Aune G, Stunes AK, Tingulstad S et al. The proliferation markers Ki-67/MIB-1, phosphohistone H3, and survivin may contribute in the identification of aggressive ovarian carcinomas. *Int J Clin Exp Pathol* 2011;4(5):444-53.

Boyd J. Molecular genetics of hereditary ovarian cancer. *Oncology* (Williston Park) 1998;12(3):399-406; discussion 409-10, 413.

Calle EE, Kaaks R. Overweight, obesity anda cancer: epidemiological evidence and proposed mechanisms. *Nat Rev Cancer* 2004;4(8):579-91.

Carney ME, Lancaster JM, Ford C et al. A population-based study of patterns of care for ovarian cancer: who is seen by a gynecologic oncologist and who is not? *Gynecol Oncol* 2002;84:36-42.

Czubalski A, Barwijuk A, Radiukiewicz G. Large mesenteric cyst in a patient suspect of ovarian cyst. *Ginekol Pol* 2004;75(7):545-47.

Dearking AC, Aletti GD, McGree ME et al. How relevant are ACOG and SGO guidelines for referral of adnexal mass? *Obstet Gynecol* 2007;110:841-49.

DePriest PD, Shenson D, Fried A et al. A morphology index based on sonographic findings in ovarian cancer. *Gynecol Oncol* 1993;51(1):7-11.

Dicionário Médico Ilustrado Dorland. 28. ed. São Paulo: Manole;1999.

Eisenkop SM, Spirtos NM, Montag TW et al. The impact of subspecialty training on the management of advanced ovarian cancer. *Gynecol Oncol* 1992;47(2):203-9.

Ferrazi E, Zanetta G, Dordoni D et al. Transvaginal ultrassonographic characterization of ovarian masses: comparisson of five scoring systems in a multicenter study. *Ultrasound Obstet Gynecol* 1997;10(3):192-97.

Gok ND, Yildiz K, Corakci A. Primary malignant melanoma of the ovary: case report and review of the literature. *Turk Patoloji Derg* 2011;27(2):169-72.

Guzel AI, Kuyumcuoglu U, Erdemoglu M. Adnexal masses in postmenopausal and reproductive age women. *J Exp Ther Onco* 2011;9(2):167-69.

Huhtinen K, Suvitie P, Hiissa J et al. Serum HE4 concentration differentiates malignant ovarian tumours from ovarian endometriotic cysts. *Br J Cancer* 2009;100:1315-19.

Im SS, Gordon NA, Buttin BM et al. Validation of referral guidelines for women. *Obstetr Gynecol* 2005;105(1):35-41.

Johnson LFP, Gonçalves IM, Lopes A. Sarcoma pélvico tratado com exenteração pélvica total ampliada e reconstrução arterial e venosa com prótese – Relato de caso. *Rev Bras* 2011;47(1):59-61.

Kabawat SE, Bast Jr RC, Bhan AK et al. Tissue distribution of coelomic-epithelium-related antigen recognized by the monoclonal antibody OC125. *Int J Gynecol Pathol* 1983;2(3):275-85.

Kafali H, Artuc H, Demir N. Use of CA 125 fluctuation during the menstrual cycle as tool in the clinical diagnosis of the endometriosis; a preliminary report. *Eur J Obstet Reprod Biol* 2004;116(1):85-88.

Kataoka F, Tsuda H, Nomura H et al. The chemosensitivity of nodal metastases in recurrent epithelial ovarian cancer. *Eur J Gynaecol Oncol* 2011;32(2):160-63.

Kawagoe H, Kataoka A, Sugiyama T et al. Leiomyosarcoma of the small intestine presenting as a pelvic mass *Eur J Obstetr Gynecol Reprod Biol* 1996;66:187-91.

Kondi-Pafiti A, Kairi-Vassilatoul E, spanidou-Carvouni H et al. Extragenital cystic lesions of peritoneum of the female. Clinicopathological characteristics of 19 cases. *Eur J Gynaecol Oncol* 2005;26(3):323-26.

Kudesia R, Gupta D. Pelvic salmonella infection masquerading as gynecologic malignancy. *Obstet Gynecol* 2011;118(2):475-77.

L. Harzzallah MA, Jellali B, Sriha T et al. Ancient pelvic retroperitoneal schwannoma mimiking an adnexal mass: a case report. *Eur J Radiol Extra* 2004;50:67-70.

Levy DE, Garber JE, Shields AE. Guidelines dor genetic risk assessment of hereditary breast and ovarian cancer: early disagreements and low utilization. *J Gen Ontern Med* 2009;24(7):822-28.

Ludwig KA, Reynolds HL. Retrorectal tumors. *Clin Colon Rectal Surg* 2002;15(4):285-93. Disponível em: www.sbcp.org.br/revista/nbr252/P204.htm

Moraes MAP et al. Hidatidose policística: cisto hidático calcificado simulando neoplasia mesentérica, descoberto acidentalmente. *Rev Soc Bras Med Trop* 2003;36(4):519-21.

Morales-Conde S, Sánchez F, Fernández P et al. Exéresis de quiste retroperitoneal por vía laparoscópica/Laparoscopy excision of retroperitoneal cyst. *Cir Esp* 2001;69(5):507-9.

Ogata DC, Pereira Neto E, Wilson F et al. Tumor neuroectodérmico primitivo da bexiga urinária: uma rara neoplasia. *J Bras Patol Med Lab* 2010;46(1):37-40.

Ois-Joseph F, Murat L, Gettman MT. Free-floating organized fat necrosis: rare presentation of pelvic mass managed with laparoscopic techniques. *Urology* 2004;63(1):176-77.

Pagoti R, Young E, Gie CA et al. Ectopic spleen presenting as a pelvic mass. *Int J Gynaecol Obstet* 2007 Jan.;96(1):51-52.

Patrelli TS, Silini EM, Gizzo S et al. Extragenital mullerian adenosarcoma with pouch of Douglas location. *BMC* 2011;11:171.

Pin-Kuei Fua B, Che-An Tsaic. Management of patients with huge pelvic actinomycosis complicated with hydronephrosis: a case report. *J Microbiol Immunol Infect* 2010;43(5):442-46.

Romero JA, Kim EE et al. MRI of recurrent cystic mesothelioma: differential diagnosis of pelvis masses. *Gynecol Oncol* 1994;54:337-80.

Sood R, Tee SI. A predominant pelvic gastrointestinal stromal tumor (GIST) mass observed on Tc-99 m red blood cell gastrointestinal bleeding scintigraphy. *Clin Nucl Med* 2011;36(8):93-95.

Strauss DC, Qureshi YA, Hayes AJ et al. Management of benign retroperitoneal schwannomas: a singelez-center experience. *Am J Surg* 2011;202(2):194-98.

Tekay A, Jouppila P. Validity of pulsatility and resistence indices in classification of adnexial with transvaginal color Doppler ultrasound. *Ultrasound Obstet Gynecol* 1992;2(5):338-44.

Timmerman D, Testa AC, Bourne T et al. Simple ultrasound-based rules for the diagnosis of ovarian cancer. *Ultrasound Obstet Gynecol* 2008;31(6):681-90.

Timmerman D, Valentin L, Bourn TH et al. Terms, definitions and measurements to describe the sonograohic features of adnexial tumors: a consensus opinion from the international Ovarian Tumor Analysis (IOTA) Group. *Ultrasound Obstet Gynecol* 2000;16(5):500-5.

Tobias-Machado M, Lopes Neto AC, Juliano RV et al. Endometriose simulando neoplasia vesical. *RBGO* 2000;22(3):141-46.

Tozzi R, Köhler C, Ferrara A et al. Laparoscopic treatment of early ovarian cancer: surgical and survival outcomes. *Gynecol Oncol* 2004;93(1):199-203.

Urban N, McIntosh MW, Andersen M et al. Ovarian cancer screening. *Hematol Oncol Clin North Am* 2003;17(4):989-1005, ix.

Valentin L. Gray scale sonography, subjective evaluation of the color Doppler image and measurement of blood flow velocity for distinguishing benign and malignant tumors of suspected adnexial origin. *Eur J Obstet Gynecol Reprod Biol* 1997;72(1):63-72.

Wang M, He Y, Shi C. Multivariate analysis by Cox proportional hazard model on prognosis of patient with epithelial ovarian cancer. *Eur J Gynaecol Oncol* 2011;32(2):171-77.

Wise MF, Mason WE. Leaking iliac aneurism presenting as pelvic mass. *Urology*1975;5(6):840-42.

Yildiz C, Karadayi K, Sarkis C et al. Hugo cística lymphangioma mimicking ovarian malignancy: a case report. *Turk J Gastroenterol* 2011;22(3):344-46.

Young RH, Scully RE. Ovarian Sertoli-Leydig cell tumours. A clinicopathological analysis of 207 cases. *Am J Surg Pathol* 1985;9:543-69.

CAPÍTULO 173

Exenteração Pélvica em Tumores Ginecológicos

Glauco Baiocchi Neto ■ Gustavo Cardoso Guimarães ■ Ademar Lopes

INTRODUÇÃO

Este procedimento foi inicialmente descrito por Alexander Brunschwig, em 1948, para tratamento do câncer ginecológico persistente ou recorrente e consistia na ressecção completa de retossigmoide, órgãos genitais, bexiga, suprimento sanguíneo, estruturas suspensórias, linfonodos regionais destes órgãos, uretra, ânus e segmento da vulva.[1] Os ureteres eram implantados no cólon, próximo ao local da exteriorização da colostomia terminal. A pelve era temporariamente preenchida com gaze e a ferida perineal era fechada por aproximação dos tecidos (Fig. 1).

O primeiro estudo publicado por Brunschwig incluiu 22 pacientes, objetivando a paliação de sintomas como dor, fístulas ou infecção causadas por neoplasia pélvica localmente avançada.[1] Não houve óbito no transoperatório, mas a mortalidade peroperatória foi de 23%. As principais desvantagens foram atribuídas ao estoma (colostomia úmida em única boca) como: infecção do trato urinário, acidose hiperclorêmica e dificuldade de adaptação do dispositivo da bolsa coletora. Posteriormente, houve uma melhora significativa nos resultados da reconstrução urinária com o desenvolvimento do conduto ileal, proposto por Bricker.[2]

Os resultados a longo prazo mostraram que pacientes com doença localmente avançada, confinada à pelve e recidivada após radioterapia poderiam ser tratadas com intuito curativo.[3]

Ainda hoje, os cânceres de colo uterino ou vagina são os que têm maior indicação de exenteração pélvica (cerca de 70% dos casos).[4] Geralmente as pacientes candidatas já foram previamente submetidas a radioterapia e apresentam tumores persistentes ou recidivados, em que a cirurgia de resgate passa a ser a única modalidade terapêutica com intuito curativo.

O tratamento padrão para o câncer de colo uterino localmente avançado é baseado em radioterapia associada à quimioterapia, com sobrevida global em 5 anos de 66%.[5] Porém, 44% das pacientes irão recidivar e 35% delas apresentarão somente recidiva locorregional.[5] Mesmo dentre as pacientes com estágios Ib–IIa tratadas com radioterapia exclusiva, 25% poderão apresentar algum tipo de recidiva.[6] Porém, poucas terão indicação de tratamento cirúrgico de resgate.[4]

De modo geral, persistência tumoral ou recidiva local do câncer ginecológico em pacientes previamente irradiadas indicam um prognóstico reservado.[7,8] O resgate cirúrgico classicamente era considerado factível em pacientes com recidiva central, porém novas abordagens, como a extensão para parte da parede pélvica e a intenção de preservar os órgãos pélvicos sem acometimento tumoral, mudaram a abordagem destas pacientes.[4]

Com o desenvolvimento de novas tecnologias e a crescente melhora no suporte peroperatório, a mortalidade relacionada ao tratamento reduziu-se para 0-14%.[9-21]

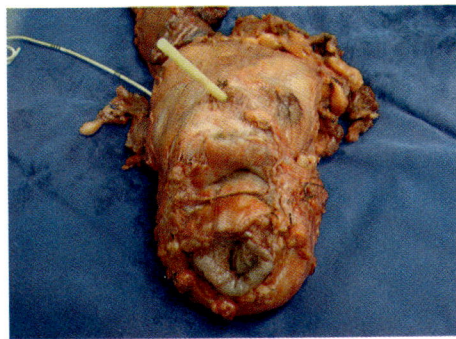

◀ **FIGURA 1.** Exemplo de peça cirúrgica de exenteração pélvica total.

Apesar de todas melhoras, a morbidade do procedimento ainda permanece alta, em torno de 50%.[4] Avanços obtidos nas últimas 2 décadas, relacionados à fase de reconstrução, particularmente com o uso da anastomose colorretal baixa, derivação urinária continente e confecção de neovagina com retalho musculocutâneo melhoraram os resultados. A sobrevida estimada em 5 anos de pacientes submetidas a exenteração pélvica por câncer ginecológico passou a ser de 30-60%.[9,13,15,17,18,21-26]

INDICAÇÕES

Os pré-requisitos para se indicar a exenteração pélvica continuam inconsistentes na literatura e variam entre os autores. A principal indicação atual é no tratamento do câncer ginecológico persistente ou recidivado com doença pélvica exclusiva e onde não há outro tratamento mais eficaz. Preferencialmente, deve ser feita com intuito curativo, ou seja, quando não há disseminação extrapélvica da doença.

A exenteração pélvica tem indicação principalmente no tratamento do câncer do colo uterino persistente ou recidivado após radioterapia, porém também pode ser utilizada no tratamento do câncer de endométrio, vagina e sarcomas, quando não houver sinais de disseminação extrapélvica.

Algumas séries previamente reportaram a exenteração pélvica primária para o câncer do colo uterino quando há invasão vesical, retal ou uretral, porém com as técnicas modernas de radioterapia e associação à quimioterapia, a cirurgia perdeu seu papel no tratamento primário do estágio IVa. De qualquer forma, apenas cerca de 3 a 20% das pacientes com estágio avançado nos estudos prospectivos de radioterapia eram estágio IVa e não tiveram os dados de sobrevida analisados separadamente.[27-29] Atualmente, no caso do câncer de colo uterino e vagina, a exenteração pélvica primária tem indicação somente no caso da presença de fístulas urinárias e/ou fecais associadas ao tumor ou ao tratamento radioterápico (Fig. 2).

Não há critérios definitivos na indicação para exenteração paliativa em pacientes com câncer ginecológico.[30] Pode ser definida como: "qualquer procedimento invasivo com intenção maior de melhorar sintomas físicos em pacientes com doença não curável, sem causar morte prematura".[31] Nosso grupo publicou em 2010 uma série de 13 pacientes com câncer ginecológico associado a quadro de sangramento, fístula e dor intratável submetidas a exenteração considerada paliativa por presença de doença à distância ou doença pélvica não passível de ressecção completa.[30] Seis pacientes sobreviveram mais que 5 meses e três por um período maior que 12 meses (duas apresentavam doença estável após 13 e 17 meses de seguimento pós-quimioterapia). A sobrevida câncer-específica encontrada foi de 20,5% em 2 anos, mostrando que a exenteração pélvica pode ser indicada com intuito paliativo em casos selecionados e com paliação adequada dos sintomas.

Magrina et al. definem a exenteração como paliativa quando há comprometimento de linfonodos pélvicos, para-aórticos ou extensão tumoral para parede pélvica lateral.[14] Porém, a taxa de sobrevida em 5 anos na sua série foi de 27% para exenteração considerada paliativa e de 50% com intenção curativa.

Lambrou et al. consideram fístula associada ao tumor, proctite ou cistite hemorrágica resistente à terapia e uma qualidade de vida inaceitável como indicação para exenteração paliativa e mostraram sobrevida em 5 anos de 17%.[32]

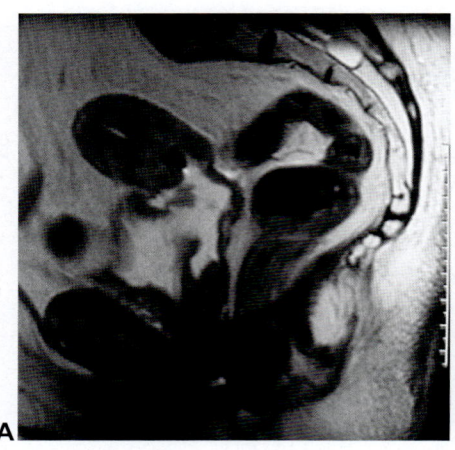

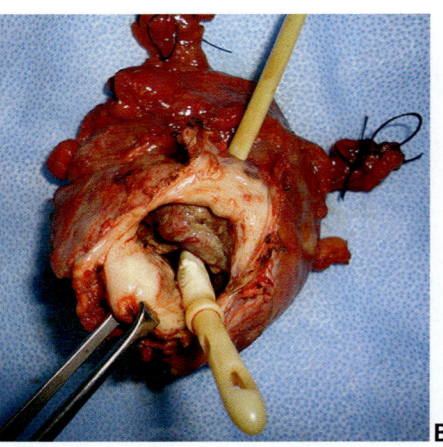

◀ **FIGURA 2. (A)** Corte sagital de ressonância nuclear magnética de pelve com aquisição em T2 mostrando lesão infiltrativa do colo uterino associada a fístula vesicovaginal. **(B)** Peça de exenteração pélvica anterior compreendendo bexiga, uretra, útero e vagina decorrente do câncer do colo uterino. Fístula vesicovaginal em destaque.

Stanhope *et al.* avaliaram 59 pacientes submetidos à exenteração paliativa na presença de linfonodos pélvicos ou para-aórticos metastáticos, envolvimento de parede pélvica lateral, ósseo ou metástases a distância e encontraram uma sobrevida mediana de 19 meses e 28 pacientes (47%) sobreviveram mais que 2 anos.[19]

A quimioterapia pode ser usada como uma alternativa para exenteração paliativa. Esta abordagem apresenta taxa de resposta aceitável, porém costuma ser parcial e de curta duração. A sobrevivência mediana de pacientes que realizaram quimioterapia paliativa para câncer cervical recorrente é de 8 a 11 meses.[33]

Alguns autores argumentam que a exenteração pélvica não deva ser realizada como intervenção paliativa, pois a recuperação satisfatória pode levar de 3 a 6 meses e as pacientes poderiam não sobreviver tempo bastante para se beneficiarem do procedimento.[20] Entretanto, 67-90% dos casos apresentam alívio dos sintomas ou melhora da qualidade de vida.[34]

Assim, a decisão de indicar a exenteração com intuito paliativo deve ser feita individualmente, levando-se em conta as condições de cada paciente.

SELEÇÃO DA PACIENTE

No caso das recidivas após tratamento inicial, devemos usar uma classificação que separa as recidivas pélvicas em parietais ou viscerais. A recidiva visceral é também dividida entre central ou em parede pélvica lateral. Considera-se que é possível obter ressecção com margens microscópicas livres (R0) nos casos de recidiva central e recidiva em parede pélvica lateral se o tumor estiver fixo à parede pélvica anterior (obturador interno) ou a qualquer músculo do assoalho pélvico (pubococcígeos, iliococcígeos e coccígeos). Tumores que envolvem as estruturas neurovasculares do forame ciático são considerados não passíveis de ressecção com margens livres.

As recidivas da parede pélvica podem ainda ser classificadas segundo a anatomia topográfica proposta por Hockel[35] em: A1, isquiopúbica – infrailíaca; A2, isquiopúbica – peri-ilíaca; B1, acetabular – infrailíaca; B2, acetabular – peri-ilíaca; C1, sacrococcígea – infrailíaca; C2, iliossacral – peri-ilíaca (Fig. 3).

A confirmação histológica da recidiva deve ser feita sempre que possível e a paciente não deverá ter outra doença potencialmente fatal e deverá ter condições clínicas para suportar uma cirurgia de grande porte.

A presença da tríade edema de membro inferior, dor ciática e obstrução ureteral quase sempre está associada a irressecabilidade associada à extensão posterolateral para a parede pélvica. A avaliação clínica da extensão da doença para a parede pélvica pode ser difícil de ser determinada, mesmo quando realizada por um cirurgião experiente. Alguns autores consideram que deveria ser oferecida uma laparotomia exploradora mesmo se os achados radiológicos e o exame clínico evidenciassem doença irressecável.[25]

A ressonância nuclear magnética (RNM) traz uma boa resolução de imagem na avaliação da tumoração pélvica e sua correlação com órgãos e partes moles adjacentes (Fig. 4). Porém, em relação à presença de infiltração da parede pélvica, ainda pode-se encontrar falso-positivos em 17,4% dos casos e falso-negativos em 4,3%.[36]

A exclusão da doença extrapélvica deve ser criteriosa. O exame físico deve incluir avaliação linfonodal inguinal e supraclavicular e os mesmos devem ser biopsiados, se suspeitos. A realização de tomografia computadorizada (TC) de tórax e abdome total tem o objetivo de avaliar doença pulmonar, hepática e linfonodal (retroperitoneal e mediastinal). Porém a TC de pelve não tem acurácia em determinar ressecabilidade da lesão pélvica (Fig. 5).

Lai *et al.*[37] avaliaram a PET-CT no reestadiamento de 40 pacientes com câncer de colo uterino recidivado em comparação à TC e RNM e 55% dos casos tiveram o tratamento modificado. A PET-CT se mostrou superior à TC/RNM no diagnóstico da doença metastática (sensibilida-

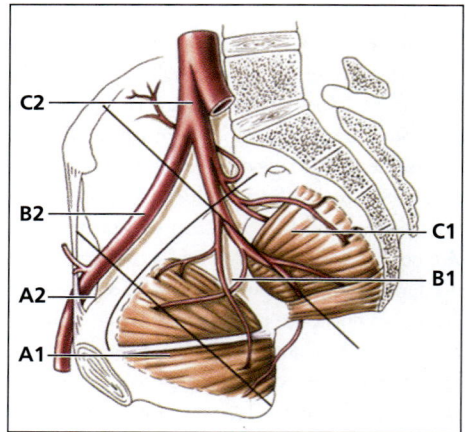

◀ **FIGURA 3.** Representação esquemática da localização da recidiva pélvica em parede lateral, proposta por Hockel.[35]

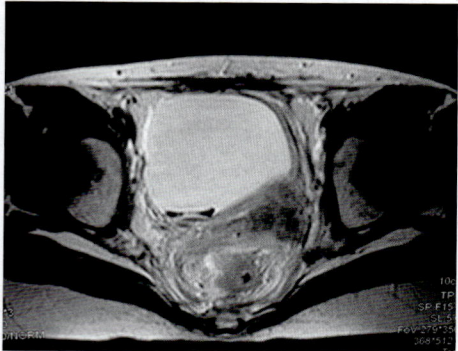

◀ **FIGURA 4.** Corte axial de ressonância nuclear magnética de pelve com aquisição em T2 mostrando recidiva de câncer do colo uterino estádio IIIb após tratamento com radioterapia e quimioterapia. A lesão infiltra musculatura de parede pélvica lateral esquerda (músculo obturador interno).

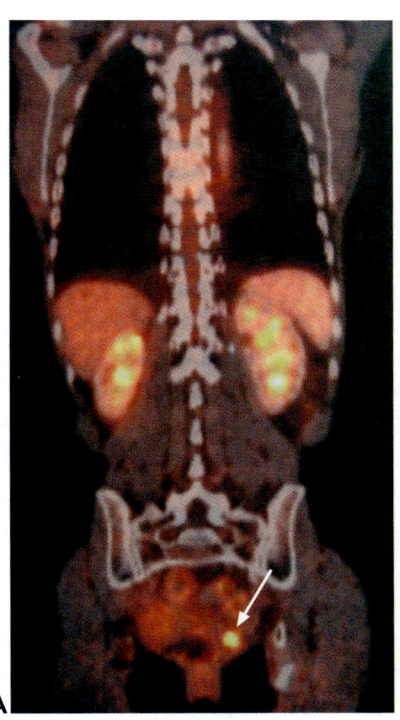
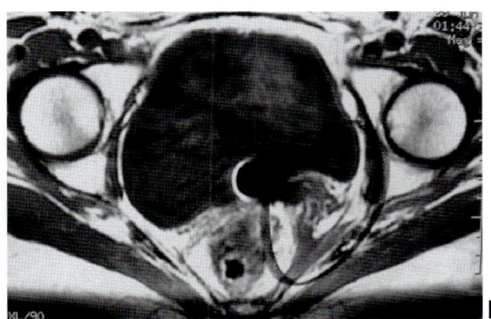
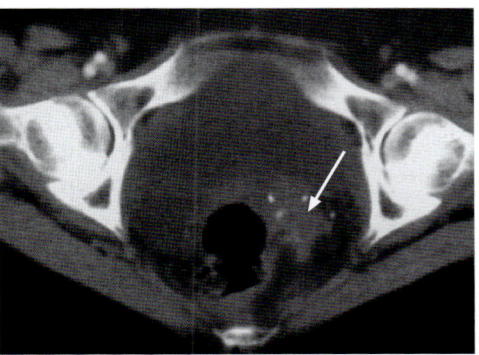

◀ **FIGURA 5.** Exemplo de paciente portadora de câncer do colo uterino estádio Ib1 recidivado após tratamento com histerectomia radical e radioterapia adjuvante. **(A)** PET-TC mostra captação apenas na recidiva pélvica. **(B)** Ressonância nuclear magnética da pelve mostra lesão recidivada com extensão para parede pélvica lateral esquerda. **(C)** TC de pelve mostra a recidiva, porém sem determinar extensão para parede pélvica.

de 92 *versus* 60%; p < 0,001). A PET-TC também foi utilizada por Husain *et al.*[38] em 27 pacientes com câncer de colo ou vagina candidatas à exenteração pélvica e foi encontrada sensibilidade de 100% e especificidade de 73% na detecção de doença metastática (Fig. 5). Decorrente da alta sensibilidade da PET-TC para diagnosticar doença extrapélvica, este tem importante papel na avaliação de pacientes com câncer ginecológico recidivado e deve ser utilizado sempre que disponível.

Apesar da avaliação pré-operatória adequada, Miller *et al.*[39] descreveram a suspensão de 28,2% das cirurgias (111/394 casos) durante a exploração cirúrgica em razão da presença de doença peritoneal (44%), linfonodal (40%), fixação parametrial (13%) e envolvimento hepático ou intestinal (4,5%).

CONTRAINDICAÇÕES

O intuito da exenteração pélvica deve ser fundamentalmente curativo e, portanto, presença de disseminação a distância é a principal contraindicação. Na presença de carcinomatose, doença visceral, doença linfonodal mediastinal ou cervical, a cirurgia passaria a ter intuito paliativo. Os critérios para contraindicação da exenteração, no caso de doença persistente ou recidivada, variam consideravelmente na literatura. Disseminação intraperitoneal e metástases a distância são consideradas como únicos critérios de exclusão por alguns autores.[17] A presença de metástase para linfonodos retroperitoneais nos casos de câncer de colo uterino e vagina também é vista como uma contraindicação.[12,17,20,22,32]

A idade fisiológica associada à presença de comorbidades, e não a idade cronológica, é que deve ser considerada como fator limitante.[21,40,41] Também não são contraindicações o tipo histológico, o grau ou o estágio inicial do tumor primário.[17,18,20]

A presença de linfonodos pélvicos comprometidos é fator de mau prognóstico e decorrente desse fato, considerada contraindicação para exenteração por alguns autores.[14,15,20,22,25,42] Ao contrário da carcinomatose peritoneal, o envolvimento peritoneal pélvico por extensão direta, invasão ou aderências ao intestino delgado não é contraindicação para exenteração em alguns centros.[20]

Em razão das pobres taxas de sobrevida das exenterações com margens comprometidas, a maioria dos autores considera a fixação tumoral à parede pélvica como uma contraindicação para exenteração.[9,13,16,18,20,32,42,43] Entretanto, o tumor com extensão para parede pélvica, na dependência de sua localização, pode ser factível de ressecção com margens livres (R0) com a utilização de técnica de extensão pélvica lateral (LEER).[10,35]

Apesar de a controvérsia persistir em relação ao tamanho tumoral, a presença de linfonodo pélvico comprometido, o envolvimento peritoneal pélvico por extensão direta e a extensão para parede pélvica lateral, acreditamos que estes não sejam critérios para contraindicação do procedimento se a ressecção adequada com margens livres foi obtida.

PRINCÍPIOS E TÉCNICA CIRÚRGICA

A paciente deve ser aconselhada exaustivamente quanto à gravidade do quadro e porte da cirurgia, bem como para um pós-operatório longo e com internação em unidade de terapia intensiva. Deve estar ciente da perda funcional sexual, urinária e/ou fecal, assim como a provável necessidade de estomias.

A equipe de estomaterapia deve ser envolvida e a terapia nutricional parenteral é indicada no caso de desnutrição ou jejum prolongado pós-operatório.

O procedimento de exenteração pélvica pode ser dividido em três fases: exploração, ressecção e reconstrução.

Fase exploratória

A exploração cirúrgica deve ser realizada por incisão mediana para descartar carcinomatose peritoneal ou metástases hepáticas, e o retroperitônio deve ser avaliado em busca de comprometimento linfonodal. Os grandes vasos e, principalmente, os vasos hipogástricos devem ser isolados. A extensão da linfadenectomia depende dos tratamentos prévios e pode ser dificultada ou até mesmo impossibilitada devido à fibrose.

A avaliação da ressecabilidade lateral é feita também durante a fase exploratória após abertura dos espaços pararretais e paravesicais. Caso haja extensão para a parede pélvica, procede-se a abertura da fáscia endopélvica com o objetivo de avaliar a ressecabilidade com extensão lateral.

Dois estudos sugerem que a laparoscopia para exploração peritoneal e retroperitoneal pode ser feita com segurança, até mesmo em pacientes que realizaram radioterapia.[44,45] Por outro lado, a exploração laparoscópica da parede pélvica lateral em pacientes que realizaram radioterapia exige grande perícia e pode não ser factível e adicionar risco. Embora a laparoscopia exploradora possa ser útil e em algumas situações, evite uma laparotomia em pacientes que não se beneficiariam da exenteração pélvica, como na presença de carcinomatose e múltiplas metástases linfonodais, seu papel como um procedimento rotineiro permanece controverso.

Fase de ressecção

A fase de ressecção deve ser realizada com três objetivos em mente: controle do tumor pélvico, aumento de sobrevida e diminuição da morbidade.

A exenteração pélvica total é uma combinação de ressecções monoviscerais – ressecção anterior ou abdominoperineal do reto, histerocolpectomia e cistectomia, baseadas na anatomia destes órgãos e na necessidade ou não de ressecções transelevatórias.[46] Com as técnicas de exenteração convencional, somente tumores centrais são ressecáveis com margens livres. Mesmo ao excluir os pacientes com envolvimento da parede pélvica lateral com avaliação tanto clínica quanto cirúrgica, são descritas margens cirúrgicas positivas em aproximadamente 10-20% das pacientes tratadas com exenteração pélvica convencional.

Com o objetivo de aumentar a ressecabilidade dos tumores localmente avançados e recidivados com margens microscópicas livres (R0), a dissecção deve englobar todos os compartimentos dos órgãos pélvicos.[47] A exenteração é, então, definida como um procedimento composto por ressecção multimesovisceral incluindo excisão total do mesorreto, ressecção total mesometrial e ressecção total do compartimento uretrovesical (Fig. 6).[48,49]

A ressecção com extensão para parede endopélvica lateral (LEER) foi desenvolvida para possibilitar a ressecção R0 de tumores fixos à parede pélvica inferior (até o nível do nervo de obturador anteriormente e da espinha isquiática posteriormente, excluindo-se o forame ciático).[10] Este é um procedimento complexo, caracterizado pela excisão completa dos compartimentos pélvicos viscerais em bloco, de qualquer uma das seguintes estruturas parietais: panículo gorduroso perivisceral, sistema dos vasos ilíacos internos, músculo obturador interno e músculos pubococcígeos, iliococcígeos e coccígeo. O racional para este tipo de ressecção é que os tumores desta região anatômica raramente comprometem a superfície entre estes compartimentos (visceral e parietal), isto é, estão fixos à fáscia endopélvica sem ultrapassá-la. A dissecção lateral que inclui a camada de músculo estriado no espécime cirúrgico manteria a aderência tumor-fáscia intacta (Figs. 7 e 8).

Em uma série de 74 pacientes tratadas com esta técnica, foi alcançada a ressecção R0 em 72 (97%), embora nenhum procedimento tenha sido abortado por causa de envolvimento da parede pélvica, apenas 56 casos foram diagnosticados clínica e radiologicamente com comprometimento da parede pélvica.[47]

Fase de reconstrução

Muitas técnicas reconstrutivas estão disponíveis para restabelecer funções pélvicas perdidas após a exenteração pélvica. Além disso, foram desenvolvidos e validados métodos para se avaliar a qualidade de vida, levando-se em conta a relevância destas cirurgias de reconstrução e o bem-estar das pacientes. Não obstante, dificuldades das principais cirurgias reconstrutivas permanecem não resolvidas.[4,25,50,51]

Função anorretal

Se o esfíncter anal não pode ser poupado, uma colostomia terminal é necessária. A preservação do esfíncter anal nas exenterações supraelevatórias às vezes possibilita a reconstrução do trânsito intestinal através de uma anastomose colorretal ou coloanal (Fig. 9). Porém, quando associada à radioterapia, a anastomose apresenta risco de 30-40% de complicações.[4,25,42,50,51] Muitos autores não aconselham a realização de anastomose colorretal baixa em uma pelve irradiada. O uso de colostomia de proteção não diminui o risco de fístula, mas leva a um curso clínico de menor gravidade.[4,42]

Função uretrovesical

Dentre as possibilidades cirúrgicas para restabelecer ou substituir a função uretrovesical após ressecção da bexiga na exenteração pélvica estão a neobexiga ortotópica, as derivações urinárias supravesicais continentes e os condutos incontinentes. Condutos urinários incontinentes são tecnicamente menos complexos, entretanto necessitam do uso de bolsa coletora urinária permanente e, por consequência, teriam um efeito negativo na autoimagem e qualidade de vida.

Apesar das várias técnicas cirúrgicas disponíveis para construção de reservatório urinário utilizando segmentos de íleo e cólon, e para criação de mecanismos de continência, os resultados da maioria dos estudos não permitem estabelecer a superioridade de determinado método de reconstrução urinária no que se refere a complicações, resultado funcional e qualidade de vida.[52]

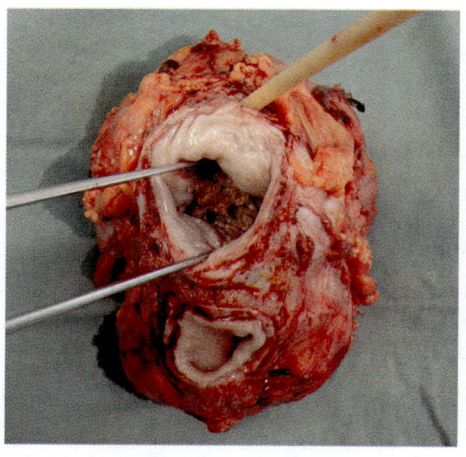

▲ **FIGURA 6.** Peça cirúrgica de exenteração pélvica total após ressecção multimesovisceral por recidiva de câncer do colo uterino após tratamento com histerectomia radical e radioterapia adjuvante, compreendendo bexiga, uretra, vagina e reto.

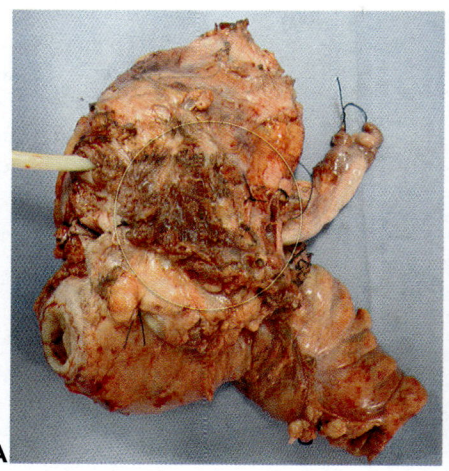

▲ **FIGURA 7.** Peça cirúrgica de exenteração pélvica total com extensão para parede endopélvica lateral (LEER) decorrente da recidiva com infiltração de parede pélvica por câncer do colo uterino estágio IIIb, tratado inicialmente com radio e quimioterapia. (**A**) Em destaque a área de musculatura dos músculos obturadores internos e pubococcígeo ressecados. (**B**) Parte da musculatura ressecada tracionada, destacando a fáscia endopélvica fixa à recidiva (não visualizada na foto) ressecada com margem adequada.

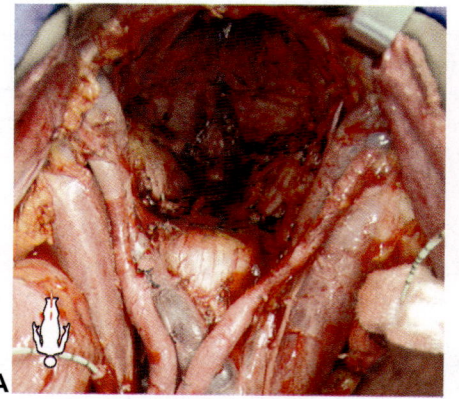

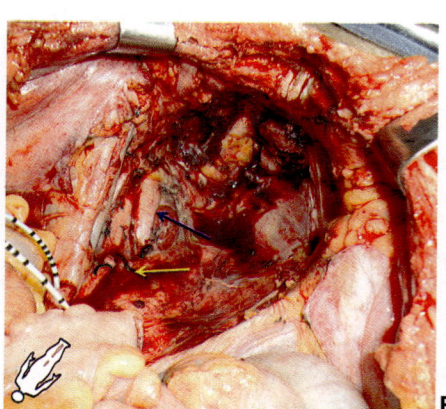

◄ **FIGURA 8.** (**A**) Aspecto da pelve vazia após exenteração pélvica total com extensão lateral bilateral. (**B**) Pelve após exenteração pélvica total com extensão lateral para parede pélvica esquerda. Seta azul: ramo do nervo ciático; Seta amarela: ligadura dos vasos hipogástricos em sua origem.

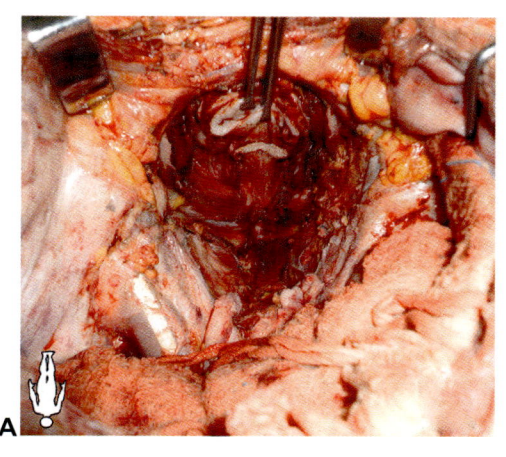
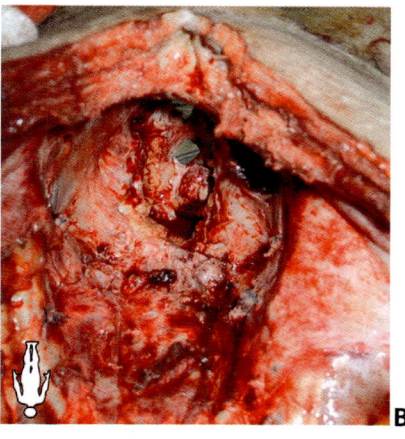

◀ **FIGURA 9. (A)** Pelve após exenteração pélvica total supraelevatória com preservação esfincteriana retal. **(B)** Aspecto após exenteração pélvica total, em que não houve preservação esfincteriana fecal ou urinária.

Os efeitos a longo prazo da radioterapia, como fibrose progressiva e alteração da microcirculação dos tecidos, restringem o uso dos segmentos intestinais e ureter irradiados na reconstrução urinária. O uso de um seguimento de íleo irradiado não é tão seguro quanto o uso de locais que não receberam radioterapia.[4]

A taxa de complicações dos reservatórios ileocolônicos continentes quando comparada à de condutos ileais (Bricker) ou colônicos, deve ser considerada antes da tomada de decisão. Em uma série de 29 pacientes que realizaram neobexigas ortotópicas com o uso de reservatório ileocolônicos, 32% dos que receberam radioterapia desenvolveram fístula urinária, que necessitou de intervenção cirúrgica para tratamento.[53]

Decorrente do grande número de técnicas cirúrgicas para reconstrução urinária disponível, a escolha do procedimento mais apropriado deve ser feita levando-se em conta as condições clínicas, cirúrgico-anatômicas, preferências do paciente e experiência do serviço.

Geralmente as derivações urinárias mais complexas são propensas a uma maior prevalência de complicações precoces e tardias e seu manuseio pode ser mais difícil.

Reconstrução composta urinária e intestinal

Na maioria das pacientes submetidas à exenteração pélvica total ou alargada não será possível a preservação esfincteriana anal e/ou urinária, seja por ressecção da musculatura esfincteriana ou de sua inervação. No caso da necessidade de derivação urinária e fecal concomitante, as pacientes necessitariam de duas estomias (colostomia terminal e conduto ileal – Bricker). Nestes casos, optamos pela realização da colostomia úmida em alça (Fig. 10). Este procedimento foi inicialmente descrito por Carter, em 1989.[54] A colostomia úmida em alça é uma opção atraente para as pacientes que necessitam de dupla derivação simultânea.[55] Além da confecção de um estoma único, não há necessidade de intervenção sobre o intestino delgado. A derivação pode ser confeccionada com a utilização do cólon transverso ou descendente, e como estes segmentos intestinais geralmente não são incluídos nos campos de radioterapia, o risco de fístulas diminui.[55]

Funções perineais, vulvar, vaginal e assoalho pélvico

Exenteração abdominoperineal ou transelevatória pode levar a um grande defeito do assoalho pélvico, no qual o fechamento primário adequado pode ser inviável. Está associada a risco elevado para herniação perineal, formação de aderências principalmente de alças de delgado, e que pode resultar em fístula e/ou obstrução intestinal.

Várias técnicas foram descritas na reconstrução e prevenção de complicações, porém nenhuma com ampla aceitação. Já foi sugerida a utilização de tecidos autólogos, como enxerto peritoneal e rotação de retalhos miocutâneos de reto abdominal e grácil ou do grande omento, assim como a colocação de expansores de tecido, implantes protéticos e tela de poliglactina.[56-69] A reconstrução do assoalho pélvico com material sintético tem uma taxa de 72% de infecção e formação de fístula em pacientes que receberam radioterapia.[25,42]

O uso de retalhos miocutâneos tem como desvantagem o aumento do tempo operatório e a possibilidade de perda do retalho. O uso de retalhos de reto abdominal pode ficar prejudicado nos casos em que há cirurgia prévia e/ou colostomia em razão do comprometimento da vascularização.[56] O grande omento é ricamente vascularizado, porém tem sua mobilidade, espessura e volume bastante variáveis, sendo na maioria das vezes não suficiente para o preenchimento adequado do oco pélvico.

Em nossa experiência inicial, a utilização de um dispositivo de silicone para sustentação mecânica provisória associado à rotação do ceco após exenteração pélvica mostrou-se eficaz na exclusão permanente da pelve vazia, o que pode ainda auxiliar no diagnóstico de recidivas e aumentar a eficácia de possível tratamento radioterápico adjuvante, se indicado (Fig. 11).[70] O espaço pélvico é lentamente preenchido por tecido fibroso cicatricial sem acarretar problemas clínicos à paciente (Fig. 12). A transposição do ceco e utilização de retalhos de peritônio são um procedimento que pode ser facilmente realizado e o dispositivo de silicone pode ser encontrado comercialmente. Entretanto, notamos que a presença do dispositivo pode aumentar a prevalência de infecção do oco pélvico em uma série de 23 pacientes que utilizaram esta técnica. Atualmente, consideramos o dispositivo siliconado uma importante opção no caso do não preenchimento ou fechamento da pelve com rotação do ceco, epíploo, retalhos de peritônio, ou ainda quando não é factível a rotação de retalho musculocutâneo.

Em muitas pacientes submetidas a exenteração transelevatória, a reconstrução do assoalho e vaginal também pode ser realizada com a utilização de um retalho do músculo grácil ou do reto abdominal (Fig. 13).[21,57,60]

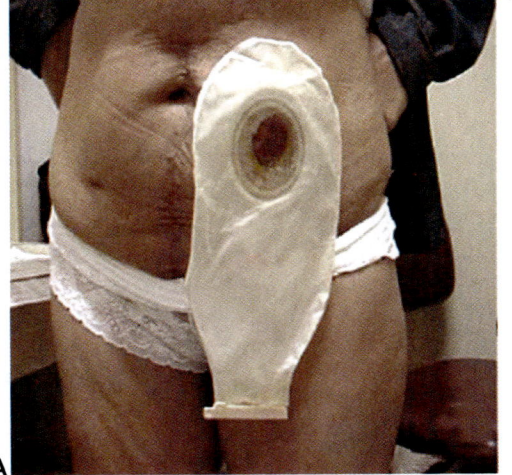
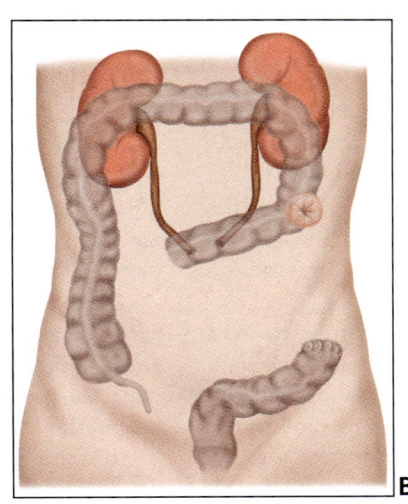

◀ **FIGURA 10. (A)** Exemplo de paciente portadora de colostomia úmida em alça (estoma único). **(B)** Representação esquemática da colostomia úmida em alça com implantação dos ureteres em segmento intestinal independente da parte fecal.

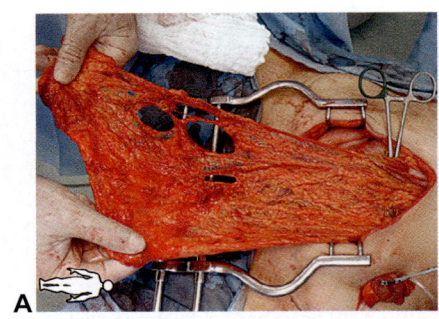
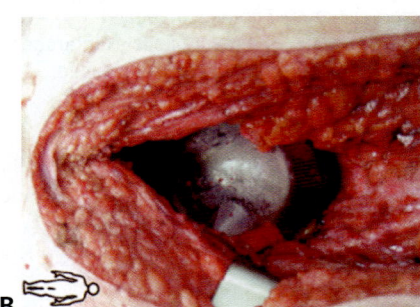
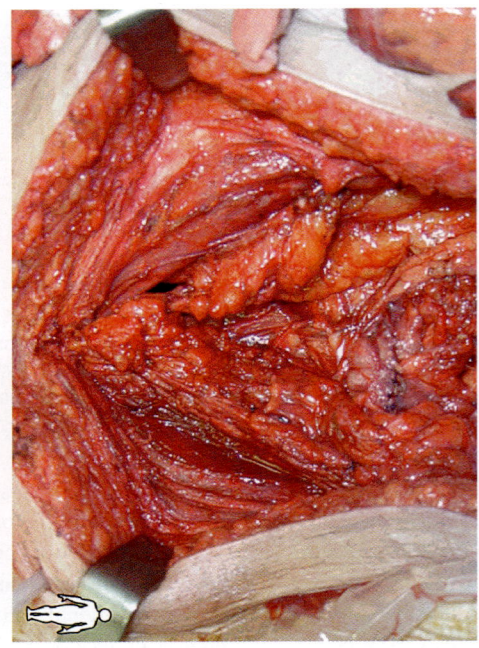

▲ **FIGURA 11.** (**A**) Grande omento antes da sua rotação para a pelve. (**B**) O dispositivo siliconado posicionado na pelve. (**C**) Aspecto final da pelve após rotação do omento e ceco, isolando a pelve vazia e impedindo a descida de estruturas como intestino delgado.

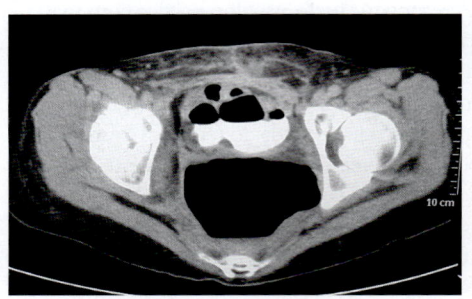

▲ **FIGURA 12.** Aspecto tomográfico tardio da pelve vazia após exenteração pélvica total.

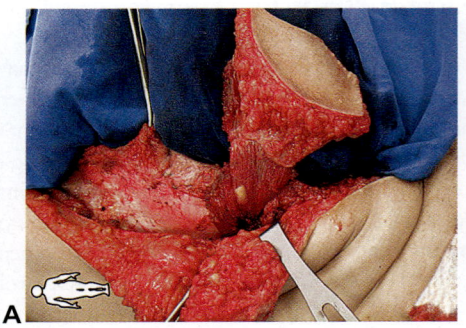

▲ **FIGURA 13.** (**A**) Retalho musculocutâneo de reto abdominal sendo preparado para a confecção de neovagina. (**B**) Retalho sendo mobilizado para sutura em introito vaginal.

COMPLICAÇÕES

A exenteração pélvica é um procedimento de grande porte, com tempo cirúrgico que varia de 5 a 14 h, perda sanguínea significativa (2.300 a 4.000 mL) e tempo de internação prolongado.[9,10,12,17-19,21]

A mortalidade pós-operatória (até 30 dias) varia de 0-14%.[9-21] Matthews et al.[40] avaliaram uma série de 63 pacientes (idade > 65 anos) e observaram uma mortalidade pós-operatória de 11%. Outros estudos também sugeriram que a idade avançada e a presença de comorbidades associadas tornariam essas pacientes não candidatas à exenteração.[9,71] Por outro lado, Maggioni et al.[21] não encontraram mortalidade pós-operatória e, junto com outros estudos, concluem que a idade fisiológica, e não a cronológica, deve ser considerada na seleção das pacientes.[40,41]

A morbidade varia de 32 a 84%, com uma taxa de reintervenção de 26 a 32%.[17,21,24,60] As complicações precoces (até 30 dias) mais comuns são infecção da ferida operatória e da pelve vazia e as complicações mais graves estão relacionadas aos tratos urinários e intestinais, com as fístulas urinárias (4,6%) e intestinais.[21] Os abscessos podem ocorrer em até 30% dos casos, necessitam de intensos cuidados para resolução e podem ser justificados pela presença de estruturas pélvicas irradiadas e inadequadamente perfundidas, e a cotos de órgãos pélvicos residuais.[4,17,47]

A maioria das complicações tardias (> 30 dias) está relacionada às derivações urinárias (1/3 das complicações tardias) e a principal é a hidronefrose. Esta geralmente é tratada de modo conservador ou através de catéter ureteral.

A sobrevida estimada em 5 anos após exenteração pélvica é de 30 a 60% para câncer ginecológico.[9,13,15,17,18,21-26] Vários estudos sugeriram fatores clinicopatológicos preditores de sobrevida, como: tamanho do tumor, envolvimento linfonodal, margem de ressecção, fixação à parede pélvica e intervalo de tempo entre o tratamento primário e a recidiva.[15,18,22]

O comprometimento da margem de ressecção parece ser o fator mais associado ao prognóstico. Fotopoulou et al.[23] observaram melhor sobrevida global e livre de doença após ressecção completa tumoral. Numa et al.[72] reportaram sobrevida em 5 anos de 51,3% para ressecção R0 (margens microscópicas livres) e de 0% para ressecção R1 (margens microscópicas comprometidas). Além disso, nas séries de Berek et al.[9] e Shingleton et al.,[18] nenhuma paciente com margem comprometida sobreviveu 3 anos. Na série de Marnitz et al.,[33] que incluiu apenas câncer de colo uterino, a sobrevida em 2 anos foi 10,2% para pacientes com margens comprometidas e 55,2% (sobrevida 5 anos, 44,8%) no caso de margens livres (p = 0,005).

De qualquer forma, o envolvimento definitivo da margem de ressecção somente pode ser estabelecido após a análise anatomopatológica final.[72] Na série de Maggioni et al., para os primários de colo e vagina, 27/83 (32,5%) pacientes apresentaram margens comprometidas na avaliação anatomopatológica final, com sobrevida de 25% em 5 anos para margens comprometidas e 60% para margens livres (p = 0,04).[21] Entretanto, segundo Rutledge e McGuffee's, a presença de margens livres associou-se a melhor sobrevida livre de doença (p = 0,01), porém sem impacto em sobrevida global.[73]

Na nossa série de 107 casos de câncer ginecológico submetidos a exenteração pélvica com intuito curativo entre agosto de 1982 e setembro de 2010, quando analisamos os 83 casos com câncer de colo e vagina, a ressecção R0 teve impacto positivo em sobrevida livre de doença (p = 0,026) e câncer-específica (p = 0,024).

O diâmetro maior do tumor no pré-operatório foi descrito como fator prognóstico. Apesar de não haver um valor de corte definido, alguns grupos propõem de 3 a 5 cm.[4,18,74] Shingleton et al.[18] e Höckel et al.[4] sugeriram que o tamanho da lesão recidivada poderia predizer um mau prognóstico, enquanto Morley et al.,[15] Symmonds et al.[20] e Maggioni et al.[21] não encontraram relação. Em nossa série, o tamanho do tumor recidivado também não foi fator prognóstico em relação à sobrevida.

O valor prognóstico do intervalo entre o término do tratamento primário e o diagnóstico da recidiva permanece controverso. Aparentemente, quanto maior o intervalo, mais indolente seria a lesão e teria melhor prognóstico. Alguns estudos demostraram essa relação, porém outros, não.[9,15,17-19,33]

Vários estudos descrevem a presença de linfonodos comprometidos como fator de mau prognóstico.[1,71,74-76] Outros utilizam a presença de linfonodos comprometidos como contraindicação à cirurgia.[5,22,38] Rutledge e McGuffee[73] concluíram que sobrevida prolongada poderia ser obtida mesmo na presença de linfonodo comprometido, se completamente ressecado. A sobrevida em 3 anos foi de 36% para pacientes com linfonodos comprometidos. Não obstante, Marnitz et al.[33] e Ketcham et al.[12] não encontraram presença de linfonodos comprometidos como fator prognóstico. Nós consideramos a presença de linfonodos comprometidos como fator de mau prognóstico, já que em nossa série impactou negativamente a sobrevida global e câncer-específica. Acreditamos que a avaliação linfonodal deve fazer parte do procedimento de exenteração pélvica.

Vários grupos avaliaram a qualidade de vida após exenteração pélvica.[77-79] A maioria das séries é de estudos retrospectivos e incluem coortes heterogêneas, porém os resultados de um estudo prospectivo estão disponíveis.[79] A deficiência na autoimagem corporal e na sexualidade, que são preocupações secundárias antes da cirurgia, passam a ser as sequelas mais importantes do tratamento após o seguimento tardio. Estes assuntos são mais marcantes em pacientes jovens com dois estomas permanentes e vagina não funcional. Decorrente destes achados, grandes esforços devem ser realizados, sempre que possível, na tentativa de se realizar a reconstrução dos sistemas urinários e intestinais sem estomias, e na confecção de uma neovagina em pacientes jovens com perspectiva de cura. Muitas pacientes podem se adaptar à nova situação de vida e ter resultados semelhantes de qualidade de vida geral, cognitiva e emocional que se aproximam a controles saudáveis.

CONCLUSÕES

Exenteração pélvica é um procedimento cirúrgico factível com morbidade e mortalidade aceitáveis. A seleção criteriosa de pacientes, técnicas operatórias meticulosas, esforço da equipe multiprofissional, pós-operatório intensivo e criação de centros de referência mantêm-se como as principais medidas para reduzir as taxas de complicações e maximizar o sucesso do procedimento. A exenteração pélvica pode ser o único procedimento capaz de oferecer uma sobrevida prolongada para um grupo selecionado de pacientes com câncer ginecológico persistente ou recidivado.

REFERÊNCIAS BIBLIOGRÁFICAS

1. Brunschwig A. Complete excision of pelvic viscera for advanced carcinoma. *Cancer* 1948;1:177-83.
2. Bricker EM. Bladder substitution after pelvic evisceration. *Surg Clin North Am* 1950;30:1511-21.
3. Brunschwig A. What are the indications and results of pelvic exenteration? *JAMA* 1965;194:274.
4. Höckel M, Dornhöfer N. Pelvic exenteration for gynaecological tumours: achievements and unanswered questions. *Lancet Oncol* 2006;7(10):837-47.
5. Chemoradiotherapy for cervical cancer meta - Analysis collaboration. Reducing uncertainties about the effects of chemoradiotherapy for cervical cancer: a systematic review and meta-analysis of individual patient data from 18 randomized trials. *J Clin Oncol* 2008;26(35):5802-12.
6. Landoni F, Maneo A, Colombo A et al. Randomised study of radical surgery versus radiotherapy for stage Ib-IIa cervical cancer. *Lancet* 1997;350:535-40.
7. Leitao MM, Chi DS. Recurrent cervical cancer. *Curr Treat Options Oncol* 2002;3:105-11.
8. Friedlander M. Guidelines for the treatment of recurrent and metastatic cervical cancer. *Oncologist* 2002;7:342-47.
9. Berek JS, Howe C, Lagasse LD et al. Pelvic exenteration for recurrent gynaecologic malignancy: survival and morbidity analysis of the 45-year experience at UCLA. *Gynecol Oncol* 2005;99(1):1539.
10. Höckel M. Laterally extended endopelvic resection—Novel surgical treatment of locally recurrent cervical carcinoma involving the pelvic side wall. *Gynecol Oncol* 2003;91:369-77.
11. Houvenaeghel G, Moutardier V, Karsenty G et al. Major complications of urinary diversion after pelvic exenteration for gynecologic malignancies: a 23-year mono-institutional experience in 124 patients. *Gynecol Oncol* 2004;92:680-83.
12. Ketcham AS, Deckers PJ, Sugarbaker EV et al. Pelvic exenteration for carcinoma of the uterine cervix—A 15-year experience. *Cancer* 1970;26(3):513-21.
13. Lawhead RA, Clark DG, Smith DH et al. Pelvic exenteration for recurrent or persistent gynaecologic malignancies: a 10- year review of the Memorial-Sloan-Kettering Cancer Center experience (1972-1981). *Gynecol Oncol* 1989;33:279-82.
14. Magrina JF, Stanhope CR, Waever AL. Pelvic exenterations: supralevator, infralevator, and with vulvectomy. *Gynecol Oncol* 1997;64:130-35.
15. Morley GW, Hopkins MP, Lindenauer SM et al. Pelvic exenteration, university of Michigan: 100 patients at 5 years. *Obstet Gynecol* 1989;74:934-43.
16. Saunders N. Pelvic exenteration: by whom and for whom? *Lancet* 1995;345:5-6.
17. Sharma S, Odunsi K, Driscoll D et al. Pelvic exenteration for gynecological malignancies: twenty-year experience at Rosewell Park Cancer Institute. *Int J Gynecol Cancer* 2005;15:475-82.
18. Shingleton HM, Soong SJ, Gelder MS et al. Clinical and histopathologic factors predicting recurrence and survival after pelvic exenteration for cancer of the cervix. *Obstet Gynecol* 1989;73:1027-34.
19. Stanhope CR, Symmonds RE. Palliative exenteration—What, when, and why? *Am J Obstet Gynecol* 1985;152:12-16.
20. Symmonds RE, Pratt JH, Webb MJ. Exenterative operations: experience with 198 patients. *Am J Obstet Gynecol* 1975;121(7):907-18.
21. Maggioni A, Roviglione G, Landoni F et al. Pelvic exenteration: ten-year experience at the European Institute of Oncology in Milan. *Gynecol Oncol* 2009;114(1):64-68.
22. Rutledge F, Smith J, Wharton J et al. Pelvic exenteration; analysis of 296 patients. *Am J Obstet Gynecol* 1977;129:881-92.
23. Fotopoulou C, Neumann U, Kraetschell R et al. Long-term clinical outcome of pelvic exenteration in patients with advanced gynecological malignancies. *J Surg Oncol* 2010;101:507-12.
24. Pawlik TM, Skibber JM, Miguel AR. Pelvic exenteration for advanced pelvic malignancies. *Ann Surg Oncol* 2005;13(5):612-23.
25. Goldberg GL, Sukumvanich P, Einstein MH et al. Total pelvic exenteration: the Albert Einstein College of Medicine/Montefiore Medical Center Experience (1987-2003). *Gynecol Oncol* 2006;10:261-68.
26. Averette HE, Lichtinger M, Sevin BU et al. Pelvic exenteration: a 15 year experience in a general metropolitan hospital. *Am J Obstet Gynecol* 1984;150(2):179-84.
27. Morris M, Eifel PJ, Lu J et al. Pelvic radiation with concurrent chemotherapy compared with pelvic and para-aortic radiation for high-risk cervical cancer. *N Engl J Med* 1999;340(15):1137-43.
28. Pearcey R, Brundage M, Drouin P et al. Phase III trial comparing radical radiotherapy with and without cisplatin chemotherapy in patients with advanced squamous cell cancer of the cervix. *J Clin Oncol* 2002;20(4):966-72.
29. Whitney CW, Sause W, Bundy BN et al. Randomized comparison of fluorouracil plus cisplatin versus hydroxyurea as adjunct to radiation therapy in stage IIB-IVA carcinoma of the cervix with negative para-aortic lymph nodes: a Gynecology Oncology Group and Southwest Oncology Group study. *J Clin Oncol* 1999;17(5):1339-48.
30. Guimarães GC, Baiocchi G, Ferreira FO et al. Palliative pelvic exenteration for patients with gynecological malignancies. *Arch Gynecol Obstet* 2011;283(5):1107-12.
31. Hofmann B, Haheim LL, Søreide JA. Ethics of palliative surgery in patients with cancer. *Br J Surg* 2005;92(7):802-9.
32. Lambrou NC, Pearson JM, Averette HE. Pelvic exenteration of gynecologic malignancy: indications, and technical and reconstructive considerations. *Surg Oncol Clin N Am* 2005;14:289-300.
33. Marnitz S, Köhler C, Müller M et al. Indications for primary and secondary exenterations in patients with cervical cancer. *Gynecol. Oncol* 2006;103(3):1023-30.
34. Crowe PJ, Temple WJ, Lopez MJ et al. Pelvic exenteration for advanced pelvic malignancy. *Semin Surg Oncol* 1999;17:152-60.
35. Höckel M, Schlenger K, Hamm H et al. Five-year experience with combined operative and radiotherapeutic treatment of recurrent gynecologic tumors infiltrating the pelvic wall. *Cancer* 1996;77:1918-33.
36. Popovich MJ, Hricak H, Sugimura K et al. The role of MR imaging in determining surgical eligibility for pelvic exenteration. *AJR Am J Roentgenol* 1993;160(3):525-31.
37. Lai CH, Huang KG, See LC et al. Restaging of recurrent cervical carcinoma with dual-phase [18F]fluoro-2-deoxy-D-glucose positron emission tomography. *Cancer* 2004;100(3):544-52.

38. Husain A, Akhurst T, Larson S et al. A prospective study of the accuracy of 18Fluorodeoxyglucose positron emission tomography (18FDGPET) in identifying sites of metastasis prior to pelvic exenteration. *Gynecol Oncol* 2007;106(1):177-80.
39. Miller B, Morris M, Rutledge F et al. Aborted exenterative procedures in recurrent cervical cancer. *Gynecol Oncol* 1993;50(1):94-99.
40. Matthews C, Morris M, Burke T et al. Pelvic exenteration in the elderly patient. *Obstet Gynecol* 1992;79:773-77.
41. Bladou F, Houvenaeghel G, Delpero JR et al. Incidence and management of major urinary complications after pelvic exenteration for gynecological malignancies. *J Surg Oncol* 1995;58:91-96.
42. Goldberg JM, Piver S, Hempling RE et al. Improvement in pelvic exenteration: factors responsible for reducing morbidity and mortality. *Ann Surg Oncol* 1998;5:399-406.
43. Robertson G, Lopes A, Beynon G et al. Pelvic exenteration: a review of the Gateshead experience 1974-1992. *Br J Obstet Gynecol* 1994;101:529-31.
44. Plante M, Roy M. Operative laparoscopy prior to a pelvic exenteration in patients with recurrent cervical cancer. *Gynecol Oncol* 1998;69:94-99.
45. Köhler C, Tozzi R, Possover M et al. Explorative laparoscopy prior to exenterative surgery. *Gynecol Oncol* 2002;86:311-15.
46. Lopez MJ, Barrios L. Evolution of pelvic exenteration. *Surg Oncol Clin North Am* 2005;14:587-606.
47. Höckel M. Ultrarradical compartimentalized surgery in gynaecological oncology. *Eur J Surg Oncol* 2006;32(8):859-65.
48. Heald RJ, Husband EM, Ryall RD. The mesorectum in rectal cancer surgery: the clue to pelvic recurrence? *Br J Surg* 1982;62:613-16.
49. Höckel M, Horn LC, Fritsch H. Association between the mesenchymal compartment of uterovaginal organogenesis and local tumour spread in stage IB-IIB cervical carcinoma: a prospective study. *Lancet Oncol* 2005;6:751-56.
50. Moutardier V, Houvenaeghel G, Lelong B et al. Colorectal function preservation in posterior ant total supralevator exenteration for gynaecologic malignancies: an 89-patient series. *Gynecol Oncol* 2003;89:155-59.
51. Poletto AH, Lopes A, Carvalho AL et al. Pelvic exenteration and sphincter preservation: an analysis of 96 cases. *J Surg Oncol* 2004;86(3):122-27.
52. Yong SM, Dublin N, Pickard R et al. Urinary diversion and bladder reconstruction/replacement using intestinal segments for intractable incontinence or following cystectomy. *Cochrane Database Syst Rev* 2003;(1):CD003306.
53. Ungar L, Palfalvi L. Pelvic exenteration without external urinary or fecal diversion in gynecological cancer patients. *Int J Gynecol Cancer* 2006;16:364-68.
54. Carter MF, Daniel PD, Garnett JE. Simultaneous diversion of urinary and fecal streams utilizing a single abdominal stoma: The double-barreled wet colostomy. *J Urol* 1989;141:1189-91.
55. Guimaraes GC, Ferreira FO, Rossi BM et al. Double-barreled wet colostomy is a safe option for simultaneous urinary and fecal diversion. Analysis of 56 procedures from a single institution. *J Surg Oncol* 2006 Mar. 1;93(3):206-11.
56. Smith HO, Genesen MC, Runowicz CD et al. The rectus abdominis myocutaneous flap: modifications, complications, and sexual function. *Cancer* 1998;83(3):510-20.
57. Tobin GR, Day TG. Vaginal and pelvic reconstruction with distally based rectus abdominis myocutaneous flaps. *Plast Reconstr Surg* 1988;81(1):62-73.
58. Pursell SH, Day Jr TG, Tobin GR. Distally based rectus abdominis flap for reconstruction in radical gynecologic procedures. *Gynecol Oncol* 1990;37(2):234-38.
59. Kouraklis G. Reconstruction of the pelvic floor using the rectus abdominis muscles after radical pelvic surgery. *Dis Colon Rectum* 2002;45(6):836-39.
60. Soper JT, Rodriguez G, Berchuck A et al. Long and short gracilis myocutaneous flaps for vulvovaginal reconstruction after radical pelvic surgery: comparison of flap-specific complications. *Gynecol Oncol* 1995;56(2):271-75.
61. Logmans A, Trimbos JB, van Lent M. The omentoplasty: a neglected ally in gynecologic surgery. *Eur J Obstet Gynecol Reprod Biol* 1995;58(2):167-71.
62. Van Le L, Fowler WC. Use of a saline breast implant to cover the pelvic floor. *Gynecol Oncol* 1997;65(1):188-91.
63. Sugarbaker PH. Intrapelvic prosthesis to prevent injury of the small intestine with high dosage pelvic irradiation. *Surg Gynecol Obstet* 1983;157(3):269-71.
64. Durig M, Steenblock U, Heberer M et al. Prevention of radiation injuries to the small intestine. *Surg Gynecol Obstet* 1984;159(2):162-63.
65. Hoffman JP, Lanciano R, Carp NZ et al. Morbidity after intraperitoneal insertion of saline-filled tissue expanders for small bowel exclusion from radiotherapy treatment fields: a prospective four year experience with 34 patients. *Am Surg* 1994;60(7):473-82.
66. Buchsbaum HJ, Christopherson W, Lifshitz S et al. Vicryl mesh in pelvic floor reconstruction. *Arch Surg* 1985;120(12):1389-91.
67. Clarke-Pearson DL, Soper JT, Creasman WT. Absorbable synthetic mesh (polyglactin 910) for the formation of a pelvic "lid" after radical pelvic resection. *Am J Obstet Gynecol* 1988;158(1):158-61.
68. Patsner B, Mann Jr WJ, Chalas E et al. Intestinal complications associated with use of the Dexon mesh sling in gynecologic oncology patients. *Gynecol Oncol* 1990;38(1):146-48.
69. Hoffman MS, Roberts WS, LaPolla JP et al. Use of Vicryl mesh in the reconstruction of the pelvic floor following exenteration. *Gynecol Oncol* 1989;35(2):170-71.
70. Guimaraes GC, Baiocchi G, Rossi BM et al. The use of silicone expander and cecal transposition after pelvic exenteration. *Eur J Surg Oncol* 2007;33(5):586-89.
71. Fleisch MC, Pantke P, Beckmann MW et al. Predictors for long-term survival after interdisciplinary salvage surgery for advanced or recurrent gynecologic cancers. *J Surg Oncol* 2007;95:476-84.
72. Numa F, Ogata H, Suminami Y et al. Pelvic exenteration for the treatment of gynecological malignancies. *Arch Gynecol Obstet* 1997;259:133-8.
73. Rutledge FN, McGuffee VB. Pelvic exenteration: prognostic significance of regional lymph node metastasis. *Gynecol Oncol* 1987;26:347-80.
74. Park JY, Choi HJ, Jeong SY et al. The role of pelvic exenteration and reconstruction for treatment of advanced or recurrent gynecologic malignancies: analysis of risk factors predicting recurrence and survival. *J Surg Oncol* 2007;96(7):560-68.
75. Roberts W, Cavanagh D, Bryson P et al. Major morbidity after pelvic exenteration: a seven year experience. *Obstet Gynecol* 1987;69:617-21.
76. Barakat RR, Goldman NA, Patel DA et al. Pelvic exenteration for recurrent endometrial cancer. *Gynecol Oncol* 1999;75(1):99-102.
77. Turns D. Psychosocial issues: pelvic exenterative surgery. *J Surg Oncol* 2001;76:224-36.
78. Roos EJ, de Graeff A, van Eijkeren MA et al. Quality of life after pelvic exenteration. *Gynecol Oncol* 2004;93:610-14.
79. Hawighorst-Knapstein S, Fusshoeller C, Franz C et al. The impact of treatment for genital cancer on quality of life and body image: results of a prospective longitudinal 10-year study. *Gynecol Oncol* 2004;94:398-403.

SEÇÃO V
Controvérsias no Manuseio do Câncer Ginecológico

CAPÍTULO 174
Papel da Laparotomia de Intervalo no Câncer Epitelial de Ovário Avançado

Solange Maria Diniz Bizzo ▪ Guilherme de Andrade Gagheggi Ravanini
Antonio Felipe Santa Maria Coquillard Ayres

INTRODUÇÃO

O câncer epitelial de ovário (CEO) é, sem dúvida, a neoplasia maligna mais letal do aparelho reprodutor feminino, ainda mais que, como já visto, ele é diagnosticado em estágio avançado na grande maioria dos casos. A ressecção macroscópica completa da doença é o fator prognóstico isolado mais importante para a sobrevida da paciente. Portanto, o cirurgião oncológico tem, na abordagem da paciente com CEO, uma oportunidade de demonstrar todo o seu potencial profissional para reduzir a zero a visualização macroscópica de doença residual ao término da cirurgia citorredutora.

No entanto, em se tratando de câncer de ovário, nem sempre é possível este desfecho, decorrente dos diversos padrões de disseminação celômica desta enfermidade, especialmente nos estágios III e IV da Federação Internacional de Ginecologia e Obstetrícia (FIGO), quando a doença pode comprometer qualquer estrutura intra-abdominal. E nisto vale acrescentar a contribuição do hospedeiro, a nossa paciente, que pode estar bem consumida pela doença ou apresentar comorbidades que inviabilizam o procedimento padrão de citorredução ótima. Nesta situação, há envolvimento adicional de alto risco de complicações pós-operatórias, inclusive o óbito.

DEFINIÇÃO

A laparotomia de intervalo no CEO consiste em uma citorredução tumoral cirúrgica após alguns ciclos de quimioterapia (indução quimioterápica). Na maioria dos protocolos, estas pacientes são tratadas com dois a quatro ciclos de quimioterapia baseada em platina, seguidos por uma intervenção cirúrgica de intenção radical se houver algum tipo de resposta tumoral à indução quimioterápica. Quanto maior o número de ciclos quimioterápicos que precedem o ato cirúrgico, maior é o risco de seleção de clones tumorais quimiorresistentes. As pacientes são avaliadas quanto à resposta clínica com exames laboratoriais e de imagem de alta definição (tomografia computadorizada ou ressonância magnética). Se for observado algum tipo de resposta, programa-se a cirurgia de intervalo logo após a paciente sair do nadir hematológico do último ciclo quimioterápico. Consideramos a citorredução ótima aquela com doença residual menor que 1 cm.

HISTÓRICO

Em 1989, Lawton et al.[1] relizaram o primeiro estudo retrospectivo sobre laparotomia de intervalo, com 36 pacientes com CEO que sofreram citorredução subótima. Estas pacientes foram submetidas a três ciclos de quimioterapia baseada em platina com a intenção de posterior cirurgia citorredutora caso apresentassem resposta objetiva. Apesar do pequeno número de pacientes e da falta de distribuição aleatória do tratamento, a maioria das pacientes apresentou condições de citorredução após quimioterapia de indução, sendo que em 16 mulheres houve doença residual macroscópica. Lawton relatou também a baixa morbidade desta modalidade de abordagem e sugeriu estudos mais controlados para avaliar a efetividade desta escolha terapêutica.

Historicamente, o primeiro ensaio clínico prospectivo conhecido sobre laparotomia de intervalo foi realizado por Redman et al.,[2] em 1994, na Inglaterra. As pacientes com CEO em estágios II e IV (derrame pleural apenas) da FIGO, num total de 86, foram aleatoriamente distribuídas após a cirurgia subótima. O primeiro braço foi representado por 38 pacientes submetidas à cirurgia de intervalo (quimioterapia de indução seguida por citorredução secundária) e o segundo, por pacientes tratadas com citorredução primária seguida por quimioterapia adjuvante. As 42 pacientes do segundo braço foram submetidas a quimioterapia adjuvante apenas. Os esquemas quimioterápicos foram baseados em platina (combinada a ciclofosfamida, doxorrubicina ou bleomicina). A diversidade do esquema quimioterápico neste estudo deveu-se à inclusão de 25 centros hospitalares e 40 cirurgiões. O índice de não aderência à laparotomia de intervalo foi de 12% (óbito, progressão de doença, recusa, tromboembolismo). Foram também relatados efeitos adversos após a laparotomia de intervalo (óbito, trombose venosa profunda, fístula intestinal, infecções e íleo pós-operatório) Também o grupo submetido à quimioterapia adjuvante apresentou toxicidez.

Em 1995, Van der Burg et al.[3] incluíram em seu estudo 425 pacientes submetidas à cirurgia citorredutora para CEO no período de 1987 a 1993, com estágios IIB a IV, mas com doença residual maior que 1 cm. A distribuição aleatória em seu ensaio clínico se iniciava após três ciclos de quimioterapia (cisplatina e ciclofosfamida), quando pacientes com doença estável ou com resposta objetiva ao tratamento foram distribuídas nos dois braços do estudo. Foram excluídas do estudo 106 pacientes após a distribuição aleatória por progressão da doença, óbito, contraindicação cirúrgica, inelegibilidade, recusa em participar do estudo e perda de seguimento. Infelizmente, apesar de 425 pacientes terem sido incluídas neste estudo, ele foi alvo de crítica no que diz respeito à abordagem cirúrgica inicial. A grande maioria dos cirurgiões era de ginecologistas sem perfil oncológico e favoreceu o questionamento de máximo esforço efetivo na citorredução primária.

Em 1998, Vergote et al.[4] observaram que em pacientes com CEO apresentando uma carga tumoral maior que 1 kg previamente à cirurgia, apresentavam pior prognóstico, mesmo com citorredução ótima. Apesar de a estimativa ser exclusivamente visual, este autor trouxe um amadurecimento sobre a questão de grandes ressecções radicais no CEO avançado e seu reflexo na morbimortalidade pós-operatória. Nesta época, a difusão da videolaparoscopia em ginecologia oncológica possibilitou a indicação de biópsias videolaparoscópicas em pacientes suspeitas de franca disseminação celômica, permitindo a avaliação da probabilidade de ressecção ótima. Nestas situações, as pacientes eram biopsiadas e encaminhadas à quimioterapia neoadjuvante com três a quatro ciclos. Havendo padrão de resposta positivo, elas eram então encaminhadas à laparotomia de intervalo.[5]

Peter Rose et al.[6] publicaram uma série envolvendo 550 mulheres com CEO avançado, entre 1994 a 2001, nas quais a cirurgia considerada ótima não foi alcançada. Estas pacientes receberam três ciclos de paclitaxel e cisplatina. A partir do padrão de resposta à indução quimioterápica as pacientes foram distribuídas em dois braços. O primeiro com laparotomia de intervalo e o segundo seguia com seis cursos de quimioterapia. Este trabalho apresentou diversas violações de protocolo. Por motivos diversos, 102 pacientes foram excluídas do estudo, 40% por morte e progressão de doença. As 448 pacientes remanescentes foram divididas em dois grupos. O primeiro grupo contou com 216 pacientes e o segundo grupo foi composto de 208 pacientes. A despeito das conclusões dos estudos anteriormente publicados favorecendo a quimioterapia de intervalo, neste estudo foram constatadas sobrevidas global e livre de doença semelhantes entre os dois grupos, assim como uma mesma frequência e gravidade das complicações.

RESULTADOS DA REVISÃO SISTEMÁTICA DA COCHRANE LIBRARY

Diversos autores publicaram estudos sobre a laparotomia de intervalo em pacientes portadoras de CEO avançado, porém em recente revisão sistemática realizada pela *Cochrane Database of Systematic Reviews* e conduzido por Siriwan et al.,[7] apenas os trabalhos de Redman, Van der Burg e Rose foram considerados para análise entre 134 títulos analisados sobre o assunto, por possuírem requisitos adequados para análise. Os riscos de viés foram maiores no estudo de Rose que nos dois outros escolhidos para metanálise. Também o método de distribuição aleatória ficou prejudicado no trabalho de Rose.

A principal diferença entre os trabalhos analisados é que o estudo conduzido por Rose utilizou ginecologistas oncológicos, enquanto os dois remanescentes dispunham apenas de ginecologistas e cirurgiões gerais. Entretanto, surpreendentemente para os grupos de Redman e Van der Burg, em que uma maior proporção de citorreduções subótimas ocorreu, a laparotomia de intervalo pareceu valer mais a pena após indução quimioterápica. Porém, é preciso cuidado, pois apenas dois estudos puderam ser analisados.

Outras diferenças são o início da distribuição aleatória dos casos analisados, onde apenas Redman realizou esta distribuição de modo mais adequado (fazer ou não a laparotomia de intervalo) logo no início do estudo, ao contrário dos outros dois autores, que fizeram a distribuição entre os braços do estudo apenas entre as que responderam à quimioterapia de indução de três a quatro ciclos. Esta diferença prejudica a análise de intenção de tratar comparativa (que protege a distribuição aleatória, mesmo quando pacientes são retiradas do estudo após sua distribuição entre os braços do tratamento) entre os estudos. Além disto, a diferença de sobrevida entre os grupos de Van der Burg e Rose pode ser decorrente da proporção maior de pacientes com pior resposta à quimioterapia de indução no grupo de Rose.

Na prática médica, Siriwan et al.[7] não conseguiram verificar a superioridade da laparotomia de intervalo em relação ao tratamento convencional de cirugia citorredutora e quimioterapia adjuvante baseada em platina. No momento, sugerem que o tratamento seja individualizado de acordo com a disseminação da doença em cada paciente. É provável que no subgrupo no qual o esforço máximo de citorredução não pode ser alcançado ou por falta de cirurgião oncológico ou por outra situação adversa, haja benefício da laparotomia de intervalo na sobrevida. Do ponto de vista científico, os protocolos de estudo devem ser mais bem desenhados. Por outro lado, sugerem que os braços do estudo devem, de um lado, conduzir as pacientes ao tratamento padrão de cirurgia citorredutora seguida de quimioterapia[9] adjuvante baseada em platina e, no outro braço, quimioterapia neoadjuvante sem nenhuma tentativa de remoção tumoral, exceto para biópsia com vistas a diagnóstico histopatológico, laparotomia de intervalo e posterior quimioterapia. Outra sugestão destes autores é a importância do nivelamento profissional dos cirurgiões envolvidos nestes protocolos. Além disto, critérios para indicação da laparotomia de intervalo devem ser de volume tumoral pequeno após quimioterapia de indução.

NOVO ESTUDO CONDUZIDO PELA EORTC

Dentro desta linha de raciocínio, a Organização Europeia para Pesquisa e Tratamento de Câncer (EORTC) coordenou um estudo multi-institucional em pacientes com CEO avançado, porém incluindo câncer de tuba uterina e carcinoma primário de peritônio.[8] Nesta pesquisa, procuraram avaliar a não inferioridade da quimioterapia neoadjuvante baseada em platina com três ciclos prévios à cirurgia citorredutora em relação à citorredução primária subótima seguida de seis ciclos de quimioterapia baseada em platina, considerando-se este último como tratamento padrão. Neste último braço de tratamento, as pacientes que não alcançaram a citorredução ótima foram submetidas à laparotomia de intervalo, quando apresentaram padrão de resposta favorável após três ciclos de quimioterapia adjuvante. Uma uniformização de cirugiões oncológicos qualificados foi utilizada para evitar viés de tratamento cirúrgico. A taxa de risco de morte por intenção de tratamento realizada nas 670 pacientes que sofreram a distribuição aleatória entre os braços do protocolo demonstrou a não inferioridade da quimioterapia neoadjuvante seguida de cirurgia de citorredução em relação ao tratamento padrão (p = 0,01). Apesar de os autores terem demonstrado que a sobrevida global, sobrevida livre de doença, taxa de risco de morte e a qualidade de vida foram similares em ambos os grupos de tratamento, o estudo mostra algumas brechas, como pacientes sendo submetidas a *second look* e ausência de padronização para indicação de laparotomia de intervalo em ambos os braços, o que comprometeu a análise das características peroperatórias e pós-operatórias de ambos os grupos.

Na verdade, o único fator prognóstico independente, tanto na análise multivariada quanto na análise de sobrevida, foi a completa ressecção macroscópica de toda a enfermidade na citorredução primária, quer no tratamento padrão, quer na laparotomia de intervalo.

Este estudo nos conduz, porém, a algumas reflexões a respeito dos critérios de seleção de pacientes para quimioterapia neoadjuvante seguida de cirurgia de citorredução, quais sejam:

- As pacientes não fizeram nenhuma cirurgia de ressecção que não fosse laparotomia com biópsia apenas, laparoscopia com a mesma finalidade, doença em estágio IV devidamente comprovada ou biópsia tumoral por agulha fina quando os procedimentos padrões não puderam ser realizados.
- Utilização de métodos de imagem com padrão de acurácia mostrando disseminação grosseira da doença ou metástases extrapélvicas maiores que 2 cm de diâmetro.
- A razão CA 125/CEA, mostrou-se útil para descartar tumores gastrointestinais. Pacientes que apresentaram esta relação menor que 25 foram inscritas no estudo. O CA 125 foi medido em kUL e o antígeno carcinoembrionário (CEA) medido em ng/mL. Quando esta relação foi maior, estudos endoscópicos foram conduzidos.
- Mamografia foi incluída na seleção destas pacientes.
- *Performance status* (PS) de 0 a 2 e ausência de comorbidades foram condições exigidas para inclusão das pacientes na pesquisa.

Não podemos esquecer que a quimioterapia neoadjuvante ou após citorredução primária com finalidade de quimioindução para posterior laparotomia de intervalo tem o potencial de interferir na ressecção macroscópica completa, uma vez que a ocorrência de fibrose intraperitoneal é maior e este obstáculo é apenas citado neste estudo, sem maiores detalhamentos quanto a complicações aliadas a estes achados cirúrgicos.

Em meados de 2011, Chi et al.[9] publicaram um estudo retrospectivo, aparentemente com a intenção de se contrapor ao estudo da EORTC, onde concluíram obviamente que o tratamento padrão de citorredução ótima deve ser sempre preferido à laparotomia de intervalo.[9] Evidentemente, por não se tratar de estudo com características de distribuição aleatória, foi possível perceber o alto índice de morbimortalidade pós-operatória no grupo de esforço máximo de citorredução, porém sem parâmetro de comparação com o outro braço que, na verdade, foi submetido à quimioterapia neoadjuvante e não à laparotomia de intervalo, tratando-se, pois, de diferentes populações de pacientes estudadas. Aliás, Vergote et al.[10] persistiram defendendo que a citorredução ótima continua sendo o tratamento padrão desta enfermidade e que o estudo de Chi et al.[9] nada tem a ver com seu o estudo conduzido pelo EORTC sobre esta matéria,[8] porém a laparotomia de intervalo nos casos de grande extensão de doença, comorbidades e PS comprometidos continua sendo uma boa opção para pacientes com determinadas características.[10]

CONSIDERAÇÕES SOBRE AS INDICAÇÕES E CONTRAINDICAÇÕES

As caraterísticas das pacientes que afluem ao Serviço de Ginecologia Oncológica do Instituto Nacional do Câncer são difíceis de serem comparadas às de países desenvolvidos. Apesar de estes países apresentarem traços semelhantes quanto ao primeiro profissional que as trata cirurgicamente, que é o ginecologista, nossas pacientes apresentam um alto grau de desinformação e chegam ao nosso serviço com PS mais elevado e comorbidades não tratadas ou não diagnosticadas. Não raramente, os níveis séricos de albumina estão a menos de 2 g/dL. A desnutrição é severa, assim como a resposta inflamatória ao câncer.

Para nós, cirurgiões oncológicos, o risco de uma alta mortalidade pós-operatória é alto e, portanto, preferimos a quimioterapia neoadjuvante após diagnóstico da patologia tumoral por biópsia videolaparoscópica, minilaparotomia ou biópsia por agulha fina nos casos em que constatamos disseminação maciça de doença. A tomografia computadorizada ou a ressonância magnética abdominopélvica um quadro da disseminação intraperitoneal da doença e permitem-nos acompanhar o padrão de resposta após três a quatro ciclos de quimioterapia baseada em platina. Havendo resposta objetiva, seja por exames de imagem ou por exame físico que revele massa pélvica menos fixa aos planos profundos, indicamos a cirurgia de citorredução. Caso contrário, a paciente segue com seis ciclos de tratamento com drogas.

Utilizamos os seguintes critérios de seleção de pacientes para esta abordagem:

- Pacientes com CEO estágios III ou IV.
- Disseminação maciça de doença intraperitoneal, diagnosticada por exames de imagem, em que se revelam bolo omental, infiltração do mesentério ou da placa hilar hepática; perda de plano de clivagem com estruturas do sistema digestório que comprometam a possibilidade de ressecção cirúrgica. Estes sinais podem estar associados ou não a comprometimento da cicatriz umbilical.
- Prateleira pélvica e/ou infiltração de paramétrios com fixação da massa aos planos profundos perceptíveis ao toque retal.
- Hipoalbuminemia, desnutrição e comorbidades descompensadas no momento do diagnóstico.
- PS 3.
- Extensa trombose venosa profunda em membros inferiores, que necessite de anticoagulação e colocação de filtro de veia cava inferior.

Embora ainda não completamente validada por ensaios clínicos, esta estratégia, aliada a suporte nutricional acompanhado por um nutricionista, permite na maioria dos casos melhora do PS, elevação dos níveis de albumina, ganho de peso, menor índice de ressecções gastrointestinais, avaliação da sensibilidade do tumor aos agentes quimioterápicos, rápida recuperação pós-operatória e menor morbimortalidade.

Após a citorredução cirúrgica, estas pacientes devem reiniciar a quimioterapia o mais brevemente possível, respeitando o período de recuperação pós-operatório. Importante ressaltar que o reinício ideal da quimioterapia complementar não deve ultrapassar 6 semanas.

A maior possibilidade de ganho de sobrevida global e sobrevida livre de doença está na primeira estratégia terapêutica oferecida à paciente com CEO. Embora cirurgiões experientes possam realizar citorreduções complementares adequadas e extensas de maneira ótima, muitas vezes o tempo que estas pacientes perdem recuperando-se de um pós-operatório complicado e longo tempo de permanência em unidade de terapia intensiva adia o início da quimioterapia adjuvante. Verdadeiramente, em se tratando de uma doença de alta letalidade, sobretudo em casos avançados, não somente conta a habilidade do cirurgião, mas principalmente seu bom senso em oferecer à paciente o melhor tratamento, adequado a cada caso, uma vez que mesmo com tantos estudos sendo realizados a respeito desta matéria, ainda não temos um consenso sobre a melhor estratégia a seguir.

REFERÊNCIAS BIBLIOGRÁFICAS

1. Lawton FG, Redman CW, Luesley DM et al. Neoadjuvant (cytoreductive) chemotherapy combined with intervention debulking surgery in advanced, unresected epithelial ovarian cancer. *Obstet Gynecol* 1989;73:61-65.
2. Redman CW, Warwick J, Luesley DM et al. Intervention debulking surgery in advanced epithelial ovarian cancer. *Brit J Obstet Gynaecol* 1994;101:142-46.
3. Van der Burg MEL, Lent M, Buyse M et al. The effect of debulking surgery after induction chemotherapy on the prognosis in advanced epithelial ovarian cancer. Gynecological Cancer Cooperative Group of the EORTC. *N Eng J Med* 1995;332:629-34.
4. Vergote I, De Wever I, Tjalma W et al. Neoadjuvant chemotherapy or primary debulking surgery in advanced ovarian carcinoma: a retrospective analysis of 285 patients. *Gynecol Oncol* 1998;71:431-36.
5. Vergote IB, De Wever I, Decloedt J et al. Neoadjuvant chemotherapy versus primary debulking surgery in advanced ovarian cancer. *Sem Oncol* 2000;27(3 Suppl 7):31-36.
6. Rose PG, Nerenstone S, Brady MF et al. Secondary surgical cytoreduction for advanced ovarian carcinoma. *N Eng J Med* 2004;351:2489-97.
7. Siriwan T, Sumonmal M, Malinee L et al. Interval debulking surgery for advanced epithelial ovarian cancer. Cochrane Database of Systematic Review. *Cochrane Librar* 2009;(2):CD006014. DOI: 10.1002/14651858. CD006014.pub4.
8. Vergote I, Tropé CG, Amant F et al. Neoadjuvant chemotherapy or primary surgery in stage IIC or IV ovarian cancer. *N Eng J Med* 2010;363(10):943-53.
9. Chi DS, Musa F, Dao F et al. An analysis of patients with bulky advanced stage ovarian, tubal, and peritoneal carcinoma treated with primary debulking surgery (PDS) during an identical time period as the randomized EORTC-NCIC trial of PDS vs neoadjuvant chemotherapy (NACT). *Gynecol Oncol* 2012 Jan.;124(1):10-14.
10. Vergote I, Tropé CG, Amant F et al. Neoadjuvant chemotherapy is the better treatment option in some patients with stage IIIc to IV ovarian cancer. *J Clin Oncol* 2011 Nov. 1;29(31):4076-78.

CAPÍTULO 175
Quimioterapia Intraperitoneal no Câncer de Ovário

Flavio dos Reis Albuquerque Cajaraville
José Pablo Mata Mondragón ▪ Solange Maria Diniz Bizzo

INTRODUÇÃO

O câncer epitelial ovariano é uma neoplasia caracteristicamente agressiva, que acomete mulheres em geral a partir da quinta e sexta décadas de vida. Esta doença representa um grande desafio terapêutico, decorrente de sua capacidade de disseminação pela cavidade peritoneal e agressividade. Frente a este problema, há diferentes modalidades terapêuticas a serem utilizadas como tratamento, sobretudo ao se tratar de doença em estágio avançado, e a quimioterapia intraperitoneal representa uma delas.

DEFINIÇÃO

A quimioterapia intraperitoneal (QTIP) surge como uma recente modalidade terapêutica, que consiste na administração, literalmente, intraperitoneal, de medicações quimioterápicas que antes eram feitas somente por via intravenosa, para tratamento da doença em questão.

O quimioterápico (platina isolada ou com paclitaxel), quando administrado por via intraperitoneal, local onde a doença caracteristicamente se espalha, atinge uma concentração local maior, quando comparada à via endovenosa.[1] Tal fato levou ao desenvolvimento de estudos randomizados (SWOG 8501,[2] GOG 172,[3] entre outros) que pretenderam demonstrar o benefício do uso desta modalidade terapêutica no tratamento adjuvante da neoplasia ovariana em estágio avançado.

Também foi observado que as pacientes que mais se beneficiam do tratamento são aquelas que tiveram uma cirurgia citorredutora considerada ótima, definida como doença residual microscópica ou menor que 1 cm. Isso se justifica porque a capacidade de penetração da medicação administrada intraperitonealmente está inversamente relacionada à espessura do tecido neoplásico no peritônio.

MANUSEIO CLÍNICO

Para realização da QTIP, são necessários: a inserção de um catéter intraperitoneal (IP) e um protocolo para administração das drogas.

Colocação do catéter

Para inserção do catéter, devem-se considerar alguns fatores:

1. O tipo de catéter a ser utilizado deve ser de material pouco reativo, de forma a causar pouca fibrose, diminuindo o risco de desenvolvimento de aderências intraperitoneais e bloqueio inflamatório das alças intestinais. Os modelos mais utilizados são catéteres monolúmen, siliconizados, implantáveis e calibrosos (9,6 a 14,3 Fr). No *Memorial Sloan Kettering Cancer Center*, em que o tratamento já é realizado de rotina, o catéter utilizado é um modelo BardPort, 14,3 Fr, com fenestrações laterais. Deve-se evitar o uso de catéteres de diálise peritoneal (Tenckohoff), uma vez que foram associados a complicações envolvendo obstrução intestinal.[4,5]
2. O momento de inserção do catéter ainda não está totalmente definido na literatura, se no momento da cirurgia citorredutora ou num segundo tempo. Há uma tendência de se realizar o procedimento em um só tempo cirúrgico, o que evita uma reabordagem precoce da cavidade peritoneal e não expõe o paciente a outro estresse cirúrgico e anestésico, além de permitir o início mais precoce da adjuvância quimioterápica. O potencial desenvolvimento de aderências intraperitoneais não parece ser fator impeditivo para colocação do catéter em segundo tempo. Para definição do melhor momento do procedimento, deve-se sempre levar em conta a vontade da paciente e se o diagnóstico de neoplasia ovariana já está firmado. Se o diagnóstico histopatológico da doença ainda não for definitivo, se houver ressecção de cólon esquerdo e/ou reto na cirurgia citorredutora, contaminação grosseira da cavidade por material entérico ou qualquer motivo que torne o procedimento inseguro, recomenda-se que o catéter deverá ser colocado em segundo tempo.[6,7]
3. A técnica para colocação do catéter é simples, levando-se em conta algumas observações. Se realizada concomitantemente à cirurgia citorredutora, é feita uma incisão transversal a cerca de 3 a 4 cm do rebordo costal, na linha hemiclavicular direita ou esquerda, sendo dissecado um espaço até a fáscia da camada muscular, em que é confeccionada uma loja para colocação do reservatório do catéter. O mesmo deve ser fixado aos tecidos profundos com pontos de sutura de fios inabsorvível (Prolene®). É importante a proximidade do arcabouço ósseo para que haja sustentabilidade do reservatório e o mesmo não seja deslocado, nem gire, ao ser puncionado com a agulha de Huber. Em seguida, deve ser confeccionado um túnel subcutâneo estreito até ao nível da cicatriz umbilical, onde deve ocorrer a penetração da cavidade peritoneal sob visão direta. Deve-se ter o cuidado de evitar áreas onde foi realizada ressecção do peritônio, para que não haja aderências futuras. O catéter deverá ser tracionado de dentro para fora da parede abdominal e montado no reservatório conforme instruções do fabricante. O ideal é que fique aproximadamente 10 cm de catéter dentro da cavidade peritoneal. Como já instruído, deve-se ter o cuidado de não fazer um túnel muito largo e de realizar um fechamento cuidadoso e firme da cavidade peritoneal ao final da cirurgia, para que não ocorra refluxo do quimioterápico pelo túnel, nem extravasamento pela ferida operatória respectivamente.

Quando opta se pela colocação do catéter em um segundo tempo, a grande diferença técnica está na realização de uma minilaparotomia, que deve ter aproximadamente 6 cm, à altura da cicatriz umbilical ou infraumbilical, preferencialmente pouco lateral à incisão da cirurgia anterior. Deve ser feita dissecção cuidadosa dos planos até abertura da cavidade peritoneal, decorrente de possíveis bridas, evitando-se abertura acidental do tubo digestório. Há de se atentar a possível aderência do cólon transverso à linha mediana, secundária à omentectomia que é realizada no primeiro procedimento. Os outros passos e cuidados são semelhantes em ambos os procedimentos.

Devem ser feitas considerações que servem para ambos os tempos de implante do catéter: o catéter deve ter posicionamento intraperitoneal ipsilateral ao reservatório, a escolha do lado de colocação do *Port a cath*® deve levar em conta se houve ressecção intestinal. Normalmente, o catéter é colocado à direita. Se houve ressecção ileocecal e/ou do cólon direito, o conjunto é colocado à esquerda. Do contrário, em ressecção de cólon esquerdo, sigmoide ou reto, o mesmo deverá ser posicionado à direita. Sempre realizar fechamento cuidadoso da cavidade peritoneal e evitar alargamento desnecessário do túnel subcutâneo, para que não ocorra refluxo do quimioterápico. Se necessário, pode ser realizada uma sutura em bolsa do peritônio ao redor do catéter, com fio absorvível. Logo antes do fechamento, o sistema deverá ser lavado com solução de heparina (100 U/mL) e certificar-se de que a ponta do catéter está na pelve;[8]

4. A retirada do catéter deve ser realizada assim que terminar o tratamento, ou até após 1 ano, caso o tratamento seja interrompido, em razão das complicações infecciosas secundárias à presença prolongada do mesmo. O procedimento de retirada é simples, e pode ser realizado em nível ambulatorial.
5. Uma última observação deve ser realizada quanto à técnica laparoscópica para colocação do catéter, em segundo tempo. A colocação do trocarte umbilical (10 mm para óptica) deverá ser feita pela técnica de Rasson (visualização direta), e o restante da técnica segue o que já foi exposto para a via aberta convencional. Há uma grande crítica à técnica laparoscópica, já que foram observados casos de implante tumoral no local de inserção do trocarte e no trajeto subcutâneo do catéter. Não se sabe a causa determinante desta complicação, sendo aventada a hipótese de refluxo de células tumorais secundário a pressão imposta pelo pneumoperitônio ou ascite. Tal fato leva os autores dos trabalhos pesquisados a preferirem a utilização da minilaparotomia em vez da videolaparoscopia.

Protocolo para infusão das drogas

1. O melhor momento para início da QTIP varia na literatura, desde 24 h após colocação do catéter até 21 dias após o mesmo.[3] Deve-se ter em mente que, após uma cirurgia citorredutora agressiva, ocorre uma grande perda de fluidos corporais e grande agressão renal, que, associadas à infusão precoce de drogas sabidamente nefrotóxicas (cisplatina), pode levar à falência da função renal. No estudo GOG-172, o tempo médio para início da QTIP foi de 21 dias após a primeira cirurgia, sendo que os autores recomendam o início da mesma assim que não haja mais íleo metabólico pós-operatório e que se tenha certeza de que não haja complicações relacionadas ao ato cirúrgico.[9]
2. Há diversos trabalhos na literatura, testando diferentes drogas para tratamento. Porém, o protocolo aprovado pelo *National Cancer Institute* (NCI) e recomendado pelo *National Comprehensive Cancer Network* (NCCN), *Gynecologic Oncology Group* (GOG) e pelo *Society of Gynecologic Oncologists* (SOG) foi o uso de paclitaxel e cisplatina, conforme o usado no estudo GOG-172: seis ciclos de 21 dias de paclitaxel IV (135 mg/m^2) por 24 h no primeiro dia, cisplatina (100 mg/m^2) IP no dia 2, e paclitaxel (60 mg/m^2) IP no oitavo dia.[8]
3. Sempre deve ser feita medicação profilática para náuseas e vômitos (ondansetrona e dexametasona IV). Além de hidratação venosa generosa (1.000 mL cristaloide) antes de iniciar a infusão intraperitoneal.
4. A medicação é diluída em 1 L de solução cristaloide e administrada por gravidade, sendo infundida rapidamente. Após seu término, é administrado mais 1 L de solução cristaloide e a paciente vai sendo trocada de posição laterolateralmente, para homogeinização e melhor distribuição da mesma na cavidade peritoneal.
5. Após o término da infusão da medicação intraperitoneal, é administrado mais 1 L de solução fisiológica IV. O objetivo é tentar manter um alto débito urinário (100 mL/h) para evitar agressão renal secundária à cisplatina.
6. Cuidados com o catéter: antes do início da terapia IP, ele deve estar preenchido com solução heparinizada; antes da punção com agulha de Huber, deve ser feito um curativo oclusivo com pomada de lidocaína ou EMLA®; a punção deve ser realizada com técnica asséptica; e, ao final da infusão, dever ser realizado curativo compressivo para evitar refluxo da medicação infundida.

COMPLICAÇÕES SECUNDÁRIAS A QT INTRAPERITONEAL

É consenso que o número de complicações relacionadas à QTIP é sensivelmente maior, quando comparada à QTIV. Este é um dos fatores considerados limitantes para uso dessa modalidade terapêutica. As complicações podem ser divididas em: relacionadas às drogas, ao catéter e à terapia IP.

Fatores relacionados às drogas

Da mesma forma que uma das vantagens da QTIP é a disponibilização de uma maior concentração peritoneal das medicações, quando comparada à administração IV das mesmas, também há uma maior incidência dos efeitos colaterais relacionados. Há uma maior ocorrência de náuseas, vômitos e diarreia associados às drogas. Principalmente se não for feita a profilaxia com antieméticos antes da infusão das mesmas. Um dos principais problemas é a nefrotoxicidade associada à cisplatina. A agressão renal é evitável frente a uma boa hidratação venosa e ao controle dos vômitos com antieméticos. Se a função renal piorar (creatinina plasmática > 2,0 mg/dL, ClCr < 50 mL/min), a terapia IP deverá ser suspensa.[8] Reduções na dose da cisplatina parecem ser mais bem toleradas, sem perda na qualidade do tratamento. Outra opção é a troca por carboplatina IV, não tendo ainda respaldo na literatura para uso da mesma pela via IP.[9,10]

Outro efeito colateral de grande importância é a neurotoxicidade, potencializada pela associação de paclitaxel e cisplatina. A redução da dose, quando os sintomas são percebidos logo no início, também parece melhorar a tolerabilidade à terapia. Perspectivas atuais giram em torno da troca da cisplatina pela carboplatina e do paclitaxel pelo docetaxel. Não se pode ignorar, também, a maior incidência de mielotoxicidade em pacientes submetidas à QTIP, representada por anemia, leucopenia e trombocitopenia.

Complicações associadas ao catéter

Há diversas complicações relacionadas ao catéter que são evitáveis, se observada boa técnica cirúrgica no momento de sua colocação, tais como: dificuldades de acesso ao reservatório com a agulha de Huber, dobradura do catéter, vazamento vaginal e/ou pela ferida operatória do infuso, refluxo do infuso, lesões do trato gastrointestinal e complicações infecciosas.

Dificuldades para acessar o reservatório podem ser causadas por deslocamento e/ou rotação do mesmo. No entanto, podem ser corrigidos por pequeno procedimento cirúrgico e nova fixação do mesmo com sutura. A dobradura do trajeto do catéter também pode ser reparada, da mesma forma, se o catéter for cortado por uma agulha de Huber. Obstrução do catéter e refluxo normalmente estão associados à formação de aderências e a única coisa a ser feita é a retirada do catéter e colocação de um novo. Aliás, a recolocação do catéter pode ser realizada sem problemas, a não ser que haja contraindicações (complicações infecciosas, lesão do trato gastrointestinal (TGI), abscesso, peritonite ou fístula) e se a paciente não concordar com tal.

Em caso de o extravasamento do infuso ocorrer pela vagina ou pela ferida operatória, o tratamento deverá ser atrasado até a cicatrização e o fechamento da ferida operatória e da abertura vaginal. Enquanto isso acontece, a QTIV pode ser administrada, para que não se perca tempo.

Em casos de complicações infecciosas (infecção no sítio do reservatório, abscesso e peritonite) ou lesões do TGI (obstrução, fístula ou perfuração associadas ao uso do paclitaxel), o catéter deverá ser retirado imediatamente, e ser implementado o tratamento necessário, seja ele clínico ou cirúrgico.

Complicações associadas à terapia IP

O que queremos atentar neste tópico é para a alta incidência de desconforto e/ou dor abdominal secundários à infusão de um grande volume de solução salina e drogas na cavidade peritoneal, em um curto tempo. A dinâmica do tratamento, por si só, traz grande desconforto abdominal, sobretudo no início da terapia, quando estas pacientes normalmente ainda apresentam ascite e estão muito espoliadas pela doença. A tendência, com o prosseguimento do tratamento, é de maior tolerabilidade ao mesmo, após melhora clínico-oncológica inicial (melhora da ascite e do estado geral). Porém, se a paciente não suportar a infusão IP, pode-se lançar mão de artifícios: diminuir o volume de solução fisiológica, reduzir a velocidade de infusão ou suprimir a dose do dia 8 do protocolo de tratamento.

A caracterização precisa da dor abdominal é outro fator que deve ser avaliado nestas pacientes. Se a dor vier associada a sinais clínicos de peritonite (defesa involuntária, descompressão dolorosa), febre, distensão abdominal ou piora acentuada de náuseas e vômitos e alteração marcante do hábito intestinal, deve-se pesquisar causas de origem inflamatória e/ou infecciosa que possam justificar a eventual dor abdominal, e indicar o tratamento necessário.

JUSTIFICATIVA PARA USO DA QT INTRAPERITONEAL

Diversos trabalhos na literatura tentam demonstrar o benefício do uso da QTIP para o câncer de ovário. Dentre os grandes estudos clínicos randomizados, merece destaque o GOG-172.[3] Nesse estudo, foram avaliadas 429 pacientes randomizadas em dois braços: um que receberia QTIV e outro com QTIV mais IP, ambos após citorredução ótima (menos de 1 cm de doença residual). A sobrevida média global foi de 65,6 meses no braço da QTIP, contra 49,7 no braço da QTIV (RR 0,75; IC 95%: 0,58-0,97; p < 0,03). Quanto à sobrevida livre de doença, obteve-se 23,8 *versus* 18,3 meses ao se comparar os braços da QTIP com QTIV, respectivamente (RR 0,80; IC 95%: 0,64-1.0; p < 0,05). Tal estudo também acessou o grau de toxicidade do tratamento, e viu-se que realmente há uma maior incidência de efeitos adversos durante a QTIP e uma piora da qualidade de vida durante o período de realização do tratamento. Porém, a longo prazo não há diferença na qualidade de vida entre as pacientes nos dois braços do estudo. Este ensaio clínico mereceu ser citado em separado decorrente de sua importância, já que, após a publicação de seus resultados, em associação a outros dados já presentes na literatura, o NCI em janeiro de 2006, publicou um *Clinical Anoucement*, recomendando o uso da QTIP como tratamento adjuvante em pacientes com câncer epitelial de ovário avançado (E III) e que alcançaram cirurgia citorredutora ótima (< 1 cm de doença residual).[11] O NCCN coloca como indicação primária a QTIP em pacientes com estágio III e cirurgia citorredutora ótima, sendo o seu uso considerado em pacientes E II, porém sem benefício comprovado.[12] Desde então, vários grupos de estudo vêm abordando o tema através de metanálises.

Hess *et al.*[13] publicaram uma metanálise em 2007 no *International Journal of Gynecological Cancer*, em que selecionaram seis estudos clínicos randomizados, com um total de 1.716 pacientes envolvidas. Foi demonstrado um benefício estatisticamente significativo na sobrevida livre de doença (RR = 0,79; IC 95%: 0,68-0,91; p = 0,001; n = 1.052) e na sobrevida média global (RR = 0,79; IC 95%: 0,70-0,91; p = 0,0007; n = 1.716).[13]

Fung-Kee-Fung *et al.*[14] realizaram um estudo de metanálise (*Gynecologyc Oncology*, 2007) envolvendo oito estudos clínicos randomizados e 1.826 pacientes, no qual foi demonstrado uma redução de 12% do risco de morte no grupo da QTIP em um seguimento de 5 anos (RR = 0,8; IC 95%: 0,81-0,95).[14] Este estudo não fornece o p-valor. Os autores alegam que houve heterogeneidade na significância estatística.

Ambos os estudos mostraram uma tendência de maior número de efeitos adversos associados à QTIP durante o tratamento, porém sem alterações na qualidade de vida a longo prazo.

Ken Jaaback *et al.*[15] publicaram uma revisão sistemática realizada pela *Cochrane Database of Systematic Reviews*, 2006, em que foram selecionados oito estudos clínicos randomizados envolvendo 1.819 pacientes. A análise dos dados demonstrou o uso da QTIP como fator de proteção no tratamento (RR = 0,8; IC 95%: 0,71-0,90) e uma maior sobrevida livre de doença (RR = 0,79; IC 95%: 0,69-0,90).[15]

Desta forma, pareceu na época que a QTIP deveria ser considerada uma importante ferramenta terapêutica, se indicada de forma precisa e realizada por profissionais devidamente treinados. Há de se observar que estudos estão em curso para avaliar o uso de outros quimioterápicos via IP, em especial a carboplatina e benvacizumabe, em busca de melhores resultados e de menos efeitos colaterais.

CONTROVÉRSIAS NO USO DA QUIMIOTERAPIA INTRAPERITONEAL

Apesar das recomendações do NCI, baseadas nos resultados mostrados no GOG 172 para estabelecer a QTIP como abordagem padrão para pacientes com câncer de ovário em estágio III que foram submetidas à cirurgia citorredutora ótima, esta conduta não foi adotada universalmente por múltiplas razões, como veremos adiante. Muitos grupos de oncologistas continuam utilizando a combinação de carboplatina e paclitaxel IV como tratamento adjuvante padrão.

Vergote *et al.*[16] publicaram um artigo em 2008 alegando 11 razões que justificam porque a terapia preconizada pelo GOG 172 não poderia ser ainda estabelecida como primeira linha de tratamento,[16,17] conforme exposto no Quadro 1. Dentre as principais críticas apontadas ao trabalho de Amstrong *et al.*,[3] podemos mencionar que este estudo apenas atingiu a significância estatística com um valor *p* de 0,03, considerado *borderline*, comparando-se apenas a sobrevida global entre grupos, no entanto, omitindo a análise de intenção de tratar. Comparativamente, a

Quadro 1. Razões pelas quais a QTIP do grupo experimental GOG 172 não pode ser adotada como tratamento de escolha para pacientes com câncer epitelial de ovário (adaptado de Vergote *et al.*[16,17])

1. A significância para sobrevida global foi apenas *borderline* (p = 0,03) e apenas uma análise estatística unilateral foi realizada
2. O número de pacientes não avaliáveis foi maior que a diferença absoluta na sobrevida
3. O valor *p* para sobrevida livre de doença (análise unilateral também) não foi significativo
4. As curvas de sobrevida só diferem após 15 meses de seguimento e isto poderia ser causado por terapias de 2ª linha
5. O grupo-controle de paclitaxel e cisplatina teve sobrevida substancialmente menor que o grupo-controle de outros estudos randomizados com a mesma população
6. Mais da metade das pacientes tratadas com quimioterapia intraperitoneal receberam quimioterapia intravenosa, principalmente paclitaxel e carboplatina, que é um esquema menos tóxico que paclitaxel e cisplatina (grupo-controle). Após o esquema padrão de carboplatina e paclitaxel, é mais fácil administrar combinações de quimioterápicos de 2ª linha
7. Somente 42% das pacientes completaram seis ciclos de quimioterapia intraperitoneal
8. A quimioterapia intraperitoneal teve toxicidade significativamente maior (medula óssea, gastrointestinal, neurológica etc.)
9. A qualidade de vida durante o primeiro ano após quimioterapia intraperitoneal foi pior que após quimioterapia intravenosa
10. No grupo experimental, uma dose maior de cisplatina foi administrada e o paclitaxel foi administrado no primeiro e oitavo dias; estas diferenças podem ter influenciado o resultado da sobrevida

população estudada no GOG 172 é similar à estudada por Ozols *et al.*,[18] du Bois *et al.*[19,20] e Pfistener *et al.*[21] Estes estudos mostraram uma sobrevida global média de 57,4; 59,5; 57,0 e 56,5 meses, respectivamente, para pacientes submetidas à citorredução ótima e tratadas com carboplatina e paclitaxel endovenosos, enquanto Amstrong mostrou uma sobrevida global média de 49,7 meses no grupo-controle. O principal problema observado com a quimioterapia intraperitoneal é sua toxicidade, o GOG 172 apenas confirma isto; cerca de 60% das pacientes não completaram os seis ciclos de quimioterapia intraperitoneal propostos.

Aletti *et al.*[22] levaram à prática o regime preconizado pelo GOG 172 num estudo prospectivo no departamento de Cirurgia Ginecológica e Oncologia da Clínica Mayo, Estados Unidos da América.[22] Para o estudo foram avaliadas 89 pacientes com câncer epitelial de ovário em estágio IIIC que foram submetidas à citorredução ótima. Para 55 delas a quimioterapia intraperitoneal foi recomendada. Destas, 60% iniciaram o tratamento, das quais 52% concluíram três ou mais ciclos e 36% completaram os seis ciclos recomendados. As principais razões para descontinuar o tratamento foram complicações do cateter e maior toxicidade. Uma das principais preocupações de Aletti *et al.*[22] é que eles na Clínica Mayo, um centro terciário de tratamento, reportaram dificuldades para empregar o protocolo proposto pelo GOG 172. É provável que em centros com menor experiência as dificuldades sejam maiores ainda, afirmam os autores. Eles concluíram que existe uma curva de aprendizado na aplicação da quimioterapia intraperitoneal. A despeito das complicações sistêmicas e intraperitoneais acumuladas no primeiro ano de tratamento, no segundo ano foi observado que o manejo das complicações foi mais fácil de lidar com a experiência acumulada. Por isso, os autores também propuseram alguns critérios de inclusão para a colocação do cateter intraperitoneal: 1) câncer epitelial em estágio III (tuba, ovário e primário de peritônio); 2) citorredução ótima; 3) idade inferior a 70 anos; 4) função renal normal com filtrado glomerular > 60 mL no pré-operatório; 5) tratar em um bom centro de referência.

Estes grupos concordam que novos estudos controlados em que se compare a QTIP com o tratamento atual de carboplatina e paclitaxel IV devam ser desenvolvidos, e não recomendam o uso da QTIP fora do contexto de um ensaio clínico.

Desde junho de 2010, o Grupo de Oncologia Ginecológica do Japão está conduzindo um estudo randomizado fase II/III com administração de carboplatina intravenosa *versus* intraperitoneal associado a dose semanal de paclitaxel. O propósito deste estudo é provar a superioridade da administração da carboplatina por via intraperitoneal sobre a via intravenosa. O objetivo principal é avaliar a sobrevida livre de doença e como objetivos secundários serão avaliadas sobrevida global, qualidade de vida e relação custo-benefício.[23]

No Instituto Nacional de Câncer, do Rio de Janeiro, a QTIP não faz parte dos protocolos propostos para tratamento de pacientes com câncer epitelial de ovário, aguardando maiores evidências clínicas para tal.

REFERÊNCIAS BIBLIOGRÁFICAS

1. Markman M. Intraperitoneal chemotherapy. *Semin Oncol* 1991;18:248.
2. Alberts DS, Liu PY, Hannigan EV *et al.* Intraperitoneal cisplatin plus intravenous cyclophosphamide versus intravenous cisplatin plus intravenous cyclophosphamide for stage III ovarian cancer. *N Engl J Med* 1996;335:1950-55.
3. Armstrong DK, Bundy B, Wenzel L *et al.* Intraperitoneal cisplatin and paclitaxel in ovarian cancer. *N Engl J Med* 2006;354:34-43.
4. Black D, Levine DA, Nicoll L *et al.* Low risk of complications associated with the fenestrated peritoneal catheter used for intraperitoneal chemotherapy in ovarian cancer. *Gynecol Oncol* 2008;109:39.
5. Ivy JJ, Geller M, Pierson SM *et al.* Outcomes associated with different intraperitoneal chemotherapy delivery systems in advanced ovarian carcinoma: asingle institution`s experience. *Gynecol Oncol* 2009;114:420.
6. Walker JL, Armstrong DK, Huang HQ *et al.* Intraperitoneal catheter outcomes in a phase III trial of intravenous versus intraperitoneal chemotherapy in optimal stage III ovarian and primary peritoneal cancer: a Gynecologic Oncology Group Study. *Gynecol Oncol* 2006;100:27.
7. Makhija S, Leitao M, Sabbatini P *et al.* Complications associated with intraperitoneal chemotherapy catheters. *Gynecol Oncol* 2001;81:77.
8. Whitney CW. *Gynecologic oncology group surgical procedures manual.* July, 2005.
9. Marth C, Walker JL, Barakat RR *et al.* Results of the 2006 Innsbruck International Consensus Conference on intraperitoneal chemotherapy in patients with ovarian cancer. *Cancer* 2007;109:645.
10. Fujiwara K. Can carboplatin replace cisplatin for intraperitoneal use? *Int J Gynecol Cancer* 2008;18(Suppl 1):29.
11. National Cancer Institute, NCI Announcement, Jan/2006. Disponível em: http://www.nlm.nih.gov/databases/alerts/ovarian_ip_chemo.html
12. NCCN Clinical Practice Guidelines in Oncology, Ovarian Cancer.
13. Hess LM, Brenham-Hutchins M, Herzog TJ *et al.* A meta-analysis of the efficacy of intraperitoneal cisplatin for the front-line treatment of ovarian cancer. *Int J Gynecol Cancer* 2007;17:561-70.
14. Fung-Kee-Fung M, Provencher D, Rosen B *et al.* IP Chemotherapy Working Group. Intraperitoneal chemotherapy for patients with advanced ovarian cancer: a review of the evidence and standards for the delivery of care. *Gynecol Oncol* 2007;105:747-56.
15. Jaaback K, Johnson N. Intraperitoneal chemotherapy for the initial management of primary epithelial ovarian cancer. Cochrane Database of Systematic Reviews. *Cochrane Library* 2006;(08):CD005340. DOI: 10.1002/14651858.CD005340.pub1
16. Vergote I, Amant F, Leunen K *et al.* Intraperitoneal chemotherapy in patients with advanced ovarian cancer: the con view. Oncologist 2008; 13(4):410–414.
17. Gore M, Du Bois A, Vergote I. Intraperitoneal chemotherapy in ovarian cancer remains experimental. *J Clin Oncol* 2006;24:4528-30.
18. Ozols RF, Bundy BN, Greer BE *et al.* Phase III trial of carboplatin and paclitaxel compared with cisplatin and paclitaxel in patients with optimally resected stage III ovarian cancer: a Gynecologic Oncology Group study. *J Clin Oncol* 2003;21:3194-200.
19. du Bois A, Luck HJ, Meier W *et al.* A randomized clinical trial of cisplatin/paclitaxel versus carboplatin/paclitaxel as first-line treatment of ovarian cancer. *J Natl Cancer Inst* 2003;95:1320-29.
20. du Bois A, Combe M, Rochon J *et al.* Epirubicin/paclitaxel/carboplatin (TEC) vs paclitaxel/carboplatin (TC) in first-line treatment of ovarian cancer (OC) FIGO stages IIB-IV: An AGO-GINECO Intergroup phase III trial. *J Clin Oncol* 2004;22:450s, (suppl; abstr 5007).
21. Pfisterer J, Weber B, du Bois A *et al.* Paclitaxel/Carboplatin (TC) vs. Paclitaxel/Carboplatin followed by Topotecan (TOP) in first-line treatment of advanced ovarian cancer. Mature results of a gynecologic cancer intergroup phase III trial of the AGO OVAR and GINECO. *J Clin Oncol* 2005;23:456s, (suppl; abstr 5007).
22. Aletti GD, Nordquist D *et al.* From randomized trial to practice: single institution experience using the GOG 172 i.p. chemotherapy regimen for ovarian câncer. *Ann Oncol* 2010;21:1772-78.
23. Fujiwara K, Aotani E *et al.* A randomized phase II/III trial of 3 weekly intraperitoneal versus intravenous carboplatin in combination with intravenous weekly dose-dense paclitaxel for newly diagnosed ovarian, fallopian tube and primary peritoneal cancer. *Japanese J Clin Oncol* 2011;41(2):278-82.

CAPÍTULO 176
Valor da Linfadenectomia no Câncer de Endométrio

Alex Bruno de Carvalho Leite ■ Gustavo Guitmann
Edmar Lopes da Silva Neto ■ Daniel de Carvalho Zuza

INTRODUÇÃO

O câncer de endométrio é uma das neoplasias ginecológicas mais comuns nos países desenvolvidos, sua incidência e taxa de mortalidade vêm crescendo nos países em desenvolvimento.[1,2] Este aumento está ligado a fatores de risco como maior expectativa de vida, obesidade, diabetes, menopausa tardia e uso do tamoxifeno. Outros fatores associados são menopausa precoce, ciclos anovulatórios, reposição hormonal sem progestágenos e tumores secretores de estrogênio.[3]

Segundo dados do Instituto Nacional de Câncer (INCA), o adenocarcinoma de endométrio – tipo mais frequente de tumor maligno do corpo uterino – é o quarto câncer ginecológico mais comum no Brasil. Em 2012 esperam-se 4.520 casos novos de câncer do corpo do útero no país, com um risco estimado de quatro casos a cada 100 mil mulheres.[4]

O câncer do corpo do útero é o sétimo tipo de câncer mais frequente entre as mulheres, com aproximadamente 290 mil novos casos por ano no mundo, sendo responsável pelo óbito de 74 mil mulheres por ano. As maiores taxas de incidência encontram-se na América do Norte e na Europa Ocidental e são cerca de 10 vezes maiores que nos países em desenvolvimento. É a neoplasia ginecológica mais comum nos Estados Unidos.[5,6]

Desde a década de 1930, os ginecologistas oncológicos se esforçam para a criação de uma linguagem única a fim de facilitar o diagnóstico e o planejamento terapêutico. O objetivo é desenvolver um sistema uniforme para definir o prognóstico e permitir a comparação de grupos semelhantes de pacientes.[7]

O primeiro sistema de estadiamento para tumores ginecológicos foi desenvolvido pela *International Federation of Gynecology and Obstetrics* (FIGO) e instituído em 1958. Desde então, passa por atualizações conforme os avanços científicos dos métodos diagnósticos, em destaque o desenvolvimento das técnicas cirúrgicas tradicionais, cirurgia laparoscópica e robótica, assim como das terapias adjuvantes.[8]

Em 1987, o *Ginecologic Oncology Group* (GOG) publicou o resultado do estudo GOG protocolo 33 (GOG 33), que foi crucial para a mudança de paradigma no estadiamento do câncer de endométrio. Em 1988, este foi modificado de clínico para cirúrgico pelo fato de até 20% destas pacientes serem subestadiadas. O GOG mostrou a importância das principais vias de disseminação do câncer de endométrio, que são: miométrio, colo uterino e estações linfonodais pélvicas e para-aórticas. Após este trabalho, a avaliação linfonodal foi introduzida no estadiamento da FIGO.[3,7,9]

Em 2008, a FIGO aprovou a última revisão do sistema de estadiamento do câncer de endométrio, que teve quatro mudanças principais:

1) Os estágios IA (tumor limitado ao endométrio) e IB (tumor com invasão inferior à metade da espessura do miométrio) se fundiram em IA, por não apresentarem diferença na sobrevida em 5 anos. O estágio IB agora representa os tumores com invasão igual ou maior que 50% do miométrio.
2) O estágio II não é mais subdividido em IIA e IIB. O envolvimento endocervical que antes era IIA agora passa a ser estágio I e o estágio II fica para os tumores que invadem a miocérvice.
3) Linfonodos pélvicos e para-aórticos positivos antes eram considerados como IIIC, agora são subdivididos em IIIC1 (linfonodos pélvicos positivos) e IIIC2 (linfonodos para-aórticos positivos independentemente do *status* linfonodal pélvico), pois a presença de linfonodos para-aórticos positivos confere pior sobrevida.
4) A citologia positiva foi excluída do estadiamento cirúrgico e deve ser reportada separadamente (Quadro 1).[7]

O prognóstico do câncer de endométrio depende de fatores uterinos, como o tipo e o grau histopatológico (graus 1, 2 e 3), nível de invasão do miométrio, invasão do espaço linfovascular e comprometimento cervical. Também é preciso identificar os fatores extrauterinos que influenciam no prognóstico, como o envolvimento linfonodal pélvico e para-aórtico, anexial e intraperitoneal. É considerado em estágio precoce todo o tumor, comprovado por exame anatomopatológico, limitado ao útero (estágios I e II da FIGO).[2,10]

Para realizar estadiamento cirúrgico completo, deve-se incluir inventário rigoroso da cavidade abdominal com biópsia de qualquer lesão suspeita, histerectomia total tipo I ou radical tipo II (em caso de invasão da miocérvice), salpingo-ooforectomia bilateral e linfadenectomia pélvica e para-aórtica. Nos tipos histológicos de células claras e seroso, complementa-se com omentectomia e biópsias peritoneais.[11,12]

O estadiamento cirúrgico tem maior acurácia na detecção da disseminação linfonodal, porém, desde a inclusão do *status* nodal no estadiamento da FIGO, surgiram controvérsias a respeito de sua importância na sobrevida.[10,13] Outro ponto muito debatido é o potencial terapêutico da linfadenectomia, independentemente do estado linfonodal.[13,14]

Nos últimos anos, a linfadenectomia sistemática ocupou o lugar da simples amostragem linfonodal. Serviços que defendem o estadiamento cirúrgico de rotina afirmam que ela é capaz de detectar disseminação linfonodal e modificar a indicação terapêutica adjuvante.

Pacientes com doença no estágio I apresentam sobrevida em 5 anos maior que 90%, ao passo que aquelas que têm doença nodal (estágio IIIC 1 e 2) apresentam sobrevida que varia de 38 a 75%.[10,13]

O cirurgião deve estratificar os fatores de risco no pré e intraoperatório para selecionar a paciente que irá beneficiar-se com o estadiamento nodal e, assim, evitar subtratamento e supertratamento da doença. Também é preciso informar à paciente os riscos e benefícios da linfadenectomia.[3,10,13]

Quadro 1. Estadiamento do câncer de endométrio revisado pela Federação Internacional de Ginecologia e Obstetrícia – FIGO 2009[7]

ESTÁGIO I: TUMOR CONFINADO NO CORPO UTERINO	
IA	Tumor limitado ao endométrio ou com invasão menor que a metade da espessura do miométrio
IB	Invasão igual ou maior do que metade da espessura do miométrio
ESTÁGIO II: TUMOR INVADE O ESTROMA CERVICAL, MAS ESTÁ LIMITADO AO ÚTERO	
ESTÁGIO III: TUMOR COM DISSEMINAÇÃO LOCAL E/OU REGIONAL	
IIIA	Tumor invade a serosa do corpo uterino e/ou anexos
IIIB	Envolvimento vaginal e/ou parametrial
IIIC	Metástase para linfonodos pélvicos e/ou para-aórticos
IIIC1	Linfonodos pélvicos comprometidos
IIIC2	Linfonodos para-aórticos comprometidos
ESTÁGIO IV: TUMOR INVADE ÓRGÃOS ADJACENTES E/OU COM METÁSTASE À DISTÂNCIA	
IVA	Tumor invade a bexiga e/ou mucosa intestinal
IVB	Presença de metástases a distância, incluído as intra-abdominais e/ou para linfonodos inguinais

As principais complicações atribuídas à linfadenectomia são linfocele, linfedema, aumento do tempo cirúrgico, potenciais perdas sanguíneas em decorrência da possibilidade de danos vasculares e parestesias associadas a possíveis lesões de estruturas neurais. Homesley et al. mostraram que as linfadenectomias pélvica e para-aórtica não acrescentam morbidade à histerectomia, porém fatores relacionados à paciente, como obesidade, idade avançada, raça negra (associada a maior sangramento), são adicionais de risco. O tempo operatório está mais relacionado à técnica do cirurgião, que deve ter treinamento apropriado.[13,15]

Segundo o estudo de Abu-Rustum et al., a incidência do linfedema foi de 3,4%. Este concluiu que o linfedema não pode ser usado como argumento para contraindicar o estadiamento nodal, nem a terapia adjuvante (Quadro 2).[13]

A radioterapia reduz o risco de recidiva pélvica e vaginal, no entanto, deve ser indicada de acordo com critérios de risco, tendo em vista seu potencial de toxicidade gastrointestinal, geniturinária, cutânea e linfática. Pacientes que são submetidas a linfadenectomia e a radioterapia adjuvante apresentam maior incidência de complicações intestinais que aquelas sem linfadenectomia.[16,17]

Nos últimos anos, houve um aumento proporcional no número de pacientes submetidas à linfadenectomia, no número de linfonodos removidos e na utilização da técnica laparoscópica. Isso resultou no menor emprego da radioterapia, sem impacto significativo na sobrevida.[11,18]

Muitos ginecologistas e cirurgiões oncológicos no mundo concordam que pacientes com tumores dos tipos histológicos de alto risco (seroso, células claras e tumor mülleriano misto) devem ser submetidas ao estadiamento cirúrgico completo de rotina. Entretanto, existe uma significativa variedade de algoritmos de estadiamento e tratamento usados em diferentes instituições envolvendo o tratamento do adenocarcinoma endometrial.[19]

O presente capítulo aborda três correntes de tratamento cirúrgico: não realização de linfadenectomia, realização de linfadenectomia seletivamente ou de rotina.

NÃO REALIZAÇÃO DE LINFADENECTOMIA

Em 1981, somente 5% das mulheres eram submetidas ao estadiamento linfonodal. Este número subiu para 32,7% em 1992 e, nos dias atuais, estima-se que, nos Estados Unidos, menos de 50% das mulheres com câncer de endométrio têm sua doença completamente estadiada.[20,21]

Muitos ginecologistas e cirurgiões gerais não têm treinamento para realização de linfadenectomias. Normalmente, o estadiamento cirúrgico completo é realizado por cirurgiões oncológicos ou ginecologistas oncológicos.[21-23]

O cirurgião oncológico recebe pacientes com maior número de fatores de risco relacionados a mau prognóstico (29 versus 23%), como pior *performance status*, idade avançada, alto grau tumoral e em estágios mais avançados, comparado ao profissional não oncologista. Há equivalência em sobrevida livre de doença para os estágios precoces, no entanto, quando se trata de pacientes em estágios mais avançados, os resultados são melhores quando o tratamento é realizado por cirurgiões oncológicos.[21,22]

Os profissionais com formação em oncologia selecionam melhor as pacientes com câncer de endométrio em estágios precoces para serem encaminhadas a terapias adjuvantes e, consequentemente, utilizam menos a radioterapia, minimizando as toxicidades associadas. Roland et al., em estudo sobre o impacto da ginecologia oncológica como subespecialidade, mostraram que em um grupo de pacientes com tumores nos estágios I e II da FIGO, houve 21,7% de utilização da radioterapia adjuvante no grupo tratado por ginecologistas e 8,6% no grupo tratado por ginecologistas oncológicos. Para pacientes com estadiamento cirúrgico incompleto, a radioterapia foi prescrita por ginecologistas em 80% dos casos e este fato não ocorreu no grupo dos ginecologistas oncológicos.[21,22]

O câncer de endométrio em estágio precoce representa 72 a 78,4% de todos os casos. Neste grupo, a radioterapia adjuvante não implica em aumento na sobrevida, portanto ela deve ser criteriosamente utilizada. Com o estadiamento cirúrgico pode ocorrer um *upstaging* em 10 a 20% das pacientes avaliadas no pré-operatório como estágio clínico precoce.[2,20-22]

No GOG 33, 621 pacientes do estágio clínico I foram submetidas à histerectomia abdominal, salpingo-ooforectomia bilateral, lavado peritoneal, linfadenectomia pélvica e para-aórtica seletiva. Entre os resultados, 75% das pacientes tinham tumores graus 1 e 2, 59% infiltração igual ou menor do que o terço interno do endométrio, sendo encontradas metástases nodais (pélvicas ou para-aórticas) em apenas 11% das pacientes. Desse grupo, 9% apresentaram linfonodos pélvicos positivos, 5%, linfonodos para-aórticos positivos, 3% apresentavam doença tanto em linfonodos pélvicos como em para-aórticos e apenas 2% tinham linfonodos para-aórticos positivos isoladamente. Pacientes com tumores grau 3 devem ser tratadas de maneira especial, pois apresentaram 18% de doença nodal pélvica e 11% de acometimento para-aórtico, enquanto os tumores grau 1, ao todo, apresentaram linfonodos positivos somente em 3% dos casos. Outro grupo de risco é o com invasão maior que 50% do miométrio, que apresentou 25% de doença linfonodal pélvica e 17%, para-aórtica.[9]

O GOG 33 classifica grupos de risco para doença nodal considerando como principais fatores o grau tumoral, nível de invasão miometrial e extensão cervical (Quadro 3).[9]

O estudo *Post Operative Radiation Therapy in Endometrial Cancer - 1* (PORTEC-1) avaliou 714 mulheres com câncer de endométrio submetidas à histerectomia sem linfadenectomia, incluindo tumores grau 1, no estágio IB; grau 2, estágio IA ou IB; e grau 3, estágio IA e o uso da radioterapia externa adjuvante. No grupo sem radioterapia, a maior taxa de recidiva locorregional não refletiu no aumento da taxa de recidiva à distância, o que leva a crer que os tumores mais agressivos já possuem disseminação antes da aplicação da radioterapia.[24]

Os fatores de risco para recidiva identificados pelo PORTEC-1 foram idade maior que 60 anos, tumores grau 3 e com invasão maior que 50% do miométrio. A presença de dois ou mais fatores de risco é

Quadro 2. Frequência de complicações cirúrgicas associadas à histerectomia abdominal com linfadenectomia pélvica e para-aórtica

Hemorrágicas[10,15,69]	2,2 a 6%
Linfocele[10,15,69]	1,2 a 3,1%
Geniturinárias[10,15,69]	0,4 a 1%
Trombose venosa profunda e tromboembolismo pulmonar[10,15,69]	1 a 4%
Linfedema[13] Obs.: Em ressecções de dez ou mais linfonodos	3,4%

Quadro 3. Determinação dos fatores de risco para metástase nodal utilizando análise multivariada

FATORES DE RISCO	FREQUÊNCIA DE METÁSTASE LINFONODAL			
	PÉLVICA		PARA-AÓRTICA	
Baixo risco - Tumor grau 1, restrito ao endométrio, sem doença intraperitoneal	0%		0%	
Risco moderado - Invasão da primeira metade do miométrio e/ou tumores graus 2 e 3, sem doença intraperitoneal	Um dos fatores presente	3%	Um dos fatores presente	2%
	Dois fatores presentes	6%	Dois fatores presentes	2%
Alto risco - Doença intraperitoneal e/ou invasão igual ou maior que 50% do miométrio	Invasão ≥ 50% do miométrio	18%	Invasão ≥ 50% do miométrio	15%
	Doença intraperitoneal	33%	Doença intraperitoneal	8%
	Dois fatores presentes	61%	Dois fatores presentes	30%

Adaptado de Creasman et al.[9]

indicativa de grupo de alto risco para recidiva. Este grupo apresentou 20% de recidiva locorregional quando não tratado com radioterapia adjuvante, comparado a 5% das pacientes que receberam adjuvância.[24]

A radioterapia adjuvante alcança bons resultados no controle local da doença, porém sem causar benefício no aumento da sobrevida. As taxas de sobrevida em 5 anos para os que não fizeram radioterapia são ligeiramente maiores (85%) que no grupo com radioterapia adjuvante (81%). A explicação para este fato é que a maioria das pacientes não submetidas à radioterapia, ao apresentar recidiva pélvica, é resgatada com sucesso através da radioterapia externa, braquiterapia ou cirurgia. As complicações inerentes à radioterapia devem ser consideradas. Houve 25% de complicações relacionadas ao tratamento no grupo que fez radioterapia e somente 6% no grupo sem terapia adjuvante.[24]

Foi publicado novo artigo mostrando os resultados tardios do PORTEC-1 com média de 13,3 anos de seguimento, mostrando que a radioterapia externa está associada a sintomas urinários e intestinais em longo prazo, levando a diminuição da qualidade de vida mesmo após 15 anos do tratamento. O estudo conclui que a radioterapia deve ser evitada em paciente com câncer de endométrio no estágio I de FIGO, com risco baixo a intermediário.[25]

O estudo PORTEC-2 provou que a braquiterapia pode substituir com segurança a radioterapia externa para aquelas pacientes de alto risco, resultando em melhor qualidade de vida e menor toxicidade.[26]

Considerando todas as pacientes com doença extrauterina oculta, o tratamento da recidiva nas pacientes de baixo risco atinge resultados de sobrevida semelhantes aos daquelas submetidas ao estadiamento cirúrgico e/ou radioterapia adjuvante. Outro argumento é que este grupo de pacientes pode ter suas decisões terapêuticas tomadas apenas com as informações clínicas e conforme o laudo anatomopatológico final, independentemente do estado nodal.[24,27-29]

Com base nestes estudos, o grupo que não realiza linfadenectomia afirma que a maioria das pacientes com estadiamento clínico I apresenta baixo risco para doença nodal e, por isso, é difícil justificar o estadiamento cirúrgico ou radioterapia adjuvante para essas pacientes.[24]

Trimble *et al.*, utilizando dados do *Surveillance, Epidemiology, and End Results* (SEER), programa do *National Cancer Institute* (NCI) relacionado à incidência e sobrevida das neoplasias nos Estados Unidos, publicaram a sobrevida em 5 anos das pacientes no estágio I tratadas no período de 1988 a 1993. Mostraram uma sobrevida de 98% para o grupo sem linfadenectomia e 96% para aqueles com linfadenectomia, sugerindo que não há benefício em realizar linfadenectomia neste grupo de pacientes. Nos tumores grau 3, nos estágios clínicos I e II, houve aumento na sobrevida quando realizada a linfadenectomia, porém esta diferença em sobrevida pode ser decorrente da comparação de pacientes em estágio I verdadeiramente comprovado com aquelas no estágio III que foram subdiagnosticadas com a não realização da linfadenectomia.[30]

Um estudo com 99 pacientes não elegíveis ao PORTEC-1, com tumores de endométrio grau 3 no estágio IB, tratadas sem linfadenectomia e com radioterapia pélvica, mostrou sobrevida em 5 anos de 58% e recidiva locorregional de 12%.[31] Os resultados desse estudo foram inferiores aos dos estudos de pacientes com câncer de endométrio em estágio IIIC submetidas à linfadenectomia associada à radioterapia e quimioterapia adjuvantes, provando que o desconhecimento do *status* linfonodal pode levar ao tratamento excessivo, como também a piores resultados.[32-34]

Benedetti Panici *et al.* publicaram o resultado de um estudo prospectivo, randomizado, que comparou a sobrevida livre de doença e sobrevida global após o tratamento e seguimento médio por 49 meses, de um grupo de pacientes com diagnóstico de câncer de endométrio, em estágio I, em que um grupo foi submetido à linfadenectomia pélvica de rotina e outro sem linfadenectomia. Os autores concluíram que a linfadenectomia pélvica sistemática mostrou benefício em termos de estadiamento acurado e definição de prognóstico, porém não mostrou significância estatística no aumento da sobrevida livre de doença e da sobrevida global, quando se realiza a linfadenectomia pélvica.[35]

As críticas a este artigo são de que houve inclusão de pacientes de baixo risco, o procedimento foi incompleto, pela não realização de linfadenectomia para-aórtica e faltou sistematização na indicação da adjuvância. Quando a linfadenectomia é restrita à pelve, mesmo se seguida de terapia sistêmica ou radioterapia adjuvante, existe aumento em morbidade, sem levar a benefícios relacionados à sobrevida.[36]

Até o momento, não existem estudos demonstrando a falta de benefício terapêutico com o estadiamento cirúrgico completo associado à terapia adjuvante individualizada que não possua algum viés. Tais estudos sofrem críticas devido ao seguimento curto, amostra pequena e estadiamento linfonodal inadequado.[36,37]

REALIZAÇÃO DA LINFADENECTOMIA SELETIVAMENTE

Desde que a avaliação linfonodal foi incorporada ao estadiamento do câncer de endométrio, em 1988, o estadiamento cirúrgico através da linfadenectomia pélvica e para-aórtica é a maneira mais acurada para detectar a presença de disseminação linfonodal. A criação de métodos para determinar a necessidade e indicação precisa da linfadenectomia nas neoplasias ginecológicas é alvo de discussão, principalmente no cenário em que a doença precoce está presente em pacientes com risco cirúrgico alto.[9,23,38,39]

Nos Estados Unidos, a linfadenectomia para o câncer de endométrio é realizada por ginecologistas em 26% dos pacientes e 83% por cirurgiões oncológicos, e a média de linfonodos removidos é de 7,7 e 19,5, respectivamente. Sendo assim, o tratamento do câncer de endométrio deve ser realizado por um profissional experiente em cirurgia oncológica.[37,40]

Arango *et al.* fizeram um estudo prospectivo de 126 mulheres com neoplasias ginecológicas submetidas ao estadiamento cirúrgico e concluíram que a palpação intraoperatória possui baixa sensibilidade e valor preditivo positivo para detecção de linfonodos positivos, mesmo quando realizada por profissionais experientes. Neste estudo, 28% das mulheres com linfonodos positivos não fariam a linfadenectomia se o critério fosse a detecção de linfonodos suspeitos no intraoperatório.[23]

O útero possui uma rica e complexa trama linfática. Os vasos linfáticos da porção superior e do fundo uterino drenam paralelamente aos vasos ovarianos em direção aos linfonodos para-aórticos. As vias de drenagem linfática uterina das porções média e inferior do corpo passam pelo ligamento largo do útero e vão em direção aos linfonodos pélvicos. Além disso, existem pequenos vasos linfáticos que passam através do ligamento redondo em direção aos linfonodos inguinais superficiais. Por isso, para ter o estadiamento completo da FIGO 2009, deve-se realizar a linfadenectomia pélvica e para-aórtica (Fig. 1).[41]

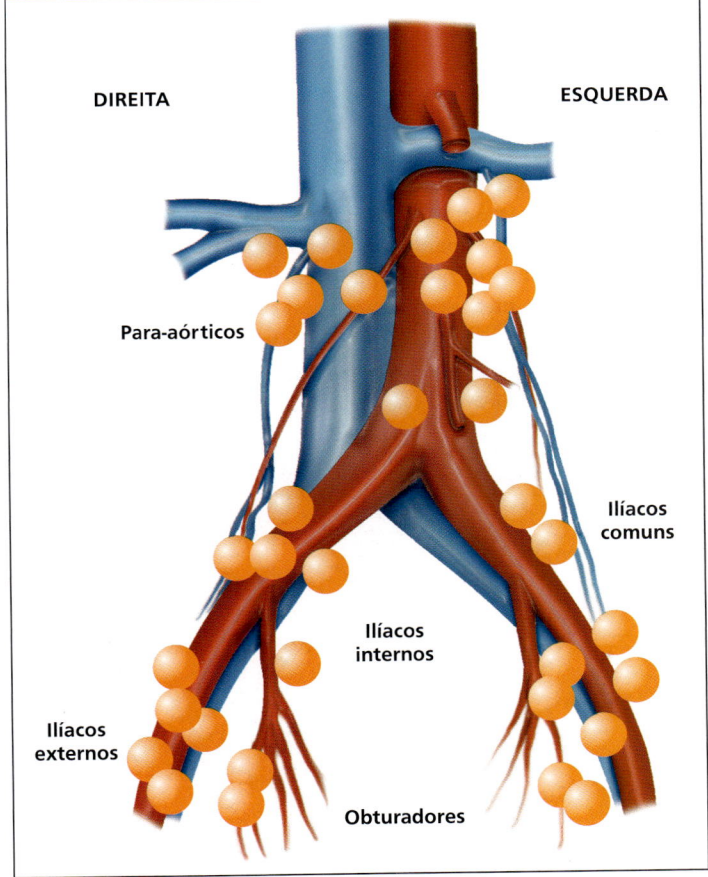

▲ **FIGURA 1.** Vias principais de drenagem linfática uterina (modificada de Burke TW *et al.*[41]).

A linfadenectomia para-aórtica, como é citada na literatura, corresponde à região topográfica periaortocaval, que inclui a remoção de todo o tecido linfático da área compreendida entre os vasos renais (limite cranial) e os vasos gonadais (limite lateral) bilateralmente, e a dissecção progride inferiormente em direção à pelve. Na pelve, os limites são: nervo genitofemoral (lateralmente), veia circunflexa profunda do íleo (caudal) e deve englobar o ângulo entre a bifurcação das ilíacas, estendendo-se ao longo dos ramos da artéria ilíaca interna, do nervo obturador (posteriormente), identificando a artéria vesical superior e a parede da bexiga como limites mediais (Fig. 2).[3,42,43]

Apesar das linfadenectomias pélvica e para-aórtica fornecerem uma abordagem linfonodal mais completa, a extensão desta dissecção possui um maior potencial de trauma cirúrgico e riscos de complicações. Por isso, muitos advogam a indicação de linfadenectomia para-aórtica para casos selecionados e outros trabalham na criação de métodos alternativos de mapeamento linfonodal, a fim de realizar uma amostragem acurada e com o mínimo de dissecção possível.[10,41]

Os estudos de mapeamento linfático e de linfonodo sentinela mostram que a drenagem linfática dos tumores de endométrio é complexa e difere dos tumores da vulva, da vagina e do colo uterino, nos quais a massa tumoral pode ser facilmente acessível para injeção de corante e/ou radioisótopo. Ainda não há uma técnica padronizada para pesquisa de linfonodo sentinela no câncer de endométrio que possua resultados homogêneos a ponto de substituir o estadiamento cirúrgico convencional.[41,44]

Frumovitz et al., em um estudo com 18 mulheres com câncer de endométrio de alto risco, submetidas a histerectomia, salpingo-ooforectomia e pesquisa de linfonodo sentinela, no qual o radiocoloide foi sistematicamente aplicado na subserosa do útero, conseguiram localizar os linfonodos sentinela em somente 45% dos casos.[45]

Niikura et al. fizeram um estudo com injeção radiocoloide adicionado a corante azul, via histeroscopia, em quatro pontos ao redor do tumor. Foram incluídas 28 pacientes, e o linfonodo sentinela foi identificado em 82% dos casos. O número médio de linfonodos sentinela detectados foi de 3,1 (variando de 1 a 9) com a seguinte distribuição: linfonodos para-aórticos (18 pacientes), ilíacos externos (11 pacientes), fossa obturatória (dez pacientes). Em três pacientes os linfonodos sentinela estavam localizados somente na região para-aórtica, cinco na região pélvica unicamente e 15 pacientes em ambas as regiões. Outro dado interessante é que foram encontrados linfonodos sentinela tanto acima da mesentérica inferior como abaixo da mesma.[46]

Portanto, para uma linfadenectomia para-aórtica completa, o limite superior da dissecção deve ser os vasos renais, já que a utilização do limite até a artéria mesentérica inferior acarreta subestadiamento em 38 a 46% dos casos. Os vasos ovarianos também devem ser ressecados durante a linfadenectomia para-aórtica, pois estão acometidos em até 28% das pacientes com metástases para-aórticas.[47]

O estudo GOG 33 aponta uma taxa de 50% de acometimento dos linfonodos para-aórticos quando há doença nodal pélvica e uma proporção de 98% de metástases para-aórticas quando existem linfonodos pélvicos positivos, disseminação anexial, metástases abdominais e/ou invasão do terço externo do miométrio.[9]

O grau tumoral e a profundidade da invasão miometrial têm relação com o envolvimento linfonodal e podem ser utilizados para definir quando indicar a linfadenectomia. De maneira geral, existe um risco de 3% de doença nodal nas pacientes com tumores grau 1. O risco aumenta para 11% se forem incluídas apenas aquelas com tumores grau 1 e invasão do terço externo do miométrio. Tumores grau 3, no geral, possuem risco de 18% de metástase nodal e quando associado a invasão profunda do miométrio, o risco chega a 34% para linfonodos pélvicos e 23% aos para-aórticos. Finalmente, o acometimento do colo uterino confere o risco de 16% para doença linfonodal (Quadro 4).[9]

A avaliação intraoperatória da peça cirúrgica faz parte do estadiamento e pode ser útil para indicação da linfadenectomia no câncer de endométrio. O patologista revela o nível de invasão miometrial e investiga a presença de invasão cervical.

A concordância da avaliação macroscópica e microscópica, quando analisada separadamente para cada grau tumoral, mostrou-se diferente conforme os graus 1, 2 e 3, correspondendo a 87,3, 64,9 e 30,8%, respectivamente. Por isso, a avaliação da profundidade de invasão miometrial é menos fidedigna conforme aumenta o grau tumoral, o que leva ao uso de técnicas alternativas, como a associação do exame de congelação, principalmente se este resultado influenciar na decisão intraoperatória de realizar a linfadenectomia.[48]

Alguns autores advogam que não há necessidade de realizar amostragem linfonodal naquelas pacientes com tumores superficiais, devido a uma incidência em torno de 1% de positividade em linfonodos pélvicos e para-aórticos. O grupo de pacientes com tumor grau 2 ou 3, invadindo até a primeira metade do miométrio, possui até 9% de incidência de metástase linfonodal.[9]

Tumores do tipo seroso e de células claras correspondem de 3 a 4% dos tumores de endométrio e têm indicação de linfadenectomia em todos os casos, pois cerca de 30 a 50% terão linfonodos positivos, mesmo em tumores superficiais. Estes tumores são agressivos e de péssimo prognóstico e, frequentemente, estão associados à doença extrauterina, simulando o comportamento do câncer de ovário.[49]

Quadro 4. Frequência de metástases nodais conforme os fatores de risco

FATORES DE RISCO	FREQUÊNCIA DE METÁSTASE LINFONODAL	
	PÉLVICA	PARA-AÓRTICA
Histologia		
▪ Adenocarcinoma endometrioide	9%	5%
▪ Outras	9%	18%
Diferenciação		
▪ Grau 1	3%	2%
▪ Grau 2	9%	5%
▪ Grau 3	18%	11%
Invasão miometrial		
▪ Endometrial	1%	1%
▪ Superficial	5%	3%
▪ Intermediária	6%	1%
▪ Profunda	25%	17%
Localização do tumor		
▪ Fundo	8%	4%
▪ Istmo/colo uterino	16%	14%
Presença de invasão do espaço linfovascular		
▪ Ausente	7%	9%
▪ Presente	27%	19%
Outras metástases extrauterinas		
▪ Ausente	7%	4%
▪ Presente	51%	23%
Citologia peritoneal		
▪ Positiva	7%	4%
▪ Negativa	25%	19%

Adaptado de Creasman et al.[9]

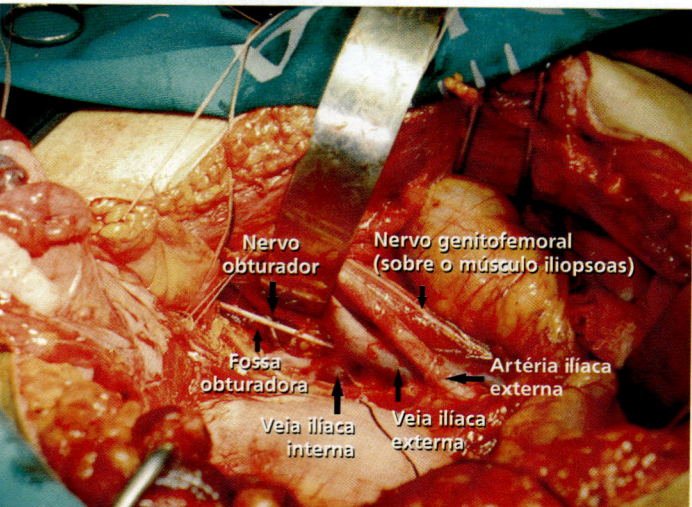

▲ **FIGURA 2.** Linfadenectomia pélvica esquerda, com detalhes anatômicos para referência das ressecções.

Quadro 5. Critérios de seleção dos pacientes com câncer de endométrio para indicação de linfadenectomia

Tratamento padrão: histerectomia, salpingo-ooforectomia bilateral e linfadenectomia pélvica e para-aórtica bilateral até os vasos renais com ressecção dos vasos ovarianos

1. Se histologia endometrioide, não realizar linfadenectomia se:
   a) Ausência de invasão miometrial e nenhuma evidência de tumor fora do corpo uterino, independentemente do grau ou diâmetro tumoral
   b) Graus 1 e 2, invasão miometrial < 50%, diâmetro tumoral ≤ 2 cm e nenhuma evidência de tumor fora do corpo uterino
2. Se histologia não endometrioide (seroso ou células claras), realizar linfadenectomia pélvica e para-aórtica, omentectomia completa e biópsias peritoneais

Adaptado de Bakkum-Gamez et al.[47]

Mariani et al. mostraram ausência de metástases linfonodais em pacientes com tumores menores que 2 cm, grau 1 ou 2 e invasão menor que 50% do miométrio, questionando o benefício da linfadenectomia e da radioterapia adjuvante neste grupo de baixo risco. Os autores concluíram que o grupo em questão pode ser tratado somente com histerectomia total. Os resultados de outro estudo, mais recente e prospectivo, no qual foram incluídas 422 pacientes com câncer de endométrio, permitiram concluir que o uso deste critério de seleção poupa um a cada três pacientes, com câncer de endométrio em estágio precoce, do supertratamento com linfadenectomia e/ou radioterapia (Quadro 5).[50,51]

Portanto, o grupo que está a favor da realização da linfadenectomia seletivamente afirma que, para decidir sobre a indicação desta, é necessário considerar os riscos de complicações significantes inerentes ao procedimento e as chances de encontrar disseminação linfonodal. Uma seleção adequada também permite evitar a exposição de pacientes com comorbidades importantes do tratamento excessivo.[10,13,15,43,52]

LINFADENECTOMIA DE ROTINA

Muitos especialistas defendem o estadiamento cirúrgico de rotina no câncer de endométrio. A justificativa para esta conduta é a baixa acurácia em definir os riscos de doença nodal apenas com critérios pré e intraoperatórios.[27,53-55] Exames de tomografia computadorizada e ressonância magnética não estão indicados no pré-operatório de pacientes com câncer de endométrio, a menos que exista alguma suspeita de doença extrauterina, invasão do colo uterino ou altos níveis de CA 125.[56,57]

Pacientes com invasão profunda do miométrio, acometimento cervical e anexial ou tumores grau 3 são classificadas como alto risco para doença nodal. Nos tumores invasivos graus 2 e 3, a incidência de metástase linfonodal pélvica varia de 5 a 34% e os linfonodos para-aórticos estão positivos em 5 a 25%. Pacientes com tumor restrito ao endométrio possuem risco menor que 3% de doença nodal, mas este grupo corresponde a somente 14% de todos os casos.[9]

A disseminação nodal para-aórtica pode acontecer de forma isolada, por contiguidade ou simultânea à disseminação pélvica. A sobrevida em 5 anos para pacientes com linfonodos negativos é de 93,7%, linfonodos pélvicos positivos exclusivamente, é de 74,5, e 37,9% se possuem linfonodos pélvicos e para-aórticos positivos, simultaneamente. Resultados de linfadenectomias sistemáticas mostraram que, no geral, os linfonodos obturatórios são os mais comumente acometidos, seguidos pelos linfonodos para-aórticos e ilíacos internos na mesma proporção. Os linfonodos ilíacos comuns estão associados à positividade para-aórtica.[54]

Alguns cirurgiões recomendam linfadenectomia pélvica e para-aórtica para pacientes com tumores graus 2 e 3 ou com invasão miometrial igual ou maior que 50%, com base no resultado do exame de congelação intraoperatório. Assim, pacientes classificadas como baixo risco são poupadas do estadiamento linfonodal. Este método sofre crítica de autores que demonstraram que o exame de congelação, quando comparado ao laudo histopatológico final, não possui acurácia suficiente para indicar a linfadenectomia no intraoperatório.[53,55]

A utilização do exame da peça cirúrgica no intraoperatório para determinar a linfadenectomia resulta em erros que podem causar subestadiamento, subtratamento ou supertratamento. Case et al., em estudo prospectivo, mostraram um subestadiamento em 28% dos casos e baixa correspondência (56%) entre o grau tumoral dado pela biópsia endometrial ou a curetagem uterina, quando comparados ao exame histopatológico final. O autor conclui que o estadiamento cirúrgico deve ser realizado para todos as pacientes e o único fator que influenciou significativamente na não realização do estadiamento completo foi a obesidade grau 3, com IMC igual ou superior a 50 kg/m².[53]

Mesmo com a argumentação de que a linfadenectomia possui uma baixa morbidade, além de um potencial papel terapêutico tanto na doença nodal positiva quanto na negativa, as complicações sérias ocorrem em 2 a 6% dos casos e devem ser ponderadas com os riscos de acometimento linfonodal.[58] Mesmo assim, em comparação a outras neoplasias ginecológicas, o câncer de colo uterino possui indicação de linfadenectomia no estágio IA2, quando o risco para doença nodal é de 3 a 5%.[59] Já o câncer de ovário no estágio I também possui indicação de linfadenectomia para-aórtica em decorrência do risco de 6% de positividade em linfonodos para-aórticos.[60]

A linfadenectomia de rotina nas pacientes com tumores de endométrio grau 1 promove melhores resultados em relação aos custos, quando comparada à linfadenectomia seletiva, além de diminuir o uso da radioterapia.[61]

Devem ser avaliados todos os locais de risco, incluindo linfonodos ilíacos comuns, externos e internos, obturatórios e para-aórticos, com esqueletização das estruturas vasculares e nervosas. Alguns autores advogam que não existe diferença em relação às complicações, ao realizar amostragem linfonodal ou linfadenectomia regrada.[9,58,62]

Quando os linfonodos pélvicos são positivos, a chance de doença para-aórtica varia de 38 a 51%. O grupo de McMeekin et al. realiza linfadenectomia de rotina. Este grupo publicou um estudo que acompanhou 47 pacientes com câncer de endométrio no estágio IIIC da FIGO. Todas receberam linfadenectomia pélvica bilateral e, dessas, 42 foram submetidas à linfadenectomia para-aórtica. Os linfonodos pélvicos foram positivos isoladamente em 43% dos casos, para-aórticos positivos em 17% e pélvicos simultaneamente acometidos com para-aórticos em 40%. A média de linfonodos pélvicos e para-aórticos dissecados foi de 16 e sete, respectivamente, não havendo diferença de sobrevida significante entre os grupos com linfonodos pélvicos e para-aórticos positivos de maneira isolada. O prognóstico é melhor quando somente um linfonodo para-aórtico é positivo. Os autores concluíram que a linfadenectomia para-aórtica deve ser realizada de rotina sempre que for indicada linfadenectomia pélvica, e que esta possui um papel terapêutico na vigência de doença nodal.[62]

A linfadenectomia para-aórtica é importante para a identificação de linfonodos positivos. Na atualidade, a doença retroperitoneal positiva (estágio IIIC2 da FIGO) é considerada um dos piores fatores prognósticos para o câncer de endométrio. Morrow et al. mostraram 5,4% de acometimento nodal para-aórtico e, em outros trabalhos, a positividade foi de 5,5 a 14,6% no estágio clínico I. Por isso, apesar de o tempo operatório aumentar com a linfadenectomia pélvica e para-aórtica comparada à pélvica padrão, não existe uma diferença significativa de complicações, como hemotransfusão, morbidade e mortalidade pós-operatórias. A linfadenectomia para-aórtica pode ser realizada também por via laparoscópica, com segurança.[3,54,63]

Os fatores de risco associados à presença de linfonodos para-aórticos positivos são: presença de linfonodos pélvicos positivos, nível de invasão miometrial, acometimento cervical ou anexial e envolvimento do espaço linfovascular, sendo este último achado mais frequente conforme aumenta a invasão miometrial e quando existe comprometimento cervical (Quadro 6).[54]

Chuang et al., analisando resultados de linfadenectomias seletivas pélvica e para-aórtica, concluíram que os índices de recidivas retroperitoneais sofrem influência de erros de amostragem, sendo proporcionalmente maiores conforme aumentam os sítios nodais não dissecados.[64]

Mariani et al., em um estudo com pacientes com alto risco para doença para-aórtica, mostraram que as pacientes submetidas apenas a biópsia para-aórtica e aquelas sem amostragem tiveram sobrevida de 71%, enquanto as que fizeram linfadenectomia para-aórtica completa tiveram maior sobrevida, de 85%.[58]

Hiranhatake et al. apontaram sete entre 11 casos em que os linfonodos foram positivos acima da artéria mesentérica inferior e doença unilateral

Quadro 6. Frequência de metástases em linfonodos para-aórticos, conforme fatores de risco

FATORES DE RISCO	METÁSTASE LINFONODAL PARA-AÓRTICA	
	FREQUÊNCIA	SIGNIFICÂNCIA ESTATÍSTICA
Diferenciação		
■ Grau 1	5,6%	Ausente
■ Grau 2	10,3%	
■ Grau 3	15,2%	
Invasão miometrial		
■ < 50%	3,6%	Presente
■ ≥ 50%	15,7%	
Envolvimento cervical		
■ Ausente	4%	Presente
■ Presente	23%	
Envolvimento de anexos		
■ Ausente	7%	Ausente
■ Presente	21,4%	
Presença de invasão do espaço linfovascular		
■ Ausente	1%	Presente
■ Presente	17,2%	
Linfonodos pélvicos		
■ Negativos	1,3%	Presente
■ Positivos	40%	

Adaptado de Hirahatake K et al.[54]

Quadro 7. Categorias de risco de recidiva no câncer de endométrio

CATEGORIAS DE RISCO	TIPO DE TUMOR	INVASÃO DO ESPAÇO LINFOVASCULAR
BAIXO RISCO		
FIGO IA	Adenocarcinoma tipo endometrioide graus 1 e 2	Ausente
RISCO INTERMEDIÁRIO		
FIGO IA	Adenocarcinoma tipo endometrioide grau 3, carcinomas não endometrioides de qualquer grau (seroso papilífero, células claras ou outros)	Presente/ausente
FIGO IA	Adenocarcinoma tipo endometrioide graus 1 e 2	Presente
FIGO IB	Todos	Presente/ausente
FIGO II	Todos	Presente/ausente
ALTO RISCO		
FIGO III	Todos	Presente/ausente
FIGO IV	Todos	Presente/ausente

Adaptado de Todo et al.[37]

positiva em 72%, mostrando que as metástases linfonodais ocorrem na maioria das vezes acima da artéria mesentérica inferior e unilateralmente.[54]

O trabalho do ASTEC (*A Study in the Treatment of Endometrial Cancer*) comparou um grupo que fez a linfadenectomia com outro que recebia apenas radioterapia pélvica adjuvante e concluiu que a linfadenectomia não acrescentava ganho na sobrevida das pacientes com câncer de endométrio em estágio precoce. Infelizmente, o estudo indicou radioterapia para pacientes com linfadenectomia pélvica e linfonodos negativos, que normalmente não fazem adjuvância desta maneira.[29,65]

Alguns estudos prospectivos obtiveram êxito em mostrar o papel terapêutico da linfadenectomia no câncer de endométrio. Todo et al. avaliaram os efeitos na sobrevida de pacientes com câncer de endométrio submetidas à linfadenectomia para-aórtica e concluíram que a mesma possui papel terapêutico nas pacientes com risco intermediário e alto, sendo que a linfadenectomia pélvica isolada não alcança este benefício. Similar ao estudo ASTEC, o ganho na sobrevida não foi significante para aquelas pacientes consideradas de baixo risco (Quadro 7).[37]

Kilgore et al. foram os primeiros a conseguir mostrar o benefício terapêutico em um estudo com 649 pacientes em estágio clínico I ou II oculto, submetidas à linfadenectomia. O grupo com amostragem de pelo menos quatro locais e com 11 ou mais linfonodos dissecados teve maior sobrevida, comparado ao grupo que não teve os linfonodos amostrados. A sobrevida foi melhor também para as pacientes que fizeram radioterapia adjuvante e foram submetidas à amostragem múltipla, tanto no grupo de baixo risco (doença confinada ao útero) como no alto risco (doença extrauterina). A explicação para os resultados alcançados pode ser em razão da ressecção de micrometástases não detectáveis aos métodos convencionais.[66]

Girardi et al. concluíram que linfonodos positivos podem não ser detectados, dependendo da maneira como são processados. De 76 pacientes com câncer de endométrio, 36% apresentaram doença nodal e uma média de 37 linfonodos removidos. Durante o processamento minucioso dos linfonodos positivos, foi encontrada doença inferior a 2 mm de diâmetro em 37% destes linfonodos.[67]

Alguns autores mostraram melhores resultados conforme aumenta o número de linfonodos removidos. Cragan et al. avaliaram 509 pacientes em estágios I e II de câncer de endométrio, submetidas à linfadenectomia pélvica com ou sem linfadenectomia para-aórtica. Foi evidenciada maior sobrevida nas pacientes com tumores grau 3 que tiveram mais de 11 linfonodos removidos.[14]

Chan et al., em estudo com mais de 12 mil mulheres com câncer de endométrio do banco de dados SEER, mostraram melhores resultados com a linfadenectomia mais extensa. Em pacientes com maior risco (tumores estágio IA grau 3 e dos estágios IB até IV independentemente do grau histológico), a sobrevida em 5 anos foi maior conforme o número de linfonodos removidos, aumentando de 75 a 87% quando um até mais que 20 linfonodos são ressecados, respectivamente. Foi constatado em análise multivariada que a linfadenectomia extensa é fator prognóstico independente para sobrevida.[68]

Mariani et al., em estudo de sobrevida em 5 anos, evidenciaram 57% de recidiva pélvica nas pacientes que tiveram linfadenectomia inadequada e/ou não fizeram radioterapia adjuvante, comparados a 10% de recidiva naquelas com linfadenectomia adequada (> 10 linfonodos removidos) e radioterapia adjuvante.[69]

Outro estudo também obteve resultados favoráveis em um grupo de 30 pacientes em estágio IIIC submetidas à linfadenectomia pélvica e para-aórtica sistemática, seguida de radioterapia e quimioterapia. Resultou em 100% de sobrevida em 5 anos para aquelas com apenas linfonodos pélvicos positivos e 75% de sobrevida quando havia linfonodos para-aórticos positivos.[32]

Atualmente, não existe tratamento padronizado para o câncer de endométrio com doença metastática e/ou avançada, porém vários estudos mostram aumento de sobrevida com a cirurgia de citorredução. Portanto, pacientes com *bulky* nodal residual têm pior sobrevida quando comparadas às que tiveram doença nodal positiva completamente ressecada.[70-73]

O estadiamento cirúrgico completo para as pacientes com câncer de endométrio permite uma avaliação mais precisa da extensão da doença. Quando a linfadenectomia é realizada de rotina, ela permite identificar as pacientes com linfonodos negativos e contribui para decidir na indicação de adjuvância.[74]

CONSIDERAÇÕES FINAIS

Até o presente momento, na falta de um método não invasivo pré-operatório capaz de determinar a extensão nodal da doença, o estadiamento cirúrgico é o método de maior acurácia. Sendo assim, deve ser oferecido a todas as pacientes com câncer de endométrio.

Existem vários trabalhos publicados que falharam em demonstrar o benefício da radioterapia adjuvante em pacientes nos estágios clínicos I e II, sugerindo que na ausência de linfonodos positivos, nenhuma terapia adjuvante está indicada. O risco de recidiva é baixo e a sobrevida global é maior na ausência de doença nodal, dispensando a radioterapia adjuvante ou substituindo-a pela braquiterapia em alguns casos.[11,17,18,24,74-76]

Ainda existem questionamentos sobre o impacto da identificação de micrometástases na migração de estágio e suas influências terapêuticas.

O papel terapêutico da linfadenectomia ainda não foi totalmente comprovado, necessitando de mais trabalhos prospectivos. No entanto, trabalhos retrospectivos mostram benefício terapêutico para pacientes com câncer de endométrio em estágios iniciais, com critérios de alto risco e em estágios avançados, promovendo citorredução.[6]

As recomendações gerais do INCA para a realização do estadiamento cirúrgico na abertura do abdome com incisão mediana e exploração cuidadosa da cavidade abdominal. O procedimento cirúrgico padrão é uma histerectomia total extrafascial com salpingo-ooforectomia bilateral. Caso exista envolvimento do colo diagnosticado no pré-operatório, deve-se realizar histerectomia radical tipo II.

As linfadenectomias pélvica e para-aórtica devem ser realizadas sempre que possível, levando-se em consideração o grau de diferenciação tumoral e a profundidade de invasão do miométrio. Muitas pacientes com câncer de endométrio são obesas, idosas, apresentam doenças crônicas e, nesses casos, um julgamento criterioso deve ser feito para avaliar o risco-benefício da linfadenectomia.

A histerectomia e a linfadenectomia pela técnica videolaparoscópica podem ser realizadas por cirurgiões experientes com o método.

A cirurgia de histerectomia vaginal tem suas indicações no câncer inicial, nas pacientes com obesidade mórbida e naquelas com alto risco cirúrgico. Deve-se ter em mente que é um procedimento de exceção.[77]

A linfadenectomia pélvica e para-aórtica é um procedimento complexo e deve ser realizado por cirurgião treinado. Portanto, pacientes com câncer de endométrio devem ser referenciadas para centros com cirurgiões oncológicos, a fim de receber tratamento cirúrgico adequado.

REFERÊNCIAS BIBLIOGRÁFICAS

1. Sorosky JI. Endometrial cancer. *Obstet Gynecol* 2008;111:436.
2. Jeong NH, Lee JM, Lee JK et al. Role of systematic lymphadenectomy and adjuvant radiation in early-stage endometrioid uterine cancer. *Ann Surg Oncol* 2010 Nov.;17(11):2951-57. Epub 2010 June 17.
3. Seracchioli R, Solfrini S, Mabrouk M et al. Controversies in surgical staging of endometrial cancer. *Obstet Gynecol Int* 2010;2010:181963.
4. Brasil. Ministério da Saúde. Instituto Nacional de Câncer José Alencar Gomes da Silva, Coordenação Geral de Ações Estratégicas, Coordenação de Prevenção e Vigilância. *Estimativa 2012: Incidência de Câncer no Brasil*. Rio de Janeiro: INCA, 2011.
5. Jemal A, Siegel R, Xu J et al. Cancer statistics, 2010. *CA Cancer J Clin* 2010;60:277-300.
6. Kehoe SM, Miller DS. The role of lymphadenectomy in endometrial cancer. *Clin Obstet Gynecol* 2011 June;54(2):235-44.
7. FIGO Committee on Gynecologic Cancer. Revised FIGO staging for carcinoma of the vulva, cervix, and endometrium. *Int J Gynecol Obstet* 2009;105:103-4.
8. Kim HS, Song YS. International Federation of Gynecology and Obstetrics (FIGO) staging system revised: what should be considered critically for gynecologic cancer? *J Gynecol Oncol* 2009 Sept.;20(3):135-36.
9. Creasman WT, Morrow CP, Bundy BN et al. Surgical pathologic spread patterns of endometrial cancer: a Gynecologic Oncology Group study. *Cancer* 1987;60:2035-41.
10. Morrow CP, Bundy BN, Kumar RJ et al. Relationship between surgical pathological risk factors and outcome in clinical stages I and II carcino of the endometrium. A Gynecologic Oncology Group study. *Gynecol Oncol* 1991;40:55-65.
11. Barakat RR, Lev G, Hummer A et al. Twelve-year experience in the management of endometrial cancer: a change in surgical and postoperative radiation approaches. *Gynecol Oncol* 2007;105:150-56.
12. Alektiar KM, McKee A, Lin O et al. Is there a difference in outcome between stage I-II endometrial cancer of papillary serous/clear cell and endometrioid FIGO Grade 3 cancer? *Int J Radiat Oncol Biol Phys* 2002 Sept. 1;54(1):79-85.
13. Abu-Rustum N, Alektiar K, Iasonos A et al. The incidence of symptomatic lower-extremity lymphedema following treatment of uterine corpus malignancies: a 12-year experience at Memorial Sloan-Kettering Cancer Center. *Gynecol Oncol* 2006;103:714-18.
14. Cragan J, Havrilesky L, Calingaert B et al. Retrospective analysis of selective lymphadenectomy in apparent early-stage endometrial cancer. *J Clin Oncol* 2005;23:3668-75.
15. Homesley HD, Kadar N, Barrett RJ et al. Selective pelvic and periaortic lymphadenectomy does not increase morbidity in surgical staging of endometrial carcinoma. *Am J Obstet Gynecol* 1992;167:1225-30.
16. Lewandowski G, Torrisi J, Potkul R et al. Hysterectomy with extended surgical staging and radiotherapy versus hysterectomy alone and radio therapy in stage I endometrial cancer: a comparison of complication rates. *Gynecol Oncol* 1990;36:401-4.
17. Keys HM, Roberts JA, Brunetto VL et al. A phase III trial of surgery with or without adjunctive external pelvic radiation therapy in intermediate risk endometrial adenocarcinoma: a Gynecologic Oncology Group study. *Gynecol Oncol* 2004;92:744-51.
18. Goudge C, Bernhard S, Cloven N et al. The impact of complete surgical staging on adjuvant treatment decisions in endometrial cancer. *Gynecol Oncol* 2004;93:536-39.
19. Soliman PT, Frumovitz M, Spannuth W et al. Lymphadenectomy during endometrial cancer staging: practice patterns among gynecologic oncologists. *Gynecol Oncol* 2010 Nov.;119(2):291-94. Epub 2010 Aug. 12.
20. Partridge EE, Shingleton H, Menck H. The national cancer data base report on endometrial cancer. *J Surg Oncol* 1996;61:111-23.
21. Roland PY, Kelly FJ, Kulwicki C et al. The benefits of a gynecologic oncologist: a pattern of care study for endometrial cancer treatment. *Gynecol Oncol* 2004;93:125-30.
22. MacDonald OK, Sause W, Lee J et al. Does oncologic specialization influence outcomes following surgery in early stage adenocarcinoma of the endometrium. *Gynecol Oncol* 2005;99:730-73.
23. Arango HA, Hoffman MS, Roberts WS et al. Accuracy of lymph node palpation to determine need for lymphadenectomy in gyneco ogic malignancies. *Obstet Gynecol* 2000;95:553-56.
24. Creutzberg CL, van Putten WL, Koper PC et al. Surgery and postoperative radiotherapy versus surgery alone for patients with stage-1 endometrial carcinoma: multicentre randomised trial. PORTEC Study Group. Post Operative Radiation Therapy in Endometrial Carcinoma. *Lancet* 2000;355:1404-11.
25. Nout RA, van de Poll-Franse LV, Lybeert ML et al. Long-term outcome and quality of life of patients with endometrial carcinoma treated with or without pelvic radiotherapy in the post operative radiation therapy in endometrial carcinoma 1 (PORTEC-1) trial. *J Clin Oncol* 2011 May 1;29(13):1692-700. Epub 2011 Mar. 28.
26. Nout RA, Smit VT, Putter H. Vaginal brachytherapy versus pelvic external beam radiotherapy for patients with endometrial cancer of high-intermediate risk (PORTEC-2): an open-label, non-inferiority, randomised trial. *Lancet* 2010 Mar. 6;375(9717):816-23.
27. Aalders JG, Thomas G. Endometrial cancer—revisiting the importance of pelvic and para-aortic lymph nodes. *Gynecol Oncol* 2007;104:222-23.
28. COSA-NZ-UK Endometrial Cancer Study Groups. Pelvic lymphadenectomy in high-risk endometrial cancer. *Int J Gynecol Cancer* 1996;6:102-7.
29. Kitchener H, Redman CW, Swart AM et al. ASTEC—a study in the treatment of endometrial cancer: a randomized trial of lymphadenectomy in the reatment of endometrial cancer. *Gynecol Oncol* 2006;101(S1):abstr. 45.
30. Trimble E, Kosary C, Park R. Lymph node sampling and survival in endometrial cancer. *Gynecol Oncol* 1998;71:340-43.
31. Creutzberg C, van Putten W, Warlam-Rodenhuis C et al. Outcome of high-risk stage IC, grade 3 compared with stage I endometrial carcinoma patients: the postoperative radiation therapy in endometrial carcinoma trial. *J Clin Oncol* 2004;22:1234-41.
32. Onda T, Yoshikawa H, Mizutani K et al. Treatment of node positive endometrial cancer with complete node dissection, chemotherapy and radiation therapy. *Br J Cancer* 1997;75:1836-41.
33. McMeekin DS, Lashbrook D, Gold M et al. Analysis of FIGO stage IIIc endometrial cancer patients. *Gynecol Oncol* 2001;81:273-78.
34. Nelson G, Randall M, Sutton G et al. FIGO stage IIIC endometrial carcinoma with metastases confined to pelvic lymph nodes: analysis of treatment outcomes, prognostic variables, and failure patterns following adjuvant radiation therapy. *Gynecol Oncol* 1999;75:211-14.
35. Benedetti Panici P et al. Systematic pelvic lymphadenectomy vs. no lymphadenectomy in early-stage endometrial carcinoma: randomized clinical trial. *J Natl Cancer Inst* 2008 Dec. 3;100(23):1707-16.
36. Uccella S, Podratz KC, Aletti GD, Mariani A. Re: Systematic pelvic lymphadenectomy vs no lymphadenectomy in early-stage endometrial carcinoma: randomized clinical trial. *J Natl Cancer Inst* 2009 June 16;101(12):897-98.
37. Todo Y, Kato H, Kaneuchi M, Watari H et al. Survival effect of para-aortic lymphadenectomy in endometrial cancer (SEPAL study): a retrospective cohort analysis. *Lancet* 2010 Apr 3;375(9721):1165-72.
38. Franchi M, Ghezzi F, Melpigano M et al. Clinical value of intraoperative gross examination in endometrial cancer. *Gynecol Oncol* 2000;76:357-61.

39. Podratz KC, Mariani A, Webb M. Staging and therapeutic value of lymphadenenctomy in endometrial cancer. *Gynecol Oncol* 1998;70:163-64.
40. Soliman PT, Frumovitz M, Spannuth W *et al.* Lymphadenectomy during endometrial cancer staging: practice patterns among gynecologic oncologists. *Gynecol Oncol* 2010 Nov.;119(2):291-94. Epub 2010 Aug. 12.
41. Burke TW, Levenback C, Tornos C *et al.* Intraabdominal lymphatic mapping to direct selective pelvic and paraaortic lymphadenectomy in women with high-risk endometrial cancer: results of a pilot study. *Gynecol Oncol* 1996 Aug.;62(2):169-73.
42. Flanigan C, Mannel R, Walker J *et al.* Incidence and location of para-aortic lymph node metastases in gynecologic malignancies. *J Am Coll Surg* 1995;181:72-74.
43. Creasman WT, Odicino F, Maisonneuve P *et al.* Carcinoma of the corpus uteri. *J Epidemiol Biostat* 2001;6:47-86.
44. De Vita VT, Hellman S, Rosenberg AS. *Cancer – Principles and practice of oncology.* 9th ed. Philadelphia: Lippincott Williams & Wilkins, 2011. p. 1345.
45. Frumovitz M, Bodurka DC, Broaddus RR *et al.* Lymphatic mapping and sentinel node biopsy in women with high-risk endometrial cancer. *Gynecol Oncol* 2007 Jan.;104(1):100-3. Epub 2006 Sept. 11.
46. Niikura H, Okamura C, Utsunomiya H *et al.* Sentinel lymph node detection in patients with endometrial câncer. *Gynecol Oncol* 2004 Feb.;92(2):669-74.
47. Bakkum-Gamez JN, Gonzalez-Bosquet J, Laack NN *et al.* Current issues in the management of endometrial cancer. *Mayo Clin Proc* 2008 Jan.;83(1):97-112.
48. Goff BA, Riche LW. Assessment of depth of myometrial invasion in endometrial adenocarcinoma. *Gynecol Oncol* 1990;38:46-48.
49. Goff B, Kato D, Schmidt R *et al.* Uterine papillary serous carcinoma: paterns of metastatic spread. *Gynecol Oncol* 1994;54:264-68.
50. Mariani A, Webb MJ, Keeney GL *et al.* Low-risk corpus cancer: is lymphadenectomy or radiotherapy necessary? *Am J Obstet Gynecol* 2000 June;182(6):1506-19.
51. Mariani A, Dowdy SC, Cliby WA *et al.* Prospective assessment of lymphatic dissemination in endometrial cancer: a paradigm shift in surgical staging. *Gynecol Oncol* 2008 Apr.;109(1):11-18. Epub 2008 Mar. 4.
52. Vardi JR, Tadros GH, Anselmo MT *et al.* The value of exploratory laparotomy in patients with endometrial carcinoma according to the new International Federation of Gynecology and Obstetrics Staging. *Obstet Gynecol* 1992;80:204-8.
53. Case AS, Rocconi RP, Straughn JM *et al.* A prospective blinded evaluation of the accuracy of frozen section for the surgical management of endometrial cancer. *Obstet Gynecol* 2006;108:1375-79.
54. Hirahatake K, Hareyama H, Sakuragi N *et al.* A clinical and pathologic study on para-aortic lymph node metastasis in endometrial carcinoma. *J Surg Oncol* 1997;65:82-87.
55. Frumovitz M, Slomovitz BM, Singh DK *et al.* Frozen section analyses as predictors of lymphatic spread in patients with early-stage uterine cancer. *J Am Coll Surg* 2004;199:388-93.
56. Bansal N, Herzog TJ, Brunner-Brown A *et al.* The utility and cost effectiveness of preoperative computed tomography for patients with uterine malignancies. *Gynecol Oncol* 2008;111(2):208-12.
57. Sood AK, Buller RE, Burger RA *et al.* Value of preoperative CA 125 level in the management of uterine cancer and prediction of clinical outcome. *Obstetr Gynecol* 1997;90(3):441-47.
58. Mariani A, Webb M, Galli L *et al.* Potential therapeutic role of para-aortic lymphadenectomy in node positive endometrial cancer. *Gynecol Oncol* 2000;76:348-56.
59. Creasman WT, Zaino R, Major FL *et al.* Early invasive carcinoma of the cervix (3-5 mm invasion): risk factors and prognosis: a Gynecologic Oncology Group study. *Am J Obstet Gynecol* 1998;178:62-65.
60. Leblanc E, Querleu D, Narducci F *et al.* Surgical staging of early invasive epithelial ovarian tumors. *Semin Surg Oncol* 2000;19:36-41.
61. Cohn D, Huh D, Fowler J *et al.* Cost-effectiveness analysis of strategies for the surgical management of grade 1 endometrial cancer. *Obstet Gynecol* 2007;109:1388-95.
62. McMeekin DS, Lashbrook D, Gold M *et al.* Nodal distribution and its significance in FIGO stage III endometrial cancer. *Gynecol Oncol* 2001;82:375-79.
63. Kohler C, Tozzi R, Klemm P *et al.* Laparoscopic para-aortic left-sided transperitoneal infrarenal lymphadenectomy in patients with gynecologic malignancies: techniques and results. *Gynecol Oncol* 2003;91:139-48.
64. Chuang L, Burke T, Tornos C *et al.* Staging laparotomy for endometrial carcinoma: assessment of retroperitoneal lymph nodes. *Gynecol Oncol* 1995;58:189-93.
65. ASTEC study group, Kitchener H, Swart AM *et al.* Efficacy of systematic pelvic lymphadenectomy in endometrial cancer (MRC ASTEC trial): a randomised study. *Lancet* 2009 Jan. 10;373(9658):125-36. Epub 2008 Dec. 16.
66. Kilgore L, Partidge E, Alvarez R *et al.* Adenocarcinoma of the endometrium: survival comparisons of patients with and without pelvic node sampling. *Gynecol Oncol* 1995;56:29-33.
67. Girardi F, Petru E, Heydarfadai M *et al.* Pelvic lymphadenectomy in the urgical treatment of endometrial cancer. *Gynecol Oncol* 1993;49:177-80.
68. Chan J, Cheung M, Huh W *et al.* Therapeutic role of lymph node ressection in endometrioid corpus cancer: a study of 12,333 patients. *Cancer* 2006;107:1823-30.
69. Mariani A, Dowdy S, Cliby W *et al.* Efficacy of systematic lymphadenectomy and adjuvant radiotherapy in node-positive endometrial cancer patients. *Gynecol Oncol* 2006;101:200-8.
70. Havrilseky LJ, Cragun J, Calingaert B *et al.* Resection of lymph node metastases influences survival in stage IIIC endometrial cancer. *Gynecol Oncol* 2005;99(3):689-95.
71. Barlin JN, Puri I, Bristow RE. Cytoreductive surgery for advanced or recurrent endometrial cancer: A meta-analysis. *Gynecol Oncol* 2010 July;118(1):14-18.
72. Mundt AJ, Murphy KT, Rotmensch J *et al.* Surgery and postoperative radiation therapy in FIGO Stage IIIC endometrial carcinoma. *Int J Radiat Oncol Biol Phys* 2001 Aug. 1;50(5):1154-60.
73. Bristow RE, Zerbe MJ, Rosenshein NB *et al.* Stage IVB endometrial carcinoma: the role of cytoreductive surgery and determinants of survival. Stage IVB endometrial carcinoma: the role of cytoreductive surgery and determinants of survival. *Gynecol Oncol* 2000 Aug.;78(2):85-91.
74. Orton J, Blake P. Adjuvant external beam radiotherapy (EBRT) in the reatment of endometrial cancer: results of the randomized MRC ASTEC and NCIC CTG EN.5 trial. *J Clin Oncol* 2007;25(182), abstr 5504.
75. Fanning J, Nanavati P, Hilgers R. Surgical staging and high dose rate brachytherapy for endometrial cancer: limiting external radiotherapy to node positive tumors. *Obstet Gynecol* 1996;87:1041-44.
76. Mohan D, Samuels M, Selim M *et al.* Long term outcomes of therapeutic pelvic lymphadenectomy for stage I endometrial adenocarcinoma. *Gynecol Oncol* 1998;70:165-71.
77. Santos CER, Mello ELR. Manual de cirurgia oncológica. 2th ed. Rio de Janeiro: Tecmedd, 2008. p. 583.

SEÇÃO VI
Quimioterapia em Câncer Ginecológico

CAPÍTULO 177
Princípios Básicos da Quimioterapia e Drogas Usadas em Ginecologia Oncológica

Claudio Calazan

INTRODUÇÃO

Li *et al.*[1] demonstraram, na década de 1950, o primeiro resultado bem-sucedido no tratamento de câncer ginecológico, usando o antimetabólito metotrexato em pacientes com neoplasia trofoblástica avançada. Após isso, muitos avanços ocorreram, com rápida incorporação de quimioterápicos de classes diferentes, até o advento dos anticorpos monoclonais e outras drogas-alvo com mecanismos de ação mais específicos.[2]

Alguns dos conceitos utilizados na terapia com antibióticos para infecções têm sido aplicados para o uso de quimioterápicos no tratamento do câncer.[3] No entanto, infecções são frequentemente causadas por um único agente, com padrões de crescimento e sensibilidade específicos. Embora se acredite que uma neoplasia maligna possa originar-se de uma única célula, a doença clinicamente evidente é composta por uma população heterogênea, com diferentes durações do ciclo celular, frações de crescimento variáveis e distintas expressões de genes e proteínas responsáveis pela proliferação e metástases. Esses elementos tornam o tratamento oncológico com drogas sistêmicas muito complexo e sujeito a inúmeras variáveis. Consequentemente, tumores de maior volume são mais suscetíveis de conter células capazes de adquirir resistência aos agentes citotóxicos.

IMPORTÂNCIA DO VOLUME DE CÉLULAS TUMORAIS

O conhecimento dos conceitos teóricos da cinética tumoral é imprescindível, pois permite o entendimento da história natural do câncer e do efeito da administração das drogas citotóxicas sobre a proliferação das células neoplásicas.[4]

Com base em modelos de leucemias em camundongos, sabe-se que pacientes com neoplasia disseminada apresentam de 10^{10} até 10^{11} células tumorais no organismo no momento do diagnóstico.[5] Se uma medicação teórica fosse capaz de destruir 99,9% dessas células, certamente haveria remissão clínica da doença e melhora sintomática significativa. Entretanto, ainda assim haveria 8 (oito) logs de células tumorais (10^8) remanescentes, incluindo aquelas que primariamente foram refratárias ao medicamento utilizado (o que chamamos de heterogeneidade tumoral).[6] Além disso, também poderiam existir células sensíveis ao fármaco, mas que estivessem localizadas em sítios considerados verdadeiros santuários (como, por exemplo, o sistema nervoso central, onde a penetração da maioria dos quimioterápicos é impedida pela presença da barreira hematoencefálica).[7]

Outro fator limitante no caso de tumores sólidos é o fato de que, para uma boa parte dos quimioterápicos hoje disponíveis, é necessário que as células malignas não estejam em estado quiescente (fase G0 do ciclo celular), ou seja, são drogas ciclo-específicas.[8] Neste caso, a fração do tumor que não estiver se replicando no momento da administração da droga fica poupada do efeito citotóxico do medicamento.

No caso de uma infecção por bactérias, uma redução da população microbiana em 3 logs é suficiente para a resolução do processo infeccioso, já que o sistema imunológico está apto a eliminar o restante. Entretanto, no caso de neoplasias, o sistema imune pode não ser efetivo para eliminar até mesmo um volume tumoral de algumas centenas de células.

ABORDAGENS PARA TRATAMENTO E TOXICIDADE

O objetivo do tratamento quimioterápico é fornecer uma dose tão elevada da droga quanto possível, para produzir eficácia máxima sem causar toxicidade inaceitável[4]. Para o cálculo da dose final de um determinado quimioterápico, a área de superfície corporal (metros quadrados) é geralmente utilizada, já que fornece uma melhor medida de toxicidade potencial do que o peso corporal isoladamente.

Um grande problema com a maioria dos agentes disponíveis é a toxicidade medular, requerendo a monitoração cuidadosa do hemograma da paciente em tratamento.[9] A maioria dos agentes quimioterápicos utilizados em tumores ginecológicos é administrada por via intravenosa em ciclos que variam de 3 a 4 semanas de intervalo. Em caso de contagem de neutrófilos e plaquetas insuficientes, o próximo ciclo pode ter sua dose reduzida ou intervalo aumentado. Em caso de toxicidade importante da medula, principalmente quando complicada com neutropenia febril, suporte com fator de crescimento pode se tornar necessário.

Uma consideração adicional de toxicidade de agentes quimioterápicos se relaciona ao metabolismo hepático e/ou a excreção renal.[10] Pode ser necessário modificar a dose do medicamento administrado quando houver qualquer alteração da função renal ou hepática. Por exemplo, a doxorrubicina e a vincristina são metabolizadas no fígado, e reduções de dose devem ser efetuadas se administradas a uma paciente com disfunção hepática. Em outro exemplo, a biodisponibilidade do metotrexato e da cisplatina são aumentadas em pacientes com dano renal, necessitando de redução da dose nestas pacientes; a cisplatina não só tem seus efeitos intensificados em pacientes com dano renal, mas também é por si própria nefrotóxica, o que requer um cuidado especial se for administrada a indivíduos com função renal comprometida ou em pacientes recebendo terapia com outros medicamentos nefrotóxicos. O metotrexato e a cisplatina também estão ligados à albumina, e esta ligação é diminuída em pacientes tomando sulfonamidas ou salicilatos, os quais eventualmente podem aumentar os efeitos adversos da quimioterapia.[11] Em geral, baixos níveis séricos de albumina levam a um aumento da circulação da fração livre dos quimioterápicos, sendo esta uma das razões pelas quais pacientes desnutridas têm aumento de toxicidade pelo tratamento.

Neurotoxicidade, principalmente periférica, é encontrada em até 30% das pacientes tratadas com quimioterapia.[10] Os acometimentos de nervos periféricos ou das raízes nervosas podem levar a alterações sensitivas e motoras, com disestesias em luvas e botas e eventualmente atrofia de grupamentos musculares. Essas alterações influem diretamente sobre a capacidade funcional dos indivíduos afetados, com impacto substancial na qualidade de vida. Exemplos de drogas associadas a este acometimento são a cisplatina, o paclitaxel e a vincristina.

A perda da função ovariana e da fertilidade é, muitas vezes, uma consideração importante a ser feita na seleção de tratamentos adjuvantes para mulheres mais jovens. Isto quando o próprio tratamento cirúrgico não compromete a capacidade reprodutiva da paciente. O impacto da quimioterapia no ovário é principalmente uma função da dose cumulativa e da idade da paciente. A toxicidade gonadal pode ocorrer por fibrose do estroma ovariano, pela perda dos folículos e também das células da granulosa.[12] Dentre os agentes com maior toxicidade estão os alquilantes e os análogos da platina, enquanto a doxorrubicina e as demais antraciclinas são menos tóxicas. Como consequência, a interrupção do ciclo menstrual ocorre comumente em mulheres na pré-menopausa que recebem quimioterapia. Entretanto, na maioria dos demais casos ela retorna em poucos meses após a conclusão da terapia. Nestes, as gestações subsequentes geralmente ocorrem sem nenhuma evidência de aumento do risco de anomalias congênitas.[1]

AGENTES QUIMIOTERÁPICOS COMUMENTE USADOS EM CÂNCER GINECOLÓGICO

Agentes alquilantes

Ciclofosfamida

A ciclofosfamida é um agente alquilante cuja ação depende da ativação da sua forma 4-aldofosfamida, realizada pelas enzimas microssomais hepáticas. A excreção da droga se dá basicamente pelos rins.[13] A mielossupressão é o efeito adverso mais comum e pode ser prolongada. Neoplasias secundárias, como LMC, LMA e LLA têm sido descritas.[14] A exposição crônica a ciclofosfamida parece aumentar o risco de neoplasia de bexiga.

Alopecia e toxicidade gastrointestinal (náuseas e vômitos) também são comuns e associadas à dose utilizada. A cistite hemorrágica pode ocorrer aproximadamente em 10% dos casos que recebem altas doses da droga, mesmo quando se emprega hidratação vigorosa. Amenorreia também é observada e pode levar à esterilidade, apesar de esta última ser relativamente baixa com as doses habituais (menor que 10%). Cardiomiopatia e síndrome de secreção inapropriada de ADH são raramente associadas a esta droga, sobretudo quando utilizada em altas doses.

Uso clínico

Ciclofosfamida é aprovada para o uso em câncer epitelial de ovário pela *Food and Drug Administration* (FDA), Estado Unidos, embora sua maior utilização com essa finalidade tenha ocorrido durante a década de 1980 e 1990, em combinação com cisplatina, antes do advento dos taxanos.[15]

Sua utilização também se dá em outras neoplasias, como a doença trofoblástica gestacional (parte integrante do protocolo EMA-CO*) e também em tumores germinativos, em esquemas de resgate.[16]

Ifosfamida

A ifosfamida é outro agente alquilante com emprego frequente no tratamento de tumores ginecológicos.[10] Assim como a ciclofosfamida, também necessita de ativação hepática para alcançar sua forma ativa. Grande parte da droga é eliminada via renal sem sofrer modificação (cerca de 50%).

A toxicidade urotelial é uma preocupação constante no uso desta medicação. Dessa forma, cistite hemorrágica ocorre em virtualmente 100% dos casos quando altas doses são utilizadas sem o uso do uroprotetor mesna.[9] Dividindo as doses administradas em múltiplos dias por ciclo e utilizando mesna, é possível reduzir o risco de hematúria macroscópica para cerca de 5% e de hematúria microscópica para menos de 18%. Já a nefrotoxicidade é incomum dentro de esquemas que utilizam doses divididas.

Outra toxicidade peculiar a este medicamento é aquela associada ao sistema nervoso central.[10] Geralmente se manifesta de forma aguda, com sonolência, confusão mental, alucinações, psicoses e coma. Níveis baixos de albumina, nefrectomia prévia e creatinina pré-tratamento elevada aumentam o risco de tal reação. É recomendado que sedativos, como anti-histamínicos e opioides, sejam evitados. Náusea grau 4 e vômitos ocorrem em cerca de 20% dos casos. A mielossupressão depende da intensidade da dose, mas é relacionada a neutropenia febril em 25% dos casos tratados com altas doses.

Uso clínico

Apesar de não existir aprovação da FDA para o tratamento de neoplasias ginecológicas, é utilizada isoladamente ou em combinação com antraciclinas e platina no tratamento de sarcomas ginecológicos. Também está indicada como parte do protocolo de resgate de tumores germinativos (VeIP**).[17]

Compostos platínicos

Cisplatina e carboplatina são dois dos agentes quimioterápicos mais ativos e amplamente utilizados no tratamento de neoplasias malignas ginecológicas.

Cisplatina

A atividade antitumoral da cisplatina é atribuída à ligação com o DNA, com formação de aductos, ou seja, substâncias resultantes da união de uma molécula biológica (ex.: DNA ou proteínas) e um composto químico, originando ligações intra e interfilamentares que induzem alterações estruturais, levando a apoptose.[10]

Por conta do elevado risco de nefrotoxicidade, a cisplatina deve ser infundida com hidratação vigorosa.[9] Geralmente se realiza pré-hidratação venosa com solução salina e reposição eletrolítica com magnésio e potássio. A infusão da cisplatina é feita obrigatoriamente com manitol a 20% quando se utilizam doses superiores a 50 mg/m². Um mínimo de 3 L de hidratação deve ser utilizado em caso de altas doses e a furosemida pode ser utilizada para forçar diurese. Sem hidratação, lesão renal é observada em 28 a 36% dos casos após uma dose única de 50 mg/m², geralmente dentro de 2 semanas após a infusão. Desta forma, seu uso deve ser evitado em pacientes com disfunção renal, principalmente quando o *clearance* se encontra abaixo de 45 mL/min. Em caso de uropatia obstrutiva ocasionada pelo tumor, nefrostomia deve ser considerada previamente ao início do tratamento. Nefropatia perdedora de sal e hipotensão postural têm sido descritas com doses acumulativas acima de 200 mg/m². Dano tubular pode ocasionar hipomagnesemia, hipocalcemia, hiponatremia, hipocalemia e hipofosfatemia.

Em relação ao potencial emetogênico, essa droga está associada a um risco tardio severo e essas pacientes devem ser tratadas com antagonistas dos receptores serotonérgicos e dexametasona. Sem o uso de antieméticos a incidência de náuseas e vômitos atinge 100%, com início aproximadamente após o término da infusão.

Neurotoxicidade periférica e ototoxicidade também podem ocorrer, assim como mielotoxicidade moderada.[1] A neurotoxicidade está associada à lesão das fibras sensitivas maiores, manifestando-se na maior parte dos casos com parestesias simétricas de extremidades e ataxia sensitiva. A condução de temperatura e dor geralmente se mantêm preservadas. A ototoxicidade é consequência da destruição de células sensitivas do sistema vestibular, ocorrendo zumbido e perda de acuidade auditiva progressiva. Cerca de 7% das pacientes tratadas são acometidas de zumbido e até 70% têm perda de audição na faixa de 4.000 a 8.000 Hz.[9] Complicações neurológicas centrais são mais raras e podem incluir encefalopatia, neurite óptica e vestibulopatias. São reversíveis após a interrupção do medicamento.

---

*EMA-CO = Combinação de Etoposídeo, Metotrexato, Actinomicina-D, Ciclofosfamida e Vincristina.

**VeIP = Combinação de Vimblastina, Ifosfamida e Cisplatina.

Indicações clínicas

Cisplatina está indicada para o tratamento do câncer epitelial de ovário. O seu uso deve ser combinado com paclitaxel (GOG 111), mas a utilização intraperitoneal e o seu emprego como monoterapia também estão indicados.[18] Mais recentemente, a carboplatina, por se demonstrar igualmente efetiva em neoplasias ovarianas, com um índice terapêutico mais favorável, vem substituindo a cisplatina em combinação com o paclitaxel.

No caso das neoplasias do colo uterino, o uso de cisplatina concomitante com a radioterapia trouxe aumento na sobrevida global em comparação ao tratamento com radioterapia exclusiva.[19] Seu uso é feito de forma análoga nos casos das neoplasias da vagina.

A cisplatina está indicada no câncer epitelial de endométrio, em combinação com a doxorrubicina no tratamento adjuvante e paliativo.[20,21] Também faz parte essencial dos protocolos de primeira linha para os tumores germinativos de ovário (BEP*). Da mesma forma, faz parte do tratamento de resgate das neoplasias trofoblásticas gestacionais (EMA-EP**).

Carboplatina

É um análogo da cisplatina, com mecanismo de ação antitumoral semelhante. Por outro lado, apresenta nefrotoxicidade siginificativamente menor, embora pareça mais propensa a ocasionar leucopenia, anemia e trombocitopenia (nadir entre 15 e 20 dias).[10]

Mielossupressão é dose-dependente e reversível. Complicações hemorrágicas e infecciosas (associadas a plaquetopenia e leucopenia, respectivamente) ocorrem em 5% dos casos. Anemia é identificada em 60 a 70% das pacientes, e cerca de 20% podem necessitar de suporte transfusional.

Uma vez que a eliminação da carboplatina é renal (80%), o cálculo da dose é baseado no uso da fórmula de Calvert e baseado no AUC (*area under the curve*). A dose final é igual ao AUC selecionado (entre 4 e 6) multiplicado pela filtração glomerular (mL/min) acrescida de 25.

Uso clínico

É aprovada pela FDA para uso em combinação com paclitaxel em neoplasia epitelial ovariana, com efeito similar ao da cisplatina.[22] Pode também ser utilizada com efetividade em câncer do colo uterino e endométrio, também em combinação com paclitaxel, apesar de essas indicações carecerem de evidências em estudos clínicos randomizados.

Antimetabólicos

São agentes estrutural e quimicamente similares aos compostos naturais necessários para a síntese de purinas, pirimidinas e ácidos nucleicos.[10] Há três classes maiores: os antifolatos (metotrexato), o antagonistas pirimidínicos (5-fluorouracil) e os antagonistas da purina (citarabina e gencitabina). Essas drogas interferem com a síntese do DNA, inibindo as enzimas-chave destas vias, levando a quebra de fitas da molécula. O efeito citotóxico dessa família é dependente da dose e do tempo de exposição tecidual. O perfil de toxicidade envolve geralmente mucosite, diarreia e mielotoxicidade. Uma vez que essas drogas não interagem diretamente com o DNA, raramente estão associadas a tumores secundários.

Metotrexato

Inibe competitivamente a di-hidrofolato redutase, enzima que converte o folato à sua forma ativa, o tetra-hidrofolato.[9] Este último é essencial para as reações metabólicas associadas à síntese de puinas. A afinidade da di-hidrofolato redutase pelo metotrexato é muito alta e mesmo a exposição a altas doses de ácido fólico não é capaz de reverter o efeito da droga. Por outro lado, o leucovorin, um derivado do ácido tetra-hidrofólico, é capaz de bloquear o efeito do metotrexato se administrado logo em seguida ao agente antineoplásico. No caso do uso de altas doses de metotrexato (maiores que 100 mg/m^2), é essencial o resgate com leucovorin para minimizar os efeitos adversos.[23]

---

*BEP = Combinação de Bleomicina, Etopoisídeo e Cisplatina.
**EMA-EP = Combinação de Etoposídeo, Metotrexato, Actinomicina-D e Cisplatina.

O ajuste de dose é necessário em caso de insuficiência hepática e renal e seu uso está contraindicado em caso de *clearance* abaixo de 60 mL/min e/ou bilirrubina maior que 5 mg/dL. A droga também tende a se acumular no terceiro espaço (ascite, líquido pleural), ocasionando recirculação tardia e aumento de toxicidade.

A toxicidade geralmente está relacionada à dose empregada. Mielossupressão é bastante frequente, principalmente anemia e neutropenia. Além da toxicidade gastrointestinal, já mencionada, elevação transitória das transaminases pode ocorrer, mas fibrose hepática e cirrose são mais frequentes em casos de uso contínuo por longo período de tempo, como no tratamento de doenças reumatológicas.

Pneumonite e fibrose pulmonar podem ocorrer e, apesar de raras, podem ser irreversíveis. Também de forma incomum, em caso de doses elevadas, quadro de encefalopatia aguda pode ocorrer, apesar do resgate com leucovorin.

Indicação clínica

O uso de metotrexato está indicado no caso do tratamento da doença trofoblástica gestacional. Pode ser empregado isoladamente ou em combinação, no esquema EMA-CO/EMA-EP.

5-Fluorouracil (5-FU)

O fluorouracil é um antimetabólico pirimidínico similar ao uracil, exceto por conta de ser convertido em timidina. O 5-FU bloqueia a metilação do ácido deoxiuridílico para ácido timidílico e interfere na síntese do DNA, e menos frequentemente na formação do RNA. Este fato cria uma deficiência de timina, resultando em morte celular.[1]

Considera-se que tenha ação específica na fase S do ciclo de divisão celular. Metaboliza-se com rapidez (1 hora) nos tecidos e produz um metabólito ativo, o monofosfato de fluoxuridina.[9] A degradação catabólica ocorre no fígado. Elimina-se em forma primária por via respiratória, de 60 a 80%, como dióxido de carbono, e em forma secundária por via renal 15% inalterado, na primeira hora.

O tipo de toxicidade é dependente da forma de infusão, da dose e da paciente. Mulheres com mais de 70 anos são mais propensas a apresentarem mucosite e mielossupressão. Infusões prolongadas estão menos associadas a este tipo de efeito adverso. Neurotoxicidade é relativamente rara, mas também é mais frequente em idosos. Os principais sintomas são nistagmo, cefaleia e ataxia. Cardiotoxicidade é rara, mas pode ser grave por indução de vasospasmo em pacientes com coronariopatia prévia, podendo ocasionar arritmias, infartos e choque cardiogênico.[24] Diarreia e mucosite são frequentes, principalmente nos esquemas de infusão rápida. No caso de infusão lenta pode causar a síndrome da mão-pé (eritrodisestesia palmoplantar), uma reação que causa eritema, edema, alteração de sensibilidade e descamação da pele nas palmas das mãos e nas plantas dos pés. Este tipo de toxicidade pode ser limitante e obrigar a suspensão do tratamento em casos extremos.

Utilização clínica

A utilização do 5-FU está indicada no uso concomitante com radioterapia e cisplatina para pacientes com tumores de colo uterino localmente avançado, embora existam dúvidas sobre a superioridade deste esquema, quando comparado a cisplatina e radioterapia exclusivamente.[25] O seu uso também está autorizado nos casos de tumores de vulva localmente avançados em combinação com radioterapia e cisplatina. Em ambos os casos é utilizado em infusão contínua de 96 h.

Gencitabina

A gencitabina é um análogo nucleosídeo (difluorodesoxicitidina) com atividade antineoplásica que exibe especificidade na fase celular, interferindo com a síntese de DNA (fase S) e também bloqueando a progressão das células através da fase terminal G1/S[1]. A ação citotóxica *in vitro* da gencitabina é dependente do tempo e da concentração. O fármaco é metabolizado intracelularmente para dar origem aos nucleosídeos ativos difosfato e trifosfato. Depois de o nucleotídeo gencitabina ter sido incorporado ao DNA, apenas mais um nucleotídeo é adicionado à fita em crescimento do DNA, decorrendo daí a inibição da síntese posterior de

DNA. A gencitabina (< 10%) e seu principal metabólito inativo (2'-desoxi-2',2'-difluorouridina) são eliminados pela urina. A depuração é afetada em função da idade e do sexo do paciente, razão pela qual existe uma diferença na meia-vida e nas concentrações plasmáticas deste fármaco, sendo mais alta em mulheres e pacientes idosos.

Gencitabina é um quimioterápico que isoladamente é bem tolerado.[23] O seu principal efeito adverso é a mielossupressão, em alguns casos necessitando de suporte transfusional. Outros efeitos colaterais adversos compreendem náuseas e vômitos, diarreia e mucosite. Eventualmente pode haver erupção macular ou granular máculo-papular pruriginosa, de severidade leve a moderada no tronco e nas extremidades. Síndrome hemolítico-urêmica, toxicidade no parênquima pulmonar com pneumonite, edema periférico, e edema generalizado são raros, ocorrendo em menos de 1% dos casos.

Indicação clínica

É habitualmente utilizada como tratamento de segunda linha em neoplasia epitelial de ovário, com taxas de resposta e sobrevida global semelhantes às da doxorrubicina lipossomal.[26]

De acordo com resultados de estudos de fase II envolvendo sarcomas de partes moles em geral, pode ser útil também no tratamento de sarcomas uterinos avançados, em combinação com docetaxel.

Antibióticos

Dactinomicina

É um antibiótico obtido de culturas de *Streptomyces parvullus*, porém com toxicidade excessiva para o uso antibacteriano.[9]

Antraciclinas

Doxorrubicina

É um antineoplásico derivado do fungo *Streptomyces peutices*. É um dos quimioterápicos mais utilizados, sendo efetivo em diversos tumores sólidos e hematológicos.[10]

A doxorrubicina tem efeito citotóxico através de diferentes mecanismos de ação. Ela se liga ao DNA, intercalando-se aos pares de bases e dessa forma ocasionando modificações no formato da hélice da dupla fita.[10] A mudança conformacional do DNA acaba por ocasionar inibição das enzimas DNA polimerase e da RNA polimerase (responsáveis, respectivamente, pela polimerização das fitas do DNA e transcrição das informações do DNA para o RNA), o que consequentemente inibe a síntese proteica. Ela também inibe a topoisomerase II, uma enzima responsável por partir as fitas de DNA durante a transcrição. Outro mecanismo de ação ocorre pela formação de semiquinona, uma forma de radical livre de oxigênio que pode ocasionar danos ao material genético das células e às suas estruturas intracelulares. Seu ponto máximo de ação ocorre na fase S do ciclo celular, mas atua também em todas as outras etapas da divisão celular, sendo considerado um agente antineoplásico não específico ao ciclo celular.

Os efeitos adversos da doxorrubicina envolvem principalmente mieolotoxicidade, toxicidade gastrointestinal (mucosite) e cardiotoxicidade. Doses acumuladas acima de 550 mg/m² estão associadas a um risco de 10% de cardiotoxicidade importante relacionada a insuficiência cardíaca. Acompanhamento com ecocardiografia, ventriculografia com radionuclídeo, e eventualmente biópsia cardíaca está indicado em pacientes de alto risco para toxicidade cardíaca.

A droga é vesicante e há risco de grave dano tecidual em caso de extravasamento, inclusive necrose, e sua infusão venosa deve ser supervisionada constantemente.

Indicações clínicas

É principalmente empregada para o tratamento dos tumores epiteliais de endométrio e no tratamento de sarcomas ginecológicos.[20]

Doxorrubicina lipossomal

Uma formulação lipossômica peguilada desta mesma droga, cuja cardiotoxicidade é reduzida, também está disponível (doxorrubicina lipossomal).[9] A peguilação significa que as cadeias de um polímero biologicamente inerte – polietilenoglicol (PEG) – estão inseridas nas membranas lipossômicas. As cadeias do PEG mudam as propriedades da superfície lipossômica, de modo a impedir a opsonização. Por conseguinte, um lipossoma peguilado contendo doxorrubicina não é reconhecido pelos macrófagos. Os lipossomas peguilados são vesículas formadas por camadas duplas de lipídios parecidas com membranas celulares, que funcionam como carreadores da droga. Partículas como os lipossomas são muito grandes para se difundirem pelas paredes dos vasos sanguíneos íntegros e, por conseguinte, não atingem os tecidos normais, concentrando-se seletivamente nos sítios tumorais por conta das fenestrações maiores encontradas na vascularização dessas estruturas. O objetivo é diminuir a incidência de toxicidade relacionada à formulação convencional. Desta forma, a cardiotoxicidade é significativamente reduzida. O efeito vesicante também é reduzido.[24] O efeito citotóxico é semelhante ao da doxorrubicina.

O fármaco é, geralmente, bem tolerado pelas pacientes. Mielotoxicidade pode ocorrer, principalmente anemia e neutropenia, de curta duração e reversível. A eritrodisestesia palmoplantar é observada em até 37% das pacientes tratadas. Os sintomas incluem dor, edema, descamação, bolhas e ulceração. Esses efeitos geralmente surgem após um a quatro ciclos do tratamento e podem durar de 2 a 5 semanas.[10]

Indicações clínicas

A principal indicação ginecológica é para o tratamento de pacientes com neoplasia ovariana refratária à platina e aos taxanos.[27]

Alcaloides da vinca

São pouco utilizados no tratamento de tumores ginecológicos.[24] Os alcaloides da vinca são agentes antineoplásicos citotóxicos que atuam ao nível dos microtúbulos.[10] Isoladamente ou em combinação com outros fármacos, os alcaloides da vinca (vinblastina, vincristina e vindesina) são utilizados no tratamento de leucemias agudas, linfomas e tumores sólidos (principalmente de mama e pulmão). Exercem os seus efeitos citotóxicos despolimerizando os microtúbulos, e aumentando assim a concentração de tubulina solúvel; dados mais recentes sugerem que o mecanismo de ação destes compostos envolve a inibição da dinâmica dos microtúbulos. Os complexos tubulina-alcaloides da vinca ligam-se às extremidades dos microtúbulos, reduzindo a sua capacidade de crescer e encurtar. Estes compostos impedem assim a formação do fuso mitótico nas células em divisão e, consequentemente, param a divisão celular na metáfase.

Para neoplasias ginecológicas, os alcaloides da vinca mais frequentemente utilizados incluem vinblastina, vincristina e VP-16 (etoposide). Estes medicamentos são usados para tratar tumores ovarianos de células germinativas, câncer cervical (vinorelbina) e doença trofoblástica.[23]

Vincristina

Tem indicação no tratamento de tumores trofoblásticos gestacionais de alto risco, como parte do protocolo EMA-CO[1].[28]

O tipo de toxicidade mais relevante nas doses terapêutica e tóxica é a neurotoxicidade. A neurotoxicidade parece ser cumulativa. Neuropatia sensitiva, com perda de reflexos dos tendões profundos pode ocorrer com doses acumulativas. Apesar de a via preferida ser a IV, a administração inadvertida de vincristina por via intratecal causa paralisia ascendente, coma e morte. São drogas vesicantes com risco de dano tecidual em caso de extravasamento. A mielotoxicidade habitualmente é baixa. Outros efeitos incluem anorexia, constipação, dor abdominal e íleo adinâmico. Este últimos efeitos também estão associados ao efeito neurotóxico do medicamento.

Vinblastina

É utilizada em esquemas de segunda linha para o tratamento de tumores germinativos de ovário (VeIP).[17] Sua principal toxicidade é a leucopenia. Toxicidade gastrointestinal pode incluir mucosite, faringite, anorexia e diarreia. Constipação e íleo paralítico também podem ocorrer, semelhantemente à vincristina.[24]

Etoposide (VP-16)

VP-16 (etoposide) é uma epipodofilotoxina, derivada da raiz da maçã de Maio.[9] O VP-16 estabiliza a fita de DNA através da inativação da topoisomerase II durante a mitose.[10] Por afetar as fases finais de G2 e M do ciclo celular, essa droga apresenta efeito radiossensibilizador. VP-16 induz anorexia, náuseas e vômitos, estomatite e hipotensão severa se infundido em menos de 30 minutos. Toxicidades incomuns incluem cardiotoxicidade, broncospasmo e sonolência.[23]

Taxanos

Paclitaxel

É um agente antimicrotúbulo, proveniente da folha *Taxus brevifolia* e do *Taxus baccata*, que promove a união deste nos dímeros de tubulina, e estabiliza-os, evitando a despolimerização.[24] Tal estabilidade origina a inibição da reorganização normal da rede de microtúbulos, que é fundamental para a interface e as funções mitóticas das células. É utilizado amplamente em neoplasias ginecológicas, principalmente nos tumores de ovário, endométrio e colo uterino.

A droga é predominantemente excretada por via biliar, sendo a eliminação renal baixa. Neutropenias G3 e 4 podem ser observadas em 35% das pacientes.[9] Neuropatia sensitiva pode ser encontrada em 50-60% das pacientes tratadas. O potencial emetogênico é moderado. Reações de hipersensibilidade severa são observadas em até 10% das pacientes tratadas e pode ocorrer apesar da pré-medicação. A maioria das reações ocorre nos primeiros minutos de infusão. O uso prévio de corticoide e anti-histamínico (H1 e H2) é mandatório.[9]

Indicações clínicas

Está indicado no tratamento das neoplasias epiteliais de ovário como primeira linha associado a carboplatina e no tratamento da doença recidivada.[18] O uso em doses semanais (80 mg/m^2) parece aumentar o efeito antiapoptótico da droga e torná-la efetiva em cerca de 30% dos casos que foram inicialmente refratários ao próprio paclitaxel, usado em dose e fracionamento habituais (175 mg/m^2 a cada 21 dias).

O uso de paclitaxel também está indicado como tratamento de primeira linha em neoplasias de colo uterino avançado, em combinação com platina e nas neoplasias epiteliais de endométrio.[20,29]

OUTROS QUIMIOTERÁPICOS TAMBÉM UTILIZADOS

Inibidores da topoisomerase

As topoisomerases são enzimas DNA que controlam a estrutura do DNA de dupla hélice durante a transcrição e replicação do material genético.[10] Existem duas classes de topoisomerases: I e II. Topotecano, um inibidor da topoisomerase I, é usado no tratamento do câncer de colo do útero e câncer epitelial de ovário.[29,30] Toxicidades incluem supressão da medula óssea, náuseas e vômitos, alopecia, mucosite e diarreia.

Bevacizumabe

Bevacizumabe é um anticorpo monoclonal humanizado. Bevacizumabe mostrou eficácia no tratamento de doenças neoplásicas, como de cólon, mama, pulmão de não pequenas células e carcinoma de células renais. Estudos recentes têm sustentado a indicação desta droga no tratamento das neoplasias ovarianas, apesar de a comprovação de ganho de sobrevida ainda estar pendente.

Farmacologia

Bevacizumabe liga-se seletivamente a uma proteína chamada fator de crescimento endotelial vascular (VEGF), localizada sobre as paredes dos vasos sanguíneos e linfáticos do corpo. O VEGF é necessário para o desenvolvimento de vasos sanguíneos dentro do tumor, que fornecem nutrientes e oxigênio. Uma vez ligado ao bevacizumabe, o VEGF perde sua atividade, o que impede o crescimento tumoral por meio do bloqueio do crescimento de vasos sanguíneos.

Mecanismo de ação

Bevacizumabe se liga ao fator de crescimento endotelial vascular (VEGF), inibindo assim a ligação aos seus receptores Flt 1 (VEGFR 1) e KDR (VEGFR 2), localizado na superfície das células endoteliais.[24] Por neutralizar a atividade biológica do VEGF, há redução da vascularização tumoral e, portanto, inibição do crescimento tumoral.

Efeitos adversos

Os efeitos secundários frequentes (pelo menos um em cada 100 doentes) mais graves incluem perfuração intestinal, hemorragia, incluindo hemorragia pulmonar em pacientes com câncer de pulmão de não pequenas células, além de embolia pulmonar.

Outros eventos adversos sérios incluem pressão arterial elevada e dores abdominais severas.

Outros efeitos secundários menos comuns, de qualquer gravidade, que têm sido relatados, incluem insuficiência cardíaca e hemorragia a partir da mucosa da boca ou da vagina.

Bevacizumabe também pode causar alterações nos testes laboratoriais. Estas alterações podem incluir leucopenia e proteinúria. Atualmente vem sendo avaliado no tratamento de tumores epiteliais de origem ovariana.[31]

REFERÊNCIAS BILBIOGRÁFICAS

1. Li MC, Hertz R, Bregenstal DM. Therapy of choriocarcinoma and related trophoblastic tumors with folic acid and purine antagonists. *N Engl J Med* 1958;259(2):66-74.
2. American Society of Clinical Oncology. Clinical Cancer Advances 2010: ASCO's Annual Report on Progress Against Cancer. Acessado em: 10 Fev. 2012. Disponível em: www.cancer.net/patient/Publications%20and%20Resources/Clinical%20Cancer%20Advances/CCA_2010.pdf
3. Diamandopoulus GT. Cancer: an historical perspective. *Anticancer Res* 1996;16:1595-602.
4. Mackillop WJ. The growth kinetics of human tumours. *Clin Phys Physiol Meas* 1990;11:121-25.
5. Mothersill C, Seymour C. Radiation-induced bystander effects: past history and future directions. *Radiat Res* 2001;155:759-67.
6. Norton LA. A gompertzian model of human breast cancer growth. *Cancer Res* 1988;48:7067-71.
7. Boogerd W, Dalesio O, Bais EM *et al.* Response of brain metastases from breast cancer to systemic chemotherapy. *Cancer* 1992;69:972-80.
8. Goldie JH, Coldman AJ. A mathematical model for relating the drug sensitivity of tumors to their spontaneous mutation rate. *Cancer Treat Rep* 1979;63:1727-33.
9. Perry MC. (Ed.). *The chemotherapy sourcebook*. 9th ed. Philadelphia: Wolters Kluwer, 2008.
10. Micromedex HS. *Drugdex drug evaluations*. Integrated Index, 2009.
11. Neary BA, Rose PG. Complete response of a persistent ectopic pregnancy to dactinomycin after methotrexate failure. A case report. *J Reprod Med* 1995;40(2):160-62.
12. Brydoy M, Fossa SD, Dahl O *et al.* Gonadal dysfunction and fertility problems in cancer survivors. *Acta Oncol* 2007;46(4):480-89.
13. Fischer DS, Knobf MF, Durivage HJ. (Eds.). *The cancer chemotherapy handbook*. 7th ed. St Louis: Mosby-Year Book, 2007.
14. Joensuu H. Systemic chemotherapy for cancer: from weapon to treatment. *Lancet Oncol* 2008;9(3):304-15.
15. Alberts DS, Liu PY, Hannigan EV *et al.* Intraperitoneal cisplatin plus intravenous cyclophosphamide versus intravenous cisplatin plus intravenous cyclophosphamide for stage III ovarian cancer. *N Engl J Med* 1996;335(26):1950-55.
16. Fisher PM, Hancock BW. Gestational trophoblastic diseases and their treatment. *Cancer Treat Rev* 1997;23(1):1-16.
17. Loehrer PJ, Gonin R, Nichols CR *et al.* Vinblastine plus ifosfamide plus cisplatin as initial salvage therapy in recurrent germ cell tumor. *J Clin Oncol* 1998;16(7):2500-4.
18. McGuire WP, Hoskins WJ, Brady MF *et al.* Cyclophosphamide and cisplatin compared with paclitaxel and cisplatin in patients with stage III and stage IV ovarian cancer. *N Engl J Med* 1996;334:1-6.
19. Schilder JM, Stehman FB. Concurrent chemotherapy and radiation therapy in primary cancer of the cervix. *Curr Oncol Rep* 1999;1(1):41-46.
20. Fleming GF, Brunetto VL, Cella D *et al.* Phase III trial of doxorubicin plus cisplatin with or without paclitaxel plus filgrastim in advanced

20. endometrial carcinoma: a Gynecologic Oncology Group Study. *J Clin Oncol* 2004;22:2159-66.
21. Thigpen JT, Brady MF, Homesley HD *et al.* Phase III trial of doxorubicin with or without cisplatin in advanced endometrial carcinoma: a Gynecologic Oncology Group study. *J Clin Oncol* 2004;22:3902-8.
22. Gore M, Mainwaring P, A'Hern R *et al.* Randomized trial of dose-intensity with single-agent carboplatin in patients with epithelial ovarian cancer. London Gynaecological Oncology Group. *J Clin Oncol* 1998;16(7):2426-34.
23. Berkowitz RS, Goldstein DP, Bernstein MR. Ten year's experience with methotrexate and folinic acid as primary therapy for gestational trophoblastic disease. *Gynecol Oncol* 1986;23(1):111-18.
24. Physicians' Desk Reference, 67th ed. Montvale, Medical Economics, 2010.
25. Rose PG, Bundy BN, Watkins EB *et al.* Concurrent cisplatin-based radiotherapy and chemotherapy for locally advanced cervical cancer. *N Engl J Med* 1999;340:1144-53.
26. Mutch DG, Orlando M, Goss T *et al.* Randomized phase III trial of gemcitabine compared with pegylated liposomal doxorubicin in patients with platinum-resistant ovarian cancer. *J Clin Oncol* 2007;25:2811.
27. Muggia FM, Hainsworth JD, Jeffers S *et al.* Phase II study of liposomal doxorubicin in refractory ovarian cancer: antitumor activity and toxicity modification by liposomal encapsulation. *J Clin Oncol* 1997;15(3):987-93.
28. Wong LC, Ngan HY, Ma HK. Primary treatment with vincristine, dactinomycin, and cyclophosphamide in nondysgerminomatous germ cell tumor of the ovary. *Gynecol Oncol* 1989;34(2):155-58.
29. Monk BJ, Sill MW, McMeekin DS *et al.* Phase III trial of four cisplatin-containing doublet combinations in stage IVB, recurrent, or persistent cervical carcinoma: a Gynecologic Oncology Group study. *J Clin Oncol* 2009;27:4649-55.
30. Gordon AN, Fleagle JT, Guthrie D *et al.* Recurrent epithelial ovarian carcinoma: a randomized phase III study of pegylated liposomal doxorubicin versus topotecan. *J Clin Oncol* 2001;19:3312-22.
31. Burger RA. Experience with bevacizumab in the management of epithelial ovarian cancer. *J Clin Oncol* 2007 July 10;25(20):2902-8.

CAPÍTULO 178

Quimioterapia nas Neoplasias Epiteliais de Ovário

Paulo Alexandre Mora

INTRODUÇÃO

O câncer de ovário corresponde a 4% de todos os casos de câncer diagnosticados e é responsável por 5% de morte por câncer. Nos Estados Unidos, foi estimado que 20.180 mulheres receberiam o diagnóstico de câncer de ovário e 15.310 morreriam em decorrência dessa enfermidade em 2006, configurando a principal causa de morte entre os tumores ginecológicos. Os tumores epiteliais são o tipo histológico mais comum, totalizando cerca de 90% dos tumores malignos de ovário. Os tumores do cordão sexual e os tumores germinativos, menos frequentes, perfazem os 10% restantes das neoplasias malignas ovarianas. Estimam-se 6.190 casos novos de câncer do ovário para o Brasil no ano de 2012, com um risco estimado de seis casos a cada 100 mil mulheres.[1]

As neoplasias epiteliais de ovário (NEO) são as maiores causas de mortalidade por câncer de ovário, geralmente acometendo mulheres pós-menopáusicas, com maior incidência na sexta década. Fatores de risco conhecidos incluem história de câncer de ovário e/ou mama em parentes de primeiro grau, história patológica pregressa de câncer de cólon, endométrio ou mama, infertilidade ou uso de drogas indutoras de ovulação, origem judaica *ashkenazi*, mutação nos genes BRCA1 ou BRCA2 e nuliparidade.

Os principais fatores prognósticos são idade, extensão e volume da doença, grau e tipo histológicos. Idade avançada e lesões pouco diferenciadas estão associadas a pior sobrevida. Os tipos histológicos sabidamente mais agressivos são os de células claras e mucinoso, portanto associados a pior desfecho. O volume e a extensão da doença são avaliados no momento da cirurgia e adequadamente estadiados de acordo com a classificação da FIGO *(International Federation of Gynecology and Obstetrics)*. Esse sistema avalia a presença de acometimento ovariano uni ou bilateral, presença de tumor na superfície ovariana, ruptura de cápsula ovariana, comprometimento de útero ou tubas uterinas, envolvimento pélvico, presença de implantes peritoneais além da pelve e seu tamanho e evidência de metástases a distância.

Assim como em outros tumores sólidos, o estadiamento correto das neoplasias malignas ovarianas é importante, porque agrupa as pacientes em categorias diferentes de acordo com a extensão de doença, cada qual com um prognóstico distinto. Os tumores de estágio inicial – I e II, apresentam sobrevida global em 5 anos de 95 e 79%, respectivamente. Tumores estágios III e IV têm prognóstico mais reservado e sobrevida global em 5 anos estimada entre 5 e 20%. A decisão terapêutica é baseada tomando-se como base o estadiamento, o grau e o subtipo histopatológico.

AVALIAÇÃO INICIAL

Cerca de 3/4 das pacientes com NEO têm doença extraovariana na apresentação inicial. O quadro clínico mais comum inclui sintomas inespecíficos, como epigastralgia, plenitude pós-prandial, náuseas, desconforto abdominal de localização imprecisa e outras queixas relacionadas ao trato digestório. Apesar de não dispormos ainda de dados consolidados, menos da metade das pacientes norte-americanas e europeias são operadas inicialmente por um gineconcologista.[2,3]

A hipótese de massa anexial pode ser feita com base na história clínica detalhada e no exame pélvico, porém uma grande parte dessa apresentação aparece ocasionalmente em exames de imagem como ultrassonografia ou tomografia computadorizada. O uso conjunto do CA 125 pode ajudar a aumentar o grau de suspeição para malignidade, quando elevado.

A abordagem inicial dependerá da extensão de doença – volume estimado da ascite, presença de acometimento extra-abdominal, condição clínica e comorbidades associadas e avaliação do especialista quanto à ressecabilidade primária.

Para as pacientes cujo diagnóstico é concluído após a ressecção de uma lesão expansiva anexial ou abdominal, permanece a recomendação de uma nova cirurgia oncologicamente correta, com implicações prognósticas e terapêuticas.[4] Quando a irressecabilidade é estabelecida na primeira abordagem cirúrgica ou no intervalo entre a cirurgia e o diagnóstico anatomopatológico definitivo, deve ser considerado o tratamento neoadjuvante como discutiremos posteriormente. Ainda, nas pacientes com doença clínica ou radiologicamente volumosa, irressecável ou com contraindicações à abordagem cirúrgica primária, o diagnóstico de certeza deve ser obtido por análise citopatológica de ascite ou derrame pleural (quando presentes), ou mesmo biópsia guiada por agulha.[5]

Anamnese

Observar história familiar

- Mulheres com parentes de primeiro grau com câncer de ovário têm de 3 a 6 vezes mais risco de desenvolver a doença.
- Síndromes hereditárias de câncer mama-ovário, com transmissão vertical e penetrância incompleta e que atingem mulheres mais jovens.
- Fatores de proteção: gestação prévia, laqueadura tubária e utilização de anticoncepcionais.[6]

Exames complementares

- Hemograma completo e plaquetas.
- Funções renal e hepática.
- Marcador tumoral CA 125.
- Radiografia de tórax.
- Tomografia computadorizada de abdome e pelve.
- Ultrassonografia transvaginal com Doppler colorido.

ESTADIAMENTO

O termo **estadiamento** em neoplasias malignas de ovário aplica-se tanto à padronização anatômica da extensão de doença, que agrupa as pacientes de prognósticos semelhantes, quanto ao procedimento cirúrgico inicial, que faz parte do tratamento ideal da doença.

A cirurgia como tratamento inicial da neoplasia de ovário evoluiu nas últimas décadas do século passado até um procedimento extenso, que inclui não somente a ressecção da doença visível, mas também objetivando a descrição da extensão de doença, estabelecendo um estadiamento cirúrgico mais preciso. Assim, o procedimento cirúrgico inicial possui uma importância fundamental para diagnóstico, estadiamento e tratamento da neoplasia maligna de ovário, e deve ser realizado por um especialista em ginecologia oncológica sempre que possível, pois alguns estudos já demonstraram ganhos relevantes no tratamento, principalmente em relação à sobrevida global, quando a paciente é operada por tais especialistas.[7,8]

Os ovários são órgãos de formato oval, com 2 a 4 cm de diâmetro, conectados por ligamentos ao peritônio pélvico e à parede lateral da pelve. A drenagem linfática ocorre pelos troncos dos ligamentos redondo, uterovariano e infundíbulo pélvico, ou ainda pela rota acessória da ilíaca externa. A disseminação preferencial é pela cavidade abdominal, mais especificamente pelo peritônio, incluindo a superfície hepática e o diafragma. O acometimento extra-abdominal mais comum é o pleural.[9]

A tomografia computadorizada e a ressonância magnética podem delinear a extensão de doença intra-abdominal, porém não substituem o estadiamento cirúrgico das neoplasias de ovário. Uma radiografia simples de tórax serve como rastreio de doença metastática pleural ou pulmonar. O acometimento extra-abdominal é incomum, assim não há a necessidade de estender a complexidade de exames de imagem de alta resolução além do abdome, salvo se existirem sinais ou sintomas sugestivos de doença a distância.[3]

O prognóstico das pacientes com neoplasia de ovário depende do estágio da doença, do tipo histológico e do volume da doença residual após a cirurgia. A sobrevida em 5 anos varia entre 35 a 42%, considerando uma apresentação inicial em estágios avançados em 58 a 63% dos casos (Quadro 1).[10,11]

O procedimento cirúrgico de estadiamento é fundamental tanto nos estágios iniciais (I e II), quanto nos estágios avançados de doença (III e IV).[12] Em pacientes sem ascite, 20% dos lavados peritoneais são positivos para malignidade. Além disso, a inspeção visual do omento possui baixa sensibilidade para a detecção de doença metastática, daí a necessidade de omentectomia e biópsias aleatórias. A sequência cirúrgica recomendada pelo GOG* deve incluir:[13-15]

A) Incisão abdominal vertical, com extensão necessária para o estadiamento do andar superior do abdome.
B) Amostragem de fluido abdominal, seja ascite ou lavado peritoneal, antes da manipulação da cavidade, para evitar a contaminação pela cirurgia.
C) Inspeção e palpação de toda a superfície peritoneal, da pelve ao diafragma – o mesmo para as vísceras sólidas.
D) Biópsias aleatórias de peritônio pélvico e abdominal.
E) Amostragem linfonodal pélvica bilateral e para-aórtica.
F) Histerectomia total com salpingo-ooforectomia bilateral.
G) Omentectomia.
H) Apendicectomia nos casos de tumores mucinosos.

As pacientes que foram submetidas à ooforectomia por lesão tumoral ovariana, sem o estadiamento cirúrgico adequado, podem ser submetidas a um novo procedimento cirúrgico para completar esta etapa, nos seguintes casos:[7]

- Tumores estágio I grau 1 ou grau 2, mucinosos, serosos, mistos ou endometrioides.
- Tumores estágio I grau 3 e tumores indiferenciados.
- Adenocarcinomas de células claras estágio I.

O Grupo de Ginecologia da EORTC** estabelece um número mínimo de dois ou três linfonodos por sítio de amostragem ilíaco e para-aórtico.[16]

O estadiamento da FIGO (1988) também descreve o modo de disseminação *ascendente* da doença a partir da pelve. O estágio I agrupa os tumores restritos ao ovário, enquanto o estágio II inclui a doença restrita à pelve, e a extensão de doença extrapélvica é descrita no estágio III. Assim como em outros tumores sólidos, o estágio IV inclui os casos

Quadro 1. Sobrevida por estágios

ESTÁGIO	SOBREVIDA EM 5 ANOS (%)
I	70-100
II	55-63
III	10-27
IV	3-15

Adaptado de Stratton.[9]

---
*Gynecologic Oncology Group.
**European Organisation for Research and Treatment of Cancer.

Quadro 2. Estadiamento da neoplasia de ovário

FIGO[3]		TNM
	O tumor primário não pode ser localizado	TX
0	Sem evidência do tumor primário	T0
I	Tumor confinado aos ovários	T1
IA	Limitado a um dos ovários, com cápsula intacta: sem neoplasia na superfície do ovário e sem células malignas no lavado peritoneal ou ascite	T1a
IB	Doença em ambos ovários, com cápsula intacta: sem neoplasia na superfície dos ovários e sem células malignas no lavado peritoneal ou ascite	T1b
IC	Tumor um ou ambos os ovários, incluindo: ruptura da cápsula, tumor na superfície do(s) ovário(s), ascite ou lavado peritoneal positivos para células malignas	T1c
II	Tumor em um ou ambos os ovários, com extensão para a pelve	T2
IIA	Extensão e/ou implantes para útero ou tubas uterinas, sem células malignas no lavado peritoneal ou ascite	T2a
IIB	Extensão e/ou implantes para outros órgãos pélvicos, sem células malignas no lavado peritoneal ou ascite	T2b
IIC	IA ou IB com células malignas no lavado peritoneal ou ascite	T2c
III	Tumor em um ou ambos os ovários, com metástases peritoneais extrapélvicas histologicamente comprovadas e/ou doença linfonodal regional	T3 e/ou N1
IIIA	Doença peritoneal extrapélvica microscópica	T3a
IIIB	Doença peritoneal extrapélvica macroscópica ≤ 2 cm	T3b
IIIC	Metástases peritoneais extrapélvicas > 2 cm e/ou metástases linfonodais regionais	T3c e/ou N1
IV	Metástases além da cavidade abdominal*	M1

*Implantes secundários na cápsula do fígado são considerados T3 – estágio III, enquanto as lesões hepáticas parenquimatosas são incluídas no estágio IV (M1). O derrame pleural deve ter citologia positiva para ser considerado M1.

de metástases para fígado ou qualquer doença extra-abdominal confirmada (Quadro 2).

O estadiamento somente poderá ser estabelecido por meio de avaliação cirúrgica por laparotomia exploradora com citorredução máxima e avaliação de toda a cavidade. A citorredução máxima com doença residual menor ou igual a 1 cm apresenta impacto prognóstico, devendo esse ser objeto principal do ato cirúrgico, por sua importância.[17,18]

QUIMIOTERAPIA EM NEOPLASIA DE OVÁRIO

A base do tratamento para as neoplasias de ovário é a combinação de cirurgia citorredutora e quimioterapia, dependendo da extensão inicial da doença, comorbidades, tipo histopatológico grau de diferenciação e resultado da cirurgia inicial. A classificação da FIGO para o estágio é obtida na cirurgia primária. Pelo menos 75% das pacientes apresentam estágio inicial IIIC ou IV. Os estágios iniciais podem apresentar recidiva em até 25% dos casos.[19]

TRATAMENTO ADJUVANTE

A quimioterapia adjuvante em estágios iniciais ainda é um tema controverso. Um consenso recente classifica este grupo em baixo risco – IA ou IB bem diferenciado, risco intermediário – IA ou IB moderadamente diferenciado, e risco elevado: IC de qualquer histologia ou IA/IB de histologias desfavoráveis, como células claras, seroso papilífero ou pouco diferenciados.[18]

Uma metanálise recente de cinco estudos randomizados demonstrou vantagem para a quimioterapia adjuvante em pacientes com estágios iniciais operadas. As pacientes que receberam quimioterapia baseada em platina tiveram melhor sobrevida global (HR 0,72 – IC 95% 0,53 – 0,93) e sobrevida livre de progressão (HR 0,67 – IC 95% 0,53 – 0,84) do que as pacientes que foram apenas operadas.[20] Mesmo considerando-se que cerca de 2/3 das pacientes foram estadiadas de forma subótima, algum benefício para tratamento adjuvante nesse estágio não pode ser totalmente excluído. Nas últimas três décadas, os estudos clínicos demonstram uma sobrevida em 5 anos de 94% para pacientes com estágios IA ou IB, com histologia bem ou moderadamente diferenciada, tratados apenas com cirurgia dentro dos padrões oncológicos.[21] Pelo menos 1/3 das pacientes com doença aparentemente localizada possui lesões mais extensas, quando submetidas ao estadiamento cirúrgico completo.[22]

Recomendações de tratamento segundo estadiamento cirúrgico e grau de diferenciação:

- *Estágios IA/B e G I ou II:* não serão submetidas à quimioterapia adjuvante.
- *Estágios IC e II – subtipo histopatológico células claras/seroso pilífero ou G III:* oferecer quimioterapia baseada em platina por seis ciclos. A combinação de drogas mais recomendada é a carboplatina e paclitaxel, embora seja aceitável o uso de cisplatina em combinação com o paclitaxel.
- *Estágios IIB a IV:* cerca de 75% das pacientes com neoplasia epitelial de ovário irão se apresentar nesses estágios, principalmente pela falta atual de medidas eficazes de rastreio, pelos sintomas inespecíficos na apresentação inicial e evolução da doença. O padrão ouro de tratamento nesses estágios é a cirurgia com citorredução máxima seguida de quimioterapia adjuvante baseada em platina.

Antes de 1990 existiam poucas opções efetivas após a cirurgia de pacientes com estágios mais avançados. Na década de 1970 foram testados tratamentos com melfalano, tiotepa, clorambucil e ciclofosfamida, com sobrevida mediana entre 10 a 14 meses para as pacientes que respondiam. No início da década de 1980 houve a introdução da cisplatina, cujos estudos randomizados mostraram ganho de sobrevida quando utilizada isoladamente ou em combinação com outras drogas na primeira linha.[23] Ainda no começo dos anos 1990, a introdução do paclitaxel levou a um novo ganho de sobrevida para as pacientes com neoplasia de ovário. Dois estudos randomizados (GOG 111 e OV 10)[24,25] compararam cisplatina com paclitaxel ou ciclofosfamida, com benefício para a introdução do paclitaxel na combinação, com um ganho estimado de 10 a 12 meses na sobrevida mediana das pacientes. A combinação de cisplatina e paclitaxel é associada à toxicidade neurológica graus 3 ou 4 entre 13 a 18% das pacientes nestes estudos.

Na tentativa de minimizar as toxicidades e necessidades de hidratação no uso da cisplatina, diferentes estudos foram conduzidos nos anos subsequentes. Antes mesmo da introdução do paclitaxel, uma metanálise de 12 estudos (2.219 pacientes) mostrou que não havia diferença no uso de carboplatina ou cisplatina, tanto em monoterapia quanto em combinações.[26] Três estudos randomizados prospectivos avaliaram o uso de paclitaxel com carboplatina ou cisplatina em neoplasia avançada de ovário – *Dutch trial*,[27] GOG 158[28] e AGO[29], sem diferenças significativas em respostas patológicas, intervalo livre de doença ou sobrevida global, porém com perfis de menor toxicidade mais favoráveis ao uso da carboplatina. O uso de cisplatina foi mais associado a toxicidade renal, otológica e neurológica limitantes, porém com menos mielossupressão, quando comparada à carboplatina. A combinação carboplatina-paclitaxel é o padrão ouro no tratamento adjuvante de câncer epitelial de ovário, com taxa de resposta em torno de 65%, intervalo livre de progressão de 16 a 21 meses e sobrevida global variando de 32 a 57 meses, dependendo do estudo.

Ainda na utilização de esquemas combinados, alguns estudos avaliaram a introdução de uma terceira droga ao esquema padrão carboplatina-paclitaxel. O maior destes (GOG 182-ICON 5)[30] incluiu mais de 4.000 pacientes em cinco braços, comparando o esquema padrão isolado ou combinado a uma das seguintes opções: gencitabina em dois agendamentos possíveis, doxorrubicina lipossomal e topotecano. Comparados ao braço padrão, nenhuma das combinações apresentou ganho significativo de sobrevida ou de progressão livre de doença, tanto para as pacientes com cirurgia ótima quanto às de cirurgia subótima. A combinação de cisplatina e topotecano também foi comparada ao tratamento padrão no estudo do NCIC-CTG1, novamente sem diferenças significativas em relação a carboplatina e paclitaxel. Estudos com esquemas triplos, incluindo a gencitabina, o topotecano[32] e a epirrubicina,[33] também mostraram equivalência em sobrevida e intervalo livre de progressão.[34]

O docetaxel foi avaliado no estudo SCOTROC, onde 1.077 mulheres com estágios entre IC e IV foram randomizadas para tratamento adjuvante com carboplatina com paclitaxel ou docetaxel.[35] A avaliação de seguimento de 2 anos mostrou equivalência de resposta e sobrevida, com diferentes perfis de toxicidade: mais neutropenia e toxicidade gastrointestinal para o docetaxel, e maior incidência de neuropatia periférica e fadiga para o grupo do paclitaxel. O docetaxel pode ser uma alternativa aceitável ao paclitaxel quando a neurotoxicidade for um evento relevante.

Portanto, a opção recomendada para estágios III e IV é a combinação de paclitaxel e carboplatina por seis ciclos.

NOVAS DROGAS EM PRIMEIRA LINHA DE DOENÇA AVANÇADA

A angiogênese é o processo de neoformação de vasos sanguíneos e linfáticos a partir de vasos já existentes, e parece ser uma etapa fundamental na progressão e na disseminação de neoplasias sólidas.[36] As terapias antiangiogênicas são desenvolvidas para restaurar o equilíbrio entre as ações tumorais pró-angiogênicas e antiangiogênicas, "desligando" o crescimento desordenado de novos brotos vasculares. Nas neoplasias epiteliais de ovário, a angiogênese está relacionada a crescimento tumoral, formação de ascite e metástases.[37] Fatores como expressão intratumoral de VEGF e seu receptor (VEGFR), além da microdensidade aumentada de vasos, estão associados a pior prognóstico nessa neoplasia.[38]

Alguns estudos fase II mostraram a atividade do bevacizumabe em neoplasia de ovário recidivada, o que levou a dois principais estudos de fase III. O GOG 218 avaliou a diferença na sobrevida livre de doença para a inclusão do bevacizumabe junto à quimioterapia adjuvante padrão (carboplatina e paclitaxel) ou na manutenção após a adjuvância por 14 meses. Uma avaliação preliminar deste estudo, ocorrida em 2010, mostrou que o uso de bevacizumabe aumentou o intervalo livre de doença em 4 meses.[39] Outro estudo, o ICON 7, comparou o tratamento padrão com e sem a adição de bevacizumabe durante o tratamento e por 18 ciclos de manutenção, porém com uma dose menor do que a utilizada no GOG 218, levando a uma redução no risco de morte de 15% no primeiro ano do estudo.[40]

TRATAMENTO NEOADJUVANTE

A quimioterapia neoadjuvante foi introduzida como uma evolução do conceito de cirurgia de intervalo* e consiste na aplicação de quimioterapia com o intuito de reduzir a carga tumoral e melhorar o *performance status* das pacientes antes da cirurgia citorredutora, ou seja, apenas com realização de biópsia pré-quimioterapia. As supostas vantagens dessa modalidade de tratamento seriam aumentar as taxas de cirurgias ótimas realizadas e, portanto, um possível ganho em sobrevida, realizar cirurgias menos extensas, reduzir a perda sanguínea no peroperatório, diminuir a morbidade cirúrgica e dias de hospitalização, além de melhorar a qualidade de vida das pacientes antes da cirurgia citorredutora.[41]

Duas metanálises de estudos sobre tratamento prévio à cirurgia mostraram resultados conflitantes. Em 2006,[42] as conclusões apontavam para uma pior sobrevida para as pacientes tratadas com neoadjuvância, porém com diferenças na distribuição de estágios avançados e tipo de quimioterapia entre os grupos comparados. Uma posterior avaliação de 21 estudos não randomizados concluiu que não havia diferença de sobrevida entre o grupo que recebia quimioterapia antes ou depois da cirurgia, porém a quimioterapia neoadjuvante estava associada a melhores taxas de citorredução ótima.[43]

Um estudo prospectivo da EORTC avaliou 670 pacientes em dois braços, com cirurgia no início ou após três ciclos de quimioterapia neoadjuvante, e o resultado foi equivalente entre os grupos, novamente com vantagens na quantidade de citorreduções ótimas para o grupo de tratamento neoadjuvante (81 *versus* 42%).[44] Este grupo também apresentou menores taxas de complicações cirúrgicas.

---

*Cirurgia realizada entre os ciclos de quimioterapia inicial (neoadjuvante).

Recomenda-se três a seis ciclos de quimioterapia com carboplatina e paclitaxel. Considerar em pacientes com doença irressecável e condições clínicas desfavoráveis ao tratamento cirúrgico inicial. Avaliar, após o terceiro ciclo, a possibilidade de ressecção (cirurgia de intervalo), que deverá ser realizada em tempo hábil – o agendamento das datas de tratamento permite a programação de intervenção cirúrgica, evitando o provável período de maior toxicidade hematológica após cada ciclo de quimioterapia (nadir). Após tal procedimento, a paciente retorna ao tratamento quimioterápico para mais três ciclos.

AVALIAÇÕES DURANTE O TRATAMENTO

- Hemograma completo e plaquetas, funções renal e hepática.
- CA 125: avaliado no pré e pós-operatório e a cada dois ciclos até o término do tratamento. No controle a cada 3 meses. Se o CA 125 era normal antes do início do tratamento cirúrgico, acompanhar somente com imagem.
- Radiografia de tórax e TC abdominopélvica: solicitar no início do tratamento, após terceiro ciclo (meio do tratamento) e ao término do mesmo. Se a paciente ficar sem doença residual macroscópica (R0) após a cirurgia, não há necessidade de TC antes de iniciar o tratamento quimioterápico.

FINAL DO TRATAMENTO

A) Paciente sem evidência de doença (clínica, laboratorial e imagem): controle trimestral incluindo história e exame físico, com exame da pelve, por 2 anos; a cada 4 meses no terceiro ano, e semestral no quarto e quinto anos após o tratamento. Essa recomendação é predominantemente baseada nas rotinas operacionais de centros de gineconcologia e, apesar de adotada na maioria dos *guidelines*, foi pouco estudada prospectivamente.[17]

B) Paciente sem evidência de doença clínica e radiológica, mas com CA 125 elevado: iniciar quimioterapia **se** (ou quando) apresentar sintomas: emagrecimento de causa indeterminada, dor, desconforto ou distensão abdominal progressivas, ou esperar até apresentar exame de imagem positivo para a doença.

A duplicação do valor normal ou do valor ao final do tratamento deste marcador indica progressão de doença, mas na ausência de doença clínica ou imagem, não há benefício definido em iniciar quimioterapia. Um estudo prospectivo randomizado avaliou o papel do monitoramento do CA 125 após o tratamento inicial da NEO. Apesar de o tratamento para recidiva ter sido iniciado mais cedo (5 meses) no braço experimental, não houve ganho significativo de sobrevida ou qualidade de vida.[45] Ainda assim, o uso do CA 125 no seguimento dessas pacientes pode ser importante para determinados subgrupos, e por isso não deve ser completamente descartado nesse cenário.[46]

C) Paciente sem evidência de doença clínica e laboratorial, com imagem residual: acompanhar com TC abdominopélvica a cada 2 meses. Se apresentar progressão radiológica de doença, iniciar quimioterapia. Cerca de 10 a 20% dos tumores epiteliais de ovário são não secretores (CA 125 normal).

Neste ponto é importante destacar o papel da citorredução secundária – a abordagem cirúrgica da recidiva.[47] Em geral, a recidiva de doença possui uma apresentação clínica e disseminação mais heterogêneas que no diagnóstico inicial, o que leva a diferentes resultados para o mesmo procedimento de resgate. A reabordagem cirúrgica na recidiva deve ser considerada principalmente para pacientes com intervalo livre de doença maior que 12 meses, bom *performance status* e quando a programação cirúrgica tem por objetivo uma ressecção com doença residual mínima ou macroscopicamente completa. Mulheres com recidiva precoce (< 6 meses), ascite sintomática e carcinomatose extensa apresentam baixa probabilidade de sucesso com a citorredução secundária.[48,49] As recidivas linfonodais exclusivas podem ter abordagens com ressecção completa em mais de 80% dos casos, também levando a prognóstico melhor para este grupo.[50]

D) Paciente com sintomas clínicos, sem imagem ou elevação do CA 125: avaliar outras causas para o quadro clínico, já que não há sintomas clínicos patognomônicos de recidiva da doença.

RECIDIVA DE DOENÇA

1. Precoce (menos de 6 meses do final do tratamento): paciente considerada resistente à platina.
2. Tardia (≥ 6 meses do final do tratamento): paciente considerada sensível à platina. Deverá ser submetida a resgate com carboplatina e paclitaxel[51] OU uma das drogas isoladas, dependendo de PS e comorbidades.

Alguns autores debatem o limite de tempo a ser considerado como "sensível à platina", se maior que 6 ou 12 meses após o último tratamento. Desta forma, alguns estudos que comparam tratamentos subsequentes podem conduzir grupos cuja equivalência biológica de sensibilidade às drogas não pode ser considerada equilibrada.[52]

SEGUNDA LINHA DE DOENÇA AVANÇADA

Um dos principais preditores de resposta à terapia de segunda linha no tumor epitelial de ovário é a resposta prévia à terapia de primeira linha baseada em platina. Pacientes sensíveis à platina têm alta probabilidade de responderem novamente ao tratamento baseado em platina na recidiva e, por isso, deve-se repetir esquema de primeira linha, sendo a combinação de escolha a carboplatina e o paclitaxel. Pacientes refratárias ou resistentes à platina têm pior prognóstico e devem ser tratadas com agentes que não tenham resistência cruzada à platina. Neste caso, a monoterapia é mais usada, porém a terapia combinada tem maiores taxas de resposta e aumento da sobrevida livre de doença, embora com maior toxicidade.

Como o objetivo primário do tratamento de segunda linha é a paliação, as recidivas assintomáticas não requerem necessariamente tratamento imediato. Porém, pacientes que recaíram após 12-24 meses do tratamento com platina têm 60% de chance de nova resposta e devem ser tratadas imediatamente, mesmo se assintomáticas.

Topotecano

É considerado ativo como segunda linha nos sensíveis e resistentes/refratários a platina, com taxas de respostas que variam de 13 a 33%, dependendo da sensibilidade à platina. Conforme estudo fase III que comparou o uso de topotecano 1,5 mg/m^2 D1 a D5 com doxorrubicina lipossomal 50 mg/m^2 como terapia de segunda linha, não houve diferenças na sobrevida livre de progressão e sobrevida global nos dois braços. Porém, no subgrupo sensível à platina houve diferença estatisticamente significativa na sobrevida livre de progressão em favor da doxorrubicina lipossomal (28,9 *versus* 23,3%). O mesmo foi observado na sobrevida global. (108 *versus* 71,1 semanas).[53] Uma análise posterior do mesmo trabalho, publicada em 2004, confirmou que a doxorrubicina lipossomal como segunda linha aumentou a sobrevida global quando comparada ao topotecano, principalmente nas sensíveis a platina.[54]

Outro estudo fase III avaliou o uso de topotecano isolado *versus* paclitaxel como terapia de terceira linha. Com seguimento de 4 anos, a sobrevida global média foi de 63 semanas no grupo do topotecano *versus* 53 semanas no grupo do paclitaxel, com maior toxicidade hematológica para o topotecano. Concluiu-se que o topotecano demonstrou eficácia e sobrevida comparáveis ao paclitaxel e com toxicidade de fácil manejo.[55]

Alguns estudos fase II analisaram o uso do topotecano semanal como terapia de segunda linha na tentativa de diminuir toxicidade principalmente hematológica. Para investigar a eficácia do topotecano associado ao paclitaxel, ambos semanais, 45 pacientes foram recrutadas em um estudo multicêntrico. Todas as pacientes haviam sido tratadas previamente com carboplatina/cisplatina e paclitaxel. Trinta e nove por cento obtiveram resposta completa ou parcial, 43% permaneceram com doença estável e 18% progrediram a doença. Houve uma sobrevida média de 9 meses, com notável diminuição de toxicidade hematológica. Topotecano em combinação com paclitaxel semanalmente foi considerado tão eficaz quanto o topotecano administrado em 5 dias, porém menos mielotóxico.[56]

Para avaliar se houve benefício na combinação do topotecano com quimioterápicos diferentes da platina, 502 pacientes foram randomizadas em três grupos: topotecano isolado, topotecano associado a etoposide oral e topotecano associado a gencitabina. As pacientes foram estratificadas de acordo com a sensibilidade à platina, porém foram consideradas resistentes/refratárias as que tiveram recidivas antes de 12 meses do tratamento de primeira linha. Neste estudo, não houve diferença estatisticamente significativa na sobrevida mediana (17,2 meses *versus* 17,8 meses *versus* 15,2 meses), assim como na sobrevida livre de progressão ou taxa de resposta. Concluiu-se que o topotecano em combinação com etoposide ou gencitabina não aumentou a sobrevida, quando comparado ao topotecano isolado. Deve-se ressaltar que o ponto de corte para determinar sensibilidade à platina de 12 meses pode ter influenciado o resultado, uma vez que a maioria dos estudos determina em 6 meses o perfil de sensibilidade à platina.

Uma revisão sistemática da Base de Dados Cochrane concluiu, após análise de seis estudos, que topotecano isolado, paclitaxel ou doxorrubicina lipossomal têm eficácia similar.

Gencitabina

Da mesma forma que o topotecano, a gencitabina é ativa nos tumores de ovário resistentes a platinas e/ou taxano. Nas terapias de segunda linha para câncer de ovário, a gencitabina pode ser usada isoladamente ou em combinação, sobretudo com a doxorrubicina lipossomal. Alguns estudos também usaram a combinação de gencitabina com paclitaxel, docetaxel ou topotecano, obtendo maior taxa de resposta quando comparada a gencitabina isoladamente. Outros estudos com gencitabina/cisplatina ou gencitabina/carboplatina nos pacientes resistentes a platinas sugerem que a gencitabina possa ter um importante papel de sinergismo com tais drogas, assim como apresentar uma ação de reversão da resistência a platina.[57]

A maioria dos estudos que avaliou o uso da monoterapia com gencitabina em segunda linha era composta de pacientes resistentes à platina, como apresentados a seguir. Nestes estudos, a taxa média de resposta foi de 16,5%, com 33,9% apresentando doença estável.

Assim como foi observado no grupo resistente à platina, a combinação de gencitabina/cisplatina nas mulheres sensíveis a ela também aumentou a taxa de resposta, quando comparada à monoterapia com gencitabina. Em 2008, um estudo fase III do *North-Eastern German Society of Gynecological Oncology Ovarian Cancer Study Group* visava avaliar a sobrevida quando se adicionava um quimioterápico "não platina" ao topotecano *versus* topotecano isolado na terapia de segunda linha. Um dos três braços do estudo foi gencitabina 800 mg/m^2 no dia 1 e 600 mg/m^2 no dia 8 associada ao topotecano 0,5 mg/m^2/d a cada 21 dias. Neste estudo, a adição da gencitabina não aumentou a sobrevida global (15,2 meses *versus* 17,2 na monoterapia com topotecano), assim como não aumentou a sobrevida livre de progressão e taxa de resposta.[58]

Outro estudo fase III importante realizado pelo AGO-OVAR, NCIC CTG e EORTC GCG comparou o uso de gencitabina e carboplatina *versus* carboplatina isolada em pacientes sensíveis a platina caracterizadas por apresentar recidiva da doença após 6 meses da terapia com platina. O objetivo principal foi avaliar um esquema alternativo, sem taxano, que não tivesse uma toxicidade neurológica importante e fosse capaz de aumentar sobrevida global e sobrevida livre de progressão com controle eficaz dos sintomas. Trezentas e cinquenta e seis pacientes foram randomizadas para receber carboplatina com ou sem gencitabina. Com seguimento de 17 meses, houve maior sobrevida livre de progressão no grupo da terapia combinada (8,6 *versus* 5,8 meses), com p = 0,0031. A taxa de resposta também foi superior em favor da terapia combinada (47,2 *versus* 30,9% – p = 0,0016). Não houve diferença na análise de qualidade de vida entre os grupos, assim como na sobrevida global.[59]

Doxorrubicina lipossomal

Vários estudos demonstraram a eficácia da doxorrubicina lipossomal tanto nas pacientes sensíveis quanto nas resistentes à platina. O primeiro estudo fase II de Muggia *et al.* avaliou 35 pacientes, a maioria (29 pacientes) resistentes à platina. Foi utilizada doxorrubicina lipossomal 50 mg/m^2 como agente único a cada 3 semanas. Neste estudo, nove pacientes (26%) obtiveram resposta objetiva.[60]

O primeiro estudo fase III que mostrou benefício da doxorrubicina lipossomal como segunda linha no câncer de ovário foi publicado em 2001. Quatrocentas e setenta e quatro pacientes foram randomizadas para receber doxorrubicina lipossomal 50 mg/m^2 a cada 4 semanas ou topotecano 1,5 mg/m^2/d por 5 dias. A sobrevida livre de progressão não diferiu entre os braços, com tendência favorecendo o grupo da doxorrubicina lipossomal (p = 0,095). Também não houve diferença na taxa de resposta (19,7 *versus* 17%, respectivamente) ou na sobrevida global (60 semanas *versus* 56,7). Na análise de subgrupos, foi observada diferença estatisticamente significativa nas pacientes sensíveis à platina com maior sobrevida livre de progressão e sobrevida global.[61] A análise com seguimento mais longo confirmou os achados anteriores. Foi demonstrado que o tratamento de segunda linha em pacientes com câncer de ovário recidivado com doxorrubicina lipossomal aumentou a sobrevida, comparado ao topotecano, principalmente nas pacientes sensíveis à platina.

Um estudo comparou o uso da doxorrubicina lipossomal 50 mg/m^2 com gencitabina 1.000 mg/m^2 D1 e D8. Cento e noventa e cinco pacientes resistentes à platina foram incluídas; não houve diferença na sobrevida livre de progressão (3,6 meses para gencitabina e 3,1 meses para doxorrubicina), tampouco na sobrevida global. Os dois quimioterápicos foram considerados equivalentes no tratamento de segunda linha para câncer de ovário previamente tratados com platina e taxano resistentes à platina. Outro estudo fase III bastante parecido, publicado pelo grupo italiano em fevereiro de 2008, também comparou doxorrubicina lipossomal com gencitabina, porém este com dose menor do antracíclico (40 mg/m^2) e dose maior da gencitabina (1000 mg/m^2 D1, D8, D15 a cada 28 dias). Foram randomizados pacientes que progrediram após 12 meses ou mais da terapia com platina/paclitaxel. Cento e cinquenta e três pacientes foram incluídos e houve uma tendência à maior sobrevida global no grupo do antracíclico, porém com melhor qualidade de vida estatisticamente significativa no grupo da doxorrubicina lipossomal, o que é extremamente importante tratando-se de paliação. Não houve diferença na toxicidade entre os braços. Este estudo mostrou que a gencitabina não é superior à doxorrubicina nas pacientes sensíveis a platina com recidiva tardia.

Agentes antiangiogênicos

Na doença recidivada e em pacientes anteriormente tratadas, o estudo GOG 170D avaliou o papel do bevacizumabe como droga única (fase II), com 21% de resposta global e 40% de sobrevida em 6 meses.[62] Em outros estudos de fase II o bevacizumabe foi testado em associação a ciclofosfamida oral metronômica[63] e erlotinibe,[64] com resultados e sobrevida similares.

Outras categorias de drogas antiangiogênicas estão atualmente em investigação em NEO, entre estudos de fases II e III, incluindo inibidores da tirosina-cinase, como pazopanibe,[65] BIBF-1120[66] e cediranibe.[67] Da mesma forma, diferentes alvos moleculares são explorados no tratamento da doença avançada, como o uso de AMG-386, uma proteína de fusão recombinante que inativa a angiopoietina 2 e demonstrou aumento na sobrevida livre de progressão em um estudo fase II.[68]

Em um estudo de fases I/II foi utilizada uma proteína de fusão do tipo VEGF-*trap*, que age bloqueando o receptor VEGFR (1 e 2). O aflibercept foi testado em conjunto com o docetaxel em mulheres previamente tratadas com mais de uma linha de quimioterapia, com 54% de resposta global e duração mediana de resposta de 6 meses.[69]

Outras drogas

Diversos estudos fase II avaliaram a eficácia de outros tratamentos paliativos em pacientes resistentes às platinas. Diversas drogas têm atividade moderada como segunda linha no câncer de ovário. Dentre elas, destacam-se vinorelbina, ifosfamida, tamoxifeno, fluorouracil-LV e irinotecano. Estudo fase II publicado em 2003 realizado para avaliar eficácia do irinotecano como segunda linha demonstrou taxa de resposta global de 17,2% e sobrevida média de 10 meses.[70]

Um estudo de fase II avaliou o uso de docetaxel com oxaliplatina nas pacientes sensíveis a platina, com recidiva tardia (>12 meses). A taxa de resposta encontrada foi de 67,4%, com duração média de resposta de 10 meses e perfil de toxicidade favorável.[71]

Etoposide

Nenhum estudo fase III comprovou benefício do etoposide oral em ganho de sobrevida ou intervalo livre de progressão. Alguns estudos fase II demonstraram taxas de resposta que variaram de 8 até 27%. Um estudo fase II utilizou etoposide oral 50 mg/m^2/dia como tratamento de segunda linha em pacientes sensíveis ou resistentes/refratárias à platina. Nas resistentes à platina, 26,8% tiveram resposta, com sobrevida livre de progressão de 5,7 meses e sobrevida média de 10,8 meses. Nas pacientes sensíveis à platina, a taxa de resposta chegou a 34%, com sobrevida média de 16,5 meses.[72] Outro artigo de revisão publicado em 1999 englobou nove estudos e encontrou taxa de resposta em torno de 20,4%, com o uso de etoposide oral no câncer de ovário recidivado.[73]

O uso do etoposide em combinação com outros quimioterápicos também já foi estudado. Trinta e quatro pacientes com falha de tratamento, sensíveis ou não à platina, receberam cisplatina 50 mg/m^2 e etoposide 50 mg, ambos semanalmente. A taxa de resposta encontrada foi de 78% nas sensíveis a platina e 46% nas resistentes a ela, com uma sobrevida média de 14 meses.[74]

Tamoxifeno

Em uma revisão retrospectiva, 56 pacientes com doença recidivada de pequeno volume e assintomáticas receberam 20 ou 40 mg de tamoxifeno até progressão da doença. Como resultado, foi encontrada duração média de resposta de 3 meses. Como não há estudos randomizados que avaliem o manejo de recidiva em pacientes assintomáticos, concluiu-se que o tamoxifeno parece ser uma opção aceitável neste subgrupo de pacientes.[75]

QUIMIOTERAPIA INTRAPERITONEAL

O padrão de disseminação predominantemente intra-abdominal das neoplasias de ovário vem estimulando a realização de estudos para a aplicação direta de antineoplásicos no espaço peritoneal desde a década de 1950, porém sem resultados animadores e às custas de toxicidade elevada. A base teórica publicada por Dedrick, em 1978, mostrou concentrações de drogas no peritônio até 1.000 vezes maiores por aplicação direta do que pela via convencional.[76]

Mais recentemente, alguns estudos foram responsáveis pela retomada do interesse e indicação da quimioterapia intraperitoneal em neoplasia de ovário. Publicado em 1996, o GOG 104/SWOG 8501 ainda utilizava cisplatina e ciclofosfamida,[77] e mostrou ganho de sobrevida para o braço experimental intraperitoneal, assim como o GOG 114/SWOG 9227, cujo desenho do braço experimental levantou dúvidas quanto à validade do ganho apresentado.[78]

O GOG 172, publicado em 2006, utilizou um esquema de tratamento intraperitoneal no braço experimental que gerou um ganho de sobrevida mediana que se aproximava de 16 meses,[79] o que levou à recomendação do *National Cancer Institute* para a indicação deste tratamento a pacientes com neoplasia de ovário estágio III com cirurgia inicial ótima. Apesar dos números favoráveis do braço experimental, o estudo mostrou que apenas 42% das pacientes toleraram o braço experimental completo, e uma redução significativa na qualidade de vida no primeiro ano após o tratamento.[80] Além disso, o estudo utilizava a cisplatina como padrão, e não carboplatina (padrão), o que poderia alterar os perfis de toxicidade e tolerância ao tratamento. Dessa forma, a quimioterapia intraperitoneal fora de um protocolo de pesquisa ou de um centro de ginecologia ainda é vista com reservas.

PERSPECTIVAS

O aumento do conhecimento dos perfis moleculares e da expressão gênica das NEO permitirão o desenvolvimento de novos alvos terapêuticos, bem como na seleção de tratamentos mais eficazes e menos tóxicos, escolhidos pela estratificação de risco de cada caso. Nos próximos anos também são esperados avanços no entendimento do papel da citorredução secundária, uso de técnicas de imagem no rastreio e acompanhamento, além do papel dos marcadores tumorais nos tumores de ovário.

REFERÊNCIAS BIBLIOGRÁFICAS

1. Brasil. Ministério da Saúde. Instituto Nacional de Câncer José Alencar Gomes da Silva, Coordenação Geral de Ações Estratégicas, Coordenação de Prevenção e Vigilância. *Estimativa 2012: incidência de câncer no Brasil*. Rio de Janeiro: INCA, 2011. Disponível em: http://www.inca.gov.br/estimativa/2012/estimativa20122111.pdf
2. Carney ME, Lancaster JM, Ford C et al. A population-based study of patterns of care for ovarian cancer: who is seen by a gynecologic oncologist and who is not? *Gynecol Oncol* 2002;84:36-42.
3. Verleye L, Vergote I, van der Zee AG. Patterns of care in surgery for ovarian cancer in Europe. *Eur J Surg Oncol* 2010;36(Suppl 1):S108-14.
4. NIH consensus conference. Ovarian cancer. Screening, treatment, and follow-up. NIH Consensus Development Panel on Ovarian Cancer. *JAMA* 1995;273(6):491.
5. Hewitt MJ, Anderson K, Hall GD et al. Women with peritoneal carcinomatosis of unknown origin: Efficacy of image-guided biopsy to determine site-specific diagnosis. *BJOG* 2007;114(1):46.
6. Hankinson SE, Hunter DJ, Colditz GA et al. Tubal ligation, hysterectomy, and risk of ovarian cancer. A prospective study [comment]. *JAMA* 1993;270:2813.
7. Petignat P et al. Surgical management of epithelial ovarian cancer at community hospitals: a population-based study. *J Surg Oncol* 2000;75:19.
8. Giede KC et al. Who should operate on patients with ovarian cancer? An evidenced-based review. *Ginecol Oncol* 2005;99:447.
9. FIGO Committee on Gynecologic Oncology. Staging classifications and clinical practice guidelines for gynaecological cancers. *Int J Gyn Oncol* 2000;70:207-312.
10. Vanesmaa P. Epithelial ovarian cancer: Impact of surgery and chemotherapy on survival during 1977-1990. *Obstet Gynecol* 1994;79:8-11.
11. Chen LM, Berek JS. Epithelial ovarian cancer: clinical manifestations, diagnostic evaluation, staging and histopathology. *UpToDate*, 2007. Disponível em: www.uptodate.com
12. Bukowski RM et al. The management of recurrent ovarian cancer. *Semin Oncol* 2007;34:S1-15.
13. Buchsbaum HJ et al. Surgical staging of carcinoma of the ovaries. *Surg Gynecol Obstet* 1989;169:226-32.
14. Tropé C, Kaern J. Primary surgery for ovarian cancer. *Eur J Surg Oncol* 2006;32:844-52.
15. Stratton JF et al. The surgical management of ovarian cancer. *Cancer Treat Rev* 2001;27:111-18.
16. Trimbos JB, Bolis G. Guidelines for surgical staging of ovarian cancer. *Obstet Gynecol Surv* 1994;49:814-16.
17. Schorge JO, Eisenhauer EE, Chi DS. Current surgical management of ovarian cancer. *Hematol Oncol Clin N Am* 2012;26:93-109.
18. Whitney CW, Spirtos N. Gynecologic Oncology Group surgical procedures manual. Philadelphia (PA): Gynecologic Oncology Group, 2009. Acesso em: 21 Oct. 2011. Disponível em: www.gog.org
19. Jemal A, Siegel R, Ward E et al. Cancer Statistics 2009. *CA Cancer J Clin* 2009;59:225-49.
20. Winter-Roach BA, Kitchener HC, Dickinson HO. Adjuvant (post-surgery) chemotherapy for early stage epithelial ovarian cancer. *Cochrane Database Syst Rev* 2009;(3):CD004706.
21. Colombo N, Peiretti M, Parma G et al. Newly diagnosed and relapsed epithelial ovarian carcinoma: ESMO Clinical Practice Guidelines for diagnosis, treatment and follow-up. *Ann Oncol* 2010;21(Suppl 5):v23-30.
22. Young RC, Walton LA, Ellenberg SS et al. Adjuvant therapy in stage I and stage II epithelial ovarian cancer. Results of two prospective randomized trials. *N Engl J Med* 1990;322:1021-27.
23. Aabo K, Adams M, Adnitt P et al. Chemotherapy in advanced ovarian cancer: four systematic meta-analyses of individual patient data from 37 randomized trials. Advanced ovarian cancer trialists' group. *Brit J Cancer* 1998;78(11):1479-87.
24. McGuire WP, Ozols RF. Chemotherapy of advanced ovarian cancer. *Semin Oncol* 1998;25(3):340-48.
25. Piccart MJ, Bertelsen K, James K et al. Randomized intergroup trial of cisplatin-paclitaxel versus cisplatin-cyclophosphamide in women with advanced epithelial ovarian cancer: three-year results. *J Natl Cancer Inst* 2000;92:699-708.
26. Chemotherapy for advanced ovarian cancer. Advanced ovarian cancer trialists group. *Cochrane Database Syst Rev* 2000;(2):CD001418.
27. Neijt JP, Engelholm SA, Tuxen MK et al. Exploratory phase III study of paclitaxel and cisplatin versus paclitaxel and carboplatin in advanced ovarian cancer. *J Clin Oncol* 2000;18(17):3084.
28. Ozols RF, Bundy BN, Greer BE et al. Phase III trial of carboplatin and paclitaxel compared with cisplatin and paclitaxel in patients with

optimally resected stage III ovarian cancer: a Gynecologic Oncology Group study. *J Clin Oncol* 2003;21(17):3194.

29. du Bois A, Lück HJ, Meier W et al. A randomized clinical trial of cisplatin/paclitaxel versus carboplatin/paclitaxel as first-line treatment of ovarian cancer. Arbeitsgemeinschaft Gynäkologische Onkologie Ovarian Cancer Study Group. *J Natl Cancer Inst* 2003;95(17):1320.

30. Bookman MA, Brady MF, McGuire WP et al. Evaluation of new platinum-based treatment regimens in advanced-stage ovarian cancer: a phase III trial of the gynecologic cancer intergroup. *J Clin Oncol* 2009;27(9):1419-25.

31. Hoskins PJ, Vergote I, Stuart G et al. A phase III trial of cisplatin plus topotecano followed by paclitaxel plus carboplatin versus standard carboplatinplus paclitaxel as first-line chemotherapy in women with newly diagnosed advanced epithelial ovarian cancer (EOC) (OV.16). A gynecologic cancer intergroup study of the NCIC CTG, EORTC GCG, and GEICO. *J Natl Cancer Inst* 2010;102:1-10.

32. Scarfone G, Scambia G, Raspagliesi F et al. A multicenter, randomized, phase III study comparing paclitaxel/carboplatin (PC) versus topotecano/paclitaxel/carboplatin (TPC) in patients with stage III (residual tumor > 1 cm after primary surgery) and IV ovarian cancer (OC), in: 2006 ASCO Annual Meeting Proceedings Part I, abs: 5003 ASCO). *J Clin Oncol* 2006;24(18S).

33. Du Bois A, Weber B, Rochon J et al. Arbeitsgemeinschaft Gynaekologische Onkologie; Ovarian Cancer Study Group; Groupe d'Investigateurs Nationaux pour l'Etude des Cancers Ovariens. Addition of epirubicin as a third drug to carboplatin-paclitaxel in first-line treatment of a advanced ovarian cancer A prospectively randomized gynecologic cancer intergroup trial by the Arbeitsgemeinschaft Gynaekologische Onkologie Ovarian Cancer Study Group and the Groupe d'Investigateurs Nationaux pour l'Etude des Cancers Ovariens. *J Clin Oncol* 2006;24(7):1127-35.

34. du Bois A, Herrstedt J, Hardy-Bessard AC et al. Phase III trial of carboplatin plus paclitaxel with or without gemcitabine in first-line treatment of epithelial ovarian cancer. *JCO* 2010;28(27):4162-69.

35. Vasey PA, Jayson GC, Gordon A et al. Phase III randomized trial of docetaxel-carboplatin versus paclitaxel-carboplatin as first-line chemotherapy for ovarian carcinoma. Scottish Gynaecological Cancer Trials Group. *J Natl Cancer Inst* 2004;96(22):1682.

36. Folkman J, Watson K, Ingber D et al. Induction of angiogenesis during the transition from hyperplasia to neoplasia. *Nature* 1989;339:58-61.

37. Ramakrishnan S, Subramanian IV, Yokoyama Y et al. Angiogenesis in normal and neoplastic ovaries. *Angiogenesis* 2005;8:169-82.

38. Burger RA. Overview of anti-angiogenic agents in development for ovarian cancer. *Gynecol Oncol* 2011;121:230-38.

39. Burger RA, Brady MF, Bookman MA et al. Phase III trial of bevacizumab (BEV) in the primary treatment of advanced epithelial ovarian cancer (EOC), primary peritoneal cancer (PPC), or fallopian tube cancer (FTC): a gynecologic oncology group study. *J Clin Oncol* 2010;28(18s Suppl), abstr LBA1, ASCO meeting 2010.

40. Perren T, Swart AM, Pfisterer J et al. ICON7: a phase III randomized gynaecologic cancer onter group trial of concurrent bevacizumab and chemotherapy followed by maintenance bevacizumab, versus chemotherapy alone in women with newly diagnosed epithelial ovarian (EOC) primary peritoneal (PPC) or fallopian tube cancer (FTC). *Ann Oncol* 2010;21(Suppl 8), abstract LBA4, ESMO meeting 2010.

41. Zang RY, Zhang ZY, Cai SM et al. Cytoreductive surgery for stage IV epithelial ovarian cancer. *J Exp Clin Cancer Res* 1999;18(4):449.

42. Bristow RE, Chi DS. Platinum-based neoadjuvant chemotherapy and interval surgical cytoreduction for advanced ovarian cancer: a meta-analysis. *Gynecol Oncol* 2006;103(3):1070.

43. Kang S, Nam BH. Does neoadjuvant chemotherapy increase optimal cytoreduction rate in advanced ovarian cancer? Meta-analysis of 21 studies. *Ann Surg Oncol* 2009;16(8):2315.

44. Vergote I, TropéCG, Amant F et al. Neoadjuvant chemotherapy or primary surgery in stage IIIC or IV ovarian cancer. European Organization for Research and Treatment of Cancer-Gynaecological Cancer Group, NCIC Clinical Trials Group. *N Engl J Med* 2010;363(10):943.

45. Rustin GJ, van der Burg MD, Griffin CL et al. Early versus delayed treatment of relapsed ovarian cancer (MRC OV05/EORTC 55955): a randomized trial. *Lancet* 2010 Oct. 2;376:1155-63.

46. Morris RT, Monk BJ. Ovarian cancer: relevant therapy, not timing, is paramount. *Lancet* 2010 Oct 2;376:1120-22.

47. Oksefjell H, Sandstad B, Trope C. The role of secondary cytoreduction in the management of the first relapse in epithelial ovarian cancer. *Ann Oncol* 2009;20(2):286-93.

48. Bristow RE, Puri I, Chi DS. Cytoreductive surgery for recurrent ovarian cancer:a meta-analysis. *Gynecol Oncol* 2009;112:265-74.

49. Bristow RE, Peiretti M, Gerardi M et al. Secondary cytoreductive surgery including rectosigmoid colectomy for recurrent ovarian cancer: operative technique and clinical outcome. *Gynecol Oncol* 2009;114:173-77.

50. Fotiou S, Aliki T, Petros Z et al. Secondary cytoreductive surgery in patients presenting with isolated nodal recurrence of epithelial ovarian cancer. *Gynecol Oncol* 2009;114:178-82.

51. Parmar MK et al. Paclitaxel plus platinum-based chemotherapy versus conventional platinum-based chemotherapy in women with relapsed ovarian cancer: the ICON4/AGO-OVAR-2.2 trial. *Lancet* 2003 June 21;361(9375):2099-106.

52. Pignata S, Cannella L, Leopardo D et al. Chemotherapy in epithelial ovarian cancer. *Cancer Lett* 2011;303(2):73-83.

53. Gordon AN, Fleagle JT, Guthrie D et al. Recurrent epithelial ovarian carcinoma: A randomized phase III study of pegylated liposomal doxorubicin versus topotecano. *J Clin Oncol* 2001;19:3312.

54. Gordon AN, Tonda M, Sun S et al. Long-term survival advantage for women treated with pegylated liposomal doxorubicin compared with topotecano in a phase 3 randomized study of recurrent and refractory epithelial ovarian cancer. *Gynecol Oncol* 2004 May;95:1-8.

55. Huinink WTB, Lane SR, Ross GA. Long-term survival in a phase III, randomized study of topotecano versus paclitaxel in advanced epithelial ovarian carcinoma. *Ann Oncol* 2004;15:100-3.

56. Stathopoulos GP, Malamos NA, Aravantinos G et al. Weekly administration of topotecan-paclitaxel as second-line treatment in ovarian cancer. *Cancer Chemother Pharmacol* 2007;60:123-28.

57. Poveda A. Gemcitabine in patients with ovarian cancer. *Cancer Treat Rev* 2005;31(Suppl 4):S29-37.

58. Sehouli J, Stengel D, Oskay-Oezcelik G et al. Nonplatinum topotecan combinations versus topotecan alone for recurrent ovarian cancer: results of a phase III study of the North-Eastern German Society of Gynecological Oncology Ovarian Cancer Study Group. *J Clin Oncol* 2008;26:3176-82.

59. Pfisterer J, Plante M, Vergote I et al. Gemcitabine plus carboplatin compared with carboplatin in patients with platinun-sensitive recurrent ovarian cancer: an intergroup trial of the AGO-OVAR, the NCIC CTG, and the EORTC GCG. *J Clin Oncol* 2006;24:4699-707.

60. Markman M, Gordon AN, McGuire WP et al. Liposomal anthracycline treatment for ovarian cancer. *Semin Oncol* 2004 Dec.:31;(6 Suppl 13):91-105.

61. Gordon AN, Fleagle JT, Guthrie D et al. Recurrent epithelial ovarian carcinoma: A randomized phase III study of pegylated liposomal doxorubicin versus topotecan. *J Clin Oncol* 2001;19:3312.

62. Burger RA, Sill MW, Monk BJ et al. Phase II trial of bevacizumab in persistent or recurrent epithelial ovarian cancer or primary peritoneal cancer: a Gynecologic Oncology Group Study. *J Clin Oncol* 2007;25(33):5165.

63. Garcia AA, Hirte H, Fleming G et al. Phase II clinical trial of bevacizumab and low-dose metronomic oral cyclophosphamide in recurrent ovarian cancer: a trial of the California, Chicago, and Princess Margaret Hospital phase II consortia. *J Clin Oncol* 2008;26(1):76.

64. Nimeiri HS, Oza AM, Morgan RJ et al. Efficacy and safety of bevacizumab plus erlotinib for patients with recurrent ovarian, primary peritoneal, and fallopian tube cancer: a trial of the Chicago, PMH, and California Phase II Consortia. *Gynecol Oncol* 2008 July;110(1):49-55.

65. Friedlander M, Hancock KC, Rischin D et al. A phase II, open-label study evaluating pazopanib in patients with recurrent ovarian cancer. *Gynecol Oncol* 2010 Oct.;119(1):32-37.

66. Ledermann JA, Hackshaw A, Kaye SB et al. A randomized phase II placebo-controlled trial using maintenance therapy to evaluate the vascular targeting agent BIBF 1120 following treatment of relapsed ovarian cancer (OC). *J Clin Oncol* 2009;27:15s (Suppl; abstr 5501.

67. Matulonis UA, Berlin S, Ivy P et al. Cediranib, an oral inhibitor of vascular endothelial growth factor receptor kinases, is an active drug in recurrent epithelial ovarian, fallopian tube, and peritoneal cancer. *J Clin Oncol* 2009;27:5601-6.

68. Karlan BYO, Hansen VL, Richardson GE et al. Randomized, double-blind, placebo-controlled phase II study of AMG 386 combined with weekly paclitaxel in patients (pts) with recurrent ovarian carcinoma. *J Clin Oncol* 2010.

69. Coleman RL, Duska LR, Ramirez PT et al. Phase 1-2 study of docetaxel plus aflibercept in patients with recurrent ovarian, primary peritoneal, or fallopian tube cancer. *Lancet Oncol* 2011;12(12):1109.

70. Bodurka DC, Levenback C, Wolf JK, Ganno J, Wharton JT et al. Phase II trial of irinotecan in patients with metastatic epithelial ovarian cancer or peritoneal cancer. *J Clin Oncol* 2003 Jan.;21(2):291-97.

71. Ferrandina G, Ludovisi M, De Vicenzo R et al. Docetaxel and oxaliplatin in the second-line treatment of platinum-sensitive recurrent ovarian cancer: a phase II study. *Ann Oncol* 2007 Aug.;18(8):1348-53.

72. Rose PG, Blessing JA, Mayer AR *et al.* Prolonged oral etoposide as second-line therapy for platinum-resistant and platinum-sensitive ovarian carcinoma: a Gynecologic Oncology Group study. *J Clin Oncol* 1998;16:405-10.
73. Ozols RF. Oral etoposide for the treatment of recurrent ovarian cancer. *Drugs* 1999;58(Suppl 3):43-49.
74. Verborg WA, Campbell LR, Highley MS *et al.* Weekly cisplatin with oral etoposide: s well-tolerated and highly effective regimen in relapsed ovarian cancer. *Int J Gynecol Cancer* 2008 Mar.-Apr.;18(2):228-34.
75. Markman M, Webster K, Zanotti K *et al.* Use of tamoxifen in asymptomatic patients with recurrent small-volume ovarian cancer. *Gynecol Oncol* 2004 May;93(2):390-93.
76. Dedrick RL, Myers CE, Bungay PM *et al.* Pharmacokinetic rationale for peritoneal drug administration in the treatment of ovarian cancer. *Cancer Treat Rep* 1978 Jan.;62(1):1-11.
77. Alberts DS, Liu PY, Hannigan EV *et al.* Intraperitoneal cisplatin plus intravenous cyclophosphamide versus intravenous cisplatin plus intravenous cyclophosphamide for stage III ovarian cancer. *New Engl J Med* 1996;335:1950-55.
78. Markman M, Bundy BN, Alberts DS *et al.* Phase III trial of standard-dose intravenous cisplatin plus paclitaxel versus moderately high-dose carboplatin followed by intravenous paclitaxel and intraperitoneal cisplatin in small volume stage III ovarian carcinoma: an intergroup study of the gynecologic oncology group, southwestern oncology group, and eastern cooperative oncology group. *J Clin Oncol* 2001;19:1001-7.
79. Armstrong DK, Bundy B, Wenzel L *et al.* Intraperitoneal cisplatin and paclitaxel in ovarian cancer. *New Engl J Med* 2006;354:34-43.
80. Wenzel LB, Huang HQ, Armstrong DK *et al.* Gynecologic oncology group. Health-related quality of life during and after intraperitoneal versus intravenous chemotherapy for optimally debulked ovarian cancer: a gynecologic oncology group study. *J Clin Oncol* 2007;25(4):437-43.

CAPÍTULO 179

Câncer de Endométrio – Tratamento Adjuvante e na Doença Recidivada ou Metastática

Alvaro Henrique Ingles Garces ■ Morgana Stelzer Rossi
Cristiane Rocha Lima ■ Rodrigo Furtado Silva

INTRODUÇÃO

O câncer do corpo do útero é o sétimo tipo de câncer mais frequente entre as mulheres, com aproximadamente 290 mil casos novos por ano no mundo, sendo responsável pelo óbito de, aproximadamente, 74 mil mulheres por ano no Brasil.[1] Configura-se como a neoplasia ginecológica comumente relacionada aos hábitos de vida moderna.[2] Segundo Rodrigues Lima (1999, *apud* Gama), sua incidência varia de acordo com as regiões do país, sendo em média 30 a 40 casos novos por 100 mil mulheres.[3] Para o ano de 2012, são estimados 4.520 casos novos em nosso país, com predomínio na região Sudeste.[1] Diferentemente do câncer de ovário, a maioria das pacientes é diagnosticada em estágio precoce quando o tratamento cirúrgico pode ser curativo.

EPIDEMIOLOGIA

O risco estimado de uma mulher durante sua vida desenvolver câncer de endométrio é de cerca de 1 em 40 mulheres. A incidência predomina em mulheres brancas, hispânicas ou asiáticas. Entretanto, a mortalidade é quase 2 vezes maior entre as mulheres negras.

Essa diferença é explicada pela maior incidência do tipo agressivo nesse subgrupo de mulheres.[4]

Diferenças na epidemiologia e no prognóstico sugerem duas formas de câncer de endométrio relacionadas ou não ao estímulo estrogênico:[5]

- Tipo I (80%) é estrogênio dependente. Histologicamente caracteriza-se como tumor endometrioide de baixo grau e é associado a hiperplasia endometrial atípica. Fatores de risco como obesidade, nuliparidade, excesso de estrogênio endógeno ou exógeno, diabetes melito e hipertensão arterial, são comuns nessas pacientes.
- Tipo II (20%) é independente do estímulo estrogênico. Apresenta-se como tumor de alto grau ou tipo celular de mau prognóstico, como o subtipo seroso papilífero ou de células claras. Essas pacientes geralmente são multíparas, com idade mais avançada, e não apresentam obesidade, hipertensão ou diabetes como fatores de risco.

PATOLOGIA

São subtipos histopatológicos de câncer endometrial:

- Endometrioide: 75-80% dos casos, precedidos por alterações pré-malignas.
- Seroso papilífero: 1-5% dos casos.
- Células claras: 5-10% dos casos.
- Tumores mistos: histologia rara, de prognóstico controverso.

FATORES DE RISCO

A exposição ao estrogênio a longo prazo pode ocorrer de duas formas:

1. **Exógena:** o tratamento de mulheres na pós-menopausa com terapia de reposição estrogênica promove a curto e longo prazos benefícios como redução do fogacho e ressecamento vaginal, além da manutenção da densidade óssea. O estrogênio usado de forma isolada aumenta o risco de hiperplasia e carcinoma endometrial. A hiperplasia endometrial pode ocorrer em 20 a 50% das mulheres em 1 ano com terapia de reposição hormonal utilizando estrogênio isolado.[6] O risco de hiperplasia endometrial e carcinoma podem diminuir significativamente com a administração concomitante de progesterona.

2. **Endógena:** tanto a conversão endógena excessiva dos precursores das adrenais em estrona e estradiol pelo tecido adiposo, quanto a produção de estrógenos pelos ovários, estão associadas ao aumento do risco de câncer de endométrio. Estudos demonstraram que o risco de câncer se correlaciona com os altos níveis circulantes de estrogênio e androgênio.[7]

Anovulação crônica

As mulheres com anovulação crônica têm adequada quantidade de estrogênio ativo biologicamente, pela conversão periférica do androgênio. O ciclo anovulatório é responsável pela falta de progesterona, normalmente presente na fase lútea. O exemplo clássico é a síndrome do ovário policístico que promove um estímulo hiperandrogênico. Essas mulheres têm um constante estímulo estrogênico com consequente hiperplasia endometrial. De fato, a maioria das mulheres jovens com câncer de endométrio apresenta-se com a síndrome do ovário policístico.[8]

Uso de tamoxifeno

O tamoxifeno é um inibidor competitivo do estrogênio com atividade agonista parcial. A atividade sítio-específica do tamoxifeno é reconhecida em diferentes tecidos, reprimindo o crescimento do tecido mamário e estimulando o crescimento endometrial. O uso do tamoxifeno está ligado ao desenvolvimento da doença endometrial, benigna e maligna.[9]

Obesidade

A incidência de câncer endometrial é alta em mulheres obesas. Em uma metanálise de 19 estudos retrospectivos, a cada aumento de 5 kg/m^2 reflete em aumento do risco de câncer endometrial (RR: 1,59; 95% CI: 1,50-1,68).[10] Uma explicação para esse achado é que mulheres obesas apresentam altas taxas de estrogênio endógeno, pela conversão de androstenediona em estrona e altas taxas de aromatização de androgênios em estradiol, ambos no tecido adiposo periférico.

O alto índice de massa corpórea (IMC) é também associado ao aumento no risco de morte por câncer endometrial. A fisiopatologia é incerta e pode resultar da estimulação continuada das células metastáticas pelo estrogênio endógeno, ou ainda, das condições associadas à obesidade, como diabetes ou doença cardiovascular.

Paradoxalmente, entre as mulheres que são diagnosticadas com câncer endometrial, aquelas com IMC maior que 40 kg/m^2 apresentam estágio de doença mais inicial ou grau histológico mais indolente do que aquelas com IMC menor que 30 kg/m^2. Existe um predomínio do subtipo histológico endometrioide em mulheres obesas ou com IMC acima de 40 kg/m.[11]

Diabetes e hipertensão arterial

Mulheres com diabetes e hipertensão apresentam risco elevado para câncer de endométrio. O risco para desenvolver o carcinoma endometrial é maior no diabetes tipo II. Dieta com alta concentração de carboidratos, associada à hiperinsulinemia e à resistência a insulina têm um papel na proliferação endometrial.

Idade

O câncer endometrial usualmente ocorre em mulheres na pós-menopausa (idade mediana de 60 anos), porém 25% dos casos são diagnosticados em mulheres na pré-menopausa, com 5 a 10% ocorrendo antes dos 40 anos.[12] Há relatos de casos em mulheres com menos de 30 anos.

Predisposição genética e familiar

A tendência familiar para o câncer endometrial isolado é sugerida para os parentes de primeiro grau, embora nenhum gene tenha sido identificado consistentemente. Outras associações familiares com câncer endometrial incluem, por exemplo, a síndrome de Lynch (câncer colorretal não polipoide hereditário). Nessa síndrome, o risco para desenvolver câncer de endométrio está entre 27 e 71% quando comparado à população geral, que é de 3%. A idade mais precoce, a predominância da histologia endometrioide e o diagnóstico em estágio inicial são similares ao câncer esporádico. As mulheres com síndrome de Lynch apresentam um risco elevado de câncer de cólon e ovário, entre outras malignidades.

Câncer de mama

A história prévia de câncer de mama é um fator para o desenvolvimento de câncer de endométrio, em parte pelos fatores de risco em comum já citados como obesidade e nuliparidade.

Mutação do gene BRCA

É incerto se a mutação do gene BRCA-1 com suscetibilidade para câncer de mama tem um papel no desenvolvimento do câncer endometrial.

Nuliparidade

Em estudos epidemiológicos, o risco de câncer de endométrio é inversamente proporcional à paridade.[13] A associação ocorre provavelmente pela elevada frequência de ciclos anovulatórios em mulheres inférteis.

Menarca precoce e menopausa tardia – A estimulação prolongada com estrogênio sem a proteção com a progesterona é um mecanismo presumido para essa associação.[14]

APRESENTAÇÃO CLÍNICA

O sintoma principal do carcinoma endometrial é o sangramento uterino anormal que ocorre em 90% dos casos.[15] Mulheres na pós-menopausa, sem reposição hormonal, com sangramento vaginal devem ser investigadas para excluir o câncer endometrial. Dentre as mulheres na pós-menopausa com sangramento uterino, 5 a 20% são diagnosticadas com carcinoma endometrial. O volume do sangramento vaginal não se correlaciona com o risco de câncer.

DIAGNÓSTICO

A sensibilidade da citologia cervical (Papanicolaou) para a detecção do câncer endometrial é baixa, em torno de 40 a 50%, e não é recomendada como ferramenta diagnóstica.

Amostra endometrial

Carcinoma endometrial é um diagnóstico histopatológico. A amostra tecidual pode ser obtida por três métodos: às cegas (biópsia endometrial), realizada ambulatorialmente; por dilatação e curetagem, sob anestesia e por vídeo-histeroscopia com biópsia dirigida, sendo este método de alta sensibilidade.

Ultrassonografia transvaginal

Método não invasivo para diferenciar atrofia endometrial, responsável pelo sangramento em mulheres na pós-menopausa, de lesões anatômicas que requerem biópsia para excluir carcinoma. Mulheres na pós-menopausa, com espessura endometrial menor que 5 mm pela ultrassonografia transvaginal, apresentam baixo risco para doença endometrial.[16] Esse método é menos útil para mulheres na pré-menopausa que apresentam normalmente o tecido endometrial sujeito às flutuações hormonais da menacme.

RASTREAMENTO

O rastreamento para câncer endometrial não é recomendado, exceto nos casos de síndrome de Lynch.

ESTADIAMENTO

Recomenda-se exame pélvico (ginecológico e retal) realizado por ginecologista especializado em oncologia, CA 125 e radiografia de tórax. Na suspeita de doença avançada, tomografia computadorizada ou ressonância nuclear magnética de abdome e pelve são úteis para avaliar o grau de extensão de doença. Cistoscopia e retossigmoidoscopia se houver suspeita de invasão vesical ou colorretal. Porém, o estadiamento do câncer de endométrio é realizado por cirurgia, de acordo com a classificação da Federação Internacional de Ginecologia e Obstetrícia (FIGO)/TNM (*American Joint Committee on Cancer-AJCC*, 2010) (Quadro 1).[17]

Os carcinomas uterinos de endométrio também são classificados segundo o grau de diferenciação histopatológica e dividem-se em: G (grau)1: 5% de padrão de crescimento sólido não escamoso ou não morular; G2: 6 a 50% de padrão de crescimento sólido não escamoso ou não morular; G3: > 50% de padrão de crescimento sólido não escamoso ou não morular. Histologia serosa, células claras ou tumor mesodérmico misto são considerados grau 3.

TRATAMENTO CIRÚRGICO

A histerectomia total extrafascial com salpingo-ooforectomia bilateral é a cirurgia-padrão para o câncer de endométrio e pode ou não incluir avaliação linfonodal. O estadiamento completo inclui biópsia de qualquer área suspeita de metástase; a maioria dos cirurgiões realiza citologia do lavado peritoneal, porém este procedimento deixou de fazer parte do estadiamento da FIGO. A citorredução é geralmente realizada quando as metástases são evidentes e confere uma vantagem de sobrevida para as mulheres com doença avançada. Pacientes com histologia serosa papilífera ou de células claras devem ser estadiadas como câncer de ovário.

A presença de qualquer um dos fatores abaixo sugere um benefício de ressecção cirúrgica dos linfonodos pélvicos e para-aórticos:

- Subtipo seroso, células claras ou histologia de alto grau.
- Invasão miometrial maior que 50%.
- Tumor volumoso (maior que 2 cm).

Não existe um consenso sobre a extensão da dissecção nodal, se deve ser amostragem ou completa. Dados da literatura sugerem benefício de sobrevida com linfadenectomia para-aórtica em mulheres de risco intermediário ou alto.[18]

PROGNÓSTICO

O prognóstico do câncer endometrial é primariamente determinado pelo estágio da doença e histologia (grau de diferenciação e subtipo histológico). A sobrevida em 5 anos segundo o estadiamento da FIGO atual 2010 é a seguinte:

- *Estágio IA:* 89,6%.
- *Estágio IB:* 77,6%.

Quadro 1. Estadiamento do câncer de endométrio (FIGO/TNM)

- IA/T1a: tumor limitado ao endométrio ou a ≤ metade do miométrio
- IB/T1b: invasão tumoral > metade do miométrio ou tumor que se estende até as glândulas cervicais exclusivamente
- II/T2: tumor envolve o estroma cervical, mas não se estende além do útero
- III: tumor estende-se além do útero, mas está confinado na pelve verdadeira
- IIIA/T3a: invasão da serosa e/ou anexos
- IIIB/T3b: metástases vaginais ou envolvimento de paramétrios
- IIIC: metástases para linfonodos pélvicos (IIIC1/N1) e/ou para-aórticos (IIIC2/N2)
- IVA/T4: invasão da bexiga e/ou mucosa intestinal
- IVB/M1: doença a distância
- Agrupamento TNM (AJCC, 2010) – IA:T1aN0M0; IB:T1bN0M0; II:T2N0M0; IIIA:T3aN0M0; IIIB:T3bN0M0; IIIC1:T1-3N1M0; IIIC2:T1-3N2M0; IVA:T4N1-2M0; IVB:T1-4N1-2M1

- *Estágio II:* 73,5%.
- *Estágio IIIA:* 56,3%.
- *Estágio IIIB:* 36,2%.
- *Estágio IIIC1:* 57%.
- *Estágio IIIC2:* 49,4%.
- *Estágio IVA:* 22%.
- *Estágio IVB:* 21,1%.

TRATAMENTO ADJUVANTE

Fatores prognósticos associados ao aumento do risco de recidiva local e a distância:

- Grau 2 ou 3.
- Invasão miometrial.
- Invasão angiolinfática.
- Histologias não endometrioides.

ESTRATIFICAÇÃO DE RISCO

De acordo com os critérios de pior prognóstico, foi estabelecida uma classificação por estratificação de risco, proposta pelo *Gynecologic Oncology Group* (GOG) (Quadro 2):[19]

1. **Baixo risco:** IA (somente subgrupo limitado ao endométrio) G1 e G2.
2. **Risco intermediário:** IA (subgrupo com invasão miometrial) ou G3, IB, II (somente com invasão estromal "oculta", ou seja, só detectada ao exame anatomopatológico):
    - *Fatores de pior prognóstico:* invasão maior que um terço do miométrio, G2 e G3 e invasão linfovascular.
    - *Risco intermediário alto:* qualquer idade com os três fatores adversos; entre 50 e 69 anos com dois fatores; 70 anos ou mais com somente um fator adverso. O restante é considerado risco intermediário baixo.
3. **Alto risco:** II (subgrupo com envolvimento grosseiro da cérvice), III e IV:
    - Seroso papilífero e células claras (qualquer estadiamento).

Baixo risco e intermediário baixo

A conduta conservadora é indicada nesses casos. Não há evidência que suporte o benefício de redução do risco de recidiva e morte com radioterapia adjuvante para essas pacientes.[20]

Estudo prospectivo com 396 mulheres com câncer de endométrio estágio I avaliou, por um período de 10 anos, a recidiva e a sobrevida das pacientes submetidas à cirurgia com estadiamento cirúrgico completo e que não receberam radioterapia adjuvante. A sobrevida global em 5 anos foi de 97% para todas as pacientes. Os resultados mostraram que não houve aumento no risco de recidiva pélvica e a sobrevida não foi comprometida nessas mulheres que não receberam radioterapia adjuvante.[21]

Dois grandes estudos randomizados fase III foram conduzidos para avaliar o papel da radioterapia pélvica adjuvante em mulheres com câncer endometrial em estágio precoce.[19,22] A maioria das pacientes apresentava predominantemente doença de risco intermediário (baixo e alto). A interpretação de alguns foi limitada pela falta de padronização do estadiamento cirúrgico em relação à linfadenectomia. Apesar disso, os resultados foram consistentes, com todos os estudos concluindo que a radioterapia adjuvante reduz significativamente a taxa de recidiva local e não prolonga a sobrevida.

Benefícios foram revelados no PORTEC (*Post Operative Radiation Therapy in Endometrial Cancer*)1, que incluiu pacientes com riscos intermediários baixo e alto. Definição de risco intermediário alto incluiu: G3, invasão de mais da metade do miométrio (ao contrário da estratificação de risco preconizada pelo GOG, que institui invasão de mais de um terço do miométrio), idade maior que 60 anos. O estudo classificou as pacientes com dois ou mais desses fatores citados como risco intermediário alto e todas as outras foram consideradas de risco intermediário baixo. Essas pacientes tratadas com cirurgia exclusiva apresentaram a mesma sobrevida em relação às pacientes de risco intermediário alto tratadas com radioterapia. A radioterapia adjuvante foi associada à redução na recidiva locorregional de 14 para 4%. O risco de recidiva locorregional foi pequeno para as pacientes com menos de 60 anos. Os autores concluíram que pacientes com menos de 60 anos não apresentam indicação de radioterapia.[22]

O fator limitante para o uso rotineiro da radioterapia é a toxicidade. Talvez mais preocupante seja a toxicidade tardia que se mantém crescente. Um relato precoce do PORTEC 1 revelou que toxicidade G3-4 em 5 anos foi de apenas 3% no braço da radioterapia (comparado com nenhuma toxicidade no grupo-controle). Entretanto, com o seguimento prolongado (mediana de 13 anos), as pacientes tratadas com radioterapia externa reportaram altas taxas de incontinência urinária, diarreia e perda do controle fecal, levando a limitações nas atividades diárias e piora da qualidade de vida.

O estudo GOG (*Gynecologic Oncology Group*) 99 avaliou 392 mulheres, randomizadas para radioterapia pós-operatória ou nenhum tratamento, após histerectomia e estadiamento cirúrgico para câncer de endométrio de risco intermediário. O subgrupo de risco intermediário baixo apresentava-se com tumor bem diferenciado, sem invasão linfovascular e miometrial. A radioterapia reduziu substancialmente a frequência das recidivas vaginais e pélvica. Entretanto, nenhuma diferença em sobrevida foi encontrada. A maioria dos casos de recidiva locorregional envolveu o sítio vaginal. Nesse estudo, os benefícios da radioterapia foram observados em pacientes de risco intermediário alto que apresentaram redução de 58% no risco de recidiva comparadas às pacientes que não receberam radioterapia.[19]

É interessante ressaltar ainda que, para esse grupo de pacientes com estágio inicial, o manejo com cirurgia conservadora vem sendo avaliado tanto para aquelas com doença precoce e desejosas de gravidezes futuras, quanto para aquelas que temem, com a remoção dos ovários, adentrar precocemente na menopausa. Estudo retrospectivo, com 3.269 pacientes em estágio I (402 que não se submeteram à ooforectomia), avaliou a segurança em preservar o ovário em mulheres pré-menopausa. Os resultados de sobrevida causa-específica e sobrevida global foram semelhantes a despeito da remoção ou não dos ovários em pacientes jovens e com tumores de baixo grau.[23] Uma conduta ainda mais conservadora adotada por alguns grupos em pacientes jovens com desejo de engravidar e que apresentam tumores endometrioides de grau I e sem invasão miometrial é o tratamento inicial com progesterona seguido de cirurgia após a gravidez. Alguns estudos demonstram taxas de resposta completa entre 60-70% com possibilidade de gravidez bem-sucedida ao redor de 30%. Sugere-se a realização de histerectomia pós-parto para evitar recidiva.[24]

Risco intermediário alto

Há evidências que suportam, como já relatado previamente, o benefício de redução do risco de recidiva com radioterapia adjuvante para essas pacientes, sem melhora de sobrevida.

Pelo benefício comprovado na recidiva locorregional através da radioterapia adjuvante, principalmente para as pacientes com fatores de risco que contribuem para maior chance de recaída, foi avaliado pelo estudo PORTEC 2 o uso de braquiterapia isolada em vez da radiotera-

Quadro 2. Classificação do câncer de endométrio por estratificação de risco (segundo o GOG)

Baixo risco	- IA (somente subgrupo limitado ao endométrio – IA da classificação antiga) G1 e G2
Risco intermediário	- IA (subgrupo com invasão miometrial) ou G3, IB, II (somente com invasão estromal oculta) - Fatores de pior prognóstico: invasão maior que 1/3 do miométrio, G2 e G3 e invasão linfovascular - Risco intermediário alto: qualquer idade com os três fatores adversos; entre 50 e 69 anos com dois fatores; 70 anos ou mais com somente um fator adverso. O restante é considerado risco intermediário baixo
Alto risco	- II (subgrupo com envolvimento grosseiro da cérvice), III e IV - Seroso papilífero e células claras (qualquer estadiamento)

pia pélvica. O estudo incluiu 427 mulheres e foi planejado para investigar se a braquiterapia vaginal seria igualmente efetiva em reduzir a recidiva vaginal, com menor toxicidade e melhora na qualidade de vida dessas pacientes. Características de risco intermediário alto incluíram: idade > 60 anos, estádio IC G1-G2 ou IB G3 ou estádio IIA, qualquer grau (baseado no estadiamento antigo da FIGO-1988). Em um seguimento mediano de 45 meses, não houve diferenças na recidiva locorregional (vaginal e pélvica) (5,1 versus 2,6% para braquiterapia e radioterapia pélvica, respectivamente), vaginal (1,8 versus 1,6%) ou pélvica. Não houve diferenças na taxa de metástases a distância, sobrevida livre de doença e sobrevida global (85 versus 80%). Braquiterapia vaginal foi associada a menor toxicidade gastrointestinal como diarreia e outros sintomas.[25]

A braquiterapia parece ser uma boa estratégia para mulheres com doença de risco intermediário alto, pois parece promover uma redução comparável na taxa de recidiva local em relação à radioterapia pélvica com menos toxicidade e menor duração de tratamento.

Embora a terapia sistêmica pareça ser agressiva, na teoria, a eficácia da quimioterapia como uma alternativa à radioterapia em mulheres de risco intermediário alto com doença confinada ao útero é incerta. Esse problema foi diretamente avaliado no estudo japonês que randomizou 425 pacientes com doença de risco intermediário alto (estágio I com invasão miometrial do terço externo, estágio II, ou estágio III) para radioterapia pélvica versus quimioterapia com CAP (ciclofosfamida, adriamicina e cisplatina). Com seguimento mediano de 60 meses, não houve diferenças significativas entre os grupos em termos de sobrevida livre de progressão em 5 anos (84 para radioterapia e 82% para quimioterapia) e sobrevida global (85 versus 87%). No subgrupo de 190 pacientes com risco intermediário alto (estágio I com invasão da porção externa do miométrio, idade maior que 70 anos, G1 e 2), a sobrevida livre de progressão e sobrevida global foi igual entre os dois grupos (95 versus 88% e 95 versus 91%, respectivamente).[26]

Alto risco

Estas pacientes têm alto risco de recidiva e por isso é indicada terapia adjuvante. Porém, o melhor tipo de terapia adjuvante ainda não foi definido. Sabe-se que a radioterapia adjuvante reduz o risco de recidiva local, mas não causa aumento da sobrevida dessas mulheres com doença de alto risco, principalmente naquelas com envolvimento extrauterino.[27,28]

Também não há consenso sobre a melhor forma de abordagem radioterápica para estas pacientes. Pacientes com doença limitada à pelve (estágio II) são submetidas à radioterapia seguida ou não de braquiterapia.

As que apresentam doença mais avançada podem ser submetidas à radioterapia de campo estendido ou mesmo à radioterapia abdominal total.[29] Alguns centros realizam radioterapia abdominal total em pacientes com estágio IIIA, visando a prevenção de recidiva abdominal,[30] porém resultados semelhantes são obtidos com radioterapia pélvica isolada.[31]

A apresentação de pacientes no estágio IIIB (acometimento vaginal) não é muito comum. Tais pacientes são avaliadas clinicamente e são submetidas à radioterapia pré-operatória, ou mesmo radioterapia como tratamento definitivo. Um estudo publicado em 2000 avaliou o uso de radioterapia adjuvante nessas pacientes: de 14 mulheres incluídas no estudo, oito receberam radioterapia pélvica como terapia adjuvante. Recidiva ocorreu em 78% das pacientes e, mais especificamente, recidiva pélvica ocorreu em cinco pacientes.[32]

No caso de pacientes com estágio IIIC, o tratamento com radioterapia adjuvante pode proporcionar aumento da sobrevida livre de progressão (se linfonodo para-aórtico acometido – radioterapia de campo estendido deve ser realizada).[33] De um modo geral, pacientes com envolvimento nodal pélvico isolado são um grupo de prognóstico mais favorável.[34]

O uso de quimioterapia em pacientes com doença localmente avançada também foi investigado.

O GOG 122, publicado em 2006, foi o estudo que mais influenciou a utilização de quimioterapia adjuvante para pacientes com estágio III e IV. Neste estudo, foram incluídas 396 mulheres com câncer de endométrio estágios III e IV e doença residual menor que 2 cm. Essas pacientes foram randomizadas para receber quimioterapia ou radioterapia abdominal total – 30 Gy em 20 frações, com reforço de 15 Gy, incluindo linfonodo para-aórtico, caso este tenha sido positivo para malignidade ou não tenha sido abordado cirurgicamente.[35] O regime quimioterápico escolhido foi a combinação de doxorrubicina 60 mg/m^2 e cisplatina 50 mg/m^2, de 3 em 3 semanas, por até sete ciclos. Os resultados deste estudo mostraram que, mesmo com maior percentual de pacientes com acometimento nodal, o grupo da quimioterapia apresentou sobrevida livre de progressão maior comparando-se ao grupo da radioterapia – 50 versus 38%, respectivamente. A sobrevida global também foi maior no grupo da quimioterapia – 55 versus 32%.

Porém, as taxas de recidiva pélvica são elevadas nas pacientes de alto risco tratadas com quimioterapia exclusiva. Assim, é aconselhável oferecer radioterapia pélvica, em sequência à quimioterapia, para as pacientes que possam tolerar tal tratamento.

Toxicidade graus 3 e 4 ocorreram com maior frequência no grupo da quimioterapia: toxicidade hematológica foi registrada em 88 versus 12% e cardiotoxicidade em 15 versus 0% nos grupos de quimioterapia e radioterapia, respectivamente.

Em 2008, foi publicado um estudo japonês que também demonstrou benefício da quimioterapia com relação à radioterapia em pacientes com doença no estágio III. Após seguimento de aproximadamente 60 meses, o subgrupo de mulheres com doença de risco intermediário alto (estágio IC com idade superior a 70 anos, estágios II e IIIA com invasão miometrial superior a 50%) apresentou benefício em relação à sobrevida global (90% no grupo da quimioterapia versus 74% no grupo de radioterapia) e maior sobrevida livre de progressão em 5 anos (84 versus 66%) – resultados com base no estadiamento antigo da FIGO 1988. Quando realizada a análise sem distinção de subgrupos, não houve diferença significativa em termos de sobrevida livre de progressão (84 versus 82% para radioterapia e quimioterapia, respectivamente) ou sobrevida global (85 versus 87% para radioterapia e quimioterapia, respectivamente).[26]

Outro estudo, publicado em 2006, não conseguiu mostrar superioridade da quimioterapia adjuvante sobre a radioterapia. Nesse estudo, 345 mulheres com câncer de endométrio tratadas cirurgicamente foram randomizadas para tratamento adjuvante com quimioterapia (seis ciclos de cisplatina, doxorrubicina e ciclofosfamida) ou radioterapia (45 a 50 Gy). Dessas mulheres, 70% tinham doença estágio III.[36] Após um seguimento mediano de 96 meses, não foi encontrada diferença significativa entre os dois grupos em relação à sobrevida global (69 versus 66%, grupos de radioterapia e quimioterapia, respectivamente) ou livre de progressão (63% em ambos os grupos). Como neste estudo houve a inclusão de um grande número de pacientes com doença em estágio inicial de alto risco, o benefício da adjuvância ficou difícil de ser demonstrado e, portanto, a análise dos resultados ficou prejudicada.

Como o controle locorregional não é alcançado com o tratamento quimioterápico adjuvante exclusivo na doença avançada, o uso de radioterapia após a quimioterapia tem sido investigado. Um estudo publicado em 2007 avaliou 372 mulheres com câncer de endométrio estágios cirúrgicos I, II, IIIA (citologia peritoneal positiva – baseado no estadiamento da FIGO 1988), ou IIIC (linfonodos pélvicos positivos). Essas mulheres foram randomizadas para radioterapia pélvica isolada (associada ou não à braquiterapia, com dose total de 44 Gy) ou radioterapia e mais quatro ciclos de quimioterapia. Esse estudo foi iniciado em 1996, mas foi interrompido em 2006, antes de alcançar os 400 pacientes como inicialmente planejado. O regime quimioterápico inicial foi a associação de cisplatina a um antracíclico até 2004. Em seguida, tal esquema foi substituído por uma associação de platina a paclitaxel. A quimioterapia era realizada antes ou após a radioterapia. Avaliação nodal cirúrgica era opcional.[37] Após o seguimento mediano de 3,5 anos, dados preliminares mostraram 38% de redução de progressão associada à terapia combinada comparando-se com a radioterapia isolada, o que conferiu uma sobrevida livre de progressão de 83 versus 74%. Houve tendência (sem significância estatística) a melhor sobrevida global no grupo com quimioterapia (HR: 0,65; sobrevida global em 5 anos de 82 versus 74%).

Uma análise pareada incluindo os dados desse estudo com os dados do estudo ILIADE-III, do Instituto Mario Negri, avaliou a radioterapia pélvica associada ou não a quimioterapia (três ciclos de cisplatina e doxorrubicina). Foram incluídas no estudo 540 mulheres com câncer de endométrio estágios I-III, sem doença residual.[38] Quando quimioterapia e radioterapia foram utilizadas, houve aumento na sobrevida livre de progressão (HR: 0,63; 95% IC 0,41-0,99). Neste estudo, houve uma tendência (sem significância estatística) em aumento da sobrevida global (HR: 0,69; 95% IC 0,46-1,03).

Em 2008, foi publicado um estudo que não mostrou benefício em sobrevida global ou sobrevida livre de recidiva quando utilizada quimioterapia mais radioterapia. Foram avaliadas 156 mulheres com doença de alto risco, e elas foram randomizadas para adjuvância com radioterapia isolada ou combinada a três ciclos de cisplatina, epirrubicina e ciclofosfamida.[39] Além de uma amostra relativamente pequena, houve alto índice de dissecção linfonodal neste estudo, quando comparado ao estudo anterior, o que poderia justificar a ausência de benefício da associação de quimioterapia a radioterapia.

Até o momento, a recomendação para a maioria das pacientes de alto risco é o tratamento com quimioterapia – seis a oito ciclos, que pode ser seguido de radioterapia para aumentar as taxas de controle local e diminuir a recidiva pélvica.

Há dois estudos em andamento avaliando o papel da radioterapia abdominal total concomitante à quimioterapia (GOG 9907) ou sua utilização sequencial (GOG 9908).

Para essas pacientes, o melhor esquema quimioterápico ainda não está definido.

O GOG 184 comparou radioterapia após dois regimes diferentes de quimioterapia: AP (doxorrubicina e cisplatina) *versus* TAP (paclitaxel, doxorrubicina e cisplatina). Um grupo de 659 mulheres com câncer de endométrio estágios III ou IV (histologia serosa papilífera também foram incluídas) submetidas a citorredução ótima foram avaliadas.[40] A associação de paclitaxel ao esquema AP não mostrou aumento significativo na sobrevida livre de recidiva e apresentou toxicidade maior, tanto hematológica quanto neurossensorial.[41] Quando análises de subgrupos foram realizadas, a sobrevida livre de recidiva em pacientes com doença residual grosseira foi maior no grupo que recebeu paclitaxel. Como os dois grupos de pacientes receberam radioterapia adjuvante, esse estudo não conseguiu avaliar o impacto da inclusão do paclitaxel ao esquema AP sem radioterapia adjuvante.

Assim, as opções incluem cisplatina e doxorrubicina, TAP ou paclitaxel associando carboplatina.[42] O GOG 209 está comparando o uso de carboplatina e paclitaxel com o esquema TAP em mulheres com doença avançada ou recidivada e, ao final deste estudo, o melhor esquema poderá, então, ser definido.

O NCCN (*National Comprehensive Cancer Network*) recomenda tanto o esquema TAP quanto cisplatina e doxorrubicina como regimes de escolha. Como a taxa de recidiva local é elevada, o tratamento com radioterapia após quimioterapia é aconselhado.

Ainda não está bem definida qual a melhor forma/sequência de tratamento: se primeiramente quimioterapia e, após, radioterapia; se radioterapia inicialmente ou ainda, se três ciclos de quimioterapia seguida de radioterapia e posteriormente, mais três ciclos de quimioterapia.[43] Em geral, quimioterapia seguida de radioterapia é o esquema preferido.

Em relação à terapia hormonal, não há indicação para seu uso como terapia adjuvante. Ainda falta a comprovação da possível eficácia do emprego de terapia hormonal com progestágenos como terapia adjuvante.[44]

CÂNCER DE ENDOMÉTRIO METASTÁTICO OU RECIDIVADO

As mulheres com câncer de endométrio metastático ou recidivado representam um grupo heterogêneo. De acordo com a terapia prévia e o tipo de recidiva, essas pacientes podem ser tratadas com intenção curativa ou paliativa.

As opções terapêuticas para câncer de endométrio recidivado incluem radioterapia, cirurgia, terapia hormonal e quimioterapia citotóxica. A cura é pouco provável, a não ser que a recidiva seja limitada à cúpula vaginal, ressaltando a importância do seguimento adequado após a terapia inicial, com exame pélvico e citologia vaginal.

Terapia sistêmica é indicada para mulheres com doença metastática. O prognóstico é ruim, com sobrevida global em 5 anos de 21%.

Aproximadamente 7 a 11% das mulheres com câncer de endométrio previamente tratadas irão apresentar recidiva. Em geral, a recidiva predomina em pacientes tratadas exclusivamente com cirurgia, enquanto recidivas a distância são mais comuns nas mulheres que receberam terapia combinada.

Radioterapia

A ressecção cirúrgica é uma boa opção de tratamento para mulheres com recidiva vaginal localizada. Contudo, as mulheres com câncer de endométrio são, com frequência, obesas e apresentam outras comorbidades, como hipertensão arterial sistêmica e diabetes melito, o que aumenta o risco cirúrgico. Por isso, a radioterapia é mais comumente oferecida às mulheres com recidiva vaginal ou pélvica isoladas, deixando a cirurgia reservada quando há falha ao tratamento radioterápico.

Pacientes que são submetidas à radioterapia após recidiva têm longas taxas de sobrevida, variando de 25 a 75%, com a maioria apresentando taxa de sobrevida em 5 anos de 50%.[45] Os melhores resultados são alcançados pelas pacientes virgens de tratamento radioterápico e que tiveram recidiva vaginal isolada.

O estudo PORTEC avaliou pacientes que tiveram recidiva após tratamento inicial. Foram demonstradas taxas de sobrevida em 3 anos de 51% no grupo-controle *versus* 19% no grupo da radioterapia. Os resultados mais favoráveis ocorreram quando houve recidiva vaginal isolada[46]. Longo intervalo de recidiva, tumor de baixo grau e adenocarcinoma endometrioide são fatores preditores de sobrevida prolongada com o uso de radioterapia de resgate, além de recidiva vaginal isolada em área sem irradiação prévia.[47]

Controle local pode ser alcançado em aproximadamente 40 a 75% das pacientes tratadas com radioterapia de resgate e, da mesma forma que a sobrevida, a taxa de controle local é maior naquelas com recidiva vaginal exclusiva.[48] Tal fato reforça a importância de acompanhamento após o tratamento para detecção da recidiva precocemente.

Assim, pacientes com recidiva vaginal exclusiva são tratadas com radioterapia pélvica externa e braquiterapia. O tratamento exclusivo com braquiterapia é realizado em mulheres com história de irradiação pélvica prévia.[49] A técnica intracavitária é frequentemente aplicada, mas a braquiterapia intersticial é associada a altas taxas de controle pélvico e é a preferida para tumores *bulky* recidivados. Doses mais elevadas dos que as utilizadas na adjuvância são necessárias e foi relatada taxa de toxicidade entre 3 a 12% das pacientes (toxicidade gastrointestinal é a principal). Pacientes com história de radioterapia pélvica prévia são as de maior risco para sequelas relacionadas ao tratamento.

O uso de radioterapia para recidivas não regionais é limitado.[50] O estudo PORTEC mostrou que a taxa de sobrevida em 3 anos entre as mulheres com recidiva pélvica, recidiva vaginal exclusiva e com metástases a distância, foi de 8, 73 e 14%, respectivamente.

Doença metastática

Doença metastática é preferencialmente tratada com terapia sistêmica. Os sítios mais frequentes de metástases a distância são fígado e pulmão.

Terapia hormonal

É uma opção terapêutica para o câncer de endométrio por ser bem tolerada e não apresentar as toxicidades habituais referentes à quimioterapia citotóxica.

Em torno de 15 a 30% das mulheres respondem à terapia hormonal, sendo o índice de resposta maior em mulheres com tumores de baixo grau e com positividade para receptores hormonais.[51] Enquanto a maioria das remissões é parcial e de curta duração, algumas pacientes podem permanecer livres de progressão de doença por mais de 2 anos.[52]

Progestágenos

Promovem taxa de resposta objetiva que varia de 15 a 20%.[53] A duração média de resposta é de 4 meses e a sobrevida varia de 8 a 11 meses. A heterogeneidade das populações tratadas provavelmente contribuiu de maneira significativa nas diferenças dos resultados relatados com o uso de progestágenos.

Tumores bem diferenciados que expressam receptores de estrogênio e/ou progesterona, além de longo intervalo entre o diagnóstico inicial e o desenvolvimento de doença avançada, são preditores de boa resposta à terapia com progestágenos[54]. Em um estudo do GOG, foram encontradas taxas de resposta de 37 e 8% entre as mulheres com e sem expressão tumoral de receptores de progesterona. Esse estudo também mostrou taxa de resposta de 37% e sobrevida mediana de 18,8 meses para os tumores bem diferenciados, enquanto os tumores pouco diferenciados apresentaram taxa de resposta de 9% e sobrevida mediana de 6,9 meses. De maneira geral, tumores bem diferenciados são associados a sobrevida significativamente maior, comparando-se aos tumores pouco diferenciados – tal fato prejudica a interpretação do impacto da hormonoterapia na sobrevida dos pacientes nos estudos publicados.

O acetato de megestrol, de 160 a 320 mg/dia é a terapia hormonal de escolha.

Tamoxifeno

O tamoxifeno, um modulador seletivo do receptor de estrogênio, é eficaz em mulheres com câncer de endométrio avançado, alcançando taxas de resposta que variam de 30 a 35% nas mulheres com tumores que expressam receptores hormonais.[55]

De maneira semelhante à terapia com progestágenos, os tumores de baixo grau que expressam receptores hormonais têm maior chance de responder ao tamoxifeno que os tumores de alto grau sem expressão de receptor hormonal.

Ainda não está claro se a terapia com tamoxifeno é superior à terapia com progestágenos. Em um estudo randomizado, quando se comparou tamoxifeno *versus* progestágenos em mulheres com estágios III e IV, as taxas de resposta foram similares – 35 e 46% para tamoxifeno e medroxiprogesterona, respectivamente.[56] Outros estudos mostraram taxa de resposta objetiva de 10%.[57] A dose preconizada de tamoxifeno é de 40 mg/dia.

A atividade antitumoral de outros moduladores seletivos de receptor de estrogênio, como toremifeno e raloxifeno não é conhecida. O fulvestranto, um antagonista puro do receptor de estrogênio sem atividade agonista, tem atividade mínima[58].

Tamoxifeno combinado a progestágeno

Vários estudos avaliaram a combinação de tamoxifeno a progestágenos.[59] O tamoxifeno aumenta a expressão de receptores citosólicos de progesterona e, por sua ação estrogênio-agonista, aumenta o risco de câncer de endométrio quando utilizado como tratamento e quimioprevenção de câncer de mama. Os progestágenos promovem *down regulation* da expressão de receptores de estrogênio, limitando a efetividade do tamoxifeno. Dois estudos do GOG demonstraram que a associação de tamoxifeno e megestrol obteve taxas de resposta de 33 e 27%,[59,60] com sobrevida global de 14 meses.[60] Embora os resultados sejam melhores que as séries históricas do uso isolado de tamoxifeno ou de progestágeno, as diferenças populacionais também podem ter contribuído.[61]

Nenhum estudo realizado para avaliação da terapia hormonal considerou a expressão de receptores hormonais.

Até o momento, a superioridade da terapia hormonal combinada sobre os progestágenos isolados permanece sem confirmação, necessitando de estudos de fase III. Além disso, o uso combinado desses medicamentos foi associado a fenômenos tromboembólicos grau 4 em algumas pacientes.

Inibidores de aromatase

Possuem atividade limitada no câncer de endométrio avançado.[62]

O uso do letrozol foi avaliado em um estudo envolvendo 32 pacientes (31 já haviam sido previamente tratadas com progestágenos).[63] Houve apenas uma resposta completa (taxa de resposta global: 10%). Em outro estudo, realizado pelo GOG, foi analisado o uso do anastrozol em 23 pacientes com doença avançada (quatro pacientes já haviam recebido terapia hormonal prévia). Os resultados mostraram taxa de resposta parcial de 9%.[64]

O exemestano foi avaliado em um estudo preliminar – 31 pacientes politratadas receberam 25 mg/dia: das 17 pacientes que expressavam receptor de estrogênio, apenas duas tiveram resposta parcial.

Agonistas do GnRH

Grande porcentagem dos tumores de endométrio tem receptores de GnRH, incluindo os tumores de alto grau[65]. Um estudo mostrou taxa de resposta de 28% utilizando agonistas do GnRH, fato que não foi confirmado posteriormente,[66] especialmente em pacientes que falharam aos progestágenos.

Quimioterapia de primeira linha

Quimioterapia citotóxica pode ser iniciada em pacientes que progrediram doença após o uso de terapia hormonal. Os regimes de terapia combinada para câncer de endométrio, incluindo doxorrubicina com ou sem platina, apresentam taxas de resposta pouco melhores comparando-se à monoterapia – o uso de drogas isoladas como doxorrubicina, cisplatina, carboplatina, docetaxel, paclitaxel, topotecano e ixabepilona apresenta taxa de resposta que varia de 12 a 28%.[67-74] As respostas com uso de monoterapia são, em sua maioria, parciais e de curta duração. Já a terapia combinada apresenta taxas de resposta que variam de 36 a 67% e com sobrevida livre de progressão de 4 a 8 meses. Outros estudos falharam em mostrar aumento da sobrevida com a combinação de doxorrubicina a ciclofosfamida ou cisplatina quando comparado a doxorrubicina isolada.

Não há estudos comparando o uso de paclitaxel isolado *versus* suas associações. Estudos iniciais mostraram que a combinação de paclitaxel a carboplatina ou cisplatina apresentaram taxas de resposta superiores a 50%, com aumento da sobrevida livre de progressão.[75,76] O GOG 177 comparou tratamento com TAP *versus* AP em um grupo de mulheres com câncer de endométrio estágio III/IV ou recidivado. Foi encontrada taxa de resposta significativamente maior com o esquema triplo – 57 *versus* 34%, assim como mediana de sobrevida livre de progressão (8% *versus* 5 meses) e de sobrevida global (15 *versus* 12 meses). Tal benefício, porém, veio associado a maior toxicidade: o esquema triplo promoveu neuropatia grau 3 em 12% das pacientes (esquema duplo – apenas 1%), além de insuficiência cardíaca congestiva sintomática – três pacientes do grupo TAP *versus* nenhuma no grupo AP. Além disso, o esquema TAP necessita de utilização de fator de crescimento de colônia.

Outro estudo do GOG avaliou um grupo de 314 mulheres com câncer de endométrio avançado ou recidivado que foram tratadas com doxorrubicina (A) associada a paclitaxel (T) em infusão de 24 horas ou a cisplatina (P). Esse estudo não conseguiu mostrar benefício da combinação do paclitaxel com relação à taxa de resposta (AP: 40%; AT: 43%), sobrevida livre de doença ou sobrevida global.[77]

Outros esquemas combinados, como cisplatina/vinorelbine, e cisplatina/doxorrubicina/etoposide também são eficazes e bem tolerados.[78,79] Contudo, ainda não há estudos comparando esses regimes com as combinações de paclitaxel.

Atualmente, as combinações de paclitaxel são consideradas os esquemas de escolha de quimioterapia de primeira linha para câncer de endométrio avançado.[80]

Outros estudos não controlados mostraram que a combinação de carboplatina e paclitaxel é bastante eficaz e com menos toxicidade.[75] As taxas de resposta variam de 40 a 62% e a sobrevida global de 13 a 29%. Para pacientes com contraindicação ao paclitaxel, docetaxel pode ser considerado.[81]

Novas terapias moleculares têm sido avaliadas para o tratamento de câncer de endométrio recidivado ou metastático. Bevacizumabe mostrou taxa de resposta de 13,5% e sobrevida global de 10,5 meses em um estudo de fase II para câncer de endométrio persistente ou recidivada.[82]

Quimioterapia de segunda linha

Atualmente, há poucas opções de segunda linha para o câncer de endométrio avançado. Como terapia de resgate, o uso de paclitaxel como terapia isolada mostrou significativa eficácia, com taxas de resposta global variando de 27 a 37% em mulheres sem exposição prévia à droga.[83] Outros agentes ativos são topotecano,[45] ifofasmida,[85] doxorrubicina lipossomal,[86] oxaliplatina[87] e ixabepilona[88].

SEGUIMENTO

O risco de recidiva do carcinoma endometrial é maior durante os primeiros 3 anos do diagnóstico: 68 a 100% ocorrem nesse período. Mulheres de baixo risco têm chance de recidiva da doença menor que 5%. Aproximadamente 40% são locorregionais (cúpula vaginal, pelve) e 60% a distância (abdome superior, pulmão). Cerca de 70% das recidivas são sintomáticas. Portanto, o seguimento clínico deve atentar para os sinais e sintomas sugestivos de recidiva: sangramento vaginal, dor abdominal ou pélvica, tosse persistente ou perda de peso. A maior parte das recidivas vaginais é assintomática e curável em 87% dos casos quando não expostas a radioterapia previamente.

Não existe uma estratégia de vigilância com impacto comprovado e evidência científica na literatura. O NCCN (*National Comprehensive Cancer Network*) recomenda:

- Exame físico a cada 3-6 meses por 2 anos e depois, a cada 6 meses a 1 ano.
- Citologia vaginal a cada 6 meses por 2 anos e depois anualmente.
- Mensuração do CA 125 é opcional em cada visita.
- Radiografia de tórax é opcional.
- Tomografia ou ressonância, quando clinicamente indicadas.
- Aconselhamento genético para pacientes com história familiar.

PROGNÓSTICO

O prognóstico do câncer endometrial é primariamente determinado pelo estágio da doença e histologia (grau de diferenciação e subtipo histológico). A sobrevida em 5 anos segundo o estadiamento da FIGO atual 2010 é a seguinte:[89]

- *Estágio IA:* 89,6%.
- *Estágio IB:* 77,6%.
- *Estágio II:* 73,5%.
- *Estágio IIIA:* 56,3%.
- *Estágio IIIB:* 36,2%.
- *Estágio IIIC1:* 57%.
- *Estágio IIIC2:* 49,4%.
- *Estágio IVA:* 22%.
- *Estágio IVB:* 21,1%.

CONCLUSÃO

Em mulheres com doença de risco intermediário, os dados de estudos randomizados indicam que a radioterapia (RT) adjuvante pélvica reduz a probabilidade de recaída local, porém não oferece nenhum impacto na sobrevida, além de estar associada a sintomas urinários e intestinais crônicos e consequente queda da qualidade de vida. Decidir entre irradiar ou não uma paciente deve ser feita segundo uma análise de riscos e benefícios do tratamento.

As opções são a radioterapia pélvica ou braquiterapia vaginal. Geralmente, prefere-se a braquiterapia vaginal, pois ela confere reduções comparáveis a RT externa nas taxas de recaídas locais, com menos toxicidade e menor duração do tratamento.

Independentemente de se aplicar ou não RT adjuvante, o seguimento rigoroso deve ser procedido a fim de se aumentarem as chances de um resgate satisfatório para as recidivas locais.

Radioterapia adjuvante reduz risco de recaída local para mulheres com câncer de endométrio de alto risco. Quimioterapia adjuvante é uma opção adequada para mulheres com doença extrauterina, embora o melhor regime não tenha sido definido, e a toxicidade possa ser ainda relevante.

Não está estabelecida em estudos prospectivos e randomizados a indicação de quimioterapia adjuvante em câncer endometrial de alto risco e confinado ao útero (estágio IB, grau 3), mas deve-se ser oferecida para toda paciente com doença extrauterina com base nos resultados do GOG 122.

Terapia sistêmica pode fornecer paliação significativa para pacientes com doença avançada que não seja passível de terapia local. O uso de progestágenos orais em mulheres cujos tumores sejam receptor de progesterona positivos seria a conduta inicial, caso o perfil de doença fosse mais indolente e/ou não visceral.

No grupo restante (doença agressiva e/ou visceral), favorece-se o uso de quimioterapia sistêmica. O regime de primeira linha ainda não está totalmente estabelecido. Escolhas razoáveis para linhagens endometrioides vão desde o regime TAP a carboplatina mais paclitaxel. No uso prévio de RT, a preferência pela cisplatina sobre carboplatina deve-se ao seu efeito menos mielossupressor.

Uma alternativa interessante é também a monoterapia, principalmente para pacientes com doença de lenta progressão e minimamente sintomática ou para aquelas com comorbidades ou, ainda, estado geral comprometido.

Em se tratando de carcinoma papilífero, seroso-papilífero ou de células claras, a recidiva raramente é curada. A sugestão é usar carboplatina mais paclitaxel, o mesmo regime usado para câncer de ovário avançado.

Quanto a regimes de segunda linha, não há definição de uma abordagem-padrão. Várias drogas são ativas isoladamente, entretanto, dada a pouca evidência pelos estudos até então realizados, ingressar em estudos clínicos, principalmente com o advento de novas terapias biológicas (e o potencial de maiores taxas de resposta e de sobrevida livre de progressão) é o preferível.

REFERÊNCIAS BILBIOGRÁFICAS

1. http://www.inca.gov.br/estimativa/2012/tbregioes_consolidado.asp
2. http://www.abep.nepo.unicamp.br/docs/anais/pdf/2002/GT_SAU_PO58_Silva_texto.pdf
3. GAMA R. *Câncer do endométrio*. Teresópolis. Brasil. 10.12.2001 Disponível em: www.cevesp.com.br/artigos/artnovo/cancer.htm
4. Jemal A, Siegel R, Xu J et al. Cancer statistics. *CA Cancer J Clin* 2010;60:277.
5. Bokman JV. Two pathogenetic types of endometrial carcinoma. *Gynecol Oncol* 1983;15:10.
6. Schiff I, Sela HK, Cramer D et al. Endometrial hyperplasia in women on cyclic or continuous estrogen regimens. *Fertil Steril* 1982;37:79.
7. Siiteri PK. Adipose tissue as a source of hormones. *Am J Clin Nutr* 1987;45:277.
8. Coulam CB, Annegers JF, Kranz JS. Chronic anovulation syndrome and associated neoplasia. *Obstet Gynecol* 1983;61:256.
9. Cohen I. Endometrial pathologies associated with postmenopausal tamoxifen treatment. *Gynecol Oncol* 2004;94:256.
10. Renehan AG, Tyson M, Egger M et al. Body-mass índex and incidence of cancer: a systematic review and meta-analysis of prospective observational studies. *Lancet* 2008;371:569.
11. Everett E, Tamimi H, Greer B et al. The effect of body mass índex on clinical/payhologic features, surgical morbidity, and outcome in patients with endometrial cancer. *Gynecol Oncol* 2008;112:56.
12. Gallup DG, Stock RJ. Adenocarcinoma of the endometrium in women 40 years of age or younger. *Obstet Gynecol* 1984;64:417.
13. Parazzini F, Negri E, La Vecchia C et al. Role of reproductive factors on the risk of endometrial cancer. *Int J Cancer* 1998;76:784.
14. Brinton LA, Berman ML, Mortel R et al. Reproductive, menstrual, and medical risk factors for endometrial cancer: results from a case-control study. *Am J Obstet Gynecol* 1992;167:1317.
15. American College of Obstetricians and Gynecologists. ACOG practice bulletin, clinical management guidelines for obstetrician-gynecologists, number 65, August 2005: management of endometrial cancer. *Obstet Gynecol* 2005;106:413-25.
16. Karlsson B, Granberg S, Wikland M et al. Transvaginal ultrasonography of the endometrium in women with postmenopausal bleeding – A ordic multicenter study. *Am J Obstet Gynecol* 1995;172:1488.
17. American Joint Committee on Cancer. Corpus Uteri. In: AJCC Staging Manual. 7th ed. New York: Springer, 2010. p. 403.
18. Alders JG, Thomas G. Endometrial cancer – Revisiting the importance of pelvic and para aortic lymph nodes. *Gynecol Oncol* 2007;104:222.
19. Keys HM, Cheung MK, Shin JY et al. A phase III Trial of surgery with or without adjunctive external pelvic radiation therapy in intermediate risk endometrial adenocarcinoma: a Gynecologic Oncology Group study. *Gynecol Oncol* 2004;92:744.
20. Morrow CP, Bundy BN, KurmanRJ et al. Relationship between surgical-pathological risk factors and outcome in clinical stage I and II

carcinoma of the endometrium: a Gynecologic Oncology Group study. *Gynecol Oncol* 1991;40:55.
21. Orr J, Holimon J, Orr P. Stage I corpus cancer:is teletherapy necessary? *AM J Obstet Gynecol* 1997;176:777-89.
22. Creutzberg CL, van Putten WL, Koper PC et al. Surgery and postoperative radiotherapy versus surgery alone for patients with stage-1 endometrial carcinoma: multicentre randomised tria. PORTEC Study Group. Post Operative Radiation Therapy in Endometrial Carcinoma. *Lancet* 2000;335:1404.
23. Wright JD, Buck AM, Shah M et al. Safety of ovarian preservation in premenopausal women with endometrial cancer. *J Clin Oncol* 2009;27:1214.
24. Ushijima K, Yahata H, Yoshikawa H et al. Multicenter phase II study of fertility sparing treatment with medroxyprogesterone acetate for endometrial carcinoma and atypical hyperplasia in Young Women. *J Clin Oncol* 2007;25:2798.
25. Nout RA, Smit VT, Putter H et al. Vaginal brachy therapy versus pelvic external beam radiotherapy for patients with endometrial cancer of high-intermediate risk(PORTEC-2) an open label, non- inferiority, randomised trial. *Lancet* 2010;375:816.
26. Susumu N, Sagae S, Udagawa Y et al. Randomized phase III trail of pelvic radiotherapy versus cisplatin-based combined chemotherapy in patients with intermediate and high-risk endometrial cancer: a Japanese Gynecologic Oncology Group study. *Gynecol Oncol* 2008;108:226.
27. Rose PG, Cha SD, Tak WK et al. Radiation therapy for surgically proven para-aortic node metastasis in endometrial carcinoma. *Int J Radiat Oncol Biol Phys* 1992;24:229.
28. Schorge JO, Molpus KL, Goodman A et al. The effect of postsurgical therapy on stage III endometrial carcinoma. *Gynecol Oncol* 1996;63:34.
29. Wethington SL, Barrena Medel NI, Wright JD et al. Prognostic significance and treatment implications of positive peritoneal cytology in endometrial adenocarcinoma: Unraveling a mystery. *Gynecol Oncol* 2009;115:18.
30. Maggi R, Lissoni A, Spina F et al. Adjuvant chemotherapy vs radiotherapy in high-risk endometrial carcinoma: results of a randomised trial. *Br J Cancer* 2006;95:266.
31. Ashman JB, Connell PP, Yamada D et al. Outcome of endometrial carcinoma patients with involvement of the uterine serosa. *Gynecol Oncol* 2001;82:338.
32. Nicklin JL, Petersen RW. Stage 3B adenocarcinoma of the endometrium: a clinicopathologic study. *Gynecol Oncol* 2000;78:203.
33. Klopp AH, Jhingran A, Ramondetta L et al. Node-positive adenocarcinoma of the endometrium: outcome and patterns of recurrence with and without external beam irradiation. *Gynecol Oncol* 2009;115:6.
34. Nelson G, Randall M, Sutton G et al. FIGO stage IIIC endometrial carcinoma with metastases confined to pelvic lymph nodes: analysis of treatment outcomes, prognostic variables, and failure patterns following adjuvant radiation therapy. *Gynecol Oncol* 1999;75:211.
35. Randall ME, Filiaci VL, Muss H et al. Randomized phase III trial of whole-abdominal irradiation versus doxorubicin and cisplatin chemotherapy in advanced endometrial carcinoma: a Gynecologic Oncology Group Study. *J Clin Oncol* 2006;24:36.
36. Maggi R, Lissoni A, Spina F et al. Adjuvant chemotherapy vs radiotherapy in high-risk endometrial carcinoma: results of a randomised trial. *Br J Cancer* 2006;95:266.
37. Hogberg T, Rosenberg P, Kristensen G et al. A randomized phase III study on adjuvant treatment with radiation (RT) ± chemotherapy (CT) in early stage high-risk endometrial cancer (NSGO-EC-9501/EORTC 55991) (abstract). *J Clin Oncol* 2007;25:274s.
38. Hogberg T, Signorelli M, de Oliveira CF et al. Sequential adjuvant chemotherapy and radiotherapy in endometrial cancer—results from two randomised studies. *Eur J Cancer* 2010;46:2422.
39. Kuoppala T, Mäenpää J, Tomas E et al. Surgically staged high-risk endometrial cancer: randomized study of adjuvant radiotherapy alone vs. sequential chemo-radiotherapy. *Gynecol Oncol* 2008;110:190.
40. Homesley HD, Filiaci V, Gibbons SK et al. A randomized phase III trial in advanced endometrial carcinoma of surgery and volume directed radiation followed by cisplatin and doxorubicin with or without paclitaxel: A Gynecologic Oncology Group study. *Gynecol Oncol* 2009;112:543.
41. Cella D, Huang H, Homesley HD et al. Patient-reported peripheral neuropathy of doxorubicin and cisplatin with and without paclitaxel in the treatment of advanced endometrial cancer: Results from GOG 184. *Gynecol Oncol* 2010;119:538.
42. Sovak MA, Hensley ML, Dupont J et al. Paclitaxel and carboplatin in the adjuvant treatment of patients with high-risk stage III and IV endometrial cancer: a retrospective study. *Gynecol Oncol* 2006;103:451.
43. ller MA, Ivy JJ, Ghebre R et al. A phase II trial of carboplatin and docetaxel followed by radiotherapy given in a "Sandwich" method for stage III, IV, and recurrent endometrial cancer. *Gynecol Oncol* 2011;121:112.
44. De Palo G, Mangioni C, Periti P et al. Treatment of FIGO (1971) stage I endometrial carcinoma with intensive surgery, radiotherapy and hormonotherapy according to pathological prognostic groups. Long-term results of a randomised multicentre study. *Eur J Cancer* 1993;29A:1133.
45. Lin LL, Grigsby PW, Powell MA et al. Definitive radiotherapy in the management of isolated vaginal recurrences of endometrial cancer. *Int J Radiat Oncol Biol Phys* 2005;63:500.
46. Creutzberg CL, van Putten WL, Koper PC et al. Survival after relapse in patients with endometrial cancer: results from a randomized trial. *Gynecol Oncol* 2003;89:201.
47. Hart KB, Han I, Shamsa F et al. Radiation therapy for endometrial cancer in patients treated for postoperative recurrence. *Int J Radiat Oncol Biol Phys* 1998;41:7.
48. Jhingran A, Burke TW, Eifel PJ. Definitive radiotherapy for patients with isolated vaginal recurrence of endometrial carcinoma after hysterectomy. *Int J Radiat Oncol Biol Phys* 2003;56:1366.
49. Nag S, Yacoub S, Copeland LJ et al. Interstitial brachytherapy for salvage treatment of vaginal recurrences in previously unirradiated endometrial cancer patients. *Int J Radiat Oncol Biol Phys* 2002;54:1153.
50. Monk BJ, Tewari KS, Puthawala AA et al. Treatment of recurrent gynecologic malignancies with iodine-125 permanent interstitial irradiation. *Int J Radiat Oncol Biol Phys* 2002;52:806.
51. Decruze SB, Green JA. Hormone therapy in advanced and recurrent endometrial cancer: a systematic review. *Int J Gynecol Cancer* 2007;17:964.
52. Markman M. Hormonal therapy of endometrial cancer. *Eur J Cancer* 2005;41:673.
53. Thigpen JT, Brady MF, Alvarez RD et al. Oral medroxyprogesterone acetate in the treatment of advanced or recurrent endometrial carcinoma: a dose-response study by the Gynecologic Oncology Group. *J Clin Oncol* 1999;17:1736.
54. Decruze SB, Green JA. Hormone therapy in advanced and recurrent endometrial cancer: a systematic review. *Int J Gynecol Cancer* 2007;17:964.
55. Singh M, Zaino RJ, Filiaci VJ et al. Relationship of estrogen and progesterone receptors to clinical outcome in metastatic endometrial carcinoma: a Gynecologic Oncology Group Study. *Gynecol Oncol* 2007;106:325.
56. Rendina GM, Donadio C, Fabri M et al. Tamoxifen and medroxyprogesterone therapy for advanced endometrial carcinoma. *Eur J Obstet Gynecol Reprod Biol* 1984;17:285.
57. Thigpen T, Brady MF, Homesley HD et al. Tamoxifen in the treatment of advanced or recurrent endometrial carcinoma: a Gynecologic Oncology Group study. *J Clin Oncol* 2001;19:364.
58. Covens AL, Filiaci V, Gersell D et al. Phase II study of fulvestrant in recurrent/metastatic endometrial carcinoma: a Gynecologic Oncology Group study. *Gynecol Oncol* 2011;120:185.
59. Whitney CW, Brunetto VL, Zaino RJ et al. Phase II study of medroxyprogesterone acetate plus tamoxifen in advanced endometrial carcinoma: a Gynecologic Oncology Group study. *Gynecol Oncol* 2004;92:4.
60. Fiorica JV, Brunetto VL, Hanjani P et al. Phase II trial of alternating courses of megestrol acetate and tamoxifen in advanced endometrial carcinoma: a Gynecologic Oncology Group study. *Gynecol Oncol* 2004;92:10.
61. Herzog TJ. What is the clinical value of adding tamoxifen to progestins in the treatment [correction for treament] of advanced or recurrent endometrial cancer? *Gynecol Oncol* 2004;92:1.
62. Nordstrom B, Salmi T, Mirza M et al. Exemestane in advanced and recurrent endometrial carcinoma: a phase II trial (abstract). *J Clin Oncol* 2006;24:266s.
63. Ma BB, Oza A, Eisenhauer E et al. The activity of letrozole in patients with advanced or recurrent endometrial cancer and correlation with biological markers—a study of the National Cancer Institute of Canada Clinical Trials Group. *Int J Gynecol Cancer* 2004;14:650.
64. Rose PG, Brunetto VL, VanLe L et al. A phase II trial of anastrozole in advanced recurrent or persistent endometrial carcinoma: a Gynecologic Oncology Group Study. *Gynecol Oncol* 2000;78:212.
65. Jeyarajah AR, Gallagher CJ, Blake PR et al. Long-term follow-up of gonadotrophin-releasing hormone analog treatment for recurrent endometrial cancer. *Gynecol Oncol* 1996;63:47.
66. Asbury RF, Brunetto VL, Lee RB et al. Goserelin acetate as treatment for recurrent endometrial carcinoma: a Gynecologic Oncology Group Study. *Am J Clin Oncol* 2002;25:557.

67. van Wijk FH, Lhommé C, Bolis G et al. Phase II study of carboplatin in patients with advanced or recurrent endometrial carcinoma. A trial of the EORTC Gynaecological Cancer Group. *Eur J Cancer* 2003;39:78.
68. Thigpen JT, Blessing JA, Homesley H et al. Phase II trial of cisplatin as first-line chemotherapy in patients with advanced or recurrent endometrial carcinoma: a Gynecologic Oncology Group Study. *Gynecol Oncol* 1989;33:68.
69. Wadler S, Levy DE, Lincoln ST et al. Topotecan is an active agent in the first-line treatment of metastatic or recurrent endometrial carcinoma: Eastern Cooperative Oncology Group Study E3E93. *J Clin Oncol* 2003;21:2110.
70. Thigpen JT, Brady MF, Homesley HD et al. Phase III trial of doxorubicin with or without cisplatin in advanced endometrial carcinoma: a Gynecologic Oncology Group Study. *J Clin Oncol* 2004;22:3902.
71. Aapro MS, van Wijk FH, Bolis G et al. Doxorubicin versus doxorubicin and cisplatin in endometrial carcinoma: definitive results of a randomised study (55872) by the EORTC Gynaecological Cancer Group. *Ann Oncol* 2003;14:441.
72. Thigpen JT, Blessing JA, DiSaia PJ et al. A randomized comparison of doxorubicin alone versus doxorubicin plus cyclophosphamide in the management of advanced or recurrent endometrial carcinoma: A Gynecologic Oncology Group Study. *J Clin Oncol* 1994;12:1408.
73. Gunthert AR, Ackermann S, Beckmann MW et al. Phase II Study of weekly docetaxel in patients with recurrent or metastatic endometrial cancer: AGO Uterus-4. *Gynecol Oncol* 2007;104:86.
74. Carey MS, Gawlik C, Fung-Kee-Fung M et al. Systematic review of systemic therapy for advanced or recurrent endometrial cancer. *Gynecol Oncol* 2006;101:158.
75. Pectasides D, Xiros N, Papaxoinis G et al. Carboplatin and paclitaxel in advanced or metastatic endometrial cancer. *Gynecol Oncol* 2008;109:250.
76. Sorbe B, Andersson H, Boman K et al. Treatment of primary advanced and recurrent endometrial carcinoma with a combination of carboplatin and paclitaxel-long-term follow-up. *Int J Gynecol Cancer* 2008;18:803.
77. Fleming GF, Filiaci VL, Bentley RC et al. Phase III randomized trial of doxorubicin + cisplatin versus doxorubicin + 24-h paclitaxel + filgrastim in endometrial carcinoma: a Gynecologic Oncology Group Study. *Ann Oncol* 2004;15:1173.
78. Gebbia V, Testa A, Borsellino N et al. Cisplatin and vinorelbine in advanced and/or metastatic adenocarcinoma of the endometrium: a new highly active chemotherapeutic regimen. *Ann Oncol* 2001;12:767.
79. Bilgin T, Ozan H, Kara HF. Results of cisplatin, adriamycin and etoposide chemotherapy in patients with recurrent and metastatic endometrial cancer. *Eur J Gynaecol Oncol* 2004;25:379.
80. Carey MS, Gawlik C, Fung-Kee-Fung M et al. Systematic review of systemic therapy for advanced or recurrent endometrial cancer. *Gynecol Oncol* 2006;101:158.
81. Nomura H, Aoki D, Takahashi F et al. Randomized Phase II Study comparing docetaxel plus cisplatin, docetaxel plus carboplatin, and paclitaxel plus carboplatin in patients with advanced or recurrent endometrial carcinoma: a Japanese Gynecologic Oncology Group study (JGOG2041). *Ann Oncol* 2011 Mar.;22(3):636-42.
82. Aghajanian C, Sill MW, Darcy KM et al. Phase II trial of bevacizumab in recurrent or persistent endometrial cancer: a Gynecologic Oncology Group study. *J Clin Oncol* 2011 June 1;29(16):2259-65. Epub 2011 May 2.
83. Lincoln S, Blessing JA, Lee RB et al. Activity ofpaclitaxel as second-line chemotherapy in endometrial carcinoma: a Gynecologic Oncology Group study. *Gynecol Oncol* 2003;88:277.
84. Miller DS, Blessing JA, Lentz SS et al. A phase II trial of topotecan in patients with advanced, persistent, or recurrent endometrial carcinoma: a Gynecologic Oncology Group Study. *Gynecol Oncol* 2002;87:247.
85. Sutton GP, Blessing JA, DeMars LR et al. A phase II Gynecologic Oncology Group trial of ifosfamide and mesna in advanced or recurrent adenocarcinoma of the endometrium. *Gynecol Oncol* 1996;63:25.
86. Muggia FM, Blessing JA, Sorosky J et al. Phase II trial of the pegylated liposomal doxorubicin in previously treated metastatic endometrial cancer: a Gynecologic Oncology Group Study. *J Clin Oncol* 2002;20:2360.
87. Fracasso PM, Blessing JA, Molpus KL et al. Phase II study of oxaliplatin as second-line chemotherapy in endometrial carcinoma: a Gynecologic Oncology Group Study. *Gynecol Oncol* 2006;103:523.
88. Dizon DS, Blessing JA, McMeekin DS et al. Phase II trial of ixabepilone as second-line treatment in advanced endometrial cancer: gynecologic oncology group trial 129-P. *J Clin Oncol* 2009;27:3104.
89. Lewin SN, Herzog TJ, Barrena Medel NI et al. Comparative performance of the 2009 international Federation of gynecology and obstetrics' staging system for uterine corpus cancer. *Obstet Gynecol* 2010;116:1141-49.

CAPÍTULO 180

Ginecologia – Terapia-Alvo no Câncer de Ovário

Diego Gomes Candido Reis

INTRODUÇÃO

A maioria das pacientes com câncer de ovário apresenta estágio avançado ao diagnóstico e, apesar do tratamento otimizado com cirurgia citorredutora e quimioterapia, tem baixa probabilidade de cura e apresenta taxa de recidiva elevada.[1]

Com o maior conhecimento dos processos moleculares envolvidos na carcinogênese, uma nova opção terapêutica vem sendo desenvolvida: a chamada terapia-alvo. Terapia-alvo é um tipo de medicamento que bloqueia o crescimento tumoral, por interferir em alvos moleculares específicos, em vez de simplesmente interferir na divisão celular, que é o mecanismo de ação da maioria dos tratamentos quimioterápicos tradicionais.[2]

BASES MOLECULARES DO CÂNCER DE OVÁRIO

Angiogênese é um processo fisiológico e um dos mecanismos pelo qual o tumor pode tornar-se vascularizado. Ela é caracterizada pela degradação da membrana basal que envolve os capilares, invasão do estroma por células endoteliais em direção ao estímulo angiogênico, proliferação de células endoteliais que se organizam e formam novos vasos sanguíneos. É considerada fundamental na formação dos tumores, ao supri-los com nutrientes necessários ao seu crescimento, além de permitir comunicação com o sistema linfático e o sistema circulatório.[1,3]

O processo da angiogênese é fundamental na fisiologia do ovário durante o período reprodutor feminino, na maturação do folículo ovariano e regressão do corpo lúteo. O nível de fator de crescimento endotelial vascular (VEGF) sérico oscila durante o ciclo reprodutor feminino.[2,4,5]

Muitas neoplasias, incluindo carcinomas epiteliais de ovário (CEO), apresentam níveis aumentados de VEGF e seus subtipos, fator de crescimento de fibroblasto (FGF), entre outros. Altas expressões teciduais de VEGF-C e de receptor de fator de crescimento endotelial vascular (VEGFR) estão associadas à maior agressividade tumoral no CEO, tendo valor preditivo na identificação de pacientes de alto risco, com pior prognóstico. VEGF parece estar associado à formação de ascite no câncer de ovário.[3,4]

Estudos demonstraram que o nível sérico de VEGF cai durante o tratamento com bevacizumabe, porém tal queda não estaria associada à resposta ao tratamento.[6]

Densidade do microvaso intratumoral (MVD), um marcador imuno-histoquímico de angiogênese, é um indicador de mau prognóstico em pacientes recebendo quimioterapia para câncer de ovário.[4,6]

Hiperexpressão do receptor do fator de crescimento epitelial (EGFR) é um evento frequente no CEO, com 50 a 70% de hiperexpressão do gene ou no nível da proteína; porém gefitinib, erlotinib, lapatinib têm sido ineficazes em estudos de fase II.[1,7,8]

Enzimas hiperexpressas ou hiperativas têm sido alvo de pesquisa, como o receptor de fator de crescimento derivado de plaquetas (PDGFR), tirosina-cinase *kit* (c-*kit*), alvo do imabitinibe; histona sacetilase, alvo do vorinostat; receptor de VEGF. Os resultados têm sido desapontadores, não atingindo a taxa de resposta objetiva estipulada pelo *Gynecologic Oncology Group* (GOG) de 20% e de estabilização da doença em 20% em 6 meses (Fig. 1).[1,2,7,9-13]

Outros alvos como *mamalian target of rapamycin* (mTOR), envolvido na regulação de quebra de proteínas, transcrição, translação e manutenção do citoesqueleto, também têm sido estudados. A interrupção da sinalização do mTOR (alvo de drogas como tensirolimus e everolimus) parece interromper o progresso do ciclo celular e inibir a angiogênese.

BEVACIZUMABE E CÂNCER EPITELIAL DE OVÁRIO

Bevacizumabe é um anticorpo monoclonal humanizado que se liga ao VEGF-A, bloqueando a interação do VEGF com o seu receptor, inibindo a angiogênese.[1,14]

Dois estudos de fase II (GOG 170 e AVF) utilizaram bevacizumabe como droga isolada em câncer de ovário avançado, tendo demonstrado

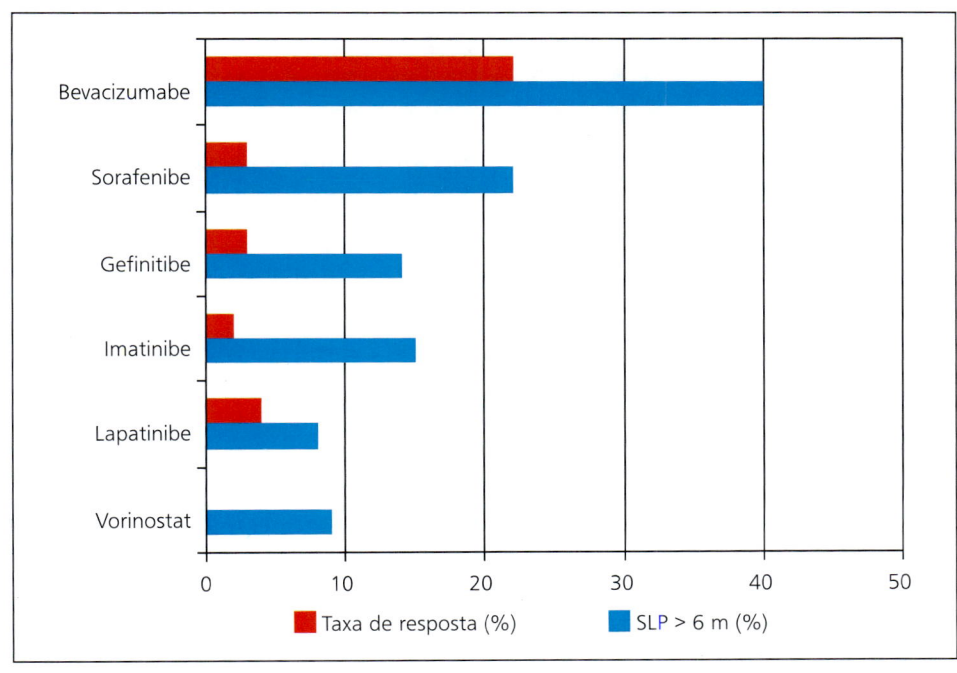

◀ **FIGURA 1.** Sobrevida livre de progressão (SLP) e taxa de resposta de estudos de fase II com terapia-alvo do *Gynecologic Oncology Group* (GOG).

taxas de resposta de 21 e 16%, respectivamente.[15,16] Há estudos de fase II demonstrando ganho de sobrevida livre de progressão (SLP) em pacientes com câncer de ovário recidivado com paclitaxel e bevacizumabe, tendo sido observada doença estável em 26%, com SLP mediana de 6 meses.[17]

Dois estudos fase III utilizando quimioterapia com bevacizumabe no câncer epitelial de ovário, primário de peritônio e de tuba uterina, vêm modificando a prática clínica nos dias atuais: GOG 218 e ICON 7. Em ambos os estudos, as pacientes eram virgens de tratamento. No GOG 218 todas tinham doença avançada e no ICON 7, 82%. Ambos demonstraram que, comparado ao esquema de carboplatina/paclitaxel, a adição de bevacizumabe na quimioterapia seguida de manutenção por um número preestabelecido de ciclos (16 e 12, respectivamente) levou a um ganho na SLP. Não houve benefício na sobrevida global nesta primeira análise.

O regime foi bem tolerado em ambos os estudos. Perfuração gastrointestinal ocorreu em menos de 3% dos pacientes, hipertensão arterial sistêmica ocorreu em 23 e 18% dos pacientes (respectivamente); não houve alteração nas taxas de neutropenia febril, eventos tromboembólicos ou complicações na cicatrização.[18-20]

Em um estudo retrospectivo, que avaliou 120 pacientes que utilizaram bevacizumabe durante o tratamento para câncer de ovário, dez pacientes tiveram perfuração intestinal. Pacientes com nodularidade retovaginal tiveram maior tendência para perfuração intestinal (*odds ratio* (OR) = 3,64; 95% intervalo de confiança (IC) = a 1,1 to 12,1 p = 0,04). A letalidade deste evento foi de 50%.[21]

O GOG 218 é um estudo duplo-cego, cujas pacientes foram submetidas à cirurgia citorredutora, estágio III (com doença residual macroscópica) ou estágio IV. Foram randomizadas 1.876 pacientes, 66% tiveram citorredução subótima. A idade mediana foi de 60 anos, mediana de seguimento de 17,4 meses.

O estudo utilizou carboplatina AUC 6 EV e paclitaxel 175 mg/m^2 EV (ciclo 1-6, intervalo de 21 dias) como base de tratamento e um dos três braços descrito abaixo (1:1:1):

1. Placebo (braço A) ou;
2. Bevacizumabe 15 mg/m^2 EV C2-6, seguido de placebo C7-C22 (braço B) ou;
3. Bevacizumabe 15 mg/kg EV C2-6, seguido de manutenção C7-C22 (braço C).

Relativo ao braço A, o braço C teve SLP de 14,1 *versus* 10,3 meses (respectivamente), OR = 0,71 (IC = 0,625-0,824; p < 0,001). A sobrevida global (SG) foi semelhante entre todos os braços (mediana 39,7 *versus* 39,3 *versus* 39,3 meses). Não houve benefício na SLP do braço B, comparado ao braço A. O estudo recebeu algumas críticas por ter mudado o desfecho primário de sobrevida global para SLP no decorrer do estudo, por ter havido desmascaramento dos braços quando documentada progressão de doença e por ter considerado outros critérios como a dosagem do CA, 125 para avaliar a resposta da doença em vez do *Response Evaluation Criteria in Solid Tumors* (RECIST).[18,20]

O estudo ICON 7 randomizou 1.528 mulheres com alto risco (estágio I da FIGO ou IIa-grau 3 ou células claras) ou doença avançada (IIb-IV).

Dois esquemas quimioterápicos (1:1) foram utilizados: carboplatina AUC 6 EV + paclitaxel 175 mg/m^2 EV, (Ciclo 1-6, intervalo de 21 dias) com uma das opções:

1. Placebo (braço a), ou;
2. Bevacizumabe 7,5 mg/kg EV ciclos 1 a 6, seguido de manutenção por 12 ciclos (braço B).

Relativo ao braço A, o braço B apresentou SLP = 0,81, com ganho de 5,4 meses (p = 0,0041).[19]

CONSIDERAÇÕES FINAIS

A versão 2.2011 do *National Comprehensive Cancer Network* (NCCN) *Guidelines* ainda não recomenda o uso rotineiro de bevacizumabe no tratamento do câncer de ovário até que sejam apresentados resultados mais maduros, porém seu uso pode ser discutido conjuntamente com a paciente nas situações já descritas.

Dúvidas são levantadas em relação a qual seria o melhor momento da sua utilização: na primeira linha de tratamento ou na sua progressão (estudos de fase III *versus* estudos de fase II). Se utilizado como segunda linha de tratamento, combinado ou não a um esquema quimioterápico, parâmetros de resposta poderiam ser utilizados para determinar a continuidade ou a interrupção de tratamento, podendo assim diminuir os custos ao aplicar o medicamento apenas a pacientes que apresentarem resposta. O uso por um período limitado na adjuvância também é ponto de discussão, uma vez que o racional biológico e evidenciado por outros estudos em outros grupos tumorais seria a sua manutenção indefinida até a progressão de doença.[1,6,17,22,23]

REFERÊNCIAS BIBLIOGRÁFICAS

1. Martin L, Schilder R. Novel approaches in advancing the treatment of epithelial ovarian cancer: the role of angiogenesis inhibition. *J Clin Oncol* 2007;25:2894-901.
2. McDermott U, Settleman J. Personalized cancer therapy with selective kinase inhibitors: an emerging paradigm in medical oncology. *J Clin Oncol* 2009;27:5650-59.
3. Nishida N, Yano H, Komai K et al. Vascular endothelial growth factor C and vascular endothelial growth factor receptor 2 are related closely to the prognosis of patients with ovarian carcinoma. *Cancer* 2004;101:1364-74.
4. Raspollini MR, Amunni G, Villanucci A et al. Prognostic significance of microvessel density and vascular endothelial growth factor expression in advanced ovarian serous carcinoma. *Int J Gynecol Cancer* 2004;14:815-23.
5. Ramakrishnan S, Subramanian IV, Yokoyama Y et al. Angiogenesis in normal and neoplastic ovaries. *Angiogenesis* 2005;8:169-82.
6. Han ES, Burger RA, Darcy KM et al. Predictive and prognostic angiogenic markers in a gynecologic oncology group phase II trial of bevacizumab in recurrent and persistent ovarian or peritoneal cancer. *Gynecol Oncol* 2010;119:484-90.
7. Gordon AN, Finkler N, Edwards RP et al. Efficacy and safety of erlotinib HCl, an epidermal growth factor receptor (HER1/EGFR) tyrosine kinase inhibitor, in patients with advanced ovarian carcinoma: results from a phase II multicenter study. *Int J Gynecol Cancer* 2005;15:785-92.
8. Posadas EM, Liel MS, Kwitkowski V et al. A phase II and pharmacodynamic study of gefitinib in patients with refractory or recurrent epithelial ovarian cancer. *Cancer* 2007;109:1323-30.
9. Chan SY, Gordon AN, Coleman RE et al. A phase 2 study of the cytotoxic immunoconjugate CMB-401 (hCTM01-calicheamicin) in patients with platinum-sensitive recurrent epithelial ovarian carcinoma. *Cancer Immunol Immunother* 2003;52:243-48.
10. Matulonis UA, Berlin S, Ivy P et al. Cediranib, an oral inhibitor of vascular endothelial growth factor receptor kinases, is an active drug in recurrent epithelial ovarian, fallopian tube, and peritoneal cancer. *J Clin Oncol* 2009;27:5601-6.
11. Schilder RJ, Sill MW, Chen X et al. Phase II study of gefitinib in patients with relapsed or persistent ovarian or primary peritoneal carcinoma and evaluation of epidermal growth factor receptor mutations and immunohistochemical expression: a Gynecologic Oncology Group Study. *Clin Cancer Res* 2005;11:5539-48.
12. Stewart DE, Wong F, Duff S et al. What doesn't kill you makes you stronger: an ovarian cancer survivor survey. *Gynecol Oncol* 2001;83:537-42.
13. Schilder RJ, Sill MW, Lee RB et al. Phase II evaluation of imatinib mesylate in the treatment of recurrent or persistent epithelial ovarian or primary peritoneal carcinoma: a Gynecologic Oncology Group Study. *J Clin Oncol* 2008;26:3418-25.
14. Tol J, Koopman M, Cats A et al. Chemotherapy, bevacizumab, and cetuximab in metastatic colorectal cancer. *N Engl J Med* 2009;360:563-72.
15. Burger RA, Sill MW, Monk BJ et al. Phase II trial of bevacizumab in persistent or recurrent epithelial ovarian cancer or primary peritoneal cancer: a Gynecologic Oncology Group Study. *J Clin Oncol* 2007;25:5165-71.
16. Cannistra SA, Matulonis UA, Penson RT et al. Phase II study of bevacizumab in patients with platinum-resistant ovarian cancer or peritoneal serous cancer. *J Clin Oncol* 2007;25:5180-86.
17. Hurt JD, Richardson DL, Seamon LG et al. Sustained progression-free survival with weekly paclitaxel and bevacizumab in recurrent ovarian cancer. *Gynecol Oncol* 2009;115:396-400.
18. Burger RA, Brady MF, Bookman MA et al. (Eds). Phase III trial of bevacizumab (BEV) in the primary treatment of advanced epithelial

ovarian cancer (EOC), primary peritoneal cancer (PPC) or fallopian tube cancer (FTC): a Gynecologic Oncology Group Study. *J Clin Oncol* 2010;28:18s (Suppl; abstr LBA1).

19. Perren T, Swart AM, Pfisterer J. ICON7: a phase III randomized gynaecological oncology intergroup trial of concurrent bevacizumab and chemotherapy followed by maintenance bevacizumab versus chemotherapy alone in women with newly diagnosed epithelial ovarian cancer, primary peritoneal cancer, or fallopian tube cancer. *Ann Oncol* 2010;21:viii2-viii3.

20. Burger RA, Brady MF, Bookman MA *et al.* Safety and subgroup efficacy analyses in GOG218, a phase III trial of Bevacizumab (bev) in the primary treatment of advanced epithelial ovarian cancer (EOC), primary peritoneal cancer (PPC) or fallopian tube cancer (FTC): a Gynecologic Oncology Group Study. *Ann Oncol* 2010;21(Suppl 8).

21. Richardson DL, Backes FJ, Hurt JD *et al.* Which factors predict bowel complications in patients with recurrent epithelial ovarian cancer being treated with bevacizumab? *Gynecol Oncol* 2010;118:47-51.

22. Cohn DE, Kim KH, Resnick KE *et al.* At what cost does a potential survival advantage of bevacizumab make sense for the primary treatment of ovarian cancer? A cost-effectiveness analysis. *J Clin Oncol* 2011;29:1247-51.

23. Penson RT, Dizon DS, Cannistra SA *et al.* Phase II study of carboplatin, paclitaxel, and bevacizumab with maintenance bevacizumab as first-line chemotherapy for advanced mullerian tumors. *J Clin Oncol* 2010;28:154-59.

SEÇÃO VII
Radioterapia no Câncer Ginecológico

CAPÍTULO 181
Princípios da Radioterapia Pélvica

Rachele Zanchet Grazziotin ■ Márcio Lemberg Reisner

PRINCÍPIOS DE RADIOBIOLOGIA

Absorção de radiação

Ao ocorrer a absorção de raios X ou raios gama no material biológico, o primeiro passo é que parte ou a totalidade da energia do fóton é convertida em energia cinética de elétrons em movimento rápido.

Um elétron em movimento rápido pode interagir diretamente com o DNA, causando uma excitação ou ionização, o que é chamado ação direta da radiação, sendo esse processo dominante para radiações de alta transferência linear de energia (LET), como de partículas alfa.

Alternativamente, o elétron pode interagir com outros átomos ou moléculas na célula, especialmente da água, para produzir radicais livres que podem difundir-se o suficiente para alcançar e danificar o DNA. Isto é referido como ação indireta da radiação. Um radical livre é um átomo ou molécula livre, não combinado, que tem um elétron desemparelhado em sua camada externa. Este estado está associado a alto grau de reatividade química.

O radical livre mais importante produzido a partir da interação da radiação com a água é o radical hidroxil (OH). Há evidências de que esse radical hidroxil pode se difundir até o DNA, causando danos. Cerca de 2/3 dos danos biológicos causados por raios X são mediados via radicais livres.[1]

Dano ao DNA e quebras de cadeia

O DNA consiste em duas fitas que formam uma dupla hélice. Cada fita é composta de uma série de desoxinucleotídeos, a sequência que contém o código genético. Grupos de fosfato e açúcar formam o arcabouço da dupla hélice. As bases sobre as fitas opostas devem ser complementares; adenina faz par com a timina, enquanto guanina faz par com a citosina.

Quando as células são irradiadas com raios X, ocorrem muitas quebras de uma única fita. No DNA intacto, no entanto, essas quebras simples são de pouca importância biológica, pois são facilmente reparadas usando a hélice oposta como modelo.

Se o reparo for incorreto, pode resultar em uma mutação. Se ambas as hélices do DNA são quebradas, e as quebras são bem separadas, o reparo novamente ocorre de pronto, já que as duas quebras são consertadas separadamente.

Por outro lado, se as duas fitas que sofreram quebra estão na frente uma da outra, ou separadas por apenas alguns pares de bases, isto pode levar a uma quebra de dupla, que é a mais importante lesão causada pela radiação no DNA. Pode levar a morte celular, mutação ou carcinogênese.

RADIOTERAPIA EM CÂNCER GINECOLÓGICO

A radioterapia (RT) representa um importante componente terapêutico das neoplasias ginecológicas.

Há dados epidemiológicos mostrando que a radioterapia é indicada para 60% das pacientes com câncer cervical, 45% das pacientes com câncer endometrial, 35% das pacientes com câncer vulvar, 100% das pacientes de câncer vaginal e 5% das pacientes com câncer de ovário.[2]

Existem duas modalidades de radioterapia, a radioterapia externa, quando a fonte de tratamento está fora do corpo, ou a braquiterapia, em que a fonte está em contato com a área a ser tratada.

Radioterapia externa

Radioterapia por feixe externo (EBRT) geralmente utiliza fótons ou, em circunstâncias específicas, elétrons. Os fótons são a energia de escolha para o tratamento de tumores pélvicos, decorrente da penetração tecidual ideal e características de distribuição de dose e são obtidos utilizando acelerador linear (CLINAC) ou em unidades de cobalto, que geram fótons de baixa energia.

Menos frequentemente para o tratamento de câncer ginecológico, empregam-se os elétrons, que penetram a uma curta distância e depois depositam a sua energia no tecido. Elétrons podem ser usados no tratamento do câncer vulvar, seja para tratamento do tumor primário, reforço de dose ou complementação de dose para os linfonodos inguinais.

Radioterapia convencional ou em duas dimensões (2D)

O planejamento ocorre com o auxílio de fluoroscopia e radiografias ortogonais, em duas dimensões. Os arranjos dos feixes são projetados em referências ósseas para abranger regiões de interesse de tratamento. Esta técnica é rápida e confiável, porém não permite a visualização de tecidos moles e também não considera as variações individuais na anatomia do paciente (Figs. 1 e 2).

Radioterapia conformacional ou tridimensional (3D)

Com o desenvolvimento da tomografia computadorizada (TC), a radioterapia conformacional (3D) tornou-se um método amplamente utilizado para planejamento de radioterapia. A simulação por TC permite a delineação das estruturas normais e tumorais em três dimensões. Além disso, o tratamento conformacional utiliza variável número de feixes, para obter a conformação que melhor se adapte à forma do tumor.

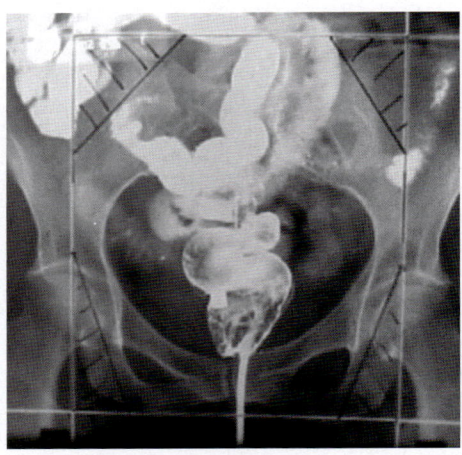

◀ **FIGURA 1.** Campo anteroposterior de radiação convencional (2D).

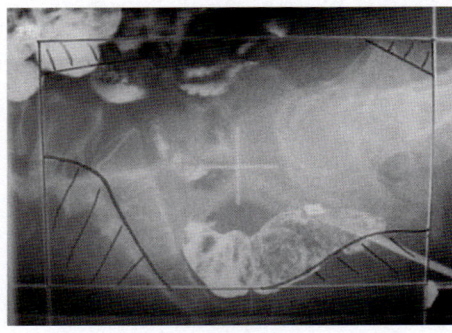

◀ **FIGURA 2.** Campos laterais de radiação convencional (2D).

O processo de planejamento começa com uma tomografia computadorizada da paciente em posição de tratamento, criando uma simulação tridimensional de tratamento diário.

Pode-se realizar a fusão de imagens de estudos diagnósticos adicionais, como TC diagnóstica ou por emissão de pósitrons (PET-CT) e ressonância nuclear magnética (RNM), com a TC de planejamento para melhor delinear os tecidos normais e tumorais. Com a ajuda de estações de computador de planejamento e *software*, o médico seleciona os arranjos e geometrias-feixes que geram a distribuição da dose ideal, com o objetivo de conformar a radiação para o tumor ou áreas de risco, minimizando a dose para tecidos normais circunjacentes.

Radioterapia por intensidade modulada

A radioterapia por intensidade modulada (IMRT) representa uma forma mais especializada da radioterapia conformacional. Quando comparada a outras técnicas de tratamento, IMRT pode obter planos ainda mais conformados, reduzindo ainda mais a dose e toxicidade para os tecidos normais (Fig. 3). As vantagens de IMRT são particularmente evidentes quando o volume-alvo tem formas complexas ou regiões côncavas.

A IMRT compartilha muitos princípios do planejamento de tratamento 3DCRT, no entanto, para fornecer o tratamento, utiliza em cada feixe intensidades variáveis controladas pelo computador. Isso permite que o médico defina o volume-alvo e estabeleça restrições de dose para estruturas adjacentes normais.[3] Algoritmos de computador são usados para modular a intensidade dos feixes de radiação, otimizando o plano de tratamento.

Em tumores ginecológicos, IMRT permite o escalonamento da dose em áreas de doença macroscópica ou envolvimento nodal, enquanto reduz a dose de radiação para o intestino delgado, reto, bexiga e medula óssea, com benefícios comprovados em estudos dosimétricos.[4,5] Séries retrospectivas sugerem eficácia clínica e redução de toxicidade aguda e tardia com o uso de IMRT.[6-11]

O planejamento e tratamento de alta precisão associados à IMRT ampliaram as preocupações sobre o movimento da paciente e de órgãos.[12] Imobilização da paciente e posicionamento preciso são essenciais para a reprodutibilidade diária. A radioterapia guiada por imagem (IGRT) utiliza uma tomografia computadorizada diária, de baixa dose, para verificar o posicionamento antes de cada tratamento.

Volume-alvo e doses

A dose de radiação necessária para o tratamento de tumores sólidos com radioterapia exclusiva é 60-80 Gy e para tratamento adjuvante, 45-60 Gy. O objetivo é atingir a área de volume macroscópico do tumor com a maior dose de radiação.

Tecidos circunjacentes em situação de alto risco para doença microscópica recebem doses mais baixas, assim como leito tumoral pós-operatório e linfonodos regionais. O tratamento conformacional e a IMRT permitem maior dose ao tecido tumoral e redução das doses nos tecidos saudáveis, reduzindo as toxicidades.

A dose total da radioterapia externa é usualmente fracionada uma vez por dia, tipicamente 1,8 a 2 Gy por fração, 5 dias por semana, por um período de 5 a 6 semanas. O fracionamento diminui a toxicidade para os tecidos saudáveis, explorando a sua capacidade inata de reparo aos danos subletais e repopulação em comparação com tecidos neoplásicos. Durante todo o curso do tratamento, as células tumorais sofrem reoxigenação e redistribuição em fases mais sensíveis do ciclo celular e ambos os processos aumentam sua sensibilidade em regimes fracionados.

Apesar dos méritos de fracionamento, existem preocupações sobre a prorrogação desnecessária do tratamento, que pode levar a um repovoamento acelerado por células clonogênicas tumorais, afetando negativamente o controle do tumor. Como exemplo, no tratamento definitivo de câncer localmente avançado do colo do útero, as evidências sugerem que a extensão da radioterapia além de 55 dias diminui a sobrevivência de 0,6% por dia.[13]

Braquiterapia

A braquiterapia representa um componente importante do tratamento para o carcinoma cervical, endometrial e vaginal. Ela pode ser usada como monoterapia ou em associação à radioterapia, dependendo da situação.

Por causa da curta distância de tratamento e rápida queda da dose, que é regulada pela lei do inverso do quadrado, a braquiterapia permite o fornecimento preciso de altas doses de radiação para o tecido-alvo, poupando o tecido normal circundante, como o intestino delgado, reto e bexiga.

A braquiterapia é apropriada para tumores pequenos, com limites bem definidos ou para aumentar a dose de radiação ao tumor primário após a RT externa, essa está indicada para o tratamento de áreas periféricas, como os linfonodos pélvicos.

A braquiterapia é realizada pela colocação de uma fonte radioativa em íntima proximidade com o tumor ou tecidos em risco de doença oculta. É necessária a inserção da fonte ou dos instrumentos através dos quais a fonte de braquiterapia é aplicada. A colocação dos aplicadores de braquiterapia pode ser realizada sob sedação ou anestesia para minimizar o desconforto da paciente. Atualmente, agulhas inertes, catéteres, ou aplicadores personalizados são inseridos antes da fonte radioativa, o que se chama de carregamento postergado. Uma variedade de aplicadores pode ser usada, e são selecionados de acordo com o local da doença, a anatomia da paciente e a preferência do médico. Outras variáveis incluem taxa de dose, o modo de implantação e se o implante é permanente ou temporário.[14]

Braquiterapia de baixa e alta taxa de dose

A braquiterapia pode ser de baixa taxa de dose, *low dose rate*, (LDR) ou alta taxa de dose, *high dose rate*, (HDR). A Comissão Internacional de Unidades de Radiação (ICRU) define como LDR 0,4-2Gy por hora, enquanto a HDR é o tratamento > 12 Gy por hora.[15]

As fontes mais comuns de LDR utilizadas para o tratamento de neoplasias ginecológicas são césio-137 e irídio – 192, e a fonte de HDR mais comum é irídio-192.

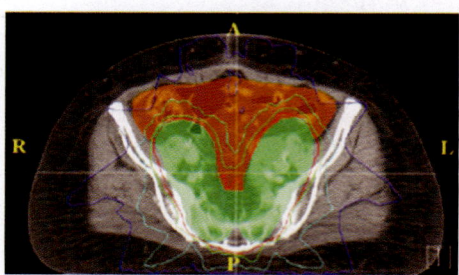

◀ **FIGURA 3.** Campos de radiação por intensidade modulada.

Geralmente, a paciente recebe uma a duas inserções de LDR, ao longo de um período de 48 a 72 horas, durante hospitalização em um quarto blindado. A braquiterapia HDR de colo geralmente envolve três a cinco procedimentos ambulatoriais, realizados 1 ou 2 vezes por semana e cada procedimento tem duração de 1 a 2 horas.

Decorrente do desconforto associado à inserção, os instrumentos são colocados dentro do útero e da vagina com a paciente sob sedação, que pode variar de sedação consciente para anestesia geral. Para a maioria das pacientes, o procedimento é bem tolerado, com apenas leve dor e desconforto.[16]

Além de menor exposição de radiação para os profissionais de saúde, a HDR oferece diversas outras vantagens, em grande parte como consequência do reduzido tempo de tratamento, pois o tratamento ambulatorial é conveniente para as pacientes e gera potencial economia de custos. A prolongada imobilização necessária para LDR pode levar a complicações peroperatórias, como eventos tromboembólicos.[17]

O menor tempo de tratamento com HDR permite a imobilização da paciente e aplicadores, bem como tamponamento vaginal mais vigoroso para afastar o intestino adjacente e a bexiga. Além disso, a capacidade de variar os tempos de parada e as posições da fonte de HDR permite a otimização dosimétrica do planejamento.[18]

HDR e LDR parecem ter semelhante eficácia e complicações tardias no carcinoma cervical, como sugerido por séries, estudos randomizados, e uma metanálise.[19-24]

Implantes intersticiais

A braquiterapia intracavitária é a técnica mais utilizada para neoplasias ginecológicas, na qual o aplicador que será carregado com a fonte radioativa é colocado dentro de uma cavidade do corpo preexistente, como a vagina ou o útero. A braquiterapia intersticial é uma técnica em que agulhas são colocadas no tumor e tecidos em risco, como o paramétrio ou tecido paravaginal. A fonte de radiação é, então, inserida dentro das agulhas. Braquiterapia intersticial pode ser temporária, como para câncer cervical avançado, ou permanente, como é o caso de implantes de sementes em câncer de próstata.

RADIOTERAPIA POR SÍTIOS ESPECÍFICOS

Câncer cervical

História natural e padrão de disseminação do câncer de colo

O carcinoma de células escamosas da cérvice uterina geralmente se origina da junção escamocolunar do canal cervical e porção da cérvice. A lesão frequentemente se associa a displasia severa e carcinoma *in situ*, progredindo para carcinoma invasivo.

O processo neoplásico rompe a membrana basal do epitélio e invade o estroma cervical. Se a invasão for menor que 3 mm e menor que 7 mm na superfície, a lesão é classificada como IA1 e a probabilidade de metástases nodais é de 1% ou menos.

Ao prosseguir a invasão, o tumor é classificado como estágio IA2 se não for macroscopicamente visível e tiver profundidade de penetração menor que 5 mm e largura igual ou menor que 7 mm. A incidência de metástases pélvicas nodais é relacionada à profundidade de invasão, com incidência global de 8%.

O crescimento da lesão pode manifestar-se por ulceração superficial, tumor exofítico na ectocérvice ou infiltração extensa da endocérvice. O tumor pode disseminar-se para os fórnices vaginais adjacentes ou tecidos paracervicais ou parametriais adjacentes, com eventual invasão direta de bexiga, reto ou ambos.

Disseminação regional linfática ou hematogênica ocorre frequentemente, dependendo do estágio do tumor. No entanto, a disseminação nem sempre ocorre em uma sequência ordenada, ocasionalmente um pequeno carcinoma pode produzir metástases a distância ou infiltrar linfonodos pélvicos, a bexiga ou o reto.

A incidência de metástases nodais pélvicas é de aproximadamente 15% no estágio IB, 25 a 30% no estágio IIB e 50% no estágio IIIB. A incidência de metástase nodal para-aórtica é de aproximadamente 5% no estágio IB, 19% no estágio IIB e 30% no estágio IIIB.[25]

Os sítios metastáticos mais comuns são os pulmões (21%), linfonodos para-aórticos (11%), linfonodos mediastinais e supraclaviculares (7%), ossos e fígado.[26]

A quimiorradioterapia concomitante é o tratamento padrão no manejo da doença localmente avançada (estágio IB2-IVA). Resultados positivos de cinco estudos clínicos suportam o benefício da adição de quimioterapia concomitante à irradiação nos casos de tratamento adjuvante ou definitivo.[27-31]

Há significativa controvérsia se a cirurgia ou quimiorradioterapia seria o melhor tratamento para câncer cervical estágios IB/IIA. Os resultados da cirurgia primária seguida de quimiorradioterapia concomitante parecem comparáveis aos da radioterapia exclusiva, embora nenhum estudo comparando essas modalidades tenha sido realizado. Embora a quimioterapia neoadjuvante antes da cirurgia seja amplamente realizada em alguns países, os dados da eficácia desta estratégia permanecem inconclusivos.

Os aspectos técnicos do planejamento radioterápico têm mudado rapidamente. Planejamento baseado em tomografia computadorizada tem sido adotado para delineação acurada da localização e da extensão macroscópica do tumor primário e para linfonodos pélvicos, para planejamento de radioterapia externa.

Imagens funcionais com PET e RNM também otimizam a delineação do tumor. Vários estudos observacionais estão examinando o papel da IMRT para irradiação pélvica em câncer cervical, particularmente as taxas de complicação.

Inovações significativas têm ocorrido no planejamento de braquiterapia guiada por imagem, em que as imagens diagnósticas de TC e RNM são utilizadas para delinear o volume de doença tumoral macroscópica.

O tratamento de câncer de colo uterino depende do estágio da doença e pode ser abordado com cirurgia, muitas vezes seguida por RT adjuvante ou RT definitiva, com ou sem quimioterapia.

RT adjuvante

A radioterapia adjuvante, geralmente concomitante a quimioterapia baseada em cisplatina, oferece benefício para pacientes com fatores de alto risco patológico, que incluem > 1/3 de invasão do estroma cervical, diâmetro do tumor ≥ 4 cm, comprometimento dos linfonodos, invasão do espaço linfovascular, extensão parametrial microscópica ou margem de ressecção positiva.[32-34]

RT externa adjuvante tem como alvo os tecidos pélvicos em risco de doença oculta. Tradicionalmente, a técnica de tratamento é de quatro campos, anteroposterior, posteroanterior (AP-PA) e laterais opostos (L-L). Na radioterapia convencional, 2D, as margens do campo são definidas em relação à anatomia óssea. Com o uso de imagens tridimensionais, planos em 3D são projetados para cobrir adequadamente os tecidos em risco, incluindo o tecido parametrial e vaginal nas proximidades e os linfonodos pélvicos. É importante levar em conta as variações na anatomia da paciente e alterações pós-cirúrgicas.

É necessário abranger todos os vasos linfáticos de drenagem locorregional, que incluem obturador, ilíaco interno, ilíaco externo, pré-sacral e os linfonodos ilíacos comuns em sua coalescência na veia cava inferior, que corresponde aproximadamente a um campo de limite superior no espaço intervertebral de L4-L5 e o limite inferior do campo deve se estender 3 a 4 cm abaixo da extensão da doença ou na parte inferior do forame obturador. A margem lateral deve ser definida a 1,5 a 2 cm lateral à pelve verdadeira e deve ser projetada para dar uma margem sobre os vasos pélvicos e linfáticos (Fig. 1).

A dose recomendada é de 45 a 50,4 Gy, com frações de 1,8-2 Gy ao longo de 5 a 6 semanas. Se houver alguma doença residual macroscópica ou linfonodos positivos, a dose deve ser aumentada para 54-60 Gy, conforme permitido pela tolerância de tecidos normais adjacentes.

RT adjuvante, especialmente quando combinada com quimioterapia, aumenta a toxicidade em pacientes submetidas à cirurgia.[32-34] Há interesse significativo no uso de IMRT para reduzir a toxicidade; um relatório inicial sugere melhora significativa da tolerância a quimiorradioterapia concomitante adjuvante com o uso de IMRT.[35]

RT definitiva

A radioterapia definitiva com quimioterapia baseada em cisplatina concomitante é um tratamento recomendado para pacientes com estágio FIGO IIB a IVA e, muitas vezes, é preferível à cirurgia em pacientes com estágio FIGO IB a IIA.[27-30,36,37] Radioterapia definitiva também pode ser utilizada para pacientes com doença estádio inicial IA-IB1, se elas não forem candidatas apropriadas à cirurgia, decorrente de comodidades médicas.

RNM e PET são úteis para o planejamento da radioterapia, pois avaliam o tamanho e a extensão do tumor primário e a presença e a extensão do envolvimento de paramétrio, bexiga, invasão retal e doença nodal.

Campos estendidos de RT

A radioterapia em campos estendidos (EFRT) consiste em estender a borda do campo pélvico superior ao nível do espaço intervertebral T12 a L1, a fim de incluir os linfonodos para-aórticos (Fig. 4). Além da presença de metástases a distância no momento do diagnóstico, doença para-aórtica representa o maior fator prognóstico negativo no tratamento do câncer do colo do útero e é um desafio terapêutico.[38]

O papel da irradiação para-aórtica profilática é controverso.[39,40] Na era da quimiorradioterapia concomitante, irradiação nodal para-aórtica profilática é evitada em razão das preocupações sobre a toxicidade excessiva. EFRT é reservada para pacientes com doença nodal para-aórtica. Neste caso, a recomendação é para EFRT combinada com cisplatina em baixa dose semanal.

Técnicas como IMRT podem limitar a toxicidade em intestino e medula óssea associada à EFRT. Além disso, a IMRT pode permitir aumentar seletivamente a dose em áreas de positividade linfonodal, como é feito para linfonodos pélvicos, sem um aumento da probabilidade de toxicidade do intestino.

Braquiterapia de reforço

A braquiterapia intracavitária permite fornecer altas doses de radiação para o tumor, poupando a bexiga e o reto decorrente da rápida queda da dose. Tanto a LDR quanto a HDR ou técnicas de taxa de dose pulsada podem ser utilizadas, dependendo da preferência institucional.

Para doença avançada ou que não apresentou resposta à radioterapia, técnicas intracavitárias são muitas vezes inadequadas. Neste caso, pode ser necessária braquiterapia intersticial para abranger adequadamente a doença macroscópica.

A braquiterapia pode ser iniciada durante a RT externa, uma vez que haja redução tumoral ideal. Regressão adequada da lesão cervical ocorre normalmente entre 2 a 5 semanas de tratamento, dependendo do estágio do tumor, do tamanho e da resposta à terapia. A braquiterapia LDR requer uma ou duas inserções e pode começar próxima ou após a conclusão da radioterapia. O número de inserções HDR é variável entre as instituições, mas mais comumente é dada como três a seis inserções. A dose fornecida por procedimento de braquiterapia é ajustada para contabilizar o número total de inserções. Pode-se utilizar uma variedade de aplicadores na braquiterapia intracavitária, como tandem ou sonda intrauterina com ovoides ou colpostatos vaginais, anel ou cilindro vaginal (Figs. 5 e 6). A adição dos ovoides ou anel para a sonda ou aplicador em tandem proporciona uma distribuição da dose em forma de pera, que abrange os tecidos paracervical em risco, proporcionando uma distribuição de dose mais baixa para a bexiga e o reto. Além disso, a dose para a bexiga e o reto pode ser ainda mais reduzida com o uso de tamponamento vaginal vigoroso. A escolha do aplicador é determinada pela preferência do médico e considerações anatômicas da paciente. Cilindros vaginais são empregados quando há doença vaginal distal.

Na braquiterapia intersticial, as agulhas são inseridas à mão livre ou em técnicas utilizando aplicadores próprios para guiar o agulhamento, muitas vezes com orientação laparoscópica. Implantes intersticiais muitas vezes usam fontes de LDR, mas também pode ser usada HDR.

A inserção do aplicador normalmente requer sedação endovenosa ou anestesia geral para conforto da paciente. Uma vez que os aplicadores estão posicionados, os tratamentos são tradicionalmente planejados por meio de radiografias ortogonais para definir os pontos do tecido normal de prescrição e de interesse (Figs. 7 e 8). Técnicas utilizando tomografia computadorizada ou ressonância magnética são atualmente empregadas em algumas instituições.[41,42]

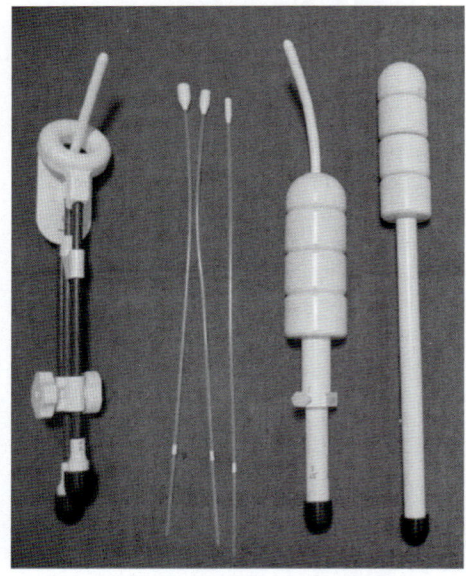

◀ **FIGURA 5.** Aplicadores de braquiterapia: sistema de anel e tandem com cilindro.

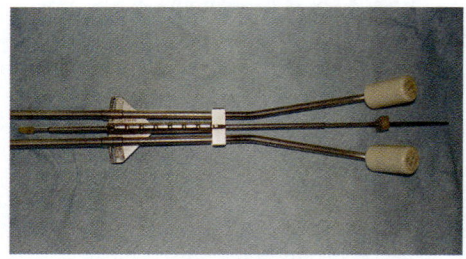

◀ **FIGURA 6.** Aplicadores de braquiterapia: tandem e colpostatos.

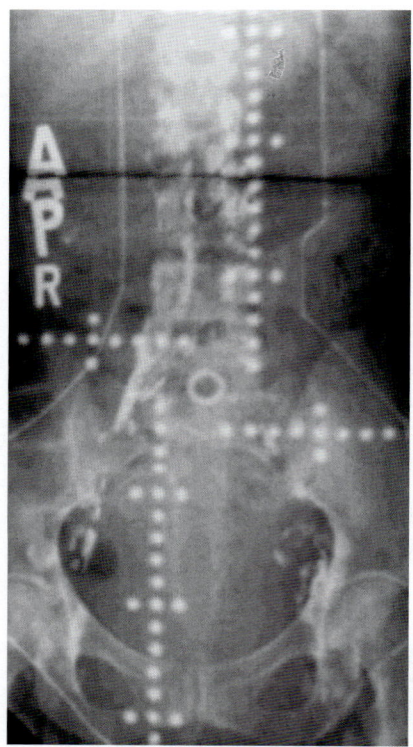

◀ **FIGURA 4.** Campos de radiação estendidos, envolvendo pelve e para-aórticos.

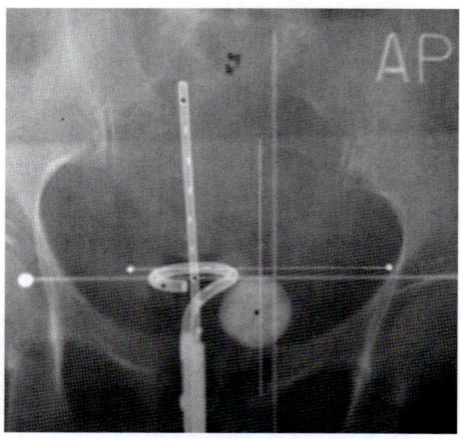

◀ **FIGURA 7.** Radiografia anteroposterior de braquiterapia.

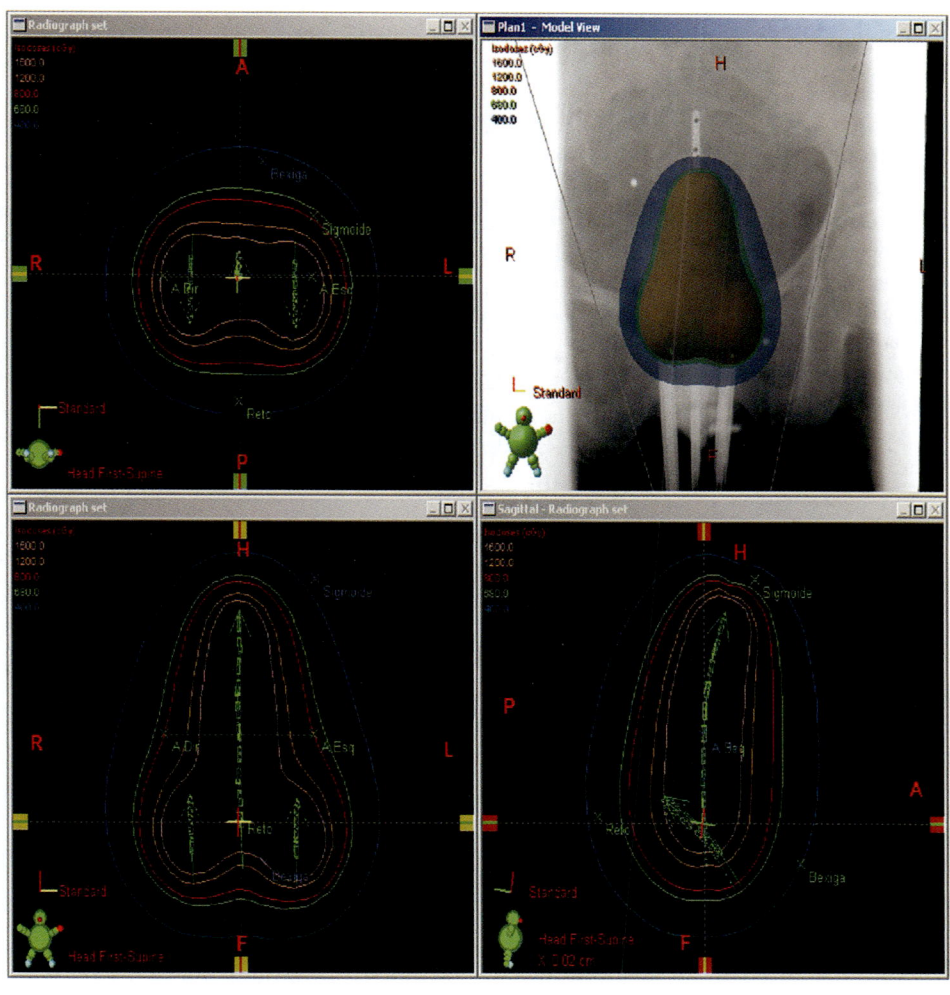

◀ **FIGURA 8.** Curvas de isodose de braquiterapia.

Na metodologia mais comum de planejamento de braquiterapia, a dose total é prescrita para o ponto A, que representa os tecidos paracervicais. A dose prescrita de braquiterapia depende de estágio do tumor, volume inicial da doença e resposta à radiação pélvica. A dose de prescrição total para o ponto A é de 80 a 90 Gy LDR-equivalente, dependendo do estágio do tumor.[43,44] Uma dose biologicamente efetiva é calculada e usada quando se comparam HDR e LDR. A escolha da dose para HDR também depende do número de frações e existem vários regimes aceitos.[44]

Radioterapia adjuvante após histerectomia

Pacientes submetidas a histerectomia radical para doença em estágio inicial apresentam variável risco para recidiva de doença, dependendo de fatores como tamanho tumoral, *status* nodal, extensão parametrial, adequação de margens, histologia, invasão do espaço linfático e profundidade de penetração do estroma cervical.

Câncer endometrial

História natural e padrão de disseminação do câncer de endométrio

A maioria dos tumores endometriais é restrita ao útero na época do diagnóstico. Os tumores originários do endométrio geralmente disseminam para o miométrio e áreas contíguas. Carcinoma do endométrio pode estender-se diretamente para o colo, a vagina, o tecido parametrial, a bexiga e o reto.

O grau tumoral e a profundidade de invasão no miométrio são importantes indicadores prognósticos. A invasão miometrial profunda é mais comum em tumores de alto grau.

Conforme aumenta o grau tumoral e a profundidade de invasão, o risco de envolvimento nodal também aumenta, como foi detalhado no GOG 33.[45]

A drenagem linfática primária ocorre para linfonodos pélvicos (ilíacos internos e externos, obturador, ilíaco comum, pré-sacral e parametrial), mas disseminação direta pode ocorrer para os linfonodos para-aórticos diretamente, o que é raro na ausência de linfonodos pélvicos positivos. Aproximadamente 1/3 das pacientes com linfonodos pélvicos positivos apresentará acometimento dos linfonodos para-aórticos.

Risco de envolvimento nodal está relacionado à profundidade de invasão e grau (Quadro 1).

Disseminação peritoneal é comum porque uma lesão endometrial pode penetrar a parede uterina ou semear pela tuba uterina, o que ocorre mais comumente com histologias papilar serosa ou de células claras.

Outros fatores prognósticos adversos são invasão do espaço linfovascular, idade maior que 60 anos, envolvimento do segmento uterino inferior, anemia e *performance status*.

O tratamento é primariamente cirúrgico. Decorrente da apresentação precoce de sintomas, como sangramento vaginal, a maioria das mulheres com carcinoma endometrial é diagnosticada com a doença confinada ao útero. A necessidade de terapia adjuvante pós-operatória é determinada pelos achados patológicos no momento da cirurgia.

- *Estágios FIGO I e II:* incluem radioterapia pélvica, braquiterapia em cúpula vaginal ou uma combinação de ambas. A análise de risco de recidiva pélvica é complexa e inclui a profundidade da invasão miometrial, o grau do tumor, a adequação do estadiamento cirúrgico e a avaliação dos linfonodos, a presença de invasão do espaço linfático e a idade da paciente.

RT externa adjuvante

RT pélvica adjuvante é geralmente recomendada para pacientes com tumores com invasão profunda e grau intermediário e alto, que possam ter

Quadro 1. Relação da invasão estromal do tumor endometrial e do grau tumoral e o percentual de acometimento linfonodal pélvico e para-aórtico

	% DE LN PÉLVICO/PARA-AÓRTICO		
INVASÃO	GRAU 1	GRAU 2	GRAU 3
Endométrio	0/0	3/3	0/0
1/3 Interno	3/1	5/4	9/4
1/3 Médio	0/5	9/0	4/0
1/3 Externo	11/6	19/14	34/23

linfonodos pélvicos em risco de metástase e não tenham realizado linfadenectomia de estadiamento. Além disso, a radioterapia pélvica adjuvante pode ser recomendada para pacientes com tumores profundamente invasivos e com outras características patológicas de alto risco, como a presença de invasão do estroma cervical ou invasão do espaço linfático, mesmo que tenha sido realizada a avaliação cirúrgica linfonodal.

Técnicas de planejamento e tratamento são semelhantes às descritas para o câncer cervical, incluindo o uso de quatro campos de tratamento. Cuidados devem ser tomados para garantir que o manguito vaginal e todos os vasos linfáticos de drenagem locorregional sejam incluídos nas áreas de tratamento. A dose típica é de 45 a 50,4 Gy, dada em frações de 1,8-2,0 Gy, ao longo de 5 a 6 semanas. O tratamento geralmente é iniciado 4 a 6 semanas após a cirurgia, para permitir cicatrização adequada da ferida.

A IMRT é um método promissor de radioterapia externa, que pode limitar a toxicidade em intestino, bexiga e medula óssea no tratamento adjuvante.[8]

Braquiterapia adjuvante de cúpula vaginal

Aproximadamente 75% das recidivas em pacientes com estágio I ocorrem em cúpula vaginal e a braquiterapia vaginal é muito eficaz em reduzir esse risco de recidiva local.[46-55] Fora do grupo de pacientes com invasão do estroma cervical (estágio II), não há benefício adicional de adição de braquiterapia para pacientes que já recebem radioterapia externa.

Braquiterapia em cúpula vaginal é normalmente realizada usando alta taxa de dose (HDR), com fonte de *iridium*-192, mas também podem utilizada baixa taxa de dose (LDR). O tratamento é iniciado 3 a 6 semanas após a cirurgia e consiste de três a cinco frações, administradas 1 ou 2 vezes por semana em regime ambulatorial. Em geral, o tratamento é fornecido para a metade superior a 2/3 superiores da vagina, podendo utilizar, como aplicadores, ovoides vaginais ou cilindro vaginal.

A dose de prescrição depende do número de frações e ponto de especificação de dose (a mucosa vaginal ou a uma profundidade de 5 mm), sendo aceitos vários esquemas de fracionamento. Uma das programações de dose mais comum é de três frações semanais de 7 Gy cada, prescritas a uma profundidade de 5 mm da superfície da mucosa vaginal.

Tratamento é muito bem tolerado, com toxicidade mínima aguda ou tardia e não requer sedação ou anestesia geral.

RT exclusiva para pacientes medicamente inoperáveis

Obesidade e idade avançada são fatores de risco para o desenvolvimento de câncer endometrial e são muitas vezes acompanhadas de comorbidades complicadoras que podem impedir a cirurgia. Para essas pacientes inoperáveis, a radioterapia definitiva pode ser a abordagem terapêutica.

Recomenda-se a combinação de radioterapia pélvica e braquiterapia intrauterina para pacientes com risco de disseminação extrauterina ou nodal de doença. Pacientes com estágio clínico I são considerados de baixo risco de disseminação extrauterina ou nodal, podendo ser utilizada braquiterapia intracavitária exclusiva, com altas taxas de controle local e sobrevida livre de doença, com melhora efetiva de sangramento vaginal.[56] Utiliza-se tandem uterino com ovoide vaginal ou cilindro, de forma semelhante ao câncer cervical. Existem vários esquemas de tratamento relatados na literatura. Para pacientes em estágio clínico I, podem ser utilizados 45 Gy de braquiterapia HDR em cinco frações semanais de 9 Gy cada, prescritas para os 2/3 da profundidade da espessura miometrial em vários pontos, conforme determinado por ressonância magnética e ultrassom intraoperatório.[56]

- *FIGO estágios III a IV:* historicamente, a RT adjuvante desempenhou um importante papel no tratamento de carcinoma endometrial localmente avançado, porém a quimioterapia adjuvante apresenta benefício de sobrevida em comparação à radioterapia de abdome total com reforço pélvico.[57] No entanto, as taxas de recidiva persistentemente altas têm impulsionado o interesse no uso da terapia combinada. Indica-se rotineiramente braquiterapia em cúpula vaginal associada à quimioterapia adjuvante. A radioterapia pélvica inteira adjuvante está indicada para as pacientes com risco particularmente elevado de recidiva locorregional.
- *Recidiva em cúpula vaginal:* quando há recidiva isolada em vagina, o tratamento de resgate típico inclui tanto RT externa e braquiterapia intracavitária.[58]

Doses de radioterapia pélvica são semelhantes às utilizadas no tratamento adjuvante, mas as doses de braquiterapia utilizadas nesta situação são geralmente mais elevadas, como exemplo, 28 Gy em quatro frações de 7 Gy prescritos para a superfície da mucosa através de técnicas HDR.[59] Uso de cilindros blindados ou um implante intersticial são as técnicas disponíveis para reduzir a dose para regiões sem envolvimento da vagina, em um esforço para limitar a toxicidade.

Técnicas intracavitárias não estão indicadas em recidivas volumosas ou que não respondem prontamente à radioterapia, sendo indicadas técnicas de braquiterapia intersticial.

Câncer vulvar

O tratamento é cirúrgico nos estágios iniciais, sendo a radioterapia indicada para doença mais avançada.[60]

Radioterapia adjuvante

RT adjuvante é indicada se margens exíguas ou positivas, lesões volumosas, profundamente invasivas e com invasão do espaço linfático e em pacientes com linfonodos inguinais positivos.[61,62] A técnica de tratamento tradicional é em posição supina, posição *frog-legged*, usando par oposto anteroposterior e posteroanterior, com uso de elétrons para completar a dose para a vulva ou os linfonodos inguinais. A dose padrão é de 45 a 50,4 Gy, com um reforço de dose se doença residual microscópica ou macroscópica.

Se as margens cirúrgicas sobre o tumor vulvar primário são adequadas, a vulva pode ser bloqueada do campo e o tratamento direcionado para os linfonodos pélvicos e inguinais, minimizando a morbidade. Várias técnicas para os linfonodos inguinais são usadas, incluindo uma versão modificada do método de AP-PA. O campo AP é expandido lateralmente, enquanto o campo PA é mantido estreito, medial à cabeça femoral. O campo AP inclui as cadeias linfonodais inguinofemorais.[60]

Elétrons podem penetrar o tecido apenas superficialmente e podem ser usados para complementar a dose para os linfonodos inguinais e poupar o fêmur de radiação desnecessária. O uso de IMRT pode ser particularmente vantajoso nesta situação, pois pode reduzir a dose para a cabeça femoral e o intestino delgado.

Quimiorradioterapia

Quando tumor envolve uretra, clitóris, vagina ou ânus, pode-se realizar quimiorradioterapia exclusiva ou pré-operatória como uma opção para ressecção cirúrgica.[63-65] Normalmente, o tratamento inclui radioterapia em pelve, vulva e linfonodos inguinais, com doses de 45 Gy. A doença macroscópica recebe 54-60 Gy.

Câncer vaginal

É raro e geralmente representa a extensão local de um outro tumor maligno ginecológico, como colo do útero ou vulva. RT é normalmente usada para evitar a cirurgia exenterativa e preservar a função sexual.

Pacientes com lesões pequenas e confinadas à mucosa vaginal podem ser tratadas com braquiterapia vaginal exclusiva.[66-68] Quimioirradiação é uma opção para o tratamento de doença localmente avançada ou com linfonodo positivo.

O tratamento envolve uma combinação de radioterapia e braquiterapia. O sequenciamento de ambas as modalidades é semelhante ao utilizado com câncer cervical, com o objetivo de alcançar resposta máxima da radioterapia antes de prosseguir com a braquiterapia.

A escolha da técnica de braquiterapia de reforço é altamente dependente da extensão da doença local e anatomia da paciente. Quando é indicada braquiterapia intracavitária, utiliza-se cilindro vaginal. Com tumores volumosos e mais extensos, braquiterapia intersticial é necessária para cobertura adequada dos tecidos paravaginais sem superdosar a mucosa. A dose de radioterapia externa total de 40 a 50 Gy é adequada para o tratamento do tumor primário e do sistema linfático regional. A braquiterapia de reforço para fornecer dose total ao tumor é de 75 Gy.

Câncer de ovário

Radioterapia desempenha um papel limitado no tratamento de câncer de ovário e é comumente reservada para tratamento paliativo no momento da recidiva.[69] Radiocoloide 32P intraperitoneal e radioterapia em abdome total foram utilizados historicamente como estratégias de tratamento pós-operatório, mas caíram em desuso decorrente da eficácia da quimioterapia, com menor toxicidade.

PRINCÍPIOS DOS EFEITOS DA RADIAÇÃO NOS TECIDOS NORMAIS

A resposta tecidual à radiação pode ser dividida em duas categorias: os efeitos que ocorrem nos primeiros dias e semanas após o tratamento, chamados efeitos precoces, e os que ocorrem meses, anos ou décadas após a irradiação, chamados efeitos tardios.

Alguns órgãos são mais suscetíveis à toxicidade tardia, enquanto outros, mais sujeitos à toxicidade aguda, embora qualquer órgão possa experimentar efeitos tanto agudos quanto crônicos. O tipo de efeito expresso pelo órgão é geralmente uma função das propriedades de renovação tecidual, mas a importância clínica dessa resposta depende da biologia do órgão. Os mais importantes moduladores dos efeitos da radiação são a dose total e o tamanho da fração, o intervalo de tempo em que o curso de radiação é fornecido, o intervalo entre as frações, a taxa de dose, o órgão específico sendo irradiado e o volume.

As porções mais vulneráveis do trato gastrointestinal ao dano da radiação são os intestinos delgado e grosso. Sintomas agudos, como diarreia durante o tratamento, não apresentam relação com efeitos tardios de constrição e ulceração, que podem ocorrer entre 6 meses a 3 anos após o tratamento.

A mucosa é um sistema de rápida renovação, com mudanças dramáticas ocorrendo dentro de 7 a 14 dias, com focos de regeneração do epitélio ocorrendo em zonas de completa denudação.

A endarterite progressiva é a lesão pela radiação crucial para efeitos tardios no trato alimentar.[70]

Dose de tolerância do trato digestório varia entre 45 a 70 Gy, na ausência de fatores predisponentes, a dose em intestino delgado deve ser limitada em 45 Gy, no cólon, 50 a 54 Gy, enquanto o reto pode tolerar 60 a 70 Gy.

Toxicidade

A incidência e a gravidade dos efeitos colaterais da radioterapia dependem do local e do volume de tecido exposto, dose, tipo de radiação e fracionamento e outros fatores, como cirurgia prévia, uso concomitante de quimioterapia e condição da paciente.

Efeitos colaterais agudos e subagudos podem ocorrer durante e nos primeiros 6 meses após o tratamento e incluem lesão da pele e das mucosas, fadiga, edema e sequelas da braquiterapia, como tromboembolismo, febre, perfuração uterina e laceração vaginal.

Efeitos tardios, que ocorrem após 6 meses, incluem fibrose, estenose, fístula, neoplasias malignas secundárias, enterite actínica, má absorção intestinal, hematúria e incontinência urinária.[71]

Os tecidos normais do colo uterino e corpo do útero podem tolerar altas doses de radiação e apresentam boa recuperação da lesão actínica.[72] Em contraste, o intestino grosso e a bexiga são bastante suscetíveis a danos causados pela radiação e áreas desses órgãos não devem ser expostas a doses superiores a 70 e 75 Gy, respectivamente.

Embora o movimento normal do intestino delgado ajude a reduzir a exposição à radiação pélvica, há o risco de toxicidade tardia (diarreia, má absorção, obstrução do intestino delgado) se houver excessivo volume do intestino dentro dos portais de radiação, como quando aderências de cirurgias anteriores imobilizam o intestino delgado dentro da pelve. O risco de toxicidade do intestino delgado é uma função da dose total e do volume irradiado. Segundo o projeto "Análises Quantitativas de Efeitos no Tecido Normal na Clínica" (QUANTEC), limitar o volume recebendo dose maior que 45 Gy a um volume menor que 195 cc reduz substancialmente o risco de toxicidade gastrointestinal aguda maior que grau 3. Estas restrições de dose/volume podem, provavelmente, reduzir a toxicidade tardia.[73]

A irradiação do íleo distal pode levar a má absorção, causando a deficiência de vitamina B_{12}. A deficiência de vitamina B_{12} depois de radioterapia para o câncer cervical ocorre em 12 a 20% das pacientes e geralmente se desenvolve ao longo de um período de vários anos.[74]

Outros tecidos em risco de lesão actínica em neoplasias ginecológicas incluem intestino, pele, bexiga, vagina, ovários e os ossos.

Reações cutâneas variam de eritema e dor à descamação úmida, ulceração e necrose. Tipicamente, a pele apresenta hiperemia e hiperestesia durante as semanas em tratamento. A reação pode-se tornar mais grave durante o tratamento e por até cerca de 1 semana após o fim da radioterapia, e a pele pode apresentar perda de sua integridade. Embora esta descamação úmida seja desconfortável, a recuperação é geralmente rápida. Reações cutâneas tendem a ser piores em áreas onde há dobras naturais da pele, como na virilha.

A epilação pode ocorrer em qualquer pele que tenha cabelo com doses acima de 1 Gy. Ele só ocorre dentro do campo de radiação. A perda dos pelos pode ser permanente, em tratamentos com dose única de 10 Gy, mas se a dose é fracionada, a perda de cabelo permanente pode não ocorrer até que a dose exceda 45 Gy.

A cistite actínica aguda e transitória, com sintomas de disúria, frequência e noctúria e os espasmos vesicais podem ocorrer com doses menores de radiação; doses elevadas estão associadas a risco de hematúria, cistite crônica grave, estenose ureteral e fístula vesicovaginal.

Muitas mulheres experimentam mucosite vaginal aguda após radioterapia pélvica, mas a incidência não tem sido bem documentada. Ulceração vaginal e necrose são incomuns. Estenose vaginal pode ocorrer após radioterapia externa e/ou braquiterapia, resultando em um comprimento vaginal encurtado, e prejudicar o funcionamento sexual.

A irradiação dos ovários costuma levar a infertilidade ou menopausa prematura.

Complicações pouco frequentes de irradiação pélvica também incluem fraturas pélvicas e, raramente, plexopatia lombossacra actínica.[75,76]

Linfedema, uma condição de retenção de líquidos localizada e edema tecidual, pode resultar de danos ao sistema linfático durante a radioterapia. Pode ocorrer, ainda, fibrose tecidual, pois os tecidos que foram irradiados tendem a se tornar menos elásticos ao longo do tempo, decorrente de um processo de cicatrização difuso.

Algumas medidas de suporte e preventivas podem ser utilizadas, com diferentes níveis de evidência clínica para suportar a sua utilização:[77]

- Dermatite vulvar, mucosite vaginal e ulceração podem ser tratadas com limpeza vulvar, ducha vaginal (peróxido de hidrogênio diluído em água) e creme de estrogênio intravaginal.[78]
- Estrogênio tópico (uma a três vezes por semana) reduz o sangramento vaginal pós-radiação em um estudo randomizado e uma série prospectiva. No entanto, nem todas as pacientes são boas candidatas a terapia com estrogênio intravaginal.
- Embora se sugira o uso diário de um dilatador vaginal para evitar a estenose vaginal, são necessários dados adicionais sobre a sua eficácia.[79] Duas séries de caso e um estudo comparativo utilizando controles históricos sugerem que a dilatação pode ser associada a maior comprimento vaginal, mas, pelo menos, dois pequenos estudos randomizados de uma instituição não mostraram melhora na saúde sexual global em mulheres que foram incentivadas a praticar a dilatação.[80-83]
- Eritema ou descamação da pele seca ou úmida podem ser tratados com a higiene da pele e cremes à base de água ou pomadas, como a lanolina.
- Cistite e espasmos vesicais podem responder a fluidos e antiespasmódicos, como a hioscíamina.
- Diarreia e cólicas abdominais são tratadas com atropina e loperamida. Octreotide, sucralfato, mesalazina e glutamina não conseguiram reduzir a toxicidade gastrointestinal.
- Em pacientes com deficiência de selênio (concentração sanguínea total de selênio menor que 84 µg/L) submetidas à radioterapia para o câncer do colo do útero ou endométrio, um estudo fase III mostrou potencial efeito citoprotetor da suplementação com selênio, com uma redução nas taxas de diarreia grau 2 ou superior.[84]

- Proctite e desconforto retal muitas vezes respondem a enemas com hidrocortisona ou óleo de fígado de bacalhau, supositórios anti-inflamatórios e uma dieta de baixo resíduo sem gorduras, especiarias ou fibra insolúvel.
- A fibrose induzida por radiação pode responder a pentoxifilina oral e alfatocoferol (vitamina E).[85]

REFERÊNCIAS BIBLIOGRÁFICAS

1. Hall E, Giaccia A. *Radiobiology for the Radiologist*. 7th ed. Philadelphia: Lippincott-Raven, 2011.
2. Delaney G, Jacob S, Barton M. Estimation of an optimal radiotherapy utilization rate for gynecologic carcinoma: part I—malignancies of the cervix, ovary, vagina and vulva. *Cancer* 2004;101:671.
3. Small Jr W, Mell LK, Anderson P et al. Consensus guidelines for delineation of clinical target volume for intensity-modulated pelvic radiotherapy in postoperative treatment of endometrial and cervical cancer. *Int J Radiat Oncol Biol Phys* 2008;71:428.
4. Heron DE, Gersten K, Selvaraj RN et al. Conventional 3D conformal versus intensity-modulated radiotherapy for the adjuvant treatment of gynecologic malignancies: a comparative dosimetric study of dose-volume histograms small star, filled. *Gynecol Oncol* 2003;91:39.
5. Mell LK, Tiryaki H, Ahn KH et al. Dosimetric comparison of bone marrow-sparing intensity-modulated radiotherapy versus conventional techniques for treatment of cervical cancer. *Int J Radiat Oncol Biol Phys* 2008;71:1504.
6. Mundt AJ, Lujan AE, Rotmensch J et al. Intensity-modulated whole pelvic radiotherapy in women with gynecologic malignancies. *Int J Radiat Oncol Biol Phys* 2002;52:1330.
7. Beriwal S, Jain SK, Heron DE et al. Clinical outcome with adjuvant treatment of endometrial carcinoma using intensity-modulated radiation therapy. *Gynecol Oncol* 2006;102:195.
8. Jhingran A, Winter K, Portelance L et al. A phase II study of intensity modulated radiation therapy (IMRT) to the pelvic for post-operative patients with endometrial cancer (RTOG 0418). *Int J Radiat Oncol Biol Phys* 2008;72:S16.
9. Roeske JC, Lujan A, Rotmensch J et al. Intensity-modulated whole pelvic radiation therapy in patients with gynecologic malignancies. *Int J Radiat Oncol Biol Phys* 2000;48:1613.
10. Mundt AJ, Mell LK, Roeske JC. Preliminary analysis of chronic gastrointestinal toxicity in gynecology patients treated with intensity-modulated whole pelvic radiation therapy. *Int J Radiat Oncol Biol Phys* 2003;56:1354.
11. Jhingran A. Potential advantages of intensity-modulated radiation therapy in gynecologic malignancies. *Semin Radiat Oncol* 2006;16:144.
12. Ahamad A, D'Souza W, Salehpour M et al. Intensity-modulated radiation therapy after hysterectomy: comparison with conventional treatment and sensitivity of the normal-tissue-sparing effect to margin size. *Int J Radiat Oncol Biol Phys* 2005;62:1117.
13. Petereit DG, Sarkaria JN, Chappell R et al. The adverse effect of treatment prolongation in cervical carcinoma. *Int J Radiat Oncol Biol Phys* 1995;32:1301.
14. Araújo AMC, Araújo CMM, Viégas CM et al. *Braquiterapia da Alta Taxa de Dose para Físicos*. Curso à distância para o Programa de Qualidade em Radioterapia. Rio de Janeiro: INCA, 2008.
15. Dose and volume specification for reporting intracavitary therapy in gynecology. International Commission on Radiation Units and Measurements (ICRU) Report 38, 1985.
16. Kwekkeboom KL, Dendaas NR, Straub M et al. Patterns of pain and distress during high-dose-rate intracavity brachytherapy for cervical cancer. *J Support Oncol* 2009;7:108.
17. Jhingran A, Eifel PJ. Perioperative and postoperative complications of intracavitary radiation for FIGO stage I-III carcinoma of the cervix. *Int J Radiat Oncol Biol Phys* 2000;46:1177.
18. Houdek PV, Schwade JG, Abitbol AA et al. Optimization of high dose-rate cervix brachytherapy; Part I: Dose distribution. *Int J Radiat Oncol Biol Phys* 1991;21:1621.
19. Petereit DG, Sarkaria JN, Potter DM et al. High-dose-rate versus low-dose-rate brachytherapy in the treatment of cervical cancer: analysis of tumor recurrence—the University of Wisconsin experience. *Int J Radiat Oncol Biol Phys* 1999;45:1267.
20. Lertsanguansinchai P, Lertbutsayanukul C, Shotelersuk K et al. Phase III randomized trial comparing LDR and HDR brachytherapy in treatment of cervical carcinoma. *Int J Radiat Oncol Biol Phys* 2004;59:1424.
21. Hareyama M, Sakata K, Oouchi A et al. High-dose-rate versus low-dose-rate intracavitary therapy for carcinoma of the uterine cervix: a randomized trial. *Cancer* 2002;94:117.
22. Falkenberg E, Kim RY, Meleth S et al. Low-dose-rate vs. high-dose-rate intracavitary brachytherapy for carcinoma of the cervix: the University of Alabama at Birmingham (UAB) experience. *Brachytherapy* 2006;5:49.
23. Parker K, Gallop-Evans E, Hanna L et al. Five years' experience treating locally advanced cervical cancer with concurrent chemoradiotherapy and high-dose-rate brachytherapy: results from a single institution. *Int J Radiat Oncol Biol Phys* 2009;74:140.
24. Hellebust TP, Kristensen GB, Olsen DR. Late effects after radiotherapy for locally advanced cervical cancer: comparison of two brachytherapy schedules and effect of dose delivered weekly. *Int J Radiat Oncol Biol Phys* 2010;76:713.
25. Perez CA. Uterine cervix. In: Perez CA, Brady LW. (Eds.). *Principles and practice of radiation oncology*. 5th ed. Philadelphia: Lippincott-Raven, 2008. p. 1532-609.
26. Fagundes H, Perez CA, Grigsby PW et al. Distant metastases after irradiation alone in carcinoma of the uterine cervix. *Int J Radiat Oncol Biol Phys* 1992;24:195-204.
27. Keys HM, Bundy BN, Stehman FB et al. Cisplatin, radiation, and adjuvant hysterectomy compared with radiation and adjuvant hysterectomy for bulky stage IB cervical carcinoma. *N Engl J Med* 1999;340:1154.
28. Morris M, Eifel PJ, Lu J et al. Pelvic radiation with concurrent chemotherapy compared with pelvic and para-aortic radiation for high-risk cervical cancer. *N Engl J Med* 1999;340:1137.
29. Rose PG, Bundy BN, Watkins EB et al. Concurrent cisplatin-based radiotherapy and chemotherapy for locally advanced cervical cancer. *N Engl J Med* 1999;340:1144.
30. Whitney CW, Sause W, Bundy BN et al. Randomized comparison of fluorouracil plus cisplatin versus hydroxyurea as an adjunct to radiation therapy in stage IIB-IVA carcinoma of the cervix with negative para-aortic lymph nodes: a Gynecologic Oncology Group and Southwest Oncology Group Study. *J Clin Oncol* 1999;17:1339.
31. Pearcey R, Brundage M, Drouin P et al. Phase III trial comparing radical radiotherapy with and without cisplatin chemotherapy in patients with advanced squamous cell cancer of the cervix. *J Clin Oncol* 2002 Feb. 15;20(4):966-72.
32. Rotman M, Sedlis A, Piedmonte MR et al. A phase III randomized trial of postoperative pelvic irradiation in Stage IB cervical carcinoma with poor prognostic features: follow-up of a gynecologic oncology group study. *Int J Radiat Oncol Biol Phys* 2006;65:169.
33. Sedlis A, Bundy BN, Rotman MZ et al. A randomized trial of pelvic radiation therapy versus no further therapy in selected patients with stage IB carcinoma of the cervix after radical hysterectomy and pelvic lymphadenectomy: A Gynecologic Oncology Group Study. *Gynecol Oncol* 1999;73:177.
34. Peters WA 3rd, Liu PY, Barrett RJ 2nd et al. Concurrent chemotherapy and pelvic radiation therapy compared with pelvic radiation therapy alone as adjuvant therapy after radical surgery in high-risk early-stage cancer of the cervix. *J Clin Oncol* 2000;18:1606.
35. Chen MF, Tseng CJ, Tseng CC et al. Clinical outcome in posthysterectomy cervical cancer patients treated with concurrent Cisplatin and intensity-modulated pelvic radiotherapy: comparison with conventional radiotherapy. *Int J Radiat Oncol Biol Phys* 2007;67:1438.
36. Landoni F, Maneo A, Colombo A et al. Randomised study of radical surgery versus radiotherapy for stage Ib-IIa cervical cancer. *Lancet* 1997;350:535.
37. Newton M. Radical hysterectomy or radiotherapy for stage I cervical cancer. A prospective comparison with 5 and 10 years follow-up. *Am J Obstet Gynecol* 1975;123:535.
38. Stehman FB, Bundy BN, DiSaia PJ et al. Carcinoma of the cervix treated with radiation therapy. I. A multi-variate analysis of prognostic variables in the Gynecologic Oncology Group. *Cancer* 1991;67:2776.
39. Haie C, Pejovic MH, Gerbaulet A et al. Is prophylactic para-aortic irradiation worthwhile in the treatment of advanced cervical carcinoma? Results of a controlled clinical trial of the EORTC radiotherapy group. *Radiother Oncol* 1988;11:101.
40. Rotman M, Pajak TF, Choi K et al. Prophylactic extended-field irradiation of para-aortic lymph nodes in stages IIB and bulky IB and IIA cervical carcinomas. Ten-year treatment results of RTOG 79-20. *JAMA* 1995;274:387.
41. Nag, S, Cardenes, H, Chang S et al. Proposed guidelines for image-based intracavitary brachytherapy for cervical carcinoma: report from Image-Guided Brachytherapy Working Group. *Int J Radiat Oncol Biol Phys* 2004;60:1160.
42. Zwahlen D, Jezioranski J, Chan P et al. Magnetic resonance imaging-guided intracavitary brachytherapy for cancer of the cervix. *Int J Radiat Oncol Biol Phys* 2009;74:1157.

43. Nag S, Chao C, Erickson B et al. The American Brachytherapy Society recommendations for low-dose-rate brachytherapy for carcinoma of the cervix. *Int J Radiat Oncol Biol Phys* 2002;52:33.
44. Nag S, Erickson B, Thomadsen B et al. The American Brachytherapy Society recommendations for high-dose-rate brachytherapy for carcinoma of the cervix. *Int J Radiat Oncol Biol Phys* 2000;48:201.
45. Creasman WT, Morrow CP, Bundy BN et al. Surgical pathologic spread patterns of endometrial cancer. A Gynecologic Oncology Group Study. *Cancer* 1987;60:2035.
46. Creutzberg CL, van Putten WL, Koper PC et al. Surgery and postoperative radiotherapy versus surgery alone for patients with stage-1 endometrial carcinoma: multicentre randomised trial. PORTEC Study Group. Post Operative Radiation Therapy in Endometrial Carcinoma. *Lancet* 2000;355:1404.
47. Scholten AN, van Putten WL, Beerman H et al. Postoperative radiotherapy for Stage 1 endometrial carcinoma: long-term outcome of the randomized PORTEC trial with central pathology review. *Int J Radiat Oncol Biol Phys* 2005;63:834.
48. Alektiar KM, Venkatraman E, Chi DS et al. Intravaginal brachytherapy alone for intermediate-risk endometrial cancer. *Int J Radiat Oncol Biol Phys* 2005;62:111.
49. Anderson JM, Stea B, Hallum AV et al. High-dose-rate postoperative vaginal cuff irradiation alone for stage IB and IC endometrial cancer. *Int J Radiat Oncol Biol Phys* 2000;46:417.
50. Chadha M, Nanavati PJ, Liu P et al. Patterns of failure in endometrial carcinoma stage IB grade 3 and IC patients treated with postoperative vaginal vault brachytherapy. *Gynecol Oncol* 1999;75:103.
51. Eltabbakh GH, Piver MS, Hempling RE et al. Excellent long-term survival and absence of vaginal recurrences in 332 patients with low-risk stage I endometrial adenocarcinoma treated with hysterectomy and vaginal brachytherapy without formal staging lymph node sampling: report of a prospective trial. *Int J Radiat Oncol Biol Phys* 1997;38:373.
52. Röper B, Astner ST, Heydemann-Obradovic A et al. Ten-year data on 138 patients with endometrial carcinoma and postoperative vaginal brachytherapy alone: no need for external-beam radiotherapy in low and intermediate risk patients. *Gynecol Oncol* 2007;107:541.
53. Jolly S, Vargas C, Kumar T et al. Vaginal brachytherapy alone: an alternative to adjuvant whole pelvis radiation for early stage endometrial cancer. *Gynecol Oncol* 2005;97:887.
54. Lin LL, Mutch DG, Rader JS et al. External radiotherapy versus vaginal brachytherapy for patients with intermediate risk endometrial cancer. *Gynecol Oncol* 2007;106:215.
55. Solhjem MC, Petersen IA, Haddock MG. Vaginal brachytherapy alone is sufficient adjuvant treatment of surgical stage I endometrial cancer. *Int J Radiat Oncol Biol Phys* 2005;62:1379.
56. Nguyen TV, Petereit DG. High-dose-rate brachytherapy for medically inoperable stage I endometrial cancer. *Gynecol Oncol* 1998;71:196.
57. Randall ME, Filiaci VL, Muss H et al. Randomized phase III trial of whole-abdominal irradiation versus doxorubicin and cisplatin chemotherapy in advanced endometrial carcinoma: a Gynecologic Oncology Group Study. *J Clin Oncol* 2006;24:36.
58. Jhingran A, Burke TW, Eifel PJ. Definitive radiotherapy for patients with isolated vaginal recurrence of endometrial carcinoma after hysterectomy. *Int J Radiat Oncol Biol Phys* 2003;56:1366.
59. Nag S, Erickson B, Parikh S et al. The American Brachytherapy Society recommendations for high-dose-rate brachytherapy for carcinoma of the endometrium. *Int J Radiat Oncol Biol Phys* 2000;48:779.
60. Grazziotin RZ. Vulva. In: *Radioterapia baseada em evidências – Recomendações da Sociedade Brasileira de Radioterapia*. São Paulo: SBRT, 2011. p. 261-66, cap. 10.
61. Heaps JM, Fu YS, Montz FJ et al. Surgical-pathologic variables predictive of local recurrence in squamous-cell carcinoma of the vulva. *Gynecol Oncol* 1990;38:309.
62. Homesley HD, Bundy BN, Sedlis A et al. Radiation therapy versus pelvic node resection for carcinoma of the vulva with positive groin nodes. *Obstet Gynecol* 1986;68:733.
63. Wahlen SA, Slater JD, Wagner RJ et al. Concurrent radiation therapy and chemotherapy in the treatment of primary squamous cell carcinoma of the vulva. *Cancer* 1995;75:2289.
64. Eifel PJ, Morris M, Burke TW et al. Prolonged continuous infusion cisplatin and 5-fluorouracil with radiation for locally advanced carcinoma of the vulva. *Gynecol Oncol* 1995;59:51.
65. Moore DH, Thomas GM, Montana GS et al. Preoperative chemoradiation for advanced vulvar cancer: a phase II study of the Gynecologic Oncology Group. *Int J Radiat Oncol Biol Phys* 1998;42:79.
66. Lian J, Dundas G, Carlone M et al. Twenty-year review of radiotherapy for vaginal cancer: an institutional experience. *Gynecol Oncol* 2008;111:298.
67. Frank SJ, Jhingran A, Levenback C et al. Definitive radiation therapy for squamous cell carcinoma of the vagina. *Int J Radiat Oncol Biol Phys* 2005;62:138.
68. Perez CA, Grigsby PW, Garipagaoglu M et al. Factors affecting long-term outcome of irradiation in carcinoma of the vagina. *Int J Radiat Oncol Biol Phys* 1999;44:37.
69. Tinger A, Waldron T, Peluso N et al. Effective palliative radiation therapy in advanced and recurrent ovarian carcinoma. *Int J Radiat Oncol Biol Phys* 2001;51:1256.
70. Constine LS, Williams JP, Morris M et al. Late Effects of Cancer Treatment on Normal Tissue. In: Perez C, Brady LW. *Principles and practice of radiation oncology*. Philadelphia: Lippincott Williams & Wilkins. 1997. p. 382-83, cap. 11.
71. Samper-Ternent R, Zhang D, Kuo YF et al. Late GI and bladder toxicities after radiation for uterine cancer. *Gynecol Oncol* 2011;120:198.
72. Yashar CM. Basic principle in gynecologic radiotherapy. In: DiSaia P, Creasman W. (Eds.). *Clinical gynecologic oncology*. 7th ed. Amsterdam: Elsevier, 2007. p. 775.
73. Kavanagh BD, Pan CC, Dawson LA et al. Radiation dose-volume effects in the stomach and small bowel. *Int J Radiat Oncol Biol Phys* 2010;76:S101.
74. Vistad I, Kristensen GB, Fosså SD et al. Intestinal malabsorption in long-term survivors of cervical cancer treated with radiotherapy. *Int J Radiat Oncol Biol Phys* 2009;73:1141.
75. Schmeler KM, Jhingran A, Iyer RB et al. Pelvic fractures after radiotherapy for cervical cancer: implications for survivors. *Cancer* 2010;116:625.
76. Georgiou A, Grigsby PW, Perez CA. Radiation induced lumbosacral plexopathy in gynecologic tumors: clinical findings and dosimetric analysis. *Int J Radiat Oncol Biol Phys* 1993;26:479.
77. Halperin EC, Perez CA, Brady LW. *Perez and Brady's principles and practice of radiation oncology*. 5th ed. Philadelphia: Lippincott Williams & Wilkins, 2004.
78. Denton AS, Maher EJ. Interventions for the physical aspects of sexual dysfunction in women following pelvic radiotherapy. *Cochrane Database Syst Rev* 2003;(1):CD003750.
79. Miles T, Johnson N. Vaginal dilator therapy for women receiving pelvic radiotherapy. *Cochrane Database Syst Rev* 2010;(9):CD007291.
80. Decruze SB, Guthrie D, Magnani R. Prevention of vaginal stenosis in patients following vaginal brachytherapy. *Clin Oncol* (R Coll Radiol) 1999;11:46.
81. Bruner DW, Lanciano R, Keegan M et al. Vaginal stenosis and sexual function following intracavitary radiation for the treatment of cervical and endometrial carcinoma. *Int J Radiat Oncol Biol Phys* 1993;27:825.
82. Jeffries SA, Robinson JW, Craighead PS et al. An effective group psychoeducational intervention for improving compliance with vaginal dilation: a randomized controlled trial. *Int J Radiat Oncol Biol Phys* 2006;65:404.
83. Robinson JW, Faris PD, Scott CB. Psychoeducational group increases vaginal dilation for younger women and reduces sexual fears for women of all ages with gynecological carcinoma treated with radiotherapy. *Int J Radiat Oncol Biol Phys* 1999;44:497.
84. Muecke R, Schomburg L, Glatzel M et al. Multicenter, phase 3 trial comparing selenium supplementation with observation in gynecologic radiation oncology. *Int J Radiat Oncol Biol Phys* 2010;78:828.
85. Gothard L, Cornes P, Brooker S et al. Phase II study of vitamin E and pentoxifylline in patients with late side effects of pelvic radiotherapy. *Radiother Oncol* 2005;75:334.

CAPÍTULO 182

Avanços Recentes da Radioterapia no Tratamento do Câncer Ginecológico

Maria José Alves ▪ Paula de Almeida Melo

INTRODUÇÃO

O tratamento do câncer ginecológico já está bem estabelecido com o conhecimento das possibilidades terapêuticas e suas associações com boa resposta considerando resultados aos 5 e 10 anos.

A radioterapia (RT) ocupa um importante papel no tratamento dos tumores ginecológicos, principalmente nos cânceres de endométrio e colo uterino. Geralmente, o tratamento é feito com braquiterapia e/ou RT externa.

Uma preocupação crescente existe em como preservar órgãos sadios, como alças intestinais, reto ou bexiga, que podem estar principalmente expostos após histerectomias das pacientes, porém preservando máxima cobertura do volume-alvo a ser tratado. Para melhor *performance* terapêutica, estudos de movimentação dos órgãos, aliados a melhores planejamentos com fusão de imagens e modulação do feixe, e o uso de alta tecnologia vem adicionando benefícios no tratamento dos tumores ginecológicos.

A seguir, serão abordados os principais temas e avanços tecnológicos da radioterapia na área ginecológica com a utilização dos recursos de planejamento guiado por imagem (IGRT), modulação de dose no campo de tratamento (IMRT) que dispomos, para que cada vez sejam obtidos melhores resultados.

MOVIMENTAÇÃO DOS ÓRGÃOS E POSICIONAMENTO

Para aumentar acurácia do tratamento ginecológico, deve-se monitorar o correto posicionamento da paciente e a movimentação interna dos órgãos.[1] Estudo sugere que a máxima movimentação do útero ocorre no eixo craniocaudal (CC), com erros sistêmicos que variam de 0,15 a 0,28 cm na direção lateral, 0,26 a 0,37 cm anteroposterior (AP) e 0,21-0,48 cm no sentido CC.[2]

Mudanças do volume de tratamento podem ficar ainda mais acentuadas quando se associa quimioterapia à radioterapia. Beadle *et al.*, em estudo prospectivo, avaliaram a magnitude da regressão do volume tumoral em 16 pacientes com neoplasia de colo uterino, estágios IB2 a IIIA, após o tratamento combinado. Em média, a redução foi de 62,3% e mudanças nas dimensões do colo uterino foram de 2,3 e 1,3 cm para superior e inferior, 1,7 e 1,8 cm para anterior e posterior, 0,76 e 0,94 cm para direita e esquerda, respectivamente.[3]

Regressão do colo uterino, movimentação interna dos órgãos e erros de posicionamento contribuem para as variações nas interfrações quanto ao posicionamento intrapélvico do alvo. Publicações recentes enfatizaram a importância de minimizar tais variações, utilizando novas técnicas como a radioterapia guiada por imagem (IGRT), que possibilita tratamentos mais eficazes e proporciona segurança para a utilização da radioterapia por intensidade modulada (IMRT).[4]

RADIOTERAPIA POR INTENSIDADE MODULADA (IMRT)

IMRT é uma técnica de tratamento que utiliza pequenos e múltiplos campos de intensidade uniforme resultando em campos de intensidade não uniforme que podem gerar altos gradientes de dose no alvo, minimizando o risco de sequelas em órgãos vizinhos.[5] Diferentemente da radioterapia externa tridimensional convencional para tumores ginecológicos (tipicamente quatro campos, tipo *Box*, a IMRT pode reduzir até 23% o volume de bexiga e reto irradiados (Figs. 1 e 2).[6]

O planejamento com IMRT baseia-se em simulação com tomografia computadorizada (TC), imobilização customizada, delineamento preciso das estruturas, planejamento inverso e sessões de tratamento mais longas. Algumas pacientes não são candidatas para este tipo de planejamento, como obesas e com sangramento importante. Pacientes obesas podem ter parte do seu contorno externo do corpo cortado na TC, o que inviabiliza o sistema de cálculo de dose. Pacientes com sangramento de grande monta requerem início imediato do tratamento e planejamentos mais simples.[7]

Mundt *et al.* avaliaram 40 pacientes com tumores ginecológicos submetidas a tratamento com IMRT, utilizando seis a nove campos com energia de 6MV e campos coplanares, comparado a 35 pacientes com tratamento convencional. A IMRT promoveu excelente cobertura do volume-alvo planejado (PTV – *Planning Target Volume*) com a dose prescrita (média 98,1%), com menor toxicidade grau 2 gastrointestinal (60 *versus* 91% p = 0,002) e menor toxicidade grau 2 urinária (10 *versus* 20%; p = 0,22) em relação a RT convencional. Não há relato de toxicidade grau 3 no IMRT.

Apesar dos benefícios em preservar órgãos vizinhos, é necessário avaliar o impacto no controle pélvico. O uso de IMRT não implica em redução de margens, mas sim, redução de volumes sadios que recebem altas doses, porém a dose integral é maior. A incorporação de imagens mais sofisticadas, como ressonância nuclear magnética (RNM) e a tomografia com emissão de pósitrons (PET), pode auxiliar no delineamento da lesão macroscópica (GTV – *Gross Tumor Volume*) e doença microscópica (CTV – C*linical Tumor Volume*). A IGRT pode avaliar a movimentação dos órgãos e a possível redução das margens do PTV, diminuindo o volume irradiado, inclusive de medula óssea em ossos pélvicos. Estudo recente avaliou que pacientes tratadas com IMRT e quimioterapia concomitante, apresentaram menores toxicidades hematológicas severas que a RT convencional.[8]

Finalmente, em consequência de uma menor dose em órgãos adjacentes, é possível que a técnica com modulação de dose (IMRT) em tumores ginecológicos, assim como demonstrado no tratamento do

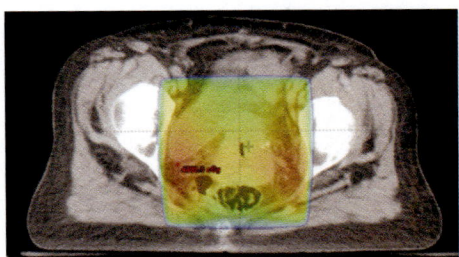

◀ **FIGURA 1.**
Planejamento tridimensional de tumor ginecológico com quatro incidências de campos, tipo *box*.

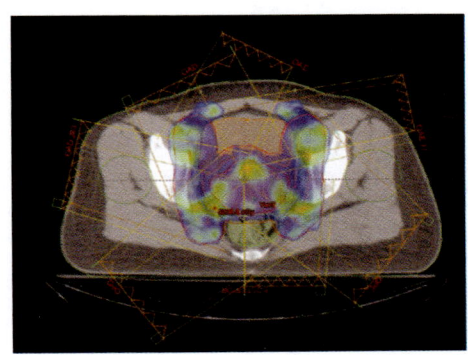

◀ **FIGURA 2.**
Planejamento com IMRT de tumor ginecológico com sete campos, poupando parte da bexiga e do reto.

câncer de próstata, permita um escalonamento de dose em pacientes com doenças mais avançadas e, consequentemente, maior controle local da doença.

RADIOTERAPIA GUIADA POR IMAGEM (IGRT)

A IGRT se caracteriza por utilizar técnicas de imagem (ultrassonografia, raios X, TC, RNM ou PET) que auxiliam na precisão e na acurácia do tratamento radioterápico. Geralmente, a IGRT é adaptada para máquinas, como aceleradores lineares que, por meio de *softwares* modernos, comparam a imagem da TC de planejamento com as imagens adquiridas na simulação minutos antes do tratamento.

A reprodução diária do posicionamento da paciente é uma chave importante para o tratamento fracionado. A reprodutibilidade também é dificultada por movimentos ou mudanças que ocorrem no alvo e n tecidos normais entre as frações (interfrações) ou durante o tratamento (intrafrações), como já citadas anteriormente. Correções com base em imagens podem permitir reduções nas margens de planejamento, poupando ao máximo o tecido sadio, ou adaptar planos para aperfeiçoar a dose de tratamento.

Em muitos tumores, falha local ainda é um grande problema para o controle tumoral. Esforços para aumentar esse controle são limitados pela tolerância de dose dos órgãos normais adjacentes ao alvo. IGRT pode ser utilizada em combinação com a IMRT, permitindo um escalonamento de dose no PTV e ao mesmo tempo, modulando o feixe, para que estruturas vizinhas sejam poupadas.[9] Além disso, para maior controle tumoral, as pacientes que se beneficiam do tratamento combinado à quimioterapia (QT) sistêmica, com o uso da IGRT, podem receber altas doses de RT e mais ciclos de QT sem redução de dose ou interrupções do tratamento, resultando em maior segurança.[10]

A radioterapia beneficia-se do desenvolvimento tecnológico das imagens radiológicas. Novas modalidades, como o PET-CT e RNM, auxiliam no delineamento das estruturas e podem oferecer propriedades fisiológicas ou de hipóxia tumoral, que ajudam a identificar os componentes de radiorresistência (Fig. 3). O uso da IGRT, associado ao escalonamento ou fracionamento alterado da dose, é uma estratégia para minimizar a hipóxia em carcinomas de cabeça e pescoço e sítios ginecológicos. Ainda, tais exames, melhoram a sensibilidade e a especificidade na identificação de linfonodos pélvicos ou para-aórticos acometidos, permitindo tratamento seletivo e minimizando campos desnecessários, bem como avaliam a resposta terapêutica no seguimento dos tumores ginecológicos (Fig. 4).[10]

RADIOTERAPIA INTRAOPERATÓRIA (IORT)

A RT intraoperatória (IORT) corresponde ao tratamento radioterápico durante ato cirúrgico por meio de duas técnicas: uso de elétrons/ortovoltagem ou braquiterapia de alta taxa de dose (*high dose ratio* – HDR). Com o uso do feixe de elétrons, a radiação é entregue por um acelerador linear que é direcionado ao tumor por um cone de localização para delimitar o campo de tratamento. Na braquiterapia com HDR, aplicadores flexíveis são moldados ao tumor, conformando a área a ser tratada com irídio-192 (Ir-192). Nesta modalidade, a fonte é roboticamente inserida nos aplicadores implantados na paciente, sem que haja exposição da equipe.

A IORT pode ser utilizada de forma exclusiva ou associada à radioterapia externa. Na forma associada, é usada como reforço de dose (*boost*), com o intuito de potencializar o controle local, diminuindo o volume do campo irradiado, excluindo toda ou parte das estruturas que cercam o tumor.[11]

Em tumores ginecológicos, a IORT é mais comumente utilizada em recidivas tumorais locais, como em paramétrios ou linfonodos pélvicos e/ou para-aórticos. Gemignan *et al.*, em estudo no departamento de radioterapia de Nova York, avaliaram pacientes tratadas com ressecção cirúrgica combinada à RT, que falharam ao tratamento anterior com estas modalidades. Dezessete pacientes, com tumores primários em colo do útero (9/53%), endométrio (7/41%) e vagina (1/6%), foram tratadas com cirurgia, RT externa e IORT-HDR (14/82%) ou cirurgia e IORT-HDR exclusiva (3/18%). A dose média IORT-HDR foi de 14 Gy (12-15Gy). Após seguimento médio de 20 meses (3-65 meses), em pacientes com ressecção cirúrgica completa, a taxa de controle local em 3 anos foi de 83%, comparada a 25% em pacientes com doença residual, p < 0,01. Sobrevida global em 3 anos foi de 54%[12].

BRAQUITERAPIA TRIDIMENSIONAL (3D)

Braquiterapia, do grego *brachys*, significa curta distância. É um tratamento antigo, em que a fonte de radiação é colocada diretamente no tumor, diminuindo a exposição dos tecidos saudáveis. No início, não apresentava sistema de fixação dos aplicadores e toda pelve recebia muita dose. A partir de 1938, Tod e Meredith definiram pontos de prescrição de dose, próximos ao colo uterino: ponto A (onde cruza a artéria uterina e os ureteres) e ponto B (linfonodos obturadores) assim como os pontos de bexiga e reto, que são pontos de restrição de dose, recomendados pela a Comissão Internacional em Unidades de Radiação (ICRU)[38] (Figs. 5 e 6).[13] Os pontos dosimétricos têm base na localização dos aplicadores e são identificados bidimensionalmente por raios X ortogonais, e dessa forma, controla a dose administrada no colo uterino e em tecidos normais.[14]

A braquiterapia bidimensional não delineia com precisão os órgãos. Para a visualização das estruturas, clipes metálicos são inseridos no colo uterino, 7 mL de contraste são injetados na bexiga para sua visualização e a dose no reto, por convenção, é avaliada a 0,5 cm da parede da vagina, por exemplo. Imagens tridimensionais como TC, RNM ou PET ajudam a visualizar tecidos moles da pelve com alta resolução, permitindo maior precisão do útero, colo, vagina e dos órgãos de risco como sigmoide, reto, bexiga e alças intestinais (Fig. 7).

Desde 1990, com a aplicação da simulação com base em imagem, com TC ou RNM para radioterapia externa, foi permitido aos médicos o delineamento e a análise da dose pelo histograma dose-volume (DVH). Recentemente, o *Gruoupe Européen Curietherapy – European Society of Therapeutic Radiation Oncology* (GEC-ESTRO), vem aplicando o tratamento com braquiterapia para câncer de colo uterino, com base em RNM pela superioridade das imagens para identificar o colo e o tumor residual. Essa evolução resultou na publicação de diretrizes para o planejamento tridimensional de câncer cervical pelo GEC-ESTRO, em consenso com a Sociedade Americana de Braquiterapia (ABS).[15,16]

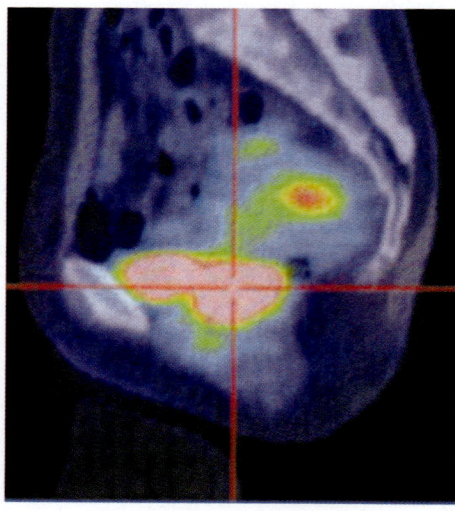

◀ **FIGURA 3.** Delineamento de tumor ginecológico com auxílio de PET.

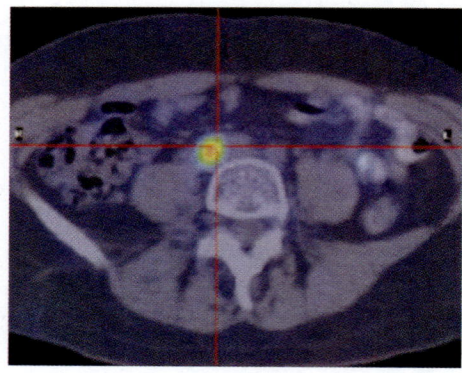

◀ **FIGURA 4.** Captação de PET-CT em linfonodo para-aórtico.

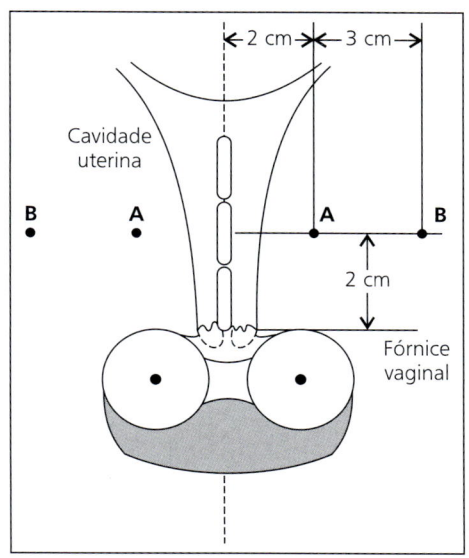

▲ **FIGURA 5.** Determinação dos pontos A e B para a prescrição de dose em braquiterapia intracavitária.

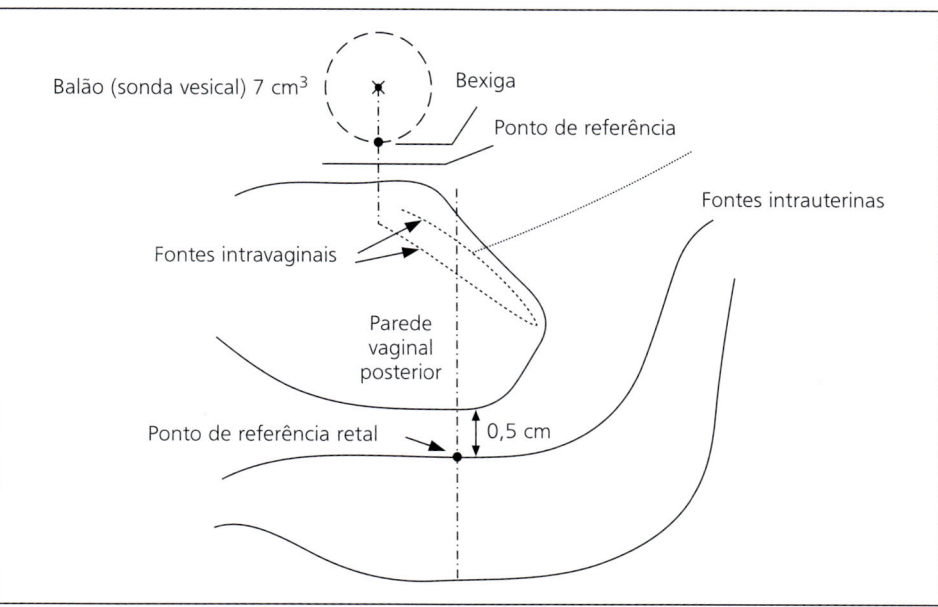

▲ **FIGURA 6.** Localização esquemática dos pontos de referência da bexiga e do reto (ICRU 38, 1985).

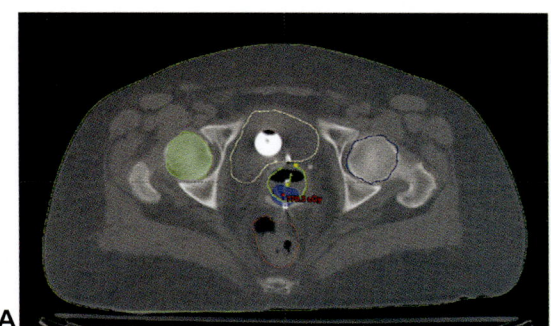

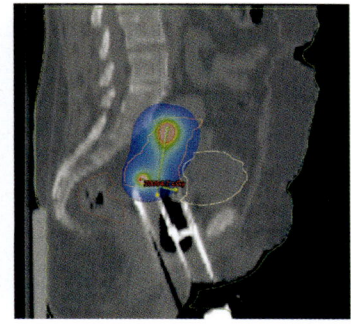

◄ **FIGURA 7. (A e B)** Planejamento de braquiterapia tridimensional (3D) de tumor de colo uterino.

CONSIDERAÇÕES FINAIS

Sem dúvida, a radioterapia vem evoluindo nas últimas décadas de forma revolucionária, permitindo a delimitação dos campos de tratamento cada vez com mais precisão, em razão dos recursos tecnológicos dos próprios aparelhos de radioterapia, sistemas de planejamento computadorizado e utilização das técnicas guiadas por imagem de última geração como parte integrante do processo.

O planejamento e o tratamento guiado por imagem permitem-nos considerar, em tempo real, o movimento dos órgãos, possibilitando correções e aumentando a eficácia.

Como perspectivas futuras, deveremos avaliar a radioterapia estereotáxica extracraniana fracionada em tumores ginecológicos e a tomoterapia.

REFERÊNCIAS BIBLIOGRÁFICAS

1. Stroom J, Quint S, Seven M et al. The need for on-line set-up corrections of patients with gynaecological tumors [Abstract]. *Med Phys* 1996;23:1083.
2. Haslam J et al. Setup errors in patients treated with intensity modulated whole pelvic radiation therapy for gynecological malignancies. *Med Dos* 2005;30:36-42.
3. Beadle BM et al. Cervical regression and motion during the course of external beam chemoradiation for cervical cancer. *Int J Radiat Oncol Biol Phys* 2009;73(1):235-41.
4. Malyapa RS, Chao KS, Williamson JF et al. Pelvic organ motion and displacement during radiation therapy in patients with gynecological malignancies—a prospective study using serial CT imaging during external-beam radiotherapy [Abstract]. *Int J Radiat Oncol Biol Phys* 2001;51:218.
5. International Commission on Radiation Units and Measurements Report 83. Prescribing, reporting, and reporting photon-beam intensity-modulated radiation therapy (ICRU). *J ICRU* 2010;10(1).
6. Roeske JC et al. Intensity modulated whole pelvic radiation therapy in patients with gynecological malignancies. *Int J Radiat Oncol Biol Phys* 2000;48:1613-21.
7. Mundt AJ et al. Intensity-Modulated whole pelvic radiotherapy in women with gynecologic malignancies. *Int J Radiat Oncol Biol Phys* 2002;52(5):1330-37.
8. Brixey C et al. *Impact of intensity modulated radiation therapy on acute hematologic toxicity in patients with gynecologic malignancies.* Presented at the 6th Annual International Conference on Dose, Time and Fractionation in Radiation Oncology. Madison, WI: 24-25 Sept. 2001.
9. Mell LK, Pawlicki T, Jiang SB et al. Image-Guided Radiation Therapy. In: Perez CA, Brady LW. *Principles and practices of radiation oncology.* 5th ed. Philadelphia: Lippincott Williams e Wilins, 2008. p. 263-98.
10. Image-guided radiation therapy committee. *Int Radiat Oncol Biol Phys* 2001;51(3):60-65.
11. Calvo FA, Meirino RM, Mata MD et al. Introperative Radiotherapy. In: Perez CA, Brady LW. *Principles and practices of radiation oncology.* 5th Ed. Philadelphia: Lippincott Williams e Wilins, 2008. p. 397-406.
12. Gemignani ML et al. Radical surgical resection and high-dose intraoperative radiation therapy (HDR-IORT) in patients with recurrent gynecologic cancers. *Int J Radiat Oncol Biol Phys* 2001;50(3):687-94.
13. Tod MC, Meredith WJ. A dosage system for use in the treatment of cancer of the uterine cervix. *Br J Radiol* 1938;11:809-824.
14. International Commission on Radiation Units and Measurements Report 38. Dose and volume specification for reporting intracavitary therapy in gynecology. *J ICRU* 1985;38.
15. Haie-Meder C et al. Recommendations from Gynaecological (GYN) GEC-ESTRO Working Group (I): Concepts and terms in 3D image based 3D treatment planning in cervix cancer brachytherapy with emphasis on MRI assessment of GTV and CTV. *Radiother Oncol* 2005;74:235-45.
16. Potter R et al. Recommendations from gynaecological (GYN) GEC ESTRO Working Group (II): Concepts and terms in 3D image-based treatment planning in cervix cancer brachytherapy-3D dose volume parameters and aspects of 3D image-based anatomy, radiation physics, radiobiology. *Radiother Oncol* 2006;78:67-77.

SEÇÃO VIII
Tratamento Paliativo no Câncer Ginecológico

CAPÍTULO 183
Dor e Paliação

Crisley Guenin ■ Jeane Juver

*"Quem não sabe o que procura
não sabe interpretar o que acha."*

Claude Bernard

INTRODUÇÃO

A cada ano, 19 milhões de casos novos de câncer são diagnosticados no mundo.[1] A dor no câncer atinge cerca de 1/3 dos pacientes em tratamento e 2/3 daqueles em estágio avançado.[1,2] Em 30-75% dos casos a dor é de intensidade moderada a grave.[3] Dada a sua magnitude, políticas apropriadas para reduzir o impacto da dor oncológica impõem-se como uma necessidade urgente.

A inexistência de controle adequado do quadro álgico é um fator extra como causa de sofrimento. Tal agravo reduz drasticamente a qualidade de vida relacionada à saúde, que é um conceito multidimensional. Engloba os âmbitos físico, psicológico, espiritual e social.[4] E sobre este conceito fundamentam-se os cuidados paliativos, cujo objetivo final é proporcionar uma vida digna ao paciente, oferecendo cuidados de saúde e controle sintomático.

Só é possível tratar adequadamente pacientes com dor do câncer através da correta propedêutica da dor e do conhecimento adequado e racional do seu manejo.[5] Desde 1986, este tratamento é proposto por um guia elaborado pela Organização Mundial de Saúde (OMS), que inclui a escada analgésica. Este modelo utiliza apenas a terapia farmacológica e mostrou ser efetivo para 80-90% dos pacientes.[3,6] Constitui um paradigma a ser divulgado, compreendido e adotado por todos os que se propõem a tratar pacientes oncológicos com dor.

O PACIENTE ONCOLÓGICO COM DOR

Dor é definida pela IASP (*International Association for the Study of Pain*) como "uma experiência sensorial e emocional desagradável associada a um dano tecidual real ou potencial ou descrito nestes termos". Como "experiência", é um sintoma. E, enquanto sintoma, é passível de controle. Muitas vezes o controle não significa a ausência completa da dor. É necessário esclarecer que o tratamento busca um limiar que a torne aceitável, de modo a minimizar o prejuízo psicossocial ocasionado pela sintomatologia álgica.

Neste contexto, não é possível prometer a "cura" da dor. Mas é possível aliviar e reduzir o sofrimento de um paciente que já está, muitas das vezes, em exaustão física e psíquica pelo tratamento. Do ponto de vista semiológico, o objetivo é a coleta de dados para a formulação de hipóteses diagnósticas. Confirmada a hipótese, é uma boa prática adotar o hábito rotineiro de traçar um plano terapêutico.

A abordagem do paciente oncológico com dor, assim como a da paciente em oncoginecologia com quadro álgico de maneira específica, pode ser esquematizada em quatro passos. Na prática, muitas das vezes, essa divisão não é tão clara e acontece simultaneamente. Tais passos são:

- Avaliação.
- Mensuração.
- Classificação.
- Tratamento.

Avaliação da dor

Dor é um sintoma individual e subjetivo. Durante a consulta médica é realizada a sua avaliação. Esta é composta de anamnese, exame físico e exame complementar. A anamnese tem início na entrada do paciente no consultório. Observação da marcha, fáscies, posturas, cuidados de asseio e higiene pessoal, além da linguagem corporal podem fornecer valiosas informações sobre o quadro. Esta percepção mostra que a dor transcende a subjetividade em alguns momentos. E estes momentos são preciosos ao estreitamento da relação médico-paciente.

O médico deve oferecer conforto, além da ciência e do saber já inerentes à profissão. A consulta é a ocasião de consolidar essa atitude e buscar descritores para a dor por meio de uma história detalhada. Deve-se ter em mente também que a história patológica pregressa, história familiar e história social compõem a anamnese e podem fornecer valiosas informações para o raciocínio clínico de sua etiologia.

A localização da dor, seu início e a presença ou não de irradiação para algum segmento do corpo dão início à história da queixa da dor atual. O tipo de dor e sua característica devem ser perguntados e não deve ser sugerida nenhuma resposta. O objetivo é que o paciente relate com suas palavras. Alguns deles não entendem o que se quer por 'tipo ou característica da dor'. Nestes casos, então, é permitida a sugestão de alguns exemplos, como 'dor em pontada', 'dor cortando', 'dor em queimação', entre tantos outros termos.

Pergunta-se, também, sobre a frequência da dor, pois o episódio álgico pode, por exemplo, ocorrer em um período específico do dia, como manhã, tarde ou noite. Pode ter ligação com um evento do cotidiano, como após a refeição ou durante a micção. A duração dos episódios, além do ritmo – se contínuo ou intermitente – também fazem parte de uma avaliação completa. Fatores de piora e melhora precisam ser explorados, desde associação a posturas, fatores físicos, como calor local ou tempo frio, além das medicações já utilizadas que fizeram e não fizeram nenhum efeito. Sintomas associados também são relevantes.

A paciente com câncer ginecológico e dor, habitualmente, apresenta-se com transtorno de ansiedade e/ou depressão. Possui questões relacionadas à sexualidade que contribuem de maneira negativa na autoestima. Seja porque se consideram "castigadas" pelo câncer, decorrente de seu comportamento sexual pregresso, seja porque se consideram "inferiores e não merecedoras" do parceiro que se mantém ao seu lado. Por isso, o impacto sobre a qualidade de vida também merece atenção e avaliação neste momento.

A intensidade álgica também precisa ser avaliada e é fundamental como guia ao tratamento. Para fins didáticos, será discutida adiante sob a denominação de mensuração. Como parte integrante da avaliação da dor, um exame físico completo deve ser também realizado, incluindo um exame neurológico. Exames complementares pertinentes devem ser solicitados. Toda esta etapa na verdade tem o objetivo de obter informações para definir a classificação e etiologia da dor.

Mensuração da dor

Mensurar é "determinar a medida ou dimensão de".[7] Em dor, é a tentativa de transformar o subjetivo em objetivo, através de sua aferição. Ou seja, trata-se de uma forma de obter a quantificação da dor, um parâmetro para direcionar o tratamento e avaliar sua eficácia. Essa quantificação é individual. Sendo assim, não se pode afirmar que um mesmo valor atribuído por dois indivíduos tenha o mesmo significado, o que impossibilita realizar comparações.

Existem ferramentas que foram validadas para realizar esta aferição. São instrumentos que avaliam a experiência dolorosa de maneira uni ou multidimensional. As escalas unidimensionais consideram o aspecto da intensidade álgica. As dimensões sensorial-discriminativa, afetivo-emocional, cognitiva e comportamental da experiência dolorosa são avaliadas com a aplicação dos instrumentos multidimensionais.[8,9]

As escalas mais comumente usadas são as de intensidade, unidimensionais, por sua praticidade e rápida aplicabilidade. São elas a Escala Visual Analógica (EVA), a Escala Numérica e a Escala de Faces (Figs. 1 a 5). A primeira consiste de uma linha de 10 cm, em um extremo está inserido o termo "sem dor" e no extremo oposto "pior dor possível". O paciente localiza a sua dor nesta reta.

A Escala Numérica, erroneamente conhecida como EVA, possui uma numeração na sua linha, do 0 ao 10 (Figs. 2 e 3). O paciente escolhe um número representativo para a sua dor nesta escala. Ausência de dor é 0, enquanto a pior dor imaginável é 10. Culturalmente isto pode ser um fator de confusão para alguns pacientes, afinal nesta escala 0 é bom e 10 é ruim. A dor correspondente às notas 1, 2 ou 3 é uma dor leve; as notas 4, 5 ou 6 correspondem à dor moderada; se 7, 8 ou 9 são conferidos à dor, estamos diante de dor forte.

Na Escala de Faces o paciente escolhe uma face que corresponda à sua dor. Existem críticas quanto à escala colorida, que poderia sugestionar uma escolha fundamentada na preferência pela cor (Fig. 4). Por este motivo, alguns autores advogam seu uso em preto em branco (Fig. 5). É uma escala de fácil compreensão e possui correlação com a Escala Numérica. A dor é considerada controlada quando, na escala de 0 a 10, é igual ou menor que 3 para a maioria dos autores, ou 4 para outros.

Deve estar claro para o paciente o entendimento da escala utilizada e o objetivo de seu uso. O importante é que a atribuição do valor seja dele. Parece óbvio, mas não custa dizer que acompanhante não responde à escala de dor. E mesmo que o médico avaliador tenha a impressão de que o grau de dor é menor que o referido pelo paciente, vale o que o paciente fala. Este princípio deve ser respeitado e remete ao conceito de dor total.

Conceito introduzido por Cecily Saunders, a dor total envolve os aspectos físico, mental, social e espiritual, que compõem o indivíduo como um todo. A dor que não se justifica em bases físico-anatômicas, tem seu fundamento nos aspectos psíquicos e/ou sociais e/ou espirituais. Está intimamente relacionada a perdas e sofrimentos impostos pela doença de base. É conhecida por dor da alma, que não encontra suporte no tratamento farmacológico.

A dor total é um tipo de quadro álgico muito vivenciado pelas pacientes em oncoginecologia. Além do câncer, da invasão tumoral e sequelas do tratamento, são pacientes lesadas em sua feminilidade. Apresentam complicações na esfera psíquica e sexual. As escalas multidimensionais mensuram melhor estes aspectos emocionais e motivacionais, apesar de mais extensas.

Dentre as escalas multidimensionais, pode-se citar o *Memorial Pain Assessment Card*, o *Wisconsin Brief Pain Questionnaire* e o Questionário de McGill (Fig. 6).[1,10-13] Este último, considerado o de maior utilização no mundo, contém 78 descritores classificados em 20 grupos segundo suas dimensões, quais sejam a sensorial, a afetiva, a avaliativa e a miscelânea.[12,13]

Classificação da dor

Do ponto de vista temporal a dor pode ser classificada como aguda ou crônica. As dores agudas têm evolução de 3 meses. Como exemplo, podemos citar a dor pós-operatória, a neurite herpética, as fraturas, a obstrução intestinal, a cefaleia pós-punção liquórica, a dor pós-biópsia de medula óssea, entre outras. A partir desse limite temporal temos as dores crônicas, que têm como alguns exemplos a síndrome pós-mastectomia, a dor secundária ao câncer de ovário, a dor pós-toracotomia, a neurite pós-herpética.

Quanto ao mecanismo, a dor pode ser nociceptiva ou neuropática. As dores nociceptivas têm origem nos nociceptores, que são terminações nervosas livres que respondem a estímulos mecânicos, térmicos ou químicos. Quando os nociceptores estão na pele, nos músculos, nos tendões e nas arti-

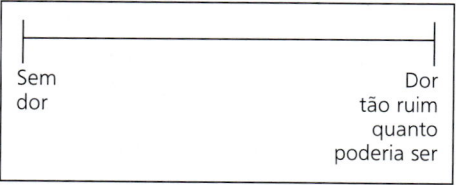

▲ **FIGURA 1.** Escala visual analógica.

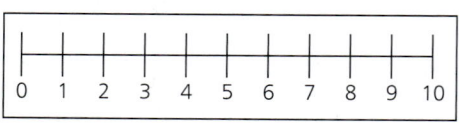

▲ **FIGURA 2.** Escala numérica.

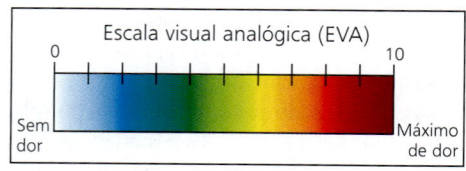

▲ **FIGURA 3.** Escala numérica difundida como escala visual analógica.

◀ **FIGURA 4.** Escala de faces coloridas.

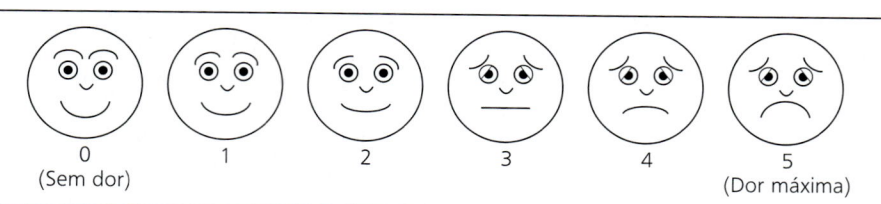

◀ **FIGURA 5.** Escala de faces em preto e branco.

FIGURA 6. Questionário de McGill validado em português.

```
McGill Pain Questionnaire — Português
Nome_____ Data_____ Hora_____
Analgésico(s)_____ Dosagem_____ Hora da adm._____
Analgésico(s)_____ Dosagem_____ Hora da adm._____
Intervalo de administração dos analgésicos +4 +1 +2 +3
IAvD: S___ Af___ Av___ M(S)___ M(AfAv)___ M(T)___ PRI (T)___
     (1-10) (11-15) (16)  (17-19)  (20)    (17-20)   (1-20)
```

1 Espasmódica / Tremor / Pulsátil / Latejante / Martelante	11 Cansativa / Exaustiva
2 Crescente / Repentina / Provocada	12 Enjoativa / Sufocante
3 Picada / Agulhada / Perfurante / Punhalada / Lancinante	13 Amedrontadora / Apavorante / Aterrorizante
4 Aguda / Cortante / Dilacerante	14 Castigante / Debilitante / Cruel / Perversa / Mortal
5 Beliscante / Pressionante / Pinçante / Cãibra / Esmagamento	15 Desgraçada / Enlouquecedora
6 Fisgada / Puxão / Distensão	16 Incômoda / Perturbadora / Desconforto / Intensa / Insuportável
7 Quente / Queimação / Escaldante / Queimadura	17 Difusa / Irradiante / Penetrante / Que transpassa
8 Formigamento / Coceira / Ardência / Ferroada	18 Aperto / Dormente / Estirante / Esmagadora / Demolidora
9 Insensibilidade / Sensibilidade / Que Machuca / Dolorida / Forte	19 Fresca / Fria / Congelante
10 Suave / Tensão / Esfolante / Rompimento	20 Importunante / Nauseante / Angustiante / Desagradável / Torturante

Intensidade Atual de Dor (IAD) _____
Comentarios:

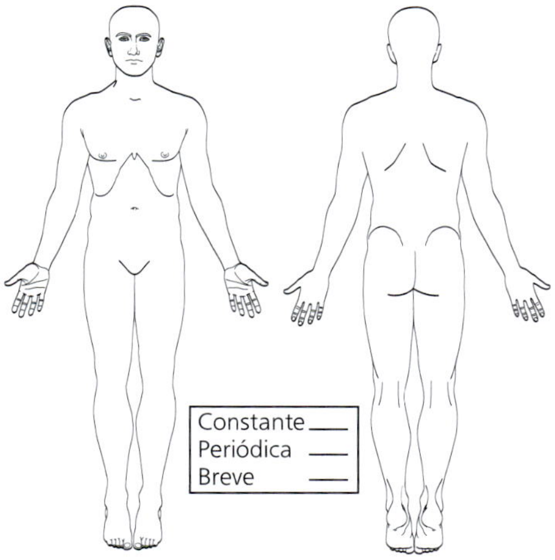

Constante ___
Periódica ___
Breve ___

IAD
0 Sem dor
1 Leve
2 Desconfortante
3 Angustiante
4 Horrível
5 Excruciante

Sintomas que Acompanham: Náusea / Dor de cabeça / Tontura / Sonolência / Constipação / Diarreia	Sono: Bom / Descontínuo / Insônia	Ingestão de alimentos: Alguma / Pouca / Nenhuma / Boa
Comentários:	Comentários:	Comentários:
	Atividades: Alguma / Pouca / Nenhuma / Boa	Comentários:

culações, dão origem a dores nociceptivas somáticas. Neste caso, os quadros álgicos têm localização bem definida, pioram com o movimento e melhoram com o repouso. Quando estão localizados nas serosas das vísceras, dão origem aos quadros de dores nociceptivas viscerais. Estas dores são mal localizadas, frequentemente do tipo cólica e associadas a sintomas neurovegetativos.

A dor neuropática tem origem na lesão ou na disfunção do sistema nervoso central ou periférico. Normalmente a dor segue o trajeto do nervo afetado e apresenta características que demonstram a disfunção, como alodinia, parestesia, hiperalgesia, hipoestesia. Dependendo da extensão do dano pode haver o aparecimento de sintomas motores. Este mecanismo de dor está presente em mais de 40% dos pacientes com dor oncológica.[14,15] Acredita-se que a dor por este mecanismo seja mais difícil de obter controle que outros tipos de dor relacionados ao câncer.[15] A classificação da dor é esquematizada no Quadro 1.

Desta maneira, após reunir os elementos da avaliação, da mensuração e da classificação, é possível chegar ao diagnóstico em dor. A dor oncológica pode ser causada pelo crescimento tumoral, pelo tratamento específico e por síndromes paraneoplásicas. Além disso, a paciente pode apresentar síndromes dolorosas não relacionadas ao câncer. Estas também devem ser objeto de tratamento, pois igualmente comprometem a qualidade de vida (Quadro 2). O próximo passo é o tratamento, que deve ser adequado às características e expectativas individuais.

Quadro 1. Classificação da dor

Evolução temporal	Aguda	
	Crônica	
Mecanismo	Nociceptiva	Visceral
		Somática
	Neuropática	Periférica
		Central

Quadro 2. Etiologia da dor no paciente oncológico

Dor aguda do câncer	Crescimento tumoral
	Tratamento (QT, RXT, cirurgia)
	Imobilidade pelo câncer
Dor crônica do câncer	Destruição tecidual pelo tumor
	Tratamento (QT, RXT, cirurgia)
	Dor paraneoplásica
Dor não relacionada ao câncer	Dor aguda não oncológica
	Dor crônica não oncológica
	Dor por desenvolvimento de tolerância ao opioide
Dor terminal	Dor aguda por caquexia
	Progressão tumoral
	Dor crônica

Fonte: Modificado de Practical Management of Pain P. Prithvi Raj – Third Edition – 2002 Part III Clinical Considerations, Cancer Pain Mark J. Lema, Miles R. Day. David P. Myers.

Tratamento

O momento de apresentar o plano terapêutico é também o momento de desmitificar conceitos da paciente, clarificar suas dúvidas e demonstrar os benefícios de tratar a dor. Por vezes, várias tentativas de controle álgico já foram realizadas, a paciente já passou por inúmeros especialistas e chega descrente do tratamento. É importante expor como funciona o processo doloroso, uma vez que envolve também a dinâmica familiar e tem relação íntima com a afetividade e a sexualidade. Em momentos de conflito é comum que a dor sob controle apresente piora.

Deve ficar claro também qual o seu papel, enquanto paciente, na modulação de seu quadro doloroso, tendo em vista que as medicações têm diferentes sítios de ação e uma meia-vida diversificada. Para esta adequada modulação, os fármacos devem ser usados em intervalos regulares, respeitando a sua farmacologia, para a obtenção dos efeitos máximos com o mínimo de efeitos adversos. No caso dos opioides fortes, pelo seu rápido início de ação e por não apresentarem uma dose máxima, há a possibilidade do uso de doses extras para o tratamento de dores que fujam do esquema terapêutico proposto. A estas doses dá-se o nome de doses resgate.

Por receio de adição, tolerância e efeitos colaterais, mais de 25% dos cuidadores apresentam dificuldade em aceitar e administrar as doses resgate de analgésico.[3] Esta é apenas uma dentre as muitas e conhecidas barreiras ao tratamento da dor do câncer. Tais barreiras têm relação com a desinformação por parte do paciente, com obstáculos impostos por questões institucionais e/ou legais e com a deficiência na formação do médico.

Quando devidamente avisados sobre os benefícios do uso do opioide e o real risco de desenvolver dependência, o paciente adere ao tratamento e é apoiado por seu familiar. Para a adequada adesão, entretanto, diferenciações claras sobre dependência psíquica, física e tolerância podem ser necessárias.

A dependência psíquica configura-se pelo uso recreativo de medicações por conta de efeitos euforizantes que proporcionam uma sensação de bem-estar. Neste caso, o uso do fármaco não respeita a orientação dada, e há um comportamento de compulsão na busca pelo mesmo. No caso dos opioides a frequência desse sintoma é menor que 0,01%, mas é responsável por grande preconceito quanto ao uso do mesmo.

Dependência física é o aparecimento de síndrome de abstinência secundária ao uso de medicações que agem por meio de receptores específicos. Os opioides se ligam aos receptores μ (*mu*), λ (*delta*) e κ (*kappa*), ativando a proteína G intracelular. Por esse motivo a interrupção aguda do seu uso pode causar confusão mental, hiperalgesia, diplopia, agitação psicomotora, hipotensão, diarreia, entre outros. A síndrome de abstinência não ocorre com a retirada gradual do medicamento.

Tolerância é um fenômeno inerente ao uso de opioides. O mecanismo de seu desenvolvimento é determinado geneticamente. Consiste na necessidade de doses cada vez maiores de opioides para controlar a dor. Isto ocorre com tratamento prolongado e é indicação do rodízio do opioide.

O rodízio do opioide consiste na troca de uma medicação pela outra em dose equivalente ou 25% menor, para que a ação em outra subunidade do receptor opioide possibilite um melhor controle álgico. Além da indicação por tolerância, o rodízio do opioide é também preconizado quando ocorre falência na terapêutica analgésica ou efeitos colaterais, como delírio, sedação, náusea, vômito, alteração cognitiva, mioclonia.[6] Contudo, observa-se que, antes de considerar tais sintomas como efeitos colaterais, é necessário excluir outras causas para a sintomatologia referida.

Além do preconceito em aceitar o opioide, são também barreiras ao adequado tratamento da dor do câncer algumas imposições institucionais e restrições legais. No Brasil, a exigência de receituário especial com necessidade de cadastro prévio limita a sua prescrição. Em alguns países, a limitação da prescrição é regulamentada por lei.

Recente publicação demonstra que, no Egito, por semana, somente pode ser prescrita uma dose total máxima de 420 mg de comprimidos e 60 mg de ampolas de morfina. Os autores relatam que tais doses são suficientes para tratar apenas 26% de seus pacientes sob uso do medicamento oral (a dose média de uso na instituição é de 180 mg/d) e nenhum daqueles que fazem uso de ampolas.[16] Isso demonstra o quanto os pacientes podem ser subtratados por questões legais ou por restrições relacionadas a cultura e religião.

Tão ou mais grave quanto as barreiras anteriormente relatadas é o receio por parte de médicos em prescrever morfina e os demais opioides fortes. Este medo irracional é descrito na literatura como opiofobia, termo que foi introduzido em 1985. A oligoanalgesia, termo introduzido em 1989, seria uma consequência da opiofobia.[17] Somente por meio de um programa de educação continuada é possível levar ao médico-assistente, assim como aos demais profissionais envolvidos no processo de cuidados ao paciente, a mudança comportamental necessária à alteração deste quadro.[17-19]

Para orientar quanto ao uso racional de opioides, disseminar o conhecimento e combater a opiofobia, a OMS instituiu diretrizes para o tratamento da dor oncológica (Quadro 3).[20,21] Estas diretrizes consistem na prescrição de doses individualizadas, em horários regulares, com preferência pela via oral e seguindo a escada analgésica da OMS.

Composta de três degraus, a escada analgésica cria uma metodologia racional por meio da combinação de fármacos para cada nível (Fig. 7). Assim, para cada um dos degraus existem medicamentos propostos, de acordo com a intensidade da dor. Os pacientes com dor leve devem ser tratados com a medicação do primeiro degrau. Neste estágio, deve-se lançar mão de analgésicos não opioides, como a dipirona ou o paracetamol, e também utilizar-se dos anti-inflamatórios.

Quando a dor é considerada moderada ou não foi possível o controle da dor leve com os medicamentos do primeiro degrau, deve-se progredir no algoritmo utilizando os medicamentos do segundo degrau. Como opção pode-se usar os opioides fracos, como a codeína ou o tramadol, associados ou não aos medicamentos do primeiro degrau. Para a dor de moderada a intensa, que não responde ao tratamento do segundo degrau, são utilizadas as orientações do terceiro degrau. Este último nível é composto pelos opioides fortes, como morfina, metadona, oxicodona, hidromorfona e fentanil, associados ou não às medicações do primeiro degrau.

Para qualquer intensidade de dor, existe a orientação do uso de medicações adjuvantes, associadas aos outros fármacos do degrau correspondente. Os adjuvantes pertencem a diferentes classes de substâncias: antidepressivos, anticonvulsivantes, corticosteroides, antieméticos, dentre

Quadro 3. Diretrizes da OMS

DIRETRIZES DA OMS PARA O TRATAMENTO DA DOR DO CÂNCER	
Para o indivíduo	A individualização ocorre por meio de titulações, com o objetivo de obter o tratamento eficaz com o mínimo de efeitos adversos
Pelo relógio	A regularidade tem como motivo a característica farmacológica de cada medicação para que o nível plasmático seja mantido o mais estável. Oscilações bruscas do nível plasmático do fármaco podem causar uma analgesia ineficaz ou precipitar uma síndrome de abstinência
Pela boca	A via oral deve ser preferencialmente utilizada, por ser indolor e de baixo custo
Pela escada	A escada analgésica é um algoritmo que indica o uso das medicações de forma hierarquizada e multimodal

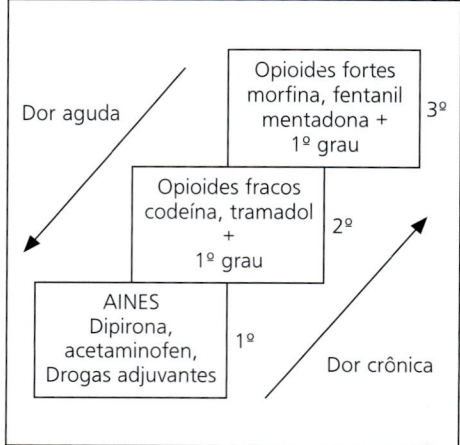

◀ **FIGURA 7.** Escada analgésica da OMS.

outros. Desta forma, os medicamentos classificados como adjuvantes desempenham basicamente dois papéis: o de atuar em adição ao analgésico, modulando a via da dor e o de controlar efeitos adversos. Na maioria das vezes essa associação resulta em efeito sinérgico entre os fármacos. Este sinergismo resulta na redução da dose de um deles ou de ambos, em uma maior potência analgésica e melhor controle dos efeitos indesejáveis.[22]

A seguir, são apresentados os medicamentos de maior utilização no tratamento da dor oncológica.[20,23-26]

Opioides

Codeína

Considerado um opioide fraco, apresenta efeito teto, ou seja, sua dose não pode ser aumentada indefinidamente. Precisa ser biotransformada no fígado em morfina, para que possa agir em receptores opioides. Seu intervalo correto de administração é a cada 4 h, na dose inicial de 30 mg.

Tramadol

Também considerado um opioide fraco, pode ser utilizado por via oral, endovenosa e subcutânea. Além de agonista opioide, é um inibidor da recaptação de noradrenalina e serotonina. Deve ser prescrito inicialmente na dose de 50 mg, em intervalos regulares de 6 horas, podendo chegar à dose diária total de 400 mg, sua dose teto. Seu uso esteve muito associado a alta incidência de náuseas e vômitos, mas essa elevada incidência pode ter relação com a velocidade de injeção endovenosa.

Morfina

Opioide padrão, ao qual todos os outros são comparados. Atua como agonista μ-opioide. Tem boa disponibilidade por via oral e também pode ser utilizada por via endovenosa, subcutânea, peridural, subaracnóidea ou inalatória. Após sua administração oral, tem início de ação em 20 a 30 minutos, e duração de 4 horas. Sofre metabolização no fígado e eliminação renal. Não possui efeito teto, o que significa dizer que, quanto maior a dose, maior seu efeito analgésico. Possui uma apresentação de liberação prolongada para uso oral, indicada para os casos em que a dose diária já está estabilizada. Isto proporciona conforto, por ser administrada a cada 12 h, ou a cada 8 h, dependendo do paciente. Em dor oncológica podem ser necessárias doses elevadas de morfina para o adequado controle álgico, seja por via oral ou parenteral. Um estudo com 22 pacientes de oncoginecologia com dor relata que a média de morfina peridural foi de 14 mg/d.[27] Em pacientes não oncológicos esta dose varia em torno de 2 mg/d.

Metadona

Opioide sintético, com amplo espectro de afinidade para receptores opioides, além da inibição dos receptores NMDA e bloqueio da recaptação da serotonina e noradrenalina na substância cinzenta periaquedutal.[6,28] É um medicamento de baixo custo, alta potência e alta biodisponibilidade oral. Sua metabolização é hepática e a eliminação é por via renal, sem metabólito ativo, sendo por isso o opioide de escolha na insuficiência renal e no paciente em diálise.[26] Tem como desvantagens a alta variação individual na farmacocinética, meia-vida imprevisível e potencial para toxicidade tardia, embora considerada excelente opção para dor neuropática.[6]

Muitos são os protocolos publicados pelas diversas sociedades de estudos de dor e de oncologia para o adequado manejo álgico.[29-31] As condutas em dor baseadas em evidências fundamentam-se em tais protocolos. Como sugestão, é apresentado um algoritmo para a prática médica no tratamento farmacológico inicial das pacientes em oncoginecologia (Fig. 8), lembrando sempre que as doses são tituladas para o indivíduo e sempre com a criteriosa observação clínica, que deve envolver, além do quadro sintomático, a dinâmica familiar.

Oxicodona

Opioide sintético 2 vezes mais potente que a morfina, com boa disponibilidade por via oral. No Brasil, apenas a apresentação de liberação lenta é comercializada, que deve ser utilizada a cada 8 ou 12 h, e não deve ser macerada em hipótese alguma, para impedir a liberação de uma grande quantidade do fármaco.[32]

Fentanil

O fentanil é um opioide potente, de meia-vida longa, que possui características ideais para a via transdérmica: apresenta alta lipossolubilidade e é uma molécula pequena.[33,34] Na apresentação transdérmica seu uso é preconizado a cada 3 dias, pois cada adesivo tem duração de ação de 72 horas. Após sua colocação, o início de ação é em torno de 12-18 horas até alcançar efeito analgésico eficaz. Isto significa dizer que uma medicação regular de liberação rápida deve ser mantida neste período. Está indicado em pacientes com disfagia e/ou odinofagia, náuseas e vômitos persistentes, alterações do nível de consciência e em casos de tolerância ao opioide em uso. Possui alto custo. Por isso e por sua característica farmacocinética, se prescrito além das indicações estritas, deve ser iniciado em pacientes que apresentam dose analgésica estabilizada de opioide, e não como primeira escolha. Os dados sugerem que o fentanil transdérmico apresenta melhor alívio da dor e efeitos colaterais reduzidos, quando comparado com a morfina oral de liberação lenta.[26,34] Interessante artigo de Kanamori et al.[35] mostra uma série de casos em oncoginecologia onde os adesivos de fentanil transdérmico apresentavam redução de seu efeito analgésico e incremento no número de resgates/dia em seu 3º dia de uso. Os autores iniciaram uma mudança de conduta em que o adesivo era trocado diariamente, em uma relação em torno de 1/3 da dose de 3 dias, relatando bons resultados. Mais estudos são necessários para avaliar esta forma de administração da medicação, mas pode ser um promissor recurso em dor de difícil controle.

Adjuvantes

Amitriptilina

Antidepressivo tricíclico considerado padrão para o tratamento da dor de origem neuropática. Como efeitos adversos, devem ser citados: sonolência, xerostomia, hipotensão postural, diplopia e ganho ponderal. Apesar dos efeitos adversos citados, os pacientes aderem ao tratamento e têm boas respostas, entretanto, para as mulheres o ganho ponderal por vezes é causa de abandono do tratamento.

Gabapentina

Anticonvulsivante, que tem sua eficácia comprovada no controle da dor oncológica em 4-8 dias quando associada aos opioides. Seu uso é difundido principalmente para o tratamento de dores de origem neuropática, associada ou não a antidepressivos. Recentemente, começou a ser difundido o uso da pré-gabalina, que tem um mecanismo de ação semelhante ao da gabapentina, com a promessa de menos efeitos adversos. Entretanto, faz-se necessário um maior número de estudos com esse fármaco.[14,36-38]

Venlafaxina

Antidepressivo inibidor da recaptação de serotonina e noradrenalina, também atua em vias da dor. Indicado na dor neuropática. Surge como uma alternativa à amitriptilina no cenário farmacológico. Seu custo ainda é alto no Brasil. Um estudo duplo-cego avaliou pacientes com neuropatia periférica secundária à oxaliplatina, nos quais a venlafaxina foi aplicada 50 mg 1 h antes da quimioterapia e continuada em 37,5 mg 2 vezes ao dia do 2º ao 11º dia de tratamento. O grupo da venlafaxina, quando comparado ao grupo-placebo, teve melhora significativa no quadro de dor, podendo indicar proteção contra neurotoxicidade.[39]

Tapentadol

É o primeiro analgésico de ação central aprovado pela FDA que combina o efeito agonista μ-opioide com a inibição da recaptação de noradrenalina e mínima inibição da recaptação da serotonina. Promissor no manejo da dor neuropática.[40]

Ketamina

Antagonista do receptor NMDA, apresenta propriedade analgésica. Em quadros dolorosos crônicos, sua maior utilização é na dor de origem neuropática, dentre elas a dor do câncer.[22] Mais comumente utilizada por via intravenosa e peridural, podendo também ser usada por via subcutânea e oral, dentre outras. Contudo, recente revisão demonstra a dificuldade em se titular sua dose por via oral e a necessidade de estudos de boa qualidade metodológica para comprovação de sua eficácia sob esta via.[22,41]

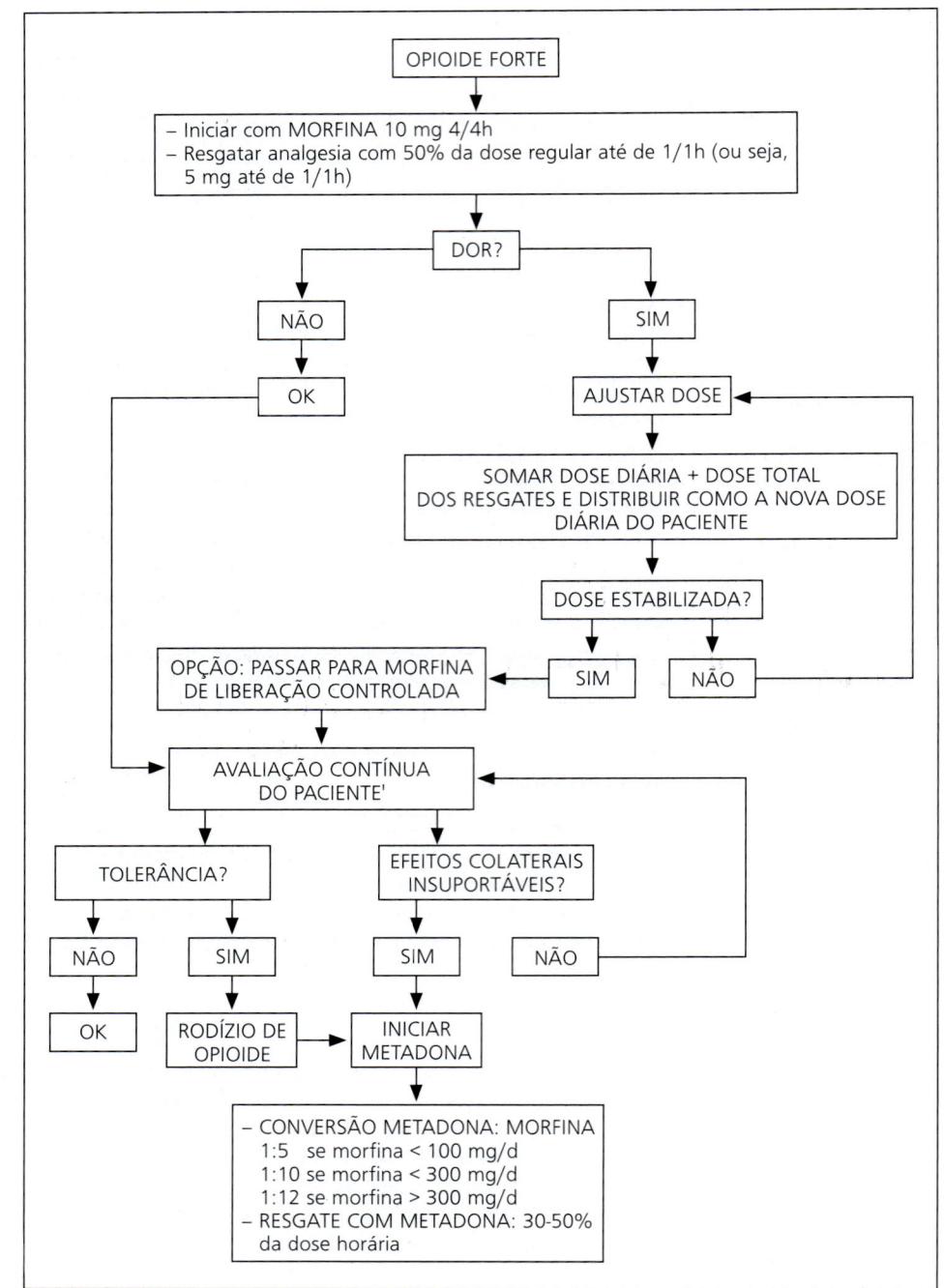

◀ **FIGURA 8.** Algoritmo para uso racional de opioide forte em paciente oncoginecológica portadora de dor.

Tratamento não farmacológico

Apesar de 90 a 95% das pacientes relatarem um bom controle álgico com as medicações descritas anteriormente, um grupo de mulheres ainda tem dor de difícil controle e tornam-se um verdadeiro desafio para a terapia antálgica. Para esses indivíduos, alguns estudos sugerem a inserção de um quarto degrau na escada analgésica, onde estariam inseridos: a quimioterapia, a radioterapia/braquiterapia, os bloqueios anestésicos e os procedimentos neuroablativos.

Vale a pena ressaltar que os tratamentos específicos, ou seja, quimioterapia e radioterapia/braquiterapia buscam a redução do tumor, mas também são causa de dor. Infelizmente, muitas pacientes desenvolvem quadros de dores neuropáticas de difícil controle após o tratamento, principalmente na braquiterapia.

Os bloqueios anestésicos têm duração limitada e normalmente são realizados como "teste" de resposta antes dos procedimentos neuroablativos. No caso dos tumores ginecológicos, o mais utilizado é o bloqueio do plexo hipogástrico. Contudo, este procedimento só é indicado em pacientes com prognóstico de, no máximo, 6 meses de vida.

PALIAÇÃO

Na década de 1960, a Dra. Cicely Saunders iniciou um movimento, na Inglaterra, que tinha como objetivo o atendimento do paciente com base em uma visão holística do ser humano. Ou seja, o paciente deveria ser visto de forma ampla, considerando seus aspectos físicos, emocionais, sociais e espirituais.[42] Esse movimento deu origem ao que chamamos hoje de Cuidados Paliativos ou Medicina Paliativa, e trouxe mais dignidade ao tratamento de pacientes com doenças ditas fora dos recursos de cura, e deve começar junto com o tratamento da doença e estender-se até depois da morte, com o trabalho de luto junto aos familiares.

Segundo a OMS, a Medicina Paliativa tem como objetivos:

- Alívio da dor e de sintomas angustiantes.
- Afirmação da vida e aceitação da morte como um processo normal.
- Não prolongar a vida ou acelerar a morte.
- Integrar aspectos psicológicos e espirituais ao cuidado com o paciente.
- Oferecer suporte para que o paciente permaneça tão ativo quanto o possível até sua morte.
- Oferecer suporte para os familiares durante a doença e o luto.
- Usar uma equipe para atendimento das necessidades dos pacientes e familiares, inclusive com aconselhamento durante o luto.
- Melhorar a qualidade de vida, e se possível, influenciar positivamente no curso da doença.
- Ser aplicado precocemente no processo da doença em conjunto com as terapias curativas.

Além de todos os benefícios ao paciente e familiares que a medicina paliativa proporciona, há também uma redução considerável do custo do tratamento, pela diminuição significativa da busca aos serviços de emergência, na solicitação de exames desnecessários e no emprego de terapêutica dita como fútil em busca do prolongamento da vida, que quase sempre também perpetua o sofrimento.

CONSIDERAÇÕES FINAIS

A dor cronificada é sempre mais difícil de tratar. Por conta das alterações de neuroplasticidade que apresenta, o quadro doloroso tende a perpetuar, com resistência à resposta farmacológica. Daí, a necessidade de tratamento precoce do quadro álgico, o que previne o aparecimento das sequelas físicas e psíquicas que ocorrem após longos períodos de dor não tratada. Além disso, os custos do tratamento da dor crônica são infinitamente maiores que os da dor aguda. Isto se explica decorrente dos graus diferenciados de incapacidade física e psíquica, que podem inviabilizar a vida produtiva.

Como o câncer ginecológico pode acometer uma parcela muito grande de mulheres jovens, o impacto social desta doença pode ter muita relevância. Portanto, à luz do conhecimento médico atual, é fundamental inserir precocemente a paciente no contexto do tratamento álgico, desfazer o mito "opioide", e conduzir este manejo até o segundo degrau da escada analgésica, ao menos. Uma boa prática é saber iniciar o terceiro degrau da escada da OMS. Na decisão de assumir o tratamento da dor, o manejo farmacológico deve ser conduzido de forma racional. Caso contrário, o encaminhamento ao Especialista em Dor está indicado.

Todas as evidências e produção científica disponíveis devem estar ao alcance de nossas pacientes. O processo oncológico já é, por si, um fardo. E a dor que este acarreta deve ser compreendida em sua magnitude. Tratá-la ou delegá-la a um especialista é parte de um processo decisório que consiste em oferecer o que há de melhor na medicina e alcançar na prática a máxima que diz: "Curar às vezes, aliviar com frequência e confortar sempre".

REFERÊNCIAS BIBLIOGRÁFICAS

1. Foley KM, Abernathy A. Management of cancer pain. In: Devita VT, Lawrence TS, Rosenberg SA (Eds.). *Devita, Hellman & Rosenberg's cancer: principles & practice of Oncology*. Philadelphia: Lippincott Williams and Wilkins, 2008. p. 2758-90.
2. Green E, Zwaal C, Beals C et al. Cancer-related pain management: a report of evidence-based recommendations to guide practice. *Clin J Pain* 2010;26(6):449-62.
3. Mercadante S. Why are our patients still suffering pain? *Nat Clin Pract Oncol* 2007;4(3):138-39.
4. Wingo PA, Parkin DM, Eyre HJ. Measuring the occurrence of cancer: impact and statistics. In: Lenhard Jr RE, Osteen RT, Gansler T. (Eds.). *The American Cancer Society's Clinical Oncology* (CD-ROM).
5. Daher M. Opioids for cancer pain in the Middle Eastern countries: a physician point of view. *J Pediatr Hematol Oncol* 2011 Apr.;33(1 Suppl S):23-28.
6. Soares LGL. Methadone for cancer pain: what have we learned from clinical studies? *Am J Hospices Palliative Med* 2005;22(3):1-5.
7. Academia Brasileira de Letras. Dicionário escolar da língua portuguesa. 2ª ed. São Paulo: Companhia Editora Nacional, 2008. p. 848.
8. Calvino B, Grilo RM. Central pain control. *Joint Bone Spine* 2006;73:10-16.
9. Almeida TF, Roizenblatt S, Tufik S. Afferent pain pathways: a neuroanatomical review. *Brain Res* 2004;1000:40-56.
10. Fishman B, Pasternack S, Wallenstein SL et al. The memorial pain assessment card: a valid instrument for the evaluation of cancer pain. *Cancer* 1987;60:1151-58.
11. Daut RL, Cleeland CS, Flanery RC. Development of the wisconsin brief pain questionnaire to assess pain in cancer and other diseases. *Pain* 1983;17:197-210.
12. Pimenta CAM, Teixeira MJ. Questionário de Dor McGill: proposta de adaptação para a língua portuguesa. *Rev Bras Anestesiol* 1997;47(2):177-86.
13. Varoli FK, Pedrazzi V. Adapted version of the McGill Pain Questionnaire to Brazilian Portuguese. *Braz Dent J* 2006;17(4):328-35.
14. Bennett MI. Effectiveness of antiepileptic or antidepressant drugs when added to opioids for cancer pain: systematic review. *Palliat Med* 2011 July;25(5):553-59.
15. Tofthagen CS, McMillan SC. Pain, neuropathic symptoms, and physical and mental well-being in persons with cancer. *Cancer Nurs* 2010;33(6):436-44.
16. Alsirafy SA, El-Mesidi SM, El-Sherief WA et al. Opioid needs of patients with advanced cancer and the morphine dose-limiting law in Egypt. *J Palliat Med* 2011;14(1):51-54.
17. Stephan FP, Nickel CH, Martin JS et al. Pain in the emergency department: adherence to a implemented treatment protocol. *Swiss Med Wkly* 2010;140(23-24):341-47.
18. Bashayreh A. Opioidphobia and cancer pain management. *J Pediatr Hematol Oncol* 2011 Apr.;33(1 Suppl S):60-61.
19. Meeker MA, Finnell D, Othman AK. Family caregivers and cancer pain management: a review. *J Fam Nurs* 2011;17(1):29-60.
20. World Health Organization. Cancer Pain Relief. with a guide to opioid availability. 2nd ed. Geneva; 1996.
21. World Health Organization. *Cancer pain relief. with a guide to opioid availability*. Geneva, 1986.
22. Guenin CS. *Proposta de sistematização de conduta a partir de evento adverso durante titulação da dose da ketamina oral em paciente portadora de dor crônica neuropática oncológica*. (Trabalho de conclusão de curso. Residência Médica em Dor). Rio de Janeiro: Instituto Nacional de Câncer, 2011.
23. Soyannwo AO. Cancer pain management in developin countries. IASP: *Pain Clinical Updates* 2009 Mar.;17:1-4.
24. Mercadante S. Pharmacological management of cancer pain. In: Mogil J. (Ed.). *IASP Refresher courses on pain management*. Montreal: IASP, 2010. p. 37-42.
25. Opioids in cancer pain: new considerations. IASP: Pain Clinical Updates 2010 Feb.;1-6.
26. Krause LH, Spiegel P. Utilização racional dos opióides em dor. In: Alves Neto O, Costa CMC, Siqueira JTT et al. (Eds.). *Dor. Princípios e prática*. Porto Alegre: Artmed, 2009. p. 1084-100.
27. Hettenbach A, Wiest W, Hartung HJ. Peridural morphine analgesia for the control of tumor-induced pain in gynecologic cancer patients. *Geburtshilf Frauenheilkd* 1984;44(8):503-5.
28. Juver JPS, Verçosa NF, Barrucand L et al. Uso da metadona no tratamento da dor neuropática não oncológica. Relato de casos. *Rev Bras Anestesiol* 2005;55(4):450-59.
29. Jost L, Roila F. Management of cancer pain: ESMO clinical practice guidelines. *Ann Oncol* 2010;21(5 Suppl):257-60.
30. Pigni A, Brunelli C, Gibbins J et al. European Guidelines on the use of opioids for cancer pain: a systematic review and Expert Consensus Study. *Minerva Anestesiol* 2010;76(10):833-43.
31. National comprehensive cancer network. Adult cancer pain: clinical practice guidelines on oncology. *JNCCN* 2010;8(9):1046-86.
32. Olkkola KT, Hagelberg NM. Oxycodone: new old' drug. *Curr Opin Anaesthesiol* 2009;22:1-4.
33. Skaer TL. Transdermal opioids for cancer pain. Heathand quality of life outcomes. 2006;4:24-32.
34. Cachia E, Ahmedzai SH. Transdermal opioids for cancer pain. *Curr Opin Support Palliat Care* 2011;5(1):15-19.
35. Kanamori C, Kanamori T, Tanaka Y et al. Three-cycle fentanyl patch system contributes to stable control of plasma fentanyl concentration in gynecologic cancer pain patients. *Taiwan J Obstet Gynecol* 2011;50(1):79-84.
36. Cruccu G, Sommer C, Anand P et al. EFNS guidelines on neuropathic pain assessment: revised 2009. *Eur J Neurol* 2010 Aug.;17(8):1010-18.
37. Finnerup NB, Otto M, McQuay HJ et al. Algorithm for neuropathic pain treatment: an evidence based proposal. *Pain* 2005;118:189-305.
38. Dy SM. Evidence-based approaches to pain in advanced câncer. *Cancer J* 2010;16(5):500-6.
39. Durand JP, Deplanque G, Montheil V et al. Efficacy of venlafaxine for the prevention and relief of oxaliplatin-induced acute neurotoxicity: results of EFFOX, a randomized, double-blind, placebo-controlled phase III trial. *Ann Oncol* 2012 Jan.;23(1):200-5.
40. Hartrick CT, Rozek RJ. Tapentadol in pain management: a μ-opioid receptor agonist and noradrenaline reuptake inhibitor. *CNS Drugs* 2011;25(5):359-70.
41. Blonk MI, Koder BG, Van Den Bemt PMLA et al. Use of oral ketamine in chronic pain management: a review. *Eur J Pain* 2010;14(5):466-72.
42. Juver JPS, Verçosa NF. Depressão em pacientes com dor no câncer avançado. *Rev Bras Anestesiol* 2008;58(3):287-98.

CAPÍTULO 184

Paliação em Doença Avançada de Colo Uterino

Rodrigo Eboli da Costa

INTRODUÇÃO AOS CUIDADOS PALIATIVOS

Nas últimas décadas, temos presenciado a grandes avanços na medicina em busca de melhores condutas terapêuticas, ocasionando que, muitas doenças, antes mortais, transformassem-se em doenças crônicas, conferindo aos seus portadores maior sobrevida. Entretanto, apesar destes avanços, a morte continua sendo algo inevitável, indo de encontro à idealização de grande parte dos profissionais de saúde.

Entretanto, muitos pacientes ainda não conseguem um controle adequado de suas doenças, sendo taxados de "fora de possibilidade terapêutica". Somando-se a esse fato, a formação dos profissionais de saúde voltada para uma obstinação curativa acaba por levar a esses pacientes uma assistência inadequada, quase sempre focada na tentativa de recuperação, utilizando métodos invasivos e de alta tecnologia. O resultado final é um número cada vez maior de pacientes sofrendo, ao final de sua vida, por consequência tanto de sua doença, quanto da própria terapêutica.[1]

Para promover uma abordagem mais adequada à real necessidade destes pacientes, desenvolveu-se a ideia dos cuidados paliativos modernos, capitaneado pela Dra. Cicely Saunders. Segundo definição da OMS, cuidados paliativos seriam "**uma abordagem que promove a qualidade de vida de pacientes e seus familiares, que enfrentam doenças que ameaçam a continuidade da vida, por meio da prevenção e do alívio de sofrimento. Requer identificação precoce, avaliação e tratamento da dor e outros problemas de natureza física, psicossocial e espiritual**".[2]

Para alcançar os objetivos acima, devemos nos ater a alguns princípios que irão reger os nossos atos como profissionais de saúde:

1. Promover o alívio da dor e de outros sintomas desagradáveis.
2. Afirmar a vida e considerar a morte um processo normal da vida.
3. Não acelerar nem adiar a morte.
4. Integrar os aspectos psicológicos e espirituais no cuidado ao paciente.
5. Oferecer abordagem multiprofissional para focar as necessidades dos pacientes e seus familiares, incluindo o acompanhamento no luto.
6. Melhorar a qualidade de vida e influenciar positivamente o curso da doença.
7. Iniciar o mais precocemente possível os cuidados paliativos, juntamente com outras medidas de prolongamento da vida, como quimioterapia e radioterapia, e incluir todas as investigações necessárias para compreender e controlar melhor as situações clínicas estressantes.

Por último, neste conceito moderno de cuidados paliativos, entende-se que a progressão da doença, a partir do seu diagnóstico, segue um processo que, em um primeiro momento, a terapêutica curativa tem fundamental importância. À medida, porém, que a doença vai progredindo a despeito de todos os esforços, essa terapêutica vai perdendo espaço. No modelo clássico, seguindo essa lógica, os cuidados paliativos são iniciados de forma abrupta, causando, inevitavelmente, impacto negativo na qualidade de vida deste paciente. O conceito atual de cuidados paliativos seria, então, empregar ações paliativas mais precocemente no curso da doença – se possível, no momento do diagnóstico –, ganhando destaque à medida que as medidas curativas vão mostrando-se ineficazes.

Por tudo isso, concluímos que os cuidados paliativos podem – e devem – ser realizados por todos os profissionais de saúde o mais precocemente possível no curso da doença. Entretanto, para que esse profissional seja capaz de promover um impacto positivo na qualidade de vida deste paciente, ele deve ter conhecimento da forma como a doença daquele paciente pode evoluir, antecipando-se ao surgimento de sintomas desagradáveis e, em último caso, a controle precoce dos mesmos.

O CÂNCER DE COLO UTERINO

O câncer de colo uterino é a terceira neoplasia mais comum entre as mulheres, com uma estimativa de 529 mil novos casos em 2008 no mundo. Mais de 85% destes, e mais de 50% do total de óbitos, ocorrem em países em desenvolvimento.[3] Em se tratando de mortalidade, a situação é ainda mais crítica, sendo esse câncer o principal causador de mortes entre as mulheres de países desenvolvidos.[4] Vários são os fatores que influenciam para essa elevada mortalidade, sendo o estadiamento tardio, na qual as pacientes são diagnosticadas, um dos principais. Em um estudo, envolvendo diversos hospitais e serviços vinculados a um Centro de Alta Complexidade em Oncologia (CACON), ficou demonstrado que cerca de 45% das pacientes já se apresentam em estágios avançados (III e IV) no momento do seu diagnóstico.[4]

A consequência direta deste diagnóstico mais tardio é que as terapias ditas curativas acabam não surtindo os efeitos desejáveis e boa parte destas pacientes acaba por apresentar uma progressão de sua doença, resultando em uma maior prevalência de sintomas desagradáveis, passando a ser candidatas a acompanhamento com cuidados paliativos. Dos pacientes encaminhados para acompanhamento exclusivo na Unidade de Cuidados Paliativos do Instituto Nacional de Câncer (INCA), 8% são portadoras de câncer de colo uterino, fazendo essa enfermidade a quinta mais prevalente entre os pacientes encaminhados para esse serviço.[5]

Por essas razões, é de suma importância ao profissional de saúde que lida com pacientes portadoras de câncer de colo uterino ter conhecimentos a respeito da evolução desta paciente, de suas consequências clínicas e de possíveis abordagens paliativas, a fim de auxiliar essas pacientes a ter uma melhor qualidade de vida.

CURSO NATURAL DA DOENÇA

Assim como qualquer neoplasia maligna, o câncer de colo uterino possui capacidade de progressão local – através das estruturas adjacentes – assim como disseminação à distância. Por sua localização e relação anatômica, o câncer de colo uterino, mesmo nos estágios relativamente precoces (EcII) já chega a acometer os paramétrios. A invasão parametrial é um importante marco, já que a porção distal do ureter atravessa essa estrutura, lateralmente ao útero e o seu acometimento leva a hidronefrose (EcIII). Seguindo a sua progressão, o câncer de colo uterino pode invadir a mucosa vesical e/ou retal, facilitando o surgimento de fístulas destas estruturas com a vagina (EcIVA). Por último, o câncer pode desenvolver metástases a distância (EcIVB), sendo os focos mais comuns os pulmões, fígado e ossos.[5-7]

Além da própria evolução da doença, devemos também nos atentar aos efeitos colaterais relacionados aos tratamentos curativos que podem ser empregados neste grupo de pacientes. A radioterapia, principalmente a braquiterapia, aumenta em muito o risco de formação de fístulas (vésico ou retovaginais), principalmente naquelas pacientes que já se apresentavam com algum grau de invasão destas estruturas. Além disso, a radioterapia pode causar uma fibrose tamanha no paramétrio já acometido pela doença que, mesmo curada, a paciente pode vir a sofrer de hidronefrose, secundária à estenose no trecho do ureter que passa por esse ligamento. Algo semelhante pode ocorrer nas pacientes submetidas a cirurgias mais extensas (histerectomia tipo III ou Wertheim Meigs) por retrações cicatriciais das estruturas envolvidas.

ANALGESIA

A Associação Internacional para o Estudo da Dor (IASP) define dor como "uma experiência sensorial e emocional desagradável que primariamente associamos a lesão tecidual ou a descrevemos em termos desta lesão ou ambos".[8] A dor relacionada ao câncer é um fenômeno complexo, multidimensional, composto por componentes sensoriais, afetivos, cognitivos e comportamentais.[9]

O manejo da dor no paciente oncológico é um desafio para toda a equipe assistente. Primeiro, lembrando o conceito de *dor total*, pelo qual se admite que uma pessoa sofra não apenas pelos danos físicos decorrentes de sua doença, mas também pelas consequências emocionais, sociais e espirituais, vemos que um correto manejo da dor requer uma abordagem multidisciplinar.[10] Segundo, que se nos atentarmos apenas à dimensão física, podemos perceber que a dor oncológica possui diversas causas (infiltração óssea, compressão de nervos periféricos, infiltração visceral), sendo que essas diferentes causas podem coexistir em um mesmo paciente.

Para o tratamento farmacológico da dor, a princípio, temos muitas opções terapêuticas. Infelizmente, pelo grande número de opções, é comum o uso inadequado destes medicamentos, fazendo associações equivocadas e, com isso, não conseguindo um adequado controle da dor. Por conta desta dificuldade, foi elaborada por especialistas da OMS uma esquematização do uso racional de analgésicos (opioides e não opioides). Conhecida como *escada analgésica*, essa esquematização, de forma simples, preconiza que para dores leves, recomenda-se o uso de analgésicos não opioides (AINES) (Fig. 1). Para dores moderadas, ou não responsivas ao analgésico não opioide, recomenda-se a associação de um opioide fraco (tramadol ou codeína, por exemplo) com o AINES. Para dores mais fortes, ou refratárias a associação anterior, substituíra-se o opioide fraco por um forte (morfina, metadona ou fentanil), sempre em associação ao analgésico não opioide. Em todas as etapas, a utilização de drogas adjuvantes deve ser considerada, avaliando-se as especificidades daquele caso. O uso destes adjuvantes e dos analgésicos não opioides faz sentido por ter a capacidade de reduzir a dose total de opioides utilizados para um controle adequado da dor.

Os opioides podem ser classificados de acordo com sua potência e sua consequente ação no receptor opioide. A maioria das drogas de uso clínico é predominantemente de agonistas *mu*. Algumas drogas, como a nalbufina, são opioides agonistas-antagonistas, ou seja, são ao mesmo tempo agonistas parciais dos receptores *kapa* e antagonistas dos receptores *mu*. Por razões óbvias, esse grupo de medicamentos não deve ser prescrito em pacientes portadores de dor crônica e usuários de outros opioides.[10-12]

No caso dos pacientes portadores de dor crônica, como é o caso dos pacientes oncológicos, deve-se manter um nível estável do analgésico durante todo o dia. Para isso, deve-se ter conhecimento a respeito do tempo de duração do efeito analgésico da droga escolhida (Quadro 1).

Quadro 1. Características dos principais opioides de uso oral

DROGA	POTÊNCIA	INTERVALO ENTRE AS DOSES	DOSE MÁXIMA DIÁRIA
Codeína	Opioide fraco	4 horas	720 mg
Tramadol	Opioide fraco	6 horas	400 mg
Morfina	Opioide forte	4 horas	Sem dose teto
Metadona	Opioide forte	8-12 horas	Sem dose teto

Nos casos em que há associação dos opioides com outros analgésicos, deve-se respeitar a dose diária máxima destes.

O uso de resgates, ou seja, a utilização de doses extras do analgésico opioide para o controle de uma exacerbação aguda da dor, deve ser considerado como uma exceção e, se frequente, devem servir de base para calcularmos o aumento da dose diária.

O manejo da analgesia em pacientes com câncer de colo uterino deve levar em consideração que o padrão da dor neste grupo de paciente tem um importante componente neuropático, por conta da compressão extrínseca – ou mesmo infiltração – do plexo sacral, além do componente relacionado à infiltração visceral. Portanto, neste grupo de pacientes, a multimodalidade tem significativa importância.

Por conta deste componente neuropático, o uso de adjuvantes neste grupo de pacientes é fortemente recomendado, especialmente aqueles com ação nas dores neuropáticas. Neste grupo de medicamentos incluímos desde anticonvulsivantes, como carbamazepina e gabapentina, até antidepressivos, como a amitriptilina e a nortriptilina. Entre os opioides, o tramadol e a metadona são drogas que possuem características específicas que denotam alguma eficácia no alívio das dores neuropáticas.

Precaução especial deve ser dada a morfina nas pacientes com insuficiência renal. Ao sofrer metabolização hepática,[13] dá origem a metabólitos secundários, em especial a morfina-6-glucorido (M6G), também um agonista opioide.[14] A questão é que ambos têm excreção urinária, o que leva ao acúmulo nas pacientes com insuficiência renal. Portanto, nas pacientes portadoras de câncer de colo uterino e que fazem uso de morfina, atenção redobrada deve ser dada a função renal, tendo em vista que a hidronefrose é uma complicação frequente neste grupo de pacientes.

OBSTRUÇÃO URINÁRIA

A obstrução ureteral é uma complicação comum nas pacientes portadoras de câncer de colo uterino, principalmente naquelas com doença mais avançada. As relações anatômicas do ureter e do colo uterino, assim como de outras estruturas com o paramétrio e o trígono da bexiga, favorecem essa compressão extrínseca. Sendo assim, é obrigação do médico-assistente estar atento a essa situação ao longo de todo o acompanhamento de sua paciente, com vistas a antecipar-se a essa complicação e, se não possível, tratar o mais rápido possível.

A suspeição clínica desta condição não é fácil de ser realizada, tendo em vista que, salvo nos casos de evolução aguda, a obstrução extrínseca é geralmente assintomática nas fases iniciais. Nas fases mais avançadas, entretanto, os sintomas relacionados à uremia, como letargia, náuseas e vômitos e, por fim, sonolência, vão surgindo.[15]

O diagnóstico da hidronefrose é realizado por exames de imagem que demonstrem a dilatação dos sistemas coletores. Além da dilatação em si, os exames de imagem permitem definir o grau de dilatação, o local provável da obstrução além de oferecerem informações a respeito da viabilidade do córtex renal, ou seja, da capacidade deste rim promover uma adequada filtração.[16]

De posse destas informações, cabe ao médico tomar a decisão de realizar ou não algum procedimento de drenagem. A simples presença de hidronefrose já denota uma doença oncológica avançada com uma sobrevida estimada relativamente curta, em torno de 6 meses.[17] Sendo assim, a decisão de realizar algum procedimento descompressivo deve levar em consideração, além da sobrevida, a qualidade de vida. Procedimentos descompressivos – como nefrostomia percutânea ou colocação de *stent* ureteral – ao mesmo tempo em que possibilitam a reversão da insuficiência renal e dos sintomas relacionados a ela, podem também criar novas situações que reduzem a qualidade de vida das pacientes,

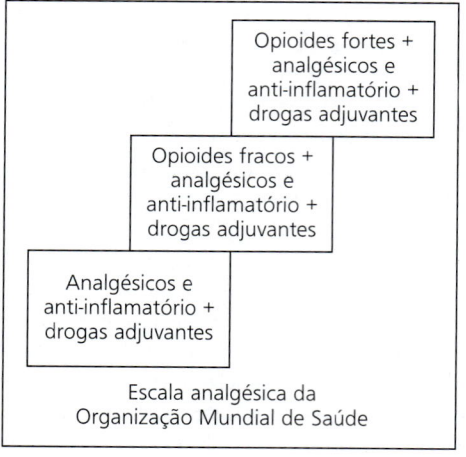

◀ **FIGURA 1.** Escala analgésica da **Organização Mundial de Saúde.**

como extravasamento de urina ao redor do óstio da nefrostomia, odor desagradável, múltiplos episódios de infecção urinária e necessidade de repetição destes procedimentos, por conta de deslocamentos do catéter, por exemplo, ocasionando mais morbidade e impacto negativo da qualidade de vida,[17] por conta de situações como múltiplos episódios de infecção urinária, além do forte odor de urina, o que pode resultar em estigma social para a paciente.

A tomada desta decisão (realizar ou não algum destes procedimentos descompressivos) deve basear-se em dados clínicos objetivos que permitam ao médico prognosticar adequadamente cada paciente e, a partir disso, considerar os potenciais riscos e benefícios em submeter seu paciente a tal procedimento. Diversos fatores de risco para um desfecho desfavorável já são conhecidos, servindo assim como auxílio à equipe para avaliar se a relação risco × benefício é favorável ou não à realização de algum procedimento descompressivo. Fatores com hipoalbuminemia (albumina sérica menor que 3 g/dL), maior número de diferentes sítios de metástases (três ou mais sítios) e pior grau da hidronefrose (pelve dilatada, com ou sem afilamento do córtex renal) são dados marcantes que devem ser considerados. Por exemplo, quando comparado o grupo sem nenhum dos fatores de risco com o grupo com os três fatores de risco presentes, mesmo com uma nefrostomia adequadamente funcionante e retorno da função renal, a taxa de sobrevida de 96% em 1 mês cai para 66%, assim como a sobrevida em 6 meses cai de 69% para apenas 2%.[18]

Outro fator relacionado ao pior prognóstico em pacientes portadoras de câncer de colo uterino e hidronefrose é um pior *performance status* (PS), sendo que pacientes com PS de 4 (completamente incapacitado, não conseguindo exercer qualquer autocuidado. Totalmente confinado à cama ou cadeira) apresentam sobrevida de apenas 1 semana após o procedimento descompressivo.[19]

Tomada a decisão de se tentar uma medida descompreensiva, o próximo passo é escolher entre a colocação de um *stent* ureteral ou a realização de uma nefrostomia percutânea. O primeiro seria, a princípio, um método menos invasivo. Para tal procedimento, é necessário submeter a paciente a uma cistoscopia, a fim de se identificar o(s) óstio(s) do(s) ureter(es) afetados a fim de cateterizá-los.[15]

Habitualmente, espera-se uma anatomia do trígono da bexiga bastante distorcido por conta da compressão extrínseca ou mesmo de uma possível infiltração. Nestes casos, pode ser virtualmente impossível identificar os óstios[20] e, com isso, faz-se necessário optar por outra técnica descompressiva. Entretanto, a eficácia desta técnica, mesmo com uma colocação adequada do *stent*, é relativamente baixa. Há estudos que demonstram uma eficácia de apenas 15-21% em pacientes portadoras de câncer de colo uterino,[21,22] apesar de uma correta colocação do catéter. As causas para essa pequena taxa de sucesso ainda não estão totalmente esclarecidas, porém há evidências de que compressões extrínsecas nos ureteres podem resultar em disfunção da musculatura lisa e, por conta disso, um prejuízo no peristaltismo ureteral, levando a fluxo diminuído de urina, mesmo com um *stent* corretamente posicionado.[23]

Já a realização de nefrostomia percutânea requer todo um aparato cirúrgico que pode dificultar sua realização em determinados serviços. Por se tratar de um procedimento mais invasivo, é necessário que as condições clínicas do paciente favoreçam a realização de tal procedimento, como ausência de discrasias sanguíneas, além de cuidados típicos, como administração de antibióticos profiláticos e analgesia adequada.[15] A técnica consiste na identificação, por meio de exames de imagem (ultrassonografia ou tomografia computadorizada), de um sítio do sistema coletor suficientemente dilatado para, então, introduzir um catéter através da pele até o local desejado. É possível, neste ponto, associar a tal procedimento a passagem anterógrada de um *stent* através do sítio de obstrução.[17] A nefrostomia, por não necessitar de um peristaltismo ureteral adequado, apresenta uma taxa de sucesso maior, quando comparada com a colocação isolada de um *stent* ureteral.

Como o objetivo primordial da descompressão urinária nas pacientes portadoras de câncer de colo uterino avançado é uma melhora na qualidade de vida, é natural que tal análise deva ser levada em consideração no momento da escolha entre os diferentes métodos. Apesar de um estudo não mostrar diferença estatística no impacto da qualidade de vida entre os dois diferentes métodos,[24] há diferenças marcantes nas complicações entre os diferentes métodos. Por exemplo, pacientes em uso de *stents*, são mais propensos a infecções urinárias de repetição[25] e referem maior desconforto físico, principalmente relacionado às atividades de vida diária.[26] Em contrapartida, o uso da nefrostomia percutânea relaciona-se a um número maior de reinternações[27] e em maior tempo total de internação, chegando a cerca de 25% do tempo de sobrevida gastos em internação hospitalares.[28]

SANGRAMENTO

Apesar da baixa mortalidade, a existência de sangramento genital é um dos sintomas mais prevalentes entre as pacientes com câncer de colo uterino, levando a uma grande demanda de atenção por parte dos profissionais de saúde,[29] além de ser um sintoma que gera grande inquietação e preocupação entre os pacientes e seus familiares.

Em situações de câncer avançado em que há maior probabilidade de sangramentos de maior monta, o que pode gerar maior risco à integridade física e psicológica destas pacientes, medidas de suporte devem ser tomadas o mais precocemente possível.

Os fatores que levam a essa maior probabilidade de sangramento nas pacientes com câncer de colo uterino avançado são diversas e, de modo geral, assemelham-se aos fatores de sangramento dos demais pacientes oncológicos. Pela própria natureza do câncer, há intensa neovascularização na região do tumor, porém de forma caótica e com ausência das estruturas normais dos vasos saudáveis e dos fatores necessários para uma hemostasia normal. Então, por conta desta neovascularização anormal, os vasos são facilmente rompidos, muitas vezes até mesmo sem causa aparente.

Sempre que possível, é recomendado que se faça um correto diagnóstico do ponto de sangramento. Em alguns casos, a origem do sangramento pode não ser o próprio colo uterino, levando a erros na conduta e no atraso no controle do sangramento por um diagnóstico de presunção. O toque vaginal e o exame especular são indispensáveis para se confirmar a origem tumoral do sangramento e, além disso, já possibilitam uma medida de controle por meio do tamponamento vaginal.

O tamponamento vaginal é a primeira medida a ser empregada nos casos de sangramento vaginal secundário a um câncer de colo uterino.[30] A técnica resume-se à colocação de um tampão vaginal diretamente localizado sobre o sítio de sangramento. Espera-se que a pressão exercida do tampão sobre a lesão tumoral auxilie na hemostasia, ao estancar a hemorragia e, assim, permitir que os fatores de coagulação ajam na produção de coágulos.

O uso de fibrolíticos é outra medida usualmente empregada nestes casos, geralmente em associação ao uso do tamponamento vaginal. Os ácidos aminocaproico e tranexâmico são lisinas análogas da classe dos antifibrinolíticos. Eles têm a capacidade de se ligarem ao plasminogênio, inibindo assim sua ativação, o que resulta no bloqueio na produção fibrina. Desta forma, há inibição do processo de lise dos coágulos. O ácido tranexâmico é cerca de 10 vezes mais potente que o ácido aminocaproico *in vitro*, além de possuir maior tempo de atividade nos tecidos e menor incidência de efeitos colaterais, como náuseas, vômitos e, mais raramente, eventos trombóticos.[31] Ambos são disponíveis nas apresentações oral e parenteral. A dose sugerida para o uso parenteral do ácido tranexâmico é de 10 mg/kg de 3 a 4 vezes ao dia. Já com relação ao ácido aminocaproico, a dose para uso parenteral sugerida é de 4-5 g durante a primeira hora e, então, 1 g/hora durante 8 horas ou até decorrente do controle do sangramento.[32]

O uso da radioterapia paliativa é outro método eficaz no controle de hemorragias tumorais do colo uterino. A taxa de sucesso no controle do sangramento chega a alcançar os 100%, porém a chance de novos episódios também é grande, chegando a alcançar a taxa de 85% em um período de 24 meses, o que configura a hemorragia cervical no colo uterino um sinal de mau prognóstico e difícil controle.[33] Deve-se, também, levar em consideração os esquemas terapêuticos anteriormente empregados. Uma grande parte das pacientes com tumores de colo avançado é ou já foi submetida a uma associação de radioterapia, quimioterapia e braquiterapia com o intuito curativo. Sendo assim, é necessário conhecer a evolução da paciente e definir individualmente cada plano terapêutico, a fim de se evitar um uso excessivo da radioterapia que, além de não possuir efeito benéfico, pode resultar em complicações, como cistite e retite actínica e formação de fístulas.

FÍSTULAS

Outro problema muito comum nas pacientes portadoras de câncer de colo uterino avançado é a formação de fístulas, tanto secundárias à própria evolução da doença oncológica, por invasão direta das paredes do reto e da bexiga pelo tumor, quanto necrose resultante do tratamento curativo.

A chance de uma paciente portadora de câncer de colo uterino avançado desenvolver fístulas vesicovaginal ou retovaginal, é bastante elevada. Cerca de 25-50% das pacientes estadiadas como EIVA (invasão da mucosa vesical ou retal sem metástases a distância) acabam desenvolvendo fístulas ao longo da evolução da doença.[34,35]

A presença de fístula, seja qual for a natureza desta, promove uma elevada angústia social e psicológica, além de promover desconforto físico, por conta da irritação da mucosa vaginal pela urina ou fezes eliminadas. Odor fétido é comumente associado a essa complicação, tanto pela necrose tecidual que gerou a fístula, quanto pela incontinência gerada pela fístula.[36]

A suspeição clínica destas entidades ocorre, geralmente, por incontinência fecal ou urinária neste grupo específico de pacientes. Ao exame físico, nota-se que a incontinência, na verdade, trata-se de saída de fezes ou urina pela vagina. A identificação especular, muitas vezes, é dificultada pela grande quantidade de necrose, além da deformidade causada tanto pela doença quanto pelo tratamento. Em relação aos exames de imagem, muitas são as opções disponíveis para confirmar o diagnóstico da fístula, além de definir com certa precisão o trajeto da mesma e as estruturas envolvidas. Essas informações são úteis para se definir o plano terapêutico empregado.[36]

Tentar definir a natureza da formação é imprescindível para se estabelecer um plano terapêutico. Apesar da dificuldade, fístulas secundárias ao próprio tratamento, em razão de necrose do tumor, seriam factíveis de serem corrigidas cirurgicamente. Ao contrário, as fístulas secundárias à evolução local do câncer não têm indicação de serem corrigidas, já que a causa primária, no caso, o próprio câncer, ainda não foi controlada.

A derivação do trânsito das estruturas envolvidas nas fístulas é, provavelmente, a única alternativa para as pacientes com câncer de colo avançado. No caso das fístulas retovaginais, a confecção de uma colostomia resultaria no desvio do trânsito intestinal antes do óstio fistuloso, levando à queda acentuada no débito. É importante ressaltar que, nestes casos, antes da realização da colostomia, é conveniente estudar detalhadamente o trânsito intestinal desta paciente através de algum exame de imagem (tomografia computadorizada ou, em último caso, clister opaco) a fim de se excluir a possibilidade de uma fístula ser enterovaginal, além poder definir o ponto mais adequado do cólon para a confecção da colostomia. Como estamos falando de uma paciente com mau prognóstico, provavelmente essa colostomia será definitiva, sendo assim, mais indicada a realização de uma colostomia terminal, o que levaria a um menor risco de prolapso no futuro. Em pacientes com situação clínica mais deteriorada, a colostomia em alça pode ser mais bem indicada.

Já nas fístulas vesicovaginais, o desafio é ainda maior. Assim como nos casos das fístulas retovaginais, é mandatória a realização de exames de imagem que confirmem a presença da fístula e, além disso, definam o trajeto fistuloso e as estruturas envolvidas na fístula. Nos casos das fístulas vesicovaginais, tal definição é importante para distinguirmos os casos que, na verdade, são fístulas ureterovaginais.

Mesmo nos casos de fístulas de origem benigna, a taxa de insucesso da abordagem cirúrgica é bastante elevada, por volta de 35%.[37] Nos casos de fístulas vesicais, estaria indicada a realização de nefrostomia percutânea bilateral. Esse procedimento, por si só, usualmente é capaz de reduzir significativamente o débito pela fístula, principalmente naquelas com débito mais baixo. Nos casos de débitos mais elevados, provavelmente a técnica isolada não terá o resultado esperado, sendo necessária a associação desta com a obstrução ureteral bilateral.

Nos casos de fístulas ureterovaginais, a abordagem inicial pode ser apenas a colocação de um *stent* no ureter acometido, o que permitiria uma redução significativa no débito fistuloso. Nos casos refratários, pode ser necessária a realização de uma nefrostomia ipsilateral com ou sem a obstrução ureteral acima do ponto fistuloso. É notório que o uso associado de nefrostomia com obstrução ureteral resultaria em uma maior taxa de sucesso, porém, em casos selecionados, a simples descompressão levaria a um adequado controle do débito fistuloso.[38]

REFERÊNCIAS BIBLIOGRÁFICAS

1. Matsumoto DY. Cuidados Paliativos: conceito, fundamentos e princípios. In: ANCP. *Manual de cuidados paliativos*. Rio de Janeiro: Diagraphic, 2009. p. 14-19
2. Council of Europe. Recommendation Rec (2003) 24 of the Committee of Ministers to member states on the organisation of palliative care. Adopted by the Committee of Ministers on 12 November 2003 at the 860th meeting of the Ministers' Deputies.
3. Thuler LCS, Mendonca GA. Estadiamento inicial dos casos de câncer de mama e colo do útero em mulheres brasileiras. *Rev Bras Ginecol Obstet* 2005;27(11):656-60.
4. Thuler LCS. Mortalidade por câncer do colo do útero no Brasil. *Rev Bras Ginecol Obstet* 2008;30(5):216-18.
5. Naylor C. (Ed.). *Indicadores da unidade de cuidados paliativos: hospital do câncer IV do Instituto Nacional de Câncer/MS.*/Instituto Nacional de Câncer. Rio de Janeiro: INCA, 2009.
6. Benedet JL, Pecorelli S. (Eds.). *Staging classifications and clinical practice guidelines for gynaecologic cancer.* FIGO, 2002.
7. DeVita VT, Hellman S, Rosenberg AS. *Cancer principles and practice of oncology.* 8a ed. Philadelphia: Lippincott, Willians & Wilkins, 2008.
8. International Association for the Study of Pain. IASP pain terminology. Acesso em: 9 Nov. 2004. Disponível em: URL: http://www.iasp-pain.org/terms-p.html#Pain
9. Boström B, Hinic H, Lundberg D et al. Pain and health-related quality of life among cancer patients in final stage of life: a comparison between two palliative care teams. *J Nurs Manag* 2003;11:189-96.
10. Maciel MGS. *A dor crônica no contexto dos cuidados paliativos*. Prática hospitalar (Impresso) 2004;VI:38-43.
11. Melo ITV, Pinto Filho WA. Dor no câncer. In: Alves Neto O, Castro Costa CM, Siqueira JTT *et al. Dor: princípios e prática*. Porto Alegre: Artmed, 2009.
12. Barros GAM, Ferris FD. Analgésicos opióides sistêmicos. In: Alves Neto O, Castro Costa CM, Siqueira JTT *et al.* (Eds.). *Dor: princípios e prática*. Porto Alegre: Artmed, 2008. p. 1074-83.
13. Hennemann L, Spiegel P. Utilização racional dos opioides em dor. In: Alves Neto O *et al. Dor: principios e praticas.* Porto Alegre: Artmed, 2009. p. 1084-100, v. 1.
14. Lötsch J. Opioid metabolites. *J Pain Symptom Manage* 2005 May;29(5 Suppl):S10-24.
15. Allen DJ, Longhorn SE, Philp T et al. Choong. Percutaneous urinary drainage and ureteric stenting in malignant disease. *Clin Oncol* 2010;22:733-39.
16. Camisão CC et al. Ressonância magnética no estadiamento dos tumores de colo uterino. *Radiol Bras* 2007;40(3):207-15.
17. Kouba E, Wallen EM, Pruthi RS. Management of ureteral obstruction due to advanced malignancy: optimizing therapeutic and palliative outcomes. *J Urol* 2008 Aug.;180(2):444-50. Epub 2008 June 11.
18. Ishioka A, Kageyama Y, Inoue M et al. Prognostic model for predicting survival after palliative urinary diversion for ureteral obstruction: analysis of 140 cases. *J Urol* 2008;180:618-21.
19. Dienstmann R, da Silva Pinto C, Pereira MT et al. Palliative percutaneous nephrostomy in recurrent cervical cancer: a retrospective analysis of 50 consecutive cases. *J Pain Symptom Manage* 2008 Aug.;36(2):185-90. Epub 2008 Apr. 18.
20. Chung SY, Stein RJ, Landsittel D et al. 15-year experience with the management of extrinsic ureteral obstruction with indwelling ureteral stents. *J Urol* 2004;172:592-95.
21. Ganatra AM, Loughlin KR. The management of malignant ureteral obstruction treated with ureteral stents. *J Urol* 2005;174:2125.
22. Wong LM, Cleeve LK, Milner AD et al. Malignant ureteral obstruction: outcomes after intervention. Have things changed? *J Urol* 2007;178:178.
23. Markowitz DM, Wong KT, Laffey KJ et al. Maintaining quality of life after palliative diversion for malignant ureteral obstruction. *Urol Radiol* 1989;11:129.
24. Eyre RC, Benotti PN, Bothe A et al. Management of the urinary tract involved by recurrent cancer. *Arch Surg* 1987;122:493.
25. Ku JH, Lee SW, Jeon HG et al. Percutaneous nephrostomy versus indwelling ureteral stents in the management of extrinsic ureteral obstruction in advanced malignancies: are there differences? *Urology* 2004;64:895.
26. Du S, Araki I, Mikami Y et al. Amiloride-sensitive ion channels in urinary bladder epithelium involved in mechanosensory transduction by modulating stretch-evoked adenosine triphosphate release. *Urology* 2007;69:590.
27. Wilson JR, Urwin GH, Stower MJ. The role of percutaneous nephrostomy in malignant ureteric obstruction. *Ann R Coll Surg Engl* 2005;87:21.

28. Gasparini M, Carroll P, Stoller M. Palliative percutaneous and endoscopic urinary diversion for malignant ureteral obstruction. *Urology* 1991;38:408.
29. Pioli ER, Oliveira NM, Rezende AG. Characterization of uterine cervical carcinoma cases in the Hospital das Clínicas, Universidade Federal de Uberlândia, Minas Gerais, Brazil, from 1984 to 1988. *Cad Saúde Públ*, Rio de Janeiro, 1993;9(4):421-27.
30. Patsner B. Topical acetone for control of life-threatening vaginal hemorrhage from recurrent vaginal gynaecological cancer. *Eur J Gynaecol Oncol* 1993;14(1):33-35.
31. Dean A, Tuffin P. Fibrinolytic inhibitors for cancer-associated bleeding problems. *J Pain Symptom Manage* 1997 Jan.;13(1):20-24.
32. Pereira J, Phan T. Management of bleeding in patients with advanced cancer. *Oncologist* 2004;9(5):561-70.
33. Biswal BM, Lal P, Rath GK *et al.* Hemostatic radiotherapy in carcinoma of the uterine cervix. *Int J Gynaecol Obstet* 1995;50:281-85.
34. Pedersen D, Bentzen SM, Overgaard J. Early and late radiotherapeutic morbidity in 442 consecutive patients with locally advanced carcinoma of the uterine cervix. *Int J Radiat Oncol Biol Phys* 1994;29(5):941-52.
35. Moore KN, Gold MA, McMeekin DS *et al.* Vesicovaginal fistula formation in patients with Stage IVA cervical carcinoma. *Gynecol Oncol* 2007 Sept.;106(3):498-501. Epub 2007 June 11.
36. Mamere AE, Coelho RDS, Cecin AO *et al.* Avaliação das fístulas urogenitais por urorressonância magnética. *Radiol Bras* 2008;41(1):19-23.
37. Farrell TA, Wallace MJ, Hicks ME. Long-term results of transrenal ureteral occlusion with use of Gianturco coils and gelatin sponge pledgets. *J Vasc Intervent Radiol* 1997;8:449-52.
38. Avritscher R, Madoff DC, Ramirez PT *et al.* Fistulas of the lower urinary tract: percutaneous approaches for the management of a difficult clinical entity. *Radiographics* 2004 Oct.;24(Suppl 1):S217-36.

CAPÍTULO 185
Paliação em Doença Avançada de Ovário

André Maciel da Silva

INTRODUÇÃO

O câncer de ovário é a neoplasia maligna ginecológica com diagnóstico mais tardio. Cerca de 75% das pacientes se apresentam com doença avançada na primeira consulta. Este fato muito contribui para que a doença seja a mais letal entre os tumores ginecológicos. Além disso, muitas pacientes sem possibilidades terapêuticas curativas serão submetidas aos cuidados paliativos, e neste cenário o médico-assistente poderá fazer uso de vários procedimentos invasivos no intuito de oferecer melhor qualidade de vida.

Na paliação do câncer de ovário, duas situações clínicas merecem destaque: a ascite e a obstrução intestinal. A identificação precoce destas manifestações e seu manejo correto serão cruciais na terminalidade da vida das pacientes com neoplasia maligna de ovário.

ASCITE

A ascite maligna é definida como o acúmulo anormal de fluido na cavidade peritoneal secundário a um câncer.[1] Alguns autores relatam incidência de ascite em cerca de 50% já no diagnóstico da doença.[2,3] É uma manifestação clínica relativamente comum em pacientes com câncer de ovário, sendo este o sítio primário mais associado à ascite.[4] Em uma série retrospectiva em que foram avaliados pacientes com neoplasia maligna e ascite, os tumores ovarianos corresponderam a mais de 25% dos casos e apresentaram melhor prognóstico (sobrevida média de 2 anos) do que as neoplasias gastrointestinais (sobrevida média de 2,5 meses).[5]

A terapia citotóxica corresponde ao tratamento mais duradouro da ascite. Quando a paciente se torna refratária à quimioterapia, lançamos mão de terapias medicamentosas e invasivas para o controle de sintomas.

Em uma revisão sistemática da literatura, Becker et al. avaliaram o benefício do uso de diuréticos, das paracenteses de repetição e da realização de shunts peritoniovenosos no manejo da ascite maligna.[1] A inexistência de estudos prospectivos e randomizados dificulta uma conclusão com forte evidência estatística. Os diuréticos, de larga aplicação em pacientes cirróticos, parecem mostrar benefício em pacientes oncológicos com tumores primários do fígado ou com metástases hepáticas maciças que levem ao aumento de pressão no sistema portal (situação esta raríssima em pacientes com câncer de ovário). A rara experiência com shunts em pacientes com câncer e o considerável risco de complicações tornam este método um procedimento de exceção em pacientes oncológicos. As paracenteses de repetição são indicadas em pacientes com sintomas decorrentes do aumento da pressão intra-abdominal. A retirada de líquido em torno de 5 L propicia alívio sintomático sem necessidade de reposição volêmica.

Em um estudo prospectivo incluindo 35 pacientes com neoplasia maligna de ovário,[6] Gotlieb et al. avaliaram a pressão intraperitoneal antes e após a paracentese através da agulha de Veres. Os valores pressóricos sofreram uma queda de 30 +/- 7 cm H_2O para 13 +/- 6 cm H_2O após a paracentese. Houve melhora sintomática em todas as pacientes (remissão completa dos sintomas em 89% dos casos). Foram retirados em média 4,8 L de líquido ascítico. Não ocorreram sinais de hipovolemia após o procedimento.

Vários estudos avaliaram a instalação intraperitoneal de catéteres semi-implantados de longa permanência (catéteres de diálise peritoneal e de drenagem pleural) como alternativa às paracenteses de repetição. Algumas séries de casos que variaram de três a 30 pacientes mostraram tempo médio de funcionamento do catéter de 37 a 70 dias. As principais complicações que levam à retirada do catéter foram obstrução e infecção.[7-13] Brooks e Herzog relataram um caso de uma paciente com 58 anos de idade em estágio IV de câncer de ovário cuja ascite foi paliada com uso de catéter de drenagem pleural do tipo Pleurex®.[14] Durante 18 meses de utilização do catéter (maior período já descrito na literatura) houve apenas um episódio de infecção tratado com antibioticoterapia intravenosa.

Com base no fato de que o fator de crescimento endotelial vascular (VEGF) exerce um papel crucial na angiogênese e no aumento da permeabilidade capilar, ambos determinantes na formação da ascite, Hamilton et al. realizaram a instilação intraperitoneal de bevacizumab (5 mg/kg) em uma paciente de 88 anos com câncer de ovário e ascite maligna.[15] Inicialmente houve bom controle de sintomas por 24 dias, quando então realizou-se novo procedimento por recidiva dos sintomas. Dezesseis dias após a segunda dose, a paciente faleceu em casa, sem relato de desconforto relacionado à ascite durante o período de cuidados ao fim da vida. Há relatos na literatura da administração de hipertermoquimioterapia por via laparoscópica em pacientes com ascite maligna de difícil controle.[16,17] No entanto, tratam-se de pequenas séries de casos com grupos heterogêneos de pacientes, cujos resultados merecem ser interpretados com cautela.

Até o momento, as paracenteses de repetição parecem conferir os melhores resultados na paliação da ascite maligna nas pacientes com câncer de ovário. O desenvolvimento dos catéteres semi-implantados (com menores taxas de infecção e obstrução) e da terapia medicamentosa intraperitoneal poderá propiciar uma qualidade de vida ainda melhor no controle de sintomas das pacientes fora de possibilidades curativas.

OBSTRUÇÃO INTESTINAL

A obstrução intestinal maligna (OIM) é a principal complicação em pacientes com câncer de ovário, sendo também a primeira causa de óbito.[18] Considerando todas as neoplasias malignas, os tumores ovarianos são os que apresentam OIM com maior frequência, variando de 5,5 a 42% dos casos, enquanto temos uma frequência de 4,4 a 24% nos tumores colorretais.[19] Embora possa desenvolver-se em qualquer estágio da doença, a OIM apresenta-se normalmente em estágios avançados.

A investigação diagnóstica da OIM exige história clínica e exame físico minuciosos e exames de imagem cuidadosamente realizados e analisados. Rauh-Hain et al. avaliaram o papel da tomografia computadorizada (TC) e de características clínicas das pacientes na predição da evolução da OIM.[20] Neste estudo com 55 pacientes, a ausência de carcinomatose peritoneal à TC e a albumina sérica ≥ 3 g/dL foram fatores que indicaram sucesso na paliação da obstrução (capacidade de tolerar dieta com poucos resíduos por 60 dias ou mais após alta hospitalar).

Uma vez esgotados todos os tratamentos antineoplásicos específicos, deparamo-nos com um quadro de doença avançada passível de paliação. A abordagem terapêutica para a OIM é muito ampla, passando por tratamento conservador/medicamentoso, pelo uso de endopróteses e por procedimentos cirúrgicos dos mais variados (bypass, ressecção, colostomia, ileostomia, gastrostomia descompressiva).[21]

Em uma análise prospectiva de 26 pacientes com CA de ovário avançado, Chi et al. observaram que em 54% dos casos a OIM se dava no intestino delgado e 46% no intestino grosso. A paliação foi realizada com cirurgia ou colocação de endoprótese, com sucesso de 88% e sobrevida média de 191 dias nas pacientes operadas e de 78 dias naquelas com paliação endoscópica.[22] Os autores inferem que há uma boa taxa de resposta na paliação da OIM, principalmente nas pacientes submetidas a cirurgia.

Laval et al. propuseram um protocolo de três fases no manejo da OIM em pacientes inoperáveis e sem indicação de endoprótese.[23] Neste estudo prospectivo foram analisados 75 pacientes, sendo o CA de ovário a maior casuística (28%). O estágio I do protocolo incluía um período de 5 dias com administração de corticoide, antiemético, anticolinérgico e analgésico. Na persistência dos vômitos se iniciava o estágio II com o uso do octreotide. Após 3 dias de octreotide sem sucesso se estabelecia o estágio III, com a realização de gastrostomia descompressiva. Bom controle de sintomas sem uso contínuo de catéter nasogástrico ocorreu em 90% dos casos. Em 73% dos casos a paliação se deu em menos de 10 dias. A sobrevida média foi de 31 dias.

Em um estudo retrospectivo, Pothuri et al. avaliaram a paliação cirúrgica de 64 pacientes com CA de ovário recidivado.[24] Em 71% dos casos houve sucesso na paliação cirúrgica (ressecção, bypass, colostomia, gastrostomia descompressiva). A sobrevida média (SM) das pacientes foi de 8 meses. Naquelas com paliação efetiva, a SM foi de 11,6 meses, enquanto nas pacientes em que a cirurgia não logrou êxito a SM foi de 3,9 meses. Os autores concluíram que houve bom resultado com a cirurgia, com a maioria das pacientes recebendo alta e tolerando dieta sólida.

Caceres et al. analisaram o uso de endopróteses em 35 pacientes com câncer ginecológico avançado.[25] Destas, 25 apresentavam CA de ovário. 77% das pacientes apresentaram bom alívio sintomático com as próteses e SM de 7,7 meses. Houve necessidade de um segundo procedimento em 23% dos casos (três gastrostomias descompressivas, quatro colostomias e duas revisões endoscópicas). Os autores concluíram que as endopróteses representam uma boa alternativa à cirurgia na paliação da OIM em pacientes com câncer ginecológico avançado.

Tsahalina et al. avaliaram o papel da gastrostomia na paliação da OIM.[26] Em uma casuística de 39 mulheres com CA ginecológico avançado, 72% apresentavam CA de ovário. Em 14 pacientes a gastrostomia foi o único procedimento realizado (gastrostomia descompressiva). Nas 25 pacientes remanescentes, a gastrostomia foi associada a procedimento cirúrgico maior (ressecção e/ou colostomia). Vinte e sete pacientes obtiveram alta hospitalar com boa satisfação na dieta oral. Destas 27, 18 tiveram a gastrostomia retirada. Os autores relatam que a gastrostomia pode desempenhar um importante papel no cenário da OIM, evitando o desconforto do catéter nasogástrico.

Em uma análise retrospectiva, Mangili et al. compararam diferentes abordagens terapêuticas no manejo da OIM em pacientes com CA de ovário.[27] De 47 mulheres, 27 foram submetidas à cirurgia, incluindo duas gastrostomias descompressivas e quatro laparotomias exploradoras sem possibilidade de paliação. 20 pacientes foram manejadas clinicamente com octreotide. O performance status (PS) era significativamente diferente entre as pacientes clínicas e cirúrgicas (p = 0,03). Nos dois grupos houve bom alívio de sintomas até o óbito. A sobrevida foi estatisticamente maior nas pacientes operadas. Os autores concluem que ambos os manejos (clínico e cirúrgico) são eficazes na paliação e recomendam a paliação cirúrgica para as pacientes com bom PS e sem maiores contraindicações ao procedimento invasivo.

O arsenal terapêutico da OIM é bem diversificado. O uso judicioso dos variados métodos será fundamental para a boa paliação e a boa qualidade de vida na terminalidade da vida. As medidas conservadoras são bem apropriadas para as pacientes com baixo PS e carcinomatose peritoneal difusa. Pacientes passíveis de paliação com procedimento invasivo e com maior expectativa de vida deverão ser submetidas à cirurgia. Naquelas com pior PS, com obstrução em sítio único e/ou com estimativa de sobrevida mais curta, deveremos considerar a paliação endoscópica.

REFERÊNCIAS BIBLIOGRÁFICAS

1. Becker G, Galandi D, Blum HE. Malignant ascites: systematic review and guideline for treatment. *Eur J Cancer* 2006;42:589-97.
2. Garrison RN, Kaelin LD, Galloway RH et al. Malignant ascites: clinical andexperimental observations. *Ann Surg* 1986;203:644-51.
3. Parsons SL, Lang MW, Steele RJC. Malignant ascites: a 2 year review from a teaching hospital. *Eur J Surg Oncol* 1996;22:237-39.
4. Campbell C. Controlling malignant ascites. *Eur J Pal Care* 2001;8(5):187-90.
5. Ayantunde AA, Parsons SL. Pattern and prognostic factors in patients with malignant ascites a retrospective study. *Ann Oncol* 2007;18:945-49.
6. Gotlieb WH et al. Intraperitoneal pressures and clinical parameters of total paracentesis for palliation of symptomatic ascites in ovarian cancer. *Gynecol Oncol* 1998;71:381-85.
7. Richard HM, Coldwell DM, Boyd-Kranis RL et al. Pleurex tunneled catheter in the management of malignant ascites. *J Vasc Interv Radiol* 2001;12:373-75.
8. Rosenberg S, Courtney A, Nemcek A et al. Comparison of percutaneous management techniques for recurrent malignant ascites. *J Vasc Interv Radiol* 2004;15:1129-31.
9. Sartori S, Nielsen I, Trevisani L et al. Sonographically guided peritoneal catheter placement in the palliation of malignant ascites in end-stage malignancies. *AJR* 2002;172:1618-20.
10. O'Neill MJ, Weissleder R, Gervais DA et al. Tunneled peritoneal catheter placement under sonographic and fluoroscopic guidance in the palliative treatment of malignant ascites. *AJR* 2001;177:615-18.
11. Iyengar TD, Herzog TJ. Management of symptomatic ascites in recurrent ovarian cancer patients using an intra-abdominal semi-permanent catheter. *Am J Hosp Palliat Care* 2002;19:35-38.
12. Lee A, Lau TN, Yeong KY. Indwelling catheters for the management of malignant Ascites. *Support Cancer Care* 2000;8:493-99.
13. Barnett TD, Rubins J. Placement of a permanent tunneled peritoneal drainage catheter for palliation of malignant ascites: a simplified percutaneous approach. *J Vasc Interv Radiol* 2002;13:379-83.
14. Brooks RA, Herzog TJ. Long-term semi-permanent catheter use for the palliation of malignant ascites. *Gynecol Oncol* 2006;101:360-62.
15. Hamilton CA et al. Intraperitoneal bevacizumab for the palliation of malignant ascites in refractory ovarian cancer. *Gynecol Oncol* 2008;111:530-32.
16. Garofalo A, Valle M, Garcia J et al. Laparoscopic intraperitoneal hyperthermic chemotherapy for palliation of debilitating malignant ascites. *Eur J Surg Oncol* 2006;32:682-85.
17. Chang E, Alexander HR, Libutti SK et al. Laparoscopic continuous hyperthermic peritoneal perfusion. *J Am Coll Surg* 2001;193:225-29.
18. Feuer DJ, Broadley KE, Sheperd JH et al. Systematic review of surgery in malignant bowel obstruction in advanced gynecological and gastrointestinal cancer. *Gynecol Oncol* 1999;75:313-22.
19. Beattie GJ, Leonard R, Smyth JF. Bowel obstruction in ovarian carcinoma: a retrospective study and review of the literature. *Pall Med* 1989;3:275-80.
20. Rauh-Hain JA et al. Role of computed tomography in the surgical management of patients with bowel obstruction secondary to recurrent ovarian carcinoma. *Ann Surg Oncol* 2010;17:853-60.
21. Ripamonti C, Bruera E. Palliative management of malignant bowel obstruction. *Int J Gynecol Cancer* 2002;12:135-43.
22. Chi DS et al. A prospective outcomes analysis of palliative procedures performed for malignant intestinal obstruction due to recurrent ovarian cancer. *Oncologist* 2009;14:835-39.
23. Laval G et al. Protocol for the treatment of malignant inoperable bowel obstruction: a prospective study of 80 cases at Grenoble University Hospital Center. *J Pain Symptom Manage* 2006;31:502-12.
24. Pothuri B et al. Palliative surgery for bowel obstruction in recurrent ovarian cancer: an updated series. *Gynecol Oncol* 2003;89:306-13.
25. Caceres A, Zhou Q, Iasonos A et al. Colorectal stents for palliation of large-bowel obstructions in recurrent gynecologic cancer: an updated series. *Gynecol Oncol* 2008;108:482-85.
26. Tsahalina E. Gastrostomy tubes in patients with recurrent gynaecological cancer and intestinal obstruction. *Brit J Obst Gynecol* 1999;106:964-68.
27. Mangili G et al. palliative care for intestinal obstruction in recurrent ovarian cancer: a multivariate analysis. *Int J Gynecol Cancer* 2005 Sept.-Oct.;15(5):830-35.

CAPÍTULO 186

Qualidade de Vida e Sobrevida em Câncer Ginecológico

André Perdicaris

INTRODUÇÃO

A abordagem terapêutica oncológica atual já está alicerçada em práticas multi e interdisciplinares na busca de eficácia de resultados, congregando vários profissionais de diferentes áreas do conhecimento médico e paramédico, dentro e fora das suas instituições. Médicos, enfermeiros, psicólogos, fisioterapeutas, nutrólogos, assistentes sociais, religiosos, agentes administrativos, voluntários, fornecedores e um contingente de indivíduos anônimos, por vezes não calculável, fazem parte diária de uma extensa rede de apoio ao paciente e a sua família. Com isto, além do primordial objetivo de individualizar cada vez mais o tratamento, novas armas antineoplásicas e estratégias de abordagem estão sendo incorporadas, visando não somente a cura ou o controle crônico da doença, mas principalmente estabelecer os termos de dignidade de sobrevida e qualidade de vida (QV) em face da doença e suas repercussões. Já, em um outro extremo, os cuidados paliativos também compõem esse mosaico de ações, que em última instância envolvem o paciente e o seu entorno, proporcionando conforto para a sua realidade. Conceitualmente, trata-se de medidas que aumentam a QV de pacientes e seus familiares, por meio da prevenção e do alívio do sofrimento, em uma doença já sem perspectiva de cura.[24]

Nessa óptica, alicerçada pelos princípios da bioética, os resultados terapêuticos não são avaliados apenas dentro de padrões biomédicos levando em conta respostas basicamente relacionadas à diminuição ou não da atividade tumoral, da morbidade medicamentosa e de possíveis sequelas morfofuncionais. Há uma outra dimensão a considerar em termos das possíveis limitações físicas e psicológicas dos pacientes, impactantes para a sua qualidade de vida (QV). Daí, a necessidade crescente de instrumentos de aferição destas condições, e um olhar atento para criar meios eficazes de intervenções assistenciais e preventivas.

A introdução do conceito de QV, neste contexto, tornou-se um medidor não só de resultados, mas também, de prognósticos. Este conceito derivou de uma somatória de novos estudos agregados não só para a área da saúde, como para as ciências sociais e para projeções da economia. Pode-se citar as buscas de: 1) indicadores para aferir felicidade e bem-estar; 2) indicadores sociais de desenvolvimento humano (IDH); 3) implementação da Psicologia Positiva; 4) aferição da satisfação do usuário com os serviços ofertados; 5) uma nova visão humanizadora das práticas em saúde.[18]

No caso específico do câncer, desde o advento de um diagnóstico positivo, da instituição do tratamento, da possível cura, ou mesmo da falência total do organismo, e consequente morte, todos os pacientes enfrentam uma variedade de transformações de abrangência física, psicossocial e espiritual. A combinação de dúvidas, sinais, sintomas, terapias, disfunções e sequelas traduz-se em progressivas reações de enfrentamento ou derrotas, que podem oscilar entre a esperança, o otimismo, a ansiedade, a dor, a depressão e a desesperança. Assim, a forma com que o paciente vivencia a sua doença, a sua colaboração, a sua resistência ao tratamento e principalmente a sua autopercepção do bem ou mal-estar também influenciam significativamente na evolução da doença.

Segundo Kligerman,[10] os indicadores de QV também importam para as decisões de políticas públicas de saúde, na busca de alocação de recursos humanos e materiais, até na incorporação e validação de novas terapias, na oncologia. QV "passaria a ser o numerador de uma relação benefício/custo, que o administrador usaria mais como indicador de saúde e base de decisão justa e equânime".

Entretanto, sobrevida e QV podem ter significados completamente diversos quanto ao tratamento, seus resultados e prognósticos, na comparação de seus parâmetros de avaliação individual. Mesmo curados e assintomáticos fisicamente, inúmeros pacientes ainda apresentam uma estampagem emocional, na lembrança da sua doença. Contribuem, em paralelo a estes quadros, um eventual despreparo comunicativo das equipes terapeutas em gerenciar, contornar e otimizar a sua interatividade como parte integrante e inseparável deste processo. Já se tornou clássica a expressão que: "as palavras, o olhar, os gestos e o silêncio podem ser mais cortantes que o mais afiado bisturi ou mais analgésicos que o mais potente entorpecente".[14]

CONCEITUAÇÃO DE QUALIDADE DE VIDA

As medidas tradicionais de desfecho em saúde ou doença baseadas em exames laboratoriais e na avaliação clínica da *performance* do paciente são de inegável importância. Porém, avaliam muito mais a doença do que o paciente, particularmente em relação às doenças crônicas, em que se busca não somente o seu controle ou mesmo a cura, mas também a redução do seu impacto nas variadas fases da vida e da sua qualidade, nos acometidos.[6]

Morton,[13] em uma revisão bibliográfica da evolução conceitual de QV, apontou que a mesma já era objeto de preocupação num enunciado hipocrático (séc. IV a.C.): "o paciente, embora esteja consciente de que a sua condição seja perigosa, reencontra a simplicidade da saúde através da bondade do médico"; entretanto, somente em 1977 o termo "qualidade de vida" foi indexado e sistematizado no Medline.

O câncer, na atualidade, é um problema, e também um desafio de Saúde Pública. A projeção do Instituto Nacional de Câncer para o ano de 2011 é de aproximadamente 500 mil novos casos. Já no final do século passado havia a estimativa de incidência anual de 11 milhões de casos, com 7 milhões de óbitos, e cerca de 25 milhões de indivíduos com doença ativa. A projeção mais sombria na época apontava para uma duplicação destes números para o início do século XXI, sendo que 53% deveriam ocorrer em países em desenvolvimento. Infelizmente, no Brasil, ainda uma significativa parcela destes casos é diagnosticada tardiamente, com consequente prejuízo para a sobrevida e a qualidade de vida desses pacientes.[8]

Sob a denominação "câncer ginecológico" compreendem-se os tumores malignos que incidem sobre os órgãos genitais da mulher e, modernamente, dando-se uma maior amplitude ao termo, é também discutido o câncer da mama, face à estreita inter-relação desta glândula com o aparelho reprodutor feminino, pois além de ser o símbolo da sensualidade, da sexualidade e da maternidade, é a um só tempo responsável pela autoimagem e autoestima da mulher.

No que concerne estritamente ao câncer ginecológico, os dados fornecidos variam em função da sua localização e distribuição geográfica: estima-se em média 49 casos para cada 100 mil mulheres/ano para o incidente sobre a mama e 18 casos por 100 mil/mulheres/ano para os que se originam no colo uterino. O câncer de mama é o segundo tipo mais frequente no mundo e comum entre as mulheres, com incidência de 22% de casos novos por ano; é também o que mais causa mortes na população feminina (quase 2,5% de todos os óbitos).[7]

De todos eles, o câncer do ovário é comumente o de mais difícil diagnóstico precoce e, portanto, o de maior letalidade, inclusive pelo seu "silêncio" inicial. Entretanto, independentemente do estágio, do diagnóstico e da terapia, e os seus possíveis, e por vezes imprevisíveis resultados, o advento do câncer ginecológico implica em repercussões sociais, econômicas, físicas, emocionais e sexuais nas mulheres em questão, influenciando fundamentalmente a sua QV. Nesse sentido, a Organização Mundial de Saúde (OMS) conceitua QV como "a percepção que o indivíduo tem de si mesmo, da sua posição na vida dentro do contexto de cultura e sistemas de valores nos quais ele vive e em relação às suas metas, expectativas e padrões sociais".[20]

Assim sendo, avaliar QV face ao binômio saúde *versus* doença torna-se uma tarefa complexa, baseada em percepções subjetivas, experiências e expectativas das pessoas que a expressam.[3] Reconhece-se que, na prática oncológica, talvez mais que em outras áreas, o paciente experimente extremas variações sintomatológicas do início ao fim do tratamento.[21] Um dos fatores que logo interfere no entendimento do que constitui QV, para uma pessoa, é a inexistência de uma definição ampla e universalmente aceita.

De modo geral, sua construção é de um conceito multidimensional, medindo diferentes aspectos, ou domínios da vida, inclusive o etário, que incluem o bem-estar físico, psíquico, social e funcional.[22] Entretanto, reforça-se que o conceito é subjetivo e variável, e baseia-se na interpretação do que o paciente tem de seu *status* de ideário de saúde. No entanto, no estágio de doença em fase avançada, estando o doente sob cuidados paliativos, assume especial atenção uma melhor qualidade possível do seu tempo de vida restante. Nesse momento, dentro do espectro de sintomas experimentados pelos doentes, o controle dos mais prevalentes, como cansaço, dor, dispneia e constipação, tornam a valorização da QV o principal intento paliativo.[2,19]

INSTRUMENTOS DE AVALIAÇÃO DE QUALIDADE DE VIDA

De acordo com Donovan et al.,[4] um adequado instrumento para a medida da QV em pacientes com doença avançada deve preencher cinco características: 1) ter apropriada conceituação, que inclua itens do domínio físico, psicológico, espiritual e social, incluindo aspectos positivos; 2) possuir propriedades psicométricas de confiança e validade, abrangendo conteúdo, construção, concordância e valor preditivo; 3) ser responsivo às mudanças na QV, incluindo um razoável número de itens no total, com pelo menos cinco por domínio, com alternativas múltiplas de respostas e que permita escores por cada domínio; 4) ser baseado em dados fornecidos e preenchidos pelo próprio doente; 5) ser aceitável para os pacientes, cuidadores e pesquisadores, sendo completado em tempo curto, compreensível e de fácil mensuração, contemplando itens relevantes para o respondente.

Uma revisão de literatura foi empreendida por Silva e Derchain, cujo objetivo era verificar quais são os instrumentos utilizados na avaliação da qualidade de vida em mulheres com câncer ginecológico mediante a utilização de questionários, entrevistas estruturadas ou não.[18] Para uma melhor análise, os instrumentos foram agrupados em quatro categorias, conforme: 1) se enquadrassem em protocolos clínicos; 2) aplicados durante o tratamento; 3) empregados após qualquer forma de tratamento e 4) também com pacientes acompanhadas pelos serviços especializados em cuidados paliativos.

Os autores identificaram inicialmente 474 artigos, dos quais 30 foram utilizados para o seu trabalho. Como conclusão, verificaram: 1) que a variedade de instrumentos e de aplicação foi ampla; 2) uma boa parte dos instrumentos se constituiu de autopreenchimento no hospital, consultório ou por correio, ou aplicados por terceiros no hospital ou consultório ou por telefone, e 3) que tal variação dependeu da etapa do tratamento, do estágio inicial ou avançado da neoplasia. Os questionários mais utilizados foram o *Functional Assessment of Cancer Therapy-General Scale* (FACT-G), o *European Organization for Research and Treatment of Cancer Quality-of-Life Questionnaire* (EORTC QLQ) e o *Medical Outcomes Study Short Form-36* (MOS SF-36).

Diante de tal diversidade metodológica, a proposta de utilização de cada instrumento de avaliação de qualidade de vida, válida para todos os grupos humanos, a Organização Mundial de Saúde (OMS) buscou homogeneizar o conceito e também instrumentalizar os profissionais com uma ferramenta técnico-científica padronizada e consistente. Um desses instrumentos, proposto pela OMS, o *WHOQOL-bref*, avalia a qualidade de vida em domínios denominados físico, psicológico, relações sociais e de meio ambiente, que interpretam a percepção que o indivíduo tem de si e do ambiente que o cerca, como favorável ou não.[23]

O instrumento WHOQOL-*bref*, versão abreviada em português do Instrumento de Avaliação de QV da OMS, está validado para a cultura brasileira. Esse instrumento compõe-se de duas partes, inicialmente, pela ficha de informações sobre o respondente, a qual se destina à coleta de dados sociodemográficos e de saúde dos sujeitos pesquisados. Já a segunda parte, sobre a qualidade de vida propriamente dita, compõe-se de 26 questões, sendo duas sobre a qualidade de vida geral e as demais 24 representam quatro domínios e as suas respectivas facetas, que compõem o instrumento original: o físico, o psicológico, as relações sociais e o meio ambiente.

Jorge e Silva[9] apresentaram um estudo que teve como objetivo avaliar a QV de mulheres portadoras de câncer ginecológico, submetidas à quimioterapia antineoplásica. Foram entrevistadas 50 pacientes, no período de agosto de 2007 a abril de 2009, que estavam em tratamento quimioterápico em um ambulatório de quimioterapia de Uberaba, MG; foi aplicado o instrumento de avaliação de QV da Organização Mundial de Saúde – WHOQOL-*bref*. Os resultados apontaram que o domínio mais comprometido foi o físico, e o mais preservado, o social, sendo que a qualidade de vida geral obteve média acima da obtida em outros estudos. Todos os domínios correlacionaram-se significativamente com a qualidade de vida geral.

As respostas para todas as questões do WHOQOL-*bref* são obtidas através de escala tipo Likert de cinco pontos, na qual a pontuação pode variar de 1 a 5. Tanto os domínios como a qualidade de vida geral são medidos em direção positiva, ou seja, escores mais altos denotam melhor qualidade de vida. Para o cálculo dos escores dos domínios, utilizou-se a sintaxe oferecida pelo WHOQOL *Group* para ser usada no programa de *software* SPSS (*Statistical Package for Social Science*). Com ela, o programa pôde checar, recodificar e estabelecer os escores dos domínios e das questões de qualidade de vida geral.

SEXUALIDADE E CÂNCER GINECOLÓGICO

A avaliação da QV do paciente deve levar em conta todos os aspectos de sua funcionalidade, incluindo a sua sexualidade, no decorrer ou como resultados de tratamentos, por vezes agressivos e mutilantes. No cotidiano, esse tema não tem sido adequadamente abordado e investigado pelas equipes oncológicas. Diferentemente de muitos outros efeitos secundários ao tratamento do câncer, os problemas sexuais não costumam resolver-se durante o primeiro ou segundo ano depois da alta médica.[17] De fato, esses problemas podem permanecer continuadamente e até mesmo piorarem. Tendo em mente a QV do paciente, os problemas da sexualidade podem ser claramente molestos, interferindo com o processo de reintegração à rotina cotidiana depois do tratamento, até mesmo para enfrentar a sua imagem por vezes deformada e sem retoques, na solidão de um espelho.

Nesse sentido, embora seja um aspecto importante para a QV, os médicos raramente conversam com as mulheres sobre o impacto do câncer sobre a sua sexualidade. Muitas mulheres também não discutem os problemas com seu cônjuge ou parceiro. Lindau, Gavriluva e Anderson[11] examinaram 261 pacientes com câncer ginecológico e de mama e coletaram os seus dados dos respectivos registros médicos. A idade média das participantes foi de 55 anos, com um intervalo de 21 a 88 anos. Apenas 7% das pacientes estudadas tinham pedido conselhos ou ajuda médica para problemas de sexualidade, mas 42% estavam interessadas em receber tais cuidados. Os resultados deste estudo demonstram uma necessidade não atendida para as preocupações sexuais de mulheres que sobrevivem ao câncer ginecológico.

Esse estudo também revelou que as mulheres mais jovens estavam mais preocupadas com as questões sexuais que as mais velhas. No entanto, mais de 22% das mulheres acima de 65 anos também disseram que queriam assistência médica para seus problemas sexuais. Os mais relatados incluíram a falta de apetite sexual e a dispareunia. O transtorno ovariano consequente à quimioterapia ou à radioterapia pélvica é um importante agravante da disfunção sexual, especialmente quando a substituição hormonal está contraindicada.

Na evolução do tratamento e face aos seus possíveis resultados, inclusive até de forma preventiva, antes de tudo acontecer, é ideal locar todos os recursos disponíveis para a reintegração física e emocional das pacientes, de forma individual ou mesmo em grupos, buscando solidariedade, empatia e acolhimento por parte da equipe multiprofissional. O convívio com sobreviventes e os seus depoimentos também podem ser úteis na recuperação dos pacientes, em questão. Não se deve esquecer que a expectativa do paciente é geralmente diversa da perspectiva médica e paramédica.

Assim, após uma exenteração pélvica, conviver com uma colostomia definitiva e uma neobexiga, independentemente das técnicas utilizadas, afeta significativamente a atratividade e a prática sexual do casal, também verificadas nas vulvectomias.[16] Uma mastectomia e suas variáveis determinam mudanças na imagem corporal, podendo interferir com o apetite sexual em algumas sobreviventes de câncer e os seus parceiros. Por outro lado, a possibilidade da reparação plástica imediata ou retardada tem sido muito bem aceita pelas pacientes e familiares, em um alinhamento com a QV, associadas, sem dúvida, a ações conjugadas com a psicologia e a fisioterapia.

Assim, os indivíduos com graves déficits morfofuncionais podem se adaptar a suas condições precárias, as quais, a um olhar externo, possam parecer insuportáveis. Nesse caso, em particular, a doença e as suas disfunções formam uma carga emocional, cujo peso emocional altera o valor da existência. É essencial entender que o acompanhamento psicológico e até mesmo o psiquiátrico, além de servirem de monitoramento das condições emocionais no cotidiano das pacientes, visam, em alguns casos especiais, recuperar uma "normalidade" de comportamentos, considerados conflitantes e não adaptados a novas realidades estabelecidas pelo próprio tratamento e de seus resultados.[12]

É importante enfatizar que, na vida conjugal, as pressões emocionais do diagnóstico de câncer e da terapia continuada podem exacerbar as tensões matrimoniais, atuais ou subjacentes e isto, por sua vez, acaba afetando seriamente o dia a dia dos casais. A mulher cuja relação não goza da estabilidade de um compromisso formal costuma se deparar com o medo da rejeição por um/a novo/a ou eventual companheiro/a que toma conhecimento e que não assuma o ônus daquela história de câncer. Algumas pacientes evitam todas as relações por medo de serem rejeitadas.[17] Entretanto, o apoio e a presença compartilhada de um cônjuge ou companheiro(a) é fator preditivo para a melhora da QV dessas pacientes.

Um dos fatores de personalidade que pode influir para que as mulheres se mantenham sexualmente ativas, depois do advento câncer, é o conceito pessoal da própria sexualidade, ou seja, de forma negativa ou positiva.[1] As mulheres com conceitos negativos sobre a própria sexualidade teriam menos probabilidade de reassumir relações sexuais ou mesmo de ter um bom desempenho sexual, depois do tratamento para o câncer ginecológico. Assim, o bom ajustamento sexual depois do câncer depende dos sentimentos que a pessoa teria em relação a sua sexualidade antes da doença.

FERTILIDADE FEMININA E CÂNCER

Outro agravante influenciável na QV das pacientes é a infertilidade ou a sua alta probabilidade decorrente do tratamento, trazendo elevado grau de estresse, angústia e ansiedade para as mesmas e aos seus parceiros. Em mulheres, a esterilidade, quase sempre definitiva, vem adquirindo grande importância como efeito secundário da quimioterapia e irradiação abdominal. Os efeitos esterilizantes dos tratamentos oncológicos podem resultar tanto em perda da função uterina normal quanto na destruição total ou parcial da reserva ovariana. Além da infertilidade, existe também um grande risco de essas pacientes, principalmente com idade superior a 30 anos, apresentarem quadro de menopausa precoce.

As reações adversas provocadas pelo efeito da químio e/ou radioterapia podem ter caráter reversível e temporário, listando-se entre eles vômitos e enjoos, queda de cabelo, diarreia etc. Esses sintomas apresentam-se somente durante o período de tratamento e variam de acordo com o medicamento e a paciente. Por outro lado, a infertilidade, muitas vezes de caráter permanente, parece ser o preço para o tratamento curativo e agressivo contra o câncer, pois o comprometimento das células germinativas e da função hormonal, também responsável pela produção dos gametas, está relacionado, primeiramente, à própria neoplasia e, posteriormente, aos efeitos dos tratamentos apropriados.

Neste sentido, a criopreservação de gametas surge como solução para a infertilidade resultante dos tratamentos citados anteriormente. Por meio de técnicas de reprodução assistida é possível o congelamento e o descongelamento de gametas e embriões, permitindo taxas de gestação e nascimentos adequadas. A utilização de tecnologias, como maturação *in vitro* de células germinativas imaturas, injeção intracitoplasmática de espermatozoides, diagnóstico genético pré-implante e transplante de células e tecidos, permite que as pacientes acometidas por neoplasias ou qualquer outra patologia que acarrete diminuição ou perda total da função reprodutiva, tenham a possibilidade de transmitir suas características genéticas aos seus descendentes.[15]

Foi confirmada a possibilidade de restaurar a função reprodutiva e a fertilidade natural por meio de autotransplantes de tecido ovariano criopreservado e descongelado em circunstâncias adequadas. O autotransplante de tecido ovariano criopreservado para pacientes com falência folicular pode restaurar a função endócrina, eliminando assim a necessidade de uma terapia de reposição hormonal. Além disso, a utilização do banco de tecido ovariano para preservar uma futura fertilidade através de autotransplantes elimina uma série de problemas imunológicos, éticos e legais.

Porém, um dos riscos da criopreservação de tecido ovariano é a possibilidade de sobrevivência das células cancerígenas e a transmissão das mesmas no momento do descongelamento e transplante do tecido.[5] Diante desse fato, os familiares e as pacientes participantes do programa de criopreservação devem ser comunicados sobre essa possibilidade por meio de um consentimento informado, que relata todas as possibilidades de utilização do material congelado.

Uma alternativa para solucionar esse problema é a utilização de técnicas de reprodução assistida, em que, através do amadurecimento *in vitro* de folículos primordiais, oócitos e da fertilização assistida, é possível minimizar o risco de transmissão do câncer, decorrente do fato de não existirem outras células associadas. Certamente, a utilização de banco de tecido ovariano, em associação a técnicas de autotransplante e reprodução assistida, representa uma esperança para pacientes que sobrevivem aos efeitos deletérios dos agressivos tratamentos oncológicos.[5]

CONSIDERAÇÕES FINAIS

Atualmente, na prática oncológica, já estão bem estabelecidos protocolos e ensaios sobre como lidar com as diversas fases e etapas de uma história clínica vinculada a diagnósticos, estadiamentos e prognósticos, em uma dança numeral de percentagens. Porém, não se pode esquecer do domínio do imaginário e da emoção dos pacientes e familiares face à sombra da doença, em todas as suas fases. Para o indivíduo enfermo, na singularidade da sua situação clínica, esses pontos estatísticos e indicadores epidemiológicos têm um outro significado ou significância sobre o seu bem-estar, que transcendem da simples sobrevivência e, muitas vezes resumem-se na sensação que um simples lençol limpo, um frescor de vento no rosto, uma lembrança amorosa ou um afago, que trazem mais vida na vida possível que uma injeção apaziguadora de morfina.

Apesar do consenso norteado sobre a importância de avaliar a QV nos portadores de neoplasias, isso ainda é objeto de debates. A busca de um modelo de "satisfação" multidimensional deve ser enfrentada com muita propriedade pelas equipes, enquanto prestadoras de serviços, para alcançar um ponto de equilíbrio físico e mental para os pacientes, face a novas "realidades" desencadeadas pelo diagnóstico, pelo tratamento e por seus resultados, mediados por valores intrínsecos e puramente individuais.

Finalmente, é fato que nem todas as terapias trazem inequívocos benefícios para o universo dos pacientes, inclusive porque elas estão atreladas a riscos e a inusitadas variáveis biológicas. Neste sentido, a QV pode ser enquadrada no intervalo entre as expectativas e os resultados de um tratamento, indissociável dos parâmetros da bioética. Assim, quantificar, e principalmente qualificar a existência constitui uma tarefa complexa, face aos múltiplos aspectos de ordem objetiva e subjetiva, suscetíveis a mudanças constantes, nas tentativas do ser humano de interpretar a sua realidade, o seu espaço e o seu tempo nos acontecimentos que o cercam.

REFERÊNCIAS BIBLIOGRÁFICAS

1. Andersem BL, Woods XA, Copeland LJ. Sexual self-schema and sexual morbidity among gynecologic cancer survivors. *J Consult Clin Psychol* 1997;65(2):221-29.
2. Barnes EA et al. Fadigue in patients with advanced cancer: a review. *Int J Gynecol Cancer* 2002;12(5):424-28.
3. Cella DF. Quality of Life: concept and definition. *J Pain Symptom Manage* 1994;9(3):186-92.
4. Donovan K, Sanson-Fisher RW, Redman S. Measuring quality of life in cancer patients. *J Clin Oncol* 1989;7(7):959-68.
5. Fabbri R, Primavera MR, Marsella T et al. Ovariantissue cryopreservation. *Assist Reprod* 1998;2:2-6.
6. Fleck MPA. *A avaliação de qualidade de vida: guia para profissionais da saúde*. Porto Alegre: Artmed, 2008.
7. Brasil. Ministério da Saúde. *Incidência de câncer no Brasil, Estimativa 2010*. Mato Grosso do Sul: Instituto Nacional do Câncer.
8. Brasil. Ministério da Saúde. *Incidência de câncer no Brasil, Estimativa 2011*. Mato Grosso do Sul: Instituto Nacional do Câncer.
9. Jorge LLR, Silva SR. Avaliação da qualidade de vida de portadoras de câncer ginecológico, submetidas a quimioterapia antineoplásica. *Rev Latino-Am Enfermagem* 2010 Set.-Out.;18(5):[07 telas].
10. Kligerman J. Câncer e qualidade de vida: editorial. *Rev Bras Cancerol* 1999 Abr./Maio/Jun.;45(2):5-7.
11. Lindau ST, Gavriluva N, Anderson D. Sexual morbidity in very long term survivor of vaginal and cervical cancer: a comparison to national norms. *Gynecol Oncol* 2007 Aug. 1;106(2):413-18.
12. Massie MJ, Popkim MK. Depressive disorders. In: Holand JC, Breitbart W, Jacobsem PB et al. (Eds.). *Psycho-oncology*. New York, NY: Oxford University, 1998. p. 518-40.
13. Morton RP. Evolution of quality-of-life assessement in head and neck cancer. *J Laryngol Otol* 1995;(109):1029-35.
14. Perdicaris AAM. *Além do bisturi: novas fronteiras na comunicação médica*. Santos, SP: Leopoldianum, 2006.
15. Picton H. Congelar la fertilidad: ficción o realidad? In: *ALPHA Científicos en medicina de la reproducción*; 2000 Abr.
16. Philips R. *Coping with an ostomy: a guide to living with an ostomy for you and your family*. Wayne NJ: Avery Publishing Group, 1986.
17. Schover LR, Montague DK, Lakim MM. Sexual problems. In: DeVita Jr VT, Helmam S, Rosenberg SA. (Eds.). *Cancer: principles and pratice of oncology*. 5th ed. Philadelphia, PA: Lippincott-Ravem, 1997. p. 2857-72.
18. Silva CHD, Derchain SFM. Qualidade de vida em mulheres com câncer ginecológico: uma revisão da literatura. *Rev Bras Cancer* 2006;52(1):33-47.
19. Ventafridda V et al. Quality-of-life assessment during a palliative care programme. *Ann Oncol* 1990;1(6):415-20.
20. Study protocol for the World Health Organization project to develop a quality of life assessment instrument WHOQOL. *Qual Life Res* 1993;(2):153-59.
21. Walsh D et al. The symptoms of advanced cancer: relationship to age, gender and performance status in 1.000 patients. *Support Care Cancer* 2000;8(3):175-79.
22. Ware Jr JE. Methodology in behavioral and psychosocial cancer research: conceptualizing disease impact and treatment outcomes. *Cancer* 1984;53(10 Suppl):2316-25.
23. Warner SC, Williams JI. The meaning in life scale: determining the reliability and validity of a measure. *J Chron Dis* 1987;40(6):503-12.
24. World Health Organization. *Cancer pain relief and paliative care*. Geneva: WHO Technical Report, 1990. series 804.

SEÇÃO IX
Oncossexologia no Tratamento do Câncer Ginecológico

CAPÍTULO 187
Oncossexologia e Sequelas no Tratamento do Câncer Ginecológico

Regina Coeli Clemente Fernandes Alonso • Pollyanna D'Ávila Leite

HISTÓRICO

A medicina hipocrática, 460 a.C., assim como a medicina de outras culturas da antiguidade, preocupavam-se muito com a integração corpo, mente, espírito e as situações que interagiriam com este trinômio.[1]

Em tempos não muito distantes, os médicos não contavam com nossos métodos atuais para a detecção de doenças, razão pela qual precisavam sentir o paciente, por meio dos cinco sentidos e usar a intuição. O olhar, o ouvir, o palpar e, até mesmo, o cheirar e o degustar o levariam a um diagnóstico. Estavam livres para acertar e errar. A cultura ocidental, a partir do século XVII, inaugura o Racionalismo na pessoa do filósofo e matemático René Descartes, que definia o homem em duas partes distintas, corpo e alma.

O empirismo inaugura a filosofia que acredita em experiências únicas formadas a partir das ideias, da experimentação, dos objetivos e dos significados pela relação causa-efeito.

Filósofos empiristas como John Locke e David Hume opuseram-se às teorias cartesianas, afirmando que o trabalho científico deve ter base na comprovação feita pelos sentidos, pela metodologia do erro e acerto, rejeitando, por sua vez, a intuição e a fé, como foi no passado.[2,3]

"...Vale à pena, portanto, pesquisar os limites entre a opinião e o conhecimento, e examinar por quais medidas devemos regular nosso assentimento e moderar nossas persuasões a respeito das coisas de que não temos conhecimento certo. Com vistas a isso, seguirei o seguinte método: Primeiro, investigarei a origem daquelas ideias, noções ou qualquer outra coisa que lhe agrade denominar, que o homem observa, é consciente de que tem em sua mente, e o meio pela qual o entendimento chega a ser delas provido. Segundo, tentarei mostrar o que conhecimento e entendimento têm dessas ideias a certeza, evidência e extensão delas. Terceiro, farei alguma investigação acerca da natureza dos fundamentos da fé, ou opinião; entendo isto como o assentimento que damos para qualquer proposição como verdadeira, ou dessas verdades de que ainda não temos conhecimento certo. Teremos, assim, ocasião para examinar as razões e os graus do assentimento".[3]

Assim, a palavra experiência, que vem de *experimentia*, etimologia dupla, do grego e do latim, é introduzida nos séculos a seguir, pois somente o que pode ser experimentado e comprovado teria aceitação pela comunidade científica, deixando à parte as possibilidades do mundo não material e enfatizando o mundo material. Neste momento, uma breve reflexão sobre o papel da ciência frente à enfermidade neoplásica, o desenrolar da doença, suas consequências, bem como a maneira como conduzimos nossos diagnósticos e tratamentos nos encaminham a duas vertentes: 1º o corpo do paciente através do qual empiricamente se formula o diagnóstico; 2º a mente diante da doença com suas crenças culturais, sociais e religiosas. Trata-se de uma situação inquestionavelmente imponderável diante de nosso arsenal bioquímico-físico. Atualmente o empirismo encoraja a prática médica simplista e impessoal, e subtrai da relação médico-paciente seu principal objetivo, que é a busca da saúde.

Segundo a Organização Mundial de Saúde, o conceito de saúde seria definido como um estado dinâmico de completo bem-estar físico, mental e social, e não simplesmente a ausência de doença ou enfermidade. Desde a Assembleia Mundial de Saúde, em 1983, a inclusão de uma dimensão não material ou espiritual de saúde vem sendo discutida extensamente, a ponto de haver um acréscimo a esta definição de "[...] estado dinâmico completo de bem-estar físico, mental, social *e espiritual*...".[4]

Novos conceitos

A procura por uma metodologia de pesquisa sobre assuntos ligados ao sexo é uma busca antiga, como a de Sigmund Freud em sua obra *Die Traumdeutung* (A interpretação dos sonhos), publicada em 1900, que fala da importância dos condicionamentos da vida infantil na vida adulta, propondo de outra forma o fato de que a sexualidade se mostraria nas crianças desde o início de suas vidas. Em 1947, Alfred Kinsey funda o Instituto de Pesquisas sobre o Sexo; seu estudo sobre a sexualidade humana influencia os valores socioculturais dos Estados Unidos, principalmente na década de 1960, no início da chamada "revolução sexual". Recentemente seus conceitos têm sido questionados sobre a sexualidade infantil.

Le Shan, em 1949, mostrou as relações de fatores psíquicos e neoplasias, buscando a observação do paciente sobre aspectos biopsíquicos, sociais e espirituais. *"...o roteiro é mais dirigido pela tecnologia disponível, interesses específicos da equipe hospitalar, programas da instituição, do que, acima de tudo, pela natureza oculta da doença, que precisa ser descoberta porque, assim como o monte Everest, ela está lá"*.[5]

Em 1966, o casal William H. Masters e Virginia E. Johnson, pesquisadores americanos, publicou estudos sobre a anatomia e a fisiologia da sexualidade humana. Fundam a *Reproductive Biology Research Fondation* que, mais tarde, em 1968, passa a *Master & Johnson Institute*.[6] Seus achados principalmente de natureza da sexualidade feminina, abordaram mecanismos como a lubrificação vaginal, originariamente como sendo exclusivos da cérvice uterina, pontos de estímulo de excitação e ainda descrevem o ciclo de resposta sexual em quatro fases: excitação, platô, orgasmo e resolução.[7] Suas pesquisas se iniciaram em 1957, no departamento de Ginecologia e Obstetrícia da *Washington University*, em St. Louis P.

Pierre Marty estabelece estudos e publica trabalhos sobre a medicina psicossomática, que tem por base a compreensão entre estado emocional, somatizações e doenças físicas como algo intrínseco. Segundo ele, a própria pessoa tem uma participação ativa na eclosão de sua doença e, por consequência, interage com seus processos e mecanismos de defesa. Introduz, assim, o modelo que tem como princípio a influência de fatores sociais e psicológicos na enfermidade do indivíduo. Em 1962, funda, juntamente com Michel Fain e outros, a Escola Psicossomática de Paris.[8,9]

Nos anos de 1960, Helen Kaplan, psiquiatra austríaca naturalizada americana, foi outra pioneira na abordagem biopsicossocial integrada à psicanálise. Empregou também técnicas cognitivas comportamentais no tratamento das disfunções sexuais. Treinou psiquiatras, obstetras e ginecologistas em sexualidade humana. Propôs em seus trabalhos a existência de um provável centro cerebral regulador do desejo sexual.[10] Estudos atuais de neuroanatomia e neurofisiologia identificam o corpo amidaloide, um dos componentes do sistema límbico, como importante regulador de comportamento sexual e da agressividade.

Pesquisadores vêm mostrando que a predisposição biológica, a exposição a agentes oncogênicos e o estresse cumulativo podem adoecer uma pessoa. "Quando a vida está confusa demais e quando a maneira de lidarmos com o que nos acontece não dá os resultados esperados, o resultado final é a doença".[11]

Sexo e sexualidade

Há uma diferença não só na linguagem como na postura do ser humano em relação a estes dois conceitos. O sexo se relacionaria com as características biológicas dos seres vivos, estando intimamente ligado a procriação e conservação das espécies, enquanto... *"[...] a sexualidade é um aspecto central humano e abrange sexo, identidade, papel do gênero, orientação sexual, erotismo, prazer, intimidade e reprodução". É experimentada e expressada em pensamentos, fantasias, desejos, opiniões, atitudes, comportamentos, valores, práticas, papéis e relacionamento. É influenciada pela interação de fatores, biológicos, psicológicos, sociais, econômicos, políticos, culturais, éticos, legais, históricos, religiosos e espirituais. "O interesse pela sexualidade e os sentimentos que ela desperta sempre estiveram ao lado da história da humanidade".*[12]

Várias obras de arte da antiguidade em desenhos pré-históricos retratavam o corpo humano, com ênfase nos órgãos genitais.

Estudos arqueológicos sobre o período paleolítico (nômades – caçadores e coletores) mostram-nos desenhos em cavernas e estatuetas retiradas de escavações. Existia um culto à mulher e à gestação. Ela era referenciada como divindade, pois o homem não tinha conhecimento de ser partícipe da fecundação. Atribuía isso às divindades e os "filhos" eram cuidados por toda a "comunidade". Lentamente ele, o homem, vai reconhecendo sua participação no processo de fecundação (Fig. 1).[13]

No período neolítico, estabelecem-se em aldeias próximas a rios. Tornam-se pastores e agricultores. Surge a ideia do dinheiro, do comércio e da posse. Faz-se necessário o estabelecimento da paternidade e a antiga "amoralidade" é trocada pelo homem por uma vigília constante para que ele soubesse quem era realmente seu "herdeiro".[13] Assim, o mundo inaugura o período patriarcal.

O pênis foi idolatrado como símbolo da fertilidade, de poder e liderança por diversas culturas da antiguidade.

Eros, deus grego que representava o amor, foi descrito por Platão como a imagem dos instintos básicos de vida, do desejo sexual; a força vital (Fig. 2).

Os últimos milênios são marcados pelo poder e a posse; influenciam costumes culturais, étnicos e religiosos, transformando e dividindo a Humanidade. Homens e mulheres deixam de ser aliados e tornam-se adversários. Ambos os sexos sofreram os resultados da passagem do tempo tanto no corpo como na mente e no espírito. A sexualidade passou a carregar uma culpa atávica e um caráter de imoralidade. Entretanto, este termo nos remete a um universo onde tudo é relativo, pessoal e muitas vezes paradoxal. Pode-se dizer que é o traço mais íntimo do ser humano, e como tal, manifesta-se diferentemente em cada indivíduo, de acordo com suas crenças e experiências vivenciadas.

Visão estratégica no câncer frente à sexualidade

Com o desenvolvimento da ciência e novas tecnologias nestes dois últimos séculos, o câncer passa a ter seu diagnóstico mais preciso e precoce. Entretanto, resultados quantitativos na busca de sobrevida não representam necessariamente a visão do paciente como um todo. A sexualidade é uma área importante na qualidade de vida das pessoas. A maioria dos profissionais teme discutir sobre isto em suas consultas diárias e os pacientes sentem-se, muitas vezes, temerosos e envergonhados em comunicar aos médicos suas dúvidas e incapacidades orgânicas.

Não nos é ensinado nas Faculdades de Medicina a se falar sobre sexualidade com nosso paciente, ele, muitas vezes, direta ou indiretamente nos suscita a fazê-lo, porque ela é parte de suas preocupações depois de seu diagnóstico.[14]

Atendendo à observação destas dificuldades foi criada, em 2006, na Grã-Bretanha, uma sociedade multidisciplinar para os cuidados deste tema *The International Society for Sexuality and Câncer* (ISSC), formando assim uma nova superespecialidade, a Oncossexologia.

Ginecologistas, urologistas, oncologistas clínicos e cirúrgicos, neuropsicoterapeutas, radioterapeutas, enfermeiros, fisioterapeutas, assistentes sociais, imunoterapeutas, nutricionistas e outros profissionais envolvidos, desconhecem a profundidade ou nem sempre valorizam os danos que provocam a doença nos seus múltiplos aspectos. É uma responsabilidade destes profissionais não só diagnosticá-los, mas tratá-los em sua totalidade, pois muitos pacientes elegem continuar o exercício de sua sexualidade até as últimas etapas, e isso é positivo para a vivência de sua enfermidade.[14]

Torna-se, assim, necessária a criação de programas de reabilitação das disfunções sexuais.

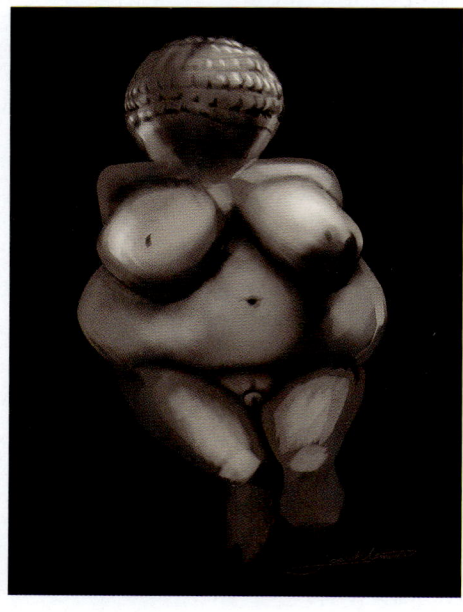

◄ **FIGURA 1.** Estátua de pedra calcária conhecida como Vênus de Willendorf (30.000-25.000 a.C.), em exposição no *Naturehistoriches Museum*, Viena.

◄ **FIGURA 2.** Eros, o Deus alado do amor e do desejo (ilustração desenhada e cedida por Gabriel Clemente).

DIAGNÓSTICO

O próprio diagnóstico de neoplasia maligna, na maioria dos pacientes, leva ao desencadeamento de uma corrente de reações biológicas e psíquicas, que poderíamos chamar de "tempestade emocional".

Sabemos que o câncer é uma trilogia entre a memória genética de cada indivíduo, a quebra dos sistemas de manutenção dos códigos de defesa do organismo e os fatores de estímulo oncogênicos, intermediados pela forma de se lidar com as relações existenciais.

O paciente, ao ter seu diagnóstico firmado, conscientiza-se subjetivamente de seu estado. Ele sabe por informações de terceiros ou mesmo por intuição, todo caminho que vai percorrer. A partir daquele primeiro momento, há um bloqueio do entendimento e dificilmente ele escuta todas as explicações. Por causa desses bloqueios, e não raramente, precisamos de um interlocutor que poderá ser um familiar ou acompanhante. Em se tratando da esfera genital, a situação pode tomar proporções maiores, pois um universo de questionamentos e presunções futuras pode complicar o foco inicial, que seria o diagnóstico e o tratamento.

O médico, ao explicar sobre a situação nas primeiras consultas, e na maioria das vezes, não é entendido pelo doente. É a primeira fase do luto diante da perda ou doença crônica É o choque e a negação.[15]

Posteriormente, poderemos falar das *benesses* das terapias a serem empregadas e oportunamente de suas sequelas e cuidados possíveis.

Pacientes portadores de câncer genital devem ser esclarecidos e estimulados a enfrentarem barreiras de comunicação para tomarem atitudes com sua sexualidade.

No início da doença e durante o processo diagnóstico, diversos fatores desequilibram a vida habitual do doente. Situações orgânicas como a astenia (sensação de fadiga), debilidade generalizada, transtornos do sono, dos hábitos intestinais, miccional, do apetite e febre. As alterações anatômicas causadas por tumores, como vegetações em vulva, vagina e colo causam sangramentos, secreções muitas vezes fétidas, prurido e dor, impedindo assim o intercurso sexual a contento. Levam a frustração de um se não dos dois parceiros.

Os tumores pélvicos intracavitários, como os de corpo uterino, ovário e tubas, podem ser volumosos e apresentar ascite, que interfeririam também no ato sexual. A constatação implícita ou explícita da neoplasia soma os fatores orgânicos aos fatores psicológicos. O medo e a falta aparente de controle sobre a situação levam à ansiedade e ou à depressão. A ansiedade ou o nervosismo, característica biológica do ser humano, que antecede momentos de perigo real ou imaginário, é marcada por sensações desagradáveis no corpo, como sensação de vazio no estômago, taquicardia, dificuldade de inspiração, transpiração, contratura de musculatura cervicodorsal desencadeando cefaleia, tremores paroxísticos etc. Eles refletem um aumento da estimulação do sistema neurovegetativo na representação da, assim chamada, síndrome de pânico. Comorbidades como hipertensão e diabetes, podem ser deflagradas ou mesmo exacerbadas com a ansiedade, levando o ser humano a um ciclo patológico de consequências incontroláveis.

A depressão, o declínio do tônus neuropsíquico ou o transtorno depressivo é um problema psiquiátrico ou psicológico, caracterizado por anedonia (perda do prazer das atividades diárias, alterações cognitivas, perda de capacidade de raciocinar e tomar decisões), apatia (perda da capacidade de suas funções laborativas), alterações psicomotoras (fadiga, insônia etc.) e diminuição ou ausência da libido.[16]

Sensação de solidão, isolamento, misantropia, diminuição do sentimento de autoestima e, muitas vezes, a ideia de que não são compreendidos pelos que os rodeiam. É necessário o apoio de familiares, dos profissionais envolvidos e, não poucas vezes, de atendimento psicológico especializado.

SEQUELAS DOS TRATAMENTOS AOS CUIDADOS COM AS SEQUELAS

Sequela de origem latina *sequelae*, significa a condição mórbida que segue uma doença ou tratamento. Relevante atenção na literatura médica é dada ao diagnóstico e tratamento do câncer ginecológico. Entretanto, esta é escassa sobre as sequelas e os trabalhos encontrados não refletem resultados fiéis, provavelmente face à multifatoriedade do assunto.

Intervenções cirúrgicas promovem modificações diretas na estrutura anatômica do sistema reprodutor; eventuais alterações neurovasculares decorrentes de tais procedimentos podem comprometer a resposta orgânica ao estímulo sexual. A terapia contra o câncer, em suas distintas modalidades, pode ser fonte de distúrbios anatômicos, fisiológicos e psicológicos.[17] Isoladamente ou em conjunto, elas levam, a variáveis graus de diminuição ou redução da libido.

Dentre as principais iatrogenias, podemos encontrar:

- Estenoses, sinéquias vulvovaginais e/ou encurtamento vaginal.
- Linfedemas.
- Incontinências urinária e fecal.
- Fístulas (vesicais e enterais).
- Mucosites (cistites e colites).
- Infecções geniturinárias de repetição.
- Castração (menopausa e esterilização).
- Dores pélvicas ou outras.
- Efeitos psicológicos.

Estenoses e encurtamentos

Estima-se que até 88% das pacientes submetidas à radioterapia pélvica em função de câncer ginecológico venham a desenvolver um quadro de estenose vaginal relacionado ao tratamento.[18]

Condição comumente associada à braquiterapia intracavitária, é de definição pouco precisa. Resulta do dano direto causado à mucosa vaginal, com destruição parcial de suas camadas epiteliais, e ao tecido conectivo, que reage com diminuição dos vasos sanguíneos, hipóxia e subsequente formação de telangiectasias.[19] Atrofia do epitélio de revestimento, perda da lubrificação elasticidade, e fibrose circunferencial seguem-se a estas lesões.[19-22]

A atrofia vulvovaginal é responsável pela dor e sinusiorragia durante os intercursos sexuais, determinando dispareunia e vaginismo, com consequente redução ou eliminação do desejo e da atividade sexual. A primeira pode ser definida como dor ao coito e o vaginismo, como contração involuntária da musculatura perineal em resposta a estímulos subconscientes. Equivale à antecipação à dor diante da iminência ou penetração peniana propriamente dita.

O terço superior é o sítio mais acometido, ocasionando principalmente a redução do comprimento vaginal. A supressão da função ovariana relacionada a tratamento cirúrgico ou radioterápico leva a um agravamento dos sintomas locais. Nas colpectomias, em que há histerectomias, podem ocorrer não só o encurtamento vaginal, como também aderências entéricas na cúpula do referido órgão, o que explicaria a dor à "penetração profunda". Mesmo procedimentos conservadores, a exemplo da traquelectomia nos casos de câncer de colo uterino inicial, exercem impacto negativo na vida sexual das pacientes.[23]

Os tumores de vulva apresentam atualmente propostas terapêuticas que vão desde exéreses de lesões superficiais ou cutâneas (*skining vulvectomy*) até as vulvectomias alargadas. Tratamentos cirúrgicos e outras técnicas de extirpação tumoral, como as vaporizações por *laser*, ressecções com cautério de alta frequência, podem levar a diferentes graus de deformidades vulvares ou vaginais.[24]

A radioterapia pélvica promove um desconforto transitório decorrente da sua toxicidade. Estenoses, vaginites e dermatites são exemplos de efeitos secundários que interferem nas atividades diárias, reduzindo a disposição sexual dos seus parceiros.[25] Medidas de prevenção e tratamento das estenoses incluem retorno da atividade sexual precoce ou manutenção desta durante a radioterapia. Também o uso de dilatadores vaginais, além de estrógenos tópicos pode ser empregado. Intervenções cirúrgicas são reservadas para casos extremos.

Dilatadores, na prevenção de estenoses vaginais, apresentam correntes contrárias. Ainda não há consenso acerca de sua eficácia ou o melhor momento para início do uso e a duração precisa do tratamento; revisões de literatura recentes não apontaram evidências que apoiem sua aplicação rotineira. Melhoras na qualidade de vida das pacientes não foram observadas nos diversos estudos analisados; em contrapartida, maiores riscos de danos anatômicos foram apontados.[26] Deve ser sugerido o uso de geleias lubrificantes à base de água durante o coito. Não sugerir vaselina, pois pode causar ressecamento posterior. Pode-se lançar mão de estrógenos tópicos e sistêmicos para controle dos sintomas locais e decorrentes de menopausa secundária ao tratamento. A reposição hormonal fica condicionada à avaliação clínica de cada paciente, ponderando riscos e benefícios individualmente.[27]

Recursos devem ser empregados com cuidados no sentido de minimizar ou evitar as sinéquias vaginais, porém deve-se enfatizar as sobreviventes aos tratamentos de câncer que, além do objetivo de recuperar sua função sexual, também se precisam tornar a vagina passível de ser examinada através dos exames especulares de controle.

Enfim, durante o acompanhamento ginecológico oncológico diário, podem-se notar diferentes respostas aos tratamentos relativas a cada pessoa. Por exemplo, pequenas sinéquias levariam a queixas importantes em algumas pacientes, mais do que em outras, nas quais se observam alterações anatômicas significativas.

O sucesso das intervenções propostas, no entanto, está condicionado ao grau de informação e conscientização quanto à possibilidade do desenvolvimento de estenose vaginal e suas implicações na qualidade de vida das pacientes e de seus parceiros.[28] Muitas mulheres não têm conhecimento de suas zonas erógenas e um universo de crenças e tabus pode ser desmistificados por meio de conversas francas com profissionais preparados, com o objetivo de diminuir os efeitos sequelantes.

Linfedema

É definido como acúmulo de líquido hiperproteico no espaço intersticial de tecidos afetados por uma falência do sistema linfático, decorrente do trauma ocasionado pelas ablações cirúrgicas ou radioterápicas de cadeias linfonodais. Entretanto, alguns pesquisadores acham que essa definição é muito simplista para explicar a etiologia dos linfedemas que ocorrem após os tratamentos de câncer ginecológico. Estudos recentes sugerem que a susceptibilidade de cada indivíduo ou comorbidades preexistentes como: insuficiência vascular, diabetes ou comprometimento linfático acima da área tratada que podem facilitá-lo após cirurgias e/ou radioterapia.[29]

O linfedema nos tratamentos de tumores ginecológicos é observado em membros inferiores e também na região perineal. De outra forma, a redução da disponibilidade de oxigênio local favoreceria a linfangite ou celulite ocasionada pela penetração de bactérias.

A prevalência da baixa incidência de linfedemas após as terapêuticas em câncer ginecológico depende, sobretudo, do tipo de tumor, seu estadiamento e do tratamento empregado. Todavia, a literatura não é clara quando avalia esses três parâmetros. Um estudo mostrou a incidência de 18% de mulheres tratadas, incluindo todas as neoplasias ginecológicas, das quais 16% delas desenvolveram esta ocorrência entre 1 a 5 anos após o tratamento.[29] Outros estudos referem a prevalência de linfedema em 47% de mulheres com tumores de vulva linfadenectomizadas e irradiadas. Entretanto, outros trabalhos apontam o aparecimento entre 9 e 70%, mostrando dados ainda não precisos.[29]

A combinação de tratamentos físicos vem mostrando redução nos episódios de celulite ou controle nos linfedemas, cuja proposta é o acompanhamento fisioterápico com o emprego precoce de faixas compressivas nos membros, exercícios respiratórios e drenagem linfática, para mobilização gradual da linfa. Também o aconselhamento nutricional e psicológico é cuidado indispensável, bem como o seguimento clínico às vasculopatias e outras comorbidades. Acupuntura também é recomendada e vem revelando êxito para alguns casos.

O uso de drogas medicamentosas, como diuréticos, tem resultados pouco eficientes, especificamente nos linfedemas. Outros terapeutas defendem o emprego prolongado de benzopironas, como oxerrutinas e cumarínicos que, no entanto, apresentam literatura inconsistente. Lembrar que cumarínicos têm significante hepatotoxicidade.[29]

Incontinências, fístulas e mucosites

Outro quadro intenso que leva a disfunção sexual são as incontinências.

Têm como causa primordial as deficiências esfincterianas intrínsecas, que estão geralmente associadas à perda variável da inervação ou lesão na musculatura do assoalho pélvico. Acontecem após cirurgias alargadas, decorrente da cirurgia pélvica para retirada dos paramétrios. Esses distúrbios estão associados à interrupção parcial das fibras de inervação autônoma da bexiga, causando disfunções urinárias, como a incontinência vesical.[30]

A radioterapia na região pélvica é outra causa de desordem neste sistema, levando a incontinências e cistites. Trabalhos referem incidências de cistites entre 2,5 a 21%.[31] Perez, em pesquisa que engloba as cistites e as proctites, assinalando estas sequelas entre 0,7 e 3%[32], mostrou resultados ainda imprecisos. A diminuição dos níveis estrogênicos, causadas por uma possível menopausa, nestes tratamentos, pode agravar estas intercorrências. Danos causados à inervação pelvicoperineal ocasionariam escapes involuntários de conteúdo vesical ou intestinal, que muitas vezes são confundidos com fístulas. É importante exame clínico e endoscópico cuidadoso para o diagnóstico diferencial entre elas.

Cistites e colites actínicas (mucosites) têm, além dos efeitos da irradiação propriamente dita, causas infecciosas e hormonais que sucedem estes tratamentos. Agravações também estariam ligadas a enfermidades prévias, como diabetes, deficiência vascular, dieta pobre em água e erro alimentar. É importante estarmos atentos à possibilidade de situações que se somam.

Mulheres submetidas a histerectomias alargadas e anteriormente com função urinária preservada apresentaram complacência vesical e comprometimento do músculo detrusor, ocasionadas por lesão parcial da inervação simpática e parassimpática.[33] Estudos entre 2003 e 2011 apresentaram incidência de incontinência urinária de 34 a 53%, em até 1 ano após a cirurgia.[34] Esta circunstância também pode ser encontrada em pelves irradiadas, decorrente da fibrose regional que afeta a inervação local.

Medicamentos como fenazopiridina ou anticolinérgicos, usados isoladamente ou associados, podem aliviar os sintomas como frequência e urgência urinárias, disúria e nictúria causadas pela radioterapia pélvica.[31]

Tratamento conservador

As incontinências urinárias contam com a integração entre médicos, enfermeiros e fisioterapeutas, e o estudo urodinâmico deve orientar os profissionais para o diagnóstico e o tratamento.

A fisioterapia utiliza técnicas comportamentais, *biofeedback*, cinesioterapia ou exercícios de Kegel para musculatura pélvica e eletroestimulação. Outros recursos são os obturadores ou adesivos uretrais.

A terapia comportamental tem como objetivo resgatar a função fisiológica miccional que teria sido "esquecida" pelo organismo e visa estimular a paciente a distinguir entre a necessidade de urinar e o ato da micção. A mulher é orientada a urinar em intervalos curtos, mesmo sem vontade e, gradativamente, aumentar estes intervalos até atingir um hábito desejável.

O *biofeedback* tem finalidade diagnóstica e terapêutica; usa aparelho com sensor eletrônico colocado na vagina ou no reto, na região perineal e parede abdominal, para informar a atividade ou o relaxamento dos músculos envolvidos no processo miccional. Informa sobre a contração esperada através de representação auditiva ou visual (luzes).

A cinesioterapia é um conjunto de exercícios voluntários e repetidos de contração e relaxamento, envolvendo a musculatura das regiões perineal, glútea e abdominal. Arnold Kegel, na década de 1950, elaborou esta prática que tem o fim de fortalecer o músculo pubococcígeo. Kegel usou um pequeno dispositivo pneumático de formato cilíndrico que era introduzido na vagina conectado a um manômetro. A força empregada pela musculatura perineal seria registrada no manômetro. O método tinha finalidade não só diagnóstica, como também terapêutica.

Os pesos vaginais são pequenas peças de formas cilíndricas ou esféricas que variam de 20 a 100 g, presas a um cordão de náilon e que são introduzidos na vagina em ordem crescente, de acordo com a capacidade do órgão, e têm como objetivo estimular a ação reflexa de expulsão dos mesmos e subsequente contração do assoalho pélvico. Este tratamento foi introduzido por Plevnik[35] e, assim como os exercícios de Kegel sua prática assemelha-se aos princípios básicos do pompoarismo, milenar técnica oriental originária da Índia e posteriormente aperfeiçoada no Japão e na Tailândia.

A eletroestimulação é uma técnica na qual eletrodos são introduzidos por via intravesical, transretal e transcutânea sobre a inervação pudenda ou sacral para estimular a musculatura perineal.[36] É indicada para incontinências urinárias e fecais, em geral. Trata-se, portanto, de um tratamento ainda não bem estudado para as sequelas de câncer, não se conhecendo assim seu risco e benefício. Entretanto, Maeda *et al.* referem que sete de 13 pacientes com incontinência fecal pós-radioterapia obtiveram sucesso com eletroestimulação sacral temporária.[37] Pessários vaginais são órteses de diferentes modelos, materiais e formatos que são introduzidos no canal vaginal com a finalidade de melhorar a angulação vesicouretral.[38]

Obturadores e adesivos uretrais aderem e ocluem a mucosa periuretral, por meio de gel adequado. São retirados periodicamente para esvaziamento vesical e descartados.[38]

Estas duas últimas propostas seriam paliativas para casos cujas respostas a outros métodos não tenham tido o sucesso desejado. Uma avaliação destas possibilidades deve ser feita pelo médico, juntamente com a paciente.

A acupuntura e a homeopatia também são tratamentos dos quais muitos pacientes têm beneficiado-se. Há controversas sobre eles por especialistas conservadores, que argumentam não se tratar de métodos cientificamente comprovados.

Indicações cirúrgicas corretivas ficam reservadas às iatrogenias, nas quais ocorrem prolapsos genitais após o tratamento operatório, sem que tenha ocorrido lesão de inervação. Há de se considerar inúmeros fatores que interferem nessas indicações terapêuticas, como idade, grau da lesão, fator socioeconômico, nível de informação, estado psicológico e *performance status* (PS). E nem sempre se obtém os resultados esperados. De outra forma, muitas dessas propostas, isoladamente ou combinadas podem melhorar os quadros de incontinência urinária e, consequentemente, a disfunção sexual.

Sequelas gastrointestinais

Colite actínica, fístulas, incontinência anal e aderências figuram entre as complicações gastrointestinais crônicas relacionadas à radioterapia pélvica. Embora a incidência destas afecções entre as pacientes submetidas ao tratamento de neoplasias ginecológicas não seja precisa, estima-se que cerca de 6 a 78% das pacientes apresentem queixas de mudança no hábito intestinal com impacto na qualidade de vida após o tratamento.[39] Sintomas crônicos podem surgir anos após a terapia: diarreia, sangramentos retais, tenesmo, constipação, desconforto abdominal, descarga vaginal fecaloide (decorrente de fístulas retovaginais) estão entre as queixas mais comuns.[32] Fístulas e obstruções intestinais são mais frequentes nos casos de radioterapia adjuvante, decorrente da manipulação de alças e eventual formação de aderências decorrentes do procedimento.[40]

O manejo das complicações pode envolver o controle dos sintomas locais e medidas conservadoras para a contenção de sangramentos ou fechamento espontâneo de fístulas. Nos casos mais graves ou refratários ao tratamento inicial, intervenções cirúrgicas podem ser necessárias, envolvendo ressecção de alças e confecção de estomas.[41]

A ostomia acarreta uma série de alterações físicas e psicológicas às pacientes submetidas a esse tipo de procedimento, a despeito dos avanços das técnicas cirúrgicas e dos cuidados envolvendo equipes multidisciplinares destinados a pacientes ostomizados.[42] Implica em autoestigmatização e tendência ao isolamento social, com impacto direto na vida sexual das pacientes: a alteração da autoimagem reduz a libido. O interesse sexual do parceiro também é reduzido. A questão sexual chega a tornar-se secundária para essas pessoas, que buscam alento em outras atividades.[43] Forma-se um ciclo vicioso de negações que agrava ainda mais a piora da qualidade de vida nesses casos.

Sintomas irritativos gastrointestinais e urinários são outros exemplos de efeitos secundários à toxicidade da radioterapia pélvica que interferem nas atividades diárias, reduzindo ou eliminando a libido.[25]

Castração

Menopausa

Consiste na ablação cirúrgica ou no aniquilamento químico ou radioterápico das gônadas, levando à menopausa iatrogênica. A menopausa é definida como término permanente da menstruação, resultante da perda de atividade ovariana folicular e subsequentemente a repercussões no eixo hipotálamo-hipofisário.[44] Por outro lado, quando falamos de menopausa, na verdade estamos referindo-nos ao conjunto de sinais e sintomas que dela advém. É a síndrome de climatério. Esta contempla um quadro sintomatológico constituído por alterações hormonais com repercussão no metabolismo de carboidratos, lipídios e cálcio. Alterações vasomotoras, do complexo cutâneo mucoso, susceptibilidade a transtornos autoimunes, coronarianos e psicológicos.

Os sintomas gerais produzidos pelos tratamentos quimioterápicos também interferem na função ovariana que pode ser reduzida e ocasionaria o surgimento de sintomas da menopausa, bem como a alopecia em resposta a alguns esquemas quimioterápicos. Tudo isto afeta a vida orgânica e psicológica da mulher reduzindo drasticamente o interesse sexual.[17]

Em 1953 os médicos alemães H.S. Kupperman e M.H.G. Blatt fizeram um estudo clínico dos sintomas de mulheres em fase de climatério e criaram uma tabela na qual incluíram 11 deles, atribuindo-lhes índices. B Neugarten e R. Kraines, mais tarde, acrescentaram mais alguns sintomas. A tabela atual consta de fogachos, parestesias, insônia, nervosismo, depressão, fadiga, artralgias/mialgias, cefaleia, palpitação e zumbido. A soma destes índices estabeleceria um grau de intensidade ao quadro, como leve, moderado ou intenso, os quais orientariam o acompanhamento da paciente.

Milhares de mulheres são tratadas anualmente com câncer ginecológico. Muitas delas em menopausa, enquanto outras, jovens, irão manifestá-la precocemente após os tratamentos.[34]

As consequências da "depredação" estrogênica a curto ou longo prazo são alguns dos problemas das sobreviventes ao câncer em termos de qualidade de vida. Visando minimizar estas falências são propostos recursos terapêuticos, como hormonoterapia ou terapias de atenuação dos efeitos da síndrome de climatério.

Reposição hormonal (TRH)

O uso de estrogenoterapia em pacientes com câncer ginecológico é um assunto polêmico. Sabe-se que essa terapia pode diminuir bastante os efeitos dramáticos dos sintomas climatéricos, entretanto em câncer o principal risco assinalado é a possível estimulação de células tumorais remanescentes no organismo após os tratamentos ou a indução de novas doenças hormônio-dependentes.[46] Todavia, esta hipótese não está devidamente comprovada.[45-47] Contraindicações em geral são feitas para os adenocarcinomas de cérvice e leiomiossarcomas uterinos.[46,48]

Estudos estatísticos mostraram que o intervalo livre de doença entre grupos com adenocarcinoma de endométrio do tipo endometrioide, tratadas com TRH, tiveram intervalo livre de doença maior do que as não tratadas. Foram incluídas pacientes em estágios I e II com linfadenectomia negativa. Todavia, o esclarecimento às pacientes tratadas previamente de câncer de endométrio, quanto ao uso de TRH, seus riscos e benefícios, faz-se necessário.[49] A necessidade de associação a progestínicos nestes pacientes também é desconhecida.[47]

A utilização de estrogênio em pacientes com tumores de linhagem epitelial de ovário, vulva, vagina e cérvice não é contraindicada, por não serem estes considerados estrógeno-dependentes. Pesquisas demonstram que a possibilidade de transformação das células epiteliais pelo HPV pode ser mediada pela progesterona.[47]

O *American College of Obstetricians and Gynaecologists* adverte que é mandatória a informação às pacientes sobre os riscos de recidiva com o uso de TRH e sugere a possibilidade de utilização de terapias alternativas, visando a prevenção de osteoporose e doença cardiovascular.[47] Cada caso deve ser analisado cuidadosamente, tendo em vista a reposição hormonal com adequação de suas indicações e contraindicações. Fazem-se necessários acordos e explicações claros à paciente quanto ao uso de estrogenoterapia, bem como monitoração periódica do caso.

Fitoestrogênios

São substâncias naturais encontradas em plantas e apresentam em sua estrutura básica um anel fenólico aromatizado, com um radical hidroxila em um de seus carbonos, por esta razão podem ocupar os receptores de estrogênio. A potência biológica dos fitoestrogênios varia entre 120 a 2.000 vezes inferior à do estradiol.[50] São considerados agonistas ou antagonistas do estrogênio para alguns autores, dependendo do sítio de atuação (SERMS-moduladores seletivos de receptores de estrogênio).[51] Para outros, por terem ação competitiva com o estrogênio e biologicamente fraca em relação a eles, poderiam ser considerados mais como antiestrogênicos.[50]

Há três tipos de fitoesteroides; isoflavonas, lignanas e coumestanas, seus princípios ativos são considerados fitoestrogênios e podem ser sintetizados em laboratório.

As isoflavonas possuem como princípio ativo: genisteína, daidzeina, equol e gliciteína. Os principais vegetais nos quais se encontram as isoflavonas são; a soja, a *cimicifuga racemosa* (Black Co-hosh) e *tripholium pratensis* (Red Clover).

Os fitoesteroides podem ser uma opção terapêutica a mais para os sintomas climatéricos destas mulheres, desde que sejam observados critérios de avaliação constante quanto a seu diagnóstico inicial e à sensibilidade orgânica de cada paciente com o uso destas substâncias.

Tibolona

É um hormônio sintético, modulador específico de receptores de estrogênio, e tem sido utilizado para o tratamento dos sintomas do climatério, como estimulador da libido, atenuante da atrofia vaginal e da perda de massa óssea. Era considerado seguro por não possuir efeito sobre o tecido glandular da mama e do endométrio,[52] tendo afinidade maior nestes tecidos para os receptores androgênicos e progestagênicos.[53] Entretanto, trabalho efetuado com grupo de mulheres em menopausa, com útero, que usaram tibolona, apresentou significante taxa de crescimento de pólipos de endométrio.[54]

Biofosfanatos

São fármacos sintéticos, inibidores da reabsorção óssea mediada pelos osteoclastos. São usados para tratamento da osteoporose observada no climatério. Diminuem o cálcio sérico com aumento da densidade do osso, sendo eficazes na redução das dores osteoarticulares. Costumam ser administrados com cálcio e análogos da vitamina D. Dentre eles temos o alendronato, o risendronato, o etidronato e outros. A literatura em relação ao uso prolongado destes medicamentos ainda não é segura.

Raloxifeno

É um derivado trifeniletilênico como o tamoxifeno e o clomifeno e tem alta afinidade pelo receptor de estrogênio. É um (SERMS) modulador seletivo de receptor de estrogênio de segunda geração. Apresenta ação agonista no tecido ósseo, vascular e no metabolismo de lipídios. É considerado antagonista no tecido endometrial e mamário.[55]

Antidepressivos

Estudos sugerem que as concentrações de endorfina no hipotálamo diminuem com a queda da produção de estrogênio. Haverá, consequentemente, liberação de noradrenalina e serotonina, prejudicando o ajuste do centro termorregulador e justificando o uso de antidepressivos, como a paroxetina, fluoxetina e citalopran para os sintomas vasomotores da síndrome do climatério.[56]

Esterilização

É outra situação muito importante para mulheres desejosas de estabelecer ou aumentar sua prole, e nem sempre o útero ou os ovários podem ser poupados. Tratamentos menos radicais ultimamente estão sendo propostos para conservação da fertilidade em alguns casos. Estudos retrospectivos de casos iniciais de câncer de colo uterino mostram índices menores que 1% de envolvimento parametrial em estágios iniciais. Por esta razão foram escolhidas pacientes com tumores menores ou iguais a 2 cm e ausência de invasão linfovascular (1 A1 a 1 B1) para pesquisas de manutenção de fertilidade, aliando técnicas de conização ou traquelectomia radical com linfadenectomia por videolaparoscopia. Análises histopatológicas e imuno-histoquímica negativa, bem como margem de segurança das peças levaram a resultados para seleção de pacientes. As selecionadas foram submetidas à quimioterapia neoadjuvante e obtiveram, algumas delas, êxito para fertilidade.[34,57-59] Em um dos trabalhos há referências de que em 24 das mulheres tratadas, 71% delas experimentaram concepção e 11 tiveram filhos.[59]

A avaliação da possibilidade de filhos naturais em cada caso deve ser bem informada e discutida com a paciente ou o casal. O aconselhamento psicológico geralmente é necessário.

INFECÇÕES GENITURINÁRIAS DE REPETIÇÃO

São ocasionadas pelas deficiências hormonais, imunológicas e psicológicas após os tratamentos do câncer ginecológico e devem ser constantemente monitoradas.

DORES PÉLVICAS E OUTRAS

A dor é descrita como desagradável sensação ou experiência emocional associada a dano tecidual ou interpretação do sistema nervoso central (SNC) feita como tal.[60]

A dor observada em pacientes na clínica diária apresenta-se de duas formas:

- Nociceptiva (inflamatória), que é ativada por substâncias algogênicas como prótons, prostaglandinas, bradicinina, adenosina, citosina etc.
- Neuropática, a qual expressa um sinal gerado ectopicamente que é enviado ao cérebro por uma anomalia dos nervos periféricos, ou ainda uma anormalidade do SNC.[60]

Recentes estudos sugerem que a dor referida pelos doentes portadores de neoplasia maligna é do tipo neuropático ou inflamatório neuropático. A dor no câncer é resultante da compressão, inflamação ou infiltração própria de progressão metastática pelo tumor em terminações nervosas.

O tratamento medicamentoso pode ser feito com drogas opioides como morfina, codeína, oxicodona, hidrocodona, heroína e outras.[61] Muitas vezes, essas drogas são condenadas e nem sempre eficazes e podem promover distúrbios gastrointestinais de intensidades variadas.[61]

Os medicamentos não opioides, como anti-inflamatórios não esteroides, acetaminofeno (paracetamol) e corticoides também são bastante utilizados.

Os corticoides agem diminuindo a resposta inflamatória celular e são empregados para tratamento do apetite, obstrução intestinal, náuseas e outras dores de origem metastática; merecem ser prescritos com cuidado diante da possibilidade de retenção de líquidos, diabetes e candidíase oral.[62]

Infiltrações anestésicas (contraindicações específicas) e procedimentos cirúrgicos são indicados em casos extremos.[60]

É importante lembrar que a dor em pacientes já submetidos a tratamentos curativos pode significar recidiva ou progressão da doença e, portanto, a investigação semiótica se impõe para avaliação diagnóstica de metástases. Em casos onde esta possibilidade é excluída, pode representar "hábito" ao uso do medicamento pelo paciente.

Acupuntura, homeopatia e fisioterapia são recursos que podem reduzir estes sintomas, combinados ou não com os outros tratamentos.

Provavelmente alguns dos tratamentos indicados neste capítulo apresentam polêmicas pela comunidade científica, entretanto a ciência vem superando-se com novas pesquisas. É possível que o que **não é aceito hoje** seja uma **verdade comprovada amanhã.**

Sobre o efeito placebo: *"as crenças e esperanças de uma pessoa sobre um tratamento, combinadas com sua sugestibilidade, podem ter efeito bioquímico significativo. Sabemos que as experiências sensoriais e pensamentos podem afetar o sistema neuroquímico de um corpo, assim, há provavelmente uma boa dose de verdade [...] muito importantes para seu bem-estar físico e sua recuperação..."*.[63]

SEQUELAS PSICOLÓGICAS

É importante saber que, para lidar com os distúrbios sexuais dos pacientes com câncer, necessita-se de uma revisão em suas bases de referência. É ingênuo achar que as disfunções psicológicas e sexuais do doente se iniciaram com o aparecimento da enfermidade.[55] A história psicossocial e o desenvolvimento sexual de um indivíduo reportam-nos a conhecimentos de possíveis intercorrências em uma dessas fases, contribuindo para o

Quadro 1. Sobre o desenvolvimento humano[64]

ESTÁGIO	BASES PSICOSSOCIAIS	DESENVOLVIMENTO SEXUAL
1ª Infância (0 a 2 anos)	Adquire confiança para andar e falar	Identidade do gênero (masculino ou feminino)
Idade escolar (entre 2 e 12 anos)	Adquire senso de autonomia *versus* vergonha e dúvidas; interação e ajuste à escola	Prazer *versus* Dor – associação com órgãos sexuais e funções de eliminação; masturbações com resultados entre vergonha e aceitação, secundariamente características sexuais tornam-se evidentes
Adolescência (entre 13 e 20 anos)	Adquire senso de identidade *versus* confusão de postura	Controles sobre impulsos, aceitação, urgência sexual, novas funções fisiológicas surgem, como ejaculação e menstruação
Juventude (entre 21 e 45 anos)	Adquire senso de intimidade *versus* isolamento; afirmações vocacionais, segurança interpessoal e adequação sexual	Adequação sexual, desempenho quanto às fertilidades concernentes a questões transmitidas pelos pais ou cuidadores
Adulto (meia-idade) (entre 46 e 70 anos)	Adquire senso de autoestima *versus* perdas de esperança; diminuição de energia e competência. Ajuste as mudanças psicológicas com a evidência do envelhecimento	Para mulheres, menopausa com os sintomas próprios de falência hormonal com sintomas vasomotores, atrofia vaginal e diminuição da lubrificação. Para os homens, dificuldade de ereção, redução de compulsão da ejaculação, impotência, prostatites
Velhice	Adequação à perda de família e amigos, confronto com a velhice e a morte, dores e limitações por redução da capacidade sensorial; ajustamento ao estigma da velhice	Redução de vitalidade, medo da incompetência, lesões coronarianas durante o coito; preocupação com a imagem que os "outros" têm dele; limitação física; capacidade de opções reduzida

adoecimento. Do mesmo modo, a constatação de ressentimentos e as situações não compreendidas podem, muitas vezes, fazer parte do universo psíquico destas pessoas.

O Quadro 1 identifica a possibilidade de diferentes abordagens de atenção com o paciente, de acordo com o estágio de vida em que ele se encontra.

As entrevistas psicoterapêuticas podem observar situações predisponentes no desenvolvimento social, sexual e psicológico de uma pessoa, como: personalidades pré-mórbidas, repetição de comportamentos familiares, valores pessoais, conflitos, crenças, sentimentos em relação a saúde e adoecimento, autoconhecimento e experiências com doenças, especialmente câncer.[64]

Atualmente estão sendo empregadas técnicas de terapia cognitivo-comportamental, enfatizando, assim, o papel do pensamento, de emoções e comportamento. Também é utilizada a hipnose e a imagenterapia (programação neurolinguística).[65]

Psicólogos estimulam pacientes a falar ou escrever sobre suas ansiedades, seus ressentimentos e estresses entre 15 a 20 minutos por dia, 3 a 5 vezes por semana,[65] como que os convidando, na repetição de suas histórias, a banalizá-las e interromper assim os pensamentos cíclicos e dolorosos que infestam suas mentes.

Dificuldade de expressão, linguagem oral e corporal próprias de cada personalidade e o autojulgamento podem, inicialmente, ser observados pelos profissionais para o auxílio ao paciente.

Para insônia estão indicados hipnóticos não diazepínicos e ansiolíticos diazepínicos para ansiedade, que podem ajudar o paciente durante o período de crise.[66]

Programas de apoio a familiares, para esclarecimentos de muitos pontos na relação comportamental deles próprios e do paciente, são necessários. São primordiais a atenção, o estímulo e o encorajamento que o enfermo espera da equipe de saúde, de sua família e dos amigos.

Quanto aos cuidados com o aconselhamento das disfunções sexuais torna-se necessário lembrarmos ou mesmo ensinarmos às pacientes, sobreviventes às neoplasias malignas, que assim como a dor, que pode ser observada em qualquer lugar do corpo, também o prazer assim ocorreria, porque ambos são regidos pela mente.

REFERÊNCIAS BIBLIOGRÁFICAS

1. Dixon B. *Além das balas mágicas: a medicina de hoje: acertos e desacertos.* Editora da Universidade de São Paulo. 1981; São Paulo: Manole, 1997. p. 24.
2. Monteiro JPG (consultoria). *Hume – Vida e obra.* Os Pensadores. São Paulo: Nova Cultural, 2000. p. 9.
3. Locke J. *Ensaio acerca do entendimento humano.* (consultoria Estevão C e Monteiro JP. tradução Aiex A). São Paulo: Nova Cultural, 2000. p. 30.
4. Panzini RG, Rocha NS, Bandeira DR et al. Qualidade de vida e espiritualidade. *Psiquiatria Clínica* 2007;34(Supl 1):105-15.
5. LeShan L. *O câncer como ponto de mutação.* 4. ed. São Paulo: Summus, 1992. p. 93.
6. Masters WH, Johnson VE. Disponível em: http://en.wikipedia.org/wiki/Master_and_Johnson
7. Masters WH, Johnson VE. *A incompetência sexual.* 2. ed. Rio de Janeiro: Civilização Brasileira, 1976.
8. Marty P. *Infopédia Port.* Porto, 2003-2011. Disponível em: URL:htpp://www.infopedia.pt/$pierre-marty
9. Perez RS. *Psicologia clínica.* Rio de Janeiro 2006;18(1).
10. Kaplan SH. *The illustrated manual of sex therapy.* 2nd ed. New York: Routledge Taylor & Francis Group, 1987.
11. Simonton OC, Simonton MS, CreigtonJL. *Com a vida de novo. Uma nova abordagem de auto-ajuda para pacientes com câncer.* 8. ed. São Paulo: Summus, 1987. p. 53.
12. Almeida J, Rodrigues M. *Sexualidade e afetividade na dependência química.* Disponível em: http://palestras.diversas.com.br
13. Barros MNA. *As deusas as bruxas a igreja.* Rio de Janeiro: Rosa dos Ventos, 1998. p. 11-15.
14. Cedrés S. *Câncer y sexualidad-oncosexología.* Disponível em: www.plenus.com.uy/articulos_pareja html
15. Ross EK. *A roda da vida. Memórias do viver e do morrer.* 4ª ed. Rio de Janeiro: GMT, 1998. p. 180.
16. Garnier M, Delamare V. *Dicionário de termos técnicos de medicina.* 20. ed. São Paulo: Organizações Andrei, 1984.
17. Amsterdam A, Krychman M. Sexual function in gynecologic cancer survivors. *Expert Rev Obstet Gynecol* 2008;3(3):331-37.
18. Wolf JK. Prevention and treatment of vaginal stenosis resulting from pelvic radiation therapy. *Commun Oncol* 2006;3:665-71.
19. Lancaster L. Preventing vaginal stenosis after brachytherapy for gynaecological cancer: an overview of Australian practices. *Eur J Oncol Nurs* 2004;8:30-39.
20. Brand AH, Bull CA, Cakir B. Vaginal stenosis in patients treated for carcinoma of cervix. *Int J Gynecol Cancer* 2006;16:288-83.
21. Decreuze SB, Guthrie D, Magnani R. Prevention of vaginal stenosis in patients following vaginal brachytherapy. *Clin Oncl* 1999;11:46-48.
22. Hintz BL, Kagan AR, Chan P. Radiation tolerance of the vaginal mucosa. *Int J Radiot Onc Biol Phys* 1980;6:711-16.
23. Carter J et al. A 2-year prospective study assessing the emotional, sexual, and quality of life concerns of women undergoing radical trachelectomy versus radical hysterectomy for treatment of early-stage cervical cancer. *Gynecol Oncol* 2010;119:358-62
24. Figueiredo EMA. *Ginecologia oncológica.* Rio de Janeiro: Revinter, 2004. p. 109-33.
25. National Cancer Institute. *PDQ® Sexuality and reproductive issues.* Bethesda, MD: National Cancer Institute, 2011.
26. Johnson N, Miles T, Cornes P. Dilating the vagina to prevent damage from radiotherapy: systematic review of the literature. *BJOG* 2010;117:522-31.
27. Perez CA, Kavanagh BD. Uterine cervix. In: Halperi E, Perez CA, Brady L. *Principles and practice of radiation oncology.* 5ª ed. ed. Philadelphia: Wolters, Kluwer Health/Lippincott Williams & Wilkins, 2007. p. 1533-609, cap. 66.
28. Jensen PT, Mogens G, Klee MC et al. Longitudinal study of sexual function and vaginal changes after radiotherapy for cervical cancer. *Int J Radiation Oncology Biol Phys* 2003;56(4):937-49,.
29. Keeley V. Lymphedema. In: Berger AM, Shuster JL, Von Roenn JH et al. *Principles and practice of palliative care and supportive oncology.* 3rd ed.

Philadelphia: Lippincott Wilkins, Williams/Wolters, Kluwer business, 2007. p. 253-64. vol. 53, part. D; chap 23.
30. Zullo MA, Manci N, Angioli R et al. Vesical dysfunctions after radical hysterectomy for cervical cancer: a critical review. *Crit Rev Oncol Hematol* 2003 Dec.;48(3):287-93.
31. Kunkle DA, Hishberg SJ, Greenberg RE. Urologic issues in palliative care. In: Berger AM, Shuster JL, Von Roenn JH. *Principles and practice of palliative care and supportive oncology*. 3. ed. Philadelphia: Lippincott Williams & Wilkins/Wolters Kluwer business. 2007. p. 357-70, chap 32, part F.
32. Perez CA, Grigsby PW, Lockett MA et al. Radiation therapy morbidity in carcinoma of the uterine cervix: dosimetric and clinical correlation. *Int J Radiat Oncol Biol Phys* 1999;44:855-66.
33. Chen GD, Lin LY, Wang PH et al. Urinary tract dysfunction after radical hysterectomy for cervical cancer. *Gynecol Oncol* 2002 May;85(2):292-97.
34. Benedetti-Panici P, Zullo MA, Plotti F et al. Long-term bladder function in patients with locally advanced cervical carcinoma treated with neoadjuvant chemotherapy and type 3-4 radical hysterectomy. *Cancer* 2004 May15;100(10):2110-17.
35. Belo J, Francisco E, Leite H et al. reeducação do pavimento pélvico com cones de Plevnik em mulheres com incontinência urinária. *Acta Méd Port* 2005;18:117-22.
36. van Balken MR, Vergunst H, Bart LH et al. The use of electrical devices for the treatment of bladder dysfunction: a review of methods. *J Urol* 2004 Sept.;172(3):846-51.
37. Maeda Y, Hoyer M, Lundby L et al. Treatment of radiotherapy and related morbidity. *Radiother Oncol* 2010 Oct.;97(1):108-12.
38. Pinheiro do Carmo AI. Eletroestimulação no tratamento de incontinência urinária de esforço em idosas. Registr 9 Nov. 2005. Acesso em: 23 Oct. 2007. Disponível em: www.fisioweb.com.br
39. Gami B, Harrington K, Blake P et al. How patients manage gastrointestinal symptoms after pelvic radiotherapy. *Aliment Pharmacol Ther* 2003;18:987-94.
40. Fiorica JV, Roberts WS, Greenberg H et al. Morbidity and survival patterns in patients after radical hysterectomy and postoperative adjuvant pelvic radiotherapy. *Gynecol Oncol* 1990;36:343-47.
41. Vasudeva R, Minocha A, Talavera F et al. Intestinal radiation injury. Medscape reference 2011. Disponível em: http://emedicine.medscape.com/article/180084-overview
42. Cascais AFMV, Martini JG, Almeida PJS. O impacto da ostomia no processo de viver humano. *Texto Contexto Enferm* 2007;16(1):163-67.
43. Silva AL, Shimizu HE. O significado da mudança no modo de vida da pessoa com estomia intestinal definitiva. *Rev Latino-Am Enfermagem* 2006;14(4):483-90.
44. Rabelo MM. *Manual prático de endocrinologia*. São Paulo: Fundo Editorial BYK, 2000. p. 289-93.
45. Hinds L, Price J. Menopause, hormones replacement and gynaecology cancers. *Menopause Int England* 2010 June;16(2);89-93.
46. Singh P, Oehler MK. Hormone replacement after gynaecological cancer. *Maturitas* 2010 Mar.;65(3):190-97.
47. Biglia N, Gaducci A, Ponzone R et al. Hormone replacement therapy in cancer survivous. *Maturitas* 2004;48:333-46.
48. Burger CW, van Leeuwen FE, Scheele F et al. Hormone replacement therapy in women treated for gynaecological malignancy. *Maturitas* 1999 June;232(2):69-76.
49. Biglia N, Mariane L, Marenco D et al. Hormonal replacement therapy after gynaecological cancer. *Gynacol Geburtshilfliche Rundsch* 2006;46(4):191-96.
50. Machado LV. Quão estrogênios são os fitoestrogênios? *Femina* 2003 Out.;31(9);775-80.
51. Murkies AL, Wilcox G, Davis SR. Phitoestrogens. *J Cin Endocrinol Metabolism* 1998;83(2):297-303.
52. Kenemans P, Speroff L. Tibolone: clinical recommendations and pratical guidelines. A reportthe international consensus group. *Maturitas* 2005;51(1):21-28.
53. Palacios S. Tibolone: what does tissues specific activity mean? *Maturitas* 2001;37:231-38.
54. Medina TM, Arenas BJ, HaiasJ et al. Tibolone and the risk of endometrial polyps: a prospective comparative study with hormone therapy. *Menopause* 2003;10(6):534-37.
55. Kayath MJ. Raloxifeno e osteoporose: revisão de um novo modulador seletivo do receptor de estrogênio. *Arq Bras Endocrinol Metab* São Paulo 1999 Dec.;43(6).
56. Nelson HD, Vesco KK, Haney E et al. Nonhormonal therapies for menopausal hot flashes. *JAMA* 2006;295:2057-71.
57. Abu-Rustum NR, Sonoda Y, Black D et al. Fertility-sparing radical abdominal trachelectomy for cervical carcinoma: Techinique and review of the literature. *Gynecol Oncol* 2006;103:807-13.
58. Rob L, Charvat M, Robova H et al. Less radical fertility-sparing surgery than radical trachelectomy in early cervical cancer. *Int J Gynecol Cancer* 2007;17:304-10.
59. Schmeler KM, Frumovitz M, Ramirez PT. Conservative management of early stage cervical cancer:Is there a role for less radical surgery? *Gynecol Oncol* 2011;20;321-25.
60. Papagallo M, Ihalova L, Perlov E et al. Difficult pain syndromes: bone pain, vesical pain, neuropathic pain. In: Berger AM, Shuster JL, Von Roenn JH. *Principles & palliative care and supportive oncology*. 3rd ed. Philadelphia: Lippincott Williams & Wilkins/Wolters, Kluwer business, 2007. p. 27-44, cap. 2.
61. Paice JA. Opioid pharmacotherapy. In: Berger AM, Shuster JL, Von Roenn JH. *Principles and practice of palliative care and supportive oncology*. 3rd ed. Philadelpha: Lippincott Williams & Wilkins.Wolters, Kluwer business. 2007. p. 45-58, cap. 3.
62. Cleary J. Nonopioid and adjuvant analgesic. In: Berger AM, Shuster JL, Von Roenn JH. *Principles and practice of palliative care and supportive oncology*. 3rd ed Philadelphia: Lippincott Williams & Wilkins.Wolters, Kluwer business.; 2007. p. 59-66, cap 3, part A.
63. Carrol RT. The skeptic dictionary. Disponível em: www.skepdic.com/brazil/placebo.html. Última atualização em: 24 Jun. 2001. Traduzido por Ronaldo Cordeiro.
64. Shain W, Howards S. Sexual problems of patients with cancer. In: DeVita Jr VT, Hellman S, Rosemberg SA. *Cancer principles & practice of oncology*. Philadelpha: Lippincott Williams & Wilkins.Wolters, Kluwer business. 1985. p. 2066-82, cap. 55, sec 2.
65. Keefe FJ, Abernethy AP, Porter LS et al. Nonpharmacologic management of pain. In: Berger AM, Shuster JL, Von Roenn JH. *Principles and practice of palliative care and supportive oncology*. 3rd ed Philadelphia: Lippincott Williams & Wilkins/Wolters, Kluwer business, 2007. p. 67-74, cap. 5, part A.
66. Miller K, Massie MJ. Depression and anxiety. 3rd ed. Philadelphia: Lippincott Williams & Wilkins./Wolters, Kluwer business, 2007. p. 445-56, cap. 40.

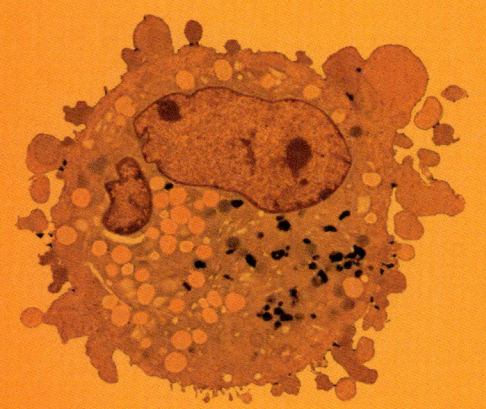

Parte IX

Urologia

XI

CAPÍTULO 188

Câncer do Testículo

Antonio Augusto Ornellas ■ Paulo Ornellas
Leandro Koifman ■ Marcos Tobias-Machado

EPIDEMIOLOGIA

O câncer do testículo (CT) é uma doença rara, representando de 1 a 2% de todas as neoplasias em homens. No entanto, é o tumor maligno mais comum nos homens entre 20 e 34 anos. Na distribuição etária da doença, três picos de incidência são observados, incluindo um pico maior entre as idades de 30 e 34 anos, um pico em crianças menores de 5 anos e outro pico em homens com mais de 60 anos. Observa-se, nos últimos 30 anos, uma clara tendência para aumento da incidência do CT na maioria dos países industrializados na América do Norte, Europa e Oceania. No entanto, diferenças surpreendentes nas taxas de incidência foram vistas entre os países vizinhos (Finlândia 2,5/100.000 casos contra a Dinamarca 9,2/100.000), bem como entre as regiões do mesmo país (2,8 a 7,9/100.000 de acordo com vários registros regionais franceses).[1]

Taxas de incidência variável são observadas entre diferentes grupos étnicos dentro de uma determinada região. A incidência de tumores testiculares em negros americanos é de aproximadamente um terço com relação aos brancos americanos, porém 10 vezes maior que a incidência em negros africanos. Em Israel, o povo judeu tem pelo menos 8 vezes maior incidência de tumores do testículo, em comparação com os não judeus. No Havaí, a incidência nos filipinos e japoneses é cerca de um décimo da incidência na população chinesa, branca e na de nativos havaianos.

Aproximadamente 6.900 novos casos relacionados com o câncer testicular são relatados nos Estados Unidos anualmente.[2] As estimativas indicam que para os homens americanos brancos a probabilidade de desenvolver câncer de testículo na vida é de aproximadamente 0,2%, ou 1 em 500.[3] Apesar de uma incidência relativamente maior de tumores testiculares ter sido relatada em gêmeos, irmãos e membros da mesma família, não existe uma evidência esmagadora para uma origem predominantemente genética deste tipo tumor.[4] Em quase 7.000 pares de gêmeos do Registro Dinamarquês Twin, Harvald e Hauge[5] não encontraram maior incidência de câncer em gêmeos do que o esperado na população em geral. Nicholson e Harland[6] relataram que um terço de todos os pacientes com câncer de testículo é geneticamente predisposto à doença. Irmãos e pais de pacientes com tumores germinativos de testículo têm, respectivamente, de 8 a 10 e de 4 a 6 vezes maior risco de desenvolver o tumor. Um risco ainda mais elevado exite para irmãos gêmeos de homens nos quais estes tumores tenham sido observados. No entanto, estudos anteriores com famílias com tumores germinativos múltiplos não revelaram qualquer gene de alta penetrância e concluiu-se que os efeitos combinados de múltiplos alelos comuns, cada um conferindo um risco modesto, podem estar por trás destes tumores. De acordo com este pressuposto, análises recentes da associação de genes candidatos identificaram no cromossoma Y a deleção gr/g e as mutações no gene PDE11A como modificadores genéticos de risco tumores familiares. Além disso, dois estudos de associação ampla de genoma com casos esporádicos, mas também predominantemente familiar de tumores germinativos, identificaram três *loci* de suscetibilidade adicionais, KITLG, SPRY4 e BAK1. Nomeadamente, todos os cinco *loci* estão envolvidos na biologia de células germinativas primordiais, representando a célula de origem dos tumores germinativos, sugerindo que estes tumores surgem como resultado da perturbação do desenvolvimento testicular.[7]

Várias observações clínicas e experimentais sugerem haver relação entre a função endócrina e a origem dos tumores testiculares. Na verdade, a prevalência máxima dos tumores de células germinativas coincide com o período de maior secreção de andrógenos. A adição de androsterona para os meios de cultura de células tumorais germinativas pode acelerar o seu crescimento. A indução de tumores experimentais de testículos em aves só é possível nos períodos de secreção elevada de gonadotrofinas hipofisárias. Em contrapartida, muitos pacientes têm níveis sanguíneos muito altos de gonadotrofinas, que não estão relacionadas com a presença do tumor ou de suas metástases.

FATORES DE RISCO

Os principais fatores de risco para o desenvolvimento de câncer de testículo são: histórico familiar deste tumor, lesões e traumas na bolsa escrotal e criptorquidia. Na infância, é importante o exame do pediatra para verificar se ocorreu a descida dos testículos para a bolsa escrotal. A infecção prévia do testículo pelo vírus da parotidite epidêmica e a posterior atrofia do órgão são queixas relativamente frequentes na história dos tumores de células germinativas. Pacientes também relatam, frequentemente, traumatismos de bolsa escrotal que antecedem o aparecimento de tumores testiculares. Experimentalmente verificou-se que os traumas repetidos influem na produção de carcinomas embrionários em animais. Porém, é mais provável que o traumatismo seja mais uma consequência do que a causa do tumor, pois o órgão doente tem maior volume e ocupa posição mais baixa no interior do escroto, fato que o torna mais vulnerável. Eventualmente, o trauma repetido pode favorecer a propagação do tumor por contiguidade. A maioria dos investigadores, porém, concluiu que o trauma no testículo aumentado pelo tumor é um evento que leva a uma avaliação médica, em vez de um fator causal da neoplasia. No entanto, até o momento, exceto para criptorquidia, nenhum fator de risco evidente para o TC tem sido claramente demonstrado, embora a hipótese ambiental como um papel-chave nos desreguladores endócrinos tenha sido apresentada por vários grupos.

Neoplasias testiculares parecem ser ligeiramente mais comuns no testículo direito do que no esquerdo, achado similar à incidência um pouco maior do lado direito da criptorquidia. Cerca de 2 a 3% dos tumores testiculares são bilaterais, ocorrendo simultânea ou sucessivamente. Se tumores testiculares secundários são excluídos, a incidência de tumores bilaterais está entre 1 e 2,8% de todos os casos de neoplasias germinativas.[8] Uma história de criptorquidia (uni ou bilateral) está presente em quase metade destes homens com tumor de testículo e é consistente com observações que disgenesia bilateral ocorre, com frequência, em casos de testículo criptorquídico unilateral.[9] Vigilância a longo prazo para pacientes com história de criptorquidia ou orquiectomia anterior para câncer de testículo germinativo (CTG) é obrigatório.

SINTOMATOLOGIA

A sintomatologia mais comum é o aparecimento de um nódulo duro, geralmente indolor, no testículo. A presença de nodulações ou endurecimentos testiculares deverá ser avaliada por um médico especialista. Ao apalpar qualquer massa que não tenha sido verificada anteriormente, o paciente deve procurar ser tratado, imediatamente, por um urologista. Apesar de a alteração encontrada poder ser tratada somente de uma orquioepididinite, no caso de um tumor, o diagnóstico precoce aumenta as chances de cura. O exame físico é o melhor meio de detecção precoce, visto que a presença de massa testicular é a queixa mais frequente. Deve-se ficar atento a outras alterações como aumento ou diminuição no tamanho dos testículos, dor imprecisa no abdome inferior, sangue na urina e aumento ou sensibilidade dos mamilos. Algumas pessoas podem, ainda, relatar dores no baixo abdome e no testículo afetado. Sensações como "peso" do escroto, dores nas costas e no estômago também podem ser descritas. Atualmente, o câncer de testículo é considerado um dos mais curáveis, principalmente quando detectado em estágio inicial. Pacientes que apresentam doença avançada (estágio III) geralmente têm um prognóstico muito pior do que aqueles com doença confinada ao testículo ou aqueles com envolvimento nodal apenas regional. O atraso de 1 a 2 meses ou mais no diagnóstico não é incomum e parece estar diretamente relacionado com a ignorância, a negação e o medo do paciente, assim como com os erros de diagnóstico.

A ginecomastia incide em 5% dos pacientes com tumores de células germinativas. Ela ocorre nos homens em razão da produção excessiva de estrógenos ou deficiências da secreção de andrógenos. A elevada produção de estrógenos é mais comum nos coriocarcinomas, pois os tumores trofoblásticos secretam estradiol.

DIAGNÓSTICO

Se por um lado é uma doença agressiva com alto índice de duplicação das células tumorais (que podem levar à rápida evolução da patologia), por outro lado é de fácil diagnóstico e um dos tumores com maior índice de cura, visto ser altamente responsivo aos quimioterápicos disponíveis no momento. Em qualquer paciente apresentando uma alteração no testículo, esta alteração deve ser confirmada por ultrassonografia de bolsa escrotal. Após coleta de sangue para dosagem dos marcadores tumorais o paciente é cirurgicamente abordado através de incisão inguinal, e confirmando-se o tumor é realizada a orquiectomia.

O câncer do testículo possui marcadores tumorais sanguíneos (alfa-fetoproteína, β-HCG e LDH) que podem ajudar no diagnóstico e no acompanhamento futuro da doença. Entre os pacientes com tumores testiculares não seminomatosos, cerca de 50 a 70% têm níveis elevados de AFP e cerca de 40 a 60% têm níveis elevados de β-HCG. Se ambos os marcadores são medidos simultaneamente, cerca de 90% dos pacientes têm elevações de um ou de ambos os marcadores.[10-12] Estes valores são derivados de populações de pacientes com estágio clínico I, II, III e tumores. Em pacientes apenas com tumores estágio I, a incidência de marcadores positivos é significativamente menor. Marcadores tumorais devem ser avaliados antes da orquiectomia, especialmente quando se está considerando um protocolo de vigilância. Persistentes elevações dos marcadores tumorais após a orquiectomia inguinal radical devem ser interpretadas com cautela para evitar o tratamento adjuvante desnecessário. Elevação dos níveis séricos de AFP em pacientes com TCG pode ser produzida por disfunção hepática, e elevações séricas de β-HCG pode ocorrer em pacientes hipogonadotróficos. No entanto, em geral, marcadores tumorais persistentemente elevados após orquiectomia refletem a presença de metástases sistêmicas e por esta razão, a quimioterapia está recomendada para este subgrupo de pacientes.

ESTADIAMENTO

O estadiamento do *American Joint Committee on Cancer* (AJCC) para TCG é único, porque, pela primeira vez, uma categoria de marcador sérico do tumor (S) é utilizada para complementar o prognóstico anteriormente definido, unicamente, pelo estadiamento anatômico. Baseia-se na avaliação histológica da peça cirúrgica obtida por orquiectomia, por via inguinal, com ressecção do cordão espermático, nos marcadores biológicos, na radiografia de tórax para pesquisa de metástases pulmonares e de mediastino, e na tomografia computadorizada (TC) de abdome e pelve, em que a presença de gânglios com mais de 2 cm sugere envolvimento metastático (Quadro 1).

O estadiamento da neoplasia germinativa de testículo, segundo a revisão de 1997 do *American Joint Committee on Cancer/Union Internationale Contre le Cancer* (AJCC/UICC), é:

- *Estágio I:* tumor limitado ao testículo, epidídimo ou cordão espermático subdividido em estágios Ia e Ib, dependendo do estágio T, bem como em estágio Is, de acordo com os níveis séricos dos marcadores tumorais.

Quadro 1. Sistema de estadiamento do câncer de testículo (TNM 2002) do *American Joint Commitee on Cancer* (AJCC) e da *Internacional Union Against Cancer* (IUAC)

TUMOR PRIMÁRIO (T)	
pTX	Tumor primário não pode ser avaliado (se não foi realizada orquiectomia radical, é usado TX)
pT0	Não existe evidência de tumor primário (p. ex., cicatriz histológica no testículo)
pTis	Neoplasia intratubular de célula germinativa (carcinoma *in situ*)
pT1	Tumor limitado ao testículo e epidímo, sem invasão vascular/linfática.
pT2	Tumor limitado ao testículo e epidímo, com invasão vascular/linfática, ou tumor estendendo-se através da túnica albugínea com envolvimento da túnica vaginal
pT3	Tumor invade o cordão espermático com ou sem invasão vascular/linfática
pT4	Tumor invade o escroto, com ou sem invasão vascular/linfática

LINFONODOS REGIONAIS (N)	
Clínico	
NX	Linfonodo regional não pode ser avaliado
N0	Não existe metástase em linfonodo regional
N1	Metástase em linfonodo com massa de até 2 cm na sua maior dimensão, ou massas de linfonodos múltiplos, até 2 cm na sua maior dimensão
N2	Metástase com massa de linfonodo > 2 cm e < 5 cm em sua maior dimensão, ou linfonodos múltiplos com massa de 2 cm e < 5 cm em sua maior dimensão
N3	Metástase com massa de linfonodos > 5 cm em sua maior dimensão
Patológico	
pN0	Sem evidência de tumor em linfonodos
pN1	Massa de linfonodo de 2 cm ou menos na maior dimensão e ≤ 6 linfonodos positivos, nenhum > 2 cm na maior dimensão
pN2	Massa de linfonodo > 2cm, mas < 5 cm em sua maior dimensão; mais que cinco linfonodos positivos, nenhum > 5 cm, ou evidência de extensão extranodal do tumor
pN3	Massa de linfonodo > 5 cm na maior dimensão

METÁSTASE A DISTÂNCIA (M)	
M0	Sem evidência de metástase a distância
M1	Metástase pulmonar ou em linfonodo não regional
M2	Massa visceral não pulmonar

MARCADORES TUMORAIS SÉRICOS (S)			
LDH	β-HCG (mil/mL)	AFP (bg/mL)	
S0	≤ N	≤ N	≤ N
S1	< 1,5 X N	< 5.000	< 1.000
S2	< 1,5-10 X N	5.000-50.000	< 1.000-10.000
S3	> 10 X N	> 50.000	> 50.000

- *Estágio II:* doença limitada ao retroperitônio sendo subdividido em três grupos dependendo do volume de envolvimento linfonodal retroperitoneal.
  - IIa: linfonodos com menos de 2 cm no maior diâmetro.
  - IIb: linfonodos entre 2 e 5 cm no maior diâmetro.
  - IIc: linfonodos com mais de 5 cm no maior diâmetro.
- *Estágio III:* doença com extensão diafragmática ou visceral. O estágio III é subdividido em estágios IIIa, IIIb, IIIc.

O sistema AJCC TNMS, de acordo com o grau de envolvimento metastático e com os níveis séricos de marcadores tumorais é mostrado no Quadro 2.

TRATAMENTO INICIAL

O tratamento inicial é sempre cirúrgico e ocorre por meio de uma incisão abdominal, através da qual se expõe o testículo e realiza-se uma biópsia (Fig. 1). Se não for possível expor o testículo pela incisão inguinal, podemos prolongar a incisão sobre a bolsa escrotal (Fig. 2). No mesmo ato cirúrgico podemos colocar uma prótese testicular de silicone (Fig. 3). A análise histopatológica do material retirado é feita no momento da cirur-

Quadro 2. Estadiamento agrupado

ESTÁGIO	T	N	M	S
0	PTis	N0	M0	S0
I	T1-T4	N0	M0	SX
Ia	T1	N0	M0	S0
Ib	T2	N0	M0	S0
	T3	N0	M0	S0
	T4	N0	M0	S0
Is	Qualquer T	N0	M0	S1-S3
II	Qualquer T	Qualquer N	M0	SX
IIa	Qualquer T	N1	M0	S0
	Qualquer T	N1	M0	S1
IIb	Qualquer T	N2	M0	S0
	Qualquer T	N2	M0	S1
IIc	Qualquer T	N3	M0	S0
	Qualquer T	N3	M0	S1
III	Qualquer T	Qualquer N	M1	SX
IIIa	Qualquer T	Qualquer N	M1	S0
	Qualquer T	Qualquer N	M1	S1
IIIb	Qualquer T	Qualquer N	M0	S2
	Qualquer T	Qualquer N	M1	S2
IIIc	Qualquer T	Qualquer N	M0	S3
	Qualquer T	Qualquer N	M1a	S3
	Qualquer T	Qualquer N	M1b	Qualquer S

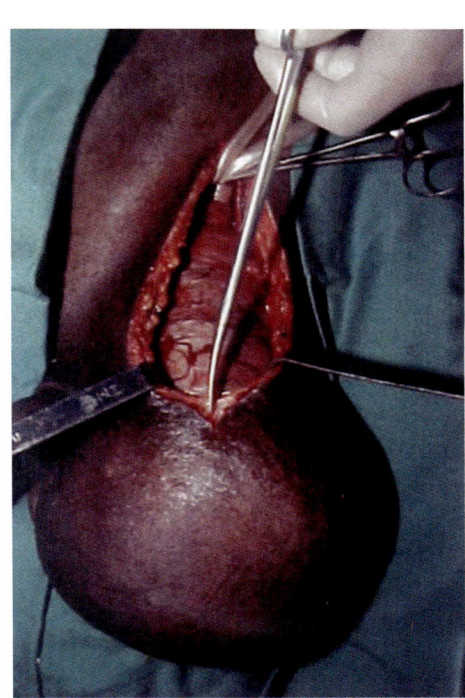

◀ **FIGURA 2.** Quando o tumor é muito grande, prolongamos a incisão até a bolsa escrotal para expor o testículo. Este prolongamento não configura violação da bolsa escrotal.

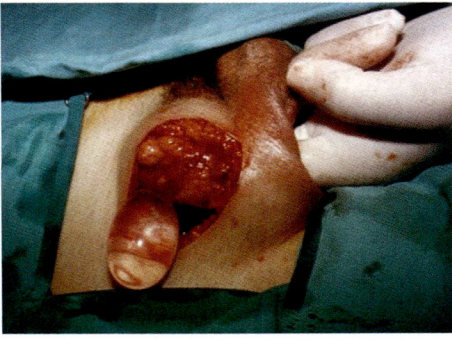

◀ **FIGURA 3.** Após a retirada do testículo podemos colocar uma prótese de silicone. Este procedimento é importante para a autoestima do paciente.

gia. Nos casos de positividade para câncer, é procedida a retirada do testículo que não afeta a função sexual ou reprodutiva do paciente, caso tenha o outro testículo normal. A complementação do tratamento dependerá do estadiamento que será realizado para identificar a presença ou a possibilidade de disseminação da doença para outros órgãos. O tratamento posterior poderá ser cirúrgico, radioterápico, quimioterápico ou mediante controle clínico.

Vários pacientes com neoplasia testicular são subférteis, principalmente quando a lesão é bilateral. Considerando que a orquiectomia, a linfadenectomia retroperitoneal, a quimioterapia e a radioterapia são muito prejudiciais à fertilidade, deve-se aconselhar aos pacientes a criopreservação do sêmen em bancos especializados para eventual uso futuro.

PRINCIPAIS TIPOS HISTOLÓGICOS

Os tumores do testículo são, em sua maior parte, originados das células germinativas dos túbulos seminíferos (95%). São tumores pouco frequentes, correspondendo a 1/50.000 na população em geral. Em 1/10.000 casos os pacientes têm atrofia testicular associada, e em 1/1.000 criptorquidia. Tumores de células germinativas (TCG) são compostos por cinco tipos celulares básicos: seminoma, carcinoma embrionário, tumor de saco vitelino, teratoma e coriocarcinoma. Estes cinco tipos celulares são subdivididos em dois grandes grupos: seminomas (45 a 50%) e tumores não seminomatosos (35 a 45%) devido a aspectos práticos para a abordagem e tratamento destes tumores. Mais da metade dos TCG podem conter mais de um tipo de célula e são, portanto, conhecidos como tumores mistos. Nesses tumores que são originados de células pluripotenciais, uma linhagem pode existir em um determinado tumor primário ou em locais secundários em sítios metastáticos. Ray et al.[13] observaram que, na maioria dos pacientes (95%), um tumor primário contendo carcinoma embrionário e seminoma apresenta metástases de carcinoma embrionário puro ou combinado com outros elementos, mas raramente metástase de seminoma puro (3%). Os tumores mistos devem ser abordados e tratados como tumores não seminomatosos. A heterogeneidade entre as neoplasias de células germinativas é uma consequência esperada da sua origem pluripotencial. Marcadores tumorais podem fornecer um meio de delinear a heterogeneidade do tumor, que pode ser útil na seleção de tratamento.

Os tumores testiculares não germinativos representam apenas 5% dos casos e são, na maioria das vezes, benignos. Estes tumores não germinativos podem ser divididos em: tumores das células de Leydig que incidem, predominantemente, em crianças de 3 a 10 anos de idade correspondendo de 1 a 3% das neoplasias primárias da gônada masculina, tumores das células de Sertoli que ocorrem em todas as idades e representam entre 0,5 a 1% dos cânceres do testículo e os sarcomas de vários subtipos que são responsáveis por entre 1 e 2% das neoplasias testiculares.

Seminomas

Os seminomas puros desenvolvem-se no túbulo seminífero em células germinativas maduras e exibem morfologia homogênea. Os três subtipos descritos são: clássico (80%), anaplásico (10%) e espermatocítico (10%).

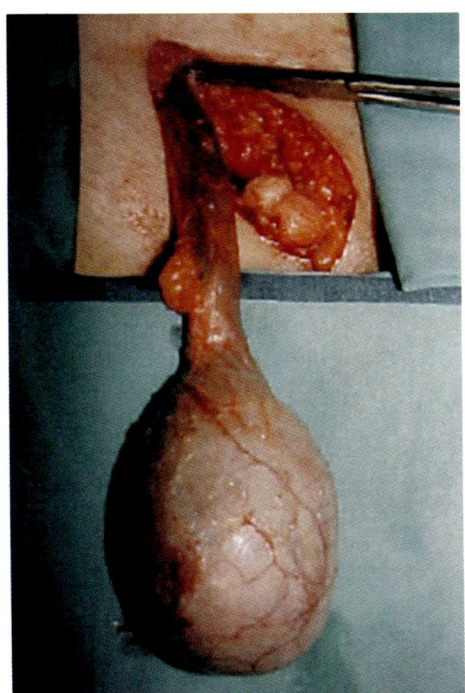

◀ **FIGURA 1.** Exposição do testículo por incisão inguinal. O cordão espermático é clampeado com pinça vascular e o testículo biopsiado. Se comprovada a neoplasia, é feita a orquiectomia com ligadura do cordão ao nível do canal inguinal interno.

As propriedades histológicas e bioquímicas, história natural e resposta ao tratamento desses subtipos são caracterizados. Várias características histopatológicas do tumor primário foram avaliadas com relação a fatores prognósticos, bem como o valor preditivo para a probabilidade de envolvimento metastático.[14] No passado, a maioria dos pacientes com baixo estágio da doença foi tratada com radiação e, portanto, fatores de prognóstico para seminoma foram amplamente ignorados. Mais recentemente, porém, a indicação da vigilância como uma opção para os tumores com baixo estágio de doença tem aumentado o interesse nos fatores prognósticos para seminoma.

O seminoma típico ou clássico é responsável por 82 a 85% de todos os seminomas e ocorre mais comumente em homens na casa dos 30 anos, mas não raramente nos homens com 40 ou 50. Pode ocorrer, também, em pacientes com mais de 60 anos. Histologicamente, é composto por ilhas de células relativamente grandes, com citoplasma claro e núcleos de coloração densa. Elementos sinciciotrofoblásticos ocorrem em 10 a 15%, e infiltração linfocítica ocorre em aproximadamente 20% dos casos. A incidência dos elementos sinciciotrofoblásticos corresponde à frequência de produção de β-HCG. A taxa de crescimento mais lento dos seminomas pode ser inferida a partir da observação de que falhas no tratamento podem tornar-se evidentes após 2 a 10 anos da irradiação aparentemente adequada de sítios de disseminação metastática.

O seminoma anaplásico responde por 5 a 10% de todos os seminomas e tem uma distribuição etária semelhante à do subtipo clássico. Apesar de sua raridade, a discriminação de seminoma anaplásico é importante porque até 30% dos pacientes que morrem com seminoma têm a morfologia anaplásica. Uma série de características sugere que o seminoma anaplásico é uma variante mais agressiva e potencialmente mais letal de seminoma típico. Estas características incluem: 1) maior atividade mitótica, 2) maior taxa de invasão local, 3) aumento da taxa de metástases e 4) aumento da produção de β-HCG. Histologicamente, seminoma anaplásico é caracterizado pelo aumento da atividade mitótica (três ou mais mitoses por campo de alta potência), pleomorfismo nuclear e anaplasia celular.[15] Morfologicamente, linfoma histiocítico e carcinoma embrionário podem assemelhar-se ao seminoma anaplásico. Os resultados menos favoráveis do tratamento para pacientes com seminoma anaplásico podem simplesmente refletir maior potencial metastático. Quando os pacientes são tratados de forma adequada, comparando-se estágio por estágio, não há diferença entre seminoma clássico e anaplásico. As análises dos resultados do tratamento indicam que a orquiectomia inguinal junto à radioterapia é igualmente eficaz no controle tanto do seminoma anaplásico quanto do clássico.

O seminoma espermatocítico caracteriza-se por uma lesão composta de células que variam em tamanho, têm citoplasma profundamente pigmentado e núcleos arredondados contendo cromatina filamentosa característica. As células se assemelham a diferentes fases de amadurecimento das espermatogônias. O seminoma espermatocítico representa 2 a 12% de todos os seminomas. Quase metade ocorre em homens com mais de 50 anos. Tumores bilaterais têm sido relatados, mas nenhum dos casos ocorreu em conjunto com criptorquidia. A associação de seminoma espermatocítico com outros tumores não seminomatoso é rara. O potencial metastático do seminoma espermatocítico é extremamente baixo e o prognóstico é, portanto, favorável. Quando a avaliação histológica confirma o diagnóstico e o estadiamento mostra que a doença é confinada ao testículo, o tratamento além da orquiectomia inguinal parece injustificado.

Tumores não seminomatosos

O carcinoma embrionário do tipo adulto desenvolve-se a partir de células germinativas imaturas ou totipotenciais e é responsável por 15 a 20% dos tumores não seminomatosos. Muitas vezes invade a túnica vaginal do testículo e, não raro, envolve estruturas contíguas. A superfície de corte revela um tumor, muitas vezes com áreas de necrose ou hemorragia e uma cápsula mal definida. A aparência histológica típica é a de células malignas epitelioides organizadas em glândulas ou túbulos. As bordas da célula geralmente são indistintas, o citoplasma pálido ou vacuolizado, e os núcleos arredondados, com cromatina grosseira e um ou mais nucléolos grandes. Pleomorfismo, figuras mitóticas e células gigantes são características comuns a estes tumores altamente malignos.

O coriocarcinoma, que pode ocorrer como um nódulo palpável no testículo, com o tamanho dependendo da extensão da hemorragia local, representa 1% dos tumores não seminomatosos. Pacientes com coriocarcinoma puro com uma lesão pequena intratesticular podem apresentar, paradoxalmente, grandes metástases a distância. Microscopicamente, dois tipos de células distintas são necessários para fazer o diagnóstico de coriocarcinoma: os sinciciotrofoblastos e os citotrofoblastos. Os sinciciotrofoblastos são células multinucleadas grandes contendo abundante citoplasma vacuolizado eosinofílico e, muitas vezes, núcleos hipercromáticos irregulares. Menos comumente, os elementos sinciciais podem ser fusiformes e conter um grande núcleo de coloração escura. Os citotrofoblastos geralmente são de tamanho intermediário com células uniformes, citoplasma claro e um núcleo vesicular único.

Os teratomas e os teratocarcinomas representam, respectivamente, 8 a 10% e 20 a 25% dos tumores não seminomatosos. Os teratomas contêm mais de uma camada de células germinativas em vários estágios de maturação e diferenciação. Elementos maduros lembram estruturas benignas derivadas do ectoderma normal, endoderma e mesoderma. Os teratomas imaturos consistem em tecidos indiferenciados primitivos de cada uma das três camadas de células germinativas. Macroscopicamente, os tumores geralmente são grandes, lobulados e não homogêneos em sua consistência. A superfície de corte pode revelar cistos de dimensão variável contendo material gelatinoso, mucinoso ou material hialinizado intercalado com ilhas de tecido sólido, muitas vezes contendo cartilagem ou osso. Histologicamente, os cistos podem ser revestidos por células escamosas, cuboides, colunares ou epitélio de transição. O componente sólido pode conter qualquer combinação de cartilagem, osso, tecidos e elementos neurais ou conectivo; pancreático, intestinal ou tecido do fígado; musculatura lisa ou esquelética. Em raras ocasiões, alterações malignas podem ser reconhecidas em tais tecidos diferenciados, justificando a designação "teratoma maligno".

O tumor de saco vitelino, que é considerado a variante infantil do carcinoma embrionário, é o tumor testicular mais comum em crianças, ocorrendo em 1% dos casos. Na criança, o tumor representa 50 a 70% dos casos, assim como os tumores de células não germinativas, que representam 20 a 40%, e os teratomas, que representam 12%. Os tumores mistos com duas ou mais diferentes linhagens de células germinativas ocorrem em 15 a 20% dos casos. Em adultos, ocorre mais frequentemente em combinação com outros tipos histológicos e é, provavelmente, responsável pela produção da AFP. Em sua forma pura, a lesão tem uma aparência homogênea, amarelada e mucinosa. Microscopicamente, o tumor é composto por células epitelioides que formam estruturas glandulares e ductais organizadas em colunas com projeções papilares ou ilhas sólidas dentro de um estroma mesenquimal primitivo. Os núcleos são irregulares e grandes, podendo conter um ou mais nucléolos proeminentes e quantidades variáveis de cromatina. Corpos embrioides, um achado comum em tumores do saco vitelino, assemelham-se a embriões de 1 a 2 semanas de idade. Estas estruturas ovoides, normalmente com menos de 1 mm de diâmetro, consistem em uma cavidade cercada por mesênquima frouxo que contém sinciciotrofoblastos e citotrofoblastos.

O carcinoma in situ (Cis) desenvolve-se a partir de gonócitos fetais e é caracterizado, histologicamente, por túbulos seminíferos que contêm apenas células de Sertoli e células germinativas malignas localizadas em uma única linha ao longo da membrana tubular, caracterizada por pleomorfismo nuclear. Ocorre em 2 a 8% dos testículos ectópicos ou criptorquídicos; em 5,2%, no lado contralateral de pacientes que já tiveram neoplasia testicular; e em 53% dos homens que tiveram tumores de células germinativas extragonadais. Vários antígenos de superfície que distinguem células de Cis daquelas células germinativas normais nos testículos pós-púberes foram identificados. Estas proteínas também têm-se mostrado altamente expressas em células germinativas primordiais, bem como em células germinativas testiculares fetais, entre 8 e 12 semanas de desenvolvimento.[16] Portanto, postula-se que a iniciação dos tumores malignos de células germinativas ocorre no útero e é, possivelmente, influenciado por fatores externos, assim como a exposição a altos níveis de estrógenos.[17] A biópsia testicular no paciente com alto risco de desenvolver câncer testicular in situ é preconizada por alguns autores tendo em vista a possibilidade de tratá-lo com uma rápida sessão de radioterapia.

CONDUTA NOS TUMORES SEMINOMATOSOS E ACOMPANHAMENTO APÓS TRATAMENTO INICIAL

Introdução

Aproximadamente 75% dos seminomas estão confinados ao testículo no momento da apresentação clínica.[18] De maneira geral, a sobrevida em 10 anos para o seminoma é de 92%. Entre 10 e 15% possuem doença metastática nos linfonodos retroperitoneais, e não mais de 5 a 10% têm metástases para linfonodos supradiafragmáticos ou para órgãos viscerais. Em razão das altas taxas de cura, quase 100%, alcançadas no tratamento do tumor seminomatoso em estágio I com orquiectomia e observação, aplica-se radioterapia somente na recidiva. Os fatores de risco para recidiva são: tumor seminomatoso anaplásico, tumor > 3 cm, presença de invasão linfovascular e BHCG alta pós-orquiectomia. Os pacientes com tumores metastáticos devem ser submetidos à quimioterapia pré-operatória. Aqueles que apresentam massa residual após quimioterapia no retroperitônio ou no tórax devem ser submetidos à cirurgia citorredutora. As massas residuais podem ser formadas por necrose tumoral, fibrose, teratoma ou tumor de células germinativas não teratomatosas. As duas primeiras são associadas a baixo risco de progressão; já os teratomas podem crescer localmente e, como não respondem à quimioterapia, pode ser necessária nova intervenção cirúrgica para nova ressecção. Aquelas que contêm outros subtipos tumorais podem progredir mais frequentemente e devem ser submetidas à quimioterapia de resgate.

Conduta no estágio clínico I

Cerca de 75% dos pacientes com seminoma têm doença em estágio I, com uma sobrevida superior a 99% independente da estratégia de tratamento escolhida. O mais importante é minimizar os efeitos colaterais do tratamento tanto quanto possível. Tratamentos adjuvantes devem ser evitados e substituídos pela vigilância ativa independentemente do risco de recidiva. A taxa de recidiva em 5 anos é de 12, 16 e 32% em pacientes sem fatores de risco, com um fator de risco e com dois fatores (tamanho do tumor maior ou igual a 4 cm; invasão do *rete testis*), respectivamente. Em 97%, a recidiva ocorre no retroperitônio ou nos linfonodos ilíacos. A recaída tardia é possível, mesmo após 10 anos em casos muito raros. Com a estratégia de fiscalização, como abordagem padrão, até 88% da população de pacientes em estágio I não precisa de qualquer tratamento após a ablação de tumor local.[19] Se a vigilância não for aplicável, as alternativas são igualmente eficazes. A quimioterapia adjuvante com um ciclo de carboplatina ou a radioterapia adjuvante (20 Gy em duas frações nos campos para-aórticos) pode ser aplicado como tratamento profilático. Ambas as opções apresentam o ônus da terapia sistêmica ou do tratamento local para 100% dos pacientes. Assim, a vigilância oferece o menor ônus do tratamento global.

Conduta nos estágios clínicos II e III

Tratamento do estágio IIA (linfonodos de 1-2 cm)/*borderline* IIB (gânglios linfáticos de 2-2,5 cm)

O estágio clínico do seminoma IIA deve ser verificado utilizando-se outros meios além dos métodos de imagem. Por exemplo, através de biópsia de agulha, antes do início da quimioterapia sistêmica. O tratamento padrão é a radioterapia com irradiação ilíaca para-aórtica e ipsilateral com 30 Gy em duas frações. A quimioterapia (três ciclos de BEP ou quatro ciclos de EP, se existirem argumentos contra bleomicina) é uma opção equivalente com toxicidade diferente e mais aguda, com risco provavelmente menor para câncer secundário.

Tratamento do estágio IIB (gânglios linfáticos entre 2,5-5 cm)

A quimioterapia com três ciclos de BEP é o padrão (3 ou 5 dias de calendário). Se houver argumentos contra a bleomicina (redução da capacidade pulmonar, enfisema grave etc.), podem ser utilizados quatro ciclos de EP. Para pacientes que recusam ou não são candidatos à quimioterapia, a radioterapia com 36 Gy em duas frações com irradiação dos campos para-aórticos e ilíaco ipsilateral é o padrão.

Tratamento de seminoma em estágio avançado IIC/III

Quimioterapia com BEP é o tratamento padrão: três ciclos para os pacientes de bom prognóstico (3 ou 5 dias de programação) e quatro ciclos para pacientes de prognóstico intermediário (5 dias de programação). No caso de um risco aumentado de toxicidade pulmonar induzida por bleomicina, três ciclos de BEP em pacientes com bom prognóstico podem ser substituídos por quatro ciclos de EP. Em pacientes com prognóstico intermediário, a substituição de bleomicina por ifosfamida, sem aumentar o número de ciclos, parece ser uma opção apropriada. A quimioterapia consiste em BEP ministrada em um esquema de 5 ou 3 dias para os pacientes de bom prognóstico, e de 5 dias para pacientes de prognóstico intermediário. O esquema de 5 dias consiste em: cisplatina 20 mg/m^2 (30-60 min) nos dias 1 e 5; etoposide 100 mg/m^2 (30-60 min), nos dias 1 e 5; bleomicina 30 mg (absoluto) em *bolus*, dias 1, 8 e 15. O protocolo de 3 dias é cisplatina 50 mg/m^2 (30-60 min), dias 1 e 2; etoposide 165 mg/m^2 (30-60 min), dias 1 e 3; bleomicina 30 mg (absoluto) em *bolus*, dias 1, 8 e 15. Em caso de resposta completa, o acompanhamento estrito só é necessário nos tumores residuais com mais de 3 cm. Nestes casos é recomendado um exame de *PET scan* em um prazo mínimo de 6 semanas após a quimioterapia. Nos casos de lesão residual com menos de 3 cm este exame é opcional. Se o *PET scan* for positivo, há forte evidência para tumor residual ativo, e a ressecção deve ser considerada. Se o *PET scan* for negativo, o acompanhamento sem o tratamento ativo ainda é necessário. Se nenhum *PET scan* é feito, lesões com mais de 3 cm podem ser ressecadas ou acompanhadas apenas até a resolução ou progressão.

CONDUTA NOS TUMORES NÃO SEMINOMATOSOS E ACOMPANHAMENTO APÓS TRATAMENTO INICIAL

Introdução

Os princípios que norteiam o tratamento cirúrgico dos tumores germinativos de testículo são baseados no fato de que, com exceção do coriocarcinoma, que muitas vezes se propaga por via hematogênica, a sua disseminação ocorre de maneira previsível. O cordão espermático contém cerca de quatro e oito canais linfáticos que ascendem ao retroperitônio alcançando os linfonodos retroperitoneais medialmente. Nos tumores do lado direito, os primeiros linfonodos atingidos são os interaortocavais, na altura do 2º corpo vertebral. Nos tumores do lado esquerdo, o primeiro sítio de instalação de metástases são os linfonodos para-aórticos limitados pela veia renal esquerda, pela aorta, pelo ureter e pela origem da artéria mesentérica superior. Subsequentemente, a disseminação tanto no lado direito quanto no lado esquerdo se faz por via retrógrada até os linfonodos ilíacos comuns, externos e inguinais e, também, via cisterna, ducto torácico e linfonodos supraclaviculares. A partir do retroperitônio o tumor se propaga para os pulmões e para o mediastino posterior. Ocasionalmente, os linfáticos testiculares podem comunicar-se diretamente com o ducto torácico, levando a um percentual de 5% de metástases a distância em pacientes com linfadenectomia retroperitoneal negativa.

Tumores que envolvem o escroto podem resultar em metástases inguinais, assim como cirurgias escrotais prévias ou envolvimento extenso do retroperitônio. A violação da bolsa escrotal durante a orquiectomia é condenada, e o procedimento de escolha é a orquiectomia por via inguinal com ligadura alta do cordão espermático. Se necessário podemos prolongar a incisão inguinal em direção à bolsa escrotal para retirar o tumor. Como já mostrado anteriormente, no mesmo ato cirúrgico podemos colocar uma prótese testicular de silicone.

Previsão do potencial metastático

Em geral, pacientes com estágio clínico I têm uma incidência entre 20 e 30% de micrometástases nos linfonodos retroperitoneais e aproximadamente 10% de metástases viscerais. Em teoria, 70% dos pacientes em estágio clínico I poderiam ser curados unicamente com uma orquiectomia radical. A recidiva após a orquiectomia ocorre em cerca de 30% dos pacientes, e mais de 90% destas recidivas dentro do 1º ano após a cirurgia. Cinquenta por cento das recidivas ocorrem no retroperitônio e 30% sem elevação dos marcadores tumorais. Um terço das metástases são para os pulmões, e em 12% das recidivas a elevação dos marcadores tumorais é o único sinal de recidiva tumoral.

Vários estudos têm investigado fatores de prognóstico para prever recidivas. Peckham *et al.*[20] descreveram quatro fatores que influenciam o prognóstico: invasão vascular, invasão linfática, presença de carcinoma embrionário e ausência de tumor do saco vitelino. Pacientes com quatro fatores positivos tiveram 46% de chance de recidiva comparados com 21% quando dois fatores estavam presentes, e 16% quando somente um fator estava presente. Assim, pacientes com baixo risco de apresentarem linfonodos positivos teriam a opção de entrar em um protocolo de observação e serem poupados da terapia adjuvante. Contudo, apesar dos critérios de prognóstico, não é possível estabelecer acuradamente os pacientes que devem ou não submeter-se à terapia adjuvante. Sogani *et al.*[21] observaram que pacientes com tumores de testículo no estágio I, orquiectomizados e mantidos em obsevação, apresentaram uma taxa de recidiva de 25,7% em um acompanhamento mediano de 11,3 anos. Todas as recidivas ocorreram no intervalo de 2 anos, os indicadores significativos para recidiva foram a predominância de carcinoma embrionário e a presença de invasão vascular. Quando nenhum desses dois fatores de risco estava presentes, a taxa de recidiva foi 12%.

Linfadenectomia retroperitoneal aberta (LNRP)

A LNRP modificada (baixo estágio) depende do lado do tumor primário. O trabalho de Donohue[22] provou não ser necessário à LNRP bilateral nestes casos: este tipo de dissecção é utilizada em pacientes sem nenhum sinal clínico de disseminação para o retroperitônio e sem doença detectada no momento da cirurgia. Essa técnica é utilizada em pacientes no estágio I. Os nervos simpáticos responsáveis pela ejaculação anterógrada são poupados, resultando em uma função ejaculatória normal na vasta maioria dos pacientes. A ejaculação anterógrada requer uma coordenação de três eventos distintos: 1) O fechamento do colo vesical; 2) emissão seminal; 3) finalmente, a ejaculação. As fibras simpáticas responsáveis pela emissão seminal se originam, principalmente, de T12 a L3 na medula espinhal toracolombar. No retroperitônio, depois de deixar o tronco simpático, as fibras convergem em direção à linha média e formam o plexo hipogástrico perto da inserção da artéria mesentérica inferior, acima da bifurcação da aorta (Figs. 4 a 6). Do plexo hipogástrico, as fibras simpáticas caminham através do plexo pélvico para inervar as vesículas seminais, canais deferentes, próstata e colo vesical. A ejaculação é mediada por nervos originados nos níveis sacral e lombar da medula espinhal. Fibras simpáticas contraem o colo vesical, enquanto a inervação pudenda somática causa relaxamento do esfíncter uretral externo e contrações rítmicas dos músculos bulbouretrais e perineal a partir de S2 a S4.[23-25]

LNRP modificada (alto estágio): este procedimento é realizado em pacientes com baixo volume tumoral clinicamente demonstrado ou doença detectada no momento da cirurgia. É recomendada a pacientes nos estágios clínicos IIA e IIB. Os limites cirúrgicos geralmente são mais generosos e a dissecção é bilateral acima e abaixo da artéria mesentérica inferior. Os plexos lombares simpáticos e hipogástricos são cuidadosamente preservados, resultando na preservação da ejaculação em mais de 95% dos pacientes.

LNRP citorredutora: é a técnica cirúrgica utilizada em pacientes em que falharam o tratamento quimioterápico ou uma linfadenectomia retroperitoneal inicial e nos quais uma recidiva ou massa retroperitoneal persistente é detectada radiograficamente, em geral por meio de uma tomografia computadorizada. Em casos selecionados, técnicas de *nerve sparing* podem ser utilizadas.

As áreas de dissecção dos linfonodos à esquerda são mostradas nas Figuras 7 a 9. Na Figura 10 podemos ver a peça cirúrgica com os linfonodos interaortocavos, pré, para-aórticos e ilíacos esquerdos. A veia espermática, uma das vias de disseminação nodal da doença, também deve ser ressecada. Na Figura 11 podemos ver a área da dissecção para tumores de testículo do lado direito. A área da artéria mesentérica inferior deve ser poupada. Nas Figuras 12 a 14 podemos ver a dissecção cuidadosa das fibras simpáticas começando por trás da veia cava e seguindo-se pelo espaço interaortocaval. Utilizando-se a técnica de *split and row* consegue-se ressecar os linfonodos poupando-se, porém, as fibras nervosas simpáticas e evitando-se, assim, a perda da ejaculação anterógrada do paciente.

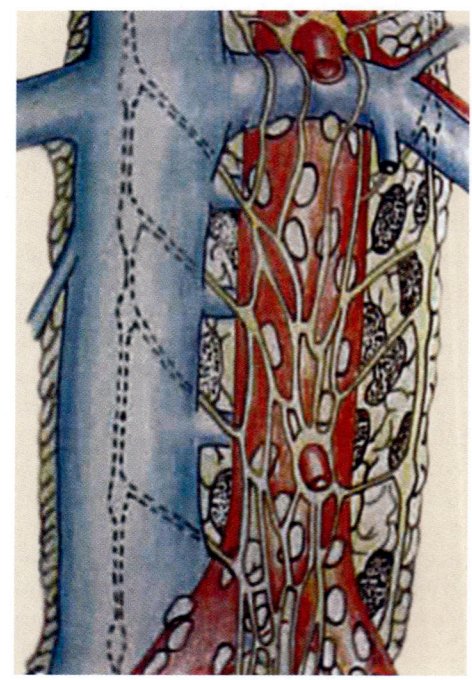

◄ **FIGURA 5.** A enervação responsável pela ejaculação anterógrada, à direita, emerge por detrás da veia cava.

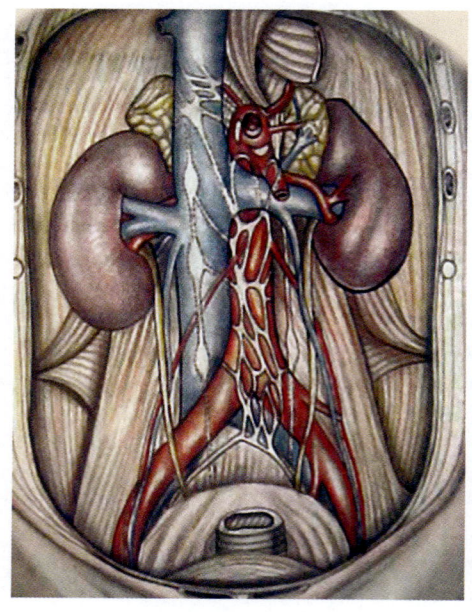

◄ **FIGURA 4.** Para preservar a ejaculação devemos conservar as fibras simpáticas que convergem na linha média e formam o plexo hipogástrico perto da inserção da artéria mesentérica inferior, acima da bifurcação da aorta.

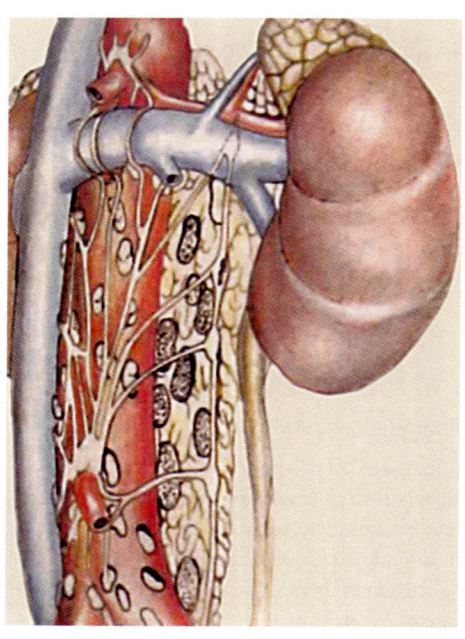

◄ **FIGURA 6.** Os nervos que convergem na linha média, formando o plexo hipogástrico perto da inserção da artéria mesentérica inferior e acima da bifurcação da aorta, devem ser preservados.

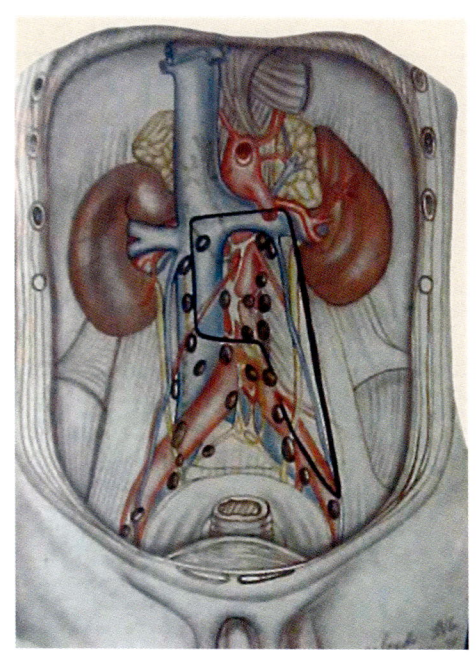

◀ **FIGURA 7.** Área de dissecção para tumores testiculares à esquerda. Os linfonodos desta localização devem ser ressecados, porém devem-se preservar as fibras nervosas, utilizando-se a técnica de *split and row*.

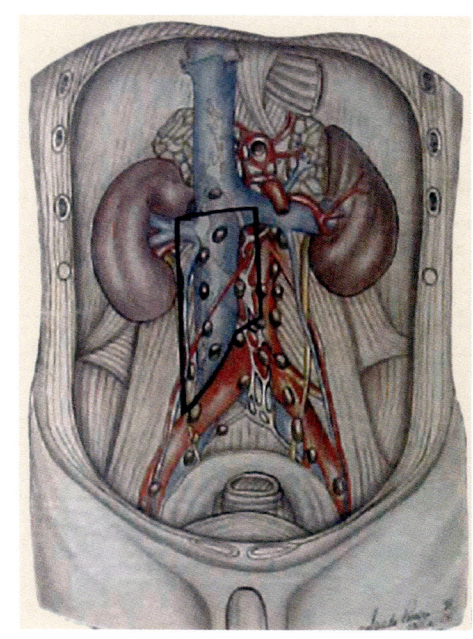

◀ **FIGURA 11.** Área de dissecção para tumores testiculares à direita. Os linfonodos desta localização devem ser ressecados, mas as cadeias simpáticas, devem ser preservadas utilizando-se a técnica de *split and row*.

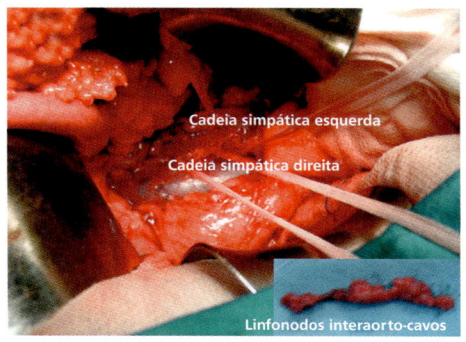

◀ **FIGURA 8.** Abordagem para a ressecção dos linfonodos intra-aortocava. Cadeias simpáticas direita e esquerda conservadas.

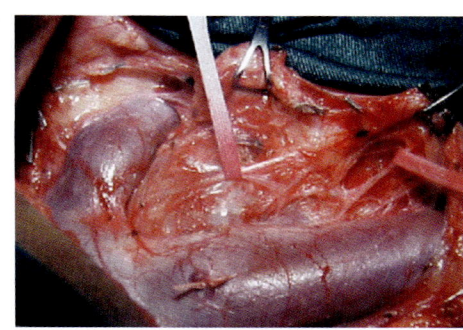

◀ **FIGURA 12.** Início da linfadenectomia retroperitoneal com *nerve sparing* para tumor de testículo do lado direito. As cadeias simpáticas devem ser isoladas, emergindo por detrás da veia cava.

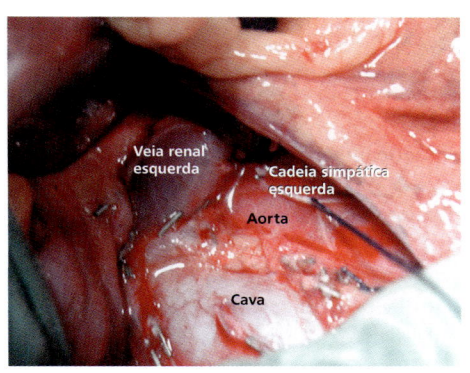

◀ **FIGURA 9.** Aspecto do campo cirúrgico após a ressecção dos linfonodos à esquerda.

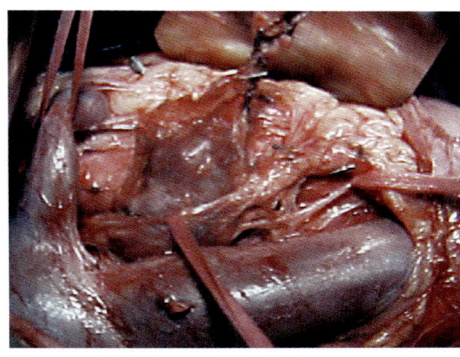

◀ **FIGURA 13.** Técnica de *split and row* com *nerve sparing* para tumor de testículo do lado direito. As cadeias simpáticas devem ser isoladas até a convergência sobre a aorta à esquerda.

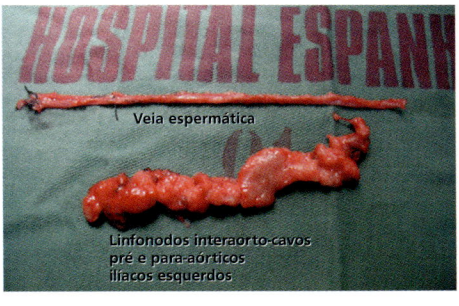

◀ **FIGURA 10.** Peça cirúrgica de linfadenectomia retroperitoneal por tumor de testículo à esquerda. É importante, também, ressecar a veia espermática esquerda em torno da qual ocorre a disseminação do tumor.

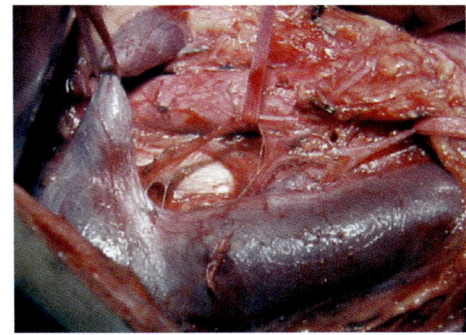

◀ **FIGURA 14.** Cirurgia de *nerve sparing* para tumor de testículo do lado direito completada. As cadeias simpáticas foram conservadas e os linfonodos ressecados.

Linfadenectomia retroperitoneal laparoscópica (LNRP-L)

A linfadenectomia retroperitoneal (LNRP) é a única forma precisa de estadiar os linfonodos retroperitoneais e pode ser curativa nos pacientes com baixo volume tumoral metastático. Porém, altas morbidade e complexidade associadas ao procedimento cirúrgico convencional tornaram-na cada vez menos popular, sendo indicada, principalmente, no tratamento de massas residuais após quimioterapia.

Poucos centros tornaram-se referência mundial para o tratamento do câncer de testículo e nestes locais foi-se aperfeiçoando a técnica de LNRP. O desenvolvimento do *template* unilateral e, posteriormente, a preservação seletiva da inervação simpática, com o intuito de evitar lesão das fibras simpáticas pós-ganglionares, foram os maiores avanços neste campo. Essas técnicas permitem, hoje, que mais de 95% dos pacientes operados mantenham a ejaculação anterógrada. A necessidade de redu-

Quadro 3. Opções terapêuticas para tumor não seminomatoso estádio I

TRATAMENTO	RECIDIVA	TRATAMENTO DA RECIDIVA	TAXA DE SUCESSO (%)	VANTAGEM	DESVANTAGEM
Observação	30	BEP 3x	> 95	Só trata recidiva	Acompanhamento rigoroso; preciso QT 3x na recidiva
QT primária	< 5	QT 2a linha; cirurgia	> 95	Sem procedimento invasivo	70% dos pacientes tratados com QT desnecessária
LNRP aberta	< 5	QT	> 95	Estádio preciso	70% dos pacientes tratados com laparotomia desnecessária
LNRP-L estadiamento + Qt 2x	< 5	QT ou cirurgia	QT ou cirurgia	Estádio preciso, menor morbidade	Paciente com linfonodo positivo recebe QT (cirurgia + QT)
LNRP-L terapêutica	< 5	QT	> 95	Estádio preciso, menor morbidade	Necessário estudos para confirmar eficácia

zir a morbidade da cirurgia aberta, principalmente o íleo pós-operatório e complicações relacionadas com a incisão, fez com que a laparoscopia fosse aplicada à LNRP.

Indicações

Após a realização da orquiectomia radical, pacientes com marcadores tumorais normais (alfafetoproteína, β-HCG, LDH), sem aumento dos linfonodos retroperitoneais e sem metástase a órgãos sólidos considerados estádio I.

Alguns serviços vêm desenvolvendo protocolos de pesquisa no qual a LNRP é a primeira opção com relação à quimioterapia para tumor não seminomatoso. No Quadro 3 sumarizamos as opções terapêuticas para o estádio I, justificando o uso de procedimento cirúrgico ou quimioterápico comparando suas vantagens e desvantagens.[26] A maior desvantagem em aplicar a LNRP no estádio I é que ela não evita 8-10% de recidiva fora do retroperitônio e será desnecessária para 70% dos pacientes.

Os pacientes em estádio II, que possuem teratoma no tumor inicial, têm risco aumentado de metástase no retroperitônio por este tipo histológico, sendo a LNRP a única forma de tratá-los, face à quimiorresistência dos teratomas.[27] Nestes casos, ou quando há impossibilidade em se realizar quimioterapia, a melhor indicação é a LNRP.

Outra condição que pode determinar a necessidade de realizar LNRP é a impossibilidade de acompanhamento clínico adequado, problema muito comum em nosso país face à migração de pacientes em busca de auxílio médico. Após a LNRP-L, os pacientes são colocados em acompanhamento se os linfonodos forem negativos ou com menos de 2 cm. Aqueles com linfonodos positivos com mais de 2 cm (N2) fazem dois ciclos de quimioterapia adjuvante com PEB.

O intuito da LNRP é determinar o estágio linfonodal preciso, já que por meio dos exames de imagem este pode ser subestadiado ou hiperestadiado.[28] A tomografia com emissão de pósitrons (PET-CT) mostrou-se de valor preditivo importante nos seminomas e não possui valor diagnóstico para os não seminomatosos.[29] Outro objetivo é esvaziar o retroperitônio dos linfonodos que são sítio inicial de metástase do tumor de testículo com intuito terapêutico.

Outra indicação para linfadenectomia retroperitoneal é a ressecção de massa residual após a QT. Normalmente a cirurgia para massa residual costuma ser bastante complexa, em razão da intensa desmoplasia do tecido retroperitoneal, conferindo aderência da massa aos grandes vasos e estruturas do retroperitônio.

A cirurgia laparoscópica tem sido descrita nesta situação, em geral para massas com menos de 6 cm e com plano de clivagem definido entre a massa e os grandes vasos. Nestes casos, o índice de conversão pode chegar a 30%.[30] A técnica assistida com a mão também pode ser utilizada em casos mais complexos de aderência ou quando ocorrer lesão vascular, tentando-se evitar a conversão para cirurgia aberta.[30,31]

INDICAÇÕES DA LINFADENECTOMIA RETROPERITONEAL NOS TUMORES NÃO SEMINOMATOSOS

- Tumores não seminomatosos:
  - Ia – lesão intratesticular.
  - Ib – invasão de albugínea, epidídimo ou cordão
  Marcadores séricos negativos após orquiectomia.

- Metástases retroperitoneais:
  - IIa – metástases < 6 linfonodos (geralmente achado de cirurgia).
  - IIb – metástases > 6 linfonodos ou com < 2 cm
  Marcadores séricos negativos após orquiectomia.

Conduta no estágio clínico I

Observação × terapia adjuvante

A decisão de colocar o paciente em um protocolo de obsevação ou submetê-lo a uma forma de terapia adjuvante como a linfadenectomia retroperitoneal ou quimioterapia depende dos fatores de risco para recidiva da doença, da cooperação do paciente e da capacidade da equipe médica de realizar os procedimentos cirúrgicos. Pacientes em protocolo de observação devem cumprir um estrito acompanhamento clínico com avaliação de marcadores tumorais, RX de tórax e tomografia computadorizada conforme mostrado no Quadro 4.[32] Na Figura 15 apresentamos as opções de tratamento nos pacientes portadores de tumores germinativos não seminomatosos de testículo estádio I.

VANTAGENS DA LINFADENECTOMIA

1. Trinta por cento dos pacientes com estágio I têm, na verdade, estágio patológico II.
2. Um estadiamento anatomopatológico acurado permite uma definição precoce das opções de tratamento.
3. A LNRP é um procedimento tanto de estadiamento quanto de tratamento.
4. O acompanhamento após a linfadenectomia é significantemente menos intensivo do que o acompanhamento de pacientes em observação e, portanto, mais barato.
5. A ansiedade inevitavelmente acompanha as incertezas associadas à observação e é eliminada pela intervenção cirúrgica.

CONDUTA NO ESTÁGIO CLÍNICO II

Existem controvérsias com relação à terapia que seria mais apropriada para os pacientes portadores de tumores germinativos não seminomatosos de testículo com estágio clínico II (Fig. 16). O debate é centrado com relação à linfadenectomia *versus* a quimioterapia e também com relação ao papel da quimioterapia após a linfadenectomia. É de concordância ge-

Quadro 4. Protocolo de acompanhamento TGNS Estádio I[32]

1º ano	Marcadores e RX de tórax mensalmente. TC de abdome e pelve a cada 2 meses
2º ano	Marcadores e RX de tórax a cada 2 meses. TC de abdome e pelve a cada 4 meses
3º ano	Marcadores e RX de tórax a cada 4 meses. TC de abdome e pelve a cada 6 meses
4º e 5º ano	Marcadores, RX de tórax e TC de abdome e pelve a cada 4 meses
6º ano em diante	Marcadores, RX de tórax e TC de abdome e pelve, anualmente

TGNS = tumores germinativos não seminomatosos

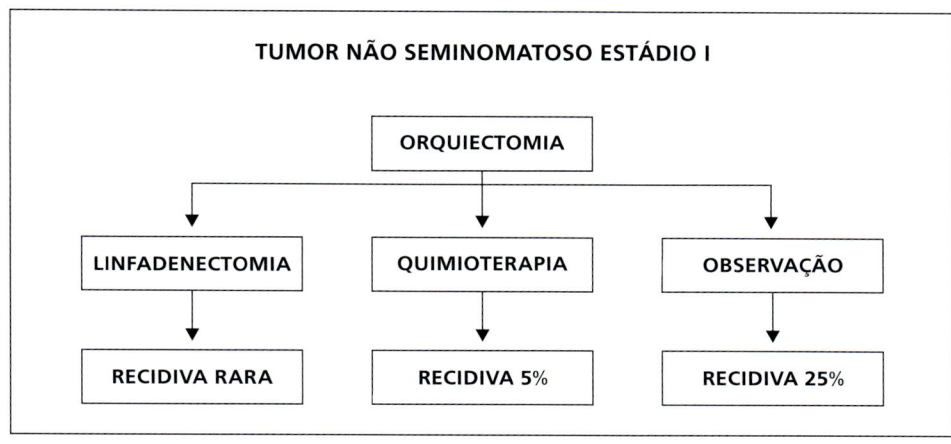

◀ **FIGURA 15.** Opções de conduta e acompanhamento nos tumores de testículo não seminomatosos estádio I.

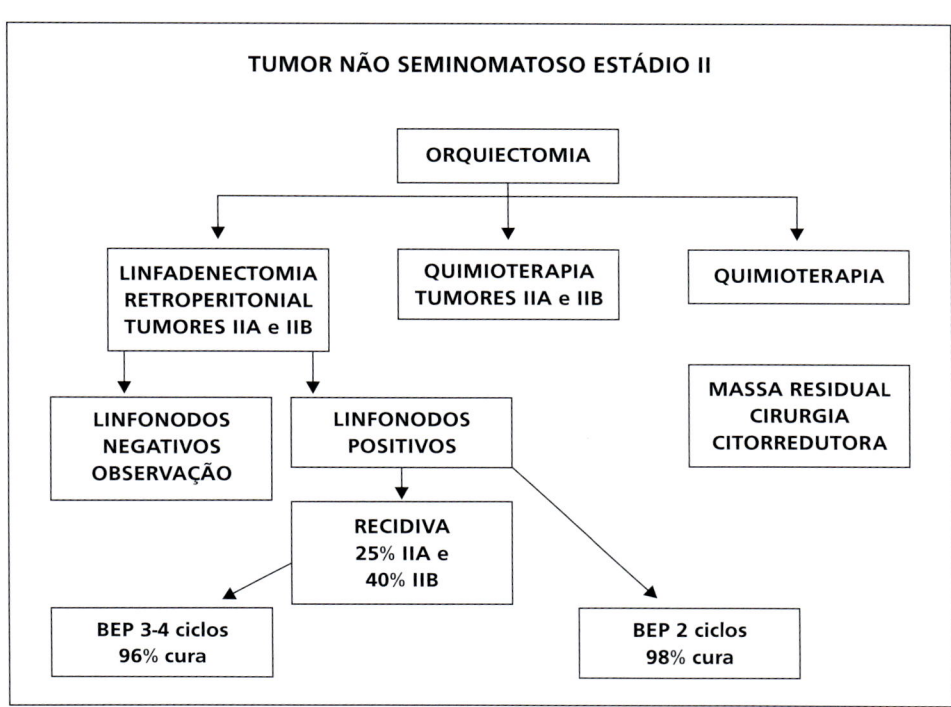

◀ **FIGURA 16.** Tratamento dos tumores de testículo não seminomatosos estádio II.

ral que os estágios clínicos IIC e III devem ser tratados, inicialmente, com quimioterapia e que a cirurgia deve ser reservada às massas residuais retroperitoneais. No entanto, o tratamento dos estágios IIA e IIB permanece controverso.

VANTAGENS DA LINFADENECTOMIA PRÉ-QT NO ESTÁDIO II

1. O estadiamento acurado permite definição precoce das opções de tratamento.
2. A linfadenectomia é um procedimento tanto de estadiamento quanto de tratamento.
3. Trata, cirurgicamente, teratomas retroperitoneais.
4. O acompanhamento após a linfadenectomia é menos estrito.
5. O acompanhamento sem linfadenectomia é mais caro (6 CTs nos primeiros 2 anos).
6. Evita a toxicidade desnecessária da QT em pacientes clinicamente superestadiados.
7. Recidiva só em 8% dos pacientes em estágio IIa.[33]

DESVANTAGENS DA QT PRÉ-LINFADENECTOMIA

1. Como o estadiamento clínico é falho, sujeitamos o paciente a um tratamento desnecessário.
2. Toxicidade desnecessária da QT em pacientes clinicamente superestadiados (23%).[34]
3. Teratoma no testículo reduz a resposta à QT no retroperitônio.
4. O acompanhamento após a QT é mais estrito.
5. O acompanhamento com QT sem linfadenectomia é mais caro (6 CTs nos primeiros 2 anos).
6. Recidiva só de 8% nos pacientes em estágio IIA (92% seriam tratados desnecessariamente).

CONDUTA NOS ESTÁGIOS CLÍNICOS AVANÇADOS

A cirurgia citorredutora fornece valiosas informações necessárias ao acompanhamento clínico do paciente:

- Avalia a resposta à quimioterapia.
- Remove as células tumorais viáveis, levando à resposta completa pela associação da cirurgia à quimioterapia.
- Direciona à necessidade de terapia subsequente.

Aproximadamente 30% dos pacientes com grande volume metastático vão apresentar remissão parcial em seguida a um esquema quimioterápico com cisplatino. Estes pacientes e aqueles de estadiamento mais baixo nos quais ocorreu uma recidiva após uma dissecção incompleta são candidatos à cirurgia citorredutora (Fig. 17). Remissão parcial é definida como marcadores tumorais normais em combinação com evidência radiográfica de doença no tórax, abdome, mediastino, pescoço ou outro sítio de metástase.

Estudos retrospectivos revelaram que 40% das peças cirúrgicas obtidas pela cirurgia citorredutora apresentam necrose ou fibrose ao exame histopatológico, 40% teratoma maduro e 20% tumores viáveis residuais.[35,36] Portanto, 60% dos pacientes com evidência de massa residual nos estudos de imagem terão células malignas viáveis ou teratomas. O fato de ser encontrado tecido necrótico ou fibrótico implica em não mais ser necessário tratamento quimioterápico.[37] No entanto, pacientes com células tumorais viáveis requerem dois ciclos adicionais de quimioterapia. Fox et al.[38] encontraram um percentual de 70% de sobrevida livre de doença nos pacientes que se submeteram a esquemas adicionais com cisplatino. O racional para ressecar teratomas residuais é multifatorial:

- Evita a progressão local pelo crescimento do teratoma.[39]
- O teratoma maduro pode transformar-se em sarcoma ou adenocarcinoma, tumores resistentes à quimioterapia.[40]
- Há o risco de recidiva do tumor de células germinativas no teratoma.[41]

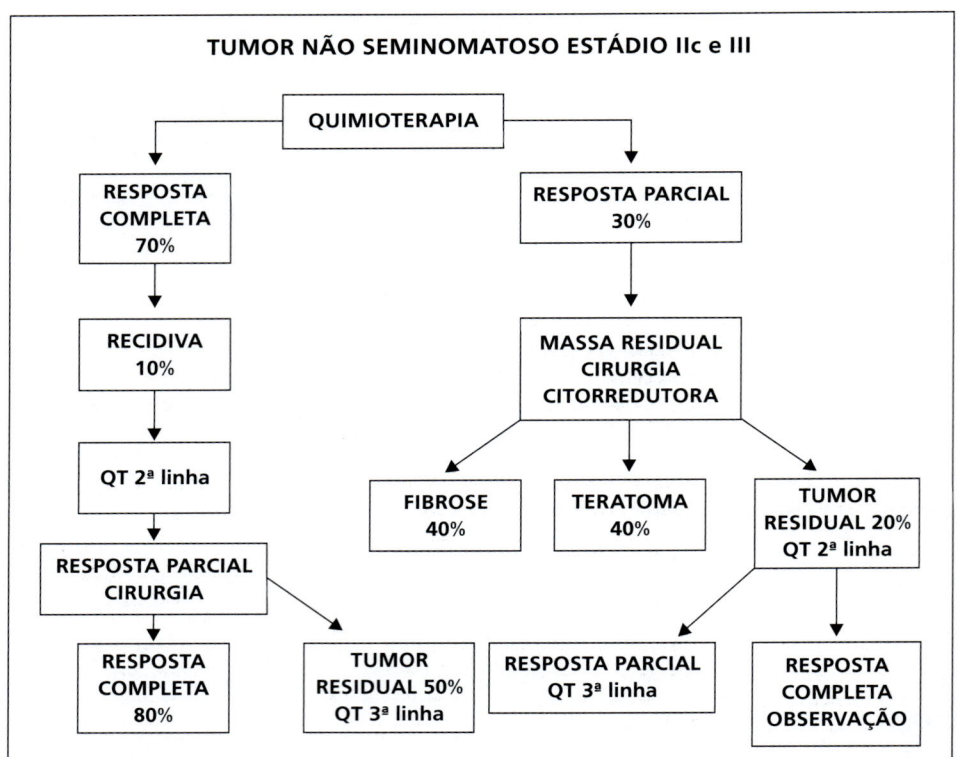

◀ **FIGURA 17.** Tratamento quimioterápico dos tumores de testículo não seminomatosos estágios IIc e III.

TRATAMENTO QUIMIOTERÁPICO

Pacientes com doença avançada são estratificados em grupos de risco bom, intermediário e ruim. A terapia para o grupo de risco bom consiste em quatro ciclos de EP (etoposídeo e cisplatino) ou três ciclos de BEP (bleomicina, etoposídeo e cisplatino), resultando em altas taxas de resposta completa. Por outro lado, pacientes com risco ruim necessitam de cuidados intensivos. Decorrente do fato de a quimioterapia de 2ª e 3ª linhas estar associada às altas morbidade e mortalidade, o papel da quimioterapia seguida de transplante autólogo de medula óssea tem sido investigado.[42,43] Contudo, pacientes com prognóstico ruim que recidivam não respondem bem a altas doses de quimioterapia e, assim, podem requerer tratamento cirúrgico mais agressivo e radioterapia. Dados sobre o tratamento quimioterápico são apresentados nos Quadros 5 a 7.

Quadro 5. Quimioterapia – Dados de interesse

- 80% dos pacientes tratados com BEP recobram a espermatogênese (66% em 2 anos)
- Esquema sem cisplatina: ↓ oto e nefrotoxicidade
- Esquema sem bleomicina: ↓ fibrose pulmonar
- Etoposídeo pode causar leucemia mesmo em baixas doses

Quadro 6. Quimioterapia

- BEP: esquema clássico
- VIP ou BOP: esquemas clássicos de resgate
- PVB: 37% de "PFS" após falha do BEP
- 90% dos seminomas são sensíveis à cisplatina
- 10% dos TGNS são sensíveis à cisplatina

Quadro 7. Quimioterapia – Escolha do esquema

PACIENTE DE BAIXO RISCO	4 OU 3 CICLOS
BEP	92% livre de progressão
PACIENTE DE ALTO RISCO	4 CICLOS
C/ bleomicina	86% livre de progressão
S/ bleomicina	77% livre de progressão
C/ cisplatina	91% livre de progressão
C/ carboplatina (s/cisplatina)	79% livre de progressão

FATORES PROGNÓSTICOS NOS TUMORES NÃO SEMINOMATOSOS TESTICULARES (TNST)

- Grande volume de doença maligna.
- Tumor primário extragonadal.
- Recidiva após quimioterapia (QT) ou radioterapia (RTX).
- Persistência de marcadores tumorais elevados.

PROGNÓSTICO NOS TUMORES NÃO SEMINOMATOSOS TESTICULARES (TNST) DISSEMINADOS

- *Bom:* sobrevida em 5 anos de 92%; livres de doença, 89%. Tumor primário testicular, sem metástases viscerais ou extrapulmonares. Alfafetoproteína < 1.000, β-HCG < 5.000.
- *Intermediário:* sobrevida em 5 anos, 80%; livres de doença, 75%. Tumor primário testicular, sem metástases viscerais extrapulmonares. Alfafetoproteína entre 1.000 e 10.000, β-HCG entre 5.000 e 50.000.
- *Ruim:* sobrevida em 5 anos, 48%; livres de doença, 41%. Tumor primário no mediastino ou metástases viscerais extrapulmonares ou alfafetoproteína > 10.000 ou β-HCG > 50.000 ou HDL > 10× normal.

REFERÊNCIAS BIBLIOGRÁFICAS

1. Huyghe E, Matsuda T, Thonneau P. Increasing incidence of testicular cancer worldwide: a review. *J Urol* 2003;170:5-11.
2. Greenlee RT, Murray T, Bolden S *et al.* Cancer statistics, 2000. *CA Cancer J Clin* 2000;50:7-33.
3. Zdeb MS. The probability of developing cancer. *Am J Epidemiol* 1977;106:6.
4. Johnson DE. Epidemiology of testicular tumors. In: Johnson DE. (Ed.). *Testicular tumors.* 2nd ed. Flushing, NY: Medical Examination, 1976. p. 37-46.
5. Harvald B, Hauge M. Heredity of cancer elucidated by a study of unselected twins. *JAMA* 1963;186:749.
6. Nicholson PW, Harland SJ. Inheritance and testicular cancer. *Br J Cancer* 1995;71:421.
7. Kratz CP, Mai PL, Greene MH. Familial testicular germ cell tumours. *Best Pract Res Clin Endocrinol Metab* 2010;24:503-13.
8. Sokal M, Peckham MJ, Hendry WF. Bilateral germ cell tumours of the testis. *Br J Urol* 1980;5:158.
9. Sohval AR. Testicular dysgenesis in relation to neoplasm of the testicle. *J Urol* 1956:75,285.
10. Barzell WE, Whitmore Jr WF. Clinical significance of biological markers: Memorial Hospital experience. *Semin Oncol* 1979;6:48.
11. Fraley EE, Lange PH, Kennedy BJ. Germ cell testicular cancer in adults. *N Engl J Med* 1979;301:1370.

12. Javadpour N. The role of biologic tumour markers in testicular cancer. *Cancer* 1980;45:1755.
13. Ray B, Hajou SI, Whitmore Jr WF. Distribution of retroperitoneal lymph node metastases in testicular germinal tumors. *Cancer* 1974;33:340-48.
14. Hoeltl W, Kosak D, Paunt J et al. Testicular cancer: Prognostic implications of vascular invasion. *J Urol* 1987;137:683.
15. Mostofi FK, Price EB. Tumors of the male genital system. In: *Atlas of Tumor Pathology.* 2nd Series. Fascicle 8. Washington, DC: Armed Forces Institute of Pathology, 1973.
16. Jorgensen N, Rajpert-De Meyts E, Graem N et al. Expression of immunohistochemical markers for testicular carcinoma in situ by normal human fetal germ cells. *Lab Invest* 1995;72:223-31.
17. Sharpe RM, Skakkebaek NE. Are oestrogens involved in falling sperm counts and disorders of the male reproductive tract? *Lancet* 1993;341:1392-95.
18. Whitmore Jr WF. The treatment of germinal tumors of the testis. In: Proceedings of the Sixth National Cancer Conference. Philadelphia: JB Lippincott 1968. p. 347-55.
19. Schmoll HJ, Jordan K, Huddart R et al. ESMO Guidelines Working Group. Testicular non-seminoma: ESMO Clinical Practice Guidelines for diagnosis, treatment and follow-up. *Ann Oncol* 2010 May;21(Suppl 5):v147-54.
20. Peckhan MJ, Barret A, Horwich A et al. Orchiectomy alone for stage I testicular nonseminoma. *Br J Urol* 1983;55:754.
21. Sogani PC, Perroti M, Herr H et al. Clinical stage I testis cancer. Long term outcome of patients on surveillance. *J Urol* 1998;159:885.
22. Donohue JP, Zachary JM, Maynard BR. Distribution of nodal metastases in nonseminomatous testis cancer. *J Urol* 1982;128:315-20.
23. Lange PH, Narayan P, Vogelzang NJ et al. Return of fertility after treatment for nonseminomatous testicular cancer: Changing concepts. *J Urol* 1983;129:1131-35.
24. Sogani PC. Evolution of the management of stage I nonseminomatous germ-cell tumors of the testis. *Urol Clin North Am* 1991;18:561-73.
25. Sheinfeld J. Nonseminomatous germ cell tumors of the testis: Current concepts and controversies. *Urology* 1994;44:2-14.
26. Bhayani SB, Kavoussi LR. Laparoscopic retroperitoneal lymph node dissection for clinical stage I nonseminomatous germ cell testicular câncer: current status. In: Gill IS. (Ed.). *Textbook of laparoscopic urology.* New York: Informa Healthcare, 2006. p. 611-15.
27. Stephenson AJ, Bosl GJ, Motzer RJ et al. Retroperitoneal lymph node dissection for nonseminomatous germ cell testicular cancer: impact of patient selection factors on outcome. *J Clin Oncol* 2005;23:2781-88.
28. Leibovitch I, Foster RS, Kopecky KK et al. Identification of clinical stage A nonseminomatous testis cancer patients at extremely low risk for metastatic disease: a combined approach using quantitative immunohistochemical, histopathologic, and radiologic assessment. *J Clin Oncol* 1998;16:261-68.
29. Hudart R et al. A prospective study of 18 FDG PET in the prediction of relapse in patients with clinical stage I (CSI) non-seminomatous germ cell câncer (NSGCT): MRC study TE22. *J Clin Oncol* 2006;24(Suppl): 4520 (EBM IIB).
30. Tobias-Machado M, Zambon JP, Ferreira AD et al. Retroperitoneal lymphadenectomy by videolaparoscopic transperitoneal approach in patients with non-seminomatous testicular tumor. *Int Braz J Urol* 2004;30(5):389-96.
31. Tobias-Machado M, Neto AS. Hand-assisted laparoscopic retroperitoneal lymph node dissection for nonseminomatous testicular cancer. *J Laparoendosc Adv Surg Tech A* 2009;19(1):85.
32. Read G. et al. Medical research council prospective study of surveillance for stage I. *J Clin Oncol* 1992;10:1762-68.
33. Richie JP, Kantoff PW. Is adjuvant chemotherapy necessary for patients with stage B1 testicular cancer? *J Clin Oncol* 1991;9:1393-96.
34. Foster RS, Bihrle R, Little JS et al. Stage II nonseminomatous germ-cell testicular tumors – the Indiana experience and risk-benefit analysis. *World J Urol* 1994;12:143-46.
35. Brenner J, Vugrin D, Whitmore WF. Cytoreductive surgery for advanced nonseminomatous germ cell tumors of testis. *Urology* 1982;19:571-75.
36. Einhorn LH, Williams SD, Mandelbaum I et al. Surgical resection in disseminated testicular cancer following cytoreduction. *Cancer* 1981;48:904-8.
37. Law TM, Motzer RJ, Bajorin DF et al. The management of patients with advanced germ cell tumors. *Urol Clin North Amer* 1994;24:773.
38. Fox EP, Weathers T, Williams SD et al. Outcome analysis for patients with persistent nonteratomatous germ cell tumor in postchemotherapy retroperitoneal lymph node dissections. *J Clin Oncol* 1993;11:1294.
39. Logothesis CJ, Samuels ML, Trindade A et al. The growing teratoma syndrome. *Cancer* 1982;50:1629.
40. Loehrer PJ, Mui S, Majdu SI. Teratoma following cisplatin based chemotherapy for nonseminomatous germ cell tumors. A clinico-pathologic correlation. *J Urol* 1986;135:1189.
41. Herr HW, LaQuaglia MP. Management of teratoma. *Urol Clin North Am* 1993;20:145.
42. Nichols CR, Tricot G, Williams SD et al. Dose intensive chemotherapy in refractory germ cell cancer. A phase I/II trial of high dose carboplatin and etoposide with autologous bone marrow transplantation. *J Clin Oncol* 1989;7:932.
43. Motzer RJ, Mazundar M, Gulati SC et al. Phase II trial of high dose carboplatin and etoposide with autologous bone marrow transplantation in the first-line therapy for patients with poor-risk germ cell tumors. *J Natl Cancer Inst* 1992;84:1703.

CAPÍTULO 189
Aspectos Moleculares do Câncer de Testículo

Maria Helena Ornellas ■ Paulo Ornellas ■ Gilda Alves

ALTERAÇÕES GENÉTICAS E MOLECULARES NO CÂNCER DE CÉLULAS GERMINATIVAS DO TESTÍCULO (CCGT)

Nos últimos anos, os CCGTs têm despertado interesse para estudos genéticos e moleculares decorrente da característica de serem tumores de células germinativas. Tornaram-se, também, uma importante fonte para os estudos sobre o desenvolvimento de células germinativas e gametogênese. Outro atributo muito peculiar é que estes tumores possuem uma alta sensibilidade ao tratamento com a cisplatina, mesmo nos casos de metástase. Embora fatores ambientais contribuam para o desenvolvimento dos CCGTs, o componente genético é forte e o conhecimento atual do CCGT se deve à melhor compreensão dos mecanismos moleculares que serão brevemente abordados a seguir.

Associação das alterações geniturinárias com CCGT

Criptorquidia, infertilidade, diminuição do tamanho dos testículos afetando a qualidade do sêmen, hipospadia e síndromes de disgenesia gonadal XY,[1] entre outras, são entidades que, em conjunto, são consideradas síndromes de disgenesia testicular.[2] Além de serem relativamente comuns entre os homens, nos países ocidentais, são fatores de risco para o CCGT.[3] Os progressos em pesquisa básica e epidemiológica sobre CCGT apresentaram elementos que comprovam que, apesar de sua ocorrência em homens adultos jovens, este câncer tem sua origem em células germinativas do feto com características de células-tronco.[4,5] A neoplasia intratubular de células germinativas indiferenciadas ou carcinoma intratubular *in situ* (CIS) de células germinativas é a forma ainda não invasiva destes tumores.[6] Postula-se que estas células sejam derivadas de gonócitos que falharam em se diferenciar em espermatogônias, em razão da disfunção das células: de Sertoli, peritubulares e as de Leidig. A carcinogênese começa na vida intrauterina, tendo como evento primário (iniciação) a poliploidização do gonócito. O potencial invasivo do CIS só é alcançado com a puberdade. Após a ativação do eixo hipofisário gonadal, o carcinoma *in situ* (CIS) alcança seu potencial invasivo, evoluindo para os tumores do tipo seminoma, não seminomatoso ou misto (Fig. 1).

Recentemente, Bergeron *et al.*[7] estudaram pacientes com disgenesia gonadal pura e mista. Em ambos os grupos foi evidenciado um subgrupo recém-denominado tecido gonadal indiferenciado (UGT), que se caracteriza pela presença de cordões sexuais primitivos contendo células germinativas imaturas. Estes autores observaram que neste subgrupo havia, além de anormalidades estruturais no cromossoma Y, padrões de imunomarcação de células germinativas (PLAP+, OCT3/4+, e CD117/KIT+), sugerindo que as células germinativas encontradas no UGT sejam um fator de risco para os tumores gonadais.

Genes associados à indiferenciação celular

Sendo estes tumores neoplasias de células germinativas, alguns genes, característicos de células indiferenciadas, são superexpressos com relação ao tecido normal. A neoplasia intratubular de células germinativas indiferenciadas carreia marcadores de células germinativas (PGC) e/ou fenótipos de células-tronco embrionárias, como POU5F1, NANOG, XFB1, XIST, LIN28, TFAP2, PDPN, PRDM1, SOX17, KIT, MYCN e PIM2.[8,9] Após a invasão, alguns genes estão associados a propriedades das células-tronco expressas tanto pelo seminoma como pelo carcinoma embrionário, como POU5F1, NANOG e o DPPA3, enquanto a expressão

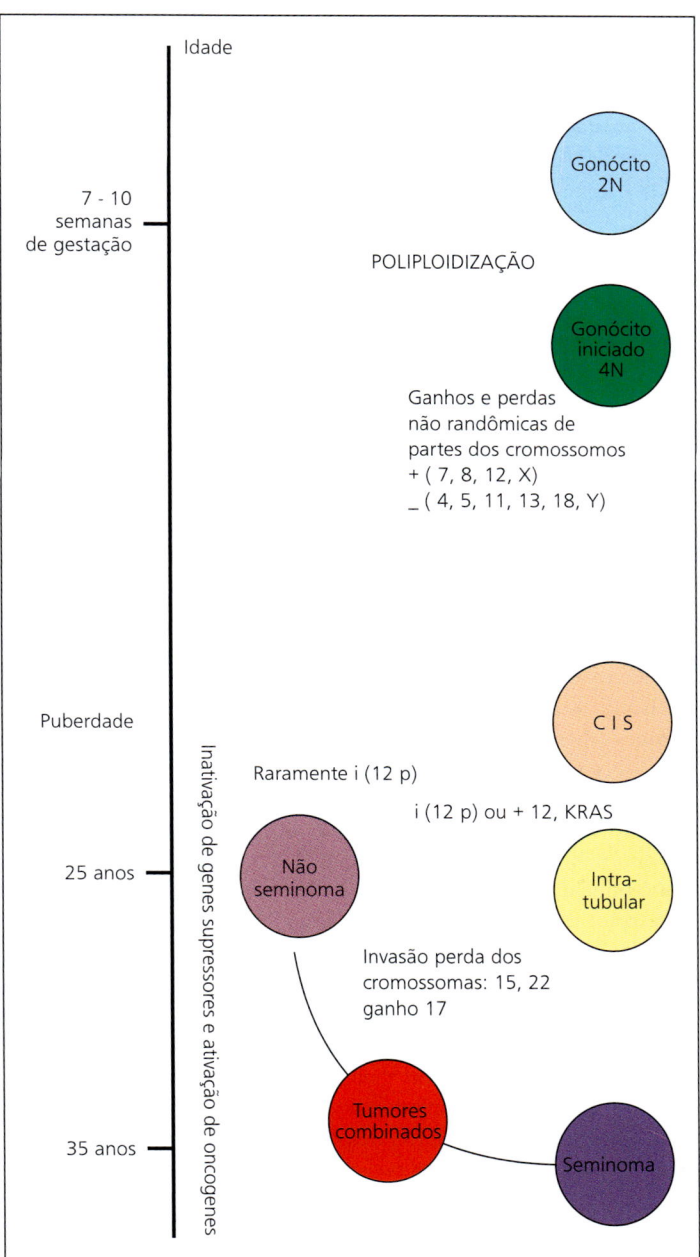

▲ **FIGURA 1.** Forma esquemática das diversas etapas da transformação neoplásica das células testiculares.

de outros como SOX 2, TGF1, FGF4, DNMT3B e LEFTY2 está limitada ao carcinoma embrionário.[10] A expressão destes últimos está associada à autorrenovação e à falta de diferenciação nos seminomas.

Hereditariedade nos CCGTs

Embora fatores ambientais contribuam para o desenvolvimento dos CCGTs, o componente genético é forte nestes tumores. Considera-se forma familial da doença quando esta ocorre em mais de um parente com laços sanguíneos. Aproximadamente 1,4% dos homens com CCGTs apresentam a forma familial.[11] Este número sobe para 5% quando a doença ocorre em ambos os testículos. Com o objetivo de desvendar as alterações moleculares do CCGT unilateral e de ambos os testículos, Looijenga et al.[12] estudaram uma mutação localizada no gene KIT. Neste estudo os autores observaram maior incidência (93%) em tumores bilaterais da mutação no códon 816 do gene KIT quando comparada com tumores unilaterais (1,3%).[12]

Os primeiros estudos sobre a hereditariedade aconteceram há mais de 4 décadas. Nicholson e Harland[13] observaram que um terço de todos os pacientes com CCGT são geneticamente predispostos à doença. Irmãos e pais de pacientes com tumores germinativos de testículo têm, respectivamente, entre 8 a 10 e 4 a 6 vezes maior risco de desenvolver o tumor.[14] Um risco ainda mais elevado existe para irmãos gêmeos nos quais estes tumores foram diagnosticados. No entanto, estudos com famílias de portadores de tumores germinativos múltiplos não revelaram genes de alta penetrância.[15] A partir desses dados concluiu-se que os efeitos combinados de múltiplos alelos comuns, cada um conferindo um risco modesto, podem estar por trás destes tumores. De acordo com este pressuposto, análises da associação de genes candidatos identificaram *loci* de susceptibilidade genética envolvidos no desenvolvimento do CCGT que serão sumariamente discutidos a seguir.

Loci de susceptibilidade genética envolvidos no desenvolvimento de CCGT

No cromossoma Y, a deleção gr/g e as mutações no gene PDE11A, como modificadores genéticos de risco para tumores familiares, aumentam o risco para 2 e até 3 vezes, estando também associadas a prejuízo espermatogênico. Entretanto, estas alterações estão associadas a número reduzido de casos.[1]

Estudos de associação ampla de genoma evidenciaram genes que apresentaram a suscetibilidade para desenvolver CCGT. Além do KITLG, eles demonstraram *loci* com predisposição para CCGT nos genes: SPRY4, BAK1, TERT-CLPTM1L, ATF7IP, e DMRT1.1.[16-19] Todos os genótipos foram associados a CGCT tanto para os subtipos seminomatosos quanto não seminomatos. KITLG e o SPRY4 e BAK1 foram considerados genes de susceptibilidade para CCGT.

Foram incluídos nestes estudos; além de pacientes que apresentavam tumores esporádicos; também pacientes com história de familiares com tumores germinativos. Os *loci* onde estes genes estão envolvidos aparecem nas células germinativas primordiais, reforçando a evidência de que a origem destes tumores se encontra na célula germinativa, como resultado de um distúrbio no desenvolvimento testicular. A associação mais forte para a susceptibilidade a CCGT foi encontrada em KITLG (ligante acoplado ao receptor da membrana tirosinoquinase KIT). A presença deste gene aumenta 2,5 vezes o risco de desenvolver o câncer.[16-19] O sistema KIT-KITLG regula a sobrevivência, a proliferação e a migração de células germinativas primordiais (PGCs).[20,21] Estas células desenvolvem-se em espermatogônias e espermatócitos e dão origem aos CCGTs.

Recentemente, Ferlin et al.[22] analisaram a associação entre alelos do KITLG com o CCGT e a interrupção espermatogênica. Eles encontraram risco 7 vezes aumentado de CCGT especialmente nos seminomas em alelos homozigotos e mais de 2 vezes por cópia nos alelos G e A do KITLG.

Alterações citogenéticas no CCGT

Vários trabalhos referem anormalidades cromossômicas nos CCGTs.[23] Os tumores mais estudados foram os seminomas, os tumores de células germinativas não seminatosos (NSGCT) e tumores mistos.[24-26] Mais recentemente, tumores mais raros também foram objetos de investigação.[27-30]

O ganho de material na região do braço curto do cromossoma 12 (12p) é patognomônico para tumor de células germinativas. Neste caso, o isocromossoma 12 é a alteração mais frequente, ocorrendo em 85% dos casos.[24,31] (Fig. 2). Nos 15% restantes, o ganho 12p ocorre por outros rearranjos, incluindo amplificação de regiões menores.[25,32-35] Estas alterações foram primeiramente estudadas pela citogenética clássica e, mais recentemente, como pela hibridização *in situ* (FISH).[25] O número de cópias do 12p prediz o prognóstico. Isto sugere que o ganho da expressão do gene 12p possa participar ativamente na continuação do

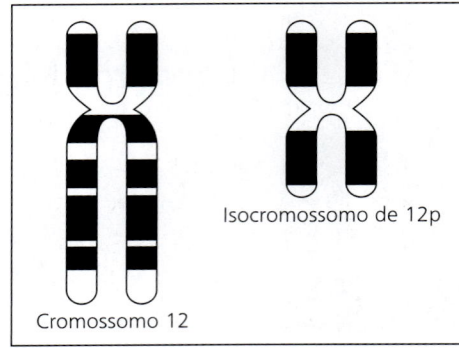

◄ **FIGURA 2.** Idiograma representando o cromossoma 12 normal e o isocromossoma de 12p.

crescimento de células pluripotentes em uma configuração anormal (isto é, não no embrião).

Um aspecto questionável é a fase da doença em que esta lesão genética é detectada pela primeira vez. Alguns estudos relatam a sua ocorrência nas células malignas da neoplasia intratubular das células germinativas não classificáveis (IGCNU) (carcinoma *in situ* dos CCGTs), enquanto outros estudos relataram associação do aparecimento deste marcador à invasão.[35-37] Em qualquer caso, o ganho de 12p está implicado na tumorigênese das GC, e as duas vias de investigação produziram pistas importantes sobre o papel e a identidade dos genes-alvo. Atualmente, sabe-se que o braço curto do cromossoma 12 compreende cerca de 400 genes. Entre os genes mapeados no 12p e expressos em CCGT, foram encontrados genes que são expressos no testículo normal. Existem genes responsáveis pelo crescimento celular, incluindo o proto-oncogene CCND2, o transportador de glicose GLUT3. Outros são responsáveis pelas enzimas glicolíticas GAPDH e TPI1, e ainda outros responsáveis pela autorrenovação celular e pela pluripotência (NANOG e DPPA3, e GDF3).[38-41]

Estudos de hibridização genômica (HG) e de desequilíbrio alélico têm mostrado outras regiões cromossômicas afetadas além do 12p. Ganhos de material genético nos cromossomas 1, 7, 8, 17, 21 e X, além de perdas de material genético dos cromossomas 4, 5, 11, 13, 18 e Y já foram descritos.[31,37,42-48]

Vias de sinalização do RAS no CCGT

Alterações genômicas destacam a importância do RAS na sinalização TGCT.[49] As mutações em genes envolvidos nas vias de sinalização intracelular à jusante de *kit*, nomeadamente KRAS[50-52] e BRAF[53], têm sido descritas. A ativação do RAS/RAF leva à sinalização através de PI3K/AKT, MAPK e STAT3. Todas as três vias estão ativadas em TGCT[53-55] e têm papéis fisiológicos na manutenção e proliferação de células germinativas primordiais (PGC). Mecanismos adicionais para a ativação da sinalização de RAS implicados nos CGCTs incluem receptores, como ErbBB2[56] e CXCR4[57] e expressão dos fatores de crescimento FGF4[58] e TDGF-1.[59]

Epigenética e o CCGT

Mais recentemente, pesquisadores da patogênese do CCGT têm demonstrado especial interesse na epigenética.[60,61] O termo epigenética se refere a alterações hereditárias na função gênica sem que ocorram quaisquer alterações na sequência do DNA. Os três principais mecanismos epigenéticos conhecidos são: a metilação do DNA, o remodelamento da cromatina e a regulação do micro-RNA.[61] Desses três mecanismos, a metilação do DNA é o mais conhecido e estudado. A metilação do DNA consiste em uma modificação covalente em que um grupo metila é depositado sobre o carbono na posição cinco do anel da citosina do dinucleótido das ilhas CpG, levando ao silenciamento do gene pela inibição da ligação de fator de transcrição.[61]

A importância das alterações epigenéticas já foram demonstradas na carcinogênese humana de diversos tecidos. Vários estudos demonstraram que o silenciamento gênico associado à metilação inativa certos genes supressores tão efetivamente quanto as mutações.[60] A metilação também foi reconhecida como um mecanismo importante de inativação gênica durante a progressão para os CCGTs. Vários estudos foram realizados para investigar o papel de determinados genes neste contexto. O trabalho realizado recentemente por Brait et al.⁶⁰ foi muito importante, uma vez que envolveu um grande número de genes. Estes autores investigaram o perfil de metilação de 15 genes através do PCR específico de metilação quantitativo (QMSP) em CCGT e os compararam com os tipos seminoma e não seminoma e, também, com os testículos de indivíduos normais. Os genes por eles estudados foram: ARF, APC, MGMT, RAR-β2, CCNA1, hMLH1, A1M1, PGP9.5, S100A2, E-Rα, ER-β, MCAM, VGF, FKBP4, SSBP2. Eles encontraram um padrão de metilação diferencial nos tumores seminomatosos, dos não seminomatosos nos genes MGMT, VGF, ER-β, FKBP4, que foram predominantemente metilados nos não seminomatosos. Já os genes APC, hMLH1 foram mais metilados nos CCGTs quando comparados com os tecidos normais. Combinando-se os genes APC, hMLH1, ER-β e FKBP4 é possível identificar 86% dos tumores não seminomatosos e somente 7% dos seminomatosos. O perfil de metilação nos CCGT correlacionou os tipos histológicos e mostrou um perfil específico para determinados genes.

SENSIBILIDADE AO TRATAMENTO QUIMIOTERÁPICO

A quimioterapia baseada em cisplatina é eficaz em mais de 80% dos homens com CCGT metastático. Existem quatro mecanismos gerais que influenciam a resposta das células tumorais aos agentes quimioterápicos. O primeiro mecanismo é o responsável pela entrada e pela saída da droga na célula por meio da membrana plasmática. Depois, numa etapa posterior, a droga pode ser metabolizada, quer ativada ou destoxificada dentro do citoplasma. A possibilidade de acesso da droga ao DNA pode, também, influenciar a sua eficácia. Finalmente, a resposta da célula ao dano do DNA determinará o seu destino. As células tumorais do testículo falham principalmente neste último mecanismo de reação aos quimioterápicos, porque não têm capacidade de reparar o DNA, tornando-se apoptóticas. Pode haver, ainda, muitos outros fatores que operam fora da célula, que também podem influenciar se um determinado tumor responderá à terapia, como à via de administração e à farmacocinética.⁶²,⁶³ Alguns aspectos da resposta das células tumorais do testículo à cisplatina foram estudados. Entre eles estão: a resposta ao estresse, a atividade de p53 e a indução de apoptose, além da eficácia dos mecanismos de reparo do DNA. A resposta ao estresse envolve a ativação de proteínas de choque térmico (HSPs), que podem proteger as células após exposição a drogas quimioterapêuticas. Apesar de se ter evidenciado que a superexpressão da HSP27 em células cancerosas do testículo causou um pequeno aumento na resistência à cisplatina, esta não foi diferente da encontrada em outros tumores.⁶⁴⁻⁶⁶

CONCLUSÕES

Os CCGTs têm um componente genético maior do que muitas outras doenças neoplásicas já estudadas. A presença de alelos de marcadores recentemente identificados conferem, pelo menos em parte, riscos relativos mais elevados de contrair a doença do que aqueles identificados para outros cânceres. Além disso, fatores clínicos como história familiar ou criptorquidia conferem, também, maiores riscos relativos. A avaliação genética da população geral utilizando variantes genéticas que avaliam o risco de CCGT ainda não tem nenhum valor comprovado para predição deste risco. Em decorrência da raridade do câncer testicular e da eficácia dos regimes de tratamento atualmente disponíveis, é difícil imaginar um momento em que tal abordagem seria viável. No entanto, pesquisas futuras devem abordar a questão para saber se uma estratégia de avaliação genética estratificada de risco pode ser uma abordagem eficaz para o diagnóstico precoce e para um tratamento menos agressivo e mais específico.

REFERÊNCIAS BIBLIOGRÁFICAS

1. Nathanson KL, Kanetsky PA, Hawes R et al. The Y deletion gr/g and susceptibility to testiculargerm cell tumor. *Am J Hum Genet* 2005 Dec.;77(6):1034-43. Epub 2005 Oct. 24.
2. Kramer JL Greene MH. Hereditary testicular cancer. In: Vogelzang NJ, Scardino PT, Shipley WU et al. (Eds.). *Comprehensive textbook of genitourinary oncology* (ed 3). Philadelphia: Lippincott, Williams-Wilkins, 2006. p. 558-62.
3. Schnack TH, Poulsen G, Myrup C et al. Familial coaggregation of cryptorchidism, hypospadias, and testicular germ cell cancer: a nationwide cohort study. *J Natl Cancer Inst* 2010;102:187-92.
4. Rajpert-De Meyts E. Developmental model for the pathogenesis of testicular carcinoma in situ: genetic and environmental aspects. *Hum Reprod Update* 2006;12:303-23.
5. Sonne SB, Almstrup K, Dalgaard M et al. Analysis of gene expression profiles of microdissected cell populations indicates that testicular carcinoma in situ is an arrested gonocyte. *Cancer Res* 2009;69:5241-50.
6. Skakkebaek NE, Berthelsen JG, Giwercman A et al. Carcinoma-in-situ of the testis: possible origin from gonocytes and precursor of all types of germ cell tumours except spermatocytoma. *Int J Androl* 1987;10:19-28.
7. Bergeron MB, Lemieux N, Brochu P. Undifferentiated gonadal tissue, Y chromosome instability, and tumors in XY gonadal dysgenesis. *Pediatr Dev Pathol.* 2011;14:445-59.
8. Almstrup K, Hoei-Hansen CE, Wirkner U et al. Embrionic stem cell-like features of testicular carcinoma in situ. *Cancer Res* 2004;64;4736-43.
9. Almstrup K, Hoei-Hansen CE, Nielsen JE et al. Genome-wide gene expression profiling of testicular carcinoma in situ progression into overt tumours. *Br J Cancer* 2005;92:1934-41.
10. Houldsworth J, Korkola JE, Bosl GJ et al. Biology and genetics of adult male germ cell tumors. *J Clin Oncol* 2006;24:5512-18.
11. Dieckmann KP, Pichlmeier U. The prevalence of familial testicular cancer: an analysis of two patient populations and a review of the literature. *Cancer* 1997;80:1954-60.
12. Looijenga LH, de Leeuw H, van Oorschot M et al. Stem cell factor receptor (c-KIT) codon 816 mutations predict development of bilateral testiculargerm-cell tumors. *Cancer Res* 2003;63:7674-768.
13. Nicholson PW, Harland SJ. Inheritance and testicular cancer. *Br J Cancer* 1995;71:421.
14. Hemminki K, Li X. Familial risk in testicular cancer as a clue to a heritable and environmental aetiology. *Br J Cancer* 2004;90:1765-70.
15. Kratz CP, Mai PL, Greene MH. Familial testicular germ cell tumours. *Best Pract Res Clin Endocrinol Metab* 2010;24:503-13.
16. Kanetsky PA, Mitra N, Vardhanabhuti S et al. Common variation in KITLG and at 5q31.3 predisposes to testicular germ cell cancer. *Nat Genet* 2009;41:811-15.
17. Rapley EA, Turnbull C, Al Olama AA et al. A genome-wide association study of testiculargerm cell tumor. *Nat Genet* 2009;41:807-10.
18. Turnbull C, Rapley EA, Seal S et al. Variants near DMRT1, TERT and ATF7IP are associated with testicular germ cellcancer. *Nat Genet* 2010;42:604-7.
19. Chanock S. High marks for GWAS. *Nat Genet* 2009;41:765-66.
20. Runyan C, Schaible K, Molyneaux K et al. Steel factor controls midline cell death of primordial germ cells and is essential for their normal proliferation and migration. *Development* 2006;133:4861-69.
21. Boldajipour B, Raz E. What is left behind – quality control in germ cell migration. *Sci STKE* 2007(383):pe16. Review.
22. Ferlin A, Pengo M, Pizzol D et al. Variants in KITLG predispose to testicular germ cell cancer independently from spermatogenic function. *Endocr Relat Cancer.* 2012;19:101-8.
23. Helm S, Mitelman F. *Cancer cytogenetics.* Chromosomal and molecular genetic aberrations of tumor cells. 2nd ed. New York: Wiley-Liss, 1995.
24. Atkin NB, Baker MC. I(12p): Specific chromosomal marker in seminoma and malignant teratoma of the testis? *Cancer Genet Cytogenet* 1983;10:199-204.
25. Rodriguez E, Houldsworth J, Reuter VE et al. Molecular cytogenetic analysis of i(12p)-negative human male germ cell tumors. *Genes Chromosomes Cancer* 1993;8:230-36.
26. Motzer RJ, Rodriguez E, Reuter VE et al. Molecular and cytogenetic studies in the diagnosis of patients with poorly differentiated carcinomas of unknown primary site. *J Clin Oncol* 1995;13:274-82.
27. Martorell M, Ortiz CM, Garcia JA. Testicular fusocellular rhabdomyosarcoma as a metastasis of elbow sclerosing rhabdomyosarcoma: a clinicopathologic, immuno histochemical and molecular study of one case. *Diagn Pathol* 2010;11;5:52.
28. Bettio D, Venci A, Sarina B. Near-tetraploid karyotype with an isochromosome 17q as the sole structural chromosomal rearrangement in a case of testicular granulocytic sarcoma. *Cancer Genet Cytogenet* 2008;181:69-71.
29. Alexiev BA, Alaish SM, Sun CC. Testicular juvenile granulosa cell tumor in a newborn: case report and review of the literature. *Int J Surg Pathol* 2007;15:321-25. Review.
30. Verdorfer I, Höllrigl A, Strasser U et al. Molecular-cytogenetic characterisation of sex cord-stromal tumours: CGH analysis in Sertoli cell tumours of the testis. *Virchows Arch* 2007;450:425-31.
31. Sandberg AA, Meloni AM, Suijkerbuijk RF. Reviews of chromosome studies in urological tumors. III. Cytogenetics and genes in testicular tumors. *J Urol* 1996;155:1531-56.

32. Henegariu O, Vance GH, Heiber D et al. Triple-color FISH analysis of 12p amplification in testicular germ-cell tumors using 12p band-specific painting probes. *J Mol Med* (Berl) 1998;76:648-55.
33. Summersgill B, Goker H, Weber-Hall S et al. Molecular cytogenetic analysis of adult testicular germ cell tumours and identification of regions of consensus copy number change. *Br J Cancer* 1998;77:305-13.
34. Roelofs H, Mostert MC, Pompe K et al. Restricted 12p amplification and RAS mutation in human germ cell tumors of the adult testis. *Am J Pathol* 2000;157:1155-66.
35. Vos A, Oosterhuis JW, de Jong B et al. Cytogenetics of carcinoma in situ of the testis. *Cancer Genet Cytogenet* 1990;46:75-81.
36. Rosenberg C, Van Gurp RJ, Geelen E et al. Over representation of the short arm of chromosome 12 is related to invasive growth of human testicular seminomas and nonseminomas. *Oncogene* 2000;19:5858-62.
37. Summersgill B, Osin P, Lu YJ et al. Chromosomal imbalances associated with carcinoma in situ and associated testicular germ cell tumours of adolescents and adults. *Br J Cancer* 2001;85:213-20.
38. Juric D, Sale S, Hromas RA et al. Gene expression profiling differentiates germ cell tumors from mother cancers and defines subtype-specific signatures. *Proc Natl Acad Sci USA* 2005;102:17763-68.
39. Korkola JE, Houldsworth J, Chadalavada RS et al. Down-regulation of stem cell genes, includingthose in a 200-kb gene cluster at 12p13.31, is associated with in vivo differentiation of human male germ cell tumors. *Cancer Res* 2006;66:820-27.
40. Ezeh UI, Turek PJ, Reijo RA et al. Human embryonic stem cell genes OCT4, NANOG, STELLAR, and GDF3 are expressed in both seminoma and breastcarcinoma. *Cancer* 2005;104:2255-65.
41. Houldsworth J, Reuter V, Bosl GJ et al. Aberrant expression of cyclin D2 is an early event in human male germ cell tumorigenesis. *Cell Growth Differ* 1997;8:293-99.
42. van Echten J, van Gurp RJ, Stoepker M et al. Cytogenetic evidence that carcinoma in situ is the precursor lesion for invasive testicular germ cell tumors. *Cancer Genet Cytogenet* 1995;85:133-37.
43. Korn WM, Oide Weghuis DE, Suijkerbuijk RF et al. Detection of chromosomal DNA gains and losses in testicular germ cell tumors by comparative genomic hybridization. *Genes Chromosomes Cancer* 1996;17:78-87.
44. Mostert MM, van de Pol M, Olde Weghuis D et al. Comparative genomic hybridizationof germ cell tumors of the adult testis: confirmation of karyotypic findings and identification of a 12p-amplicon. *Cancer Genet Cytogenet* 1996;89:146-52.
45. Summersgill BM, Shipley JM. Fluorescence in situ hybridization analysis of formalin fixed paraffin embedded tissues, including tissue microarrays. *Methods Mol Biol* 2010;659:51-70.
46. Gilbert DC, McIntyre A, Summersgill B et al. Minimum regions of genomic imbalance in stage I testicular embryonal carcinoma and association of 22q loss with relapse. *Genes Chromosomes Cancer* 2011;50:186-95.
47. Kraggerud SM, Skotheim RI, Szymanska J et al. Genome profiles of familial/bilateral and sporadictesticular germ cell tumors. *Genes Chromosomes Cancer* 2002;34:168-74.
48. von Eyben FE. Chromosomes, genes, and development of testicular germ cell tumors. *Cancer Genet Cytogenet* 2004;151:93-138.
49. McIntyre A, Gilbert D, Goddard N et al. Genes, chromosomes and the development of testicular germ cell tumors of adolescents and adults. *Genes Chromosomes Cancer* 2008;47:547-57.
50. Moul JW. Testicular tumour. *Br J Hosp Med* 1992;48:514-5.
51. Olie RA, Looijenga LH, Boerrigter L et al. N- and KRAS mutations in primary testicular germ cell tumors: incidence and possible biological implications. *Genes Chromosomes Cancer* 1995;12:110-16.
52. McIntyre A, Summersgill B, Spendlove HE et al. Activating mutations and/or expression levels of tyrosine kinase receptors GRB7, RAS, and BRAF in testicular germ cell tumors. *Neoplasia* 2005;7:1047-52.
53. Sommerer F, Hengge UR, Markwarth A et al. Mutations of BRAF and RAS are rare events in germ cell tumours. *Int J Cancer* 2005;113:329-35.
54. Moe-Behrens GH, Klinger FG, Eskild W et al. Akt/PTEN signaling mediates estrogen-dependent proliferation of primordial germ cells in vitro. *Mol Endocrinol* 2003;17:2630-38.
55. Kemmer K, Corless CL, Fletcher JA et al. KIT mutations are common in testicular seminomas. *Am J Pathol* 2004;164:305-13.
56. Mandoky L, Geczi L, Bodrogi I et al. Expression of HER-2/neu in testicular tumors. *Anticancer Res* 2003;23:3447-51.
57. Gilbert DC, Chandler I, McIntyre A et al. Clinical and biological significance of CXCL12 and CXCR4 expression in adult testes and germ cell tumours of adults and adolescents. *J Pathol* 2009;217:94-102.
58. Strohmeyer T, Peter S, Hartmann M et al. Expression of the hst-1 and c-kit protooncogenes in human testicular germ cell tumors. *Cancer Res* 1991;51:1811-16.
59. Baldassarre G, Romano A, Armenante F et al. Expression of teratocarcinoma-derived growth factor-1 (TDGF-1) in testis germ cell tumors and its effects on growth and differentiation of embryonal carcinoma cell line NTERA2/D1. *Oncogene* 1997;15:927-36.
60. Brait M, Maldonado L, Begum S et al. DNA methylation profiles delineate epigenetic heterogeneity in seminoma and non-seminoma. *Br J Cancer* 2012;106:414-23.
61. Okamoto K. Epigenetics: a way to understand the origin and biology of testicular germ cell tumors. *Int J Urol* 2012;19:504-11.
62. Masters JR, Köberle B. Curing metastatic cancer: lessons from testicular germ-cell tumours. *Nat Rev Cancer* 2003;3:517-25.
63. Einhorn LH. Curing metastatic testicular cancer. *Proc.Natl Acad Sci USA* 2002;99:4592-95.
64. Richards EH, Hickey E, Weber L et al. Effects of overexpression of the small heat shock protein HSP27 on the heat and drug sensitivities of human testis tumor cells. *Cancer Res* 1996;56:2446-51.
65. Richards EH, Hickman JA, Masters JRW. Heat shock protein expression in testis and bladder cancer cell lines exhibiting differential sensitivity to heat. *Br J Cancer* 1995;72:620-26.
66. Hettinga JVE et al. Heat-shock protein expression in cisplatin-sensitive and resistant human tumor cells. *Int J Cancer* 1996;67:800-7.

CAPÍTULO 190

Câncer de Pênis

Leandro Koifman ■ Antonio Augusto Ornellas
Ana Celia Baptista Koifman ■ Marcos Tobias-Machado

INTRODUÇÃO

O câncer de pênis é uma neoplasia rara cujo tratamento impõe efeitos devastadores sobre a saúde física e psíquica dos pacientes, caracterizando um desafio terapêutico ao médico-urologista. A baixa incidência desta enfermidade em países desenvolvidos, em contrapartida com a alta incidência em países subdesenvolvidos, torna clara a associação da doença às condições socioeconômicas locais.[1] A maior incidência mundial de câncer de pênis encontra-se na Índia, com taxas de 3,32/100.000 habitantes, e a menor encontra-se em judeus nascidos em Israel, com taxas próximas a zero. O Brasil apresenta uma das maiores incidências de câncer de pênis no mundo, podendo representar, em algumas áreas, cerca de 17% de todas as neoplasias malignas masculinas, constituindo um sério problema de saúde pública.[2]

Pacientes com câncer de pênis tendem a procurar assistência médica tardiamente, com 15 a 50% deles apresentando sintomatologia há mais de 1 ano. Este atraso é atribuído, principalmente, a constrangimento, culpa, medo, ignorância e negligência pessoal. Por se tratar de uma patologia rara, não é incomum que pacientes portadores da neoplasia recebam diversas formas de tratamento médico sem sucesso até que sejam avaliados por um urologista. O atraso no diagnóstico e o tratamento destes pacientes podem impor consequências desastrosas na sobrevida, além de limitar a capacidade de obtenção de resultados funcionais e cosméticos satisfatórios relacionados com a preservação do órgão genital.[3]

A etiologia do câncer de pênis não está completamente esclarecida, no entanto, observa-se que sua incidência varia de acordo com a prática de circuncisão, higiene local, presença de fimose, infecção pelo papilomavírus humano e exposição ao tabaco.[4-6]

O carcinoma epidermoide representa aproximadamente 95% das neoplasias penianas, os 5% restantes decorrem de metástases originadas em tumores de outros órgãos e de lesões tumorais menos frequentes como sarcomas, melanomas e linfomas.[7]

LESÕES CUTÂNEAS PRÉ-MALIGNAS

Algumas lesões penianas histologicamente benignas apresentam potencial de malignização ou associação ao desenvolvimento do carcinoma epidermoide do pênis. Embora a incidência de progressão destas lesões para o carcinoma de células escamosas não seja conhecida, todas têm sido associadas à doença.

Corno cutâneo

O corno cutâneo peniano é uma lesão rara cuja etiologia é desconhecida.[8] Normalmente, desenvolve-se sobre uma lesão de pele preexistente como verrugas, nevos, áreas de abrasão traumática ou neoplasia maligna. É caracterizada pelo crescimento excessivo do epitélio com cornificação, levando à formação de uma protuberância sólida.[9-11] Aproximadamente 30% destas lesões apresentarão transformação maligna, sendo a maioria de baixo grau. Cerca de um terço destas lesões apresentam tecido tumoral maligno em sua base, sendo o tratamento preconizado a exérese cirúrgica com margem de tecido normal na base do corno cutâneo. Por se tratar de lesão com grande potencial de recidiva local e transformação maligna em biópsias subsequentes, o acompanhamento clínico rigoroso é mandatório.[9-12]

Balanite ceratótica

A balanite ceratótica, também conhecida como balanite pseudoepiteliomatosa, é uma rara condição cuja etiologia é desconhecida.[13] Acomete, principalmente, pacientes idosos não circuncidados, sendo a glande o principal sítio de localização.

Macroscopicamente, apresenta-se como um crescimento elevado hiperceratótico, único e bem delimitado na glande do pênis.

Histologicamente, apresenta hiperceratose com denso infiltrado polimorfo nuclear dérmico e hiperplasia pseudoepiteliomatosa.[14,15]

O tratamento inclui o uso de 5-fluorouracil, excisão cirúrgica, ablação por *laser* e criocirurgia. Por se tratar de lesão resistente ao tratamento primário e com grande potencial de recidiva, a abordagem terapêutica agressiva e o rigoroso acompanhamento clínico são necessários.[13,15,16]

Líquen escleroso (balanite xerótica obliterante)

É uma doença inflamatória crônica da pele que acomete prepúcio e glande e cuja etiologia é desconhecida. As lesões podem ser múltiplas e assumir aparência de mosaico, frequentemente acometendo o meato uretral e, algumas vezes, estendendo-se à fossa navicular. Esta doença é mais comum em homens de meia-idade não circuncidados.[17,18]

Macroscopicamente, apresenta-se como uma lesão esbranquiçada, endurada e com edema local. Erosões da glande, fissuras e estenose do meato uretral podem estar presentes.

Histologicamente pode-se observar atrofia da epiderme com homogeneização do colágeno associada à infiltração linfocitária e histiocitária.[19]

Os sintomas clínicos incluem dor, prurido, ereções dolorosas e retenção urinária por obstrução uretral.

As biópsias estão indicadas na diferenciação do carcinoma epidermoide do pênis e outras condições atípicas, assim como no acompanhamento clínico quando há modificações nas características e comportamento da lesão.[17]

O tratamento depende da gravidade da lesão e consiste na aplicação de cremes tópicos à base de esteroides, esteroides injetáveis, *laser* de dióxido de carbono e excisão cirúrgica.[20]

Relatos existentes na literatura associam a balanite xerótica obliterante à neoplasia maligna do pênis. Por se tratar de uma doença que pode preceder, coexistir ou progredir para carcinoma epidermoide do pênis, o acompanhamento rigoroso é fundamental.[21,22]

Leucoplaquia

É um distúrbio caracterizado pelo surgimento de placas esbranquiçadas únicas ou múltiplas na glande peniana que, frequentemente, envolvem o meato uretral.[23]

Histologicamente pode-se observar hiperqueratose, paraqueratose, edema e infiltração linfocitária. Cuidadosa avaliação microscópica é necessária para afastar a presença de malignidade. Tanto o carcinoma epidermoide *in situ* quanto o carcinoma verrucoso do pênis têm sido associados a esta lesão.[24]

O tratamento consiste na eliminação de fatores irritativos crônicos e a postectomia pode estar indicada. Outras modalidades de tratamento como exérese cirúrgica, radioterapia e *laser* podem ser utilizadas em casos selecionados.[23-25]

Por se tratar de uma lesão com estreita relação com o carcinoma peniano, o acompanhamento clínico meticuloso está indicado.

Lesões relacionadas com o papilomavírus humano (HPV)

O carcinoma escamoso do pênis normalmente se desenvolve em uma lesão preexistente peniana. As lesões consideradas pré-malignas ao desenvolvimento do carcinoma escamoso do pênis são categorizadas como relacionadas com o papilomavírus humano ou com processos inflamatórios crônicos.

Podemos incluir no grupo das lesões penianas relacionadas com o papilomavírus humano o tumor de Buschke Lowenstein (condiloma gigante), a papulose Bowenoide, a doença de Bowen e a eritroplasia de Queyrat.

Tumor de Buschke Lowenstein

É uma rara condição cutânea caracterizada pelo crescimento quase sempre exofítico e lento de uma lesão verrucosa no pênis. Apresenta comportamento agressivo comprimindo e destruindo os tecidos adjacentes, promovendo erosão uretral, fístulas e sangramento. A presença de erosões teciduais está relacionada com a destruição local promovida pelo crescimento inferior da lesão em direção às estruturas subjacentes.

Apesar do comportamento localmente agressivo, histologicamente não apresenta sinais de malignização e não produz metástases.

O tumor de Buschke Lowenstein difere do condiloma *acuminatum* gigante pelo fato de este último manter-se sempre superficial e jamais destruir os tecidos adjacentes.

A presença de metástases neste tipo de tumor reflete degeneração maligna da lesão primária ou falha na identificação de um componente carcinomatoso associado à lesão primária.[26-28]

O diagnóstico deste tipo de lesão é feito por meio de biópsias excecionais ou múltiplas biópsias incisionais, tendo-se o cuidado de se obter tecido profundo para caracterização de lesões invasivas e diferenciação do carcinoma epidermoide peniano.

O tratamento consiste na exérese da lesão, poupando-se o máximo de tecido normal. No caso de lesões volumosas, a penectomia parcial ou total pode ser necessária. O tratamento tópico com podofilina ou creme de 5-fluorouracil mostrou-se ineficaz, assim como a radioterapia, esta última podendo provocar rápida degeneração maligna.[29-31] Recidiva local é comum e rigoroso acompanhamento clínico é necessário.

Papulose bowenoide

É uma condição caracterizada pelo surgimento de múltiplas pápulas pigmentadas na pele peniana com cerca de 0,2 a 3 cm de diâmetro. Estas pápulas podem coalescer e formar lesões maiores. Normalmente surgem na 2ª e 3ª décadas de vida, porém existem relatos de surgimento a partir da 6ª década. O diagnóstico é confirmado por biópsia.[32,33]

Histologicamente, preenche todos os critérios para carcinoma *in situ*, porém apresenta um padrão de crescimento diferente relacionado com a apresentação clínica. Sequências de DNA sugestiva de HPV subtipo 16 foram encontradas em espécimes de papulose bowenoide, sugerindo um papel causal do papilomavírus humano relacionado com esta condição.[34]

Apesar de, histologicamente, corresponder a carcinoma *in situ*, apresenta um curso invariavelmente benigno, com possibilidade de regressão espontânea.[35-37] O tratamento desta condição clínica consiste em exérese cirúrgica, crioablação, terapia local com creme de 5-fluorouracil e fulguração com *laser*.

Carcinoma *in situ* do pênis

O carcinoma *in situ* do pênis, também conhecido pelos urologistas como eritroplasia de Queyrat, é caracterizado pelo surgimento de uma área avermelhada, aveludada e bem delimitada que aparece, em geral, sobre a glande do pênis, prepúcio ou haste peniana. Em alguns casos pode evoluir com ulceração local, dor e descarga. As lesões normalmente são únicas, podendo variar em tamanho, por vezes acometendo toda a glande do pênis.[38] Durante a avaliação histológica observa-se a substituição da mucosa normal por células hiperplásicas atípicas caracterizadas por desorganização, vacuolização, presença de núcleos hipercromáticos e grande número de mitoses, conservando-se, entretanto, intacta a membrana basal, não havendo invasão dérmica. Completando o quadro, há presença de denso infiltrado mononuclear. A submucosa apresenta proliferação capilar e ectasia com infiltrado inflamatório. Essas características diferenciam o carcinoma *in situ* das balanites crônicas.

O tratamento desta enfermidade depende da confirmação histológica de malignidade, com base em múltiplas biópsias com profundidade adequada da área envolvida a fim de se determinar a presença de tumor invasivo.

Lesões restritas ao prepúcio são tratadas de forma eficaz através de postectomia. Para as lesões que acometem a glande e a haste peniana, inúmeras técnicas estão disponíveis, destacando-se a utilização de: excisão local, eletrofulguração, Nd:Yag *laser*, CO_2 *laser*, nitrogênio líquido e creme de 5-fluorouracil.[39-43] A escolha do método de tratamento a ser empregado deve levar em consideração as características da lesão e a experiência do médico envolvido no tratamento. Apesar dos excelentes resultados com estas modalidades de tratamento, o acompanhamento do paciente é fundamental em razão da possibilidade de recidiva local e com o desenvolvimento de tumor invasivo.

HISTÓRIA NATURAL

O carcinoma peniano usualmente tem início por uma pequena lesão na glande que, gradativamente, estende-se para envolver todo o pênis. A apresentação clínica pode variar, sendo a ulceração do prepúcio e da glande os sintomas mais relatados.[44,45] Em sua apresentação inicial acomete a glande em 48% dos casos, o prepúcio em 21%, a glande e o prepúcio em 9%, o sulco coronal em 6% e a haste peniana em menos de 2%.[46,47] A velocidade de crescimento dos tumores papilares e ulcerativos é semelhante e ambos, quando não tratados, podem evoluir para autoamputação peniana.[48] A fáscia de Buck age como uma barreira natural temporária a invasão tumoral, protegendo os corpos cavernosos do acometimento neoplásico. A penetração da fáscia de Buck e da túnica albugínea permite invasão do espaço vascular intracorpóreo e estabelece o potencial de disseminação hematogênica da doença.[49,50]

A região inguinal representa o principal sítio de metástases do carcinoma epidermoide do pênis, sendo a disseminação hematogênica para estruturas viscerais incomum com taxas que variam de 1 a 10%.[51-54]

O carcinoma peniano apresenta um curso agressivo e progressivo, com pacientes evoluindo para óbito em menos de 2 anos após o diagnóstico da lesão primária quando privados de tratamento. O êxito letal deve-se a complicações locorregionais incontroláveis como infecções crônicas, sepse e hemorragia por erosão dos vasos femorais e metástases a distância.[51,55,56]

A presença e a extensão das metástases inguinais são os fatores prognósticos mais importantes relacionados com a sobrevida dos pacientes portadores de carcinoma epidermoide do pênis. A região inguinal representa, quase invariavelmente, o primeiro sítio de metástase neste tipo de neoplasia, com uma fase locorregional quase sempre prolongada até que surjam metástases a distância. Não há relatos, na literatura, de remissão espontânea do carcinoma peniano.

ETIOLOGIA E EPIDEMIOLOGIA

O câncer de pênis é uma neoplasia rara com baixa incidência global. Nos Estados Unidos representa cerca de 0,4% de todas as neoplasias malignas masculinas. O Brasil apresenta uma das maiores incidências de câncer de pênis do mundo, podendo representar, em algumas áreas, cerca de 17% de todas as neoplasias malignas masculinas, constituindo um sério problema de saúde pública. A despeito da alta incidência do câncer de pênis em algumas regiões do território brasileiro, sua incidência representa aproximadamente 2,1% das neoplasias malignas masculinas no Brasil.[2,57]

A etiologia do câncer de pênis não está completamente elucidada. Sua incidência varia de acordo com a prática de circuncisão, higiene pessoal, infecção pelo papilomavírus humano, presença de fimose e exposição a produtos derivados do tabaco.[4-6,54]

O câncer de pênis, quando presente, é prevalente em homens idosos, com um aumento abrupto na incidência da neoplasia na 6ª década de vida e um novo pico por volta da 9ª década.[58] Em dois estudos recentemente conduzidos no Brasil por Koifman *et al.* e Favorito *et al.*, a incidência desta neoplasia foi preponderante na 6ª e 7ª décadas de vida, respectivamente.[54,59]

A prática da circuncisão neonatal parece exercer um fator protetor na gênese do câncer de pênis. A incidência desta neoplasia na população judaica, onde a prática da circuncisão neonatal é universal, é próxima de zero.[60] Em países muçulmanos, onde a circuncisão é realizada na infância, fora do período neonatal, a incidência do câncer de pênis é até 3 vezes maior.[61] A fimose é considerada um dos principais fatores de risco no desenvolvimento do câncer de pênis e é encontrada em 25-75% dos pacientes acometidos por esta moléstia nas maiores séries.[4-6] Tem sido proposto que a higiene inadequada do saco prepucial, com consequente acúmulo de esmegma, leve a um processo inflamatório crônico local, contribuindo na gênese do câncer de pênis. Estes dados sugerem que a circuncisão tardia seja ineficaz na proteção contra o desenvolvimento do câncer de pênis, uma vez que os efeitos deletérios da exposição prolongada a determinados agentes carcinogênicos já tenham ocorrido.

Vários estudos têm demonstrado uma associação entre o tabagismo e o câncer de pênis. Helberg et al.[62] encontraram uma relação entre o câncer de pênis e o tabagismo, que foi direta, dose-dependente e independente de outros fatores de risco conhecidos. Harish e Ravi[63] estenderam estas observações e demonstraram que o consumo de produtos derivados do tabaco esteve associado à incidência do câncer de pênis independente de outros fatores.

Doenças sexualmente transmissíveis (DST) como herpes, uretrites e sífilis têm sido implicadas como um possível fator de risco para o desenvolvimento do câncer de pênis. No entanto, nenhuma evidência convincente foi encontrada ligando-as a esta doença.[6,62] Uma possível explicação para esta associação reside no fato de os pacientes portadores de DST apresentarem um maior número de parceiros sexuais, aumentando, assim, a probabilidade de infecção pelo papilomavírus humano.[54]

O mecanismo de indução e promoção tumoral relacionada com a infecção pelo HPV não está completamente elucidado. Acredita-se que a incorporação do DNA viral ao genoma humano leve à hiperexpressão de E6 e E7, inativando os genes supressores tumorais da célula hospedeira como o p53 e pRb.[64] A identificação do HPV em amostras de tumor peniano varia de acordo com a técnica de investigação. Os diagnósticos baseados em técnicas citológicas e histológicas, apesar de demonstrarem boa especificidade (90%), mostram baixa sensibilidade. Desta forma, apenas 30-60% dos pacientes com infecção pelo HPV são identificados por estes métodos.[64-66] O HPV subtipos 6 e 11 são comumente encontrados em lesões não displásicas penianas, enquanto o subtipo 16 é frequentemente encontrado no carcinoma peniano.

DIAGNÓSTICO

O câncer de pênis pode ocorrer em qualquer região do órgão genital masculino, no entanto, as áreas mais afetadas em ordem decrescente de apresentação são: glande (48%), prepúcio (21%), glande e prepúcio (9%), sulco coronal (6%) e haste peniana (< 2%).[67] Em ordem para estabelecer o diagnóstico do tumor peniano, o primeiro passo é a confirmação histológica da lesão primária por biópsia. Um alto índice de suspeição é necessário para que se proceda à biópsia peniana e são as lesões penianas, representadas por nodulações, pápulas, pústulas, vegetações e ulcerações, todas com curso persistente, que alertam o paciente a procurar auxílio médico. Infelizmente, cerca de 15-50% dos pacientes procuram assistência medica tardiamente, com doença em evolução há mais de 1 ano. Este atraso na procura de assistência médica está relacionado com diversos fatores socioculturais, como constrangimento, culpa, medo, negligência pessoal e, por muitas vezes, falta de acesso à saúde pública.[3,54,68] Por outro lado, o atraso por parte dos médicos em diagnosticar e iniciar tratamento específico para a doença não é incomum.[54,69]

O atraso no diagnóstico e no tratamento desta enfermidade pode impor consequências desastrosas na sobrevida dos pacientes, com aumento do índice de mortalidade.[70]

Lesões penianas não responsivas ao tratamento clínico e devem ser biopsiadas para avaliação histológica. As biópsias penianas são inócuas quando comparadas com os malefícios de um tumor peniano não diagnosticado.

A confirmação diagnóstica do carcinoma peniano só poderá ser efetuada por biópsia, que fornecerá dados relevantes para decisão terapêutica como tipo histológico, grau de diferenciação tumoral e infiltração de estruturas penianas. Algumas precauções durante o procedimento de biópsia devem ser consideradas em ordem do provimento adequado de amostragem tecidual. Desta forma, recomenda-se que a biópsia seja realizada, preferencialmente, na porção central da lesão e em profundidade adequada.[71]

Avaliação laboratorial

Pacientes portadores de carcinoma peniano frequentemente apresentam exames laboratoriais dentro da normalidade. A presença de anemia, leucocitose e hipoalbuminemia estão relacionadas com desnutrição, infecção do sítio primário tumoral, além da presença de metástases em região inguinal.

A presença de hipercalcemia sem evidência de metástases ósseas tem sido descrita, por diversos autores, em pacientes portadores de carcinoma peniano.[72,73] A hipercalcemia parece estar associada à produção de paratormônio e substâncias relacionadas produzidas pelo tumor primário e principalmente, nas áreas de metástases inguinais.

O controle clínico definitivo da hipercalcemia pode ser obtido por ressecção cirúrgica do tumor primário e das metástases inguinais. Medidas paliativas como hidratação e uso de diuréticos, além da utilização de bifosfonatos, têm-se mostrado eficazes no controle da hipercalcemia.

Avaliação radiológica

A caracterização da lesão primária como benigna ou maligna foi estudada por Scher et al.[74] através de ^{18}F-FDG PET/CT em 10 pacientes com alto grau de suspeição para câncer de pênis após exame clínico. Falso-positivo ocorreu em um caso por alterações inflamatórias atribuídas à doença de Wegener, e falso-negativo em outro, em razão do pequeno tamanho do tumor (5 mm no diâmetro máximo). Com relação ao padrão de impregnação do radiofármaco, observou-se tendência de maior captação nas lesões mais avançadas, sugerindo que o grau do tumor possa exercer certa influência sobre a intensidade desta captação. No entanto, o fácil acesso ao tumor e a necessidade de confirmação histológica tornam mandatória a biópsia da lesão para diagnóstico.[75]

O estadiamento clínico do tumor primário pode ser incorreto em até 26% dos pacientes. Erros ocorrem por infiltração histológica não evidente clinicamente, além de edema e infecção simulando infiltração tumoral.[76-79] Vários métodos de imagem têm sido avaliados para tentar aumentar a acurácia de estadiamento nestes pacientes.[76,77]

A ultrassonografia (US) mostra acurácia limitada na avaliação da infiltração da túnica albugínea, sobretudo com relação à invasão neoplásica microscópica.[77,80,81] Utilizando aparelhos mais modernos e técnica apropriada, segundo Bertolotto et al.,[82] tumores circunscritos ao tecido subepitelial poderiam ser distinguidos daqueles invadindo os corpos cavernosos. Entretanto, outros estudos são necessários para ratificar estes achados.

A tomografia computadorizada (TC) não exerce papel na avaliação do tumor primário, uma vez que não permite distinção satisfatória entre a neoplasia e as estruturas adjacentes.[77]

Em contraposição à TC, a ressonância magnética (RM) apresenta resolução superior de partes moles e excelente resolução espacial na avaliação de estruturas superficiais (Fig. 1).[83] A RM com ereção artificial, obtida após a injeção de prostaglandina E1 no corpo cavernoso, e antes e após a administração venosa de gadolínio, tem sido considerada o método de imagem mais acurado no estadiamento local do câncer peniano.[76,84-86] No estudo de Kayes et al.,[85] 55 pacientes diagnosticados por biópsia com

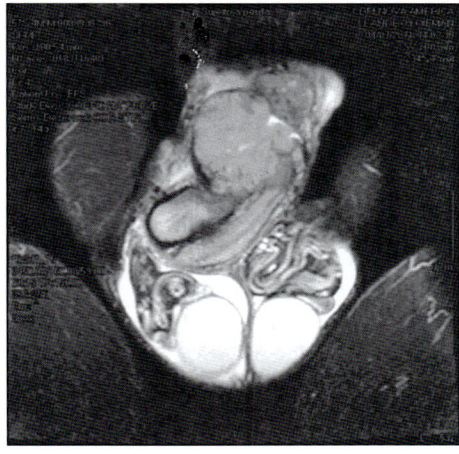

◀ **FIGURA 1.** Ressonância magnética revelando volumosa lesão peniana com comprometimento do corpo esponjoso e cavernoso.

carcinoma de pênis foram submetidos à RM. O exame teve alta acurácia para o estadiamento local, permitindo determinar invasão dos corpos cavernosos em todos os casos de doença comprovada pela histopatologia. Erros de estadiamento por RM resultaram de falha na ereção, artefatos técnicos de movimento, radioterapia peniana prévia e infecção associada. Petralia et al.[86] compararam a acurácia do estadiamento local entre a RM com ereção peniana induzida, o exame clínico e os achados patológicos em 13 pacientes. Os autores concluíram que a RM foi mais acurada que o exame clínico e alterou o planejamento terapêutico em três pacientes. No trabalho de Lont et al.,[71] a acurácia do exame físico, da US e da RM foi comparada em 33 pacientes. Como resultado, o exame físico foi mais fidedigno que a US e a RM para avaliação do tamanho tumoral e mais acurado na determinação de infiltração profunda. No entanto, os autores não relatam o uso de prostaglandina intracavernosa para obtenção de ereção à RM, o que pode ter contribuído para estes achados. A RM foi o método mais sensível para definir invasão de corpo cavernoso, à custa de alguns resultados falso-positivos.

HISTOLOGIA E FORMA DE APRESENTAÇÃO

O câncer de pênis, de acordo com suas características histopatológicas e formas de apresentação, é classificado em seis tipos. Estes seis tipos apresentam características peculiares e se unem em três grupos de risco com base no potencial de desenvolvimento de metástases regionais e sobrevida (Quadro 1):[7]

1. **Baixo risco:** neste grupo incluímos o carcinoma verrucoso, carcinoma papilar e o carcinoma verrucoide (Warty). O primeiro, caracteristicamente, não produz metástases e os outros dois apresentam baixo potencial de disseminação secundária.
2. **Risco intermediário:** carcinoma epidermoide usual.
3. **Alto risco:** neste grupo incluímos o carcinoma sarcomatoide e o carcinoma basiloide, em geral invasivos e de alto grau, apresentando elevada incidência de metástases e mortalidade.

Grau histológico

Sob o ponto de vista histológico, o carcinoma epidermoide do pênis é graduado utilizando a classificação de Broders. Em 1991, Maiche et al.[87] introduziriam uma modificação a este sistema de forma a classificar os tumores penianos de forma mais objetiva. Este sistema modificado é baseado no grau de queratinização, número de mitoses, atipia celular e presença de células inflamatórias. Utilizando este sistema modificado, os autores foram capazes de identificar uma taxa de sobrevida de 80% para tumores grau 1, 50% para tumores graus 2 e 3, e 30% para tumores grau 4.

Invasão linfovascular

A invasão linfovascular é o fator independente de pior prognóstico em diversos trabalhos publicados.[88-90] A presença desta característica no tumor primário tem forte valor preditivo no acometimento linfonodal inguinal.[91,92]

Padrão morfológico de crescimento

A literatura descreve quatro padrões morfológicos de crescimento tumoral que se correlacionam com a evolução e o prognóstico dos paciente com carcinoma epidermoide do pênis:[93]

1. **Crescimento superficial:** apresenta baixa incidência de metástases inguinais e corresponde a um terço dos casos.
2. **Crescimento vertical:** representa, habitualmente, tumores invasivos com grande potencial de metastatização.
3. **Verrucoso:** representa tumores com baixo potencial de disseminação e característica de crescimento exofítico.
4. **Multicêntrico:** caracterizado por duas ou mais lesões separadas por tecido benigno. É raro e acomete, principalmente, o prepúcio. Apresenta baixo potencial de disseminação secundária.

Espessura do tumor primário

É avaliada pelo patologista em milímetros, levando em consideração a superfície tumoral até o local com maior profundidade da neoplasia. Tumores com espessura superior a 5 mm têm pior prognóstico que aqueles com até 5 mm.[1,88]

Padrão de invasão tumoral

O padrão infiltrativo mostrou, em análise multivariada, ser fator independente de risco para o acometimento de linfonodos inguinais.[94]

ESTADIAMENTO

Nenhum sistema de estadiamento para o carcinoma peniano é universalmente aceito. Atualmente, o método de estadiamento para o carcinoma peniano mais utilizado é a classificação TNM 2002 (Quadro 2). Este sistema de classificação permite a avaliação do tumor primário e dos linfonodos da região inguinal, com base no grau de invasão das estruturas penianas pelo tumor primário e a extensão da doença linfonodal inguinal. Apesar de sua vasta utilização, o sistema TNM tem sido objeto de crítica por diversos autores.[54,64,86,95] Por se tratar de uma classificação essencialmente patológica, é praticamente impossível determinar, clinicamente, o nível exato de invasão pelo tumor primário e o real estado dos linfonodos inguinais.

Em estudo conduzido por Petralia et al.,[86] o exame físico foi capaz de estadiar adequadamente o tumor primário em apenas oito dos 13 pacientes (61,5%) avaliados, com superestadiamento em dois (15,4%) e subestadiamento nos outros três (23,1%) pacientes. Da mesma forma, de Kerviler et al.[96] só obtiveram o correto estadiamento clínico em 66,6% dos pacientes avaliados em sua série. Em um estudo recente conduzido por Koifman et al.,[54] os autores foram capazes de estadiar corretamente o tumor primário em 75,2% dos casos. Nesta série, quando os pacientes foram estratificados de acordo com o tumor primário, subestadiamento foi observado em 14,3% dos pacientes com Tis e superestadiamento em 17,2, 29,8, 13,9 e 30%, respectivamente, para tumores T1, T2, T3 e T4.

A interpretação equivocada do grau de infiltração tumoral da lesão primária no exame físico pode ser atribuída ao edema local e a processos infecciosos que surgem no local do tumor.

Quadro 1. Estratificação do câncer de pênis por tipo histológico e risco de desenvolvimento de metástases regionais

RISCO BAIXO	RISCO INTERMEDIÁRIO	ALTO RISCO
Carcinoma verrucoso	Carcinoma epidermoide usual	Carcinoma basaloide
Carcinoma papilar		Carcinoma sarcomatoide
Carcinoma verrucoide		

Quadro 2. Sistema de classificação – TNM – 2002

T	TUMOR PRIMÁRIO
Tx	Tumor primário não avaliado
T0	Sem evidência de tumor
Tis	Carcinoma in situ
Ta	Tumor verrucoso
T1	Tumor invade tecido conectivo subepitelial
T2	Tumor invade corpo cavernoso e/ou esponjoso
T3	Tumor invade uretra ou próstata
T4	Tumor invade estruturas adjacentes
N	**LINFONODOS REGIONAIS**
Nx	Linfonodos não avaliados
N0	Sem metástases em linfonodos
N1	Metástase única em linfonodo inguinal superficial
N2	Metástases múltiplas ou bilaterais em linfonodos inguinais superficiais
N3	Metástases em linfonodos inguinais profundos e/ou ilíacos
M	**METÁSTASES A DISTÂNCIA**
Mx	Metástases não avaliadas
M0	Ausência de metástases a distância
M1	Metástases a distância

Em sua apresentação inicial, pacientes com carcinoma peniano apresentam linfonodos inguinais palpáveis em 28 a 64% dos casos. Em 47 a 85% dos casos, a linfadenopatia inguinal é consequência da disseminação tumoral, enquanto os processos inflamatórios são responsáveis pelo restante dos casos.

O exame físico realizado com objetivo de prever o acometimento linfonodal patológico é falho, com taxas de falso-negativo na ordem de 11-62%.[48,54,97]

TRATAMENTO DO TUMOR PRIMÁRIO

A escolha da modalidade de tratamento da lesão primária está diretamente relacionada com as características do tumor como tamanho, localização e grau de invasão. Deve-se sempre levar em consideração o desejo do paciente em preservar o órgão genital, orientando-o a respeito das possibilidades de tratamento conservador ou radical para serem obtidos resultados oncológicos efetivos e, ao mesmo tempo, máxima preservação da função sexual e das características estéticas do pênis.

Técnicas para preservação peniana

Com o objetivo de preservar o órgão genital masculino, mantendo as características estéticas e funcionais do pênis e diminuindo o impacto devastador físico e psíquico das clássicas cirurgias mutiladoras, algumas modalidades de tratamento têm sido propostas.

Pacientes portadores de lesões penianas restritas ao prepúcio podem ser tratados com segurança através de postectomia.

Lesões que acometem a glande sem invasão de estruturas profundas (tumores T1) podem ser tratados conservadoramente através de técnicas ablativas como o *laser*. Destacam-se, nesta modalidade de tratamento, diversas variedades de equipamentos com características técnicas distintas que permitem sua utilização em diversas situações clínicas. Os principais aparelhos de *laser* existentes no mercado e utilizados no tratamento dos tumores penianos são: CO_2 *laser*, Nd:YAG *laser*, Argon *laser* e KTP *laser*. As principais vantagens na utilização desta tecnologia residem na capacidade de preservação do tecido normal adjacente à lesão e preservação funcional do órgão. Por outro lado, existem alguns problemas com a utilização desta tecnologia, como a inabilidade de se determinar a profundidade da destruição tumoral, incapacidade de tratamento de lesões extensas e ausência de documentação histológica. As taxas de recidiva local variam, podendo atingir a marca de 34%.[98,99] Acompanhamento clínico com biópsias seriadas é mandatório para detecção precoce de recidivas ou falha no tratamento.

Pacientes com lesões superficiais extensas na glande (tumores T1) podem ser submetidos à ressecção parcial ou total da glande, com o objetivo de manter o máximo de tecido peniano saudável. Pacientes com lesões maiores que 4 cm ou que acometam mais da metade da glande devem ser tratados com ressecção completa da glande, uma vez que a ressecção exclusiva destas lesões pode acarretar sérias deformidades penianas, com importante prejuízo funcional.

Cirurgia micrográfica de Mohs

A técnica consiste na excisão da lesão primária por finas camadas horizontais, utilizando-se avaliação microscópica de toda camada inferior de cada corte, até obtenção de controle oncológico microscópico. Esta modalidade de tratamento permite a máxima conservação de tecido peniano saudável com excelentes resultados cosméticos e funcionais e uma baixa taxa de complicações que varia de 1,2 a 3,6%. As principais desvantagens do procedimento incluem o surgimento de deformidades na glande, necessidade de procedimentos de reconstrução peniana, tempo prolongado na realização do procedimento e necessidade de equipes multidisciplinares para realização da cirurgia. As taxas de cura e a recidiva tumoral variam de acordo com o tamanho da lesão original e o seu grau de diferenciação. Mohs relata uma taxa de cura de 100% para lesões menores que 1 cm, e apenas 50% para lesões maiores que 3 cm.[100,101] Desta forma, os resultados obtidos com o emprego desta técnica vão depender da seleção adequada dos pacientes a serem tratados, assim como da experiência da equipe envolvida no procedimento.

Radioterapia

A irradiação da lesão primária permite a preservação da estrutura peniana, assim como sua funcionalidade, no entanto, o número de pacientes para qual este tratamento é elegível é restrito. O carcinoma peniano é caracteristicamente radiorresistente e a dosagem necessária para esterilização tumoral é alta, podendo impor complicações locais como fístulas uretrais, estenoses uretrais, dor, edema e necrose tecidual de difícil controle clínico.[102] A radioterapia pode ser considerada para pacientes jovens com lesões penianas superficiais e exofíticas não invasivas, com tamanho variando entre 2 e 4 cm. Para pacientes que recusam a cirurgia como forma inicial de tratamento, a radioterapia é uma opção atraente em casos selecionados. Em razão das complicações locais que podem surgir após este procedimento, como cicatrizes, fibrose e úlceras, muitas vezes biópsias seriadas são necessárias no acompanhamento dos pacientes para diferenciar recidivas locais de complicações do tratamento.[103]

Acompanhamento cuidadoso é necessário, já que as recidivas locais podem surgir anos após o tratamento inicial.

Penectomia parcial

Este procedimento está indicado para pacientes portadores de lesões invasivas distais penianas (Fig. 2), promovendo excelente controle local da doença com taxas de recidiva inferiores a 6%.[104] A excisão cirúrgica deve

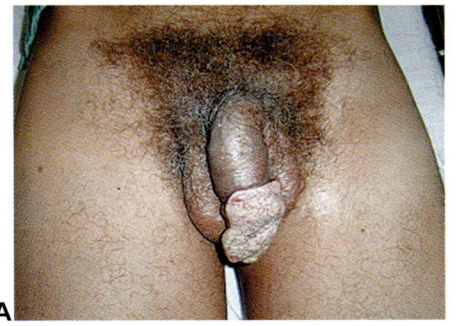
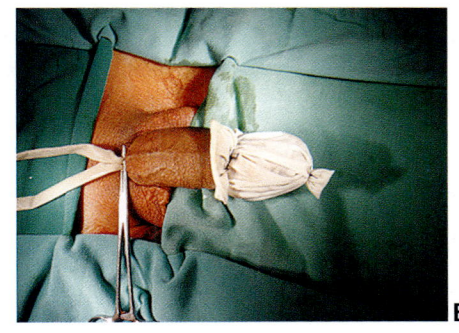
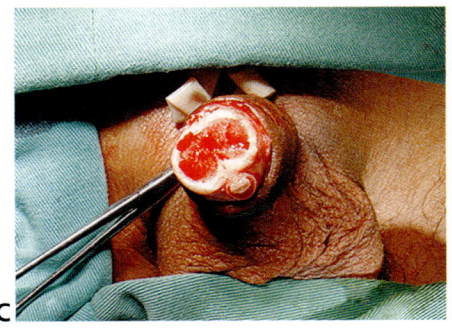
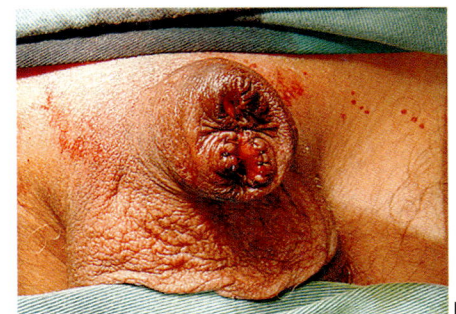

◀ **FIGURA 2. (A)** Paciente com quadro de carcinoma epidermoide de pênis acometendo toda a glande. **(B)** Lesão tumoral isolada, com a base do pênis garroteada. **(C)** Realizada amputação peniana parcial com exposição dos corpos cavernosos e individualização da uretra. **(D)** Aspecto final da cirurgia.

respeitar uma margem de tecido saudável de 1,5 a 2,0 cm, o que normalmente permite ao paciente urinar em posição ereta e manter a capacidade de ereção e penetração vaginal. Biópsias de congelação das margens cirúrgicas proximais são mandatórias para confirmação da ressecção livre de neoplasia.

Penectomia total

Esta modalidade de tratamento é reservada para pacientes com lesões tumorais invasivas cujo tamanho e localização impedem a ressecção adequada com um remanescente peniano funcional (Fig. 3). Avaliação psiquiátrica pré e pós-operatória são recomendadas para confirmação da capacidade emocional do paciente em aceitar a cirurgia proposta e suas implicações futuras.

ABORDAGEM DOS LINFONODOS INGUINAIS

A presença e a extensão das metástases inguinais são os fatores prognósticos mais importantes relacionados com sobrevida dos pacientes portadores de carcinoma epidermoide do pênis. A região inguinal representa, quase invariavelmente, o primeiro sítio de metástase neste tipo de neoplasia, com uma fase locorregional usualmente prolongada até que surjam metástases a distância, justificando o emprego da linfadenectomia inguinal como uma possível modalidade terapêutica e profilática com intuito curativo. A área de dissecção na linfadenectomia inguinal clássica está situada no triângulo femoral (Fig. 4)

Um dos pontos de maior controvérsia na literatura urológica diz respeito a quando abordar, cirurgicamente, a região inguinal de pacientes portadores de carcinoma peniano.

No momento de sua apresentação inicial, 50% dos pacientes portadores de carcinoma epidermoide do pênis apresentam linfadenopatia inguinal, no entanto, apenas metade destes realmente apresenta comprometimento metastático linfonodal. Por outro lado, 20% dos pacientes com linfonodos clinicamente negativos apresentam micrometástases nos linfonodos inguinais que só serão diagnosticadas pelo exame histopatológico dos espécimes cirúrgicos obtidos pela linfadenectomia.

Apesar de a linfadenectomia ter um papel profilático e curativo importante em pacientes portadores de neoplasia peniana maligna, seu emprego rotineiro não é isento de morbidade, estando associado a graves complicações, o que torna sua indicação um desafio aos urologistas.

O emprego rotineiro de linfadenectomias inguinais em pacientes portadores de carcinoma peniano é desnecessário em 80% dos casos de pacientes com linfonodos clinicamente negativos, e em 50% dos casos de pacientes com linfonodos clinicamente positivos.

Métodos de avaliação dos linfonodos inguinais

Com base nestes achados, uma série de tentativas para identificação de metástases em linfonodos inguinais, sem submeter os pacientes a linfadenectomias desnecessárias, foram lançados.

A ultrassonografia e o Doppler colorido podem ser utilizados para avaliar linfonodos palpáveis, em razão da presença de anormalidades na arquitetura e na vascularidade linfonodais.[76,105-108] No entanto, a sensibilidade e a especificidade do método podem ser inadequadas, exceto quando associadas à FNAC.[76,105,109] A combinação de FNAC com US tem mostrado sensibilidade de 40% e especificidade de 100%[105,109] e esta abordagem tem sido sugerida para a investigação inicial de linfonodos palpáveis em pacientes com alto risco de metástases linfonodais.[110] Contudo, somente metástases com mais de 2 mm podem ser detectadas.[109] A FNAC guiada por US somente é útil se positiva, já que taxas de até 29% de resultados falso-negativos têm sido descritas.[76,78,111,112] Se os achados à FNAC são negativos, na vigência de suspeição clínica, aspiração repetida pode ser recomendada.[111]

Podem ser citadas algumas causas para resultados falso-negativos à US. O linfonodo pode ter aspecto anormal e conter doença metastática, mas o aspirado falha em extrair células malignas.[77] Também focos microscópicos de metástases não são detectados, em razão da limitação de resolução do método.[77,113] Para reduzir estes resultados, algumas estratégias podem ser aventadas, como a introdução de meio de contraste ultrassonográfico ecogênico e a utilização de transdutores de ultrafrequência.[77]

Crawshaw et al.[108] realizaram estudo prospectivo para avaliar a acurácia da combinação de biópsia dinâmica de linfonodo sentinela (DSNB) e US da região inguinal, com ou sem FNAC. Os autores identificaram acuradamente metástases linfonodais ocultas e valor preditivo negativo de 100% (76, 105, 108). A DSNB (Fig. 5) consiste na injeção intradérmica de tecnécio-99 m nanocoloide ao redor do tumor primário, linfocintigrafia pré-operatória e identificação intraoperatória do linfonodo sentinela através de administração intradérmica de corante azul patenteado e transdutor de detecção de raios gama.[76,114] Horenblas et al.[77] têm favorecido este método para avaliação de linfonodos regionais. Leijte et al.[105,115] obtiveram taxa de detecção de linfonodo sentinela de 97%, com taxa de falso-negativo de 7% com a DSNB.

A causa mais comum de DSNB falso-negativa é o comprometimento exuberante do linfonodo sentinela por células tumorais, impossibilitando a captação do radiotraçador.[77,116] Estes linfonodos podem ser particularmente detectados por FNAC guiada por US.[77]

Em pacientes com linfonodos não palpáveis, a capacidade de detecção de metástase linfonodal por TC ou RM é limitada.[71,76,77,105,106,110,111] À TC, achados positivos foram encontrados somente em pacientes com linfonodos clinicamente suspeitos.[77,78] TC e RM estão indicadas diante da presença de linfonodos inguinais palpáveis para avaliar tamanho, extensão, localização, possibilidade de comprometimento de grandes vasos, de linfonodos pélvicos e retroperitoneais, e de metástases a distância (Fig. 6).[76,111]

A RM com nanopartículas linfotrópicas (LNMRI), também conhecida como linfangiografia por RM,[77] é um recente e promissor método que utiliza diminutas partículas de óxido de ferro superparamagnéticas (ferumoxtran-10), que não são captadas por linfonodos malignos. A interpretação é determinada pela função linfonodal e não pela estrutura, tornando possível a detecção de metástases subcentimétricas ocultas e, portanto, em pacientes sem linfonodos inguinais palpáveis.[76,77,105,117] O exame apresentou sensibilidade de 100% e especificidade de 97% no estudo de Tabatabaei et al.[117] Com este método, metástases linfonodais medindo 1 mm foram detectadas em pacientes com câncer de próstata.[77,118] Entretanto, a LNMRI não é amplamente acessível e requer tempo e interpretação minuciosos pelo médico-radiologista. Além disso, o meio de contraste ferumoxtran-10 não tem sido aprovado pelo órgão americano FDA e não mais está disponível na Europa.[105,106]

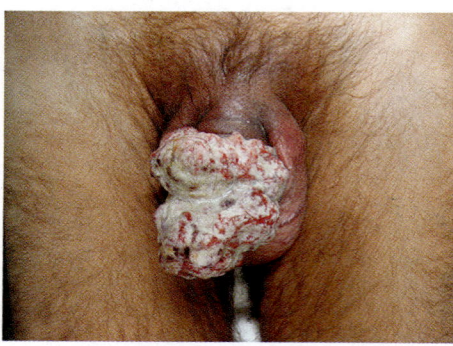

◀ FIGURA 3. Paciente com volumosa lesão peniana com indicação de amputação peniana total.

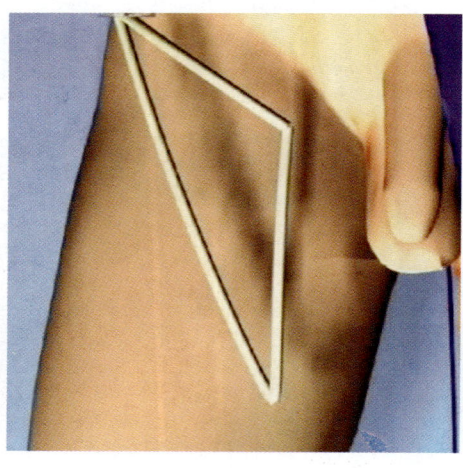

◀ FIGURA 4. A área de ressecção dos linfonodos compreende os limites formados pelo ligamento inguinal, pelo músculo sartório e pelo músculo adutor da coxa.

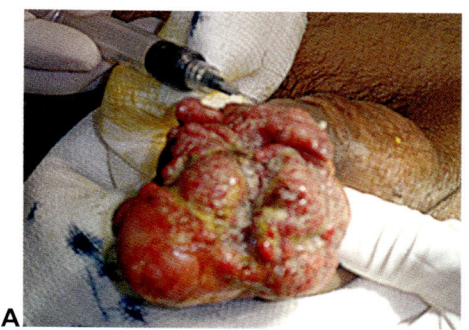
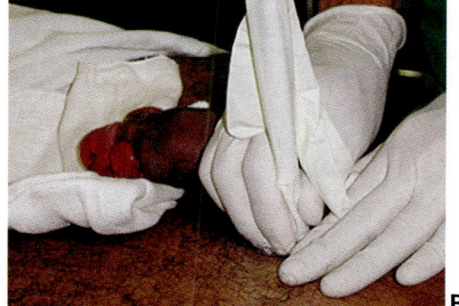
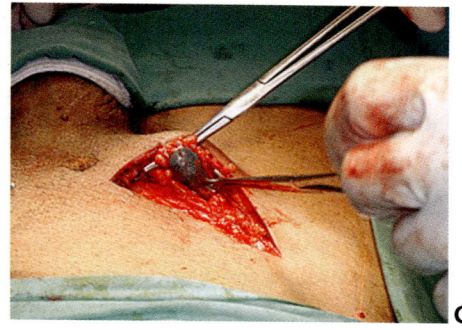
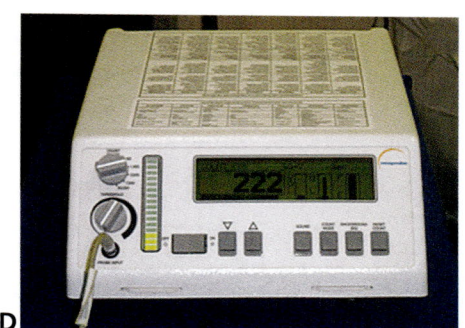
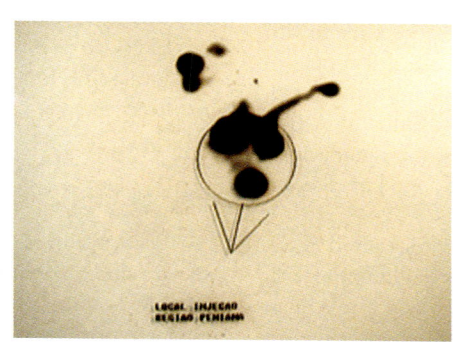

◄ **FIGURA 5.** (**A**) Administração intradérmica de corante azul patenteado e de tecnécio-99 m ao redor do tumor primário. (**B** e **D**) Detecção do linfonodo sentinela através do transdutor de raios gama. (**C**) Identificação intraoperatória do linfonodo. (**E**) Linfocintigrafia pré-operatória.

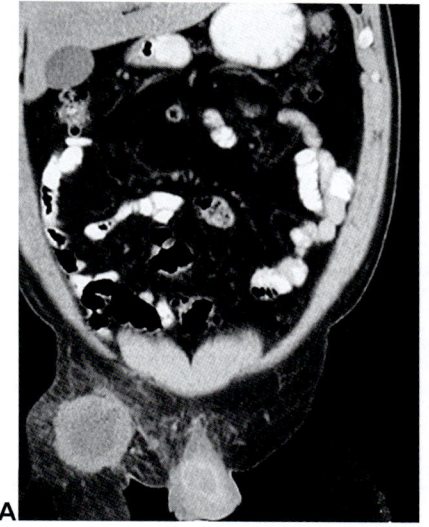
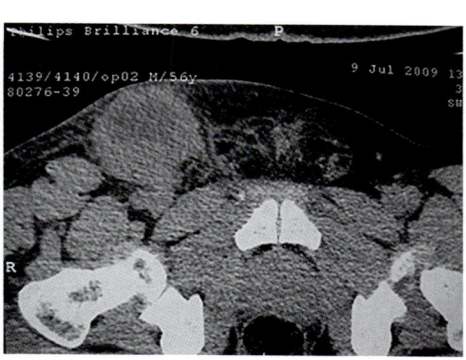

◄ **FIGURA 6.** Paciente portador de carcinoma epidermoide de pênis com volumosa lesão metastática em linfonodos inguinais à direita. (**A**) Plano axial. (**B**) Plano coronal.

A RM com difusão é outra modalidade de imagem que provê informação estrutural sobre diferentes tecidos e tem sido vastamente investigada em pacientes oncológicos.[119,120] Thoeny et al.[121] estudaram a RM com difusão associada à LNMRI na detecção de metástases linfonodais ocultas em pacientes com câncer de próstata e bexiga, considerando o método eficaz e rápido para este fim.

A tomografia por emissão de pósitron (PET) usando 18F-fluorodesoxiglicose (FDG) mostra alta sensibilidade e especificidade para detectar metástases e recidiva tumoral em uma variedade de neoplasias. Este método, isoladamente, não fornece detalhes morfológicos, somente metabólicos. A combinação de PET com TC (PET-CT) permite a união de informações anatômicas e funcionais.[76]

No estudo de Scher et al.,[74] obteve-se sensibilidade de 89% para detecção de metástases em linfonodos inguinais superficiais, e de 100% para linfonodos na cadeia obturadora e inguinal profunda com o uso de PET-CT para estadiamento de pacientes com câncer de pênis. De acordo com os autores, pequenos linfonodos medindo entre 0,7 e 1,1 cm podem ser detectados como metastáticos, decorrente do intenso e usual padrão de captação do FDG neste tipo de malignidade. Observou-se correlação positiva significativa entre o grau de captação e o diâmetro máximo dos linfonodos até 2,5 cm de diâmetro. No entanto, linfonodos malignos podem não apresentar captação suspeita[74] e a detecção de micrometástases (< 2 mm) é uma limitação intrínseca do método.[74,111,122]

Graafland et al.[123] avaliaram 18 pacientes portadores de carcinoma de células escamosas do pênis, com doença metastática inguinal uni ou bilateral, comprovada à citologia por 18F-FDG PET-CT para estadiamento tumoral. O método mostrou sensibilidade de 91%, especificidade de 100%, acurácia diagnóstica de 96%, valor preditivo positivo de 100% e negativo de 94%, na deteccção de metástase linfonodal pélvica. Os autores relatam já incluir o método na rotina de estadiamento destes pacientes.

Em estudo prospectivo avaliando pacientes com câncer de pênis, porém sem linfonodos palpáveis, a PET-CT foi insatisfatória na detecção de metástases linfonodais.[124]

Scher et al.[74] citam a possível aplicação de DSNB em conjunto com a PET-CT para tentar reduzir o risco de micrometástases não reconhecidas. A combinação destes métodos poderia garantir suficiente e alto grau de acurácia diagnóstica para evitar a linfadenectomia, que, apesar de praticada em alguns centros, está associada à alta morbidade. Este cenário seria particularmente possível em casos de doença de baixo grau e com baixo estadiamento local.

A variedade de métodos de imagem, a disponibilidade ímpar de cada um deles, a experiência dos médicos-radiologista e nuclear, e a pobreza de trabalhos prospectivos desta doença incomum impõem escolhas diagnósticas distintas, muitas vezes com base individual. O aperfeiçoamento das técnicas, a maior disponibilidade de equipamentos e a combinação adequada de exames para cada caso devem ser o caminho para minimizar as falhas atuais.

Por não existirem métodos não invasivos satisfatórios na prática clínica para avaliar o comprometimento metastático dos linfonodos inguinais, é opinião dos autores que a linfadenectomia seja preconizada para o tratamento e profilaxia do câncer de pênis, com base nos excelentes resultados obtidos com esta prática.

LINFADENECTOMIA POR VIA ABERTA

Entre os anos de 1972 e 1987, Ornellas et al.[125] analizaram 200 linfadenectomias consecutivas, comparando diversos tipos de incisão. Quando foi utilizada a incisão de Gibson, as taxas de complicação decaíram drasticamente, com uma taxa de necrose da ordem de 5%. Em outro estudo para avaliar resultados clínicos e oncológicos do procedimento, em 92 pacientes inicialmente estadiados como N1 e N2, metástases inguinais foram identificadas em 49% dos casos após linfadenectomia inguinal.[126] Curiosamente, o percentual de pacientes clinicamente estadiados como N1 apresentaram 70% de positividade para metástases inguinais quando comparados com aqueles estadiados como N2, no qual o percentual de positividade foi de 42%. Essa discrepância nos resultados pode ser atribuída ao processo inflamatório gerado pela lesão inicial. Metástases inguinais estavam presentes em 39% dos 23 pacientes clinicamente estadiados como N0. A taxa de sobrevida em 5 anos dos pacientes submetidos à amputação peniana concomitante com linfadenectomia inguinal foi de 62% quando comparada com os pacientes submetidos à linfadenectomia tardia, em que esta taxa foi de 8% em 5 anos.

Em outro estudo retrospectivo com 40 pacientes portadores de carcinoma de pênis invasivo e metástases inguinais com linfonodos clinicamente negativos, 50% foram submetidos à linfadenectomia quando as metástases tornaram-se clinicamente positivas, enquanto os outros 50% foram submetidos ao tratamento cirúrgico após biópsia dinâmica positiva para linfonodo sentinela antes dos mesmos se tornarem clinicamente positivos. A sobrevida de doença específica em 3 anos foi de 84% para pacientes tratados precocemente com cirurgia em comparação com 35% naqueles submetidos à linfadenectomia tardia.[127]

A linfadenectomia profilática oferece benefício de sobrevida aos pacientes com câncer de pênis quando comparada com a cirurgia tardia em pacientes com acometimento linfonodal que se manifesta na evolução da doença.

Relatos recentes têm demonstrado que, em mãos experientes e com cuidados técnicos intra e pós-operatórios adequados, o índice de complicações da linfadenectomia convencional pode ser reduzido para até 50%. Em razão da discrepância existente entre o estadiamento clínico e os achados anatomopatológicos e com base nos excelentes resultados obtidos por nosso grupo com a abordagem cirúrgica da região inguinal (Quadro 3), recomendamos a linfadenectomia como tratamento profilático nas seguintes situações: carcinoma epidermoide invasivo (pT2-4), grau de diferenciação tumoral G2 e G3, invasão linfovascular no tumor primário. Da mesma forma, recomendamos a linfadenectomia inguinal terapêutica em todos os pacientes com linfonodos inguinais clinicamente positivos.

Nos últimos anos, todos os esforços para reduzir a morbidade das linfadenectomias foram pautados em procedimentos cirúrgicos com redução da área de dissecção linfonodal. No entanto, todas essas técnicas foram acompanhadas de relatos de recidiva inguinal no acompanhamento clínico.[128,129] Para pacientes com linfonodos clinicamente negativos ou discretamente aumentados, uma opção viável seria a linfanectomia seletiva proposta por Catalona.[130] As vantagens da dissecção limitada proposta por este autor residem no fato de a técnica prover mais informações que a biópsia de linfonodo sentinela, evitando, desta forma, a sua não identificação, uma vez que todos os linfonodos potencialmente comprometidos são removidos, assim como a redução da morbidade cirúrgica em comparação com a linfadenectomia clássica.

Em razão da possibilidade de acometimento metastático de linfonodos localizados fora da área de dissecção limitada, alguns autores recomendam cuidado no emprego desta abordagem.[131]

LINFADENECTOMIA INGUINAL VIDEOENDOSCÓPICA EXTENSA (VEIL)

A linfadenectomia inguinal videoendoscópica extensa (VEIL) é uma técnica ainda experimental recentemente descrita no cenário clínico, desenvolvida com a proposta de reduzir a morbidade da cirurgia convencional sem prejudicar a máxima chance de controle oncológico locorregional da doença (Fig. 7).[132]

O primeiro acesso é obtido a 2 cm do vértice do triângulo femoral em sentido distal. Realiza-se incisão de 1,5 cm na pele e no subcutâneo abaixo da fáscia de Scarpa, sendo desenvolvido plano subcutâneo com tesoura e, subsequencialmente, com manobra digital em extensão máxima possível. Para o 2º portal realiza-se uma segunda incisão de 1,5 cm, 6 cm lateralmente ao vértice do triângulo femoral, também com dissecção sob visão para criar espaço para trabalho. Pode ser possível identificar o trajeto da safena por este acesso. O espaço criado pelos dois portais encontra-se como um espaço único de trabalho. Ambas as incisões são portas de entrada para trocartes de 10 mm, fixados à pele por sutura em bolsa com fio de algodão 0. No portal inicial introduzimos a óptica de 0 grau e, no portal medial, a pinça do bisturi harmônico e o clipador. Um terceiro portal de 5 mm é colocado em posição simétrica ao 2º acesso, 6 cm lateralmente ao vértice do triângulo femoral, para pinças de apreensão e aspirador (Fig. 8).

A experiência mundial com o procedimento endoscópico inguinal ainda é pequena. Recentemente, Sotelo et al. publicaram sua experiência com a linfadenectomia inguinal endoscópica simplificada com congelamento e extensão quando os linfonodos eram positivos. Sugere, tam-

Quadro 3. Incidência de complicações associadas à linfadenectomia inguinal

AUTOR	PACIENTES	NECROSE DA PELE	INFECÇÃO	SEROMA	LINFOCELE	LINFEDEMA
Ornellas (1972-1987)	200	5%	15%	6%	9%	16%
Lopes (1953-1985)	145	15%	22%	60%	–	30%
D'anconna (1994-1999)	26	38%	–	38%	–	38%
Kroon (1994-2003)	129	15%	27%	9%	12%	31%
Perdona (1990-2003)	70	8%	8%	13%	4%	21%
Pompeo (1984-1997)	50	6%	12%	6%	–	18%
Tobias M. Aberta laparoscópica	10	20%	30%	0%	0%	20%
	10	0%	0%	5%	10%	5%
Sotelo (laparoscópica)	8	0%	0%	0%	23%	0%

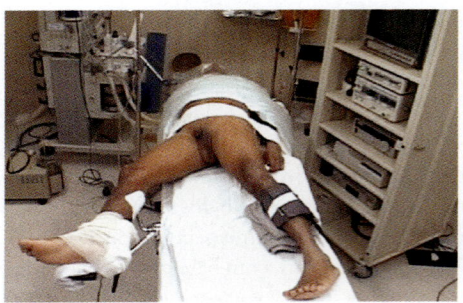

◀ **FIGURA 7.** Paciente em posição para linfadenectomia endoscópica inguinal do lado direito.

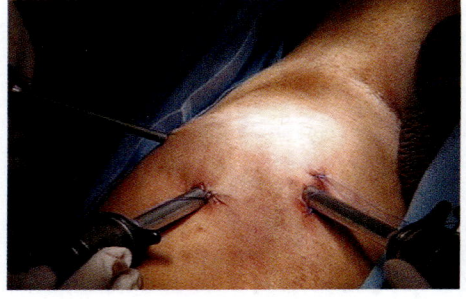

◀ **FIGURA 8.** Posição dos portais.

Quadro 4. Morbidade da linfadenectomia inguinal videoendoscópica

SÉRIES PACIENTES/ LADOS OPERADOS	MORBIDADE CUTÂNEA	MORBIDADE LINFÁTICA	MORBIDADE TOTAL
Tobias-Machado et al., 2009 20 pacientes/30 lados	5%	10%	15%
Sotelo et al., 2007 8 pacientes/14 lados	0%	23%	23%
Thyavihaly et al., 2008 10 pacientes/15 lados	0%	15%	15%
Master et al., 2009 16 pacientes/25 lados	0%	5%	5%
Nishimoto e Romanelli, 2010 12 pacientes/22 lados	9%	23%	32%

bém, que ocorra uma redução da morbidade nesta operação quando comparada com séries relatadas de cirurgia aberta.[133] Segundo resultados preliminares, a técnica endoscópica tem os benefícios inerentes de uma técnica minimamente invasiva, com baixa morbidade (Quadro 4). Ainda prematuros, os resultados oncológicos nos parecem similares à técnica convencional. Desta forma, o VEIL aparece como uma técnica bastante atrativa para a dissecção radical dos linfonodos inguinais.

CIRURGIA PALIATIVA HIGIÊNICA

Cerca de 0-14% dos pacientes portadores de carcinoma peniano apresentam-se, inicialmente, em estágio clínico IV da doença (TNM, 2002), com volumosas lesões metastáticas em linfonodos inguinais. As opções terapêuticas nesta fase da doença geralmente são escassas, limitadas a radioterapia paliativa e quimioterapia. Quando não tratados, estes pacientes apresentam mortalidade superior a 90% em 3 anos.

Pacientes neste estágio clínico apresentam uma evolução progressiva da doença, frequentemente associada à necrose da pele, infecção crônica no sítio tumoral, sepse, hemorragia por erosão dos vasos femorais e caquexia, experimentando uma morte miserável e uma qualidade de vida inaceitável.

No passado estes casos eram considerados fora de qualquer possibilidade terapêutica cirúrgica, porém no intuito de reintegrar estes pacientes à sociedade e de proporcioná-los um final de vida mais digno junto aos seus familiares, cirurgias citorredutoras passam a ser executadas.

Não é incomum o surgimento de grandes defeitos teciduais resultantes da exérese da lesão (Fig. 9), sendo assim necessária, por vezes, a utilização de técnicas cirúrgicas de reconstrução tecidual.

Uma das técnicas mais utilizadas na reconstrução dos defeitos teciduais produzidos pela ressecção das metástases inguinais utiliza-se do retalho miocutâneo do tensor de fáscia lata. Neste retalho, músculo, pele e tecido celular subcutâneo são transpostos em bloco para cobrir o defeito tecidual, com preservação do suprimento sanguíneo e inervação. O retalho é caracterizado pela grande quantidade de tecido que pode ser mobilizada, pela constância do seu pedículo e pela facilidade de reparação da zona doadora na grande maioria dos casos (Figs. 10 e 11).

O papel da dissecção inguinal paliativa nos pacientes portadores de extensas metástases regionais tem recebido pouca atenção da literatura médica. Frequentemente, o urologista é pressionado a resolver uma situação insolúvel. A associação da cirurgia citorredutora com técnicas de reconstrução tecidual em conjunto com novas modalidades de quimio e radioterapia podem promover não só a paliação como, também algum ganho de sobrevida, mudando a perspectiva dos pacientes neste estádio da doença.

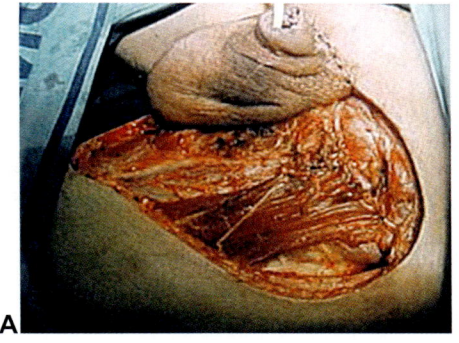
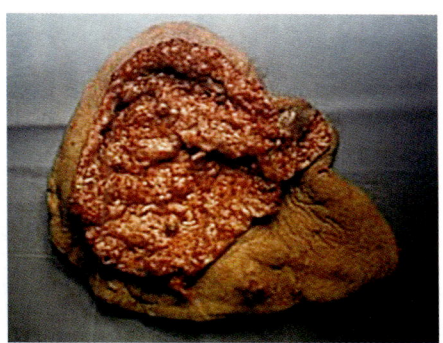

◄ **FIGURA 9. (A)** Grande defeito decorrente de ressecção da massa metastática inguinal. **(B)** Volumoso tumor totalmente ressecado.

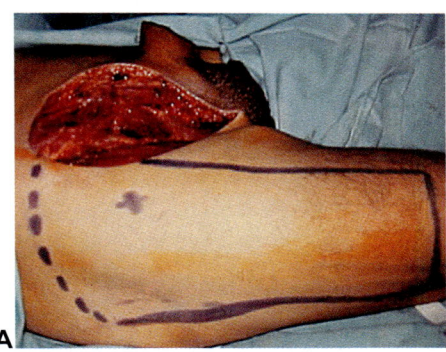
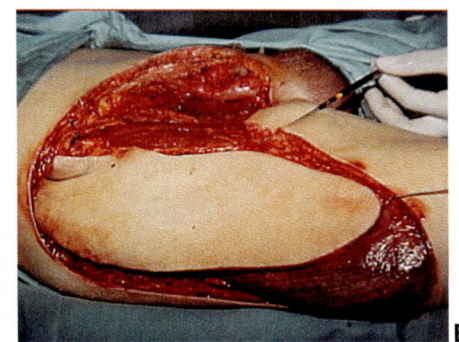
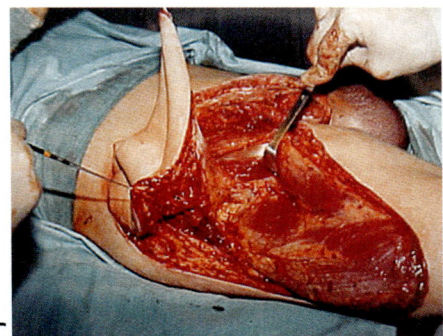
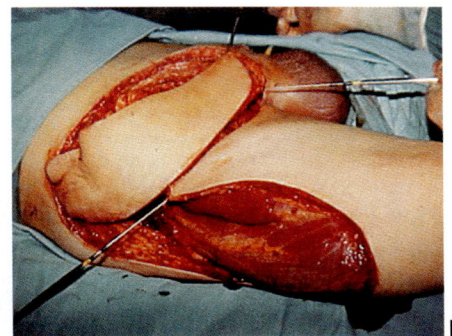

◄ **FIGURA 10.** Reconstrução com retalho miocutâneo de tensor do fáscia *lata*. **(A)** Marcação da área do enxerto que será utilizada. **(B)** Início da mobilização do retalho. **(C)** O retalho miocutâneo é liberado até a inserção dos seus vasos sanguíneos. **(D)** O retalho é girado na sua base de forma a cobrir o defeito inguinal.

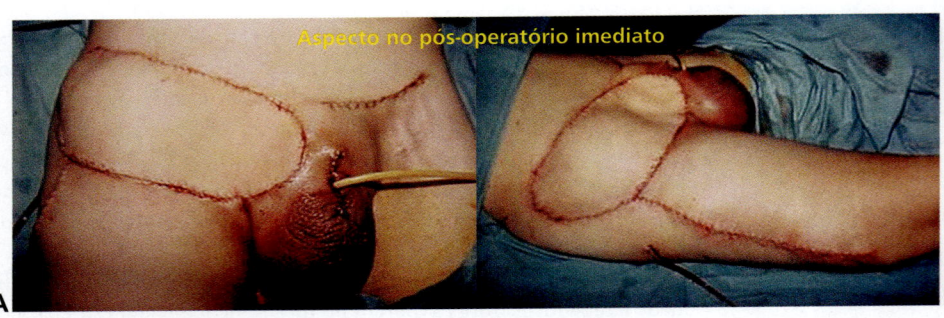
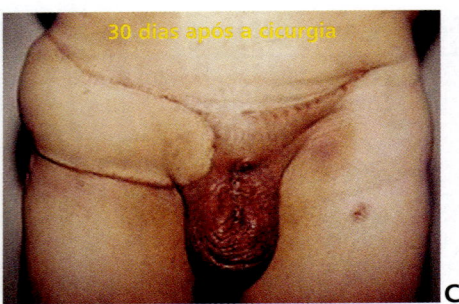

▲ **FIGURA 11. (A-C)** Paciente no pós-operatório de linfadenectomia higiênica por comprometimento metastático inguinal. O paciente pode voltar ao convívio de seus familiares.

QUIMIOTERAPIA

Decorrente da raridade dos tumores penianos, a literatura carece de trabalhos científicos com bom nível de evidência que norteiem os profissionais de saúde envolvidos no tratamento desta patologia quanto às indicações e formas de tratamento quimioterápico.

Vários esquemas de quimioterapia têm sido propostos com resultados variados, tanto em doença metastática quanto locorregional.[134,135] Não há, porém, tratamento quimioterápico padrão para o carcinoma do pênis. A quimioterapia no câncer de pênis pode ser empregada de forma adjuvante ou neoadjuvante ao tratamento locorregional definitivo e na doença disseminada.

Quimioterapia neoadjuvante

A quimioterapia neoadjuvante, seguida de tratamentos que preservem a haste peniana, devem ser considerados investigacionais apesar de resultados promissores.

Poliquimioterapia neoadjuvante com vincristina, metotrexato e bleomicina foram utilizadas com algum sucesso no tratamento de pacientes com metástases linfonodais fixas a planos profundos, com o objetivo de transformá-las, potencialmente, em lesões ressecáveis.

Da mesma forma, a combinação de 5-FU com cisplatina foi capaz de gerar, em algumas séries, respostas objetivas em até 66% dos pacientes, permitindo cirurgia de resgate ao transformar lesões metastáticas inguinais irressecáveis em ressecáveis.[136-139]

Quimioterapia adjuvante

Pacientes considerados de alto risco para recidivas locais e/ou disseminação sistêmica, além daqueles de prognóstico ruim, caracterizados por comprometimento linfonodal bilateral, disseminação extracapsular linfonodal, presença de linfonodos comprometidos com mais de 2 cm de diâmetro, envolvimentos de linfonodos pélvicos ou mais de dois linfonodos envolvidos podem beneficiar-se de tratamento quimioterápico adjuvante.

Pizzocaro e Piva,[140] utilizando-se de quimioterapia adjuvante à base de vincristina, metotrexato e bleomicina em pacientes com linfonodos positivos pós-linfadenectomia, obtiveram 82% de sobrevida em 5 anos quando comparados com 37% em uma série histórica de pacientes tratados, exclusivamente, com cirurgia radical.

Quimioterapia na doença sistêmica

Pacientes portadores de doença disseminada apresentam prognóstico reservado, sendo a quimioterapia utilizada como paliação. Nestes casos o tratamento quase sempre produz respostas parciais e transitórias. O surgimento de novos agentes quimioterápicos incluindo drogas de alvo molecular podem, no futuro, mudar a perspectiva no tratamento desta rara doença. No entanto, são necessários esforços comuns na criação de protocolos internacionais de forma a definir-se, no futuro, a melhor aplicabilidade da quimioterapia.

REFERÊNCIAS BIBLIOGRÁFICAS

1. Solsona E, Algaba F, Horenblas S et al. European Association of Urology: EAU Guidelines on Penile Cancer. *Eur Urol* 2004;46:1-8.
2. Brunini R. *Câncer no Brasil: dados histopatológicos: 1976-80*. Ministério da Saúde – Campanha Nacional de Combate ao Câncer, 1982.
3. Gursel EO, Georgountzos C, Uson AC et al. Penile cancer. *Urology* 1973;1:569-78.
4. Barrasso R, De Brux J, Croissant O et al. High prevalence of papillomavirus-associated penile intraepithelial neoplasia in sexual partners of women with cervical intraepithelial neoplasia. *N Engl J Med* 1987;317:916-23.
5. Maiche AG. Epidemiological aspects of cancer of the penis in Finland. *Eur J Cancer Prev* 1992;1:153-58.
6. Maden C, Sherman KJ, Beckmann AM et al. History of circumcision, medical conditions, and sexual activity and risk of penile cancer. *J Natl Cancer Inst* 1993;85:19-24.
7. Cubilla AL, Reuter V, Velazquez E et al. Histologic classification of penile carcinoma and its relation to outcome in 61 patients with primary resection. *Int J Surg Pathol* 2001;9:111-20.
8. Park KC, Kim KH, Youn SW et al. Heterogeneity of human papillomavirus DNA in a patient with Bowenoid papulosis that progressed to squamous cell carcinoma. *Br J Dermatol* 1998;139:1087-91.
9. Schellhammer PF, Jordan GH, Robey EL et al. Premalignant lesions and nonsquamous malignancy of the penis and carcinoma of the scrotum. *Urol Clin North Am* 1992;19:131-42.
10. Grossman HB. Premalignant and early carcinomas of the penis and scrotum. *Urol Clin North Am* 1992;19:221-26.
11. Solivan GA, Smith KJ, James WD. Cutaneous horn of the penis:its association with squamous cell carcinoma and HPV-16 infection. *J Am Acad Dermatol* 1990;23(5 Pt 2):969-72.
12. de la Peña Zarzuelo E, Carro Rubias C, Sierra E et al. Cutaneous horn of the penis. *Arch Esp Urol* 2001;54:367-68.
13. Bargman H. Pseudoepitheliomatous, keratotic, and micaceous balanitis. *Cutis* 1985;35:77-79.
14. Kaye V, Zhang G, Dehner LP. Carcinoma in situ of penis. Is distinction between erythroplasia of Queyrat and Bowen's disease relevant? *Urology* 1990;36:479-82.
15. Beljaards RC, van Dijk E, Hausman R. Is pseudoephitheliomatous, micaceous and keratotic balanitis synonymous with verrucous carcinoma? *Br J Dermatol* 1987;117:641-46.
16. Irvine C, Anderson JR, Pye RJ. Micaceous and keratotic pseudoephitheliomatousbalanitis and rapidly fatal fibrosarcoma of the penis occuring in the same patient. *Br J Dermatol* 1987;116:719-25.
17. Das S, Tunuglunta HS. Balanitis xerotica obliterans – A review. *World J Urol* 2000;18:382-87.
18. Buechner SA. Common skin disorders of the penis. *BJU Int* 2002;90:498-506.
19. Pietrzak P, Hadway P, Corbishley CM et al. Is the association between balanitis xerotica obliterans and penile carcinoma underestimated? *BJU Int* 2006;98:74-76.
20. Dahlman-Ghozlan K, Hedblad MA, von Krogh G. Penile lichen sclerosus et atrophicustreated with clobetasoldipropionato 0,05% cream: a retrospective clinical and histopathological study. *J Am Acad Dermatol* 1999;40:451-57.
21. Liatsikos EN, Perimenis P, Dandinis K et al. Lichen Sclerosus et atrophicus. Findings after complete circuncision. *Scan J Urol Nephrol* 1997;31:453-56.
22. Nasca MR, Innocenzi D, Micali G. Penile cancer among patients with genital lichen sclerosus. *J Am Acad Dermatol* 1999;41:911-14.
23. Kolde G, Vakilzadeh F. Epidermolytic leukoplakia: an unusual precancerous condition. *Z Hautkr* 1986;61:624-25.
24. Hanash KA, Furlow WL, Utz DC et al. Carcinoma of the penis: a clinicopathologic study. *J Urol* 1970;104:291-97.
25. Bain L, Geromenus R. The association of lichen planus of the penis with squamous cell carcinoma in situ and with verrucous squamous carcinoma. *J Dermatol Surg Oncol* 1989;15:413-17.

26. Ackerman LV. Verrucous carcinoma of the oral cavity. *Surgery* 1948;23:670-78.
27. Davies SW. Giant condyloma acuminata:Incidence among cases diagnosed as carcinoma of the penis. *J Clin Pathol* 1965;18:142-49.
28. Seixas ALC, Ornellas AA, Marota A et al.Verrucous carcinoma of the penis: retrospective analysis of 32 cases. *J Urol* 1994;152:1476-79.
29. Bruns TNC, Lauvetz RJ, Kerr ES et al. Buschke-Lowenstein giant condylomas: pitfalls in management. *Urology* 1975;5:773-76.
30. Lepor H, Leffler N. Giant condyloma acuminate. Report of two cases. *J Urol* 1960;83:853-58.
31. Proffitt SD, Spooner TR, Kosek JC. Origin of undifferentiated neoplasm from verrucous epidermal carcinoma of oral cavity following irradiation. *Cancer* 1970;26:389-93.
32. Patterson JW, Kao Gf, Graham JH et al. Bowenoid Papulosis: a clinicopathologic study with ultrastructural observations. *Cancer* 1986;57:823-36.
33. Bhojwani A, Biyani CS, NIcol A et al. Bowenoid papulosis of the penis. *Br J Urol* 1997;80:508.
34. Gross G, Hagedorn M, Ikenberg H et al. Bowenoid papulosis: presence of human papillomavirus (HPV) structural antigens and HPV 16 related DNA sequences. *Arch Dermatol* 1985;121:858-63.
35. Su CK, Shipley WU. Bowenoid papulosis: a benign lesion of the shaft of the penis misdiagnosed as squamous carcinoma. *J Urol* 1997;157:1361-62.
36. Wade TR, Kopf AW, Ackerman AB. Bowenoid papulosis of the genitalia. *Arch Dermatol* 1979;115:306-8.
37. Schwartz RA, Janniger CK. Bowenoid papulosis. *J Am Acad Dermatol* 1991;24(2 Pt 1):261-64.
38. Aragona F, Serretta V, Marconi A et al. Queyrat's erythroplasia of the prepuce: a case-report. *Acta Chir Belg* 1985;85:303-4.
39. Kelley CD, Arthur K, Rogoff E et al. Radiation therapy of penile cancer. *Urology* 1974;4:571-73.
40. Grabstald H, Kelley CD. Radiation therapy of penile cancer. *Urology* 1980;15:575-76.
41. Dillaha CJ, Jansen GT, Honeycutt WM et al. Further studies with topical 5-fluorouracil. *Arch Dermatol* 1965;92:410-17.
42. Landthaler M, Haina D, Brunner R et al. Laser therapy of bowenoid papulosis and Bowen's disease. *J dermatol Surg Oncol* 1986;12:1253-57.
43. Madej G, Meyza J. Cryosurgery of penile carcinoma. Short report on preliminary results. *Oncology* 1982;39:350-52.
44. Misra S, Chaturvedi A, Misra N. Penilecarcinoma: a challenge for the developing worl. *Lancet Oncol* 2004;5:240-47.
45. Kroon BK, Horenblas S, Nieweg OE. Contemporary management of penile squamous cell carcinoma. *J Surg Oncol* 2005;89:43-50.
46. Narayana AS, Olney Le, Loening SA et al. Carcinoma of the penis: analysis of 219 cases. *Cancer* 1982;49:2185-91.
47. Pow-Sang M, Benavente V, Pow-Sang JE et al. Cancer of the penis. *Cancer Control* 2002;9:305-14.
48. Ornellas AA, Seixas AL, Marota A et al. Surgical treatment of invasive squamous cell carcinoma of the penis: retrospective analysis of 350 cases. *J Urol* 1994;151:1244-49.
49. Riveros M, Gorostiaga R. Cancer of the penis. *Arch Surg* 1962;85:377-82.
50. Thomas JA, Small CS. Carcinoma of the penis in southern indian. *J Urol* 1968;100:520-26.
51. Derrick FC, lynch KM, Kretkowski RC et al. Epidermoidcarcinoma of the penis: computer analysis of 87 cases. *J Urol* 1973;110:303-5.
52. Johnson DE, Fuerst DE, Ayala AG. Carcinoma of the penis. Experience in 153 cases. *Urology* 1973;1:404-8.
53. Puras A, Gonzalez-Flores B, Fortuno R et al. Treatment of carcinoma of the penis. *Proc Kimbrough Urolog Semin* 1978;12:143.
54. Koifman L, Vides AJ, Koifman N et al. Epidemiological aspects of penile cancer in Rio de Janeiro: evaluation of 230 cases. *Int Braz J Urol* 2011;37:231-43.
55. Beggs JH, Spratt JS. Epidermoid carcinoma of the penis. *J Urol* 1964;91:166.
56. Skinner DG, Leadbetter WF, Kelley SB. The surgical management of squamous cell carcinoma of the penis. *J Urol* 1972;107:273-77.
57. Parkin DM, Muir CS. *Cancer incidence in five continents. Comparability and quality of data.* Lyon: IARC, 1992. p. 45-173.
58. Persky L. Epidemiology of cancer of the penis. *Recent Results Cancer Res* 1977;60:97-109.
59. Favorito LA, Nardi AC, Ronalsa M et al. Epidemiologic study on penile cancer in Brazil. *Int Braz J Urol* 2008;34:587-91; discussion 591-93.
60. Licklider S. Jewish penile carcinoma. *J Urol* 1961;86:98.
61. Tan RE. Observations on frequency of carcinoma of the penis at Macassar and its environs (South Celebes). *J Urol* 1963;89:704-5.
62. Hellberg D, Valentin J, Eklund T et al. Penile cancer: is there an epidemiological role for smoking and sexual behaviour? *Br Med J (Clin Res Ed)* 1987;295:1306-8.
63. Harish K, Ravi R. The role of tobacco in penile carcinoma. *Br J Urol* 1995;75:375-77.
64. Peclat de Paula AA, Neto JCA, Cruz AD et al. Carcinoma epidermoide do pênis:considerações epidemiológicas, histopatológicas, influência viral e tratamento cirúrgico. *Rev Bras Cancerologia* 2005;51:243-52.
65. Trofatter Jr KF. Diagnosis of human papillomavirus genital tract infection. *Am J Med* 1997;102:21-27.
66. De Paula AA, Netto JC, Freitas Jr R et al. Penile carcinoma: the role of koilocytosis in groin metastasis and the association with disease specific survival. *J Urol* 2007;177:1339-43; discussion 1343.
67. Sufrin G, Huben R. Benign and malignant lesion of the penis. In: Gillenwater JY. (Ed.). *Adult and pediatric urology.* 2nd ed. Chicago: YearBook, 1991. p. 1997-2042.
68. Dean Jr AL. Epithelioma of the penis. *J Urol* 1935;33:252-83.
69. Hardner GJ, Bhanalaph T, Murphy GP et al. Carcinoma of the penis: analysis of therapy in 100 consecutives cases. *J Urol* 1972;108:428-30.
70. Seyam RM, Bissada NK, Mokhtar AA et al. Outcome of penile cancer in circumcised men. *J Urol* 2006;175:557-61; discussion 561.
71. Lont AP, Besnard AP, Galee MP et al. A compararison of physical examination and imaging in determining the extent of primary penile carcinoma. *BJU Int* 2003;91:493-95.
72. Rudd FV, RottRK, Skoglund Jr RW et al. Tumor induced hypercalcemia. *J Urol* 1972;107:986-89.
73. Sklaroff RB, Yagoda A. Penile cancer: natural history and therapy. In: *Chemotherapy and urological malignancy.* New York: Springer-Verlag, 1982. p. 98-105.
74. Scher B, Seitz M, Reiser M et al. 18F-FDG PET/CT for staging of penile cancer. *J Nuclear Med* 2005;46:1460-65.
75. Caso JR, Rodriguez AR, Correa J et al. Update in the management of penile cancer. *Int Braz J Urol* 2009;35:406-15.
76. Heyns CF, Mendoza-Valdés A, Pompeo ACL. Diagnosis and staging of penile cancer. SIU Penile Cancer Supplement. *Urology* 2010;76(Suppl 2A):S15-23.
77. Horenblas S, Kroon BK, Olmos RAV et al. Considerations: imaging in penis carcinoma. Chapter 34. In: JJMCH de la Rosette et al. (Eds.). *Imaging in oncological urology 2009,* part VII, 353-60. London: Springer-Verlag, 2009.
78. Horenblas S, Van Tinteren H, Delemarre JF et al. Squamous cell carcinoma of the penis: accuracy of tumor, nodes and metastasis classification system, and role of lymphangiography, computerized tomography scan and fine needle aspiration cytology. *J Urol* 1991;146:1279-83.
79. Maiche AG, Pyrhonen S. Clinical staging of cancer of the penis. By size? By localization? or By depth of infiltration? *Eur Urol* 1990;18:16.
80. Horenblas S, Kroger R, Gallee MP et al. Ultrasound in squamous cell carcinoma of the penis; a useful addition to clinical staging? A comparison of ultrasound with histopathology. *Urology* 1994;43:702.
81. Agrawal A, Pai D, Ananthakrishnan N et al. Clinical and sonographic findings in carcinoma of the penis. *J Clin Ultrasound* 2000;28:399-406.
82. Bertolotto M, Serafini G, Dogliotti L et al. Primary and secondary malignancies of the penis: ultrasound features. *Abdom Imaging* 2005;30:108-12.
83. Singh AK, Saokar A, Hahn PF et al. Imaging of penile neoplasms 1. *RadioGraphics* 2005;25:1629-38.
84. Scardino E, Villa G, Bonomo G et al. Magnetic resonance imaging combined with artificial erection for local staging of penile cancer. *Urology* 2004;63:1158-62.
85. Kayes O, Minhas S, Allen C et al. The role of magnetic resonance imaging in the local staging of penile cancer. *Eur Urol* 2007;51(5):1313-18; discussion 1318-19.
86. Petralia G, Villa G, Scardino E et al. Local staging of penile cancer using magnetic resonance imaging with pharmacologically induced penile erection. *Radiol Med* 2008;113:517-28.
87. Maiche AG, Pyrhonen S, Karkinem M. Histological grading of squamous cell carcinoma of the penis: A new scoring system. *Br J Urol* 1991;67:522-26.
88. Slaton JW, Morgenstern N, Levy DA et al. Tumor stage, vascular invasion and the percentage of poorly differentiated cancer: independent prognosticators for inguinal lymph node metastasis in penile squamous cancer. *J Urol* 2001;165:1138-42.
89. Kattan MW, Ficarra V, Artibani W et al. Nomogram predictive of cancer specific survival in patients undergoing partial or total amputation for squamous cell carcinoma of the penis. *J Urol* 2006;175:2103-8.
90. Ornellas AA, Nobrega BL, Wei Kin Chin E et al. Prognostic factors in invasive squamous cell carcinoma of the penis: analysis of 196 patients

treated at the Brazilian National Cancer Institute. *J Urol* 2008;180:1354-59.
91. Fraley EE, Zhang G, Manivel C et al. The role of ilioinguinal lymphadenectomy and significance of histological differentiation in treatment of carcinoma of the penis. *J Urol* 1989;142:1478-82.
92. Heyns CF, van vollenhoven P, Steenkamp JW et al. Carcinoma of the penis – Appraisal of a modified tumor-staging system. *Br J Urol* 1997;80:307-12.
93. Cubilla AL, Barreto J, Caballero C et al. Pathologic features of epidermoid carcinoma of the penis. A prospective study of 66 cases. *Am J Surg Pathol* 1993;17:753-63.
94. Guimaraes GC, Lopes A, Campos RS et al. Front pattern of invasion in squamous cell carcinoma of the penis:new prognostic factor for predicting risk of lymph node metastases. *Urology* 2006;68:148-53.
95. Horenblas S, van Tinteren H. Squamous cell carcinoma of the penis. IV. Prognostic factors of survival: analysis of tumor, nodes and metastasis classification system. *J Urol* 1994;151:1239-43.
96. de Kerviler E, Ollier P, Desgrandchamps F et al. Magnetic resonance imaging in patients with penile carcinoma. *Br J Radiol* 1995;68:704-11.
97. McDougal WS, Kirchner Jr FK, Edwards RH et al. Treatment of carcinoma of the penis:the case for primary lymphadenectomy. *J Urol* 1986;136:38-41.
98. Malloy TR, Wein AJ, Carpiniello VL. Carcinoma of the penis treated with neodymium YAG laser. *Urol* 1988;31:26-29.
99. Von Eschenbach AC, Johnson DE, Wishnow KI et al. Results of laser therapy for carcinoma of the penis: organ preservation. *Prog Clin Biol Res* 1991;370:405-12.
100. Shindel AW, Mann MW, Lev RY et al. Mohs micrographic surgery for penile cancer: management and long-term follow up. *J Urol* 2007;178:1980-85.
101. Mohs FE, Snow SN, Larson PO. Mohs micrographic surgery for penile tumors. *Urol Clin North Am* 1992;19:291-304.
102. Duncan W, Jackson SM. The treatment of early cancer of the penis with megavoltage x-rays. *Clin Radiol* 1972;23:246-48.
103. Mazeron JJ, Langlois D, Lobo PA et al. Interstitial radiation therapy for carcinoma of the penis using iridium 192 wires: the Henri Mondor experience (1970-1979). *Int Radiat Oncol Biol Phys* 1984;10:1891-95.
104. Horenblas S, van Tinteren H, Delemarre JFM et al. Squamous cell carcinoma of the penis, II: treatment of the primary tumor. *J Urol* 1992;147:1533-38.
105. Lawindy SM, Rodriguez AR, Horenblas S et al. Current and future strategies in the diagnosis and management of penile cancer. *Advances in Urology* Volume 2011, Article ID 593751, 9 pages.
106. Stewart SB, Leder RA, Inman BA. Imaging tumors of the penis and urethra. *Urol Clin North Am* 2010;37:353-67.
107. Esen G. Ultrasound of superficial lymph nodes. *Eur J Radiol* 2006;58:345-59.
108. Crawshaw JW, Hadway P, Hoffland D et al. Sentinel lymph node biopsy using dynamic lymphoscintigraphy combined with ultrasound-guided fine needle aspiration in penile carcinoma. *Br J Radiol* 2009;82:41-48.
109. Kroon BK, Horenblas S, Deurloo EE et al. Ultrasonography-guided fine-needle aspiration cytology before sentinel node biopsy in patients with penile carcinoma. *Br J Urol Int* 2005;95:517-52.
110. Heyns CF, Fleshner N, Sangar V et al. Management of the lymph nodes in penile cancer. *Urology* 2010;76(2 Suppl 1):S43-57.
111. Hughes B, Leijte J, Shabbir M et al. Non-invasive and minimally invasive staging of regional lymph nodes in penile cancer. *World J Urol* 2009;27:197-203.
112. Senthil KMP, Ananthakrishnan N, Prema V. Predicting regional lymph node metastasis in carcinoma of the penis:a comparison between fine-needle aspiration cytology, sentinel lymph node biopsy and medial inguinal lymph node biopsy. *Br J Urol* 1998;81:453-57.
113. Hall TB, Barton DP, Trott PA et al. The role of ultrasound-guided cytology of groin lymph nodes in the management of squamous cell carcinoma of the vulva. Five-year experience in 44 patients. *Clin Radiol* 2003;58:367.
114. Tanis PJ, Lont AP, Meinhardt W et al. Dynamic sentinel node biopsy for penile cancer: reliability of a staging technique. *J Urol* 2002;168:76-80.
115. Leijte JA, Hughes B, Graafland NM et al. Two-center evaluation of dynamic sentinel node biopsy for squamous cell carcinoma of the penis. *J Clin Oncol* 2009;27:3325-29.
116. Kroon BK, Horenblas S, Estourgie SH et al. How to avoid false negative dynamic sentinel node procedures in penile carcinoma. *J Urol* 2004;171:2191.
117. Tabatabaei S, Harisinghani M, McDougal WS. Regional lymph node staging using lymphotropic nanoparticle enhanced magnetic resonance imaging with ferumoxtran-10 in patients with penile cancer. *J Urol* 2005;174:923-27.
118. Harisinghani MG, Barentsz J, Hahn PF et al. Noninvasive detection of clinically occult lymph-node metastases in prostate cancer. *N Engl J Med* 2003;348:2491.
119. Lenz C, Klarhöfer M, Scheffler K et al. Assessing extracranial tumors using diffusion-weighted whole-body MRI. *Z Med Phys* 2011;21:79-90.
120. Kalkmann J, Lauenstein T, Stattaus J. Whole-body diffusion-weighted imaging in oncology: technical aspects and practical relevance. *Radiologe* 2011;51:215-19.
121. Thoeny HC, Triantafyllou M, Birkhaeuser FD et al. Combined ultra small superparamagnetic particles of ironoxide-enhanced and diffusion-weighted magnetic resonance imaging reliably detect pelvic lymph node metastases in normal-sized nodes of bladder and prostate cancer patients. *Eur Urol* 2009;55:761-69.
122. Scher B, Seitz M, Albinger W et al. Value of PET and PET/CT in the diagnostics of prostate and penile cancer. *Recent Results Cancer Res* 2008;170:159-79.
123. Graafland NM, Leijte JA, Valdés Olmos RA et al. Scanning with 18F-FDG-PET/CT for detection of pelvic nodal involvement in inguinal node-positive penile carcinoma. *Eur Urol* 2009;56:339-45.
124. Leijte JA, Graafland NM, Vald'es Olmos RA et al. Prospective evaluation of hybrid F-fluorodeoxyglucose positron emission tomography/computed tomography in staging clinically node-negative patients with penile carcinoma. *Br J Urol Int* 2009;104:640-44.
125. Ornellas AA, Seixas AL, de Moraes JR. Analyses of 200 lymphadenectomies in patients with penile carcinoma. *J Urol* 1991;146:330-32.
126. Ornellas AA, Seixas AL, Marota A et al. Surgical treatment of invasive squamous cell carcinoma of the penis: retrospective analysis of 350 cases. *J Urol* 1994;151:1244-49.
127. Kroon BK, Horenblas S, Lont AP et al. Patients with penile carcinoma benefit from immediate resection of clinically occult lymph node metastases. *J Urol* 2005;173:816-19.
128. D'Ancona CA, de Lucena RG, Querne FA et al. Long-term follow-up of penile carcinoma treated with penectomy and bilateral modified inguinal lymphadenectomy. *J Urol* 2004;172:498-501; discussion 501.
129. Kroon BK, Lont AP, Valdes Olmos RA et al. Morbidity of dynamic sentinel node biopsy in penile carcinoma. *J Urol* 2005;173:813-15.
130. Catalona WJ. Modified inguinal lymphadenectomy for carcinoma of the penis with preservation of saphenous veins: technique and preliminary results. *J Urol* 1988;140:306-10.
131. Ornellas AA, Correia Seixas AL, Wisneschy A et al. The value of biopsy of the inguinal lymph nodes in patients with epidermoid carcinoma of the penis. *Prog Urol* 1995;5:544-47.
132. Tobias-Machado M, Tavares A, OrnellasAA et al.Video endoscopic inguinal lymphadenectomy:a new minimally invasive procedure for radical management of inguinal nodes in patients with penile squamous cell carcinoma. *J Urol* 2007;177:953-58.
133. Sotelo R, Sánchez-Salas R, Carmona O et al. Endoscopic lymphadenectomy for penile carcinoma. *J Endourol* 2007;21:364-67.
134. Leijte JA, Kerst JM, Bais E et al. Neoadjuvant chemotherapy in advanced penile carcinoma. *Eur Urol* 2007;52:488-94.
135. Algaba F, Horenblas S, Pizzocaro Luigi PG et al. European association of urology guidelines on penile cancer. *Eur Urol* 2002 Sept.;42(3):199-203.
136. Dexeus FH, Logothetis CJ, Sella A et al. Combination chemotherapy with methotrexate, bleomycin and cisplatin for advanced squamous cell carcinoma of the male genital tract. *J Urol* 1991;146:1284-87.
137. Hussein AM, Benedetto P, Sridhar KS. Chemotherapy with cisplatin and 5-fluorouracil for penile and urethral squamous cell carcinomas. *Cancer* 1990;65:433-38.
138. Kattan J, Culine S, Droz JP et al. Penile cancer chemotherapy: twelve years' experience at Institut Gustave-Roussy. *Urology* 1993;42:559-62.
139. Pizzocaro G, Piva L, Nicolai N. Treatment of lymphatic metastasis os squamous cell accrinoma of the penis:experience at the National Tumor Institute of Milan. *Arch Ital Urol Androl* 1996;68:169-72.
140. Pizzocaro G, Piva L. Adjuvant and neoadjuvant vincristine, bleomycin, and methotrexate for inguinal metastasis from squamous cell carcinoma of the penis. *Acta Oncol* 1988;27:823-24.

CAPÍTULO 191

Aspectos Moleculares do Câncer de Pênis

Paulo Ornellas ■ Antonio Augusto Ornellas ■ Gilda Alves

ALTERAÇÕES CITOGENÉTICAS

Até a presente data, apenas quatro cariótipos de carcinoma de pênis foram descritos na literatura. A raridade desse tipo de câncer, as dificuldades técnicas relacionadas com o baixo índice mitótico, a contaminação de culturas primárias e a ocorrência de grandes áreas de necrose no tumor são responsáveis pela escassez de cariótipos.

Os cromossomas são formados por braço curto caracterizado pela letra p; e por um braço longo caracterizado pela letra q, de acordo com a posição do centrômero. Uma numeração padronizada internacionalmente, ao longo dos braços p e q, possibilita o mapeamento de um gene ou grupo de genes em uma região específica do cromossoma e a identificação de regiões com alteração.

Xiao et al.[1] descreveram, em 1992, o primeiro cariótipo de câncer de pênis. As células tumorais apresentavam a configuração: 46, XY, del(2)(q33q36), der (4)T(4:?)(p16;?), der (5,15) 5q10:q10), der (8)t (8;?13)q21;?), -13, -13, -15, + 3 mar. Os cromossomas 2, 4 e 8 apresentavam rearranjos estruturais com uma translocação de um braço inteiro entre os cromossomas 5 e 15, perdas em ambos cromossomas 13 e em um dos cromossomas 15.[1]

O segundo cariótipo[2] foi descrito em um paciente com carcinoma invasivo pouco diferenciado matriculado no serviço de Urologia do Instituto Nacional de Câncer (INCA) (Fig. 1). As células analisadas eram quase tetraploides e apresentavam uma translocação entre os cromossomas 1 e 16, material adicional no cromossoma X e um isocromossoma do braço curto do cromossoma 10 (Fig. 2). Como o tumor estava em estágio avançado, as alterações encontradas provavelmente correspondiam aos últimos eventos de rearranjos cromossômicos deste caso. Os outros últimos cariótipos também descritos pelo grupo do INCA[3] eram de dois pacientes com carcinoma de pênis moderadamente diferenciado em estágio inicial. O primeiro, com estágio T2N2MX, não apresentava alterações citogenéticas. No outro caso de um paciente T3N1MX, o índice de DNA analisado por citometria de fluxo indicou a ocorrência de hiperploidia (Fig. 3) e um cariótipo formado de 49, XY, dup(1)(q21q32), i(1)(q10), -3, add(11)(q23), del (12)(p12),+i(18)(q10), +3 mar (Fig. 4). O acompanhamento clínico revelou que o tumor do paciente que apresentou alterações citogenéticas era muito mais agressivo do que aquele do paciente sem alterações citogenéticas, mostrando que um exame histopatológico semelhante caracterizava duas formas de doença diferentes em sua evolução. As alterações que mais chamaram a atenção foram: a duplicação do 1q que já foi observada em tumores do sangue, assim como em tumores sólidos; o aparecimento do isocromossoma 1, que é o terceiro isocromossoma mais comum entre as neoplasias; a monossomia do cromossoma 3, que é um marcador de prognóstico ruim em melanoma da úvea; alterações na banda q23 do cromossoma 11 é muito comum entre as leucemias de lactentes, que contém o gene *MLL* (também chamado de *ALL-1*). Este gene codifica para uma proteína com propriedade de supressora tumoral e outra com propriedade oncogênica. A deleção do 12p foi outra alteração comum entre as neoplasias. Por último, a imortalização *in vitro* de linfócitos T foi associada à ocorrência do isocromossoma 18q.

Outro estudo utilizando a citometria de fluxo em 90 pacientes portadores de câncer de pênis foi realizado no INCA, demonstrando que a ploidia nestes tumores é proporcional ao grau de diferenciação celular e constatando que a aneuploidia parece ser um fator de risco para o desenvolvimento de doença metastática.[4]

A análise genética do câncer de pênis também foi realizada em parceria com um grupo de Jena, na Alemanha, utilizando a técnica de citogenética molecular chamada de CGH *(Comparative Genomic Hybridization)*, ou seja, hibridização genômica comparativa que combina a citogenética convencional com a técnica de FISH *(Fluorescence in situ Hybridization)*, hibridização *in situ* fluorescente. A técnica de FISH resulta na geração de um mapa genômico que leva à descoberta de regiões cromossômicas muito amplificadas nos tumores, assim como regiões em que ocorreram grandes deleções. O procedimento começa com a marcação por diferentes fluorocromos do DNA que foi extraído de um tumor (DNA tumoral) e do DNA que foi extraído de um tecido livre de tumor (DNA normal). As mesmas quantidades de DNAs tumoral e normal

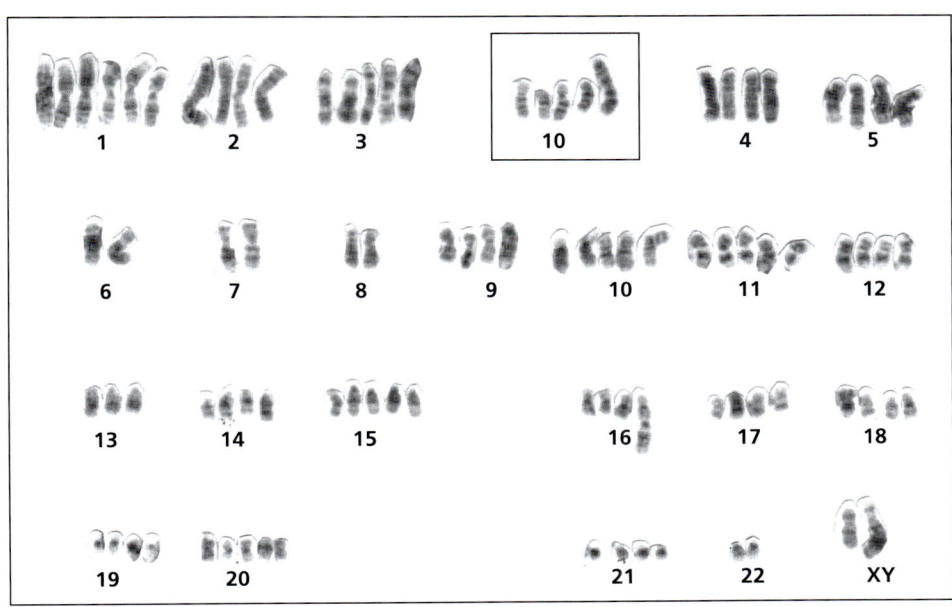

◀ **FIGURA 1.** Cariótipo completo das células tumorais de um paciente com câncer de pênis pouco diferenciado, incluindo um cariótipo parcial mostrando um isocromossoma i (10) (q10).

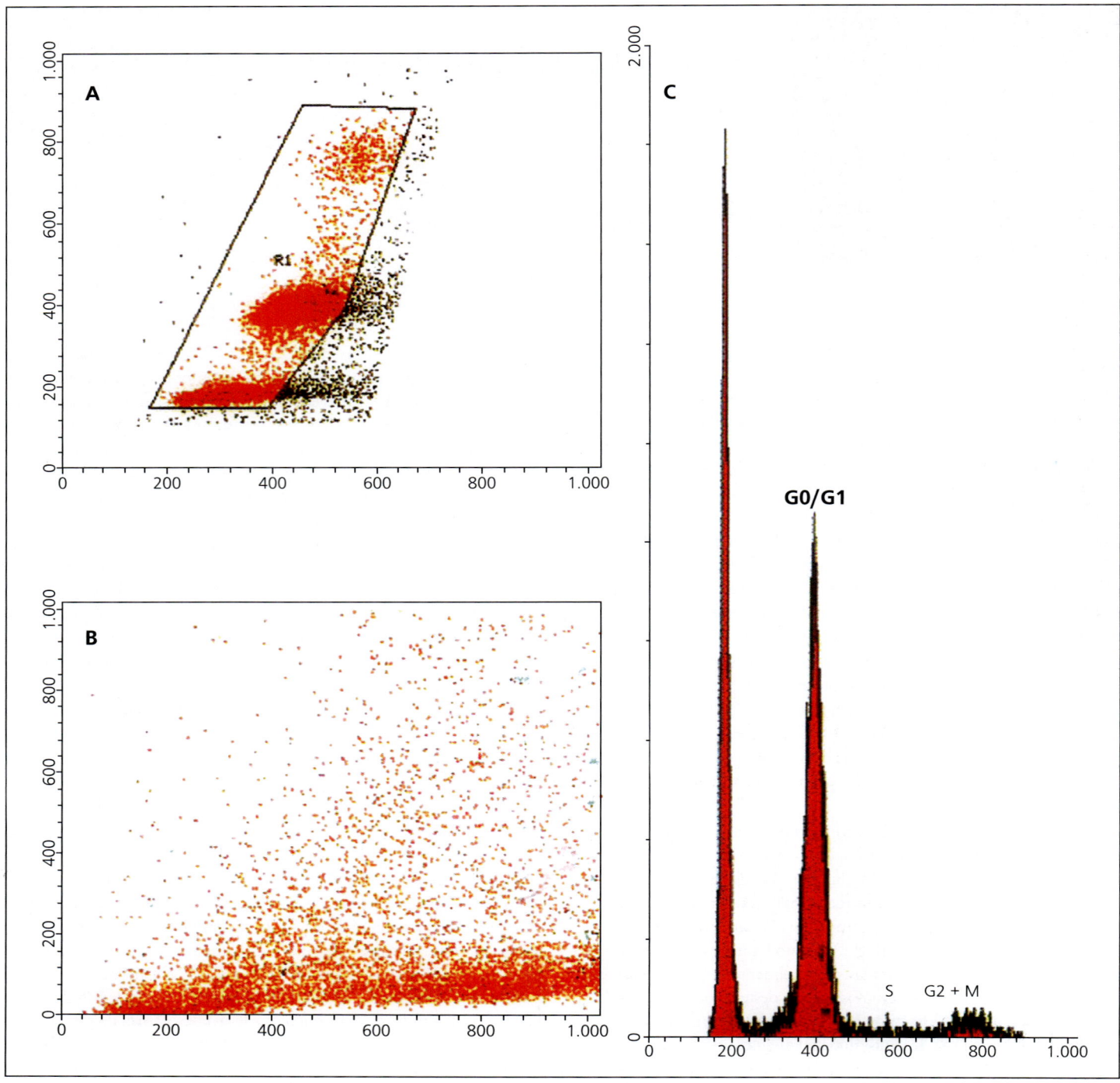

▲ **FIGURA 2.** Distribuição do conteúdo de DNA nuclear de um carcinoma peniano. **(A)** Linhagem tumoral quase tetraploide. **(B)** Índice de DNA de 1,96. **(C)** Gráfico comparando com a população de referência diploide.

com marcações diferentes são hibridizados em uma lâmina com preparação de cromossomas fixados de uma pessoa com um cariótipo normal. No caso do estudo de câncer pênis, o doador dos cromossomas normais tinha que ser do sexo masculino, 46, XY. Os DNAs tumoral e normal competem pela hibridização no cariótipo normal, e as regiões cromossômicas com grandes amplificações ou deleções nos cromossomas são distinguidas por um programa de computador associado à um microscópio de fluorescência de acordo com a diferença de intensidade dos DNAs tumoral e normal marcados por fluorocromos que hibridizaram nos cromossomas normais.

A técnica de CGH tem uma grande vantagem sobre a citogenética convencional. Não é necessário fazer o cultivo primário de células para a obtenção de lâminas com preparações cromossômicas, basta obter-se o tecido tumoral para se extrair o DNA. A única desvantagem é o custo, pois o funcionamento da técnica de CGH depende da instalação de um bom microscópio de fluorescência associado a um programa de computador que auxilie na interpretação dos resultados e na aquisição de reagentes que são específicos e caros.[5]

Por meio de CGH, Alves et al.[6] analisaram 26 amostras de carcinoma de pênis, dos quais 6 eram de tumores invasivos bem diferenciados e os demais de tumores moderadamente diferenciados. As alterações encontradas foram semelhantes àquelas descritas em outros carcinomas escamosos, como os orais e de orofaringe. Esse dado indica que tumores epidermoides de vários órgãos podem evoluir a partir de alterações genéticas similares. As regiões de amplificação congênita mais comumente encontradas foram 8q24, 16p11-12, 20q11-13, 22q, 19q13, 5p15; e as regiões com deleção mais frequentes foram 13q21-22, 4q21-23 e ao longo do cromossoma X. Na região 8q24 foi mapeado o oncogene *c-myc*, que frequentemente encontra-se amplificado em vários tipos de tumores. Outra alteração que chama a atenção são as deleções frequentes no cromossoma X, o que não é facilmente explicável. A amplificação da região 5p15 também surge como uma das mais interessantes, porque ali se localiza o gene *Htert* que codifica para a principal proteína do sítio catalítico da telomerase, a enzima que estabiliza os telômeros dos cromossomas.

Microssatélites são unidades de repetição de pares de bases do DNA (AT, GC), que são utilizados como marcador genético. Assim sendo, estes microssatélites podem ser compostos por um mononucleotídeo (p. ex.: AAAAAAAAAAAA), dinucleotídeo (Ex: CACACACACACA), trinucleotídeo (p. ex.: CAGCAGCAGCAGCAG) etc. Poetsch *et al.*[7]

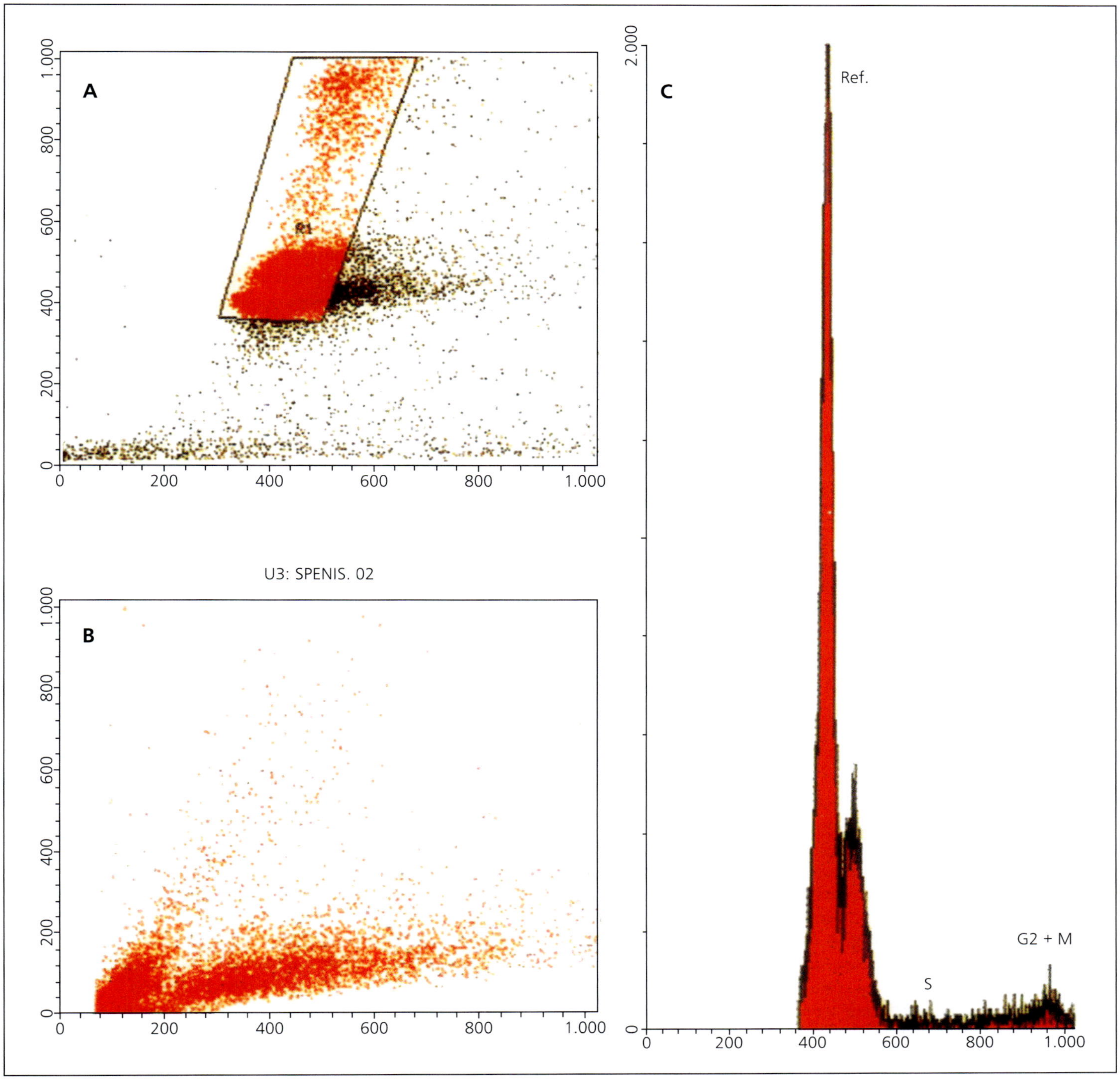

▲ **FIGURA 3.** Distribuição do conteúdo de DNA nuclear de um carcinoma de pênis. (**A**) Linhagem tumoral hiperdiploide. (**B**) Índice de DNA de 1,15. (**C**) Gráfico comparando com a população de referência diploide.

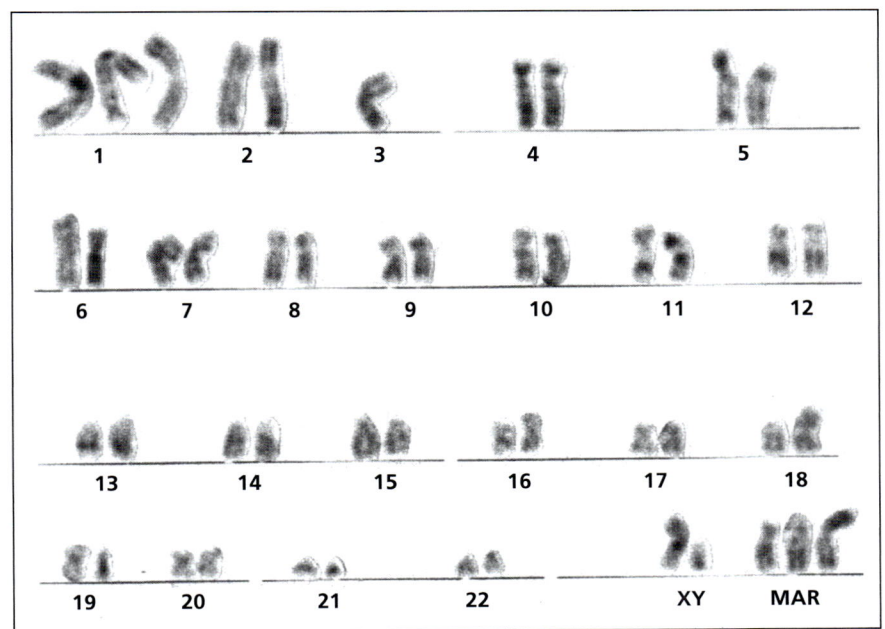

◀ **FIGURA 4.** Cariótipo de um carcinoma epidermoide de pênis, moderadamente diferenciado e hiperdiploide, mostrando as alterações cromossômicas.

analisaram 68 marcadores microssatélites em 28 pacientes com câncer de pênis. Em mais de 25% dos tumores primários foi encontrada a perda de heterozigose (LOH – *lost of heterozygosity*) de seis diferentes cromossomos, incluindo 2q, 6p, 8q, 9p, 12q e 17p13. Correlações como a LOH do microssatélite no *loci* D6S260 com menor sobrevida do paciente, assim como a relação dos marcadores dos cromossomos 6, 9 e 12 com o estadiamento do tumor e a presença de metástase foram estatisticamente significativas. Esses resultados revelaram regiões cromossômicas promissoras para futuras pesquisas em busca genes supressores tumorais em câncer de pênis.

Em 2012, Naumann *et al.*[8] estabeleceram duas linhagens celulares do carcinoma epidermoide de pênis. Uma do tumor primário e outra de suas metástases linfonodais. Este trabalho abre caminho para uma investigação mais aprofundada dos mecanismos moleculares envolvidos na carcinogênese do tumor maligno de pênis e oferece a possibilidade de estudar a sensibilidade de drogas *(in vitro* e *in vivo)*, propiciando o desenvolvimento de novos potenciais agentes terapêuticos.

IMUNO-HISTOQUÍMICA EM CÂNCER DE PÊNIS

Imuno-histoquímica (IHQ) refere-se ao processo de localizar antígenos em células de uma amostra de tecido, explorando o princípio da ligação específica de anticorpos a antígenos no tecido biológico. Esta técnica é amplamente utilizada no diagnóstico de células anormais, como aquelas encontradas em neoplasias. Marcadores moleculares específicos são características de eventos celulares particulares, como proliferação ou morte celular.

Recentemente, Gunia *et al.*,[9] avaliando a imuno-histoquímica de 92 pacientes tratados cirurgicamente para câncer de pênis, revelaram que a expressão da proteína p16^{INK4a} parece exercer um papel importante no prognóstico de pacientes com câncer primário de pênis. Seu estudo revela, ainda, que a presença de coilocitose parece fornecer informação prognóstica importante para a sobrevida. Este papel prognóstico da p16^{INK4a} no câncer de pênis pode ser explicado por suas implicações no controle do ciclo celular. Pontos de checagem são pontos de parada durante o ciclo celular, onde ocorre análise da estrutura do material genético. Se houver algum erro e ele for detectado, a célula entra em apoptose. Uma vez que a p16^{INK4a} inibe as quinases 4 e 6 dependentes de ciclina na fase G1 do ciclo celular, essa proteína pode controlar a progressão da doença, pois a checagem da estrutura do DNA ocorre com supressão dessas quinases. Com isso, a expressão da p16^{INK4a} é um marcador de bom prognóstico para carcinoma epidermoide invasivo de pênis. Segundo esse estudo, a p16^{INK4a} pode ser um promissor biomarcador de prognóstico em pacientes cirurgicamente tratados para câncer de pênis, superando o padrão histológico de coilocitose. Entretanto, em laboratórios de patologia sem anticorpos específicos para p16^{INK4a}, a determinação histológica convencional de coilocitose pelo patologista também proporciona informação prognóstica significativa.

Um dos maiores desafios no tratamento de pacientes com câncer de pênis é definir a indicação de se realizar linfadenectomia inguinal preventiva. Alguns trabalhos têm mostrado a associação da realização de linfadenectomia tardia com menor sobrevida em comparação com os pacientes submetidos à linfadenectomia preventiva.[10,11] Um estudo realizado na China,[12] com 44 pacientes com câncer de pênis, avaliou o impacto do fator de crescimento vascular endotelial C (VEGF-C) no prognóstico da doença. Esse estudo observou uma correlação positiva entre a expressão de VEGF-C e risco de metástase inguinal. De Paula *et al.*[13] analisaram o impacto da cicloxigenase 2 (COX-2) e o (VGEF-C) no prognóstico de 127 pacientes com câncer de pênis. Seus resultados sugerem que a expressão de VGEF-C pode ajudar na identificação de pacientes com câncer de pênis com alto risco para evolução clínica desfavorável. Porém, não encontrou associação ao risco de metástase inguinal. Já a expressão da COX-2 pareceu não alterar risco de metástase inguinal ou morte pela doença.

PAPEL DOS VÍRUS

Cerca de 10 a 15% dos casos de câncer estão relacionados com infecções virais. As viroses geralmente não são capazes de induzir o câncer por si só, ou seja, nem todas as pessoas infectadas com vírus desenvolvem câncer. No entanto, as viroses podem ser um fator que atua em um estágio inicial no processo que leva ao câncer, que só se desenvolve após a exposição a um ou mais cofatores. Geralmente, as viroses ajudam a causar malignidade tanto pela introdução de um oncogene na célula quanto inserindo DNA viral no genoma da célula hospedeira de maneira que desequilibre a regulação da divisão celular.

Vírus sexualmente transmissíveis são suspeitos de cooperarem no processo carcinogênico em câncer de pênis. Os homens podem estar infectados por vírus da família *Herpesviridae* sem que sintomas sejam notados. Esse vírus pode sair do seu estado de latência mediante estímulos como o estresse, a imunodepressão e a irradiação. Entre os vírus da família *Herpesviridae* que se destacam por estarem associados ao processo carcinogênico em outros tipos de tumores, estão o do Epstein-Barr (EBV), Cigomegalovírus (CMV) e os Herpes Humano tipos 6, 7 e 8 (HHV-6, HHV-7, HHV-8). O HHV-8 também é conhecido como vírus do Sarcoma de Karposi. O EBV está relacionado com a mononucleose, linfoma de Burkitt e de Hodgkin, e alguns tumores sólidos como o câncer de mama e os gliomas. Pode-se, também, especular que a coinfecção de HPV com outros vírus, sobretudo os *herpesviridae*, possam cooperar nesse processo.

Carcinoma de pênis e HPV

Os papilomavírus são vírus de DNA, da família *Papilomaviridae*, muco-epiteliotrópicos e espécie-específicos, sendo transmitidos por meio de contato direto da mucosa sadia com a mucosa afetada. Até o momento foram descritos mais de 100 tipos de HPV. Apesar de apresentarem uma organização genômica semelhante, os diferentes tipos de HPV infectam epitélios em regiões anatômicas específicas, onde se replicam como plasmídeos extracromossomais e podem causar lesões escamosas, denominadas verrugas, papilomas ou condilomas. Aproximadamente 30 tipos de HPV infectam a mucosa do trato anogenital. Estes HPVs que também podem ser detectados na mucosa oral são classificados de "baixo risco" (tipos 6 e 11 mais incidentes) ou "alto risco" (tipos 16, 18, 31, 33, 35, 39, 45, 51, 52, 56, 58, 59 e 66) segundo o tipo de prognóstico clínico (potencial de malignidade) das lesões causadas.[14]

Li *et al.*[15] observaram que a carga viral do HPV (tipo 16) pode não ser um marcador ideal para prever a carcinogênese do câncer de colo de útero. Isto se deve a uma correlação entre a frequência de integração genômica do HPV (tipo 16) e a progressão neoplásica. A frequência de integração genômica pode ser um marcador potencial para o diagnóstico precoce para lesões do colo do útero em progressão.

McCance *et al.*[16] demonstraram que a incidência do HPV chega a 50% nas neoplasias de pênis nos pacientes brasileiros, com incidência dos subtipos de alto risco HPV16 e HPV18 nos carcinomas malignos. Scheiner *et al.*[17], estudando 80 pacientes (Rio de Janeiro, Brasil) com carcinoma de pênis submetidos à cirurgia, observaram a presença de HPV em 75% dos pacientes com carcinoma invasivo e em 50% dos pacientes com carcinoma verrucoso. O HPV tipo 16 foi o mais encontrado e não houve correlação entre a infecção pelo HPV e um determinado tipo histológico.

O estudo de Lont *et al.*[18] analisou o prognóstico de casos de carcinomas de pênis infectados e não infectados por subtipos de HPV malignos. Verificou-se que o grupo de pacientes que era positivo para subtipos de HPV malignos apresentou sobrevida significativamente maior do que o grupo de pacientes não infectados, demonstrando que há dois caminhos independentes de progressão tumoral nos carcinomas de pênis, um deles associado ao HPV e o outro não.

Ainda não há, na literatura, uma explicação que elucide o papel do HPV na carcinogênese dos carcinomas de pênis. Entretanto, os genes E6 e E7 são os únicos genes do HPV expressos de forma consistente nas linhagens celulares derivadas de carcinoma de cérvice uterina. Estas proteínas cooperam para imortalizar os queratinócitos humanos *in vitro*. Entre os vários fatores celulares que os produtos destes genes interagem, destaca-se a capacidade de a proteína E6 unir-se à proteína supressora de tumor p53 e alterar sua capacidade funcional, promovendo sua degradação pela via de proteólise dependente de ubiquitinina. Além disso, a proteína E7 é capaz de unir-se e inativar a forma supressora de proliferação celular da proteína do retinoblastoma (pRB). Desta forma, é importante que qualquer estudo sobre o carcinoma de pênis considere a infecção por HPV, pois, possivelmente, a diferença no prognóstico se explica com a ocorrência de mecanismos diferentes de carcinogênese.[14]

Por ser uma doença rara, quase não existem dados disponíveis na literatura sobre os mecanismos moleculares envolvidos na gênese e progressão do câncer de pênis. É, portanto, necessário encontrar métodos não invasivos confiáveis para prever o prognóstico da doença e estabelecer condutas menos agressivas para aqueles pacientes com baixo risco para metástases.

Carcinoma de pênis e o vírus de Epstein-Barr (EBV)

O Epstein-Barr (EBV) é um dos oito herpes-vírus humanos e está largamente distribuído na população humana. A principal via de transmissão é pelo contato direto da saliva entre indivíduos infectados e saudáveis. Após a infecção primária, sintomática ou silenciosa, o vírus persiste no hospedeiro durante toda a vida, mostrando maior trofismo pelos linfócitos B, mas também é capaz de infectar linfócitos T, células foliculares dendríticas e, menos frequentemente, células epiteliais.[19] O EBV é a causa mais comum de doenças infecciosas como a mononucleose e também está associado a diversas neoplasias humanas, incluindo linfoma de Burkitt, Doença de Hodgkin e carcinoma da nasofaringe. O possível papel do EBV na patogênese do câncer de mama e carcinoma gástrico tem sido discutido.[20-23] Entretanto, o papel exato do EBV no desenvolvimento desses cânceres não é bem compreendido. Em decorrência da raridade do câncer de pênis, muito pouco se sabe sobre os eventos genéticos e epidemiológicos envolvidos na gênese desse tipo de tumor. A associação da infecção por HPV a tumores do pênis é conhecida,[24,25] mas é provável que outros vírus oncogênicos poderiam estar atuando como cofatores.

Em estudo realizado por Alves et al.,[26] o DNA do EBV foi detectado em 20 de 21 amostras de tumores de pênis através de reação de PCR. Curiosamente, a positividade para o EBV foi observada em diferentes tipos histológico: em carcinoma de células escamosas, e em dois tumores menos agressivos, verrucoso e carcinoma in situ.

Essas descobertas indicam que o EBV pode estar implicado no aumento e/ou progressão de tumores de pênis independentemente do tipo histológico.

ALTERAÇÃO DA PROTEÍNA p53

A transcrição genética é regulada pela proteína p53, cuja função é inibir o ciclo celular. Quando o DNA sofre uma lesão, o acúmulo da proteína p53 alterada pode ser observado. Este acúmulo desencadeia a interrupção do ciclo celular e permite que os mecanismos de reparo do DNA entrem em ação. Caso este reparo não seja possível, a proteína p53 irá induzir a apoptose. No braço curto do cromossoma 17 é onde se encontra o gene (TP53) responsável pela proteína p53. A expressão imuno-histológica da proteína p53 alterada pode ser examinada em cortes de material tumoral fixado e embebido em parafina e tratado com anticorpo monoclonal anti-p53.

Seigne et al.[27] observaram alterações na proteína p53 em 22 (35%) dos 63 pacientes com tumores epidermoides invasivos penianos e estágio pT2-4 N1-3 Mx. As peças cirúrgicas em parafina foram analisadas por imuno-histoquímica com o anticorpo monoclonal D01 para p53. A presença ou a ausência de p53 no núcleo foi correlacionada no tumor primário e na metástase nodal em 20 pacientes comparando-se os resultados. Destes pacientes, 18 (90%) concordavam nos níveis de expressão de p53 no tumor primário e na metástase nodal. Dois pacientes apresentavam, unicamente, expressão de p53 na metástase nodal. A partir desses resultados, conclui-se que a alteração da expressão de p53 é um evento comum no carcinoma epidermoide de pênis e pode contribuir para a progressão do tumor em alguns pacientes. A alteração nos níveis de expressão do gene supressor tumoral p53 no tumor primário não prediz metástase nodal ou aumento de sobrevida. Tal fato ocorre, pois a taxa de transcrição, medida através de RNA mensageiro, nem sempre tem uma relação direta com a atividade biológica da proteína ou das proteínas (no caso de haver clivagem), a sua função ou a sua quantidade.[28]

ATIVIDADE DA TELOMERASE

Os telômeros, palavra de origem grega que significa parte (meros) do fim (telos) atuam como "capas protetoras" da extremidade dos cromossomos. São formados por sequências de DNA repetitivas curtas in tandem (sequências teloméricas) sintetizadas pela telomerase, e de proteínas específicas que se ligam às sequências teloméricas. A perda de sequências teloméricas ocorre em cada ciclo celular regular no processo de envelhecimento celular ou senescência. Telômeros muito curtos disparam o processo de morte celular, de modo que eles funcionariam como um "relógio molecular" que determina o tempo de vida de uma célula. A atividade da telomerase em humanos ocorre durante a embriogênese e nas células germinativas, células indiferenciadas e nos linfócitos B e T dos adultos. Na maioria dos tumores, a atividade da telomerase é reativada para proporcionar a estabilização dos telômeros, colaborando no processo de imortalização.

A técnica de medida da atividade da telomerase é conhecida como ensaio TRAP (telomeric repeat amplification protocol), Protocolo de Amplificação de Repetições Teloméricas, que consiste na preparação do extrato celular que é usado em uma reação que possui duas etapas.[29] A primeira etapa, chamada de extensão, promove a síntese das unidades toméricas de repetição ao se adicionar ao extrato celular o oligonucleotídeo (ou iniciador) TS, que serve como molde para que a telomerase inicie a síntese. A segunda etapa consiste na amplificação das unidades de repetição teloméricas sintetizadas na primeira etapa através de uma reação de PCR (Polymerase Chain Reaction), ou reação em cadeia da telomerase. Para que essa reação se processe, ao tubo de reação são adicionados o oligonucleotídeo (ou iniciador) CX, que juntamente com TS servirão como iniciadores, e a Taq polimerase com seus cofatores. Os produtos de PCR são marcados com radioisótopos ou com fluorocromos, possibilitando a sua identificação posterior em géis de eletroforese. Deste modo, a detecção e a quantificação dos produtos de PCR indicam a atividade da telomerase no extrato celular.

Um dos mais importantes marcadores moleculares tumorais, a atividade da telomerase, foi medido em 48 amostras com carcinoma invasivo de pênis e em três amostras de carcinoma verrucoso.[30] Em alguns pacientes foi possível analisar a atividade da telomerase da região adjacente ao tumor, seja de pele e/ou de corpo cavernoso, que estavam livres de células tumorais segundo a análise histopatológica. Entre as amostras de carcinomas invasivos, 41/48 (85,4%) apresentaram atividade da telomerase positiva, assim como as três amostras de carcinoma verrucoso também eram positivas. Os resultados da análise dos tecidos adjacentes foram mais surpreendentes, já que 9/11 (81,8%) das amostras de pele adjacentes e 8/10 (80%) das amostras de corpo cavernoso adjacente também foram positivas para a atividade telomerásica. Foram usados como controle cinco amostras de pele e de corpo cavernoso de pacientes de câncer de próstata, que deram negativo para atividade telomerásica. Esses resultados mostraram que a telomerase está inativa nos tecidos normais, mas é reativada não só nos tumores, como também nos tecidos adjacentes teoricamente normais.

PROTEÍNAS DA APOPTOSE BAX E BCL-2

O termo apoptose, de origem grega, significando cair ou despencar, foi originalmente proposto por Kerr et al.[31] para se referir a um tipo de morte celular com características histológicas muito diferentes da necrose.

A necrose é um processo não fisiológico de morte celular, sendo resultado de algum tipo de dano ao tecido, como uma isquemia severa, extremos de temperatura, traumas mecânicos, exposição a toxinas. As células necróticas aumentam de volume e lisam, liberando o conteúdo intracelular e, em decorrência, induzindo o processo inflamatório.

Por outro lado, a apoptose, ou morte celular programada, é um processo ativo com características morfológicas bastante particulares que incluem diminuição do tamanho da célula, condensação da cromatina, perda do envelope nuclear e fragmentação da membrana em pequenos compartimentos subcelulares, denominados "corpos apoptóticos". A ausência de inflamação é uma característica marcante desse processo, pois não há extravasamento do conteúdo intracelular, os corpos apoptóticos exibindo na superfície de suas membranas moléculas sinalizadoras, açúcares em sua maioria, que são reconhecidos pelas células vizinhas e por macrófagos e, com isso, são fagocitados. Além disso, em consequência da ativação de endonucleases, o DNA é clivado entre os nucleossomas, gerando fragmentos múltiplos de 180 pares de bases, essa característica é a marca registrada da apoptose.

A apoptose já foi descrita tanto na embriogênese como nos tecidos adultos. Durante o desenvolvimento a apoptose atua modelando os órgãos e membros em formação, no estabelecimento do sistema nervoso na formação do lume do trato gastrointestinal. Nos tecidos adultos esse processo é responsável não só pelo balanço entre a proliferação e morte celular, mas também pela involução do endométrio durante o ciclo menstrual pela deleção dos linfócitos T e B autorreativos, pela eliminação da célula que sofreu algum dano irreversível no DNA e na morte de células infectadas por algum patógeno, HIV, por exemplo.

Basicamente, a apoptose pode ser dividida em quatro etapas: a fase de disparo do mecanismo, que pode ocorrer por meio de sinais intra ou extracelulares; a execução, através da ativação de proteases intracelulares (caspases); endocitose dos corpos apoptóticos; e degradação dos corpos apoptóticos pelos lisossomas das células fagocitárias.

Existem descritas duas vias de disparo da apoptose, uma por receptores extracelulares e outra através da mitocôndria. Seja qual for a via utilizada pela célula, em quase todos os casos, ambas vão ativar, durante a fase de execução, uma família de enzimas, denominadas caspases que são proteases cisteínicas, bastante conservadas evolutivamente, que são ativadas nas células apoptóticas.

A família Bcl-2 representa o grupo das principais proteínas envolvidas na via de disparo da apoptose iniciada através da mitocôndria. O primeiro membro identificado dessa família, o gene *BCL-2* (do Inglês, *B Cell Leukemia/Linfoma 2*), em decorrência de uma translocação entre os cromossomas 14 e 18 [t(14,18)]. Tal translocação resultava na superexpressão de *BCL-2*, por justapor esse gene ao promotor da cadeia pesada de imunoglobulina, resultando no linfoma de células B. A descoberta de *BCL-2* ampliou o conceito sobre o processo de tumorigênese, por demonstrar que este ocorre não só através de falhas no mecanismo de controle do ciclo celular, que levam a uma rápida divisão, mas também é resultado da perda da capacidade de morte por apoptose.

A família Bcl-2 é dividida em três subfamílias. A primeira é a subfamília Bcl-2 de proteínas antiapoptóticas que, além de Bcl-2, inclui Bcl-x_L, Bcl-w entre outras. A subfamília Bax de proteínas pró-apoptóticas, além de Bax, inclui Bak, Bok e Bcl-Xs. A subfamília BH3 também é constituída por proteínas pró-apoptóticas, como Bik, Blk, Bad, Bid e outras. A principal característica utilizada para agrupar os membros dessa família é a presença de pelo menos um dos quatro domínios, denominados BH (do Inglês, *Bcl-2 homology domains*). As proteínas antiapoptóticas mais próximas a Bcl-2 possuem os quatro domínios (BH1 a BH4), outras proteínas desse grupo possuem pelo menos os domínios BH1 e BH2. As três proteínas pró-apoptóticas da subfamília Bax possuem apenas BH1, BH2 e BH3, enquanto os membros da subfamília BH3 apresentam apenas a região central do domínio BH3.

O domínio BH3 foi identificado como a principal região capaz de favorecer a formação de homo e/ou heterodímeros entre os membros das três famílias, por outro lado, a subfamília BH3 geralmente não dimeriza com outros membros pró-apoptóticos e também não são capazes de homodimerizar, funcionando, principalmente, como inibidores de proteínas antiapoptóticas.

As proteínas da família Bcl-2 são capazes de regular a entrada da célula na apoptose em função da concentração relativa dos seus homo e heterodímeros. A maior concentração relativa de Bcl-2/Bcl-2 e Bax/Bcl-2 favorece a sobrevivência da célula, enquanto se a concentração de Bax/Bax for mais elevada, a apoptose é desencadeada. Supõe-se que Bax promove a liberação dos fatores pró-apoptóticos contidos na mitocôndria, principalmente o citocromo C, que irão promover a ativação das caspases.

A concentração relativa das proteínas Bax e Bcl-2 foram estudadas através de *Western Blot* (uma técnica de detecção de proteínas específicas) em amostras de câncer de pênis e em tecidos adjacentes como pele e corpo cavernoso livres de tumor (de acordo com análise histológica), e em amostras de tecido de pênis (pele e corpo cavernoso) de indivíduos sem tumor.[32] Os resultados obtidos através da análise das concentrações relativas de Bax e Bcl-2 foram reveladores. As proteínas Bax e Bcl-2 apresentaram um padrão de expressão muito bem definido e homogêneo nas amostras de tecido normal da pele e do corpo cavernoso, onde Bcl-2 apresentou níveis mais elevados de expressão com relação à Bax. Entretanto, nas amostras de tumor e dos tecidos adjacentes de pele e corpo cavernoso histologicamente normais observou-se um desequilíbrio na expressão e concentração de Bax e Bcl-2, correspondendo às alterações neoplásicas. Esse resultado indica que, possivelmente, nos tecidos adjacentes considerados histologicamente normais já existia o início de uma tumorigênese. E isso não deve ser um mero acaso, já que o estudo citado anteriormente também indicou que tecidos adjacentes normais não apresentaram um padrão normal quando se analisou a atividade da telomerase.

CONCLUSÃO

Ainda não estão claras quais são as alterações citogenéticas ou moleculares que desencadeiam o desenvolvimento do câncer de pênis. A influência de fatores genéticos, ambientais, a infecção pelo vírus HPV e, possivelmente, de outros vírus sexualmente transmissíveis precisam ser mais pesquisados para que se possa encontrar a relação entre estes fatores e o desenvolvimento do carcinoma epidermoide de pênis.

REFERÊNCIAS BIBLIOGRÁFICAS

1. Xiao S, Feng XL, Shi YH *et al.* Cytogenetic abnormalities in a squamous cell carcinoma of penis. *Cancer Genet Cytogenet* 1992;64(2):139-41.
2. Ornellas AA, Ornellas MH, Simões F *et al.* Cytogenetic Analysis of an invasive, poorly differentiated squamous cell carcinoma of the penis. *Cancer Genet Cytogenet* 1998;101:78-80.
3. Ornellas AA, Ornellas MH, Otero L *et al.* Karyotypic finding in two cases of moderately differentiated squamous cell carcinoma of penis. *Cancer Genet Cytogenet* 1999;115:77-79.
4. Ornellas AA, Campos MM, Onellas MH. Cancer du pénis: étude de la ploïdie par cytométrie de flux chez 90 patients. *Progrès Urol* 2000;10:72-77.
5. Ornellas AA, Alves G. Câncer de pênis. In: Ferreira CG, Rocha JC. *Oncologia molecular*. Rio de Janeiro: Atheneu, 2004. p. 226, cap. 21.3.
6. Alves G, Heller A, Fiedler W *et al.* Genetic imbalances in 26 penile SSC cases. *Genes Chromosomes Cancer* 2001;31:48-53.
7. Poetsch M, Schuart BJ, Schwesinger G *et al.* Screening of microsatellite markers in penile cancer reveals differences between metastatic and non metastatic carcinomas. *Modern Pathology* 2007;20:1069-77.
8. Naumann CM, Sperveslage J, Hamann MF *et al.* Establishment and characterization of primary cell lines of squamous cell carcinoma of the penis and its metastasis. *J Urol* 2012;187:2236-42.
9. Gunia S, Erbersdobler A, Hakenberg OW *et al.* p16^{INK4a} is a marker of good prognosis for primary invasive penile squamous cell carcinoma: a multi-institutional study. *J Urol* 2012;187:899-907.
10. Ornellas AA, Seixas AL, Moraes JR. Analyses of 200 lymphadenectomies in patients with penile carcinoma. *J Urol* 1991;146:330-32.
11. Kroon BK, Horenblas S, Lont AP *et al.* Patients with penile carcinoma benefit from immediate resection of clinically occult lymph node metastases. *J Urol* 2005;173:816-19.
12. Wang KL, Wang XM, Zhang CH *et al.* Role of vascular endothelial growth factor-C and vascular endothelial growth factor receptor-3 in lymphatic metastasis of penis squamous cell carcinoma. *J Harbin Med Univ* 2008.
13. De Paula AAP, Motta ED, Alencar RC *et al.* The impact of cyclooxygenase-2 and vascular endothelial growth factor c immunoexpression on the prognosis of penile carcinoma. *J Urol* 2011;187:134-40.
14. Bocardo E, Villa LL. Vírus e câncer. In: Ferreira CG, Rocha JCC. (Eds.). *Oncologia molecular*. 2. ed. Rio de Janeiro: Atheneu, 2010. p. 183-84, cap. 13.
15. Li Y, Xiang Y, Zhanq RF *et al.* Viral load, genomic integration frequency of human papilomavirus 16 in cervical cancer and precancerous lesions. *Zhonghua Yi Xue Za Zhi* 2011;91:906-10.
16. McCance DJ, Kalache A, Ashdown K *et al.* Human papillomavirus types 16 and 18 in carcinomas of the penis from Brazil. *Int J Cancer* 1986;37:55-59.
17. Scheiner MA, Campos MM, Ornellas AA *et al.* Human papillomavirus and penile cancers in Rio de Janeiro, Brazil: HPV typing and clinical features. *Int Braz J Urol* 2008;34:467-74.
18. Lont AP, Kroon BK, Horenblas S *et al.* Presence of high-risk human papillomavirus DNA in penile carcinoma predicts favorable outcome in survival. *Int J Cancer* 2006;119:1078-81.
19. IARC *monographs on the evaluation of carcinogenic risks to humans*. Epstein-Barr Virus and Karposi's Sarcoma Herpesviruses/Human Herpesvirus 8, World Health Organization, International Agency for Research on Cancer. Geneva: IARC, 1997, v. 70.

20. Anwar N, Kingma DW, Bloch AR *et al.* The investigation of Epstein-Barr viral sequences in 41 cases of Burkitt's lymphoma from Egypt epidemiologic correlations. *Cancer* 1995;76:1245-52.
21. Gallagher A, Armstrong AA, Mackenzie J *et al.* Detection of Epstein-Barr Virus (EBV) genomes in the serum of patients with EBV-associated Hodgkin's disease. *Int J Cancer* 1999;84:442-48.
22. Ojima H, Fukuda T, Nakajima T *et al.* Infrequent overexpression of p53 protein in Epstein-Barr Virus-associated gastrioc carcinoma, Jpn. *J Cancer Res* 1997;88:262-66.
23. Subramanian C, Cotter MA, Robertson ES. Epstein- BarrVirus nuclear protein EBNA-3C interacts with the human metastatic suppressor Nm 23-H1: a molecular link to cancer metastasis. *Nature Med* 2001;7:350-55.
24. Buechner SA. Common skin disorders of the penis. *Br J Urol Int* 2002;90:498-506.
25. Sisk EA, Robertson ES. Clinical implications of human papillomavirus infection. *Front Biosci* 2002;7:77-84.
26. Alves G, Macrini CMT, Nascimento PS *et al.* Detection and expression of Epstein-Barr Virus (EBV) DNA in tissues from penile tumors in Brazil. *Cancer Letters* 2004;215:79-82.
27. Seigne JD, Ornellas AA, Faria P. Altered expression of retinoblastoma (Rb) and p53 tumor suppressor genes in squamous cell carcinoma of the penis. *J Urol* 1997;157(Suppl):46.
28. Bisch PM. Genômica funcional: proteômica. In: Mir L. (Ed.). *Genômica*. Rio de Janeiro: Atheneu, 2004. p. 139-62, cap. 8.
29. Kim NW, Piatyszek MA, Prowse KR *et al.* Specific association of human telomerase activity with immortal cells and cancer. *Science* 1994;266:2011-15.
30. Alves G, Fiedler W, Guenther E *et al.* Determination of telomerase activity in squamous cell carcinoma of the penis. *Int J Oncol* 2001;18(1):67-70.
31. Kerr JF, Wyllie AH, Currie AR. Apoptosis: a basic biological phenomenon with wide-ranging implications in tissue kinetics. *Br J Cancer* 1972;26:239-57.
32. Nascimento PS, Ornellas AA, Campos MM *et al.* Bax and bcl-2 imbalance and HPB infection in penile tumors and adjacent tissues. *Prog Urol* 2004;14:353-59.

CAPÍTULO 192

Câncer de Uretra

Daniel Hampl ■ Antonio Augusto Ornellas
Leandro Koifman ■ Ricardo de Almeida Jr.

INTRODUÇÃO

O carcinoma de uretra é uma doença extremamente rara, com cerca de 2.400 casos citados na literatura até o presente, sendo muito mais comum na mulher do que no homem, alcançando uma proporção de 4:1. Geralmente é diagnosticado após os 50 anos e costuma estar associado à história de doença sexualmente transimitida, leucoplaquia de uretra, divertículos, carúnculas, doença inflamatória crônica e presença de infecção pelo papilomavirus humano (HPV).[1,2]

Apesar de o cigarro, as aminas aromáticas e o abuso de analgésicos poderem estar relacionados com o desenvolvimento de carcinoma urotelial, tal relação não foi bem documentada com o carcinoma uretral. No entanto, pacientes com câncer de bexiga possuem maior chance de desenvolver a doença na uretra.[3]

Muitas vezes é assintomático e pode apresentar-se como massa uretral palpável com ou sem sintomas obstrutivos à micção, descarga uretral, disúria, priaprismo, hematospermia e dispareunia.

No homem é comum a relação entre estenose e carcinoma de uretra. A malignidade ocorre em 25 a 75% dos casos e pode ser suspeitada quando há dificuldade no manejo da estenose, presença de fístulas e dor perineal.[1]

PATOLOGIA NO HOMEM

Os tumores da uretra masculina são classificados e tratados de acordo com o local anatômico comprometido. O local mais comumente comprometido é a uretra bulbomembranosa (60%), seguida da peniana (30%) e da prostática (10%).

Em geral, o tipo histológico mais comum da neoplasia uretral é o carcinoma epidermoide (ou de células escamosas), presente em cerca de 80% dos casos. O carcinoma de células transicionais corresponde a cerca de 15%, e o adenocarcinoma, geralmente indiferenciado e com prognóstico ruim, corresponde aos outros 5% dos pacientes.[2]

Na uretra prostática o tipo histológico mais comum é o carcinoma de células transicionais, correspondendo a 90%.[2,4]

O padrão de disseminação mais comum da doença é por extensão local, aproveitando o rico espaço vascular do corpo esponjoso. A disseminação hematogênica com metástases a distância é extremamente incomum e ocorre, mais frequentemente, no carcinoma urotelial da uretra prostática.

É importante ressaltar que a drenagem linfática da porção distal da uretra (uretra antrerior) se faz para linfonodos inguinais superficiais e profundos e, ocasionalmente, para linfonodos no território da ilíaca externa. A porção proximal da uretra (uretra posterior) possui drenagem para a região pélvica.

Massa inguinal palpável pode estar presente em até 20% dos pacientes com carcinoma de uretra e, diferente do que acontece no câncer de pênis, quase sempre está relacionada com doença neoplásica metastática sistêmica.[2]

Diagnóstico

Na avaliação do carcinoma epidermoide de uretra é fundamental a realização de exame físico minucioso, cistocopia com biópsia, citologia urinária e exames de imagem para avaliação de possível comprometimento linofonodal.

A tomografia computadorizada helicoidal de pelve é a melhor maneira de avaliar linfonodos, ossos e partes moles adjacentes, enquanto a ressonância magnética é o melhor método para avaliar possível invasão do corpo cavernoso.[4,5]

Outros exames como retossigmoidoscopia, biópsia prostática podem ser indicados se houver suspeita de lesão extrauretral ao exame físico.

Estadiamento

O estadiamento mais utilizado é o TNM, conforme Quadro 1.

Tratamento

O tratamento para o carcinoma de uretra é eminentemente cirúrgico e a extensão da ressecção depende do estadiamento e da posição anatômica da doença. Em geral, o controle oncológico traz menos impacto à quali-

Quadro 1. Estadiamento TNM

T – TUMOR PRIMÁRIO	
Tx	O tumor não pode ser avaliado
T0	Não há evidência de tumor primário
URETRA (MASCULINA E FEMININA)	
Ta	Carcinoma papilar não invasivo, polipoide ou verrucoso
Tis	Carcinoma *in situ*
T1	Tumor que invade o tecido subepitelial
T2	Tumor que invade qualquer das seguintes estruturas: corpo esponjoso, próstata, músculo periuretral
T3	Tumor que invade qualquer das seguintes estruturas: corpo cavernoso, além da cápsula prostática, vagina anterior, colo vesical
T4	Tumor que invade outros órgãos adjacentes
CARCINOMA DE CÉLULAS TRANSICIONAIS (URETRA PROSTÁTICA)	
Tis pu	Carcinoma *in situ* da uretra prostática
Tis pd	Carcinoma *in situ* das vias prostáticas
T1	Tumor que invade o tecido conjuntivo subepitelial
T2	Tumor que invade qualquer das seguintes estruturas: estroma prostático, corpo esponjoso, músculo periuretral
T3	Tumor que invade qualquer das seguintes estruturas: além da cápsula prostática, colo vesical (extensão extraprostática)
T4	Tumor que invade outros órgãos adjacentes (invasão de bexiga)
N – LINFONODOS REGIONAIS	
Nx	Os linfonodos regionais não podem ser avaliados
N0	Ausência de metástase em linfonodo regional
N1	Metástase em 1 linfonodo < 2cm
N2	Metástase em 1 linfonodo > 2cm ou múltiplos linfonodos
M – METÁSTASE A DISTÂNCIA	
Mx	Presença de metástase não pode ser avaliada
M0	Ausência de metástase a distância
M1	Metástase a distância

dade de vida e mais chances de cura quando a neoplasia compromete a uretra anterior. Quando na uretra posterior, o tipo histológico mais comum costuma ser metastático e agressivo, necessitando de cirurgias mais extensas para o controle local.[6]

Tratamento da uretra anterior

- *Tumor superficial ou neoplasia in situ:* a fulguração ou a ressecção transuretral pode ser suficiente.
- *Tumor invade o corpo cavernoso:* a penectomia é o padrão de excelência nessa situação. Pode ser parcial, quando a doença compromete a metade distal do pênis, ou total, caso o sítio primário seja na porção proximal da uretra anterior, necessitando, assim, de uretrostomia perineal.

  Alguns autores defendem cirurgias menos mutilantes, com a realização de uretrectomia com margem de segurança de 2 cm e preservação dos corpos cavernosos. No entanto, essa medida ainda não possui dados suficientes na literatura para avaliar o benefício dessa medida considerando o risco de recidiva, a complicação local e o óbito pela doença.
- *Linfadenectomia inguinal:* está indicada quando há linfadenomegalia inguinal sem doença metastática documentada.

Tratamento da uretra posterior bulbomembranosa

Lesões superficiais e iniciais não costumam ser frequentes, mas podem ser tratadas com ressecção transuretral ou ressecção segmentar da uretra com anastomose terminoterminal. A doença nessa porção da uretra costuma ser mais avançada e com pior prognóstico sem que haja significativa melhora da sobrevida independente do tratamento oferecido. Em geral, torna-se necessária a cistoprostatectomia radical com linfadenectomia pélvica, uretrectomia total e penectomia total para o controle local da doença.[7] Por vezes a extensão tumoral nos obriga a ressecar o ramo púbico e o diafragma urogenital para obter margem de segurança suficiente.[8]

Tratamento da uretra posterior prostática

A neoplasia da uretra prostática geralmente se trata de carcinoma urotelial ou adenocarcinoma. Como o carcinoma urotelial é considerado pan-urotelial, a doença diagnosticada na uretra deve gerar investigação minuciosa do trato urinário. Na maioria das vezes o carcinoma urotelial está associado à doença intravesical.

Ao exame clínico é difícil a diferenciação entre câncer de próstata e da uretra prostática. Por vezes se faz necessária a biópsia transuretral em conjunto com a biópsia transretal da próstata.

As lesões superficiais da uretra prostática podem ser bem manejadas com ressecção transuretral. Infelizmente, a doença invasora é a mais comum e a cistoprostatectomia radical com linfadenectomia inguinal e uretrectomia total é o tratamento mais indicado, apesar da taxa de sobrevida em 5 anos não ultrapassar 26% dos casos.[9]

PATOLOGIA NA MULHER

Nos dois terços proximais da uretra feminina, os tumores tendem a ser de alto grau e invasivos. O carcinoma epidermoide é o mais comum, correspondendo a 60% dos casos, seguido pelo carcinoma urotelial em 20%, e do adenocarcinoma em 10% dos pacientes. Outros tipos histológicos indiferenciados também podem estar presentes na uretra feminina, como sarcomas e melanomas. A disseminação costuma ser com extensão local da doença, podendo comprometer vagina, osso e órgãos adjacentes. Não há relato de alteração expressiva no prognóstico, dependendo do tipo histológico, e o tratamento é similar. No terço mais distal, os tumores costumam ser menos agressivos.[2]

Diagnóstico

- Exame físico minucioso.
- Uretrocistoscopia com biópsia.
- Exames de imagem (TC ou RM).
- Cintilografia óssea quando houver suspeita clínica de comprometimento ósseo.

Estadiamento

Segue o padrão TNM descrito acima.

Tratamento

O estadiamento tumoral é o fator prognóstico mais significativo. Tumores invasivos e de alto grau têm baixa taxa de sobrevida em 5 anos, não ultrapassando 33%. Quando o tratamento é direcionado ao carcinoma de baixo grau e de uretra anterior, os números são mais favoráveis, podendo alcançar 89% de sobrevida em 5 anos.[10] Geralmente o comprometimento da sobrevida está relacionado com o envolvimento de órgãos adjacentes no momento do diagnóstico, sendo, nessa situação, incomum o tratamento satisfatório com apenas uma modalidade terapêutica.[10,11]

Tratamento da uretra distal

Excisão circunferencial costuma ser suficiente.

Tratamento da uretra proximal

As lesões costumam ser mais agressivas e comumente comprometem toda a uretra (Fig. 1). Nesses casos a cistectomia com uretrectomia total e com ampla margem de segurança é o melhor tratamento. Uma outra opção menos agressiva é a uretrectomia total com preservação da bexiga e derivação com apêndice ou intestino delgado pela técnica de Mitrofanoff (Figs. 2 e 3).

A linfadenectomia inguinal está indicada quando houver linfadenomegalia estabelecida.

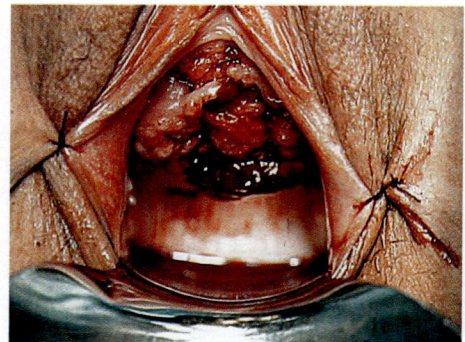

▲ **FIGURA 1.** Tumor invadindo parede anterior da vagina e ocupando toda a uretra de uma paciente.

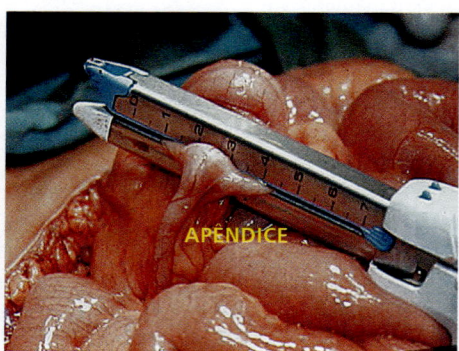

▲ **FIGURA 2.** O apêndice é separado do colo por meio de sutura mecânica. A vascularização do mesoapêndice é mantida.

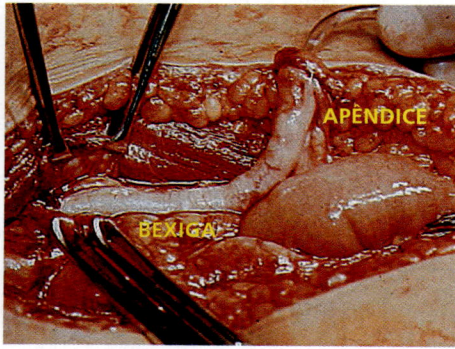

▲ **FIGURA 3.** A extremidade distal do apêndice é implantado na bexiga com técnica antirrefluxo. A implantação na bexiga de forma antiperistáltica permite o cateterismo intermitente com mais facilidade. A extremidade proximal do apêndice pode ser implantada na pele do hipocôndrio direito ou na cicatriz umbilical.

REFERÊNCIAS BIBLIOGRÁFICAS

1. Dalbagni G, Zhang ZF, Lacombe L *et al.* Male urethral carcinoma: analysis of treatment outcome. *Urology* 1999;53:1126-32.
2. Grigsby PW, Herr HW. Urethral tumors. In: Vogelzang N, Scardino PT, Shipley WU *et al.* (Eds.). *Comprehensive textbook of genitourinary oncology.* Baltimore: Williams & Wilkins, 2000. p. 1133-39.
3. Kaplan GW, Bulkey GJ, Grayhack JT. Carcinoma of the male urethra. *J Urol* 1967 Sept.;98(3):365-71.
4. Vapnek JM, Hricak H, Carroll PR. Recent advances in imaging studies for staging of penile and urethral carcinoma. *Urol Clin North Am* 1992;19:257-66.
5. Hricak H, Secaf E, Buckley DW *et al.* Female urethra: MR imaging. *Radiology* 1991 Feb.;178(2):527-35.
6. Zeidman EJ, Desmond P, Thompson I. Surgical treatment of carcinoma of the male urethra. *Urol Clin North Am* 1992;19:359-72.
7. Bracken RB. Exenterative surgery for posterior urethral cancer. *Urology* 1982;19:248-51.
8. Mackenzie AR, Whitmore WF. Resection of the pubic rami for urologic cancer. *J Urol* 1968;100:546-51.
9. Hall RR, Robinson MC. Transitional cell carcinoma of the prostate. *Eur Urol Update Series* 1998;7:1-7.
10. Dalbagni G, Zhang ZF, Lacombe L *et al.* Female urethral carcinoma: an analysis of treatment outcome and a plea for a standardized management strategy. *Br J Urol* 1998;82:835-41.
11. Narayan P, Konety B. Surgical treatment of female urethral carcinoma. *Urol Clin North Am* 1992;19:373-82.

CAPÍTULO 193

Câncer de Próstata

Ricardo de Almeida Jr. ■ Antonio Augusto Ornellas
Leandro Koifman ■ Marcos Tobias-Machado

EPIDEMIOLOGIA

O câncer de próstata (CP) é a neoplasia mais comum em homens (excluindo o câncer de pele não melanoma) significando 25% de todos os tumores malignos diagnosticados no sexo masculino e correspondendo a mais de 217.000 casos novos nos Estados Unidos em 2010. Mais de 32.000 indivíduos morrerão em decorrência da doença.[1] Estima-se que, atualmente, o risco de um norte-americano ser diagnosticado com CP é de um em seis indivíduos (15%), e o risco de óbito pela neoplasia é de um em 30 (3,3%).[2]

No Brasil, para 2010, o Instituto Nacional de Câncer (INCA) estimou 53.000 novos casos, com 8.000 mortes pela doença.[3] Na Europa, a mortalidade é de 23 casos/1 milhão. No Brasil, oscila próximo a 17/100 mil.

A mortalidade vem caindo nos EUA por vários motivos: disponibilização do exame do PSA, diagnósticos precoces, migração para estágios mais iniciais no diagnóstico, melhora do arsenal terapêutico, popularização da prostatectomia radical (PR) e da radioterapia (RT) e aumento da eficácia da quimioterapia em casos extremos.

Indivíduos da raça negra apresentam maior risco de desenvolverem câncer de próstata, tumores mais agressivos e mais precoces.[1,4]

Embora a maioria dos casos de câncer de próstata seja esporádica, a presença de neoplasia familiar pode incorrer em doença mais agressiva e em maior risco de mortalidade.

FATORES DE RISCO

Os fatores que determinam o risco de desenvolvimento clínico do CP não são bem conhecidos, embora alguns tenham sido identificados. Existem três fatores de risco bem estabelecidos para CP: o aumento da idade, origem étnica e hereditariedade. Se um parente de primeiro grau tem CP, o risco é de, pelo menos, o dobro. Se dois ou mais parentes de primeiro grau são afetados, o risco aumenta de 5 a 11 vezes.[5,6] Pacientes com CP hereditário geralmente têm um início da doença de 6 a 7 anos antes dos casos espontâneos.[7]

A frequência do câncer detectado em autópsias é quase o mesmo em diferentes partes do mundo.[8] Este achado está em nítido contraste com a incidência de CP clínico, que difere muito entre diferentes áreas geográficas: alta nos EUA e no Norte da Europa, e baixa no sudeste da Ásia.[9] No entanto, o risco de câncer de próstata aumenta se homens japoneses imigrarem para o Havaí, e mais ainda se imigrarem para a Califórnia com o risco, aproximando-se ao dos homens americanos.[10]

Esses achados indicam que os fatores exógenos afetam no risco de progressão da chamada doença latente para clínica. Fatores como o consumo de alimentos, padrão de comportamento sexual, consumo de álcool, exposição à radiação ultravioleta e exposição ocupacional têm sido discutidos como sendo de importância etiológica.[11] Fatores dietéticos e nutricionais podem influenciar o desenvolvimento ou não da doença, incluindo a ingestão total de energia (refletido pelo índice de massa corporal), gordura, carne cozida, micronutrientes e vitaminas (carotenoides, retinoides, vitaminas C, D e E), frutas e hortaliças, minerais (cálcio, selênio) e fitoestrogénios (isoflavonoides, flavonoides, lignanas). Diversos grandes estudos randomizados em curso tentam esclarecer o papel de tais fatores de risco e potencial de sucesso na prevenção do câncer de próstata.[12]

Em resumo, os fatores hereditários são importantes na determinação do risco de desenvolvimento de CP clínica, enquanto os fatores exógenos podem ter um impacto importante sobre este risco. A questão-chave é se há evidências suficientes para recomendar mudanças no estilo de vida (menor ingestão de gordura animal e aumento da ingestão de frutas, cereais e legumes), a fim de diminuir o risco.[13] Há alguma evidência para apoiar essa recomendação e esta informação pode ser dada a parentes de pacientes com CP que perguntam sobre o impacto da dieta.

DIAGNÓSTICO

Toque Retal

A maioria dos tumores da próstata está localizada na zona periférica e pode ser detectada por meio do toque retal quando o volume tumoral é maior ou igual a 0,2 mL. Um toque retal suspeito é indicação absoluta para a biópsia. Em 18% dos pacientes o diagnóstico é feito somente com alteração ao toque.[14] Além disso, o valor preditivo positivo de um toque retal suspeito varia conforme o valor do PSA sendo 5,14 e 30% em homens com PSA entre 0 a 2,5 e 2,6 a 4,0 ng/mL, respectivamente.[15] Nódulo detectado por meio da US transretal (USTR) não deve ser considerado, isoladamente, como indicação de biópsia.

Antígeno prostático específico – PSA

As elevações nos níveis de PSA como variável independente são o melhor preditor de câncer quando comparamos o toque retal e a USTR.[16] Até 45% dos diagnósticos são feitos somente pelas alterações no PSA.[14]

O PSA deve ser colhido, de preferência, com 4 horas de jejum, na ausência de infecção do trato urinário e evitando-se, na véspera, manipulações prostáticas.

Catalona et al.[16] demonstraram que dos indivíduos com PSA entre 2,5 e 4,0, 50% progrediram para PSA > 4,0 em 4 anos e um terço destes apresentaram elevação rápida do PSA e um tumor extenso. O valor exato para a realização de biópsia de próstata ainda não foi determinado, mas valores maiores que 2,5 ng/mL usualmente são empregados em indivíduos com menos de 60 anos.[17]

Algumas modificações na avaliação do PSA foram sugeridas com a intenção de melhorar a especificidade no diagnóstico precoce do CP:

- *Relação PSA livre/total:* foi usada para estratificar o risco de CP quando PSA está entre 4 e 10 ng/mL, mostrando que quanto menor esta relação, maior o risco de CP. 56% dos pacientes com relação < 0,10 e somente em 8% dos homens com relação > 0,258).
- *Velocidade do PSA total:* (variação anual do nível sérico do PSA total de preferência colhido com o mesmo *kit* > 0,75 ng/mL). Quando o PSA está entre 2,5 e 4,0 ng/mL, sua velocidade não deve exceder 0,4 ng/mL/ano.[18]
- *Densidade do PSA (PSAd):* 0,15 sugere CaP (cálculo dividindo o PSA pelo volume prostático mensurado pela ultrassonografia transretal.[19]

Portanto, a decisão de realizar uma biópsia de próstata deve ser inicialmente avaliada com base nos resultados do toque retal e PSA, mas deve, também, levar em conta múltiplos fatores, como a relação PSA livre/total, idade, velocidade do PSA, densidade do PSA, história familiar, etnia, história de biópsia prévia e comorbidades.[20]

Biópsia prostática

O câncer de próstata é diagnosticado em um quarto a um terço das biópsias. A biópsia guiada por US é o padrão ouro e, embora a via transretal seja utilizada na maioria das vezes, a via transperineal também pode ser utilizada. Os índices de detecção são comparáveis.[21] Além disso, o acesso perineal é muito útil em situações especiais, como após uma amputação de reto.

Um total de 12 fragmentos representativos de toda a glândula deve ser retirado, incluindo, sistematicamente, as faces posterolaterais, dividindo-se em três regiões (base, médio e ápice). As áreas suspeitas, quando estas são identificadas pelo toque ou USTR, também devem ser biopsiadas.

Rebiópsia

Embora a maioria dos tumores seja detectada na 1ª biópsia, em 70 a 80% dos pacientes a biópsia deixa dúvidas quando resulta negativa. Djavan *et al.*[22] demonstraram que com PSA entre 4 e 10 ng/mL a positividade da 1ª para a 4ª biópsia vai decrescendo (22, 10, 5 e 4%), demonstrando que as 3ª e 4ª biópsias devem ser realizadas para casos selecionados decorrente de sua baixa positividade e maiores índices de complicações.[23]

Não há consenso quanto ao exato número de fragmentos na rebiópsia, entretanto, mais da metade dos diagnósticos foi feita em novos fragmentos, além das sextantes. A coleta de mais fragmentos (biópsia estendida ou de saturação), além de aumentar a chance de positividade, fornece melhores dados sobre a extensão extracapsular.[22]

O momento ideal de uma rebiópsia é incerto e depende do resultado histológico da primeira biópsia e do nível de suspeita de CaP. Recomenda-se, preferencialmente, realizar a nova biópsia após, pelo menos, 6 semanas da anterior. Não há maior índice de complicações quando seguidas tais recomendações.[23]

Ressonância magnética (RM)

Se persistir a suspeita clínica de CP mesmo com biópsias negativas, podemos utilizar da RM com espectroscopia para tentar identificar áreas suspeitas com sensibilidade de 86% e especificidade de 94% para identificar focos de câncer > 0,5 mL.[24]

Ressecção transuretral da próstata (RTU)

O uso da RTU de próstata para diagnóstico deve ser considerado nos casos de biópsias repetidas negativas com persistência de elevação no PSA e/ou toque suspeito em pacientes com sintomas obstrutivos (suspeita de tumor na zona de transição), apesar de seu baixo índice de detecção de aproximadamente 8%.[25]

PATOLOGIA

Neoplasia intraepitelial prostática (PIN)

O patologista deve descrever a neoplasia intraepitelial de alto grau, que é a única lesão reconhecidamente pré-maligna da próstata. O número de fragmentos comprometidos pela lesão tem sido descrito por alguns autores como importante, pois se relaciona com diagnóstico de câncer em rebiópsias.[26] Este diagnóstico é feito em 4 a 16% dos casos, e o diagnóstico de câncer em biópsia repetida tem sido descrito em 13 a 25%.[27,28]

Proliferação atípica de pequenos ácinos (ASAP)

Trata-se de lesão suspeita para o diagnóstico de câncer cujos critérios histológicos são insuficientes para conclusão definitiva. Existem diversos mimetizadores de câncer ou o tumor pode estar escassamente representado na biópsia. Nesses casos é obrigatória a realização do exame imuno-histoquímico, com o uso de marcadores das células basais. A glândula normal, não tumoral, tem uma camada de células secretoras e uma camada de células basais que expressam citoqueratina de alto peso molecular e proteína p63. A glândula tumoral não possui a camada basal, assim, não existe a marcação, o que auxilia enormemente o patologista na definição do diagnóstico. Em estudo recente foi demonstrado que após a imuno-histoquímica o diagnóstico é possível de ser concluído em mais de 70% das vezes, evitando uma rebiópsia.[29] Todos os pacientes com diagnóstico de ASAP devem sofrer uma rebiópsia caso o patologista mantenha este diagnóstico mesmo após exame complementar imuno-histoquímico. Neste caso, o achado de câncer na rebiópsia gira em torno de 40 a 50% e é feito, geralmente, na primeira rebiópsia.[27,30]

Câncer de próstata (CP)

O fator prognóstico mais importante no CP é a graduação histológica de Gleason. Baseia-se em um escore onde são considerados os dois padrões predominantes que resultam uma soma. São cinco padrões nomeados de 1 a 5 que resultam em uma somatória de 2 a 10, sendo o 2 o mais bem diferenciado e o 10 o menos diferenciado e mais agressivo. O grau de Gleason é dado em números arábicos, e o resultado da soma está à frente dos números que compõem a equação entre parênteses. O primeiro número é o mais representado na lâmina e o segundo o padrão secundário. O último consenso da *International Society of Urologic Pathology* (ISUP) valoriza o grau mais grave na biópsia tentando evitar a subgraduação, uma ocorrência frequente. Assim, uma biópsia que tenha um padrão primário 3 com uma porção menor, porém significativa 4, deve ser considerado 7 (4 + 3). Da mesma forma, se houver um padrão 5, mesmo que pequeno, ele deve ser parte da soma como o padrão secundário.[31,32] O grau de Gleason é informado mesmo em tumores muito pequenos. Quando o tumor está presente em apenas um fragmento de biópsia, o grau de Gleason deve ser dobrado. Alguns recomendam a avaliação do Gleason em cada fragmento individual, enquanto outros consideram um Gleason final após o exame de todos os fragmentos. Estudo recente mostra que essa segunda análise se correlaciona melhor com os achados da prostatectomia radical.[33] Entretanto, tem-se discutido a terapia focal que trataria o tumor-índice, ou seja, aquele com maior grau de agressividade. Desse modo se houver um tumor bilateral com um componente bem diferenciado em um dos lobos da próstata, essa informação deve ser dada. Adenocarcinomas graus 2 a 4 são extremamente raros na biópsia de próstata e devem ser analisados com extrema precaução. A segunda informação importante é a quantificação do volume tumoral. Esta deve ser dada em número ou porcentagem de fragmentos positivos com relação ao total de fragmentos de biópsia. Deve ser informada a extensão daquele fragmento mais acometido por tumor e, por fim, a média aritmética da porcentagem total de tumor em todos os fragmentos analisados. Todas essas medidas se relacionam com o estadiamento e o comportamento do tumor. Alguns autores informam o volume tumoral em milímetros.[34-36] A terceira informação é a presença ou ausência de invasão perineural. Este achado é encontrado por volta de 20% dos casos de câncer e se correlaciona com tumor não órgão-confinado e com recidiva bioquímica.[37]

ESTADIAMENTO

A avaliação da extensão do câncer de próstata deve ser individualizada e normalmente se utiliza exame de toque retal, dosagem de antígeno prostático específico, padrão de Gleason, número de fragmentos positivos e porcentagem da amostra envolvida pelo câncer na biópsia. Cintilografia óssea complementada com tomografia computadorizada (TC) ou ressonância magnética (RM) e radiografia do tórax estão indicadas em situações específicas nas quais seus resultados influenciarão, diretamente, na decisão do tratamento.[38]

Para pacientes com níveis de PSA < 20, escore de Gleason igual a 6 e estágio igual a T2a, o risco de metástases linfonodais e a distância é menor que 3%, não sendo necessária a solicitação de cintilografia óssea e de tomografia de abdome e pelve.

Pacientes com níveis de PSA > 20 ng/mL ou escore de Gleason igual a 7 ou estágio igual a T2b ou com suspeita clínica de metástases devem fazer cintilografia óssea e TC de abdome e pelve. Os demais exames serão necessários se houver suspeita clínica.

Esquemas de estratificação de risco com base nos níveis séricos de PSA, escore de Gleason, dados da biópsia e categoria clínica do tumor (TNM) classificam os tumores em:

- *Baixo risco:* PSA < 10 e Gleason < 7 e estágio clínico T1c ou T2a.
- *Risco intermediário:* PSA > 10 e < 20 ou Gleason 7 ou estágio clínico T2b.
- *Alto risco:* PSA > 20 ou Gleason > 7 ou estágio clínico T2c.

Para fins didáticos, os tumores de próstata são divididos em:

- *Localizado:* restrito à próstata (T1 e T2).
- *Localmente avançado:* com invasão dos tecidos adjacentes (T3 e T4).
- *Metastáticos:* tumores avançados com metástase linfonodal (N+) ou a distância (M+).

Estágio tumoral (T)

O estadiamento tumoral pelo TNM é mostrado no Quadro 1. Na avaliação do estágio do tumor local, a distinção entre doença intracapsular (T1- T2) e extracapsular (T3-T4) tem o impacto mais profundo sobre as decisões de tratamento. O toque retal (TR) subestima a extensão do tumor. Uma correlação positiva entre TR e estágio patológico do tumor ocorre em torno de 50% dos casos.[39] No entanto, exames mais detalhados (de imagem) são recomendados somente em casos selecionados, quando afetam diretamente a decisão de tratamento.

Não há relação direta entre os níveis séricos de PSA e o estágio clínico e patológico do tumor.[40-42] Uma combinação de níveis séricos de PSA, pontuação de Gleason na biópsia e TR tem provado ser mais útil na predição do estágio patológico final do que os parâmetros individuais isoladamente.[43]

A relação PSA livre/total pode predizer estágio patológico favorável em um subgrupo de pacientes onde TR é normal, e o PSA total está entre 4,1-10,0 ng/mL.[44]

Quadro 1. Sistemas de estadiamento clínico para o câncer de próstata TNM 1997 e 1992

1997	1992	DESCRIÇÃO
TX	TX	Tumor primário não avaliado
T0	T0	Sem evidência de tumor
T1	T1	Tumor não palpável – sem evidência por imagem
T1a	T1a	Tumor encontrado em tecido removido por RTU; 5% ou menos é canceroso e grau histológico < 7
T1b	T1b	Tumor encontrado em tecido removido por RTU; > 5% é canceroso e grau histológico > 7
T1c	T1c	Tumor identificado por biópsia da próstata em razão de elevação do PSA
T2	T2	Tumor palpável confinado à próstata
T2a		Tumor envolve um lobo ou menos
	T2a	Tumor envolve menos da metade de um lobo
T2b		Tumor envolve mais que um lobo
	T2b	Tumor envolve mais da metade de um lobo, mas não ambos os lobos
None	T2c	Tumor envolve mais que um lobo
T3	T3	Tumor palpável além da próstata
T3a	T3a	Extensão extracapsular unilateral
T3b	T3b	Extensão extracapsular bilateral
T3c	T3c	Tumor invade vesícula(s) seminal(is)
T4	T4	Tumor é fixo ou invade estruturas adjacentes (não as vesículas seminais)
T4a	T4a	Tumor invade colo vesical, esfíncter externo e/ou reto
T4b	T4b	Tumor invade músculo elevador e/ou é fixo à parede pélvica
N(+)	N(+)	Envolvimento dos linfonodos
NX	NX	Linfonodos regionais não avaliados
N0	N0	Ausência de metástases para linfonodos
N1	N1	Metástases para um linfonodo regional, ≤ 2 cm de tamanho
N2	N2	Metástases para um (> 2 mas ≤ 5 cm) ou múltiplas com nenhum > 5 cm
N3	N3	Metástases para linfonodo regional > 5 cm de tamanho
M(+)	M(+)	Disseminação metastática a distância
MX	MX	Metástases a distância não avaliadas
M0	M0	Sem evidência de metástases a distância
M1	M1	Metástases a distância
M1a	M1a	Envolvimento de linfonodos não regionais
M1b	M1b	Envolvimento dos ossos
M1c	M1c	Envolvimento de outros sítios a distância

TNM = tumor, nodos, metástases; RTU = ressecção transuretral.

Ultrassonografia transretal (USTR)

O método mais comumente utilizado para visualização da próstata é a USTR. No entanto, apenas 60% dos tumores são identificados dessa forma. A combinação de TR e USTR pode detectar CP T3a com mais precisão do que qualquer método isolado.[45]

USTR não é capaz de determinar a extensão do tumor com precisão suficiente para ser recomendada para uso rotineiro. Cerca de 60% dos tumores pT3 não serão detectados no pré-operatório por USTR.[46]

Ultrassonografia tridimensional (US-3D) é um método não invasivo que reproduz imagens do volume total de estruturas sólidas, com uma acurácia de 91%.[47] Maior sensibilidade para a detecção do câncer tem sido obtida com a adição de Doppler colorido e contraste. A presença ou a ausência de vasos que atravessam a cápsula prostática pode determinar a extensão extracapsular, sendo considerado um sinal preditivo significativo (Fig. 1).[48,49]

A diferenciação entre os tumores T2 e T3 não deve ser baseada apenas em USTR, pois é amplamente operador-dependente,[50,51] além de não se ter demonstrado, com este método, superioridade ao TR na predição de doença órgão-confinada.[52,53] Invasão das vesículas seminais é fator preditivo de recidiva local e doença a distância e sua biópsia pode ser utilizada para aumentar a precisão do estadiamento pré-operatório.[54] A biópsia é reservada para pacientes com um risco substancial de invasão das vesículas e para quando pode modificar a conduta.[55,56] Pacientes com qualquer uma das biópsias da base prostática positiva para câncer são mais propensos a terem biópsia de vesícula seminal positiva.[57]

O escore de Gleason da biópsia, o nível sérico de PSA e o estágio clínico são preditores independentes de características patológicas adversas após a prostatectomia radical (PR). Dentre os parâmetros analisados na biópsia prostática, o percentual de tecido com câncer é preditor de margens cirúrgicas positivas, invasão de vesícula seminal e doença não órgão-confinada.[58]

Um aumento do número de fragmentos de biópsias positivas prevê, independentemente, extensão extracapsular, margem cirúrgica e invasão dos linfonodos.[59,60]

Pode ser útil correlacionar o escore de Gleason da biópsia com o estágio patológico final, pois cerca de 70% dos pacientes têm doença localizada quando o escore de Gleason da biópsia é ≤ 6. A TC e a RM não são suficientemente confiáveis na avaliação de invasão local do tumor.[61-63]

Ressonância magnética (RM)

RM com *coil* endorretal pode permitir maior precisão no estadiamento local, complementando as variáveis clínicas por meio de caracterização da anatomia zonal da próstata e de alterações moleculares com espectroscopia.[64,65] Quando comparada com o TR e achados da biópsia, a RM com *coil*, em casos selecionados, incrementa significativamente o estadiamento local do CP,[66] em particular quando interpretados por radiologistas experientes na identificação pré-operatória de extensão extracapsular e invasão da vesícula seminal.[67-69] Pode haver impacto sobre a decisão de preservar ou ressecar o feixe neurovascular no momento da cirurgia.[70-72]

Quando avaliada a capacidade de prever doença órgão-confinada, a contribuição da RM com *coil* endorretal para nomogramas de estadiamento foi significativa em todas as categorias de risco, sendo o maior benefício observado em pacientes de risco intermediário e alto.[73]

A combinação de RM com contraste dinâmico proporciona superioridade no estadiamento de CP em comparação com qualquer técnica independente.[74]

Ressonância magnética com espectroscopia permite a avaliação do metabolismo do tumor, mostrando as concentrações relativas de citrato, colina, creatinina e poliaminas (Fig. 2). Diferenças nas concentrações destes metabólitos permitem melhor localização do tumor na zona periférica, aumentando a precisão da detecção de extensão extracapsular, diminuindo a variabilidade interobservador.[75] Além disso, foram demonstradas correlações entre o padrão de sinais metabólicos e Gleason patológico, sugerindo a possibilidade de avaliação não invasiva da agressividade do CP.[76] São limitantes da RM a sinalização relacionada com a hemorragia pós-biópsia e alterações inflamatórias da próstata.

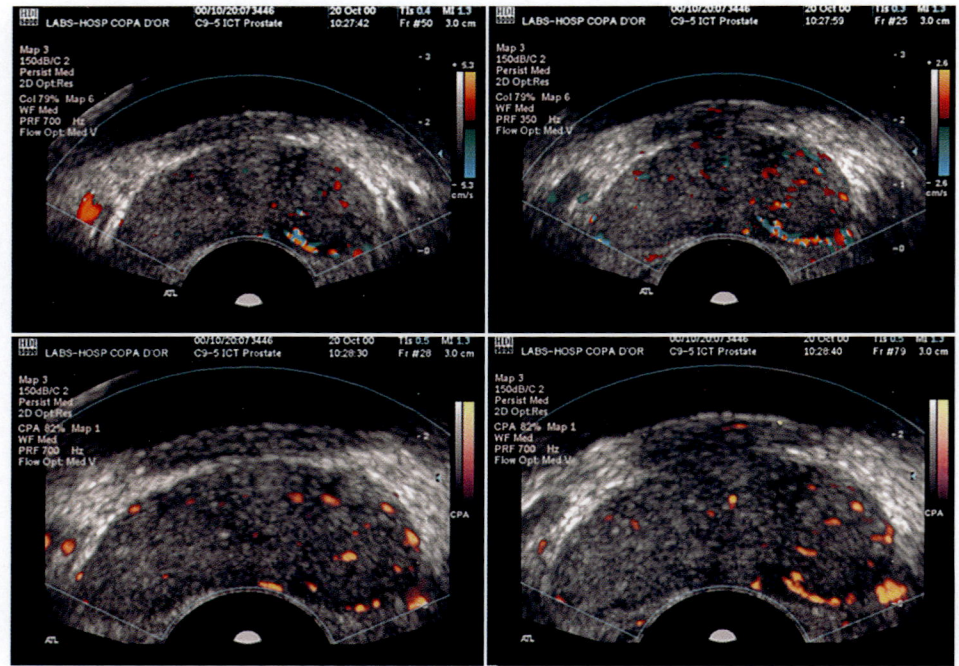

◀ **FIGURA 1**. Ultrassonografias transretais da próstata com *Doppler* colorido mostrando a vascularização do tumor.

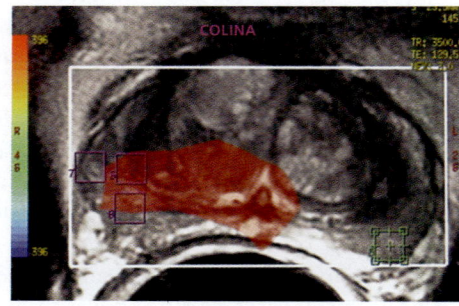

◀ **FIGURA 2**. Exemplo de espectroscopia da próstata. Área com altos níveis de colina + creatina e baixos níveis do citrato são compatíveis ao tumor. Em vermelho, o mapa da colina mostrando áreas com níveis elevados de colina. (Cortesia do Dr. Adilson Prando.)

Estágio nodal (N)

Tem maior importância em casos em que tratamentos potencialmente curativos são planejados. Valores elevados de PSA, estágios T2b-T3, tumores indiferenciados e invasão tumoral perineural têm sido associados a maior risco de presença de metástases.[42,77,78]

Os nomogramas podem ser utilizados para definir um grupo de pacientes com baixo risco de metástases (< 10%).[79] Nesses casos, os pacientes com PSA < 20 ng/mL, estágio T2a e Gleason 6 podem ser poupados de procedimentos para estadiamento nodal antes de tratamento potencialmente curativo.[42]

O padrão de Gleason 4 em biópsias tem sido utilizado para definir o risco de doença nodal. Se qualquer fragmento de biópsia apresenta predominância de padrão 4 de Gleason, ou mais de três fragmentos apresentam qualquer componente padrão 4 de Gleason, o risco de metástase nodal é de 20-45%. Para os demais pacientes, o risco é de 2,5%, reforçando a ideia de que estadiamento nodal é desnecessário em pacientes selecionados.[80]

TC e RM apresentam desempenho semelhante na detecção de metástases nos linfonodos pélvicos, embora TC pareça ligeiramente superior.[81] O limiar em centímetros usado para decidir se um linfonodo é suspeito varia entre 0,5 e 2 cm. Um limite de 0,8 cm a 1 cm tem sido recomendado como o critério para o diagnóstico de metástases linfonodais.[82]

A punção aspirativa por agulha fina (PAAF) pode fornecer uma resposta decisiva em casos de resultados de imagem suspeita. No entanto, o linfonodo pode ser difícil de acessar decorrente da posição anatômica. Além disso, a PAAF não é altamente sensível e uma taxa de falso-negativo de 40% tem sido relatada.[82]

Em pacientes assintomáticos recém-diagnosticados com CP e nível sérico de PSA < 20 ng/mL, a probabilidade de resultados positivos em TC e RM é de cerca de 1%.[66] Em pacientes de maior risco, a especificidade de uma varredura positiva é elevada (93-96%), de maneira que podem ser poupados de linfadenectomia.[83]

O padrão ouro para o estadiamento nodal é a linfadenectomia, quer por técnica aberta ou laparoscópica. A fossa obturadora nem sempre é o principal local para depósitos metastáticos, e a dissecção limitada à fossa obturadora perde cerca de 50% de metástases linfonodais.[84,85]

Estágio metastático (M)

O esqueleto axial está envolvido em 85% dos pacientes que morrem de CP.[86] A presença e a extensão de metástases ósseas refletem, com precisão, o prognóstico individual do paciente. A extensão da doença óssea é a única variável que influencia os níveis séricos de fosfatase alcalina óssea e PSA. No entanto, em contraste com o PSA, a fosfatase alcalina óssea demonstrou uma correlação estatística com o grau de doença óssea.[87]

A detecção precoce de metástases ósseas alertará para possíveis complicações inerentes ao esqueleto. A cintilografia óssea continua sendo o método mais sensível para avaliar metástases ósseas, sendo superior à avaliação clínica, radiografia óssea, dosagem sérica de fosfatase alcalina e fosfatase prostática ácida.[88-90]

Um sistema de graduação semiquantitativo com base na extensão da doença óssea mostrou correlação com a sobrevida.[91] Estudos têm mostrado que 18F-fluoreto/TC é uma modalidade de imagem altamente sensível e específica para detecção de metástases ósseas.[92,93] No entanto, ainda não há resultados definitivos suficientes para que recomendações sejam feitas.[94] RM de corpo inteiro e cintilografia óssea apresentam acurácia similar e podem ser usadas de maneira complementar.[95]

Além do osso, o CP pode disseminar-se para qualquer órgão; mais comumente afeta os gânglios linfáticos distantes, pulmão, fígado, cérebro e pele. A avaliação sistêmica por meio de radiografia de tórax, ultrassonografia, tomografia computadorizada e ressonância magnética está indicada apenas se os sintomas sugerem a possibilidade de metástase dos tecidos moles.

A necessidade de marcadores sorológicos confiáveis para melhorar a avaliação antes do tratamento dos pacientes com CP tem sido reconhecida. Atualmente, o PSA é o marcador de escolha. Nível sérico de PSA superior a 100 ng/mL pré-tratamento é o indicador isolado mais importante de doença metastática, com um valor preditivo positivo de 100%.[96] Em contrapartida, pacientes com baixa concentração sérica de PSA raramente têm sido diagnosticados com metástases ósseas detectáveis.

Cintilografia óssea é desnecessária em pacientes assintomáticos com PSA inferior a 20 ng/mL e com tumores bem ou moderadamente diferenciados. Em contraste, pacientes com tumores pouco diferenciados e localmente avançados devem ser submetidos à cintilografia óssea independentemente do valor do PSA.[97-103]

TRATAMENTO DO CÂNCER DE PRÓSTATA LOCALIZADO

Prostatectomia radical

A primeira prostatectomia radical (PR) foi realizada no início do século XX por Young,[104] utilizando uma abordagem perineal, enquanto Memmelaar e Millin foram os primeiros a executar PR retropúbicas.[105] Em 1982, Walsh e Donker descreveram a anatomia do plexo venoso dorsal e os feixes neurovasculares. Isto resultou em uma redução significativa na perda de sangue, melhorando as taxas de continência e potência.[106] Atualmente, o PR é o único tratamento para CP localizado que mostra benefício na sobrevida câncer-específica, em comparação com o tratamento conservador, como mostrado em um estudo prospectivo e randomizado.[107]

A cirurgia envolve a remoção de toda a próstata, entre a uretra e a bexiga, e ressecção de ambas as vesículas seminais, juntamente com o tecido circundante suficiente para se obter margem negativa. Muitas vezes este procedimento é acompanhado por uma dissecção dos nódulos linfáticos pélvicos bilaterais expondo o nervo obturador (Fig. 3A). Os tempos cirúrgicos principais da prostatectomia radical retropúbica pela via aberta são mostrados na Figura 3A a G.

Em homens com CP localizado e uma expectativa de vida de 10 anos, a meta de uma PR por qualquer abordagem deve ser a erradicação da doença, preservando a continência e, sempre que possível, a potência.[108]

Em estudo comparativo, não randomizado, entre PR e radioterapia, em 1.682 pacientes, a sobrevida câncer-específica em 5 anos foi de 80 e 72% (p = 0,01), respectivamente. Entretanto, a sobrevida global foi equivalemte para os dois grupos.

Não há limite de idade para PR e não deve ser negado este procedimento em razão da idade por si só.[109] Em vez disso, o aumento das comorbidades aumenta consideravelmente o risco de morte por outras causas não relacionadas com o câncer.[110,111] A estimativa da expectativa de vida é fundamental no aconselhamento de um paciente à cirurgia.

A prostatectomia radical pode ser realizada por via retropúbica, perineal, laparoscópica ou assistida por robô. A experiência e a habilidade do cirurgião estão associadas a menores taxas de complicações e melhores resultados oncológicos. Mais do que a técnica em si, estes resultados são dependentes da experiência do cirurgião.

A presença de margem cirúrgica positiva está associada a um aumento no risco de recidiva bioquímica e local da doença, com maior taxa de tratamento secundário. O PSA, o escore de Gleason e o estadiamento clínico pré-operatório são fatores de risco relacionados com a maior incidência de margem cirúrgica positiva.

As taxas de continência após PR diferem muito de acordo com o critério utilizado em sua definição. A maioria das séries considera como continência a ausência do uso de *pads* após 12 meses da cirurgia. A idade dos pacientes e a experiência do cirurgião são os principais fatores determinantes da continência. Em estudo com 1.213 PRs realizadas em diferentes serviços, a taxa de continência foi de 89% em 2 anos.[112]

Com relação à função sexual, a definição de potência sexual pós-operatória é a capacidade de se manter um intercurso sexual satisfatório com ou sem uso de medicações inibidoras da fosfodiesterase-5. São fatores importantes para a recuperação da função erétil a potência prévia à cirurgia, a idade do paciente e a técnica cirúrgica empregada. A preservação bilateral dos feixes vasculonervosos depende de dissecção minuciosa, evitando-se tração excessiva e uso de energia térmica próxima aos nervos (Fig. 4). Revisão de literatura mostrou taxas de potência para prostatectomia retropúbica de cerca de 60% em 2 anos para pacientes sem disfunção erétil no pré-operatório.[113] Esse resultado foi comparável com os das cirurgias minimamente invasivas.

Apesar de se aceitar que a linfadenectomia proporciona informações prognósticas, ainda não foi atingido um consenso a respeito de quando está indicada. Pacientes com valor de PSA < 10 ng/dL e escore de Glea-

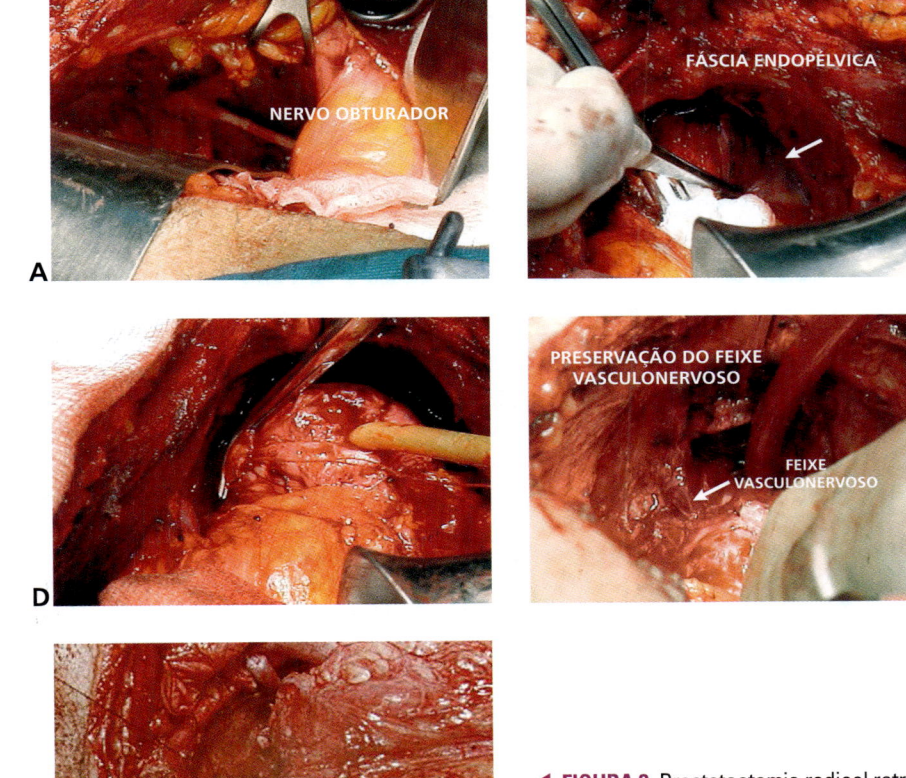

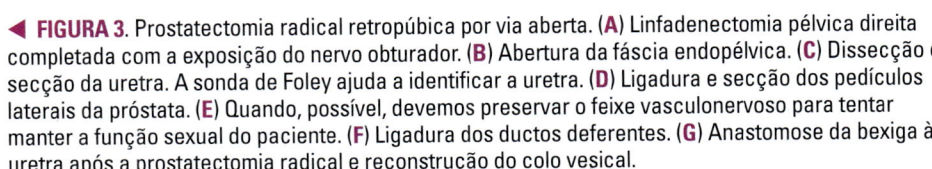

◀ **FIGURA 3.** Prostatectomia radical retropúbica por via aberta. (**A**) Linfadenectomia pélvica direita completada com a exposição do nervo obturador. (**B**) Abertura da fáscia endopélvica. (**C**) Dissecção e secção da uretra. A sonda de Foley ajuda a identificar a uretra. (**D**) Ligadura e secção dos pedículos laterais da próstata. (**E**) Quando, possível, devemos preservar o feixe vasculonervoso para tentar manter a função sexual do paciente. (**F**) Ligadura dos ductos deferentes. (**G**) Anastomose da bexiga à uretra após a prostatectomia radical e reconstrução do colo vesical.

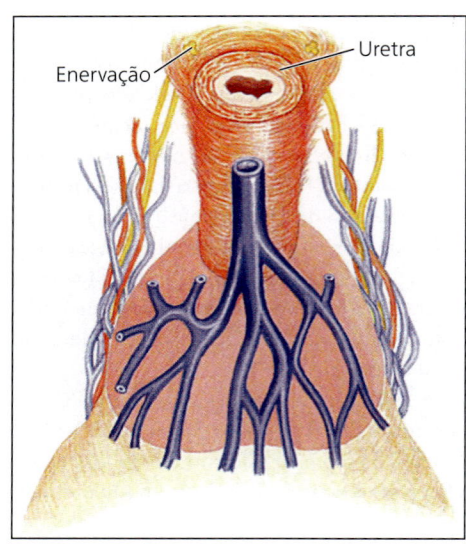

FIGURA 4. Anatomia do pedículo vasculo-nervoso e suas relações com a uretra e com a próstata.

son < 7 possuem baixo risco de metástase no gânglio linfático, sendo sua indicação facultativa nestes casos. Já em pacientes de alto risco, linfadenectomia estendida deve ser considerada.

Prostatectomia radical laparoscópica (PRL)

As técnicas minimamente invasivas não apresentam diferenças significativas no que diz respeito a resultados funcionais e oncológicos a curto prazo e possibilitam menor sangramento intraoperatório e recuperação mais rápida do paciente. Em várias séries de PRL realizadas, os índices de margens positivas têm sido semelhantes aos descritos para prostatectomia retropúbica, dependendo, basicamente, da extensão da doença. As médias de margens positivas têm sido entre 10 e 56%, sendo dependente do estágio patológico da peça cirúrgica. Nos casos de pT2 variam de 10 a 15% e, em pT3, de 26 a 56%.[114-122] Em estudo recente, a probabilidade estimada de recidiva bioquímica livre após 5 e 7 anos foi de 97 e 96%, respectivamente.[123] Os resultados de sobrevida global câncer-específica são pouco relatados na literatura pelo pouco tempo de existência da técnica. A sobrevida estimada em 3 anos, em grandes séries atuais variou de 84 a 99%.[119,121,123-125]

Resultados funcionais

Continência pós-operatória

As taxas de continência urinária pós-PRL têm índices variáveis, explicados por diferenças nas definições de continência, métodos de avaliação e experiência da equipe cirúrgica. As taxas de continência urinária pós-PRL foram de 81,7% em média (entre 60 e 90,3%), em 12 meses, e 94,3% (entre 92,8 e 95,8%) em 18 meses.[126-128]

Função sexual

Avaliação e comparação dos resultados são difíceis pelos diferentes métodos de avaliação e as diversas definições do grau de função sexual dos pacientes. Os fatores importantes para a preservação da função sexual após a PRL são a idade do paciente, a qualidade das ereções pré-operatórias, o estágio da doença, as comorbidades associadas e a possibilidade ou não de preservação dos feixes vasculonervosos. Os índices de função sexual variam de 40 a 71%.[121,123,126,128,129] Com a preservação bilateral dos feixes vasculonervosos em pacientes com idade inferior a 60 anos, a preservação sexual após 12 meses foi de 81%.[119]

RADIOTERAPIA

Apesar de estudos sugerirem resultados a longo prazo inferiores com relação à prostatectomia radical, a radioterapia externa (RXT) está indicada em todos os pacientes com câncer de próstata localizado, com exceção daqueles com obstrução urinária infravesical. Radioterapia conformacional tridimensional é o padrão ouro. Nos centros de excelência, a radioterapia modulada de intensidade passou a ser a mais utilizada.

Historicamente, a dose de radiação necessária ao controle da doença estava relacionada com o volume tumoral. Dados mais recentes demonstram que há escalonamento da dose na resposta ao tratamento, com menos recidiva com doses acima de 72 Gy. Na prática diária, uma dose mínima de 74 Gy é recomendada. Em pacientes de disco intermediário e alto, doses maiores de 78 Gy são indicadas.

A radioterapia de intensidade modulada possibilita aumentar as doses de radiação homogeneamente, até o limite máximo de 86 Gy, respeitando as tolerâncias dosimétricas nos orgãos de risco.

Não há indícios de que a irradiação profilática de linfonodos pélvicos clinicamente negativos tenha algum impacto na sobrevida.

As complicações mais comuns da radioterapia são sintomas miccionais irritativos (disúria, urgência, noctúria) e proctite, que melhoram, em média, após 2 meses do final do tratamento. Em pacientes com próstatas mais volumosas, retenção urinária pode ocorrer. Disfunção erétil ocorre em 45% dos pacientes após radioterapia.

BRAQUITERAPIA

A braquiterapia é principalmente utilizada em estágios iniciais e na doença de baixo volume. Após a experiência negativa do início da década de 1970 com braquiterapia (BT),[130] atualmente cerca de 20% dos pacientes tratados com esta modalidade permanecem livres de recidiva local em 15 anos.[131] Consiste no implante via perineal de sementes radioativas de iodo 125 ou de *palladium* 103 guiado por USG transretal. Os principais argumentos para sua indicação são a abordagem menos invasiva e o menor tempo de tratamento e convalescença comparado com a radioterapia externa. Estudos sobre pacientes submetidos à BT com acompanhamento médio entre 36 e 120 meses mostram sobrevida câncer-específica (SCE) em 5 e 10 anos, variando entre 71-93% e 65-85%, respectivamente.[132,133] Existe relação bem estabelecida entre a dose implantada e taxas de recidiva.[134] Pacientes recebendo D90 > 140 Gy demonstraram taxa de controle oncológico significantemente mais alta. Para doença localizada, as taxas de recidiva em 5 anos são similares às da RTX (> 72 Gy), combinação RTX + BT e da prostatectomia radical.[135]

A BT pode ser indicada em pacientes com CaP localizado, na presença dos seguintes critérios:

- Estágio clínico T1b-T2a.
- Ausência de padrão de Gleason 4 ou 5.
- PSA ≤ 10 ng/mL.
- ≤ 50% dos fragmentos da biópsia envolvidos.
- Volume de próstata de < 50 cm³.
- Ausência de sintomas urinários obstrutivos.

CRIOTERAPIA

A crioterapia usa técnicas de congelamento que induzem a célula à morte por desidratação resultante da maturação proteica, ruptura direta da membrana celular com cristais de gelo, estases vasculares e microtrombia, resultando em estagnação da microcirculação com consecutiva isquemia e apoptose.[136,137] O congelamento da próstata é assegurado pela colocação de agulhas de crioterapia por via perineal guiada por ultrassonografia transretal. Dois ciclos de congelar e descongelar são usados, atingindo-se temperatura de -40°C.

Pacientes que são candidatos ideais para crioterapia são aqueles com doença mínima de baixo risco, principalmente aqueles sem condição clínica de submeter-se a outras modalidades. A próstata deve ter o tamanho < 40 g, PSA < 20 ng/mL, e o escore de Gleason < 7. Não existem, até o momento, dados de controle, a longo prazo, que justifiquem a indicação desta modalidade como de escolha para o tratamento do CaP localizado.

Complicações comuns após crioterapia: disfunção erétil (80%), incontinência urinária (4,4%), dor pélvica (1,4%) e retenção urinária em aproximadamente 2%.[138,139]

VIGILÂNCIA ATIVA E OBSERVAÇÃO

Grande parte dos CPs localizados não apresentará consequências clínicas se acompanhados, pois costumam ocorrer em pacientes idosos, com comorbidades e limitações da expectativa de vida. Como os tratamentos potencialmente curativos (cirurgia, radioterapia, métodos ablativos) apresentam potencial considerável de complicações, condutas mais conservadoras podem ser apropriadas em muitas situações. Contudo, não somos capazes de prever com exatidão o comportamento biológico das neoplasias prostáticas quando de seu diagnóstico. Há evidências de que pacientes com expectativa de vida de pelo menos 10 anos apresentam ganhos significativos de sobrevida (câncer-específica e geral) quando submetidos à prostatectomia radical em comparação com a observação.[140,141] No entanto, pacientes com tumores clinicamente localizados com escore de Gleason < 6, em até dois fragmentos de biópsia e PSA <10 ng/mL são menos propensos a apresentarem progressão e podem, eventualmente, beneficiar-se de protocolos conservadores.[8] A vigilância ativa inclui o acompanhamento de pacientes com CP clinicamente localizado, de baixo risco, com reavaliações periódicas destes critérios através de PSA, toque retal e novas biópsias no intuito de identificar progressão tumoral, retardando o tratamento curativo. No entanto, há preocupações reais quanto à possibilidade de se perder a melhor oportunidade terapêutica e a janela de cura com condutas conservadoras.[142,143]

ULTRASSONOGRAFIA FOCADA DE ALTA INTENSIDADE (HIFU)

O objetivo da HIFU é utilizar temperatura acima de 65°C, com destruição do câncer através de necrose coagulativa. De acordo com recente revisão, a HIFU mostrou sobrevida livre de recidiva projetada em 3 e 5 anos de 63 e 87% (com base em PSA e dados de biópsia), com média de acompanhamento que variou somente de 12 a 24 meses. Não existem trabalhos com acompanhamento longo e nível de evidência que permitam a recomendação desta modalidade como forma de tratamento rotineiro do câncer de próstata localizado.

TRATAMENTO DO CÂNCER DE PRÓSTATA LOCALMENTE AVANÇADO

Prostatectomia radical (PR)

Tratamento cirúrgico exclusivo do CP estágio clínico T3 é bem documentado em séries atuais para casos selecionados, mostrando evolução satisfatória. Deprivação androgênica neoadjuvante na PR provocou redução de 30 a 50% no volume da próstata, com queda de 90% nos níveis de PSA. Essa abordagem, com objetivo de reduzir as possibilidades de margens cirúrgicas positivas, foi alcançada, como mostram os estudos prospectivos. Entretanto, a utilização dessa estratégia de tratamento não proporcionou menor taxa de recidiva bioquímica, nem melhorou a sobrevida. Por isso, para CP localmente avançado, tanto estudos retrospectivos como prospectivos não suportam a indicação de bloqueio androgênico neoadjuvante à prostatectomia radical.

Radioterapia

Tratamento de pacientes com CP localmente avançado ou com tumores de alto risco à base de radioterapia ou de braquiterapia exclusiva parece inadequado, sendo a adição de bloqueio androgênico muito apropriada nos tumores estágio T3. O benefício teórico da deprivação androgênica neoadjuvante é reduzir o volume-alvo e também aproveitar o potencial efeito sinérgico citotóxico da radiação. Os melhores resultados da radioterapia para tumores localmente avançados foram mostrados pelo estudo de Bolla, que comparou radioterapia exclusiva com radioterapia associada ao bloqueio androgênico antes de iniciar a radioterapia, e manteve assim por 3 anos. Sobrevida em 10 anos parece melhorar com supressão androgênica prolongada (45%) quando comparada com os que não receberam bloqueio hormonal (32%), mostrando que essa é a tendência atual no tratamento do CP de alto risco.[144]

Todos os estudos até o momento estabeleceram que o conceito ideal, é terapia combinada à cirurgia e radioterapia. Entretanto, ainda precisam ser realizados estudos para comparar radioterapia com supressão androgênica prolongada (> 3 anos) e, também, para avaliar PR seguida de radioterapia.

Na PR, a radioterapia adjuvante para pacientes com doença residual é mais eficaz quando existe baixa contagem de células na loja prostática e as melhores indicações se restringem a margens cirúrgicas positivas e à extensão extracapsular, devendo ser realizada precocemente. Radioterapia de resgate ou de salvamento geralmente é realizada quando há recidiva bioquímica; nesses casos, a resposta ao tratamento é 20% inferior à radioterapia imediata. Aplicação radioterápica no leito cirúrgico proporciona evolução livre de recidiva bioquímica de 50 a 88% em 5 anos.

Resultados da radioterapia adjuvante em pacientes com CP de alto risco, categorizados como pT3N0, mostram melhora na sobrevida livre de progressão bioquímica. Melhora da sobrevida em 10 anos, de pacientes que receberam radioterapia pós-operatória (74%), comparada com os que não foram irradiados (66%), mostra diferença notável.

TRATAMENTO DE RESGATE APÓS CIRURGIA E RADIOTERAPIA

Tratamento de resgate após prostatectomia radical

Após PR, cerca de 30% dos pacientes apresentará recidiva bioquímica (RB).[145-147] Sem tratamento, cerca de 45% destes pacientes morrerão em 15 anos decorrente do CP.[148] RB pode representar recidiva local ou sistêmica da doença, sendo necessário diferenciar as duas situações. A importância de definir RB é identificar, precocemente, pacientes com falha terapêutica e selecionar aqueles para quem a terapia de salvamento possa ou deva ser indicada.[152] Portanto, o estágio da doença identificado por determinada definição de RB deve estar associado a desenvolvimento de metástases ou à mortalidade câncer-específica para que seja clinicamente significativo.

Definição de recidiva bioquímica pós-prostatectomia radical

A definição de RB mais comumente utilizada é um nível sérico de PSA > 0,2 ng/mL, seguido de uma nova dosagem confirmatória.[5] Em pacientes com RB nestes níveis após PR, verificou-se que cerca de um terço apresenta metástases em média de 8 anos após a detecção da RB, e cerca de 40% morrerá, em média de 5 anos após o desenvolvimento de metástases.[145] Portanto, nem todo paciente com níveis de PSA > 0,2 ng/mL apresentará metástase ou mortalidade. Alguns autores, consequentemente, preconizam uma definição operacional de RB > 0,4 ng/mL para relato de desfechos após PR.[150] Níveis de PSA ultrassensível > 0,03 ng/mL parecem identificar aqueles pacientes que apresentarão RB e, mesmo, maior taxa de mortalidade,[151] mas a utilidade clínica do PSA ultrassensível ainda não está estabelecida.

Um aspecto importante relativo à RB é o padrão de recidiva, se local e sistêmica. Infelizmente, não há uma maneira consistente de se diferenciar esses dois estados da doença. De maneira geral, níveis de PSA persistentes após PR, alta velocidade do PSA pós-operatório e tempos de duplicação do PSA (PSADT) curtos no pós-operatório representam doença sistêmica oculta.[152,153] O tempo decorrido desde a cirurgia até a RB e o grau de diferenciação tumoral são úteis na diferenciação entre recidiva local e sistêmica.[153,154] A cinética do PSA parece ser particularmente importante, já que pacientes com PSADT > 15 meses têm baixa probabilidade de mortalidade câncer-específica, enquanto aqueles com PSA-DT < 3 meses têm curta sobrevida e maior probabilidade de doença sistêmica.[145,155] Até metade dos pacientes com RB pode ter, inicialmente, doença local ou regional, e talvez se beneficiem com radioterapia.[156]

Resgate pós-prostatectomia radical

As abordagens radioterapêuticas locais para diminuição da probabilidade de RB ou tratamento de RB após prostatectomia radical são radioterapia adjuvante imediata (RTA) ou radioterapia de salvamento (RTS).

Radioterapia adjuvante imediata

Os fatores de risco para RB pós-PR são margens cirúrgicas positivas, invasão de vesícula seminal, escore de Gleason alto, PSA pré-operatório alto e PSA mensurável pós-RP.[143,157,158] Pacientes com tumores pT3 e/ou com margens cirúrgicas positivas apresentam alto risco para recidiva local. Três estudos prospectivos e randomizados merecem menção no que se refere à RTA pós-operatória em pacientes com CP estágio clínico < T2 e estágio patológico T3. O estudo europeu EORTC 22911 randomizou 1.005 pacientes com tumores pT3 ou tumores com margem cirúrgica positiva para observação (n = 503) ou RT imediata pós-operatória (n = 502), no período de 1992 a 2001.[159] RT convencional de 60 Gy foi iniciada em uma mediana de 90 dias após a cirurgia e o acompanhamento se deu por uma mediana de 5 anos. Sobrevida livre de progressão bioquímica e sobrevida livre de progressão clínica foram significativamente maiores no grupo irradiado (p < 0,0001 e p = 0,0009, respectivamente), assim como a taxa cumulativa de falha locorregional foi significativamente menor no grupo irradiado (p < 0,0001). O acompanhamento de 5 anos não permitiu que se avaliasse o tempo para desenvolvimento de metástases ou sobrevida.

O estudo americano SWOG S8794 randomizou 425 pacientes submetidos à prostatectomia radical e com estágio pT3 a observação (n = 211) ou RT pós-operatória (n = 214), entre os anos de 1988 e 1997.[16] RT foi realizada cerca de 4 meses após a cirurgia, numa dose de 60 a 64 Gy, na loja prostática e tecidos paraprostáticos. O acompanhamento médio foi de 12 anos. Na sobrevida livre de metástases, o desfecho primário foi significativamente maior no grupo submetido à RT (HR 0,71; p = 0,016), assim como a sobrevida global (HR 0,72; p = 0,023). O número de pacientes com CP pT3 que deve ser submetido à RT para prevenir uma morte em um acompanhamento de 12 anos foi calculado em 9,1. Em relato prévio deste mesmo estudo, aos 10 anos de acompanhamento médio, outros desfechos importantes (sobrevida livre de recidiva bioquímica e sobrevida livre de recidiva clínica) já se mostravam melhores no grupo irradiado, com significância estatística.[160]

O estudo alemão, ARO 96-02/AUO AP 09/95, com desenho semelhante aos já citados, mas com número menor de pacientes (n = 385) e acompanhamento curto (5 anos) também demonstrou significativo aumento da sobrevida livre de recidiva bioquímica no grupo tratado com RT.[161]

Os estudos relatados acima fornecem evidência consistente de que RTA imediata pós-operatória aumenta a sobrevida livre de recidiva bioquímica, a sobrevida livre de metástases e a sobrevida global de pacientes com estágio pT3 e/ou com margens cirúrgicas positivas.

Radioterapia de salvamento

RTS é um tratamento oferecido aos pacientes com CP clinicamente localizado e que apresentam RB após PR. Aos pacientes submetidos à PR com alto risco para RB (extensão extracapsular, invasão de vesícula seminal, margens cirúrgicas positivas), pode ser oferecida RTA, como visto na seção anterior. No entanto, quase metade dos pacientes com estas características não apresentará RB aos 5 anos de acompanhamento, como se verifica no braço controle dos estudos acima relatados.[162] Sendo assim, boa parte destes pacientes poderá ser submetida à RTA desnecessariamente. Por essa razão, uma alternativa é realizar RTS naqueles pacientes que efetivamente apresentarem RB.

Os resultados de RTS no controle da RB variam de 40-60%.[163-165] A irradiação do leito prostático e das fossas obturadoras melhora as taxas de sucesso de RTS, quando comparada com a irradiação exclusiva do leito prostático.[166]

A seleção adequada de pacientes para RTS depende do conhecimento de fatores associados à boa ou má resposta à RTS. Um estudo de coorte retrospectiva com 501 pacientes submetidos à RTS com acompanhamento de 45 meses identificou como preditores de RB e progressão metastática os seguintes fatores: escore de Gleason 8-10, PSA pré-RTS > 2 ng/mL, margens cirúrgicas negativas, invasão de vesícula seminal e PSADT < 10 meses.[167] Estas variáveis, além de outras, foram posteriormente utilizadas para a construção de um nomograma para predizer a probabilidade livre de progressão bioquímica em 6 anos de pacientes candidatos a RTS.[157] Tal nomograma demonstrou uma boa acurácia preditiva. As variáveis estatisticamente significativas que foram utilizadas na construção do nomograma são: a dosagem única de PSA antes da RTS, o escore de Gleason da peça cirúrgica da prostatectomia assim como as margens cirúrgicas, a utilização ou não de hormonioterapia antes ou durante a RTS e a presença ou ausência de metástases para linfonodos. As maiores taxas de sobrevida foram observadas no grupo que recebeu RTS com níveis de PSA pré-RTS < 0,5 ng/mL. As taxas neste grupo foram semelhantes aos resultados de RTA nos estudos SWOG S8794 e EORTC 22911, citados anteriormente. O desempenho do nomograma foi superior a outros modelos publicados com base no PSADT, intervalo livre de doença, e/ou escore de Gleason. O nomograma foi externamente validado em outra base de dados e constitui um importante instrumento para a seleção de pacientes para RTS.[168]

RTS é uma alternativa adequada de tratamento de resgate, quando administrada precocemente a pacientes com RB após PR.

Tratamento de resgate após radioterapia e braquiterapia

As taxas de RB após RT externa podem chegar a 40%.[30] No que se refere à braquiterapia (BT), RB pode ocorrer em cerca de 20 a 50% dos casos.[169]

Definição de recidiva bioquímica pós-radioterapia

A definição de RB pós-RT, proposta por um painel de consenso da *American Society of Therapeutic Radiology and Oncology* (ASTRO) em 1996, é de três elevações consecutivas dos níveis de PSA, com a data da recidiva calculada no ponto médio entre o último PSA estável e o primeiro PSA em elevação.[170] Em 2005, uma conferência de consenso, reunindo a ASTRO e o *Radiation Therapy Oncology Group* (RTOG), propôs como definição o aumento acima de nadir do PSA > 2 ng/mL após RT externa com ou sem terapia hormonal, sendo a data da recidiva aquela do exame que identificou o aumento. O mesmo consenso recomendou que a definição original da ASTRO fosse utilizada somente para RT realizada na ausência de terapia hormonal.[171]

Cerca de metade dos pacientes submetidos à RT poderá ter progressão da doença em 10 anos após o tratamento, e 20 a 50% dos pacientes que apresentam RB desenvolverão metástases em 5 e 10 anos após a detecção de RB.[172] Ademais, 15% apresentarão mortalidade câncer-específica em uma mediana de 7 anos após a RB.[173]

No contexto de RB após RT, a cinética do PSA também auxilia na determinação de recidiva local ou sistêmica. PSADT curto está significativamente associado a risco maior de progressão metastática, mortalidade câncer-específica e menor sobrevida global, especialmente na RB com PSADT < 3 meses.[174,175] PSADT curto sugere recidiva sistêmica e não local.

Não há necessidade de se realizar biópsia prostática para confirmação de recidiva local. No entanto, recomenda-se sua realização em pacientes candidatos a tratamento de resgate após RT. A biópsia não deve ser realizada antes de 2 anos após a RT, já que um terço de biópsias positivas aos 12 meses após a RT converter-se-ão em biópsias negativas aos 24 a 30 meses.[176]

Resgate pós-radioterapia

Algumas modalidades de tratamento de resgate podem ser oferecidas na falha do tratamento radioterápico, como braquiterapia de salvamento (após RT externa), terapias minimamente invasivas (crioablação e ultrassonografia focada da alta intensidade) e prostatectomia radical de salvamento (PRS). A PRS é tradicionalmente associada a maus resultados funcionais e oncológicos. Resultados mais animadores têm sido relatados em séries mais recentes, apesar de a PRS continuar sendo uma cirurgia tecnicamente desafiadora. Entre um terço e a metade dos pacientes submetidos à PRS vão apresentar complicações clínicas ou cirúrgicas decorrentes do tratamento, dentre elas, infecção urinária, esclerose de colo vesical, retenção urinária, fístula urinária, abscesso e lesão de reto.[177] O perfil da doença em pacientes submetidos à PRS está mudando na era PSA, com diminuição dos níveis médios de PSA pré-PRS e aumento da proporção de pacientes com doença localizada.[178] Este fato pode favorecer os resultados oncológicos, já que a sobrevida livre de progressão da doença em 5 anos para pacientes com PSA < 10 ng/mL e/ou doença confinada ao órgão (pT2) gira em torno de 60-80%, o que sugere que o tratamento de resgate deve ser implementado precocemente após detecção da RB.[178,179] Escore de Gleason > 7 tem impacto negativo na sobrevida livre de doença e na sobrevida câncer-específica.[180] As taxas de continência observadas após PRS nas maiores séries contemporâneas situam-se em torno de 50%.[179] Apesar de contemporâneas, parte dos pacientes tratados nestas séries provém da era pré-PSA e o tratamento radioterápico não envolvia as modernas técnicas atualmente utilizadas. Uma série recente de casos de PRS realizada em 55 pacientes, entre 2004 e 2008, após RT com técnicas modernas, demonstrou resultados oncológicos e funcionais bastante satisfatórios.[181] Doença órgão-confinada foi encontrada em 73% dos pacientes e margens cirúrgicas positivas somente em 11%. Houve dois casos de lesão de reto e esclerose do colo vesical ocorreu em 11% dos casos. A taxa de continência urinária foi de 80% em 1 ano. Apesar de ainda estar associada a complicações cirúrgicas, PRS é um tratamento de resgate que proporciona resultados oncológicos e funcionais satisfatórios a um grupo selecionado de pacientes, caracterizado por expectativa de vida > 10 anos, CP de baixo risco pré-RT, doença confinada à próstata (< T2c), PSA pré-PRS < 10 ng/mL, escore de Gleason < 7, intervalo longo até RB, PSADT > 12 meses.[178,179,182]

TRATAMENTO DO CÂNCER DE PRÓSTATA METASTÁTICO

As células da próstata são fisiologicamente dependentes de andrógenos para estimular seu crescimento, função e proliferação. A testosterona, embora não seja tumorigênica, é essencial ao crescimento e perpetuação das células tumorais,[183] sendo sua secreção regulada pelo eixo hipotálamo-hipofisário. Se as células da próstata são privadas da estimulação androgênica, sofrem apoptose (morte celular programada). Qualquer tratamento que resulte, em última análise, da supressão da atividade androgênica, é referido como bloqueio hormonal (BH).

Mesmo que o tratamento hormonal efetivamente atenue os sintomas da doença avançada, não há provas conclusivas, até o momento, de que isso prolongue a vida. Sendo assim, o tratamento visa melhorar a sobrevida e a qualidade de vida.

Dois estudos fundamentais, Huggins e Hodges, com as estratégias de supressão androgênica, tornaram-se a base do tratamento do CP avançado.[184,185]

Bloqueio hormonal

Bloqueio hormonal com monoterapia

Considerado como manobra inicial de tratamento, utilizando-se a orquiectomia ou castração farmacológica com análogo do LH-RH ou estrógeno.[186,187]

Bloqueio androgênico máximo

Em pacientes submetidos a bloqueio hormonal com monoterapia (castração química ou cirúrgica) que apresentam progressão da doença, a adição de antiandrógenos não esteroides tem sido utilizada, com queda do PSA em 45 a 67% dos casos e tempo médio de resposta de 6 meses. Entretanto, não está claro se há aumento global da sobrevida.[188,189] O bloqueio androgênico máximo (BAM) não interfere na sobrevida em 1 ou 2 anos, porém proporciona pequeno aumento (2-3%) na sobrevida em 5 anos, havendo a necessidade de tratar 21 pacientes para beneficiar um.[190,191] Tal benefício ocorre à custa de maior toxicidade, incidência de efeitos adversos e custos. Os efeitos colaterais mais significativos com a adição dos antiandrógenos foram: ginecomastia, algia mamária, disfunções hepáticas e gastrointestinais e alterações psicológicas, interferindo com a qualidade de vida.[192]

Bloqueio hormonal intermitente

O bloqueio hormonal intermitente (BHI) apresenta como vantagens a melhora da qualidade de vida e a atividade sexual de pacientes tratados com castração hormonal. Além disso, implica em diminuição de custos relacionados com o tratamento.[193] Para o BHI preconiza-se, após o início da hormonoterapia com análogos LHRH, sua manutenção até que o PSA atinja níveis preferencialmente indetectáveis, nadir < 4 ng/mL ou diminuição de 80% do valor inicial do PSA, (mantido por 6 a 9 meses). Após a suspensão do tratamento, o acompanhamento é feito com a dosagem do PSA, sendo o bloqueio hormonal reinstituído quando o PSA mostrar elevação significativa. Esses valores são controversos, desde aumento de 50% do valor inicial até valores absolutos maiores de 5 a 10 ng/mL. Outro critério é a evidência clínica de progressão tumoral.[194] Destaca-se que a doença permanece responsiva ao manuseio hormonal na maioria dos casos, embora os intervalos necessários para que se restabeleça o tratamento diminuam a cada ciclo subsequente.[195]

A intermitência representa melhor qualidade de vida, com resultados oncológicos não inferiores ao bloqueio contínuo.[196]

Bloqueio imediato vs. tardio

Excetuando-se os tumores metastáticos sintomáticos, não existe consenso sobre o melhor momento do início da terapia hormonal. Alguns autores mostraram maior benefício do tratamento imediato com relação ao tardio, ou seja, quando do surgimento de sintomas ou elevação significativa do PSA. O estudo mais importante foi o EORTC-30846, que mostrou ganho significativo de sobrevida nos pacientes com linfonodos positivos submetidos à hormonoterapia adjuvante pós-prostatectomia radical, comparados com aqueles com início do tratamento após elevação do PSA. A sobrevida específica de 10 anos foi de 95,7 vs. 69,2%, e os índices de progressão neste período foram de 75 vs. 28,8%.[197] Outros estudos, inclusive de metanálises, também demonstraram vantagem na sobrevida global para pacientes que receberam hormonoterapia imediata.[198]

Análogo LHRH vs. orquiectomia

Existem pelo menos quatro estudos compreendendo sete publicações com um total de 1.149 pacientes, comparando goserelina e orquiectomia. Não se observou diferença estatística na comparação dos dois grupos quanto à resposta terapêutica e a sobrevida global.[199-202] É recomendada a utilização de antiandrogênico administrado por 5 a 7 dias antes e durante as 3 primeiras semanas após o início do uso do LHRH, nos casos de risco de retenção urinária e compressão medular.

Antiandrógenos vs. castração

O uso de antiandrógenos não hormonais como monoterapia apresenta maiores índices de manutenção de libido, potência sexual, capacidade física, densidade mineral óssea e menor índice de fogachos comparados com o uso de castração (cirúrgica ou hormonal).[203,204]

Em revisão sistemática com metanálise avaliando o uso de antiandrógenos não esteroides com castração química, o estudo concluiu que os pacientes submetidos unicamente aos antiandrógenos apresentam sobrevida discretamente inferior, não sendo esta opção terapêutica recomendada na maioria dos casos de tratamento hormonal de 1ª linha. Em casos selecionados, a monoterapia com antiandrógenos pode ser considerada, visando preservar a qualidade de vida.[205,206] Não existem estudos comparativos quanto à melhor dosagem entre bicalutamida, flutamida e nilutamida.

Tratamento de segunda linha

Com o bloqueio hormonal de 2ª linha, a melhora sintomática e a queda do PSA podem ser observadas em 20 a 80% dos casos, com uma duração da resposta de 2 a 6 meses.[207] No entanto, nenhum estudo demonstrou benefício na sobrevida com o uso desses tratamentos, que podem ser caros e também tóxicos, com potencial efeito negativo na qualidade de vida, particularmente nos pacientes assintomáticos ou oligossintomáticos.[208] Recomenda-se que continue a supressão androgênica medicamentosa nos pacientes que não foram submetidos à orquiectomia.[209,210]

Suspensão de antiandrógenos

Nos pacientes em tratamento com bloqueio androgênico máximo (BAM) e progressão bioquímica, a suspensão do antiandrógeno promove resposta clínica (queda do PSA acima de 50%) em cerca de 20 a 30% dos casos. A duração média do efeito foi de 3 a 5 meses, podendo durar até 2 anos. Não existem fatores conhecidos que prevejam quais pacientes irão responder a esta estratégia terapêutica.

Troca de antiandrógenos

A troca dos antiandrógenos pode levar à resposta bioquímica (queda do PSA) em 20 a 43% dos pacientes, com efeito paliativo na diminuição da dor e melhora da qualidade de vida.[211,212]

Castração secundária

Os casos selecionados onde foi utilizada monoterapia com antiandrógenos podem beneficiar-se com a castração secundária (química ou cirúrgica). A resposta varia de 25 a 69%.[212]

Estrogênio

O uso de estrogênio via oral (doses de 1 e 3 mg/dia) continua sendo uma opção de 2ª linha em pacientes com CP metastático, produzindo respostas bioquímicas e melhora da dor em 25 a 67% dos pacientes.[213] Os principais efeitos colaterais do uso do estrógeno são as complicações cardiovasculares e tromboembólicas, o que limita seu uso como 1ª linha.

Cetoconazol

Estudos randomizados mostraram queda significativa do PSA em 32% dos pacientes tratados com cetoconazol. As respostas clínicas parecem ser melhores quando o cetoconazol é utilizado concomitantemente à retirada dos antiandrógenos.[214] A toxicidade da droga nas doses habituais (400 mg/3×/dia) é muito alta, limitando seu uso. Existem indícios de que doses menores também possam ser eficazes (200 mg/3×/dia ou 300 mg/3×/dia associadas à hidrocortisona).[215]

Glicocorticoides

Os corticoides apresentam baixo custo, são bem tolerados e têm respostas objetivas em 16 a 34% dos pacientes, porém são de curta duração. Estão indicados após falha das manipulações hormonais secundárias com antiandrógenos e devem ser associados à quimioterapia, já que os resultados são melhores nessa situação.[216-218]

Abiraterona

Abiraterona é um inibidor da CYP17, uma enzima expressa nos testículos, na suprarrenal e nos tecidos tumorais da próstata. CYP17 catalisa a conversão de pregnenolona e progesterona aos seus 17-α-hidroxi derivados e pela sua atividade α17-hidroxilase à formação subsequente de desidroepiandrosterona (DHEA) e androstenediona. A inibição da atividade CYP17 pela abiraterona diminui, assim, os níveis circulantes de testosterona.

Em pacientes hormônio-refratários, este fármaco foi capaz de diminuir o PSA > 50 em 85% dos pacientes, e mais de 90 em 40% dos pacientes sem tratamento quimioterápico prévio;[219] em 50% após uso de docetaxel,[220,221] e em 33% após cetoconazol.[221]

Estudo clínico de fase III em doentes anteriormente tratados com docetaxel mostrou aumento da sobrevida global em 3,9 meses.[222]

Com base nestes resultados, a abiraterona foi aprovada pelo *Food and Drug Administration* para o tratamento do câncer de próstata metastático resistente à castração previamente tratados com um regime de quimioterapia contendo docetaxel.

QUIMIOTERAPIA

Na década de 1990 foram realizados estudos randomizados com uso de mitoxantrona combinada a outros agentes, principalmente com a prednisona, que demonstraram melhora de qualidade de vida, porém sem efeito na sobrevida global.[216,217] Atualmente, o campo da Oncologia Clínica vem mostrando resultados bem mais animadores no tratamento do CP refratário à terapia hormonal, principalmente com o uso dos taxanos (docetaxel e cabazitaxel) e o crescente desenvolvimento das vacinas.

Docetaxel

Dois estudos randomizados compararam a eficácia do docetaxel com relação à mitoxantrona em pacientes com CP metastático hormônio-independente. O estudo SWOG 9916 comparou docetaxel + estramustine *vs.* mitoxantrona + prednisona. A sobrevida media no braço docetaxel + estramustine foi de 17 meses *vs.* 15,6 meses para o braço da prednisona. Já o estudo TAX 327 comparou dois esquemas de uso de docetaxel (semanalmente e a cada três semanas) *vs.* mitoxantrona + prednisona. A sobrevida mediana do braço de docetaxel a cada 3 semanas foi de 19,2 meses *vs.* 16,3 meses para o braço da mitoxantrona (p = 0,09). Pela primeira vez houve demonstração de ganho de sobrevida com o braço utilizando docetaxel nesses pacientes. Com isso, regimes fundamentados no uso de docetaxel são considerados, atualmente, como de 1ª linha no tratamento dos tumores de próstata hormônio-refratários.[218,223,224]

Cabazitaxel

Em pacientes com falha terapêutica ao docetaxel, já existe tratamento de 2ª linha com cabazitaxel. Em estudo fase III com 755 pacientes, comparativo com mitoxantrona, a sobrevida média global foi de 15,1 meses com cabazitaxel e 12,7 meses com mitoxantrona (*hazard ratio*, 0,72; intervalo de confiança de 95%, 0,61-0,84; P < 0,0001), com ganho de 30% a favor da 1ª droga.[225]

VACINA

As vacinas são estudadas há muito tempo, com resultados inicialmente modestos. Recentemente foi aprovada para uso a Provenge (sipuleucel-T), após estudo duplo-cego, multicêntrico, fase III, onde foram randomizados 512 pacientes em uma relação 2:1, sendo 341 para a droga e 171 para placebo, administrado IV a cada 2 semanas, por três ciclos. Houve redução de 22% do risco de morte no grupo tratado com sipuleucel-T. O grande dificultador dessa forma terapêutica ainda é seu custo elevado.[226]

BIFOSFONATOS

Doença hormônio-refratária

O bloqueio hormonal administrado por longo prazo diminui a densidade mineral óssea e aumenta o risco de fraturas.[227] Por sua vez, as fraturas esqueléticas em homens com CP estão associadas, negativamente, à sobrevida global desses pacientes.[228] A terapia com bifosfonatos diminui a reabsorção óssea, podendo prevenir ou reverter a perda da densidade mineral óssea.[229] Dentre esses, o zoledronato é o bifosfonato de terceira geração mais potente testado. Em modelos pré-clínicos foi pelo menos 100 vezes mais potente que clodronato ou pamidronato, e pelo menos 1.000 vezes mais potente que o etidronato.[230] Também mostrou ser seguro e eficaz na prevenção de complicações esqueléticas em três estudos randomizados envolvendo mais de 3 mil pacientes com diversas neoplasias.[231] O zoledronato reduziu significativamente a incidência de eventos relacionados com o esqueleto, bem como retardou a primeira ocorrência desses eventos.[232,233] A dose recomendada do zoledronato é de 4 mg por via intravenosa a cada 4 semanas, pois doses maiores estão associadas à deterioração da função renal.[234]

Os efeitos adversos foram bem tolerados e representados por dor óssea, necrose de mandíbula, náusea, constipação, fadiga, anemia, mialgia, vômitos, fraqueza e anorexia. O zoledronato é seguro e bem tolerado em pacientes com insuficiência renal leve a moderada.[235]

Doença hormônio-sensível

O ácido zoledrônico tem-se mostrado eficaz na recuperação da densidade mineral óssea em pacientes que se apresentam com osteopenia ou osteoporose induzida por bloqueio hormonal. Nessa situação, a aplicação do ácido zoledrônico, 4 mg, endovenoso deve ser realizada a cada 3 meses ou anual. Alternativa é o emprego de alendronato oral.[236]

TRATAMENTO DA COLUNA VERTEBRAL

O tratamento das metástases em coluna vertebral é paliativo e pode envolver radioterapia, cirurgia, ou ambas. Não existe consenso quanto à melhor forma de tratamento. A síndrome de compressão medular, no CP avançado, configura uma urgência médica.[237] Radioterapia paliativa é indicada se houver metástases ósseas localizadas e sintomáticas. Nesse contexto, obtemos 80% de alívio sintomático, mas com 50% dos pacientes apresentando reaparecimento da dor. Não parece haver diferença nos resultados da terapia em dose única ou fracionada, no entanto, a necessidade de retratamento e fraturas é maior quando utilizado dose única.

REFERÊNCIAS BIBLIOGRÁFICAS

1. Jemal A, Siegel R, Xu J et al. Cancer statistics. *CA Cancer J Clin* 2010;60:277-300.
2. Jemal A, Siegel R, Ward E et al. Cancer statistics. *CA Cancer J Clin* 2008;58:71-96.

3. Brasil. Ministério da Saúde. Instituto Nacional do Câncer. Estimativa de câncer no Brasil 2010. Acesso em: Dez. 2010. Disponível em: <http://www.inca.gov.br/estimativa/2010/estimativa20091201.pdf>

4. Smith DS, Carvalhal GF, Mager DE et al. Use of lower prostate specific antigen cutoffs for prostate cancer screening in black and white men. *J Urol* 1998;160:1734-38.

5. Steinberg GD, Carter BS, Beaty TH et al. Family history and the risk of prostate cancer. *Prostate* 1990;17:337-47.

6. Gronberg H, Damber L, Damber JE. Familial prostate cancer in Sweden. A nation wide register cohort study. *Cancer* 1996;77:138-43.

7. Bratt O. Hereditary prostate cancer: clinical aspects. *J Urol* 2002;168:906-13.

8. Breslow N, Chan CW, Dhom G et al. Latent carcinoma of prostate at autopsy in seven areas. The International Agency for Research on Cancer, Lyons, France. *Int J Cancer* 1977;20:680-88.

9. Quinn M, Babb P. Patterns and trends in prostate cancer incidence, survival, prevalence and mortality. Part I: international comparisons. *BJU Int* 2002;90:162-73.

10. Zaridze DG, Boyle P, Smans M. International trends in prostatic cancer. *Int J Cancer* 1984;33:223-30.

11. Kolonel LN, Altshuler D, Henderson BE. The multiethnic cohort study: exploring genes, lifestyle and cancer risk. *Nat Rev Cancer* 2004;4:519-27.

12. Schmid HP, Engeler DS, Pummer K et al. Prevention of prostate cancer: more questions than data. Cancer prevention. *Recent Results Cancer Res* 2007;174:101-7.

13. Schulman CC, Zlotta AR, Denis L et al. Prevention of prostate cancer. *Scand J Urol Nephrol* 2000;205(Suppl):50-61.

14. Richie JP, Catalona WJ, Ahmann FR et al. Effect of patient age on early detection of prostate cancer with serum prostate-specific antigen and digital rectal examination. *Urology* 1993:42:365-74.

15. Carvalhal GF, Smith DS, Mager DE et al. Digital rectal examination for detecting prostate cancer at prostate specific antigen levels of 4 ng/mL or less. *J Urol* 1999;161:835-39.

16. Catalona WJ, Richie JP, Ahmann FR et al. Comparison of digital rectal examination and serum prostate specific antigen in the early detection of prostate cancer: results of a multicenter clinical trial of 6,630 men. *J Urol* 1994;151:1283-90.

17. Nadler RB, Loeb S, Roehl KA et al. Use of 2.6 ng/mL prostate specific antigen prompt for biopsy in men older than 60 years. *J Urol* 2005;174:2154-57.

18. Moul JW, Sun L, Hotaling JM et al. Age adjusted prostate specific antigen and prostate specific antigen velocity cut points in prostate cancer screening. *J Urol* 2007;177:499-504.

19. Djavan B, Remzi M, Zlotta AR et al. Complexed prostate-specific antigen, complexed prostate-specific antigen density of total and transition zone, complexed/total prostate-specific antigen ratio, free-to-total prostate-specific antigen ratio, density of total and transition zone prostate-specific antigen: results of the prospective multicenter European trial. *Urology* 2002;60(4 Suppl 1):4-9.

20. Greene KL, Albertsen PC, Babaian RJ et al. Prostate specific antigen best practice statement: 2009 update. *J Urol* 2009;182:2232-41.

21. Hara R, Jo Y, Fujii T et al. Optimal approach for prostate cancer detection as initial biopsy: prospective randomized study comparing transperineal versus transrectal systematic 12-core biopsy. *Urology* 2008;71:191-95.

22. Djavan B, Ravery V, Zlotta A et al. Prospective evaluation of prostate cancer detected on biopsies 1, 2, 3 and 4: when should we stop? *J Urol* 2001;166:1679-83.

23. Djavan B, Waldert M, Zlotta A et al. Safety and morbidity of first and repeat transrectal ultrasound guided prostate needle biopsies: results of a prospective European prostate cancer detection study. *J Urol* 2001;166:856-60.

24. Puech P, Potiron E, Lemaitre L et al. Dynamic contrast-enhanced-magnetic resonance imaging evaluation of intraprostatic prostate cancer: correlation with radical prostatectomy specimens. *Urology* 2009;74:1094-99.

25. Zigeuner R, Schips L, Lipsky K et al. Detection of prostate cancer by TURP or open surgery in patients with previously negative transrectal prostate biopsies. *Urology* 2003;62:883-87.

26. Merrimen JL, Jones G, Srigley JR. Is high grade prostatic intraepithelial neoplasia still a risk factor for adenocarcinoma in the era of extended biopsy sampling? *Pathology* 2010;42:325-29.

27. Epstein JI, Herawi M. Prostate needle biopsies containing prostatic intraepithelial neoplasia or atypical foci suspicious for carcinoma: implications for patient care. *J Urol* 2006;175:820-34.

28. Bostwick DG, Liu L, Brawer MK et al. High-grade prostatic intraepithelial neoplasia. *Rev Urol* 2004;6:171-79.

29. Leite KRM, Srougi M, Sañudo A et al. The use of immunohistochemistry for diagnosis of prostate cancer. *Int Braz J Urol* 2010;36:583-90.

30. Epstein JI, Potter SR. The pathological interpretation and significance of prostate needle biopsy findings: implications and current controversies. *J Urol* 2001;166:402-10.

31. Epstein JI, Allsbrook Jr WC, Amin MB et al. ISUP grading committee. The 2005 International Society of Urologic Pathology (ISUP) Consensus Conference on Gleason grading of Prostatic Carcinoma. *Am J Surg Pathol* 2005;29:1228-42.

32. Rubin MA, Dunn R, Kambham N et al. Should a Gleason score be assigned to a minute focus of carcinoma on prostate biopsy? *Am J Surg Pathol* 2000;24:1634-40.

33. Shevchuk M, Mudaliar K, Douaihy Y et al. Global Gleason score on prostate needle biopsies is the best predictor of prostatectomy gleason score. [Abstract 2038] *J Urol* 2010;183(4 Suppl):e791.

34. Sebo TJ, Cheville JC, Riehle DL et al. Predicting prostate carcinoma volume and stage at radical prostatectomy by assessing needle biopsy specimens for percent surface area and cores positive for carcinoma, perineural invasion, Gleason score, DNA ploidy and proliferation, and preoperative serum prostate specific antigen: a report of 454 cases. *Cancer* 2001;91:2196-204.

35. Nguyen PL, D'Amico AV, Lee AK et al. Patient selection, cancer control, and complications after salvage local therapy for postradiation prostate-specific antigen failure: a systematic review of the literature. *Cancer* 2007;110:1417-28.

36. Brimo F, Vollmer RT, Corcos J et al. Prognostic value of various morphometric measurements of tumour extent in prostate needle core tissue. *Histopathology* 2008;53:177-83.

37. Harnden P, Shelley MD, Clements H et al. The prognostic significance of perineural invasion in prostate cancer biopsies: a systematic review. *Cancer* 2007;109:13-24.

38. UNICAMP; CEVON. Urologia Oncológica. Diretrizes baseadas em evidências em tumores urológicos. Campinas - SP, 2010.

39. Spigelman SS, McNeal JE, Freiha FS et al. Rectal examination in volume determination of carcinoma of the prostate: clinical and anatomical correlations. *J Urol* 1986;136:1228-30.

40. Hudson MA, Bahnson RR, Catalona WJ. Clinical use of prostate-specific antigen in patients with prostate cancer. *J Urol* 1989;142:1011-17.

41. Lange PH, Ercole CJ, Lightner DJ et al. The value of serum prostate specific antigen determinations before and after radical prostatectomy. *J Urol* 1989;141:873-79.

42. Partin AW, Carter HB, Chan DW et al. Prostate specific antigen in the staging of localized prostate cancer: influence of tumour differentiation, tumour volume and benign hyperplasia. *J Urol* 1990;143:747-52.

43. Partin AW, Mangold LA, Lamm DM et al. Contemporary update of the prostate cancer staging nomograms (Partin tables) for the new millennium. *Urology* 2001;58:843-48.

44. Morote J, Encabo G, de Torres IM. Use of percent free prostate-specific antigen as a predictor of the pathological features of clinically localized prostate cancer. *Eur Urol* 2000;38:225-29.

45. Hsu CY, Joniau S, Oyen R et al. Detection of clinical unilateral T3a prostate cancer – by digital rectal examination or transrectal ultrasonography? *BJU Int* 2006;98:982-85.

46. Enlund A, Pedersen K, Boeryd B et al. Transrectal ultrasonography compared to histopathological assessment for local staging of prostatic carcinoma. *Acta Radiol* 1990;31:597-600.

47. Mitterberger M, Pinggera GM, Pallwein L et al. The value of three-dimensional transrectal ultrasonography in staging prostate cancer. *BJU Int* 2007;100:47-50.

48. Sauvain JL, Palascak P, Bourscheid D et al. Value of power Doppler and 3D vascular sonography as a method for diagnosis and staging of prostate cancer. *Eur Urol* 2003;44:21-30.

49. Zalesky M, Urban M, Smerhovský Z et al. Value of power Doppler sonography with 3D reconstruction in preoperative diagnostics of extraprostatic tumor extension in clinically localized prostate cancer. *Int J Urol* 2008;15:68-75.

50. Oyen RH. Imaging modalities in diagnosis and staging of carcinoma of the prostate. In: Brady LW, Heilmann HP, Petrovich Z et al. (Eds.). Carcinoma of the prostate innovations and management. Berlin: Springer Verlag, 1996. p. 65-96.

51. Rorvik J, Halvorsen OJ, Servoll E et al. Transrectal ultrasonography to assess local extent of prostatic cancer before radical prostatectomy. *Br J Urol* 1994;73:65-69.

52. Smith Jr JA, Scardino PT, Resnick MI et al. Transrectal ultrasound versus digital rectal examination for the staging of carcinoma of the prostate: results of a prospective multi-institutional trial. *J Urol* 1997;157:902-6.

53. Liebross RH, Pollack A, Lankford SP et al. Transrectal ultrasound for staging prostate carcinoma prior to radiation therapy: an evaluation based on disease outcome. *Cancer* 1999;85:1577-85.
54. Saliken JC, Gray RR, Donnelly BJ et al. Extraprostatic biopsy improves the staging of localized prostate cancer. *Can Assoc Radiol J* 2000;51:114-20.
55. Stone NN, Stock RG, Unger P. Indications for seminal vesicle biopsy and laparoscopic pelvic lymph node dissection in men with localized carcinoma of the prostate. *J Urol* 1995;154:1392-96.
56. Allepuz Losa CA, Sans Velez JI, Gil Sanz MJ et al. Seminal vesicle biopsy in prostate cancer staging. *J Urol* 1995;154:1407-11.
57. Guillonneau B, Debras B, Veillon B et al. Indications for preoperative seminal vesicle biopsies in staging of clinically localized prostatic cancer. *Eur Urol* 1997;32:160-65.
58. Freedland SJ, Csathy GS, Dorey F et al. Percent prostate needle biopsy tissue with cancer is more predictive of biochemical failure or adverse pathology after radical prostatectomy than prostate specific antigen or Gleason score. *J Urol* 2002;167:516-20.
59. Quinn DI, Henshall SM, Brenner PC et al. Prognostic significance of preoperative factors in localized prostate carcinoma treated with radical prostatectomy: importance of percentage of biopsies that contain tumor and the presence of biopsy perineural invasion. *Cancer* 2003;97:1884-93.
60. Narayan P, Gajendran V, Taylor SP et al. The role of transrectal ultrasound-guided biopsy-based staging, preoperative serum prostate-specific antigen, and biopsy Gleason score in prediction of final pathological diagnosis in prostate cancer. *Urology* 1995;46:205-12.
61. Lee N, Newhouse JH, Olsson CA et al. Which patients with newly diagnosed prostate cancer need a computed tomography scan of the abdomen and pelvis? An analysis based on 588 patients. *Urology* 1999;54:490-94.
62. May F, Treumann T, Dettmar P et al. Limited value of endorectal Magnetic resonance imaging and transrectal ultrasonography in the staging of clinically localized prostate cancer. *BJU Int* 2001;87:66-69.
63. Jager GJ, Severens JL, Thornbury JR et al. Prostate cancer staging: should MR imaging be used? A decision analytic approach. *Radiology* 2000;215:445-51.
64. Masterson TA, Touijer K. The role of endorectal coil MRI in preoperative staging and decision-making for the treatment of clinically localized prostate cancer. *MAGMA* 2008;21:371-77.
65. Heijmink SW, Futterer JJ, Hambrock T et al. Prostate cancer: body-array versus endorectal coil MR imaging at 3 T – comparison of image quality, localization, and staging performance. *Radiology* 2007;244:184-95.
66. Mullerad M, Hricak H, Kuroiwa K et al. Comparison of endorectal magnetic resonance imaging, guided prostate biopsy and digital rectal examination in the preoperative anatomical localization of prostate cancer. *J Urol* 2005;174:2158-63.
67. Sala E, Akin O, Moskowitz CS et al. Endorectal MR imaging in the evaluation of seminal vesicle invasion: diagnostic accuracy and multivariate feature analysis. *Radiology* 2006;238:929-37.
68. Mullerad M, Hricak H, Wang L et al. Prostate cancer: detection of extracapsular extension by genitourinary and general body radiologists at MRI imaging. *Radiology* 2004;232:140-46.
69. Wang L, Mullerad M, Chen HN et al. Prostate cancer: incremental value of endorectal MRI findings for prediction of extracapsular extension. *Radiology* 2004;232:133-39.
70. Hricak H, Wang L, Wei DC et al. The role of preoperative endorectal MRI in the decision regarding whether to preserve or resect neurovascular bundles during radical retropubic prostatectomy. *Cancer* 2004;100:2655-63.
71. Sala E, Akin O, Moskowitz CS et al. Endorectal MRI in the evaluation of seminal vesicle invasion: diagnostic accuracy and multivariate feature analysis. *Radiology* 2006;238:929-37.
72. Wang L, Hricak H, Kattan MW et al. Prediction of seminal vesicle invasion in prostate cancer: incremental value of adding endorectal MRI to the Kattan Nomogram. *Radiology* 2007;242:182-88.
73. Wang L, Hricak H, Kattan MW et al. Prediction of organ confined prostate cancer: incremental value of MRI and MRI sprectroscopic imaging to staging nomograms. *Radiology* 2006;238:597-603.
74. Fuchsjager M, Shukla-Dave A, Akin O et al. Prostate cancer imaging. *Acta Radiol* 2008;49:107-20.
75. Scheidler J, Hricak H, Vigneron DB et al. Prostate cancer: localization with three-dimensional proton MR spectroscopic imaging: clinicopathologic study. *Radiology* 1999;213:473-80.
76. Zakian KL, Sircar K, Hricak H et al. Correlation of proton MR spectroscopic imaging with Gleason score based on step section pathologic analysis after radical prostatectomy. *Radiology* 2005;234:804-14.
77. Stone NN, Stock RG, Parikh D et al. Perineural invasion and seminal vesicle involvement predict pelvic lymph node metastasis in men with localized carcinoma of the prostate. *J Urol* 1998;160:1722-26.
78. Pisansky TM, Zincke H, Suman VJ et al. Correlation of pretherapy prostate cancer characteristics with histologic findings from pelvic lymphadenectomy specimens. *Int J Radiat Oncol Biol Phys* 1996;34:33-39.
79. Cagiannos I, Karakiewicz P, Eastham JA et al. A preoperative nomogram identifying decreased risk of positive pelvic lymph nodes in patients with prostate cancer. *J Urol* 2003;170:1798-803.
80. Haese A, Epstein JI, Huland H et al. Validation of a biopsy-based pathologic algorithm for predicting lymph node metastases in patients with clinically localized prostate carcinoma. *Cancer* 2002;95:1016-21.
81. Hoivels AM, Heesakkers RAM, Adang EM et al. The diagnostic accuracy of CT and MRI in the staging of pelvic lymph nodes in patients with prostate cancer: a meta-analysis. *Clin Radiol* 2008;63:387-95.
82. Jager GJ, Barentsz JO, Oosterhof GO et al. Pelvic adenopathy in prostatic and urinary bladder carcinoma: MR imaging with a three-dimensional TI-weighted magnetization-prepared-rapid gradient-echo sequence. *AJR Am J Roentgenol* 1996;167:1503-7.
83. Wolf Jr JS, Cher M, Dall'era M et al. The use and accuracy of cross sectional imaging and fine needle aspiration cytology for detection of pelvic lymph node metastases before radical prostatectomy. *J Urol* 1995;153:993-99.
84. Heidenreich A, Varga Z, Von Knobloch R. Extended pelvic lymphadenectomy in patients undergoing radical prostatectomy: high incidence of lymph node metastasis. *J Urol* 2002;167:1681-86.
85. Bader P, Burkhard FC, Markwalder R et al. Is a limited lymph node dissection an adequate staging procedure for prostate cancer? *J Urol* 2002;168:514-18.
86. Whitmore Jr WF. Natural history and staging of prostate cancer. *Urol Clin North Am* 1984;11:205-20.
87. Lorente JA, Valenzuela H, Morote J et al. Serum bone alkaline phosphatase levels enhance the clinical utility of prostate specific antigen in the staging of newly diagnosed prostate cancer patients. *Eur J Nucl Med* 1999;26:625-32.
88. McGregor B, Tulloch AG, Quinlan MF et al. The role of bone scanning in the assessment of prostatic carcinoma. *Br J Urol* 1978;50:178-81.
89. O'Donoghue EP, Constable AR, Sherwood T et al. Bone scanning and plasma phosphatases in carcinoma of the prostate. *Br J Urol* 1978;50:172-77.
90. Buell U, Kleinhans E, Zorn-Bopp E et al. A comparison of bone imaging with Tc-99 m DPD and Tc-99 m MDP: concise communication. *J Nucl Med* 1982;23:214-17.
91. Soloway MS, Hardemann SW, Hickey D et al. Stratification of patients with metastatic prostate cancer based on the extent of disease on initial bone scan. *Cancer* 1988;61:195-202.
92. Even-Sapir E, Metser U, Mishani E et al. The detection of bone metastases in patients with high-risk prostate cancer: 99 mTc-MDP Planar bone scintigraphy, single and multifield-of-view SPECT, 18F-fluoride PET/CT. *J Nucl Med* 2006;47:287-97.
93. Beheshti M, Vali R, Langsteger W. [18F] Fluorocholine PET/CT in the assessment of bone metastases in prostate cancer. *Eur J Nucl Med Mol Imaging* 2007;34:1316-17.
94. Bouchelouche K, Oehr P. Recent developments in urologic oncology: positron emission tomography molecular imaging. *Curr Opin Oncol* 2008;20:321-26.
95. Venkitaraman R, Cook GJ, Dearnaley DP et al. Whole-body magnetic resonance imaging in the detection of skeletal metastases in patients with prostate cancer. *J Med Imaging Radiat Oncol* 2009;53:241-47.
96. Rana A, Karamanis K, Lucas MG et al. Identification of metastatic disease by T category, Gleason score and serum PSA level in patients with carcinoma of the prostate. *Br J Urol* 1992;69:277-81.
97. Chybowski FM, Keller JJ, Bergstrahl EJ et al. Predicting radionuclide bone scan findings in patients with newly diagnosed, untreated prostate cancer: prostate specific antigen is superior to all other parameters. *J Urol* 1991;145:313-18.
98. Kemp PM, Maguire GA, Bird NJ. Which patients with prostatic carcinoma require a staging bone scan? *Br J Urol* 1997;79:611-14.
99. Lee N, Fawaaz R, Olsson CA et al. Which patients with newly diagnosed prostate cancer need a radionuclide bone scan? An analysis based on 631 patients. *Int J Radiat Oncol Biol Phys* 2000;48:1443-46.
100. O'Donoghue JM, Rogers E, Grimes H et al. A reappraisal of serial isotope bone scans in prostate cancer. *Br J Radiol* 1993;66:672-76.
101. Wolff JM, Bares R, Jung PK et al. Prostate-specific antigen as a marker of bone metastasis in patients with prostate cancer. *Urol Int* 1996;56:169-73.

102. Wolff JM, Zimny M, Borchers H et al. Is prostate-specific antigen a reliable marker of bone metastasis in patients with newly diagnosed cancer of the prostate? *Eur Urol* 1998;33:376-81.
103. Bruwer G, Heyns CF, Allen FJ. Influence of local tumour stage and grade on reliability of serum prostate-specific antigen in predicting skeletal metastasis in patients with adenocarcinoma of the prostate. *Eur Urol* 1999;35:223-27.
104. Young H. Radical perineal prostatectomy. *Johns Hopkins Hosp Bull* 1905;16:315-21.
105. Memmelaar J, Millin T. Total prostatovesiculectomy; retropubic approach. *J Urol* 1949;62:340-48.
106. Walsh PC, Donker PJ. Impotence following radical prostatectomy: insight into etiology and prevention. *J Urol* 1982;128:492-97.
107. Bill-Axelson A, Holmberg L, Filen F et al. Scandinavian Prostate Cancer Group Study Number 4. Radical prostatectomy versus watchful waiting in localized prostate cancer: the Scandinavian prostate cancer group-4 randomized trial. *J Natl Cancer Inst* 2008;100:1144-54.
108. Huland H. Radical prostatectomy: options and issues. *Eur Urol* 2001;39(Suppl 1):3-9.
109. Corral DA, Bahnson RB. Survival of men with clinically localized prostate cancer detected in the eihth decade of life. *J Urol* 1994;151:1326-29.
110. Lein M, Stibane J, Mansour R et al. Complication, urinary incontinence, and oncological outcome of 1000 laparoscopic transperitoneal radical prostatectomies. *Eur Urol* 2006;50:1278-82; discussion 1283-84.
111. Goeman L, Salomon L, DE La Taille A et al. Long term functional and oncological results after retroperitoneal laparoscopic prostatectomy according to prospective avaluation of 550 patients. *World J Urol* 2006;24:281-88.
112. Penson D, McLarren D, Feng Z et al. 5 years urinary and sexual outcome after radical prostatectomy: results from the Prostate Cancer Outcome Study. *J Urol* 2005;173:1701-5.
113. Touijer K, Easthm JA, Secin FP et al. Comprehensive prospective comparative anaysis of outcome between open and laparoscopic radical prostatectomy conducted in 2003 to 2005. *J Urol* 2008;179:1811-17.
114. Borin JF, Skarecky DW, Narula N et al. Impact of urethral stump length on continence and positive surgical margins in robot-assisted laparoscopic prostatectomy. *Urology* 2007;70:173-78.
115. Zorn KC, Gofrit ON, Orvieto MA et al. Da Vinci robot error and failure rates: single institution experience on a single three-arm robot unit of more than 700 consecutive robot-assisted laparoscopic radical prostatectomies. *J Endourol* 2007;21:1341-44.
116. Wood DP, Schulte R, Dunn RL et al. Short-term health outcome differences between robotic and conventional radical prostatectomy. *Urology* 2007;70:945-49.
117. Schroeck FR, Sun L, Freedland SJ et al. Comparison of prostate-specific antigen recurrence-free survival in a contemporary cohort of patients undergoing either radical retropubic or robot-assisted laparoscopic radical prostatectomy. *BJU Int* 2008;102:28-32.
118. Chan RC, Barocas DA, Chang SS et al. Effect of a large prostate gland on open and robotically assisted laparoscopic radical prostatectomy. *BJU Int* 2008;101:1140-44.
119. Patel VR, Palmer KJ, Coughlin G et al. Robot-assisted laparoscopic radical prostatectomy: perioperative outcomes of 1500 cases. *J Endourol* 2008;22:2299-305.
120. Krambeck AE, DiMarco DS, Rangel LJ et al. Radical prostatectomy for prostatic adenocarcinoma: a matched comparison of open retropubic and robot-assisted techniques. *BJU int* 2008;103:448-53.
121. Murphy DG, Kerger M, Crowe H et al. Operative details and oncological and functional outcome of robotic-assisted laparoscopic radical prostatectomy: 400 cases with a minimum of 12 months follow-up. *Eur Urol* 2009;55:1358-67.
122. Rocco B, Matei DV, Melegari S et al. Robotic vs open prostatectomy in a laparoscopically naive centre: a matched-pair analysis. *BJU Int* 2009;103:448-53.
123. Ham WS, Park SY, Rha KH et al. Robotic Radical prostatectomy for patients with locally advanced prostate cancer is feasible: results of a single – Institution Study. *J Laparoendosc Adv Surg Tech A* 2009;19:329-32.
124. Ficarra V et al. Retropubic, laparoscopic, and robot-assisted radical prostatectomy: a systematic review and cumulative analysis of comparative studies. *Eur Urol* 2009;55:1037-63.
125. Guillonneau B, Vallancien G. Laparoscopic radical prostatectomy: the Montsouris experience. *J Urol* 2000;163:418-22.
126. Rassweiler J, Sentker L, Seemann O et al. Laparoscopic radical prostatectomy with the Heilbronn technique: an analysis of the first 180 cases. *J Urol* 2001;166:2101-8.
127. Eden CG, Cahill D, Vass JA et al. Laparoscopic radical prostatectomy: the initial UK series. *BJU Int* 2002;90:876-82.
128. Parsons JK, Bennett JL. Outcomes of retropubic, laparoscopic, and robotic-assisted prostatectomy. *Urology* 2008;72:412-16.
129. Lepor H, Nieder AM, Ferrandino MN. Intraoperative and postoperative complications of radical retropubic prostatectomy in a consecutive series of 1,000 cases. *J Urol* 2001;166:1729.
130. Roach M, 3rd. Reducing the toxicity associated with the use of radiotherapy in men with localized prostate cancer. *Urol Clin North Am* 2004;31:353-66.
131. Dahm P, Silverstein AD, Weizer AZ et al. A longitudinal assessment of bowel related symptoms and fecal incontinence following radical perineal prostatectomy. *J Urol* 2003;169:2220-24.
132. Robinson JW, Moritz S, Fung T. Meta-analysis of rates of erectile function after treatment of localized prostate carcinoma. *Int J Radiat Oncol Biol Phys* 2002;54:1063-68.
133. Whitmore Jr WF, Hilaris B, Grabstald H. Retropubic implantation to iodine 125 in the treatment of prostatic cancer. *J Urol* 1972;108:918-20.
134. Machtens S, Baumann R, Hagemann J et al. Long-term results of interstitial brachytherapy (LDR-brachytherapy) in the treatment of patients with prostate cancer. *World J Urol* 2006;24:289-95.
135. Potters L, Klein EA, Kattan MW et al. Monotherapy for stage T1-T2 prostate cancer: radical prostatectomy, external beam radiotherapy, or permanent seed implantation. *Radiother Oncol* 2004;71:29-33.
136. Kupelian PA, Potters L, Ciezki JP et al. Radical prostatectomy, external beam radiotherapy < 72 Gy, external radiotherapy > or = 72 Gy, permanent seed implantation or combined seeds/external beam radiotherapy for stage T1-2 prostate cancer. *Int J Radiat Oncol Biol Phys* 2004;58:25-33.
137. Han KR, Belldegrun AS. Third–generation cryosurgery for primary and recurrent prostate cancer. *BJU Int* 2004;93:14-18.
138. Donelly BJ, Saliken JC, Ernst DS et al. Prospective trial of cryosurgical ablation of the prostate: five year results. *Urology* 2002;60:645-49.
139. Han K, Cohen J, Miller R et al. Treatment of organ confined prostate cancer with third generation cryosurgery: preliminary multicentre experience. *J Urol* 2003;170(4 Pt 1):1126-30.
140. Bill-Axelson A, Holmberg L, Filén F et al. Radical prostatectomy versus watchful waiting in localized prostate cancer: the Scandinavian prostate cancer group-4 randomized trial. *J Natl Cancer Inst* 2008;100:1144-54.
141. Albertsen PC. Treatment of localized prostate cancer: when is active surveillance appropriate? *Nat Rev Clin Oncol* 2010;7:394-400.
142. Hayes JH, Ollendorf DA, Pearson SD et al. Active surveillance compared with initial treatment for men with low-risk prostate cancer: a decision analysis. *JAMA* 2010;304:2373-80.
143. Klotz L, Zhang L, Lam A et al. Clinical results of long-term follow-up of a large, active surveillance cohort with localized prostate cancer. *J Clin Oncol* 2010;28:126-31.
144. Bolla M, van Poppel H, Collette L et al. Postoperative radiotherapy after radical prostatectomy: a randomized controlled trial (EORTC trial 22911). *Lancet* 2005;366:572-78.
145. Pound CR, Partin AW, Eisenberger MA et al. Natural history of progression after PSA elevation following radical prostatectomy. *JAMA* 1999;281:1591-97.
146. Amling CL, Blute ML, Bergstralh EJ et al. Long-term hazard of progression after radical prostatectomy for clinically localized prostate cancer: continued risk of biochemical failure after 5 years. *J Urol* 2000;164:101-5.
147. Han M, Partin AW, Zahurak M et al. Biochemical (prostate specific antigen) recurrence probability following radical prostatectomy for clinically localized prostate cancer. *J Urol* 2003;169:517-23.
148. Freedland SJ, Humphreys EB, Mangold LA et al. Risk of prostate cancer-specific mortality following biochemical recurrence after radical prostatectomy. *JAMA* 2005;294:433-39.
149. Cookson MS, Aus G, Burnett AL et al. Variation in the definition of biochemical recurrence in patients treated for localized prostate cancer: the American Urological Association Prostate Guidelines for Localized Prostate Cancer Update Panel report and recommendations for a standard in the reporting of surgical outcomes. *J Urol* 2007;177:540-45.
150. Stephenson AJ, Kattan MW, Eastham JA et al. Defining biochemical recurrence of prostate cancer after radical prostatectomy: a proposal for a standardized definition. *J Clin Oncol* 2006;24:3973-78.
151. Moreira DM, Presti Jr JC, AronsonWJ et al. Natural history of persistently elevated prostate specific antigen after radical prostatectomy: results from the SEARCH database. *J Urol* 2009;182:2250-55.
152. Lange PH, Ercole CJ, Lightner DJ et al. The value of serum prostate specific antigen determinations before and after radical prostatectomy. *J Urol* 1989;141:873-79.

153. Trapasso JG, deKernion JB, Smith RB et al. The incidence and significance of detectable levels of serum prostate specific antigen after radical prostatectomy. *J Urol* 1994;152:1821-25.
154. Partin AW, Pearson JD, Landis PK et al. Evaluation of serum prostate-specific antigen velocity after radical prostatectomy to distinguish local recurrence from distant metastases. *Urology* 1994;43:649-59.
155. D'Amico AV, Moul JW, Carroll PR et al. Surrogate end point for prostate cancer-specific mortality after radical prostatectomy or radiation therapy. *J Natl Cancer Inst* 2003;95:1376-83.
156. Stephenson AJ, Slawin KM. The value of radiotherapy in treating recurrent prostate cancer after radical prostatectomy. *Nat Clin Pract Urol* 2004;1:90-96.
157. Carver BS, Bianco Jr FJ, Scardino PT et al. Long-term outcome following radical prostatectomy in men with clinical stage T3 prostate cancer. *J Urol* 2006;176:564-68.
158. Hayes SB, Pollack A. Parameters for treatment decisions for salvage radiation therapy. *J Clin Oncol* 2005;23:8204-11.
159. Bolla M, van Poppel H, Collette L et al. Postoperative radiotherapy after radical prostatectomy: a randomized controlled trial (EORTC trial 22911). *Lancet* 2005;366:572-78.
160. Thompson Jr IM, Tangen CM, Paradelo J, Lucia MS, Miller G, Troyer D et al. Adjuvant radiotherapy for pathologically advanced prostate cancer: a randomized clinical trial. *JAMA* 2006;296:2329-35.
161. Wiegel T, Bottke D, Steiner U et al. Phase III postoperative adjuvant radiotherapy after radical prostatectomy compared with radical prostatectomy alone in pT3 prostate cancer with postoperative undetectable prostate-specific antigen: ARO 96-02/AUO AP 09/95. *J Clin Oncol* 2009;27:2924-30.
162. Cremers RG, van Lin EN, Gerrits WL et al. Efficacy and tolerance of salvage radiotherapy after radical prostatectomy, with emphasis on high-risk patients suited for adjuvant radiotherapy. *Radiother Oncol* 2010;97:467-73.
163. Taylor N, Kelly JF, Kuban DA et al. Adjuvant and salvage radiotherapy after radical prostatectomy for prostate cancer. *Int J Radiat Oncol Biol Phys* 2003;56:755-63.
164. Pazona JF, Han M, Hawkins SA et al. Salvage radiation therapy for prostate specific antigen progression following radical prostatectomy: 10-year outcome estimates. *J Urol* 2005;174:1282-86.
165. Cheung R, Kamat AM, de Crevoisier R et al. Outcome of salvage radiotherapy for biochemical failure after radical prostatectomy with or without hormonal therapy. *Int J Radiat Oncol Biol Phys* 2005;63:134-40.
166. Kim BS, Lashkari A, Vongtama R et al. Effect of pelvic lymph node irradiation in salvage therapy for patients with prostate cancer with a biochemical relapse following radical prostatectomy. *Clin Prostate Cancer* 2004;3:93-97.
167. Stephenson AJ, Shariat SF, Zelefsky MJ et al. Salvage radiotherapy for recurrent prostate cancer after radical prostatectomy. *JAMA* 2004;291:1325-32.
168. Moreira DM, Jayachandran J, Presti Jr JC et al. Validation of a nomogram to predict disease progression following salvage radiotherapy after radical prostatectomy: results from the SEARCH database. *BJU Int* 2009;104:1452-56.
169. Zelefsky MJ, Kuban DA, Levy LB et al. Multi-institutional analysis of long-term outcome for stages T1-T2 prostate cancer treated with permanent seed implantation. *Int J Radiat Oncol Biol Phys* 2007;67:327-33.
170. Consensus statement: guidelines for PSA following radiation therapy. American Society for Therapeutic Radiology and Oncology Consensus Panel. *Int J Radiat Oncol Biol Phys* 1997;37:1035-41.
171. Roach M 3rd, Hanks G, Thames Jr H et al. Defining biochemical failure following radiotherapy with or without hormonal therapy in men with clinically localized prostate cancer: recommendations of the RTOG- ASTRO Phoenix Consensus Conference. *Int J Radiat Oncol Biol Phys* 2006;65:965-74.
172. Kuban DA, Thames HD, Levy LB et al. Long-term multi-institutional analysis of stage T1-T2 prostate cancer treated with radiotherapy in the PSA era. *Int J Radiat Oncol Biol Phys* 2003;57:915-28.
173. Sandler HM, Dunn RL, McLaughlin PW et al. Overall survival after prostate-specific-antigen-detected recurrence following conformal radiation therapy. *Int J Radiat Oncol Biol Phys* 2000;48:629-33.
174. Zagars GK, Pollack A. Kinetics of serum prostate-specific antigen after external beam radiation for clinically localized prostate cancer. *Radiother Oncol* 1997;44:213-21.
175. Lee AK, Levy LB, Cheung R et al. Prostate-specific antigen doubling time predicts clinical outcome and survival in prostate cancer patients treated with combined radiation and hormone therapy. *Int J Radiat Oncol Biol Phys* 2005;63:456-62.
176. Crook J, Malone S, Perry G et al. Postradiotherapy prostate biopsies: what do they really mean? Results for 498 patients. *Int J Radiat Oncol Biol Phys* 2000;48:355-67.
177. Gotto GT, Yunis LH, Vora K et al. Impact of prior prostate radiation on complications after radical prostatectomy. *J Urol* 2010;184:136-42.
178. Bianco Jr FJ, Scardino PT, Stephenson AJ et al. Long-term oncologic results of salvage radical prostatectomy for locally recurrent prostate cancer after radiotherapy. *Int J Radiat Oncol Biol Phys* 2005;62:448-53.
179. Sanderson KM, Penson DF, Cai J et al. Salvage radical prostatectomy: quality of life outcomes and long-term oncological control of radiorecurrent prostate cancer. *J Urol* 2006;176:2025-32.
180. Ward JF, Sebo TJ, Blute ML et al. Salvage surgery for radiorecurrent prostate cancer: contemporary outcomes. *J Urol* 2005;173:1156-60.
181. Heidenreich A, Richter S, Thuer D et al. Prognostic parameters, complications, and oncologic and functional outcome of salvage radical prostatectomy for locally recurrent prostate cancer after 21st-century radiotherapy. *Eur Urol* 2010;57:437-43.
182. Nguyen PL, D'Amico AV, Lee AK et al. Patient selection, cancer control, and complications after salvage local therapy for postradiation prostate-specific antigen failure: a systematic review of the literature. *Cancer* 2007;110:1417-28.
183. Walsh PC. Physiologic basis for hormonal therapy in carcinoma of the prostate. *Urol Clin North Am* 1975;2:125-40.
184. Huggins C, Hodges CV. Studies on prostatic cancer. I. The effect of castration, of estrogen and of androgen injection on serum phosphatase in metastatic carcinoma of the prostate. 1941. *J Urol* 2002;167:948-52.
185. Huggins C, Stevens Jr RE, Hodges CV. Studies on prostate cancer. II. The effect of castration on advanced carcinoma of the prostate gland. *Arch Surg* 1941;43:209-23.
186. Seidenfeld J, Samson DJ, Hasselblad V et al. Single-therapy androgen suppression in men with advanced prostate cancer: a systematic review and meta-analysis. *Ann Intern Med* 2000;132:566-77.
187. Fosså SD, Slee PH, Brausi M et al. Flutamide versus prednisone in patients with prostate cancer symptomatically progressin gafter androgen-ablative therapy: a phase III study of the European organization for research and treatment of cancer genitourinary group. *J Clin Oncol* 2001;19:62-71.
188. Schmit B, Bennett C, Seidenfeld J et al. Maximal androgen blockade for advanced prostate cancer. *Cochrane Database Syst Rev* 2000(2):CD001526.
189. Prostate Cancer Trialists Collaborative Group. Maximum androgen blockade in advanced prostate cancer: an overview of the randomized trials. *Lancet* 2000;355:1491-98.
190. Samson DJ, Seidenfeld J, Schmitt B et al. Systematic review and meta-analysis of monotherapy compared with combined androgen blockade for patients with advanced prostate carcinoma. *Cancer* 2002;95:361-76.
191. Higano CS. Sideeffectsofandrogen deprivation therapy: monitoring and minimizing toxicity. *Urology* 2003;61(2 Suppl 1):32-38.
192. Moinpour CM, Savage MJ, Troxel A et al. Quality of life in advanced prostate cancer: results of a randomized therapeutic trial. *J Natl Cancer Inst* 1998;90:1537-44.
193. Calais da Silva FEC, Bono AV, Whelan P et al. Intermittent androgen deprivation for locally advanced and metastatic prostate cancer: results from a randomised phase 3 study of the South European Uroncological Group. *Eur Urol* 2009;55:1269-77.
194. Gleave M, Bruchovsky N, Goldenberg SL et al. Intermittent androgen suppression for the prostate cancer rationale and clinical experience. *Eur Urol* 1998;34(Suppl 3):37-41.
195. Crook JM, Szumacher E, Malone S, Huan S, Segal R. Intermittent androgen suppression in the management of prostate cancer. *Urology* 1999;53:530-34.
196. Abrahamsson PA. Potential benefits of intermittent androgen suppression therapy in the treatment of prostate cancer: a systematic review of the literature. *Eur Urol* 2010;57:49-59.
197. Schroder FH, Kurth KH, Fossa SD et al. Early versus delayed endocrine treatment of pN1-3 M0 prostate cancer without local treatment of the primary tumor: results of European Organization for the Research and Treatment of Cancer 30846-aphase III study. *J Urol* 2004;172:923-27.
198. The Medical Research Council Prostate Cancer Working Party Investigators Group. Immediate versus deferred treatment for advanced prostatic cancer: initial results of the Medical Research Council Trial. *Br J Urol* 1997;79:235-46.
199. Denis LJ, Carneiro de Moura JL, Bono A et al. Goserelin acetate and flutamida versus bilateral orchiectomy: a phase III EORTC trial (30853). EORTC GU Group and EORTC Data Center. *Urology* 1993;42:119-30.
200. Iversen P, Christensen MG, Friis E et al. A phase III trial of zoladex and flutamide versus orchiectomy in the treatment of patients with advanced carcinoma of the prostate. *Cancer* 1990;66(5 Suppl):1058-66.

201. Soloway MS, Chodak G, Vogelzang et al. Zoladex versus orchiectomy in treatment of advanced prostate cancer: a randomized trial. Zoladex Prostate Study Group. *Urology* 1991;37:46-51.
202. Vogelzang NJ, Chodak GW, Soloway MS et al. Goserelin versus orchiectomy in the treatment of advanced prostate cancer: final results of a randomized trial. Zoladex Prostate Study Group. *Urology* 1995;46:220-26.
203. Iversen P, Tyrrell CJ, Kaisary AV et al. Bicalutamide monotherapy compared with castration in patients with nonmetastatic locally advanced prostate cancer: 6.3 years of followup. *J Urol* 2000;164:1579-82.
204. Sieber PR, Keiller DL, Kahnoski RJ et al. Bicalutamide 150 mg maintains bone mineral density during monotherapy for localized or locally advanced prostate cancer. *J Urol* 2004;171:2272-76.
205. Anderson J. The role of antiandrogen monotherapy in the treatment of prostate cancer. *BJU Int* 2003;91:455-61.
206. Boccardo F, Barichello M, Battaglia M et al. Bicalutamide monotherapy versus flutamide plus goserelin in prostate cancer: updated results of a multicentric trial. *Eur Urol* 2002;42:481-90.
207. Oh WK. Secondary hormonal therapies in the treatment of prostate cancer. *Urology* 2002;60(3 Suppl 1):87-93.
208. Miyake H, Hara I, Eto H. Clinical outcome of maximum androgen blockade using flutamide as second-line hormonal therapy for hormone-refractory prostate cancer. *BJU Int* 2005;96:791-95.
209. Taylor CD, Elson P, Trump DL. Importance of continued testicular suppression in hormone-refractory prostate cancer. *J Clin Oncol* 1993;11:2167-72.
210. Silver RI, Straus FH, 2nd, Vogelzang NJ et al. Response to orchiectomy following Zoladex therapy for metastatic prostate carcinoma. *Urology* 1991;37:17-21.
211. Joyce R, Fenton MA, Rode P et al. High dose bicalutamide for androgen independent prostate cancer: effect of prior hormonal therapy. *J Urol* 1998;159:149-53.
212. Kucuk O, Fisher E, Moinpour CM et al. Phase II trial of bicalutamide in patients with advanced prostate cancer in whom conventional hormonal therapy failed: a Southwest Oncology Group study (SWOG 9235). *Urology* 2001;58:53-58.
213. Smith DC, Redman BG, Flaherty LE et al. A phase II trial of oral diethylstilbesterol as a second-line hormonal agent in advanced prostate cancer. *Urology* 1998;52:257-60.
214. Small EJ, Halabi S, Dawson NA et al. Antiandrogen withdrawal alone or in combination with ketoconazole in androgen-independent prostate cancer patients: a phase III trial (CALGB 9583). *J Clin Oncol* 2004;22:1025-33.
215. Wilkinson S, Chodak G. An evaluation of intermediate-dose ketoconazole in hormone refractory prostate cancer. *Eur Urol* 2004;45:581-85.
216. Tannock IF, Osoba D, Stockler MR et al. Chemotherapy with mitoxantrona plus prednisone or prednisone alone for symptomatic hormone- resistant prostate cancer: a Canadian randomized trial with palliative end points. *J Clin Oncol* 1996;14:1756-64.
217. Petrylak DP, Tangen CM, Hussain MH et al. Docetaxel and estramustine compared with mitoxantrone and prednisone for advanced refractory prostate cancer. *N Engl J Med* 2004;351:1513-20.
218. Tannock IF, de Wit R, Berry WR et al. Docetaxel plus prednisone or mitoxantrona plus prednisone for advanced refractory prostate cancer. *N Engl J Med* 2004;351:1502-12.
219. Ryan C, Efstathiou E, Smith M et al. Phase II multicenter study of chemotherapy (chemo)-naive castration-resistant prostate cancer (CRPC) not exposed to ketoconazole (keto), treated with abiraterone acetate (AA) plus prednisone. *J Clin Oncol* 2009;27:15s, (suppl; abstract #5046) http://www. asco.org/ASCOv2/Meetings/Abstracts? & vmview =abst_detail_ view&confID=65&abstractID=34693
220. Reid AH, Attard G, Danila D et al. A multicenter phase II study of abiraterone acetate (AA) in docetaxel pretreated castration-resistant prostate cancer (CRPC) patients (pts). *J Clin Oncol* 2009;27:15s, (suppl; abstract #5047) http://www. asco.org/ASCOv2/Meetings/Abstracts? & vmview=abst_detail_ view&confID=65&abstractID=34016
221. Danila DC, de Bono J, Ryan CJ et al. Phase II multicenter study of abiraterone acetate (AA) plus prednisone therapy in docetaxel-treated castration-resistant prostate cancer (CRPC) patients (pts): Impact of prior ketoconazole (keto). *J Clin Oncol* 2009;27:15s, (suppl; abstr 5048).
222. de Bono JS, Logothetis CJ, Molina A et al. Abiraterone and increased survival in metastatic prostate cancer. *N Engl J Med* 2011;364:1995-2005.
223. Petrylak DP, Tangen CM, Hussain MH et al. Docetaxel and estramustine compared with mitoxantrone and prednisone for advanced refractory prostate cancer. *N Engl J Med* 2004;351:1513-20.
224. Petrylak DP, Ankerst DP, Jiang CS et al. Evaluation of prostate-specific antigen declines for surrogacy in patients treated on SWOG 99-16. *J Natl Cancer Inst* 2006;98:516-21.
225. de Bono JS, Oudard S, Ozguroglu M et al. Prednisone plus cabazitaxel or mitoxantrone for metastatic castration-resistant prostate cancer progressing after docetaxel treatment: a randomised open-label trial. *Lancet* 2010;376:1147-54.
226. Kantoff PW, Higano CS, Shore ND et al. Sipuleucel-T immunotherapy for castration-resistant prostate cancer. *N Engl J Med* 2010;363:411-22.
227. Ross RW, Small EJ. Osteoporosis in men treated with androgen deprivation therapy for prostate cancer. *J Urol* 2002;167:1952-56.
228. Oefelein MG, Ricchiuti V, Conrad W et al. Skeletal fractures negatively correlate with overall survival in men with prostate cancer. *J Urol* 2002;168:1005-7.
229. Dawson NA. Therapeutic benefit of bisphosphonates in the management of prostate cancer-related bone disease. *Expert Opin Pharmacother* 2003;4:705-16.
230. Smith MR. Bisphosphonates to prevent skeletal complications in men with metastatic prostate cancer. *J Urol* 2003;170:S55-58.
231. Lacerna L, Hohneker J. Zoledronic acid for the treatment of bone metastases in patients with breast cancer and other solid tumors. *Semin Oncol* 2003;30(5 Suppl 16):150-60.
232. Saad F, Gleason DM, Murray R et al. A randomized, placebo=controlled trial of zoledronic acid in patients with hormone-refractory metastatic prostate carcinoma. *J Narl Cancer Inst* 2002;94:1458-68.
233. Saad F. Zoledronic acid significantly reduces pathologic fractures in patients with advanced-stage prostate cancer metastatic to bone. *Clin Prostate Cancer* 2002;1:145-52.
234. Rosen LS, Gordon D, Tchekmedyian S et al. Zoledronic acid versus placebo in the treatment of skeletal metastases in patients with lung cancer and other solid tumors: a phase III, double-blind, randomized trial: the Zoledronic Acid Lung Cancer and Other Solid Tumors Study Group. *J Clin Oncol* 2003;21:3150-57.
235. Saad F, Schulman CC. Role of bisphosphonates in prostate cancer. *Eur Urol* 2004;45:26-34.
236. Holmberg AR, Lerner UH, Alayia AA et al. Developmental of a novel poly bisphosphanate conjugate for treatment of skeletal metastasis and osteoporosis. *Int J Oncol* 2010;37:563-67.
237. Chen TC. Prostate cancer and spinal cord compression. *Oncology* (Williston Park) 2001;15:841-55.

CAPÍTULO 194
Aspectos Moleculares do Câncer de Próstata

Ana Sheila Cypriano ■ Antonio Augusto Ornellas ■ Gilda Alves

INTRODUÇÃO

O câncer de próstata é um grave problema de saúde pública. Apesar de todos os avanços médicos alcançados nas últimas décadas com relação ao diagnóstico precoce e às novas formas de tratamento, até o momento permanece em destaque no *ranking* das principais causas de morte na população masculina. Nos últimos 10 anos tem havido significativo avanço em pesquisa básica e translacional para melhor compreensão sobre o início e a progressão do câncer de próstata. Novas terapias também têm trazido melhores resultados diretamente aos pacientes. Todavia, até o momento, ainda existem grandes desafios clínicos associados ao modelo convencional de diagnóstico e tratamento da neoplasia da próstata. Sendo assim, para maior impacto na gestão eficaz da doença é necessária substancial investigação sobre a biologia tumoral.[1]

O principal desafio clínico hoje é representado pela incapacidade de se distinguir facilmente tumores agressivos dos tumores indolentes entre os pacientes que apresentam nódulos com baixo grau no índice de Gleason.[2] O desafio estaria associado ao prognóstico e seria mais bem resolvido com o entendimento dos processos moleculares da iniciação do câncer de próstata, o que, em última instância, levaria à identificação de biomarcadores moleculares que forneceriam respaldo para a distinção entre casos indolentes e agressivos. Até o momento, entretanto, o painel de biomarcadores ainda é insuficiente e com menor resposta prognóstica que o índice de Gleason.[3]

Juntamente com a forte correlação entre o perfil de desenvolvimento do tumor e o envelhecimento está o perfil heterogêneo do câncer de próstata, que é potencialmente relevante para o entendimento e distinção entre a doença latente e sua forma clínica grave. Em trabalhos como o de Shen MM *et al.*[1] são mostradas as vias de progressão do câncer de próstata humano e é interessante perceber que cada estágio de progressão é correlacionado com eventos moleculares que têm mostrado-se significativos em cada etapa.

Com base na formação histopatológica observa-se que há diferentes subtipos de câncer de próstata. Apesar da heterogenicidade fenotípica presente, mais de 95% dos tipos da neoplasia são classificados patologicamente como adenocarcinoma (câncer do tecido glandular), enquanto outros subtipos, como o adenocarcinoma ductal e o carcinoma mucinoso, já são bem raros.

Análises genômicas recentes têm mostrado um aumento das evidências que definem os subtipos molecularmente. O estudo das vias que integram as análises de expressão gênica, alteração no número de cópias e sequenciamento de genes podem possibilitar uma abordagem mais unificada para real distinção dos subtipos do câncer e, com isso, a estratificação do perfil do paciente.[4] Contudo, os estudos em andamento devem, ainda, sem sombra de dúvidas, avaliar se esses subtipos correlacionam-se de forma precisa com a evolução da doença e a resposta ao tratamento.

As análises genômicas do câncer de próstata também têm identificado alteração no número de cópias e rearranjos cromossômicos associados à carcinogênese. Muitos genes-chave são regulatórios e têm sido mapeados em regiões cromossômicas com número de cópias alterado. Isso inclui o gene *NKX3.1 (NK3 homeobox 1)* na região cromossômica 8p21, *PTEN (Phosphatase and Ttensin homolog deleted on chromosome ten)* em 10q23, *MYC (myelocytomatosis gene)* em 8q24 e *AR (Receptor Androgen)* em Xq.

Com base em resultados a partir de experimentação animal, uma possível interpretação para as diferenças entre a ocorrência do câncer latente e o aparecimento da forma agressiva é a senescência celular que pode estar envolvida na repressão do progresso da doença, enquanto eventos oncogenéticos podem ser requeridos para promover a progressão da mesma.[1]

GENES NO CÂNCER DE PRÓSTATA

Uma série de estudos tem identificado genes que são regulados e expressos de forma diferenciada na progressão prostática. Estes genes passam a ser, então, vistos como pontos-chave na procura por um marcador clínico que caracterize melhor a progressão da neoplasia e, com isso, possam ser considerados como marcadores em potencial para novas terapias.[5]

A forte correlação da incidência do câncer de próstata com o envelhecimento tem suscitado nos pesquisadores a forte tendência em avaliar alterações na expressão de genes ligados a este fator, o que incluiu genes da inflamação, do estresse oxidativo e da senescência celular.[6] As linhas de estudo têm evidenciado que uma das maiores influências para a carcinogênese da próstata é o estresse oxidativo (justamente provocado por associação da doença com o envelhecimento) e, consequentemente, o impacto cumulativo de danos sobre o DNA.[7] O estresse oxidativo resulta do desequilíbrio na produção de tipos reativos de oxigênio *(Reactive oxygen species – ROS)* e a detoxificação feita por enzimas que controlam os níveis celulares das ROS. Nesse contexto, a próstata aparece como órgão excepcionalmente vulnerável ao estresse oxidativo, seja como consequência da inflamação, do descompasso hormonal, da dieta e/ou de modificações epigenéticas como o silenciamento de *GSTP1 (Glutathione S-transferase P1)*, uma enzima que atua na detoxificação celular.

Existem algumas alterações genéticas conhecidas no câncer de próstata, mas nem todas são bem estabelecidas. Uma vasta variedade de genes que podem estar relacionados com a neoplasia da próstata é citada nos estudos, contudo, aqui veremos apenas alguns dos principais genes e modificações ligados a esta doença, priorizando os que são entendidos como os mais importantes deste conjunto.

Receptores de andrógeno (AR)

Andrógenos são hormônios do sexo masculino que incluem muitos esteroides como a testosterona e a di-hidrotestosterona (DHT). A testosterona é o principal andrógeno circulante no corpo humano, enquanto a DHT é o mais potente andrógeno por ter maior afinidade com os receptores. O receptor nuclear mais importante no contexto do câncer de próstata é o receptor de andrógeno, produto do gene *AR*. Receptores nucleares abrangem uma superfamília de fatores de transcrição que, uma vez ativados por ligantes, podem acoplar-se ao DNA e tanto ativar quanto reprimir a expressão gênica. Na ausência de hormônio andrógeno no organismo, *AR* fica no citoplasma ligado a proteínas de choque térmico, mas sobre efeito hormonal ele se dissocia do complexo proteico, formando dímeros e se translocando para o núcleo.

Um amplo número de coativadores de *AR* tem sido identificado pela sua capacidade de potencializá-lo.[8] O fato de os casos de câncer de próstata resistentes à castração serem dependentes de *AR* respalda a ideia de que o receptor é um fator importante para a sobrevivência das células da próstata.[9] Este conhecimento levou ao desenvolvimento de estratégias adicionais para inibição de *AR*. Alguns mecanismos moleculares têm sido descritos sobre a capacidade de *AR* em reter a sinalização em casos de câncer que são resistentes à castração. O fato é que esses tipos de câncer resistentes à castração têm mostrado possuir um acúmulo de alterações genéticas e, também tem-se tornado evidente que a resposta terapêutica pode ser dependente dessas alterações e das vias ativadas no tumor.[10] Alguns dos mecanismos genéticos mais encontrados incluem a amplificação do número de cópias do gene *AR*,[11] como também mutações de ganho de função que conferem aumento da estabilidade proteica, aumento da sensibilidade a andrógenos e surgimento de novas respostas a outros hormônios esteroides.[12]

Fusão gênica

Estudos recentes têm identificado rearranjos cromossômicos que ativam membros da família dos fatores de transcrição *ETS* (*ERG*, *ETV1*, *ETV4* ou *ETV5*). Rearranjos genômicos no câncer de próstata resultam na fusão do gene regulador de andrógeno *TMPRSS2* (*Transmembrane protease, serine*) com o fator *ERG* (*Ets Related Gene*), que é um membro da família dos fatores de transcrição *ETS* (*E-twenty six*), que recebe esse nome em homenagem ao primeiro gene onde foi identificado, o gene traduzido pelo vírus da leucemia *E26*.

A fusão resulta em uma expressão da proteína *ERG* truncada em sua região N-terminal sob controle do promotor de *TMPRSS2* receptor de andrógeno.[13] A frequência dessa fusão é de aproximadamente 15% em lesões de neoplasia prostática intraepitelial (PIN) de alto grau, e de aproximadamente 50% em câncer de próstata localizado, sugerindo que essa fusão ocorre depois do início do câncer ou corresponde a um evento inicial que predispõe à progressão clínica.

Análises por FISH (*Fluorescence in situ Hybridization*) têm confirmado a ocorrência de 16 a 20% de rearranjo de *ERG* em PIN de alto grau,[14] sugerindo que a fusão *TMPRSS2:ERG* esteja associada a eventos iniciais na carcinogênese da próstata. Descobertas de alterações em vias de estrógeno, progesterona e ácido retinoico em câncer de próstata não respondedor a andrógeno, e que contenham rearranjos em *ETS*, sugerem novos alvos de drogas;[15] todavia, os caminhos pelos quais os oncogenes *ETS* são diferentemente regulados, principalmente com relação à sinalização por andrógenos, ainda precisam ser mais bem elucidados. Apesar da prevalência desses rearranjos genômicos, o significado funcional da fusão *TMPRSS2:ERG* ou de outro arranjo envolvendo a família *ETS* no câncer de próstata ainda não é considerado bem esclarecido. Um exemplo disso advém da interrupção vista na sinalização celular das células neoplásicas através do silenciamento epigenético, o que condiz com a inibição da diferenciação epitelial da próstata.[16]

A compreensão dos mecanismos de translocação dos genes de *ETS* no câncer de próstata certamente significou um passo importante para o entendimento da progressão do tumor. Todavia, do ponto de vista clínico, a importância desse rearranjo ainda é insuficiente, já que para fins de prognóstico ele ainda é impreciso. É necessário que as vias que dirigem tais mecanismos sejam mais bem esclarecidas, pois a partir daí sim esse conhecimento poderá trazer benefícios adicionais no tratamento da doença, tanto em pacientes respondedores a andrógeno como nos resistentes.[5]

SPINK1

O gene SPINK1 (*serine peptidase inhibitor, Kazal type 1*) também conhecido como *PST1* (*pancreatic secretory trypsin Inhibitor*) ou *TATI* (*tumor-associated trypsin inhibitor*) codifica um peptídeo que protege o pâncreas da autodigestão, prevenindo a ativação prematura das proteases. A próstata também secreta uma série de proteases, como a tripsina e a calicreína.[17] A presença de *SPINK1* sugere que este tenha papel na modulação da atividade das proteases relacionadas com o câncer em vários tecidos além do pâncreas. Foi mostrado que nos casos mais agressivos do câncer de próstata, que representam de 10 a 15% dos tumores, existe uma superexpressão da proteína SPINK1, o que sugere que o mecanismo de desenvolvimento tumoral esteja relacionado com este peptídeo. *SPINK1* define um subtipo molecular da neoplasia da próstata, que é caracterizado pela ausência de fusão de genes *EST* e tem estado associado a fenótipos mais agressivos.[18] Na verdade, tem-se analisado o papel de *SPINK1* como possível marcador em casos de tumores sem o rearranjo *ERG*.

Em trabalho recente foi mostrado que *SPINK1* promove a proliferação do câncer de próstata e a invasão tecidual por sinalização autócrina e parácrina. Todavia, embora a presença dessas alterações seja demonstrada, as vias bioquímicas pelas quais os efeitos de *SPINK1* sobre o câncer são vistos, ainda precisam ser mais bem estudadas.[19]

RNAseL

Há também os raros casos de câncer de próstata hereditário, ligados ao gene *HPC* (*hereditary prostate cancer*), que são identificados pela presença de *loci* que aumenta o risco da neoplasia na família. Um destes *loci*, *HPC1*, tem demonstrado ser um correspondente a *RNAseL*, que codifica uma endorribonuclease para ssRNA, que é um componente do interferon na infecção viral.[20] *HPC1* é um *locus* protótipo para a susceptibilidade do câncer de próstata. Está localizado na região cromossômica 1q24-25, adjacente ao gene *RNAseL* que está no 1q25. *RNAseL* é suscetível em receber respostas de infecções virais, que podem desempenhar papel relevante no câncer de próstata. Estudos têm mostrado que a deleção em E265X (ponto de mutação que leva a um produto truncado) e a mutação em R462Q (ponto para mutação sem sentido) em *RNAseL* estão associadas a risco aumentado do desenvolvimento do câncer e que *HPC1* está possivelmente associado à iniciação do câncer de próstata hereditário.[21] Contudo, o papel de *RNAseL* é uma informação a ser pensada, pois o papel funcional e epidemiológico dele no câncer de próstata hereditário tem sido observado na maioria dos trabalhos, mas não em todos.[22]

PCA3

O gene *PCA3* (*prostate cancer antigen 3*), localizado na região cromossômica 9q21-q22, também referido como *DD3*, é um potencial biomarcador para o câncer de próstata. Identificado em 1999, o gene *PCA3* codifica uma molécula de mRNA que não é traduzida e está superexpressa nos casos de câncer quando comparados aos tecidos benignos.[23] Já se sabe que existe associação positiva entre a expressão de *PCA3* com o volume tumoral, e a dosagem do marcador pode ser feita com base em um teste de urina. O *PCA3* sozinho não apresenta uma grande vantagem frente ao PSA, mas a combinação dessas duas medidas demonstra ter boa sensibilidade.[24] Alguns estudos sugerem que ele pode ter maior valor como marcador de diagnóstico e não como marcador preditivo de prognóstico.[25] Com isso, tem-se que sua relação com a agressividade tumoral precisa ser mais bem estudada, embora sua presença na ocorrência da doença seja clara. Na verdade, o *PCA3* é um forte gene marcador para a identificação tumoral, pois tem-se mostrado bastante específico e um teste simples de ser aplicado (teste de urina pós-exame de toque retal). Seria muito viável o uso de um teste além do *PSA*, principalmente em casos-dilema, como em homens com *PSA* elevados, mas sem câncer; homens com tumor e índices normais de *PSA*; homens com elevações de *PSA* associado a vários graus de prostatite; e homens orientados à vigilância ativa em razão da identificação da doença de forma microfocal.[26]

MYC

Um oncogene comumente estudado no câncer de próstata é o gene *MYC* (*myelocytomatosis gene*), um regulador que codifica fator de transcrição. Já foi demonstrado que no adenocarcinoma de próstata há a elevação do mRNA de *MYC* e de sua proteína,[27] enquanto que no tecido normal essa expressão não é detectada ou é muito baixa e, nesses casos, está confinada ao núcleo das células basais. A superexpressão de *MYC* pode estar correlacionada com a deleção de *FOXP3* (*forkhead box P3*) em células primárias de câncer de próstata humano, resultando num concomitante aumento dos níveis de mRNA e da proteína *MYC*. Apesar dos estudos mostrarem claramente a superexpressão de *MYC* nas lesões prostáticas, até a pouco tempo a fase do desenvolvimento tumoral em que *MYC* era expresso ainda não era conhecida. Alguns genes-alvo de *MYC*, conhecidos como assinatura de *MYC*, têm sido identificados como reguladores de vias que envolvem a progressão tumoral e a metástase.[5]

PTEN

O gene *PTEN* (*phosphatase and tensin homolog deleted on chromosome ten*) é um supressor de tumor localizado no cromossoma 10q22-23. Mutações nesse gene constituem um passo importante para o desenvolvimento de vários tipos de câncer. Ele codifica uma fosfatase citoplasmática que atua sobre várias vias de sinalização intracelulares, como a Akt, a quinase p27 e a ciclina D1. Essa fosfatase está envolvida na regulação do ciclo celular, evitando que as células cresçam e se dividam de forma desregulada.[28] Na via de Akt, o produto de *PTEN* desfosforila o segundo mensageiro *PIP3*, inibindo a proteinoquinase Akt, responsável pela transdução de sinais de sobrevivência e proliferação celular e inibição de apoptose.[29]

Tudo indica que a inativação do gene *PTEN* resulte em progressão do ciclo celular por diminuição dos níveis da proteína inibidora p27. Acredita-se também que *PTEN* regule a migração, adesão e diferenciação celular. Durante o desenvolvimento tumoral, mutações e deleções de *PTEN* culminam com o aumento da proliferação celular e com a redução da morte dessas células. A inativação de *PTEN* está presente em vários tipos de câncer, inclusive o de próstata, sendo que já foi observado a deleção bialélica desse gene ou mutação em 60% de xenoenxertos de câncer de próstata e linhagens celulares.[30] Em um trabalho com 40 amostras de tumores primários de próstata foram encontradas deleções homozigotas de *PTEN* em 25% dos casos,[31] corroborando que essa inativação está entre as mais frequentes no câncer de próstata.

EPCA

EPCA (Early Prostate Cancer Antigen) é uma proteína da matriz nuclear e é sugerida como um novo marcador do câncer de próstata. Por meio de testes imuno-histoquímicos observou-se significativa diferença entre pacientes com e sem câncer de próstata, mostrando que o marcador apresentaria boas sensibilidade e especificidade. Um exemplo é o imunoensaio desenvolvido em 2005 para determinar se os anticorpos anti-EPCA poderiam ser clinicamente utilizados para a detecção do câncer. Neste estudo foi obtida diferença significativa entre os casos e os controles.[32] Um outro estudo sugeriu que a sensibilidade e a especificidade de *EPCA2* no câncer é de 92 e 94%, respectivamente. *EPCA* provavelmente precede mudanças patológicas microscópicas e pode ser um marcador tumoral na sinalização inicial da doença. Contudo, novas investigações são necessárias na construção de um perfil de fato sensível e específico.[33]

EZH2

É um dos principais genes estudados no câncer de próstata. Dado aos achados, é considerado como um marcador tecidual expresso em câncer de próstata metastático resistente a hormônio. A expressão desregulada desse gene pode estar envolvida na progressão da doença, sendo um marcador promissor na distinção entre os tumores indolentes daqueles que têm risco letal de progressão.[34] O gene *EZH2 (Enhancer of Zeste homolog 2)* é um dos alvos de uma família de miRNAs que desempenha papel importante na progressão do câncer através da manutenção e regulação de características moleculares de células neoplásicas. Com isso, a expressão de *EZH2* é fortemente associada a essas características.[35] Várias evidências sugerem que *EZH2* pode desempenhar um papel importante na progressão do câncer por mecanismos epigenéticos. Um papel importante desempenhado por *EZH2* é regular a metilação do DNA pelo recrutamento da DNA metiltransferase.[36] Também foi demonstrado que *EZH2* silencia a expressão de um potencial supressor tumoral, em células de câncer de próstata por intermédio da adição de grupos metil e da indução da desacetilação de histonas.[37] De uma maneira geral, o que se sabe é que o papel funcional de *EZH2* na progressão do câncer de próstata tem sido identificado pela superexpressão gênica quando comparado a células epiteliais prostáticas humanas não tumorais. Contudo, os resultados encontrados não alteram, significativamente, os níveis de expressão de muitos genes associados à metástase já descritos nas células neoplásicas da próstata.[38]

GSTP1

GSTP1 (glutathione-S-transferase P1) é um gene localizado na região cromossômica 11q13 e está envolvido na detoxificação de agentes carcinogênicos eletrofílicos e na atividade antioxidante. Esse gene tem sido observado com regulação diferenciada nos casos de câncer de próstata. *GSTP1* tem sido descrito como um gene "guardião", pois protege ativamente a célula de dano oxidativo do genoma mediado pelos componentes carcinogênicos. No epitélio prostático humano normal, a expressão de *GSTP1* geralmente está confinada ao compartimento basal e sua produção pode ser induzida frente ao desenvolvimento do estresse oxidativo. Já o epitélio prostático maligno, no entanto, quase invariavelmente não expressa *GSTP1* em decorrência da ilha de hipermetilação CpG na região promotora do gene.[39]

Alterações epigenéticas

Existem relatos que apoiam a ideia que o câncer de próstata surge não somente por alterações nos fatores genéticos, mas também nos epigenéticos.[40] Dentre as principais mudanças epigenéticas estão as modificações nas histonas, a metilação do DNA e a regulação por micro-RNAs. As histonas são biomoléculas dinâmicas que promovem um suporte físico ao DNA e estão envolvidas nos mecanismos de regulação da replicação, transcrição e reparo, e também são susceptíveis a modificações bioquímicas como acetilação, metilação e fosforilação. Nas células normais essas modificações respondem pelo *imprinting* parental, pela inativação do cromossoma *X* e pelo desenvolvimento e diferenciação das células embrionárias.[41] Já nas células tumorais, o remodelamento da cromatina e as modificações pós-traducionais, que acontecem nas histonas podem agir na desregulação da expressão gênica. A metilação do DNA é outro ponto crítico para a regulação de múltiplos eventos celulares e tem uma implicação global com o aumento o nível da carcinogênese.[42]

Embora a hipometilação tenha sido a primeira alteração epigenética descrita, poucos trabalhos registram isso no câncer de próstata, ao contrário da hipermetilação, que já é a alteração mais bem caracterizada na doença. Várias alterações genéticas, como mutações pontuais e perda de heterozigozidade, sugerem que a promoção da hipermetilação (que pode ser ocasionada por fatores múltiplos como idade, dieta e fatores ambientais) é um mecanismo associado ao silenciamento gênico.[40] Na prática, os elementos interagem entre si na formação de uma doença complexa. Por exemplo: muitos miRNAs são conhecidos por serem regulados por promotores da metilação, sem contar que miRNAs também podem regular a expressão do DNA e modificação nas histonas. Um exemplo bem importante disso é a atuação de miR-101 (que diretamente reprime a expressão de *EZH2*) que em aproximadamente um terço dos carcinomas da próstata é regulado de forma a resultar em um aumento da expressão de *EZH2*, o que caracteriza uma marca relacionada com a agressividade do câncer de próstata.[43]

Sabe-se que os padrões de metilação gênica podem ser variáveis nas populações e, com isso, também, modular a susceptibilidade para o desenvolvimento e a progressão do câncer de próstata. Diferenças, por exemplo, na metilação do promotor do gene *GTPS1* tem sido demonstrada em algumas populações como nos negros americanos, asiáticos e caucasianos e, nesse caso especificamente, a metilação e *GSTP1* estaria correlacionado com parâmetros patológicos preditivos de doença mais agressiva.[44] Este é um exemplo da importância que deve ser dada aos estudos populacionais, a fim de se caracterizar as bases genéticas das variabilidades individuais e, com isso, o provável padrão de susceptibilidade a doenças e resposta a fármacos das populações em geral.

Polimorfismos genéticos

As versões diferentes de uma certa sequência de DNA em um determinado *locus* são chamados de alelos e quando existirem formas alélicas com frequências superiores a 1% na população, o *locus* passa a ser considerado polimórfico. Esses polimorfismos são variações genéticas que podem ocorrer em sequências codificadoras e não codificadoras, levando a alterações qualitativas e/ou quantitativas das proteínas em questão. As formas mais comuns de polimorfismos genéticos são **deleções, substituições de base única** (*Single Nucleotide Polymorphisms/SNPs*) ou variações no número de sequências repetidas (*VNTR*), micro e minissatélites.

Polimorfismos de um único nucleotídeo (*SNPs*) têm sido identificados em genes responsáveis pelo metabolismo, proliferação celular, transporte, resposta inflamatória e reparo do DNA, que podem estar relacionados com o desenvolvimento do câncer, progressão da doença e resposta ao tratamento.[45]

Grande parte da variabilidade na capacidade de ativar ou de inativar compostos com potencial genotóxico ou carcinogênico se dá por polimorfismos em gene que codificam enzimas de metabolização.[46] O gene *GSTP1*, por exemplo, tem um sítio polimórfico no códon 105 do éxon 5, onde uma transição de uma adenina para uma guanina causa a substituição de uma isoleucina para uma valina. A substituição resulta em alterações na atividade catalítica da enzima. A presença de um resíduo de valina na proximidade de um sítio com ligação para um substrato eletrofílico tem sido associada à diminuição da atividade enzimática e, com isso, a propensão ao desenvolvimento das mais diversas neoplasias.[47] Assim como acontece com *GSTP1*, vários outros polimorfismos estão associados à baixa capacidade enzimática e, portanto, à maior susceptibilidade ao desenvolvimento de doenças.

Dentre os genes relacionados com o desenvolvimento de vários tipos de câncer, muitos são polimórficos, apresentando a substituição de uma única base de um nucleotídeo ou uma variação do número de pequenas sequências repetitivas de DNA. Uma categoria especial é constituída pelos genes de reparo de DNA. Eles codificam proteínas importantes que atuam na recuperação da fita de DNA frente a alguma lesão. Essa lesão, se não for corrigida de forma correta, pode comprometer o desempenho das funções celulares, podendo levar a célula à morte. Muitos genes de reparo de DNA têm polimorfirmos genéticos, com potencial de modular a função gênica e alterar a capacidade de reparação do DNA.[48] Vários estudos têm sugerido que os *SNPs* envolvendo genes de reparo ao dano oxidativo podem contribuir para a susceptibilidade ao câncer de próstata. Em uma análise recente feita em amostra da população brasileira foi avaliada a presença de polimorfismo em dois genes da via de reparo por excisão de bases *XRCC1 (X-ray Repair Cross- Complementing protein 1)* e *APEX1 (AP endonuclease class I)* e foi encontrada diferença estatística significativa entre os pacientes com e sem câncer.[49] Dados como estes corroboram a ideia de que alguns desses genes podem ser usados como potenciais marcadores para a susceptibilidade à doença, devendo-se ampliar os estudos populacionais

Vias que atuam no câncer de próstata

Várias linhas de estudo têm respaldado a ideia de que a inflamação crônica estaria ligada à carcinogênese da próstata. Um estudo recente mostrou que a prostatite bacteriana induzida em ratos pode resultar em mudanças histológicas que lembram a atrofia inflamatória proliferativa (PIA) em humanos e a queda na regulação da expressão da homeoproteína *NKX3.1*,[50] que é regulada por citosinas da inflamação.

O gene *NKX3.1 (NK3 Homeobox 1)* é um exemplo de gene que desempenha funções importantes na embriogênese e na oncogênese. Ele codifica um domínio proteico que contém um fator de transcrição que regula negativamente o crescimento das células do tecido prostático. No câncer de próstata, o *NKX3.1* tem papel essencial, pois sua perda de função leva a defeitos na produção de secreções proteicas e também na malformação ductal. Por uma variedade de mecanismos moleculares, a expressão de *NKX3.1* é diminuída nos tumores em estágio inicial, sugerindo que sua diminuição seria uma das primeiras etapas do câncer de próstata humano.[51]

NKX3.1 atua como um gene supressor tumoral, um repressor da transcrição e, no contexto do câncer de próstata, sua atividade pode ser modulada por outras proteínas, como a *PDEF (Prostate-Derived Ets factor)*, um dos membros, já vistos, da família de fatores de transcrição *ETS*.[52] Embora a perda de função de *NKX3.1* não seja suficiente para o desenvolvimento do câncer, estudos têm demonstrado que juntamente com *PTEN* mutado, o *NKX3.1* pode atuar mais fortemente no desenvolvimento da doença. *PTEN* é um gene supressor de tumor e, no câncer de próstata, ele é normalmente inativado nas lesões mais agressivas resultando na hiperatividade da via *PI3K/Akt*, o que promove a progressão da doença.[5]

Via PI3K/Akt

O oncogene *PI3K (Phosphoinositide-3 Kinase)* é um mediador crítico na sinalização de múltiplas vias oncogênicas que são ativadas pelos receptores de tirosinoquinase *PI3, 4P2* e *PI3,4,5P3 (PIP3)*. Estes receptores atuam como mensageiros secundários nos eventos de sinalização. O passo mais importante da cascata de *PI3K* inclui a ativação de Akt, da família das serina-treoninoquinases, que são recrutadas por *PIP3* para a membrana plasmática e são fosforiladas pela *PDK1*-quinase. Uma vez fosforilada, Akt é ativada e passa a promover a proliferação e sobrevivência celular pela regulação de outras proteínas. A proteína Akt modula a função de vários substratos envolvidos na regulação da sobrevivência, progressão e crescimento celular. Foi demonstrado que a via de sinalização *PI3K/Akt* está relacionada com a tumorigênese e também é um alvo potencial do tratamento do câncer.[53] Cabe ainda dizer que o ponto regulador mais crítico da via *PI3K-Akt* inclui a regulação de *PTEN*. A via *PI3K/Akt/PTEN* têm sido um alvo para o desenvolvimento de drogas. Inibidores de proteínas envolvidas nesta via também têm sido desenvolvidos. Estas drogas incluem alvos dos reguladores de *PI3K/Akt*, como fatores de crescimento e efetores, como os componentes de outras vias de regulação.

Via IGF

Um grande número de fatores de crescimento tem-se mostrado importante no desenvolvimento do câncer. Um deles é o fator de crescimento dependente de insulina, o *IGF (Insulin-like Growth Factor)*, subclassificado em *IGF 1* e *2*. O *IGF* funciona como um hormônio endócrino que atua em um receptor celular transmembranar glicoproteico com atividade tirosinoquinase, o *IGF1R*. Já foi observada uma associação positiva do aumento da expressão de *IGF* com os índices de PSA superiores a 10, enquanto *IGF2* apresentou significativa correlação estatística com o índice de Gleason.[54] *IGF1R* tem sido apontado como o principal agente carcinogênico no desenvolvimento do câncer de próstata e, consequentemente, como passível de aplicação na intervenção farmacológica. Existe uma gama de estudos que sugerem uma relação positiva entre o aumento da atividade de *IGF1R* com o aumento da carcinogênese, enquanto a inibição de sua via resulta em uma diminuição do crescimento tumoral. Tem-se também demonstrado que tanto a proteína *IGF1R* quanto o seu mRNA têm alteração na regulação no câncer primário com relação aos casos de hiperplasia.[55]

Já havia sido mostrado que a via de *IGF* era capaz de induzir a ativação de receptores de andrógeno mesmo na ausência dos mesmos,[56] o que nos leva a considerações importantes, pois sabe-se que a estimulação androgênica é essencial no estímulo para o crescimento das células prostáticas e, com isso, cabe notar que é possível que a próstata continue com um receptor de andrógeno ativado e o tumor continue crescendo mesmo depois do bloqueio do estímulo de andrógeno em razão de uma castração, por exemplo. Por conseguinte, tem-se hipotetizado que deve haver algum tipo de estímulo androgênico independente do receptor de andrógeno que pode estar trabalhando a favor do crescimento do tumor da próstata.[5]

Através do receptor com atividade tirosinoquinase, muitas outras cascatas são ativadas, nas quais estão incluídas as vias *PI3K, AKT, mTOR, S6* quinase e *MAPK*, com efeitos pró-neoplásicos e antiapoptóticos.[57]

A preocupação persistente está em se obter boa compreensão sobre o potencial metastático do tumor primário e as maneiras de se diferenciar o subtipo letal do indolente. Somente com o avanço de tecnologias que definam os detalhes dos intrínsecos circuitos moleculares que norteiam o microambiente tumoral será possível a identificação de novos alvos em potencial para o tratamento do câncer de próstata. As expectativas são as melhores possíveis.

PERSPECTIVAS NA BUSCA POR RESULTADOS

Considerando o enorme progresso alcançado na última década, o que se prevê são contínuos avanços ao longo dos próximos anos, nas áreas de pesquisa, que facilitem a efetiva estratégia para prevenção, diagnóstico e tratamento do câncer de próstata. Entre os desafios para futuros estudos está integrar estudos epidemiológicos com as investigações moleculares e análises clínicas para desvendar a influência dos fatores ambientais, alimentares, de estilo de vida e identificar os fatores moleculares que são alterados por estas influências, e como eles podem ter sido modificados por intervenções dietéticas e/ou medicamentosas.

Em meio a todos os trabalhos publicados a respeito do câncer de próstata, cabe-se salientar os estudos que têm confirmado que tumores que possuem o rearranjo de *ERG* são favorecidos pela deleção em *PTEN*,[58] e isso, claro, com implicações prognósticas para os pacientes.

Outro trabalho recente mostrou alteração molecular nos casos de câncer de próstata resistentes à castração e os caminhos para uma análise combinada, na qual a comparação entre dados de *ERG*, *PTEN*, *SPINK1* e *AR* podem ser capazes de identificar subgrupos de tumores.[10] Essa caracterização das interações que ocorrem entre biomarcadores pode não só identificar subgrupos, mas, com isso, despertar uma nova visão prognóstica e terapêutica, como, por exemplo, o desenvolvimento de drogas mais específicas contra os subgrupos encontrados.

Na comparação entre esses genes o que se tem é que, de uma maneira geral, a superexpressão de *SPINK1* pode ser a característica mais estável em um subgrupo de câncer de próstata e fortemente ligada a *PTEN*, já que onde é identificada a superexpressão de *SPINK1* está também a deleção de *PTEN*. Observou-se, também, que o rearranjo *ERG* ocorre tanto por deleção quanto por translocação e está presente na doença localizada, e que a análise de *AR* isolada demonstra ser mais significativa do que em comparação com outros fatores. Também cabe salientar que a resposta talvez não esteja na presença de uma ou em outra alteração genética, mas sim na forma como cada uma delas interage na formação do perfil do paciente. Saber desvendar os padrões destes perfis constitui o desafio.

É de essencial importância o diagnóstico eficaz (mais delineado) de homens que têm câncer da próstata e a sua estratificação em grupos de alto risco e baixo risco para gestão do tratamento. Assim, a descoberta de biomarcadores certamente representa uma ênfase considerável para pesquisas futuras, talvez focada na identificação de genes reguladores que podem fornecer leituras precisas de sinalização de vias associadas à progressão da doença. Além disso, considerando que o câncer de próstata é bastante heterogêneo, o desenvolvimento de abordagens de tratamento que possam atrasar o seu aparecimento ou progressão é susceptível a ter um impacto significativo sobre o resultado.

CONSIDERAÇÕES FINAIS

Estratégias mais eficazes são necessárias para impedir a transição para formas letais de câncer de próstata, o que exigirá uma compreensão mais profunda dos mecanismos subjacentes, nos casos de resistência à castração, e do tropismo ao osso (metástase) a partir do câncer de próstata. Como o desenvolvimento do câncer de próstata é prevalentemente assintomático, isso geralmente nos leva à triste realidade de que quando a doença é descoberta provavelmente está avançada. O grande problema gerado pelo câncer de próstata é a disseminação sistêmica, ou seja, a metástase, pois consiste em uma série de eventos correlacionados que podem conduzir à morte. Com isso, considera-se crítico o entendimento dos processos que conduzem às células neoplásicas da próstata a se tornarem metastáticas. Nas últimas duas décadas, os esforços em pesquisa na busca por entender a natureza do desenvolvimento do câncer de próstata têm aumentado muito. O número de possíveis marcadores biológicos para o prognóstico e resposta ao tratamento para o câncer de próstata cresce a cada dia, embora nenhum deles ainda tenha-se mostrado suficiente para, sozinho, determinar um prognóstico completo e, assim, gerar nossas diretrizes para avaliação urológica.[59]

De maneira geral, isso denota que os esforços tenderão a nos levar, em breve, a um conhecimento panorâmico mais preciso e, com isso, a conclusões mais detalhadas sobre a neoplasia. É claro que o andar por caminhos desconhecidos não é um processo fácil e, portanto, muitas questões sobre a heterogeneidade do tumor, a resistência às terapias e o perfil de prognóstico continuam, ainda, por ser mais bem elucidadas.

REFERÊNCIAS BIBLIOGRÁFICAS

1. Shen MM, Abate-Shen C. Molecular genetics of prostate cancer: new prospects for old challenges. *Genes & Development* 2010;24:967-2000.
2. Sartor AO, Hricak H, Wheeler TM et al. Evaluating localized prostate cancer and identifying candidates for focal therapy. *Urology* 2008;72:S12-24.
3. True L, Coleman I, Hawley S et al. A molecular correlate to the Gleason grading system for prostate adenocarcinoma. *Proc Natl Acad Sci* 2006;103:10991-96.
4. Taylor BS, Schultz N, Hieronymus H et al. Integrative genomic profiling of human prostate cancer. *Cancer Cell* 2010;18:11-22.
5. Dasgupta S, Srinidhi S, Vishwanatha KJ. Oncogenic activation in prostate cancer progression and metastasis: molecular insights and future challenges. *J Carcinogenesis* 2012;11:4.
6. Bethel CR, Chaudhary J, Anway MD et al. Gene expression changes are age-dependent and lobe-specific in the brown Norway rat model of prostatic hyperplasia. *Prostate* 2009;69:838-50.
7. Khandrika L, Kumar B, Koul S et al. Oxidative stress in prostate cancer. *Cancer Lett* 2009;282:125-36.
8. Heinlein CA, Chang C. Androgen receptor (AR) coregulators: an overview. *Endocr Rev* 2002;23:175-200.
9. Garraway LA, Sellers WR. Lineage dependency and lineage-survival oncogenes in human cancer. *Nat Rev Cancer* 2006;6:593-602.
10. Bismar TA, Yoshimoto M, Duan Q et al. Interactions and relationships of PTEN, ERG, SPINK1 and AR in castration-resistant prostate cancer. *Histopathology* 2012;60:645-52.
11. Linja MJ, Savinainen KJ, Saramaki OR et al. Amplification and overexpression of androgen receptor gene in hormone-refractory prostate cancer. *Cancer Res* 2001;61:3550-55.
12. Brooke GN, Parker MG, Bevan CL. Mechanisms of androgen receptor activation in advanced prostate cancer: Differential co-activator recruitment and gene expression. *Oncogene* 2008;27:2941-50.
13. Tomlins SA, Rhodes DR, Perner S et al. Recurrent fusion of TMPRSS2 and ETS transcription factor genes in prostate cancer. *Science* 2005;310:644-48.
14. Mosquera JM, Perner S, Genega EM et al. Characterization of TMPRSS2-ERG fusion high-grade prostatic intraepithelial neoplasia and potential clinical implications. *Clin Cancer Res* 2008;14:3380-85.
15. Tomlins SA, Laxman B, Varambally S et al. Role of the TMPRSS2-ERG gene fusion in prostate cancer. *Neoplasia* 2008;10:177-88.
16. Yu J, Mani RS, Cao Q et al. An integrated network of androgen receptor, polycomb, and TMPRSS2-ERG gene fusions in prostate cancer progression. *Cancer Cell* 2010;17:443-54.
17. Bjartell A, Paju A, Zhang WM et al. Expression of tumor-associated trypsinogens (TAT-1 and TAT-2) in prostate cancer. *Prostate* 2005;64:29-39.
18. Tomlins SA, Rhodes DR, Yu J et al. The role of SPINK1 in ETS rearrangement-negative prostate cancers. *Cancer Cell* 2008;13:519-28.
19. Ateeq B, Tomlins AS, Laxman B et al. Therapeutic targeting of SPINK1-positive prostate cancer. *Sci Transl Med* 2011 Mar. 2;3(72):72ra17.
20. Carpten J, Nupponen N, Isaacs S et al. Germline mutations in the ribonuclease L gene in families showing linkage with HPC1. *Nat Genet* 2002;30:181-84.
21. Rokman A, Ikonen T, Seppala EH. Germline alterations of the RNAseL gene, a candidate HPC1 gee at 1q25, in patients and families with prostate cancer. *Am J Hum Genet* 2002;70:1299-304.
22. Downing SR, Hennessy KT, Abe M et al. Mutations in ribonuclease L gene do not occur at a greater frequency in patients with familial prostate cancer compared with patients with sporadic prostate cancer. *Clin Prostate Cancer* 2003;2:177-80.
23. Bussemakers MJ, van Bokhoven A et al. DD3: a new prostatespecific gene, highly overexpressed in prostate cancer. *Cancer Res* 1999;59:5975-79.
24. Martínez-Piñeiro Luis. Personalised patient diagnosis and prognosis in prostate cancer: what are the future perspectives? *Eur Urol Supplements* 2010;9:794-99.
25. Rubio-Briones J, Fernández-Serra A, Ramírez M et al. Outcomes of expanded use of PCA3 testing in a Spanish population with clinical suspicion of prostate cancer. *Actas Urol Esp* 2011;35:589-96.
26. Marks SL, David G. Bostwick GD. Prostate Cancer Specificity of PCA3 gene testing: examples from clinical practice. *Reviews in Urology* 2008;10:175-81.
27. Fleming WH, Hamel A, MacDonald R et al. Expression of the c-myc protooncogene in human prostatic carcinoma and benign prostatic hyperplasia. *Cancer Res* 1986;46:1535-38.
28. Chu EC, Tarnawski AS. PTEN regulatory functions in tumor suppression and cell biology. *Med Sci Monit* 2004;10:RA235-41.
29. Waite KA, Eng C. Protean PTEN: form and function. *Am J Hum Genet* 2002;70:829-44.
30. Vlietstra RJ, van Alewijk DC, Hermans KG et al. Frequent inactivation of PTEN in prostate cancer cell lines and xenografts. *Cancer Res* 1998;58:2720-23.
31. Verhagen PCMS, van Duijn PW, Hermans KGL et al. The PTEN gene in locally progressive prostate cancer is preferentially inactivated by bi-allelic gene deletion. *J Pathol* 2006;208:699-707.
32. Paul B, Dhir R, Landsittel D et al. Detection of prostate cancer with a blood-based assay for early for early prostate cancer antigen. *Cancer Res* 2005;65:4097-100.

33. Cao DL, Yao XD. Advances in biomarkers for the early diagnosis of prostate cancer. *Chin J Cancer* 2010 Feb.;29(2):229-33.
34. Tavtigian SV, Simard J, Teng DH *et al*. A candidate prostate cancer suscetibility gene at chromosome 17p. *Nat Genet* 200;127:172-80.
35. Kong D, Heath E, Chen W *et al*. Loss of Let-7 Up-Regulates EZH2 in prostate cancer consistent with the acquisition of cancer stem cell signatures that are attenuated by BR-DIM. *PLoS One* 2012;7(3):e33729. Epub 2012 Mar. 19.
36. Viré E, Brenner C, Deplus R *et al*. The polycomb group protein EZH2 directly controls DNA methylation. *Nature* 2006;16;439(7078):871-74.
37. Chen H, Tu SW, Hsieh JT. Down-regulation of human DAB2IP gene expression mediated by polycomb Ezh2 complex and histone deacetylase in prostate cancer. *J Biol Chem* 2005;280:22437-44.
38. Shin YJ, Kim J. The role of EZH2 in the regulation of the activity of matrix metalloproteinases in prostate cancer cells. *PLoS One* 2012;7:e30393.
39. Wang W, Bergh A, Damber JE. Increased p53 immunoreactivity in proliferative inflammatory atrophy of prostate is retated to focal acute inflammation. *Acta Pathol Microbiol Immunol Scand* 2009;117:185-95.
40. Jerónimo C, Bastian PJ, Bjartell A *et al*. Epigenetics in prostate cancer: biologic and clinical relevance. *Eur Urol* 2011;60:753-66.
41. Kouzarides T. Chromatin modifications and their function. *Cell* 2007;128:693-705.
42. Sharma S, Kelly TK, Jones PA. Epigenetics in cancer. *Carcinogenesis* 2010;31:27-36.
43. Bachmann IM, Halvorsen OJ, Collett K *et al*. EZH2 expression is associated with high proliferation rate and aggressive tumor subgroups in cutaneous melanoma and cancers of the endometrium, prostate, and breast. *J Clin Oncol* 2006;24:268-73.
44. Enokida H, Shiina H, Urakami S *et al*. Ethnic group-related differences in CpG hypermethylation of the GSTP1 gene promoter among African-American, Caucasian and Asian patients with prostate cancer. *Int J Cancer* 2005;116:174-81.
45. Perera FP. Molecular epidemiology: insight into cancer susceptibility, risk assessment, and prevention. *J Natl Cancer Inst* 1996;88:496-509.
46. Canalle R, Burim RV, Tone LG *et al*. Genetic polymorphisms and susceptibility to childhood acute lymphoblastic leukemia. *Enviroment Molecular Mutagen* 2004;43:100-9.
47. Garcia-Saez I, Parraga A, Phillips MF *et al*. Molecular structure at 1.8 Å of mouse liver class pi glutathione S-transferase complexed with S-(p-nitrobenzyl)glutathione and other inhibitors. *J Mol Biol* 1994;237:298-314.
48. Xi T, Jones IM, Mohrenweiser HW. Many amino acid substitution variants identified in DNA repair gens during human population screenings are predicted to impact protein function. *Genomics* 2004;83:970-79.
49. Kuasne H, Rodrigues IS, Losi-Guembarovski R *et al*. Base excision repair genes XRCC1 and APEX1 and the risk for prostate cancer. *Mol Biol Rep* 2010;38:1585-91.
50. Khalili M, Mutton LN, Gurel B *et al*. Loss of Nkx3.1 expression in bacterial prostatitis. A potential link between inflammation and neoplasia. *Am J Pathol* 2010;176:2259-68.
51. Abate-Shen C, Shen MM, Gelmann E. Integrating differentiation and cancer: the Nkx3.1 homeobox gene in prostate organogenese and carcinogenesis. *Differentiation* 2008;76:717-27.
52. Oettgen P, Finger E, Sun Z *et al*. PDEF, a novel prostate epithelium-specific ETS transcription factor, interacts with the androgen receptor and activates prostate-specific antigen gene expression. *J Biol Chem* 2000;275:1216-25.
53. Vara JAK, Casado E, Castro J *et al*. PI3K/Akt signalling pathway and cancer. *Cancer Treat Rev* 2004;30:193-204.
54. Liao Y, Abel U, Grobholz R *et al*. Up-regulation of insulin-like growth factor axis componentes in human primary prostate cancer correlates with tumor grade. *Hum Pathol* 2005;36:1186-96.
55. Hellawell GO, Brewster SF. Growth factors and their receptors in prostate cancer. *BJU Int* 2002;89:230-40.
56. Culig Z, Hobisch A, Cronauer MV *et al*. Androgen receptor activation in prostatic tumor cell lines by insulinlike growth factor-I, keratinocyte growth factor and epidermal growth factor. *Eur Urol* 1995;27(Suppl 2):45-47.
57. Aggarwal RR, Ryan CJ, Chan JM. Insulin-like growth factor pathway: a link between androgen deprivation therapy (ADT), insulin resistance, and disease progression in patients with prostate cancer? *Urol Oncol* 2011.
58. Reid AH, Attard G, Ambroisine L *et al*. Molecular characterisation of ERG, ETV1 and PTEN gene loci identifies patients at low and high risk of death from prostate cancer. *Br J Cancer* 2010;102:678-84.
59. Gómez-Veiga F, Alcaraz-Asensio A, Burgos-Revilla J *et al*. Advances in uro-oncology OncoForum: the best of 2010. *Actas Urol Esp* 2011;35:315-24.

CAPÍTULO 195

Câncer Renal

Paulo Gabriel Antunes Pessoa ■ Nelson Koifman
Antonio Augusto Ornellas ■ Marcos Tobias-Machado

EPIDEMIOLOGIA

O câncer renal é a mais letal das neoplasias urológicas, pois mais de 40% dos pacientes morrem da doença. O carcinoma de células renais é responsável por cerca de 2 a 3% dos tumores malignos em adultos. e por cerca de 80 a 90% das massas renais malignas, atingindo mais a faixa etária entre 50 e 70 anos de idade, sendo 2 a 3 vezes mais frequente no sexo masculino.[1] Pode estar relacionado, em 4% das vezes, com fatores genéticos (doença de von Hippel-Lindau e carcinoma renal hereditário) a maioria, porém, é esporádica.

Na criança, o tumor renal tem uma incidência relativamente maior. O tumor de Wilms é a neoplasia abdominal mais frequente, correspondendo a 95% dos tumores renais.

FATORES DE RISCO

Além da herança genética observada em estudos de câncer renal familiar, como na síndrome de von Hippel-Lindau, numerosos fatores ambientais, ocupacionais, hormonais e celulares têm sido estudados como possíveis elementos na gênese dos tumores malignos renais, entre eles: o tabaco, a obesidade, a exposição ao cádmio e a derivados de gasolina, a hipertensão arterial e o uso de diuréticos.[2] O consumo de cigarros (tabagismo) duplica a chance de desenvolvimento do tumor.

SINTOMATOLOGIA

Os sintomas e sinais clínicos, quando existentes, frequentemente não auxiliam no diagnóstico, assim como os marcadores tumorais que apresentam baixa especificidade (Quadro 1).[1]

Perda de peso, dor óssea ou mal-estar geral e adinamia sugerem doença avançada. A palpação de massa abdominal ou linfadenomegalia periférica também denota pior prognóstico, bem como a presença de varicocele ou edema de membros inferiores, que sugerem trombo venoso intrarrenal ou intracavo. Provas alteradas de função hepática, elevação da fosfatase alcalina e da velocidade de hemossedimentação e anemia também são fatores indicativos de doença avançada.[3]

Sinais laboratoriais

- Aumento da velocidade de hemossedimentação.
- Poliglobulina.
- Hiperfibrinogenemia.
- Aumento de fosfatase alcalina.
- Hipercalcemia.

Após a exérese do tumor, as alterações provocadas pela síndrome paraneoplásica voltam ao normal. A recidiva dos sinais e sintomas podem indicar recidiva do tumor.

EXAME FÍSICO

O carcinoma de células renais é conhecido como "tumor do radiologista" em razão da relativa falta de achados clínicos durante o exame físico.

O exame físico deve incluir palpação abdominal à procura de massas abdominais, e ausculta do abdome superior em decorrência da possibilidade de "sopro" renovascular.

Avaliação testicular deve ser realizada, pois a obstrução do fluxo venoso da veia renal por trombo pode provocar varicocele. Nódulos no epidídimo também podem ser encontrados na VHL.

CARACTERÍSTICAS CLÍNICAS E PATOLÓGICAS

Cerca de 20% dos pacientes com adenocarcinoma renal apresentam-se, inicialmente, com metástase a distância, este fato, porém, é raro nos tumores com menos de 4 cm de diâmetro.

A hematúria micro ou macroscópica é a apresentação clínica mais comum, presente em 60% dos pacientes.

A tríade clássica composta de hematúria, dor lombar e massa palpável é encontrada apenas em menos de 10% dos casos.

Quando presentes, as metástases envolvem, principalmente, os pulmões, linfonodos retroperitoneais, fígado e ossos, provocando dor óssea, sintomas respiratórios; varicocele de aparecimento súbito significa envolvimento da veia renal ou cava inferior.

A síndrome paraneoplásica presente em 20 a 40% dos casos de CCR resulta da produção polipeptídios e fatores hormonais pelo tumor (substâncias biologicamente ativas com efeito hormonal).

Os sintomas provocados pela síndrome paraneoplásica por vezes são a primeira manifestação de câncer renal: hipertensão arterial, febre de origem desconhecida, anemia, hepatopatia aguda (síndrome de Stauffer), neuromiopatia, amiloidose renal.

DIAGNÓSTICO

O uso generalizado da ultrassonografia e da tomografia computadorizada proporcionou aumento da frequência de diagnóstico das massas renais.[1] Com o advento da maior utilização destes métodos de diagnóstico por imagem, a detecção incidental do carcinoma de células renais tem aumentado em pacientes assintomáticos. Esses tumores tendem a ser menores e com estadiamento menor, resultando em melhores taxas de sobrevida, menores taxas de recidiva e de metástase que o carcinoma de células renais diagnosticado em pacientes sintomáticos. O carcinoma de células renais sintomático apresenta grau e estágio significativamente maiores e os tumores são substancialmente mais agressivos do que lesões descobertas de forma incidental, particularmente em estágios mais tardios. No carcinoma renal, a US tem apresentação variada. Tomando-se por referência o tecido renal normal, a massa pode ser isoecogênica (50%), hipoecogênica (30%) ou hiperecogênica (20%), apresentar lobulações, áreas de degeneração cística ou calcificações intratumorais.[1] A

Quadro 1. Incidência de sintomas em pacientes com carcinoma de células renais[5]

SINTOMA	FREQUÊNCIA
Dor	40 a 45%
Hematúria	35 a 40%
Perda de peso	30 a 35%
Massa palpável	20 a 25%
Febre	15 a 20%
Hipertensão	15 a 20%
Tríade clássica	< 10%
Hipercalcemia	< 10%

interface tumor-tecido renal pode ser nítida e bem definida ou imprecisa (Fig. 1).

Uma vez detectada a presença de lesão renal expansiva sólida, o estadiamento correto deve ser iniciado com uma tomografia computadorizada helicoidal. A tomografia computadorizada (TC) de abdome e pelve oferece nítida superioridade com relação à US (Fig. 2). A US é menos eficiente na definição de massas renais sólidas, pois diagnostica apenas 26% das lesões com menos de 1 cm, e 83% das lesões com mais de 3 cm.[1] Com a TC, um maior número de lesões é detectado, particularmente pequenas lesões periféricas. A comparação de imagens, antes e após contraste endovenoso, permite a identificação de diferentes densidades do tecido.[2] A reconstrução tridimensional (3D) das imagens da TC facilita a distinção de tumores renais de outras patologias e a visualização da árvore vascular extra e intrarrenal em mais de 90% dos casos, bem como mostra a relação do rim com estruturas adjacentes e a presença de lesões metastáticas e/ou extensão para a suprarrenal, fígado e outros órgãos.[4] A reconstrução tridimensional é fundamental para o estadiamento e planejamento pré-operatório em cirurgias com preservação de parênquima e evita a necessidade de arteriografia renal seletiva.[3] Portanto, a TC helicoidal é o método de escolha para o estadiamento, com eficácia de 80 a 90%.[1] O carcinoma renal costuma ser sólido, com valores de atenuação de 20 unidades Hounsfield (HU). A sua imagem à TC muda com o tamanho e a vascularização.

O uso da ressonância magnética (RM) no estadiamento do TR é restrito a pacientes portadores de insuficiência renal ou alergia ao contraste iodado, uma vez que a TC helicoidal com reconstrução em 3D é o melhor método de estudo, sendo mais rápida, mais barata e permite o estudo de pacientes com próteses metálicas, obesos etc.[3] Os TRs aparecem heterogêneos em T1, e tipicamente com sinal hiperintenso quando comparados com o parênquima normal, em T2.[4] Também é útil na distinção entre carcinoma renal e oncocitoma, que apresenta cápsula e cicatriz central estrelada à RM.

Talvez as únicas situações em que a RM é superior à TC no estadiamento sejam na identificação de trombo tumoral intracavo (100% dos casos), trombo em veia renal (88%) e intra-atrial (80%), e na avaliação da invasão do tumor para órgãos adjacentes, sobretudo para o fígado, quando a TC pode ser de interpretação mais difícil.[2] De forma similar à TC, também a angiorressonância tem sido usada no estadiamento pré-operatório de pacientes, com detecção de 97% das artérias renais.[3]

Tumores maiores alteram o contorno renal e a arquitetura intrarrenal. Lesões menores têm sua localização facilitada pelo contraste com o ganho de atenuação (acréscimo de 10 HU após administração do contraste). O carcinoma renal aparece menos denso que o tecido renal que o circunda. A RM é o método ideal para determinar, além da invasão vascular e dos órgãos adjacentes, a origem da massa, assim como para detectar a presença de linfonodos peri-hilares.[1]

Quando é feito o diagnóstico de um TR deve-se avaliar, rotineiramente, se há comprometimento metastático. Esta avaliação deve incluir uma radiografia do tórax em duas incidências, a TC do abdome e pelve e provas de função hepática.[2] A cintilografia óssea deve ser realizada apenas em pacientes com dor óssea e/ou elevação da fosfatase alcalina. Outros exames como TC do tórax, RM ou biópsia percutânea de linfonodos suspeitos devem ser solicitados em casos selecionados.[4]

Procedimentos guiados por estudos de Imagem

Os procedimentos indicados para diagnóstico e terapêutica em casos selecionados são a própria biópsia e a termoablação, que podem ser guiados por US ou TC (Quadro 2).

CLASSIFICAÇÃO

As massas podem ser classificadas em:

Sólidas, císticas ou complexas (mistas) e malignas ou benignas (Quadro 3).

Massas renais císticas

Os cistos renais corticais simples encontram-se em cerca de 20% da população, aumentando com a idade.

São únicos ou múltiplos, em sua maioria assintomáticos.

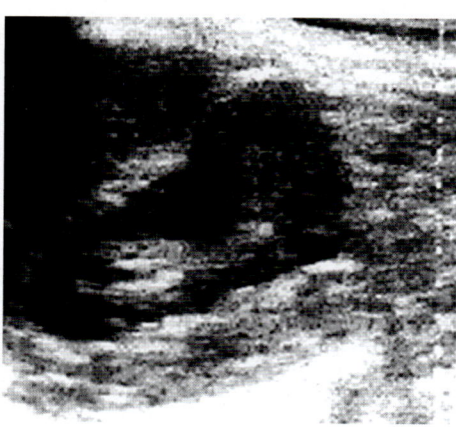

◀ **FIGURA 1.**
Ultrassonografia de vias urinárias mostrando tumor de rim direito.

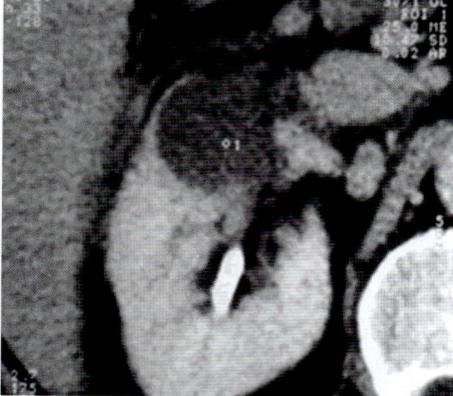

◀ **FIGURA 2.**
Tomografia computadorizada evidenciando tumor de polo superior de rim direito.

Quadro 2. Procedimentos guiados por estudos de imagem

BIÓPSIA RENAL PERCUTÂNEA, INDICAÇÕES
■ Lesões renais
■ Tumor primário extrarrenal conhecido
■ Massas renais irressecáveis ao estudo de imagem
■ Peças com comorbidades que impossibilitam intervenção cirúrgica
■ Lesões de possível etiologia infecciosa
INDICAÇÕES CONTROVERSAS
■ Lesões sólidas com menos de 3 cm
■ Lesões císticas indeterminadas
COMPLICAÇÕES
■ Hemorragia (91% dos casos) – subclínico – autolimitado
■ Pneumotórax – raro
■ Disseminação tumoral no trajeto da punção – (0,01% dos casos)

Quadro 3. Classificação das lesões

LESÕES BENIGNAS	
SÓLIDAS	**CÍSTICAS**
■ Angiolipoma	■ Cisto Simples
■ Oncocitoma	■ Rim policístico
■ Pielonefrite xantogranulomatosa	■ Rim multicístico
■ Tumores mesenquimais benignos	■ Divertículo calicial ou piélico
■ Hipertrofia das colunas de Bertim	■ Hidronefrose
■ Adenoma	
LESÕES MALIGNAS	
SÓLIDAS	**CÍSTICAS**
■ Adenocarcinoma renal	■ Cistoadenocarcinoma
■ Sarcoma	■ Carcinoma renal surgindo de cisto simples regenerado
■ Tumor de Wilms	
■ Lesões metastáticas	■ Cisto necrótico de adenocarcinoma renal

Quadro 4. Classificação de Bosniak

GRAU	DESCRIÇÃO	PERCENTUAL DE MALIGNIDADE	TRATAMENTO
I.	Cistos simples com paredes finas, conteúdo hipodenso	0%	Observação
II.	Lesão cística com um ou dois septos finos (até 1 mm), calcificação fina na parede, sem realce, com administração de contraste	0%	Observação
IIF.	Cistos minimamente complicados, hiperdensos, com alguma característica suspeita e categoria mal definida	5%	Acompanhamento em 6 meses e depois anual
III.	Massas císticas indeterminadas com espessamento, septações e calcificações irregulares, multilocular, com realce ao contraste	45 a 60%	Abordagem cirúrgica
IV.	Cistos irregulares com áreas sólidas na lesão, margens espessas, com septações e calcificações grosseiras, realça com administração de contraste	95 a 100%	Abordagem cirúrgica

Podem ser simples, complexos ou hemorrágicos.

São diagnosticados através de US simples de abdome, complementando-se a avaliação por meio de TC com contraste.

Na avaliação das massas císticas pode ser utilizada a classificação proposta por Bosniak, na qual são avaliados os critérios morfológicos da parede e do septo (calcificações, espessura, contorno, número de septos, grau de captação por contraste) (Quadro 4).

MASSAS RENAIS SÓLIDAS

Aproximadamente 2 a 3% de todas as neoplasias são representadas pelo tumor renal. No adulto, cerca de 85% das massas renais sólidas diagnosticadas são carcinomas renais. Na criança, o tumor renal tem incidência maior, sendo o tumor de Wilms a neoplasia abdominal mais frequente e contribuindo com cerca de 95% dos tumores renais.

Leiomiomas, fibromas, lipomas e hamartomas e lesões mesenquimais do rim são incomuns. Adenomas renais benignos são lesões frequentes do parênquima renal, sendo encontrados em 7 a 23% das autópsias. Oncocitomas constituem aproximadamente 2 a 4% dos tumores renais sólidos, e os angiomiolipomas, cerca de 3%.

ESTADIAMENTO

O estadiamento dos tumores renais (Quadro 5) é fundamentado no sistema TNM e é realizado por meio de tomografia e da realização de cintilografia óssea (com radiografia de possíveis áreas suspeitas) e radiografia e/ou TC de tórax.[5]

Quadro 5. Estadiamento dos tumores renais[1]

CLASSIFICAÇÃO	DEFINIÇÃO
TX	Tumor primário inacessível
T0	Sem evidência de tumor primário
T1a	Tumor < 4 cm limitado ao rim
T1b	Tumor > 4 cm e < 7 cm limitado ao rim
T2a	Tumor > 7 cm e < 10 cm limitado ao rim
T2b	Tumor > 10 cm limitado ao rim
T3a	Tumor compromete gordura perirrenal, gordura do seio renal, sem ultrapassar a gerota; acomete veia renal
T3b	Tumor se estende à veia cava inferior abaixo do diafragma
T3c	Tumor se estende à veia cava inferior acima do diafragma
T4	Tumor se estende para além da fáscia de gerota e suprarrenal
NX	Linfonodos não podem ser avaliados
N0	Metástases linfonodais ausentes
N1	Metástase em um único linfonodo regional
N2	Metástases em mais de um linfonodo regional
MX	Metástases não podem ser avaliadas
M0	Metástases a distância ausentes
M1	Metástases a distância presentes

Os tumores renais malignos também são classificados de acordo com o grau de diferenciação celular. A graduação proposta por Fuhrman divide os tumores em alto ou baixo graus e é baseada em critérios que levam em conta o tamanho, a irregularidade e a proeminência dos núcleos celulares. A classificação de Fuhrman tem papel fundamental no prognóstico com relação à sobrevida sem doença e câncer-específica, sendo que aproximadamente 50% dos pacientes com tumores de alto grau apresentam metástases em 5 anos.[5]

Os avanços do diagnóstico por ultrassonografia (US) e radiológico das últimas duas décadas mudaram radicalmente a abordagem pré e intraoperatória dos tumores renais, bem como seu acompanhamento. A avaliação clássica anterior desses pacientes, realizada para o estadiamento do tumor renal (TR), que incluía exames como a urografia excretora, arteriografia renal seletiva e a cintilografia óssea, já não mais se aplica aos dias de hoje.[3]

Atualmente, cerca de metade das lesões renais sólidas são diagnosticadas incidentalmente nos grandes centros, com exames de US feitos por outros motivos, sendo estes tumores, em geral, de menor grau e estágio e, por conseguinte, de melhor prognóstico do que aquelas grandes massas identificadas em pacientes sintomáticos há vários anos.[3]

Com o desenvolvimento das cirurgias preservadoras de parênquima renal e minimamente invasivas, necessárias ao tratamento dos tumores de menor estágio, outra modalidade diagnóstica e de estadiamento do TR surgiu, com a realização do US intraoperatório, para detecção de multicentricidade, tamanho da lesão, extensão venosa e outras variáveis.[2]

Para tumores maiores, com suspeita de trombo tumoral, intracavo ou intra-atrial, o ecocardiograma transesofágico, outra forma de investigação não invasiva, facilita a identificação da extensão do acometimento tumoral.[2]

O estadiamento clínico correto do câncer renal permite que o cirurgião, utilizando os métodos disponíveis, que são o exame físico, os exames laboratoriais e os métodos de imagem, defina os melhores tratamento e abordagem, individualmente, para cada caso, e avalie a presença de alguns dos fatores prognósticos, ou seja:

A) Extensão a tecidos perirrenais.
B) Extensão a órgãos vizinhos.
C) Extensão a linfonodos locorregionais.
D) Metástases a distância.[3]

A classificação TNM é recomendada para o uso clínico e científico. A versão 2009 introduziu mudanças significativas, incluindo a estratificação por tamanho dos tumores T2, que define tumores T2a > 7 cm e ≤ 10 cm, e tumores T2b > 10 cm limitados ao rim. Na versão TNM atual, T3a incluindo carcinoma de células renais com trombo que se estende para a veia renal. A invasão da suprarrenal é classificada atualmente como pT4, pois muitos estudos mostraram que a invasão da suprarrenal leva a pior prognóstico.

PRINCIPAIS TIPOS HISTOLÓGICOS

Massas renais podem ser classificadas em sólidas, císticas simples ou complexas (mistas) e malignas ou benignas.[1] A investigação da massa renal é de grande importância. Carcinomas pequenos podem apresentar evoluções distintas, permanecendo meses ou anos sem progressão ou com metástases precoces. Cistos complexos devem ser diferenciados de carcinomas, e lesões bem definidas por métodos de imagem permitem acompanhamento clínico.[6]

Tumores benignos

Os tumores benignos do rim que têm importância clínica são os oncocitomas e os angiomiolipomas.[7] Os adenomas corticais e os adenomas metanéfricos são pequenas lesões nodulares encontradas em autópsias. São muito pequenas para causar sintomas ou aparecer nos exames de imagens, têm histologia com características benignas por tratarem-se de lesão neoplásica que ainda não evoluiu e, certamente, progredirem-se, o farão como uma das formas de carcinoma de células renais. Os leiomiomas, fibromas, lipomas, linfangiomas e hemangionas são raros e são tratados como carcinomas de células renais, porque os exames de imagem não fazem distinção entre eles.

Adenomas renais

Adenoma papilar renal é um tumor geralmente menor que 5 mm, originário de células dos túbulos renais e frequentemente encontrado em autópsias. Lesão sólida benigna mais frequente do parênquima renal. Pequenos, assintomáticos, localizados na cortical renal, bem diferenciados, raramente são vistos em exames radiológicos. Como não há critérios morfológicos, imuno-histoquímicos e citogenéticos seguros para distingui-los do carcinoma de células renais, quando diagnosticados devem ser tratados como adenocarcinomas.[8-10]

Oncocitomas

Os oncocítomas são tumores epiteliais benignos, derivados do epitélio dos túbulos distais dos néfrons compostos de grandes células eosinofílicas. Correspondem de 3,2 a 10% dos nódulos sólidos renais e estão associados à perda dos cromossomas 1 e Y.[11] São bem circunscritos, não encapsulados, uniformes e sem áreas de necrose ou hemorragia, de cor marrom ou amarelo pálido. Emergem das células intercaladas do ducto coletor renal, assim como o carcinoma de células renais do subtipo cromófobo, diferentemente do carcinoma de células renais subtipo de células claras que emergem do túbulo proximal renal. Ocorrem em 5% das ressecções cirúrgicas. Na maioria dos casos são encapsulados e não há invasão.[9,10] Em 7 a 32% dos casos podem coincidir com a presença de carcinoma de células renais no mesmo rim.[12] Acometem os homens 2 vezes mais que as mulheres, com idade média de aparecimento de 62 anos. Em 6% dos casos são bilaterais e multifocais, associados à perda dos cromossomas 1 e 4. Não pode ser distinguido do carcinoma de células renais, em especial do subtipo cromófobo através de sintomas clínicos e exames de imagem; portanto, deve ser tratado como se fosse CCR. Apresenta TC em 33% dos casos, imagem conhecida como roda de carroça em razão da cicatriz central do tumor.

Lesões mesenquimais benignas

Lesões mesenquimais benignas do rim, incluindo leiomiomas, fibromas, lipomas e hamartomas, são relativamente incomuns.[1] O fibroma renal, ou hamartoma, geralmente com menos de 1 cm, é encontrado nas pirâmides renais formando pequenos nódulos. O exame microscópico mostra células semelhantes a fibroblastos e tecido colágeno.[8-10]

Angiomiolipoma

Os angiomiolipomas contêm tecido vascular, muscular liso e gorduroso em proporções variáveis. São 4% mais comuns em mulheres do que em homens, ocorrendo, predominantemente, no lado direito. Quando o tecido gorduroso predomina, o diagnóstico com TC é facilitado. Se há hemorragia ou predomínio de tecido vascular, o diagnóstico pode não ser possível.[1] Este tumor constitui 3% dos nódulos sólidos renais, 70% dos casos ocorrem na forma esporádica, com pico de apresentação na 5ª e 6ª décadas, e 30% ocorrem associados à esclerose tuberosa com apresentação aos 30 anos de idade, em geral bilateral e multicêntrico.[7] O diagnóstico por US, TC e RM é praticamente certo e exclui carcinoma de células renais. Tumores com menos de 4 cm devem ser acompanhados clinicamente, entretanto, lesões com mais de 4 cm, que crescem ou com tendência a sangramento devem ser removidas por meio de nefrectomia parcial ou, melhor ainda, de enucleação.[12] Essa conduta merece maior destaque nos casos de lesões múltiplas, bilaterais, geralmente associadas à esclerose tuberosa. É preferível enuclear várias lesões, ainda que não seja possível enuclear todas, antes que elas se tornem grandes demais e impossíveis de serem retiradas com a conservação do rim.[7,11] O paciente deve ser advertido de que a cirurgia proposta não vai curá-lo definitivamente, porque outras lesões vão aparecer, como produto da evolução de angiomiolipomas pequenos ou microscópicos que já existem nos rins. A finalidade do ato cirúrgico é evitar que as lesões fiquem tão grandes que seu efeito de massa possa comprimir outras vísceras abdominais e até causar insuficiência respiratória.[7] Existe uma forma de comportamento maligno do angiomiolipoma, que é multicêntrico, atingindo linfonodos, fígado, pâncreas e outros órgãos. O único tratamento é a remoção cirúrgica, quando possível.[7]

Tumores malignos

O principal tumor da linhagem epitelial é o carcinoma de células renais, que constitui cerca de 85% de todos os tumores renais parenquimatosos do adulto. Na criança, o tumor renal mais comum é o tumor de Wilms (*American Cancer Society*, 1996).

Carcinoma de células renais

O carcinoma renal constitui 1 a 3% de todos os cânceres viscerais, representando 85% dos cânceres renais em adultos. Acomete todas as idades, predominando entre os 50 e 70 anos de idade.[8] Originam-se do epitélio tubular e são adenocarcinomas. Localizam-se, preferencialmente, no polo superior. A maioria dos tumores é esporádica, porém há tumores bilaterais e familiares em indivíduos portadores de síndrome de von Hippel-Lindau, carcinoma hereditário de células claras e carcinoma hereditário papilar.

A classificação do carcinoma de células renais sofreu, recentemente, revisão fundamentada nos estudos histológicos, citogenéticos e moleculares. Carcinoma não papilar de células claras é a forma mais comum (70 a 80% de todos os tumores). Composto de células com citoplasma claro ou granular, não papilar, de incidência esporádica ou familiar. Alteração citogenética em 98% dos casos envolvendo a região do braço curto do cromossoma 3, que abriga o gene VHL, responsável pela proteína elongina.[8-10] O tumor emerge do túbulo contornado proximal e está relacionado com a deleção do cromossoma 3p e/ou mutação do gene VHL 3p 25-26. A invasão local é comum, sendo que em 20% dos casos há invasão da cápsula renal e do sistema coletor, e em 10% dos casos provocam trombo tumoral. O carcinoma de células renais esporádico pode ser bilateral no momento do diagnóstico em 20% das vezes. Quando está associado à síndrome de von Hippel-Lindau (VHL), a multicentricidade, a bilateralidade ou o início precoce do carcinoma renal são mais comuns.

Usualmente apresenta-se como nódulo único, embora em 5% dos casos seja multicêntrico e bilateral. Sua localização frequentemente é no córtex renal, sendo bem delimitado ou formando uma pseudocápsula, de coloração amarelo-ouro em decorrência do seu conteúdo lipídico. Após o estadiamento, o fator prognóstico mais importante é o grau nuclear, sendo o de Fuhrman mais utilizado. A classificação de grau nuclear de Fuhrman divide-se em 4 graus e avalia o tamanho e o formato do núcleo celular, cromatina e nucléolo.

Carcinoma de células renais – tipo papilar

Carcinoma papilar representa de 10 a 15% dos cânceres renais. É mais comumente associado à bilateralidade e multifocalidade e apresenta crescimento papilar e, em alguns casos, pode apresentar milhares de focos microscópicos. Ocorre nas formas familiar e esporádica. Nos casos hereditários, geralmente são circunscritos com áreas de degeneração cística, necrose e hemorragia. Anormalidades citogenéticas mais comuns: trissomia dos cromossomas 7, 16 e 17 e a perda do cromossoma Y nos homens.[8]

Carcinoma de células renais – variante de células cromófobas

Carcinoma renal cromófobo representa 5% dos cânceres renais, manifestando-se por células com membranas celulares proeminentes e citoplasma eosinofílico pálido com um halo ao redor do núcleo. Inúmeras perdas cromossômicas e extrema hipodiploidia.[8] Nas formas hereditárias, pode estar associado à síndrome de Birt-Hogg-Dubé (autonômica dominante com penetrância incompleta) caracterizada por tumores benignos de pele e tumores renais, oncocitoma, carcinoma de células renais, variante de células cromófobas, papilar e claras. A graduação de Fuhrman também é utilizada neste subtipo de tumor.

Carcinoma de ductos coletores de Bellini

É um tumor raro, representando menos de 1% dos carcinomas renais, macroscopicamente apresentam-se como massas com margens indefinidas, esbranquiçadas, endurecidas com áreas de necrose. Microscopicamente, é comum o achado de células com aspecto de girino e seu grau nuclear é alto nestes casos.

Neoplasias malignas raras

Tumores neuroendócrinos, neoplasias hematopoéticas, sarcomas, linfoides primários do rim. As apresentações morfológicas e clínicas são semelhantes aos descritos em outras localidades.

Carcinomas uroteliais da pelve renal

Os carcinomas do urotélio e pelve renal apresentam classificação, padrão morfológico e prognóstico similares ao de bexiga. Aproximadamente 5 a 10% dos tumores renais primários surgem na pelve renal com subtipos desde papilomas até carcinomas papilares. É difícil diferenciar o papiloma benigno do carcinoma papilar de baixo grau.[8] A infiltração da parede da pelve e dos cálices é comum. Embora sejam pequenos e de aspecto benigno, o prognóstico não é bom. Maiores informações poderão ser obtidas no capítulo 10 sobre câncer urotelial do trato urinário alto.

Tumor de Wilms

Tumor de Wilms é um tumor renal embrionário, que surge na infância e representa 6% dos tumores na faixa etária de 2 e 5 anos, formado por estruturas primitivas lembrando o blastema nefrogênico. Geralmente é unilateral, podendo atingir grande volume. Ocorre bilateralmente em 7% dos casos e em 12% dos casos são multifocais dentro de um único rim. É considerado um tumor renal pediátrico, mas pode ocorrer em adultos, raramente. Segundo o grau histológico é dividido em: grau 1 ou bem diferenciado, com parênquima formado por túbulos e glomérulos bem diferenciados, constituindo mais de 50% do tecido tumoral, predominando estroma mixomatoso.[8] Mais de 50% das células são imaturas e no estroma predominam células fusiformes. Grau 3 ou pouco diferenciado é uma neoplasia constituída por células fusiformes com pouca ou nenhuma formação tubuliforme ou glomerular. Alterações citogenéticas envolvem o braço curto do cromossoma 11 e foram identificados três grupos de malformações congênitas distintas: síndrome de WARG (aniridia, anomalias genitais, retardo mental), síndrome de Denys-Drash (pseudo-hermafroditismo e nefropatia, levando à insuficiência renal) e a síndrome de Beckwith-Wiedemann (Quadro 6).[9,10]

Carcinomas associados ao neuroblastoma

Estão associados ao neuroblastoma. Podem ser bilaterais e evoluem com múltiplas metástases.

Quadro 6. Condições associadas ao Tumor de Wilms

- Anomalias congênitas: ocorrem em 15% dos casos
- Anomalias renais
- Criptorquidia
- Hipospadia
- Duplicação uretral
- Genitália ambígua
- Síndrome de Denys-Drash (pseudo-hermafroditismo e nefropatia, levando à infecção renal)
- Síndrome de WAGR (aniridia, anomalias genitais, retardo mental)
- Síndrome de Beckweth-Wisdemann (macroglossia hemi-hipertrofia)
- Síndrome de Perlman (autonômica recessiva)
- Gigantismo fetal, hamartomas renais e nefroblastomose.
- Síndrome de Sotos (crescimento acentuado de face e extremidades e atraso cognitivo)

Carcinoma medular renal

Ocorre, na maioria das vezes, em pacientes jovens com traço falcêmico.

Carcinoma mucinoso tubular e de células fusiformes

Neoplasia de baixo grau, usualmente assintomática.

Carcinomas não classificáveis

Em cerca de 6 a 7% dos casos, os tumores epiteliais de rim apresentam dificuldade em serem classificados nas categorias conhecidas, pois apresentam características de mais de um subtipo de tumor, e o diagnóstico diferencial torna-se difícil.

TRATAMENTO CIRÚRGICO

O tratamento dos tumores renais é eminentemente cirúrgico. A ressecção do tumor permite o diagnóstico histológico definitivo e é o único método que permite cura definitiva para pacientes com tumores renais malignos.

O objetivo da cirurgia é a ressecção total do tumor com margens de segurança adequadas em todo o contorno tumoral. A nefrectomia radical, que consiste na retirada de todo o conteúdo envolvido pela fáscia renal, é a técnica de escolha na maioria dos casos e tem como vantagens:

A) Permitir a ressecção da suprarrenal, que não raramente está acometida pelo tumor.
B) Permitir adequada margem de segurança.
C) Remoção de possíveis metástases linfonodais.
D) Permitir a ligadura e a secção da veia renal perto da emergência da cava (casos com invasão vascular).[5]

Nefrectomia radical aberta

A nefrectomia radical aberta tem sido, até a presente data, o tratamento primário para os tumores renais independentemente do tamanho. Histopatologicamente, a maioria desses tumores é de carcinomas de células renais. As taxas de sobrevida após a cirurgia são bastante variáveis, dependendo de diversos fatores clinicopatológicos. Estágio, tamanho tumoral, grau nuclear, grau de Fuhrman, subtipo histológico, presença de necrose e invasão de linfonodos são fatores prognósticos importantes.[13,14]

Uma das características únicas do CCR é o seu padrão frequente de crescimento intraluminal para a circulação venosa renal. A extensão venosa do trombo é classificada por níveis de acordo com a posição cranial do mesmo, sendo o fator mais importante no planejamento cirúrgico:

- *Nível 0:* tumor confinado à veia renal.
- *Nível I:* trombo ≤ 2 cm acima da veia renal.
- *Nível II:* trombo > 2 cm acima da veia renal mas abaixo das veias hepáticas.
- *Nível III:* trombo ao nível ou acima das veias hepáticas mas abaixo do diafragma.
- *Nível IV:* trombo acima do diafragma ou extensão ao átrio direito.

O trombo benigno deve ser diferenciado do trombo malígno. O trombo benigno normalmente está presente atrás do trombo tumoral. Em casos extremos este crescimento pode estender-se para a veia cava inferior (VCI) com migração cefálica, para o átrio direito. Ressonância magnética, exame de eleição: pode avaliar a extensão cranial do trombo tumoral da veia cava inferior, até mesmo para o átrio direito. A ecocardiografia transesofágica também pode avaliar a extensão tumoral e facilitar a ressecação do trombo durante a cirurgia.

Na ausência de metástases, 45 a 70% dos pacientes com CCR e trombo da VCI podem ser curados com uma abordagem cirúrgica agressiva, incluindo a nefrectomia radical e a trombectomia (Fig. 3). A taxa de sobrevida de 5 anos para pacientes com envolvimento da veia cava inferior sem metástase é de 18 a 68%. Na ausência de metástase linfonodal, há uma equivalência de prognóstico para pacientes com e sem trombo tumoral vascular. A invasão da parede da veia cava confere um prognóstico pior, com sobrevida de 25%, e 69% para os casos sem invasão da parede da veia cava.

De acordo com Levy et al.,[15] a nefrectomia também pode ser utilizada para o tratamento de pacientes selecionados com comprometimento

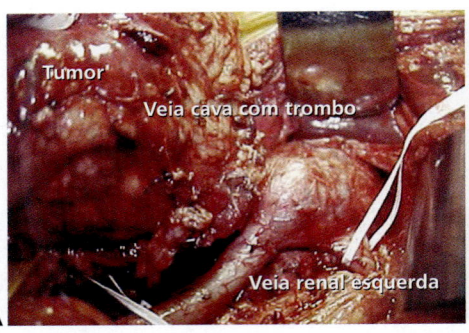
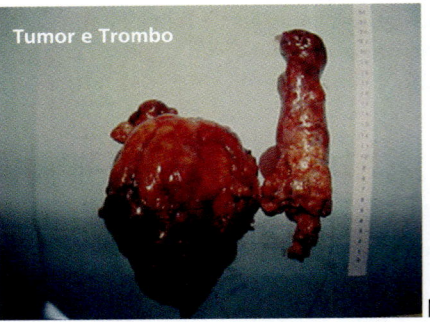

◀ **FIGURA 3. (A)** Abordagem ao rim direito com tumor invadindo a veia cava inferior e o átrio direito. **(B)** Com o auxílio da cirurgia cardíaca e *bypass* cardiopulmonar, o tumor e o trombo foram completamente ressecados.

metastático, em casos de realização de tratamentos sistêmicos ou na necessidade de abordagem paliativa, como hematúria significativa e dor intensa.

Os princípios da nefrectomia radical estabelecidos incluem:

- Ligadura precoce da artéria e veia renais.
- Remoção completa do rim envolto pela gordura perirrenal e fáscia de Gerota.

A superioridade da nefrectomia radical sobre a nefrectomia simples ainda não está comprovada. Contudo, seguindo a maioria dos princípios originais da nefrectomia radical, a sobrevida para pacientes com estágios T1 e T2, nas séries contemporâneas, é superior a 75%. Dentre estes, a remoção da gordura perirrenal parece ser um procedimento consensual, uma vez que aproximadamente 25% dos tumores de rim apresentam comprometimento desta estrutura.[16]

A via de acesso para a nefrectomia radical aberta depende da preferência do cirurgião, das características do tumor e das condições clínicas do paciente. O acesso pode ser por via transperitoneal ou extraperitoneal. A sobrevida em 5 anos após a nefrectomia radical gira em torno de 70 a 80% para pacientes com estágio I, enquanto pacientes com tumores estágio II apresentam sobrevida de 45 a 80% em 5 anos.[5] Apesar de atualmente existirem protocolos de radioterapia pós-operatória para pacientes com doença localmente avançada, até o momento nenhum estudo demonstrou melhora na sobrevida para pacientes submetidos à radioterapia.

Nefrectomia parcial aberta

A nefrectomia parcial é, atualmente, uma opção válida em doentes selecionados em que se pretende conservar a função renal.[17] Nesses doentes os resultados oncológicos são semelhantes aos da cirurgia radical.[18] Nos doentes com tumores bilaterais, tumores em rim único e em doentes com insuficiência renal crônica ou em que existe uma patologia-base passível de comprometer a função renal a longo prazo, a nefrectomia parcial é uma opção a ser escolhida (Fig. 4).

Várias têm sido as motivações para a realização da nefrectomia parcial. Dentre elas, o incremento no diagnóstico de lesões sólidas pequenas e cistos complexos (Bosniak III e IV), as melhores condições de planejamento pré-operatório possibilitadas pelos métodos de imagem recentes, o conhecimento sobre a anatomia vascular do rim e técnicas de prevenção de isquemia transoperatória, e as excelentes taxas de sobrevida observadas em séries recentes.[19] Além disso, aproximadamente 15 a 20% das lesões de dimensões inferiores a 4 cm têm-se mostrado benignas nas séries contemporâneas.[20,21]

As indicações clássicas para a nefrectomia parcial são aquelas que, na realização da nefrectomia radical, resultariam na necessidade de diálise, como rim único ou tumores bilaterais. Indicações relativas são pacientes com lesões unilaterais, mas com rim contralateral associado a alterações que podem comprometer sua função (p. ex.: estenose de artéria renal, litíase, hidronefrose, refluxo vesicoureteral, pielonefrite crônica ou doenças sistêmicas, como diabetes melito ou nefroesclerose).[19]

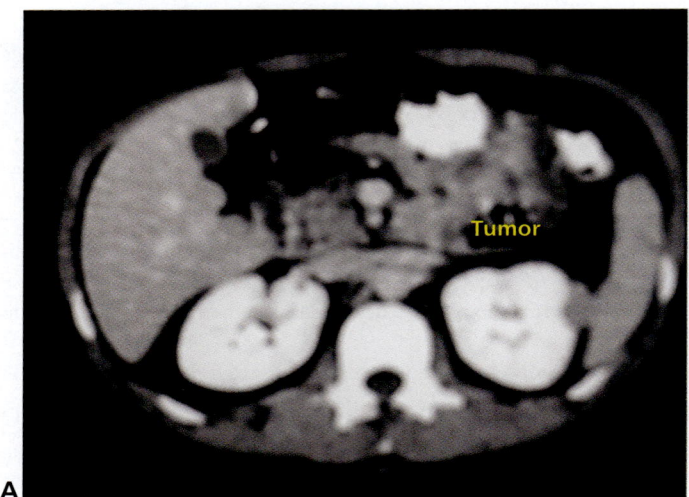
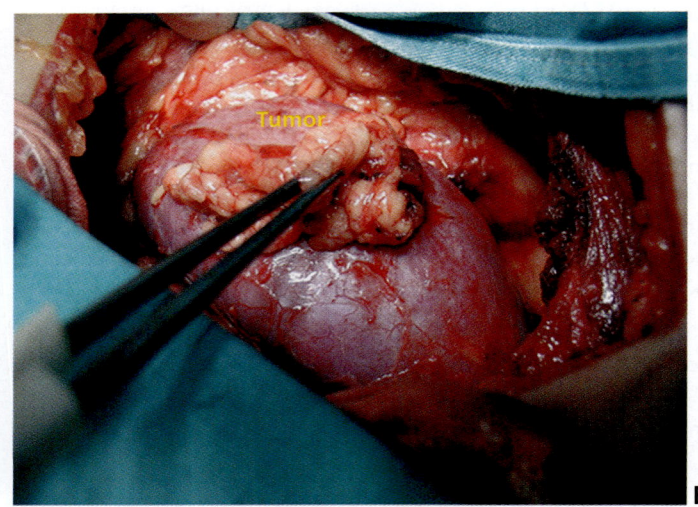
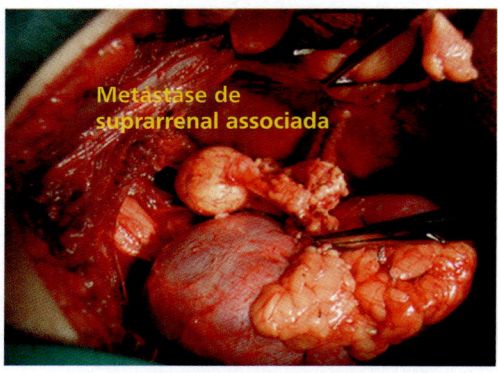
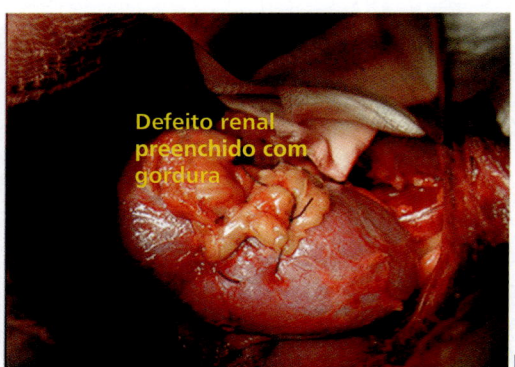
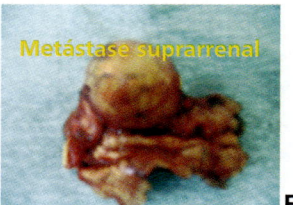

▲ **FIGURA 4. (A-E)** Paciente com tumor renal esquerdo com metástase única para suprarrenal do mesmo lado. Decorrente das condições clínicas, optou-se por realizar uma nefrectomia parcial esquerda com a retirada da suprarrenal no mesmo ato cirúrgico.

As versões atuais dos *guidelines,* da Associação Europeia de Urologia e Associação Americana de Urologia, recomendam a cirurgia poupadora de néfrons como tratamento padrão para tumores solitários renais com menos de 7 cm, sempre que tecnicamente viável.[22]

Nefrectomia radical laparoscópica

A laparoscopia tem sido mundialmente aceita no tratamento do câncer renal restrito ao órgão. Ambos os procedimentos, nefrectomia radical laparoscópica e nefrectomia parcial laparoscópica, são alternativas cirúrgicas viáveis às cirurgias abertas tradicionais, radical e nefrectomia parcial.

A nefrectomia radical laparoscópica está indicada em pacientes com tumores renais sólidos ou císticos complexos, com estágio patológico de T1 a T3a, sem indicações para realização de nefrectomia parcial.[23] Embora haja descrições de cirurgias laparoscópicas para tumores mais avançados, estes são verdadeiros desafios ao cirurgião e devem ser avaliados com muito cuidado.[24,25] Alguns pacientes com tumores associados a trombos na veia renal podem ser tratados por via laparoscópica, embora isso exija grande treinamento em sutura vascular laparoscópica e equipamento cirúrgico especializado, incluindo clampes laparoscópicos e ultrassonografia laparoscópica.[26]

A presença de linfadenopatia maciça também oferece grande dificuldade técnica, sendo uma contraindicação relativa ao procedimento.

Pacientes com tumores renais metastáticos e candidatos à imunoterapia podem beneficiar-se de nefrectomia citorredutora, essa podendo ser realizada por via laparoscópica.[24,27,28] Além dos benefícios habituais esses pacientes podem iniciar mais precocemente a terapia sistêmica adjuvante.

Pacientes já submetidos a procedimentos cirúrgicos no rim ipsilateral, com história de inflamação perinefrética ou cirurgias intra-abdominais extensas prévias, podem, ainda, ser tratados por via laparoscópica transperitoneal, com base na experiência do cirurgião.[24] No entanto, pacientes com antecedente de peritonite prévia podem ser mais bem abordados por via retroperitoneal.

Pacientes com grandes tumores anteriores e em casos com grande crescimento de vísceras sólidas, como baço e fígado, pode haver dificuldade de obter um controle precoce dos vasos renais. Se estas dificuldades forem previstas, o opção pela abordagem retroperitoneal pode minimizar as dificuldades técnicas.

Nos casos de hipertensão porta, a presença de veias varicosas na cicatriz umbilical e na parede abdominal anterior pode levar a grandes sangramentos durante o posicionamento dos portais. Nessa eventualidade e, especialmente, em pacientes obesos, deve-se tomar muito cuidado na punção dos portais ou, alternativamente, utilizar a via retroperitoneal.

A abordagem transperitoneal é preferida em pacientes com grandes massas tumorais, em razão do reduzido espaço de trabalho oferecido na via extraperitoneal. Em nossa opinião, tumores em rins ectópicos ou rins em ferradura também têm melhor indicação de abordagem pela via transperitoneal.[29]

A obesidade, por si só, não é uma contraindicação absoluta a nefrectomia laparoscópica. No entanto, pacientes muito obesos podem apresentar grandes distâncias ao campo cirúrgico em decorrência do panículo adiposo espesso, devendo o posicionamento dos portais prever tais dificuldades. Além disso, o excesso de gordura na cavidade abdominal pode dificultar a identificação de estruturas, aumentando o tempo cirúrgico e aumentando, também, o risco de lesões inadvertidas. O excesso de peso pode ainda elevar a pressão abdominal e limitar o espaço de trabalho.[30]

Contraindicações gerais ao procedimento incluem pacientes que não toleram anestesia geral, pacientes com distúrbio de coagulação não passível de correção e pacientes com doença cardíaca ou pulmonar avançada.

De acordo com Ono *et al.*,[31] para tumores cT1, os resultados a longo prazo são semelhantes aos da cirurgia aberta. A sobrevida livre de doença em 5 anos é semelhante nas duas técnicas (91% na laparoscópica e 87% na cirurgia aberta).

As vantagens da técnica laparoscópica na nefrectomia radical em mãos experimentadas são: menor necessidade de analgesia pós-operatória, menor tempo de internação hospitalar, com retorno mais rápido às atividades habituais, além de efeito cosmético superior ao da cirurgia aberta.[19] As taxas de complicações da cirurgia laparoscópica chegam a 16%, com 5% de conversão.[32] Existem raros casos relatados de implante tumoral, associados ao morcelamento de tumores de alto grau e/ou à presença de ascite.[33]

Flanigan *et al.*[33] acrescentam que a nefrectomia radical laparoscópica também tem sido utilizada para controle da lesão primária em doença metastática, por apresentar menor morbidade e tempo de internação, propiciando o uso precoce de imunoterapia sistêmica.

A nefrectomia laparoscópica assistida com a mão apresenta as vantagens de poder ser usada pelo cirurgião com menor experiência em laparoscopia, permitindo melhor controle vascular nos grandes tumores, maior facilidade de remoção da peça inteira, com menor risco de implante tumoral e maior rapidez no ato cirúrgico em doentes que apresentam comorbidades.[34]

Complicações

As complicações associadas à nefrectomia radical laparoscópica são similares às complicações observadas na cirurgia aberta, incluindo lesões inadvertidas de órgãos adjacentes, sangramentos, infecção ou hérnias associadas aos portais, íleo pós-operatório e peritonite.[35-37]

Lesões intestinais podem ocorrer no intestino delgado e no cólon, sendo que em nefrectomias direitas podem ocorrer, ainda, lesões duodenais. Lesões esplênicas e lesões hepáticas podem levar a sangramentos de difícil controle.

Complicações vasculares podem ocorrer, com lesão inadvertida durante a dissecção ou quando ocorrer falha dos dispositivos hemostáticos. Durante a dissecção do hilo renal, eventualmente é necessária uma tração da veia renal para que se exponha a artéria renal. Uma tração excessiva pode levar a sangramentos de tributárias da veia renal, particularmente em nefrectomias esquerdas.

Aterosclerose da artéria renal pode causar ruptura do vaso ao se utilizar clipe ou grampeador. O uso do grampeador sobre um clipe metálico previamente posicionado pode levar à secção do vaso sem uma correta coaptação das bordas, provocando sangramento.

Nefrectomia parcial laparoscópica

A primeira Nefrectomia Parcial Laparoscópica (NPL) foi realizada há cerca de 10 anos.[38] Com o rápido avanço da laparoscopia, diversos centros publicaram suas séries. Inicialmente, somente pequenos tumores periféricos foram tratados com a técnica laparoscópica, porém, com a padronização da técnica operatória e maior experiência, tumores maiores, de localização central e hilar começaram a ser operados com sucesso.[39]

As indicações da NPL dependem muito da experiência da equipe cirúrgica. Geralmente indicada para tumores renais com menos de 4 cm de localização anatômica favorável.[38] Porém, atualmente, as indicações de NPL têm sido expandidas a tumores centrais, hílares e de maior volume.

Os melhores casos para a NPL são os tumores com menos de 4 cm, exofíticos e localizados no polo inferior, que geralmente permitem a NPL sem pinçamento do pedículo renal.[19]

Quando houver necessidade de pinçamento do pedículo, faz-se necessária a adoção de medidas para a preservação da função renal, como o uso de manitol e o controle do tempo de isquemia quente, que não deverá ultrapassar 30 minutos. Os tumores profundos e os dos seios renais, que necessitam de pinçamento do pedículo renal por mais de 30 minutos, deverão ser tratados com a associação de hipotermia renal e por cirurgião laparoscopista de grande experiência.[19,39,40]

A nefrectomia laparoscópica parcial é uma modalidade que está sendo crescentemente usada. Oferece convalescença mais rápida do que a nefrectomia parcial aberta. Todavia, está associada a maiores taxas de margens positivas, complicações intraoperatórias importantes e complicações urológicas. O procedimento deve ser reservado a pacientes com pequenos tumores exofíticos.[41]

As complicações da nefrectomia parcial são: fístulas (7,4%); necrose tubular aguda, com necessidade de diálise temporária (6,3%) ou definitiva (4,9%); e sangramento (1,9%).[42] A crioablação e a ablação por radiofrequência são alternativas minimamente invasivas, cujos resultados iniciais necessitam de maior tempo de acompanhamento.[43]

Complicações

Campbell et al.,[44] relataram uma taxa de complicação de 30,1% nas nefrectomias parciais. As complicações mais comuns foram fístulas urinárias e insuficiência renal aguda. O fator predisponente mais significativo para a formação de fístulas incluem tumor central e com mais de 7 cm. Os fatores predisponentes mais importantes para insuficiência renal aguda foram, portador de rim único, tumor maior que 7 cm, excisão de mais do que 50% do parênquima renal e tempo de isquemia superior a 60 minutos.[44]

A nefrectomia parcial laparoscópica apresenta dificuldades relacionadas com o fechamento do sistema coletor e com o acesso à profundidade exata do tumor.[45] Durante a ressecção do tumor pode haver abertura da via excretora e, consequentemente, evolução com fístula urinária no pós-operatório, que tem incidência aumentada nos casos de tumores centrais e maiores que 4 cm.[44] Após 771 nefrectomias parciais laparoscópicas e 1.028 nefrectomias parciais abertas, Gill et al.[46] encontraram fístulas urinárias como complicação pós-operatória em 3,1 e 2,3% dos casos, respectivamente. Hemostasia eficaz e prevenção de fístulas urinárias podem ser obtidas por sutura com aproximação das bordas do tecido ressecado e fechamento da via excretora, porém isto requer habilidades laparoscópicas avançadas. A obtenção da hemostasia está diretamente relacionada com o tamanho e a localização do tumor.[46,47] Os autores relatam que para os tumores com menos de 2 cm, exofíticos e unifocais, a nefrectomia parcial laparoscópica pode ser realizada sem clampeamento dos vasos renais. Entretanto, isto aumenta o risco de hemorragia peroperatória e exige uso prolongado de cautérios mono ou bipolar.[48,49] Eventualmente, a superfície cruenta com sangue pode aumentar a dificuldade em distinguir o tecido sadio do tumoral, comprometendo sua completa ressecção. Em um estudo retrospectivo comparando a nefrectomia parcial laparoscópica com e sem clampeamento vascular, Guillonneau et al.[50] mostraram que o uso do clampe vascular durante a ressecção do tumor e a sutura do parênquima renal foi associado à menor perda de sangue e menor tempo cirúrgico. Várias substâncias químicas foram desenvolvidas para auxiliar na hemostasia após ressecção do tumor, porém a sutura do tecido cruento permanece a maneira mais eficiente de hemostasia na nefrectomia parcial laparoscópica. Embora a nefrectomia parcial laparoscópica possa ser realizada sem o clapeamento vascular, ele é necessário nos casos de tumores centrais e com mais de 4 cm.[50]

Wooju et al.[51] compararam a nefrectomia radical convencional com a laparoscópica. Foram analisados 631 pacientes submetidos a nefrectomia em tumores renais por via laparoscópica e 924 pela técnica convencional. Foi observado que o tempo era significativamente maior na nefrectomia videolaparoscópica (219 ± 77 vs. 182 ± 62 minutos, p < 0,001), mas a perda de sangue estimada, e a taxa de complicações foram menores na técnica laparoscópica (p < 0,001 e p < 0,001, respectivamente).

TRATAMENTO ALTERNATIVO

Termoablação

Indicada para pacientes com tumores pequenos, rim único e que apresentam função renal marginal, tumores múltiplos ou cirurgia renal prévia. É a utilização de corrente alternada de radiofrequência (radioablação) ou congelação (crioablação) através da colocação de eletrodos gerados por US ou TC. Antes da realização dos procedimentos é realizada biópsia por agulha do tumor.

Crioterapia

É realizada com a introdução de *crioprobes* na lesão renal, que promovem um congelamento através de argônio ou nitrogênio líquido, criando um "bola de gelo" na extremidade da sonda, atingindo a temperatura de até -40°C. O acesso pode ser realizado através de laparoscopia percutânea ou cirurgia aberta.

Ablação por radiofrequência

Realizada através de calor gerado por fluxo de ondas de alta frequência, atingindo temperatura de 60°C a 100°C, utilizando acesso percutâneo, aberto ou laparoscópico, com o objetivo de causar desnaturação de proteínas celulares, necrose de coagulação e trombose vascular.

TRATAMENTO DO CARCINOMA DE CÉLULAS RENAIS METASTÁTICO

Apesar do tratamento com nefrectomia para câncer renal, entre 25 a 30% dos pacientes desenvolverão doença metastática. A média de sobrevida após a descoberta de uma metástase é de 13 meses. Metástases a distância e recidiva tumoral podem ocorrer mesmo 15 anos após anefrectomia.

As opções de tratamento sistêmico são: imunoterapia com iterleucina 2 (IL-2) e interferon alfa (IFN-α), quimioterapia e terapia-alvo específica.

O objetivo da imunoterapia é aumentar a antigenicidade tumoral e/ou vigilância do hospedeiro.

Há três classes de interferon: alfa, beta e gama.

IFN-α (interferon alfa)

O interferon alfa é o mais bem estudado. É produzido por células mononucleares e tem efeito antiproliferativo direto, imunoestimulatório e antiangiogênico. Um de seus efeitos é a estimulação de linfócitos T citotóxicos. Tem como efeitos colaterais fadiga, febre, calafrio, depressão, dores musculares e toxicidade hepática. O IFN-α aumenta a sobrevida em pacientes com câncer de rim metastático, embora de maneira modesta. Produz redução relativa de mortalidade em 1 ano de 44%, e redução relativa global de risco de morte de 26%.

Interleucina 2 (IL-2)

O tratamento com IL-2 em altas doses resulta em toxicidade severa. Avaliado como agente único em estudos randomizados mostrou eficácia semelhante à combinada com LAK *(Lymphokine Activated Killer cells)* e com TIL *(Tumor Infiltrating Lymphocytes)*. Pacientes que atingem resposta completa e não recorrem nos primeiros 2 anos podem estar curados. Efeitos colaterais: extravasamento capilar (caracterizado por edema, eritema, hipotensão, desconforto respiratório e insuficiência renal), febre, calafrio e confusão mental. A taxa de resposta global é de 14%, com uma duração média de resposta de 20,3 meses e mortalidade de 4%.

Outra via de administração é a inalatória, com uso restrito para pacientes com metástase pulmonar. É bem tolerada, com taxas de respostas de 21 a 29%.

Quimioterapia

Apresenta resultados modestos no tratamento do carcinoma de células renais.

A droga com melhor resposta é o 5-FU (ou FUDR), com resposta global de 14,6%. A combinação de gencitabina e 5-FU demonstrou resposta global de 17%, porém com tempo médio livre de progressão de 7 meses.

O carcinoma de ductos de Bellini, que se comporta semelhante ao carcinoma de células transicionais, tem respostas objetivas à cisplatina/gencitabina, carboplatina/paclitaxel, doxorrubicina/gencitabina.

Terapia de alvo molecular ou células-alvo

Atuam sobre proteínas-chave na via metabólica associadas ao gene von Hippel Lindau (VHL) e ao fator de crescimento vascular (VEGF), com importante papel na angiogênese tumoral dessas neoplasias. As taxas de respostas objetivas a estas drogas estão acima de 40%, entretanto respostas completas são inexistentes. A doença costuma progredir após um período inicial de resposta, mas apesar disso essas novas drogas apresentaram um aumento de sobrevida específica e global.

A terapia de primeira linha para pacientes com risco baixo ou intermediário é com: Sunitinibe ou Bevacizumabe mais interferon.

O Sunitinibe apresentou sobrevida livre de progressão mais longa, melhor sobrevida global e taxas mais altas de resposta objetiva que o interferon alfa.

Temsirolimus é a primeira escolha para pacientes com doença de alto risco, tanto carcinoma de células claras quanto carcinoma de células renais não células claras.

Sorafenibe é utilizado como segunda linha, com redução de até 33%.

Everolimus é uma opção quando há falha dos inibidores tirosinoquinase (Sorafenibe e Sunitinibe).

TERAPIA ADJUVANTE E NEOADJUVANTE PARA O CARCINOMA DE CÉLULAS RENAIS

Infelizmente a recidiva ocorre em uma proporção significativa nos pacientes submetidos ao tratamento cirúrgico em razão, principalmente, da presença de micrometátases ocultas. Metástases a distância ocorrem entre 20 a 35% dos casos e recidiva local entre 2 a 5% dos pacientes.[52,53] Por causa disso é racional utilizar-se ensaios que usam agentes-alvo moleculares com atividade em pacientes com metástase de carcinoma de células renais, como sunitinibe e sorafenibe.[54] Estes agentes são administrados por via oral e, assim, sua utilização é atraente para um tratamento adjuvante, embora existam muitas incertezas quanto à melhor escolha da droga a ser utilizada, assim como sobre a dose e a duração da terapia. Além disso, as toxicidades destes agentes podem limitar a sua utilidade na ausência de doença metastática demonstrável. Porque os pacientes que usam um tratamento preventivo tendem, potencialmente, a um limiar muito menor para toxicidades.

A neoadjuvância com drogas de alvo molecular tem sido indicada em pacientes selecionados com doença irressecável, porém deve-se ficar atento quanto à cicatrização e ao sangramento transoperatório. Sugere-se evitar o uso de tirosinoquinase nas 2 semanas que antecedem e que sucedem o procedimento cirúrgico.

TRATAMENTO SISTÊMICO DO TUMOR DE WILMS

A terapia é multimodal, combinando cirurgia, radioterapia e quimioterapia e baseada no estadiamento.

A quimioterapia que segue as recomendações do *Natural Wilm's Tumor Study Group* (NWTSG) é dada como adjuvante no pós-operatório. A quimioterapia pré-operatória é feita de acordo com a Sociedade Internacional de Oncologia Pediátrica (SIOP). Tumores com anaplasia difusa e predominâncias blastemais após a quimioterapia são classificados como de "alto risco" e essas crianças são tratadas com um regime de quimioterapia intensificada no pós-operatório. Segundo a SIOP, "risco intermediário" são tumores que correspondem a todas as outras histologias.

REFERÊNCIAS BIBLIOGRÁFICAS

1. Moreira EL, Bendhack LA. Massa renal – Diagnóstico diferencial. Capítulo 90. In: Wroclawsk ER, Bendhack DA, Damião R et al. *Guia prático de urologia*. Rio de Janeiro: Soc Bras Urol, 2003.
2. Novick AC, Cambell SC. Renal tumors. In: Walsh PC, Retik AB, Vaughan Jr ED et al. *Campbell's urology*. Philadelphia: WB Saunders, 2002. p. 2672-731.
3. Bretas FFH. Como estadiar o tumor renal. Capítulo 93. In: Wroclawsk ER, Bendhack DA, Damião R et al. *Guia prático de urologia*. Rio de Janeiro. Soc Bras Urol 2003.
4. Northway RO, Ritenour CWM, Marshall FF. Renal cell carcinoma: an oerview. In: Ball Jr TP. *AUA Update Series*, AUA, Office of Education, 2002, v. XX, Lesson 25.
5. Arap MA, Coelho RF. *Tumores renais*. Acesso em: 3 Fev. 2011. Disponível em: <http://www.medicinanet.com.br/conteudos/revisoes/3981/tumoracoes_renais.htm>
6. Prando A, Prando D, Caserta NMG. *Urologia diagnóstico por imagem*. São Paulo: Sarvier, 1997.
7. Lucon AM. Tumores benignos do rim. Wroclawsk ER, Bendhack DA, Damião R et al. In: *Guia prático de urologia*. Rio de Janeiro. Soc Bras Urol 2003.
8. Ornellas AA, Ornellas MHF. Patologia, classificação e estadiamento dos tumores renais. Wroclawsk ER, Bendhack DA, Damião R et al. In: *Guia prático de urologia*. Rio de Janeiro. Soc Bras Urol 2003.
9. Storkel S, Eble JN, Adlakha K. Classification of renal cell carcinoma: workgroup No. 1. Union Internationale Contre le Cancer (UICC) and the American Joint Committee on Cancer (AJCC). *Cancer* 1997;80:987-89.
10. Grundy P, Coppes M. An overview of the clinical and molecular genetics of Wilms' tumor. *Med Pediatr Oncol* 1996;27:394-97.
11. Monteiro ES, Lucon AM, Figueiredo A et al. Bilateral giant renal angiomiolipoma associated with hepatic lipoma in a patient with tuberous sclerosis. *Rev Hosp Clin* 2003;58:103-8.
12. Novick AC, Campbell SC. Renal tumor. In: Walsh PC et al. (Eds.). *Campbell's urology*. 8th ed. Philadelphia: Saunders, 1999.
13. Kontak JA, Campbell SC. Prognostic factors in renal cell carcinoma. *Urol Clin North Am* 2003;30:467-80.
14. Ornellas AA, Andrade DM, Ornellas P et al. Prognostic factors in renal cell carcinoma: analysis of 227 patients treated at the Brazilian National Cancer Institute. *Int Braz J Urol* 2012;38:185-94
15. Levy DA, Swanson DA, Slaton JW et al. Timely delivery of biological therapy after cytoreductive nephrectomy in carefully selected patients with metastatic renal cell carcinoma. *J Urol* 1998;159:1168-73.
16. Thrasher JB, Paulson DF. Prognostic factors in renal cancer. *Urol Clin North Am* 1993;20:247-62.
17. Lopes SP, Vilas Boas V, Gameiro CD et al. Nefrectomia parcial aberta: experiência dos últimos 4 anos. *Acta Urológica* 2009;26(2):148.
18. Van Poppel H. Efficacy and safety of nephron-sparing surgery. *Int J Urol* 2010;17:314-26.
19. Pompeo ACL, Martins ACP, Souza Jr AEP et al. Câncer renal: tratamento. Projeto diretrizes. Rio de Janeiro: Soc Bras Urol, 2006.
20. Lerner SE, Hawkins CA, Blute ML et al. Disease outcome in patients with low stage renal cell carcinoma treated with nephron sparing or radical surgery. *J Urol* 1996;155:1868-73.
21. Fergany AF, Hafez KS, Novick AC. Longterm results of nephron sparing surgery for localized renal cell carcinoma: 10-year follow up. *J Urol* 2000;163:442-45.
22. Ljungberg B, Cowan NC, Hanbury DC et al. EAU guidelines on renal cell carcinoma: the 2010 update. *Eur Urol* 2010;58:398-406.
23. Aron M, Gill IS. Minimally invasive nephron-sparing surgery (MINSS) for renal tumours. Part II: probe ablative therapy. *Eur Urol* 2007;51:348-57.
24. Ogan K, Jacomides L, Dolmatch BL et al. Percutaneous radiofrequency ablation of renal tumors: technique, limitations, and morbidity. *Urology* 2002;60:954-58.
25. Ginat DT, Saad W, Davies M et al. Bowel displacement for CT-guided tumor radiofrequency ablation: techniques and anatomic considerations. *J Endourol* 2009;23:1259-64.
26. Margulis V, Matsumoto ED, Lindberg G et al. Acute histologic effects of temperature-based radiofrequency ablation on renal tumor pathologic interpretation. *Urology* 2004;64:660-63.
27. Johnson DB, Solomon SB, Su LM et al. Defining the complications of cryoablation and radio frequency ablation of small renal tumors: a multi-institutional review. *J Urol* 2004;172:874-77.
28. Bhayani SB, Allaf ME, Su LM et al. Neuromuscular complications after percutaneous radiofrequency ablation of renal tumors. *Urology* 2005;65:592.
29. Gupta A, Raman JD, Leveillee RJ et al. General anesthesia and contrast-enhanced computed tomography to optimize renal percutaneous radiofrequency ablation: multi-institutional intermediate-term results. *J Endourol* 2009;23:1099-105.
30. Bandi G, Hedican S, Moon T et al. Comparison of postoperative pain, convalescence, and patient satisfaction after laparoscopic and percutaneous ablation of small renal masses. *J Endourol* 2008;22:963-67.
31. Ono Y, Hattori R, Gotoh M et al. Laparoscopic radical nephrectomy for renal cell carcinoma: the standard of care already? *Curr Opin Urol* 2005;15:75-78.
32. Siqueira Jr TM. *Análise comparativa dos resultados de duas técnicas de nefrectomia laparoscópica de doador vivo de dois centros de referência em transplante renal*. (Dissertação de Mestrado em Medicina). USP: São Paulo, 2004.
33. Flanigan RC, Mickisch G, Sylvester R et al. Cytoreductive nephrectomy in patients with metastatic renal cancer: a combined analysis. *J Urol* 2004;171:1071-76.
34. Nelson CP, Wolf Jr JS. Comparison of hand assisted versus standard laparoscopic radical nephrectomy for suspected renal cell carcinoma. *J Urol* 2002;167:1989-94.
35. Lucas SM, Stern JM, Adibi M et al. Renal function outcomes in patients treated for renal masses smaller than 4 cm by ablative and extirpative techniques. *J Urol* 2008;179:75-79; discussion 9-80.
36. Raman JD, Raj GV, Lucas SM et al. Renal functional outcomes for tumours in a solitary kidney managed by ablative or extirpative techniques. *BJU Int* 2010;105:496-500.
37. Weisbrod AJ, Atwell TD, Frank I et al. Percutaneous cryoablation of masses in a solitary kidney. *AJR Am J Roentgenol* 2010;194:1620-25.
38. Rubinstein M, Colombo JR, Gill IS et al. Laparoscopic partial nephrectomy for cancer: techniques and outcomes. *Int Braz J Urol* 2005;31:100-4.
39. Gill IS, Matin SF, Desai MM et al. Comparative analysis of laparoscopic versus open partial nephrectomy for renal tumors in 200 patients. *J Urol* 2003;170:64-68.
40. Gill IS, Desai MM, Kaouk JH et al. Laparoscopic partial nephrectomy for renal tumor: duplicating open surgical techniques. *J Urol* 2002;167:469-67.

41. Lipworth L, Tarone RE, Mclaughlin JK. The epidemiology of renal cell carcinoma. *J Urol* 2006;176:2353-58.
42. Uzzo RG, Novick AC. Nephron sparing surgery for renal tumors: indications, techniques and outcomes. *J Urol* 2001;166:6-18.
43. Gill IS, Novick AC, Meraney AM *et al.* Laparoscopic renal cryoablation in 32 patients. *Urology* 2000;56:748-53.
44. Campbell SC, Novick AC, Streem SB *et al.* Complications of nephron sparinh surgery for renal cell tumor. *J Urol* 1994;151:1177-80.
45. Touijer K, Guillonneau B. Advances in laparoscopic partial nephrectomy. *Curr Opin Urol* 2004;14(4):235-37.
46. Gill IS, Kavoussi LR, Lane BR *et al.* Comparision of 1800 laparoscopic and open partial nephrectomies for single renal tumors. *J Urol* 2007;178:41-46.
47. Ramani AP, Desai MM, Steinberg AP *et al.* Complications of laparoscopic partial nephrectomy in 200 cases. *J Urol* 2005;173:42-47.
48. Janetschek G, Daffner P, Bartsch G. Laparoscopic nephron sparing surgery for small renal cell carcinoma. *J Urol* 1998;159:1152-55.
49. Jeschke K, Peschel P, Wakoning J *et al.* Laparoscopic nephron sparing surgery for renal tumors. *Urology* 2001;58:688-92.
50. Guillonneau B, Bermudez H, Gholami S *et al.* Laparoscopic partial nephrectomy for renal tumor: single center experience comparing clamping and no clamping techiniques of renal vasculature. *J Urol* 2003;169:483-86.
51. Wooju J, Koon HR, Hyeon HK *et al.* Comparision os laparoscopic radical nephrectomy and open radical nephrectomy for pathologic stage T1 and T2 renal cell carcinoma with clear cell histologic features: a multi-institutional study. *Urology* 2011;77:819-24.
52. Rabinovitch RA, Zelefsky MJ, Gaynor JJ *et al.* Patterns of failure following surgical resection of renal cell carcinoma: implications for adjuvant local and systemic therapy. *J Clin Oncol* 1994;12:206-12.
53. Lane BR, Kattan MW. Prognostic models and algorithms in renal cell carcinoma. *Urol Clin North Am* 2008;35:613-25.
54. Jonasch E, Tannir NM. Adjuvant and neoadjuvant therapy in renal cell carcinoma. *Cancer J* 2008;14:315-19.

CAPÍTULO 196
Aspectos Moleculares do Câncer de Rim

Vanessa Sandim ■ Antonio Augusto Ornellas ■ Gilda Alves

GENÉTICA DOS CARCINOMAS RENAIS

Os carcinomas de células renais (CCR) são diversificados, existe, porém, uma correlação entre os subtipos histológicos e as alterações genéticas neles encontradas. Por isso, hoje em dia recomenda-se que a classificação dos subtipos não seja meramente histológica; os marcadores citogenéticos devem ser pesquisados também. Contudo, há uma classe minoritária dos tumores renais que são considerados "não classificáveis" mediante os estudos de histologia e de genética, e esses são justamente aqueles que apresentam o pior prognóstico.

À luz da citogenética, os cromossomas podem ser hibridizados com sondas fluorescentes (técnica de FISH) a fim de revelar alterações cromossômicas que são específicas de cada subtipo. Quando não é possível fazer uma cultura de células para se preparar os cromossomas, a técnica de FISH pode ser aplicada em tecidos fixados em parafina. Isso é uma grande vantagem porque, dessa maneira, todos os tumores podem ser pesquisados para a presença dos marcadores citogenéticos.

Os principais marcadores citogenéticos que devem ser pesquisados são: as deleções na região 3p, que é típica dos CCRs de células claras; as trissomias dos cromossomas 7 e 17 que são típicas dos CCRs papilíferos; e a monossomia dos cromossomas 1 e 6 dos CCRs cromófobos. Esses são os subtipos mais conhecidos e mais comuns, sendo que somente o CCRs de células claras corresponde a 65% do total. Novos subtipos mais raros estão emergindo a partir da análise mais detalhada das translocações cromossômicas.

Os tumores CCRs não classificáveis são os que não se encaixam em nenhuma dessas categorias. A análise do perfil citogenético dos tumores renais reduziu o percentual destes tumores, tendo um efeito direto nas opções de tratamento. A oncologia personalizada pode tirar vantagem da caracterização criteriosa dos subtipos tumorais. Alguns dos subtipos de CCRs respondem ao tratamento com os inibidores da via mTOR e os inibidores das tirosinoquinases. Apesar da forte tendência da classificação citogenética dos CCRs, nem sempre ela é suficientemente esclarecedora. Nesse caso é necessário lançar mão da análise molecular dos genes marcadores que podem estar em maior ou em menor número de cópias ou ainda mutados ou deletados de acordo com o subtipo específico.

Os defensores do uso da genética molecular propõe que a classificação dos subtipos de CCRs seja feita por meio do seu perfil de expressão gênica (assinaturas), utilizando a tecnologia de microarranjos (microarrays), em que se mede a maior ou menor quantidade dos RNAs mensageiros.[1,2] Usando outra abordagem, proteínas marcadoras têm sido procuradas por ferramentas avançadas que vêm sido introduzidas na proteômica. Sejam quais forem as metodologias de rastreamento aplicadas, o resultado de uma pesquisa dos genes ou das proteínas pode ser demorado e excessivamente caro. Ainda existe o problema do uso de diferentes plataformas de rastreamento, gerando diferentes resultados. E quais desses estariam mais próximos da realidade? A validação dos resultados pode ser bastante demorada. Por isso, as metodologias de rastreamento são recomendadas como complementares à rotina de classificação. No momento, o papel principal dessas técnicas é na pesquisa de novos marcadores voltados, principalmente, para o diagnóstico precoce.

Uma boa parte do que se sabe da genética por detrás dos CCRs advém da pesquisa de síndromes hereditárias que predispõem ao desenvolvimento do câncer renal, inclusive em crianças. Cinco síndromes hereditárias associadas ao câncer renal foram descritas, sendo a mais conhecida, a síndrome de von Hippel-Lindau, do gene VHL. As outras síndromes compreendem o CCR papilífero hereditário (gene MET), leiomiomatose uterina e cutânea com predisposição ao câncer renal (gene FH), síndrome de Birt-Hogg-Fubèn (gene FLCN) e a esclerose tuberculosa complexa (genes TSC1 e TSC2). O interessante é que as proteínas codificadas pelos genes VHL, MET, FH, TSC1, TSC2 e, possivelmente, FLCN estão todas envolvidas no sistema sensor e de entrega do oxigênio.

Principal marcador genético do CCR de células claras

O gene VHL foi identificado em 1993 e apresenta três éxons. Ele foi mapeado na região 3p25-26,[3] daí a importância da pesquisa citogenética e molecular dessa região nos CCRs. Da mesma forma que na síndrome hereditária, na maioria dos CCRs de células claras esporádicos, o gene VHL não é funcional. O gene VHL se encaixa no conceito de gene supressor tumoral pela análise da perda de heterozigosidade (LOH), significando que o alelo selvagem foi deletado.[4,5] Além da deleção, o gene VHL pode ter perdido a sua função em razão das mutações pontuais ou das translocações e, em menor proporção, pode ocorrer também o silenciamento epigenético da expressão gênica por metilação do DNA.[6,7]

A associação da natureza somática das mutações em VHL e os CCRs foi estabelecida por Gallou et al.,[8] que investigaram as mutações de VHL por PCR/SSCP em 173 tumores primários, tendo sido detectados 73 tumores com mutação. As mutações só foram encontradas em CCRs não papilares. Após o sequenciamento, os pesquisadores descobriram que a natureza das mutações somáticas e germinativas era diferente, em 78% dos casos esporádicos as mutações conduziam à formação de proteínas truncadas contra 37% de proteínas truncadas resultantes das mutações germinativas. Estava claro que nos CCRs esporádicos havia perda de função da proteína pVHL, condizendo com a função de supressora tumoral.

Em sua função normal, o gene VHL é expresso em uma variedade de tecidos humanos, em particular as células epiteliais da pele, do trato gastrointestinal, respiratório e urogenital e endócrino e no sistema nervoso central. A proteína pVHL atua na ubiquitinização das subunidades α de HIF1 (Hypoxia-Inducible Factor 1) na presença de oxigênio, marcando-as para degradação pelo proteassoma em condições normais de oxigênio. Células deficientes em pVHL são incapazes de degradar as subunidades HIFα, produzindo a ativação constitutiva dos genes VEGF (vascular endothelial growth factor) e PDGF (platelet-derived growth factor), contribuindo, assim, para o fenótipo angiogênico aos tumores com deficiência da pVHL.[9]

Marcadores genéticos dos CCRs papilíferos 1 e 2

A maioria dos CCRs papilíferos é esporádica, no entanto há duas formas raras hereditárias. Uma forma (do tipo 1) é conhecida como HPRC (hereditary papillary renal carcinoma) e é causada por mutação do tipo "ganho de função" do proto-oncogene MET que fica localizado na região 7q31.34.[10] Esse gene codifica para um receptor transmembrana (c-MET), com atividade intracelular TK, que interage com fator de crescimento do hepatócito (HGF). Geralmente a atividade de c-MET fica aumentada quando o gene sofre mutação do tipo troca de sentido. A via HGF/MET tem atraído muita atenção nos últimos anos por representar um alvo molecular promissor para a terapia-alvo. Além do envolvimento direto desta via ativadora no HPRC, o sinal de multiplicação via de MET está envolvido, também, na carcinogênese do CCR esporádico de uma, forma mais ampla.

A outra forma hereditária (do tipo 2) é causada por mutação no gene FH *(fumarate hydratase),* mapeado na região 1q43. Normalmente a enzima fumarato hidratase catalisa a conversão de fumarato em malato no ciclo de Krebs, porém, quando mutado, esse gene desencadeia uma síndrome em que ocorre o desenvolvimento de leiomiomas uterinos e cutâneos e o câncer renal. Pollard *et al.*[11] demonstraram que células tumores com mutação de FH acumulavam fumarato, e em menos extensão o succinato, ao mesmo tempo que esses tumores apresentavam níveis aumentados de HIF1, que por sua vez, aumenta a expressão de VEGF, como acontece no CCR de células claras com mutação em VHL. O efeito angiogênico é o mesmo e explica o desenvolvimento de tantos tumores.

Os CCRs papilíferos esporádicos apresentam um padrão citogenético distinto. Em um estudo minucioso, 65 casos de CCR papilíferos foram classificados por subtipo (1 e 2) e foram caracterizados por imuno-histoquímica e por citogenética.[12] Nos tipos esporádicos (tipo 1), a alteração citogenética mais comum detectada foi a trissomia do 17, com melhor prognóstico. No tipo 2, as perdas de 1p e de 3p e o ganho em 5q estão associadas a pior prognóstico. Curiosamente, a perda de 3p no tipo 2 implicou em um fenótipo mais agressivo, o que é o oposto do que é visto nos CCRs de células claras.[13] Colaborando para o pior prognóstico do tipo 2, o VEGF *(vascular endothelial growth factor)* apresentou a sua expressão aumentada.

CCR cromófobo

Os CCRs cromófobos ficaram conhecidos pelas perdas não aleatórias nos cromossomas 1, 2, 6, 10, 13, 17 e 21, levando a um baixo número de cromossomas.[14] Depois dessa descoberta, vários pesquisadores constataram o mesmo usando técnicas de genética molecular e de citogenética molecular. A perda frequente de heterozigosidade de todo um cromossoma ou de parte dele indica a inativação de múltiplos genes supressores tumorais, porém não sabemos quais. Mas a perda mais frequentemente encontrada é a do cromossoma 17, onde está alocado o importante gene supressor tumoral TP53. Este gene controla os processos de parada do ciclo celular para o reparo de DNA e o desencadeamento da apoptose.

Comparando-se alterações genéticas entre 30 casos de CCRs cromófobos, notou-se que a perda dos cromossomas 2, 10, 13, 17 e 21 ocorria em 93, 93, 87, 90 e 70%, respectivamente (destaque para o cromossoma 17). Considerando esses resultados, podemos dizer que qualquer laboratório que tenha condições de fazer análise de perda de heterozigosidade por sondas moleculares ou FISH tem condições de diferenciar os CCRs cromófobos dos oncocitomas (tumores benignos) que são semelhantes histologicamente.[15]

CCR com translocação Xp11

Esse grupo é caracterizado pelas translocações que envolvem a região de quebra Xp11.2.[16] Nessa localização está o gene TFE3 *(Transcription Factor for Immunoglobulin Heavy-Chain Enhancer 3),* que faz parte de uma família de fatores de transcrição do tipo zíper de leucina que se liga ao gene intensificador da cadeia pesada das imunoglobulinas. Translocações em TFE3 também são encontradas nos sarcomas alveolares de partes moles. Os CCRs com translocações Xp11 (CCR Xp11) são encontrados especialmente em crianças e em adultos jovens. TFE3 tem vários parceiros de translocação (ASPL,17q25; PRCC,1q21; PSF,1q34; NonO,Xq12; e CLTC,17q23), resultando na ativação de oncogenes. Como resultado dessas descobertas, o grupo CCR Xp11 foi incluído na classificação da WHO em 2004.

Pesquisadores japoneses fizeram um grande estudo prospectivo sobre a incidência de CCR Xp11 em 433 pacientes (idade variando entre 15 e 89 anos), usando as técnicas de citogenética. Nos casos em que a técnica de citogenética não pode ser usada em razão da ausência de células mitóticas, foi feita a pesquisa do gene TFE3 por imuno-histoquímica.[17] Em 244 casos (55%) foi realizada a análise citogenética, entre os quais foram identificados quatro casos (1,6%) com a translocação Xp11, e a imuno-histoquímica identificou entre os remanescentes três casos positivos (1,5%). A média de idade dos pacientes com CCR Xp11 era de 41 anos (variando entre 15 e 59 anos). Das quatro translocações Xp11 que foram detectadas, duas tinham a fusão gênica ASPL-TFE3. Pacientes com a fusão ASPL-TFE3 tinham metástase visceral, indicando um prognóstico desfavorável. As outras duas translocações apresentavam outras fusões com o gene TFE3 (PRCC-TFE3 e PSF-TFE3); nesses casos os pacientes apresentavam comprometimento nodal, mas permaneceram livres da doença por 3 anos após a ressecção cirúrgica.

De um modo geral, CCR Xp11 apresenta um prognóstico pior. Por isso, novos medicamentos que têm como alvo o VEGF foram testados no tratamento de 15 pacientes CCR Xp11 com metástase, com uma média de idade de 41 anos e na proporção de 4:1 de mulheres para homens.[18] Os agentes anti-VEGF tiveram algum efeito positivo considerando a agressividade desse tipo de tumor; três pacientes tiveram resposta parcial, sete pacientes estabilizaram a doença e, em cinco, a doença progrediu.

Outras translocações

Argani *et al.*[19] identificaram pela primeira vez, uma classe de tumores renais com a translocação t(6;11)(p21.1;q12). Ao mesmo tempo que esses tumores exibiam morfologia epitelioide sugestiva de carcinoma renal, eles eram distintos em sua imunorreatividade para os marcadores epiteliais, sendo positivos para para os marcadores melanocíticos. Davis *et al.*[20] relataram que o gene TFEB (11q13) era o alvo da translocação, fundido-se com o gene ALPHA (11q13). TFEB, isoladamente, é um fator de transcrição. Essa translocação é tão rara que corresponde a menos de 1% do total dos CCRs. Talvez esse grupo seja frequentemente diagnosticado de forma errada por causa da falta de características estabelecidas. CCRs TFEB são observados, principalmente, em pacientes mais jovens. O crescimento do tumor é lento. Essa translocação, juntamente com a translocação de Xp11, formam o "grupo das translocações".

DESCOBERTA DE NOVOS MARCADORES

A busca por marcadores que possam caracterizar os tumores renais de acordo com seu tipo histológico, agressividade e progressão tem sido alvo de muitos estudos ao longo dos anos. As técnicas genômicas como a citogenética e os *microarrays*, foram amplamente utilizadas para esta caracterização, mas atualmente, as técnicas proteômicas também têm sido utilizadas na busca desses marcadores, principalmente em decorrência do progresso desta tecnologia, como o desenvolvimento de métodos quantitativos, a alta resolução, a rapidez e a alta sensibilidade dos espectrômetros de massas, que abriu novos caminhos para a descoberta de biomarcadores.[21] A tecnologia proteômica pode ser aplicada na análise da expressão das proteínas, que são resultantes de uma mudança na transcrição gênica, como o *splicing* alternativo e modificações pós-traducionais, que ocorrem sem que haja alteração na expressão do gene.[22] Sendo assim, utilizando-se diferentes estratégias proteômicas, várias proteínas diferencialmente expressas têm sido identificadas em CCR.[23-29] Essas proteínas candidatas a biomarcadores pertencem a diferentes famílias, como as anexinas, a vimentina, as enzimas metabólicas, as proteínas das vias de transdução de sinais, os fatores de crescimento, os marcadores de diferenciação, os genes supressores de tumor, os componentes de citoesqueleto e as proteínas de estresse, bem como proteínas envolvidas em resistência à quimioterapia.[30] Apesar destes estudos, as informações existentes sobre CCR são limitadas a um pequeno número de proteínas diferencialmente expressas, que muitas vezes, ainda necessitam ser validadas por técnicas como RT-PCR e/ou imuno-histoquímica utilizando um grande número de amostras de CCR. Portanto, a identificação e a validação de biomarcadores, que possam ser utilizados para o diagnóstico, o prognóstico e o acompanhamento do tratamento desta doença ainda são necessárias e urgentes.[31]

Análise diferencial dos carcinomas de células renais

Os trabalhos com a análise proteômica em pacientes com CCR buscam marcadores que possam ser usados na detecção, monitorização ou tratamento dos pacientes. Esses estudos são feitos com tecido tumoral, amostras de sangue e urina.

Na busca por novos marcadores, Sarto et al.[32] publicaram um mapa proteômico do rim normal. Esse mapa de proteínas foi estabelecido a partir de tecidos normais de 10 pacientes com CCR. Após esta etapa, foi feita uma análise comparativa de rim normal com 10 casos de CCR. Foram identificados quatro peptídios ausentes em CCR, em destaque: Ubiquinol Citocromo C Redutase (UQCR); e Complexo I mitocondrial NADH-ubiquinona oxidorredutase. Esses resultados sugeriram que a ausência de expressão de UQCR e de Complexo I mitocondrial NADH-ubiquinona oxidorredutase contribuem para a gênese e/ou evolução dos CCRs.

Já em 2004, Pieper et al.[33] analisaram a urina de um paciente com CCR antes e depois da cirurgia e observam que duas proteínas tiveram a sua expressão diminuída depois da nefrectomia: uma serinoprotease e o quininogênio. A mudança na secreção do quininogênio tem sido relatada na progressão do câncer.

Hwa et al.[34] analisaram a expressão das proteínas diferencialmente expressas em tecido normal de rim e em tecidos com CCR. Eles encontraram 66 proteínas com aumento ou diminuição de expressão em CCR, dentre elas algumas proteínas se destacaram, como a vimentina, a aminoacilase-1, o Precursor α-1 antitripsina. A vimentina mostrou-se interessante, porque é uma proteína do citoesqueleto e sua expressão está aumentada nas amostras de CCR, além disso, apresenta expressão diferenciada em diferentes subtipos de CCR.[35-37] Esta proteína está associada, frequentemente, às diferenciação celular, à invasão, à migração e ao potencial metastático dos tumores.[38] Além disso, trabalhos com imuno-histoquímica também mostram que os tumores renais têm maior expressão de vimentina e que esta proteína pode ser utilizada como marcador diferencial de diagnóstico para carcinoma, sendo que em 87 a 100% dos pacientes com CCR do tipo células claras são positivos para vimentina.[39] A enzima Precursor α-1 antitripsina tem como principal função a liberação das elastases dos leucócitos na inflamação. Esta enzima apresentou-se superexpressa nos tecidos com CCR. A aminoacilase-1 é encontrada com alta atividade nos rins, está frequentemente envolvida nos processos de desintoxicação, possuindo uma expressão menor em alguns tipos de tumores pulmonares.

Perroud et al.[23] analisaram o proteoma de tecidos renais tumorais e adjacentes de 4 pacientes com carcinoma de células claras. Identificaram 31 proteínas que apresentavam sua expressão aumentada. Por meio de ferramentas de bioinformática, foi verificado que estas proteínas estão envolvidas no metabolismo energético celular, assim como em vias não metabólicas, como as vias do p53 e FAS.

Jones et al.[40] analisaram amostras de tecidos tumorais e de plasma de 56 pacientes com carcinoma de células claras metastático, após o tratamento com IL-2. Utilizando a tecnologia de SELDI-TOF (Surface-enhanced Laser Desorption/Ionization Time-of-Flight Mass Spectrometry) foram observados perfis proteicos diferentes entre os pacientes que responderam e não responderam ao tratamento com IL-2. Sendo assim, a capacidade de predizer a probabilidade de resposta a IL-2 permitiria a seleção de pacientes ao tratamento.

Sarkissian et al.[41] encontraram maiores concentrações da proteína pro-metaloprotease 7 (Pró-MMP-7) nos soros de pacientes com CCR, quando comparados com os soros de indivíduos saudáveis. Dessa forma, MMP-7 poderia ser um marcador útil para detectar CCR, porém mais estudos devem ser feitos para confirmar este resultado.

Trabalhos mais recentes, como de Raimondo et al.[42] e Minamida et al.[37] mostram que as mesmas proteínas apresentam expressão diferenciada. Além destas, novas proteínas continuam sendo identificadas e estudadas como possíveis marcadores. Porém, nenhum marcador apresentou alta especificidade e sensibilidade para estes tipos de tumores. Mais estudos têm sido realizados na busca de proteínas que possam ser usadas nesse sentido para que o paciente tenha diagnóstico e tratamento diferenciado.

PERFIL IMUNO-HISTOQUÍMICO

Carcinoma renal de células claras

O perfil imuno-histoquímico dos CRCCs tem um padrão tipicamente positivo para vimetina, citoqueratinas (CK) CK8, CK18, CK19, CD10, marcadores de carcinoma renal de células claras. E um padrão negativo para citoqueratinas de baixo e alto peso molecular (CK7 e CK20), CD117, caderina renal específica e parvalbumina.[39,43,44]

Carcinoma de células renais papilífero

Os CCRs papilíferos são divididos em tipo 1 e tipo 2. Os CCRs papilíferos têm o perfil similar ao CRCC; a diferença entre eles é a expressão da CK7, entretanto, estas proteínas são mais frequente no tipo 1 do que no tipo 2. Os CCRs papilíferos tipo 2 têm um perfil imune variável, diferentemente dos CCRs papilíferos do tipo 1 que têm um perfil mais uniforme.[39,43,45]

Carcinoma de células renais cromófobo

O perfil imunológico é bem diferente dos outros tipos de CCR. É positivo para caderina específica renal, parvalbumina, CD117, antígenos de membrana epitelial (EMA), citoquerarinas EA1/EA3, CK7 (marcação imuno-histoquímica forte/difusa para este tipo de tumor).[39,43,46]

Até o momento, nenhum marcador atingiu valor diagnóstico e prognóstico definitivo.[47,48] Além disso, os mecanismos biológicos exatos dessa doença ainda devem ser elucidados para maior compreensão e tratamento destes pacientes.

REFERÊNCIAS BIBLIOGRÁFICAS

1. Young AN, Amin MB, Moreno CS et al. Expression profiling of renal epithelial neoplasms: a method for tumor classification and discovery of diagnostic molecular markers. *Am J Pathol* 2001;158:1639-51.
2. Schuetz AN, Yin-Goen Q, Amin MB et al. Molecular classification of renal tumors by gene expression profiling. *J Mol Diagn* 2005;7:206-18.
3. Latif F, Tory K, Gnarra J et al. Identification of the von Hippel-Lindau disease tumor suppressor gene. *Science* 1993;260:1317-20
4. Tory K, Brauch H, Linehan M et al. Specific genetic change in tumors associated with von Hippel-Lindau disease. *J Natl Cancer Inst* 1989;81:1097-101.
5. Shuin T, Kondo K, Torigoe S et al. Frequent somatic mutations and loss of heterozygosity of the von Hippel-Lindau tumor suppressor gene in primary human renal cell carcinomas. *Cancer Res* 1994;54:2852-55.
6. Gnarra JR, Tory K, Weng Y et al. Mutations of the VHL tumour suppressor gene in renal carcinoma. *Nat Genet* 1994;7:85-90.
7. Herman JG, Latif F, Weng Y et al. Silencing of the VHL tumor-suppressor gene by DNA methylation in renal carcinoma. *Proc Natl Acad Sci USA* 1994;91(21):9700-4.
8. Gallou C, Joly D, Mejean A et al. Mutations of the VHL gene in sporadic renal cell carcinoma: definition of a risk factor for VHL patients to develop an RCC. *Hum Mutat* 1999;13:464-75.
9. Tanimoto K, Makino Y, Pereira T et al. Mechanism of regulation of the hypoxia-inducible factor-1 alpha by the von Hippel-Lindau tumor suppressor protein. *EMBO J* 2000;19:4298-309.
10. Schmidt L, Duh FM, Chen F et al. Germline and somatic mutations in the tyrosine kinase domain of the MET proto-oncogene in papillary renal carcinomas. *Nat Genet* 1997;16:68-73.
11. Pollard PJ, Briere JJ, Alam NA et al. Accumulation of Krebs cycle intermediates and over-expression of HIF1-alpha in tumours which result from germline FH and SDH mutations. *Hum Mol Genet* 2005;14:2231-39.
12. Klatte T, Pantuck AJ, Said JW et al. Cytogenetic and molecular tumor profiling for type 1 and type 2 papillary renal cell carcinoma. *Clin Cancer Res* 2009;15:1162-69.
13. Yao M, Yoshida M, Kishida T et al. VHL tumor suppressor gene alterations associated with good prognosis in sporadic clear-cell renal carcinoma. *J Natl Cancer Inst* 2002;94:1569-75.
14. Kovacs G, Soudah B, Hoene E. Binucleated cells in a human renal cell carcinoma with 34 chromosomes. *Cancer Genet Cytogenet* 1988;31:211-15.
15. Yusenko MV, Kuiper RP, Boethe T et al. High-resolution DNA copy number and gene expression analyses distinguish chromophobe renal cell carcinoma and renal oncocytomas. *BMC Cancer* 2009;9:152.
16. Ross H, Argani P. Xp11 translocation renal cell carcinoma. *Pathology* 2010;42:369-73.
17. Komai Y, Fujiwara M, Fujii Y et al. Adult Xp11 translocation renal cell carcinoma diagnosed by cytogenetics and immunohistochemistry. *Clin Cancer Res* 2009;15:1170-76.
18. Choueiri TK, Lim ZD, Hirsch MS et al. Vascular endothelial growth factor-targeted therapy for the treatment of adult metastatic Xp11.2 translocation renal cell carcinoma. *Cancer* 2010;116:5219-25.
19. Argani P, Hawkins A, Griffin CA et al. A distinctive pediatric renal neoplasm characterized by epithelioid morphology, basement membrane production, focal HMB45 immunoreactivity, and t(6;11)(p21.1;q12) chromosome translocation. *Am J Path* 2001;158:2089-96.

20. Davis IJ, Hsi BL, Arroyo JD et al. Cloning of an alpha-TFEB fusion in renal tumors harboring the t(6;11)(p21;q13) chromosome translocation. *Proc Nat Acad Sci* 2003;100:6051-56.
21. Sandim V, Pereira DA, Ornellas AA et al. Renal cell carcinoma and proteomics. *Urol Int* 2010;84:373-77.
22. Wilkins MR, Sanchez JC, Gooley AA et al. Progress with proteome projects: why all proteins expressed by a genome should be identified and how to do it. *Biotechnol Genet Eng Rev* 1996;13:19-50.
23. Perroud B, Lee J, Valkova N et al. Pathway analysis of kidney cancer using proteomics and metabolic profiling. *Mol Cancer* 2006;5:64.
24. Perroud B, Ishimaru T, Borowsky AD et al. Grade-dependent proteomics characterization of kidney cancer. *Mol Cell Proteomics* 2009;8:971-85.
25. Seliger B, Menig M, Lichtenfels R et al. Identification of markers for the selection of patients undergoing renal cell carcinoma-specific immunotherapy. *Proteomics* 2003;3:979-90.
26. Seliger B, Dressler SP, Lichtenfels R et al. Candidate biomarkers in renal cell carcinoma. *Proteomics* 2007;7:4601-12.
27. Banks RE, Craven RA, Harnden P et al. Key clinical issues in renal cancer: a challenge for proteomics. *World J Urol* 2007;25:537-56.
28. Craven RA, Banks RE. Understanding and managing renal cell carcinoma: can proteomic studies contribute to clinical practice? *Contrib Nephrol* 2008;160:88-106.
29. Okamura N, Masuda T, Gotoh A et al. Quantitative proteomic analysis to discover potential diagnostic markers and therapeutic targets in human renal cell carcinoma. *Proteomics* 2008;8:3194-203.
30. Lichtenfels R, Dressler SP, Zobawa M et al. Systematic comparative protein expression profiling of clear cell renal cell carcinoma: a pilot study based on the separation of tissue specimens by two-dimensional gel electrophoresis. *Mol Cell Proteomics* 2009;8:2827-42.
31. Zacchia M, Vilasi A, Capasso A et al. Genomic and proteomic approaches to renal cell carcinoma. *J Nephrol* 2011;24(02):155-64.
32. Sarto C, Marocchi A, Sanchez JC et al. Renal cell carcinoma and normal kidney protein expression. *Electrophoresis* 1997;18:599-604.
33. Pieper R, Gatlin CL, McGrath AM et al. Characterization of the human urinary proteome: a method for high-resolution display of urinary proteins on two-dimensional electrophoresis gels with a yield of nearly 1400 distinct proteins spots. *Proteomics* 2004;4:1159-74.
34. Hwa JS, Park HJ, Jung JH et al. Identification of proteins differentially expressed in the conventional renal cell carcinoma by proteomic analysis. *J Korean Med Sci* 2005;20:450-55.
35. Kellner R, Lichtenfels R, Atkins D et al. Targeting of tumor associated antigens in renal cell carcinoma using proteome-based analysis and their clinical significance. *Proteomics* 2002;2:1743-51.
36. Unwin RD, Craven RA, Harnden P et al. Proteomic changes in renal cancer and co-ordinate demonstration of both the glycolytic and mitochondrial aspects of the Warburg effect. *Proteomics* 2003;3:1620-32.
37. Minamida S, Iwamura M, Kodera Y et al. Profilin 1 over expression in renal cell carcinoma. *Int J Urol* 2011;18:63-71.
38. Lahat G, Zhu QS, Huang KL et al. Vimentin is a novel anti-cancer therapeutic target; insights from in vitro and in vivo mice xenograft studies. *PLoS One* 2010 Apr.16;5(4):e10105.
39. Shen SS, Truong LD, Scarpelli M et al. Role of immunohistochemistry in diagnosing renal neoplasms: when is it really useful? *Arch Pathol Lab Med* 2012;136:410-17.
40. Jones J, Otu HH, Grall F et al. Proteomic identification of interleukin-2 therapy response in metastatic renal cell cancer. *J Urol* 2008;179:730-36.
41. Sarkissian G, Fergelot P, Lamy PJ et al. Identification of pro-MMP-7 as a serum marker for renal cell carcinoma by use of proteomic analysis. *Clin Chem* 2008;54:574-81.
42. Raimondo F, Morosi L, Chinello C et al. Protein profiling of microdomains purified from renal cell carcinoma and normal kidney tissue samples. *Mol Biosyst* 2012;8:1007-16.
43. Truong LD, Shen SS. Immunohistochemical diagnosis of renal neoplasms. *Arch Pathol Lab Med* 2011;135:92-109.
44. Grignon DJ, Eble JN, Bonsid SM et al. *Tumors of the Kidney*, capítulo 1 em: Pathology and genetics of tumors of the urinary system and male genital organs. Geneva: WHO, 2004. p. 23-25.
45. Delahunt B, Eble JN. *Tumors of the kidney – Papillary renal cell carcinoma, capítulo 1 em: pathology and genetics of tumors of the urinary system and male genital organs*. Geneva: WHO, 2004. p. 26-29.
46. Storkel S, Martignoni G, von den Berg E. *Tumors of the Kidney – Chromophobe renal cell carcinoma, capítulo 1 em: pathology and genetics of tumors of the urinary system and male genital organs*. Geneva: WHO, 2004. p. 30-32.
47. Seliger B, Lichtenfels R, Kellner R. Detection of renal cell carcinoma-associated markers via proteome- and other 'ome'-based analyses. *Brief Funct Genomic Proteomic* 2003;2:194-212.
48. Rathmell WK, Martz CA, Rini BI. Renal cell carcinoma. *Curr Opin Oncol* 2007;19:234-40.

CAPÍTULO 197

Carcinoma Urotelial do Trato Urinário Alto

Daniel Hampl ▪ Antonio Augusto Ornellas
Leandro Koifman ▪ Marcos Tobias-Machado

INTRODUÇÃO

Carcinoma urotelial, ou tumor urotelial, é um termo utilizado para denominar a doença neoplásica do tecido epitelial que recobre o trato urinário, o urotélio. Esse tecido está presente desde o sistema coletor alto até a uretra e, quando acometido por neoplasia, trata-se de tumores morfológica e histologicamente semelhantes. A subdivisão em carcinoma urotelial do trato alto (pelve e ureter) e do trato baixo (bexiga e uretra) torna o entendimento clínico mais didático em razão das nuances no estadiamento, no prognóstico e no manejo do ponto de vista anatômico.

NOÇÕES HISTOLÓGICAS

A camada epitelial que recobre o trato urinário, o urotélio, é constituída de 3 a 7 camadas de epitélio de células transicionais que repousam sobre uma membrana basal formada por matriz extracelular. Entre a membrana basal e a lâmina própria há um tecido conectivo frouxo que, frequentemente, possui fibras musculares lisas.

No ureter, as fibras musculares lisas são dispostas em espiral, em sentido longitudinal e são recobertas por uma fina camada adventícia de tecido conectivo.

Na bexiga, fibras musculares lisas precisam ser diferenciadas da camada muscular mais profunda (estriada) para não gerar confusão no diagnóstico histopatológico de neoplasias. Logo abaixo da lâmina própria, em vez da adventícia, há inúmeros feixes de fibras musculares orientadas em sentidos diferentes e que convergem ao nível do trígono vesical.

No trígono, é possível determinar três camadas musculares, sendo que a interna e a externa orientam-se longitudinalmente, enquanto a camada média assume aspecto circular.

EPIDEMIOLOGIA

A doença neoplásica do urotélio, o carcinoma urotelial, é a quarta neoplasia mais comum no ser humano após a da próstata (mama nas mulheres), do pulmão e colorretal.[1,2]

O câncer de bexiga, além de ser a segunda neoplasia mais comum do trato geniturinário depois da próstata, é responsável por 90 e 95% dos tumores uroteliais.[3,4] Os outros 5-10% são constituídos pelos tumores uroteliais do trato urinário alto e de uretra, sendo o segundo muito menos prevalente.[1,5,6]

O carcinoma urotelial do trato urinário alto é mais comum na raça branca e 3 vezes mais prevalente em homens do que em mulheres. Possui pico de incidência após a 7ª década de vida.

Sua história natural costuma ser agressiva e difere do tumor de bexiga por ser invasivo em 60% dos casos no momento do diagnóstico em comparação com os 15% do tumor vesical.[6,7]

Nas mulheres os tumores no ureter costumam evoluir para óbito câncer-específico, 25% mais comumente do que nos homens.[8]

Quando o tumor é diagnosticado em pacientes com menos de 60 anos, aparentemente há um componente familiar relacionado com o carcinoma colorretal não polipoide hereditário ou síndrome de Lynch II. Tal suspeita justifica a investigação e aconselhamento genético com pesquisa clínica de possíveis outros cânceres não diagnosticados.[9,10]

FATORES DE RISCO

Vários fatores ambientais e ocupacionais são considerados fatores de risco para a neoplasia urotelial do trato alto e muitos deles são comuns ao tumor vesical. Sabidamente, o tabagismo aumenta as chances de desenvolvimento da patologia entre 2,7 e 7 vezes, e mesmo os ex-tabagistas mantêm esta estatística.[11-13]

Os consumidores de mais de sete xícaras de café por dia possuem risco relativo de desenvolvimento deste tipo de tumor aumentado em 1,8 vezes. Apesar de o consumo de café estar associado ao tabagismo mesmo isolando os fatores, estima-se que o risco permanece aumentado em cerca de 1,3 vezes.[14]

A exposição a alguns produtos químicos utilizados na indústria têxtil e petroquímica, como os derivados dos hidrocarbonetos e aminas aromáticas, está intimamente relacionada com a carcinogênese do tumor urotelial. A duração média de exposição dos derivados químicos necessária ao desenvolvimento da neoplasia é de cerca de 7 anos, sendo que mesmo após 20 anos da interrupção da exposição, o risco permanece.[11,15]

A fenacetina, analgésico não opioide sem ação anti-inflamatória, utilizado há alguns anos, foi relacionado com o carcinogênico do tecido urotelial. Sua comercialização foi substituída pelo seu metabólito, o paracetamol.

Outra droga comercializada também envolvida no processo é o quimioterápico ciclofosfamida.[11]

A incidência do tumor urotelial alto é maior nos habitantes dos Balcans em razão da nefropatia induzida por plantas típicas da região.[16,17]

Em Taiwan, no sul da ilha, a incidência da neoplasia é maior do que na população geral. Acredita-se estar relacionada com a doença do pé negro e com a exposição ao arsênio.[18]

Alguns autores acreditam que a inflamação crônica desecandeada pela presença de litíase urinária, instrumentação cirúrgica e infecção também pode estar envolvida na carcinogênese do tumor urotelial.[19,20]

Apesar dos fatores ambientais acima citados, a relação entre exposição e carcinogênese pode variar, dependendo do grau de susceptibilidade do indivíduo. Uma variante do alelo SULT1a1*2 reduz a atividade enzimática da sulfotransferase e foi bem documentado no sentido de aumentar a suscetibilidade ao desenvolvimento e progressão do carcinoma urotelial.[21]

FISIOPATOLOGIA

No trato alto, 95% das neoplasias do sistema coletor são originadas no urotélio propriamente dito, assim como as neoplasias vesicais. Ou seja, são carcinomas de células transicionais.[20] Os outros 5% são constituídos por carcinoma de células não transicionais e costumam ser mais indiferenciados e de pior prognóstico.

Podemos citar como integrantes do segundo grupo o adenocarcinoma, o carcinoma de células claras e o tumor neuroendócrino. O adenocarcinoma, segundo alguns autores, pode estar relacionado com a presença de cálculos coraliformes e talvez por isso seja mais comum na pelve renal.[22]

O carcinoma urotelial é 2 vezes mais frequente na pelve do que o ureter. Quando diagnosticado no ureter, o segmento distal é o mais comumente acometido, podendo corresponder a até 73% dos casos, seguido da porção média em 24% e da proximal em 3%. Acredita-se que essa estatística se deva ao fato da disseminação característica da neoplasia.[23,24]

O padrão de disseminação local é o mais comum no carcinoma de células transicionais e, em geral, obedece à orientação cefalocaudal. Além disso, as possíveis recidivas tumorais costumam aparecer inferiormente à área previamente ressecada. Esse dado é clinicamente importante, pois a presença de tumor no trato urinário alto deve demandar investigação do trato baixo. Entre os pacientes com carcinoma do ureter, a multiplicidade de lesões se aproxima dos 50%.[25]

A bilateralidade (sincrônica ou metacrônica) também pode ser observada em 2-5% dos pacientes e cerca de 30-75% dos pacientes com carcinoma urotelial alto vão desenvolver a neoplasia no trato baixo em algum momento de sua história clínica.[26,27] O contrário não ocorre com tal frequência. Apenas 2-4% dos pacientes com lesão no trato baixo vão desenvolver a patologia no ureter ou pelve renal. Essa estatística aumenta nos tumores de alto grau e estudos demonstram que cerca de 20-25% dos pacientes com diagnóstico de carcinoma *in situ* vesical podem desenvolver a doença no trato alto.[28,29]

A disseminação para linfonodos é uma característica do carcinoma de células transicionais e costuma comprometer, dependendo de sua localização primária, as cadeias retroperitoneais para-aórtica, paracaval, ilíaca comum ipsilateral e pélvica.

A disseminação hematogênica pode ocorrer com certa frequência e os principais sítios de metástases mais comuns são fígado, pulmão e ossos.

APRESENTAÇÃO CLÍNICA

Hematúria macroscópica é o mais comum, presente em cerca de 75% dos casos. A dor lombar, presente em cerca de 20% dos casos, pode ocorrer pela distensão secundária à obstrução tumoral ou por coágulos ureterais.[5,30]

Disúria e outros sintomas irritativos podem estar presentes menos comumente. Perda ponderal, anorexia, massa palpável e dor óssea costumam denotar doença mais avançada.[1,2]

DIAGNÓSTICO

Tomografia computadorizada (TC)

É o exame de imagem padrão de excelência para a investigação do trato urinário superior.[31-34] Se realizada de forma ideal, com as fases sem e com contraste, pode alcançar uma sensibilidade de 96% e especificidade de 99% na detecção de lesões entre 5-10 mm. A sensibilidade cai para 89% em se tratando de lesões < 5 cm, e para 40% naquelas < 3 cm. O diagnóstico por imagem para lesões planas e infiltrativas torna-se um desfio para as técnicas atuais.[3,21] As lesões são caracterizadas como falha de enchimento de contraste na luz do órgão comprometido (Fig. 1).

Ressonância magnética (RM)

A ressonância magnética (RM) pode ser realizada naqueles pacientes que não podem ser expostos ao contraste iodado da tomografia, seja por alergia ou queda da função renal. Possui uma sensibilidade de detecção de 75% para lesões com menos de 2 cm. No entanto, quando a função renal contraindica a realização de RM com o gadolínio, pelo risco de desenvolvimento de fibrose nefrogênica, o exame passa a contribuir menos do que a TC na avaliação do paciente com suspeita de carcinoma urotelial do trato alto.[35,36]

Ureterorrenoscopia

É o melhor método para a avaliação quando houver suspeita de carcinoma urotelial do trato alto.[37] O ureterorrenoscópio flexível permite que o cirurgião realize diversos procedimentos diagnósticos e, por vezes, terapêuticos. Com esse aparelho, as cavidades do sistema coletor são completamente investigadas em cerca de 90% das vezes.[38,39]

Quando o paciente possui citologia urinária positiva associada à falha de enchimento do sistema coletor em exame de imagem, há forte suspeita da presença de carcinoma urotelial do trato alto, e o tratamento padrão com nefroureterectomia está indicado.

No entanto, o desenvolvimento de técnicas flexíveis de ureteroscopia, com o uso de material flexível e do *laser*, permite uma abordagem mais conservadora da patologia. Com a visualização direta da lesão suspeita podemos realizar a coleta de lavado para pesquisa de células oncóticas, a ressecção parcial para coleta de fragmentos para exame histopatológico diagnóstico e, em algumas situações, a ressecção completa da lesão.

Apesar dos avanços tecnológicos, ainda é difícil uma boa amostragem para o exame histopatológico. A determinação do grau é possível em cerca de 80% das vezes,[40] mas a dificuldade em obter amostra muscular e da lâmina própria limita a utilização do método que já é criticado por, teoricamente, atrasar o tratamento definitivo enquanto aguarda-se o laudo histopatológico.[40]

No entanto, essa premissa vem sendo questionada por alguns autores que defendem a abordagem endoscópica.[41]

Infelizmente, o grau de diferenciação é subestimado em cerca de 22% e o estágio tumoral em 45% dos casos quando correlacionamos o resultado da biópsia e o da nefroureterectomia em tumores Ta. As técnicas de múltiplas biópsias parecem diminuir o subestadiamento e tendem a ser mais confiáveis. No entanto, aumentam os riscos de complicações como perfurações ureterais.[42]

A ureterorrenoscopia flexível é uma excelente opção quando há dúvida diagnóstica, lesão solitária e pequena ou quando houver lesão em rim único, em que o tratamento conservador tem sua posição (Fig. 2).

Técnicas percutâneas

A biópsia percutânea ou o tratamento por nefrostomia foi descrito por alguns autores. No entanto, historicamente, discute-se a validade destes procedimentos minimamente invasivos em decorrência da possibilidade de implante de células neoplásicas no trajeto na parede abdominal.[43,44]

Cistoscopia

Geralmente é realizada para a exclusão de lesão vesical quando há lesão suspeita no trato alto ou citologia urinária positiva.

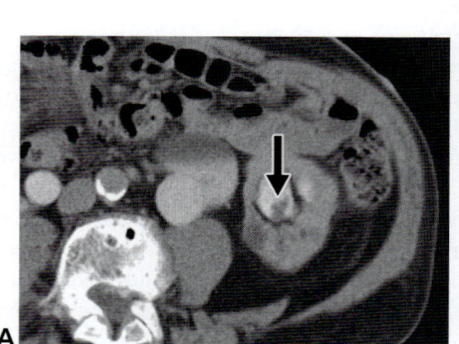
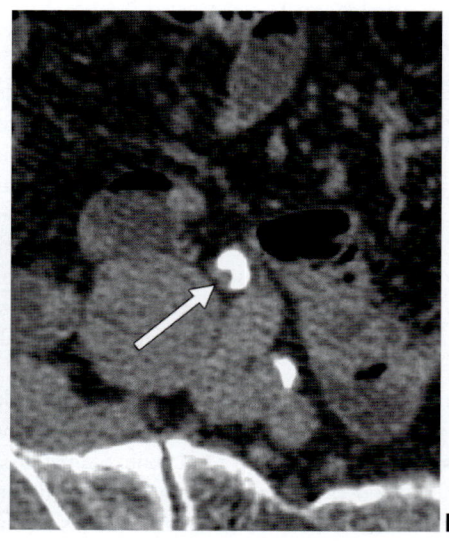

◀ **FIGURA 1.** Falha de enchimento caracterizando tumor urotelial de bacinete evidenciado por TC caracterizando. **(A)** Tumor urotelial do bacinete. **(B)** Tumor ureteral.

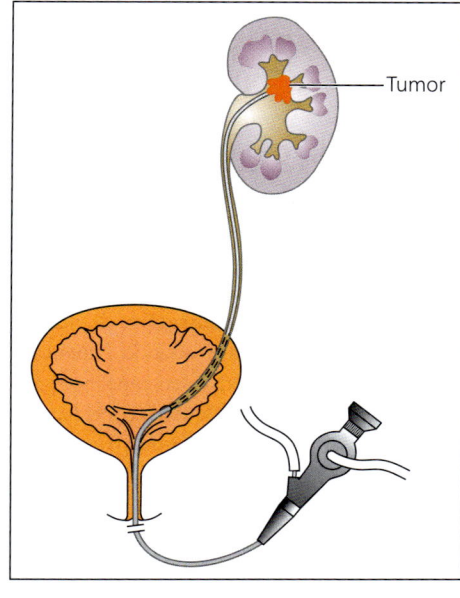

◀ **FIGURA 2.** Tumores de bacinete podem ser acessados por ureterorrenoscópio flexível.

Quadro 1. Estadiamento TNM

T – TUMOR PRIMÁRIO	
TX	Tumor primário não encontrado
T0	Sem evidência de tumor primário
Ta	Carcinoma papilar não invasor
Tis	Carcinoma in situ
T1	Tumor invade o tecido conectivo subepitelial
T2	Tumor invade a camada muscular
T3	Pelve renal – Tumor ultrapassa a camada muscular e invade tecido parapiélico ou parênquima renal Ureter – Tumor ultrapassa a camada muscular e invade a gordura periureteral
T4	Tumor invade órgãos adjacentes ou, através do rim, a gordura perirrenal
N – LINFONODOS REGIONAIS	
NX	Os linfonodos regionais não podem ser avaliados
N0	Ausência de metástase em linfonodo regional
N1	Metástase, em um único linfonodo, com 2 cm ou menos em sua maior dimensão
N2	Metástase, em um único linfonodo, com mais de 2 até 5 cm em sua maior dimensão, ou em múltiplos linfonodos, nenhum com mais de 5 cm em sua maior dimensão
N3	Metástase em linfonodo com mais de 5 cm em sua maior dimensão
M – METÁSTASES A DISTÂNCIA	
MX	Metástase a distância não pode ser avaliada
M0	Ausência de metástase a distância
M1	Metástase a distância

Citologia urinária

Em se tratando de carcinoma urotelial alto, a citologia urinária não costuma ser positiva como frequentemente se vê nas lesões vesicais. Geralmente, quando positiva, o exame envolve neoplasias de alto grau e dificilmente confinadas ao órgão.[45] Cerca de 25% dos cânceres de baixo grau do trato alto são diagnosticados por este método e não mais do que 60% nas neoplasias de alto grau.[46]

A investigação por marcadores mais modernos obtidos por micção espontânea é promissora, mas ainda não se estabeleceu como método eficaz não invasivo.

CLASSIFICAÇÃO

Todos os tipos histológicos dos tumores encontrados na bexiga também podem ocorrer no trato urinário alto e o seu grau de diferenciação, invasão e presença de carcinoma in situ podem ser avaliados. Em razão da semelhança morfológica e microscópica, a classificação do tumor urotelial do trato alto se assemelha àquela utilizada para tumores vesicais.

O estadiamento TNM é o método mais utilizado atualmente para a classificação das neoplasias. A versão mais atual que contempla o carcinoma urotelial do trato alto é o TNM apresentado pela *Union Internationale contre Le Câncer*, em 2009 (Quadro 1).

FATORES PROGNÓSTICOS

TNM e grau de diferenciação

Esses são os fatores prognósticos comuns a maioria das doenças neoplásicas. A sobrevida câncer-específica em 5 anos, no caso do carcinoma urotelial do trato alto pT2/pT3, é de < 50% e nos pT4 < 10%.[47,48]

A diferenciação em tumores diferenciados (G1), moderadamente diferenciados (G2) e indiferenciados (G3) também é utilizada. Infelizmente, no carcinoma urotelial do trato alto é difícil a ocorrência de tumores de baixo potencial de malignidade.[6,14,15]

O tumor pT3 da pelve geralmente apresenta melhor prognóstico do que o pT3 ureteral.[49] Isso é verdade, provavelmente, porque o parênquima renal oferece maior resistência à disseminação tumoral.

Idade e gênero

Atualmente não se considera o sexo como fator independente de sobrevida.[50-52] A idade, pelo contrário, é considerada um fator prognóstico independente e quanto maior a idade no momento do diagnóstico, menor a sobrevida.[52]

Localização tumoral

Atualmente não se considera mais a localização do tumor primário (ureter × pelve) como fator prognóstico da doença.[53-55] Quando ajustado para o fator estágio tumoral, a localização não parecer manter importância prognóstica da doença.[56,57]

Invasão linfovascular

A presença de invasão linfovascular deve ser citada no laudo histopatológico. Está presente em até 20% dos pacientes submetidos a nefroureterectomia e é um fator independente no prognóstico da doença.[57-59]

TRATAMENTO

Doença localizada (pT1,T2, N0)

Nefroureterectomia radical (NUR)

O tratamento padrão de excelência para o carcinoma urotelial do trato alto é a nefroureterectomia radical aberta. A cirurgia consiste na excisão completa do rim, ureter e porção da bexiga, em que o ureter se implanta (*cuff* vesical) do lado comprometido independente da localização do tumor.[60] A exérese do *cuff* vesical é indicada por, além de se tratar de porção passível de recidiva, o coto ureteral torna-se de difícil estudo posteriormente (Figs. 3 e 4).[61,62]

A NUR deve respeitar os princípios oncológicos, que consistem em evitar a disseminação do tumor que acontece na abertura inadvertida do trato urinário durante a ressecção do mesmo.[63,64] A ressecção do ureter distal e seu respectivo meato são realizados porque é local de considerável risco de recidiva. Após a remoção da parte proximal, é muito difícil avaliá-lo por imagem ou abordá-lo através de endoscopia no período de acompanhamento. Publicações recentes sobre a sobrevivência após nefroureterectomia concluíram que a retirada do ureter distal e do *cuff* vesical são benéficos.[65-69]

Um atraso maior que 45 dias entre o diagnóstico e o tratamento constitui um risco para a progressão da doença.[70]

A linfadenectomia, além do potencial terapêutico, pode contribuir para o estadiamento e o tratamento ideal da doença.[71,72] Apesar de sua importância, não há dados suficientes para a determinação dos sítios anatômicos para a dissecção linfonodal e do seu impacto da sobrevida do paciente com carcinoma urotelial do trato alto.[73]

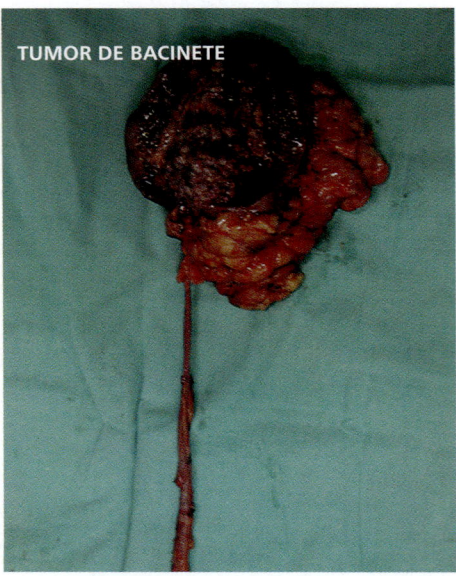

◀ **FIGURA 3.** Tumor ocupando todo o bacinete do rim esquerdo. Paciente foi submetido à nefroureterectomia esquerda por via aberta com retirada de *cuff* vesical.

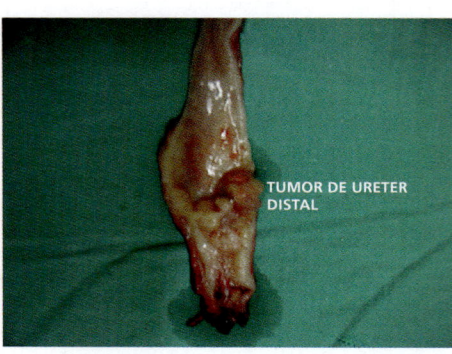

◀ **FIGURA 4.** Tumor de ureter distal à direita. Paciente foi submetido à nefroureterectomia direita por via aberta com retirada de *cuff* vesical.

Nefroureterectomia radical laparoscópica

A cirurgia pela técnica videolaparoscópica era associada à disseminação da doença no retroperitônio e nos trajetos dos trocarter principalmente quando se manipulava lesões com grande massa tumoral.[74,75]

A tendência, atualmente, é no sentido de igualdade no acompanhamento oncológico entre as técnicas, sendo que a superioridade na recuperação e estética pós-operatória da videoassistida é evidente.[76-80]

A partir dos resultados de uma série de estudos descritivos retrospectivos, NUR laparoscópica está indicada em pacientes com carcinoma do trato urotelial até estágio clínico T2, sem evidência de metástases linfonodais, com resultados semelhantes à cirurgia aberta. Embora nenhuma conclusão possa ser feita sobre os pacientes com doença em maior estágio em razão da falta de dados comparativos estratificados de qualidade, não há dados suficientes para contraindicar laparoscopia em pacientes com estágio T3-T4.

NUR laparoscópica assistida à mão é indicada em pacientes com tumores avançados, nos quais a nefrectomia é realizada por laparoscopia e a ressecção do tumor ureteral por via aberta. Há poucos relatos de nefroureterectomia laparoscópica em pacientes com invasão tumoral de órgãos adjacentes ou metástases linfonodais generalizadas, e são necessários mais estudos nesta área.

Vários cuidados devem ser tomados ao operar com pneumoperitônio, pois pode-se aumentar a disseminação do tumor:

- Abertura do sistema coletor urinário deve ser evitada.
- Contato direto dos instrumentos com o tumor deve ser evitado. NUR laparoscópica deve ocorrer em um sistema fechado.

Morcelamento do tumor deve ser evitado, e um saco de recuperação (*endobag*) é necessário para extrair o tumor:

- O rim e o ureter devem ser retirados em bloco com o *cuff* vesical.

Tumores invasivos, volumosos (T3/T4 e/ou N +/M +) ou multifocais são contraindicações para NUR laparoscópica, até que se prove o contrário.

Aspectos técnicos

Para abordagem precoce do hilo renal durante a dissecção e naqueles com massas linfonodais bloqueando o acesso ao hilo renal, a abordagem retroperitoneal pode ser preferida. Ainda, essa abordagem pode ser preferida em pacientes que tenham sido submetidos a cirurgias abdominais prévias, irradiação abdominal ou que tenham sofrido de algum estado inflamatório intraperitoneal, como uma peritonite.[81]

Cirurgias conservadoras

Muito se discute quanto ao papel das cirurgias poupadoras de néfrons para tumores na pelve renal e ressecções segmentares quando a doença se apresenta no ureter. As cirurgias conservadoras têm o seu papel nos pacientes com insuficiência renal, tumor sincrônico no sistema contralateral, rim único funcionante ou naqueles com neoplasia de baixo grau e estadiamento baixo.[82]

Acredita-se que as cirurgias radicais não ofereçam maior sobrevida ao paciente no paciente com doença de baixo grau e que podem oferecer menos morbimortalidade naqueles com doença de alto grau avançada.[83]

No entanto, o risco de recidiva tumoral ipsilateral é alto. No ureter ocorre em torno de 33-55% dos casos e, geralmente, em segmento mais distal do que o previamente ressecado.[84] Tal risco alto de recidiva justifica o acompanhamento regular pelo resto da vida.

Ureterorrenoscopia

É uma técnica dominada pelos urologistas atuais. Com o aparelho flexível pode-se alcançar praticamente todo o sistema urinário alto, realizar biópsias e, muitas vezes, ablação terapêutica da lesão.

O uso do holmiun:YAG *laser* está bem documentado para sua utilização no ureter. Penetra no tecido até 0,5 mm e permite realização do procedimento com menor risco de perfurações.

Situações especiais como lesão séssil, grande massa ou lesão em posição anatômica que não permite a deflexão do aparelho com instrumentos de trabalho em seu interior são indicações de interromper a tentativa e propor cirurgia aberta.

Mesmo quando houver ablação completa da lesão, alguns autores recomendam ureteroscopia de controle de 4-14 dias após o procedimento.[85]

Nefroscopia percutânea

Pode ser utilizada para casos em que há diagnóstico de carcinoma urotelial de baixo grau, naqueles pacientes em que o manejo retrógrado com o ureterorrenoscópio flexível não foi possível. A tendência é que essa técnica não seja mais utilizada em razão do avanço tecnológico progressivo dos ureterorrenoscópios flexíveis e pelo já descrito risco de implante tumoral no trajeto do acesso percutâneo.

Ureterectomia parcial ou ressecção parcial de pelve renal

Pode ser utilizada com mais conforto quando a lesão se encontra no segmento distal do ureter em razão de maiores recursos de reconstrução como *Boari Flap*, psoas *hitch* e reimplante ureteral. A ressecção com margem de segurança pode determinar dificuldade na reconstrução ureteral quando a lesão acomete o segmento ureteral acima dos vasos ilíacos.

Esse tipo de ressecção pode ser utilizado nas situações especiais citadas acima, sempre levando em consideração a alta taxa de recidiva tumoral ipsilateral. Quando o tumor se encontra na pelve renal, a ressecção parcial está associada a taxa de recidiva maior do que as lesões ureterais.[86-88]

Linfadenectomia

Embora os benefícios da dissecção linfonodal com tumores de urotélio vesical seja evidente, seu papel para os mesmos tumores no trato alto permanece controversa. Porém, a linfadenectomia associada a NUR é de interesse propedêutico e terapêutico, além de remover a doença, permite o estadiamento adequado da doença.[89-91] Linfadenectomia em pN + permite, então, a redução da massa tumoral, direcionando os pacientes para tratamento adjuvante.[89-91] No entanto, os locais anatômicos da linfadenectomia ainda não foram claramente definidos. O número de linfonodos a ser removido depende da localização do tumor. Kondo *et al.*[92] reportaram que a dissecção linfonodal completa tem impacto no prognóstico em comparação com a mesma realizada de maneira incompleta, enquanto outros estudos não mostraram o seu impacto direto na sobrevivência.[89,91] Linfadenectomia parece ser desnecessária em casos de CUTUS Ta-T1, porque foi relatado ocorrer comprometimento em 2,2% dos pT1 *versus* 16% de pT2-4.[89,91] Descreve-se um aumento contínuo da probabilidade de doença linfática relacionados com a classificação PT.[90]

Na comparação entre linfadenectomia aberta e laparoscópica, Busby *et al.*[93] mostraram que o número médio de linfonodos removidos, o número médio de linfonodos positivos e a densidade linfonodal não tiveram diferença estatística entre os dois grupos, e que a cirurgia laparoscópica deve seguir os mesmos preceitos oncológicos da cirurgia aberta.

Por último, a linfadenectomia parece ser uma variável dentro de um modelo de prognóstico de pacientes com confirmação histológica da doença e linfonodos negativos (pN0).[89] No entanto, estes dados são retrospectivos e não é possível padronizar indicação ou extensão da linfadenectomia.

Consequentemente, a subnotificação da taxa real de disseminação linfática é provável. Houve relatos de disseminação metastática retroperitoneal e ao longo dos portais quando grandes tumores foram manipulados em um ambiente de pneumoperitôneo.[94] Dados recentes mostram uma tendência de resultados oncológicos equivalentes entre NUR laparoscópica e cirurgia aberta. Além disso, a abordagem laparoscópica parece ser superior à cirurgia aberta com relação aos resultados funcionais.[76,95,96]

Terapia adjuvante

Tratamentos conservadores em carcinoma urotelial de baixo grau estão associados à alta taxa de recidiva. Portanto, alguns autores advogam a utilização de agentes adjuvantes como o Bacilo de Calmette-Guérin (BCG) ou mitomicina C através de catéter de nefrostomia ou via transvesical naqueles com catéter ureteral duplo J.[97-99] Quando realizada, a terapia adjuvante local segue os mesmos preceitos descritos para o tratamento de tumor de bexiga.

Acompanhamento *(follow-up)*

Acompanhamento do paciente submetido a procedimento cirúrgico para doença órgão-confinada, ou seja, localizada, deve manter acompanhamento regular muito semelhante ao proposto para tumor de bexiga. Devemos sempre levar em consideração o risco de recidiva local ou em outro sítio do aparelho urinário e evolução para metástases a distância.

O acompanhamento dos pacientes deve ser feito da seguinte maneira:

1. Exame físico + exames laboratoriais + citologia urinária (em tumores de alto grau):
   - 3/3 meses no 1º ano.
   - 6/6 meses nos 2º e 3º anos.
   - anualmente depois.
2. Exame endoscópico:
   - 6/6 meses nos primeiros anos.
   - 6/6 meses após.
3. Exame de imagem (TC ou RM):
   - 6/6 meses por alguns anos.
   - 6/6 meses após.
4. Cintilografia óssea:
   - Apenas se houver elevação da fosfatase alcalina ou sintomatologia óssea.

Doença localmente avançada (pT3-T4,N0,M0)

A nefroureterectomia radical pode ser indicada apesar da pequena sobrevida dos pacientes com esse estágio da doença. Nas séries mais otimistas, 40-45% dos pacientes pT3 alcançam sobrevida de 5 anos enquanto os pT4 não ultrapassam 6 meses após o diagnóstico.[5]

Alguns autores defendem a realização de radioterapia adjuvante para os pacientes com doença localmente avançada que foram submetidos à cirurgia. No entanto, os trabalhos não mostraram melhora na sobrevida ou nos índices de recidiva local ou de metástases

Doença avançada (pTx, N1 ou M1)

Nefroureterectomia radical

Não traz benefício ao paciente com doença avançada a não ser quando o tratamento paliativo local é necessário. O prognóstico é sombrio, e a sobrevida além dos 6 meses após o diagnóstico não é a regra.

A terapia quimioterápica tende a ser a mesma utilizada para o carcinoma urotelial de bexiga baseada em cisplatina. O esquema MVAC *(methotrexate, vinblastine, doxorrubicin, cisplatin)* é o mais utilizado, porém a resposta é muito limitada. Geralmente são pacientes com *performance status* ruim nos quais a dose ideal dos medicamentos não pode ser alcançada em razão da sua toxicidade.

■ REFERÊNCIAS BIBLIOGRÁFICAS

1. Munoz JJ, Ellison LM. Upper tract urothelial neoplasms: incidence and survival during the last 2 decades. *J Urol* 2000 Nov.;164(5):1523-25. Disponível em: <http://www.ncbi.nlm.nih.gov/pubmed/11025695>
2. Ploeg M, Aben KK, Kiemeney LA. The present and future burden of urinary bladder cancer in the world. *World J Urol* 2009 June.;27(3):289-93. Disponível em: <http://www.ncbi.nlm.nih.gov/pubmed/19219610>
3. Babjuk M, Oosterlinck W, Sylvester R *et al.* EAU guidelines on non-muscle-invasive urothelial carcinoma of the bladder. *Eur Urol* 2008 Aug.;54(2):303-14. Disponível em: <http://www.ncbi.nlm.nih.gov/pubmed/18468779>
4. Jemal A, Siegel R, Ward E *et al.* Cancer statistics, 2009. *CA Cancer J Clin* 2009 July.-Aug.;59(4):225-49. Disponível em: <http://www.ncbi.nlm.nih.gov/pubmed/19474385>
5. Hall MC, Womack S, sagalowsky AI *et al.* Prognostic factors, recurrence, and survival in transitional cell carcinoma of the upper urinary tract: a 30-year experience in 252 patients. *Urology* 1998 Oct.;52(4):594-601. Disponível em: <http://www.ncbi.nlm.nih.gov/pubmed/9763077>
6. Olgac S, Mazumdar M, Dalbagni G *et al.* Urothelial carcinoma of the renal pelvis: a clinicopathologic study of 130 cases. *Am J Surg Pathol* 2004 Dec.;28(12):1545-52. Disponível em: <http://www.ncbi.nlm.nih.gov/pubmed/15577672>
7. Hall MC, Womack S, Sagalowsky AI *et al.* Prognostic factors, recurrence, and survival in transitional cell carcinoma of the upper urinary tract: a 30-year experience in 252 patients. *Urology* 1998 Oct.;52(4):594-601. Disponível em: <http://www.ncbi.nlm.nih.gov/pubmed/9763077>
8. Greenlee RT, Murray T, Bolden S *et al.* Cancer statistics, 2000. *CA Cancer J Clin* 2000;50:7.
9. Acher P, Kiela G, Thomas K *et al.* Towards a rational strategy for the surveillance of patients with lynch syndrome (hereditary non-polyposis colon cancer) for upper tract transitional cell carcinoma. *BJU Int* 2010 Aug.;106(3):300-2. Disponível em: <http://www.ncbi.nlm.nih.gov/pubmed/20553255>
10. Rouprêt M, Yates DR, Comperat E *et al.* Upper urinary tract urothelial cell carcinomas and other urological malignancies involved in the hereditary nonpolyposis colorectal cancer (lynch syndrome) tumor spectrum. *Eur Urol* 2008 Dec.;54(6):1226-36. Disponível em: <http://www.ncbi.nlm.nih.gov/pubmed/18715695>
11. Colin P, Koenig P, Ouzzane A *et al.* Environmental factors involved in carcinogenesis of urothelial cell carcinomas of the upper urinary tract. *BJU Int* 2009 Nov.;104(10):1436-40. Disponível em: <http://www.ncbi.nlm.nih.gov/pubmed/19689473>
12. Pommer W, Bronder E, Klimpel A *et al.* Urothelial cancer at different tumour sites: role of smoking and habitual intake of analgesics and laxatives. results of the berlin urothelial cancer study. Nephrol dial transplant 1999 Dec.;14(12):2892-97. Disponível em: <http://www.ncbi.nlm.nih.gov/pubmed/10570093>
13. McLaughlin JK, Silverman DT, Hsing AW *et al.* Cigarette smoking and cancers of the renal pelvis and ureter. *Cancer Res* 1992;52:254.
14. Ross RK, Paganini-Hill A, Landolph J *et al.* Analgesics, cigarette smoking, and other risk factors for cancer of the renal pelvis and ureter. *Cancer Res* 1989;49:1045.
15. Shinka T, Miyai M, Sawada Y *et al.* Factors affecting the occurrence of urothelial tumors in dye workers exposed to aromatic amines. *Int J Urol* 1995 Sept.;2(4):243-48. Disponível em: <http://www.ncbi.nlm.nih.gov/pubmed/8564742>
16. Arlt VM, Stiborova M, Vom Brocke J *et al.* aristolochic acid mutagenesis: molecular clues to the aetiology of balkan endemic nephropathy-associated urothelial cancer. *Carcinogenesis* 2007 Nov.;28(11):2253-61. Disponível em: <http://www.ncbi.nlm.nih.gov/pubmed/17434925>

17. Lord GM, Cook T, Arlt VM et al. Urothelial malignant disease and chinese herbal nephropathy. *Lancet* 2001 Nov.;358(9292):1515-16. Disponível em: <http://www.ncbi.nlm.nih.gov/pubmed/11705569>

18. Tan LB, Chen KT, Guo HR. Clinical and epidemiological features of patients with genitourinary tract tumour in a blackfoot disease endemic area of Taiwan. *BJU Int* 2008 July;102(1):48-54. Disponível em: <http://www.ncbi.nlm.nih.gov/pubmed/18445081>

19. Perez-Montiel D, Wakely Pe, Hes O et al. High-grade urothelial carcinoma of the renal pelvis: clinicopathologic study of 108 cases with emphasis on unusual morphologic variants. *Mod Pathol* 2006 Apr.;19(4):494-503. Disponível em: <http://www.ncbi.nlm.nih.gov/pubmed/16474378>

20. Stewart GD, Bariol SV, Grigor KM et al. A Comparison of the pathology of transitional cell carcinoma of the bladder and upper urinary tract. *BJU Int* 2005 Apr.;95(6):791-93. Disponível em: <http://www.ncbi.nlm.nih.gov/pubmed/15794784>

21. Rouprêt M, Cancel-Tassin G, Comperat E et al. Phenol sulfotransferase sult1a1 2 allele and enhanced risk of upper urinary tract urothelial cell carcinoma. *Cancer Epidemiol Biomarkers Prev* 2007 Nov.;16(11):2500-3. Disponível em: <http://www.ncbi.nlm.nih.gov/pubmed/18006944>

22. Stewart JH, Hobbs JB, McCredie MRE. Morphologic evidence that analgesic-induced kidney pathology contributes to the progression of tumors of the renal pelvis. *Cancer* 1999;86:1576.

23. Anderstrom C, Johansson SL, Pettersson S et al. Carcinoma of the ureter: a clinicopathologic study of 49 cases. *J Urol* 1989;142:280.

24. Babaian RJ, Johnson DE. Primary carcinoma of the ureter. *J Urol* 1980;123:357.

25. McCarron JP, Chasko SB, Bray GF. Systematic mapping of nephroureterectomy specimens removed for urothelial cancer: Pathological findings and clinical conditions. *J Urol* 1982;128:243.

26. Kakizoe T, Fujita J, Murase T et al. Transitional cell carcinoma of the bladder in patients with renal pelvic and ureteral cancer. *J Urol* 1980;124:17.

27. Miyake H, Hara I, Arakawa S et al. A clinical pathological study of bladder cancer associated with upper urinary tract cancer. *Br J Urol Internat* 2000;85:37.

28. Shinka T, Uekado Y, Aoshi H et al. Occurrence of uroepithelial tumors of the upper urinary tract after the initial diagnosis of bladder cancer. *J Urol* 1988;140:745.

29. Oldbring J, Glifberg I, Mikulowski P et al. Carcinoma of the renal pelvis and ureter following bladder carcinoma: frequency, risk factors and clinicopathological findings. *J Urol* 1989a;141:1311.

30. Oosterlinck W, Solsona E, van Der Meijden AP et al. Guidelines on diagnosis and treatment of upper urinary tract transitional cell carcinoma. *Eur Urol* 2004 Aug.;46(2):147-54. Disponível em: <http://www.ncbi.nlm.nih.gov/pubmed/15245806>

31. Dillman JR, Caoili EM, Cohan RH et al. Detection of upper tract urothelial neoplasms: sensitivity of axial, coronal reformatted, and curved-planar reformatted image-types utilizing 16-row multidetector CT urography. *Abdom Imaging* 2008 Nov.-Dec.;33(6):707-16. Disponível em: <http://www.ncbi.nlm.nih.gov/pubmed/18253780>

32. van Der Molen AJ, Cowan NC, Mueller-Lisse UG et al. CT urography: definition, indications and techniques. A guideline for clinical practice. *Eur Radiol* 2008 Jan.;18(1):4-17. Disponível em: <http://www.ncbi.nlm.nih.gov/pubmed/17973110>

33. Wang LJ, Wong YC, Chuang CK et al. Diagnostic accuracy of transitional cell carcinoma on multidetector computerized tomography urography in patients with gross hematuria. *J Urol* 2009 Feb.;181(2):524-31; discussion 531. Disponível em: <http://www.ncbi.nlm.nih.gov/pubmed/19100576>

34. Wang LJ, Wong YC, huang CC et al. Multidetector computerized tomography urography is more accurate than excretory urography for diagnosing transitional cell carcinoma of the upper urinary tract in adults with hematuria. *J Urol* 2010 Jan.;183(1):48-55. Disponível em: <http://www.ncbi.nlm.nih.gov/pubmed/19913253>

35. Takahashi N, Glockner JF, Hartman RP et al. Gadolinium enhanced magnetic resonance urography for upper urinary tract malignancy. *J Urol* 2010 Apr.;183(4):1330-65. Disponível em: <http://www.ncbi.nlm.nih.gov/pubmed/20171676>

36. Takahashi N, Kawashima A, Glockner JF et al. Small (< 2-cm) upper-tract urothelial carcinoma: evaluation with gadolinium-enhanced three-dimensional spoiled gradient-recalled echo MR urography. *Radiology* 2008 May;247(2):451-57. Disponível em: <http://www.ncbi.nlm.nih.gov/pubmed/18372452>

37. Lee KS, Zeikus E, deWolf WC et al. Mr urography versus retrograde pyelography/ureteroscopy for the exclusion of upper urinary tract malignancy. *Clin Radiol* 2010 Mar.;65(3):185-92. Disponível em: <http://www.ncbi.nlm.nih.gov/pubmed/20152273>

38. Ishikawa S, Abe t, Shinohara N et al. Impact of diagnostic ureteroscopy on intravesical recurrence and survival in patients with urothelial carcinoma of the upper urinary tract. *J Urol* 2010 Sept.;184(3):883-87. Disponível em: <http://www.ncbi.nlm.nih.gov/pubmed/20643446>

39. Keeley F et al. Ureteroscopic treatment and surveillance of upper urinary tract transitional cell carcinoma. *J Urol* 1997;157;1560.

40. Waldert M, Karakiewicz PI, Raman JD et al. A delay in radical nephroureterectomy can lead to upstaging. *BJU Int* 2010 Mar.;105(6):812-17. Disponível em: <http://www.ncbi.nlm.nih.gov/pubmed/19732052>

41. Boorjian S et al. Impact of delay to nephroureterectomy for patients undergoing ureteroscopic biopsy and laser tumor ablation of upper tract transitional cell carcinoma. *Urology* 2005;66:283.

42. Guarnizo E et al. Ureteroscopic biopsy of upper tract urothelial carcinoma improved diagnostic accuracy and histopathological considerations using multi-biopsy approach. *J Urol* 2000;163;52.

43. Streem SB, Pontes JE, Novick AC et al. Ureteropyeloscopy in the evaluation of upper tract filling defects. *J Urol* 1986;136:388.

44. Huang A, Low RK, deVere White R. Nephrostomy tract tumor seeding following percutaneous manipulation of a ureteral carcinoma. *J Urol* 1995;153:1041.

45. Brien JC, Shariat SF, Herman MP et al. Preoperative hydronephrosis, ureteroscopic biopsy grade and urinary cytology can improve prediction of advanced upper tract urothelial carcinoma. *J Urol* 2010 July;184(1):69-73. Disponível em: <http://www.ncbi.nlm.nih.gov/pubmed/20478585>

46. McCarron JP, Mullis C, Vaughn ED. Tumors of the renal pelvis and ureter: current concepts and management. *Semin Urol* 1983;1:75.

47. Abouassaly R, Alibhai SM, Shah N et al. Troubling outcomes from population-level analysis of surgery for upper tract urothelial carcinoma. *Urology* 2010 Oct.;76(4):895-901. Disponível em: <http://www.ncbi.nlm.nih.gov/pubmed/20646743>

48. Jeldres C, Sun M, Isbarn H et al. A population-based assessment of perioperative mortality after nephroureterectomy for upper-tract urothelial carcinoma. *Urology* 2010 Feb.;75(2):315-20. Disponível em: <http://www.ncbi.nlm.nih.gov/pubmed/19963237>

49. Favaretto RL, Shariat SF, Chade DC et al. The effect of tumor location on Prognosis in Patients treated with radical nephroureterectomy at memorial sloan-Kettering cancer center. *Eur Urol* 2010 Oct.;58(4):574-80. Disponível em: <http://www.ncbi.nlm.nih.gov/pubmed/20637540>

50. Fernandez MLK, Shariat SF, Margulis V et al. Evidence-based sex-related outcomes after radical nephroureterectomy for upper tract urothelial carcinoma: results of large multicenter study. Urology 2009 Jan.;73(1):142-46. Disponível em: <http://www.ncbi.nlm.nih.gov/pubmed/18845322>

51. Lughezzani G, Sun M, Perrotte P et al. Gender-related differences in patients with stage I to III upper tract urothelial carcinoma: results from the surveillance, epidemiology, and end results database. *Urology* 2010 Feb.;75(2):321-27. Disponível em: <http://www.ncbi.nlm.nih.gov/pubmed/19962727>

52. Shariat SF, Favaretto RL, Gupta A et al. Gender differences in radical nephroureterectomy for upper tract urothelial carcinoma. *World J Urol* 2011 Aug.;29(4):481-86. Disponível em: <http://www.ncbi.nlm.nih.gov/pubmed/20886219>

53. Shariat SF, Godoy G, Lotan Y et al. Advanced patient age is associated with inferior cancer-specific survival after radical nephroureterectomy. *BJU Int* 2010 June.;105(12):1672-77. Disponível em: <http://www.ncbi.nlm.nih.gov/pubmed/19912201>

54. Isbarn H, Jeldres C, Shariat SF et al. Location of the primary tumor is not an independent predictor of cancer specific mortality in patients with upper urinary tract urothelial carcinoma. *J Urol* 2009 Nov.;182(5):2177-81. Disponível em: <http://www.ncbi.nlm.nih.gov/pubmed/19758662>

55. Raman JD, NG CK, Scherr DS et al. Impact of tumor location on Prognosis for Patients with upper tract urothelial carcinoma managed by radical nephroureterectomy. *Eur Urol* 2010 June;57(6):1072-93. Disponível em: <http://www.ncbi.nlm.nih.gov/pubmed/19619934>

56. Margulis V, Youssef RF, Karakiewicz PI et al. Preoperative multivariable prognostic model for prediction of nonorgan confined urothelial carcinoma of the upper urinary tract. *J Urol* 2010 Aug.;184(2):453-58. Disponível em: <http://www.ncbi.nlm.nih.gov/pubmed/20620397>

57. Kikuchi E, Margulis V, Karakiewicz PI et al. Lymphovascular invasion predicts clinical outcomes in patients with node-negative upper tract urothelial carcinoma. *J Clin Oncol* 2009 Feb.;27(4):612-18. Disponível em: <http://www.ncbi.nlm.nih.gov/pubmed/19075275>

58. Kim DS, Lee YH, Cho KS et al. Lymphovascular invasion and pt stage are prognostic factors in patients treated with radical nephroureterectomy for localized upper urinary tract transitional cell

carcinoma. *Urology* 2010 Feb.;75(2):328-32. Disponível em: <http://www.ncbi.nlm.nih.gov/pubmed/20018349>
59. Novara G, Matsumoto K, Kassouf W et al. Prognostic role of lymphovascular Invasion in Patients with urothelial carcinoma of the upper urinary tract: an International Validation Study. *Eur Urol* 2010 June;57(6):1064-71. Disponível em: <http://www.ncbi.nlm.nih.gov/pubmed/20071073>
60. Remzi M, Haitel A, Margulis V et al. Tumour architecture is an independent predictor ofoutcomes after nephroureterectomy: a multi-institutional analysis of 1363 patients. *BJU Int* 2009 Feb.;103(3):307-11. Disponível em: <http://www.ncbi.nlm.nih.gov/pubmed/18990163>
61. Lughezzani G, Sun M, Perrotte P et al. Should bladder cuff excision remain the standard of care at nephroureterectomy in Patients with urothelial carcinoma of the renal Pelvis? A Population-based study. *Eur Urol* 2010 June;57(6):956-62. Disponível em: <http://www.ncbi.nlm.nih.gov/pubmed/20018438>
62. Saika T, Nishiguchi J, Tsushima t et al. Comparative study of ureteral stripping versus open ureterectomy for nephroureterectomy in patients with transitional carcinoma of the renal pelvis. *Urology* 2004 May;63(5):848-52. Disponível em: <http://www.ncbi.nlm.nih.gov/pubmed/15134963>
63. Margulis V, Shariat SF, Matin SF et al. Outcomes of radical nephroureterectomy: a series from the upper tract urothelial carcinoma collaboration. *Cancer* 2009 Mar. 15;115(6):1224-33.
64. Remzi M, Haitel A, Margulis V et al. Tumour architecture is an independent predictor of outcomes after nephroureterectomy: a multi-institutional analysis of 1363 patients. *BJU Int* 2009 Feb.;103(3):307-11.
65. Capitanio U, Shariat SF, Isbarn H et al. Comparison of oncologic outcomes for open and laparoscopic nephroureterectomy: a multi-institutional analysis of 1249 cases. *Eur Urol* 2009 July;56(1):1-9.
66. Lughezzani G, Sun M, Perrotte P et al. Should bladder cuff excision remain the standard of care at nephroureterectomy in patients with urothelial carcinoma of the renal pelvis? A population-based study. *Eur Urol* June 2010;57(6):956-62.
67. Phé V, Cussenot O, Bitker MO et al. Does the surgical technique for management of the distal ureter influence the outcome after nephroureterectomy? *BJU Int* 2011 July;108(1):130-38.
68. Zigeuner R, Pummer K. Urothelial carcinoma of the upper urinary tract: surgical approach and prognostic factors. *Eur Urol* 2008 Apr.;53(4):720-31.
69. Saika T, Nishiguchi J, Tsushima T et al. Comparative study of ureteral stripping versus open ureterectomy for nephroureterectomy in patients with transitional carcinoma of the renal pelvis. *Urology* 2004 May;63(5):848-52.
70. Waldert M, Karakiewicz PI, Raman JD et al. A delay in radical nephroureterectomy can lead to upstaging. *BJU Int* 2010 Mar.;105(6):812-17.
71. Lughezzani G, Jeldres C, Isbarn H et al. A critical appraisal of the value of lymph node dissection at nephroureterectomy for upper tract urothelial carcinoma. *Urology* 2010 Jan.;75(1):118-24. Disponível em: <http://www.ncbi.nlm.nih.gov/pubmed/19864000>
72. Roscigno M, Shariat SF, Margulis V et al. The extent of lymphadenectomy seems to be associated with better survival in patients with nonmetastatic upper-tract urothelial carcinoma: how many lymph nodes should be removed? *Eur Urol* 2009 Sept.;56(3):512-18. Disponível em: <http://www.ncbi.nlm.nih.gov/pubmed/19559518>
73. Roscigno M, Shariat SF, Margulis V et al. Impact of lymph node dissection on cancer specific survival in patients with upper tract urothelial carcinoma treated with radical nephroureterectomy. *J Urol* 2009 June;181(6):2482-89. <http://www.ncbi.nlm.nih.gov/pubmed/19371878>
74. Ong AM, Bhayani SB, Pavlovich CP. Trocar site recurrence after laparoscopic nephroureterectomy. *J Urol* 2003 Oct.;170(4 Pt 1):1301. Disponível em: <http://www.ncbi.nlm.nih.gov/pubmed/14501747>
75. Rouprêt M, Smyth G, Irani J et al. Oncological risk of laparoscopic surgery in urothelial carcinomas. *World J Urol* 2009 Feb.;27(1):81-88. Disponível em: <http://www.ncbi.nlm.nih.gov/pubmed/19020880>
76. Capitanio U, Shariat SF, Isbarn H et al. Comparison of oncologic outcomes for open and laparoscopic nephroureterectomy: a multi-institutional analysis of 1249 cases. *Eur Urol* 2009 July;56(1):1-9. Disponível em: <http://www.ncbi.nlm.nih.gov/pubmed/19361911>
77. Favaretto RL, Shariat SF, Chade DC et al. Comparison between laparoscopic and open radical nephroureterectomy in a contemporary group of patients: are recurrence and disease-specific survival associated with surgical technique? *Eur Urol* 2010;58:645-51. Disponível em: <http://www.ncbi.nlm.nih.gov/pubmed/20724065>
78. Kamihira O, Hattori R, Yamaguchi A et al. Laparoscopic radical nephroureterectomy: a multicenter analysis in Japan. *Eur Urol* 2009 June;55(6):1397-407. Disponível em: <http://www.ncbi.nlm.nih.gov/pubmed/19299072>
79. Rouprêt M, Hupertan V, Sanderson KM et al. Oncologic control after open or laparoscopic nephroureterectomy for upper urinary tract transitional cell carcinoma: a single center experience. *Urology* 2007 Apr.;69(4):656-61. Disponível em: <http://www.ncbi.nlm.nih.gov/pubmed/17445646>
80. Simone G, Papalia R, Guaglianone S et al. Laparoscopic versus open nephroureterectomy: perioperative and oncologic outcomes from a randomised prospective study. *Eur Urol* 2009 Sept.;56(3):520-26.
81. Hemal AK, Kumar A, Kumar R et al. Laparoscopic versus open radical nephrectomy for large renal tumors: a long-term prospective comparison. *J Urol* 2007 Mar.;177(3):862-66.
82. Messing EM, Catalona W. Urothelial tumors of the urinary tract. In: Walsh PC, Retik AD, Vaughan ED et al. (Eds.). *Campbell's urology*. 7th ed. Philadelphia: WB Saunders, 1998. p. 2327-410.
83. Grasso M, Fishman AI, Cohen J et al. Ureteroscopic and extirpative treatment of upper urinary tract urothelial carcinoma: a 15-year comprehensive review of 160 consecutive patients. *BJU Int* 2012, doi: 10.1111/j.1464-410X.2012.11066.x
84. Grossman HB. The late recurrence of grade I transitional cell carcinoma of the ureter after conservative therapy. *J Urol* 1978;120:251-52.
85. Jarrett TW, Sweetser PM, Weiss GH et al. Percutaneous management of transitional cell carcinoma of the renal collecting system: 9-year. *J Urol* 1995 Nov.;154(5):1629-35.
86. Jeldres C, Lughezzani G, Sun M et al. Segmental ureterectomy can safely be performed in patients with transitional cell carcinoma of the ureter. *J Urol* 2010 Apr.;183(4):1324-29. Disponível em: <http://www.ncbi.nlm.nih.gov/pubmed/20171666>
87. Thompson RH, Krambeck AE, Lohse CM et al. Elective endoscopic management of transitional cell carcinoma first diagnosed in the upper urinary tract. *BJU Int* 2008 Nov.;102(9):1107-10. Disponível em: <http://www.ncbi.nlm.nih.gov/pubmed/18522631>
88. Zungri E, Chechile G, Algaba F et al. Treatment of transitional cell carcinoma of the ureter: is the controversy justified? *Eur Urol* 1990;17(4):276-80. Disponível em: <http://www.ncbi.nlm.nih.gov/pubmed/2364964>
89. Roscigno M, Shariat SF, Margulis V et al. The extent of lymphadenectomy seems to be associated with better survival in patients with nonmetastatic upper-tract urothelial carcinoma: how many lymph nodes should be removed? *Eur Urol* 2009 Sept.;56(3):512-18.
90. Lughezzani G, Jeldres C, Isbarn H et al. A critical appraisal of the value of lymph node dissection at nephroureterectomy for upper tract urothelial carcinoma. *Urology* Jan.; 75(1):118-24.
91. Roscigno M, Shariat SF, Margulis V et al. Impact of lymph node dissection on cancer specific survival in patients with upper tract urothelial carcinoma treated with radical nephroureterectomy. *J Urol* 2009 June;181(6):2482-89.
92. Kondo T, Nakazawa H, Ito F et al. Impact of the extent of regional lymphadenectomy on the survival of patients with urothelial carcinoma of the upper urinary tract. *J Urol* 2007 Oct.;178(4 Pt 1):1212-17; discussion 7.
93. Busby JE, Brown GA, Matin SF. Comparing lymphadenectomy during radical nephroureterectomy: open versus laparoscopic. *Urology* 2008 Mar.;71(3):413-16.
94. Roupret M, Smyth G, Irani J et al. Oncological risk of laparoscopic surgery in urothelial carcinomas. *World J Urol* 2009 Feb.;27(1):81-88.
95. Kamihira O, Hattori R, Yamaguchi A et al. Laparoscopic radical nephroureterectomy: a multicenter analysis in Japan. *Eur Urol* 2009 June;55(6):1397-407.
96. Irie A, Iwamura M, Kadowaki K et al. Intravesical instillation of bacille calmette-guerin for carcinoma in situ of the urothelium involving the upper urinary tract using vesicoureteral reflux created by a double-pigtail catheter. *Urology* 2002 Jane;59(1):53-57. Disponível em: <http://www.ncbi.nlm.nih.gov/pubmed/11796281>
97. Nonomura N, Ono Y, Nozawa M et al. Bacillus calmette-guerin perfusion therapy for the treatment of transitional cell carcinoma in situ of the upper urinary tract. *Eur Urol* 2000 Dec.;38(6):701-4; discussion 705. Disponível em: <http://www.ncbi.nlm.nih.gov/pubmed/11111187>
98. Thalmann GN, Markwalder R, Walter B et al. Long-term experience with bacillus calmette-guerin therapy of upper urinary tract transitional cell carcinoma in patients not eligible for surgery. *J Urol* 2002 Oct.;168(4 Pt 1):1381-5. Disponível em: <http://www.ncbi.nlm.nih.gov/pubmed/12352398>
99. Lorusso V, Manzione L, De Vita F et al. Gemcitabine plus cisplatin for advanced transitional cell carcinoma of the urinary tract: a phase II multicenter trial. *J Urol* 2000;164:53.

CAPÍTULO 198

Câncer de Bexiga

Daniel Hampl ■ Antonio Augusto Ornellas
Leandro Koifman ■ Marcos Tobias-Machado

EPIDEMIOLOGIA

O tumor de bexiga é uma doença neoplásica do urotélio que reveste a bexiga. O tipo histológico presente em mais de 90% dos casos é o carcinoma urotelial ou de células transicionais. Outros tipos histológicos, como o carcinoma de células escamosas ou epidermoide, e o adenocarcinoma, também podem estar presentes, mas correspondem à minoria dos casos.[1]

Cerca de 70-80% dos casos são diagnosticados e classificados como doença não musculoinvasiva ou superficial e, apesar da alta taxa de recidiva, 80% permanecem como doença superficial.[2]

O câncer de bexiga é o 4º tumor de maior incidência no homem e o 9º entre as mulheres. Sua incidência parece estar aumentando nos últimos anos, apesar de não estar havendo aumento na taxa de mortalidade pela doença. Pelo contrário, o número de sobreviventes da doença mantém-se em curva ascendente.[3]

O aparecimento de novos casos parece estar associado ao consumo excessivo do tabaco, convívio com substâncias tóxicas nas grandes cidades e com a maior expectativa de vida nos países industrializados.[4]

O carcinoma urotelial de bexiga é mais comum em homens do que em mulheres em proporção média de 4:1, rotineiramente diagnosticado após os 55 anos e 2 vezes mais prevalente nos brancos.[3]

Quando presente em homens, é recomendada investigação quanto à presença de câncer de próstata, pois cerca de 25 a 46% dos pacientes submetidos à cistectomia por câncer de bexiga possuem neoplasia prostática sincrônica.[5,6]

Esse dado é de extrema importância principalmente quando se pensa em tratamento poupando a próstata como cistectomia parcial por exemplo.

ETIOLOGIA E FATORES DE RISCO

É uma doença de etiologia multifatorial e parece estar envolvida com o somatório entre fatores biomoleculares do indivíduo e substâncias exógenas.[7] Vários fatores são bem documentados e conhecidos dos urologistas, como a exposição às aminas aromáticas e aos fatores de exposição ocupacional na indústria, como tintas, alumínio e gás.[8-10] Outros fatores não menos importantes são a exposição ao tabaco, que aumenta em cerca de 3 vezes o risco de desenvolver a doença, piora o prognóstico e aumenta o risco de multifocalidade e recidiva tumoral.[11]

Alguns tipos histológicos estão associados a fatores de risco específicos como o carcinoma epidermoide que pode estar presente naqueles pacientes submetidos a fatores irritantes crônicos da mucosa vesical, como catéter vesical permanente, cálculo de bexiga ou infecção pelo *Schistossoma Haematobium,* além do adenocarcinoma, menos frequente, responsável por menos de 2% dos casos, que também pode estar associado à irritação vesical crônica ou pode ser originado no úraco.[1] A radioterapia pélvica também está associada ao desenvolvimento do carcinoma de urotelial de bexiga.[12]

QUADRO CLÍNICO

Hematúria macro ou microscópica, indolor e intermitente ou contínua é o sintoma mais comum do câncer de bexiga.[13] Quando presente a hematúria microscópica, cerca de 10% dos indivíduos apresentam neoplasia geniturinária, sendo a vesical a mais comum.[14] Esse fato fez com que a *American Urological Association* recomendasse a realização de cistoscopia diagnóstica em todos os pacientes com hematúria, principalmente naqueles sem fator determinante evidente para o sintoma.[15]

Sintomas irritativos constituem a segunda apresentação clínica mais comum e, geralmente, estão relacionados com o carcinoma *in situ* ou tumor invasivo. O exame físico em geral é normal, sendo o diagnóstico de câncer de bexiga dependente da determinação histopatológica de material coletado do epitélio vesical.

DIAGNÓSTICO

Cistoscopia

É o procedimento padrão para diagnóstico e acompanhamento do paciente portador de neoplasia vesical. O grau de correlação entre suspeição diagnóstica durante o exame e a confirmação histopatológica pode alcançar 90%.[16] No entanto, cistoscopia considerada normal pelo examinador pode estar associada à presença da neoplasia em até 25% dos casos principalmente quando as lesões são pequenas ou na presença de carcinoma *in situ.*[17] O procedimento pode ter a sua sensibilidade aumentada com recursos como a luz fluorescente e agentes fotossensibilizadores. No entanto, além de ter alta taxa de falso-positivos, seu o custo é alto e ainda inviabiliza utilizar estes métodos rotineiramente.[18,19]

Citologia urinária

É um exame de fácil coleta e pode funcionar como excelente fator acessório ao diagnóstico, acompanhamento e *screening,* principalmente naqueles pacientes considerados grupo de risco para o desenvolvimento da doença (hematúria e sintomas irritativos). A sensibilidade do exame pode ultrapassar 90% nos tumores de alto grau e no carcinoma *in situ*. No entanto, dificilmente ultrapassa os 35% quando se trata de neoplasia de baixo grau, tornando o falso-negativo muito comum.[20-24]

Marcadores tumorais na urina

Os testes para marcadores como o antígeno do tumor vesical (STAT Test, BTA Trak), a proteína da matriz celular NMP22 e a análise de hibridização *in situ* (FISH) são alguns dos testes realizados atualmente. No entanto, apesar de promissores, a acurácia desses testes ainda não permite que substituam a cistoscopia e a citologia urinária.[25]

Exames de imagem

A ultrassonografia abdominal possui alta sensibilidade para a detecção de lesões intravesicais maiores do que 0,5 cm.[26] Considera-se um bom método por ser de baixo custo e não invasivo. Pode ser utilizado em conjunto no arsenal de avaliação do paciente com neoplasia vesical, pois cerca de 5% desses possuem lesão no trato urinário alto.[27]

Ressecção transuretral da bexiga (RTUB)

Atualmente é o padrão de excelência por ser essencial na identificação da lesão e coleta de material para confirmação histopatológica. É considerado um procedimento diagnóstico e terapêutico, podendo oferecer dados bons para a definição do grau e estadiamento da doença.[28] É recomendado que seja realizado sob anestesia, ressecando-se o componente papilar da lesão e realizando-se biópsia da base com a finalidade de obter a amostra com menos artefatos térmicos para a análise do patologista.

A realização de biópsia aleatória na mucosa normal só tem seu papel na investigação de carcinoma *in situ* naqueles pacientes sem lesão evidente e com citologia urinária positiva.[29] Em caso de carcinoma *in situ*, está indicada a realização de biópsia da mucosa da uretra prostática.[29,30]

Uma segunda RTUB está recomendada quando houver o diagnóstico de tumor urotelial de alto grau, primeira ressecção incompleta ou insuficiente para avaliar a profundidade da lesão.[31]

CLASSIFICAÇÃO

Grau histológico

A classificação da Organização Mundial da Saúde (OMS) que define o grau histológico entre diferenciado, moderadamente diferenciado e indiferenciado, ou graus 1, 2 e 3, foi revisada em 2004 em conjunto com a Sociedade Internacional de Uropatologistas. A partir disso, foi recomendado evitar o laudo histológico de tumor G2 ou moderadamente diferenciado para neoplasias vesicais. Tal revisão foi fundamental para uma maior correlação clínica e acompanhamento terapêutico da doença.[32,33]

Estadiamento tumoral

O exame físico no tumor de bexiga costuma ser normal na maioria das vezes, inclusive naqueles pacientes com doença invasiva. A ultrassonografia não é um bom método para a detecção de metástases e invasão tumoral. A tomografia computadorizada cumpre seu papel de estadiamento tumoral em cerca de 55% dos pacientes, e a ressonância magnética falha em detectar metástases em 15%.[34] Ou seja, o estadiamento clínico ideal do tumor de bexiga ainda não é realizado, com as técnicas disponíveis sendo dependendo do resultado dos exames físico, de imagem e da RTUB. A tomografia por emissão de pósitrons (PET *scan*) parece promissora, porém as informações ainda não são consistentes.[35]

A probabilidade de haver metástases ósseas nos pacientes com tumor invasivo é de cerca de 5% e, por isso, a cintilografia óssea não está indicada nos pacientes clinicamente assintomáticos ou com fosfatase alcalina elevada.[36]

O estadiamento patológico pode ser definido após o procedimento cirúrgico, quando é realizado cistectomia parcial ou radical com linfadenectomia. No passado, a diferenciação entre tumor superficial e invasivo gerava muita discussão, pois englobava sob o mesmo rótulo doenças com características clínicas e prognósticas muito diferentes. Por exemplo, tumor superficial encabeçava o grupo do carcinoma *in situ*, Ta e T1. Hoje, sabemos que o carcinoma *in situ* possui características de tumor de alto grau com alto índice de progressão para doença invasiva, e o T1 tem grande potencial de progressão. Visto isso, a comunidade internacional vem desencorajando a utilização dessa terminologia e incentivando a utilização do TNM.[37-40] No Quadro 1 é mostrado o estadiamento pelo TNM do tumor de bexiga ilustrado na Figura 1.

ESTRATIFICAÇÃO DE RISCO

Apesar de o estadiamento e o grau histológico representarem os fatores prognósticos mais importantes, outros fatores podem ser considerados determinantes na avaliação prognóstica e na terapia do tumor de bexiga.

Quadro 1. Estadiamento TNM da União Internacional contra o Câncer (UICC) 2002 e revisada em 2009

T – TUMOR PRIMÁRIO	
Tx	Tumor primário não pode ser identificado
Ta	Tumor papilar não invasivo
Tis	Tumor plano: carcinoma *in situ*
T1	Tumor invade o tecido conectivo subepitelial
T2	Tumor invade a camada muscular
T2a	Invade a camada muscular superficial (metade interna)
T2b	Invade a camada muscular profunda (metade externa)
T3	Tumor ultrapassa a camada muscular, invade tecido perivesical
T3a	Microscopicamente
T3b	Macroscopicamente (massa extravesical)
T4	Compromete órgãos adjacentes
T4a	Próstata, útero, vagina
T4b	Parede pélvica/abdominal
N – LINFONODOS	
N1	Linfonodo único ≤ 2 cm
N2	Linfonodo único ou múltiplo > 2 e < 5 cm
N3	Linfonodo > 5 cm
M – METÁSTASES	
Mx	Presença de metástase a distância não pode ser avaliada
M0	Ausência de metástase a distância
M1	Metástase a distância

A multiplicidade e o tamanho tumoral estão relacionados com o prognóstico e com a taxa de recidiva tumoral após o tratamento primário.[41-43]

Vários modelos de estratificação de risco foram idealizados no sentido de classificar o paciente quanto ao risco de recidiva e progressão da doença (Quadro 2). Essa busca faz sentido para os tumores não invasivos (Tis, Ta e T1), pois formas de tratamento intravesicais adjuvantes e menos agressivas podem ser oferecidas. Quando o tumor de bexiga invade a camada muscular, ou seja, torna-se invasivo, o tratamento ideal é cirúrgico, em geral com cistectomia radical. Portanto, tais modelos tentam avaliar quais tumores não invasivos possuem maior ou menor risco de evoluir para doença recidivante ou invasiva e, com isso, culminarem no tratamento por cistectomia.

Quadro 2. Classificação de risco para os tumores não musculoinvasivos

CLASSIFICAÇÃO DE RISCO PARA OS TUMORES PTIS, PTA E PT1	
Baixo risco	Únicos, pTaG1, < 3 cm
Risco intermediário	Tumores de baixo risco recidivados ou multifocais, pTaG3, pT1G3 ou > 3 cm
Alto risco	Tumores de risco intermediário recidivados, pT1G3, presença de carcinoma *in situ*

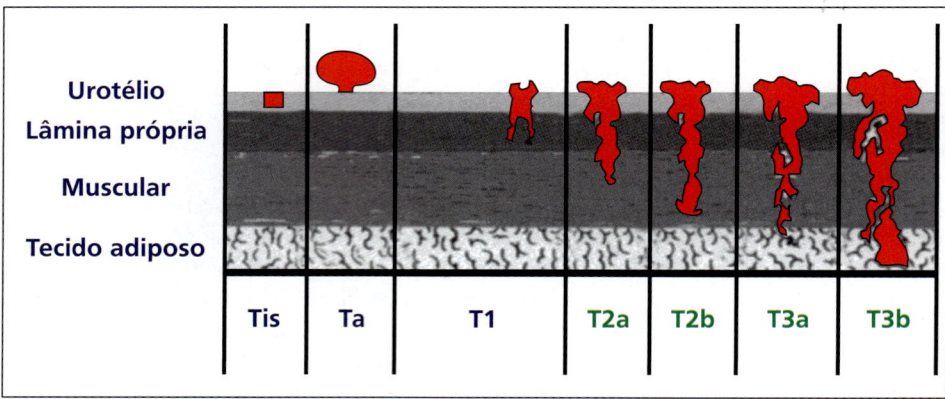

◀ **FIGURA 1.** Estadiamento tumoral no tumor de bexiga.

pTis

O carcinoma *in situ* (Tis), por definição, é um tumor de alto grau e pode representar cerca de 10% dos tumores vesicais. O Tis pode estar associado a Ta ou Tis secundário invasivo em até 50% das vezes[1] e, sem nenhuma forma de tratamento, progride para carcinoma invasivo (≥ T2) em cerca de 54% dos casos.[44]

pTa e T1

Aproximadamente 79-80% dos tumores de bexiga são considerados superficiais, sendo a maioria Ta (70%) e o restante, T1 ou Tis. Os tumores Ta geralmente são de baixo grau, enquanto a maioria dos T1 é de alto grau. O grupo geniturinário da *European Organization for Research and Treatment of Câncer* (EORTC) definiu alguns fatores clínicos e patológicos considerados importantes na evolução da doença superficial Ta e T1 como:

- Número de lesões.
- Tamanho da lesão.
- Recidiva.
- Estadiamento tumoral.
- Presença de Tis sincrônico.
- Grau histológico.

Atualmente, tais fatores devem ser pesados na decisão terapêutica, mas não há nenhum modelo considerado ideal ou utilizado definitivamente na prática clínica que valha a sua descrição nesse capítulo.

≥ pT2

Os tumores que invadem ou ultrapassam a camada muscular possuem evolução mais agressiva e podem evoluir com invasão de órgãos adjacentes e envio de metástases a distância. Por isso, o tratamento ideal é a remoção cirúrgica por cistectomia radical.

TRATAMENTO DOS TUMORES TIS, TA E T1

Ressecção transuretral (RTU)

A ressecção transuretral é o procedimento diagnóstico e terapêutico inicial nos pacientes com tumor de bexiga. Esse procedimento deve ser realizado com extrema racionalidade e com objetivos bem definidos como:

- Exame da uretra, uretra prostática e paredes vesicais.
- Visualização das lesões (diagnóstico).
- Ressecção completa das lesões (terapia).

Durante a ressecção das lesões, o objetivo terapêutico é concomitante ao de angariar informações que podem ser valiosas para a definição de possíveis terapias adjuvantes. Para isso o cirurgião deve preocupar-se com:

- *Grau de diferenciação celular:* evitar ao máximo o uso excessivo da energia térmica no material a ser enviado ao patologista.
- *Grau de invasão tumoral da parede vesical:* após a ressecção do componente exofítico, recomenda-se realização de biópsias da base e de suas bordas com profundidade suficiente para e obter amostra da camada muscular da bexiga.

Algumas pessoas confundem a realização de biópsias dirigidas à base da lesão e de suas bordas com a realização de biópsias aleatórias de mucosa de aspecto normal. As bordas da lesão, apesar do aspecto normal, podem conter células atípicas ou até mesmo carcinoma *in situ*. Tal dado é fundamental no estadiamento e na programação terapêutica, pois quando presentes, essas alterações podem determinar recidiva tumoral nos primeiros 12 meses em até 80% dos pacientes. As biópsias aleatórias, pelo risco de perfuração da bexiga, não são indicadas como rotina.[45] Além disso, as chances de detecção de Tis são extremamente pequenas, cerca de 2% dos casos.[46,47] Tal procedimento se justifica em casos de lesões suspeitas ou na mucosa vesical normal quando há citologia urinária positiva. Deve ser realizada sem utilização de energia térmica (biópsia a frio) para manter a integridade do tecido e proporcionar melhor estudo pelo patologista.[29]

O envolvimento da uretra prostática e dos ductos ejaculatórios em pacientes com tumor de bexiga não invasivo já foi documentado e, por isso, recomenda-se a biópsia do colo uretral quando houver Tis ou múltiplas lesões intravesicais.[48,49]

Segunda RTU ou *second-look*

Um segundo procedimento de ressecção transuretral está indicado em algumas situações. A ressecção transuretral inicial pode subestadiar o tumor de bexiga entre 20 e 40% dos casos ou ser incompleta em um terço deles.[50,51] Tal procedimento deve ser realizado de 1 a 6 semanas após a primeira ressecção deve incluir a ressecção da área previamente ressecada, sendo recomendada e nas seguintes situações:

- Ressecção incompleta das lesões.
- Amostra insuficiente para avaliação da camada muscular.
- Carcinoma *in situ*.
- Estadiamento T1.
- Tumores de alto grau.
- Margens positivas para atipia ou neoplasia.
- Persistência de citologia urinária positiva (considerar estudo do trato urinário alto).

Terapia intravesical

Como a maioria das lesões vesicais trata-se de tumores superficiais, geralmente a RTU é o tratamento inicial. Apesar da alta taxa de recidiva, ela continua sendo opção de acompanhamento e tratamento desses tumores que tendem a permanecer superficiais. Nesse sentido, terapias intravesicais adjuvantes no período peroperatório ou no pós-operatório podem reduzir a taxa de recidiva tumoral,[52] porém não há dados que sinalizem uma redução na taxa de progressão da doença.[53]

Muitos cirurgiões defendem a utilização de terapia intravesical em todos os pacientes submetidos à RTUB. Infelizmente, ainda não há consenso entre o agente a ser utilizado (Quadro 3), o melhor momento para sua instilação e o melhor esquema terapêutico a ser seguido.[52] Alguns autores fazem uso do agente no peroperatório em dose única com o argumento de que reduz o numero de células tumorais que implantam na parede vesical nas primeiras horas após a ressecção e, com isso, reduzindo o risco de recidivas.[54-57]

A utilização de terapia intravesical é classicamente indicada quando houver presença de fatores que comumente determinam maiores taxas de recidiva e progressão da doença como a multiplicidade de lesões (≥ 2 lesões), base da lesão maior de 3 cm, lesões de alto grau, T1, Tis e recidiva tumoral. A presença de qualquer um desses fatores justifica a instilação de terapia intravesical.[68] Nosso grupo, quando julga necessária a terapia intravesical, costuma utilizar o BCG (Bacillus Calmette-Guérin) iniciando com fase de indução de 3 a 4 semanas após a RTU com aplicação semanal durante 6 semanas, mantendo uma dose entre 40-120 mg instilada por 2 horas. A manutenção é feita com aplicação mensal por período mínimo de 1 ano.

Falha na terapia intravesical (recidiva e progressão)

No tumor não invasor, mas com alto risco de recidiva

A taxa de recidiva e progressão está intimamente associada ao grau de diferenciação e invasão da lâmina própria. A progressão para estadiamento

Quadro 3. Agentes utilizados para terapia intravesical

AGENTE IMUNOMODULADOR	AÇÃO
Bacilo de Calmette-Guérin (BCG)	Estimula reação inflamatória com a liberação de citocinas[58-62]
Interferon	Ativa linfócitos, liberação de citocinas e atividade fagocitária; inibe angiogênese[63]
AGENTE QUIMIOTERÁPICO	**AÇÃO**
Tiotepa	Agente alcalinizante[64]
Mitomicina C	Antibiótico; inibe a síntese de DNA[65]
Doxorrubicina	Inibe a síntese de DNA[66]
Gencitabina	Inibe a síntese de DNA[67]

T2, ou seja, tumor musculoinvasivo, varia de 6-25% nos tumores Ta e de 27-48% nos T1. Estudos recentes confirmam que a terapia intravesical com BCG reduz a recidiva, mas não afeta as taxas de progressão da doença e, por isso, não foi evidenciado aumento significativo na sobrevida câncer-específica se compararmos com a não utilização do método.[69-73] Sabemos que a recidiva ou a persistência da doença apesar da terapia intravesical com BCG pode estar associada a 30% de chances de haver doença musculoinvasiva e metastática.[74-77]

Caso haja progressão para doença músculo invasora a cistectomia radical é indiscutivelmente a melhor decisão terapêutica, mas enquanto o tumor de bexiga, mesmo que recidivante, for considerado não musculoinvasor, opções mais conservadoras ainda podem ser indicadas como nova RTU e novo ciclo de BCG. Trabalhos científicos recentes recomendam cistectomia radical nesses pacientes, pois a resposta terapêutica a um novo ciclo de BCG pode variar de 27-51% dos casos.

O tratamento do tumor de bexiga Tis, Ta e T1 sempre envolverá o risco de recidiva ou progressão *versus* morbidade do tratamento com maiores índices de sucesso e sobrevida em 5 anos: a cistectomia radical. Por isso, mesmo em meio a tanta incerteza, ainda há alguns cirurgiões que indicam a cistectomia radical como tratamento para tumores superficiais quando múltiplos ou na presença de carcinoma *in situ* sincrônico ou mesmo quando há comprometimento da uretra prostática.

No carcinoma *in situ*

O carcinoma *in situ* é por definição uma lesão de alto grau e seu tratamento inicial geralmente envolve RTU de bexiga associada a BCG intravesical adjuvante. Cerca de 50% desses pacientes desenvolverão recidiva com invasão muscular ou doença extravesical e 15% deles podem morrer da doença entre 5-7 anos.[78-81] Portanto a cistectomia radical pode ser indicada quando não houver resposta ao ciclo de BCG, recidiva intravesical ou extravesical.

TRATAMENTO NO CARCINOMA UROTELIAL MUSCULOINVASOR (≥ T2)

Felizmente, a maioria das lesões tumorais de bexiga é considerada superficial ou melhor, não musculoinvasoras. As lesões com estadiamento T2 em diante na classificação TNM são consideradas invasoras. Pelo seu grau de malignidade, alta taxa de progressão para metástases e óbito, o tratamento deve ser proporcionalmente agressivo. A cistectomia radical é o tratamento ideal, mas infelizmente nem sempre pode ser realizada a tempo para manter objetivos curativos. Antes de ser indicada com intenções curativas, a cistectomia deve ser precedida por uma investigação minuciosa quanto ao grau de invasão tumoral, comprometimento linfonodal e presença de metástases a distância.

A RTU de bexiga pode colher material suficiente para a definição do estágio tumoral T2, mas é incapaz de oferecer meios para o patologista definir se há lesão extravesical ou comprometimento linfonodal. Nesses casos, a tomografia computadorizada (TC) e a ressonância magnética (RM) são os melhores métodos para definir o grau de extensão tumoral. No entanto, por motivos óbvios, não são capazes de evidenciar lesões com comprometimento microscópico (T3a), mas são os melhores métodos disponíveis para suspeitar de lesão macroscópica extravesical ou de órgãos adjacentes (≥ T3b).[82,83] A RM tende a ser melhor na avaliação de lesão tecidual perivesical se comparada a TC e pode, inclusive, superestimar lesões inflamatórias. No entanto, o segundo método é mais fidedigno na visualização espacial/anatômico da pelve.[84]

O estadiamento linfonodal permanece ruim no pré-operatório com as técnicas atuais de TC e RM. A sensibilidade para detecção de metástase linfonodal não ultrapassa 87% nas séries mais otimistas, e a especificidade também é baixa, pois o aumento do linfonodo pode ser secundário à doença benigna.[85-89] Linfonodos pélvicos maiores do que 8 mm e abdominais maiores de 10 mm de diâmetro são considerados aumentados aos métodos de detecção por imagem e merecem atenção especial.[90,91]

A tomografia com emissão de pósitrons (PET *scan*) ainda não possui evidências suficientes para justificar a sua utilização de rotina na investigação linfonodal.[92,93]

Os exames de imagem devem pesquisar o pulmão e o fígado a procura de metástases a distância. Osso e cérebro são sítios raros para metástases, mas exames específicos como a cintilografia óssea e TC de crânio podem ser indicados caso haja suspeita clínica de comprometimento desses órgãos.[94,95]

Quimioterapia neoadjuvante

O tratamento padrão para a doença musculoinvasora, como já dito anteriormente, é a cistectomia radical. No entanto, tal tratamento envolve grande morbimortalidade e proporciona 5 anos de sobrevida em aproximadamente 50% dos pacientes.[96-100] A partir de 1980, alguns autores sugeriram a utilização de agentes quimioterápicos antes da cirurgia tentando aproveitar um momento clinicamente mais satisfatório do paciente. No entanto, inúmeros questionamentos ainda rodeiam o tema. Como não conseguimos um estadiamento pré-operatório satisfatório com os exames disponíveis poderíamos oferecer todos os riscos e efeitos colaterais da quimioterapia a pacientes sem evidência histopatológica de doença metastática. Além disso, poderíamos atrasar e comprometer a *performance status* do paciente antes de ser submetido a um procedimento de grande porte e alta morbidade. Em razão do ambiente nebuloso, o tema ainda não é consenso entre os urologistas.

Quimioterapia adjuvante

Pode ser indicada nos pacientes submetidos a cistectomia radical com estadiamento patológico pT3-T4 e/ou linfonodo positivo sem metástases clinicamente detectáveis.

Cistectomia radical

É o tratamento padrão para o carcinoma urotelial invasivo e localizado na bexiga. Ainda é controversa a idade limite para a realização do procedimento bem como os tipos de derivação urinária reconstrutoras a serem utilizados. Atualmente, com a melhora técnica e tecnológica que envolve o procedimento, os grandes centros de referência no tratamento da doença estão realizando a cirurgia mesmo em pacientes com mais de 80 anos. Mesmo com maior morbidade no pós-operatório, não se observa aumento na taxa de mortalidade relacionada com o procedimento em pacientes dessa faixa etária.[101,102]

A partir do momento em que é diagnosticado, o carcinoma urotelial invasor da bexiga deve ter seu tratamento definido. O atraso em cerca de 90 dias já é suficiente para aumentar os índices de doença extravesical e influencia diretamente no tipo de reconstrução a ser escolhida pelo cirurgião.[103,104]

Indicações

A cistectomia radical é indicada para pacientes com doença musculoinvasiva (T2-T4a, N0, M0). Outras indicações incluem tumores superficiais de alto risco de progressão e recidivantes, carcinoma *in situ* refratário à BCG, T1 de alto grau (T1G3) e tumores irressecáveis por RTU. O procedimento pode ser utilizado sem intenções curativas em situações especiais como dor pélvica por invasão tumoral, hematúria recorrente, fístulas.

Técnica cirúrgica

A cistectomia radical inclui a remoção da bexiga, uretra e órgãos adjacentes. No homem é retirada a próstata com as vesículas seminais e na mulher o útero com anexos.[105] No homem, a remoção da próstata se justifica, pois estudos de autópsia sugerem a presença de adenocarcinoma de próstata sincrônico ao carcinoma urotelial de bexiga em cerca de 23-54% dos pacientes. Cerca de 20% desses pacientes teriam também doença prostática clinicamente significativa.[106-108]

A extensão da linfadenectomia ainda é motivo de discussão entre os especialistas. Existe uma tendência atual em se realizar a linfadenectomia estendida com remoção das cadeias linfonodais obturatórias, ilíacas internas, externas e comuns até a bifurcação aórtica alem dos linfonodos pré-sacrais. O valor curativo desse método e a padronização da linfadenectomia ainda não foram definidos.[109-111] Tendemos a crer que a possibilidade de avaliação de, no mínimo, 15 linfonodos na peça enviada ao patologista cumpre a função terapêutica e de estadiamento da linfadenectomia.[112,113]

A ressecção da porção distal dos ureteres está indicada no caso de carcinoma *in situ*, e a avaliação por congelação na sala operatória deve ser realizada com o objetivo de alcançar margens livres da doença.[114]

Caso haja margem positiva para a presença da neoplasia na margem uretral da ressecção, a uretrectomia pode ser indicada, assim como quando a doença compromete o colo vesical na mulher ou invade a uretra prostática no homem.[115,116]

Cistectomia radical laparoscópica e robótica

A utilização de técnicas laparoscópicas ou roboassistidas vem ganhando terreno e se mostrando factíveis apesar do longo tempo cirúrgico e da dificuldade técnica dependente do material utilizado.[117-119]

Apesar dessas técnicas ainda serem consideradas experimentais, inúmeros trabalhos vêm sendo publicados, justificando sua utilização, mas aguardamos avaliação criteriosa dos resultados oncológicos a longo prazo que, apesar do uso recente dessas técnicas, parecem ser promissores.[120,121]

A cistectomia radical laparoscópica ou assistida por robô deve ser oferecida para pacientes com tumores não volumosos e confinados à bexiga. Presença de linfadenopatia extensa, doença localmente avançada, coagulopatias, obesidade mórbida, cirurgias abdominais prévias, radioterapia ou quimioterapia neoadjuvante são contraindicações relativas e devem ser estudadas caso a caso.[122]

Sangramento e taxas de transfusão

A abordagem laparoscópica pura ou assistida por robô vem demonstrando com relação à cirurgia aberta importante diminuição das taxas de sangramento e hemotransfusão. Estes percentuais variam, respectivamente, entre 150 e 500 mL, e 3 a 6%, tanto para cirurgias laparoscópicas como robóticas.[122-127]

Complicações

Várias séries vêm demonstrando semelhanças entre as taxas de complicações menores e maiores quando comparados com cistectomia radial aberta. Haber and Gill (2008) demonstraram com a técnica laparoscópica, taxas de complicações menores e maiores de 18 e 16%, respectivamente, sem diferenças estatísticas com relação à técnica aberta.[1] Estes resultados são corroborados por outros estudos comparativos.[126,128,129] Quando analisamos as cirurgias assistidas por robô, estes resultados também são semelhantes e as taxas de complicações variam entre 21 e 30%.[125,127,130]

Derivação urinária

Esse é um tema que demanda enorme atenção do cirurgião e talvez por isso é tema de inúmeros livros que abordam, especificamente, o assunto. A derivação a ser utilizada para reconstrução do fluxo urinário é dependente de inúmeros fatores como características locais da doença, tempo do diagnóstico ao tratamento, afeição do cirurgião com as técnicas e até mesmo com o nível socioeconômico do paciente.

Diversos segmentos do trato gastrointestinal (TGI) podem ser utilizados na reconstrução, incluindo estômago, íleo, cólon e apêndice vermiforme.[131] Todos eles envolvem comprometimento na qualidade de vida, na continência urinária, na estética, na função sexual e na psique do paciente.

As derivações urinárias realizadas totalmente laparoscópicas têm que ser encaradas com cautela. Os resultados obtidos mesmo nas laparoscopias assistidas por robô mostraram um maior tempo cirúrgico, maior sangramento e taxas de transfusão, maiores taxas de complicações menores, maior tempo para aceitação alimentar e alta hospitalar quando comparadas com derivações extracorpóreas realizadas.[122]

Derivações urinárias incontinentes

Ureterostomia

É a derivação mais simples (Fig. 2). A anastomose do ureter à pele permite o escoamento direto da urina e pode ser realizada com um ou dois ureteres. Decorrente do diâmetro reduzido do ureter é comum a ocorrência de estenoses nos estomas.[132] Apesar de mais simples tecnicamente, é mais suscetível a infecções do trato urinário e as complicações tardias se comparada com as técnicas que utilizam o TGI.[133]

Conduto ileal

É a técnica mais utilizada no mundo (Fig. 3). Apesar de 48% dos pacientes apresentarem complicações imediatas como infecção, pielonefrite, fístulas e estenoses, possui resultados muito bons e previsíveis a longo prazo.[134]

Derivações urinárias continentes

Podem ser confeccionados reservatórios urinários de baixa pressão com segmentos do TGI, sendo necessário o autocateterismo para permitir o esvaziamento. Complicações envolvem formação de cálculos e estenose da ostomia.[135-138]

Anastomose ureterocolônica (ureterossigmoidostomia)

É a técnica continente mais antiga. Consiste em anastomosar os ureteres no cólon esquerdo. Esse procedimento hoje é obsoleto pelo risco de infecções do trato urinário e desenvolvimento de câncer de cólon.[139] Essa técnica era acompanhada de evacuações úmidas e, muitas vezes, determinavam urgeincontinência fecal (Fig. 4).

Neobexiga ortotópica

É considerada por muitos a melhor técnica a ser oferecida ao paciente e é o objetivo a ser alcançado nos pacientes submetidos à cistectomia radical nos maiores centros de tratamento da doença. O íleo terminal é o segmento mais frequentemente utilizado na confecção do reservatório, porém os segmentos colônicos também são muito utilizados. Em qualquer dos procedimentos utilizados, os dois ureteres geralmente são anastomosados com técnicas antirrefluxo. Os reservatórios podem ser anastomosados na uretra ou na parede abdominal. Quando a derivação para a uretra é utilizada, o esvaziamento pode ser feito com a compressão abdominal e relaxamento esfincteriano. Nos casos de insucesso nas micções por compressão e nas derivações para o abdome, o cateterismo intermitente é mandatório. Nas Figuras 5 e 6 mostra-se como é feita a neobexiga utilizando-se a técnica de Studer e a de Mainz Pouch.

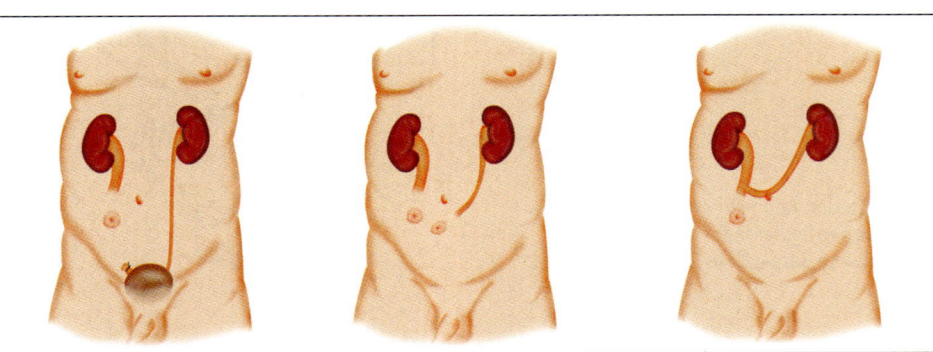

◄ **FIGURA 2.** A ureterostomia pode ser feita implantando-se um ou dois ureteres na pele. Uma das opções quando um dos ureteres é curto seria implantá-lo no mais comprido, em uma transureterostomia.

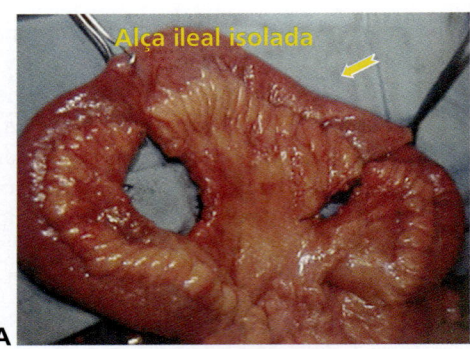
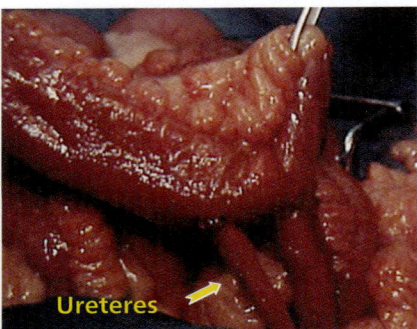
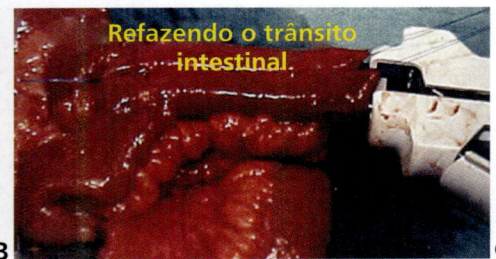
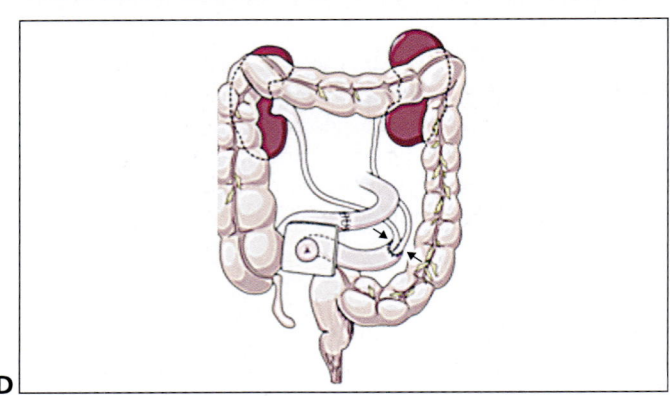

◄ **FIGURA 3.** (**A** e **B**) O conduto ileal é feito implantando-se os ureteres em uma alça de íleo terminal isolada. (**C** e **D**) O trânsito intestinal é refeito, e em seguida, confeccionada uma ileostomia cutânea.

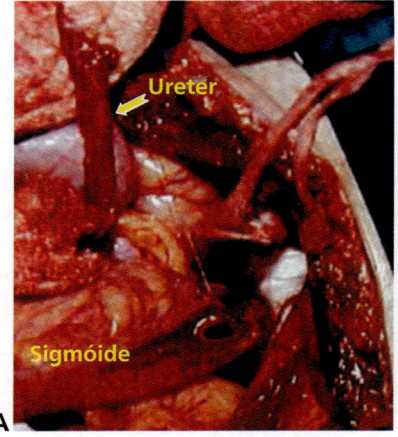
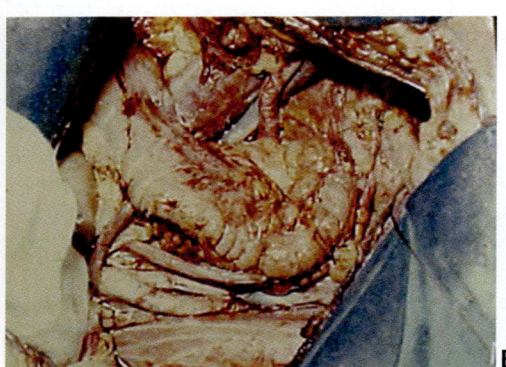

◄ **FIGURA 4.** (**A**) Os ureteres são anastomosados no sigmoide. Inicialmente, é feito um túnel nas tênias do sigmoide expondo a mucosa do retossigmoide. A mucosa é incisada e os ureteres implantados. (**B**) Em seguida as tênias são suturadas, sepultando os ureteres com técnica antirrefluxo.

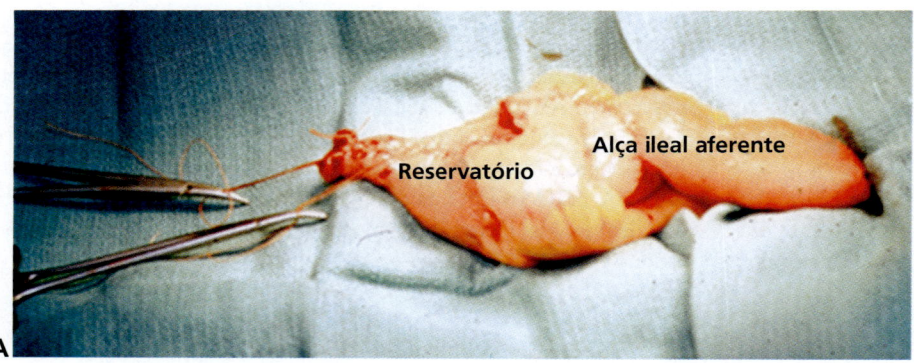
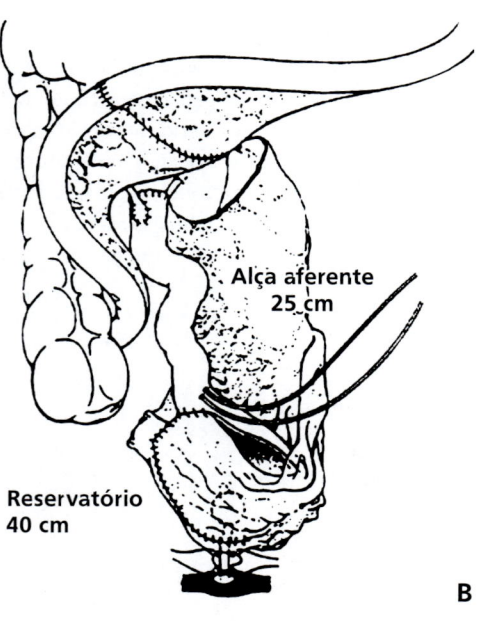

▲ **FIGURA 5.** (**A** e **B**) Neobexiga ortotópica com a técnica de Studer. Apenas parte do íleo é destubularizada para confeccionar o reservatório. Os ureteres são implantados na alça aferente íntegra que, por meio das suas contrações, evita o refluxo da urina para o trato urinário superior.

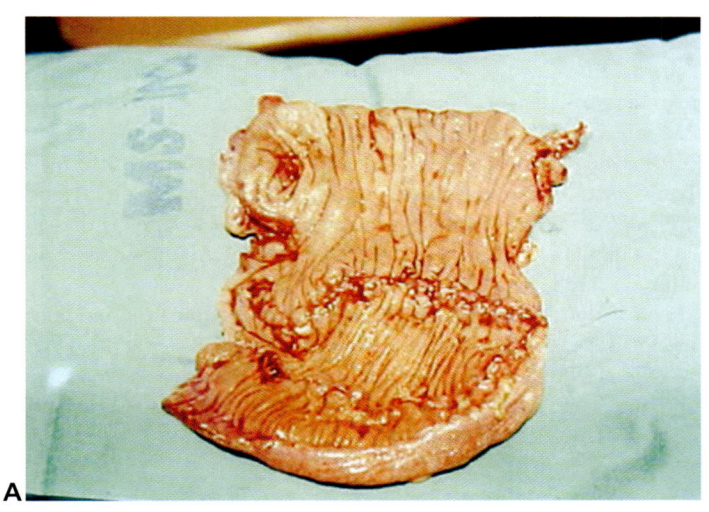
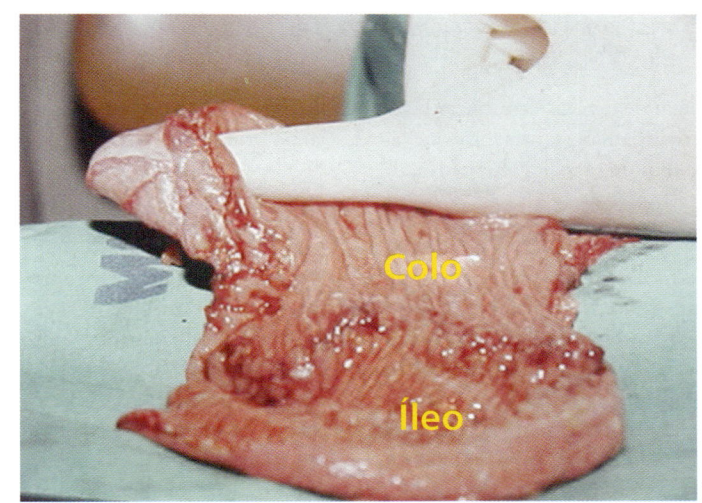
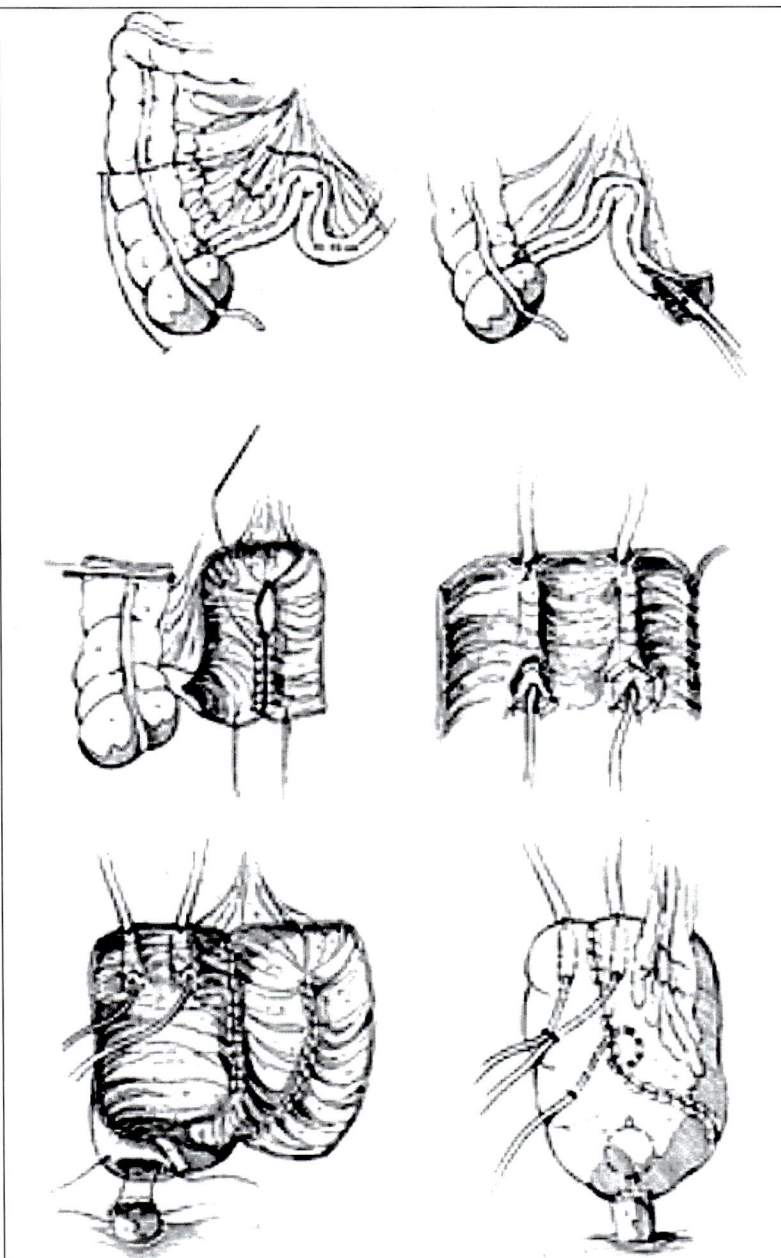
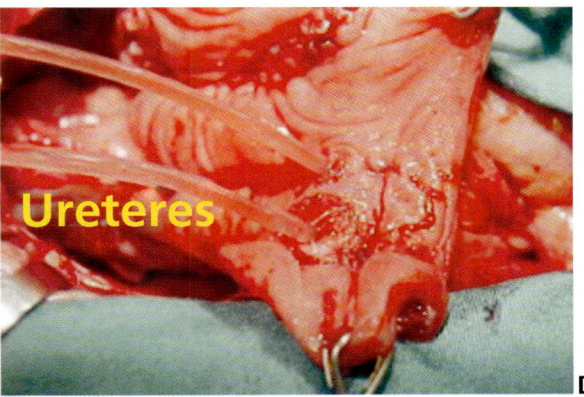
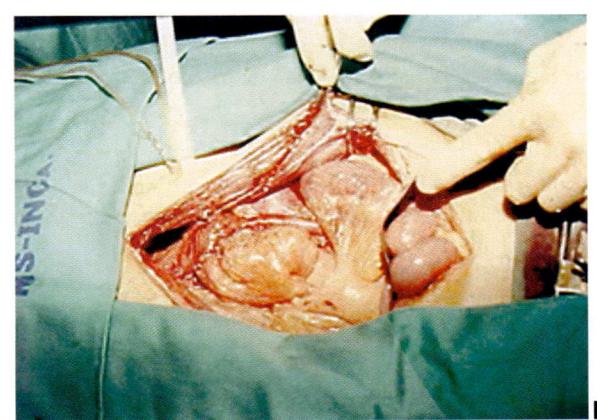
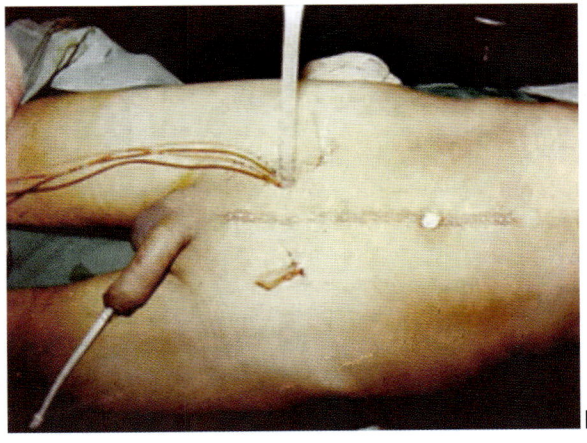

▲ **FIGURA 6.** (**A**) Confecção de reservatório continente com a técnica de Mainz Pouch. (**B**) Destubulização 15 cm do colo direito e 30 cm do íleo terminal. (**C**) Traçados da sequência da técnica. (**D**) Os ureteres são implantados no colo em túnel submucoso, com técnica antirrefluxo. (**E**) A uretra é, então, anastomosada em orifício no colo. (**F**) Catéteres ureterais e sonda abdominal são mantidos por 14 dias no pós-operatório. A sonda uretral é retirada após 21 dias.

TRATAMENTOS CONSERVADORES PARA O TUMOR MUSCULOINVASIVO

Apesar de ser a cistectomia radical o padrão ouro no tratamento oncológico da patologia, pacientes que não desejam o procedimento podem ser tratados de maneira alternativa.

RTU de bexiga

Mesmo que o paciente com diagnóstico de tumor musculoinvasivo apresente tumor superficial ou pT0 em uma segunda RTU, cerca de 50% deles serão submetidos à cistectomia radical por neoplasia invasora recorrente, tendo uma mortalidade doença-específica em 47% dos casos. O tratamento com RTU e acompanhamento pode ser oferecido àqueles pacientes que recusam a cistectomia radical ou que não possuem condições clínicas para o procedimento. Os estudos nessa direção recomendam que apenas os pacientes com invasão tumoral até a camada muscular superficial sejam conduzidos dessa maneira.

Radioterapia externa

Alguns autores defendem que a radioterapia pode alcançar níveis sobrevida semelhantes ao da cistectomia dependendo de inúmeros fatores como idade, volume tumoral, estadiamento tumoral, presença de hidronefrose e dose administrada. Essa foi a conclusão de estudos com pacientes altamente selecionados e com segunda RTU sem evidência de tumor (pT0).[139-142] Em geral, é alternativa para pacientes com idade avançada, déficit cognitivo e clinicamente incapazes de se submeterem à cirurgia aberta.

Cistectomia parcial

A cistectomia parcial, quando realizada, deve ser acompanhada de linfadenectomia uni ou bilateral e pode ser uma opção naqueles pacientes com tumor vesical em divertículos de parede.[142]

Quimioterapia

Quando utilizada de forma isolada raramente produz resposta duradoura e completa. Pode ser utilizada de maneira neoadjuvante, como já discutido anteriormente.

CÂNCER DE BEXIGA METASTÁTICO

Algo em torno de 10-15% dos pacientes já são metastáticos no momento do diagnóstico, e cerca de 50% dos pacientes submetidos à cistectomia radical apresentam recidiva da doença.[143] Tal recidiva pode ser local ou, mais frequentemente, com metástases a distância.

O tumor de bexiga é sensível aos agentes quimioterápicos e, antes de sua utilização, os pacientes metastáticos tinham uma vida média de 3-6 meses.[144]

Não há evidência de melhora na sobrevida desses pacientes quando submetidos à cistectomia ou metastasectomia em razão do pobre prognóstico da doença disseminada. Nesses casos o tratamento clássico envolve o esquema MVAC (metotrexate, vinblastina, adriamicina e cisplatina) com base na cisplatina. Infelizmente, em razão de sua toxicidade, o principal agente quimioterápico do esquema não pode ser utilizado em cerca de 50% dos pacientes em decorrência das condições clínicas em que se encontram no momento do início do tratamento.[145-148] Esquemas alternativos podem ser utilizados, mas nenhum com a mesma eficácia.

Bifosfonatos

Em pacientes com doença metastática, cerca de 30-40% possuem metástases ósseas[149] e as complicações associadas, como dor e fraturas patológicas podem comprometer ainda mais a qualidade de vida. O uso de bifosfonatos reduz e atrasa eventos ósseos por inibir a reabsorção mineral e pode ser utilizado independente da neoplasia primária do paciente com metástase óssea.[150] O ácido zoledrônico é o único bifosfonato estudado e aprovado para utilização clínica e sua utilização deve ser acompanhada de suplementação de vitamina D e cálcio.

TRATAMENTO PALIATIVO

A hematúria macroscópica pode acontecer em pacientes submetidos ou não a terapias iniciais. O quadro pode ser dramático e ameaçar a vida do paciente. Caso procedimentos endoscópicos não sejam suficientes para o controle hemostático, podemos recorrer à instilação vesical de formalina 2 até 5% desde que o refluxo vesicoureteral não esteja presente. A formalina pode determinar insuficiência renal aguda e agravar o quadro clínico. A embolização seletiva das artérias ilíacas internas pode ser recurso utilizado caso haja falha.

Dores localizadas geralmente por comprometimento ósseo podem ser tratadas com algum sucesso com a radioterapia externa.

A cistectomia paliativa de urgência pode ser realizada em casos de hemorragia incontrolável e sintomas locais que não podem ser controlados por derivação urinária simples.

ACOMPANHAMENTO CLÍNICO

Tis, Ta e T1 – não musculoinvasivo (Quadro 4)

Quadro 4. Acompanhamento clínico dos tumores superficiais

RISCO BAIXO
- Cistoscopia de controle no 3º mês
- Cistoscopias de 6/6 meses até o 2º ano e anual até o 5º ano

RISCO INTERMEDIÁRIO E ALTO
- Cistoscopia de controle no 3º mês
- Cistoscopias a cada 3 meses por 2 anos; semestrais por mais 2 anos e anual por mais 6 anos
- Citologia oncótica a cada 3 meses por dois anos, semestral por mais 2 anos e anual até o 10º ano
- Marcadores tumorais – opcionais
- Exames de imagem – cientes das limitações do método podem ser utilizados anualmente
- Nova RTU antes do 3º mês em caso de tumor de alto grau ou ressecção incompleta

Tumores musculoinvasivo (≥ pT2) (Quadro 5)

Quadro 5. Acompanhamento clínico dos tumores invasivos

PARA TODOS OS CASOS
- Avaliação clínica, função hepática, renal, eletrólitos, US abdominal e radiografia de tórax no 3º mês e a cada 6 e 12 meses indefinidamente
- Nos tumores pT3-T4 ou N+, TC deve substituir a USG e deve ser realizada semestralmente, por 2 anos
- Mapeamento ósseo a critério clínico

PARA PACIENTES COM URETRA DESFUNCIONALIZADA, ACRESCENTAR
- Citologia oncótica do lavado uretral a cada 6-12 meses
- Uretroscopia quando citologia positiva

PARA PACIENTES COM DERIVAÇÕES URINÁRIAS, ACRESCENTAR
- Citologia oncótica a cada 6-12 meses durante todo o acompanhamento

PACIENTES COM PRESERVAÇÃO VESICAL, ACRESCENTAR
- Cistoscopia e citologia oncótica urinária trimestral por 1 ano e, posteriormente, a critério clínico
- TC de abdome e pelve anual

REFERÊNCIAS BIBLIOGRÁFICAS

1. Messing EM. Urothelial tumors of the urinary tract. In: Walsh PC, Retik AB, Vaughan Jr ED et al. (Eds.). *Campbell's urology*. 8th ed. Philadelphia: Saunders, 2002. p. 2732-84.
2. Borden LS Jr, Clark PE, Hall MC. Bladder cancer. *Curr Opin Oncol* 2005;17:275-80.
3. Cancer facts and figures 2007. Atlanta: American Cancer Society, 2007.
4. Ries LA, Eisner MP, Kosary CL et al. *SEER Cancer Statistics Review, 1975-2000*. Bethesda: National Cancer Institute, 2003.
5. Damiano R, Di Lorenzo G, cantiello F et al. Clinicopathologic features of prostate adenocarcinoma incidentally discovered at the time of radical cystectomy: an evidence-based analysis. *Eur Urol* 2007;52:648-57.

6. Gakis G, Schilling D, Bedke J et al. Incidental prostate cancer at radical cystoprostatectomy: implications for apex-sparing surgery. *BJU Int* 2010;105:468-71.
7. Rehn L. Blasengeschwulste bei Fuchsin-Arbeitern. *Arch Klin Chir* 1895;50:588.
8. McCahy PJ, Harris CA, Neal E. The accuracy of recording of occupational history in patients with bladder cancer. *Br J Urol* 1997;79:91-93.
9. Zeegers MPA, Swaen GMH, Kant I et al. Occupational risk factors for male bladder cancer: results from a population-based case cohort study in the Netherlands. *Occup Environ Med* 2001;58:590-96.
10. Samanic CM, Kogevinas M, Silverman DT et al. Occupation and bladder cancer in a hospital-based case-control study in Spain. *Occup Environ Med* 2008;65:347-53.
11. Aveyard P, Adab P, Cheng KK et al. Does smoking status influence the prognosis of bladder cancer? A systematic review. *BJU Int* 2002;90:228-39.
12. Sella A, Dexeus FH, Chong C et al. Radiation therapy-associated invasive bladder tumors. *Urology* 1989;33:185-88.
13. Messing EM, Vaillancourt A. Hematuria screening for bladder cancer. *J Occup Med* 1990;32:838-45.
14. Khadra MH, Pickard RS, Charlton M et al. A prospective analysis of 1,930 patients with hematuria to evaluate current diagnostic practice. *J Urol* 2000;163:524-27.
15. Smith Jr JA, Labasky RF, Cockett AT et al. Bladder cancer clinical guidelines panel summary report on the management of nonmuscle invasive bladder cancer (stages Ta, T1 and Tis). *J Urol* 1999;162:1697.
16. Cina SJ, Epstein JI, Endrizzi JM et al. Correlation of cystoscopic impression with histologic diagnosis of biopsy specimens of the bladder. *Hum Pathol* 2001;32:630-37.
17. Kriegmair M, Zaak D, Knuechel R et al. Photo-dynamic cystoscopy for detection of bladder tumors. *Semin Laparosc Surg* 1999;6:100-3.
18. Jocham D, Witjes F, Wagner S et al. Improved detection and treatment of bladder cancer using hexaminolevulinate imaging: a prospective, phase III multicenter study. *J Urol* 2005;174:862.
19. Babjuk M, Soukup V, Oetrik R et al. 5-aminolaevulinic acid-induced fluorescence cystoscopy during transurethral resection reduces the risk of recurrence in stage Ta/T1 bladder cancer. *BJU Int* 2005;96:798.
20. Murphy WM, Soloway MS, Jukkola AF et al. Urinary cytology and bladder cancer. The cellular features of transitional cell neoplasms. *Cancer* 1984;53:1555.
21. Koss LG, Deitch D, Ramanathan R et al. Diagnostic value of cytology of voided urine. *Acta Cytol* 1985;29:810.
22. Messing EM, Catalona W. Urothelial tumors of the urinary tract. In: Walsh PC, Retik AB, Vaughan Jr ED et al. (Eds.). *Campbell's urology*. 7th ed. Philadelphia: WB Saunders 1998. p. 2327-408, cap. 77.
23. Gaston KE, Pruthi RS. Value of urinary cytology in the diagnosis and management of urinary tract malignancies. *Urology* 2004;63:1009.
24. Glatz K, Willi N, Glatz D et al. An international telecytologic quiz on urinary cytology reveals educational deficits and absence of a commonly used classification system. *Am J Clin Pathol* 2006;126:294.
25. van Rhijn BW, van der Poel HG, van der Kwast TH. Urine markers for bladder cancer surveillance: a systematic review. *Eur Urol* 2005;47:736-48.
26. Rafique M, Javed AA. Role of intravenous urography and transabdominal ultrasono- graphy in the diagnosis of bladder carcinoma. *Int Braz J Urol* 2004;30:185-91.
27. Oosterlinck W. Guidelines on diagnosis and treatment of superficial bladder cancer. *Minerva Urol Nefrol* 2004;56:65-72.
28. Maruniak NA, Takezawa K, Murphy WM. Accurate pathological staging of urothelial neoplasms requires better cystoscopic sampling. *J Urol* 2002;167:2404.
29. van der Meijden A, Oosterlinck W, Brausi M et al. Significance of bladder biopsies in Ta,T1 bladder tumors: a report from the EORtomografia computadorizada Genito- Urinary Tract Cancer Cooperative Group. EORtomografia computadorizada-GU Group Superficial Bladder Committee. *Eur Urol* 1999;35:267-71.
30. Solsona E, Iborra I, Rubio J et al. The optimum timing of radical cystectomy for patients with recurrent high-risk superficial bladder tumour. *BJU Int* 2004;94:1258-62.
31. Jakse G, Algaba F, Malmstrom PU et al. A second-look TUR in T1 transitional cell carcinoma: why? *Eur Urol* 2004;45:539-46.
32. Epstein JI, Amin MB, Reuter VR et al. The World Health Organization/International Society of Urological Pathology consensus classification of urothelial (transitional cell) neoplasms of the urinary bladder. *Am J Surg Pathol* 1998;22:1435-48.
33. Sauter G, Algaba F, Amin M et al. Tumours of the urinary system: non-invasive urothelial neoplasias. In: Eble JN, Sauter G, Epstein JL et al. (Eds.). *WHO classification of classification of tumours of the urinary system and male genital organs*. Lyon: IARCC, 2004. p. 29-34.
34. SandersonKM, SteinJP, Skinner DG. The evolving role of pelvic lymphadenectomy in the treatment of bladder cancer. *Urol Oncol* 2004;22:205-13.
35. Hain SF, Maisey MN. Positron emission tomography for urological tumours. *BJU Int* 2003;92:159-64.
36. Demers LM, Costa L, Lipton A. Biochemical markers and skeletal metastases. *Cancer* 2000;88(12 Suppl):2919-26.
37. Epstein JI, Amin MB, Reuter VR et al. The World Health Organization/International Society of Urological Pathology consensus classification of urothelial (transitional cell) neoplasms of the urinary bladder. Bladder Consensus Conference Committee. *Am J Surg Pathol* 1998;22:1435.
38. Fitzpatrick JM. Superficial bladder carcinoma. Factors affecting the natural history. *World J Urol* 1993;11:142.
39. Levi F, La Vecchia C, Randimbison L et al. Incidence of infiltrating cancer following superficial bladder carcinoma. *Int J Cancer* 1993;55:419.
40. Greene FL, Page DL, Fleming ID et al. *AJCC cancer staging manual*. 6th ed. New York: Springer-Verlag 2002.
41. Dalesio O, Schulman CC, Sylvester R et al. Prognostic factors in superficial bladder tumors. A study of the European Organization for Research on Treatment of Cancer: Genitourinary Tract Cancer Cooperative Group. *J Urol* 1983;129:730.
42. Fitzpatrick JM, West AB, Butler MR et al. Superficial bladder tumors (stage pTa, grades 1 and 2): the importance of recurrence pattern following initial resection. *J Urol* 1986;135:920.
43. Parmar MK, Freedman LS, Hargreave TB et al. Prognostic factors for recurrence and followup policies in the treatment of superficial bladder cancer: report from the British Medical Research Council Subgroup on Superficial Bladder Cancer (Urological Cancer Working Party). *J Urol* 1989;143:284.
44. Lamm DL. Carcinoma in situ. *Urol Clin North Am* 1992 Aug.;19(3):499-508.
45. Kiemeney LA, Witjes JA, Heijbroek RP et al. Should random urothelial biopsies be taken from patients with primary superficial bladder cancer? A decision analysis. Members of the Dutch South-East Co-Operative Urological Group. *Br J Urol* 1994;73:164-71.
46. van der Meijden A, Oosterlinck W, Brausi M et al. Significance of bladder biopsies in Ta,T1 bladder tumours: a report of the EORTC Genito-Urinary Tract Cancer Cooperative Group. EORTC-GU Group Superficial Bladder Committee. *Eur Urol* 1999;35:267-71.
47. Levi AW, Potter SR, Schoenberg MP et al. Clinical significance of denuded urothelium in bladder biopsy. *J Urol* 2001;166:457-60.
48. Matzkin H, Soloway MS, Hardeman S. Transitional cell carcinoma of the prostate. *J Urol* 1991;146:1207-12.
49. Mungan MU, Canda AE, Tuzel E et al. Risk factors for mucosal prostatic urethral involvement in superficial transitional cell carcinoma of the bladder. *Eur Urol* 2005;48:760-63.
50. Herr HW. The value of a second transurethral resection in evaluating patients with bladder tumors. *J Urol* 1999;162:74-76.
51. Grimm MO, Steinhoff C, Simon X et al. Effect of routine repeat transurethral resection for superficial bladder cancer: a long-term obser vational study. *J Urol* 2003;170(2 Pt 1):433-37.
52. Sylvester RJ, Oosterlinck W, van der Meijden AP. A single immediate postoperative instillation of chemotherapy decreases the risk of recurrence in patients with stage Ta T1 bladder cancer: a metaanalysis of published results of randomized clinical trials. *J Urol* 2004 June;171(6 Pt 1):2186-90.
53. Pawinski A, Sylvester R, Kurth KH et al. A combined analysis of European Organization for Research and Treatment of Cancer, and Medical Research Council randomized clinical trials for the prophylactic treatment of TaT1 bladder cancer. European Organization for Research and Treatment of Cancer Genitourinary Tract Cancer Cooperative Group and the Medical Research Council Working Part on Superficial Bladder Cancer. *J Urol* 1996;156:1934-40.
54. Pan JS, Slocum HK, Rustum YM et al. Inhibition of implantation of murine bladder tumor by thiotepa in cauterized bladder. *J Urol* 1989;142:1589-93.
55. Pode D, Alon Y, Horowitz AT et al. The mechanism of human bladder tumor implantation in an in vitro model. *J Urol* 1986;136:482-86.
56. Günther JH, Jurczok A, Wulf T et al. Optimizing syngeneic orthotopic murine bladder cancer (MB49). *Cancer Res* 1999;59:2834-37.
57. Böhle A, Jurczok A, Ardelt PU et al. Inhibition of bladder carcinoma cell adhesion by oligopeptide combinations in vitro and in vivo. *J Urol* 2002;167:357-63.

58. Torti FM, Shortliffe LD, Williams RD et al. Alpha-interferon in superficial bladder cancer: a Northern California Oncology Group Study. J Clin Oncol 1988;6:476.
59. Stricker P, Pryor K, Nicholson T et al. Bacillus Calmette-Guerin plus intravesical interferon alpha-2b in patients with superficial bladder cancer. Urology 1996;48:857.
60. Mohanty NK, Malhotra V, Nayak RL et al. Combined low dose intravesical immuno-therapy (BCG + interferon alpha-2b) in the management of superficial transitional cell carcinoma of the urinary bladder: a five-year follow-up. J Chemother 2002;14:194.
61. Lam JS, Benson MC, O'Donnell MA et al. Bacillus Calmette-Guerin plus interferon-alpha2B intravesical therapy maintains an extended teatment plan for superficial bladder cancer with minimal toxicity. Urol Oncol 2003;21:354.
62. Joudi FN, Smith BJ, O'Donnell MA. National BCG-Interferon Phase 2 Investigator Group: final results from a national multicenter phase II trial of combination bacillus Calmette-Guerin plus interferon alpha-2B for reducing recurrence of superficial bladder cancer. Urol Oncol 2006;24:344.
63. Messing EM, Catalona W. Urothelial tumors of the urinary tract. In: Walsh PC, Retik AB, Vaughan Jr ED et al. (Eds.). Campbell's urology. 7th ed. Philadelphia: WB Saunders 1998. p. 2327-408, cap. 77.
64. Koontz Jr WW, Prout Jr GR, Smith W et al. The use of intravesical thio-tepa in the management of non-invasive carcinoma of the bladder. J Urol 1981;125:307.
65. Bouffioux C, Kurth KH, Bono A et al. Intravesical adjuvant chemotherapy for superficial transitional cell bladder carcinoma: results of 2 European Organization for Research and Treatment of Cancer randomized trials with mitomycin C and doxorubicin comparing early versus delayed instillations and short-term versus long-term treatment. European Organization for Research and Treatment of Cancer Genitourinary Group. J Urol 1995;153:934.
66. Steinberg G, Bahnson R, Brosman S et al. Efficacy and safety of valrubicin for the treatment of Bacillus Calmette-Guerin refractory carcinoma in situ of the bladder. Valrubicin Study Group. J Urol 2000;163:761.
67. Hendricksen K, Witjes JA. Intravesical gemcitabine: an update of clinical results. Curr Opin Urol 2006;16:361.
68. Herr HW, Wartinger DD, Fair WR et al. Bacillus Calmette-Guerin therapy for superficial bladder cancer: a 10- year followup. J Urol 1992;147:1020-23.
69. Shelley MD, Court JB, Kynaston H et al. Intravesical bacillus calmette-Guerin versus mitomycin c for Ta and T1 bladder cancer. Cochrane Database Syst Rev 2003;(3):cD003231.
70. Sylvester RJ, Brausi MA, Kirkels WJ et al. EOrTc genito-urinary tract cancer Group. Long-term efficacy results of EOrTc genito-urinary Group randomized phase 3 study 30911 comparing intravesical instillations of epirubicin, Bacillus calmette-Gue'rin, and Bacillus calmette-Gue'rin plus isoniazid in patients with intermediate- and high-risk stage Ta T1 urothelial carcinoma of the bladder. Eur Urol 2010;57:766-73.
71. Sylvester RJ, van der Meijden AP, Lamm DL. Intravesical bacillus calmette-Guerin reduces the risk of progression in patients with superficial bladder cancer: a meta-analysis of the published results of randomized clinical trials. J Urol 2002;168:1964-70.
72. Böhle A, Bock PR. Intravesical bacille Calmette-Guérin versus mitomycin c in superficial bladder cancer: formal meta-analysis of comparative studies on tumour progression. Urology 2004;63:682-86.
73. Malmström PU, Sylvester RJ, Crawford DE et al. An individual patient data meta-analysis of the long- term outcome of randomised studies comparing intravesical mitomycin c versus bacillus Calmette- Guérin for non-muscle-invasive bladder cancer. Eur Urol 2009;56:247-56.
74. Merz VW, Marth D, Kraft R et al. Analysis of early failures after intravesical instillation therapy with bacille Calmette-Guérin for carcinoma in situ of the bladder. Br J Urol 1995;75:180-84.
75. Brake M, Loertzer H, Horsch R et al. recurrence and progression of stage T1, grade 3 transitional cell carcinoma of the bladder following intravesical immunotherapy with bacillus Calmette-Guérin. J Urol 2000;163:1697-701.
76. Pansadoro V, Emiliozzi P, Defidio L et al. Bacillus Calmette-Guérin in the treatment of stage T1 grade 3 transitional cell carcinoma of the bladder: Long-term results. J Urol 1995;154:2054-58.
77. Oosterlinck W, Lobel B, Jakse G et al. European Association of Urology (EAU) Working Group on Oncological Urology. Guidelines on bladder cancer. Eur Urol 2002;41:105-12.
78. Jakse G, Hall R, Bono A et al. Intravesical BcG in patients with carcinoma in situ of the urinary bladder: long-term results of EOrTc GU Group phase II protocol 30861. Eur Urol 2001;40:144-50.
79. Lamm DL, Blumenstein BA, crissman JD et al. maintenance bacillus Calmette-Guérin immunotherapy for recurrent TA, T1 and carcinoma in situ transitional cell carcinoma of the bladder: a randomized Southwest Oncology Group Study. J Urol 2000;163:1124-29.
80. De Reijke TM, Kurth KH, Sylvester RJ et al. European Organization for the research and treatment of cancer-Genito-Urinary Group. Bacillus Calmette-Guerin versus epirubicin for primary, secondary or concurrent carcinoma in situ of the bladder: Results of a European Organization for the research and Treatment of cancer – Genito-Urinary Group Phase III Trial (30906). J Urol 2005;173:405-9.
81. Freeman JA, Esrig D, Stein JP et al. Radical cystectomy for high risk patients with superficial bladder cancer in the era of orthotopic urinary reconstruction. Cancer 1995;76:833-39.
82. Paik ML, Scolieri MJ, Brown SL et al. Limitations of computerized tomography in staging invasive bladder cancer before radical cystectomy. J Urol 2000;163:1693-96.
83. Kim JK, Park SY, Ahn HJ et al. Bladder cancer: analysis of multi-detector row helical cT enhancement pattern and accuracy in tumor detection and perivesical staging. Radiology 2004;231:725-31.
84. Jager GJ, Barentsz JO, Oosterhof GO et al. Pelvic adenopathy in prostatic and urinary bladder carcinoma: MR imaging with a three-dimensional TI-weighted magnetization-prepared-rapid gradient-echo sequence. AJR Am J Roentgenol 1996;167:1503-7.
85. Yang WT, Lam WW, Yu mY et al. comparison of dynamic helical CT and dynamic mr imaging in the evaluation of pelvic lymph nodes in cervical carcinoma. AJR Am J Roentgenol 2000;175:759-66.
86. Kim Sh, Kim SC, Choi BI et al. Uterine cervical carcinoma: evaluation of pelvic lymph node metastasis with MR imaging. Radiology 1994;190:807-11.
87. Kim Sh, Choi BI, Lee HP et al. Uterine cervical carcinoma: comparison of cT and MR findings. Radiology 1990;175:45-51.
88. Oyen RH, Van Poppel HP, Ameye FE et al. Lymph node staging of localized prostatic carcinoma with CT and CT-guided fine-needle aspiration biopsy: prospective study of 285 patients. Radiology 1994;190:315-22.
89. Barentsz JO, Engelbrecht MR, Witjes JA et al. MR imaging of the male pelvis. Eur Radiol 1999;9:1722-36.
90. Dorfman RE, Alpern MB, Gross BH et al. Upper abdominal lymph nodes: criteria for normal size determined with CT. Radiology 1991;180:319-22.
91. Swinnen G, Maes A, Pottel H et al. FDG-PET/cT for the Preoperative Lymph Node Staging of Invasive Bladder cancer. Eur Urol 2010;57:641-47.
92. Kibel AS, Dehdashti F, Katz MD et al. Prospective study of [18F] fluorodeoxyglucose positron emission tomography/computed tomography for staging of muscle-invasive bladder carcinoma. J Clin Oncol 2009;27:4314-20.
93. Lauenstein TC, Goehde SC, Herborn CU et al. Whole-body MR imaging: evaluation of patients for metastases. Radiology 2004;233:139-48.
94. Schmidt GP, Schoenberg SO, Reiser MF et al. Whole-body MR imaging of bone marrow. Eur J radiol 2005;55:33-40.
95. Stein JP, Skinner DG. Radical cystectomy for invasive bladder cancer: long-term results of a standard procedure. World J Urol 2006;24:296-304.
96. Stein JP, Lieskovsky G, Cote R et al. radical cystectomy in the treatment of invasive bladder cancer: long-term results in 1,054 patients. J Clin Oncol 2001;19:666-75.
97. Dalbagni G, Genega E, hashibe m et al. cystectomy for bladder cancer: a contemporary series. J Urol 2001;165:1111-6.
98. Bassi P, Ferrante GD, Piazza N et al. Prognostic factors of outcome after radical cystectomy for bladder cancer: a retrospective study of a homogeneous patient cohort. J Urol 1999;161:1494-97.
99. Ghoneim MA, El-Mekresh MM, El-Baz MA et al. radical cystectomy for carcinoma of the bladder: critical evaluation of the results in 1.026 cases. J Urol 1997;158:393-99.
100. Miller DC, Taub DA, Dunn RL et al. The impact of co-morbid disease on cancer control and survival following radical cystectomy. J Urol 2003;169:105-9.
101. Figueroa AJ, Stein JP, Dickinson M et al. Radical cystectomy for elderly patients with bladder carcinoma: an updated experience with 404 patients. Cancer 1998;83:141-47.
102. Hautmann RE, Paiss T. Does the option of the ileal neobladder stimulate patient and physician decision toward earlier cystectomy? J Urol 1998;159:1845-50.
103. Sanchez-Ortiz RF, Huang WC, Mick R et al. An interval longer than 12 weeks between the diagnosis of muscle invasion and cystectomy is associated with worse outcome in bladder carcinoma. J Urol 2003;169:110-15; discussion 115.

104. Stenzl A, Nagele U, Kuczyk M et al. cystectomy – Technical considerations in male and Female Patients. EAU Update Series 2005;3:138-46.
105. Abdelhady M, Abusamra A, Pautler SW et al. Clinically significant prostate cancer found incidentally in radical cystoprostatectomy specimens. BJU Int 2007;99:326-29.
106. Pettus JA, Al-Ahmadie H, Barocas DA et al. risk assessment of prostatic pathology in patients undergoing radical cystoprostatectomy. Eur Urol 2008;53:370-75.
107. Weizer AZ, Shah RB, Lee CT et al. Evaluation of the prostate peripheral zone/capsule in patients undergoing radical cystoprostatectomy: defining risk with prostate capsule sparing cystectomy. Urol Oncol 2007;25:460-64.
108. Herr HW, Bochner Bh, Dalbagni G et al. Impact of the number of lymph nodes retrieved on outcome in patients with muscle invasive bladder cancer. J Urol 2002;167:1295-98.
109. Leissner J, Hohenfellner R, Thuroff JW et al. Lymphadenectomy in patients with transitional cell carcinoma of the urinary bladder; significance for staging and prognosis. BJU Int 2000;85:817-23.
110. Poulsen AL, Horn T, Steven K. Radical cystectomy: extending the limits of pelvic lymph node dissection improves survival for patients with bladder cancer confined to the bladder wall. J Urol 1998;160(6 Pt 1):2015-19; discussion 2020.
111. Fleischmann A, Thalmann GN, Markwalder R et al. Extracapsular extension of pelvic lymph node metastases from urothelial carcinoma of the bladder is an independent prognostic factor. J Clin Oncol 2005;23:2358-65.
112. Studer UE, Collette L. Morbidity from pelvic lymphadenectomy in men undergoing radical prostatectomy. Eur Urol 2006;50:887-89; discussion 889-92.
113. Stenzl A, Bartsch G, Rogatsch H. The remnant urothelium after reconstructive bladder surgery. Eur Urol 2002;41:124-31.
114. Stenzl A, Colleselli K, Bartsch G. Update of urethra-sparing approaches in cystectomy in women. World J Urol 1997;15:134-38.
115. Nagele U, Kuczyk M, Anastasiadis AG et al. Radical cystectomy and orthotopic bladder replacement in females. Eur Urol 2006;50:249-57.
116. Chade DC, Laudone VP, Bochner BH et al. Oncological outcomes after radical cystectomy for bladder cancer: open versus minimally invasive approaches. J Urol 2010;183:862-69.
117. Kasraeian A, Barret E, Cathelineau X et al. Robot-Assisted laparoscopic cystoprostatectomy with extended pelvic lymphadenectomy, extracorporeal enterocystoplasty, and intracorporeal enterourethral anastomosis: initial montsouris experience. J Endourol 2010;24:409-13.
118. Schumacher MC, Jonsson MN, Wiklund NP. Does extended lymphadenectomy preclude laparoscopic or robot-assisted radical cystectomy in advanced bladder cancer? Curr Opin Urol 2009;19:527-32.
119. Hautmann RE. The oncologic results of laparoscopic radical cystectomy are not (yet) equivalent to open cystectomy. Curr Opin Urol 2009;19:522-26.
120. Ng CK, Kauffman EC, Lee MM et al. A comparison of postoperative complications in open versus robotic cystectomy. Eur Urol 2010;57:274-81.
121. Haber GP, Crouzet S, Gill IS. Laparoscopic and robotic assisted radical cystectomy for bladder cancer: a critical analysis. Eur Urol 2008;54:54-64.
122. Porpiglia F, Renard J, Billia M et al. Open versus Laparoscopy-assisted Radical Cystectomy: Results of a Prospective Study. J Endourol 2007;21:325-29.
123. Huang J, Lin T, Xu K et al. Laparoscopic radical cystectomy with orthotopic ileal neobladder: a report of 85 cases. J Endourol 2008;22:939-46.
124. Hemal AK, Abol-Enein H, Tewari A et al. Robotic radical cystectomy and urinary diversion in the management of bladder cancer. Urol Clin North Am 2004;31:719-29.
125. Pruthi RS, Matthew EN, Nix J et al. Robotic radical cystectomy for bladder cancer: surgical and pathological outcomes in 100 consecutive cases. J Urol 2010;183:510-15
126. Cathelineau X, Arroyo C, Rozet F et al. Laparoscopic assisted radical cystectomy: themontsouris experience after 84 cases. Eur Urol 2005;47:780-84.
127. Murphy DG, Challacombe BJ, Elhage O et al. Robotic-assisted laparoscopic radical cystectomy with extracorporeal urinary diversion: inicial experience. Eur Urol 2008;54:570-80.
128. Basillote JB, Corollos AS, Thomas EA et al. Laparoscopic assisted radical cystectomy with ileal neobladder: a comparison with the open approach. J Urol 2004;172:489-93.
129. Guillotreau J, Gamé X, Mouzin M et al. Radical cystectomy for bladder cancer: morbidity of laparoscopic versus open surgery. J Urol 2009;181:554-59.
130. Wang GJ, Barocas DA, Raman JD et al. Robotic vs open radical cystectomy: prospective comparison of perioperative outcomes and pathological measures of early oncological efficacy. BJU Int 2008;101:89-93.
131. Stenzl A. Bladder substitution. Curr Opin Urol 1999;9:241-45.
132. Deliveliotis C, Papatsoris A, Chrisofos M et al. Urinary diversion in high-risk elderly patients: modified cutaneous ureterostomy or ileal conduit? Urology 2005;66:299-304.
133. Nieuwenhuijzen JA, de Vries RR, Bex A et al. Urinary diversions after cystectomy: the association of clinical factors, complications and functional results of four different diversions. Eur Urol 2008;53:834-42; discussion 842-44.
134. Wiesner C, Bonfig R, Stein R et al. Continent cutaneous urinary diversion: long-term follow-up of more than 800 patients with ileocecal reservoirs. World J Urol 2006;24:315-18.
135. Wiesner C, Stein R, Pahernik S et al. Long-term followup of the intussuscepted ileal nipple and the in situ, submucosally embedded appendix as continence mechanisms of continent urinary diversion with the cutaneous ileocecal pouch (Mainz pouch I). J Urol 2006 July;176:155-59; discussion 159-60.
136. Azimuddin K, Khubchandani IT, Stasik JJ et al. Neoplasia after ureterosigmoidostomy. Dis Colon Rectum 1999;42:1632-38.
137. Gerharz EW, Turner WH, Kälble T et al. Metabolic and functional consequences of urinary reconstruction with bowel. BJU Int 2003;91:143-49.
138. Gospodarowicz MK, Blandy JP. Radiation therapy for organ-conservation for invasive bladder carcinoma. In: Vogelzang NJ, Scardino PT, Shipley WU et al. (Eds.). Comprehensive textbook of genitourinary oncology. Lippincott: Williams and Wilkins, 2000. p. 487-96.
139. Duncan W, Quilty PM. The results of a series of 963 patients with transitional cell carcinoma of the urinary bladder primarily treated by radical megavoltage X-ray therapy. Radiother Oncol 1986;7:299-310.
140. Herr HW. Conservative management of muscle-infiltrating bladder cancer: prospective experience. J Urol 1987;138:1162-63.
141. Shelley MD, Barber J, Wilt T et al. Surgery versus radiotherapy for muscle invasive bladder cancer. Cochrane Database Syst Rev 2002;(1):cD002079. Disponível em: <http://www.ncbi.nlm.nih.gov/pubmed/11869621>
142. Chang SS, Hassan JM, Cookson MS et al. Delaying radical cystectomy for muscle invasive bladder cancer results in worse pathological stage. J Urol 2003;170:1085-87.
143. Rosenberg JE, Carroll PR, Small EJ. Update on chemotherapy for advanced bladder cancer. J Urol 2005;174:14-20.
144. Sternberg CN, Vogelzang NJ. Gemcitabine, paclitaxel, pemetrexed and other newer agents in urothelial and kidney cancers. Crit Rev Oncol Hematol 2003;46(Suppl):S105-15.
145. Dash A, Galsky MD, Vickers AJ et al. Impact of renal impairment on eligibility for adjuvant cisplatin- based chemotherapy in patients with urothelial carcinoma of the bladder. Cancer 2006;107:506-13.
146. Nogue-Aliguer M, Carles J, Arrivi A et al. Gemcitabine and carboplatin in advanced transitional cell carcinoma of the urinary tract: an alternative therapy. Cancer 2003;97:2180-86.
147. Balducci L, Extermann M. Management of cancer in the older person: a practical approach. Oncologist 2000;5:224-37.
148. De Santis, Bachner M. New developments in first- and second-line chemotherapy for transitional cell, squamous cell and adenocarcinoma of the bladder. Curr Opin Urol 2007;17:363-68.
149. Coleman RE. Metastatic bone disease: clinical features, pathophysiology and treatment strategies. Cancer Treat Rev 2001;27:165-76. Review.
150. Aapro M, Abrahamsson PA, Body JJ et al. Guidance on the use of bisphosphonates in solid tumours: recommendations of an international expert panel. Ann Oncol 2008;19:420-32.

CAPÍTULO 199

Aspectos Moleculares dos Tumores Uroteliais

Mariana Chantre ■ Antonio Augusto Ornellas ■ Gilda Alves

INTRODUÇÃO

O urotélio corresponde ao epitélio do trato urogenital e compreende a bexiga, o ureter e a pélvis renal. *Os tumores uroteliais apresentam diferenças histopatológicas e de comportamento clínico. Por isso mesmo precisamos avançar no conhecimento* da biologia molecular e da biologia celular dos processos de iniciação e na progressão dos tumores uroteliais. A busca pelos marcadores moleculares é de importância primordial para a identificação de indivíduos com maior risco para essa doença, a fim de detectar risco de recidivas, mecanismos de invasão, metástase e resistência às drogas quimioterápicas e para auxiliar na conduta terapêutica.

Os testes atuais para detectar e monitorizar as neoplasias uroteliais apresentam algumas limitações e nenhum deles tem-se mostrado suficientemente preciso. Alguns biomarcadores moleculares têm sido investigados com o intuito de aprimorar os métodos de diagnóstico, diminuindo a necessidade de procedimentos invasivos como a cistoscopia e aumentando a sensibilidade da citologia urinária. Esses *biomarcadores* são fundamentados nas alterações de genes e de proteínas e podem ser alvos potenciais para novas terapias. Embora muitos ainda não façam parte da rotina clínica, o estudo dos marcadores tumorais por diferentes metodologias auxilia na compreensão dos mecanismos envolvidos na etiologia das neoplasias uroteliais. Alguns dos principais marcadores tumorais para o câncer de bexiga que estão sob investigação serão relatados a seguir.

MARCADORES APROVADOS PELA FDA

Alguns testes para o monitoramento clínico de pacientes com câncer de bexiga já foram aprovados pela FDA *(Food and Drug Administration)*, órgão governamental que regulamenta a liberação de alimentos e medicamentos nos Estados Unidos. Esses testes incluem o BTA, o *UroVysion* FISH e o NMP-22.

BTA (antígeno tumoral da bexiga)

O antígeno tumoral da bexiga (BTA) é uma proteína liberada pelas células do tumor e pode ser identificada na urina dos pacientes com câncer de bexiga. O teste BTA é feito com base em anticorpos que detectam os níveis elevados da proteína relacionada com o fator H do complemento (CFHrp) na urina. Uma vez aderidos à membrana basal, os tumores secretam enzimas proteolíticas que lisam a membrana em componentes básicos, os quais são eliminados no lúmen vesical, onde se agregam e formam complexos de alto peso molecular. O teste de BTA original detecta a presença desses complexos na urina. Atualmente, existem duas versões disponíveis baseadas no ensaio BTA, o BTA *Stat* (qualitativo) e o BTA *Trak* (quantitativo). Os estudos indicam que o teste BTA apresenta maior sensibilidade e menor especificidade com relação à citologia urinária.[1,2] Falso-positivos podem ocorrer em indivíduos com hematúria, proteinúria, infecção e inflamação. Além desses fatores e por não ser superior à citologia urinária, a utilização do BTA pode ser limitada para a detecção de neoplasias da bexiga.

NMP-22 (proteína da matriz nuclear)

NMP-22 é uma proteína da matriz nuclear que apresenta um importante papel na organização estrutural do núcleo celular e que também participa dos processos de replicação e transcrição do DNA. A proteína NMP-22 está relacionada com o aparelho mitótico nuclear e facilita a segregação e a distribuição dos cromossomos durante a divisão celular sendo, portanto, encontrada em todas as células humanas. No entanto, níveis elevados da proteína NMP-22 são encontrados na urina de pacientes com câncer de bexiga e podem ser detectados através de um ensaio imunoenzimático. Os testes NMP-22 baseiam-se na liberação de NMPs na urina após apoptose das células uroteliais.[3]

Os estudos mostram que o teste de NMP-22, assim como o teste de BTA, apresenta maior sensibilidade e menor especificidade com relação à citologia urinária.[2] Os resultados de um estudo recente realizado na urina de pacientes com câncer de bexiga indicaram que a sensibilidade do teste NMP-22 e da citologia urinária foram 78,8 e 44,2%, respectivamente, enquanto as especificidades foram 69,6 e 83,7%, respectivamente. Os dados ainda mostraram que o teste de NMP-22 apresentou sensibilidade significativamente maior do que a citologia urinária na detecção do risco de recidivas para os grupos de baixo risco (66,7 contra 0%) e de risco intermediário (85 contra 40%).[4]

No entanto, semelhante ao que acontece com o teste de BTA, os níveis de NMP22 podem ser elevados em pacientes com infecções urinárias e outras condições benignas, contribuindo para a geração de resultados falso-positivos e, por isso, a sua utilização deve ser limitada.

UroVysion FISH (hibridização *in situ* por fluorescência)

A técnica de hibridização *in situ* por fluorescência (FISH) utiliza sondas de DNA marcadas por fluorescência para detectar a presença de alterações cromossômicas. O teste UroVysion FISH é realizado nas células esfoliadas da urina e é capaz de detectar aneuploidias nos cromossomas 3, 7 e 17 e na região 9p21.[5] Em 2006, Junker *et al*.[6] compararam a sensibilidade do teste UroVysion FISH com a citologia urinária na urina de 141 pacientes com câncer de bexiga. Os valores de sensibilidade para FISH e para a citologia urinária foram, respectivamente, 36,1 e 15% para o estágio pTa, 65,2 e 25,7% para o pT1 e 100 e 66,7% para o pT2-3. Com relação ao grau do tumor, a sensibilidade foi de 37% e 14% no grau de diferenciação G1, 65,4 e 40% em G2 e 91,7 e 50% em G3, para FISH e citologia, respectivamente. Portanto, a sensibilidade de FISH foi superior à da citologia urinária, sendo, ainda, capaz de detectar o câncer de bexiga em pacientes que apresentaram a citologia urinária negativa.[6]

MARCADORES DE INSTABILIDADE CROMOSSÔMICA

Os estudos citogenéticos identificaram muitas mudanças na estrutura e no número de cópias dos cromossomos no carcinoma de células transicionais da bexiga. As análises em microssatélites revelam a instabilidade genética observada em diversos tumores. Os microssatélites são pequenas sequências de DNA repetitivas em tandem (STRs – *short tandem repeat*), com unidades de repetição pequenas, de 1 a 6 pares de base.[7] Em razão de sua natureza repetitiva, essas sequências tornam-se extremamente vulneráveis a erros durante o processo de replicação do DNA, resultando em ganho ou perda de sequências nucleotídicas.

Os estudos da perda de heterozigosidade (LOH) mostram que a deleção na região do cromossoma 9q foi observada tanto em tumores de baixo grau quanto em tumores de alto grau, sugerindo que a perda de 9q pode ser um evento na etiologia do câncer de bexiga. Em contraste, as deleções em 17p foram detectadas apenas nos tumores invasivos, indicando a participação dessa alteração na progressão do câncer de bexiga. Esses resultados são interessantes uma vez que o gene supressor de tumor *TP53 (Tumor Protein p53)*, frequentemente alterado no câncer de bexiga, está localizado na região cromossômica 17p13.1.[8,9] Regiões de LOH também foram obervadas no na região cromossômica 9p. A deleção na região 9p21 leva à inativação do gene *CDKN2A (cyclin-dependent kinase inhibitor 2A)*, codificador da proteína p16, que é uma proteína supressora tumoral importante.[10] A região 9p também contém o *locus* do gene do interferon alfa (IFN-alfa). Uma vez que a proteína IFN-alfa pode induzir a apoptose no câncer urotelial, a inativação do gene IFN-alfa pode contribuir para a progressão da doença.[11] Assim, as análises de instabilidade em microssatélites como marcadores genéticos podem ser importantes para complementar o diagnóstico atual do câncer de bexiga.

TELOMERASE

A telomerase é um complexo enzimático que contém uma subunidade de RNA (hTR, *human Telomerase RNA*) e uma subunidade catalítica (hTERT, *human Telomerase Reverse Transcriptase*) e é responsável por adicionar sequências nucleotídicas ao DNA dos telômeros, estruturas que formam o final dos cromossomas. Muitas células somáticas não expressam atividade da telomerase e o DNA telomérico é perdido a cada ciclo de divisão celular. A atividade da telomerase está associada à imortalidade celular e à tumorigênese. Os métodos de detecção das subunidades hTR e hTERT são essenciais para avaliar o papel da telomerase no desenvolvimento e na progressão tumoral.[12,13]

A alta atividade da telomerase é encontrada em diversas neoplasias malignas, incluindo o câncer de bexiga. O nível de expressão dos transcritos de hTERT foi significativamente maior na urina dos pacientes diagnosticados com câncer de bexiga em comparação com a urina do grupo- controle, sugerindo o envolvimento de hTERT nos eventos iniciais de desenvolvimento do tumor.[14] Sanchini *et al.*[15] determinaram a atividade da telomerase em amostras de urina de 121 pacientes com câncer de bexiga. A atividade da enzima foi, em média, 8 vezes maior nas amostras dos pacientes do que nas amostras controle. Além disso, o método apresentou alta especificidade (72 a 92%) e alta sensibilidade (75 a 93%), especialmente em pacientes com a citologia urinária negativa e em lesões de baixo grau, representando uma importante ferramenta com a capacidade de detectar a presença de tumores de bexiga.[15]

Chang *et al.*[16] realizaram um estudo abrangente sobre o risco de câncer de bexiga avaliando 126 SNPs (polimorfismos de nucleotídeo único, *single nucleotide polymorphism*) de 10 genes relacionados com a regulação dos telômeros em 803 pacientes diagnosticados com câncer de bexiga. A associação mais significativa foi encontrada no SNP rs2228041 de *TEP1*, (OR 1,66, IC 95% 1,19-2,31), enquanto o SNP rs1469557 de *PINX1* teve um efeito protetor (OR 0,75, IC 95% 0,61-0,93) (16). A TEP1 (*Telomerase-associated Protein 1*) é uma proteína associada à telomerase e estudos prévios mostraram que as alterações em TEP1 estão relacionadas com o aumentado risco de câncer de bexiga.[17] Futuros estudos são necessários para determinar como este SNP afeta a função de TEP1, a atividade da telomerase e a sua participação na etiologia do câncer de bexiga. O gene *PINX1 (PIN2-Interactin protein 1)* está localizado na região cromossômica 8p23 e codifica uma proteína que pode se ligar diretamente à hTERT e inibir a atividade da telomerase. Foi demonstrado que a inibição de PINX1 conduz a uma ativação aberrante da telomerase, sugerindo evidências do papel de *PINX1* como supressor de tumor em potencial. Uma vez que a telomerase encontra-se ativada em 80 a 90% dos casos de câncer, surge uma nova estratégia de tratamento para o câncer por inibição da telomerase utilizando PINX1 em células cancerosas que superexpressam a telomerase.[18]

MARCADORES GENÉTICOS E EPIGENÉTICOS

A tumorigênese é um processo de múltiplos passos resultante do acúmulo de alterações genéticas e epigenéticas na célula. A seguir serão listados os genes que já foram identificados, estando envolvidos com os diferentes processos celulares para promover a iniciação, a progressão, a angiogênese e a metástase dos tumores de bexiga.

FGFR3, receptor do fator de crescimento de fibroblastos tipo 3

O receptor do fator de crescimento de fibroblastos tipo 3 (FGFR3, *Fibroblast Growth Factor Receptor 3*) pertence à família de receptores tirosina quinase. O gene FGFR3 *está localizado na região cromossômica 4p16.3*. Receptores como o FGFR3 regulam diversos processos celulares, incluindo o crescimento celular, a diferenciação e a angiogênese. Em razão do fato de o gene *FGFR3* ser expresso tanto no tumor de bexiga quanto no urotélio normal, as mutações em *FGFR3* são responsáveis pelo desenvolvimento do câncer de bexiga por ativarem o potencial de sinalização deste receptor. Essas mutações são predominantes nos tumores de baixo grau.[19]

Um estudo em 2006 avaliou a frequência de mutações em *FGFR3* em pacientes com câncer de bexiga. Os resultados indicaram que as mutações foram mais frequentes entre as neoplasias de baixo potencial de malignidade (77%) e nos tumores de estágio e grau de diferenciação TaG1/TaG2 (61/58%) do que nos tumores classificados como TaG3 (34%) e T1G3 (17%). Além disso, observou-se que o polimorfismo F386L foi mais frequente entre os pacientes com tumores de baixo grau.[20]

EGFR, receptor do fator de crescimento epitelial

O receptor do fator de crescimento epitelial (EGFR, *Epidermal Growth Factor Receptor*) é membro da família de receptores tirosinoquinase HER/ErbB. O gene está localizado na região 7p11.2. A superexpressão de EGFR já foi observada em diversos tumores epiteliais, incluindo o tumor de bexiga, resultando no descontrole da proliferação celular.[21] A positividade para EGFR detectada nos tumores de bexiga foi significativamente associada ao alto grau e à progressão desses tumores.[22] Os métodos terapêuticos de inibição da atividade de EGFR estão sendo investigados. A terapia com o anticorpo monoclonal anti-EGFR, cetuximab, tem apresentado resultados promissores.[23]

Mais sobre a proteína supressora tumoral p53

A fosfoproteína nuclear denominada p53 é vista como a molécula mais crucial envolvida na regulação do ciclo celular. A proteína p53 responde a uma variedade de estímulos de estresse celular por meio da regulação de diferentes genes-alvo para formar uma rede complexa de sinalização a fim de impedir a propagação dos danos na célula.[24] Cerca de 75% das alterações em *TP53* ocorrem por troca de um nucleotídeo (mutação *missense*). Essas mutações *missense* ocasionam a perda da atividade supressora de p53. A expressão da proteína mutada é altamente elevada, ocasionando o seu acúmulo nuclear nas células tumorais. Existem diversos trabalhos demonstrando que a proporção das alterações em p53 aumenta gradativamente do urotélio normal ao linfonodo metastático, estando associada, portanto, à progressão dos tumores de bexiga.[25]

RUNX3 *(Runt-related transcription factor 3)*

O gene *RUNX3 (Runt-related transcription factor 3)* pertence a uma família de fatores de transcrição e está localizado na região cromossômica 1p36. As alterações no padrão de metilação de *RUNX3* já foram detectadas em alguns tipos de câncer humano, incluindo o câncer de bexiga.[26] A hipermetilação dos promotores dos genes é um mecanismo epigenético que acarreta inativação transcricional e pode estar relacionada com a carcinogênese humana.[27]

Kim *et al.*[28] investigaram as alterações genéticas e epigenéticas de *RUNX3* em 124 amostras de tumor de bexiga analisando o padrão de metilação e o perfil transcricional do gene. A metilação de *RUNX3* ocorreu em 73% das amostras de tumor analisadas. Em contraste, a mucosa normal não apresentou qualquer nível de metilação detectável. O estudo constatou que a hipermetilação de *RUNX3* foi correspondente com a inativação transcricional por ausência de expressão do mRNA de *RUNX3* nas amostras de tumor. O estudo revelou ainda que a hipermetilação de *RUNX3* confere um aumento de 100 vezes no risco de desenvolvimento do câncer de bexiga e parece estar positivamente associada ao estadiamento, à recidiva e à progressão do tumor. Esses dados indicam que RUNX3 é necessário para inibir tanto a iniciação quanto a agressividade dos tumores de bexiga, e, portanto, o estado de metilação do gene *RUNX3* pode ser um potencial marcador de diagnóstico.[28]

RASSF1 (Ras association domain family protein 1)

O gene supressor de tumor RASSF1 (*Ras association domain family protein 1*) está localizado na região cromossômica 3p21.3 e codifica três isoformas, RASSF1A, RASSF1B e RASSF1C. A inativação epigenética de RASSF1 por metilação já foi observada em diversos tipos de câncer, incluindo câncer de bexiga.[29]

Lee *et al.*[30] realizaram um estudo avaliando a expressão de RASSF1 tanto em linhagens celulares de câncer de bexiga quanto em amostras de tumor provenientes de pacientes diagnosticados com câncer de bexiga. A maioria das linhagens celulares (80%) e das amostras de tumor (61,8%) apresentou perda ou baixa expressão dos transcritos de RASSF1A. Além disso, essa baixa expressão foi correlacionada com o estágio avançado dos tumores, em que os níveis de mRNA do RASSF1A não foram detectados em 44,4% dos tumores superficiais (Ta-T1) e em 78,6% dos tumores invasivos (T2-T4). O estudo também demonstrou que a perda de expressão de RASSF1A foi fortemente associada à hipermetilação da sua região promotora e que a expressão de RASSF1A nas linhagens celulares foi restaurada por tratamento com o agente desmetilante 5-aza-2'-desoxicitidina. Esses dados demonstram que a inativação de RASSF1A tem um papel importante na progressão do câncer de bexiga.[30]

As proteínas RAS, na sua forma ativada (associadas à GTP), podem interagir com diferentes moléculas efetoras para regular os diversos processos celulares, incluindo a proliferação e a diferenciação.[31] Já foi demonstrado que RASSF1 apresenta um domínio de ligação à RAS e essa interação promove a apoptose dependente de RAS. Sendo assim, a inativação de RASSF1 favorece o crescimento oncogênico, proporcionado por RAS, e torna-se um importante mecanismo na tumorigênese.[32]

VEGF (fator de crescimento endotelial vascular)

O crescimento do tumor e o mecanismo de metástase são dependentes da angiogênese e o fator de crescimento endotelial vascular (VEGF, *Vascular Endothelial Growth Factor*) é um regulador chave deste processo.[33,34] Um estudo recente demonstrou que as concentrações urinárias de VEGF, da anidrase carbônica 9 (CA9) e da angiogenina foram significativamente elevadas em pacientes com câncer de bexiga, tendo sido o VEGF o marcador com maior precisão. Os valores de sensibilidade e de especificidade para VEGF (83 e 87%, respectivamente) superaram os valores de BTA (80% e 84%, respectivamente), indicando que o VEGF poderia ser um importante marcador para a detecção do câncer de bexiga.[35]

Através da técnica de imuno-histoquímica, Shariat *et al.*[36] investigaram se a expressão dos marcadores de angiogênese, como o VEGF, o fator de crescimento de fibroblastos e a TSP-1 (trombospondina-1, *thrombospondin 1*), poderia estar relacionada com o câncer urotelial, analisando 204 pacientes que foram submetidos à cistectomia radical. Além disso, também foi avaliada a correlação desses marcadores com os marcadores moleculares que geralmente estão alterados no câncer urotelial. A superexpressão de VEGF e do fator de crescimento de fibroblastos foi detectada em 86 e 79% desses pacientes, respectivamente. No entanto, a baixa expressão de TSP-1 foi observada em 63% dos pacientes. A expressão do fator de crescimento de fibroblastos e de TSP-1 foi significativamente associada ao risco de recidiva e TSP-1 foi associada à mortalidade específica da doença. Adicionalmente, a expressão de VEGF foi associada a alterações em p21, p27 e pRB, reguladores do ciclo celular. Estes achados sugerem que os agentes antiangiogênicos já aprovados para o tratamento terapêutico de outras doenças possam ter alguma eficácia no tratamento do câncer urotelial.[36] Os estudos de inibição do VEGF para potencializar a terapia anticâncer também estão sob investigação.[23]

MMP (metaloproteinases da matriz)

A matriz extracelular é uma barreira a ser ultrapassada pela célula tumoral para iniciar o processo de invasão e de metástase. As metaloproteinases da matriz (MMP, *Matrix Metalloproteinase*) pertencem à família das endoproteinases que degradam a maioria dos componentes da matriz extracelular (MEC). Entre elas, as MMP-2 e MMP-9 são capazes de degradar diversas proteínas da MEC, especialmente o colágeno tipo IV. Em condições fisiológicas normais, as funções das MMPs estão associadas à organogênese e à reparação tecidual. O papel fisiopatológico das MMPs, no entanto, não está limitado à degradação e ao remodelamento dos componentes da MEC e inclui a sua participação na angiogênese, na migração e na proliferação celular. A expressão das MMPs tem sido estudada como potencial marcador de comportamento tumoral em várias neoplasias. A expressão de MMP-2 e MMP-9 tem sido relacionada com a invasão tecidual e ao desenvolvimento de metástases. A análise do perfil de expressão do mRNA de todas as 24 MMPs em 113 amostras de tumor de bexiga revelou a superexpressão de MMP-2 e de MMP-9, havendo significativa correlação entre o nível de expressão dos transcritos de MMP-2 e o grau do tumor.[37]

BLCA-4

As proteínas de matriz nuclear possuem uma dinâmica função na organização da morfologia nuclear, regulação da expressão gênica e replicação. Alterações na estrutura e na morfologia do núcleo podem comprometer a fidelidade dos processos nucleares e favorecer os mecanismos de tumorigênese. BLCA-4 é uma proteína de matriz nuclear fortemente associada ao câncer de bexiga. A expressão de BLCA-4 foi examinada em pacientes com câncer de bexiga. O imunoensaio revelou que todas as amostras dos indivíduos controle foram negativas para a expressão de BLCA-4, enquanto 53 das 55 amostras dos pacientes foram positivas. O ensaio mostrou que BLCA-4 é um marcador com alta sensibilidade (96,4%) e especificidade (100%) para detecção do câncer de bexiga, sendo útil no diagnóstico.[38]

E-caderina

As caderinas pertencem à família de glicoproteínas transmembrana e são responsáveis pelo mecanismo de adesão célula-célula dependente de cálcio. As E-caderinas são principalmente encontradas nos tecidos epiteliais e contribuem para a organogênese e a morfogênese. O gene da E-caderina está localizado na região cromossômica 16q22.1. A função da E-caderina é mediada pela interação com as cateninas citoplasmáticas α, β e γ. Essas cateninas conectam a E-caderina com o citoesqueleto. Sendo assim, a diminuição de expressão da E-caderina está associada à aquisição do fenótipo invasivo das células de tumores epiteliais. A expressão da E-caderina foi avaliada em amostras de tumor de bexiga por análise de imuno-histoquímica e por RT-PCR semiquantitativo. A diminuição de expressão da E-caderina foi correlacionada com a recidiva, o estágio, o grau e a progressão do tumor, indicando que alterações no perfil de expressão da E-caderina estão correlacionadas com o processo de invasividade dos tumores de bexiga.[39]

Survivina

A survivina é um membro da família de inibidores da apoptose e é responsável por controlar a progressão na mitose e por induzir mudanças na expressão de genes que estão associados à invasividade da célula tumoral. O mRNA da survivina é expresso durante o desenvolvimento embrionário e fetal, tornando-se indetectável ou com baixos níveis de expressão na maioria dos tecidos adultos normais. No entanto, a survivina pode ser encontrada superexpressa em diversos tipos de câncer. A inibição da apoptose induzida pela survivina pode favorecer o crescimento e a progressão tumoral.

A expressão da survivina foi avaliada pelo método de imuno-histoquímica em 36 amostras de tumor de bexiga. A survivina foi detectada em 78% das amostras, sendo mais frequente nos tumores de alto grau (90% em tumores de grau 2 e 100% nos tumores de grau 3) do que nos tumores de baixo grau (65%) e foi ausente no urotélio normal. A média do tempo de recidiva entre os pacientes com tumor de grau 1 e survivina negativa foi de 36 meses em comparação com o tempo de 12 meses observado entre os pacientes com tumor de grau 1 e survivina positiva.[40] Um estudo realizado em 2007 avaliou a expressão de survivina em 222 pacientes com câncer de bexiga submetidos à cistectomia radical e à linfadenectomia bilateral. A expressão da survivina foi detectada em 64% das amostras de cistectomia e em 94% dos linfonodos malignos. Nenhuma expressão da survivina foi detectada no urotélio normal. A expressão de survivina também foi associada à recidiva e à mortalidade específica da doença.[41]

POLIMORFISMOS GENÉTICOS – REPARO DE DNA

Os polimorfismos genéticos são variações em sequências genéticas que podem afetar a qualidade funcional da proteína relacionada com o gene que sofreu alteração e influenciar na carcinogênese. Os mecanismos de reparo de DNA humano são essenciais à manutenção da estabilidade genômica. Distintas vias de reparo de DNA, executadas por mais de 150 proteínas, já foram identificadas e são responsáveis pelo reconhecimento e remoção de diferentes tipos de danos presentes no genoma. Sendo assim, os polimorfismos em genes de reparo de DNA podem alterar a capacidade de reparo, levar ao acúmulo de mutações no DNA e favorecer o processo de transformação maligna.[42]

Diversas evidências apontam a correlação entre as alterações genéticas em genes de reparo de DNA e o aumento do risco de câncer de bexiga. A análise de polimorfismo no códon 751 do gene *XPD* indicou uma maior prevalência do alelo variante 751Gln entre o grupo de pacientes com câncer de bexiga em comparação com o grupo-controle.[43] Um estudo realizado em 2010, com 234 pacientes com câncer de bexiga, avaliou a contribuição de polimorfismos nos genes *XRCC1* e *APE1* com o risco de câncer de bexiga. Os genótipos 194Trp/Trp e 280Arg/His de *XRCC1* foram associados a risco aumentado do câncer de bexiga (OR = 3,90 e OR = 2,53, respectivamente). Em contraste, o genótipo 656GG de *APE1* foi associado a risco diminuído.[44]

A citotoxicidade de diversos agentes anticâncer está diretamente relacionada com a sua capacidade de induzir danos no DNA. No entanto, a habilidade das células tumorais para reconhecer este dano e iniciar o processo de reparo pode ser um importante mecanismo de resistência terapêutica. A inibição farmacológica dos componentes da via de reparo de DNA pode ser uma estratégia utilizada para aumentar a citotoxicidade de um amplo espectro dos agentes anticâncer. APE1 é uma enzima multifuncional. Além do seu papel em processar os sítios *apurínicos ou apirimidínicos (sítios* AP), a enzima APE1 também possui atividade redox que regula a atividade de ligação ao DNA de diversos fatores de transcrição. O agente E3330 bloqueia a atividade redox de APE1 e a *metoxiamina* é uma pequena molécula que se liga especificamente aos sítios AP e previne o seu processamento pela APE1. Os estudos com linhagens celulares de câncer de ovário mostraram que a combinação de E3330 com *metoxiamina* aumenta a citotoxicidade dos agentes alquilantes.[45]

EXPRESSÃO GÊNICA GLOBAL

A análise do perfil de expressão gênica tem sido utilizada como estratégia de identificação dos subtipos moleculares, podendo auxiliar na classificação de diferentes tumores. A tecnologia do microarranjo de DNA permite avaliar o perfil global de expressão de diversos genes simultaneamente, possibilitando a identificação de grupos de genes que são diferencialmente expressos no tumor. Essa análise já foi realizada para identificar genes com perfil diferencial de expressão no câncer de bexiga.[46]

Um estudo realizado em 2006 utilizou a tecnologia de microarranjo de DNA para investigar genes diferencialmente expressos que pudessem contribuir para o curso de progressão do câncer de bexiga. Nesse estudo, foram identificados 136 genes superexpressos e 69 genes subexpressos nos tumores de bexiga. Os resultados revelaram que, dentre os genes superexpressos, a maioria estava relacionada com o metabolismo (36%) e com a transcrição e o processamento (14%), podendo assim revelar um importante papel no desenvolvimento e na progressão tumoral. Já com relação aos genes subexpressos, observou-se que a maior parte estava associada à adesão celular (25%) e com citoesqueleto/membrana celular (21%), sugerindo que as células tumorais adquirem a habilidade de migrar em função da baixa expressão desses genes. O gene *CKS2 (CDC2-associated protein)* foi o único que apresentou níveis de expressão significativamente maiores nos tumores invasivos em comparação com os tumores superficiais. Sendo assim, o gene *CKS2* revelou ser um importante biomarcador para o câncer de bexiga, além de estar correlacionado com a progressão tumoral.[47]

Outro estudo também identificou genes diferencialmente expressos no câncer de bexiga por meio da tecnologia de microarranjo de DNA. Comparando os tumores com as amostras controle e os tumores de baixo grau com os tumores de alto grau, observou-se diferença de expressão entre esses grupos. As análises de expressão revelaram que os tumores T1 de alto grau agrupam com os tumores T2 de alto grau, indicando que os tumores T1 de alto grau são biologicamente mais semelhantes aos tumores musculoinvasivos. Tal fato não é surpreendente, visto que entre 30 a 50% dos tumores T1 de alto grau progridem para doença musculoinvasiva mesmo após a terapia adjuvante com BCG. Esses dados suportam a ideia de que apenas a classificação morfológica não é suficiente para classificar os tumores de bexiga, especialmente para os tumores T1 de alto grau, levantando a necessidade da classificação molecular.[48]

PROTEÔMICA

Dentre as tecnologias emergentes, a proteômica fornece abordagens valiosas sobre a biologia do câncer, podendo beneficiar o diagnóstico e a identificação de novos alvos para intervenção terapêutica.[49] A identificação do perfil de expressão de um conjunto particular de proteínas, realizado por diferentes técnicas, permite um conhecimento avançado sobre o fenótipo de uma célula. A técnica consiste na extração e na análise de proteínas de qualquer tecido ou fluido biológico.

Várias proteínas expressas pelo urotélio não maligno e que perdem ou diminuem a sua expressão ao longo do processo de progressão tumoral da bexiga foram identificadas, sendo elas: GSTm, prostaglandina desidrogenase, queratina 13 e A-FABP (proteína de ligação de ácidos graxos dos adipócitos). Alguns desses marcadores, incluindo a proteína A-FABP, foram validados em estudos posteriores. Ohlsson *et al.*[50] realizaram um estudo abrangente do perfil de expressão de proteínas em 153 amostras de bexiga (46 biópsias não malignas, 11 pTa G1, 40 pTa G2, 10 pTa G3, 13 pT1 G3, 23 pT2–4 G3 e 10 pT2–4 G4). No estudo, observou-se a baixa expressão de A-FABP em lesões invasivas, resultado que foi correspondente com as análises de imuno-histoquímica para as mesmas amostras. Estes resultados demonstram que a desregulação de A-FABP desempenha um importante papel na progressão do câncer de bexiga, sugerindo que a proteína A-FABP possa ter um significativo valor de prognóstico em combinação com outros biomarcadores.[50] A psoriasina (S100A7), uma proteína que se liga ao cálcio, é liberada na urina e é expressa, principalmente, no carcinoma de células escamosas, podendo ser um biomarcador em potencial para detectar esse tipo de alteração.[51] Um estudo realizado pelo grupo de Gromov[52] analisou 151 amostras de urina dos pacientes com carcinoma urotelial. Neste estudo, observou-se que o fibrinogênio (FG) e os produtos de degradação do fibrinogênio (FDPs) são liberados na urina em níveis elevados e podem ser biomarcadores proteômicos candidatos ao carcinoma urotelial. Os níveis elevados de FG/FDPs na urina foram encontrados em 99% dos tumores superficiais, 97% dos casos inicialmente invasivos e 96% dos tumores altamente invasivos.[52]

Um estudo conduzido em 2010 observou aumento da expressão de cinco proteínas nas amostras de urina de pacientes com câncer de bexiga através de eletroforese bidimensional (2-DE) acoplada com espectrometria de massa (MS) e análise de bioinformática. Dentre as proteínas encontradas estão o fibrinogênio, a lactato desidrogenase B (LDHB), a apolipoproteína-A1 (Apo-A1), a clusterina (CLU) e a haptoglobina (Hp). A expressão de Apo-A1 foi significativamente maior nas amostras de urina do grupo de pacientes com tumores agressivos com relação ao grupo com tumores de baixo potencial de malignidade. A sensibilidade e a especificidade da Apo-A1 foi de 91,6% e 85,7%, respectivamente.[53]

Zoidakis *et al.*[54] aplicaram a estratégia de fracionamento de proteínas urinárias baseada na utilização de *cromatografia de afinidade* por *metal* imobilizado (IMAC) para a descoberta de biomarcadores indicadores de agressividade para o câncer de bexiga. As amostras de urina de pacientes com câncer de bexiga invasivo e não invasivo foram avaliadas. Dentre as proteínas identificadas, diversas incluem as proteínas que já demonstraram estar associadas ao câncer de bexiga, como a MMP-9, as formas de fibrinogênio e a clusterina. Em concordância com os resultados da IMAC, aminopeptidase N, profilina 1 e mieloblastina foram diferencialmente expressos na urina de pacientes com tumor invasivo em comparação com a urina de pacientes com tumor não invasivo, por análises de *Western Blot* ou Elisa. A expressão de profilina 1 foi diminuída nas células epiteliais dos tumores invasivos (T2+) em comparação com os tumores não invasivos (T1G3), com ocasional expressão no estroma. A profilina 1 foi, portanto, associada à agressividade dos tumores de bexiga.[54]

Um estudo recente identificou 29 proteínas com abundância significativamente maior na urina de pacientes com câncer de bexiga em comparação com a urina do grupo-controle. Dentre as proteínas identificadas, destacaram-se o precursor de fibrinogênio de cadeia β (beta), apolipoproteína E, α-1-antitripsina e α-2-glicoproteína 1 rica em leucina. As análises por *dot-blot* indicaram o fibrinogênio de cadeia β (beta) e a α-1-antitripsina como os biomarcadores mais interessantes, tendo os valores de sensibilidade e especificidade variando de 66-85%. Essas proteínas apresentam potencial para utilidade em diagnóstico, monitorização de recidivas e, portanto, podem melhorar o tratamento dos tumores de bexiga, especialmente dos tumores não musculoinvasivos.[55]

CONCLUSÕES

O câncer de bexiga é uma doença heterogênea e compreende múltiplos e complexos eventos de alterações moleculares associados à iniciação e à progressão tumoral. Os biomarcadores genéticos e os proteômicos permitem identificar as características biológicas desses tumores e muitos apresentam resultados promissores para futura validação. O interesse clínico nesses biomarcadores para o câncer de bexiga ocorre pela sua capacidade em auxiliar no diagnóstico, no monitoramento e na avaliação da resposta terapêutica. Além disso, a combinação da classificação molecular com a histopatológica pode fornecer uma valiosa contribuição para refinar a classificação dos tumores uroteliais e auxiliar na decisão da terapia a ser utilizada de acordo com o perfil genético.

REFERÊNCIAS BIBLIOGRÁFICAS

1. Abd El Gawad IA, Moussa HS, Nasr MI *et al.* Comparative study of NMP-22, telomerase, and BTA in the detection of bladder cancer. *J Egypt Natl Canc Inst* 2005;17:193-202.
2. Budman LI, Kassouf W, Steinberg JR. Biomarkers for detection and surveillance of bladder cancer. *Can Urol Assoc J* 2008;2:212-21.
3. Keesee SK, Briggman JV, Thill G *et al.* Utilization of nuclear matrix proteins for cancer diagnosis. *Crit Rev Eukaryot Gene Expr* 1996;6:189-214.
4. Hosseini J, Golshan AR, Mazloomfard MM *et al.* Detection of recurrent bladder cancer: NMP22 test or urine cytology? *Urol J* 2012;9:367-72.
5. Halling KC, King W, Sokolova IA *et al.* A comparison of cytology and fluorescence in situ hybridization for the detection of urothelial carcinoma. *J Urol* 2000;164:1768-75.
6. Junker K, Fritsch T, Hartmann A *et al.* Multicolor fluorescence in situ hybridization (M-FISH) on cells from urine for the detection of bladder cancer. *Cytogenet Genome Res* 2006;114:279-83.
7. Warne D, Watkins C, Bodfish P *et al.* Tetranucleotide repeat polymorphism at the human-actin related pseudogene 2(actbp-2) detected using the polymerase chain reaction. *Nucleic Acids Res* 1991;19:6980.
8. Fadl-Elmula I, Kytölä S, Pan Y *et al.* Characterization of chromosomal abnormalities in uroepithelial carcinomas by G-banding, spectral karyotyping and FISH analysis. *Int J Cancer* 2001;92:824-31.
9. Olumi AF, Tsai YC, Nichols PW *et al.* Allelic loss of chromosome 17p distinguishes high grade from low grade transitional cell carcinomas of the bladder. *Cancer Res* 1990;50:7081-83.
10. Williamson MP, Elder PA, Shaw ME *et al.* p16 (CDKN2) is a major deletion target at 9p21 in bladder cancer. *Hum Mol Genet* 1995;4:1569-77.
11. Papageorgiou A, Lashinger L, Millikan R *et al.* Role of tumor necrosis factor-related apoptosis-inducing ligand in interferon-induced apoptosis in human bladder cancer cells. *Cancer Res* 2004;64:8973-79.
12. Takihana Y, Tsuchida T, Fukasawa M *et al.* Real-time quantitative analysis for human telomerase reverse transcriptase mRNA and human telomerase RNA component mRNA expressions as markers for clinicopathologic parameters in urinary bladder cancer. *Int J Urol* 2006;13:401-8.
13. Wege H, Chui MS, Le HT *et al.* SYBR Green real-time telomeric repeat amplification protocol for the rapid quantification of telomerase activity. *Nucleic Acids Res* 2003;31(2):E3-3.
14. Mezzasoma L, Antognelli C, Del Buono C *et al.* Expression and biological-clinical significance of hTR, hTERT and CKS2 in washing fluids of patients with bladder cancer. *BMC Urol* 2010;10:17.
15. Sanchini MA, Bravaccini S, Medri L *et al.* Urine telomerase: an important marker in the diagnosis of bladder cancer. *Neoplasia* 2004;6:234-39.
16. Chang J, Dinney CP, Huang M *et al.* Genetic variants in telomere-maintenance genes and bladder cancer risk. *PLoS One* 2012;7(2):e30665.
17. Andrew AS, Gui J, Sanderson AC *et al.* Bladder cancer SNP panel predicts susceptibility and survival. *Hum Genet* 2009;125:527-39.
18. Zhou XZ, Huang P, Shi R *et al.* The telomerase inhibitor PinX1 is a major haploinsufficient tumor suppressor essential for chromosome stability in mice. *J Clin Invest* 2011;121:1266-82.
19. van Rhijn BW, Lurkin I, Radvanyi F *et al.* The fibroblast growth factor receptor 3 (FGFR3) mutation is a strong indicator of superficial bladder cancer with low recurrence rate. *Cancer Res* 2001;61:1265-68.
20. Hernández S, López-Knowles E, Lloreta J *et al.* Prospective study of FGFR3 mutations as a prognostic factor in nonmuscle invasive urothelial bladder carcinomas. *J Clin Oncol* 2006;24:3664-71.
21. Chow NH, Chan SH, Tzai TS *et al.* Expression profiles of ErbB family receptors and prognosis in primary transitional cell carcinoma of the urinary bladder. *Clin Cancer Res* 2001;7:1957-62.
22. Neal DE, Sharples L, Smith K *et al.* The epidermal growth factor receptor and the prognosis of bladder cancer. *Cancer* 1990;65:1619-25.
23. Tabernero J. The role of VEGF and EGFR inhibition: implications for combining anti-VEGF and anti-EGFR agents. *Mol Cancer Res* 2007;5:203-20.
24. Giono LE, Manfredi JJ. The p53 tumor suppressor participates in multiple cell cycle checkpoints. *J Cell Physiol* 2006;209:13-20.
25. Shariat SF, Tokunaga H, Zhou J *et al.* p53, p21, pRB, and p16 expression predict clinical outcome in cystectomy with bladder cancer. *J Clin Oncol* 2004;22:1014-24.
26. Kim EJ, Kim YJ, Jeong P *et al.* Methylation of the RUNX3 promoter as a potential prognostic marker for bladder tumor. *J Urol* 2008;180:1141-45.
27. Abbosh PH, Wang M, Eble JN *et al.* Hypermethylation of tumor-suppressor gene CpG islands in small-cell carcinoma of the urinary bladder. *Mod Pathol* 2008;21:355-62.
28. Kim WJ, Kim EJ, Jeong P *et al.* RUNX3 inactivation by point mutations and aberrant DNA methylation in bladder tumors. *Cancer Res* 2005;65:9347-54.
29. Hu J, Li H, Shi T *et al.* Relationship between the expression of RASSF1A protein and promoter hypermethylation of RASSF1A gene in bladder tumor. *J Huazhong Univ Sci Technolog Med Sci* 2008;28:182-84.
30. Lee MG, Kim HY, Byun DS, Lee SJ, Lee CH, Kim JI, Chang SG, Chi SG. Frequent epigenetic inactivation of RASSF1A in human bladder carcinoma. *Cancer Res* 2001;61:6688-92.
31. Schubbert S, Shannon K, Bollag G. Hyperactive Ras in developmental disorders and cancer. *Nat Rev Cancer* 2007;7:295-308
32. Vos MD, Ellis CA, Bell A, Birrer MJ, Clark GJ. Ras uses the novel tumor suppressor RASSF1 as an effector to mediate apoptosis. *J Biol Chem* 2000;275:35669-72.
33. Borgström P, Bourdon MA, Hillan KJ *et al.* Neutralizing anti-vascular endothelial growth factor antibody completely inhibits angiogenesis and growth of human prostate carcinoma micro tumors in vivo. *Prostate* 1998;35:1-10.
34. Ferrara N, Davis-Smyth T. The biology of vascular endothelial growth factor. *Endocr Rev* 1997;18:4-25.
35. Urquidi V, Goodison S, Kim J *et al.* Vascular endothelial growth factor, carbonic anhydrase 9, and angiogenin as urinary biomarkers for bladder cancer detection. *Urology* 2012;79:1185.e1-6.
36. Shariat SF, Youssef RF, Gupta A *et al.* Association of angiogenesis related markers with bladder cancer outcomes and other molecular markers. *J Urol* 2010;183:1744-50.
37. Wallard MJ, Pennington CJ, Veerakumarasivam A *et al.* Comprehensive profiling and localisation of the matrix metalloproteinases in urothelial carcinoma. *Br J Cancer* 2006;94:569-77.
38. Konety BR, Nguyen TS, Dhir R *et al.* Detection of bladder cancer using a novel nuclear matrix protein, BLCA-4. *Clin Cancer Res* 2000;6:2618-25.
39. Popov Z, Gil-Diez de Medina S, Lefrere-Belda MA *et al.* Low E-cadherin expression in bladder cancer at the transcriptional and protein level provides prognostic information. *Br J Cancer* 2000;83:209-14.
40. Swana HS, Grossman D, Anthony JN *et al.* Tumor content of the antiapoptosis molecule survivin and recurrence of bladder cancer. *N Engl J Med* 1999;341:452-53.
41. Shariat SF, Ashfaq R, Karakiewicz PI *et al.* Survivin expression is associated with bladder cancer presence, stage, progression, and mortality. *Cancer* 2007;109:1106-13.

42. Berwick M, Vineis P. Markers of DNA repair and susceptibility to cancer in humans: an epidemiologic review. *J Natl Cancer Inst* 2000;92:874-97.
43. Gao W, Romkes M, Zhong S et al. Genetic polymorphisms in the DNA repair genes XPD and XRCC1, p53 gene mutations and bladder cancer risk. *Oncol Rep* 2010;24:257-62.
44. Wang M, Qin C, Zhu J et al. Genetic variants of XRCC1, APE1, and ADPRT genes and risk of bladder cancer. *DNA Cell Biol* 2010;29:303-11.
45. Madhusudan S, Hickson ID. DNA repair inhibition: a selective tumour targeting strategy. *Trends Mol Med* 2005;11:503-11.
46. Modlich O, Prisack HB, Pitschke G et al. Identifying superficial, muscle-invasive, and metastasizing transitional cell carcinoma of the bladder: use of cDNA array analysis of gene expression profiles. *Clin Cancer Res* 2004;10:3410-21.
47. Kawakami K, Enokida H, Tachiwada T et al. Identification of differentially expressed genes in human bladder cancer through genome-wide gene expression profiling. *Oncol Rep* 2006;16:521-31.
48. Mengual L, Burset M, Ars E et al. DNA microarray expression profiling of bladder cancer allows identification of noninvasive diagnostic markers. *J Urol* 2009;182:741-48.
49. Jain KK. Innovations, challenges and future prospects of oncoproteomics. *Mol Oncol* 2008;2:153-60.
50. Ohlsson G, Moreira JM, Gromov P et al. Loss of expression of the adipocyte-type fatty acid-binding protein (A-FABP) is associated with progression of human urothelial carcinomas. *Mol Cell Proteomics* 2005;4:570-81.
51. Gromov P, Moreira JM, Gromova I et al. Proteomic strategies in bladder cancer: From tissue to fluid and back. *Proteomics Clin Appl* 2008;2:974-88.
52. Gromov P, Moreira MA, Gromova I et al. Proteomic analysis of urinary fibrinogen degradation products in patients with urothelial carcinomas. *Clin Proteomics* 2006;2:45-66.
53. Li H, Li C, Wu H et al. Identification of Apo-A1 as a biomarker for early diagnosis of bladder transitional cell carcinoma. *Proteome Sci* 2011;9:21.
54. Zoidakis J, Makridakis M, Zerefos PG et al. Profilin 1 is a potential biomarker for bladder cancer aggressiveness. *Mol Cell Proteomics* 2012;11(4):M111.009449.
55. Lindén M, Lind SB, Mayrhofer C et al. Proteomic analysis of urinary biomarker candidates for nonmuscle invasive bladder cancer. *Proteomics* 2012;12:135-44.

Parte X

ONCOLOGIA PEDIÁTRICA

X

CAPÍTULO 200

Aspectos Gerais em Oncologia Pediátrica

Ricardo Vianna de Carvalho

INTRODUÇÃO

"A avaliação de uma criança com "tumor" inicia-se com a obtenção de uma boa anamnese e um exame físico apurado"

A maioria dos tumores infantis ocorre em crianças abaixo dos 5 anos. A apresentação do tumor difere para cada faixa etária, crianças com a mesma patologia podem ter apresentações diferentes. A natureza biológica dos tumores infantis, a clínica e os tipos histopatológicos são bastante distintos das doenças malignas que incidem na vida adulta. Os cânceres na infância apresentam período de latência curto, com crescimento rápido e são agressivamente invasivos, e, raramente, aparecem decorrentes de exposição a carcinógenos.

O câncer em crianças e adolescentes representa aproximadamente 10% das patologias do universo infantil, que se agrupam nas duas primeiras décadas de vida. Em nível mundial, cerca de 260 mil novos pacientes pediátricos são diagnosticados. A proporção média é de 12 a 16 casos novos para cada 100 mil habitantes com idade abaixo de 20 anos.

As neoplasias malignas mais comuns em crianças são as doenças hematológicas: leucemias e linfomas. Os tumores do sistema nervoso central e o retinoblastoma ocupam, respectivamente, o primeiro e o segundo lugares dos tumores sólidos na infância.

O diagnóstico precoce é fator prognóstico. Na realidade, observa-se uma dificuldade em fazer o diagnóstico de câncer em crianças, decorrente do pequeno número de casos que um pediatra clínico verá durante toda a sua vida e dos sinais e sintomas nem sempre específicos.

O padrão de ocorrência do câncer pediátrico é distinto do padrão de ocorrência do câncer adulto, tanto em localização, como no tipo histopatológico, como no seu comportamento clínico. Embora tumores malignos infantis ocorram em 2%, eles representam um importante problema social com impacto na criança, nos seus pais, parentes e amigos.

A história de câncer familiar ou a presença de síndromes devem orientar o pediatra na direção de um acompanhamento mais rigoroso para um possível diagnóstico precoce de um câncer na infância e para o pronto encaminhamento para o devido tratamento (Quadro 1).

Na investigação laboratorial das massas abdominais, algumas delas secretam substâncias específicas, que podem estar presentes no sangue, na urina, ou no liquor, que são os marcadores biológicos e que podem orientar o diagnóstico. Estes marcadores além de orientar o diagnóstico servem para avaliar a resposta ao tratamento e no controle e acompanhamento pós-tratamento.

A alfafetoproteína é um destes marcadores, podendo estar elevada nos tumores da linhagem germinativa e nos tumores hepáticos, principalmente no hepatoblastoma.

Tumores de origem neural, como o neuroblastoma, têm como marcadores o ácido vanilmandélico e homovanilmandélico que são de eliminação urinária. A ferritina sérica também pode estar elevada nesses tumores.

Vários métodos de imagem podem ser utilizados para a investigação das massas abdominais, acompanhamento e evolução dos pacientes. Desde a radiografia simples de tórax e abdome, a ultrassonografia abdominopélvica (US), a tomografia computadorizada abdominopélvica (TC) até a ressonância magnética abdominopélvica (RM), que definem com maior clareza o órgão envolvido, a consistência e os limites.

Para que o Brasil melhore os dados estatísticos, é importante enfrentar dois problemas que são observados nos centros de tratamento em oncologia pediátrica: o diagnóstico tardio e a qualidade heterogênea dos serviços que atendem crianças com câncer. A integralidade está respaldada na portaria 3.535, de 1998 do Ministério da Saúde, necessária para quem se habilite a oferecer tratamento em oncologia infantil.

O melhor tratamento do câncer infantil será aquele realizado por uma equipe multidisciplinar especializada em oncologia pediátrica.

ANATOMIA PATOLÓGICA

Grande parte do tratamento clínico do paciente acometido de tumores depende em parte do tratamento clinicocirúrgico, bem como da sequência da identificação histológica e segura da natureza da lesão. Sem essa contribuição, o clínico trataria de doença obscura com evolução incerta e de prognóstico desconhecido. O patologista deve possuir orientação clínica suficiente para correlacionar os dados clínicos com a lesão morfológica. Patologistas experientes em reconhecer os tumores utilizando técnicas modernas de citoquímica, citoimuno-histoquímica e biologia molecular.

TRÍADE ONCOLÓGICA PEDIÁTRICA

O tratamento em oncologia pediátrica em muito tem evoluído com o acréscimo de novas tecnologias e procedimentos, como será descrito nos capítulos que se sucedem com critério para cada patologia, mas a base de raciocínio terapêutico em muito se baseia na tríade: Cirurgia, Radioterapia e Quimioterapia.

Quimioterapia

A quimioterapia veio aumentar a sobrevida dos pacientes pediátricos oncológicos. O uso de protocolos, incluindo vários agentes quimioterápicos, possibilitou a chance de maior resposta terapêutica e diminuiu o risco de resistência tumoral quando comparado aos protocolos com drogas únicas.

Drogas antineoplásicas são mais eficazes quando administradas como adjuvantes, ou seja, quando não há evidência de doença residual no sítio primário após cirurgia e/ou radioterapia, com risco de recaída em locais metastáticos.

Radioterapia

A radioterapia contribuiu bastante no tratamento do câncer infantil, principalmente nos estágios avançados, porém esta modalidade terapêutica requer atenção especial nas suas indicações em virtude das sequelas no crescimento do paciente pediátrico.

Os avanços tecnológicos com os aparelhos aceleradores lineares, os tridimensionais e os conformacionais permitiram o aprimoramento desta terapêutica com resultado de menores efeitos tóxicos.

Estudos de laboratório das bases celulares e mecanismos moleculares de resistência e resposta à radiação são a base da radioterapia. O objetivo da radioterapia é oferecer uma taxa de radiação que possa destruir as

Quadro 1. Situações especiais

Aniridia Hipospádia Criptorquidia	Tumor de Wilms
Hemi-hipertrofia	Tumor de Wilms e hepatoblastoma
Neurofibromatose	Neurofibroma e sarcomas
Puberdade precoce	Ca suprarrenal

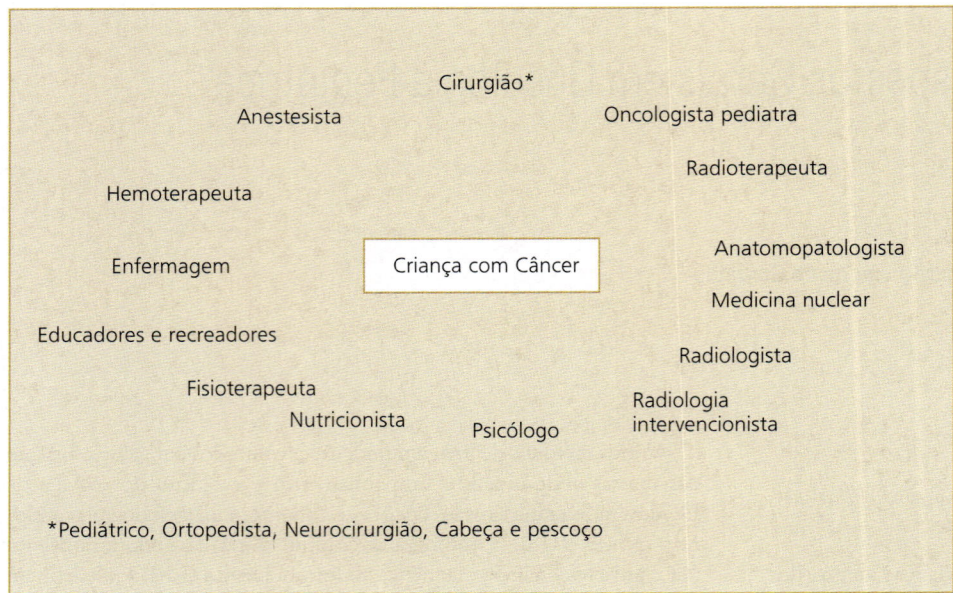

◀ **FIGURA 1.** Aspectos gerais em oncologia cirúrgica pediátrica – tratamento multidisciplinar.

células tumorais em sua fase de divisão oncogênica sem causar destruição do tecido normal, incluindo a sensibilidade do desenvolvimento e crescimento dos tecidos normais.

Cirurgia

A participação do cirurgião pediátrico é fundamental na abordagem da criança portadora de neoplasia maligna, e o seu conhecimento sobre oncologia pediátrica influenciará no prognóstico.

Mantendo uma linha de pensamento multimodal, a combinação multidisciplinar evoluiu com o refinamento da quimioterapia e da radioterapia que permitiram procedimentos cirúrgicos com menor mutilação e mais eficazes.

O estadiamento tumoral permite definir a extensão da doença e com isso estabelecer o tratamento mais adequado e o prognóstico.

Com avanço dos estudos realizado pelos grupos cooperativos e consensos em pediatria oncológica tendo em mente a necessidade de adaptação aos protocolos e pesquisas para com as realidades de cada região: América do Norte, América Latina e Sociedade Europeia. Com essas evoluções poderemos compreender a verdadeira natureza, origem e características biológicas do tumor em crianças. Certamente nos trará aprimoramento, conhecimento e auxílio na conduta e no tratamento do câncer infantil.

Tem sido estabelecido que para crianças a classificação de câncer precisa ser com base mais na morfologia do que na localização primária do tumor. Vários sistemas de classificação dos tumores pediátricos foram usados no passado, mas o de Birch e Marsen, 1987 (foi utilizado nas tabelas comparativas de incidência, passando a ser a partir de então adotado como padrão).

Dentre os estudos atuais, podemos propor que, no futuro do tratamento em oncologia pediátrica, haja a necessidade de um tratamento combinado, realizado em centros especializados de oncologia infantil, tendo um melhor conhecimento da história natural do tumor com aprimoramento de suas características biomoleculares de respostas ao tratamento, permitindo melhores estadiamentos e opções de tratamento. O importante será ter a possibilidade de análises retrospectivas de nossas ações com a formação de novas propostas nas avaliações prospectivas do tratamento oncológico infantil.

Uma classificação padrão é fundamental para se comparar dados de diferentes regiões e intervalos de tempo. Impõe-se uma revisão periódica, que precisa de continuidade para permitir estudos comparativos a longo prazo. A integração da agência Internacional de Pesquisa em Câncer (IARC), da Associação Internacional de Registros de Câncer (IACR), e da Sociedade Internacional de Oncologia Pediátrica (SIOP).

Sabemos que a chegada de novas terapias, equipamentos e medicamentos melhoram as expectativas de tratamento do câncer, mas não são o suficiente para seu controle. A redução de novos casos depende mais da prevenção do que do tratamento, e nos casos do câncer infantil, da conscientização e *expertise* e profissionais especializados e atentos em identificar ou suspeitar da patologia oncológica para o tratamento. Em resumo, sabemos que a oncologia pediátrica baseia-se em um tratamento multidisciplinar como se segue na Figura 1.

BIBLIOGRAFIA

Ahuja AT, Ying M. Sonographic evaluation of cervical lymph nodes. *AJR Am J Roentgenol* 2005;184(5):1691-99.

Billmire D, Vinocur F, Rescorla B et al. Outcome and staging evaluation in malignant germ cell tumors of the ovary in children and adolescents: na intergroup study. *J Pediatr Surg* 2004;39(3):424-29.

Cass DL, Hawkins E, Brandt ML et al. Surgery for ovarian masses in infants, childrens and adolescents: 102 consecutive patients treated in a 15-year period. *J Pediatr Surg* 2001;36(5):693-99.

Ciftci AO, Bingöl-Kologlu, Senocak ME et al. Testicular tumors in children. *J Pediatr Surg* 2001;36(12):1796-801.

Clínicas Cirúrgicas da América do Norte. *Cirurgia pediátrica*. Rio de Janeiro: Interlivros, 1992, vol. 6.

Clinicas Pediátricas da América do Norte. *Oncologia pediátrica*. Rio de Janeiro: Interlivros, 1997, vol. 4.

Czauderna P, Otte JB, Aronson DC et al. Guidelines for surgical treatment of hepatoblastoma in the modern era – Recommendations from the childhood liver tumour. Strategy Group of the International Society of Paediatric Oncology (SIOPEL). *Eur J Cancer* 2005;(41):1031-36.

D'Angio GJ et al. *Pediatria oncologica prática*. Rio de Janeiro: Revinter, 1995.

Guia da boa cidadania corporativa 2002 projeto destaques sociais.

Jordan N, Tyrrell J. Management of enlarged cervical Lymph nodes. *Curr Paediatrics* 2004;14:154-59.

Leung AKC, Robson WLM. Childhood cervical lymphadenopathy. *J Pediatr Health Care* 2004;18:3-7.

Lopes LF. (Eds.). *Protocolo de tratamento dos tumores de células germinativas na infância* – Protocolo TCG 99. São Paulo: LeMar, 1999.

Morowitz M, Huff D, von Allmen D. Epithelial ovarian tumors in children: a retrospective analysis. *J Pediatr Surg* 2003;38(3):331-35.

Otte JB, Pritchard J, Aronson DC et al. Liver transplantation for hepatoblastoma: results from the International Society of Pediatric Oncology (SIOP) Study SIOPEL-1 and Review of the World Experience. *Pediatr Blood Cancer* 2004;42:74-83.

Pearse I, Glick RD, Abramson SJ et al. Testicular-sparing surgery for benign testicular tumors. *J Pediatr Surg* 1999;34(6):1000-3.

Phillip A. Pizzo D. Poplack PG. Principles and practice of pediatric oncology. 3rd ed. Philadelphia: Lippincott Williams & Wilkins, 1997.

Schlatter M, Rescorla F, Giller R et al. Excellent Outcome in Patients With Stage I germ cell tumors of the testes: a study of the children's cancer group/pediatric oncology group. *J Pediatr Surg* 2003;38(3):319-24.

Soldes OS, Younger JG, Hirschl RB. Predictors of malignancy in childhood peripheral lymphadenopathy. *J Pediatr Surg* 1999 Oct.;34(10):1447-52.

Zozikov B, Kamenova M, Otsetov A. Intrascrotal nontesticular tumors. *Khirurgiia* (Sofiia). 1999;55(2):47-52.

CAPÍTULO 201

Trombose na Criança com Câncer

Simone Gregory ■ Ernesto De Meis

INTRODUÇÃO

A trombose atualmente é reconhecida como um problema de saúde pública por algumas entidades já que é responsável por 10% das causas dos óbitos hospitalares, é a segunda causa de morte em pacientes oncológicos e, em alguns países, mata mais que câncer de mama, AIDS e acidentes automobilísticos juntos.[1-5]

Além de ser uma causa importante de mortalidade, a trombose também é considerada como causa de morbidade e afastamento do paciente das atividades normais, levando a uma piora significativa na qualidade de vida.[6]

IMPACTO DA TROMBOSE NO CÂNCER

Atualmente, vários indícios têm demonstrado uma grande interação entre o sistema da coagulação e o crescimento das neoplasias. Duas evidências importantes são a capacidade do fator tecidual (gatilho da coagulação) e a trombina produzida (através do estímulo de receptores específicos) em estimular a angiogênese, que é vital para o crescimento da neoplasia. A trombina tem um papel adicional através de estímulos específicos em aumentar o potencial metastático da célula, e estimulando a ativação de outras enzimas (metaloproteinases e plasmina) que destruirão o colágeno adjacente à célula neoplásica, abrindo espaço para o crescimento do câncer.[7-9]

Clinicamente, a trombose reflete uma ativação descontrolada desses mecanismos, já existindo evidências importantes de que o paciente com trombose e câncer terá uma sobrevida mais curta do que o paciente com câncer sem trombose (Fig. 1).

Estudo feito no banco de registros Medcare com mais de 8 milhões de pacientes sem neoplasia e 1 milhão de pacientes com câncer evidenciou que pacientes oncológicos com diagnóstico de trombose associada tiveram um risco de falecer (pela neoplasia) nos subsequentes 6 meses de acompanhamento muito maior do que aqueles pacientes com câncer sem trombose.[10]

Estudo prospectivo feito no INCA em pacientes portadores de adenocarcinoma de pulmão também mostrou resultado semelhante.[11]

Porém, apesar de trombose em adultos ser assunto cada vez mais estudado e documentado na infância, somente recentemente os pediatras começaram a perceber que a trombose não é doença de paciente de faixas etárias mais elevadas, consequentemente, o diagnóstico de trombose em crianças está aumentando progressivamente ao longo das duas últimas décadas.[12]

Na oncologia, este achado pode ser demonstrado pelo levantamento feito no Instituto Nacional de Câncer – RJ, HCI, em um período de 2 anos, onde 29 pacientes menores de 18 anos tiveram trombose (Quadro 1). O número de eventos trombóticos em crianças parece pequeno quando comparado ao número de eventos em pacientes adultos, porém vale lembrar que o número global de pacientes pediátricos atendidos pela instituição é muito menor do que o número de pacientes adultos.

Ao avaliar os pacientes pediátricos da instituição, foram identificados diversos fatores de risco relacionados com o aparecimento das tromboses. Os mais importantes foram a presença da própria neoplasia (e seu estadiamento), o uso de quimioterapia e a presença de catéter venoso central. Porém, atualmente, sabe-se que a trombose é de origem multifatorial e que vários outros fatores de risco (tanto hereditários, quanto adquiridos) podem estar presentes. No entanto, para que ocorra o evento trombótico, não há obrigatoriedade de identificar uma trombofilia hereditária, ao contrário, muitos pacientes apresentarão apenas fatores de risco adquiridos durante o evento trombótico.[13,14]

FATORES DE RISCO

A trombose tem caráter multifatorial, e associação de vários fatores aumenta o risco trombótico. Câncer, quimioterapia e presença de catéter venoso são fatores de risco imprescindíveis (Quadro 2).

Quadro 1. Distribuição pós-faixa etária de eventos trombóticos ocorridos no HCI, INCA-RJ

FAIXA ETÁRIA	TVP	TEP
< 18 anos	27	2
18 -50 anos	209	15
> 18 anos	232	21

Quadro 2. Fatores de risco para trombose

■ Idade (recém-nascido e adolescente)	■ Trombofilia hereditária
■ Estase venosa	■ Homocisteinemia
■ História prévia ou familiar de trombose	■ Presença de antifosfolipídeo
■ Imobilidade	■ Aumento de fator VIII
■ Presença de catéter venoso	■ Diminuição da proteína C
■ Câncer	■ Diminuição da antitrombina III
■ Uso de quimioterápicos	
■ Terapia de reposição hormonal	
■ Infecção	
■ Cirurgia de grande porte	

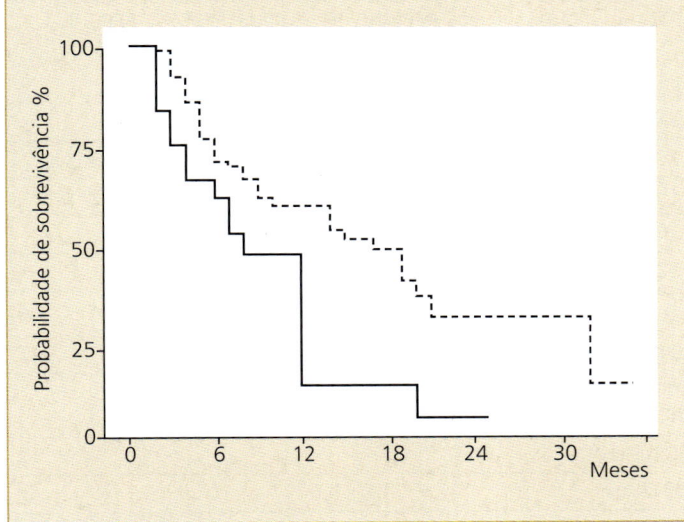

▲ **FIGURA 1.** Curva de sobrevida de pacientes com adenocarcinoma de pulmão em relação à trombose: 26 com trombose e 83 sem trombose.

Quadro 3. Casos de distúrbio de coagulação

FAIXA ETÁRIA
- Lactente: 4,5%
- Pré-escolar: 18%
- Escolar: 23%
- Adolescente: 54,5%

DOENÇA DE BASE
- Tumores sólidos metastáticos: 18,7%
- Tumores do SNC: 23%
- Leucoses: 13,6%

FATORES ASSOCIADOS
- Catéter venoso profundo: 36%
- Quimioterapia: 80,2%
- Presença de anticoagulante lúpico: 50%
- Fator VIII elevado: 37%
- Proteína C baixa: 17%
- Redução da antitrombina sérica: 22,3%

Um exemplo pode ser visto no ambulatório pediátrico de distúrbios da coagulação do HCI, onde em 1 ano foram identificados 22 casos com as características descritas no Quadro 3.

MANEJO CLÍNICO

1. O primeiro passo é SUSPEITAR! Vale a pena lembrar que o evento de trombose pode ser silencioso ou pode confundir com outras complicações encontradas no paciente oncológico.
2. Solicitar exames de imagem para confirmar diagnóstico: Doppler ou angiografia, na suspeita de trombose venosa, e ecocardiograma, angiotomografia e/ou cintilografia, na suspeita de embolia pulmonar.
3. Não atrasar início da anticoagulação. Sempre que possível, preferir heparina de baixo peso molecular graças a seu manejo mais fácil, porém a heparina não fracionada também pode ser utilizada.
4. Muito cuidado com o uso de heparina, se o paciente tiver evidências de trombocitopenia severa < 50.000. Não existe estudo clínico confirmando o valor ideal de plaquetas, porém esta é a faixa mais aceita na literatura.
5. Em relação às heparinas, no paciente com *clearance* de creatinina maior ou igual a 30 mL/min, pode-se utilizar dose total. Naqueles com *clearance* entre 15 e 30 mL/min, deve-se reduzir a dose em 50% e, se possível, acompanhar com dosagem da atividade anti-Xa. Naqueles com *clearance* abaixo de 15 mL/min só se deve fazer heparina, caso possa acompanhar a atividade anti-Xa. Por isso, a função renal do paciente deve ser acompanhada durante o uso das heparinas.[15]
6. Solicitar estudo da coagulação basal (TAP, PTT, fibrinogênio e D-dímero).
7. Se possível solicitar pesquisa de trombofilia (LAC, ACL, FV, FVIII, AT, PTNC) – considerar que alterações na fase aguda da trombose podem ser transitórias, sendo necessário posterior repetição dos exames. Porém ao solicitar estes exames, estaremos apenas tentando entender melhor o evento, uma vez que não vão influenciar diretamente na tomada de decisão quanto à anticoagulação. Devemos lembrar que a coleta destes exames em vigência de anticoagulantes pode levar a resultados equívocos.
8. Na decisão de iniciar anticoagulação, devem-se considerar sítio e extensão de trombose; potencial para morbidade e mortalidade; risco de sangramento; evidências científicas sempre que possível e buscar sempre o menor risco.[16]
9. Atentar para as particularidades da infância que interferem na anticoagulação: redução dos níveis de proteínas da coagulação dependentes de vitamina K e dos inibidores naturais das Proteínas C e S em recém-nascidos; níveis de AT baixos e flutuantes em lactentes.

TRATAMENTO

Heparina não fracionada (HNF)

Considerações
- Variabilidade conforme dose e faixa etária.
- Limitação do PTTa para monitorização.
- Atividade Anti-Xa tem maior acurácia.
- Principal indicação: pacientes graves com alto risco de sangramento.

Posologia
- *Inicial:* 75 UI/kg IV em 10 minutos.
- *Manutenção:* < 1 ano: 28 UI/kg/h/>1 ano: 20 UI/kg/h.

Ajustar visando manter o (PTTa) entre 1,5 e 2,0, e este deve ser avaliado a cada 6 horas após ajuste de cada dose (Quadro 4).

Efeitos colaterais
Sangramento, trombocitopenia, osteoporose, principalmente quando associado a esteroides.

Desvantagens
Necessita-se acesso venoso exclusivo e exige-se controle laboratorial rigoroso.

Alguns pacientes possuem alterações secundárias à neoplasia na coagulação (fibrinólise, presença de antifosfolipídeo etc.) e, com isso, o parâmetro do PTTa pode não refletir de forma fiel o grau de anticoagulação do paciente.

Em razão de sua alta ligação a proteínas, pode variar a anticoagulação com *status* nutricional, aumento de imunoglobulinas e outras situações clínicas que modifiquem os níveis séricos de proteínas.

Atualmente, as heparinas convencionais disponíveis no mercado são muito heterogêneas, de modo que, dependendo da fonte, podemos ter comportamentos diferentes.[17]

Há maior risco de desenvolver trombocitopenia induzida pela heparina.

Tratamento do sangramento induzido pela heparina
Protamina na concentração máxima de 10 mg/mL, na velocidade máxima de 5 mg/min. Dose máxima de 50 mg (Quadro 5).

Heparina de baixo peso molecular

Vantagens
- Administração subcutânea.
- Monitorização mínima.
- Ação sofre menor interferência com os níveis proteicos (decorrente de seu baixo potencial de ligação a proteínas).

Quadro 4. Rotina de ajustes de doses

PTTa	DOSE BOLUS IV	PERÍODO DE SUSPENSÃO	AJUSTE DA DOSE mL/h	REPETIR PTTa EM
< 1,2	50 UI/kg	0	+ 10%	6 h
< 1,5	0	0	+ 10%	6 h
1,5 -2,5	0	0	0	em 24 horas
2,5-3,0	0	0	- 10%	em 24 horas
3,0-3,7	0	30 min	- 10%	6 h
> 3,7	0	60 min	- 10%	6 h

Quadro 5. Rotina de tratamento em uso de heparina

TEMPO DA ÚLTIMA DOSE DE HEPARINA	PROTAMINA DOSE mg/100 UI HEPARINA
< 30	1
30-60 min	0,5-0,75
60-120 min	0,375-0,5
> 120 min	0,25-0,375

- Menor risco de trombocitopenia induzida pela heparina quando comparada à não fracionada.
- Maior segurança para uso prolongado.
- Possibilita tratamento domiciliar, pois pode ser usada tanto na fase aguda, como no tratamento de manutenção.

Desvantagem

A dose usada é idade-dependente, pois a ação é relacionada com os níveis de antitrombina.

Monitorizar: função renal e contagem de plaquetas.

Administração subcutânea: o que a médio e longo prazos pode reduzir a adesão ao tratamento.

Posologia

1. Enoxaparina:
   - Tratamento:
     - < 2 meses de idade: 1,5 mg/kg de 12/12 horas.
     - > 2 meses de idade: 1 mg/kg de 12/12 horas.
   - Profilaxia:
     - < 2 meses de idade: 1,5 mg/kg de 24/24 horas.
     - > 2 meses de idade: 1,0 mg/kg de 24/24 horas.
2. Reviparina:
   - Tratamento:
     - Até 5 kg: 150 U/kg/dose – 12/12 horas.
     - Acima de 5 kg: 100 U/kg/dose – 12/12 horas.
3. Tinziparina:
   - Tratamento:
     - 0 a 2 m: 275 U/kg.
     - 2 m a 1 ano: 250 U/kg.
     - 5 a 10 a: 100 U/kg.
     - 10 a 18 a: 175 U/kg.

Profilaxia primária

Não é indicada rotineiramente graças à presença de CVC.

Considerar no paciente com câncer e fatores de risco associados, como faixa etária, grande cirurgia, infecção, história de trombose prévia etc. (Quadro 2).

Considerar também em pacientes com cardiopatias congênitas.

Tratamento do sangramento induzido pela heparina de baixo peso

As heparinas de baixo peso são inibidas de forma menos eficiente pela protamina do que as heparinas convencionais. Porém, em caso de sangramento aumentado ela pode ser utilizada da mesma forma, apenas devendo considerar que a atividade da heparina de baixo peso deverá reduzir entre 40-60%, enquanto na convencional a reversão pode ser completa.

REFERÊNCIAS BIBLIOGRÁFICAS

1. Bikdeli B. When the game demons take real lives: a call for global awareness raising for venous thromboembolism. *Thromb Res* 2012;129(2):207.
2. Bounameauxa H, Spirkb D, Kucherc N. A nation-wide initiative against venous thromboembolism. *Swiss Med Wkly* 2011;141:w13241.
3. Lindblad B, Sternby N H, Bergqvist D. Incidence of venous thromboembolism verified by necropsy over 30 years. *BMJ* 1991;302:709-11.
4. Siragusa S, Armani U, Carpenedo M et al. Prevention of venous thromboembolism in patients with cancer: guidelines of the Italian Society for Haemostasis and Thrombosis (SISET). *Thromb Res* 2012;129(5):e171-76.
5. Tapson VF, Hyers TM, Waldo AL et al. NABOR (National Anticoagulation Benchmark and Outcomes Report) Steering Committee. Antithrombotic therapy practices in US hospitals in an era of practice guidelines. *Arch Intern Med* 2005;165(13):1458-64.
6. van Korlaar IM, Vossen CY, Rosendaal FR et al. The impact of venous thrombosis on quality of life. *Thromb Res* 2004;114(1):11-18.
7. De Meis E, Levy RA. Câncer e trombose: uma revisão da literatura. *Rev Bras Cancerol* 2007;53(2):183-93.
8. de Meis E, Azambuja D, Ayres-Silva JP et al. Increased expression of tissue factor and protease-activated receptor-1 does not correlate with thrombosis in human lung adenocarcinoma. *Braz J Med Biol Res* 2010 Apr.;43(4):403-8.
9. Franchini M, Mannucci PM. Thrombin and cancer: from molecular basis to therapeutic implications. *Semin Thromb Hemost* 2012;38:95-101.
10. Levitan N, Dowlati A, Remick SC et al. Rates of initial and recurrent thromboembolic disease among patients with malignancy versus those without malignancy. Risk analysis using Medicare claims data. *Medicine* (Baltimore) 1999;78(5):285-91.
11. de Meis E, Pinheiro VR, Zamboni MM et al. Clotting, immune system, and venous thrombosis in lung adenocarcinoma patients: a prospective study. *Cancer Invest* 2009 Dec.;27(10):989-97.
12. Newall F, Ignjatovic V, Summerhayes R et al. In vivo age dependency of unfractionated heparin in infants and children. *Thromb Res* 2009;123:710-14.
13. Goldenberg NA, Bernard TJ. Venous thromboembolism in children. *Hematol Oncol Clin N Am* 2010;24:151-66.
14. Connolly GC, Khorana AA. Risk stratification for cancer-associated venous thromboembolism. *Best Pract Res Clin Haematol* 2009;22:35-47.
15. Crowther M, Lim W. Low molecular weight heparin and bleeding in patients with chronic renal failure. *Curr Opin Pulm Med* 2007;13:409-13.
16. Monagle P et al. Antithrombotic therapy in neonates and children. American College of Chest Physicians Evidence-Based Clinical Practice Guidelines. 8th ed. *Chest* 2008;133:887S-968.
17. Melo EI, Pereira MS, Cunha RS et al. Heparin quality control in the Brazilian market: implications in the cardiovascular surgery. *Rev Bras Cir Cardiovasc* 2008;23(2):169-74.

CAPÍTULO 202

Cuidados Paliativos Pediátricos

Marina Sevilha Balthazar dos Santos

INTRODUÇÃO

Os cuidados paliativos encontram suas origens na era medieval. Eles surgiram com o impulso humano de aliviar o sofrimento e ajudar ao próximo, mesmo em uma época onde havia parcos recursos disponíveis para isso. Com o passar do tempo, ele transformou-se em uma mistura de ciência e arte, onde o que sempre tem maior peso é a qualidade de vida dos pacientes.

Quando se trata de crianças, este fundamento torna-se ainda mais delicado, visto que o que se espera de uma criança é que ela cresça, se desenvolva, conquiste seu lugar no mundo, coisas que a morte prematura interrompe de formas abrupta e dolorosa.

Os cuidados paliativos pediátricos são uma modalidade de cuidados relativamente recentes que vêm sendo cada vez mais estudada e pesquisada, frente à percepção de sua grande importância. Melhorar a qualidade de vida de crianças e adolescentes com doenças crônicas e/ou ameaçadoras à vida tem sido o desafio de milhares de profissionais ao redor do mundo nas últimas décadas. Muito já se pesquisou, e hoje temos evidências que comprovam a eficácia de determinadas condutas, assim como a ineficácia de outras.

O papel da equipe multidisciplinar nos cuidados paliativos é fazer com que a transição entre a vida saudável, a doença e o desfecho, seja ele a cura ou a morte, seja tão tranquila quanto possível, e trazer conforto e alívio para os sofrimentos físico, emocional, social e espiritual.

Os cuidados paliativos pediátricos estão fortemente relacionados com os cuidados paliativos do adulto, porém apresentam algumas particularidades incluídas em sua definição, segundo a Organização Mundial de Saúde:

- Os cuidados paliativos pediátricos são os cuidados ativos totais do corpo, mente e espírito da criança, e também envolve o suporte à sua família.
- Ele começa quando a doença é diagnosticada e continua independentemente do fato de a criança receber tratamento específico para a doença.
- A equipe de saúde deve avaliar e aliviar os sofrimentos físico, psicológico e social.
- Os cuidados paliativos efetivos requerem uma ampla abordagem multidisciplinar que inclui a família e faz uso dos recursos disponíveis na comunidade. Eles podem ser implementados com sucesso, mesmo quando os recursos são limitados.
- Eles podem ser oferecidos em centros terciários, centro comunitário de saúde e até mesmo na casa da criança.[1]

Apesar das semelhanças conceituais com os cuidados paliativos aplicados em adultos, existem algumas diferenças que devem ser consideradas. Para tratar uma criança, não basta que ajustem-se as doses de medicações. Devemos considerar que crianças, adolescentes e suas famílias possuem demandas diferentes de acordo com cada faixa etária, além de diferentes graus de compreensão do processo do adoecimento, do conceito da morte. Uma compreensão completa da morte requer a integração de diversos conceitos, e estudos sugerem que as crianças iniciam o processo de compreensão da morte como uma mudança de estado aos 3 anos, como conceito universal aos 5 ou 6 anos, e como algo pessoal aos 8 ou 9 anos de idade.[2]

Outro aspecto relevante diz respeito às particularidades do cuidado com o adolescente. Ao mesmo tempo em que absorvem a complicada transição para a idade adulta, os adolescentes se veem frente a um futuro perdido do qual não farão parte, simultaneamente lidando com tratamentos desgastantes, dolorosos e, muitas vezes, fúteis.[3]

Uma das prerrogativas dos cuidados paliativos é a boa comunicação entre equipe e família, e isto é especialmente relevante em cuidados paliativos pediátricos. Um grande percentual desses pacientes não é capaz de compreender todos os aspectos relativos ao tratamento e tomar decisões de forma autônoma, portanto, este contato acontece predominantemente com os pais ou responsáveis.

Evidências mostram que a comunicação sincera e detalhada a respeito do quadro clínico e do prognóstico não apenas favorece a esperança, ao invés de destruí-la, como também faz com que a família tenha mais confiança nos julgamentos da equipe, uma melhor compreensão das experiências vividas ao longo do processo de adoecimento da criança e fica menos descontente com informações relativas ao prognóstico.[4]

É necessária uma conscientização da equipe, não apenas a de cuidados paliativos, como também toda a equipe de profissionais que lida com estes pacientes, para a importância dos aspectos emocionais relativos ao cuidado. O papel do psicólogo é fundamental, mas ele não deve ser o único membro da equipe a prover suporte emocional. Este suporte deve abranger uma abertura para ouvir e responder perguntas, visitas frequentes ao paciente, estímulo à arte e brincadeiras criativas que podem ajudar as crianças e adolescentes a expressarem seus sentimentos e temores.

A equipe deve também estar preparada para lidar e dar apoio frente a manifestações de desapontamento, raiva, luto e sofrimento expressadas pelos familiares. Deve reassegurar à família e ao paciente o envolvimento contínuo dos profissionais, que estão habilitados a prover cuidado, atenção, carinho e suporte, tanto no âmbito da doença física, como emocional. Isso reduz o sofrimento gerado pelo medo do abandono que historicamente acompanhou os pacientes em fase de doença terminal. Deve haver apoio psicológico aos pais durante o tratamento e também após a morte da criança, através de encontros regularmente agendados, que convidem a família a retornar ao hospital e celebrar junto à equipe a vida da criança falecida.[5]

Em decorrência da complexidade dos temas relativos aos cuidados paliativos, assim como sua enorme importância, eles não podem ser um luxo a que apenas alguns pacientes têm direito. Eles tem que ser vistos como o que realmente são: uma necessidade básica de todos os pacientes que sofrem em razão de uma enfermidade, especialmente as crônicas e/ou progressivas. A ideia que muitos têm de que esta modalidade de cuidado só encontra seu espaço com a iminência da morte também precisa ser desmistificada. Os cuidados paliativos começam quando há sofrimento, seja ele físico, emocional ou espiritual, e devem ser praticados por profissionais capacitados para isso.

REFERÊNCIAS BIBLIOGRÁFICAS

1. WHO. Definition of palliative care. Disponível em: www.who.int/cancer/palliative/definition, 2009.
2. Himelstein BP, Hilden JM, Boldt AM et al. Pediatric palliative care. *N Engl J Med* 2004;350:1752-62.
3. George R, Hutton S. Palliative care in adolescents. *Eur J Cancer* 2003;39:2262-68.
4. Mack JW, Wolfe J, Cook EF et al. Hope and prognostic disclosure. *J Clin Oncol* 2007;25:5636-42.
5. American academy of pediatrics – Committee on bioethics and committee on hospital care. *Pediatrics* 2000 Aug.;106(2 Pt 1):351-57.

CAPÍTULO 203

Protocolos de Conduta na Rotina de Anestesia Pediátrica para Cirurgia Abdominal de Grande Porte

Tânia Carla de Menezes Cortez ■ Anna Lúcia Calaça Rivoli
Ana Cristina Pinho Mendes Pereira

INTRODUÇÃO E CONTEXTUALIZAÇÃO

A experiência do nosso serviço em anestesia para cirurgias pediátricas abdominais de grande porte é para os tumores sólidos, cuja incidência varia de acordo com a faixa etária (Quadro 1). Geralmente, os pacientes pediátricos chegam a nossa instituição para a confirmação diagnóstica de uma massa abdominal. Após exame físico criterioso, realização e avaliação de exames pré-operatórios (laboratoriais, radiológicos, biópsia de medula óssea, mielograma etc.), os pacientes são incluídos em protocolos pré-estabelecidos que definirão a conduta terapêutica. Em alguns casos, o tratamento terá início com quimioterapia neoadjuvante, visando à redução tumoral pré-operatória. Em outros, será indicada a biópsia tumoral percutânea para esclarecimento diagnóstico e início do tratamento quimioterápico pré-operatório. E, por fim, a laparotomia exploradora para a ressecção tumoral, ou apenas para a realização de biópsia diagnóstica.

VISITA PRÉ-ANESTÉSICA

A visita pré-anestésica tem como principal objetivo o conhecimento mútuo entre o paciente, os familiares e o anestesiologista. É neste momento que devemos explicar aos pais e a criança, quando possível, todos os procedimentos que serão realizados, na tentativa de conquistar a confiança de ambos. Em seguida, avaliamos a necessidade da medicação pré-anestésica (Quadro 2). Quando optamos por sua prescrição, o Midazolam 0,5-0,7 mg/kg pela via oral é a nossa escolha. Em nosso serviço, a presença de um dos responsáveis pela criança durante a indução anestésica é rotineira (Fig. 1).

ANTIBIOTICOTERAPIA PROFILÁTICA OU TERAPÊUTICA

CEFAZOLINA 25-30 mg/kg/dose, a ser repetida a intervalos de 2 horas, em um total de 3 doses. Se houver necessidade, repetir a mesma dose a cada 6 horas.

Quadro 1. Incidência de tumores sólidos abdominais de acordo com a faixa etária

< 1 ANO	1-3 ANOS	3-11 ANOS	11-21 ANOS
Neuroblastoma	Neuroblastoma	Neuroblastoma	Linfoma
Tumor de Wilms	Tumor de Wilms	Tumor de Wilms	Rabdomiossarcoma
Nefroma mesoblástico	Hepatoblastoma	Linfoma	Carcinoma hepatocelular
Hepatoblastoma	Teratomas	Tumores hepáticos	
	Tumores germinativos		

Quadro 2. Medicação pré-anestésica de acordo com a faixa etária

RN-6 meses	Indiferente
6 meses-2 anos	Temor pela separação
2 anos-7 anos	Temor pela mutilação
> 7 anos	Temor pela morte

MONITORIZAÇÃO

Além da monitorização básica de rotina e que inclui eletrocardiograma (ECG), oxipletismografia, pressão arterial não invasiva (PANI), capnometria, capnografia e temperatura esofagiana, acrescenta-se a pressão arterial invasiva, SVO_2 central e estimulador de nervo periférico de acordo com a complexidade do procedimento cirúrgico e/ou comorbidade da criança (Fig. 2).

HIDRATAÇÃO E REPOSIÇÃO VOLÊMICA

A reposição dos três primeiros parâmetros deve ser feita com soluções cristaloides do tipo Ringer lactato. Já as perdas além das previstas devem ser repostas de acordo com o líquido perdido. Por exemplo: a perda por

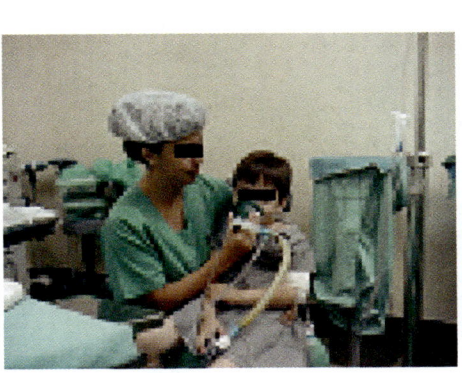

▲ FIGURA 1. Indução anestésica.

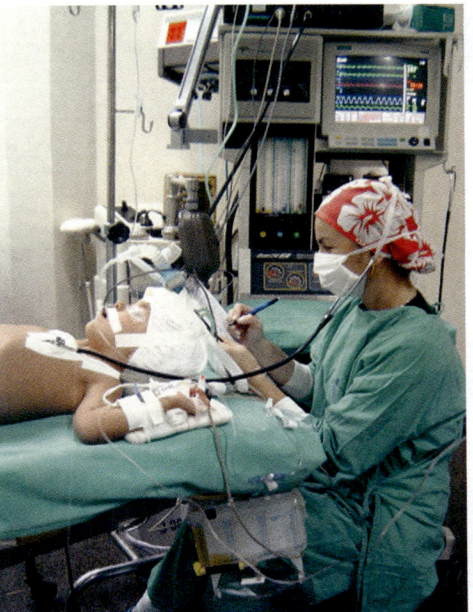

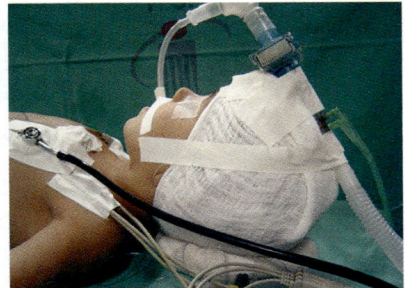

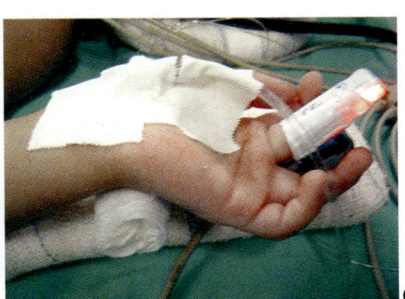

▲ FIGURA 2. (A-C) Demonstração da fixação do sistema proposto.

Quadro 3. Tópicos de atenção ao manuseio de volumes

1. NECESSIDADE HÍDRICA HORÁRIA	
1-10 kg	4 mL/kg
10-20 kg	40 mL + 2 mL/kg
> 20 kg	60 mL + 1 mL/kg
2. JEJUM	
1/2	1ª hora
1/4	2ª hora
1/4	3ª hora
3. TRAUMA CIRÚRGICO	
Grande porte	6 mL/kg/h
4. PERDAS ALÉM DAS PREVISTAS	
▪ SNG com débito elevado ▪ Ascites volumosas ▪ Sangramentos	

sonda nasogástrica com cristaloides, as grandes ascites com coloides e os sangramentos com cristaloides, coloides ou sangue, conforme o grau de repercussão hemodinâmica (Quadro 3). A criança sadia e normovolêmica tolera hematócritos em torno de 20-25% com adequada liberação de O_2 para os tecidos, exceto em algumas situações a saber: prematuros, RN a termo, pneumopatas, cardiopatas cianóticos congênitos.

Antes de submetermos uma criança a um procedimento cirúrgico em que a perda sanguínea seja prevista, se faz necessária a avaliação de alguns parâmetros para a solicitação de reserva de sangue e hemoderivados para a reposição peroperatória, se preciso (Quadros 4 e 5).

INDUÇÃO

As crianças podem chegar ao centro cirúrgico com citorredução tumoral pela quimioterapia neoadjuvante, ou com GRANDES MASSAS ABDOMINAIS sem tratamento prévio para serem submetidas à laparotomia exploradora. Então, de acordo com o caso, podemos realizar dois tipos de indução anestésica a saber.

Citorredução tumoral

Iniciamos a indução inalatória com uma mistura de N_2O (2:1) e sevoflurano a 8%. Após a perda do reflexo corneopalpebral, desligamos o N_2O e diminuímos a concentração do sevoflurano para 4% e, ainda, em ventilação espontânea, realizamos a venóclise. Em seguida, administramos lidocaína 1,5 a 2 mg/kg, rocurônio 0,6 mg/kg, ou cisatracúrio 0,15 mg/kg, esmolol 0,5-1,0 mg/kg. Controlamos a ventilação manualmente, enquanto aguardamos o tempo do relaxamento neuromuscular e aí procedemos a intubação orotraqueal (IOT) seguida de ventilação controlada mecânica.

Grandes massas abdominais

As grandes massas abdominais podem promover compressão visceral, então devemos induzir como "estômago cheio", optando pela indução em sequência rápida (Fig. 3). Na sala de recreação do centro cirúrgico, aplicamos EMLA (lidocaína + prilocaína) em dois possíveis acessos venosos 40 minutos antes do início da anestesia. Realizamos a venóclise; iniciamos a pré-oxigenação com 2 a 100% por 3-5 minutos, injetamos propofol 2,5-3 mg/kg, manobra de Sellick, rocurônio, 2 mg/kg, ou succinilcolina 1 mg/kg e, 1 minuto após, procedemos à IOT seguida de ventilação controlada mecânica.

DISPOSITIVO(S) DE VIA AÉREA E VENTILAÇÃO

A ventilação é controlada mecanicamente à pressão, por tubo orotraqueal, com utilização de filtro bacteriano, em sistema circular, valvular, com absorvedor de CO_2.

ANALGESIA PEROPERATÓRIA

A analgesia é realizada pelo bloqueio peridural torácico contínuo (T9/T10 ou T10/T11) com o catéter peridural fixado com a marca 3 na pele. Através dele, injetamos a solução de opioide (morfina, 0,03-0,05 mg/kg) e anestésico local (ropivacaína, 0,2-0,5%, respeitando a dose máxima de 3 mg/kg) na intenção de atingirmos o nível sensitivo em T4 (Fig. 4).

Vantagens da anestesia combinada (geral e peridural)

1. Segurança e conforto.
2. Diminuição do sangramento peroperatório.

Quadro 4. Parâmentros para cálculo de reposição sanguínea

VOLUME SANGUÍNEO ESTIMADO (VSE)	
Prematuro	100 mL/kg
RN a termo	90 mL/kg
< 1 ano	80 mL/kg
> 1 ano	70 mL/kg

	HEMATÓCRITO (Ht)	Ht MÍNIMO ACEITÁVEL (HMA)
Prematuro	45%	35-40%
RN a termo	50%	35-40%
< 1 ano	30%	25%
> 1 ano	35%	20-25%

Quadro 5. Demonstração da perda sanguínea a ser avaliada

PERDA SANGUÍNEA ACEITÁVEL (PSA)
$PSA = \dfrac{(Ht\ inicial\ -\ HMA) \times VSE}{Ht\ inicial}$
PS < PSA cristaloide (3:1)
PS = PSA cristaloide (3:1) ou coloide (1:1)
PS > PSA CH (1:1) + cristaloide (0,5:1)

COMPONENTES DO SANGUE		
CH	10 mL/kg	↑ 10% Ht
PFC	10-15 mL/kg	↑ 30% fat. coagulação
PLAQ	1 U/10 kg	↑ 50.000 mm
CRIOP	1 U/7 kg	↑ 50 mg% fibrinogênio

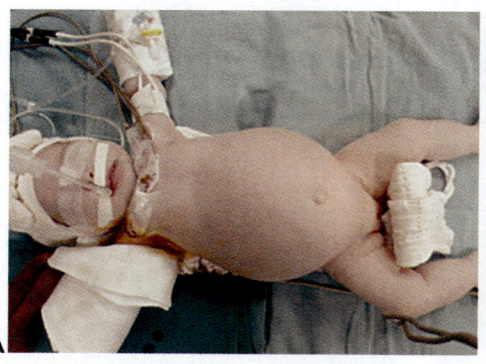 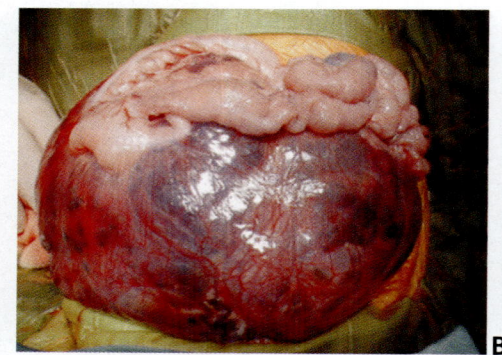 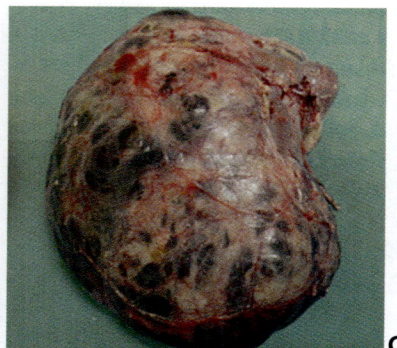

▲ **FIGURA 3.** Procedimento cirúrgico em criança com grande massa abdominal. **(A)** Posicionamento do paciente. **(B)** Visualização da cavidade abdominal aberta. **(C)** Tumor renal ressecado.

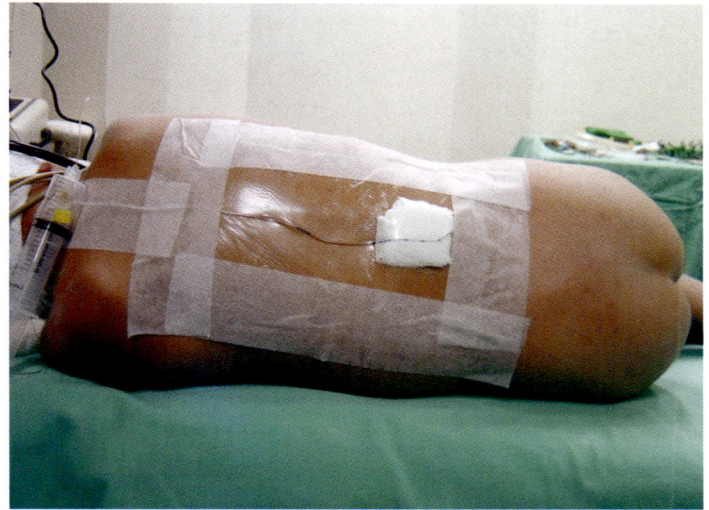

▲ **FIGURA 4.** Cuidados de fixação do curativo na peridural.

Quadro 6. Dose das medicações analgésicas utilizadas no bloqueio peridural

PÓS-OPERATÓRIO IMEDIATO	
Dipirona	30-50 mg/kg - IV 6-6 h (c/início no fechamento da cavidade abdominal)
1º DPO	
Morfina	0,03 mg/kg + ROPIVACAÍNA 0,2% via peridural
Dipirona	30-50 mg/kg - IV 6-6 h
2º DPO	
Morfina	0,02 mg/kg + ROPIVACAÍNA 0,2% via peridural
Dipirona	30-50 mg/kg - IV 6-6 h
3º DPO	
Retirada do catéter peridural	
Tramadol	1-2 mg/kg - IV 6-6 h
Dipirona	30-50 mg/kg - IV 6-6 h

3) Diminuição da resposta metabólica ao trauma.
4) Analgesia per e pós-operatória.
5) Diminuição do consumo anestésico.
6) Despertar precoce.

O uso da analgesia controlada pelo paciente ou pelo responsável é um recurso de grande utilidade nos casos de necessidade de analgesia por tempo prolongado.

MANUTENÇÃO

A hipnose é mantida com baixas concentrações de sevoflurano (1-1,5%). O relaxamento muscular adequado para o manuseio cirúrgico pode ser obtido por doses complementares do bloqueador neuromuscular despolarizante escolhido (geralmente 1/3-1/4 da dose da IOT), conforme o TOF. A analgesia também pode ser complementada por doses adicionais de anestésico local pelo catéter peridural.

BLOQUEADOR NEUROMUSCULAR E ANTAGONISMO

Geralmente, utilizamos o cisatracúrio ou o rocurônio e a manutenção por meio de *bolus* (1/3 a 1/4 da dose de IOT), conforme o TOF. O antagonismo do bloqueio neuromuscular é realizado com atropina 0,01-0,015 mg/kg e neostigmina 0,02-0,07 mg/kg. Quando utilizamos o estimulador de nervo periférico como monitorização e obtemos T4/T1 > 0,9, podemos dispensar a descurarização com segurança.

PÓS-OPERATÓRIO IMEDIATO

O pós-operatório poderá ser realizado na UTI pediátrica ou na enfermaria. A escolha do local vai depender da gravidade do paciente, ou da complexidade cirúrgica.

TRATAMENTO DA DOR PÓS-OPERATÓRIA

Na nossa experiência, observamos que analgesia da morfina peridural dura em torno de 12-24 horas, sendo raros os casos que necessitam de doses complementares antes deste prazo (Quadro 6).

É importante o acordo entre os serviços para avaliação do tempo de permanência da peridural.

ANÁLISE DO DESFECHO

A anestesia combinada (geral + peridural) é a de eleição em nosso serviço para as cirurgias abdominais de grande porte pelas vantagens já citadas anteriormente.

Em nosso serviço, a transfusão sanguínea peroperatória diminuiu acentuadamente nos últimos 10 anos, graças a um melhor preparo clínico pré-operatório, a citorredução tumoral através da quimioterapia neoadjuvante, a experiência da equipe cirúrgica e dos avanços tecnológicos (bisturi de argônio).

BIBLIOGRAFIA

Bösenberg A. Pediatric regional anesthesia update. *Pediatr Anesth* 2004;14:398-402.

Coté Ch. J. Tratamento com sangue, colóide e cristalóide. *Clin Anesthesiol North Am* 1991;4:829-48.

Dalens BJ. Regional anesthesia on children. In: Miller RD. *Anesthesia*. 5th ed. Philadelphia: Churchil Livingstone, 2000. p. 1549-85.

Karmakar MK, Aun CST, Wong ELY *et al.* Ropivacaine undergoes slower systemic absorption from the caudal epidural space in children than bupivacaine. *Anesth Analg* 2002;94:259-65.

CAPÍTULO 204

Câncer Infantojuvenil – Reflexões acerca da Intervenção do Serviço Social

Márcia Valeria de Carvalho Monteiro ■ Marcelle Gulão Pimentel

INTRODUÇÃO

O movimento de construção do Sistema Único de Saúde (SUS) trouxe à cena política brasileira e ao debate teórico contemporâneo, marcadamente a partir da década de 1980, a percepção da saúde como um processo histórico, determinado social e economicamente. Desse ponto de vista, a saúde passou a ser compreendida não só como ausência de doença, mas, sobretudo, como resultado das condições de vida da população, o que ampliou o horizonte de observação e análise das questões que permeiam os processos de saúde-doença. Incorporando esta perspectiva, o SUS consolidou na promulgação da lei 8.080/90 a seguinte concepção:

> *"A saúde tem como fatores determinantes e condicionantes, entre outros, a alimentação, a moradia, o saneamento básico, o meio ambiente, o trabalho, a renda, a educação, o transporte, o lazer e o acesso aos bens e serviços essenciais; os níveis de saúde da população expressam a organização social e econômica do País".*

A determinação dos aspectos socioeconômicos aponta o caráter dinâmico dos processos de saúde-doença, remetendo ao reconhecimento das interferências das condições de existência tanto na produção de agravos, quanto na recuperação da saúde dos indivíduos, premissa que vem exigindo a construção cotidiana de um novo modo de atenção à saúde, na intenção de superação do tradicional modelo biomédico. Isso implica admitir que, tão importante quanto o tratamento dado aos aspectos biológicos, é a atenção destinada aos aspectos sociais que perpassam os processos de saúde-doença.

Compreendendo o campo da atenção oncológica a partir desta perspectiva, nos deparamos com o atravessamento destes aspectos, não só no risco ao adoecimento por câncer, mas também nas condições de acesso da população ao diagnóstico precoce e ao tratamento da doença. Isso porque se o risco do adoecimento por câncer está associado, de um modo geral, a uma multiplicidade de fatores que vão da susceptibilidade genética às condições resultantes do modo de vida e do ambiente, podendo atingir a população em suas mais variadas faixas de renda, as implicações sociais e econômicas são particularmente relevantes no que se refere às condições que viabilizam o acesso ao diagnóstico precoce e ao tratamento adequado da doença. Conforme afirma Carvalho:

> *"As condições sociais e econômicas da população são determinantes dos processos saúde e doença e, efetivamente, os segmentos mais pobres têm maiores riscos de adoecimento advindos de dificuldades econômicas e geográficas, insuficiência de serviços e questões culturais. Em relação ao câncer, os segmentos mais pobres enfrentam barreiras de acesso aos serviços de saúde para detecção e tratamento precoce da doença".*

Dessa forma, evidenciam-se as interferências significativas das desigualdades sociais no processo de recuperação da saúde dos sujeitos acometidos pela doença. Especificamente em relação ao câncer infantojuvenil, cabe observar que se sua incidência não estiver associada a fatores externos, ambientais e/ou socioeconômicos, como em geral se observa nos tumores em adultos, a experiência de atenção neste campo aponta que as possibilidades de superação da doença estão indubitavelmente vinculadas a estes fatores.

Ora, conforme aponta a literatura especializada, embora potencialmente curável, o câncer infantojuvenil tem seu prognóstico influenciado por uma série de fatores, que vão do tipo e localização do tumor ao diagnóstico precoce e à qualidade do tratamento, estes últimos intrinsecamente determinados socialmente. Se o diagnóstico precoce estiver fortemente pautado nas condições de acesso à rede de serviços de saúde, em particular à rede de atenção básica, a qualidade do tratamento, por sua vez, está intrinsecamente associada à garantia do acesso aos centros especializados, o que é determinado pelas circunstâncias socioeconômicas e culturais que garantam aos usuários acessibilidade* e adesão. Neste entendimento, serão explicitadas as reflexões que se seguem acerca do processo de tratamento de crianças e adolescentes com câncer.

Como nas demais doenças crônicas que invadem a vida, tornando-se mediadoras de todas as relações familiares e sociais, o câncer infantojuvenil altera profundamente o cotidiano das famílias**. A princípio, pela própria natureza ameaçadora do diagnóstico de câncer, que ainda é uma doença sob a qual pesa o estigma da morte, e em seguida, pela própria rotina de tratamento que gera frequentes deslocamentos à unidade hospitalar decorrentes dos procedimentos de quimioterapia e/ou radioterapia, das consultas, dos exames, das internações e das intercorrências de caráter emergencial, que transferem o cotidiano das crianças adolescentes e seus responsáveis para o espaço hospitalar. A estas questões associa-se ainda a fragilização física provocada pelo adoecimento por câncer, considerando-se os efeitos de seu tratamento, que não raro, pode levar a sequelas e mutilações severas e irreversíveis, as quais conduzem a criança ou o adolescente a uma condição de total dependência de cuidados de terceiros – situação que demanda aos responsáveis e demais membros do grupo familiar cuidado e atenção em tempo integral. A mobilização do grupo familiar em torno das necessidades inerentes ao processo de tratamento exige o reordenamento e a reorganização do seu cotidiano, posto que impactam nas atividades habituais, nas atividades escolares e de lazer das crianças e adolescentes, na sua convivência e de seu(s) responsável(is) com os outros membros da família, principalmente irmãos, na dinâmica familiar e, particularmente, nas relações de trabalho dos seus provedores, ocasionando recorrente redução parcial ou total da renda familiar.***

Esta questão, em particular, vem-se constituindo em um especial foco de intervenção do Serviço Social considerando ser um emblemático exemplo da ineficácia da intersetorização das políticas sociais em vigência, visto que evidencia uma enorme contradição no arcabouço da proteção social brasileira. Se, por um lado, o Estatuto da Criança e do Adolescente (ECA) confere a crianças e adolescentes o direito de serem

---

*Acessibilidade é aqui entendida como "relação entre localização da oferta e localização dos clientes, tomando em conta os recursos para transporte, o tempo de viagem, a distância e os custos" (Giovanella e Fleury, 1996:189).

**Neste trabalho, entendemos família a partir da seguinte definição: "um núcleo de pessoas que convivem em determinado lugar, durante um lapso de tempo mais ou menos longo e que se acham unidas (ou não) por laços consanguíneos. Ele tem como tarefa primordial o cuidado e a proteção de seus membros e se encontra dialeticamente articulado à estrutura social na qual está inserido." (Mioto, 1997:120)

***Neste contexto, muitas famílias passam a depender da concessão do BPC/LOAS – benefício assistencial criado pela lei 8.742/93 – que tem como critérios fundamentais a situação de incapacidade do sujeito que o requer, assim como a condição de renda per capita do grupo familiar, que precisa ser inferior a 1/4 do salário-mínimo.

acompanhados por seus responsáveis, por outro, esses não são juridicamente resguardados pela CLT (Consolidação das Leis Trabalhistas) ou pela Previdência Social quanto à garantia de seus vínculos de emprego e/ou proventos, em situação de afastamento do trabalho para acompanhar seus filhos ou tutelados. Assim, diante da contundente ameaça na sua reprodução social, as famílias de crianças e adolescentes em tratamento oncológico deparam-se com dilemas que transitam no campo da sobrevivência física, emocional, material e social.

As repercussões geradas pela rotina do tratamento vão de encontro às condições sociais, econômicas e culturais do grupo familiar, estabelecendo uma série de arranjos, conjugações e interações, que podem favorecer, comprometer ou até mesmo inviabilizar a efetivação do tratamento.*

Estas são, em linhas gerais, algumas das questões que justificam a importância da atenção ao contexto em que se inserem as famílias de crianças e adolescentes com câncer, com vistas à identificação dos recursos econômicos, sociofamiliares e culturais de que dispõem em sua reprodução cotidiana, bem como das situações que sinalizem explícita ou implicitamente riscos e vulnerabilidades ao processo de tratamento. Conforme já sinalizara Carvalho, o contexto familiar do paciente precisa ser compreendido em todos os seus aspectos, visto que *"é com sua estrutura sociofamiliar que vão responder a situação de doença"*.

A aproximação com tal contexto se dá, de forma privilegiada, na realização do estudo social, no qual é fundamental identificar como as famílias estão organizadas para garantir a proteção de seus membros, buscando o conhecimento das dimensões referentes aos vínculos sociofamiliares, às condições habitacionais, às relações de trabalho e renda, às formas de apreensão, concepção e percepção da realidade.

É nesta direção que se dá a inserção do Serviço Social nas equipes de saúde, profissão "que tem na *questão social* a base de sua fundação enquanto especialização do trabalho". *Questão social*, que se manifesta cotidianamente por uma infinidade de expressões, entre as quais destacam-se:

"... o retrocesso no emprego, a distribuição regressiva de renda e a ampliação da pobreza, acentuando as desigualdades nos estratos socioeconômicos, de gênero e localização geográfica, urbano e rural, além da queda nos níveis educacionais dos jovens".

Ao avaliar a realidade das famílias, em sua interface com os direitos sociais assegurados e com os mecanismos de proteção social disponíveis nas políticas públicas, o assistente social consolida sua prática em ações que viabilizem o acesso aos direitos sociais no intuito de reduzir os impactos da emergência do adoecimento pelo câncer infantojuvenil sobre as condições de vida das famílias, buscando construir condições de manutenção das crianças e adolescentes no tratamento oncológico.

A intervenção do Serviço Social pressupõe ações de cunho interdisciplinar, socioeducativo, socioassistencial. Estas ações se traduzem no desenvolvimento de estratégias que viabilizem a interlocução permanente com a equipe de saúde, no sentido de discutir a interface entre as condições sociais e o processo do tratamento; a articulação com os diferentes níveis de atenção do SUS e com as demais políticas sociais; o fortalecimento dos vínculos sociofamiliares e o fomento à reflexão e à socialização das informações em espaços preferencialmente coletivos, tendo em perspectiva a promoção da cidadania.

No cotidiano do trabalho, estas ações se desdobram em um conjunto de procedimentos que vão desde a atenção individualizada à criação de espaços coletivos junto às famílias, no sentido de socializar as informações referentes aos direitos sociais e aos meios de exercê-los, de acordo com as especificidades identificadas em cada grupo familiar; promover discussões acerca das questões suscitadas pelo tratamento oncológico em interface com os contextos socioeconômico e cultural das famílias; construir estratégias que viabilizem o exercício do controle social na perspectiva preconizada pelo SUS.

Ao se tratar da atenção à infância e juventude, cabe mencionar ainda a necessária articulação com o campo sociojurídico, ou seja, a interlocução com os órgãos que compõem o sistema de garantia de direitos de crianças e adolescentes, no sentido de assegurar-lhes a prestação de serviços e os direitos estabelecidos por lei**. Conforme preconiza o ECA (1990), crianças e adolescentes têm direito à proteção integral, o que corresponsabiliza família, Estado e sociedade civil na implementação de tal tarefa.

Assim, ao atuar sobre a dinâmica de vida desses sujeitos, os assistentes sociais tangenciam suas ações junto às equipes de saúde, à gestão institucional, à rede social de apoio, às políticas sociais, na perspectiva de articular essas instâncias para efetivarem um projeto de cuidado para além das particularidades aqui explicitadas, considerando-as como expressões legítimas do próprio processo de adoecimento.

As reflexões até aqui realizadas não pretendem esgotar a complexidade das ações profissionais em oncologia pediátrica, campo no qual não se pode deixar de mencionar o atravessamento cotidiano da finitude da vida, o que afeta, em dimensões diferenciadas, a todos os que estão nele envolvidos, sejam crianças, adolescentes, familiares ou profissionais. Em que pese a cultura de negação da morte – característica das sociedades ocidentais*** – o fato é que a morte de crianças e adolescentes é sempre sentida como algo que contraria o ciclo natural da vida.

Desse modo, executar ações que garantam a efetivação do tratamento de crianças e adolescentes significa, em última instância, garantir o seu direito fundamental à vida. Não se trata aqui de desejar a exclusão da morte do horizonte humano, mas sim de se buscar a equidade do viver e do morrer. Há que se reconhecer, no entanto, que esta não é uma questão de cunho filosófico, mas, sobretudo, social e político.

Neste entendimento, há que se ressaltar o caráter desafiador do trabalho desenvolvido na garantia da saúde e da vida, frente à realidade diversa, adversa, densa e tensa que constitui o cotidiano das famílias de crianças e adolescentes em tratamento oncológico.

---

*O processo de atenção às famílias de crianças e adolescentes em tratamento oncológico vem revelando uma série de questões que, isoladas ou associadas, apontam para o risco de não adesão, abandono ou irregularidade de tratamento, ente as quais podemos destacar: a precariedade de renda, a fragilidade de vínculos sociofamiliares (reduzida rede de apoio social e familiar), distância entre o local do domicílio e a unidade de tratamento, conflitos entre pais/responsáveis pela guarda da criança ou adolescente, baixo nível de escolaridade ou cognitivo dos responsáveis e a falta de políticas sociais que respondam eficaz e efetivamente às demandas geradas por estas situações, entre outras questões.

**Compõem o sistema de garantia de direitos de crianças e adolescentes os seguintes órgãos: Conselhos Tutelares, Juizados da Infância, Juventude e Idoso e Promotorias da Infância e Juventude, bem como o Ministério Público. Entre as ações e serviços mais acionados neste campo de atenção estão: a constituição de representante legal (guarda ou tutela), haja vista as alterações na configuração familiar contemporânea; documentação civil; e a garantia da prestação de serviços públicos fundamentais ao processo de tratamento no âmbito da política de saúde e das demais políticas sociais intersetoriais.
***A respeito desta concepção, consultar Ariés, Philippe. A história da morte no Ocidente: da idade média até nossos dias. Tradução de Priscila Viana de Siqueira. Rio de Janeiro, Ediouro, 2003.

BIBLIOGRAFIA

Acosta AR, Vitale MAF. (Eds.). *Família: rede, laços e políticas públicas*. 3. ed. São Paulo: Cortez, 2007.

Barata RB. *Como e porque as desigualdades sociais fazem mal à saúde*. Temas em Saúde. Rio de Janeiro: FIOCRUZ, 2009.

Barros EN. Aspectos psicológicos no cuidado paliativo; Aspectos psicológicos relacionados ao cuidador/família. In: Camargo B, Kurashima AY. (Eds.). *Cuidados paliativos em oncologia pediátrica – O cuidar além do curar*. São Paulo: Lemar, 2007b.

Barros EN. Equipe interdisciplinar: psicologia. In: Camargo B, Kurashima AY (Eds.). *Cuidados paliativos em oncologia pediátrica – O cuidar além do curar*. São Paulo: Lemar, 2007a.

Brasil. *Câncer na criança e no adolescente no Brasil – Dados do registro de base populacional*. Rio de Janeiro: INCA/SOBOPE, 2008.

Brasil. *Diagnóstico precoce do câncer na criança e no adolescente*. Rio de Janeiro: INCA/Instituto Ronald McDonald, 2009.

Brasil. *Situação do câncer no Brasil*. Rio de Janeiro: INCA, 2006.

Carvalho CSU. A necessária atenção à família do paciente oncológico. *Rev Bras Cancerol* 2008;54(1):97-102.

CFESS. *Parâmetros para atuação de assistentes sociais na política de saúde. série trabalho e projeto profissional nas políticas sociais*. Brasília: CFESS, 2010.

ECA – Estatuto da Criança e do Adolescente. Lei n. 8069, de 13 Jul. 1990. In: *Assistente social: ética e direitos. Coletânea de leis e resoluções*. Rio de Janeiro: Lidador, 2000.

Grabois MF. *O acesso a assistência oncológica infantil no Brasil*. Tese de doutorado. Rio de Janeiro, ENSP/Fiocruz, 2011.

Iamamoto MV. As dimensões ético-políticas e teórico-metodológicas no serviço social contemporâneo. In: Mota AE *et al.* (Eds.). *Serviço social e saúde: formação e trabalho profissional*. São Paulo: OPAS, OMS, Ministério da Saúde, 2006.

Iamamoto MV. *Serviço Social em tempo de Capital Fetiche: capital financeiro, trabalho e questão social*. 5. ed. São Paulo: Cortez, 2011.

LOS (Lei Orgânica da Saúde). Lei n. 8080, de 19 Set. 1990. In: *Assistente social: ética e direitos*. Coletânea de leis e resoluções. Rio de Janeiro: Lidador, 2000.

Mioto RCT. *Família e serviço social: contribuições para o debate*. Rio de Janeiro: Serviço Social e Sociedade, 1997. p. 114-30, vol. 55.

Morsch DS, Aragão P. A criança, sua família e o hospital: pensando processos de humanização. In: Descartes SF. (Eds.). *Humanização dos cuidados em saúde: conceitos, dilemas e práticas*. Coleção criança, mulher e saúde. Rio de Janeiro: Fiocruz, 2006.

CAPÍTULO 205
Pesquisa Clínica em Oncologia Pediátrica

Fernanda Ferreira da Silva Lima ■ Sima Esther Ferman

INTRODUÇÃO

O câncer na criança e no adolescente (de 0 a 19 anos) é considerado raro quando comparado às neoplasias que afetam os adultos, correspondendo entre 2 e 3% de todos os tumores malignos.[1]

Nas últimas 4 décadas, houve um grande progresso no tratamento do câncer da criança, com a reversão da mortalidade de 80% para uma sobrevida estimada de 80%, nos países desenvolvidos. As taxas de sobrevida de crianças de 0 a 14 anos de idade têm melhorado dramaticamente desde os anos 1960, quando a taxa de sobrevida global em 5 anos após o diagnóstico de câncer foi estimada em 28%.[2] Os avanços que levaram a importante melhora da sobrevida global dos pacientes resultaram da inclusão generalizada e sistemática de crianças com câncer em estudos clínicos que elucidaram os critérios de diagnóstico e prognóstico e identificam terapias eficazes para essas doenças.[3] Desta forma, câncer infanto-juvenil, outrora doença praticamente incurável, atualmente representa doença potencialmente curável.

Apesar da melhora progressiva dos resultados do tratamento, o câncer infanto-juvenil, permanece como importante causa de mortalidade infantil nos países desenvolvidos. No Brasil, as últimas informações disponíveis para a mortalidade mostram que, no ano de 2009, os óbitos por neoplasias, para a faixa etária de 1 a 19 anos, encontraram-se entre as dez primeiras causas de morte. A partir dos 5 anos, a morte por câncer corresponde à primeira causa de morte por doença em meninos e meninas.[1,4]

No Brasil, em 2012, à exceção dos tumores da pele não melanoma, estimam-se que ocorrerão cerca de 11.530 novos casos de câncer em crianças e adolescentes até os 19 anos.[5]

O câncer infanto-juvenil apresenta características muito específicas, principalmente no que diz respeito à histopatológica e ao comportamento clínico. Em sua maioria, o câncer que acomete crianças e adolescentes possui curtos períodos de latência, é mais agressivo, cresce rapidamente, contudo responde melhor ao tratamento e é considerado de bom prognóstico. De um modo geral, pouco se conhece sobre a etiologia do câncer na infância, principalmente por sua raridade, o que limita o poder estatístico de alguns estudos. A associação entre fatores de risco ambientais e comportamentais e o câncer pediátrico não é bem estabelecida, como observado em vários tipos de neoplasias na população adulta.[5]

O racional para a realização de ensaios clínicos em oncologia pediátrica baseia-se no fato de que para uma doença com risco de vida, tratada com terapias tóxicas e caras, é crítico avaliar sistematicamente todos os aspectos da terapia, assim como de cada tratamento novo em potencial, no intuito de obter melhorias graduais no padrão de cuidado. Estes ensaios produzem dados para a compreensão do melhor tratamento atual, bem como servem de base para a escolha de perguntas importantes para estudos posteriores.[6]

Até a última década, as crianças raramente eram incluídas nos estudos clínicos. Como resultado, ainda se tem pouco conhecimento sobre como as crianças respondem aos fármacos, a alguns produtos biológicos (p. ex.: terapia genética) e dispositivos médicos. Isto significa que o *Food and Drug Administration* (FDA), órgão governamental dos Estados Unidos, tem poucos estudos sobre como o produto agiu ou deixou de agir nas crianças, quais os diferentes tipos de reações que as crianças podem apresentar, ou qual seria a dose adequada para a ampla gama de idades das crianças, pesos e estágios de desenvolvimento.[7] Entretanto, constituem aspectos importantes para o uso racional de medicamentos, a escolha da droga adequada, dose, via de administração e duração de tratamento, assim como a inexistência de contraindicações e mínima probabilidade de reações adversas, bem como segurança e eficácia estabelecidas.[8-10]

Os ensaios clínicos em crianças e adolescentes são cruciais porque fornecem informações importantes sobre a segurança de um produto médico, dose e eficácia, que são a base para a aprovação do FDA e rotulagem do produto. Historicamente, apenas 20-30% dos medicamentos aprovados pelo FDA foram aprovados para uso em crianças. Assim, por necessidade, os médicos e outros profissionais de saúde rotineiramente prescrevem para crianças drogas "*off label*".[7] Produtos denominados off-label constituem medicações que não foram aprovadas/rotuladas para utilização em crianças. Isso significa que não passaram por estudo prévio, e consequentemente, a informação sobre a eficácia da droga e da segurança não foi recolhida e analisada sistematicamente.[11]

A farmacocinética e a farmacodinâmica dos medicamentos em crianças nem sempre podem ser previstas a partir de dados recolhidos em estudos com adultos. À medida que a criança cresce e ocorrem alterações no seu metabolismo, ocorrem modificações na sensibilidade do seu organismo para efeitos colaterais. Logo, não é possível prever as diversas reações às drogas sem estudá-las.[7]

A pesquisa clínica em oncologia pediátrica tem enfrentado uma série de obstáculos ao longo dos anos, dificultando o teste de novas drogas em populações pediátricas. São mencionadas algumas destas dificuldades abaixo:[12]

- Questões éticas, incluindo a autorização dos pais e o assentimento da criança.
- Falta de tecnologia necessária para monitorar pacientes e quantidades muito pequenas de sangue que são possíveis coletar.
- Falta de incentivos para as empresas farmacêuticas estudarem drogas em recém-nascidos, bebês e crianças.
- Natureza imprevisível de algumas respostas clínicas em indivíduos imaturos.
- Possibilidade de reações catastróficas imprevistas.
- Risco de efeito a longo prazo relacionado à administração da droga, no crescimento ou na saúde.
- Dificuldade em prever relação dose-resposta ou concentração-resposta por extrapolação de dados obtidos de adultos.
- Considerações éticas para a realização de pesquisa não terapêutica em crianças.
- Falta de infraestrutura adequada para a realização de pesquisas farmacológicas pediátricas.

Como resultado, ainda nos dia de hoje, é alto o número de medicamentos usados em crianças de modo "*off-label*",[13] sem a compreensão adequada da dose apropriada, segurança ou eficácia.

Em uma tentativa de reverter esse quadro, nos Estados Unidos, o FDA adotou uma série de medidas para estimular o desenvolvimento de estudos em crianças e adolescentes. Uma postura oficial foi o *Pediatric Exclusivity Provision Modernization Act*, lançado inicialmente em 1997 e que se tornou lei como *Best Pharmaceuticals for Children Act* (BPCA) em 2002. BPCA oferece um período adicional de 6 meses no prazo de exclusividade comercial aos produtores de medicamentos que fizerem estudos em crianças. Além disso, a legislação permite que os órgãos regulatórios requisitem que as empresas farmacêuticas procedam aos estudos em crianças, quando há evidente interesse não só científico como prático.[12] Dessa forma, o programa pediátrico do FDA, apoiado por leis federais, tem ajudado a impulsionar o crescimento no número de ensaios clínicos a serem realizados em crianças.

ESTUDO CLÍNICO

A investigação científica continua a fornecer informações valiosas sobre as causas do câncer. Mas a pesquisa é um processo cumulativo e tem avançado em pequenos passos cuidadosamente planejados. Os estudos geralmente se iniciam com a investigação básica no laboratório. Depois de anos de testes em células e em tecidos, as novas moléculas promissoras passam a testes em modelos animais. Só depois que os testes com novas moléculas ou técnicas são bem sucedidos em animais, é que podem ser avaliados em pessoas através de ensaios clínicos.

Durante a fase pré-clínica, são levantadas informações preliminares sobre atividade farmacológica e segurança da nova molécula, e mais de 90% das substâncias estudadas nesta fase são eliminadas já que, não demonstram suficiente atividade farmacológica/terapêutica ou são demasiadamente tóxicas em humanos.[14]

O termo estudo clínico é definido como "qualquer investigação em seres humanos, objetivando descobrir ou verificar os efeitos farmacodinâmicos, farmacológicos, clínicos e/ou outros efeitos de produto(s) investigado(s), e/ou identificar reações adversas ao(s) produto(s) em investigação, e/ou estudar a absorção, distribuição, metabolismo e excreção do(s) produto(s) em investigação, com o objetivo de averiguar sua segurança e/ou eficácia".[15]

O processo do planejamento dos estudos clínicos culmina na geração do protocolo, que é um guia escrito do experimento a ser conduzido. O protocolo ajuda a garantir que a investigação seja conduzida uniformemente e permite uma resposta definitiva a uma questão importante. Todo este processo é regido por normas científicas e éticas.

Para obter bons dados, o pesquisador deve criar um projeto de estudo com objetivos claramente definidos e factíveis de serem cumpridos, um plano de análise de dados para determinar objetivamente e de forma definitiva os resultados, e um plano de comunicação que permita uma divulgação dos resultados para uso por outros profissionais.[6]

As informações obtidas de acordo com os objetivos dos estudos devem ser úteis, independente dos resultados serem positivos ou negativos. Como exemplo, estabelecer que uma nova intervenção não contribua para a melhoria dos resultados pode ser tão importante quanto a identificação de avanços na terapia.[16]

Os ensaios clínicos são normalmente conduzidos em uma série de etapas progressivas, chamados fases. O processo começa com pequenos ensaios, testando a segurança de uma intervenção e se move para ensaios cada vez maiores.[17]

Fases do estudo clínico

Os ensaios clínicos ocorrem em quatro fases, cada uma das quais está concebida para responder a perguntas de pesquisa diferentes (Fig. 1):[18]

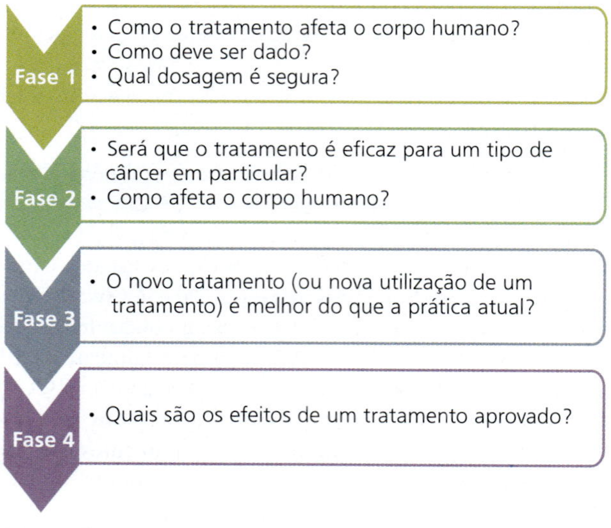

Fase 1
- Como o tratamento afeta o corpo humano?
- Como deve ser dado?
- Qual dosagem é segura?

Fase 2
- Será que o tratamento é eficaz para um tipo de câncer em particular?
- Como afeta o corpo humano?

Fase 3
- O novo tratamento (ou nova utilização de um tratamento) é melhor do que a prática atual?

Fase 4
- Quais são os efeitos de um tratamento aprovado?

▲ **FIGURA 1.** Fases do ensaio clínico.

Estudo fase 1

O ensaio de fase 1 investiga os efeitos adversos associados de um determinado agente ou de uma combinação de agentes e determina a dose máxima tolerada (DMT) ou a dose apropriada para um determinado regime e a via de administração.[19]

Supõe-se, geralmente, que a eficácia e o aumento da toxicidade são diretamente proporcionais a dose, de modo que o objetivo seja selecionar a maior dose tolerável com a ideia de que dessa forma teremos maior chance de eficácia.[20] Em um ensaio clínico de fase 1, os participantes do estudo (geralmente menos de 30 pessoas) são divididos em grupos de três a seis participantes. Cada coorte de participantes é tratada com uma dose aumentada da nova terapia ou técnica. A dose inicial é baseada em testes pré-clínicos e normalmente é bastante conservadora. Se efeitos secundários graves não são vistos no grupo inicial, após um período de tempo, geralmente de 3 a 4 semanas, o próximo grupo de participantes recebe uma dose mais elevada. Este padrão é repetido até que um grupo de participantes experimente toxicidade limitante pela dose, ou seja, efeitos colaterais fortes o suficiente para que o próximo grupo de participantes não possa receber uma dose mais elevada. Dessa forma, a dose mais elevada com toxicidade aceitável é determinada.[18]

Em crianças, estudos fase 1 costumam começar quando alguns dados dos adultos sobre o agente de interesse já estão disponíveis. Um método eficaz é começar os testes das crianças, com 80% da dose fase 2 da população adulta ou em 80% da dose para a qual foi observada atividade biológica em adultos, ignorando os níveis que são presumivelmente seguros em crianças, mas podem ser demasiadamente baixos para serem benéficos. Começando com doses derivadas da DMT do adulto ou dose recomendada para a fase 2 são presumivelmente perto DMT da infância, e a escalada deve proceder com cautela, usando-se cerca de 30% de aumento sobre o nível da dose anterior. O aumento da dose continua frequentemente em crianças além da dose de fase 2 estabelecida para adultos, porque as crianças costumam apresentar maior tolerância a quimioterapia.[21] As características do estudo fase 1 são resumidas na Figura 2.

Há controvérsias com relação à condução de estudos clínicos de fase 1, principalmente em crianças;[22-30] em relação a baixa probabilidade de benefício direto para os participantes em face do que é percebido como risco substancial, desfechos primários que se relacionam com segurança, e não à eficácia, e os desafios do processo de obtenção do consentimento livre e esclarecido dos pacientes terminais ou de seus pais.

As taxas de resposta completas e parciais dos estudos clínicos em crianças, que variam de 6 a 8%,[31,32] são mais elevadas do que as observadas nos ensaios de adultos.[33] Em contrapartida, as respostas são geralmente de curta duração, com uma duração média de um estudo de 60 dias.[31]

Mortes por toxicidade nos ensaios pediátricos são relativamente raras, onde 2,8% dos participantes morreram de hemorragia, infecção ou toxicidade direta em um estudo e 1,4% morrendo de toxicidade ou aplasia em outro.[31,32]

Estudo fase 2

Um ensaio de fase 2 obtém dados expandidos de segurança e estima a atividade do agente contra um tipo de tumor.[34]

O padrão ouro para a avaliação do benefício clínico em oncologia é a melhora na sobrevida global, contudo, este é raramente um resultado viável em estudos fase 2. Leva muito tempo, e os efeitos dos agentes do estudo são susceptíveis de serem confundidos com efeitos de terapias subsequentes, tornando os resultados de sobrevida não interpretável. O desfecho mensurado *(end point)* mais comum do ensaio fase 2 é a resposta objetiva, geralmente definida como resposta completa ou parcial, e, em tumores sólidos, é geralmente avaliada pelos Critérios de Avaliação de Resposta em Tumores Sólidos (RECIST).[35,36]

Outros desfechos comumente utilizados em estudos de fase 2 incluem o tempo de progressão do tumor (onde as mortes por câncer não são censuradas), sobrevida livre de progressão (onde as mortes por câncer não são eventos), a sobrevida global, qualidade de vida, mudança nos biomarcadores moleculares e alterações na imagem.[6]

As características do estudo fase 2 são resumidas na Figura 3.

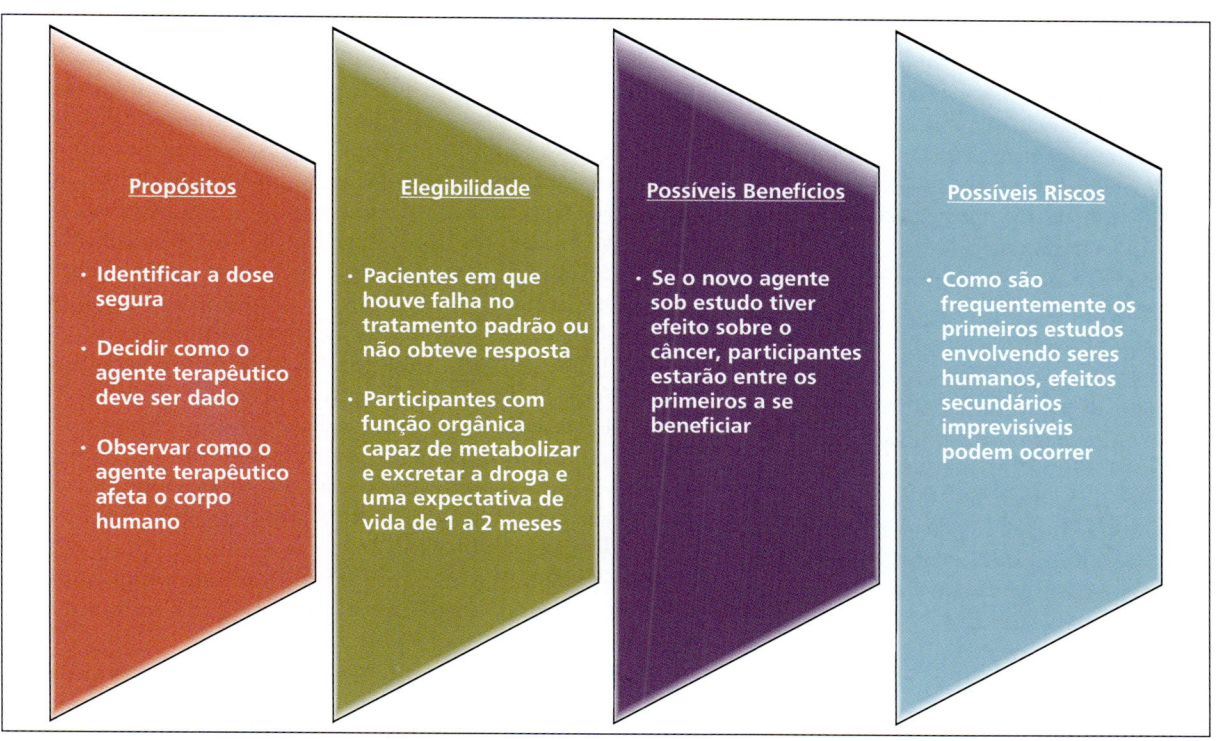

◀ **FIGURA 2.** Resumo de características do estudo fase 1.

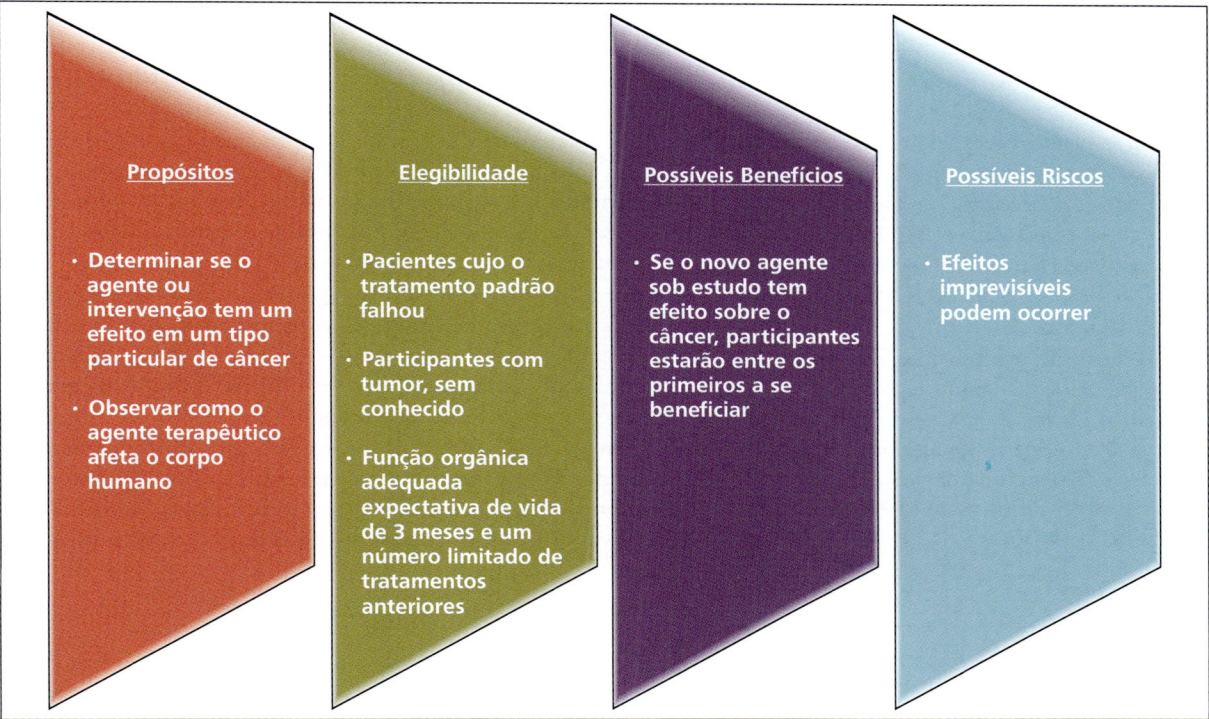

◀ **FIGURA 3.** Resumo de características do estudo fase 2.

Estudo fase 3

Um ensaio de fase 3 avalia a atividade do agente de um modo comparativo, em geral com referência à terapia padrão, ou, em alguns casos, a história natural da doença.[37]

São preferidos ensaios clínicos randomizados porque possibilitam comparações com controles históricos; os julgamentos podem ser e, muitas vezes, são tendenciosos devido a mudanças ao longo do tempo na população, terapia e cuidados de suporte. A maneira mais confiável para gerar comparações imparciais entre os tratamentos é alocar pacientes similares aos braços de tratamento diferente por randomização.[6]

Os participantes são alocados no grupo experimental ou de controle aleatoriamente, através de um programa de computador ou tabela de números aleatórios; desta forma, cada pessoa terá a mesma chance de ser atribuída a qualquer um dos grupos. A randomização assegura que fatores desconhecidos não influenciem os resultados dos testes. Isso ajuda a garantir à comparabilidade dos grupos, igualando fontes de variabilidade, a exceção do tratamento. Este é um método utilizado para evitar viés na pesquisa. A abordagem mais comum é a comparação de dois braços de estudo em que um grupo de pacientes recebe a melhor terapia padrão atual, e o outro recebe a nova terapia a ser testada.[6,18]

Em oncologia pediátrica, devido ao número reduzido de pacientes, estudos fase 3 randomizados geralmente são possíveis em grupos cooperativos e multicêntricos. Os grupos cooperativos desempenham um papel crucial na definição do padrão de atendimento. A inclusão de pacientes recém-diagnosticados em estudos clínicos deve ser encorajada a fim de melhorar os resultados e a compreensão dos tumores pediátricos.[38]

No Brasil, em 1981, foi fundada a Sociedade Brasileira de Oncologia Pediátrica (SOBOPE), cuja principal finalidade é reunir todos os interessados em fomentar o progresso, o aperfeiçoamento e a difusão da cancerologia infantil. A partir de 1980, foram organizados os grupos cooperativos brasileiros para o tratamento de tumores infantis, sendo que estudos clínicos sendo conduzidos para os diferentes tumores da infância, com a participação de investigadores nacionais, sendo alguns com apoio internacional.[1]

Um desfecho que é amplamente utilizado como resultado em estudos de doenças malignas da infância é "sobrevida livre de eventos." Um evento é definido como a primeira ocorrência dos eventos principais que representam falha do tratamento inicial: falha em atingir a remissão (ou seja, a morte no período de indução ou a não resposta), a recidiva em qualquer local depois de atingir a remissão, e morte em remissão, sem recaída prévia.[39] Cada vez mais importante na avaliação dos estudos de crianças são os efeitos adversos e tardios do tratamento, como a ocorrência de segundas neoplasias, distúrbios de crescimento, comprometimento neuropsicológico atribuído à terapia e à qualidade de vida.[6]

As características do estudo fase 3 são resumidas na Figura 4.

Estudo fase 4

Um ensaio de fase 4 tem o objetivo de detectar eventos adversos pouco frequentes ou não esperados (vigilância pós-comercialização).[14] São usados para avaliar ainda mais a segurança a longo prazo e eficácia de um tratamento. Menos comum do que as fases 1, 2 e 3, ensaios fase 4 ocorrem geralmente após o novo tratamento ser aprovado para utilização. Estas pesquisas são executadas com base nas características com que foi autorizado o medicamento e/ou especialidade medicinal. Geralmente são estudos de vigilância pós-comercialização, para estabelecer o valor terapêutico, o surgimento de novas reações adversas e/ou a confirmação da frequência de surgimento das reações já conhecidas e as estratégias de tratamento.[40]

ASSUNTOS REGULATÓRIOS

Cada fase do estudo clínico está sob a supervisão do FDA, destina-se a capturar dados sobre a eficácia e a segurança da droga e deve ser conduzida de acordo com normas internacionais.[17]

A ética na condução de um ensaio clínico é essencial para proteger os direitos do sujeito de pesquisa e assegurar a sua dignidade humana. Historicamente, muitos abusos foram cometidos em experimentos envolvendo seres humanos. Com o objetivo de proteger os sujeitos de pesquisa, muitas regulamentações foram elaboradas: Declaração de Helsinque (1964 com várias revisões), as Boas Práticas em Pesquisa (1977-1988), Diretiva Europeia 91/507/EEC (1991), Boas Práticas Clínicas (GCP – Good Clinical Practice – 1997), Code of Federal Regulation (CFR – Título 21), Diretiva Europeia para Estudos Clínicos (2001).

No Brasil, a primeira tentativa de regulamentar a pesquisa em problemas de saúde, por meio de legislação específica, se deu em 1988, com a Resolução nº 1 do Conselho Nacional de Saúde (CNS).[41] A legislação vigente, até então, regulamentava apenas alguns pontos relacionados à importação de drogas destinadas exclusivamente à pesquisa, não registradas no país (Lei nº 6.360, de 23 de setembro de 1976 e Decreto nº 79.094, de 5 de janeiro de 1977).[13]

O Conselho Nacional de Saúde, em 10 de outubro de 1996, aprova diretrizes e normas regulamentadoras de pesquisas envolvendo seres humanos: Resolução 196/96 CNS. Esta Resolução incorpora, sob a ótica do indivíduo e das coletividades, os quatro referenciais básicos da bioética: autonomia, não maleficência, beneficência e justiça, entre outros, e visa assegurar os direitos e deveres que dizem respeito à comunidade científica, aos sujeitos da pesquisa e ao Estado. A presente resolução dispõe também das atribuições dos Comitês de Ética em Pesquisa (CEP) e da Comissão Nacional de Ética em Pesquisa (CONEP/MS).[42] Após esta resolução, outras foram publicadas e servem de instrumento para a adequada condução de estudos clínicos no Brasil (Resolução 251/97 CNS, entre outras).

Em 1999, foi criada a Agência Nacional de Vigilância Sanitária (ANVISA), em substituição a Secretaria Nacional de Vigilância Sanitária (SVS), no papel da regulação sanitária dos ensaios clínicos no Brasil. Entre as atribuições da ANVISA estão a análise e emissão de pareceres conclusivos nos processos relacionados ao registro de medicamentos novos, assim como a autorização de projetos de pesquisa clínica a serem conduzidos em território nacional.[43]

Estas resoluções e iniciativas caracterizam um compromisso das autoridades governamentais com os voluntários que participam de estudos clínicos.

Os assuntos regulatórios englobam patrocinadores e investigadores na obrigação de garantir que a condução do estudo seja realizada dentro das diretrizes legais e éticas estabelecidas pelos órgãos competentes.[17] Atualmente, não se concebe a realização de estudos clínicos sem a adequada revisão ética e aprovação prévia pelos respectivos comitês nacionais ou institucionais. Além disso, é sempre necessária a autorização dos participantes dos estudos clínicos, confirmando sua concordância em participar do estudo por meio do processo de consentimento informado.

O Consentimento Informado é um processo em que um sujeito confirma voluntariamente seu desejo de participar de um estudo, particularmente após ter sido informado sobre todos os aspectos relevantes à sua decisão de participar. Ele é documentado em um formulário de consentimento escrito, assinado e datado.[15,42,44]

No caso de ensaios clínicos (terapêuticos e não terapêuticos) com crianças ou adolescentes, o sujeito deve ser informado sobre o estudo, à medida que for capaz de compreendê-lo e, se capaz, deve assinar e datar o consentimento informado escrito em pessoa; contudo, o consentimento do responsável legal é obrigatório.

Diferentemente da maioria dos adultos, as crianças normalmente não têm direito legal, maturidade intelectual e emocional para consentir em seu próprio nome a participação em uma pesquisa. Sua vulnerabilidade exige consideração especial dos pesquisadores e formuladores de

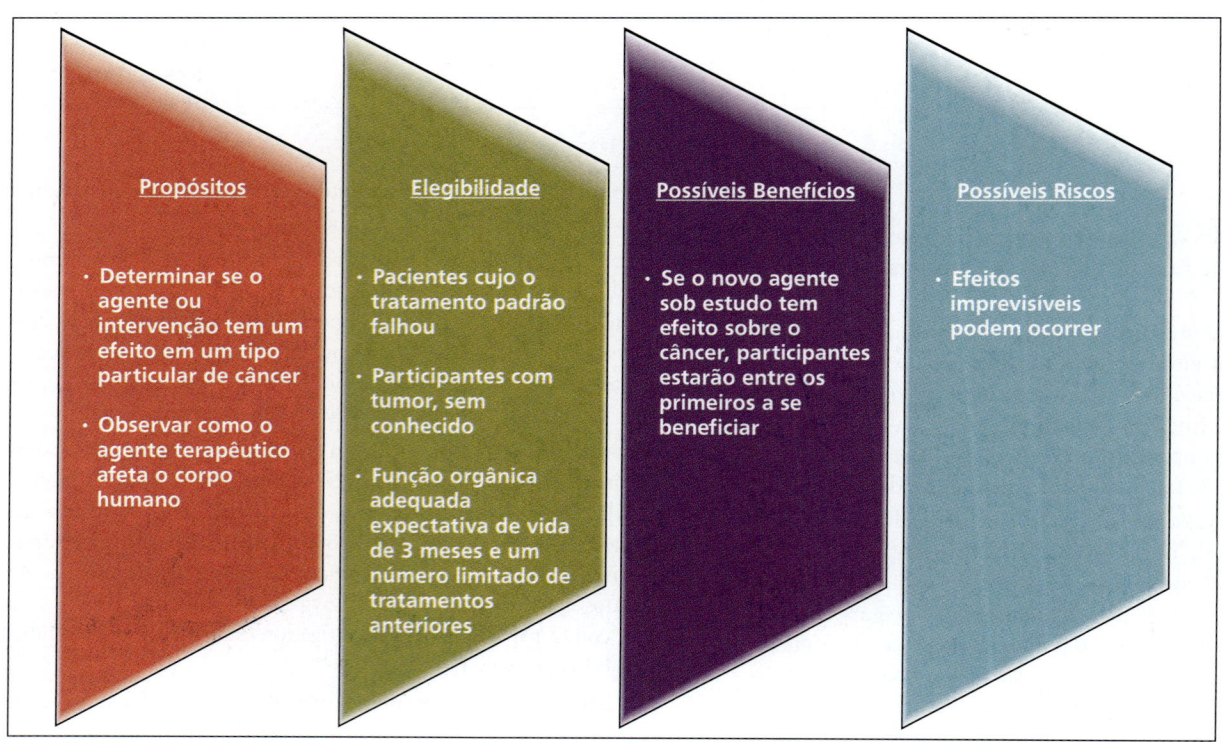

FIGURA 4. Resumo de características do estudo fase 3.

políticas e outras proteções, além daquelas fornecidas na pesquisa aos participantes adultos mentalmente competentes.[45]

Envolver as crianças nas discussões e tomadas de decisão, de acordo com a sua maturidade e capacidade de autonomia, ajuda-os a se prepararem para a participação na pesquisa e lhes dá a oportunidade de expressar as suas preocupações e objeções.[45] Nesse contexto, o ensaio clínico deve ser explicado em linguagem apropriada para a idade ou usando recursos visuais. Os pais ou tutores são convidados a dar o consentimento informado para o seu filho para participar do estudo.[18]

CONSIDERAÇÕES FINAIS

Foram obtidos grandes avanços na área da saúde, a partir do desenvolvimento de estudos clínicos. Os estudos clínicos são uma importante ferramenta nesse processo, e sua condução envolve procedimentos extremamente rigorosos e uma equipe formada pelo investigador principal, subinvestigadores, coordenador de estudo, bioestatísticos, enfermeiro de pesquisa, analista de dados, entre outros profissionais que se dedicam a garantir a segurança do sujeito de pesquisa e a qualidade dos dados gerados.[18]

Além disso, a maior preocupação da Oncologia Pediátrica ao longo dos anos tem sido aumentar os índices de cura das crianças e adolescentes com menores efeitos tardios e garantir a qualidade de vida para as crianças curadas, na infância, na adolescência e na idade adulta.

REFERÊNCIAS BIBLIOGRÁFICAS

1. Instituto Nacional de Câncer (Brasil). *Câncer na criança e no adolescente no Brasil: dados dos registros de base populacional e de mortalidade*. Rio de Janeiro: INCA, 2008, 220p.
2. Bleyer A, O'Leary M, Barr R et al. *Cancer epidemiology in older adolescents and young adults 15 to 29 years of age, including SEER incidence and survival: 1975–2000*. Bethesda, MD: National Cancer Institute, 2006.
3. Bleyer WA. The US pediatric cancer clinical trials programmes: International implication and the way forward. *Eur J Cancer* 1997;33(9), 1439-47.
4. Brasil. Ministério da Saúde. Secretaria de Vigilância em Saúde. Departamento de Análise da Situação de Saúde. *Sistema de informações sobre mortalidade* (SIM) [Internet]. Citado em: Ago. 2011. Disponível em: http://www.datasus.gov.br
5. Brasil. Instituto Nacional de Câncer. *Estimativa 2012: incidência de câncer no Brasil*. Rio de Janeiro: INCA, 2011, 118p.
6. Pizzo PA, Poplack DG. Principles and practice of pediatric oncology. In: Hilsenbeck S, Bomgaars LR, Berg SL. *Cancer clinical trials: design, conduct, analysis, and reporting*. Philadelphia: Lippincott Williams & Wilkins, 2011, cap. 17.
7. US Department of health & human services. Should your child be in a clinical trial? Acesso em: 2010 Jan. 13. Disponível em: <http://www.fda.gov/ForConsumers/ConsumerUpdates/ucm048699.htm>
8. Novak E, Allen PJ. Prescribing medications in pediatrics: concerns regarding FDA approval and pharmacokinetics. *Pediatr Nurs* 2007;33(1):64-70.
9. Saavedra I, Quiñones L, Saavedra M et al. Farmacocinética de medicamentos de uso pediátrico, visión actual. *Rev Chil Pediatr* 2008;79(3):249-58.
10. Wertheimer A. Off-label prescribing of drugs for children. *Curr Drug Saf* 2011;6(1):46-48.
11. 't Jong WT, Vulto AG, DeHoog M et al. Unapproved and off label use of drugs in a children's hospital. *N Engl J Med* 2000;343-1125.
12. National Institutes of Health. Best pharmaceuticals for children act. title V. Best Pharmaceuticals for Children Amendments of 2007. Disponível em: <http://bpca.nichd.nih.gov/about/background/index.cfm>
13. Ferreira LA, Ibiapina CC, Machado MGP et al. A alta prevalência de prescrições de medicamentos off-label e não licenciados em unidade de terapia intensiva pediátrica brasileira. *Rev Assoc Med Bras* 2012;58(1):82-87.
14. Brasil. Ministério da Saúde. Agência Nacional de Vigilância Sanitária. Pesquisa clínica: considerações e definições para pesquisa clínica. Disponível em: <http://www.anvisa.gov.br/medicamentos/pesquisa/def.htm>
15. International Conference on Harmonisation of Technical Requirements for Registration of Pharmaceuticals for Human use. ICH Harmonised Tripartite Guideline. Guideline for Good Clinical Practice (GCP) E6(R1) Version 10. Junho 1996. Disponível em: <http://www.ich.org/fileadmin/Public_Web_Site/ICH_Products/Guidelines/Efficacy/E6_R1/Step4/E6_R1__Guideline.pdf>
16. Simon R. The design and analysis of clinical trials. In: Levine A. (Ed.). *Cancer in the young*. New York, NY: Masson, 1982.
17. International Conference on Harmonisation, E8: Guidance on general considerations for clinical trials, 1997. Acesso em: 01 Oct. 2012. Disponível em: http://www.fda.gov/cder/guidance/1857fnl.pdf (
18. National Cancer Institute, US National Institutes of Health. Cancer clinical trials: the in-Depth Program. Version current at: 31 July 2012. Disponível em: <http://www.cancer.gov/clinicaltrials/learningabout/in-depth-program/page4>
19. Von Hoff DD, Clark JG, Kuhn C III. Design and conduct of phase I trials. In: Buyse M, Staquet M, Sylvester R. (Eds.). *Cancer clinical trials: methods and practice*. London, England: Oxford University, 1983.
20. Potter DM. Phase I studies of chemotherapeutic agents in cancer patients: a review of the designs. *J Biopharm Stat* 2006;16:579-604.
21. Marsoni S, Ungerleider RS, Hurson SB et al. Tolerance to antineoplastic agents in children and adults. *Cancer Treat Rep* 1985;69:1263-69.
22. Annas GJ. The changing landscape of human experimentation: Nuremberg, Helsinki, and beyond. *Health Matrix* 1992;2:119-40.
23. Agrawal M, Emanuel EJ. Ethics of phase 1 oncology studies: reexamining the arguments and data. *JAMA* 2003;290:1075-82.
24. Estlin EJ, Cotterill S, Pratt CB et al. Phase I trials in pediatric oncology: perceptions of pediatricians from the United Kingdom Children's cancer study group and the pediatric oncology group. *J Clin Oncol* 2000;18:1900-5.
25. Horng S, Emanuel EJ, Wilfond B et al. Descriptions of benefits and risks in consent forms for phase 1 oncology trials. *N Engl J Med* 2002;347:2134-40.
26. Kodish E, Stocking C, Ratain MJ et al. Ethical issues in phase I oncology research: a comparison of investigators and institutional review board chairpersons. *J Clin Oncol* 1992;10:1810-16.
27. Weinfurt KP, Castel LD, Li Y et al. The correlation between patient characteristics and expectations of benefit from Phase I clinical trials. *Cancer* 2003;98:166-75.
28. Ackerman TF. Phase I pediatric oncology trials. *J Pediatr Oncol Nurs* 1995;12:143-45.
29. Joffe S, Miller FG. Rethinking risk-benefit assessment for phase I cancer trials. *J Clin Oncol* 2006;24:2987-90.
30. Miller FG, Joffe S. Benefit in phase 1 oncology trials: therapeutic misconception or reasonable treatment option? *Clin Trials* 2008;5:617-23.
31. Furman W, Pratt C, Rivera G. Mortality in pediatric phase I clinical trials. *J Natl Cancer Inst* 1989;81:1193-94.
32. Shah S, Weitman S, Langevin AM et al. Phase I therapy trials in children with cancer. *J Pediatr Hematol Oncol* 1998;20:431-38.
33. Decoster G, Stein G, Holdener EE. Responses and toxic deaths in phase I clinical trials. *Ann Oncol* 1990;1:175-81.
34. Carter SK. Clinical aspects in the design and conduct of phase II trials. In: Buyse M, Staquet M, Sylvester R. (Eds.). Cancer clinical trials: methods and practice. London, England: Oxford University, 1983.
35. Therasse P, Arbuck SG, Eisenhauer EA et al. New guidelines to evaluate the response to treatment in solid tumors. European Organization for Research and Treatment of Cancer, National Cancer Institute of the United States, National Cancer Institute of Canada. *J Natl Cancer Inst* 2000;92:205-16.
36. Eisenhauer EA, Therasse P, Bogaerts J et al. New response evaluation criteria in solid tumours: revised RECIST guideline (version 1.1). *Eur J Cancer* 2009;45:228-47.
37. Marsoni S, Wittes R. Clinical development of anticancer agents—a National Cancer Institute perspective. *Cancer Treat Rep* 1984;68:77-85.
38. Merchant MS, Mackall CL. Current approach to pediatric soft tissue sarcomas. *Oncologist* 2009 Nov.;14(11):1139-53.
39. Mastrangelo R, Poplack D, Bleyer A et al. Report and recommendations of the Rome workshop concerning poor-prognosis acute lymphoblastic leukemia in children: biologic bases for staging, stratifcation, and treatment. *Med Pediatr Oncol* 1986;14:191-94.
40. Brasil. Ministério da Saúde. Conselho Nacional de Saúde. Resolução n. 251 de 05/08/97. Diretrizes e normas regulamentadoras de pesquisa envolvendo seres humanos [site na Internet]. Disponível em: <http://www.cepsh.ufsc.br/originais/Res25197.doc>
41. Lousana G, Acceturi C. *Histórico da pesquisa clínica. Pesquisa clínica no Brasil*. Rio de Janeiro: Revinter, 2002.
42. Brasil. Ministério da Saúde. Conselho Nacional de Saúde. Normas de pesquisa envolvendo seres humanos. Res CNS 196/96. *Bioética* 1996;4(Suppl):15-25.
43. Nishioka AS, Sá PFG. A Agência Nacional de Vigilância Sanitária e a pesquisa clínica no Brasil. *Rev Assoc Med Bras* 2006;52(1):60-62.
44. Organização Pan-Americana da Saúde (Opas)/Organização Mundial da Saúde (OMS)/Rede Pan-Americana para Harmonização da Regulamentação Farmacêutica. Boas Práticas Clínicas: Documento das Américas. Republica Dominicana: 2-4 Março de 2005. Disponível em: <http://www.anvisa.gov.br/medicamentos/pesquisa/boaspraticas_americas.pdf>
45. Field MJ, Berman RE. (Eds.). Institute of Medicine of the National Academies. *The ethical conduct of clinical research involving children*. Committee on Clinical Research Involving Children 2004, 448p.

CAPÍTULO 206
Acesso Venoso

Ricardo Vianna de Carvalho ■ Gabriela Oliveira Santana

HISTÓRICO DOS CATÉTERES

Apesar dos avanços tecnológicos nos tratamentos de diversas patologias, muitos dos tratamentos e curas possíveis estão ligados às administrações de medicamentos. Dentro dessa visão, os acessos venosos continuam sendo o principal meio de administração de muitas drogas e medicamentos em benefício do paciente, principalmente o pediátrico.

Os catéteres podem ser considerados como tubos que podem ser inseridos em cavidades, ductos, ou veias, permitindo a drenagem ou a infusão de fluidos. O processo de inserção de catéter é denominado cateterização.

Desde o antigo Egito, existem relatos do uso de catéteres. Existem relatos de 3.000 a.C. Os gregos inseriam catéteres de metal pela uretra com um tubo denominado de *katheter*. Muitos dos materiais inicialmente eram utilizados para cateterização da bexiga.

Antes do século XVII, a fisiologia e a anatomia dos vasos sanguíneos eram totalmente desconhecidas. O avanço da terapia intravenosa contou com a colaboração de vários heróis e heroínas.

O processo de cateterização há muito vem sendo utilizado em estudos por pesquisadores e médicos no intuito de aprimorar o conhecimento humano. Relatos de 1912 nas publicações de Fritz Bleiichoroeder *et al.* utilizavam os catéteres para quimioterapia com introdução por meio cirúrgico através de *X-Ray*.

Nas últimas 2 décadas, a sobrevida dos pacientes oncológicos pediátricos chegou a 70%. Mesmo com os avanços tecnológicos nos tratamentos de diversas patologias muito decorre das novas tecnologias e materiais para administração de medicamentos, dentro dessa visão os acessos venosos continuam sendo o principal meio de utilização principalmente em oncologia.

BIOCOMPATIBILIDADE

O princípio de biocompatibilidade inclui os mecanismos envolvidos na resposta inflamatória e processo infeccioso, aplicados ao tipo de material além da fabricação e do implante. Há, contudo, características do biomaterial que conferem certos aspectos a esses processos. É de grande importância considerar as questões de biocompatibilidade no contexto de várias classes de materiais: metais, cerâmicas e polímeros.

Considerados materiais manufaturados estão inerentes alguns percalços na utilização dos mesmos. As complicações preocupantes nestes pacientes são as tromboses e infecções. Nos pacientes oncológicos, estas duas complicações podem advir da própria doença e decorrente do tratamento proposto. Sabendo-se que os pacientes oncológicos tendem a desenvolver trombos e que a neovascularização proporciona uma disseminação tumoral e/ou peritumoral, bem como uma disseminação metastática, as infecções podem ocorrer por quadros de baixa imunidade e queda da barreira de defesa pelo próprio tratamento que pode ser de origem bacteriana ou fúngica.

CATÉTER VENOSO DE LONGA PERMANÊNCIA

Em 1973, Broviac criou um catéter de silicone com anel de dácron, onde sua extremidade era colocada em nível de circulação central, com tunelização subcutânea e exteriorização através da parede anterior do tórax. Em 1979, Hickman aproveitou a ideia, criando um catéter de maior diâmetro interno, que permitia a injeção fácil de várias substâncias, e, na década de 1980, surgiram os primeiros relatos de casos com catéteres totalmente implantados.

Desde então, aconteceu uma melhoria na qualidade dos catéteres, em relação ao material, ao número de lumens entre outros, permitindo um fluxo melhor, por um tempo mais prolongado. Juntamente com a melhoria das técnicas, de colocação e maiores cuidados de manutenção, os pacientes podem usufruir deste dispositivo por um tempo mais prolongado. Os catéteres intravasculares hoje são indispensáveis na prática da medicina moderna, sendo responsáveis por salvar e prolongar a vida de muitos pacientes. Transplante de medula óssea, quimioterapia, nutrição parenteral total, transfusões sanguíneas e terapias endovenosas prolongadas são exemplos de situações que demandam um acesso venoso central a longo prazo.

Por padronização de cada instituição e os produtos existentes no mercado denominamos: Hickman, os catéteres semi-implantados que podem ter diferentes lumens; e os Port a Cath, os catéteres totalmente implantados com reservatório, e que podem ter diferentes materiais, polissulfona ou titânio com diferentes formatos dos *portes* (Figs. 1 e 2).

A resposta biológica depende em parte do tipo de material e a influência desse material na inflamação e nos estágios de regeneração.

Os catéteres resumidamente são tubos inseridos no vaso sanguíneo, cuja ponta fica em terço médio da veia cava superior (para administração de fluidos) ou no interior do átrio (para monitorização invasiva) (Fig. 3). Quanto ao tipo, eles podem ser: catéter venoso periférico, catéter venoso central, catéter venoso de linha média e catéter arterial. Esses catéteres podem ser classificados pelo(a):

- Tempo de uso (curta permanência, longa permanência).
- Tipo de material usado (silicone, poliuretano, entre outros).
- Tipo de implantação (não tunelizado, percutâneo, tunelizado).
- Presença ou não de válvula.
- Número de lumens e vias.

A interação multidisciplinar contribuiu para o refinamento da quimioterapia e radioterapia e possibilitou a realização de procedimentos cirúrgicos com menor mutilação e mais eficazes.

Consideramos os catéteres venosos de longa permanência um critério de qualidade no atendimento ao paciente oncológico, principalmente o pediátrico, muitas instituições seguem protocolos bem estabelecidos de acompanhamento desses catéteres com protocolos bem definidos. Quando se solicita um catéter CVC LP, procuramos avaliar em conjun-

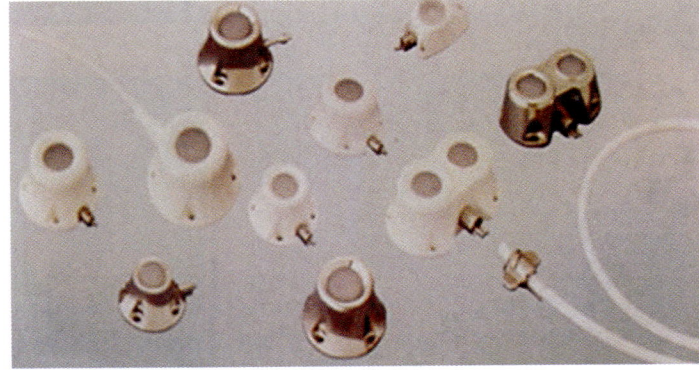

▲ **FIGURA 1.** Tipos de reservatórios de catéter venoso totalmente implantado.

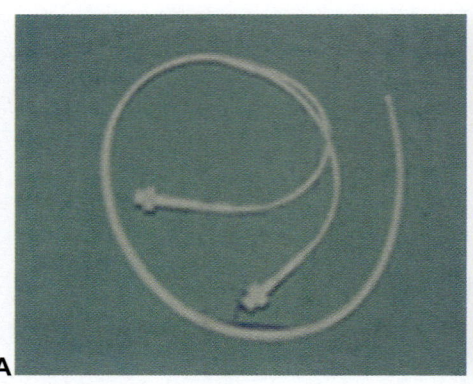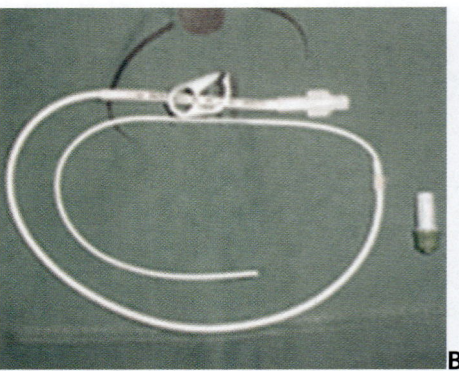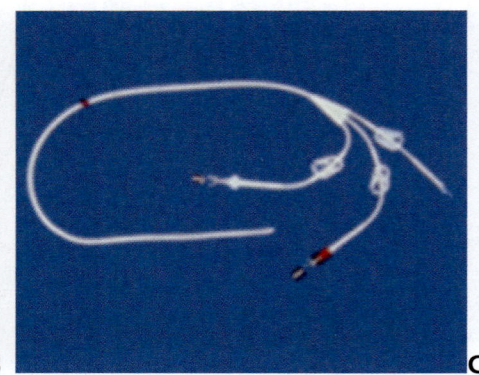

▲ **FIGURA 2. (A-C)** Tipos de catéteres semi-implantados.

to com a equipe clínica o melhor momento para o paciente. O paciente deve beneficiar-se do procedimento.

A utilização destes catéteres tem como finalidade o benefício dos pacientes para fins de:

- Quimioterapia.
- Nutrição parenteral.
- Infusão de medicamentos e hemoderivados.
- Coleta de sangue.
- Transplante.

A necessidade do uso de catéteres é evidenciada e solicitada pelo médico-assistente, tanto quanto pela enfermagem que observam a dificuldade de infusão de medicações vesicantes e a dificuldade anatômica e idade do paciente para prosseguir seu tratamento. Os pais e responsáveis e o próprio paciente quando adolescente solicitam a programação e colocação dos catéteres como melhor forma de adequação ao tratamento.

Indicação adequada

A indicação para a colocação de catéteres venosos incluem a monitorização hemodinâmica, administração de fluidos, infusão de medicações e nutrição parenteral. A escolha para o momento adequado para o catéter ser colocado deve ser avaliada pelo médico-assistente, paciente em conjunto com o tipo de terapia e tratamento que será realizado. Os custos do procedimento também devem ser avaliados.

Pressupõem-se uma avaliação do paciente com o conhecimento da sua doença e o comportamento da biologia tumoral desta e sua proposta de tratamento. O estudo anatômico do paciente com seleção da melhor localização para colocação do catéter. Em oncologia, as veias que mais são utilizadas são as subclávia e jugulares. Em determinados serviços, as veias braquiais e/ou cefálicas podem ser utilizadas. Como referido, cada técnica e forma de acesso ficam a critério do profissional. É mister que seja um acesso venoso seguro e confortável para sua utilização, facilidade de manuseio e diminuição das complicações (Fig. 4).

Conforme exposto anteriormente, todo o sistema multidisciplinar evoluiu para um melhor controle dos pacientes e seus dispositivos com a elaboração de critérios de utilização e manuseio, visando sempre o benefício do paciente. Seguem abaixo algumas orientações úteis no processo de colocação de catéter de longa permanência a serem seguidos por equipe médica e de enfermagem.

- Pré-operatório
  - Orientação:
    - Rotinas da instituição.
    - Procedimento cirúrgico.
    - Autocuidado.
    - Limitações.
  - Exames pré-operatórios.
- Pós-operatório
  - Realizada no 1º ou 3º dia de pós-operatório.
  - Avaliação das condições gerais de cicatrização e do catéter.
  - Agendamento da retirada de pontos para o 15º dia após a colocação.
  - Reforço nas orientações quanto aos curativos e cuidados domiciliares.
- Acompanhamento
  - Diagnóstico e tratamento de complicações.
  - Reforço de orientações.
  - Esclarecimento de dúvidas.

Rotina

Padronização de soluções

É de conhecimento que cada instituição ou serviço que se dispõe a manipular catéteres venosos tenha seu protocolo de utilização e permeio de solução em adaptação ao uso, patologia e sistematização. A solução de heparina tem-se mostrado eficiente e evitando complicações, como a obstrução.

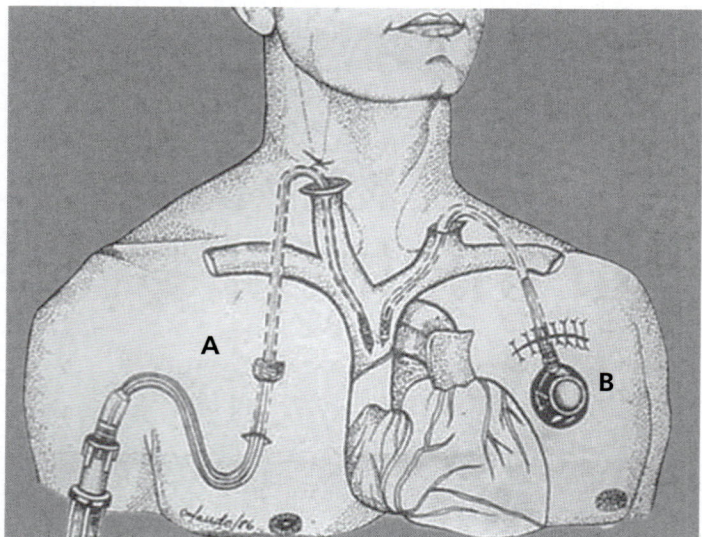

▲ **FIGURA 3.** Locais de acesso venoso e principal localização da ponta do catéter.

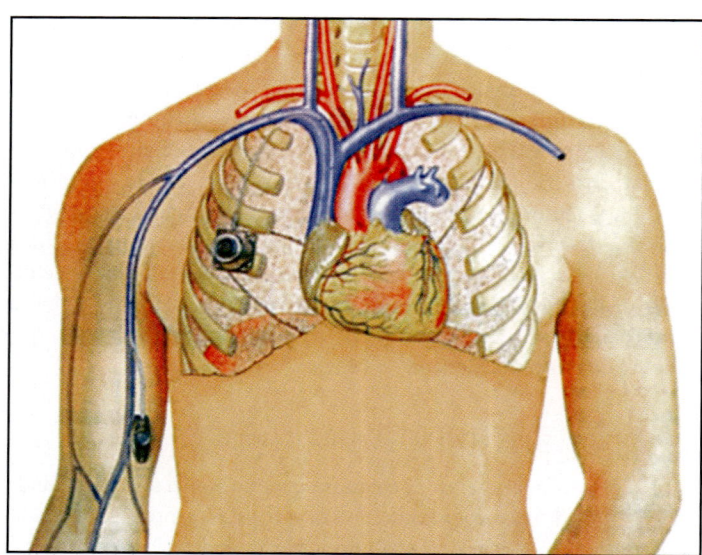

▲ **FIGURA 4.** Locais de colocação de acesso venoso em região, em tronco ou em membro superior direito.

- Solução heparinizada:
  - Aspirar 0,25 mL de liquemine (uma ampola-5.000 UI), completar para 10 mL de SF 0,9%.
  - Aspirar 1 mL de heparina sódica (5.000 UI) e completar para 10 mL de SF 0,9%.
  - Introduzir 2 mL desta solução de heparina no catéter totalmente implantado (500 UI/mL) ou em cada via do semi-implantado.
- Solução de heparina:
  - Introduzir 1 mL de heparina sódica pura (5.000 UI/mL) ou aspirar uma ampola de liquemine (5.000 UI) e completar para 1 mL de SF 0,9%, introduzir toda a solução, (5.000 UI/mL), em catéteres periféricos.

COMPLICAÇÃO

Infecção

Por saber que os catéteres venosos são fundamentais para a realização do tratamento de diversas doenças, sabemos que as infecções elevam a morbidade no uso destes dispositivos.

Infecção é definida como a multiplicação de microrganismos patogênicos no tecido do hospedeiro após a implantação do material, causando uma doença local por lesão, secreção de toxina e reação antígeno anticorpo do hospedeiro. Os mais comuns são as bactérias, mas também podem ocorrer fungos e vírus.

Por serem os catéteres fundamentais para a realização do tratamento de diversas doenças, as infecções podem ocorrer em qualquer tempo, e sabemos que elevam a morbidade.

A superfície de biomateriais pode favorecer a colonização de bactérias. A aderência bacteriana em superfícies sólidas pode proporcionar a formação de biofilme. Este é uma estrutura complexa, compreendendo uma base polimérica de bactérias encapsuladas. Ainda é pouco conhecido que determinados materiais podem favorecer a produção e a aderência do biofilme. Estudos ainda estão procurando entender esse mecanismo.

Outras complicações

Observamos outros tipos de complicações que podem apresentar-se de acordo com cada momento e com múltiplas variáveis listadas e correlacionadas adiante.

1. Do procedimento cirúrgico:
   - Hematoma.
   - Sangramento local.
   - Deiscência.
   - Má posição do catéter.
2. Relacionadas com o material:
   - Aneurisma do catéter.
   - Perfuração.
   - Problemas no reservatório (vedação, fragilidade no material).
   - Fratura do fecho de segurança, variando com o tipo de catéter.
3. Relacionada com o uso:
   - Uso de agulha inadequado.
   - Equipe não treinada.
   - Obstrução por erro de soluções.
   - Curativos compressivos.
4. Relacionada com o paciente:
   - Trombose.
   - Obstrução.
   - Progressão de doença.
   - Alergia ao curativo.
5. Não adaptação ao catéter:
   - Alergia ao material.
   - Sem cuidados adequados.
   - Abandono das recomendações.

CATÉTER VENOSO CENTRAL DE INSERÇÃO PERIFÉRICA

São tubos flexíveis, confeccionados em material radiopaco de silicone, poliuretano ou teflon com revestimento de silicone. Conector em Y de plástico (removível) para adaptação de seringas e introdução do guia de metal.

- Introdutor para punção venosa periférica (calibres diversos).
- Guilhotina (opcional).

Indicações

- Urgência em ter um acesso venoso seguro.
- Protocolos curtos de quimioterapia (até quatro ciclos).
- Quimioterapias com droga vesicante, já no primeiro ciclo.
- Ciclo único de quimioterapia.
- Paciente FPT com necessidade de acesso venoso.

Procedimento de colocação

- Ambulatorial.
- Técnicas assépticas.
- Botão anestésico local opcional.
- RX de controle.

Liberação para uso de curativos

- Imediatamente após colocação.
- Fixação realizada com curativo com gaze ou filme transparente.
- Enfaixamento.
- Manutenção semanal.

Sítios de colocação

- Acesso venoso: local de inserção.
- Veias cefálica e basílica: membros superiores.

Vantagens

- Não necessita de procedimento cirúrgico.
- Fácil colocação – ambulatorial.
- Fácil retirada em casos de complicações.
- Permite nova colocação a curto prazo.

Desvantagens

- Necessita de curativos frequentes.
- Manutenção semanal.
- Limita algumas atividades físicas.
- Reciclagens frequentes para o paciente, familiares e/ou responsáveis quanto aos cuidados domiciliares.
- Difícil colocação em pacientes politratados.
- Risco maior de exteriorização.

Contraindicações

- Baixa condição socioeconômica.
- Acesso venoso de difícil visualização.
- Quimioterapias de longa duração ou longa infusão.
- Presença de metástases.

BIBLIOGRAFIA

Bard Access Systems. *Bard port implanted ports: with open-ended Catheters*. US: Patents, 1994. 39p.

Bonassa EMA. Administração de antineoplásicos. In: Bonassa EMA. *Enfermagem em terapêutica oncológica*. 2. ed. São Paulo: Atheneu, 2000. p. 45-88.

Brasil. Ministério da Saúde. Instituto Nacional de Câncer. *Ações de enfermagem para o controle do câncer: uma proposta de integração ensino-serviço*. 3. ed. Rio de Janeiro: INCA, 2008.

Brasil. Ministério da Saúde. Instituto Nacional de Câncer. *Manual de técnicas para o manuseio de cateteres venosos centrais*. 2. ed. Rio de Janeiro: INCA, 1999.

Braun B. *Celsite: manual de procedimentos de enfermagem para manutenção e uso de portes de acesso totalmente implantáveis*. Rio de Janeiro, 1999. 23p.

Brown J, Scelsi DB. Management of complications associated with th use of venous access devices. In: Tenenbaun L. *Cancer chemotherapy and* biotherapy. *A reference guide*. 2th ed. Philadelphia: WB Saunders, 1994. p. 481-97, cap. 18.

Brown J. Peripherally inserted central catheters. In: Tenenbaun L. *Cancer chemotherapy and biotherapy. A reference guide*. 2th ed. Philadelphia: WB Saunders, 1994. p. 429-45, cap. 15.

Conn C. The importance of syringe seize when using implanted vascular access devices. *JVAN* 1993;3:11.

Deppe G, Kahn ML, Malviya VK *et al*. Experience with the PAS- PORT venous access device in patients with gynecologic malignancies. *Gynecol Oncol* 1996;62:340-43.

Freitas LCM, Raposo LCM, Finoquio RA. Instalação, manutenção e manuseio de cateteres venosos centrais de inserção periférica em pacientes submetidos à quimioterapia endovenosa. *Rev Bras Cancerol* 1999;45(1):19-29.

Gleeson NC, Fiorica JV, Mark MD *et al*. Externalized groshong catheters and hickman ports for central venous access in gynecologic oncology patients. Gynecol Oncol 1993;51:372-76.

Golden WC, O'Neil M, Marban L. *Vascular access: percutaneous central venous catheter (PCVC)*. Johns Hopkins Children's Center - NICU Guidebook. Disponível em: <www.neonatology.org, 2000>

Hadaway LC. State boards of nursing and advanced practice. *J Intravenous Nurs* 1991;14:274-79.

Hoefler R. Estabilidade e compatibilidade de misturas injetáveis. Cebrim. Disponível em: <www.cff.org.br/cebrim, 2001>

Hoffmann KK, Weber DJ, Samsa GP *et al*. Transparent polyurethane film as an intravenous catheter dressing. *JAMA* l992;267(l5):2072-76.

Ingle RJ. Rare complications of vascular access devices. *Semin Oncol Nurs* 1995 Aug.;11(3):184-93.

Jacobs BR, Haygood M, Hingl J. Recombinant tissue plasminogen activator in the treatment of central venous catheter occlusion in children. *J Ped* 2001;139(4):593-96.

Maki DG, Ringer M, Alvarado CJ. Prospective randomized trial of povidoneiodine, alcohol, and chlorexidine for prevention of infection associated with central venous and arterial catheters. *Lancet* 1991;338:339-43.

McDermott MK. Patient education and compliance issues associated with access devices. *Semin Oncol Nurs* 1995 Aug.;1(3)221-26.

Phillips LD. *Manual de terapia intravenosa*. 2. ed. Porto Alegre: Artmed, 2001.

Polit DF, Huncler BP. *Fundamentos de pesquisa em enfermagem*. 3. ed. Porto Alegre: Artes Médicas, 1995.

Runsey KA, Richardson DK. Management of infection and occlusion associated with vascular access devices. *Semin Oncol Nurs* 1995 Aug.;11(3):174-83.

Ryder MA. Peripheral access options. *Surg Oncol Clin of N Am* 1995;3(4):395-427.

Smith J. *Percutaneous central venous catheter*. Royal Prince Alfred Hospital (Department of Neonatal Medicine Protocol Book: Central Lines). Disponível em: <www.neonatology.org, 1999>

Sobotta J. Becher H. *Atlas de anatomia humana*. 17. ed. Rio de Janeiro: Guanabara Koogan, 1977;(2):220-30.

Tenenbaum L, Scelsi DB. *Central venous access devices. In: Tenenbaun, L. Cancer Chemotherapy and biotherapy*. A reference guide. 2th ed. Philadelphia: WB Saunders, 1994. p. 411-27, cap. 14.

Tenenbaum L, Scelsi DB. *Implantable ports. In: Tenenbaun L. Cancer chemotherapy and biotherapy. A reference guide*. 2th ed. Philadelphia: WB Saunders, 1994. p. 447-64, cap. 16.

Velasco ED, Bouzas LFS, Tabak D. Experiência do Centro Nacional de Transplante de Medula Óssea (CEMO) com uso de cateteres tipo Hickman – Broviac. *Rev Bras Cancerol* 1987;33(l):23-28.

Winslow MN, Trammel L, Camp-Sorrell D. Selection of vascular access devices and nursing care. *Semin Oncol Nurs* 1995 Aug.;l1(3):167-73.

CAPÍTULO 207

Tumores Renais

Flavia Cotias ■ Ricardo Vianna de Carvalho ■ Marília Fornaciari Grabois

TUMOR DE WILMS/NEFROBLASTOMA

O tumor de Wilms (TW) ou nefroblastoma é a neoplasia renal mais frequente na infância e representa um paradigma do tratamento multimodal dos tumores sólidos pediátricos. Os avanços nas técnicas cirúrgicas e nos cuidados pós-operatórios; o reconhecimento da resposta do TW ao tratamento com radioterapia e a disponibilidade de agentes quimioterápicos efetivos têm levado uma melhora dramática no prognóstico.[1]

A sobrevida global na década de 1930 era de aproximadamente 30%.[2] Desde a metade da década de 1980, a sobrevida em 5 anos em crianças com diagnóstico de TW é de aproximadamente 90%.[3] Isso é resultado dos avanços do tratamento multidisciplinar e de grupos de estudos cooperativos multi-institucionais, internacionais. Na América do Norte, os pacientes com TW são tratados de acordo com protocolos desenvolvidos pelo *National Wilms Tumor Study Group* (NWTS), agora conhecido como *Children Oncology Group* (COG). Na Europa, assim como atualmente no Brasil, a estratégia de tratamento segue o protocolo desenvolvido pela *Société Internacionale D'Oncologie Pédiatrique* (SIOP). O resultado do tratamento é muito bom, independente do protocolo utilizado. O foco dos pesquisadores nos dias atuais está em reduzir a morbidade do tratamento, mantendo as elevadas taxas de cura nos pacientes de baixo risco, assim como desenvolver novas propostas terapêuticas para melhorar a sobrevida em pacientes de alto risco.[2]

A maioria das crianças com TW segue protocolos de pesquisa internacionais, conduzidos por grupos cooperativos que incorporam terapias multimodais (cirurgia, quimioterapia e radioterapia).[3,4]

Existem duas abordagens terapêuticas distintas para TW. O grupo cooperativo europeu da SIOP preconiza o uso de quimioterapia (QT) pré-operatória. Esta estratégia tem como objetivo facilitar a cirurgia pela redução do volume do tumor e do risco de ruptura tumoral. O grupo cooperativo americano NWTS/COG advoga o uso de cirurgia imediata para estadiamento e diagnóstico histológico. Considera que pode haver um efeito adverso no estadiamento e avaliação histológica na criança que recebe QT pré-operatória, o que pode levar a um sub ou supertratamento.[5,6] Apesar das diferenças na abordagem da doença, o resultado de ambos os estudos é equivalente em termos de sobrevida.[6-8]

Epidemiologia

O rim é o sítio de aproximadamente 7% das neoplasias na infância, incluindo nefroblastoma (tumor de Wilms), sarcoma de células claras renal, tumor rabdoide renal, carcinoma de células renais e nefroma mesoblástico congênito. O TW é a quarta neoplasia mais comum na infância e é a neoplasia maligna de rim mais comum em todas as regiões do mundo. Dois terços dos casos são diagnosticados antes dos 5 anos e 95% antes dos 10 anos. Crianças com doença bilateral ou anomalias congênitas associadas têm apresentação mais precoce.[6,9,10]

Etiopatogenia

O nefroblastoma é um tumor embrionário do rim, causado por uma proliferação aberrante do blastema metanéfrico, sem a diferenciação tubular e glomerular normais.[11] Pode desenvolver-se a partir de mais de uma alteração genética, sendo que já foram descritas várias. O TW1 foi o primeiro gene identificado na sua patogênese.[12]

Aproximadamente 10% das crianças com TW têm malformações congênitas associadas, seja isolada, seja como parte de uma síndrome de malformação congênita. As mais comumente encontradas são síndrome de WAGR, Beckwith-Wiedemann, Denys-Drash, Fraiser, Simpson-Golabi-Behmel e Li-Fraumeni.[1]

A predisposição familiar para TW é rara e corresponde a aproximadamente 1 a 2% dos casos. O padrão e herança em casos familiares é autossômico dominante. Casos de tumor de Wilms familiar estão associados a uma frequência aumentada de lesão bilateral e a uma idade de diagnóstico mais precoce, embora variações no perfil de apresentação possam ocorrer. Entretanto, para se estimar o risco de TW nos descendentes de pacientes com a doença, serão necessários estudos com acompanhamentos mais longos e com um número maior de pacientes incluídos.[1,12,13] Dois genes familiares já foram identificados: FWT1, localizado no cromossoma 17q12-q21 e FWT2, no cromossoma 19q13.

O TW pode estar associado a mutações dos genes TW1, TWX, CTNNB1 e TP53.[6,8]

O TW1 é um gene que pode atuar como supressor tumoral ou como oncogene. Está localizado na parte distal do braço curto do cromossoma 11, banda 13 (11p13), regula a transcrição de fatores de crescimento e seus receptores, além de outros fatores envolvidos no crescimento e diferenciação celular e apoptose. Este gene desempenha um papel no desenvolvimento e diferenciação de tecidos geniturinários e gonadais.[1] Aproximadamente 5% dos pacientes com TW têm mutação neste gene. Pacientes com mutação no TW1 têm risco aumentado de doença recorrente bem como doença bilateral.[10]

O gene TWX, localizado no cromossoma Xq11.1, parece atuar como gene supressor tumoral, agindo por regulação negativa da via de sinalização WNT/betacatenina.[10] Este gene encontra-se inativado em aproximadamente 1/3 dos casos de TW.[8,14]

CTNNB1, localizado no cromossoma 3p22.1, é um oncogene, identificado como mutado em alguns casos de TW.[10,14]

O TP53 é um gene supressor tumoral localizado no cromossoma 17p13, que codifica uma proteína nuclear, que age como fator de transcrição e bloqueia a progressão do ciclo celular. A mutação do p53 está associada a outros tipos de câncer na infância, como osteossarcoma e sarcoma de Ewing, mas é infrequente nos casos de TW e não é usada como marcador biológico para prognóstico.[15]

A perda da heterozigosidade do 16q e 1p parece estar associada ao prognóstico adverso, independente do estadiamento do tumor e histologia.[16]

Anatomia patológica

Aspectos macroscópicos

A maioria dos TW apresenta-se como uma massa solitária, esférica, abruptamente demarcada do parênquima renal. Entretanto, um número substancial de tumores é multifocal com 7% envolvendo ambos os rins, e aproximadamente 12% envolvendo um mesmo rim. A multicentricidade está associada a um risco aumentado para formação de tumor subsequente no rim remanescente. Não há predileção para qualquer um dos lados. O tumor de Wilms comumente envolve vasos venosos e linfáticos, e a veia renal e seus ramos frequentemente contém trombos tumorais, os quais são geralmente coesos e podem estender-se até a veia cava inferior (VCI) e átrio direito.[11,16]

Aspectos microscópicos

O tumor de Wilms parece surgir do rim em desenvolvimento como resultado da falha da diferenciação normal do blastema metanéfrico em seus componentes epiteliais e estromais.[17] O TW clássico é composto de proporções variáveis de três tipos de células: blastema, estroma e epitelial – frequentemente recapitulando vários estágios da embriogênese renal normal, mas a presença de células heterotópicas (músculo esquelético, cartilagem e epitélio escamoso) sinaliza que não há nefrogênese normal. Nem sempre apresenta-se como um tumor trifásico (com os três tipos de células), podendo ser bifásico (com dois tipos de células) ou monofásico (um tipo de célula).[11,16]

TW frequentemente apresenta cistos esparsos, não raramente pode ser predominantemente ou puramente cístico. Os casos de nefroblastoma cístico parcialmente diferenciado são desprovidos de crescimento nodular sólido, mas contêm elementos nefrogênicos imaturos em seu septo. Outros casos contêm apenas elementos maduros e são classificados como nefroma cístico. Ambos são curáveis apenas com cirurgia. O nefroblastoma cístico parcialmente diferenciado é uma variante do nefroblastoma e deve ser diagnosticado por imagem, geralmente ocorre em crianças menores de dois anos de idade e tem excelente prognóstico.

O TW pode desenvolver-se a partir de lesões precursoras, os restos nefrogênicos (RN), que são áreas de blastema indiferenciado que persistem após a 36ª semana de gestação, podem evoluir para TW ou involuir. Os RN têm sido observados ao diagnóstico em cerca de 35% dos rins com tumor de Wilms unilateral e em aproximadamente 100% dos rins com tumor de Wilms bilateral. São classificados em intralobares e perilobares em função de sua localização topográfica nos lobos renais. A presença de RN múltiplos ou difusamente distribuídos é denominada de *nefroblastomatose*.[11,16,17]

Nefroma mesoblástico é um tumor que normalmente ocorre no primeiro ano de vida. O tratamento é cirúrgico, e o prognóstico é excelente. Existem dois subtipos histológicos: o tipo clássico e o tipo celular. Ambos apresentam padrão de crescimento infiltrativo e podem infiltrar a gordura perirrenal e o seio renal. O único tratamento recomendado para doença localizada é ressecção cirúrgica completa ampla.

A histologia do tumor está relacionada com o prognóstico. A presença de anaplasia é o mais importante preditor de mau prognóstico em crianças com TW.[1] Pode ser classificada em focal ou difusa. A anaplasia difusa tem o pior prognóstico, enquanto a focal tem prognóstico intermediário.[11,16] Para a anaplasia ser classificada como focal, as alterações celulares devem estar restritas a uma região dentro do tumor primário, ausentes em sítio extratumoral ou extrarrenal e caber em um único campo microscópico. Para ser considerada difusa, as alterações características podem estar presentes em qualquer sítio extrarrenal, incluindo vasos do seio renal, infiltrados extracapsulares, metástase linfonodal ou a distância, em uma biópsia ou uma amostra de tumor incompletamente ressecado, ou várias regiões do tumor.[1]

O nefroma mesoblástico, sarcoma de células claras e tumor rabdoide são tumores renais com apresentação na infância, que não fazem parte da entidade Tumor de Wilms.

Diagnóstico

Aspectos clínicos

A apresentação clínica mais comum é a presença de massa abdominal, notada no exame médico de rotina ou pelos familiares. Dor abdominal, hematúria macroscópica e febre são outros achados frequentes ao diagnóstico. Hipertensão arterial sistêmica está presente em 25% dos casos e tem sido atribuída à atividade aumentada de renina. Uma apresentação característica é o rápido aumento abdominal, anemia, hipertensão arterial e, algumas vezes, febre.[16]

Várias anomalias congênitas podem estar associadas a este tipo de tumor, como: aniridia, hemi-hipertrofia, criptorquidia, hipospádia, pseudo-hermafroditismo, disgenesia gonadal. As anomalias geniturinárias são as mais frequentes e estão presentes em 4,5% dos pacientes com TW. Algumas síndromes estão associadas à presença do tumor de Wilms, como síndrome WAGR (Wilms, aniridia, anomalias geniturinárias, retardo mental), Beckwith-Wiedemann (hemi-hipertrofia, macroglossia, hérnia umbilical, visceromegalia, gigantismo pós-natal, microcefalia e eventração diafragmática), Denys-Drash (pseudo-hermafroditismo masculino, esclerose mesangial renal e TW), entre outras. Entretanto, menos de 30% das crianças com esta neoplasia apresentam anomalias congênitas associadas.[16,17]

Exames laboratoriais

Os exames laboratoriais incluem estudo da função renal hepática, cálcio, hemograma e coagulograma.

Diagnóstico de imagem

Os exames de imagem devem ser realizados para o diagnóstico do tumor de Wilms. O primeiro objetivo é identificar a presença do tumor em rim. O exame também ajuda a decidir a abordagem inicial por cirurgia ou quimioterapia neoadjuvante. A avaliação do rim contralateral, tamanho e extensão do tumor, detecção de metástases pulmonares também deve ser estudada inicialmente.

A ultrassonografia (USG) abdominal é, com frequência, o exame inicial do diagnóstico. O Doppler avalia infiltração tumoral na veia cava inferior e veia renal, além de alteração de fluxo por trombo tumoral. Pode contribuir para a detecção de trombos, encontrados na veia renal em 11,3% dos casos e na veia cava inferior ou átrio direito entre 4,1 a 8,1% dos casos de TW. A tomografia com contraste tem boa sensibilidade e especificidade para detecção de trombos tumorais.[18] A ressonância magnética (RM) pode ajudar a diferenciar restos nefrogênicos do TW propriamente dito, além disso, pode ser importante na monitorização da resposta à quimioterapia nos casos de doença bilateral e nefroblastomatose, quando a preservação da função renal é vital.[17]

A tomografia computadorizada (TC) com contraste oral e venoso é preconizada na programação do tratamento dos pacientes, pois permite a melhor avaliação da natureza e extensão da massa e a detecção de lesões pequenas no rim contralateral.[19,20] Com isso, permite uma avaliação de estadiamento precisa, iniciar o tratamento com quimioterapia pré-operatória, além de auxiliar na programação cirúrgica e ser útil no acompanhamento pré e pós-operatório dos pacientes (Figs. 1 e 2).

Exames de imagem do tórax são necessários para avaliação da presença de metástase pulmonar ao diagnóstico. A radiografia simples e a tomografia são usadas para este fim, porém a TC parece um método mais sensível. Entretanto, a SIOP recomenda que os casos em que nódulos pulmonares vistos apenas à TC, não pela radiografia de tórax, sejam tratados como doença localizada. O resultado do estudo da SIOP 2001 revelou que a sobrevida livre de evento e a sobrevida global em pacientes com nódulos vistos à TC apenas, tratados como doença localizada, não apresentaram diferença significativa (Fig. 3).[21]

A tomografia com emissão de pósitron (PET/TC) parece prover informações adicionais quanto à doença residual ao fim do tratamento, da extensão da doença na recaída e na distinção entre TW anaplásico e histologia favorável.[1] Um estudo demonstrou que o PET/TC pode predizer a presença de tumor residual viável, sugerindo que o exame pode ser uma ferramenta no planejamento de terapia local para os casos de doenças metastática e bilateral, quando a cirurgia poupando néfrons é necessária, além de prover informações adicionais em casos de doença não responsiva à quimioterapia.[22]

Diagnóstico diferencial

O diagnóstico diferencial deve ser feito com neuroblastoma e outros tumores renais. Neuroblastoma pode ser diferenciado de TW por exames de imagem que distingue tumor renal de não renal. Outros tumores renais são raros, e o diagnóstico é pela patologia.[1]

Estadiamento

O estadiamento do TW é com base na extensão anatômica do tumor, sem considerar genética, histologia ou marcadores biológicos. São dois sistemas mais usados: NWTS/COG e SIOP. O primeiro considera avaliação cirúrgica prévia ao tratamento quimioterápico, e o segundo é fundamentado na avaliação cirúrgica após a quimioterapia. Adiante, os critérios de estadiamento de tumores renais são preconizados pela SIOP (Quadro 1).[15]

Em relação ao estadiamento SIOP, é importante ressaltar que a presença de tumor necrótico ou de transformações induzidas pela QT no seio renal e/ou na gordura perirrenal não é motivo para elevar o estágio do tumor, pois estes foram completamente ressecados e não atingiram as margens, sendo, portanto, classificados como estágio I.[23]

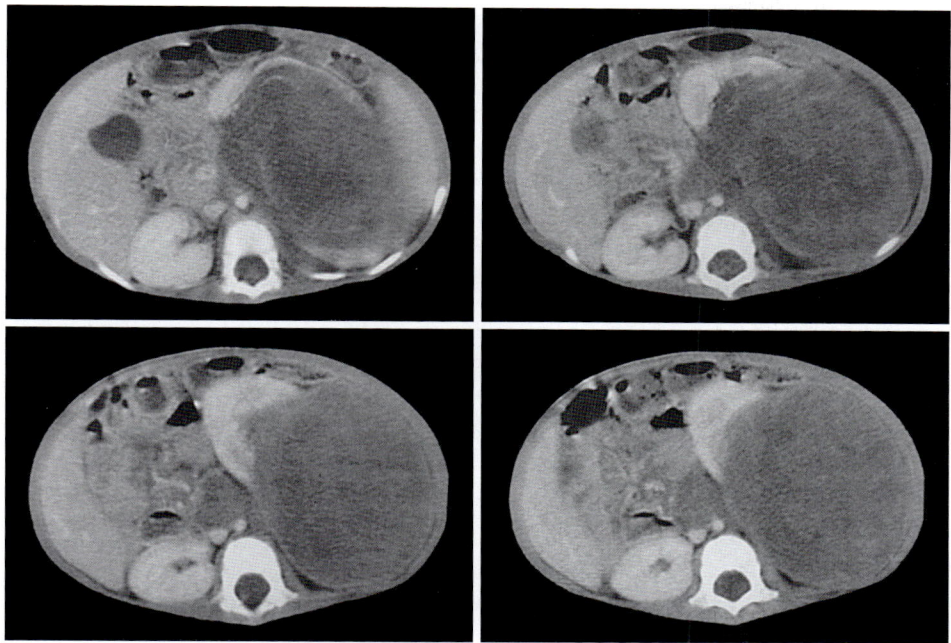

FIGURA 1. Possibilidade de avaliação inicial de um paciente portador de tumor renal. TC mostra o tumor renal à esquerda.

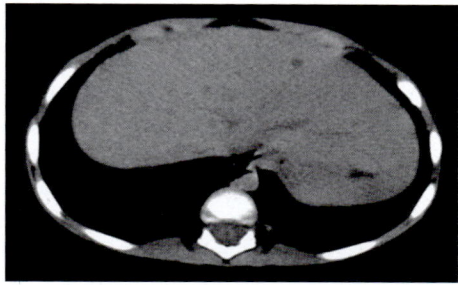

FIGURA 2. Paciente com imagem de metástase hepática de nefroblastoma. TC do abdome mostra a presença de pequeno nódulo hipodenso no lobo esquerdo.

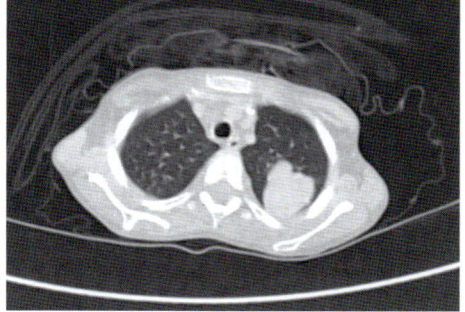

FIGURA 3. TC de tórax mostra imagem nodular bem definida, localizada no segmento apicoposterior do lobo superior esquerdo.

O tumor será considerado como estágio III quando houver presença de tumor necrótico ou de transformações induzidas por QT em um linfonodo ou nas margens cirúrgicas, pois são consideradas como provas de neoplasia prévia com restos microscópicos, graças à possibilidade de existir tumor viável adjacente ao linfonodo ou além da margem cirúrgica.[23]

Fatores prognósticos

Os fatores prognósticos associados ao risco aumentado de recidiva tumoral e morte incluem: histologia do tumor ao diagnóstico, resposta histológica ao tratamento quimioterápico inicial, peso do tumor, estágio, idade ao diagnóstico e a identificação de marcadores moleculares e genéticos.

Os estágios maiores (III, IV e V) são associados à doença mais extensa e ao pior prognóstico, quando comparados aos estágios I e II.

Em um estudo publicado no Brasil, foram avaliadas 132 crianças com diagnóstico de TW, a sobrevida global (SG) em 5 anos foi de 84,6%, e os fatores associados ao maior risco de morte foram o estadiamento e a histologia.[15]

A classificação pela histologia do grupo NWTS é dividida em dois grandes grupos: histologia favorável e desfavorável. Quando alterações características de anaplasia não estão presentes, a histologia é considerada favorável, com um prognóstico bom. Tumores ricos em blastema tendem a ser extremamente invasivos e se apresentam como alto risco, entretanto estes tumores tendem a responder bem à quimioterapia. Em contraste, a predominância epitelial e o TW rabdomiomatoso, mais frequentemente, se apresentam com estágios iniciais, refletindo pouca agressividade, embora sejam frequentemente resistentes à quimioterapia.[1]

A classificação de risco proposta pela SIOP baseia-se no estudo da patologia na peça cirúrgica, após quimioterapia, isto é, avalia a resposta da quimioterapia. Os casos dos tumores renais, que receberam quimioterapia pré-operatória, são classificados como de baixo risco, risco intermediário e alto risco.

- *Baixo risco:* nefroma mesoblástico, nefroblastoma cístico parcialmente diferenciado e nefroblastoma completamente necrótico.
- *Risco intermediário:* nefroblastoma tipo epitelial, misto, regressivo e com anaplasia focal.
- *Alto risco:* nefroblastoma tipo blastematoso, com anaplasia difusa, sarcoma de células claras e tumor rabdoide renal (Quadro 2).[23]

É importante enfatizar que por razões terapêuticas, ao lado da anaplasia, três outros tipos deverão ser reconhecidos, que serão utilizados na estratificação de risco e estadiamento dos TW pela SIOP: nefroblastoma completamente necrótico (baixo risco), predomínio blastematoso (alto risco) e outros (risco intermediário).[23]

Quadro 1. Estadiamento de tumor renal da SIOP

ESTÁGIO	SIOP
I	Tumor confinado ao rim ou envolvido por cápsula fibrosa se fora do contorno renal Sem margens positivas Sem envolvimento de vasos do seio renal (vasos intrarrenais + possível) Sem invasão da parede pélvica ou ureteral (protrusão é permitida)
II	Tumor não confinado ao rim (invasão à cápsula renal, pseudocápsula tumoral ou gordura perirrenal) Sem margens positivas Infiltração do seio renal e/ou envolvimento de vasos/linfáticos extrarrenais (ressecados completamente)
III	Tumor residual confinado ao abdome Margens cirúrgicas positivas Ruptura tumoral pré ou peroperatória e/ou biópsia em cunha pré-QT/cirurgia Tumor penetrando na superfície peritoneal Linfonodos abdominais positivos
IV	Metástase a distância para linfonodos (fora da cavidade abdominal/pélvica) Metástase hematológica (pulmão, fígado, osso, SNC)
V	TW bilateral (ao diagnóstico)

Quadro 2. Classificação de risco dos tumores renais segundo a histologia, com e sem QT pré-operatória

GRUPO DE RISCO	QUIMIOTERAPIA PRÉ-OPERATÓRIA	NEFRECTOMIA IMEDIATA ANTES DA QT PRÉ-OPERATÓRIA
Baixo risco	Nefroma mesoblástico Nefroblastoma cístico parcialmente diferenciado Nefroblastoma completamente necrótico	Nefroma mesoblástico Nefroblastoma cístico parcialmente diferenciado
Risco intermediário	Nefroblastoma tipo epitelial Nefroblastoma tipo estromal Nefroblastoma tipo misto Nefroblastoma tipo regressivo Nefroblastoma com anaplasia focal	Nefroblastoma não anaplásico e suas variantes (inclusive blastematoso) Nefroblastoma com anaplasia focal
Alto risco	Nefroblastoma tipo blastematoso Nefroblastoma com anaplasia difusa Sarcoma de células claras Tumor rabdoide renal	Nefroblastoma com anaplasia difusa Sarcoma de células claras Tumor rabdoide renal

Notar que a recomendação feita para lactentes menores de 6 meses com um tumor renal *é sempre* nefrectomia imediata.
Fonte: Med Pediatr Oncol 2002;38:79-82.

Em casos que não receberam quimioterapia pré-operatória, a classificação pela patologia é definida da seguinte forma:

- *Baixo risco:* nefroma mesoblástico e nefroblastoma cístico parcialmente diferenciado.
- *Risco intermediário:* nefroblastoma não anaplásico e suas variantes e nefroblastoma com anaplasia focal.
- *Alto risco:* TW com anaplasia difusa, sarcoma de células claras e tumor rabdoide renal (Quadro 1).

Os marcadores biológicos parecem predizer prognóstico, o mais importante deles é a perda da heterozigosidade (LOH) do cromossoma 16q e 1p. Pacientes com estes marcadores têm risco aumentado de recaída e morte.[16,24] A idade é um fator associado a prognóstico, sendo pior em pacientes mais velhos.

Crianças menores de dois anos de idade, com tumor unilateral, estágio I, histologia favorável, tumores com peso < 550 g, estão associadas a baixo risco de recidiva. Nesse caso, os riscos de quimioterapia poderiam sobrepor-se ao risco de recidiva.[7] Um estudo do COG realizado com pacientes portadores de TW de muito baixo risco (estágio I, histologia favorável, peso tumoral menor que 550 g e idade inferior a 24 meses) mostrou que a mutação no gene TW1 e a perda da heterozigosidade (LOH) 11p15 estão associadas à recaída nestes pacientes que não receberam quimioterapia.[25]

Tratamento

No Brasil, o protocolo atual da Sociedade Brasileira de Oncologia Pediátrica para Tratamento do Tumor de Wilms está inserido no protocolo da SIOP.

Cirurgia

A biópsia pré-quimioterapia está indicada quando a apresentação clínica não é habitual, a idade é maior que 5-6 anos, achados incomuns por imagem (calcificação, adenopatia volumosa, parênquima renal não visível, massa extrarrenal), infecção urinária ou inflamação do psoas.

O papel da cirurgia é fundamental no nefroblastoma, pois um procedimento meticuloso e bem realizado vai determinar o estágio do paciente e seu tratamento futuro. A avaliação criteriosa do paciente inclui novos pedidos de exames de imagem e estudo dos vasos para orientar o cirurgião quanto à presença de trombos intravasculares que deverão ser abordados durante o ato operatório. A maior responsabilidade do cirurgião é remover o tumor completamente, sem ruptura e assegurar a avaliação de toda a extensão da localização do tumor, com particular atenção ao envolvimento linfonodal. O procedimento cirúrgico adequado garante a não contaminação na loja renal ou na cavidade peritoneal. A abordagem padrão se faz por incisão transabdominal com coleta de líquidos, se houver a inspeção do rim contralateral para afastar o comprometimento bilateral da patologia. O cirurgião não deve tentar a ressecção, se houver a possibilidade de afetar estruturas vitais ou a possibilidade de ressecção com contaminação do abdome. A quimioterapia e a radioterapia podem fornecer, em um segundo tempo, a reavaliação para a ressecção cirúrgica em melhores condições. Um procedimento inadequado pode levar um paciente a ser pouco tratado, se não for estadiado adequadamente, receber terapia excedente, se houver ruptura tumoral na cavidade abdominal ou se não houver ressecção completa.[26]

Quimioterapia

O protocolo da SIOP 2001, atualmente, preconiza quimioterapia pré-operatória com duas drogas - vincristina (VCR) e actinomicina-D (Act-D) por 4 semanas em pacientes com doença não metastática ao diagnóstico. Se existir evidência de doença além da região abdominoperitoneal, um esquema de QT com três drogas, adicionando doxorrubicina (Doxo), é dado por 6 semanas (Figs. 4 e 5).[8]

O tratamento quimioterápico pós-operatório segue de acordo com o estadiamento e a estratificação de risco, com base nos achados histopatológicos após a quimioterapia inicial e nos seguintes princípios:[8]

- Paciente estágio I de baixo risco não recebe quimioterapia pós-operatória, de risco intermediário recebe 4 semanas com duas drogas (VCR e Act-D) e de alto risco, três drogas (VCR, Act-D e DOXO).
- Pacientes estágios II e III com risco intermediário são randomizados para receber ou não DOXO.
- Pacientes estágio II ou mais, com histologia desfavorável (alto risco), recebem esquema quimioterápico intensificado, com carboplatina, etoposide, ciclofosfamida e DOXO.[8]

O uso da actinomicina-D (Act-D) como tratamento adjuvante para TW foi pioneiro, e, subsequentemente, outros agentes mostraram-se igualmente ativos, como a vincristina (VCR), doxorrubicina (DOXO) e ciclofosfamida (CTX). A sobrevida melhorou dramaticamente, mesmo nos pacientes de alto risco, quando comparados à modalidade antiga de tratamento, com cirurgia e radioterapia apenas.[6,8]

Radioterapia

O objetivo da radioterapia é obter o controle da doença abdominal nos pacientes que têm risco significativo de recaída intra-abdominal, intensificar o controle das metástases pulmonares e/ou hepáticas nos pacientes que não obtiveram remissão completa, intensificar o controle das metástases ósseas e cerebrais.[1,27]

Em pacientes com doença metastática, na avaliação do sítio pulmonar, a radiografia de tórax é suficiente para a avaliação de resposta. As metástases devem ser avaliadas quanto à possibilidade de ressecção, que deve ser realizada após a nefrectomia, assim que possível. A conduta baseia-se na resposta do tumor ao tratamento quimioterápico. A excisão completa da metástase é extremamente importante, uma vez que elimina a necessidade de irradiação. Entretanto, em casos com doença metastática com histologia de alto risco, independente da resposta da metástase ao tratamento pré-operatório, está indicada a radioterapia. Também têm indicação os casos de tumor residual não ressecado completamente e tumor residual após a nona semana de quimioterapia pós-operatória, de acordo com o protocolo de alto risco.[1]

Um estudo retrospectivo multicêntrico, dos protocolos SIOP 93-01 e SIOP 2001, com pacientes com o diagnóstico de TW e metástase pulmonar, revelou a sobrevida global (SG) em 5 anos de 83% e sobrevida livre de evento (SLE) de 72% para todas as crianças. A sobrevida foi bem pior para pacientes com histologia de alto risco, comparada às de riscos baixo e intermediário. A presença de tumor viável na lesão pulmonar ressecada também estava associada a um pior prognóstico comparado a metástases completamente necróticas.[28]

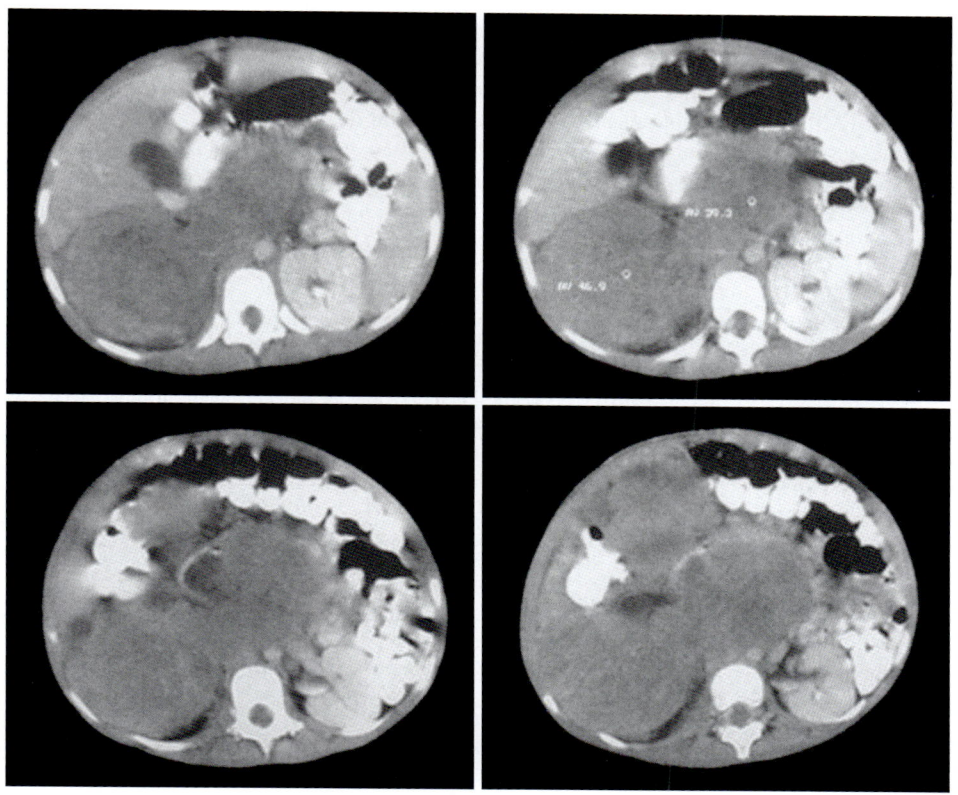

◀ **FIGURA 4.** Paciente com tumor renal antes da QT pré-operatória. TC mostra o tumor renal à direita, ao diagnóstico.

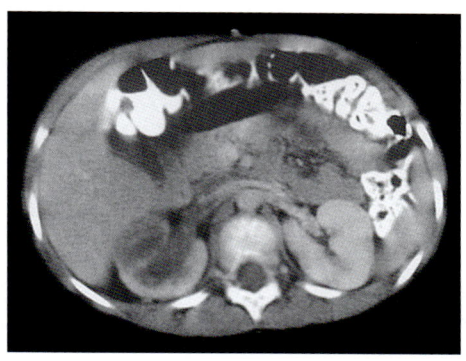

◀ **FIGURA 5.** Mesmo paciente da Figura 4. TC após 4 semanas de QT pré-operatória.

TUMOR DE WILMS BILATERAL

Aproximadamente 4 a 5% dos pacientes têm TW bilateral, mas estes geralmente não são hereditários. TW bilateral pode ser sincrônico, quando ocorre no mesmo período de diagnóstico, ou metacrônico (Fig. 6), quando de aparecimento em outro período, no rim remanescente das crianças tratadas. A incidência do TW metacrônico é de 1 a 3% das crianças com TW, entretanto, é maior quando o primeiro diagnóstico é feito antes dos 12 meses de idade e/ou o rim ressecado apresenta restos nefrogênicos.[29-30]

O maior desafio para os pacientes com TW sincrônicos (estágio V) é preservar a função renal sem comprometer o controle do câncer. Este representa um grupo que o NWTS advoga o uso de QT pré-operatória.[17]

O manejo do TW bilateral consiste em quimioterapia ampla, cirurgia poupando néfrons e radioterapia, quando indicado. A proposta de tratamento, inclusive do COG, inclui seis semanas de quimioterapia prévia à cirurgia. A resposta tumoral deve ser avaliada por TC ou RM após este período. Pacientes com tumores passíveis de preservação renal são encaminhados à cirurgia. Se não for observada resposta satisfatória no exame de imagem, a biópsia pode ser realizada a fim de se determinar a histologia. Quimioterapia adicional é administrada até 12 semanas antes de cirurgia. Não existe benefício comprovado na redução do volume tumoral, prolongando-se a quimioterapia. Deve ser realizada nefrectomia parcial ou ressecção em cunha do tumor, apenas se a ressecção completa for possível com margens livres. O rim com menor tumor deve ser abordado primeiro. Se a ressecção completa for possível deixando um rim viável e funcionante, a nefrectomia contralateral do rim com tumor mais extenso pode ser realizada.[8]

A cirurgia poupando néfrons deve ser considerada para todos os pacientes com TW bilateral, entretanto, os pacientes com extenso trombo tumoral que não responde à QT e os pacientes com anaplasia, onde margens livres não podem ser obtidas, não se beneficiam da cirurgia parcial. Nestes casos, nefrectomia completa é mandatória. A imagem pré-operatória para cirurgia poupando néfrons é muito importante para planejar a cirurgia. Lesões grandes aparentemente não influenciam a ressecabilidade, pois a lesão pode apenas comprimir o parênquima renal adjacente normal e viável. Uma vez removido o tumor, o volume do rim restante parece compensar a longo prazo.[31,32]

A incidência de insuficiência renal (IR) grave e terminal é de 0,6% para pacientes com TW unilateral e de 11,5% para bilateral. Neste grupo, os tumores metacrônicos evoluem com maior incidência de IR que os sincrônicos (18 × 9%). As causas mais comuns são nefrectomia bilateral por tumor recorrente ou persistente (74%), síndrome de Dennis Drash, nefrite por radioterapia, toxicidade à QT e complicações cirúrgicas.[31]

A sobrevida global do TW bilateral é de, aproximadamente, 78% em 10 anos e 75,6% em 20 anos, entretanto, a morbidade (falência renal) é grande.[31]

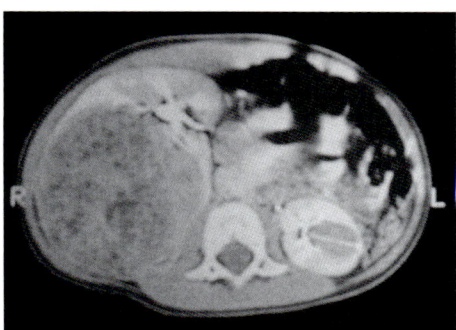

◀ **FIGURA 6.** Tumor de Wilms bilateral.

TUMOR DE WILMS RECORRENTE

A elevada taxa de sobrevida global impõe uma dificuldade para estudos futuros. O grande desafio é reduzir a toxicidade do tratamento e o potencial para complicações futuras, mantendo ou melhorando as elevadas taxas de cura. A recaída do TW é infrequente, os estudos fase 2 com novas drogas são escassos, e algumas questões não foram respondidas com estudos de novas propostas terapêuticas. Têm sido usados esquemas de quimioterapia usando ifosfamida, carboplatina e etoposide, isoladamente ou em conjunto. Investigadores do *St Jude Children's Research Hospital* estudam a eficácia do topotecan. Esquemas de altas doses de quimioterapia e resgates com transplante autólogo de medula óssea (TAMO) também têm sido aplicados, com taxas de sobrevida livre de evento entre 50 a 70% com crianças com Wilms recorrente. Os estudos de TAMO em TW publicados apresentam critérios de inclusão diferentes e vários esquemas de condicionamento distintos, o que impossibilita comparações de resultados e definição de conclusões. Parece que estes estudos apontam para um papel importante do TAMO para tumor de Wilms recidivado de alto risco, embora não exista consenso se o transplante melhora ou não a sobrevida. Estudos cooperativos internacionais têm sido desenvolvidos para estudar esta questão.[33]

Novas perspectivas

Novas técnicas, como perfil de expressão gênica, PET e cirurgia poupadora de néfrons, estão sendo incorporadas ao tratamento contemporâneo dos pacientes com tumores geniturinários. Marcadores biológicos têm sido estudados e usados no auxílio da estratificação de risco dos pacientes e na identificação de novos agentes terapêuticos. O uso de altas doses de quimioterapia com resgate de medula óssea hematopoiética em pacientes com recaída de tumor de Wilms sugere que alguns pacientes possam beneficiar-se mais do que com o esquema convencional de resgate. Novos agentes são necessários para pacientes de alto risco com recaída para melhoria da sobrevida.[10]

TUMORES NÃO WILMS

Tumores não Wilms em pediatria são raros, têm apresentação heterogênea e são pouco conhecidos.[34] Entre eles incluem sarcoma de células claras renal, nefroma mesoblástico, nefroblastoma cístico parcialmente diferenciado, tumor rabdoide maligno, carcinoma de células renais, carcinoma medular renal, neuroblastoma intrarrenal e o linfoma renal.[34]

Sarcoma de células claras

É um raro tumor pediátrico, representa aproximadamente 4% de todos os tumores renais da infância.[35,36] Ocorre com um pico de incidência entre 1 e 4 anos de idade, incomum antes dos 6 meses de vida, afeta predominantemente meninos (relação 2:1) e apresenta-se inicialmente, na maioria dos casos, com quadro clínico de massa abdominal e hematúria.

Metástases ósseas podem estar presentes em 15 a 60% dos casos, metástases pulmonares em ocorrência de aproximadamente 34-43%. Outros sítios de metástases incluem fígado, cérebro, medula espinhal e tecidos moles.[34-36] O diagnóstico precoce é extremamente importante em decorrência do risco de disseminação e metástases.[35,36] Estão associados a uma significativa morbidade e mortalidade.[34]

São tumores de apresentação unilateral e unicêntricos, na região medular do rim, com aspecto macroscópico de textura mucoide, focos de necrose e formações císticas. É chamado de células claras pela presença de numerosas vesículas intracitoplasmáticas em sua avaliação anatomopatológica.[37]

Essa entidade representa um desafio ao diagnóstico e tratamento, especialmente nos centros onde o protocolo de tratamento dos tumores renais não inclui biópsia inicial para análise histopatológica.[34]

O tratamento padrão inclui procedimento cirúrgico seguro dentro dos critérios utilizados para tumor renal em oncologia infantil. A nefrectomia total, quando possível, com segurança, seguida por quimioterapia endovenosa. O uso de antracíclinos no tratamento dos sarcomas de células claras renais melhorou as sobrevidas global e livre de eventos.

Utilizamos a classificação do tumor de Wilms para estadiamento. Pacientes com estágio I evoluem melhor com esquema quimioterápico de três drogas, enquanto estágios mais avançados parecem beneficiar-se de quatro drogas. Crianças com estágio local II parecem beneficiar-se com radioterapia, a fim de evitar recidiva local.[38]

O protocolo atual da SIOP utiliza uma orientação de tratamento: estágio I vincristina, dactinomicina e doxorrubicina; Estágios II a IV uso da doxorrubicina, ciclofosfamida, carboplatina e etoposide, em combinação com a radioterapia para estágios II e III. Metástases não ressecadas completamente recebem também radioterapia.[38]

Como o tratamento para sarcoma de células claras renais usa os agentes citotóxicos tradicionais em doses máximas toleradas, novos estudos com o uso de drogas-alvo específicas para alterações genéticas e moleculares são necessários, a fim de melhorar a sobrevida. Protocolos internacionais multicêntricos são necessários para estudar melhor e determinar avanços para os casos metastáticos e recorrentes.[38]

REFERÊNCIAS BIBLIOGRÁFICAS

1. Fernandez C et al. Renal tumors. In: Pizzo PA, Poplack DG. *Principles and practice of pediatric oncology*. Philadelphia: Lippincott Williams & Wilkins, 2011. p. 861-81.
2. Cost NG, Lubahn JD, Granberg CF et al. Oncologic outcomes of partial versus radical nephrectomy for unilateral wilms tumor. *Pediatr Blood Cancer* 2012 June;58(6):898-904.
3. Termuhlen AM, Tersak JM, Yasui Y et al. Twenty-five year follow-up of childhood wilms tumor: a report from the childhood cancer survivor study. *Pediatr Blood Cancer* 2011 Dec. 15;57(7):1210-16.
4. Chu A et al. Wilms' tumor: a systematic review of risk factors and meta-analysis. *Paediatr Perinat Epimiol* 2010;24:449-68.
5. Owens CM, Veys PA, Pritchard J, Levitt G, Imeson J, Dicks-Mireaux C. Role of chestcomputed tomography at diagnosis in the management of Wilms' tumor: a study by the United Kingdom Children's Cancer Study Group. *J Clin Oncol* 2002 June 15;20(12):2768-73.
6. Bhatnagar S. Management of Wilm's tumor: NWTS vs SIOP. *J Indian Assoc Surg* 2009;14 (1):6-14.
7. Nakamura L, Ritchey M. Current Management of Wilms' Tumor. *Curr Urol Rep.* 2010 Feb.;11(1):58-65. Review.
8. Ko EY, Ritchey ML. Current management of wilms' tumor in children. *J Pediatr Urol* 2009;5:56-65.
9. Chu A, Heck JE, Ribeiro KB et al. Wilms' tumour: a systematic review of risk factors and meta-analysis. *Paediatr Perinat Epidemiol* 2010 Sept;24(5):449-69.
10. Buckley KS. Pediatric genitourinary tumors. *Curr Opin Oncol* 2012;24(3):291-96.
11. Beckwith JB. Precursor lesions of Wilms' tumor: clinical and biological implications. *Med Pediatr Oncol* 1993;21(3):158.
12. Royer-Pokora B. Genetics of pediatric renal tumors. *Pediatr Nephrol* 2012 Mar. 30.
13. Breslow NE, Olson J, Moksness J et al. Familial Wilms' tumor: a descriptive study. *Med Pediatr Oncol* 1996;27:398-403.
14. Huff V. Wilms' tumors: about tumor suppressor genes, an oncogene and a chameleon gene. *Nat Rev Cancer* 2011;11(2):111-19.
15. Buckley KS. Pediatric genitourinary tumors. *Curr Opin Oncol* 2011;23:297-302.
16. Grundy PE et al. Loss of hetrozygosity for chromosomes 1p and 16q is an adverse prognostic factor in favorable- histology Wilms tumor: a report from the National Wilms Tumor Study Group. *J ClinOncol* 2005;23:7312.
17. Ahmed HU et al. An update on the management of Wilms' tumour. *Eur J Surg Oncol* 2007 Sept.;33(7):824-31.
18. Khanna G, Rosen N, Anderson JR et al. Evaluation of diagnostic performance of CT for detection of tumor thrombus inchildren with Wilms tumor: a report from the children's oncology group. *Pediatr Blood Cancer* 2012 Apr.;58(4):551-55.
19. Nicolin G et al. Outcome after pulmonary radiotherapy in Wilms tumor patients with pulmonary metastases at diagnostic: a UK Children's Cancer Group Study, Wilms' tumor working group study. *Int J Radiot Oncol Biol Phys* 2008;70:175.
20. Cotton CA et al. Early and late mortslity after diagnosos of wilms tumor. *J ClinOncol* 2009;27:1304.
21. Smets AM, Tinteren HV, Bergeron C et al. The contribution of chest CT-scan at diagnosis in children with unilateral Wilms' tumour. Results of the SIOP 2001 study. *Eur J Cancer* (2011). *Eur J Cancer* 2012 May;48(7):1060-65.
22. Begent J et al. Pilot study of F(18)-Fluorodeoxyglucose positron emission tomography/computerized tomography in Wilms' tumour: correlation with conventional imaging, pathology and immunohistochemistry. *Eur J Cancer* 2011 Feb.;47(3):389-96.
23. Vujaniæ GM, Sandstedt B, Harms D et al. Revised International Society of Paediatric Oncology (SIOP) working classification of renal tumors of childhood. *Med Pediatr Oncol* 2002 Feb.;38(2):79-82.
24. Messahel B et al. Allele loss at 16q defines poorer prognosis Wilms tumor irrespective of treatment approach in UKW1-3 clinical trials: a Children's Cancer and Leukaemia Group (CCLG) Study. *Eur J Cancer* 2009;45:819.
25. Perlaman EJ et al. WT1 mutation and 11P15 loss of heterozygositypredictelapse in very low-risk wilms tumors treated with

surgery alone: a children's oncology group study. *J ClinOncol* 2011 Feb.;29(6):698-703.
26. Davidoff AM. Wilms' tumor. *Adv Pediatr* 2012;59(1):247-67.
27. SIOP renal tumor study group. Update on the Status of the SIOP WT @))! Trial. Homburg, 2011. Acesso em: 21 July 2011. Disponível em: <http://www.siop-rtsg.eu>
28. Warmann SW, Furtwängler R, Blumenstock G *et al.* Tumor biology influences the prognosis of nephroblastoma patients with primary pulmonary metastases results from SIOP 93-01/GPOH and SIOP 2001/GPOH. *Eur J Cancer* 2007 Jan.;43(1):131-36.
29. Paulino AC, Thakkar B, Henderson WG. Metachronous bilateral Wilms' tumor: the importance of time interval to the development of a second tumor. *Cancer* 1998;82(2):415-20.
30. Coppes MJ, Arnold M, Beckwith JB *et al.* Factors affecting the risk of contralateral Wilms tumor development: a report from the National Wilms Tumor Study Group. *Cancer* 1999;85(7):1616-25.
31. Aronson DC, Slaar A, Heinem RC *et al.* Long-term outcome of Bilateral Wilms Tumors (BWT). *Pediatr Blood Cancer* 2011;56:1110-13.
32. Hamilton TE, Ritchey ML, Haase GM *et al.* The management of synchronous bilateral Wilms tumor: a report from the national Wilms tumor study group. *Ann Surg* 2011 May;253(5):1004-10.
33. Spreafico P. Value and difficulties of a common european strategy for recurrent Wilms tumor. *Expert Rev Anticancer* 2009;9(6):693-96.
34. Saula PW, Hadley GP. Pediatric non-Wilms' renal tumors: a third world experience. *World J Surg* 2012;36:565-72.
35. Parkh S, Chintagumpala M, Hicks M *et al.* Clear cell sarcoma of the kidney: an unusual presentation and review of the literature. *J Pediatr Hematol Oncol* 1998 Mar./Apr.;20(2):165-68.
36. Amim M, de Peralta-Venturina M, Ro J *et al.* Clear cell sarcoma of the kidney in an adolescente and in young adults. *Am J Surg Pathol* 1999;23(12):1455-63.
37. Lal N, Singhai A. Clear cell sarcoma of the kidney: a rare entity. *Indian J Med Paediatr Oncol* 2011 July-Sept.;32(3):157-59.
38. Hadley GP, Sheik-Gafoor MH. Clear cell sarcoma of the kidney in children: experience in a developing country. *Pedriatr Surg Int* 2010;26:345-48.

CAPÍTULO 208

Retinoblastoma (Tumor Intraocular)

Evandro Gonçalves de Lucena Junior

A GÊNESE DO RETINOBLASTOMA – EVENTOS CELULARES E GENÉTICOS

O retinoblastoma é o tumor intraocular mais comum na infância. Ocorre em cerca de 1:15.000 nascidos vivos ao redor do mundo com locais com maior ou menor incidência de doença. Pode ser uni ou bilateral, sendo os casos bilaterais da doença associados a mutações germinais. A forma familiar está associada a alterações genéticas, sendo a deleção do braço curto do cromossoma 13 a mais conhecida. Pacientes com estas alterações genéticas apresentam quadro de predisposição ao desenvolvimento de múltiplos tumores secundários (segundo primários), particularmente sarcomas de partes moles e osteossarcomas. A forma familiar do retinoblastoma está também associada a uma maior incidência de pineoblastoma, um tumor de origem e características similares ao retinoblastoma.

A formação e desenvolvimento de tumores são processos de fases múltiplas que envolvem alterações genéticas sequenciais.[1] Células alteradas necessitam superar sua dependência de sinais indutores de mitose, escapar da apoptose, impedir a destruição dos telômeros, recrutar suporte neovascular e adquirir propriedades invasivas antes de se tornarem células malignas.

Estudando o padrão de herança do retinoblastoma, Knudson propôs o modelo de *two-hit* (duplo evento) que explicaria como um gene supressor de tumores mutante, herdado como traço dominante, sofreria inativação do segundo alelo em um tecido somático suscetível como a retina em processo de maturação.[2] O modelo de Knudson foi confirmado a partir do sequenciamento e da clonagem do gene RB1 a partir de células de retinoblastoma, em 1986, por Weinberg e Dryja.[3] As mutações do gene RB1 foram subsequentemente encontradas em vários outros tumores não relacionados com o retinoblastoma, como o câncer de pulmão e o câncer de mama, indicando que o gene RB1 tem ampla importância como via de supressão tumoral.[4,5]

O primeiro modelo animal de retinoblastoma espontâneo foi uma linhagem de ratos transgênicos em que o oncogene T do vírus SV40 era expressado em células da retina.[6] Vários grupos geraram animais com uma cópia do gene RB1 não funcional, simulando, dessa maneira, a condição do paciente portador de retinoblastoma hereditário.[7] Esses ratos desenvolveram tumores de linha média, especialmente hipófise. A perda do gene RB1 em ratos (mas não em humanos) é compensada pela amplificação da p107, explicando a aparente contradição entre o desenvolvimento de retinoblastoma em humanos e ratos. Foi então desenvolvido, a partir dessas observações, o primeiro modelo de retinoblastoma em ratos pelo *knockout* do gene RB1.[8]

Existem ao menos quatro possíveis tipos celulares que originariam o retinoblastoma: 1) célula-tronco retiniana, as quais não foram confirmadas por estudos mais recentes, 2) neurônio ou célula glial diferenciada, que dificilmente dariam origem a um tumor primitivo, já que a suscetibilidade ao retinoblastoma é geralmente limitada a uma pequena janela de tempo no desenvolvimento embrionário e início da vida pós-natal, antes da saída do ciclo celular e diferenciação celular terminal na retina em desenvolvimento, 3) célula retiniana progenitora. Recentes estudos genéticos em ratos demonstraram que a inativação condicional de RB1 e p107 em células retinianas progenitoras em replicação resultou em retinoblastomas, e estudos com vetores adenovirais demonstraram a presença de marcadores de superfície em células em replicação progenitora, 4) células retinianas pós-mitóticas. Análise de marcadores de diferenciação, onde a superfície das células tumorais estudadas deve expressar os mesmos marcadores de diferenciação das células de origem, sugere, junto ao estudo da organização apical-basal e posicionamento das células em replicação, que as células retinianas pós-mitóticas são candidatas sérias à célula de origem do retinoblastoma.[6-9]

Enquanto o evento genético inicial na gênese do retinoblastoma – inativação de ambos os alelos do gene RB1 – é bem caracterizado, o conhecimento dos eventos subsequentes que contribuem na formação do tumor ainda não está completamente estabelecido.

Recentes pesquisas revelam que a amplificação dos genes MDMX e MDM2 suprimem a via do p53 em retinoblastoma humano e que este tumor não tem origem em células intrinsecamente resistentes como se acreditava anteriormente. A análise do retinoblastoma humano revela que estas mudanças genéticas suprimem a resposta oncogênica do p53, permitindo que os retinoblastos deficientes em RB1 possam expandir seus clones celulares.[9,10]

Implicações clínicas

Com a identificação do alvo para quimioterapia, pesquisadores puderam ativar especificamente a morte de células induzida pelo p53 em células de retinoblastoma com uma molécula inibidora da interação MDMX-p53 e MDM2-p53, chamada nutlin-3a.[11] Dessa forma, foi possível induzir a morte de células de retinoblastoma que apresentavam amplificação de MDMX através da combinação de nutlin-3a com inibidor da toposiomerase (topotecan) que induz dano ao DNA pela p53.[11] Além disso, a administração subconjuntival de topotecan-nutlin-3a leva à concentração intraocular elevada que bloqueia a interação MDM2/MDMX-p53, resultando na morte de células de retinoblastoma, o que diminuiria a necessidade de quimioterapia de amplo espectro e a toxicidade elevada induzida por ela.[10]

ASPECTOS CLÍNICOS E DIAGNÓSTICO DIFERENCIAL

Clinicamente, o retinoblastoma apresenta-se como uma pequena lesão transparente na retina sensorial que comumente passa despercebida no exame oftalmoscópico, nas suas fases mais iniciais. À medida que o tumor cresce, torna-se branco opaco, de coloração leitosa e desenvolve um sistema complexo neovascular de aporte e drenagem sanguíneos a partir de uma artéria nutridora retiniana. Nesta fase, um descolamento seroso da retina pode ocorrer e é dependente deste sistema neovascular e da atividade metabólica do tumor. Uma forma exofítica, onde o seu crescimento ocorre em direção ao espaço sub-retiniano (externo), leva a um componente mecânico do descolamento de retina ou outra forma endofítica com crescimento da lesão em direção à cavidade vítrea. O crescimento endofítico está mais associado à semeadura de células malignas na cavidade vítrea (sementes), de tratamento difícil. Uma forma difusa inflamatória, onde não há formação de tumoração sólida elevada, ainda mais rara, simula inflamação intraocular e pode dificultar e atrasar o diagnóstico.

O retinoblastoma é frequentemente diagnosticado até os 3 anos de vida, mas pode ser de apresentação congênita, mais frequentemente nas lesões germinativas, acometendo pacientes muito jovens (poucas semanas de nascimento), ou tardias nos casos unilaterais. Os casos mais avançados exibem glaucoma neovascular, celulite orbitária (pseudocelulite) ou mesmo invasão local orbitária e metastática.

Múltiplas condições oculares podem simular retinoblastoma, causando a formação de massa clara, leitosa, intraocular ou opacidade de meios associados à leucocoria. Nestas incluem a doença de *Coats*, vitreorretinopatia fetal hiperplásica em suas várias formas (anteriormente conhecida por proliferação do vítreo primário hiperplásico), catarata congênita, toxocaríase entre outras. Cuidadoso exame oftalmológico deve ser realizado, com a pupila dilatada e sempre em ambos os olhos. Ultrassonografia ocular *scan* B deve ser realizada, e complementação com ressonância magnética pode ser útil no diagnóstico diferencial e na análise do comprometimento orbitário e do nervo óptico.

ESTADIAMENTO E AGRUPAMENTO DO RETINOBLASTOMA INTRAOCULAR

O uso de uma classificação comum é imprescindível no planejamento terapêutico local, na determinação do prognóstico, na avaliação da resposta ao tratamento, na comparação de resultados e no planejamento de estudos clínicos.

Classificação de Reese Elsworth: na década de 1960: Reesee Elsworth propôs um sistema de agrupamento pré-tratamento com base na resposta dos olhos à teleterapia empregada e na sua conservação tardia, no intuito de se estimar a conservação do globo ocular (Quadro 1).[10]

Classificação Internacional: após o início do uso da quimioterapia como tratamento primário do retinoblastoma, na década de 1990 e na fase de avaliação dos resultados em termos de conservação ocular, um comitê de especialistas oriundos de centros de referência em retinoblastoma ao redor do mundo desenhou uma nova proposta de estadiamento de doença intraocular.[12] Esta proposta foi desenvolvida inicialmente no *International Symposium on Retinoblastoma* em Paris, no ano de 2003. Cada grupo pode conter elementos do grupo precedente, porém é o tumor mais avançado ou a característica mais avançada que define o grupo ao qual o olho será classificado (Quadro 2 e Figs. 1 a 5).

Quadro 1. Classificação de Reese Ellsworth

GRUPO I: MUITO FAVORÁVEL PARA MANUTENÇÃO DA VISÃO
A) Tumor solitário menor que 4 diâmetros de disco de tamanho, localizado posterior ao equador ocular
B) Múltiplos tumores, nenhum maior que 4 diâmetros de disco de tamanho, localizados posteriormente ao equador
GRUPO II: FAVORÁVEL PARA MANUTENÇÃO DA VISÃO
A) Tumor solitário, 4-10 diâmetros de disco de tamanho, localizados posteriormente ao equador
B) Múltiplos tumores, 4-10 diâmetros de disco de tamanho, localizados posteriormente ao equador
GRUPO III: POSSÍVEL PARA MANUTENÇÃO DA VISÃO
A) Qualquer lesão anterior ao equador
B) Tumor solitário, maior que 10 diâmetros de disco de tamanho, localizados posteriormente ao equador
GRUPO IV: DESFAVORÁVEL PARA MANUTENÇÃO DA VISÃO
A) Múltiplos tumores, alguns maiores que 10 diâmetros de disco de tamanho
B) Qualquer lesão estendendo-se anteriormente a *ora serrata*
GRUPO V: MUITO DESFAVORÁVEL PARA MANUTENÇÃO DA VISÃO
A) Tumores grandes envolvendo mais da metade da retina
B) Sementes vítreas difusas ou sub-retinianas

Quadro 2. Classificação internacional para retinoblastoma intraocular

GRUPO A
■ Tumores pequenos localizados longe da fóvea e disco óptico
• Tumor ≤ 3 mm, confinado à retina
• Tumor ≥ 2DD (3 mm) da fóvea e ≥ 1DD (1.5 mm) do nervo óptico
• Ausência de sementes vítreas
• Ausência de descolamento de retina
GRUPO B
■ Todos os tumores remanescentes confinados à retina
• Tumor ≥ 3 mm
• Fluido sub-retiniano ≤ 3 mm da base do tumor ou ausência de descolamento seroso da retina
GRUPO C
■ Descolamento de retina ou sementes (semeadura)
• Sementes vítreas finas (< 3 mm), localizadas
• Descolamento retiniano local até descolamento difuso
• Fluido sub-retiniano > 3 mm e < 5 mm da base de tumor
GRUPO D
■ Fluido sub-retiniano difuso ou sementes vítreas ou sub-retinianas
• Sementes vítreas maciças (> 3 mm) ou sementes sub-retinianas
• Fluido sub-retiniano a > 6 mm do tumor
• Descolamento retiniano total com massas tumorais por baixo da retina descolada
• Glaucoma não neovascular
• Fluido sub-retiniano > 6 mm do tumor
GRUPO E
■ Presença de uma ou mais das seguintes características de prognóstico ruim
• Tumor preenchendo mais de 2/3 da cavidade vítrea
• Comprometimento do segmento anterior ou do corpo ciliar
• Celulite orbitária
• Glaucoma neovascular
• Neovascularização de íris
• Nervo óptico aumentado ou suspeito
• Necrose tumoral
• Atrofia bulbar
• Doença extraocular

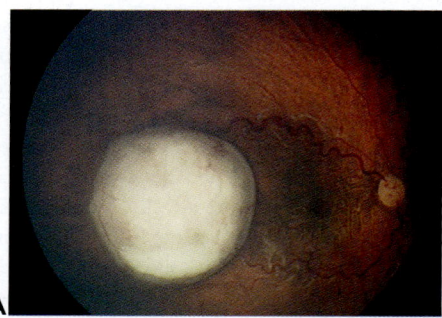
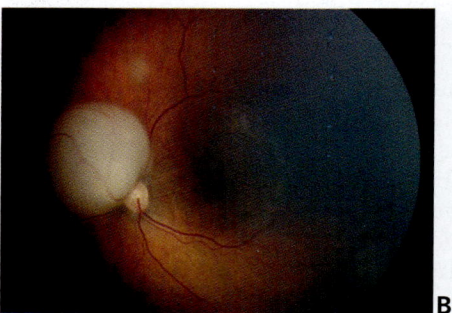
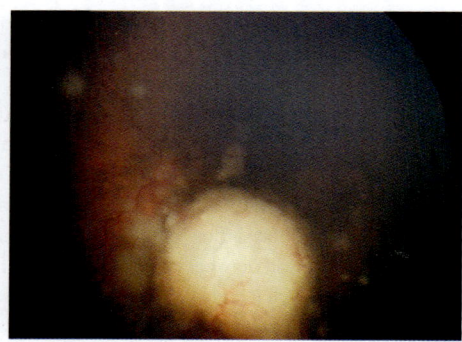

▲ **FIGURA 1.** **(A)** Olho classificado como retinoblastoma B. Todos os tumores confinados à retina: tumor ≥ 3 mm. Fluido sub-retiniano ≤ 3 mm da base do tumor ou ausência de descolamento seroso da retina. **(B)** Olho classificado como retinoblastoma B. Todos os tumores confinados à retina: tumor ≥ 3 mm. Fluido sub-retiniano ≤ 3 mm da base do tumor ou ausência de descolamento seroso da retina.

▲ **FIGURA 2.** Grupo C – descolamento de retina ou sementes (semeadura): sementes vítreas finas (< 3 mm), localizadas. Descolamento retiniano local até descolamento difuso. Fluido sub-retiniano > 3 mm e < 5 mm da base de tumor.

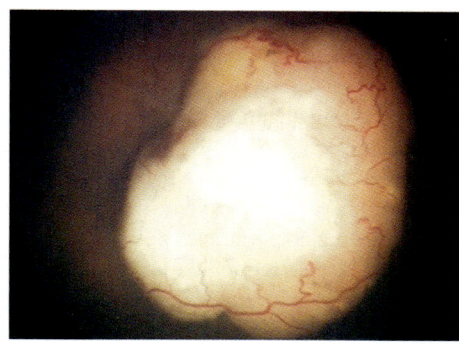

▲ **FIGURA 3.** Olho classificado como Grupo D – fluido sub-retiniano difuso ou sementes vítreas ou sub-retinianas: sementes vítreas maciças (> 3 mm) ou sementes sub-retinianas. Fluido sub-retiniano > 6 mm do tumor. Descolamento retiniano total com massas tumorais por baixo da retina descolada. Glaucoma não neovascular. Fluido sub-retiniano > 6 mm do tumor.

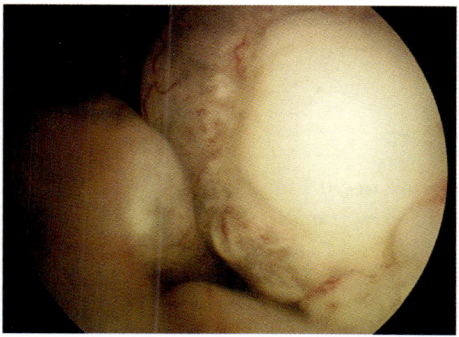

▲ **FIGURA 4.** Olho classificado como Grupo E – presença de uma ou mais das seguintes características de prognóstico ruim: tumor preenchendo mais de 2/3 da cavidade vítrea. Comprometimento do segmento anterior ou do corpo ciliar. Celulite orbitária. Glaucoma neovascular. Neovascularização de íris. Nervo óptico aumentado ou suspeito. Necrose tumoral. Atrofia bulbar. Doença extraocular.

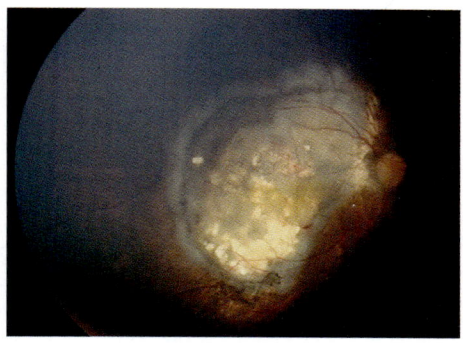

▲ **FIGURA 5.** Aspecto fundoscópico imediato de retinoblastoma em tratamento submetido à coagulação das bordas da lesão com *laser*. Observe a calcificação intralesional, a atrofia e as cicatrizes imediatas do *laser*.

QUIMIOTERAPIA PARA O RETINOBLASTOMA INTRAOCULAR: VISÃO GERAL

O tratamento dos pacientes portadores de retinoblastoma tem mudado de forma bastante expressiva nos últimos 15 anos com a introdução de quimioterapia sistêmica como tratamento primário. No início da década de 1990, pesquisadores americanos e ingleses começaram a usar quimioterápicos sistêmicos empregados com sucesso no tratamento de tumores do sistema nervoso central para tratar retinoblastoma intraocular (carboplatina, etoposide e vincristina – CEV).[13] Outras indicações para QT sistêmica em retinoblastoma incluem profilaxia em pacientes que apresentam alto risco de disseminação da doença na análise anatomopatológica do olho enucleado, doença extraocular com invasão local ou regional, doença metastática com comprometimento ou não do sistema nervoso central e retinoblastoma trilateral.[13-15]

Boas respostas em acompanhamento tardio foram observadas quando estes agentes foram combinados ao tratamento oftálmico local. O objetivo da quimioterapia é reduzir o volume das lesões e permitir melhor eliminação dos tumores com a aplicação local de *laser* e crioterapia.

Esta abordagem foi muito bem-sucedida em olhos com doença inicial, classificadas como A e B na Classificação Internacional (Grupos I – III de Reese Elsworth), tanto em seis ciclos em baixas doses como em três ciclos em altas doses.[14-16]

Nos olhos com doença mais avançada classificadas como C e D (Grupos IV e V de Reese Elsworth), embora resposta seja evidenciada após o tratamento, sementes vítreas e sub-retinianas propiciavam o retorno da atividade do tumor 6 a 9 meses após o tratamento. Isso motivou além do aumento de dose de CEV, adição de carboplatina aplicada localmente na região periocular no intuito de se aumentar a biodisponibilidade de quimioterápico na cavidade vítrea pobremente vascularizada. Estudos preliminares revelaram melhora no índice de conservação dos olhos, embora alguns efeitos tóxicos, como atrofia da gordura periorbitária, limitação da motilidade ocular e raros casos de atrofia óptica tenham sido relatados.[17]

Outros regimes de quimioterapia sistêmica incluem carboplatina isolada, carboplatina com vincristina e ifosfamida, carboplatina e etoposide (ICE).

TRATAMENTO LOCAL, BRAQUITERAPIA E ENUCLEAÇÃO

Os procedimentos cirúrgicos mais frequentemente utilizados no tratamento do retinoblastoma são os tratamentos locais, seja no tratamento primário como no tratamento de consolidação após a quimioterapia. Antes de a quimioterapia ser introduzida no tratamento do retinoblastoma intraocular no início da década de 1990, todas as modalidades terapêuticas usadas podiam ser consideradas como tratamento local, incluindo a fotocoagulação, termoterapia, crioterapia e teleterapia.

Terminologia

O tratamento local primário é empregado como única forma de tratamento em tumores muito pequenos (Classificação Internacional A). Quimiorredução ou quimioterapia neoadjuvante: O termo quimiorredução é empregado para definir o uso de quimioterapia sistêmica primária com o intuito de induzir a redução do volume tumoral e permitir o emprego de técnicas de tratamento local subsequente. Tratamento de consolidação: O tratamento local é mais empregado, na prática atual após o uso de quimiorredução. Em oncologia, o termo consolidação é empregado quando uma modalidade terapêutica é utilizada após o tratamento primário como forma de se eliminar células do tumor que tenham por ventura resistido ao tratamento. No retinoblastoma intraocular, a consolidação consiste em termoterapia transpupilar, fotocoagulação, crioterapia e braquiterapia.

Tratamento local primário

Olhos que apresentam retinoblastoma inicial, (tumor intrarretiniano pequeno, sem descolamento de retina e afastado de estruturas críticas) classificados como A na Classificação Internacional, são candidatos a tratamento local primário, como a termoterapia transpupilar ou a fotocoagulação a *laser* (Fig. 6).

Tratamento local de consolidação

A fotocoagulação é útil como tratamento de consolidação local após, ao menos, um ciclo de quimioterapia (quimiorredução). Tipicamente, o tratamento é repetido após cada ciclo de quimioterapia, de 3 a 4 semanas. Recidivas na borda de tratamento do tumor podem ser observadas, se a consolidação com *laser* for insuficiente ou retardada.

Termoterapia transpupilar (TTT) é uma modalidade de aplicação de *laser* que causa a morte celular através do uso de baixa potência e grande *spots* de tratamento e tempo de exposição prolongado que elevaria a temperatura local da região afetada até 45°, provocando necrose celular e apoptose. O *laser* é aplicado até se obter um branqueamento discreto no local do disparo (Fig. 5).[14]

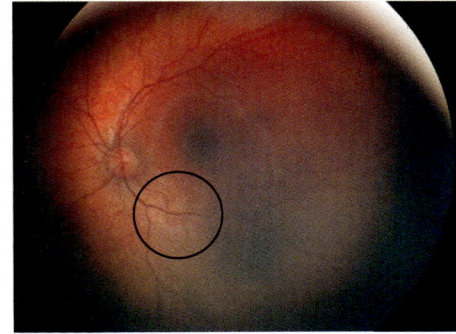

◀ **FIGURA 6.** Olho classificado como Grupo A: tumores pequenos localizados longe da fóvea e disco óptico: tumor ≤ 3 mm, confinado à retina. Tumor ≥ 2DD (3 mm) da fóvea e ≥ 1DD (1,5 mm) do nervo óptico. Ausência de sementes vítreas. Ausência de descolamento de retina.

Termoquimioterapia é o emprego de hipertermia (45°) pelo TTT associada à administração sistêmica de carboplatina no intuito de se obter um efeito sinérgico1.

Crioterapia transescleral

Modalidade terapêutica que emprega o uso de fonte térmica a -90°C que destrói as células na área de aplicação. A indicação de crioterapia transescleral é similar à da termoterapia a *laser*, entretanto, ela é mais apropriada para tumores localizados na região anterior ao equador do olho (linha anatômica que passaria pelas veias vorticosas coroideanas). O tratamento é repetido a cada 4 semanas em média, com o objetivo de se obter uma cicatriz coriorretiniana plana.[15-17]

Braquiterapia

A braquiterapia consiste no emprego local de radiação através de placas de iodo 131 ou rutênio 106 radioativas, por tempo e dose calculadas de acordo com o planejamento radioterápico. A dose apical usual para o retinoblastoma é habitualmente de 45 Gy. A braquiterapia não é frequentemente usada como tratamento de consolidação de rotina em razão do risco elevado de retinopatia por radiação. Ela é, entretanto, útil como tratamento primário em tumores isolados do grupo B, localizados anteriormente ao equador ou em tratamento de recidiva de bordas muito grandes para permitir o tratamento local com *laser*.[18]

Enucleação

A perda de um olho, quer seja por tumor, no estágio final de doença ocular, quer seja por trauma, é devastadora para o paciente e sua família. Ela induz à diminuição da visão binocular, limitação na profundidade e no campo visual e alterações cosméticas importantes. É necessário que o paciente com o olho artificial mantenha a aparência o mais natural possível com uso de prótese ocular. Entretanto, a enucleação pode ser a melhor escolha para o tratamento de tumores intraoculares muito avançados, onde a possibilidade terapêutica local com conservação do olho está impossibilitada, como, por exemplo, na presença de muitos tumores sub-retinianos satélites difusamente distribuídos (Fig. 3). Embora não seja o objetivo desta publicação a discussão de técnicas operatórias, alguns tópicos devem ser abordados: 1) dissecção cuidadosa e reimplante dos músculos extraoculares conferem mobilidade natural ao olho artificial na cavidade anoftálmica. Os músculos são suturados à superfície anterior do implante com linha de vicryl 6-0 posicionados de acordo com a espiral de Tillaux; 2) escolha do implante. Múltiplos materiais de implante são utilizados. No nosso meio, utilizamos os implantes sintéticos porosos, manufaturados com polietileno (Porex) que funcionam como implante biointegrado, à medida que permitem o crescimento de vasos sanguíneos e tecido conectivo no seu interior e mais comumente os implantes sólidos de polimetilmetacrilado (PMMA) revestidos com esclera de cadáver; 3) prevenção da extrusão. A extrusão do implante, especialmente após o uso de radioterapia, é evento de frequência relativamente alta. O revestimento da superfície do implante com tecido compatível e biologicamente integrável e o fechamento por planos cuidadosos, assim como a hemostasia peroperatória meticulosa diminuem o risco de extrusão. A síntese cirúrgica da cavidade deve ser feita por planos respeitando-se a anatomia da cápsula de Tenon e a conjuntiva. 4) Coto do nervo óptico. O coto deve ser sempre o maior possível, de forma a se obter margem cirúrgica livre de tumor.[19]

CONCLUSÕES

A possibilidade de conservação e de tratamento seguro e eficaz deste tumor raro e agressivo vem aumentando paulatinamente ao longo dos últimos 30 anos. Enquanto há 50 anos, grande parte das crianças afetadas pelo tumor era enucleada ou submetida à radioterapia externa, hoje grande parte é tratada conservadoramente, estando a cirurgia reservada para os casos mais avançados localmente, onde a possibilidade de manutenção ou recuperação da visão é baixa ou quando o risco de envolvimento ou progressão de doença é patente.

Estamos em uma fase de desenvolvimento e pesquisa muito dinâmicos, e novas formas de tratamento menos agressivas vêm sendo pesquisadas no sentido de se preservar, com a maior segurança possível, o globo ocular e a visão dos pacientes afetados pelo retinoblastoma. Entre essas, podemos listar a quimioterapia intra-arterial superseletiva, quimioterapia local de longa duração com a colocação de um explante episcleral para administração de quimioterapia localmente de forma a se diminuir efeitos sistêmicos colaterais e medicações para se induzir a apoptose celular ou que interfiram com a expressão do gene RB mutado, como a Nutlin 3.

REFERÊNCIAS BIBLIOGRÁFICAS

1. Hahn WC, Wainberg RA. Modeling the molecular circuitry of cancer. *Nat Rev Cancer* 2002;2:331-41.
2. Knudson A. Mutation and cancer: statistical effect of retinoblastoma. *PNAS* 1971;68:820-23.
3. Friend SH, Bernards R, Rogelj S *et al*. A human DNA segment with properties of the gene that predisposes to retinoblastoma and osteosarcoma. *Nature* 1986;323:643-46.
4. Harbour JW, Lai SL, Whang Peng J *et al*. Abnormalities in structure and expression of the human retinoblastoma gene in SCLC. *Science* 1988;241:353-57.
5. Lee EY, To H, Shew JY *et al*. Inactivation of the retinoblastoma susceptibility gene in human breast cancers. *Science* 1988;241:218-21.
6. Windle JJ, Albert DM, O'Brian JM *et al*. Retinoblastoma in transgenic mice. *Nature* 1990;343:665-69.
7. Lee EY, Chang CY, Hu N *et al*. Mice deficient for RB are non-viable and show defects in neurogenesis and hematopoiesis. *Nature* 1992;359:288-94.
8. Zhang J, Schweers B, Dyer MA. The first knockout mouse model in retinoblastoma. *Cell Cycle* 2004;3:952-59.
9. Chen D, Linve-Bar I, Vanderluit JL *et al*. Cell-specific effects of RB or RB/p107 loss in retinal development implicate an intrinsic death resistant cell of origin in retinoblastoma. *Cancer Cell* 2004;5:539-51.
10. Laurie NA, Gray JK, Zhang J *et al*. Topotecan combination chemotherapy in two new rodent models of retinoblastoma. *Clin Cancer Res* 2005;11:7569-78.
11. Elsworth RM. The practical management of retinoblastoma. *Trans Am Ophthalmol Soc* 1969;67:462-534.
12. Murphree AL. Intraocular retinoblastoma: the case for a new group classification. *Ophthalmol Clin North Am* 2005;18:41-53.
13. Kingston JE, Hungerford JL, Madreperla SA *et al*. Results of a combined chemotherapy and radiotherapy for advanced intraocular retinoblastoma. *Arch Ophthalmol* 1996;114:1339-43.
14. Friedman DL, Himelstein B, Shields CL *et al*. Chemoreduction and local ophthalmic therapy for intraocular retinoblastoma. *J Clinical Oncol* 2000;22:12-17.
15. Shields CL, Hanovar SG, Meadows AT *et al*. Chemoreduction plus focal therapy for retinoblastoma: Factors predictive of need for treatment with external beam radiotherapy or enucleation. *Am J Ophthalmol* 2002;133:657-64.
16. Jubran RF, Murphree AL, Vilablanca JG *et al*. High dose CEV and local therapy for group B intraocular retinoblastoma. Proceedings 12th International Symposium in retinoblastoma, 2005.
17. Abramson DH, Frank CM, Dunkel IJ. A phase I/II study on subtenon carboplatin for intraocular retinoblastoma. *Ophthalmology* 1999;106:1947-50.
18. Shields CL, Shields JA, Cater J *et al*. Plaque radiotherapy for retinoblastoma. Long Term tumor control and treatment complications in 208 tumors. *Ophthalmology* 2001;108:2116-21.
19. Moshfeghi DM, Moshfeghi AA, Finger PT. Enucleation. *Survey Ophthalmol* 2000;44:277-301.

CAPÍTULO 209

Neuroblastoma

Arissa Ikeda Suzuki ■ Arovel de Oliveira Junior

INTRODUÇÃO

O neuroblastoma é o tumor sólido extracraniano mais comum na infância e se origina de células da crista neural. Representa a terceira neoplasia maligna mais comum da infância, após a leucemia e tumores do SNC e é responsável por 15% do todos os óbitos por tumores pediátricos. Caracteriza-se por comportamento clínico extremamente heterogêneo, o que tem levado ao desenvolvimento de pesquisas laboratoriais e clínicas, há várias décadas, na tentativa de elucidar esta diversidade. Atualmente, sabe-se que muitas das evoluções clínicas podem ser explicadas pelas análises genéticas e moleculares específicas do tumor que o paciente apresenta. Essas características biológicas permitem que ocorra uma classificação mais personalizada da doença, assim como o aprimoramento no planejamento do tratamento multimodal.

EPIDEMIOLOGIA

O neuroblastoma corresponde a 8 a 10% dos casos de neoplasias na criança, com prevalência de um caso a cada 7.000 nascidos vivos. Nos EUA, conforme registro SEER *Surveillance, Epidemiology and End Results- EUA* são diagnosticados 650 casos de neuroblastoma por ano. O tumor é um pouco mais comum em meninos do que em meninas com uma relação de 1.1:1.

Acomete lactentes e crianças, principalmente até 10 anos de idade, com idade mediana ao diagnóstico de 19 meses, segundo a última revisão dos grupos cooperativos americanos, *Pediatric Oncology Group* (POG) e *Children's Cancer Group* (CCG). Nesta revisão, foi possível também verificar que 36% dos pacientes eram lactentes, 89% menores de 5 anos de idade, sendo que 98% dos pacientes foram diagnosticados até os 10 anos de idade. A faixa etária mais propensa para a doença é representada por crianças mais jovens, em especial, menores de um ano. Segundo o *SEER,* nos lactentes, o neuroblastoma é o câncer mais comum, com o dobro da incidência em relação à leucemia, sendo considerada a malignidade mais comum no primeiro ano de vida.

O reconhecimento de que os estágios mais limitados e a menor idade (abaixo de 1 ano) afetavam o prognóstico de forma favorável constituiu a base dos programas populacionais de detecção precoce (*screening*) em neonatos e lactentes, através da dosagem urinária de VMA, iniciados no Japão, Europa e América do Norte. Todavia, embora os programas de detecção precoce tenham elevado a incidência da patologia, especialmente para crianças menores ou iguais a 1 ano, não houve redução no número de casos de formas avançadas em qualquer idade e nem a melhora no prognóstico.

ETIOLOGIA E PATOGÊNESE

A etiologia do neuroblastoma ainda é obscura. Não foram identificados até o momento fatores ambientais ou exposições maternas que possam ter influência na ocorrência da doença. O neuroblastoma ocorre de forma esporádica, na grande maioria dos casos, mas há relatos de que 1 a 2% dos casos são familiares com herança autossômica dominante e com penetrância incompleta. Nesses casos, a idade mediana ao diagnóstico ocorreu em torno de 9 meses de idade e pode apresentar-se como doença suprarrenal bilateral ou doença multifocal. Os neuroblastomas suprarrenais e extra assuprarrenais podem resultar da falha na resposta aos sinais celulares de diferenciação morfológica dos nódulos neuroblásticos microscópicos residuais durante a embriogênese. Estes nódulos podem ser detectados em fetos, geralmente entre a 15ª à 20ª semana de gestação e podem regredir até o momento do nascimento ou logo após o nascimento.

O neuroblastoma pode estar associado a doenças relacionadas com o desenvolvimento de tecidos da crista neural, como doença de Hirschprung, hipoventilação central e neurofibromatose tipo 1.

PATOLOGIA

O neuroblastoma constitui um grupo único denominado de tumores neuroblásticos periféricos (NTs), representados também pelos ganglioneuroblastomas e ganglioneuromas. O neuroblastoma constitui 97% de todos os tumores neuroblásticos.

O tumor pode apresentar-se como uma massa sólida circunscrita ou como massa infiltrativa mal definida, associada a linfonodos aderentes ao tumor, conforme a localização do sítio de origem. É comum ser evidenciado com focos de necrose e/ou calcificações intratumorais.

Os neuroblastos são derivados de células da crista neural primordial, sendo encontrados na medula suprarrenal e em estruturas anatomicamente relacionadas com o sistema nervoso simpático. Os tumores neuroblásticos são classificados de acordo com a presença de células do tipo neural (neuroblastos primitivos, neuroblastos maduros e células gangliônicas) e as células tipo Schwann (que compõem o estroma). O neuroblastoma é um tumor composto de neuroblastos, células gangliônicas e células de Schwann. O componente neuroblastomatoso é composto por células pequenas, densas, de tamanho uniforme, contendo citoplasma escasso e núcleo hipercromático, denominados de neuroblastos. Ocasionalmente, as células podem ser ovoides.

Eles fazem parte do grupo de tumores de pequenas células redondas e azuis observadas por coloração com hematoxilina-eosina, e através da imuno-histoquímica, é possível fazer o diagnóstico diferencial com grupo dos tumores da família de Ewing, rabdomiossarcoma, linfoma e tumores desmoplásicos de pequenas células. A imuno-histoquímica pode ser útil em determinar o diagnóstico diferencial dos tumores de pequenas células redondas e azuis. Os marcadores imuno-histoquímicos podem apresentar um padrão de coloração difuso e fortemente positivo no neuroblastoma, porém têm limitações significativas, sendo positivas em outros tumores. Os marcadores mais utilizados reconhecem as proteínas de neurofilamentos, a enolase neurônio específica (NSE), anticorpos gangliosídeos 2 e a sinaptofisina além das células de suporte como no caso do marcador S100.

Os tumores neuroblásticos são definidos de acordo com a presença de células do tipo neural (neuroblastos primitivos, neuroblastos maduros e células gangliônicas) e as células tipo Schwann (que compõem o estroma) e são divididos em quatro categorias, segundo a classificação da patologia de neuroblastoma internacional, com base na classificação de Shimada, de acordo com o grau de maturação e presença de estroma:

- Neuroblastoma (estroma pobre):
  - Indiferenciado: quase todos os neuroblastos são indiferenciados, com ausência ou pouca presença de neurófilos.
  - Pouco diferenciado: menos de 5% dos tumores mostram diferenciação gangliocítica. Uma pequena quantidade de neurófilos é observada no material.
  - Em diferenciação: presença de diferenciação de mais de 5% das células.

- Ganglioneuroblastoma (estroma rico):
  - Intermisto.
- Ganglioneuroma (estroma dominante):
  - Em maturação.
  - Maduro.
- Ganglioneuroblastoma nodular (estroma rico/estroma dominante e estroma pobre).

APRESENTAÇÃO CLÍNICA

Sinais e sintomas

Esse tumor pode variar na sua localização, seguindo o trajeto de formação da crista neural, ao longo de toda a cadeia do sistema nervoso simpático e na glândula suprarrenal. É importante examinar o abdome já que o tumor ocorre mais frequente nesta região (65%), principalmente na glândula suprarrenal (em 40% das crianças e em 25% dos lactentes). Distensão abdominal, associada à dor e massa palpável ao exame físico, indica investigação com avaliação do tamanho tumoral, sua localização e o acometimento de outras estruturas, como hepatomegalia, linfonodomegalias e outros sinais de metástase da doença.

Nos casos de doença metastática, a disseminação pode ser via hematogênica ou linfática. O neuroblastoma tem caráter metastático em 25% das crianças menores ou iguais a 1 ano e em 68% das crianças maiores de 1 ano de idade, acometendo linfonodos, medula óssea, osso, fígado, pele, órbitas, dura-máter e, raramente, pulmões e sistema nervoso central. Nesses casos, podem-se detectar equimoses periorbitárias graças à infiltração tumoral dos ossos, evidência também de febre, anemia ou sangramentos decorrentes de infiltração medular pelo tumor.

Nos casos de tumores paravertebrais, é importante observar e detectar sinais de compressão medular, como paraplegia aguda e subaguda, disfunção intestinal ou urinária, ou dor radicular. Este quadro é considerado uma emergência médica, sendo necessários internação e tratamento imediatos.

Os tumores torácicos podem apresentar-se como síndrome de Horner (tríade miose, ptose unilateral e anidrose), ou como quadro de compressão mecânica e síndrome de veia cava. Nos lactentes, o tumor se localiza mais em regiões torácicas e cervicais. Em 1% dos casos, o tumor primário não é identificado.

Os sinais e sintomas refletem a localização da doença primária, regional e metastática e são citados no Quadro 1.

SÍNDROMES PARANEOPLÁSICAS

Síndrome *opsomioclonus*

A síndrome *opsomioclonus* é observada em 2 a 3% dos casos diagnosticados de neuroblastoma, e o mesmo é detectado em 50 a 80% dos pacientes com esta síndrome.

Ela é caracterizada por um início agudo de movimentos oculares intensos e rápidos, mioclonia dos braços e tronco, ataxia e distúrbio de comportamento. Este quadro leva à disfunção e atrasos do sistema nervoso central a longo prazo, resultando em sequelas neurológicas muitas vezes devastadoras. A etiologia está relacionada com uma resposta antitumoral imune mediada do hospedeiro, isto é, anticorpos antineurais contra o tumor que reagem com as células neurais no cerebelo ou qualquer local do cérebro. O prognóstico em relação ao neuroblastoma é favorável, sendo os tumores localizados e com histologia favorável.

O tratamento consiste no uso de imunossupressores, como ACTH, corticoides, ciclofosfamida e azatioprina. A gamaglobulina intravenosa, plasmaférese e o Rituximab têm tido resultados satisfatórios. No entanto, ainda é necessário avaliar a longo prazo os seus reais benefícios.

Síndrome VIP

A síndrome da diarreia secretória está associada aos pacientes portadores de neuroblastoma com maturação histológica, como ganglioneuroblastoma ou ganglioneuroma. Os tumores são os responsáveis pela secreção da substância denominada vasopeptídeo intestinal causando distensão abdominal, hipocalemia e desidratação. O tratamento é a remoção cirúrgica tumoral.

Quadro 1. Sinais e sintomas conforme a localização do neuroblastoma

- Região cervical
  - Adenomegalias
- Região torácica
  - Dor torácica
  - Dispneia
  - Síndrome de Horner (miose, ptose e anidrose)
  - Síndrome de veia cava superior
- Região abdominal/pélvica
  - Massa abdominal
  - Dor abdominal ou constipação
  - Disúria/estrangúria
  - Síndrome de Pepper
- Região paravertebral
  - Dor lombar localizada, fraqueza muscular por compressão medular
  - Escoliose
  - Disfunção urinária
  - Edema de MMIIS, escroto
- Sintomas sistêmicos
  - Perda de peso/febre
  - Equimose periorbital (causada por metástase orbitária)
  - Nódulos subcutâneos palpáveis indolores
  - Dor óssea, irritabilidade
  - Anemia
  - Hipertensão
  - Heterocromia de íris
- Síndrome de ataxia *opsomioclonus*
- Diarreia secretória sem outras causas (síndrome paraneoplásica de produção de peptídeo vasoativo intestinal – Síndrome de Kerner Morrison)
- Síndrome de Hutchinson (irritabilidade e *limping* em pacientes com metástase óssea e medula óssea)

Fonte: Golden e Feusner. *Pediatr Clin North Am*, 2002;49:1369.

INVESTIGAÇÃO CLÍNICA E LABORATORIAL

Avaliação laboratorial

É necessária, durante a investigação e antes do início do tratamento, a análise laboratorial com os seguintes exames:

- Hemograma com contagem de plaquetas.
- TAP, PTT, Fibrinogênio.
- TGO, TGP, FA, gama GT, bilirrubinas totais e frações, proteínas totais e frações.
- Ureia, creatinina, ácido úrico.
- Na, K, Ca, Cl, PO4, Mg.
- Dosagem de ferritina sérica, LDH, enolase.
- Sorologias – TORSCH.
- EAS, parasitológico.
- Dosagem urinária de catecolaminas (VMA, HVA, Dopamina).

Marcadores séricos

Desidrogenase láctica (LDH), ferritina sérica e enolase são marcadores séricos utilizados para avaliação indireta do quadro tumoral e acompanhamento da atividade da doença.

Secreção de catecolaminas urinárias

Em virtude de sua origem noradrenérgica, os neuroblastomas são produtores de catecolaminas, porém há um defeito na síntese da norepinefrina e epinefrina, resultando em acúmulo e excreção dos metabólitos HVA, VMA e dopamina. Esses metabólitos são excretados na urina e estão elevados em 90 a 95% dos pacientes portadores de neuroblastoma. A dosagem urinária desses metabólitos é uma técnica não invasiva de detecção, servindo como marcadores de atividade tumoral. Esses marcadores permitem o acompanhamento de resposta à terapia e detecção de recaída da doença após término do tratamento.

DIAGNÓSTICO

Os critérios mínimos para estabelecer o diagnóstico do neuroblastoma têm sido determinados em nível de consenso internacional. O diagnóstico definitivo do neuroblastoma pode ser estabelecido em caso de um diagnóstico histológico definitivo de tecido tumoral por microscopia óptica, com ou sem imuno-histoquímica/microscopia eletrônica, associado a aumento de catecolaminas urinárias ou séricas (ou seus metabólitos), ou presença de células tumorais (isto é, agregados de células imunocitologicamente positivas) no material de aspirado de medula óssea, ou de biópsia de medula óssea com um aumento das catecolaminas urinárias ou séricas.

A avaliação completa de pacientes com neuroblastoma é mandatória antes do início do tratamento. O objetivo é analisar a extensão da doença que, por sua vez, determina os estágios clínico e cirúrgico, tratamento e o prognóstico. Os exames para o estadiamento incluem:

A) Biópsia e aspirado de medula óssea de crista ilíaca bilateral, com material da biópsia contendo no mínimo 1 cm³ de medula, excluindo a cartilagem para ser considerado adequado.
B) Linfonodos palpáveis devem ser avaliados clinicamente e indicada a biópsia, caso necessário, para estadiamento.
C) Cintilografia óssea com ^{123}I metaiodobenzilguanidina (MIBG) para avaliação de todos os sítios da doença e cintilografia óssea com tecnécio 99, caso o MIBG negativo ou inviável. RX da lesão óssea é recomendada, caso seja captação única ao MIBG.
D) Tomografia computadorizada (TC) ou ressonância magnética (RM) com mensuração tridimensional do tumor primário e metástases (Fig. 1).
E) Radiografia de tórax (PA e lateral), TC de tórax ou RM são necessárias apenas se a radiografia de tórax for positiva para massa mediastinal ou se a massa abdominal ou a doença linfonodal estender para o tórax.
F) TC de crânio somente se clinicamente indicado, já que metástase cerebral é rara.
G) Recomenda-se RM da coluna adjacente a qualquer tumor paraespinhal.

Estudo molecular no material tumoral ou de medula óssea:

- Pesquisa de amplificação do gene MYCN.
- Índice de DNA por citometria de fluxo.
- Pesquisa da deleção do cromossoma 11p.

ESTADIAMENTO

Estadiamento INSS

A fim de garantir uma avaliação da extensão da doença ao diagnóstico e um planejamento de tratamento que leve em consideração os fatores preditivos, foram criados sistemas de estadiamento, com avaliação clinicocirúrgica, como Evans/CCG e POG. Em 1989, estes sistemas foram unificados por um estudo do grupo cooperativo e criado o sistema de Estadiamento Internacional do Neuroblastoma (INSS), com o objetivo de unificar e comparar o tratamento e seus resultados (Quadro 2).

Estágio 4S

Descrito inicialmente por Evans *et al.*, em 1971, o grupo 4S é uma categoria considerada especial (S significa *special*) (Fig. 2). Corresponde a um

Quadro 2. Definição do estadiamento do neuroblastoma pelo INSS

ESTÁGIO	DEFINIÇÃO
1	Tumor localizado com excisão macroscópica completa com ou sem doença residual microscópica; linfonodos ipsilaterais microscopicamente negativos (nódulos aderidos ao tumor e removidos com ele podem ser positivos)
2A	Tumor localizado com ressecção macroscópica incompleta; linfonodos ipsilaterais não aderentes negativos microscopicamente
2B	Tumor localizado com ou sem ressecção macroscópica completa, com linfonodos ipsilaterais não aderentes positivos. Aumento de linfonodos contralaterais pode ser negativo microscopicamente
3	Tumor unilateral irressecável cruzando e infiltrando a linha média*, com ou sem envolvimento de linfonodos; ou tumor unilateral localizado com envolvimento de linfonodo contralateral regional; ou tumor de linha média com extensão bilateral por infiltração (irressecável) ou por envolvimento de linfonodo
4	Qualquer tumor primário com disseminação para linfonodos distantes, osso, medula óssea, fígado, pele e/ou outros órgãos (exceto como os definidos como 4S)
4S	Tumor primário localizado (como definido para os estágios 1, 2A ou 2B), com disseminação limitada para pele, fígado e/ou medula óssea** (limitado para crianças < 1 ano de idade)

Nota: Tumores primários multifocais (p. ex.: tumores primários suprarrenais bilaterais) devem ser estadiados de acordo com a doença de maior extensão e seguidos pela letra M.
*A linha média é definida como a coluna vertebral. Tumores que se originam de um lado e cruzam a linha média podem infiltrar as estruturas contíguas ou estenderem-se para o lado oposto da coluna vertebral.
**O envolvimento medular no estágio 4S deve ser mínimo, isto é, < 10% do total de células. O envolvimento extenso da medula deve ser considerado como estágio 4. A cintilografia por MIBG (metaiodobenzilguanidina) deve ser negativa na medula (2).
Fonte: Revision in the international criteria for neuroblastoma diagnosis, staging and response to treatment. *J Clin Oncol* 1993;11:1466-1477.

subgrupo pequeno de lactentes até 1 ano de idade, portadores de neuroblastoma disseminado, que têm uma evolução geralmente favorável comparados aos pacientes metastáticos acima de um ano de idade, além da alta taxa de regressão espontânea tumoral. Apresentam-se como tumores primários pequenos, com metástases restritas à pele e fígado e envolvimento de < 10% da medula óssea. As metástases para pele são detectadas como nódulos subcutâneos (Fig. 3). O envolvimento hepático é de forma disseminada ou com nódulos em todos os segmentos do fígado. O curso natural da doença consiste no crescimento inicial seguido por regressão simultânea e gradual do tumor, podendo essa regressão levar alguns meses. O estágio 4S caracteriza-se por ter características tumorais quase diploides e sem alterações genéticas de pior prognóstico. Quando essas alterações existem, o curso natural da doença é grave.

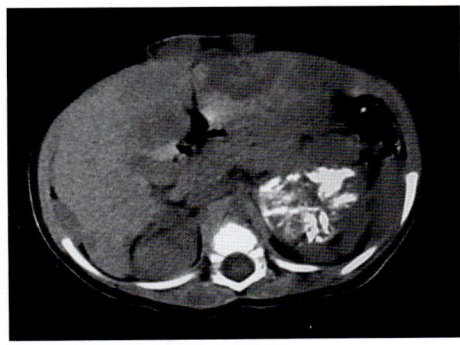

◀ **FIGURA 1.** TC de abdome: massa em região suprarrenal à esquerda com calcificação e hepatomegalia difusa com nódulos difusos em ambos os lobos direito e esquerdo.

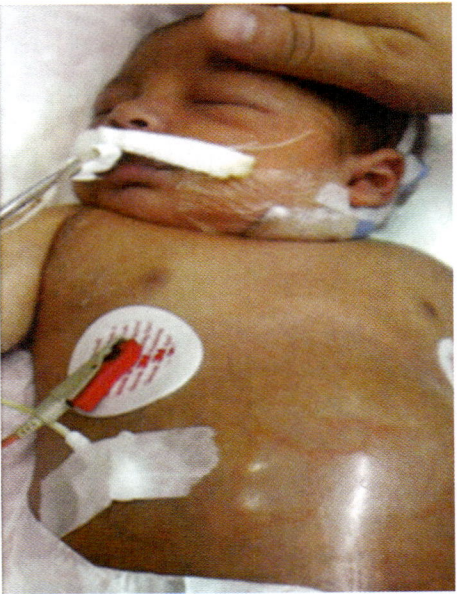

◀ **FIGURA 2.** Lactente 4S com distensão abdominal consequente à hepatomegalia, causando insuficiência respiratória (síndrome de Pepper) e necessidade de suporte intensivo.

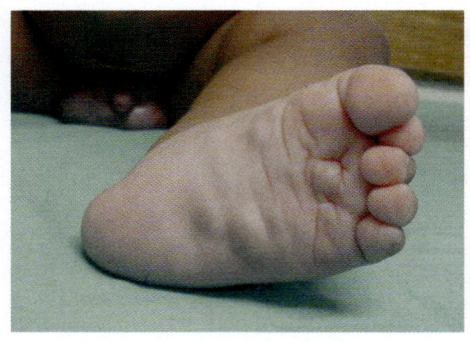

◀ **FIGURA 3.** Nódulos subcutâneos em paciente 4S.

O neuroblastoma 4S, portanto, tem um quadro de sinais e sintomas que não se encaixam como nos neuroblastomas metastáticos e invasivos, contrastando com o estágio 4 em muitos aspectos.

O maior risco neste grupo é quando a doença é detectada em lactentes nas primeiras seis semanas de vida, pois caso desenvolvam hepatomegalia maciça, evoluem com quadro de insuficiência respiratória. A taxa de morbimortalidade nesses casos varia em torno de 30%. Então é importante observar sempre sinais de insuficiência respiratória, rápido crescimento tumoral e também disfunção renal. O início da terapia com radioterapia e/ou quimioterapia deve ser considerado para cada paciente, de forma urgente, e a frequente revisão do paciente é estritamente necessária.

Este grupo tem uma taxa de sobrevida em 3 anos de 85%, e alguns casos podem apresentar regressão espontânea do tumor, na ausência ou na presença de tratamento citotóxico, demonstrando o contraste do comportamento clínico da doença e melhor sobrevida para este grupo.

ESTRATIFICAÇÃO DE GRUPOS DE RISCO

O tratamento multimodal melhorou o prognóstico para pacientes com estágios 1 e 2, porém a sobrevida total para pacientes com estágios 3 e 4 é ainda baixa. Na tentativa de oferecer um tratamento mais apropriado a cada paciente individualmente, e assim melhorar a resposta ao tratamento, os grupos cooperativos em oncologia pediátrica têm formado grupos de risco com base nas características clinicobiológicas e fatores prognósticos, criando, assim, estratificação para tratamento. Porém, como os grupos de risco não eram uniformes entre os grupos cooperativos, em 1998, foi organizada uma nova classificação de sistema de estadiamento de grupo de risco de neuroblastoma internacional (COG) com base em cinco características: 1) Sistema de Estadiamento do Neuroblastoma Internacional (INSS), 2) idade ao diagnóstico, 3) número de cópias do gene *MYCN*, 4) ploidia tumoral e 5) classificação histológica de Shimada. Essa classificação define três grupos de risco: baixo risco, risco intermediário e alto risco, demonstrando que o conhecimento das características biológicas, particularmente em nível molecular, tem-se tornado fundamental, e tem sido utilizado na prática clínica como determinante da abordagem terapêutica (Quadro 3).

Com o avanço dos estudos de biologia molecular, observou-se a necessidade de uma nova reformulação da classificação pré-tratamento para uniformizar os dados, principalmente em relação à avaliação pré-cirúrgica, a fim de comparar e conferir resultados com base em tratamentos mais homogêneos. Em 2004, foi iniciada uma força-tarefa com os diversos grupos cooperativos (INRG) e criou-se uma nova classificação pré-tratamento INRGSS.

Esta nova classificação utiliza os principais parâmetros clinicogenéticos com importâncias estatística e prognóstica da doença. A classificação do INSS não foi incluída nos fatores, para retirar a influência da abordagem cirúrgica variada em cada instituição, principalmente em relação aos tumores classificados como INSS 1 ao INSS 3. A classificação INRGSS incluiu sete parâmetros clínico-genéticos para classificar os pacientes em muito baixo risco, baixo risco, risco intermediário, alto risco, definindo o tratamento mais apropriado para aquele paciente portador de neuroblastoma.

O estadiamento adotado pelo INRG foi fundamentado na classificação do SIOPEN que estratifica por imagem radiológica pré-cirúrgica e diagnóstica. Foi, então, adotada em 2005 e denominada como fatores de risco definidos por imagem (IDRFs). Esta classificação não foi criada para substituir o INSS, mas sim para ser utilizada com ele em paralelo.

As definições de cada estágio são descritas no Quadro 4.

FATORES PROGNÓSTICOS

Estágio

A eficácia da classificação de estágio pelo INSS para definir subgrupos de prognóstico foi estudada pelos grupos cooperativos internacionais POG e CCG. Em um estudo realizado pelo grupo cooperativo POG, 596 crianças foram analisadas, resultando em uma sobrevida de doença semelhante para lactentes com estágio INSS 2A, 2B e 3. Crianças maiores de 1 ano com INSS 2A/2B tinham uma melhor sobrevida livre de doença

Quadro 3. Definição de grupos de risco (POG/CCG, 1998)

BAIXO RISCO	RISCO INTERMEDIÁRIO	ALTO RISCO
INSS 1	INSS 3, > 1a, *MYCN* não amplif & HF (ou < 1 ano)	INSS 2, > 1a, *MYCN* amplificado, HD
INSS 2, *MYCN* não amplif.	INSS 3, < 1a, *MYCN* não amplificado	INSS 3, *MYCN* amplificado ou > 1a, HD
INSS 4S, *MYCN* não amplif. DNA > 1, HF	INSS 4, < 1a, *MYCN* não amplificado	INSS 4, > 1a
	INSS 4S, sintomático, ou HD ou DNA = 1	INSS 4, < 1a, *MYCN* amplificado

HF = histologia favorável; HD = histologia desfavorável;
DNA = índice de DNA 1 a – 1 ano de idade.
Fonte: Principles and Practice of Pediatric Oncology; Brodeur. Garret and Maris. John Fourth edition, p. 915, 2006.

Quadro 4. Fatores de risco definidos por imagem dos tumores neuroblásticos (IDRFs)

PESCOÇO
- Tumor envolvendo a carótida e/ou artéria vertebral e/ou veia jugular interna
- Tumor com extensão para base de crânio
- Tumor comprimindo a traqueia

JUNÇÃO CERVICOTORÁCICA
- Tumor envolvendo o plexo braquial
- Tumor envolvendo as veias subclávia e/ou vertebrais e/ou artéria carótida
- Tumor comprimindo a traqueia

TÓRAX
- Tumor envolvendo a aorta e/ou ramos maiores
- Tumor comprimindo a traqueia e/ou brônquio principal
- Tumor de mediastino baixo, infiltrando a junção costovertebral entre T9 e T12

TORACOABDOMINAL
- Tumor envolvendo a aorta e/ou veia cava

ABDOME-PELVE
- Tumor infiltrando a porta hepática e/ou o ligamento hepatoduodenal
- Tumor envolvendo ramos da artéria mesentérica superior ao nível do ramo mesentérico
- Tumor invadindo um ou ambos pedículos renais
- Tumor envolvendo a aorta e/ou veia cava
- Tumor envolvendo os vasos ilíacos
- Tumor pélvico atravessando o nódulo isquiático

EXTENSÃO TUMORAL INTRAESPINHAL DE QUALQUER LOCALIZAÇÃO
- Canal espinhal invadindo mais do que 1/3 no plano axial e/ou espaço leptomeníngeo perimedular não visíveis e/ou o sinal do cordão espinhal é anormal

INFILTRAÇÃO DE ÓRGÃO ADJACENTE/ESTRUTURAS
- Pericárdio, diafragma, rins, fígado, bloqueio duodenopancreático e mesentério

CONDIÇÕES A SEREM OBSERVADAS, MAS NÃO CONSIDERADAS FATORES DE RISCO
- Tumores primários multifocais
- Derrame pleural, com ou sem células malignas
- Ascite com ou sem células malignas

Fonte: *J Clin Oncol* 2009;27:298-303.

Quadro 5. Sistema de estadiamento Internacional por grupo de risco de neuroblastoma (INRGSS)

L1	Tumor localizado não envolvendo estruturas vitais como definido na lista dos fatores de risco pela imagem e confinado a um compartimento corporal
L2	Tumor locorregional com a presença de um ou mais fatores de risco definidos pela imagem
M	Doença metastática a distância (exceto estádio MS)
MS	Doença metastática em crianças menores de 18 meses com metástases confinadas à pele, fígado e/ou medula óssea

Fonte: *J Clin Oncol* 2008;27:298-303.

quando comparados a estágio 3. Esse critério permitiu uma informação prognóstica que é equivalente ou superior aos sistemas de estadiamento utilizados previamente, sendo possível o seu uso em análises multivariadas para classificar os pacientes em grupos de risco.

Atualmente, foi criada a classificação do INRGSS, que será validada prospectivamente em estudos clínicos em andamento (Quadro 5).

Idade ao diagnóstico

Analisando um número grande de pacientes de um grupo cooperativo, Breslow e McCann, em 1971, mostraram que a idade ao diagnóstico é um fator prognóstico importante e também uma variável contínua independente. A idade tem relação com a sobrevida e também com a amplificação do *MYCN*, estágio, ploidia e histopatologia do tumor. Por razões desconhecidas, o prognóstico de crianças menores de um ano de idade ao diagnóstico é melhor do que de crianças maiores de um ano com o mesmo estágio clínico, principalmente para estágio 4. A taxa de sobrevida livre de eventos para pacientes com menos de um ano de vida é mais alta que em maiores ou igual de um ano de vida (83% ± 1% e 45% ± 1%).

A idade é um fator que se mantém importante na determinação do grupo de risco e de tratamento. Vários grupos cooperativos têm discutido o ponto de corte da idade, que atualmente é considerado maior ou menor de um ano de idade. Foi demonstrado, por análises estatísticas, que o ponto de corte poderia variar em 18 meses de idade, já que os eventos clínicos e biológicos de pior prognóstico ocorriam mais acima deste período, permitindo uma diminuição da terapia em uma coorte de pacientes, correspondente a 5% dos casos.

Dentro de uma coorte grande de pacientes com doença metastática e *MYCN* não amplificado, a idade ao diagnóstico se mantém como o fator prognóstico mais importante e tem impacto após os 2 anos de idade.

Classificação patológica

Em 1988, um grupo cooperativo internacional iniciou um critério para diagnóstico, estadiamento e prognóstico para os tumores neuroblásticos, resultando no Estadiamento Internacional de Neuroblastoma (INSS) e também na Classificação Patológica Internacional do Neuroblastoma (INPC) para o desenvolvimento de grupo de risco internacional do neuroblastoma. O objetivo do INPC visa a padronização da terminologia, de critérios morfológicos e o estabelecimento da classificação morfológica associando o seu valor prognóstico.

Os tumores são classificados como favoráveis ou desfavoráveis com base no nível de diferenciação neuroblástica, conteúdo do estroma Schwanniano (pobre/rico), a frequência da divisão celular (índice de mitose, ou cariorrexes) e idade ao diagnóstico (Quadro 6). O sistema de classificação internacional de neuroblastoma, uma modificação do sistema de Shimada, foi estabelecido e validado em 1999. Este autor observou que a sobrevida livre de eventos foi três vezes maior entre crianças com histologia favorável do que crianças com histologia desfavorável: 90% *versus* 27%.

FATORES MOLECULARES

A característica mais marcante do neuroblastoma é a heterogeneidade na evolução da doença: variações na localização, nos níveis de diferenciação histopatológica, características clínicas e biológicas que refletem em comportamentos diversos, variando desde uma resposta não satisfatória ao tratamento com evolução rápida e potencialmente letal, até a diferenciação para tipos mais benignos (ganglioneuroblastomas e ganglioneuroma), ou mesmo a regressão espontânea sem tratamento citotóxico, observada, mais frequentemente, em lactentes. Essa diversidade no fenótipo clínico da doença parece ser explicada por determinantes biológicos presentes nesse tumor, que incluem: conteúdo de ADN da célula tumoral, amplificação do gene *MYCN*, deleção terminal do braço curto do cromossoma 1, deleção do braço longo do cromossoma 11, ganho do braço longo do cromossoma 17 e expressão de receptores neurotróficos como *TRKA* (receptores da tirosina quinase A), além de outras anomalias citogenéticas, como perda da heterozigosidade nas regiões 2q, 3p, 4p, 9p e 14q.

Gene *MYCN*

A amplificação do oncogene *MYCN* é a aberração genética mais bem caracterizada no neuroblastoma e foi descrita, inicialmente, por Schwab *et al.*, em 1983, tendo sido detectada em oito das nove linhagens de células de neuroblastoma estudadas. Posteriormente, foram observadas anormalidades cromossômicas associadas à amplificação gênica, as quais eram representadas ou por material extracromossômico, conhecido como duplos diminutos (ou *double minutes*, DM), ou integrada ao cromossoma, na forma de uma região corada homogeneamente (*homogeneously staining region*, HSR). Foi observado que estas alterações ocorriam em um terço dos tumores primários e em 90% das células de linhagens estabelecidas.

Esse gene é um proto-oncogene expresso em sistema nervoso em desenvolvimento e em tecidos selecionados, e está localizado na região distal do braço curto do cromossoma 2 (2p24).

A amplificação do gene *MYCN* não é específica para o neuroblastoma, podendo ser vista com menor frequência em tumores com caracterís-

Quadro 6. Classificação Patológica Internacional do Neuroblastoma (INPC)

CLASSIFICAÇÃO PATOLÓGICA INTERNACIONAL DO NEUROBLASTOMA		GRUPO PROGNÓSTICO
Neuroblastoma	Estroma schwanniano pobre	
< 1,5 ano	Tumor bem diferenciado ou em diferenciação e MKI baixo ou intermediário	Favorável
1,5- 5 anos	Tumor bem diferenciado e MKI baixo	Favorável
< 1,5 ano	Tumor indiferenciado e MKI alto	Desfavorável
1,5-5 anos	Tumor indiferenciado ou pobremente diferenciado e MKI intermediário alto	Desfavorável
5 anos	Todos os tumores	Desfavorável
Ganglioneuroblastoma misto	Estroma schwanniano rico	Favorável
Ganglioneuroma Maduro Imaturo	Estroma schwanniano predominante	Favorável
Ganglioneuroblastoma nodular	Estroma schwanniano rico/dominante e pobre	Desfavorável

Fonte: The International Neuroblastoma Pathology Classification (the Shimada System). *Cancer* 1999;86(2):364-372.

ticas neurais, como câncer de pulmão de pequenas células, retinoblastoma, gliomas malignos e tumor neurectodérmico periférico. Aproximadamente 25 a 30% das crianças portadoras de neuroblastoma têm amplificação de *MYCN*, sendo associadas a uma evolução da doença rapidamente progressiva e a um prognóstico ruim. O aumento do número de cópias de *MYCN* é um fator prognóstico importante e é independente do estádio e da idade ao diagnóstico. Foi observado também um padrão consistente do número de cópias do *MYCN* em diferentes amostras do mesmo tumor, em diferentes momentos da doença ao diagnóstico e durante a evolução. Estes resultados sugerem que a amplificação é uma propriedade biológica intrínseca de um subgrupo de neuroblastomas agressivos, sendo que tumores sem amplificação ao diagnóstico raramente desenvolvem essa anormalidade posteriormente. O aumento da produção do gene *MYCN*, que pode oscilar de cinco a até mais de 500 cópias, leva à ativação de uma série de genes promotores de crescimento, identificando um subgrupo de neuroblastomas com comportamento altamente maligno. A amplificação do *MYCN* é uma variável prognóstica para o paciente, e é utilizada para a identificação de pacientes de alto risco e é implementada em todos os grupos clínicos internacionais para a estratificação do tratamento do neuroblastoma (Fig. 4).

Uma correlação geral tem sido levantada entre o número de cópias do gene e a sua expressão gênica, porém o seu significado clínico se mantém controverso. Tanaka *et al.* (2004), através de estudo com base na técnica de reação em cadeia da polimerase em tempo real (PCR-RT), demonstraram que múltiplas cópias do gene *MYCN* eram associadas à alta expressão da proteína MYCN, enquanto pacientes sem amplificação também tinham níveis de expressão variados. Por outro lado, Bordow *et al.* (1998) verificaram que em pacientes maiores de um ano independente da amplificação do *MYCN*, níveis elevados de expressão da proteína MYCN correlacionavam com resultado insatisfatório. No entanto, pacientes maiores de um ano sem amplificação e níveis baixos de expressão MYCN também tiveram uma sobrevida baixa. Então, a expressão da proteína MYCN não deve ter significado prognóstico, particularmente em tumores não amplificados e em lactentes menores ou iguais a um ano.

Ploidia

A determinação do número de conjuntos haploides em uma célula (ploidia) de neuroblastoma é considerada um marcador central que determina o prognóstico. O conteúdo de DNA é subdivido em dois tipos principais: os diploides (cerca de 45% de todos os tumores) e hiperdiploides (55% dos restantes). A maioria dos tumores que apresentam regressão e amadurecimento espontâneo está no grupo dos triploides (Brodeur e Maris, 2002). Os tumores quase diploides e quase tetraploides são, normalmente, encontrados em pacientes com mais de um ano de idade e associados a anormalidades estruturais, envolvendo as perdas alélicas no braço curto do cromossoma 1, amplificação do *MYCN*, agressividade tumoral e prognóstico desfavorável.

Há associações entre a ploidia e sobrevida livre de eventos após o tratamento para crianças abaixo de 2 anos de idade com neuroblastoma. Enquanto a diploidia se correlaciona com resultados não satisfatórios, a hiperdiploida tem influência favorável nos lactentes com estágio 4. Katzenstein *et al.* (1998) observaram uma melhor sobrevida para os tumores hiperdiploides, enquanto Bowman *et al.* (1997) não acharam diferenças entre os casos diploides e hiperdiploides. O conteúdo de DNA perde seu valor prognóstico em pacientes maiores de 2 anos de idade.

Deleção 1p36

Monossomia parcial do braço curto do cromossoma 1 está presente em um grande número de neuroblastomas, com uma frequência estimada de 30-40%. Descrita em 1975 por Brodeur *et al.* como a anormalidade mais frequente em neuroblastoma, esta deleção é considerada um fator prognóstico ruim em qualquer estágio tumoral, mas que, normalmente, ocorre em neuroblastomas com estágios mais avançados. Na grande maioria dos casos, a deleção envolve a região 1p36, e em neuroblastomas de alto risco, muitas vezes, está associada à amplificação de *MYCN* e ganho da região 17q, ambos considerados atores prognósticos negativos.

A perda de heterozigosidade da região 1p36 ocorre em torno de 23% dos tumores primários de neuroblastoma e está associada a pior resultado, sendo um fator preditivo independente de sobrevida livre de doença em pacientes de riscos baixo e intermediário. Foi detectada uma sobreposição estatisticamente significativa entre os tumores com deleção de 1p36 e tumores com *MYCN* amplificado.

Deleção do 11q

A perda de heterozigosidade 11q não balanceada ocorre em torno de 35 a 45% dos tumores primários, e exclusivamente naqueles sem amplificação de *MYCN*. É um marcador significativo de pior sobrevida livre de doença quanto de sobrevida livre de progressão. A utilidade clínica dessa alteração pode ser direcionada para pacientes com doença localizada, em tumores que não apresentam a amplificação do *MYCN*, desde que pacientes com doença metastática ou com amplificação de *MYCN* e/ou ambos já recebem tratamento mais intensivo. Atualmente, esta alteração genética demonstrou ter impacto prognóstico, sendo incluído como um dos fatores para a classificação pré-tratamento INRG.

Outras alterações

Cinquenta por cento dos neuroblastomas apresentam um ganho do 17q que é considerado a alteração genética mais frequente. O ganho de 17q está associado a estágios avançados, à perda de 1p, amplificação do *MYCN*, tumores diploides e apresenta-se em tumores de pacientes acima de um ano, sugerindo ser um fator para progressão tumoral.

A expressão dos fatores neurotróficos, como fator de crescimento neural (NGF) e fator neurotrófico cerebral (BNDF) e seus receptores, tem sido implicada na patogênese do neuroblastoma, embora seu papel ainda seja indefinido. A expressão do TRKA (receptores da tirosina quinase A) é inversamente correlacionada com a amplificação do *MYCN* e está relacionada com o subgrupo favorável do neuroblastoma, enquanto a expressão do TRKB (receptores da tirosina quinase B) ou C é desfavorável.

TRATAMENTO

O tratamento do neuroblastoma consiste no manejo multimodal, associando a cirurgia, quimioterapia e radioterapia e mais recentemente a imunoterapia. O papel de cada um é determinado pelo comportamento

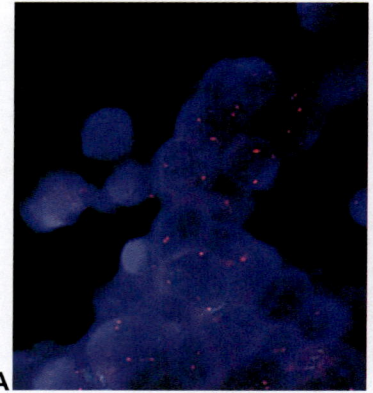
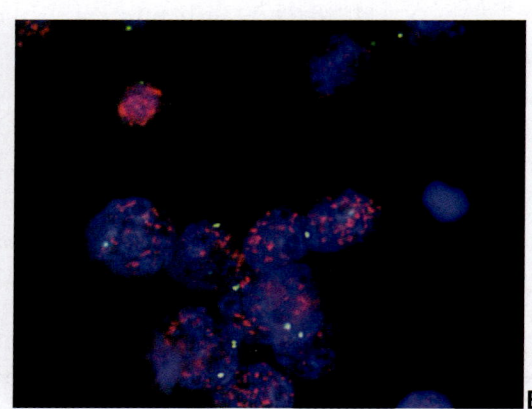

◀ **FIGURA 4.** Neuroblastoma: (**A**) sem amplificação do *MYCN* pelo método de FISH, (**B**) com amplificação de *MYCN* pelo método de FISH.

clínico individual do tumor, considerando os fatores prognósticos, como, por exemplo: estágio, idade, patologia tumoral e características biológicas. Graças ao comportamento tumoral diversificado, atualmente, os grupos cooperativos têm estratificado os pacientes em grupos de risco com base na análise dos fatores prognósticos, definindo um tratamento mais individualizado (Quadros 7 e 8).

Cirurgia

A cirurgia era a única modalidade de tratamento quando os primeiros casos de neuroblastoma foram reconhecidos e relatados no final do século XIX e início do século XX. A primeira ressecção tumoral bem-sucedida de um neuroblastoma abdominal localizado na glândula suprarrenal foi realizada no ano de 1916 por Bartlett *et al.* na cidade americana de Saint Louis.

O objetivo da intervenção cirúrgica é a ressecção tumoral total (Fig. 5). Na cirurgia secundária ou de revisão, o cirurgião define a resposta à terapia instituída e à remoção da doença residual.

Quanto ao método, a cirurgia minimamente invasiva tem sido apresentada como alternativa nos últimos anos. As adrenalectomias videolaparoscópicas para o tratamento de neuroblastomas são realizadas de forma segura e com bons resultados, respeitados alguns parâmetros, como: experiência da equipe cirúrgica, dimensões do tumor e tumores bem encapsulados. Existe o consenso entre os cirurgiões de que há a necessidade de mais estudos prospectivos para estabelecer um quadro comparativo entre as vantagens e desvantagens da laparoscopia e da técnica cirúrgica convencional.

A ressecabilidade do tumor é presumida pela análise de exames radiológicos que fornecem informações, como: dimensões do tumor, plano de clivagem com estruturas adjacentes, incluindo os vasos e nervos, comprometimento de linfonodos (tomografia computadorizada com contraste) e comprometimento da medula espinhal (ressonância magnética). A ressecabilidade está muito associada à cura cirúrgica. Tumores que ultrapassam a linha média ou envolvem grandes vasos têm melhores resultados cirúrgicos, se operados após tratamento quimioterápico.

Quadro 7. Consenso do esquema de classificação pré-tratamento do grupo de risco internacional de neuroblastoma

INRG ESTÁGIO	IDADE (MESES)	HISTOLOGIA	GRAU DE DIFERENCIAÇÃO TUMORAL	MYCN	ABERRAÇÃO 11Q	PLOIDIA	GRUPO DE RISCO PRÉ-TRATAMENTO
L1/l2		GN maturo; GNB intermisto					A muito baixo
L1		Qualquer, exceto GN maturo ou GNB intermisto		NA Amplificado			B muito baixo K alto
L2	< 18 > 18	Qualquer, exceto GN maturo ou GNB intermisto GNB nodular; neuroblastoma	Em diferenciação Pouco diferenciado ou não diferenciado	NA NA NA Amp	N S N S		D baixo G intermediário E baixo H intermediário H intermediário N alto
M	< 18 < 12 12 a 18 < 18 ≥ 18			NA NA NA Amp		Hiperdiploide Diploide Diploide	F baixo I intermediário J intermediário O alto P alto
MS	< 18			NA Amp	N S		C muito baixo Q alto R alto

Fonte: *J Clin Oncol* 2009,27:289-297.

Quadro 8. Definições de resposta ao tratamento

RESPOSTA	TUMOR PRIMÁRIO	METÁSTASES	MARCADORES
Resposta completa	Nenhum tumor	Nenhum tumor	VMA/HMA normais
Resposta parcial muito boa	Redução entre 90 e 100%	Nenhum tumor (exceto lesão óssea); todas as lesões preexistentes melhoram, sem lesões novas	VMA/HMA diminuem > 90%
Resposta parcial	Redução 50-90%	Nenhuma lesão óssea nova; 50-90% redução nos sítios mensuráveis; 0-1 material de medula óssea com tumor; lesões ósseas iguais RPMB	VMA/HMA diminuem 50 a 90%
Resposta mista Nenhuma nova lesão; > 50% redução de qualquer lesão mensurável (primária ou metástases) com < 50% redução em qualquer outro; 25% aumento em qualquer lesão			
Nenhuma resposta Nenhuma lesão nova; < 50% redução, mas < 25% aumento em qualquer lesão existente			
Doença progressiva Qualquer lesão nova; aumento em qualquer lesão mensurável por > 25%; medula prévia negativa para o tumor			

Fonte: *J Clin Oncol* 1993;11:1466-1477.

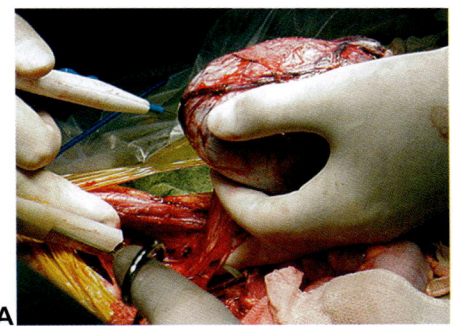
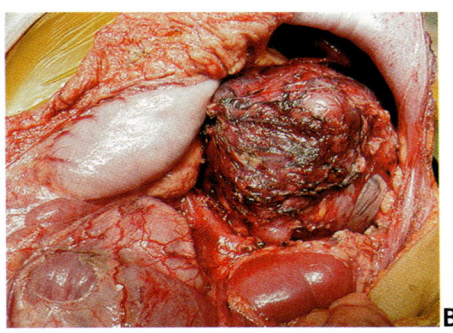

◀ **FIGURA 5. (A e B)** Procedimento de ressecção de tumor de suprarrenal esquerdo.

O neuroblastoma é um tumor radiossensível, porém, pela grande frequência de doença metastática ao diagnóstico, seu uso é limitado, e seu papel não é curativo. É indicado ocasionalmente para situações emergenciais, como quadro de compressão medular e insuficiência respiratória secundária à hepatomegalia, observados nos pacientes com estágio 4S.

Em decorrência do comportamento tumoral diversificado, atualmente, os grupos cooperativos têm estratificado os pacientes em grupos de risco com base na análise dos fatores prognósticos, definindo um tratamento mais individualizado.

Radioterapia

O neuroblastoma é um tumor radiossensível, porém, pela grande frequência de doença metastática ao diagnóstico, seu uso é limitado.

A dose da radiação depende do volume tumoral. Ela era indicada como tratamento multimodal para os tumores residuais, casos de cirurgia *bulking* e para lesões metastáticas. O uso de radioterapia neste tumor, que é radiossensível, mudou drasticamente nos últimos anos, sendo indicada após a correta determinação do risco do paciente e sua resposta à quimioterapia.

É utilizada para o grupo de baixo e intermediário riscos em situações emergenciais, como quadro de insuficiência respiratória, secundária a metástases hepáticas, que não responderam à quimioterapia, observados nos pacientes com estágio 4S. A dose preconizada é de 3 a 6 Gy em dose única ou fracionada.

Casos de compressão medular eram tratados com radioterapia associada à laminectomia, com doses variando de 7,5 a 30 Gy. Apesar da eficácia, foram observadas sequelas a longo prazo como instabilidade da coluna e parada no crescimento por lesão direta do corpo vertebral. Atualmente, é indicado o uso da quimioterapia apenas, com resultados eficazes e com menos sequelas a longo prazo.

Em pacientes de alto risco, a radioterapia tem sido utilizada para controle do tumor primário e sítios metastáticos refratários. A dose pode variar de 10 a 21 Gy. Não há ainda resultados referentes ao impacto deste tratamento no grupo de alto risco.

A irradiação corporal total usada no condicionamento para tratamento dos grupos de alto risco é utilizada somente por alguns grupos cooperativos, pois cada vez mais têm-se evitado os efeitos tardios decorrentes da irradiação, e a prática com quimioterapia no condicionamento tem evoluído.

Nos casos refratários ou progressão, a radioterapia é muito utilizada como tratamento paliativo para controle da dor principalmente por acometimento ósseo.

Quimioterapia

A quimioterapia é o tratamento predominante no neuroblastoma. Utiliza-se a combinação de drogas, a fim de prevenir a resistência tumoral. Agentes alquilantes, antraciclínicos e análogos de platina são as drogas mais utilizadas, seguidas de epipodofilotoxinas para os tumores refratários. Atualmente, a frequência, a intensidade e as doses cumulativas do tratamento quimioterápico baseiam-se na classificação dos riscos de grupo. É mais indicado nos grupos de alto risco, risco intermediário e em alguns casos especiais de resgate no grupo de baixo risco. O uso de multiagentes é preconizado graças ao sinergismo entre as drogas, evitando a resistência tumoral.

Tratamento para grupo de baixo risco

O tratamento para o grupo de baixo risco consiste na remoção cirúrgica do tumor primário. Recidivas locais podem ser abordadas com nova cirurgia, e mesmo as recidivas com metástases têm boas respostas à quimioterapia. Pacientes com estágio INSS 1 podem ter sobrevida livre de recaída acima de 90%, independente da idade.

Pacientes estágio INSS 2, com biologia favorável, apresentam sobrevida livre de doença de 81% e sobrevida global de 98%. Mesmo nos casos de doença macroscópica residual após cirurgia, ainda é indicada a conduta conservadora, de observação.

A questão mais discutida é sobre qual a melhor conduta no subgrupo de baixo risco com *MYCN* amplificado. Atualmente, o COG recomenda somente acompanhamento para os pacientes submetidos à ressecção macroscópica total, e tratamento para alto risco, caso tumor residual após cirurgia.

Tratamento do grupo de risco intermediário

O grupo de risco intermediário é representado por pacientes heterogêneos, incluindo < 1 ano metastáticos ao diagnóstico até pacientes considerados tumores irressecáveis e apresenta um resultado de sobrevida elevado.

Este grupo recebe a quimioterapia com drogas associadas antes da abordagem cirúrgica, objetivando uma ressecção completa em uma fase posterior, com diminuição da morbidade da cirurgia por poupar estruturas vitais. Pacientes que receberam cursos de quimioterapia intensa, seguida de abordagem cirúrgica posterior, apresentaram uma sobrevida livre de doença em quatro anos de 100%, enquanto nos lactentes com um fator prognóstico desfavorável a sobrevida foi de 90%.

Com os resultados de sobrevida elevados, experimentou-se reduzir a duração e as doses da quimioterapia, tentando manter os resultados finais anteriormente já descritos. Bagatell *et al.* seguiram um estudo com tratamento de cinco ciclos com duas drogas para o grupo de lactentes metastáticos e não metastáticos, sem amplificação de *NMYC* e hiperdiploidia, crianças > 1 ano com estágio B (conforme critério POG) e tratamento mais intensificado com seis cursos com três drogas para o grupo de lactentes < 1 ano não mestastáticos que apresentavam amplificação de MYCN e/ou diploidia e > 1 ano com *MYCN* amplificado, estágio B (critério POG). A sobrevida livre de doença (SLD) em 6 anos foi de 86%, e a SG de 95% para o grupo com características favoráveis, enquanto no grupo com características desfavoráveis foi de 46 e 56% respectivamente. O COG, por sua vez, conduziu um estudo prospectivo, não randomizado, para avaliar a sobrevida livre de doença e a sobrevida global, indicando quatro a oito ciclos de quimioterapia fundamentados nas características histopatológicas, no *index* de DNA, e sem amplificação de *MYCN*. O resultado foi SLE de 88% e SG de 96% em 3 anos. Utilizando a estratificação de risco com base nos dados clínicos e genéticos, este estudo demonstrou que a redução na terapia, anteriormente utilizada nos protocolos, é indicada com segurança na maioria dos lactentes e crianças com neuroblastoma avançado sem amplificação de *MYCN*, mantendo as altas taxas de cura.

Tratamento para grupo de alto risco

O grupo de alto risco é composto de pacientes com aspectos desfavoráveis, como a amplificação de *MYCN*, doença metastática e idade ao diagnóstico acima de um ano. Este grupo, até há 20 anos, apresentava sobrevida menor do que 15%. Face à necessidade de melhora da curva de sobrevida, criou-se uma abordagem de terapia mais agressiva neste grupo com quimioterapia de indução com dose intensiva, consolidação com transplante com células-tronco hematopoiéticas (introduzida desde 1980) e terapia de manutenção com terapia-alvo. Esta estratégia elevou a sobrevida em torno de 30%, à custa de toxicidades aguda e tardia.

Terapia de indução

Em torno de 20% dos casos de alto risco apresentam progressão de doença durante a indução ou não respondem. A quimioterapia de indução consiste no uso de quimioterápicos diversos e em doses mais elevadas. As drogas mais utilizadas pelos estudos clínicos são: ciclofosfamida (CTX), etoposide (VP-16), doxorrubicina (DOXO), cisplatina (CDDP), vincristina (VCR), e, mais recentemente, alguns estudos clínicos demonstraram que o topotecan tem respostas satisfatórias na fase de indução. A resposta rápida à quimioterapia de indução multiagente e o aumento da intensidade das doses dos mesmos mostraram um impacto na resposta, na sobrevida livre de eventos e sobrevida mediana. Com base nestas análises, busca-se adotar um tratamento de indução mais intensivo e rápido, utilizando suportes, como o uso de células de *stem cell* do sangue periférico (PBSC)/fator de crescimento de granulócitos (GM CSFG), que permite o início da terapia de consolidação em um período de intervalo menor.

Terapia de consolidação

A consolidação é realizada com quimioterapia mieloablativa seguida de transplante de medula óssea (TAMO). Alguns estudos randomizados já demonstraram resultado de sobrevida livre de doença maior quando comparado à quimioterapia continuada.

O grupo Europeu de Transplante de medula óssea, com base na análise de 3.421 pacientes, observou um melhor prognóstico após TAMO para pacientes < 2 anos e para pacientes com melhor resposta clinicocirúrgica pré do TAMO. Identificou também que o uso de transplante autólogo apresentou uma sobrevida global em 5 anos de 37%, e o uso de transplante alógeno foi de 25%. O uso de *stem cells* periférico autólogo tem sido utilizado com mais frequência e menor toxicidade. A associação das drogas busulfan/melfalan para pacientes em remissão completa alcançou a taxa de sobrevida em 48%.

Terapia de manutenção

Esta fase do tratamento consiste no combate da doença residual mínima, ou seja, erradicar as células mais quimiorresistentes. Atualmente, o tratamento mais indicado é o uso da isotretinoína que tem como ação a indução da diferenciação celular. A droga foi reconhecida após um estudo randomizado que evidenciou a melhora na taxa de sobrevida livre de doença em 3 anos de 29% para aqueles que não receberam a droga para 46% para aqueles que receberam a medicação. O tratamento com a isotretinoína beneficiou os pacientes que receberam TAMO ou quimioterapia continuada.

Ainda em fase de estudo clínico, o retinoide sintético, denominado fenretinide, demonstrou citotoxicidade e inibição de crescimento nas linhagens celulares *in vitro* de vários tumores, incluindo neuroblastoma, sendo outra opção de uso na fase de tratamento de manutenção.

A Imunoterapia tem-se tornado uma opção atrativa como nova estratégia de tratamento, consistindo em três modalidades imunoterapêuticas: anticorpos monoclonais, vacina e terapia celular adaptada. Os anticorpos monoclonais recrutam complexo através do reconhecimento dos antígenos tumor específico, e causam diretamente a morte celular através do mecanismo de citotoxicidade celular. Exemplos de anticorpos monoclonais utilizados para o neuroblastoma são gangliosídeos GD2, GD3 e GM^3, e as glicoproteínas CD56, L1-CAM e GP95. O 3F8 foi o primeiro anticorpo monoclonal direcionado ao GD2, utilizado em estudos clínicos terapêuticos com boas respostas clínicas na manutenção da resposta completa. Porém, houve também evidências de efeitos colaterais importantes como dor em nervos periféricos. Foi criado, então, um anti-GD2 quimérico denominado Ch14.18, com sequência humana e de murina, em uma tentativa de diminuir a imunogeneticidade. Este novo anti-GD2 foi incluído em um estudo randomizado fase III que comparou a terapia de manutenção padrão e a terapia com adição do ch14.18, interleucina 2(IL2) e GM CSF. A adição do anticorpo melhorou a sobrevida livre de eventos em 2 anos para 66% e sobrevida global de 75 para 86%.

As vacinas, consideradas a outra modalidade de terapia, são extraídas do próprio material tumoral, aumentando a variedade da exposição aos antígenos tumorais. Fundamentados na criação de linhagem celular modificada que secreta IL2 e linfotactina (substâncias que recrutam quimocinas), as vacinas têm obtido respostas clínicas como tratamento para doença avançada ou recaída.

A terapia celular adaptada é com base na modificação genética das células T para expressar receptores com antígenos quiméricos contra os antígenos de neuroblastoma. Tem sido limitada por questões de administração e manufatura dos produtos celulares. Há estudos com células T geneticamente modificadas, expressando antígenos receptores contra GD2, CD171 para o neuroblastoma.

Tratamento de recaídas ou tumores refratários

Tratamento convencional

O tratamento com quimioterapia convencional para esse grupo oferece a combinação do topotecan com doses baixas de ciclofosfamida. No estudo clínico fase II, o acompanhamento mediano foi de 3,9 anos, a sobrevida livre de eventos foi de 4%, e sobrevida global foi de 15%.

Um novo estudo fase II com uso de temozolomida oral, associado a irinotecan, demonstrou uma taxa de resposta objetiva (resposta completa e resposta parcial) de 15%, com boa tolerância pelos pacientes e controle da doença por mais do que 10 ciclos, em concordância com estudo anterior descrito por Kushner *et al.*

Tratamento com agentes-alvo moleculares

Já existem muitos modelos pré-clínicos em andamento, fundamentados na biologia do neuroblastoma, a fim de descobrir alvos moleculares para as novas terapias. Entre elas, o papel da ALK (linfoma anaplásico) e sua presença em mais de 15% dos de neuroblastoma de alto risco. Aurora quinase A, reguladora do complexo de *checkpoint* mitótico, tem sido estudada como um potencial-alvo terapêutico, e a sua expressão é observada nos grupos de neuroblastoma avançados e de alto risco.

Além dos descritos anteriormente, estão em estudo o RET (tirosina quinase) necessário para maturação do sistema nervoso periférico PLK1 (quinase 1 polo *like*) e CENPE (proteína E associada ao centrômero).

Terapia com radionuclídeo

Apesar de o tratamento intensivo ter melhorado o resultado do grupo de alto risco, os pacientes com recaídas são frequentes, e, destes, menos de 50% serão sobreviventes a longo prazo. O interesse no uso de radionuclídeos alvos contra as células de neuroblastoma como tratamento nas doenças de alto risco tem crescido, já que o tumor é radiossensível e em torno de 90% dos casos são ávidos pelo radiotraçador metaiodobenzilguanidina (MIBG).

A partir desses dados, alguns estudos de fase I avaliaram os níveis de respostas às doses oferecidas de ^{131}I-MIBG terapêutico e os seus efeitos. A toxicidade primária foi a hematológica, principalmente nas doses maior ou igual a 15 mCi/kg, com trombocitopenia.

Estudos clínicos em pacientes refratários portadores de neuroblastoma têm descrito respostas objetivas após a aplicação de ^{131}MIBG terapêutico, mostrando a possibilidade do uso deste radiofármaco como forma de tratamento para recaídas ou doenças refratárias.

Matthay *et al.*, em estudo fase II, analisaram a taxa de resposta ao ^{131}MIBG terapêutico (18 mci/kg) e suas toxicidades, além do impacto dos sítios da doença na resposta ao tratamento. A toxicidade hematológica foi a mais comum, e 33% dos pacientes tratados com dose 18 mCi/kg receberam suporte de *stem cells* autólogo. A taxa de resposta completa e parcial foi de 36%. A sobrevida global em 1 ano foi de 49% e 29% em 2 anos. A sobrevida livre de eventos foi de 18% em 1 ano. Os autores, com base nos dados, sugerem a inclusão do MIBG terapêutico como tratamento associado a outras terapias em uma fase mais precoce do tratamento do neuroblastoma.

O Grupo Nacional alemão em três estudos consecutivos analisou o papel do ^{131}I–MIBG em pacientes com diagnóstico de neuroblastoma estágio 4 e com doença residual MIBG positivo após terapia de indução. Em dois estudos, não foi observado diferença estatística com o grupo de pacientes que recebeu o tratamento com ^{131}I–MIBG após terapia de indução e o grupo que não recebeu tratamento com MIBG, com sobrevida global em 3 anos de 59%, semelhante para ambos os grupos.

Recentemente, foi observado que para adolescentes e adultos jovens com neuroblastoma refratário ou recorrente, ^{131}I-MIBG é um agente efetivo e deve ser considerado como tratamento.

É necessário um estudo prospectivo randomizado com ^{131}I–MIBG terapêutico combinado com terapia de consolidação *versus* terapia de consolidação somente para definir qual o impacto real do ^{131}I–MIBG terapêutico na consolidação.

■ BIBLIOGRAFIA

Angelini P, Plantaz D, De Bernardi B *et al.* Late sequelae of symptomatic epidural compression in children with localized neuroblastoma. *Pediatr Blood Cancer* 2011 Sept.;57(3):473-80.

Attiyeh EF, London WB, Mosse YP *et al.* Children's Oncology Group. Chromosome 1p and 11q deletions and outcome in neuroblastoma. *N Engl J Med* 2005;353(21):2243-53.

Bagatell R, Castleberry R, Bowman LC. Outcomes of children with Intermediate – Risk neuroblastoma after treatment stratified by *MYCN* status and tumor cell ploidy. *J Clin Oncol* 2005;23:8819-27.

Bagatell R, London WB, Wagner LM et al. Phase II study of irinotecan and temozolomide in children with relapsed or refractory neuroblastoma: a Children's Oncology Group study. *J Clin Oncol* 2011 Jan. 10;29(2):208-13.

Baker DL, Seeger RC, Matthay KK et al. Outcome after reduced chemotherapy for intermediate- risk neuroblastoma. *N Engl J Med* 2010;363:1313-23.

Balamuth NJ, Wood A, Wang Q et al. Serial transcriptone analysis and cross-species integration identifies centromere-associated protein E as novel neuroblastoma target. *Cancer Res* 2010;70:2749-58.

Bordow SB, Norris MD, Haber PS et al. Prognostic significance of MYCN oncogene expression in childhood neuroblastoma. *J Clin Oncol* 1998;16(10):3286-94.

Bowman LC, Castleberry RP, Cantor A et al. Genetic staging of unresectable or metastatic neuroblastoma in infants: a Pediatric Oncology Group Study. *J Natl Cancer Inst* 1997;89(5):373-80.

Brisse HJ, McCarville MB, Granata C et al. International Neuroblastoma Risk Group Project. Guidelines for imaging and staging of neuroblastic tumors: consensus report from the International Neuroblastoma Risk Group Project. *Radiology* 2011 Oct.;261(1):243-57.

Brodeur GM et al. Neuroblastoma. In: Pizzo PA, Poplack DG. (Eds.). *Principles and practice of pediatric oncology*. 6th ed. Philadelphia: Lippincott Williams &cWilins: 2011. p. 886-922.

Brodeur GM, Pritchard J, Berthold F et al. Revisions in international criteria for neuroblastoma diagnosis, staging and response to treatment. *J Clin Oncol* 1993;11:1466-77.

Brodeur GM. Molecular basis for heterogeneity in human neuroblastomas. *Eur J Cancer* 1995;31A(4):505-10.

Burke MJ, Cohn SL. Rituximab for treatment of opsoclonus–myoclonus syndrome in neuroblastoma. *Pediatr Blood Cancer* 2008 Mar.;50(3):679-80.

Caren H, Abel F, Kogner P et al. High incidence of DNA mutations and fene amplification of the ALK gene in advanced sporadic neuroblastoma tumors. *Biochem J* 2008;416:153-59.

Castleberry PR, Shuster JJ, Smith EI. The Pediatric Oncology Group experience with the international staging system criteria for neuroblastoma. Member Institutions of the Pediatric Oncology Group. *J Clin Oncol* 1994;12(11):2378-81.

Castleberry PR. Biology and treatment of neuroblastoma. *Ped Clin N Am* 1997;44(4):919-37.

Cheung NV, Heller G. Chemotherapy dose intensity correlates strongly with response, median survival, and median progression free survival in metastatic neuroblastoma. *J Clin Oncol* 1991;9:1050-58.

Clausen N, Andersson P, Tommerup N. Familial occurrence of neuroblastoma, von Recklinghausen's neurofibromatosis, Hirschsprung's aganliosis and jaw-winking syndrome. *Acta Paediatr Scand* 1989;78(5):736-41.

Cohn SL, London WB, Huang D et al. MYCN expression is not prognostic of adverse outcome in advanced-stage neuroblastoma with nonamplified MYCN. *J Clin Oncol* 2000;18(21):3604-13.

Cohn SL, Pearson ADJ et al. The International neuroblastoma risk group (INRG) Classification System: An INRG Tak Force report. *J Clin Oncol* 2009;27(2):289-97.

Cohn SL. Diagnosis and classification of the small round-cell tumors of childhood. *Am J Pathol* 1999;155(1):11-15.

DuBois SG, Matthay KK. RAdiolabeled Metaiodobenzylguanidine for the treatment of Neuroblastoma. *Nucl Med Biol* 2008;35:35-48.

DuBois SG, Messina J, Maris JM et al. Hematologic toxicity of high dose iodine-131-metaiodobenzylguanidine therapy for advanced neuroblastoma. *J Clin Oncol* 2004;22(12):2452-60.

El Shafie M, Samuel D, Klippel CH et al., Intractable diarrhea in children with VIP – secreting ganglioneuroblastomas. *J Pediatr Surg* 1983;18:34-36.

Evans AE, D'Angio GJ, Randolph JA. A proposed staging for children with neuroblastoma. Children's Cancer Study Group A. *Cancer* 1971;27:374-78.

Favrot MC, Ambros P, Schilling F et al. Comparison of the diagnostic and prognostic value of biological markers in neuroblastoma. Proposal for a common methodology of analysis. *Ann Oncol* 1996;7:607-11.

Garaventa A, Luksch R, Lo Piccolo MS et al. Phase I trial and pharmacokinetics of fenretinide in children with Neuroblastoma. *Clin Cancer Res* 2003;9:2032-39.

George RE, London WB, Cohn SL et al. Hyperdiploidy plus nonamplified *MYCN* confers a favorable prognosis in children 12 to 18 months old with disseminated neuroblastoma: a Pediatric Oncology Group Study. *J Clin Oncol* 2005;23(27):6466-73.

Goodman MT, Gurney JG, Smith MA et al. Sympathetic neurvous system tumors. In: Ries LA, Smith MA, Gurney JG et al. (Eds). *Cancer incidente and survival among children and adolescents: United Status SEER program, 1975-1995*. Bethesda: NIH Nacional Cancer Institute, 1999. p. 35.

Grinshtein N, Datti A, Fujitani N et al. Small molecule kinase inhibitor screen identifies polo- like kinase 1 as a target for neuroblastoma tumor – Initiating cells. *Cancer Res* 2011;71:1385-95.

Hutchinson RJ, Sisson JC, Miser JS et al. Long term results of [131] metaiodobenzylguanidina treatment of refractory advanced neuroblastoma. *J Nucl Biol Med* 1991;35:237-40.

Ikeda Y, Lister J, Bouton JM et al. Congenital neuroblastoma, neuroblastoma *in situ*, and the normal fetal development of the adrenal. *J Pediatr Surg* 1981;16:636.

Katzenstein HM, Bowman LC, Brodeur GM et al. Prognostic significance of age, MYCN oncogene amplification, tumor cell ploidy, and histology in 110 Infants with stage D(S) neuroblastoma: the pediatric oncology group experience - A Pediatric Oncology Group Study. *J Clin Oncol* 1998;16(6):2007-17.

Kushner BH, O`Reily RJ, Mandell LR et al. Myeloablative combination chemotherapy without total body irradiation for neuroblastoma. *J Clin Oncol* 1991;9:1037-44.

Ladenstein R, Valteau-Couanet D, Brock P et al. Randomized trial of prophylactic granulocyte colony-stimulating factor during rapid COJEC induction inpediatric patients with high-risk neuroblastoma: the European HRNBL1/SIOPEN Study. *J Clin Oncol* 2010;28(21):3516-24.

Lashford LS, Lewis IJ, Fielding SL et al. Phase I/II: study of iodine 131 metaiodobenzylgyanidine treatment in chemoresistant neuroblastoma: a United Kingdom Children's Cancer Study Group investigation. *J Clin Oncol* 1992;10(12):1889-96.

London WB, Castleberry RP, Matthay KK et al. Evidence for an age cutoff greater than 365 days for neuroblastoma risk group stratification in the Children's Oncology Group. *J Clin Oncol* 2005;23(27):6459-65.

London WB, Frantz CN, Campbell LA et al. Phase II randomized comparison of topotecan plus cyclophosphamide versus topotecan alone in children with recurrent or refractory neuroblastoma: a Children's Oncology Group study. *J Clin Oncol* 2010 Aug. 20;28(24):3808-15.

LooK AT, Hayes FA, Shuster JJ et al. Clinical relevance of tumor cell ploidy and N-myc gene amplification in childhood neuroblastoma: a Pediatric Oncology Group study. *J Clin Oncol* 1991;9(4):581-91.

Louis CU, Savoldo B, Dotti G et al. Anti-tumor activity and long-term fate of chimeric antigen receptor positive T-cells in patients with neuroblastoma. *Blood* 2011;118:6050-56.

Maris JM, Matthay KK. Molecular biology of neuroblastoma. *J Clin Oncol* 1999;17(7):2264-79.

Matthay KK, Blaes F, Hero B et al. Opsoclonus myoclonus syndrome in neuroblastoma a report from a workshop on the dancing eyes syndrome at the advances in neuroblastoma meeting in Genoa, Italy, 2004. *Cancer Lett* 2005;228(1-2):275-82.

Matthay KK, Castel V, Cohn SL et al. The International Neuroblastoma Risk Group (INRG) Classification System: an INRG task force report. *J Clin Oncol* 2009;27(2):289-97.

Matthay KK, DeSantes K, Hasegawa B et al. Phase I dose escalation of 131-metaiodobensylguanidine with autologous bone marrow support in refractory neuroblastoma. *J Clin Oncol* 1998;16:229-36.

Matthay KK, perez C, Seeger RC et al. Successful treatment of stage III neuroblastoma based on prospective biologic staging: a Children's Cancer Group study. *J Clin Oncol* 1998;16:1256.

Matthay KK, Reynolds P, Seeger RC et al. Long-term results for children with high risk neuroblastoma treated on randomized trial of myeloablative therapy followed by 13-cis-retinois acid: A Children's Oncology Group Study. *J Clin Oncol* 2009 Mar. 1;27(7):1007-13.

Matthay KK, Villablanca JG, Seeger RC et al. Treatment of high-risk neuroblastoma with intensive chemotherapy, radiotherapy, autologous bone marrow transplantation, and 13-cis-retinoic acid. Children's Cancer Group. *N Engl J Med* 1999;341(16):1165-73.

Monclair T, Brodeur GM, Ambros PF et al. The International Neuroblastoma Risk Group (INRG) Staging System: an INRG task force report. *J Clin Oncol* 2008;27:298-303.

Moppett J, Haddadin I, Foot AB. Neonatal neuroblastoma. *Arch Dis Child Fetal Neonatal* 1999 Sept.;81(2):F134-37.

Nakagawara A, Arima-Nakagawara M, Scavarda NJ et al. Association between high levels of expression of the TRK gene and favorable outcome in human neuroblastoma. *N Engl J Med* 1993;328(12):847-54.

Nickersen HJ, Nesbit ME, Grosfeld JL et al. Conparasion of stage IV and IV-S neuroblastoma in the first year of life. *Med Pediatr Oncol* 1985;13:261-68.

Oppenheimer O, Cheungg NK, Gerald WL. The RET oncogene is a critical component of transcriptional programs associated with retinoic acid-induced differentiation in neuroblastoma. *Mol Cancer Ther* 2007;6:1300-9.

Park JR, Scott JR, Stewart CF *et al*. Pilot induction regimen incorporating pharmacokinetically guided topotecan for treatment of newly diagnosed high-risk neuroblastoma: a Children's Oncology Group Study. *J Clin Oncol* 2011;29(33):4351-57.

Pearson ADJ, Pinkerton CR, Lewis IJ *et al*. For the European Neuroblastoma Study Group and the Children's Cancer and Leukaemia Group (CCLG; formerly United Kingdom Children's Cancer Study Group. High-dose rapid and standard induction chemotherapy for patients aged over 1 year with stage 4 neuroblastoma:a randomised trial. *Lancet Oncology* 2008;9(3):247-56.

Perez CA, Matthay KK, Atkinson JB *et al*. Biologic variables in the outcome of stages I and II neuroblastoma treated with surgery as primary therapy: a Children's Cancer Group Study. *J Clin Oncol* 2000;18(1):18-26.

Polishchuk AL, Dubois SG, Haas-Kogan D *et al*. Response, survival, and toxicity after iodine-131-metaiodobenzylguanidine therapy for neuroblastoma in preadolescents, adolescents, and adults. *Cancer* 2011;117(18):4286-93.

Pranzatelli MR, Tate ED, Swan JA *et al*. B cell depletion therapy for new-onset opsoclonus-myoclonus. *Mov Disord* 2010;25:238-42.

Pritchard J, Cotterill SJ, Germond SM *et al*. High dose melphalan in the treatment of advanced neuroblastoma: results of a randomized trial (ESNG-1) by the European Neuroblastoma Study group. *Ped Blood Cancer* 2005;44:248-57.

Ries LAG, Smith MA, Gurney JG *et al*. (Eds.). *Cancer Incidence and Survival among Children and Adolescents: United States SEER Program 1975-1995*. National Cancer Institute, SEER Program. Bethesda: NIH Pub. 1999, n° 99-4649.

Rousseau RF, Haigght AE, Hirschmann Jax C *et al*. Local and systemic effects of an allogenic tumor cell vaccine combining transgenic human lymphotactin with interleukin 2 in patients with advanced ou refractory neuroblastoma. *Blood* 2003;101:1718-26.

Santana VM, Furman WL, Billups CA *et al*. Improved response in high-risk neuroblastoma with protracted topotecan administration using a pharmacokinetically guided dosing approach. *J Clin Oncol* 2005 June 20;23(18):4039-47.

Schilling FH, Spix C, Berthold F *et al*. Neuroblastoma screening at one year of age. *N Engl J Med* 2002;346(14):1047-53.

Schmidt M, Simon T, Hero B *et al*. Is the a benefit of 131 I – MIBG therapy in the treatment of children with stage4 neuroblastoma? A retrospective evaluation of The German Neuroblastoma Trial NB 97 and implications for The German Neuroblastoma Trial NB 2004. *Nuklearmedizin* 2006;45:145-51.

Schmidt ML, Lal A, Seeger RC *et al*. Favorable prognosis for patients 12 to 18 months of age with stage 4 nonamplified *MYCN* neuroblastoma: a Children's Cancer Group Study. *J Clin Oncol* 2005 Sept. 20;23(27):6474-80.

Schmidt ML, Lukens JN, Seeger RC *et al*. Biologic factors determine prognosis in infants with stage IV neuroblastoma: a prospective children's cancer group study. *J Clin Oncol* 2000;18(6):1260-68.

Schwab M, Westermann F, Hero B *et al*. Neuroblastoma:biology and molecular and chromosomal pathology. *Lancet Oncol* 2003;4:472-80.

Schwab M. *MYCN* in neuronal tumours. *Cancer Lett* 2003;204(2):179-87.

Seeger RC, Brodeur GM, Sather H *et al*. Association of multiples copies of the *N-myc* oncogene with rapid progression of neuroblastomas. *New Engl J Med* 1985;313(18):1111-6.

Shang X, Burlingame SM, Okcu MF *et al*. Aurora A is a negative prognostic factor and a new therapeutic target in human neuroblastoma. *Mol Cancer Ther* 2009;8:2461-69.

Shimada H, Umehara S, Monobe Y *et al*. International neuroblastoma pathology classification for prognostic evaluation of patients with peripheral neuroblastic tumors. A report from Children's Cancer Group. *Cancer* 2001;92(9):2451-61.

Spitz R, Hero B, Skowron M *et al*. MYCN-status in neuroblastoma: characteristics of tumours showing amplification, gain, and non-amplification. *Eur J Cancer* 2004;40(18):2753-59.

Tanaka S, Tajiri T, Noguchi S *et al*. Clinical significance of a highly sensitive analysis for gene dosage and the expression level of MYCN in neuroblastoma. *J Pediatr Surg* 2004;39(1):63-68.

Tonini GP, Romani M. Genetic and epigenetic alterations in neuroblastoma. *Cancer Letters* 2003;197:69-73.

Van Noesel MM, Versteeg R. Pediatric neuroblastomas: genetic and epigenetic 'danse macabre'. *Gene* 2004;325:1-15.

Villablanca JG, Krailo MD, Ames MM *et al*. Children's Oncology Group (CCG 09709). Phase I trial of oral fenretinide in children with high-risk solid tumors: a report from the Children's Oncology Group (CCG 09709). *J Clin Oncol* 2006 July 20;24(21):3423-30.

Villablanca JG, London WB, Naranjo A *et al*. Phase II study of oral capsular 4-hydroxyphenylretinamide (4-HPR/fenretinide) in pediatric patients with refractory or recurrent neuroblastoma: a report from the Children's Oncology Group. *Clin Cancer Res* 2011 Nov. 1;17(21):6858-66.

Wagner LM, Villablanca JG, Stewart CF *et al*. Phase I trial of oral irinotecan and temozolomide for children with relapsed high-risk neuroblastoma: a new approach to neuroblastoma therapy consortium study. *J Clin Oncol* 2009;27(8):1290-96.

Weintraub M, Waldman E, Koplewitz B *et al*. A sequential treatment algorithm for infants with stage 4s neuroblastoma and massive hepatomegaly. *Pediatr Blood Cancer* 2012 July 15;59(1):182-84.

Westermann F, Schwab M. Genetic parameters of neuroblastomas. *Cancer Lett* 2002;184(2):127-47.

Woods WG, Gao RN, Shuster JJ *et al*. Screening of infants and mortality due to neuroblastoma. *N Engl J Med* 2002;346(14):1041-46.

Woods WG, Tuchman M, Robison LL *et al*. A population-based study of the usefulness of screening for neuroblastoma. *Lancet* 1996;348:1682-87.

Yu AL, Gilman AL, Ozkaynak MF *et al*. Anti – GD2 antibody with GM – CSF, interleukin -2, and adoptive T cell therapeutics. *Cur Pharm Des* 2009;15:424-29.

CAPÍTULO 210

Hepatoblastoma

José Ricardo Barbosa de Azevedo ■ Marília Fornaciari Grabois
Roberta Nolasco Rocha ■ Simone de Oliveira Coelho ■ Teresinha Carvalho da Fonseca

INTRODUÇÃO

Os tumores hepáticos neoplásicos, incluindo tumores benignos e malignos, são responsáveis por 1 a 1,5% de todos os tumores pediátricos. A idade ao diagnóstico é, frequentemente, a chave para o diagnóstico diferencial (Quadro 1). O hepatoblastoma (HB) é a neoplasia maligna hepática mais comum na infância, geralmente é diagnosticado entre 6 meses e 3 anos de idade, ocupando o décimo lugar em frequência. Em recém-nascidos, o tumor mais comum é o hemangioma hepático infantil.[1]

A maioria dos tumores hepáticos apresenta-se como uma massa abdominal assintomática notada pelos pais ou pelo pediatra, confirmada por ultrassonografia (US), tomografia computadorizada (TC) ou ressonância magnética (RM). Em geral, o exame de imagem não diferencia os tumores benignos dos malignos, apesar de os tumores hepáticos benignos mais comuns apresentarem características clássicas distintas na TC.

Ressecção completa do tumor é a pedra angular da terapia para tumores hepáticos e oferece a única chance real de sobrevida livre de doença a longo prazo. A introdução de quimioterapia (QT) eficaz para o tratamento de hepatoblastoma, prévia à cirurgia, possibilitou a remoção total do tumor em 70 a 90% dos casos, aumentando a sobrevida global em 5 anos para 75%.[2,3]

Uma equipe multidisciplinar formada por oncologista pediátrico, cirurgião pediátrico, patologista, radiologista, intensivista, enfermeiros e fisioterapeuta com experiência neste tipo de doença é fundamental para obter melhores resultados.

EPIDEMIOLOGIA

O hepatoblastoma, um tumor raro na população em geral, representa o mais frequente tumor maligno hepático na infância, cerca de 80%, com uma incidência de um novo caso por 1 milhão em crianças com menos de 15 anos de idade e leve predominância no sexo masculino. Compreende 1% de todas as neoplasias malignas pediátricas. Acomete principalmente crianças entre 6 meses e 3 anos de idade, com idade mediana ao diagnóstico de 1 ano, mas casos em recém-nascidos e em crianças em idade escolar também são vistos.[4,5]

A incidência da doença aumenta de 1.000-2.000 vezes em crianças com síndrome de Beckwith-Wiedemann ou de famílias com polipose adenomatosa familiar e síndrome de Gardner.[5,6]

Várias síndromes genéticas, relacionadas com mutações de gene em lócus de cromossomas distintos, estão associadas ao risco aumentado de ocorrência de HB, incluindo polipose adenomatosa familiar – PAF (cromossoma 5q21.22), síndrome de Beckwith-Wiedemann (cromossoma 11p15.5), síndrome de Li-Fraumeni (cromossoma 17p13), síndrome de Edwards (trissomia do 18) e outras trissomias (2,8 e 20).[4,7]

Quadro 1. Idade ao diagnóstico de tumores hepáticos primários na infância

GRUPO ETÁRIO	MALIGNO	BENIGNO
Lactente	Hepatoblastoma 43% Tumor rabdoide 1% Tumor de células germinativas maligno 1%	Hemangioma/vascular 14% Hamartoma mesenquimal 6% Teratoma 1%
Escolar/adolescente	Hepatocarcinoma 23% Sarcomas 7%	Hiperplasia nodular focal 3% Adenoma hepático 1%

Em pacientes com síndrome de Beckwith-Wiedemann, é recomendado *screening* com ultrassonografia abdominal e alfafetoproteína em intervalos regulares até a idade de 7 anos.[8]

Prematuridade, muito baixo peso ao nascer (MBPN), geralmente definido como < 1.500 g, síndrome alcoólica fetal (SAF) e hemi-hiperplasia (anteriormente denominada hemi-hipertrofia) estão associados ao risco aumentado de ocorrência de HB. A hemi-hiperplasia aumenta o risco de tumores embrionários, principalmente de tumores de Wilms e HB.[4,9] Alguns autores relatam que o tabagismo materno durante a gestação e a concepção por tecnologia de reprodução assistida permaneceram como fatores de risco para HB independente do peso de nascimento.[9]

Estudo do *Pediatric Oncology Group* (POG) com 182 crianças com HB revelou que 38% desses pacientes tinham menos de 1 ano de idade e somente dois pacientes estavam com mais de 9 anos de idade.[10]

APRESENTAÇÃO CLÍNICA

Em geral, o hepatoblastoma apresenta-se como uma massa abdominal e distensão abdominal.[1,10] Palidez cutâneo-mucosa, anorexia, perda de peso, vômitos e dor abdominal são sintomas que podem estar presentes em situações avançadas da doença em cerca de 40% dos casos.[1] O abdome agudo por ruptura tumoral é uma apresentação rara e frequentemente está relacionada com o hepatocarcinoma.[1]

A icterícia é rara, mas pode estar presente em 5% dos casos. Esplenomegalia pode estar associada ao quadro. Manifestações menos frequentes são hemi-hipertrofia, puberdade precoce, que ocorre em até 3% dos pacientes que secretam a subunidade beta do hormônio gonadotrofina coriônica (β-HCG).

Osteopenia ocorre em 20 a 30% dos casos, podendo apresentar-se clinicamente com dor lombar, fraqueza e fraturas patológicas de ossos longos, bem como compressão de corpos vertebrais. Estas alterações regridem com a ressecção do tumor.[1]

Os pacientes com hepatoblastomas, frequentemente, apresentam níveis séricos de alfafetoproteína (AFP)

ANATOMOPATOLOGIA

Macroscopicamente, os HBs exibem uma grande variação de tamanho e de peso, podendo medir de 5 a 22 cm e pesar entre 150 e 1.400 g. Em geral, é um tumor bem delimitado com crescimento expansivo. A superfície de corte varia conforme o predomínio do componente histológico presente no tumor. Tumores com predomínio do componente epitelial são escuros e macios, e os tumores mistos apresentam cor e consistência variadas. Hemorragia e fibrose são frequentes (Fig. 1).

Microscopicamente, os HBs apresentam um leque na diferenciação morfológica, variando de uma forma imatura, sem diferenciação hepatocitária, até uma forma mais madura, com células indistinguíveis dos hepatócitos normais.[11]

Segundo a última classificação dos tumores hepáticos da Organização Mundial de Saúde, os HBs podem ser classificados histologicamente em: 1) epitelial fetal puro, 2) epitelial fetal e embrionário, 3) macrotrabecular, 4) indiferenciado de pequenas células, 5) misto ou mesenquimal e 6) teratoide.[12]

O HB epitelial fetal puro corresponde a 30% dos HBs[12] e tem morfologia semelhante ao do fígado entre a sexta e a oitava semanas de

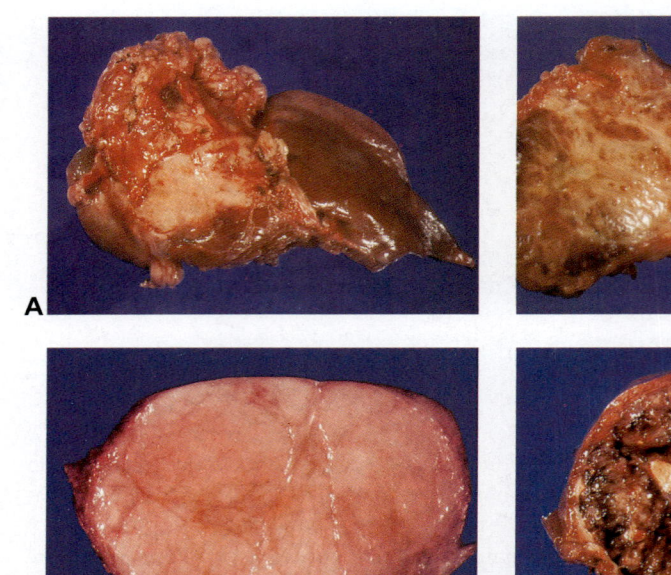

◀ **FIGURA 1.** (**A**) Macroscopia de hepatoblastoma: superfície externa de segmento hepático com tumor mal delimitado e pardo-claro, infiltrando a cápsula hepática. (**B**) Superfície de corte do tumor na Figura **A**, com massa de limites imprecisos, pardo-clara e trabeculada. (**C**) Macroscopia de hepatoblastoma com superfície de corte pardo-rosada, lobulada e brilhante. (**D**) Macroscopia de hepatoblastoma com superfície de corte variada com áreas, pardo-rosadas, vinhosas e amareladas.

gestação.[13] As células apresentam pleomorfismo discreto, núcleos redondo e regular, cromatina suave e nucléolo inconspícuo. O citoplasma é claro, quando o conteúdo é lipídico, ou granuloso e eosinofílico, quando há glicogênio. Essa variação do conteúdo citoplasmático dá um aspecto claro/escuro característico. Mitoses são infrequentes.[14] As células neoplásicas formam cordões com até três camadas de espessura, separadas por sinusoides. Hematopoiese extramedular (HEM), representada por células precursoras eritroides, mieloides e megacariocíticas, é comumente observada em pacientes não tratados com quimioterapia antes da ressecção cirúrgica (Fig. 2A e B).[15]

O HB epitelial fetal e embrionário corresponde a 20% dos casos[12] e tem aspectos microscópicos similares ao do fígado na fase embrionária.[13] As células embrionárias apresentam pleomorfismo moderado, núcleo hipercromático, nucléolo evidente e citoplasmas amplo e basofílico. As células formam trabéculas com espessura variável. Mitoses típicas são notadas, porém, mitoses atípicas são incomuns.[14] HEM e metaplasia escamosa podem ser observadas. Caracteristicamente, áreas embrionárias encontram-se entremeadas com áreas fetais (Fig. 2C e D).[11]

O HB macrotrabecular corresponde a 3% dos casos de HB.[12] Esse padrão foi descrito por Gonzalez-Crussi *et al.* e caracteriza-se pela disposição das células neoplásicas em trabéculas com mais de 20 camadas de espessura. As células que compõem esse padrão podem ter aspecto citológico fetal, embrionário ou podem ser idênticas ao hepatocarcinoma. Para o HB ser classificado como macrotrabecular, esse aspecto arquitetural deve predominar na lesão.[13]

O HB indiferenciado de pequenas células corresponde a 3% dos HBs[12] e representa a forma menos diferenciada dessa neoplasia. Esse padrão foi descrito por Kasai & Watanabe em 1970,[16] é formado por células pequenas, monomórficas, arredondadas, com citoplasma escasso, núcleo hipercromático e nucléolo discreto. As células formam ninhos com padrão de crescimento infiltrativo. O índice mitótico é baixo (Fig. 2E).

O HB misto é composto por células epiteliais associadas a tecido mesenquimal, correspondendo a 44% dos casos.[12] O tecido mesenquimal pode ser representado por tecido fibroso, cartilagem, osteoide, ou tecido mesenquimal imaturo (Fig. 2F).[17]

Inclusos nos casos de HB mistos, temos casos de HB teratoide, que se caracterizam por apresentarem uma ampla variedade de diferenciação tecidual representado por diferenciação neural (células ganglionares e células pigmentadas) e por tecido mesenquimal imaturo.[18] A presença

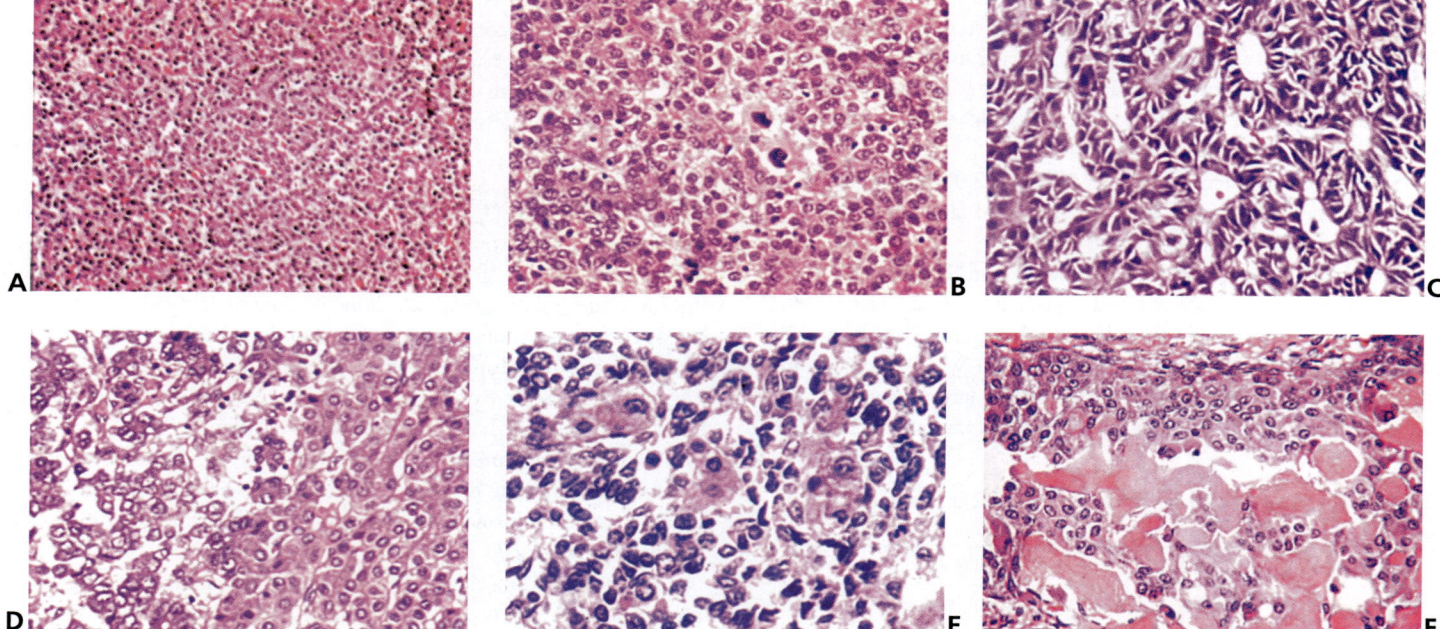

▲ **FIGURA 2.** (**A**) Hepatoblastoma fetal com proliferação de células neoplásicas dispostas em trabéculas delicadas (200×). (**B**) Hepatoblastoma fetal com hematopoiese extramedular, exibindo megacariócito no centro da figura (400×). (**C**) Hepatoblastoma embrionário, com células moderadamente atípicas, com relação núcleo/citoplasma alta, núcleo hipercromático, citoplasma é amplo e basofílico, formando rosetas (400×). (**D**) Hepatoblastoma fetal (à direita) e embrionário (à esquerda). (**E**) Hepatoblastoma indiferenciado de pequenas células, com células com núcleo hipercromático, citoplasma escasso, que disseca os hepatócitos (400×); (**F**) Hepatoblastoma misto, com osteoide em meio às células epiteliais (400×).

de células de linhagens não hepatocitárias ocorreria graças à capacidade de as células somáticas se diferenciarem para vários tipos de tecidos.[18]

Os HBs podem apresentar células com padrão rabdoide, que exibem citoplasma amplo, com inclusões excêntricas, positivas na coloração especial de ácido periódico de Schiff (PAS) e para as citoqueratinas e vimentina pelo estudo imuno-histoquímico. O padrão rabdoide pode ser observado focalmente ou ser o aspecto histopatológico predominante.[19] Por vezes, células gigantes estão presentes e podem produzir gonadotrofina coriônica, capaz de causar quadro clínico de virilização.[19]

A classificação histopatológica tem valor prognóstico e orienta a terapia. O hepatoblastoma de histologia fetal pura com baixo índice mitótico pode ser tratado apenas com ressecção cirúrgica. Os hepatoblastomas com extensas áreas indiferenciadas,[20] os macrotrabeculares[13] e os com padrão rabdoide difuso,[19] estão associados a um pior prognóstico.

O estudo imuno-histoquímico confirma a histogênese hepatocitária do HB e pode ajudar no diagnóstico diferencial com outras neoplasias. Os vários padrões histopatológicos dos HBs apresentam expressão variada para diferentes proteínas, e essa diferença ocorre, provavelmente, graças aos diferentes níveis de diferenciação celular. As células epiteliais mais diferenciadas, de padrão fetal, apresentam expressão para vários marcadores imuno-histoquímicos, no entanto, as células indiferenciadas, têm expressão para poucos marcadores.[21,22] Os HBs são positivos para as citoqueratinas,[22] para o antígeno hepatocitário comum[23] e para a alfafetoproteína[22], entre outros.

MÉTODOS DIAGNÓSTICOS

Exames laboratoriais

Anemia normocítica, normocrômica moderada pode ser encontrada em pacientes portadores de tumores volumosos. Trombocitose também é frequente.[1]

O aumento da desidrogenase láctica (LDH) e fosfatase alcalina (FA) é inespecífico. As provas de função hepática raramente estão alteradas.[1]

A dosagem de alfafetoproteína sérica (AFP) é fundamental para o diagnóstico e a monitorização terapêutica do HB. As crianças com menos de 1 ano de idade têm o nível de AFP normalmente elevado em relação aos adultos. Com um ano de idade atingem os níveis de adulto, de 3 a 15 ng/mL (Quadro 2).[1]

A AFP tem vida média de 5 a 7 dias, e sua monitorização no pós-operatório após este período é valioso marcador tumoral. A AFP apresenta-se elevada em 80 a 90% dos pacientes com HB, e após ressecção cirúrgica, é esperado declínio exponencial. Falha em atingir os níveis normais deve ser interpretada como doença residual, enquanto uma nova elevação sugere recaída da doença.[1] Já a taxa de declínio da AFP durante a QT pode indicar o sucesso do tratamento, e sua elevação geralmente indica recidiva tumoral.

Van Tornout et al. notaram que grande declínio no nível de AFP durante os quatro primeiros ciclos de QT foi fortemente associado à melhor sobrevida. Observaram também que níveis baixos e altos iniciais de AFP no HB estão associados à baixa resposta ao tratamento.[25]

Exames de imagem

Radiografia simples de tórax e abdome

Os raios X (RX) simples de abdome revelarão opacificidade do quadrante superior direito, podendo ser observada calcificações em até 6%, porém estas podem estar presentes em patologias benignas, principalmente os hemangiomas em até 12% dos casos.[1]

Os RX simples de tórax devem ser incluídos na investigação de metástases pulmonar.

Ultrassonografia de abdome

A ultrassonografia é o exame inicial na avaliação do HB, sendo útil na definição de massa sólida ou cística intra-hepática, pois revela ecogenicidade diferente do parênquima hepático normal, podendo demonstrar plano de clivagem com estruturas vizinhas, como rins, baço e pâncreas.[1] Por este método, podemos definir nódulo único ou envolvimento hepático difuso. É útil na avaliação do sistema vascular, pesquisa de invasão tumoral da veia cava inferior (VCI), veias hepáticas e veia porta, mais especificamente através do ecodoppler de alta resolução.[1,10]

Tomografia computadorizada do abdome (TC)

A tomográfica computadorizada do abdome sem e com contraste oral e venoso é fundamental para definir a localização, o volume, as características do tumor intra e extra-hepático, fornecer informações tridimensionais da lesão, estadiamento e indicação de QT pré-operatória (neoadjuvante). Calcificações e adenomegalias hilares e para-aórticas podem ser detectadas.[1]

A TC revela referências anatômicas que determinarão o diagnóstico e a ressecabilidade do tumor, bem como avalia a resposta à QT pré-operatória através do volume tumoral.

Ressonância magnética (RM) do abdome

Na RM, o HB apresenta-se como uma massa heterogênea com sinal predominante de baixa atenuação em T1 e com atenuação alta em T2, sua capacidade multilaminar possibilita a definição exata da extensão tumoral.[1] A angiorressonância pode definir o envolvimento vascular pela lesão e definir a indicação de transplante hepático. Normalmente, é utilizada para avaliar ressecabilidade no momento da avaliação cirúrgica.

A RM do abdome pode ter maior sensibilidade na determinação de recidiva do tumor em relação à TC.[1]

Angiografia hepática (AH)

No passado, a AH era utilizada para definir o envolvimento de importantes vasos hepáticos pelo tumor, atualmente, foi substituída com menor risco e maior definição pela angiorressonância magnética e TC.[1]

Cintilografia óssea

Não há necessidade de investigação com cintigrafia óssea na suspeita de hepatoblastoma, uma vez que a metástase óssea seja mais comum no hepatocarcinoma e rara no hepatoblastoma.

Tomografia computadorizada de tórax (TC)

A TC de Tórax serve para avaliar a presença de doença metastática no pulmão, sendo o mais comum sítio de doença extra-hepática. Deve ser solicitada no rastreamento de metástases, cujo RX de tórax não identificou lesão alguma.

ESTADIAMENTO

Atualmente, dois sistemas de estadiamento são utilizados: o sistema do *Pediatric Oncology Group e Children's Cancer Group* (POG-CCG) nos

Quadro 2. Níveis séricos de alfafetoproteína relacionados com a idade

IDADE	MÉDIA ± DP (ng/mL)
Prematuro	134.734 ± 41.444
Recém-nascido	48.406 ± 34.718
Recém-nascido a 2 semanas	33.113 ± 32.503
2 semanas a 1 mês	9.452 ± 12.610
1 mês	2.654 ± 3.080
2 meses	323 ± 278
3 meses	88 ± 87
4 meses	74 ± 56
5 meses	46,5 ± 19
6 meses	12,5 ± 9,8
7 meses	9,7 ± 7,1
8 meses	8,5 ± 5,5
> 8 meses	8,5 ± 5,5

DP = desvio-padrão.
Fonte: Wu JP et al.[24]

Estados Unidos da América e *International Society of Paediatric Oncology* (SIOPEL) nos países europeus e no INCA.

O sistema POG-CCG é com base na ressecção ou não do tumor com margens oncológicas e do resultado da patologia. O estágio do tumor é dependente da experiência do cirurgião pediátrico oncologista (Quadro 3).[10] Nos casos considerados irressecáveis, uma biópsia é realizada inicialmente seguida por QT neoadjuvante. Como o estadiamento depende da avaliação do cirurgião e de sua experiência, isto pode levar a uma mudança no estadiamento, principalmente para o estágio III.[10]

O grupamento pré-tratamento (PRETEXT) desenvolvido pela *International Society of Paediatric Oncology* (SIOP- SIOPEL) é utilizado para avaliar a extensão da doença. O sistema PRETEXT baseia-se exclusivamente nas imagens ao diagnóstico. Nesse sistema, o fígado é dividido em quatro setores, e o sistema é fundamentado no número de setores livres. O lobo esquerdo do fígado consiste em um setor lateral (segmentos 2 e 3 de Couinaud) e um setor medial (segmento 4), enquanto o lobo direito é dividido em um setor anterior (segmentos 5 e 8) e um setor posterior (segmentos 6 e 7). O segmento 1 de Couinaud é idêntico ao lobo caudado e não está incluído nesta divisão. O tumor é classificado em uma das seguintes quatro categorias PRETEXT, dependendo do número de setores de fígado que estão livres de tumor (Fig. 3): PRETEXT I, três setores adjacentes livres de tumor; PRETEXT II, dois setores adjacentes livres de tumor (ou um setor em cada hemifígado); PRETEXT III, um setor livre de tumor (ou dois setores em um hemifígado e um setor não adjacente no outro hemifígado); e PRETEXT IV, nenhum setor livre de tumor. O sistema avalia também a invasão vascu-

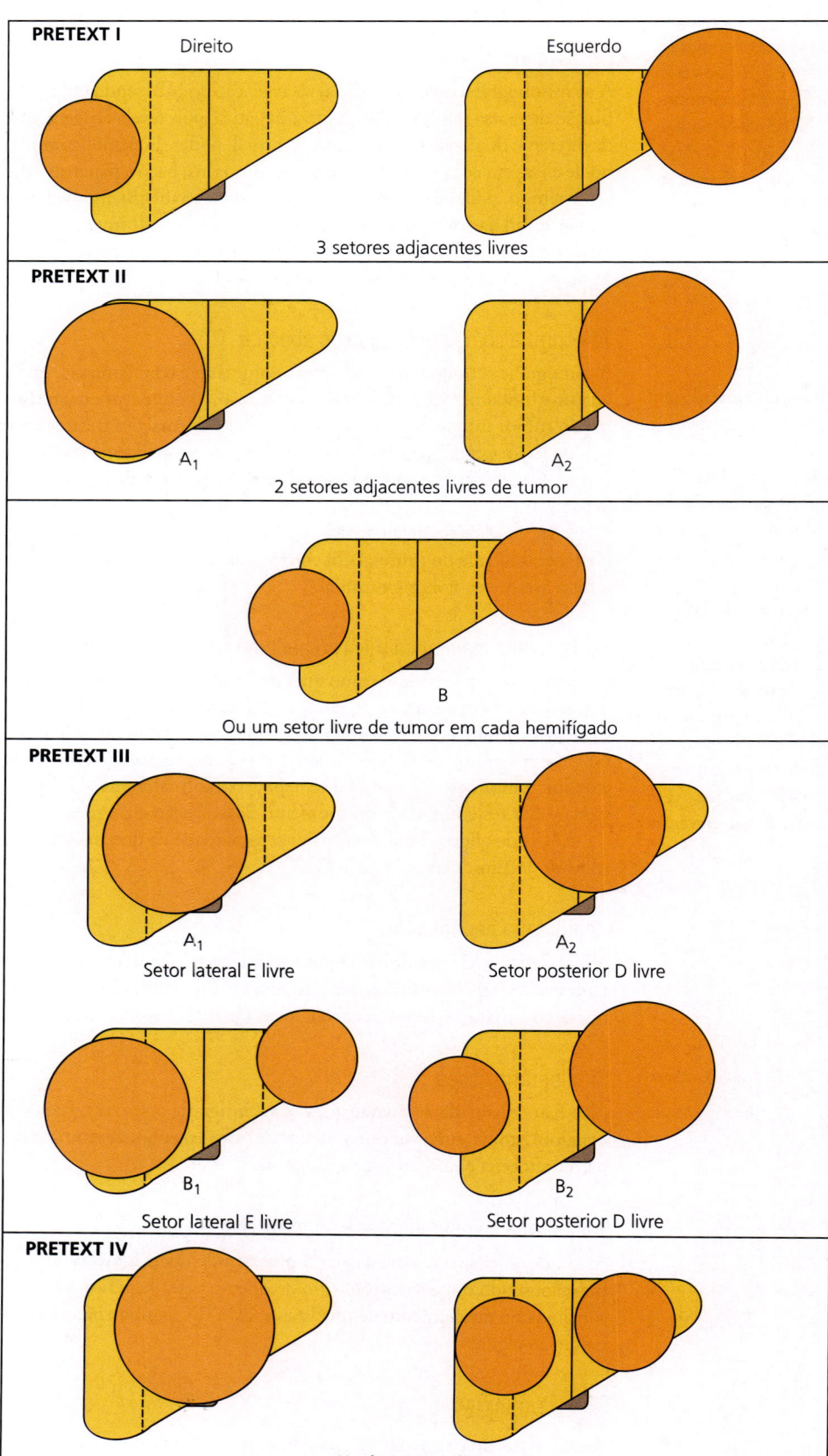

FIGURA 3. Estadiamento PRETEXT.

Quadro 3. Sistema de estadiamento POG-CCG

Estádio I	Completa ressecção, margens livres
Estádio II	Ressecção total grosseira com resíduos microscópicos ou ruptura pré-operatória
Estádio III	Irressecável ou ressecção com resíduos grosseiros ou envolvimento linfonodal
Estádio IV	Doença metastática

Fonte: Rescorla FJ.[10]

lar e doença metastática extra-hepática. O crescimento extra-hepático é indicado pela adição de um ou mais dos seguintes caracteres: V, veia cava e/ou principais afluentes (anexos à veia cava); P, veia porta e/ou principais afluentes (hilar); E extra-hepática, excluindo V ou P extra-hepáticos (raro), e M, metástases a distância (principalmente pulmões) (Fig. 4).[26]

TRATAMENTO

Atualmente, dois esquemas de tratamento são utilizados no tratamento do HB, o do protocolo europeu (SIOPEL) e o americano (POG-CCG). A diferença fundamental entre eles é o uso da QT neoadjuvante e o sistema de estadiamento.

O tratamento seguindo o protocolo SIOPEL consiste na abordagem inicial por quimioterapia neoadjuvante em todos os casos e cirurgia através da ressecção tumoral com limites oncológicos. Caso não seja factível, uma opção é o transplante hepático. A toracotomia para metastectomia pulmonar nos casos sem resposta à QT é uma possibilidade.

O esquema do POG-CCG utiliza à QT neoadjuvante somente nos casos considerados irressecáveis ou com metástases após biópsia do tumor. Os casos considerados ressecáveis são submetidos à laparotomia exploradora e ressecção tumoral com margens oncológicas podendo fazer QT adjuvante.[10]

Quimioterapia

Significativa melhora na sobrevida de crianças com HB tem sido observada nas duas últimas décadas.

O advento da quimioterapia pré-operatória permitiu a redução do volume tumoral, transformando tumores considerados irressecáveis em ressecáveis.[1] O paciente recebe QT pré-operatória por 8 a 12 semanas (RA). Vários artigos mencionam que após a quimioterapia pré-operatória, os tumores tornam-se mais sólidos, sangram menos, são mais claramente demarcados do tecido hepático normal e, portanto, mais fácil a ressecção.[27,28]

A Figura 5 exemplifica um caso de um paciente de 3 anos de idade com suspeita diagnóstica de hepatoblastoma, em que foi submetido à QT neoadjuvante seguindo o protocolo SIOPEL, com redução tumoral e posterior ressecção cirúrgica.

O Protocolo intergrupos P9645 (POG-CCG) utiliza Cisplatina + Vincristina + 5-fluorouracil com ou sem amifostina no estágio I com histologia desfavorável e estágio II. O mesmo esquema anterior ou Carboplatina + Cisplatina com ou sem amifostina nos estágios III e IV.

O Protocolo SIOPEL 1 utilizou Cisplatina + Doxorrubicina e elevou a taxa de sobrevida em 5 anos para 75% (4). O protocolo SIOPEL 2 utilizou dois esquemas de QT divididos em baixo e alto riscos. O baixo risco considerado os casos grupos I, II, III PRETEXT- sem metástases utilizou somente Cisplatina (CDDP). O alto risco utilizou CDDP + Carboplatina + Doxorrubicina nos casos grupo IV PRETEXT e/ou metástases.

No mais recente estudo SIOPEL 3, o resultado do tratamento monoterapêutico com cisplatina foi comparado ao uso de cisplatina associado à doxorrubicina (PLADO) em pacientes de baixo risco (PRETEXT).[29]

Com relação aos efeitos tóxicos observados dos agentes quimioterápicos, podemos citar: Cisplatina – toxicidade renal e auditiva; Vincristina – neurotoxicidade, constipação e neuropatia periférica; 5-Fluorouracil – diarreia e pancitopenia; Adriamicina – cardíaca, mucosite e pancitopenia. Carboplatina – alterações sanguíneas, náuseas, vômitos, obstipação intestinal, ototoxicidade, toxicidade renal e hepática, neuropatia periférica.

Tratamento cirúrgico

O fígado tem excelente regeneração capilar, e ressecções até 75 a 80% da sua massa original são bem toleradas. A intensa regeneração, normalmente, resulta em completa regeneração das estruturas hepáticas em algumas semanas. As crianças, geralmente, têm fígados normais e livres de outros transtornos, diferente dos adultos que associam cirrose hepática e icterícia obstrutiva ao câncer.

Incisão bilateral subcostal, geralmente, fornece excelente exposição, muitas vezes requerendo uma extensão superior na linha média.[10]

Durante exploração para ressecção, a completa mobilização do fígado é acompanhada de exame cuidadoso do mesmo para identificar doença multifocal. Os ligamentos hepáticos são cortados, e o suprimento sanguíneo do fígado é controlado. Uma isquemia temporária com clampe vascular previne as duas complicações mais comuns na cirurgia: hemorragia e embolia gasosa. A utilização da ultrassonografia intraoperatória é relevante nos casos de doença multifocal. Uma recente série em adultos observou que a ultrassonografia intraoperatória identificou doença intra-hepática que não foi observada na TC pré-operatória em 38% dos pacientes.[10]

Vários métodos de descrição da anatomia hepática têm sido utilizados, levando a muita confusão. O sistema de anatomia segmentar desenvolvido por Couinaud (1957) tem provado ser o mais útil método. O sistema é com base na anatomia venosa hepática com a veia hepática média ocupando a fissura portal principal, dividindo o fígado em direito e esquerdo. A veia hepática direita divide o fígado direito em setores an-

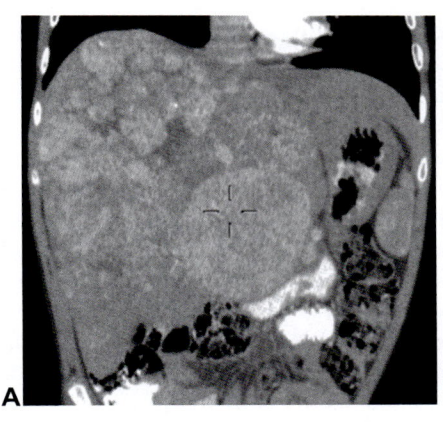
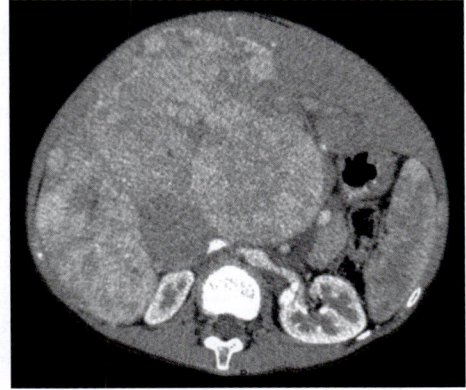

◀ **FIGURA 4.** Paciente masculino com 12 anos de idade com hepatoblastoma PRETEXT IV. **(A)** Alfafetoproteína elevada de 236.633,88 IU/mL, classificado como PRETEXT IV. **(B)** Hepatomegalia de contorno lobulado, com extensa infiltração heterogênea multinodular, com realce heterogêneo pelo meio de contraste, ocupando praticamente toda extensão do fígado. O aumento significativo do lobo caudado causa compressão parcial da veia cava inferior, desloca anteriormente a junção esplenomesentérica e comprime posteriormente o pâncreas.

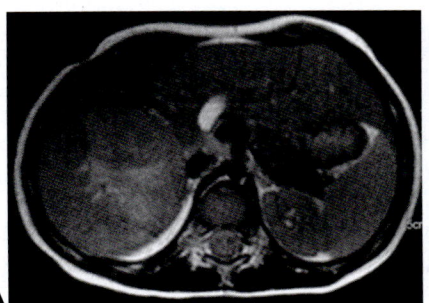
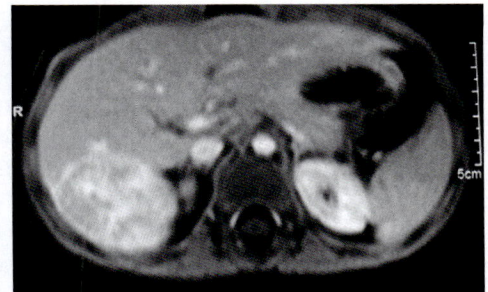
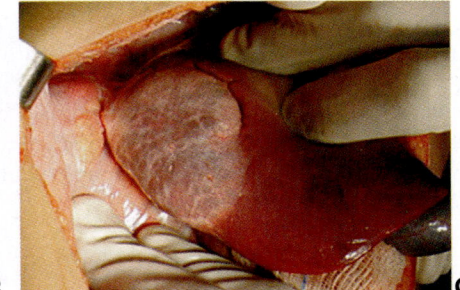

▲ **FIGURA 5. (A)** TC de paciente com tumor hepático e alfafetoproteína aumentada. **(B)** TC após QT demonstrando redução tumoral. **(C)** Laparotomia exploradora demonstrando hepatoblastoma após redução tumoral pós-quimioterapia neoadjuvante.

terior e posterior. A veia hepática esquerda fornece drenagem dos segmentos II e III e porção do segmento IV.[10,30]

A dissecção inicial do hilo hepático permite controle e ligadura da artéria, ducto biliar e veia porta para o fígado envolvido. É importante obter o controle da veia cava inferior acima e abaixo do fígado com fios ou fitas em alça nos vasos previamente à transecção do parênquima hepático, particularmente nas lobectomias e ressecções extensas. Estes permitem a exclusão vascular total, se necessário. Nesta técnica, a veia porta, artéria hepática e veia cava supra e infra-hepática são ocluídas. Muitas séries têm demonstrado que esta técnica é segura com isquemia quente com tempo variando de 29-46 minutos e pode ser tolerada por até mais de 60 minutos.[10]

Várias técnicas são utilizadas durante a dissecção do parênquima, incluindo eletrocauterização, sutura com ligadura, clipes, coagulação com argônio e bisturi ultrassônico.[10,31]

A manobra de Pringle no ligamento hepatoduodenal, com oclusão da veia porta e artéria hepática comum pode ser útil na presença de sangramento. As veias hepáticas são, com frequência, ligadas quando encontradas dentro do parênquima, e, ocasionalmente, a veia hepática direita pode ser controlada acima do fígado.[10]

As hepatectomias típicas são chamadas de regradas, definidas como uma porção do parênquima hepático delimitado por uma ou muitas cissuras anatômicas. Podem ser separadas em dois grupos: hepatectomias direita e esquerda que são separadas pela cissura portal principal; e lobectomias direita e esquerda delimitadas pela fissura umbilical onde se insere o ligamento falciforme.

Hepatectomia atípica consiste na ressecção de parte do parênquima não limitado por uma fissura anatômica. O Grupo Germânico Cooperativo de Estudo dos Tumores Hepáticos recomenda evitar as ressecções hepáticas atípicas, pois estas determinam alto risco de remoção incompleta do tumor, bem como alto risco de complicações pós-operatórias.[32]

Denominamos segmentectomia a ressecção de um dos oito segmentos anatômicos descritos por Couinaud e plurissegmentectomia a ressecção de dois ou mais segmentos contíguos ou não. As plurissegmentectomias podem ser contíguas ou não e devem respeitar as cisuras entre os segmentos descritos, diminuindo o sangramento e a isquemia do parênquima restante durante uma ressecção. Assim, bissegmentectomia é a ressecção de dois segmentos e trissegmentectomia a ressecção de três segmentos.

Embora o papel da ressecção do tumor primário foi muito bem estabelecido, outras questões cirúrgicas ainda precisam ser resolvidas. O primeiro é o papel da cirurgia para as lesões metastáticas. Acredita-se que a ressecção completa de todos os documentados nódulos pulmonares metastáticos é crítica para conseguir uma sobrevivência a longo prazo. Esta recomendação é com base em dados anedóticos e experiência com outros tipos de câncer. No entanto, esta abordagem nunca foi testada em uma grande forma prospectiva. A segunda questão diz respeito à falta de prognóstico definido para a presença de doença microscópica no ato cirúrgico com margem livre de doença (fase II). Isto é fundamentado nos resultados excelentes obtidos com o primeiro ensaio hepatoblastoma intergrupal executado em América do Norte [INT-0098 julgamento]. No entanto, a determinação de evidência de doença residual nos relatórios histológicos de ressecção cirúrgica continua a ser um motivo de preocupação não resolvido em qualquer análise disponível. A terceira e última questão é o papel da cirurgia convencional, dentro de uma estratégia de tratamento multidisciplinar, para hepatoblastoma difusamente envolvendo o fígado inteiro.

Outros tratamentos

Embolização da veia porta

A embolização da veia porta tem sido utilizada como importante procedimento com intuito de diminuir complicações das extensas hepatectomias.[33] Ela tem sido utilizada em pacientes adultos com alto risco de falência hepática após hepatectomia.[33,34,35]

Quimioembolização

Tumores hepáticos recebem aproximadamente quase todo suprimento sanguíneo da artéria hepática em contraste com o fígado normal que recebe 80% da veia porta. Quimioembolização envolve embolização do suprimento sanguíneo arterial seletivo com a combinação de partículas de gelatina, lipiodol e agentes quimioterápicos.[10]

Muitos estudos randomizados falharam em demonstrar melhora de taxa de sobrevida com esta técnica em adultos. Limitado número de estudos tem demonstrado ser seguros e eficazes em crianças. Malogolowkin et al. trataram seis crianças com doença progressiva, recorrente ou HB irressecável com quimioembolização hepática transarterial (TAQE) com resposta inicial em todos os casos (redução de 50% na TC e redução dos níveis de AFP). Dois casos estão com sobrevida a longo prazo.[36] Oue et al. trataram oito crianças com HB irressecável com TAQE e alcançaram ressecção completa em todos os pacientes, com seis sobrevidas a longo prazo.[37]

O experimento japonês (JPLT) com pacientes estágio III, que receberam QT intra-arterial hepática e intravenosa sistêmica, relatou melhor sobrevida nos casos intravenosos e conclui não recomendar o uso de QT através da artéria hepática, pois os resultados não justificam as dificuldades de inserir e manter um catéter deste tipo em pacientes pediátricos.[38]

Ablação de radiofrequência

Tal procedimento tem sido muito utilizado em tumores hepáticos em adultos, principalmente em tumores múltiplos e pequenos. Tem-se pouca experiência em ablação de radiofrequência em hepatoblastoma, porém, tal procedimento pode ser promissor, principalmente em tumores recorrentes em que a terapia convencional (quimioterapia e cirúrgica) não é factível.[39]

Transplante hepático

No final dos anos de 1980, uma nova perspectiva passou a ser relatada em diversos centros para os hepatoblastomas multiloculados e bilobares (classificados como grupo IV PRETEXT), o transplante hepático.

Já é consenso que a presença de metástases pulmonares persistentes após QT seja uma contraindicação ao transplante. Para isso, nódulos que persistem no exame de imagem pós-QT devem ser submetidos à biópsia para confirmar se eles representam ou não HB viável. A técnica cirúrgica que vem sendo sugerida é esternotomia com palpação de ambos os pulmões, com ressecção dos nódulos pulmonares.

No estudo do SIOPEL 1, 12 crianças (8% do total) foram submetidas a transplante hepático ortotópico após apropriada QT pré-operatória. Foi procedimento primário em sete crianças, e secundário, após hepatectomia parcial, em cinco crianças. A sobrevida livre de doença foi de 75% nos 5 anos e 66% nos 10 anos após transplante. Sobrevida após transplante hepático primário foi de 85,7% (6/7 pacientes) comparado com 40% (2/5 pacientes) após ressecção hepática ou transplante de "resgate".[32]

Uma revisão da experiência global agrupou 147 casos de transplante em 24 centros. O transplante primário, sem ressecção hepática prévia, foi realizado em 106 casos (72%) e 41 casos (28%) de transplante de resgate. Quimioterapia adicional foi aplicada em 65 casos (44%). A sobrevida livre de doença em 6 anos pós-transplante foi de 82% para transplante hepático primário e 30% para transplante hepático de resgate.[32] A significativa taxa de sobrevida com os pacientes que receberam transplante primário após boa resposta à quimioterapia dá suporte a estratégia de evitar tentativa de hepatectomia parcial, quando uma ressecção radical parece difícil e improvável, como nos pacientes do grupo III PRETEXT com tumor junto aos vasos hepáticos principais ou pacientes grupo IV PRETEXT multifocais.

No estudo SIOPEL 1, cinco crianças submetidas a transplante hepático apresentavam no diagnóstico múltiplas metástases pulmonares que desapareceram após quimioterapia pré-operatória.[32] Quatro das cinco (80%) estavam vivas e livres de doença após 52-99 meses pós-transplante. Esses dados sugerem que o transplante hepático é uma opção razoável, se as metástases pulmonares estiverem erradicadas pela quimioterapia.

O hepatoblastoma frequentemente recorre dentro de 2 anos após o transplante. Crianças que realizaram ressecção hepática anterior ao transplante apresentaram um pior prognóstico comparado às sem ressecções prévias. A razão para este fato é desconhecida, mas pode ser graças à natureza mais agressiva dos tumores recorrentes.

Quadro 4. Ensaios clínicos ativos específicos para tumores pediátricos de fígado

1. Cisplatina com ou sem tiosulfato de sódio no tratamento de pacientes jovens com câncer de fígado de infância em estágio I, estágio II, ou estágio III
2. Combinação de quimioterapia e talidomida no tratamento de pacientes mais jovens submetidos à cirurgia para câncer de fígado novamente diagnosticado
3. Irinotecan no tratamento de pacientes jovens com hepatoblastoma refratário ou recorrente
4. Quimioterapia neoadjuvante intensiva no tratamento de pacientes jovens submetidos à ressecção cirúrgica para hepatoblastoma de alto risco.
5. Retirada de imunossupressão em receptores pediátricos de transplante de fígado
6. Banco de estudo da biologia e tecido do hepatoblastoma

Modificado de http://clinicaltrials.gov

Muitos pacientes com tumores irressecáveis são candidatos a transplante hepático ortotópico. A taxa de sobrevida para os grupos transplantados com diagnóstico de HB variou de 50 a 100%, com média de 75% e acompanhamento de 12 a 82 meses.[10]

METÁSTASES

O tratamento cirúrgico das lesões metastáticas é, algumas vezes, recomendado para evitar o desenvolvimento de doença resistente à QT.

O pulmão é o sítio mais comum de doença metastática no HB. A TC de tórax com alta resolução no momento do diagnóstico pode identificar nódulos que devem ser acompanhados durante a QT inicial. Caso a resolução não ocorra, a ressecção cirúrgica deve ser utilizada, se as lesões forem possíveis à ressecção, mesmo sendo necessária toracotomia bilateral.[10]

Não existe um limite claro do número de metástases que podem ser ressecadas. Nos casos com mais de quatro lesões presentes no mesmo lobo pulmonar, existe alta probabilidade de doença residual microscópica e, portanto, a lobectomia pulmonar pode ser preferível.

CONCLUSÃO

Tumor hepático em crianças é uma patologia rara podendo atingir 100% de sobrevida em casos totalmente ressecáveis, devendo ser tratado em centros de tratamento oncológico com equipe multidisciplinar e especializada, com experiência nestas patologias.

NOVOS RUMOS

Os dois maiores grupos de tumores hepáticos dos Estados Unidos e Europa concordaram em registrar todos os pacientes para transplante em uma data-base comum, *The Pediatric Liver Unresectable Tumor Observatory* (http://pluto.cineca.org). Estima-se que 8 a 12 pacientes serão transplantados por ano nos Estados Unidos. Como a quimioterapia atual não tem sido eficiente, uma nova abordagem faz-se necessária para este tumor. Uma lista de 6 *US National Institute of Health trials* específicos para câncer hepático pediátrico é mostrada no Quadro 4. Nenhuma delas inclui transplante hepático. Elas têm usado uma combinação de terapias, combinadas ou isoladas, como radiação, cirurgia e quimioterapia com doxirrubicina e isofosfamida no início do estadiamento tumoral.

REFERÊNCIAS BIBLIOGRÁFICAS

1. Gonçalves AR *et al.* Hepatoblastoma – Experiência do serviço de cirurgia pediátrica do Instituto Nacional de Câncer. In: Correia MM, Mello ELR, Santos CER. (Eds.). *Cirurgia do câncer hepatobiliar.* Rio de Janeiro: Revinter, 2003. p. 177-88.
2. Dicken BJ, Bigam DL, Lees GM. Association between surgical margins and long-term outcome in advanced hepatoblastoma. *J Pediatr Surg* 2004;39(5):721-25.
3. Perilongo G, Malogolowkin M, Feusner J. Hepatoblastoma clinical research: lessons learned and future challenges. *Pediatr Blood Cancer* 2012;59(5):818-21.
4. Meyers RL, Aronson DC, Von Schweinitz D *et al.* Pediatric Liver Tumors. In Pizzo Philip A, Poplack David G. *Principles and practice of pediatric oncology. 6th ed.* Philadelphia: Lippincott Williams & Wilkins, 2011.
5. Curia MC, Zuckermann M, De Lellis L *et al.* Sporadic childhood hepatoblastomas show activation of b-catenin, mismatch repair defects and p53 mutations. *Modern Pathology* 2008;21(1):7-14.
6. Hirschman BA, Pollock BH, Tomlinson GE. The spectrum of APC mutations in children with hepatoblastoma from familial adenomatous polyposis kindreds. *J Pediatr* 2005;147(2):263-66.
7. Spector LG, Birch J. The Epidemiology of hepatoblastoma. *Pediatr Blood Cancer* 2012;59(5):776-79.
8. McNeil DE, Brown M, Ching A *et al.* Screening for Wilms' tumor and hepatoblastoma in children with Beckwith Wiedemann syndrome: a cost effective model. *Med Pediatr Oncol* 2001;37:349-56.
9. Spector LG, Johnson KJ, Soler JT *et al.* Perinatal risk factors for hepatoblastoma. *Br J Cancer* 2008;98(9):1570-73.
10. Rescorla FJ. Malignant tumors: hepatoblastoma and hepatocellular carcinoma. In: Howard ER, Stringer MD, Colombani PM. (Eds). *Surgery of the liver bile ductos and pancreas in children.* 2nd ed. London: Arnold, 2002. p. 261-78.
11. Weinberg AG, Finegold MJ. Primary hepatic tumors of childhood. *Hum Pathol* 1983;14(6):512-37.
12. Stocker JT, Schmidt D. Hepatoblastoma. In: Hamilton SR, Aaltonen LA. (Eds.). *World Health Organization Classification of tumors.* Pathology and genetics of tumors of the digestive system. IARC Press, Lyon. 2000. p. 184-89.
13. González-Crussi F, Upton MP, Mauer HS. Hepatoblastoma. Attempt at characterization of histologic subtypes. *Am J Surg Pathol* 1982 Oct.;6(7):599-612.
14. Ishak KG, Glunz PR. Hepatoblastoma and hepatocarcinoma in infancy and childhood: reports of 47 cases. *Cancer* 1967;20:369-422.
15. Von Schweinitz D *et al.* Extramedullary hematopoiesis and intratumoral production of cytokines in childhood hepatoblastoma. *Pediatr Res* 1995 Oct.;38(4):555-63.
16. Kasai M, Watanabe I. Histologic classification of liver cell carcinoma in infancy and childhood and its clinical evaluation. A study of 70 cases collected in Japan. *Cancer* 1970;25:551-63.
17. Schmidt D, Harms D, Lang W. Primary malignant hepatic tumours in childhood. *Virchows Arch A Pathol Anat Histopathol* 1985;407(4):387-405.
18. Manivel C *et al.* Teratoid hepatoblastoma. The nosologic dilemma of solid embryonic neoplasms of childhood. *Cancer* 1986 June 1;57(11):2168-74.
19. Finegold MJ *et al.* Protocol for the examination of specimens from pediatric patients with hepatoblastoma. *Arch Pathol Lab Med* 2007 Apr.;131(4):520-29.
20. Hass JE *et al.* Histopathology and prognosis in chilhood hepatoblastoma and hepatocarcinoma. *Cancer* 1989;64:1082-95.
21. Abenoza P *et al.* Hepatoblastoma: an immunohistochemical and ultrastructural study. *Hum Pathol* 1987;18:1025-35.
22. Cajaíba MM *et al.* Hepatoblastomas and liver development: a study of cytokeratin immunoexpression in twenty-nine hepatoblastomas. *Pediatr Dev Pathol* 2006 May-June;9(3):196-202.
23. Fasano M *et al.* Immunohistochemical evoluation of hepatoblastomas with use of the hepatocyte-specific marker, hepatocyte paraffin 1, and the polyclonal anti-Carcinoembryonic antigen. *Mod Pathol* 1998 Oct.;11(10):934-38.
24. Wu JP, Book L, Sudar K. Serum alpha fetoprotein (AFP) levels in normal infants. *Pediatr Res* 1981;15(1):50-52.
25. Van Tornout JM, Buckley JD, Quinn JJ *et al.* Timing and magnitude of decline in alpha-fetoprotein levels in treated children with unresectable or metastatic hepatoblastoma are predictors of outcome: a report from the Children's Cancer Group. *J Clin Oncol* 1997 Mar.;15(3):1190-97.
26. Aronson DC, Schnater JM, Staalman CR. *et al.* Predictive value of the pretreatment extent of disease system in hepatoblastoma: results from the International Society of Pediatric Oncology Liver Tumor Study Group SIOPEL-1 Study. *J Clin Oncol* 2005;23:1245-52.
27. Davies JQ *et al.* Hepatoblastoma – Evolution of management and outcome and significance of histology of the ressected tumor. A 31- year experience with 40 cases. *J Pediatr Surg* 2004;39(9):1321-27.
28. E. Towu *et al.*, Outcome and Complications After Resection of Hepatoblastoma, *Journal of Pediatric Surgery* 2004;39(2):199-202.
29. Zsiros J, Maibach R, Shafford E *et al.* Successful treatment of childhood high-risk hepatoblastoma with dose-intensive multiagent chemotherapy and surgery: final results of the SIOPEL-3 hr study. *J Clin Oncol* 2010;28:2584-90.
30. Grosfeld JL, Otte JB. Liver tumors in children. In: *The surgery of childhood- Tumors.* Berlin: Springer, 2008. p. 227-41, cap. 12.

31. Mochizuki K, Eguchi S, Hirose R *et al.* Hemi-hepatectomy in pediatric patients using two-surgeon technique and a liver hanging maneuver. *World J Gastroenterol* 2011 Mar. 14;17(10):1354-57.

32. Czauderna P *et al.* Guidelines for surgical treatment of hepatoblastoma in the modern era – Recommendations from the Childhood Liver Tumour Strategy Group of the International Society of Paediatric Oncology (SIOPEL). *Eur J Cancer* 2005;41:1031-36.

33. Hong YK, Choi SB, Lee KH *et al.* The efficacy of portal vein embolization prior to right extended hemihepatectomy in hilar cholangiocellular carcinoma: a retrospective cohort study. *Eur J Surg Oncol* 2011 Mar.;37(3):237-44.

34. Hwang S, Lee SG, Ko GY *et al.* Sequential preoperative ispsilateral hepatic vein embolization after portal vein embolization to induce further liver regeneration in patients with hepatobiliary malignancy. *Ann Surg* 2009 Apr.;249(4):608-16.

35. Abdalla EK. Portal vein embolization (prior to major hepatectomy) effects on regeneration, resectability, and outcome. *J Surg Oncol* 2010;102:906-67.

36. Malogolowkin MH, Stanley P, Steele DA *et al.* Feasibility and toxicity of chemoembolization for children with liver tumors. *J Clin Oncol* 2000 Mar.;18(6):1279-84.

37. Oue T, Fukuzawa M, Kusafuka T *et al.* Transcatheter arterial chemoembolization in the treatment of hepatoblastoma. *J Pediatr Surg* 1998 Dec.;33(12):1771-75.

38. Sasaki F *et al.* Outcome of hepatoblastoma treated with the JPLT – 1 (Japanese Study Group for Pediatric Liver Tumor) Protocol – 1: a report from the Japanese Study Group for pediatric liver tumor. *J Pediatr Surg* 2002;37(6):851-56.

39. Ye J, Shu Q, Li M *et al.* Percutaneous radiofrequency ablation for treatment of hepatoblastoma recurrence. *Pediatr Radiol* 2008;38:1021-23.

CAPÍTULO 211

Tumores Germinativos

Francisca Norma Girão Gutierrez ■ Ana Carolina Stepanski
Débora de Wylson Fernandes Gomes de Mattos ■ Nathalia Grigorovisk de Almeida
Arissa Ikeda Suzuki

INTRODUÇÃO

Os tumores de células germinativas são neoplasias que se desenvolvem das células germinativas primordiais do embrião humano, que parecem originar-se do endoderma do saco vitelino e migram, através do mesentério dorsal da linha média. Se estas células perdem seu destino, podem produzir neoplasia em sítios da linha média, como região pineal (6%), mediastino (7%), retroperitônio (4%), região sacrococcígeo (42%) além do ovário (24%), testículo (9%) e outros sítios (8%). Seu tratamento é com base na histologia, estadiamento e sítio da doença.

O princípio básico para o tratamento cirúrgico inicial é a ressecção completa do tumor com uma margem de tecido normal. Quando não é possível, é feita uma biópsia seguida de redução do tumor com quimioterapia e/ou radioterapia, conforme histologia e protocolo adotado, seguida de ressecção do tumor residual.

Tumores malignos de células germinativas (TCG) estão entre as malignidades potencialmente curáveis na infância. Compreendem um espectro de doenças com características especiais, que compartilham o mesmo tecido de origem, mas podem envolver locais anatômicos diferentes e formam um grupo de tumores de diversos subtipos histológicos. Para a melhor abordagem desses pacientes é necessária a colaboração estreita entre cirurgiões e oncologistas pediatras, com o objetivo de controlar o tumor e minimizar a toxicidade, mantendo fertilidade futura, sempre que possível.

Os métodos de imagem usados para o diagnóstico de TCG incluem ultrassonografia, tomografia computada (TC) e ressonância magnética (RM). Estas ferramentas permitem diagnóstico presuntivo. Os marcadores tumorais: AFP e β-HCG, melhoraram o diagnóstico e acompanhamento da terapia instituída.

Estudos diferentes provaram que a introdução de quimioterapia e os avanços decorrentes no tratamento cirúrgico resultam em melhora dramática do prognóstico de crianças com tumores de células germinativas (TCG).

A abordagem terapêutica deve considerar a idade do paciente, local primário do tumor, extensão da doença e histologia tumoral. Em tumores gonadais a chance de ressecção completa primária é alta já que esses tumores tendem a ser encapsulados. Além disso, TCGs testiculares são particularmente mais frequentemente descobertos em uma fase inicial da doença. Em contraste, uma ressecção completa primária pode ser impossível em tumores não gonadais grandes, como lesões sacrococcígeas ou mediastinais. Nesses tumores, o tratamento quimioterápico neoadjuvante pré-operatório, após diagnóstico clínico e por imagem com avaliação de marcadores tumorais e/ou biópsia, facilita significativamente a completa ressecção.

A maioria dos protocolos atuais estratifica o tratamento de acordo com uma avaliação de risco inicial que inclui parâmetros como: idade, sítio primário, histologia, extensão da doença, ressecção tumoral e avaliação dos marcadores tumorais, e são consensos de protocolos de tratamentos cooperativos internacionais.

TUMORES DE OVÁRIO

Importância/incidência

Massas ovarianas císticas, sólidas ou sólido-císticas são consideradas raras na faixa etária pediátrica e representam um espectro patológico que varia desde cistos ovarianos funcionais (não neoplásicos) – que podem evoluir com torção, até neoplasias benignas ou malignas e altamente agressivas (Fig. 1). A incidência de lesões ovarianas pediátricas é desconhecida, porém a incidência estimada de neoplasias é de 2,6 casos por 100 mil meninas por ano, sendo que as neoplasias malignas correspondem a 20% das massas ovarianas em crianças e adolescentes ou aproximadamente 1% de todos os cânceres em criança.

A maioria (60-70%) das neoplasias malignas corresponde a tumores de células germinativas. Tumores derivados do estroma e do cordão sexual (especialmente Tumores de Sertoli-Leydig) correspondem a 20% dos casos. Tumores de origem epitelial são extremamente raros (incidência menor que 10%), principalmente antes da menarca, e seus subtipos na infância incluem somente os mucinosos e os serosos.

É importante ressaltar que os tumores ovarianos em crianças diferem dos tumores dos adultos na apresentação, na histologia e no comportamento biológico, portanto devem ser abordados e tratados de forma diferente.

Diagnóstico

Os tumores ovarianos da infância podem apresentar-se com uma variedade de sintomas, incluindo:

- Dor abdominal, que pode ser leve e é incomum nos tumores malignos, podendo variar até quadros de abdome agudo com sinais de peritonite de difícil diagnóstico diferencial com outras causas, como apendicite aguda. É mais comum nos casos de torção de cistos benignos, muito embora a torção também possa ocorrer na presença de teratomas maduros ou mesmo tumores malignos (incidência de 11%).

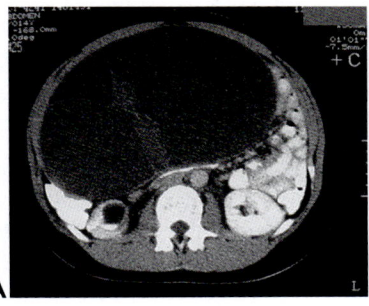 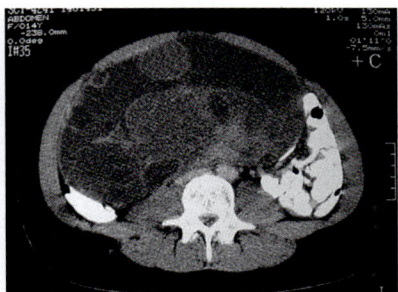 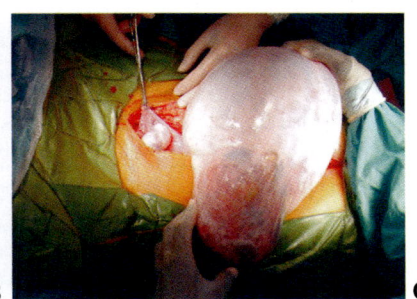

▲ **FIGURA 1. (A e B)** Tomografia computadorizada de tumor volumoso de ovário. **(C)** Tumor de ovário bilateral maior, à esquerda, e menor, à direita.

- Massas abdominais e/ou pélvicas, que podem ser de menor volume, móveis, de consistência cística, fibroelástica ou pétrea à palpação; até grandes massas abdominopélvicas, causando obstrução intestinal, hidronefrose por compressão ureteral ou insuficiência respiratória.
- Ascite, causada por reação inflamatória à torção, presença de tumores benignos, como os teratomas, ou, mais comumente, associada à malignidade.
- Pseudopuberdade precoce, ocasionada por secreção hormonal pelo tumor ou pelo tecido ovariano em redor (efeito compressivo), em garotas pré-menarca, devendo ser diferenciada da puberdade precoce constitucional, idiopática ou causada por tumores da suprarrenal.

O exame físico deve respeitar a intimidade da criança, sendo o toque vaginal contraindicado por razões óbvias e o toque retal de modo geral realizado sob anestesia, no pré-operatório imediato, no próprio centro cirúrgico, se necessário.

A ultrassonografia abdominal é o melhor exame inicial a ser realizado, por sua capacidade de diferenciar massas císticas de sólidas ou sólido-císticas, bem como diagnosticar a presença de ascite. O uso da ecodopplerfluxometria pode ajudar no diagnóstico da torção do ovário, e, em casos que cursem com dor abdominal severa ou abdome agudo, pode indicar a necessidade de laparotomia exploradora imediata.

A tomografia computadorizada de abdome pode dirimir dúvidas nos casos descritos anteriormente e é exame imprescindível tanto para o diagnóstico correto, quanto para a avaliação pré-operatória em crianças com suspeita de malignidade. Além dos exames de rotina para o estudo de massas abdominais em crianças, descritos no início do capítulo, convém lembrar que tumores de seio endodérmico secretam α-fetoproteína (α-FP) e coriocarcinomas a β-gonadotropina coriônica (β-HCG), sendo a dosagem sérica destes marcadores absolutamente recomendada na suspeita de malignidade, uma vez que pode elucidar o diagnóstico. Tumores mistos são comuns, e teratomas maduros e imaturos podem conter áreas de malignidade secretoras dos hormônios descritos. A DHL (desidrogenase láctica) também pode ser útil como marcador biológico dos tumores de células germinativas, podendo estar elevada em até 10% dos tumores metastáticos não detectáveis clinicamente e com α-FP e β-HCG normais.

A ressonância magnética está reservada para casos onde a origem de uma massa pélvica permanece duvidosa à tomografia, bem como para a avaliação pré-operatória de casos complexos, onde a localização tumoral (ou do tumor residual, após tratamento neoadjuvante) e suas relações com os órgãos adjacentes sejam mais bem visualizadas com este exame.

Estadiamento

O estadiamento varia de acordo com o protocolo de tratamento utilizado pela instituição. Dois grupos cooperativos americanos (POG – *Pediatric Oncology Group* e CCG – *Children's Câncer Study Group*) utilizam o sistema descrito no Quadro 1.

Já o protocolo de Tratamento dos Tumores de Células Germinativas na Infância (Protocolo TCG 99, grupo cooperativo brasileiro coordenado pela SOBOPE – Sociedade Brasileira de Oncologia Pediátrica) utiliza o seguinte sistema de estadiamento exclusivo para os tumores de células germinativas de todas as localizações (exceto SNC) (Quadro 2).

Tratamento

Os princípios cirúrgicos incluem a diferenciação entre cistos benignos de ovário de tumores sólidos com componentes císticos, para evitar cirurgias mutiladoras desnecessárias, com marsupialização dos cistos benignos sem ooforectomia.

Quadro 1. Sistema de estadiamento (POG e CCG)

Estágio	
Estágio I	Limitado ao(s) ovário(s); lavados peritoneais negativos; marcadores tumorais normais e/ou medidos após o tempo médio de declínio de suas meias-vidas (α-FP 5 dias, β-HCG 16 horas)
Estágio II	Resíduo microscópico ou linfonodos positivos (< 2 cm); lavados peritoneais negativos; marcadores tumorais + ou –
Estágio III	Envolvimento linfonodal (> 2 cm), doença residual macroscópica ou somente biópsia, envolvimento contíguo de vísceras (omento, intestino, bexiga), marcadores tumorais + ou –
Estágio IV	Metástases a distância, incluindo fígado

Quadro 2. Estadiamento dos tumores de células germinativas na infância

Estágio	
Estágio I	Doença localizada, completamente ressecada, sem doença macroscópica nas margens da ressecção ou em linfonodos regionais
Estágio II	Doença residual microscópica, invasão de cápsula ou envolvimento microscópico de linfonodo
Estágio III	Resto macroscópico, implante peritoneal, líquido ascítico positivo, ruptura de cápsula, implante em cápsula hepática, linfonodos abdominais positivos ou imagens nitidamente sugestivas de tumor (> 2 cm)
Estágio IV	Metástases a distância, incluindo parênquima hepático, pulmão, cérebro, ossos, linfonodos a distância

A via de acesso mais indicada é a laparotomia mediana, por permitir a abordagem de toda a cavidade abdominal e a realização de todos os procedimentos complementares à ressecção do tumor primário. A laparoscopia está contraindicada pela necessidade de palpação de linfonodos retroperitoneais e para entrega de uma peça íntegra para o estadiamento pelo patologista.

Os tumores sólidos devem ser considerados malignos em princípio, devendo-se avaliar sua extensão locorregional em razão da importância do estadiamento para o tratamento e o prognóstico. Nos tumores pequenos, deve-se realizar biópsia excisional e nos grandes, a salpingo-ooforectomia, seguidas de exame histopatológico de congelação. Biópsia do ovário contralateral está indicada, mesmo quando o aspecto for macroscopicamente normal. O líquido ascítico deve ser coletado e enviado para exame citopatológico ou então realizar lavado peritoneal diagnóstico. O fígado e os espaços subfrênicos, bem como o omento, as goteiras parietocólicas e o fundo de saco peritoneal devem ser inspecionados à procura de implantes, que deverão ser biopsiados (como indicado no protocolo POG/CCG). Exame e palpação de linfonodos retroperitoneais devem ser feitos, com biópsia amostral, se necessário. Omentectomia deve ser realizada na presença de ascite e/ou se houver seu envolvimento parcial e/ou se presença de nódulos macroscópicos. Conseguimos resumir a conduta cirúrgica no Quadro 3.

A cirurgia do tumor de ovário tem como objetivo o tratamento ou o diagnóstico da lesão. Na abordagem cirúrgica, a técnica é descrita no Quadro 3.

Se o tumor for pequeno e com marcadores negativos, a cirurgia poderá ser feita por incisão pequena tipo Pfannenstiel ou transversa baixa.

Em paciente já operada de tumor de ovário e com marcadores positivos, pode-se fazer o acompanhamento com tomografia e com marcadores. A necessidade de cirurgia será com base nos resultados obtidos.

Consideramos a realização de biópsia tumoral excisional e exame histopatológico de congelação antes da realização da salpingectomia contraindicada pela impossibilidade de se estudar por completo a peça

Quadro 3. Técnica para abordagem cirúrgica para o tumor de ovário

Incisão ampla	Deve proporcionar amplo acesso a toda a cavidade peritoneal e retroperitônio, para correto estadiamento e retirada do tumor sem ruptura de sua cápsula. A laparoscopia pode ser usada inicialmente no ato cirúrgico para o estadiamento inicial, com colheita de ascite, inspeção do peritônio e omento, associada a uma incisão transversa baixa, se as características e o tamanho do tumor assim o permitirem
Colheita de líquido ascítico	Deve ser o primeiro ato realizado após a abertura da cavidade. Na ausência de líquido ascítico deve-se proceder a uma lavagem peritoneal com 50 a 100 mL de soro fisiológico no fundo de saco e goteiras parietocólicas e posterior colheita de líquido
Inspeção de cavidade	Inspeção de toda a superfície peritoneal visceral e parietal, incluindo as cúpulas diafragmáticas. No caso de nódulos, devem ser realizadas biópsias.
	Inspeção do omento – no caso de aderências, nódulos ou implantes, deve ser realizada uma omentectomia total.
	Inspeção dos órgãos internos com especial atenção ao fígado.
	Inspeção dos linfonodos pélvicos e retroperitoneais. Nódulos suspeitos ou aumentados de tamanho devem ser retirados.
	Inspeção do ovário contralateral retirada do tumor sem ruptura com salpingectomia, se a tuba estiver aderida.

operatória, que, nos casos de tumores de células germinativas, podem ser compostos de uma imensa área de teratoma maduro e pequenas ilhas isoladas de outra patologia, configurando os tumores mistos.

A história natural dos tumores epiteliais e do estroma/cordão sexual em crianças, bem como os princípios cirúrgicos e protocolos de tratamento ainda não estão bem estabelecidos, devendo ser avaliados caso a caso. Nossa opinião é que cirurgias radicais devam ser reservadas para eventuais recaídas.

Protocolo quimioterápico TCG ovário

De acordo com o Protocolo TCG 99 (e a partir de seu sistema de estadiamento), os pacientes serão estratificados e tratados de acordo com o Quadro 4.

TUMORES TESTICULARES

Importância/incidência

Tumores testiculares são raros na infância, correspondendo a 1% dos tumores sólidos pediátricos, com uma incidência anual de 0,5 a 2 casos por 100 mil garotos. Em comparação, a incidência de tumores testiculares em adultos é de 2 a 2,5/100.000 habitantes (Fig. 2).

Eles são divididos em dois grupos: tumores de células germinativas (TCG) e não germinativas. Podem ocorrer em todas as faixas etárias com dois picos: o primeiro em menores de 3 anos de idade e o segundo no período pós-puberal. Aproximadamente 75% dos tumores testiculares em crianças são malignos.

Tumores intraescrotais não testiculares são incomuns, tendo sua origem no epidídimo, no funículo espermático e/ou *tunica vaginalis*, bem como nos tecidos intraescrotais (tecidos gorduroso, fibroso, muscular, linfático e nervoso). Também podem ocorrer metástases, principalmente de leucemias e linfomas. Destes, o tumor adenomatoide do epidídimo e o rabdomiossarcoma paratesticular são os mais encontrados.

Quadro 4. Estratificação de risco p/TCG ovário

Baixo risco	Estágio I: disgerminoma puro estágio I, teratoma puro ou imaturo graus I, II ou III Estágio II: teratoma puro ou imaturo graus I, II ou III	Não farão quimioterapia
Risco intermediário	Estágios I, II ou III: teratomas mistos, puros ou imaturos com áreas mistas de qualquer outro tipo histológico Disgerminoma EII ou EIII	Quimioterapia com CDDP/VP 16 em dose baixa
Alto risco	Estágio IV	Quimioterapia com três drogas (ifosfamida, CDDP e VP 16)

Diagnóstico

A investigação clínica inicial deverá realizar minimamente: radiografias de tórax; hemograma completo com plaquetas; bioquímica sérica; provas de função hepática; dosagem sérica de LDH, EAS, EPF/MIF, além das dosagens séricas imediatas de marcadores tumorais específicos, como α-FP e β-HCG séricos.

Os exames de imagem são fundamentais. A ultrassonografia testicular não é um bom exame de triagem, exceto quando confirma a presença de uma tumoração. A história clínica compatível e um exame físico com alterações de volume, textura e formato testicular são indicativos de tumor, mesmo na presença de uma ultrassonografia testicular normal. A tomografia computadorizada de abdome é ainda o padrão ouro para o estudo de metástases retroperitoneais, tanto para a avaliação pré-operatória, quanto para o controle pós-operatório.

Estadiamento

O sistema de estadiamento para tumores testiculares dos grupos cooperativos americanos POG e CCG está descrito no Quadro 5.

O Protocolo de Tratamento dos Tumores de Células Germinativas na Infância (Protocolo TCG 99) utiliza o sistema de estadiamento exclusivo para os tumores de células germinativas de todas as localizações (exceto SNC) já exemplificado na seção sobre tumores de ovário.

Tratamento

Princípios do tratamento cirúrgico (Quadro 6):

- Inguinotomia exploradora. O acesso transescrotal deve ser evitado para evitar semeadura tumoral e violação escrotal, sobre-estadiando o tumor (Fig. 3).
- Ligadura provisória, precoce e alta do cordão espermático (em bloco).
- Biópsia incisional para os casos com marcadores negativos (com proteção total do campo da biópsia para evitar contaminação). Exame histopatológico de congelação: essencial para a decisão terapêutica na sala de operações. Obs.: é a exceção. Se a aparência do testículo for tumoral, o cirurgião está fortemente autorizado pela literatura e pelos protocolos a realizar a orquiectomia radical com ligadura alta do cordão.
- Biópsia excisional (orquiectomia total com ressecção do cordão até o ânulo inguinal profundo).
- Exploração retroperitoneal com coleta amostral de linfonodos por via inguinal. A linfadenectomia retroperitoneal está contraindicada, exceto em casos selecionados.
- Quimioterapia adjuvante de acordo com o tipo histológico, realizada de acordo com o protocolo vigente na instituição.

A orquiectomia radical por via inguinal é suficiente para o tratamento cirúrgico dos TCGs. A linfadenectomia retroperitoneal radical é ainda assunto controverso, com a maioria dos autores e protocolos reservando a avaliação de sua realização, evitando-a sempre que possível para pacientes que apresentam persistente elevação de α-FP depois da orquiectomia, com tomografias abdominal e torácica normais; para pacientes com doença em estágios II e III com anormalidades inequívocas à tomografia

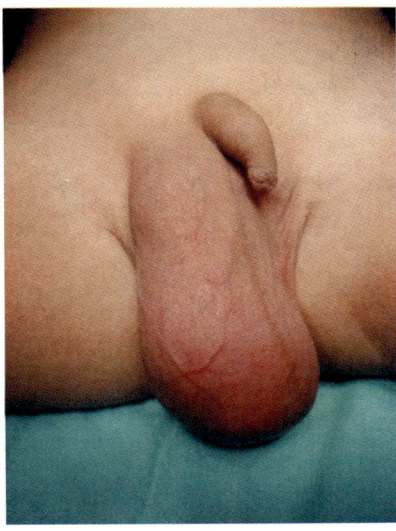

◀ **FIGURA 2.** Apresentação clínica de um tumor de testículo direito.

Quadro 5. Regra de estadiamento para tumores testiculares (POG/CCG)

Estágio I	Limitado ao testículo e completamente ressecado por orquiectomia inguinal alta Marcadores tumorais normais medidos após o tempo médio de declínio de suas meias-vidas (α-FP 5 dias, β-HCG 16 horas) Se marcadores tumorais normais ao diagnóstico, deve ter amostragem de linfonodos retroperitoneais ipsilaterais negativa
Estágio II	Orquiectomia transescrotal Resíduo microscópico no escroto ou alto no cordão espermático (< ou = 5 cm da terminação proximal) Envolvimento linfonodal retroperitoneal (< 2 cm) Persistência ou aumento dos marcadores tumorais depois do apropriado declínio da meia-vida
Estágio III	Envolvimento linfonodal retroperitoneal (> 2 cm) Sem envolvimento visceral ou extra-abdominal
Estágio IV	Metástases a distância, incluindo fígado

Quadro 6.	Técnica para abordagem cirúrgica para o tumor de testículo
Incisão	Deve ser realizada uma incisão inguinal transversa ou oblíqua a partir da base do escroto, que pode ser estendida cranialmente nos casos de grandes tumores. Não deve ser realizado o acesso escrotal. A hemiescrotectomia não está indicada em casos que foi feito o acesso escrotal. Sua indicação será fundamentada nos achados locais
Intraoperatório	Deve ser feito o clampeamento do cordão espermático na altura do anel inguinal interno e exteriorização do testículo pela incisão. Confirmada a suspeita de tumor de testículo, o mesmo deve ser retirado após ligadura do cordão inguinal no local de clampeamento. O cirurgião poderá seccionar a cápsula do testículo para melhor avaliá-lo em um caso suspeito. Quando disponível, pode-se utilizar a biópsia por congelação em casos duvidosos. Na ausência desta, o achado macroscópico determinará a conduta: ressecção ou biópsia. Se forem encontrados linfonodos durante a inguinotomia, eles devem ser ressecados, porém não está indicada a ampliação da cirurgia com esse intuito
Second look	A presença de linfonodomegalias indica a laparotomia para a realização de linfadenectomia retroperitoneal modificada, que é realizada por via transperitoneal, com ressecção de linfonodos identificados macroscopicamente. Nos tumores do lado esquerdo, o limite superior da dissecção é a veia renal, o inferior junto à emergência da artéria ilíaca externa, o lateral será a veia gonadal esquerda, e o medial será a aorta. Nos tumores do lado direito, as metástases costumam atingir os linfonodos anteriores à aorta e os localizados ao seu lado direito. O limite superior da linfadenectomia é a veia renal direita, o inferior é a região abaixo da bifurcação da artéria ilíaca comum direita, a aorta à esquerda, e a veia gonadal à direita. No caso de massa residual, após quimioterapia, recomenda-se a sua ressecção completa. Na impossibilidade desta, deverá ser realizado o *debulking* tumoral, que deve ser tão radical quanto possível

computadorizada de abdome após a quimioterapia, com ou sem elevação de α-FP; e ainda para pacientes com doença avançada que recebam quimioterapia neoadjuvante (pré-operatória), que se beneficiam com a cirurgia retardada, quando mantiverem-se massas residuais mensuráveis e ressecáveis cirurgicamente no momento da reavaliação pós-quimioterapia.

O papel da hemiescrotectomia em pacientes previamente operados por via escrotal permanece controverso, principalmente graças ao pequeno número de casos em crianças relatados, mas tem sido suportado pela literatura a respeito do assunto em adultos, bem como em alguns trabalhos recentes em população pediátrica – onde a orquiectomia por via escrotal foi, significativamente, relacionada com maiores taxas de recidiva local, como tendo seu papel na diminuição destas taxas.

Há relatos de cirurgia conservadora (*testicular-sparing surgery*) em casos selecionados de tumor testicular em crianças, mas, da mesma forma como advogamos para os tumores de ovário, o predomínio de tumores de células germinativas – que podem ser constituídas por tumores mistos (que precisam ser estudados em sua totalidade) ou não secretantes de α-FP e β-HCG – nos impede de considerarmos esta uma boa prática.

Protocolo quimioterápico TCG testículo

Com relação ao tratamento adjuvante, a partir do sistema de estadiamento do Protocolo TCG 99, os pacientes são estratificados e tratados conforme Quadro 7.

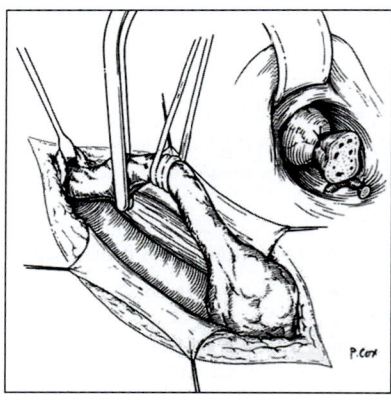

◀ **FIGURA 3.** Esquema cirúrgico de abordagem de um tumor de testículo por inguinotomia.

Quadro 7.	Estratificação de risco para TCG testículo	
Baixo risco	Estágio I: qualquer tipo histológico	Não farão quimioterapia
Risco intermediário	Estágios II e III: qualquer tipo histológico, exceto teratoma puro, ou imaturo, graus I, II e III	Quimioterapia com CDDP/VP 16 em dose baixa
Alto risco	Estágio IV	Quimioterapia com três drogas (ifosfamida, CDDP e VP 16)

TUMORES SACROCOCCÍGEOS

A região sacrococcígea é a localização extragonadal mais comum, podendo a lesão ser do tipo sólida, multicística ou formada por grande cisto único. Nessa região, encontram-se 39 a 60% dos teratomas, sejam eles benignos ou malignos (Fig. 4).

Os tumores sacrococcígeos têm incidência estimada em 1:40.000 nascidos vivos, sendo o sexo feminino quatro vezes mais acometido que o sexo masculino. Correspondem a 42% dos TCGs da infância e, em geral, são benignos ao nascimento, podendo sofrer malignização. Cerca de 20% são malignos ao diagnóstico, e 5% apresentam-se metastáticos. Teratomas pré-sacrais ou sacrococcígeos diagnosticados antes dos 6 meses de idade, raramente, são malignos, 2%, e, após o sexto mês de vida, a malignidade é em torno de 65% (Fig. 5).

Anomalias congênitas são observadas em aproximadamente 18% dos pacientes, mais comumente encontrados são os defeitos musculoesqueléticos e as alterações do Sistema Nervoso Central.

Os tumores sacrococcígeos são habitualmente grandes e têm extensão extra e intrapélvica variável (Fig. 6).

O tratamento principal para o teratoma sacrococcígeo, independente do tipo histológico, é o de ressecção cirúrgica completa do tumor e do cóccix. Na falha destes objetivos, a recidiva é a regra. No paciente com teratoma maduro, o único tratamento preconizado é o cirúrgico, possuindo uma taxa de recidiva em torno de 4% (acompanhamento de 39 meses), impondo acompanhamento de, no mínimo, 3 anos. Nos casos de teratoma imaturo, o desconhecimento da probabilidade de sua malignidade não permitiu estabelecer como rotina o tratamento adjuvante de quimioterapia e radioterapia.

Estudos mostraram na evolução de crianças com teratomas imaturos a existência de relação entre a elevação pré-operatória dos níveis séricos de alfafetoproteína e maior incidência de malignidade, a ponto de indicar a quimioterapia no pós-operatório. Esta conduta é também sugerida em dois estudos multicêntricos. Sendo as combinações de bleomicina, cisplatina e vincristina as mais utilizadas.

Na maioria dos casos, a abordagem posterior é a melhor. A pele com sinais de infiltração tumoral deve ser ressecada junto ao tumor, pois, normalmente, há sobra de pele suficiente para o fechamento. O toque retal intraoperatório pode ser útil para separar o tumor do reto. É obrigatória a ressecção do cóccix *en bloc* para evitar ruptura tumoral.

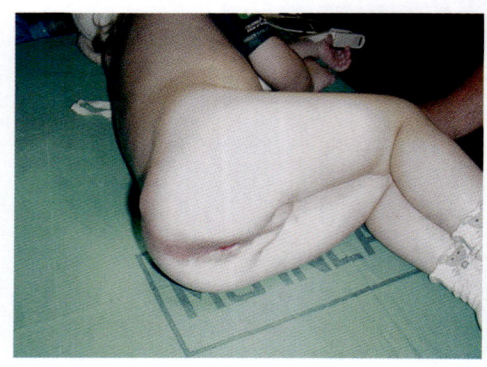

◀ **FIGURA 4.** Apresentação clínica do tumor sacrococcígeo.

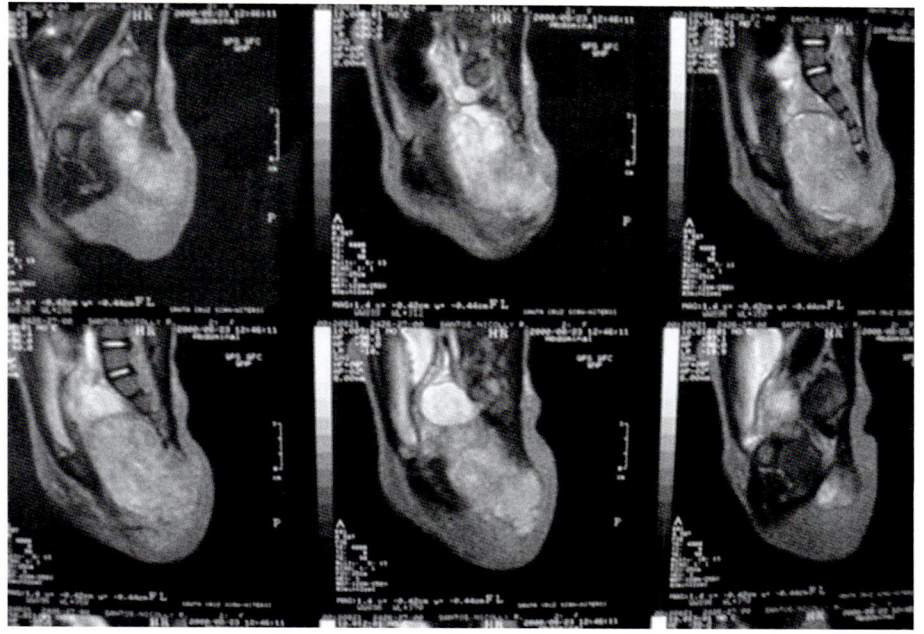

◀ **FIGURA 5.** Imagens de tumor sacrococcígeo pélvico.

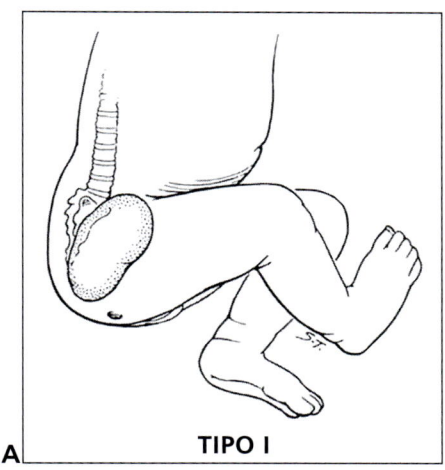
A — TIPO I

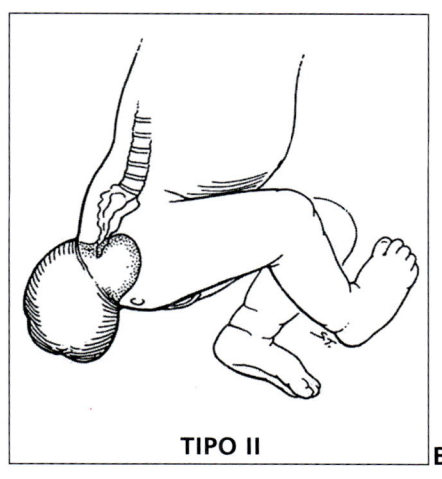
B — TIPO II

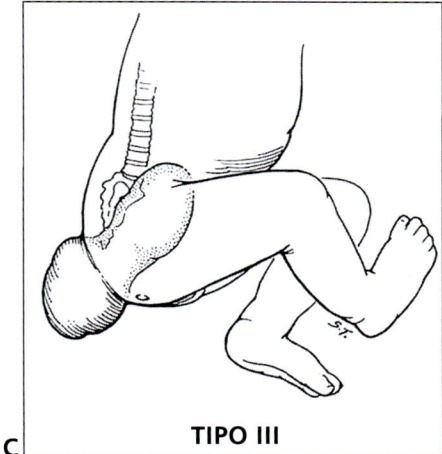
C — TIPO III

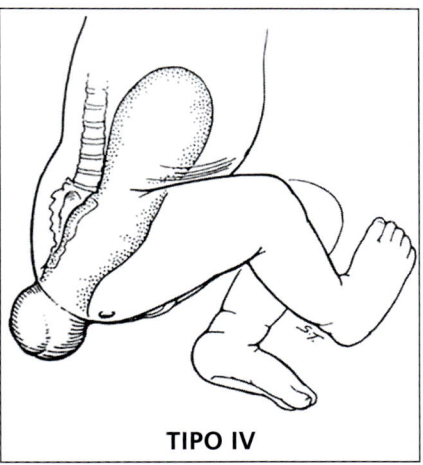
D — TIPO IV

◀ **FIGURA 6. (A-D)** Critérios de Altman: utilizado como caráter descritivo e programação cirúgica e de evolução de tratamento.

A aparência de ampulheta de tumores sacrococcígeos descreve um grande tumor pélvico que envolve a região do cóccix. Nestes casos, mesmo após QT, pode ser necessário um acesso combinado para facilitar a ressecção completa.

Em conclusão, sabemos que o diagnóstico e seu tratamento o mais precoce possível é de fundamental importância para evitar sua malignização.

BIBLIOGRAFIA

Baranzelli MC, Bouffet E, Quintana E *et al.* Non-seminomatous ovarian germ cell tumors in children. *Eur J Cancer* 2000;36(3):376-83.

Carver BS *et al.* Long term clinical outcome after postchemotherapy retroperitoneal lymph node dissection in men with residual teratoma. *J Clin Oncol* 2007;25:1033-37.

Gobel U, Calaminus G, Engert J *et al.* Teratomas in infancy and childhood. *Med Pediatr Oncol* 1998;31(1):8-15.

Grupo Cooperativo Brasileiro de tratamento dos tumores de células germinativas na infância. Protocolo TCG 2008.

Harms D, Zahn S, Gobel U *et al.* Pathology and molecular biology os teratomas in childhood and adolescence. *Klin Peditr* 2006;218(6):296-302.

Lopes LF. Tumores de células germinativas na infância. Oncopedia. Disponível em: <www.cure4kids.org>

Moore KL, Persaud TVN. *Embriologia clínica*. 8. ed. Rio de Janeiro: Elsevier, 2008.

Pizzo PA, Poplack DG. *Principles and practice of pediatric oncology*. 6th ed. Philadelphia: Lippincott Williams & Wilkins, 2011.

Sharp DS *et al.* Clinical outcome and Prdictors of survival in late relapse of germ cell tumor. *J Clin Oncol* 2008;26:5524-29.

CAPÍTULO 212

Meduloblastoma

Liana Nobre ■ Flavio Ferreira de Andrade

INTRODUÇÃO

O meduloblastoma (MB) é um tumor de origem neuroectodérmica primário do cerebelo. É a neoplasia cerebral mais comum na infância, tem incidência de 1:100.000 nascidos vivos, representando cerca de 20% dos tumores de SNC.[1,2]

Foi descrito pela primeira vez por Baily e Cushing, em 1925, que analisaram um grupo de 25 pacientes com tumores da fossa posterior, que apresentavam resposta apenas quando submetidos à radioterapia (RXT) após ressecção cirúrgica.[3]

Hoje, sabe-se que o tratamento desta neoplasia inclui ressecção cirúrgica máxima, quimioterapia e radioterapia. Com o avanço das técnicas de RXT e novos tratamentos quimioterápicos, houve um aumento na taxa de sobrevida global e sobrevida livre de doença (SLD), principalmente para pacientes de baixo risco, atingindo sobrevida global de 70% em 5 anos. O prognóstico para pacientes de alto risco ainda é bastante desfavorável com taxas de SLD em torno de 40%.[3-8]

Vários estudos têm pesquisado novas abordagens e meios de identificar pacientes de bom prognóstico para diminuir a toxicidade e morbidade do tratamento, assim como aumentar a sobrevida de crianças de alto risco.[3-8]

Com o maior conhecimento da biologia molecular destes tumores é possível a identificação de alvos moleculares para terapias futuras, esta é uma nova área a ser estudada que auxiliará no desenvolvimento de novas drogas e, possivelmente, uma melhoria no prognóstico destas crianças.

EPIDEMIOLOGIA

Os tumores do SNC correspondem a 20% de todos os tumores da infância e adolescência. O meduloblastoma representa cerca de 20% de todos os tumores primários do SNC e 40% dos tumores cerebelares. Apresenta maior incidência entre 5 e 7 anos de idade, sendo raro em adolescentes, adultos e lactentes. Esta neoplasia é mais comum no sexo masculino, com prevalência duas vezes maior em meninos (Fig.1).[1,2]

QUADRO CLÍNICO

Os meduloblastomas acometem em 85% dos casos a região do vermis cerebelar, podendo comprimir o IV ventrículo, levando a quadro clínico de hipertensão intracraniana, com queixas de cefaleia matinal, vômitos e sonolência, também podem ser observados ataxia e nistagmo. Tem tendência à disseminação liquórica e para neuroeixo (Quadro1).[1,9]

HISTOLOGIA

O MB é um tumor neuroectodérmico primitivo, com origem no cerebelo. É um tumor heterogêneo que pode cursar com histologia variada, sendo dividido em: MB clássico, MB anaplásico, MB de grandes células, MB desmoplásico e MB com extensa nodularidade.[1]

Meduloblastoma clássico

A variante clássica é encontrada em 80% dos MB, células de núcleo basofílico com citoplasma escasso de tamanho e formas variadas com figuras de mitose abundantes.[1,10]

Meduloblastoma desmoplásico

Variante com componente de estroma abundante com formação de nódulos de células tumorais. Ocorre mais comumente em adultos e adolescentes com tumores de cerebelo laterais, sendo também comum quando em associação à Síndrome de Gorlin. Está associado a prognóstico mais favorável.[1,10-12]

Meduloblastoma anaplásico/grandes células

Tem núcleos grandes pleomórficos, com nucléolos proeminentes e citoplasma abundante. Pode ser identificada em 24% dos MB.[1,10]

Apesar de não ser utilizada para estratificação de pacientes nos protocolos atuais, sabe-se que a histologia do MB tem influência no prognóstico. Os lactentes com MB desmoplásico tem melhor prognóstico, enquanto que pacientes de subtipo anaplásico ou de grandes células respondem mal aos protocolos de tratamento atuais (Fig. 2).

SÍNDROMES HEREDITÁRIAS

Algumas síndromes estão associadas à maior incidência de MB, entre elas:

- Síndrome de Li Fraumeni.
- Síndrome de Turcot.
- Síndrome de Gorlin.
- Síndrome de Rubenstein Taybi.
- Síndrome de Coffin – Siris.

As alterações genéticas responsáveis por estes quadros têm ajudado a esclarecer a base molecular do MB.[1,10,13-16]

Biologia molecular

Diversos estudos recentes vêm demonstrando que o meduloblastoma é uma doença heterogênea. Com base em estudos moleculares, foram identificados subgrupos com características clinicopatológicas e prognósticos diversos. Cada grupo identificou um número diferente de subgrupos de meduloblastoma, por isso, foi realizado um consenso em 2010 quando ficaram estabelecidos quatro subgrupos distintos (WNT, Shh, Grupos 3 e 4).

Northcott *et al.* utilizaram estudos de expressão gênica para encontrar quatro subgrupos específicos de meduloblastoma, realizaram também uma classificação com base em imuno-histoquímica através de *tissue microarrays*, encontrando quatro subgrupos classificados, utilizando apenas quatro marcadores em 98% dos casos.

Subgrupo Wnt

Este grupo de pacientes apresenta prognóstico favorável, a grande maioria tem histologia clássica, e mesmo pacientes com histologia anaplásica mantêm bom prognóstico. Apresenta mutação do gene CTNNB1 e monossomia do cromossoma 6, pode haver também amplificação do MYC.

Quadro 1. Sintomas mais frequentes associados ao meduloblastoma[9]

SINTOMAS DOS TUMORES DE FOSSA POSTERIOR	INCIDÊNCIA%
Vômito e náuseas	75%
Cefaleia	67%
Ataxia	60%
Papiledema	34%
Nistagmo	20%
Sonolência	13%

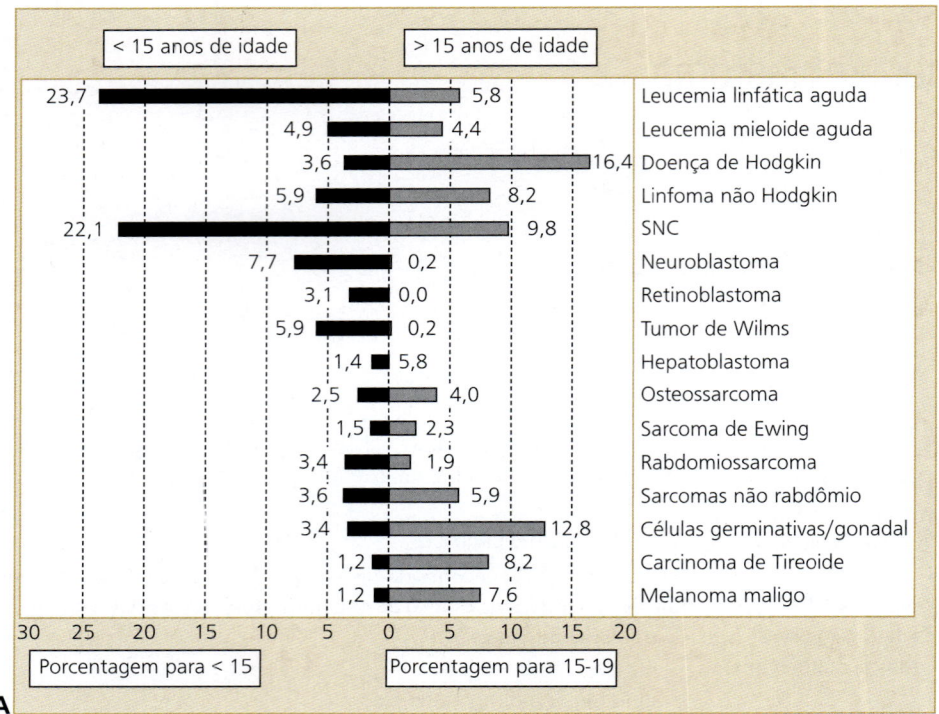

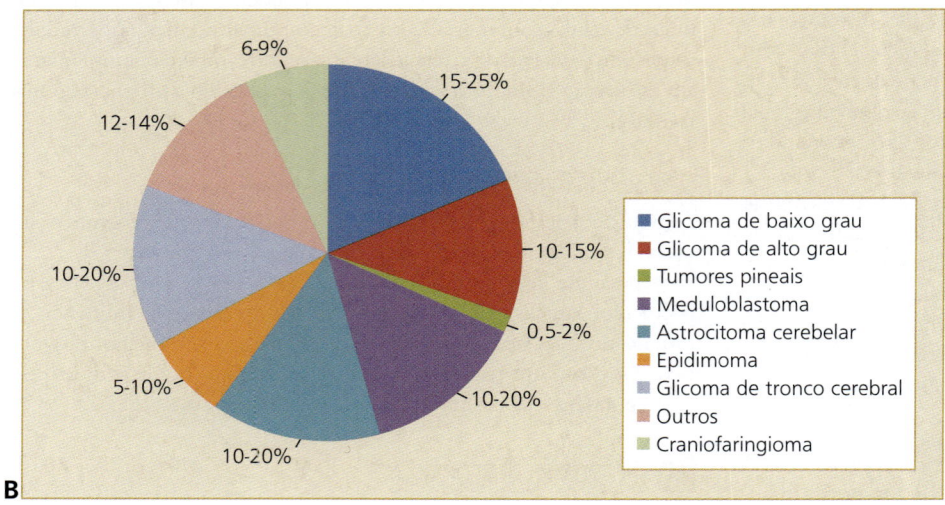

◀ **FIGURA 1.** (A e B) Incidência de tumores do Sistema Nervoso Central e meduloblastoma em crianças.[1]

Este subgrupo pode ser encontrado em qualquer faixa etária, mas é menos comum em lactentes.

Subgrupo Sonic hedgehog

Este grupo caracteriza-se por deleção do 9q, assim como imuno-histoquímica positiva para SFRP1 e Gab1. Pode haver amplificação de MYCN. Este subgrupo ocorre mais em pacientes abaixo dos 3 anos e em adultos (>16 anos). A grande maioria dos tumores nodulares/desmoplásicos pertence a este subgrupo.

Grupo 3

Este grupo foi identificado por estudos de perfil transcricional, a maior parte dos tumores com histologia anaplásica encontra-se neste grupo. Ocorre amplificação do MYC, na imuno-histoquímica é positiva para NPR3, também podem apresentar outras alterações cromossômicas, menos específicas. A incidência deste grupo é maior no sexo masculino, e pode ser encontrada em lactentes e crianças, mas raramente em adultos. Este grupo apresenta prognóstico extremamente desfavorável.

Grupo 4

Outro grupo identificado por estudos de perfil transcricional, isocromossomo 17 é mais comumente encontrado neste grupo, mas pode estar presente também no grupo 3. Ocorre deleção do X em até 80% das pacientes de sexo feminino. Também mais comum no sexo masculino, o prognóstico deste grupo é intermediário entre WNT e grupo 3.

A possibilidade de classificar estes pacientes de acordo com imunohistoquímica tem grande importância por alcançar um grande número de serviços. O grupo canadense realizou um estudo encontrando os quatro subgrupos através de estudos moleculares e através de imunohistoquímica com quatro marcadores que encontraram correlação em 98% dos pacientes, utilizando: DKK1 (WNT), SFRP1 (SHH), NPr3 (grupo 3) e KCNA1 (grupo 4).

Esta nova classificação pode levar a um tratamento mais adequado para esta doença, permitindo intensificar a terapia dos grupos de pior prognóstico e diminuir os efeitos colaterais naqueles de melhor prognóstico, assim como detectar alvos moleculares para possíveis tratamentos.

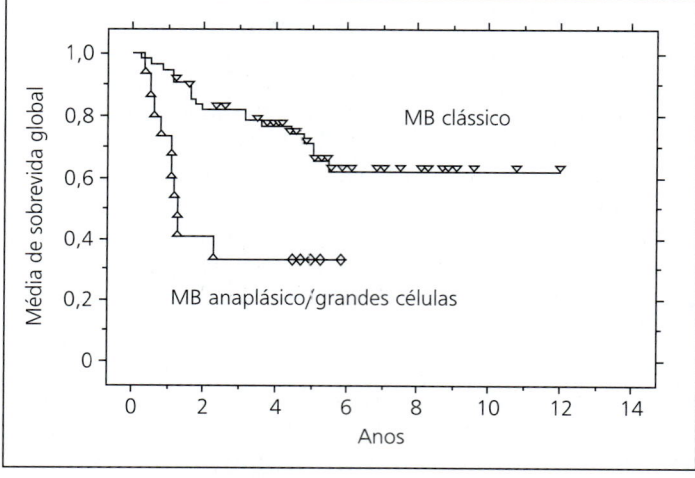

▲ **FIGURA 2.** Sobrevida global de pacientes com MB clássico x anaplásico.[10]

FATORES PROGNÓSTICOS

Idade

MB é raro em crianças abaixo dos 3 anos de idade. Esta faixa etária corresponde a 25-35% dos casos. O prognóstico destes pacientes ainda é muito reservado quando comparado à faixa etária mais alta. A falha terapêutica destes pacientes está relacionada não só com o comportamento biológico da doença, como também com a maior incidência de doença disseminada ao diagnóstico e subtipos histológicos mais agressivos. O uso da radioterapia é limitado pelos efeitos colaterais com sequelas cognitivas graves.[1,3-6,8]

Estadiamento

O estadiamento destes pacientes deve ser realizado com ressonância magnética (RM) de crânio pré e pós-operatória, RM de canal e coleta de liquor (LCR). A coleta de LCR deve ser realizada no pré ou intraoperatório, quando isso não for possível, devem-se aguardar 14 dias após a ressecção para evitar falsos positivos.[1,6,17]

O estadiamento de Chang tem sido amplamente utilizado para avaliar a extensão da doença.

Abaixo, segue gráfico comparando a sobrevida global de acordo com estadiamento. O estudo HIT91 demonstrou também que pacientes com estadiamento incompleto apresentaram pior prognóstico (Quadro 2 e Fig. 3).

Ressecabilidade

A ressecabilidade do tumor está associada ao prognóstico. A SLD em pacientes com ressecção total ou subtotal chega a 93% em 5 anos × 43% para pacientes com ressecção parcial.

Doença residual de até 1,5 cm² (<= 1,5 cm²) não tem correlação com pior prognóstico como já demonstrado por diversos estudos.[6]

CLASSIFICAÇÃO EM GRUPOS DE RISCO

- *Baixo risco:* são considerados de baixo risco pacientes sem metástases, com doença localizada, submetidos à ressecção total ou com lesão residual menores que 1,5 cm².[1,3,10,17]
- *Alto risco:* são considerados de alto risco pacientes com metástases (M1/M2/M³), ou tumor residual maior que 1,5 cm². Crianças abaixo dos 3 anos também são consideradas de alto risco pela idade. Os critérios de classificação para o grupo de alto risco vêm sendo bastante discutidos, principalmente o grupo M1, com LCR positivo, sem outras metástases. Estudos demonstram um pior prognóstico deste grupo com risco de recaída maior quando comparados ao grupo M0 ou com doença residual localizada, mas um prognóstico melhor quando comparados aos grupos com metástase M2/M3.[1,3,10,17]

Fatores biológicos e histopatológicos ainda não foram inclusos na estratificação dos pacientes nos protocolos atualmente utilizados, estudos estão em andamento para analisar o uso destes fatores para estratificação terapêutica.

TRATAMENTO

O tratamento de pacientes com MB consiste em ressecção cirúrgica máxima, RXT pós-operatória e quimioterapia (QT) adjuvante. A RXT é um tratamento bastante eficaz, mas traz, como consequência, sequelas cognitivas graves e risco aumentado de neoplasias secundárias. Por isso, em todo o mundo tem-se estudado a eficácia de RXT com redução de dose principalmente em pacientes de baixo risco. O uso de QT adjuvante permitiu a redução de dose da RXT de 36 cGy para 24 cGy sem prejuízo na sobrevida geral (SG) ou SLD nestes pacientes. Protocolos de fase III já estão em andamento para avaliar maior redução nestas doses em pacientes entre 3-8 anos de idade.[3-8]

Vários esquemas quimioterápicos têm sido propostos como mostra o Quadro 3.[8] A associação de QT + RXT trouxe maior SG e SLD do que RXT isolada no pós-operatório (Fig. 4). O protocolo HIT91 compa-

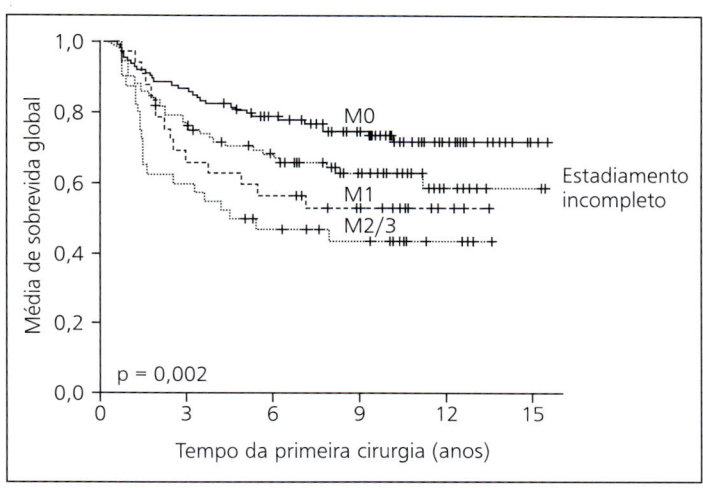

▲ **FIGURA 3.** Sobrevida global.

Quadro 2. Estadiamento de Chang

M0	Sem evidência de tumor
M1	Células neoplásicas presentes no LCR
M2	Disseminação intracraniana do tumor
M3	Disseminação do tumor em neuroeixo
M4	Metástases a distância

Quadro 3. Protocolos estudados e suas sobrevidas[8]

ESTUDO	PERÍODO DE ESTUDO	PACIENTES ELEGÍVEIS	TRATAMENTO (GY, FOSSA POSTERIOR/NEUROEIXO)	PROGRESSÃO – SLD EM 5 ANOS (%)	P
			RISCO "STANDARD"		
HIT'91	1991-97	118	Ifosfamida, etoposide, metotrexato, cisplatina, citarabina pré-radiação (55,2/35,2) *vs.* vincristina, lomustine, cisplatina pós-radiação (55,2/35,2)	68 *vs* 78	< 0,03
SIOP III	1992-2000	179	Radiação (55/35) *vs.* vincristina, etoposide, carboplatina, ciclofosfamida pré-radiação (55/35)	60 *vs* 74	0,036
CCG9892	1990-94	65	Vincristina, lamustine, cisplatina pós-radiação (55,2/23,4)	79	–
SJMB'96	1996-99*	34	Altas doses ciclofosfamida, cisplatina, vincristina pós-radiação (55/23,4)	94	–
POG8631/CCG923	1986-90**	81	Radiação (54/36) *vs.* radiação (54/23,4)	67 *vs* 52	0,14[£]
			ALTO RISCO		
CCG921	1986-92	203	Oito drogas em 1 dia pré-radiação e pós-radiação (54/36) *vs.* vincristina, lomustine, prednisona pós-radiação (54/36)	43 *vs* 63	0,006
SJMB'96	1996-99	19	Topotecan intervalo pré-radiação (55/36-39,6) seguido de altas doses de ciclofosfamida, cisplatina, vincristina	84¥	–
Instituição limitada CHOP/CNMC/CMCD	1983-93	15	Vincristina, lomustine, cisplatina pós-radiação (55,2/36)	67	–

*Período de competência para a fase inicial do estudo. SJMB'96 aberto antes de agosto de 2003. ¥2 anos após a radiação. **Protocolo fechado prematuramente, graças à análise ínterim inicial mostrou aumento no risco de recaída entre pacientes que recebem doses reduzidas de radioterapia. £Análise final de 8 anos mostrou p não significativo em favor a pacientes recebendo radiação de 36 Gy em neuroeixo.

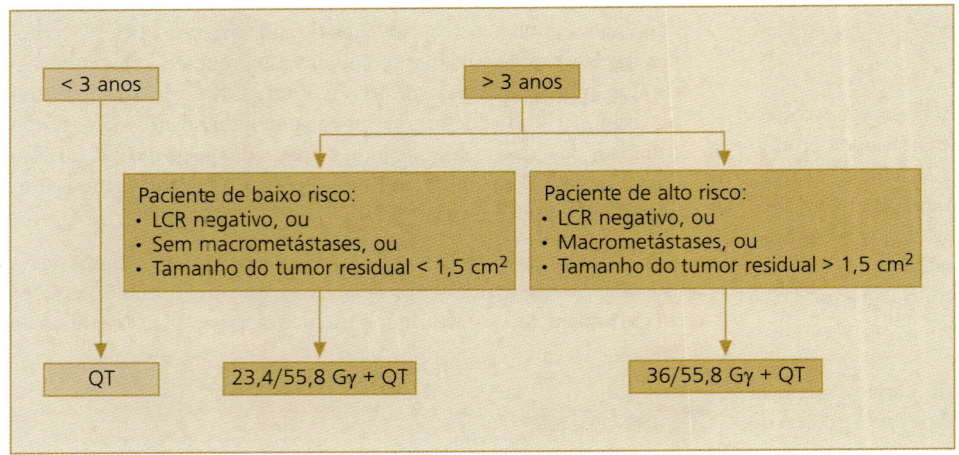

◀ **FIGURA 4.** Esquema terapêutico proposto para pacientes com meduloblastoma de acordo com risco.

rou o uso do esquema "sanduíche" à quimioterapia de manutenção pós-RXT, os pacientes de baixo risco apresentaram melhor SG e SLD com protocolo de manutenção. Já o grupo de alto risco obteve resultado semelhante em ambos os braços (Figs. 5 e 6).[6]

Historicamente, a sobrevida livre de doença em pacientes de alto risco gira em torno de 50%. Alguns protocolos com RXT e QT de altas doses têm apresentado resultados promissores. O estudo SJMB96 utilizou RXT seguida de QT de altas doses com transplante autólogo de medula óssea atingindo SLD de 70% em 5 anos.[5,8]

Pacientes com recidiva tem prognóstico muito reservado, alguns estudos têm sido feitos com transplante de medula óssea (TMO) autólogo, mas apenas pacientes com doença localizada e quimiossensível parecem beneficiar-se.

Pacientes com recidiva têm prognóstico muito reservado, alguns estudos têm sido feitos com TMO, mas apenas pacientes com doença localizada e quimiossensível parecem beneficiar-se.

Nos últimos anos, com o advento de novas técnicas de radioterapia conformacional e novos protocolos quimioterápicos, o resultado do tratamento do MB vem melhorando progressivamente, principalmente, no grupo de pacientes de baixo risco. Os resultados do protocolo HIT 91 evidenciaram melhor sobrevida nos pacientes de baixo risco e M1 submetidos à RXT após ressecção cirúrgica e quimioterapia de manutenção (SG 93% × 62% para M0 e SG 70% × 30% para M1). Para pacientes M2 e M3 as duas estratégias obtiveram resultados semelhantes à sobrevida global em torno de 42% em 10 anos.

O avanço na área do conhecimento molecular destes tumores vem permitindo a investigação de novas estratégias terapêuticas, com melhor classificação dos subgrupos de pacientes com meduloblastoma, uma terapia mais individualizada pode ser proposta. O uso de agentes moleculares em associação aos tratamentos já estabelecidos trará uma melhora na sobrevida e na qualidade de vida destes pacientes. Hoje, o objetivo está não só no aumento da sobrevida, como também na redução dos efeitos deletérios dos tratamentos de radioterapia e quimioterapia.

REFERÊNCIAS BIBLIOGRÁFICAS

1. Phillip A. Pizzo D. Poplack PG. Principles and practice of pediatric oncology. 3rd ed. Philadelphia: Lippincott Williams & Wilkins, 1997.
2. Packer R *et al.* Tumors of the central nervous system. *Childs Nerv Syst* 2006;22:121-44.
3. Zeltser PM, Boyett JM, Finlay JL *et al.* Metastasis stage, adjuvant treatment, and residual tumor are prognostic factors for medulloblastoma in children: conclusions from the Children's Cancer Group 921 randomized phase III study. *J Clin Oncol* 1999;17(3):832-45.
4. Packer JR, Gajjar A, Vezina GA *et al.* Phase iii study of craniospinal radiation therapy followed by adjuvant chemotherapy for newly diagnosed average-risk medulloblastoma. *J Clin Oncol* 2006;24(25):4202-8.
5. Gajar A *et al.* Risk adapted craniospinal radiotherapy followed by high-dose chemotherapy and stem-cell rescue in children with newly diagnosed medulloblastoma (st Jude medulloblastoma-96): long-term results froma a prospective, multicenter trial. *Lancet Oncol* 2006;7:813-20.
6. Hoff K, Hinkes B, Rutkowski S *et al.* Long-term outcome and clinical prognostic factors in children with medulloblastoma treated in the prospective randomized multicentre trial HIT'91. *Eur J Cancer* 2009;45:1209-17.
7. Carrie C, Muracciole X, Grill J *et al.* Conformal radiotherapy, reduced boost volume, hyperfractionated radiotherapy, and online quality control in standard risk medulloblastoma without chemotherapy: results of the French M-SOFOP 98 protocol. I *J Radiation Oncology Biol Phys* 2005;63(3):711-16.
8. Sung KW, Yoo KH, Cho EJ *et al.* High – Dose chemotherapy and autologous stem cell rescue in children with newly diagnosed high – Risk or relapsed medulloblastoma or supratentorial primitive neuroectodermal tumor. *Pediatr Blood Cancer* 2007;48:408-15.
9. Wilne S, Collier J, Kennedy C *et al.* Presentation of childhood CNS tumours: a systematic review and meta-analysis. *Lancet Oncol* 2007;8(8):685-95.

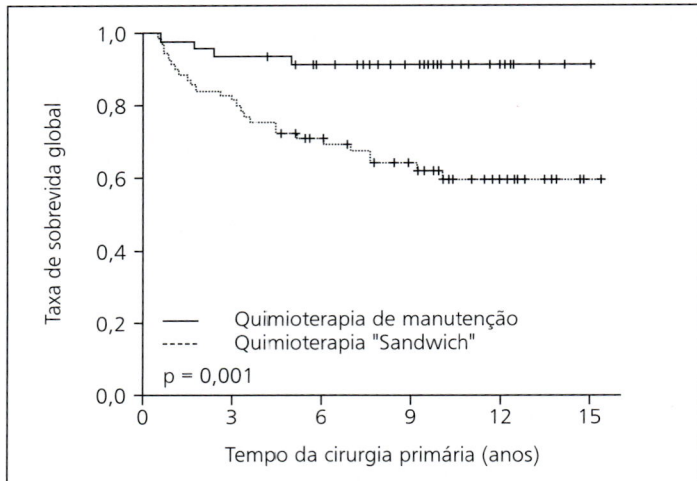

▲ **FIGURA 5.** Sobrevida global de pacientes com estágio M0 de acordo com tratamento.

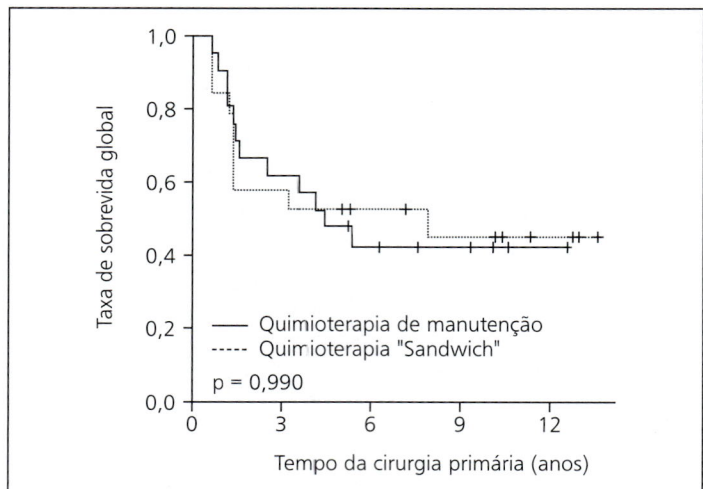

▲ **FIGURA 6.** Sobrevida global de pacientes com estágio M2/M3 de acordo com tratamento.

10. Lamont JM, McManamy CS, Pearson AD *et al*. Combined Histopathological and molecular cytogenetic stratification of medulloblastoma patients. *Clin Cancer Res* 2004;10:5482-93.
11. Saad ED, Hoff PM *et al*. Critérios comuns de toxicidade do Instituto Nacional de Câncer dos Estados Unidos. *Hott Rev Bras Cancerol* 2002;48(1):63-96.
12. Mc Manamy CS, Pears J, Ellison DW *et al*. Nodule formation and desmoplasia in medulloblastomas – Defining the nodular/Desmoplastic variant and its biological behavior. *Brain Pathol* 2007;17:151-64.
13. Gilbertson RJ. Medulloblastoma: signalling a change in treatment. *Lancet Oncol* 2004;5:209-18.
14. Ellison DW, Clifford SC, Gajjar A *et al*. What's new in neuro-oncology? Recent advances in medulloblastoma. *Eur Jour Pead Neurol* 2003;7:53-66.
15. Crawford JR, MacDonald TJ, Packer RJ. Medulloblastoma in childhood: new biological advances. *Lancet Neurol* 2007;6:1073-85.
16. Tamber MS, Bansal K, Liang ML *et al*. Current concepts in the molecular genetics of pediatric brain tumors: implications for emerging therapies. *Childs Nerv Syst* 2006;22:1379-94.
17. Polkinghorn WR, Tarbell NJ. Medulloblastoma: tumorigenesis, current clinical paradigm, and efforts to improve risk stratification. *Nat Clin Pract Oncol* 2007;4(5):295-304.

CAPÍTULO 213

Rabdomiossarcoma

Sima Esther Ferman ■ Larissa Lima Martins Uemoto ■ Ricardo Vianna de Carvalho

INTRODUÇÃO

O rabdomiossarcoma é o tumor de tecidos moles mais comum da infância e corresponde a 50% dos casos dos sarcomas que ocorrem em crianças. Os sarcomas originam-se das células mesenquimais, que normalmente se diferenciam em músculo esquelético, músculo liso, tecidos gorduroso e fibroso, osso e cartilagem. O rabdomiossarcoma (RMS) surge a partir de células mesenquimais imaturas que se diferenciam em músculo esquelético. Este tumor pode ocorrer em qualquer parte do corpo, inclusive em sítios em que músculo estriado não é normalmente presente.[1]

Com o progresso no manejo do rabdomiossarcoma no último século, a taxa de cura estimada passou de 25% em 1970, para 70% em 1991.[2-4] Isso foi possível graças ao desenvolvimento de critérios uniformes de diagnóstico e da avaliação precisa da extensão da doença, do controle do tumor primário com técnicas cirúrgicas e radioterapêuticas modernas, da erradicação de micrometástases pelo emprego de quimioterapia de combinação adjuvante e melhor utilização de terapia de suporte. A melhor compreensão das características biológicas desta doença e a identificação dos grupos de pacientes em risco de recaída também contribuíram para a obtenção de melhores resultados.[2,4-7]

Por ser doença rara e com heterogeneidade clínica e biológica marcada, fez-se necessária a incorporação de resultados de estudos cooperativos internacionais, como o do Intergrupo para Rabdomiossarcoma, iniciado em 1972 nos EUA, que propiciaram sucessivos avanços no conhecimento e na curabilidade desta doença.[2,4,6] Da mesma forma, o Estudo de Tumor Mesenquimal Maligno, realizado pela Sociedade Internacional de Oncologia Pediátrica - SIOP, MMT, e outros grupos colaborativos na Europa garantiram uma melhora da sobrevida em pacientes naquele continente.[8]

Embora os estudos clínicos IRS e MMT tenham algumas diferenças filosóficas, especialmente em relação ao método e ao momento do tratamento local, apresentam muitas semelhanças nos outros aspectos de diagnóstico e no papel do tratamento multimodal.[8,9] Com a melhora dos resultados dos tratamentos, o foco atual tem sido desenvolver estratégias para reduzir as sequelas agudas e crônicas do tratamento, com o objetivo de melhorar a qualidade de vida dos pacientes.

EPIDEMIOLOGIA

O rabdomiossarcoma é a terceira neoplasia extracraniana maligna mais comum da infância, após o tumor de Wilms e o neuroblastoma. Nos Estados Unidos, a incidência anual em pacientes menores de 20 anos é de 4,3 casos por milhão de crianças, sendo registrados 350 casos novos por ano. O tumor é um pouco mais comum em meninos do que em meninas com relação de 1.3:1.

Pode ocorrer em qualquer idade, mas sua incidência diminui significativamente com o aumento da idade: cerca de 2/3 dos casos ocorrem em crianças menores de 6 anos, com um pico menor de incidência no início da adolescência. A incidência pode variar com o subtipo histológico de rabdomiossarcoma. No subtipo embrionário, há uma distribuição bimodal, com o segundo pico na adolescência, observada apenas no sexo masculino. No RMS alveolar, a incidência não varia de acordo com a idade ou o sexo. Crianças menores de 1 ano apresentam uma maior incidência de sarcoma indiferenciado, comparado a crianças maiores.

ETIOLOGIA

Como na maioria dos casos de câncer na infância, a etiologia do RMS ainda é desconhecida. A maioria dos casos de rabdomiossarcoma ocorre esporadicamente, sem fator de risco reconhecido ou fator predisponente. Nos casos de RMS embrionário, foi evidenciado um aumento de incidência com alto peso ao nascer e recém-nascidos grandes para a idade gestacional.[10]

Algumas síndromes familiares têm sido associadas ao rabdomiossarcoma e incluem: síndrome Li-Fraumeni (com mutações germinativas do gene p53), neurofibromatose tipo I, síndrome de Costello (com mutações germinativas HRAS), síndrome de Beckwith-Wiedemann (mais comumente associada ao tumor de Wilms e hepatoblastoma). Um estudo caso-controle, conduzido pelos Children's Oncology Group (COG) comparando 300 casos de RMS e igual número de controles, demonstrou uma associação entre exposição pré-natal aos Raios X e aumento do risco de RMS.[11]

QUADRO CLÍNICO

O rabdomiossarcoma pode ocorrer em qualquer parte do corpo em que haja tecido mesenquimal. Os sítios primários mais comuns incluem cabeça e pescoço seguido de geniturinário e extremidade.[5]

Região de cabeça e pescoço

Cerca de 40% dos tumores surgem na cabeça e no pescoço. Podem ocorrer em órbita e conjuntiva em 25%. Em sítios parameníngeos em 50% (cavidade nasal, seios paranasais, fossa pterigopalatina e infratemporal, nasofaringe e orelha média) e no restante são localizados na cabeça e no pescoço não parameníngeos (escalpe, face, mucosa bucal, orofaringe, laringe e pescoço).[12]

Pacientes com tumor em cabeça e pescoço não parameníngeo podem não ter muitos sintomas clínicos, como no caso dos pacientes com RMS de órbita que, inicialmente, podem apresentar-se com exoftalmia indolente. Tumores orbitários geralmente se apresentam como massas assintomáticas, proptose ou alteração do movimento extraocular.

Por outro lado, no RMS parameníngeo, pode haver uma variedade de sintomas. Tumores podem ocorrer na orelha média, e se apresentar com otalgia, otite média crônica, massa polipoide no conduto auditivo externo ou sangramento pelo conduto auditivo. Tumores na nasofaringe podem apresentar-se com obstrução de vias aéreas, dor local, sinusite, epistaxe ou disfagia. Tumores em seio paranasal podem apresentar-se como sinusite, secreção nasal unilateral, dor local e epistaxe. Lesões parameníngeas, como as que ocorrem em cavidade nasal, seios paranasais, nasofaringe e orelha média, podem estender-se para a fossa craniana média em 35% dos casos e resultar em paralisia de nervos cranianos, sintomas meníngeos e sinais de compressão de tronco cerebral (Figs. 1 e 2).

Trato geniturinário

Tumores primários em bexiga e próstata podem apresentar-se com retenção urinária, massa ou hematúria. Tumores em vagina são comumente botrioides e, geralmente, ocorrem em crianças pequenas. Podem apresentar-se com sangramento vaginal e projeções polipoides vaginais. Tumores originários de região do colo e do útero ocorrem em meninas maiores e apresentam-se com massa com ou sem sangramento vaginal. Tumores primários em região paratesticular podem apresentar-se como massa escrotal unilateral indolor em meninos em idade pré e pós-puberal.[12,13]

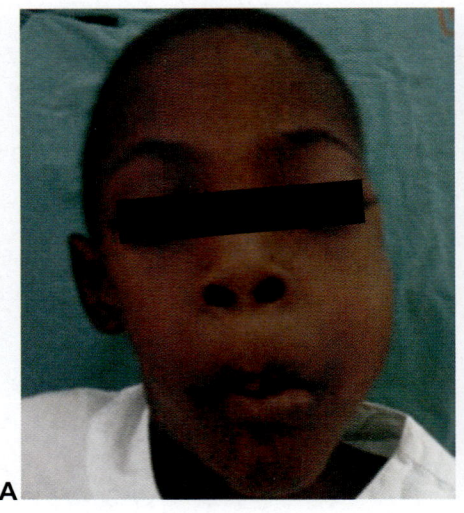 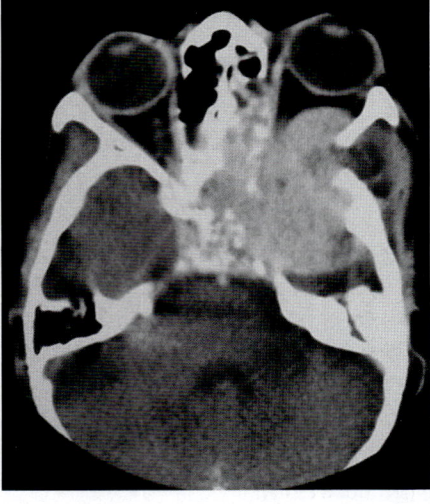

◀ **FIGURA 1.** RMS parameníngeo. (**A**) Importante assimetria facial à esquerda. (**B**) Massa.

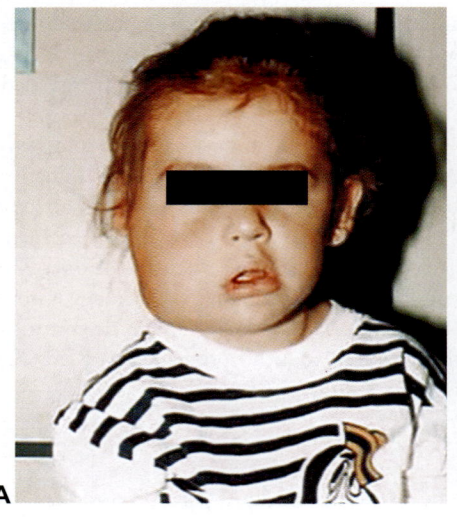 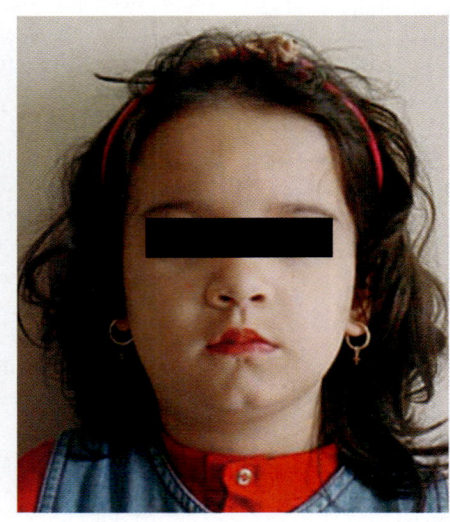

◀ **FIGURA 2.** Paciente com RMS de parótida. (**A**) Ao diagnóstico. (**B**) Após o tratamento.

Extremidades

Pacientes com tumor em extremidades, frequentemente, apresentam-se com massas dolorosas ou indolores.[14] Face à sua tendência de disseminação, podem apresentar-se com doença metastática em pulmão, osso, medula óssea e linfonodo a distância (Fig. 3).

Outros sítios

Tumores podem ocorrer menos frequentemente no tronco, em regiões retroperitoneal e pélvicas, perineais e perianais, trato biliar e outros. Tumores em tronco podem apresentar envolvimento contíguo da medula toracolombar e evoluir com quadro de compressão medular. Podem também causar obstrução do fluxo urinário e hidronefrose.[12]

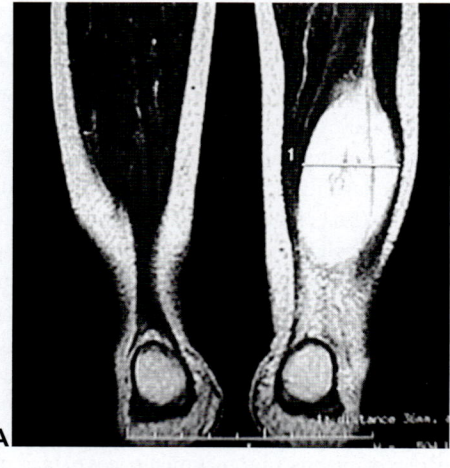 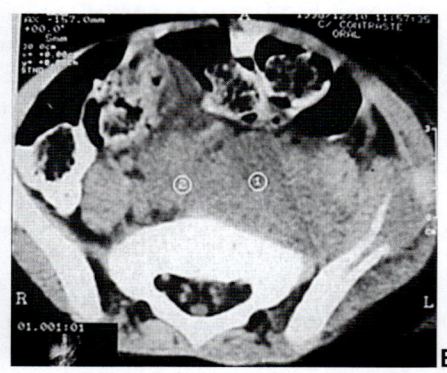

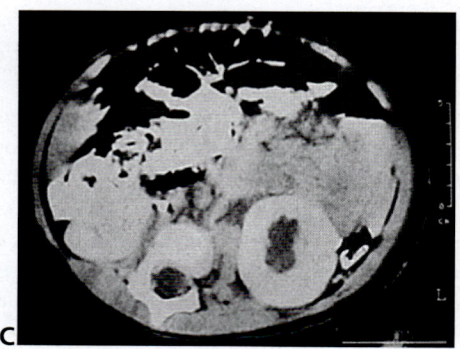 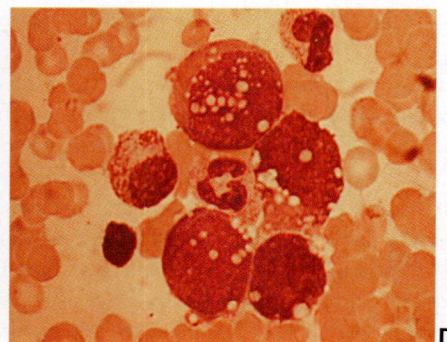

▲ **FIGURA 3.** (**A**) RMS na perna esquerda. (**B**) Massa linfonodal pélvica. (**C**) Extensão até a altura do hilo renal com hidronefrose (metástase). (**D**) Metástase para medula óssea.

Em um estudo retrospectivo de uma instituição Brasileira, a localização inicial predominante do tumor foi na cabeça e no pescoço, em 73 (44,7%) pacientes: 52 (31,9%) em sítio parameníngeo, 11 (6,7%) na órbita e 10 (6,1%) em sítio não parameníngeo. A doença ocorreu nas extremidades em 28 (17,2%) pacientes, no trato geniturinário em 25 (15,3%) casos – bexiga e próstata em sete (4,3%) e noutros sítios em 18 (11,0%), retroperitônio em 14 (8,6%) pacientes, tronco em quatro (2,5%) e intratorácico em quatro (2,5%). Os outros 15 (9,2%) pacientes foram acometidos nas vias biliares, pelve e regiões perineal e perianal. Em 39,3% dos casos, a doença era metastática ao diagnóstico.[15,16] Este número é superior ao relatado em países desenvolvidos, em que 15 a 25% dos pacientes se apresentam com doença metastática ao diagnóstico (Fig. 3).[17]

O diagnóstico do câncer infantil na fase inicial pode ser dificultado pelo fato de que, muitas vezes, os sinais e sintomas iniciais da doença são inespecíficos, assemelhando-se aos das doenças comuns da infância.

O intervalo de tempo entre o início dos sintomas e o diagnóstico é referido como *lag time*.[18,19] Alguns estudos têm sido publicados analisando fatores que podem influenciar neste tempo, como biologia da doença, sítio anatômico, idade do paciente, percepção da doença pelos pais, suspeita clínica pelo médico, aspectos sociais e qualidade do sistema de saúde.[18]

Embora maior intervalo de tempo do início dos sintomas ao diagnóstico (*lag time*) tenha sido associado a pior prognóstico para adultos,[19] ainda são necessários estudos examinando interação do intervalo de tempo (*lag time*), estágio e prognóstico nos tumores pediátricos, a fim de planejar estratégias de detecção precoce.[20] Entretanto, o tema é complexo, pois vários fatores interferem, como acesso ao cuidado médico, retardo dos pais ou dos médicos e a biologia da doença.[19]

DIAGNÓSTICO

Histopatologia

Rabdomiossarcoma é o tumor de partes moles cuja morfologia e expressão de proteínas miogênicas assemelham-se às etapas do desenvolvimento muscular esquelético do embrião.[21] Os tumores ocorrem em qualquer lugar do organismo, incluindo sítios em que não há músculo esquelético. Estes dados sugerem que a histogênese representa a interrupção da miogênese.[22,23]

O RMS da infância apresenta dois subtipos principais: embrionário (RMSe) e alveolar (RMSa). O RMSe é composto de células mesenquimais primitivas, em vários estágios de diferenciação de músculo esquelético, células com citoplasma estriado, em meio a estroma frouxo, mixoide ou denso. Pode haver pleomorfismo nuclear, os nucléolos, em geral, não são proeminentes. O subtipo botrioide refere-se a um RMSe de localização subepitelial, que exibe uma camada de células neoplásicas densa logo abaixo do epitélio (camada de câmbio) e surge da superfície da mucosa de orifícios corporais, como a vagina, bexiga, nasofaringe, e do trato biliar.

O RMSa demonstra um padrão de arquitetura em que as células neoplásicas mostram-se delimitadas por septos fibrovasculares. Uma variante morfológica do RMSa é a forma sólida, em que as células proliferam, assumindo um padrão difuso. O diagnóstico morfológico de RMSa baseia-se na proliferação de pequenas células redondas com núcleo hipercromático, cromatina granular e nucléolo proeminente. Características citológicas de diferenciação muscular podem estar ausentes, particularmente em pequenos fragmentos de biópsias.[24] O estudo de imuno-histoquímica no RMS mostra expressão intranuclear de proteínas miorreguladoras, como myoD1 e miogenina. A expressão de miogenina é mais intensa em RMSa.[25] Outros marcadores que podem estar positivos são a actina específica para músculo, a mioglobina e/ou a desmina. A figura 4 mostra os aspectos típicos na microscopia óptica do RMS embrionário, alveolar e anaplásico.

Os subtipos apresentam-se com características e comportamento clínico distintos. O subtipo embrionário é mais frequentemente e responsável por cerca de 60 a 70% dos RMS da infância. O RMSe apresenta-se principalmente em crianças com < 10 anos de idade, ocorre predominantemente na CP, trato geniturinário e retroperitônio, estando associado a prognóstico favorável. O subtipo de células botrioides representa cerca de 10% de todos os casos de rabdomiossarcoma e é associado a resultados muito favoráveis.

Em contraste, o RMSa apresenta-se principalmente em adolescentes e adultos jovens, ocorre frequentemente no tronco e extremidades, é associado a um prognóstico desfavorável relacionado com a propensão à disseminação precoce, frequentemente envolvendo a medula óssea e com pior resposta à quimioterapia.[26]

Rabdomiossarcoma pleomórfico ocorre predominantemente em adultos com idades entre 30 a 50 anos e, raramente, é visto em crianças. Está associado a um pior prognóstico.

A definição de RMS anaplásico foi feita com critérios semelhantes aos utilizados para tumor de Wilms: núcleos grandes, pelo menos 3 vezes maiores que das células vizinhas e figuras de mitoses atípicas. A definição anaplasia focal e difusa segue a normatização utilizada para tumor de Wilms.[27] Entretanto, a avaliação em RMS tem limitações graças ao material de biópsia frequentemente limitado nesta doença. A presença de anaplasia independe do subtipo histopatológico, embora seja mais frequente no subtipo embrionário, sendo que tem significado prognóstico adverso.[23,28]

Em 1995, uma classificação de consenso de rabdomiossarcoma foi fundamentada na revisão de 800 tumores representativos do IRS II, em que participaram 16 patologistas de oito grupos de Patologia. Esses profissionais, representando seis países de vários grupos cooperativos, produziram uma classificação considerada reprodutível e preditiva do resultado, por análises univariadas. Uma análise multivariada dessa nova classificação mundial de rabdomiossarcoma indicou que o modelo de sobrevida que incluía essa classificação, juntamente com os fatores prognósticos conhecidos (sítio primário, grupo clínico e tamanho de tumor), era significativamente melhor para avaliar sobrevida do que o modelo com os tão somente conhecidos fatores prognósticos.

Esta classificação patológica internacional de RMS recentemente desenvolvida, além de identificar os subtipos histopatológicos, segue uma norma adaptada pelo Comitê do IRS e da OMS das recomendações prévias de Horn e Enterline (1958):

I. Prognóstico favorável: embrionário botrioide e fusiforme.
II. Prognóstico intermediário: RMS embrionário.
III. Prognóstico desfavorável: RMS alveolar clássico e variante sólida, RMS com anaplasia difusa e sarcoma indiferenciado.
IV. Subtipo cujo prognóstico não é presentemente avaliável, RMS com características rabdoides.[23,29]

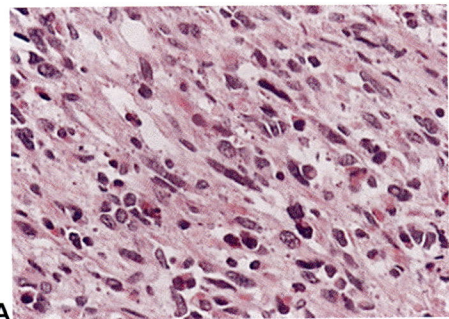 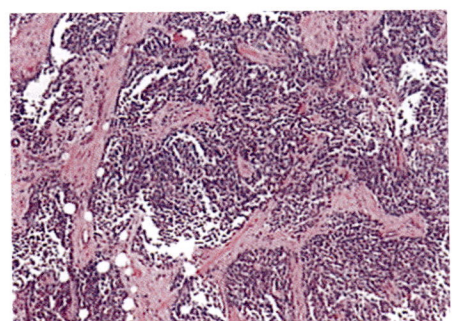 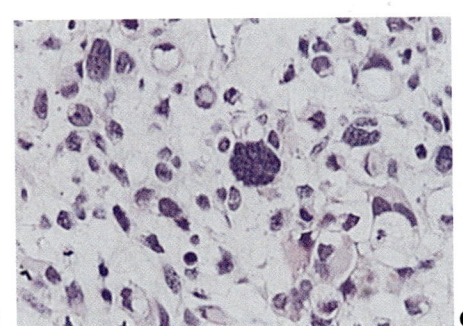

▲ **FIGURA 4.** (**A**) RMS embrionário (HE – 400×) representados dois padrões morfológicos de rabdomioblastos: células com núcleos alongados, citoplasma mal definido ao lado de outras arredondadas com núcleo excêntrico, ambas revelando citoplasma intensamente eosinófilo. (**B**) RMS alveolar clássico (HE – 400×) proliferação de pequenas células com núcleos redondos, hipercromáticos, distribuídas em ninhos, delimitados por traves fibrovasculares. (**C**) RMS Anaplásico (HE – 400×) nota-se pleomorfismo acentuado, núcleos pelo menos 3 vezes maiores que as demais células (Ferman SE[15]).

Biologia molecular

Os RMS embrionário e alveolar apresentam características moleculares distintas, que têm sido utilizadas para a confirmação do diagnóstico. Estas também podem ser úteis para o planejamento da terapia, monitorização da doença residual durante o tratamento e alvos de terapia futura.[5,7]

Tumores embrionários e alveolares podem ser distinguidos com bases nas alterações cromossômicas estruturais. O RMS alveolar é caracterizado pelo rearranjo dos cromossomas 2 e 13, t(2;13)(q35;q14), em que o gene PAX3, dentro da banda 2q35, é fusionado com o gene *FKHR* (também conhecido como *FOXO1a*) da banda 13q14. Presumivelmente, esta estrutura quimérica funciona como a oncoproteína por ativar inadequadamente alvos de transcrição PAX3, resultando em desregulação do crescimento celular e transformação. O gene de fusão relacionado, *PAX7-FKHR*, é gerado pela t(1;13)(p36;q14), em raros casos de RMS alveolar. Os produtos proteicos de ambos os genes de fusão parecem agir como ativadores de transcrição.

Os genes de fusão podem ser detectados por análise citogenética, citogenética molecular (FISH, hibridização *in situ* por fluorescência) e por reação em cadeia de polimerase após transcrição reversa (RT-PCR).

O RMS alveolar representa doença clinicamente devastadora. Em virtude do mau resultado do tratamento, tem havido procura na identificação de fatores prognósticos úteis na estratificação terapêutica. Os estudos têm sugerido que as características clínicas, história natural e resposta ao tratamento diferem nos dois subgrupos.

Pacientes com a translocação *PAX7-FKHR* são mais jovens ao diagnóstico, têm mais frequentemente tumores primários de extremidade, a doença metastática ocorre somente para ossos e linfonodos e têm sobrevida melhor.[30] Sorensen *et al.*,[31] estudando 171 pacientes com rabdomiossarcoma, concluíram que os transcritos da fusão *PAX3-FKHR* e *PAX7-FKHR* foram detectados em 55 e 22% dos RMSa, respectivamente. Em 23% dos casos, entretanto, a fusão não foi observada. Em pacientes com RMSa com doenças local e regional, a presença ou ausência dos produtos de fusão *PAX3-FKHR* ou *PAX7-FKHR* não foi associada a diferenças no resultado. Entretanto, em pacientes com RMSa metastático, a sobrevida foi significativamente pior para aqueles que expressaram a translocação *PAX3-FKHR*. A sobrevida geral em 4 anos foi de 75% para pacientes com *PAX7-FKHR*, e de 8% para pacientes com *PAX3-FKHR*.[30-33]

Cerca de 23% dos casos de RMSa não apresentam a translocação.[31] Um estudo demonstrou que o comportamento clínico e as características moleculares do rabdomiossarcoma alveolar translocação negativa são indistinguíveis dos observados nos casos de rabdomiossarcoma embrionário e, significativamente, diferentes dos casos alveolares, fusão positiva.[34]

Os tumores embrionários não têm translocações específicas conhecidas. As análises genéticas moleculares têm demonstrado inativação de um gene supressor de tumor pela perda de heterozigosidade no cromossoma 11p15.5 em 80% dos tumores RMSe. Este *locus* é o sítio do gene do *IGFII*, fator de crescimento de insulina. Perda de heterozigosidade neste sítio leva à perda de *imprinting*, com indução secundária de *IGFII*. Aumento da expressão de *IGFII* tem sido associadas a RMS embrionário e alveolar, fusão gênica negativa. Fatores de crescimento de insulina (IGFs) e seu receptor IGF-1 têm papel no crescimento, desenvolvimento, resposta ao *stress* e câncer.[4,14,26,35-37]

Perda alélica na região 11p15.5 tem sido relatada em vários tipos de câncer embrionário, incluindo tumor de Wilms (30-50%), hepatoblastoma (30%) e rabdomiossarcoma embrionário (70-100%).[38] Alterações nesta região também são semelhantes às encontradas em pacientes com a síndrome de Beckwith-Wiedemann associada a tumor de Wilms ou hepatoblastoma.

Alterações do gene *p53* são vistas em 50% dos casos com tumor embrionário ou alveolar, o que tem sido associado à síndrome de Li-Fraumeni, que inclui RMS e outros sarcomas de tecido mole. Tumores embrionários têm maior incidência de mutações pontuais nos proto-oncogenes NRAS, KRAS do que os casos alveolares, enquanto a amplificação do gene N-myc parece ser um aspecto exclusivo de 10% dos tumores alveolares.[4,39,40]

ESTADIAMENTO

Antes de uma biópsia ou ressecção da massa tumoral suspeita, devem ser realizados avaliação clínica, estudos laboratoriais e de imagem. O tumor primário deve ser avaliado por tomografia computadorizada (TC) ou ressonância magnética (RM), para determinar a localização, o tamanho, a invasividade e os limites anatômicos, que vão determinar o tratamento local necessário.[41] TC é útil para avaliação de erosão óssea e adenopatia abdominal, enquanto RM provê melhor definição do sítio primário e estruturas adjacentes. RM é preferível para lesões em membros, pelve e paraespinhais.[37]

Após a confirmação diagnóstica de rabdomiossarcoma, é necessário investigar a presença de doença metastática antes de iniciar o tratamento. Essa avaliação deve incluir uma radiografia de tórax, tomografia computadorizada (TC) de tórax, mielograma e biópsia de medula óssea bilateral, cintilografia óssea tecnécio-99 m, ressonância magnética (RM) da base do crânio e do cérebro (em casos de tumores parameníngeos) e tomografia computadorizada do abdome e da pelve (tumores primários em membros inferiores ou geniturinários).[12]

Sítios especiais requerem avaliações específicas:

- *RMS parameníngeo:* realizar citologia do liquor para avaliar risco de disseminação meníngea.
- *RMS de extremidades:* têm alto risco de disseminação linfonodal, logo, necessitam de avaliação radiológica de linfonodos regionais, assim como amostragem de linfonodos regionais.[42]
- *RMS paratesticular:* recomenda-se estadiamento de linfonodos regionais. Os grupos europeus consideram suficiente TC de cortes finos.[43,44]

Os grupos americanos recomendam avaliação cirúrgica de linfonodos em pacientes com idade acima de 10 anos.[42,45]

Tomografia por emissão de pósitrons (PET) com flúor-18-fluorodesoxiglicose (FDG-PET) tem sido utilizada mais recentemente em estudos pediátricos. Os autores sugerem que pode ser uma ferramenta sensível e específica na determinação clínica da extensão da doença em sarcomas da infância, principalmente quando combinados com TC. Podem ser importantes para a avaliação de adenopatia regional, detecção de metástase oculta, persistência de tumor viável após terapia ou progressão de doença.[46,47] No entanto, a eficácia destes dois procedimentos para a identificação de linfonodos envolvidos ou outros *sites* está atualmente sob investigação, e esses procedimentos não são exigidos pelos protocolos atuais de tratamento.[12]

O planejamento apropriado do tratamento é com base primariamente no sistema de Grupos clínicos do IRSG (Quadro 1) e de estadiamento (Quadro 2). O sistema de grupos clínicos baseia-se na ressecabilidade cirúrgica do tumor e na presença de doença metastática.[48] O estadiamento TNM é um estadiamento pré-tratamento e baseia-se no sítio primário, tamanho, presença de linfonodos regionais e disseminação sistêmica (Quadros 1 e 2).[49,50]

FATORES PROGNÓSTICOS

O prognóstico para uma criança ou adolescente com rabdomiossarcoma pode estar relacionado com características do tumor (p. ex.: sítio, estágio, tamanho, características patológicas e biológicas), ao paciente (p. ex.: idade, sexo ou características biológicas), ou ao tratamento dado (tipo, dose, duração). A maioria dos estudos tem mostrado que os mais importantes fatores de prognóstico são estágio, sítio, histopatologia e idade.[12,51]

Fatores relacionados com a idade do paciente

As características da doença variam com a idade na apresentação. Na revisão de 2.343 pacientes tratados no Intergrupo para Estudo de Rabdomiossarcoma I-IV, a idade ao diagnóstico foi fator prognóstico independente. Lactentes e adolescentes tiveram prognóstico significativamente pior que crianças (SLE em 5 anos de 52, 51 e 72%, respectivamente). Adolescentes tinham mais provavelmente: tumores alveolares, de extremidade e paratesticular, doença avançada (GCIII ou IV), tumores grandes > 5 cm, invasivos (T2) e linfonodos regionais positivos (N1). Em contraste, crianças com menos de 1 ano de idade tinham tumores com histologia botrioide, ou indiferenciada e localização em trato geniturinário ou em cabeça e pescoço.[52] Dessa forma, três categorias de idade ao di-

Quadro 1. Classificação de Grupos Clínicos IRS[48,50]

GRUPO	EXTENSÃO DA DOENÇA/RESULTADO CIRÚRGICO
Grupo I Doença localizada, completamente ressecada	A) Confinado ao músculo ou órgão de origem B) Comprometimento contíguo – infiltração fora do músculo ou órgão de origem; linfonodos regionais negativos
Grupo II Ressecção macroscópica completa com evidência de disseminação regional	A) Doença residual microscópica com linfonodos regionais negativos B) Doença regional com linfonodos comprometidos completamente ressecados, sem doença residual microscópica C) Doença regional com comprometimento dos linfonodos, macroscopicamente ressecados, mas com doença residual microscópica e/ou comprometimento histológico do linfonodo regional mais distal ao tumor 1º
Grupo III Ressecção incompleta - doença macroscópica residual	A) Após biópsia B) Após ressecção incompleta do tumor 1º (≥ 50%)
Grupo IV Metastática	Metástase a distância: pulmão, fígado, osso, medula óssea, cérebro, músculo a distância e linfonodo a distância e/ou Citologia positiva de LCR, liq. pleural ou ascítico ou implantes pleural ou peritoneal.

Nota: Com base na extensão da doença e ressecção cirúrgica inicial.

Quadro 2. Estadiamento TNM do RMS: classificação de estadiamento pré-tratamento[50]

ESTÁGIO	SÍTIO	T	TAMANHO	N	M
1	Órbita CP exceto parameníngeo GU exceto bexiga/próstata	T_1 ou T_2	a ou b	N_0 ou N_1 ou N_x	M_0
2	Bexiga/próstata Extremidade Parameníngeo Outros (tronco, retroperitônio)	T_1 ou T_2	A	N_0 ou N_x	M_0
3	Bexiga/próstata Extremidade Parameníngeo Outros	T_1 ou T_2	a b	N_1 N_0 ou N_1 ou N_x	M_0 M_0
4	Todos	T_1 ou T_2	a ou b	N_0 ou N_1	M_1

T_1 = confinado ao sítio anatômico de origem a: ≤ 5 cm de diâmetro; b: > 5 cm de diâmetro.
T_2 = extensão e/ou fixação ao tecido adjacente a: ≤ 5 cm de diâmetro; b > 5 m de diâmetro.
N_0 = linfonodos regionais não comprometidos.
N_1 = linfonodos regionais clinicamente positivos para tumor.
N_x = estado clínico dos linfonodos regionais desconhecido.
M_0 = sem metástase a distância.
M_1 = metastático.
Nota: Determinado clinicamente pela localização, tamanho do tumor 1º, estado linfonodal e presença ou não de metástases.

agnóstico podem ser associadas a prognóstico: < 1 ano, 1-9, ≥ 10 anos, sendo que os lactentes e adolescentes apresentam prognóstico desfavorável.[52,53] Há dúvidas se idade < 1 ano é verdadeiro fator prognóstico independente, uma vez que as dificuldades para tratar crianças tão pequenas podem contribuir para o pior prognóstico.[51]

Fatores relacionados com a doença

Variáveis prognósticas relacionadas com o tumor incluem sítio primário, estágio, tamanho, características patológicas e biológicas.[51]

Sítios primários

Os mais comuns são: cabeça e pescoço, trato geniturinário e extremidades. Outras localizações de acometimento incluem o tronco, região intratorácica, trato gastrointestinal e região perianal. Costumamos identificar os sítios de localização com prognóstico mais favorável, ou seja, com possibilidade de melhor resposta ao tratamento. Estes sítios são: órbita, cabeça e pescoço em região não parameníngea e geniturinário que não seja bexiga e próstata (especialmente paratesticular e vaginal), assim como o trato biliar; outras localizações diferentes das descritas acima são consideradas sítios desfavoráveis.

Tamanho do tumor primário

Tamanho do tumor ≥ 5 cm ao diagnóstico tem sido fortemente associado a um pior prognóstico, assim como invasividade (T2) e sítio primário desfavorável, especialmente nos pacientes sem doença metastática ao diagnóstico.[14] Recentes análises também confirmam a importância do tamanho tumoral, sendo que a combinação idade ≥10 anos e tamanho ≥ 5 cm contribuirá para definir alto risco em estudos futuros.[51]

Extensão da doença ao diagnóstico

A avaliação da extensão da doença ao diagnóstico é feita por meio de um sistema de classificação de grupos clínicos desenvolvidos pelo grupo IRS, com base na extensão da doença após a cirurgia inicial para RMS – estadiamento cirúrgico-patológico. Esse sistema tem sido criticado por alguns pesquisadores, pois depende da técnica operatória e exclui outros importantes fatores prognósticos, como tamanho do tumor e sítio. Em decorrência, foi desenvolvido um sistema de estadiamento pré-cirúrgico com base nos critérios do TNM, que inclui localização e tamanho do tumor primário, estado linfonodal e presença ou não de metástases.[50] Os dois sistemas de estadiamento são utilizados para definição de estratégias de tratamento pelo grupo IRS.[6,7]

A doença metastática continua sendo o maior desafio.[2] O significado prognóstico de doença metastática é modificado pela histologia do tumor, idade ao diagnóstico e sítio primário: pacientes com doença metastática com <10 anos de idade e cujo tumor tem histologia embrionária têm uma sobrevida livre de doença de 5 anos maior do que 50%, enquanto aqueles > 10 anos de idade e com histologia alveolar têm um prognóstico muito pior.[22,54] Pacientes com doença metastática e tumor geniturinário não bexiga e próstata têm prognóstico mais favorável do que aqueles pacientes com doença metastática e tumor primário em outros sítios.[14,22] Pacientes com doença localizada e comprometimento de linfonodo regional têm pior prognóstico do que pacientes sem envolvimento linfonodal.[55]

No estudo do intergrupo para RMS-III, cerca de 15% dos casos relatados eram metastáticos.[2,17] Na casuística do INCA, 39,3% dos pacientes apresentavam doença metastática ao diagnóstico, o que representa um número consideravelmente maior.[16] Todavia, não se sabe precisar a relação com a característica biológica diferente da doença, ou com o retardo do diagnóstico e encaminhamento ao centro de tratamento.

- *Sítio de origem:* sítios primários com prognósticos mais favoráveis incluem: órbita e cabeça e pescoço não paramenínge; paratesticular, útero e vagina (trato geniturinário exceto próstata); trato biliar.[2,56,57]
- *Diâmetro do tumor:* pacientes com tumores menores (≤ 5 cm) têm sobrevida melhor em comparação a crianças com tumores maiores.[2,14] Tanto o volume do tumor e diâmetro máximo do tumor estão associados ao resultado.[58] Uma revisão retrospectiva de sarcomas de tecidos moles em crianças e adolescentes sugere que o corte de 5 cm usado para adultos com sarcoma de tecido mole pode não ser ideal para crianças menores. A revisão identificou uma interação entre o diâmetro do tumor e a área de superfície corporal (ASC).[36] Isto não foi confirmado pelo *Children's Oncology Group* no estudo de pacientes com risco intermediário de rabdomiossarcoma.[59]
- *Metástases:* crianças com doença metastática no momento do diagnóstico têm pior prognóstico. O significado prognóstico da doença metastática é modificado por histologia do tumor (embrionário é mais favorável do que alveolar), o local da doença metastática e o número de sítios metastáticos.[17,60,61] Pacientes com tumor primário geniturinário metastático (exceto bexiga e próstata) têm um resultado mais favorável que os pacientes com doença metastática de tumores primários em outros locais.[14]
- *Ressecabilidade:* A extensão da doença após o procedimento cirúrgico primário está correlacionada com o resultado.[2] No estudo IRS-III, os pacientes com doença localizada, doença residual após a cirurgia inicial (Grupo III) apresentaram uma taxa de sobrevida em 5 anos de aproximadamente 70% em comparação a mais de 90% em 5 anos de sobrevida para os pacientes sem tumor residual após a cirurgia (Grupo I) e cerca de 80% em pacientes com doença residual microscópico após cirurgia (Grupo II).[2,62] O resultado é relacionado, principalmente, com a utilização de terapia multimodal, todos os pacientes requerem quimioterapia e, pelo menos, 85% também beneficiam-se de radioterapia, com o resultado favorável, mesmo para aqueles pacientes com doença irressecável.[63]
- *Subtipo histopatológico:* subtipo alveolar é mais prevalente entre os pacientes com características clínicas menos favoráveis (p. ex.: menos de 1 ano ou mais de 10 anos, tumores primários das extremidades e doença metastática no momento do diagnóstico), é geralmente associado a um pior prognóstico.[64] Não se observaram diferenças estatisticamente significativas na sobrevivência para o subtipo histopatológico, quando todos os pacientes com rabdomiossarcoma foram analisados,[65] e as diferenças não foram observadas por subtipo histológico em um grande grupo de crianças alemãs com rabdomiossarcoma.[14] Os pacientes com rabdomiossarcoma alveolar que têm envolvimento de linfonodos regionais apresentam resultados significativamente piores (5 anos de FFS, 43%) do que pacientes que não têm envolvimento de linfonodo regional (5 anos-FFS, 73%).[59]

Anaplasia é observada em 13% dos casos de rabdomiossarcoma, e sua presença pode influenciar negativamente o resultado clínico em pacientes com rabdomiossarcoma embrionário com risco intermediário.[66]

Variáveis relacionadas com o tratamento

O tratamento complexo, altamente especializado, necessitando da expertise e interação de vários profissionais. Para a obtenção de melhores resultados, os pacientes devem ser referenciados a centros especializados, dispondo de toda a infraestrutura e tecnologia, fundamental para o sucesso do tratamento.

TRATAMENTO

O tratamento de crianças com RMS é multimodal e compreende a utilização racional de tratamento sistêmico (quimioterapia) e local (cirurgia e radioterapia). O tratamento é complexo e deve ser realizado em centros especializados em câncer infantojuvenil. A avaliação multidisciplinar incluindo o oncologista pediatra, cirurgiões de várias especialidades e radioterapeuta é crítica para o planejamento adequado do tratamento. A intensidade do tratamento é guiada por fatores prognósticos conhecidos, para otimizar o tratamento e limitar os efeitos tardios do tratamento.[51,67]

Há 4 décadas o resultado do tratamento do RMS era muito ruim com apenas 25-30% das crianças curadas. Atualmente, cerca de 70% das crianças com doença não metastática têm uma chance de cura. O progresso do tratamento ocorreu a partir de estudos clínicos multi-institucionais que possibilitaram a inclusão de um número de pacientes suficiente para permitir responder a perguntas científicas e melhorar os resultados. Nos Estados Unidos, desde 1972, estudos têm sido coordenados pelo *Intergroup Rabdomyosarcoma Study Group* (IRS), atualmente Comitê de Sarcoma de Partes Moles do Children's Oncology Group- COG. Na Europa, três grupos cooperativos independentes coordenaram os estudos de sarcomas de partes moles pediátricos: Comitê de Tumor Maligno Mesenquimal (SIOP-MMT); Grupo Cooperativo Alemão de Sarcomas de Partes Moles (CWS) e Grupo Cooperativo Italiano – Comitê de Sarcoma de Partes Moles (AIEOP-STSC). Os grupos SIOP-MMT e o AIEOP-STSC se juntaram para formar o Grupo de Estudo Europeu para Sarcoma de Partes Moles Pediátrico(EpSSG).[68] A base dos tratamentos é a mesma, entretanto, há algumas diferenças no manejo e na filosofia da abordagem de tratamento entre eles.[9,51,68]

Tratamento local

O tratamento local constitui parte integrante do tratamento multidisciplinar para curar crianças com RMS e pode ser realizado com cirurgia e/ou radioterapia. Quando é possível a ressecção cirúrgica completa do tumor, o prognóstico é melhor, especialmente em RMSe, em que se evita a radioterapia.[41] Entretanto, RMS surge em várias localizações em que não é possível a ressecção completa inicial e sem risco de morbidade ou perda de função. Com o advento de novos regimes e terapias combinadas em estudos cooperativos, têm-se melhorado os resultados.[2,69,70]

Cirurgia

O ideal em qualquer paciente com o diagnóstico de RMS é a ressecção completa da tumoração com limites cirúrgicos livres, com boa margem cirúrgica no ato operatório inicial e, sempre que possível, a preservação do órgão e das estruturas adjacentes. É também de fundamental importância a avaliação da área de drenagem linfática e o estudo dos linfonodos regionais. O controle local é essencial no tratamento do RMS não metastático, porque a progressão local ou recidiva é a principal causa da falha do tratamento. O intervalo entre a abordagem cirúrgica e quimioterapia deve ser tão curto quanto possível e nunca exceder a mais do que 8 semanas.

A melhor abordagem cirúrgica é determinada pelos exames de imagem realizados. Quando não é possível a ressecção cirúrgica, sem risco de morbidade, pode ser realizada por uma biópsia excisional ou incisional.

A qualidade da ressecção é definida pela margem e, assim, pode ser descrita e classificada:

- *Ressecção R0:* ressecção microscópica completa que será ampla quando o tumor é coberto em todos os pontos por tecido saudável (músculo, tecido subcutâneo, fáscia ou septo intermuscular) ou compartimental quando o tumor é removido em bloco com o compartimento muscular ou anatômico inteiro e é coberta por fáscia profunda intacta.
- *Ressecção R1:* ressecção microscópica incompleta quando há presença de tumor macroscópica ou microscopicamente na margem de ressecção. Essa ressecção será contaminada, quando ocorre ruptura acidental da pseudocápsula do tumor com derramamento do material para dentro do campo operatório ou quando a pseudocápsula estiver presente na margem de ressecção e deverá ser tratada com ampliação das margens cirúrgicas e radioterapia complementar.
- *Ressecção R2:* ressecção macroscópica incompleta quando o resíduo de tumor macroscópico é deixado *in situ*. A biópsia deverá ser um procedimento inicial em todos os pacientes, exceto quando a excisão primária com margens adequadas for possível. A biópsia aberta é preferível e deve ser incisional. Quando da suspeita ou procedimento em sarcoma de extremidades, a incisão deve ser sempre longitudinal ao membro.

Quando de segundo procedimento cirúrgico, a cicatriz e/ou acesso da biópsia devem estar incluídos na ressecção. Se forem usados drenos (não recomendado), eles deverão estar em linha com a incisão da pele e o mais próximo possível dela.

As biópsias endoscópicas são reservadas para tumores em bexiga, próstata ou vagina. Nas biópsias com agulha fina (Tru-cut), recomenda-se o uso de calibre 18 Ga ou 16 Ga não mais do que quatro a seis aspirações e, atualmente, se utiliza da imagem guiada por "US" ou "TC". O pensamento oncológico é de evitar ao máximo a contaminação por células do tumor no caminho da biópsia, apenas o compartimento anatômico em que o tumor está situado deve estar envolvido no procedimento. A biópsia de aspiração por agulha fina não é recomendada.

Para cada sítio primário, o tipo de abordagem deve ser criterioso:

- *Cabeça e pescoço:* os tumores desta região, na maioria das vezes, comprometem estruturas importantes, o que pode dificultar a abordagem cirúrgica e não permitir uma ressecção estética. O cirurgião deve preservar a funcionabilidade, sendo que as novas técnicas de reconstrução podem proporcionar uma abordagem surpreendente de acordo com a resposta do tumor.[71]
- *Paratesticular:* tumores de localização em bolsa escrotal fazem diagnóstico diferencial com uma patologia da cirurgia pediátrica denominada "escroto agudo". Uma boa anamnese e exame físico podem diferenciar as duas patologias.
É preconizada a abordagem dos tumores localizados em bolsa escrotal pela região inguinal. É contraindicada uma abordagem por acesso direto na bolsa escrotal, pois poderá alterar o estadiamento e, por conseguinte, o tratamento do paciente, e levar a um pior prognóstico.

Quando possível, o estudo dos linfonodos regionais por meio de exame de imagem ou mesmo durante o procedimento cirúrgico é importante na avaliação do estadiamento.

- *Trato geniturinário:* na maioria das vezes, procedimentos cirúrgicos agressivos são evitados. Tumores de localização em vulva, vagina, útero, bexiga e próstata, em sua maioria, respondem bem ao tratamento quimioterápico.[72-74]

Uma atenção deve ser dada aos tumores de localização em bexiga que podem ter um arsenal de abordagem melhor por visão direta.

- *Tumor de extremidades e tronco:* abordagem nos tumores de extremidades deve ser bem planejada. São preconizadas incisões da estrutura de acometimento em sentido longitudinal. Mesmo procedimentos considerados menos invasivos, como as biópsias por aguha (*Tru-Cut*), devem ser realizados em áreas em que estarão incluídos em uma segunda abordagem cirúrgica.[75]

Deve-se manter na íntegra a loja tumoral, sem contaminação de outros grupos musculares adjacentes.

O ideal é ofertar ao patologista material suficiente para proporcionar o diagnóstico anatomopatológico, assim como o material para estudos que forem relevantes para classificação biológica e prognóstico.

É importante ter em mente que o procedimento cirúrgico pré ou pós-quimioterapia poderá causar mutilação, em razão da perda de grande estrutura muscular do membro afetado.

Deve ser realizado o estudo dos linfonodos regionais de acordo com o exame clínico, exames de imagem e a experiência do grupo de cirurgiões no ato operatório.[76,77]

- *Procedimento de "second look":* quando há imagem residual após a quimioterapia, um segundo procedimento cirúrgico é realizado, sempre que possível. Entretanto, *"second look"* e/ou biópsias múltiplas não são indicados para verificação do controle local, caso não haja evidência de tumor viável nos exames de imagem.

Há controvérsias em relação a este procedimento, mas pode auxiliar na confirmação de resposta tumoral ao tratamento efetuado (resposta à quimioterapia e ressecabilidade cirúrgica) e possibilitar a redução à dose de tratamento radioterápico.

Radioterapia

Os estudos IRS estabeleceram que a radioterapia tem papel fundamental no controle local em pacientes com RMS embrionário com doença microscópica ou macroscópica residual (grupos clínicos II-IV) e para todos os pacientes com RMS alveolar. O grupo cooperativo europeu tentou evitar a radioterapia para os pacientes que atingiram remissão completa com quimioterapia e cirurgia. Nos pacientes com RMS de órbita, comparando ao estudo IRS, a sobrevida livre de eventos foi inferior, embora a sobrevida global fosse semelhante. Com esta estratégia, foi possível eliminar a radioterapia em cerca de 50% dos pacientes, mas a taxa de recidiva foi maior, necessitando utilizar esquemas de resgate. A sobrevida é aparentemente melhor para os pacientes que fizeram controle local inicial, incluindo radioterapia, entretanto, pode resultar em maior possibilidade de sequelas a longo prazo, especialmente em crianças pequenas.[9,51,78]

A radioterapia é atualmente oferecida utilizando equipamento com megavoltagem, com doses variando de 40-55 Gy (dependendo da idade do paciente, histologia e doença residual após cirurgia). O planejamento deve ser cuidadoso, com a utilização de novas técnicas, como a radioterapia conformacional em 3D, com o objetivo de delimitar melhor o campo irradiado e ter menos efeitos tardios relacionados com o tratamento.[68]

Em razão dos efeitos da radioterapia em crianças em crescimento, têm sido empregadas para tentar limitar a radioterapia, e ainda há muitos aspectos a serem redefinidos, como em alguns casos especiais, como RMS embrionário de vagina, com resposta à QT/cirurgia pode não necessitar de radioterapia.

Crianças menores de 3 anos e especialmente lactentes representam um grande desafio, pois são mais vulneráveis aos efeitos tardios da radioterapia, limitando a utilização desta modalidade de tratamento local. Idade representa fator prognóstico independente.[52]

Tratamento sistêmico

Quimioterapia constitui a base do tratamento para todos os pacientes, para erradicar doença micrometastática ao diagnóstico.[7,41,79] Várias combinações de drogas têm-se mostrado eficazes para o tratamento do RMS. Os regimes considerados padrão ouro no tratamento do RMS incluem a vincristina, actinomicina D e ciclofosfamida (VAC), utilizado nos protocolos da América do Norte (COG) e o esquema IVA, adotado pelos grupos na Europa, em que a ifosfamida é utilizada no lugar da ciclofosfamida.[68,80] Têm sido utilizados diferentes regimes de quimioterapias em RMS, incluindo melfalan, metotrexato, doxorrubicina, cisplatina, iforsfamida, etoposide, topotecan e irinotecan. Entretanto, a base da quimioterapia permanece com VAC (EUA) e IVA (Europa).[41] O estudo IRS IV não achou diferença nas taxas de sobrevida em um estudo randomizado comparando IVA a VAC).[3]

O papel da antraciclina em RMs não metastático ainda permanece incerto. Um estudo do IRS não demonstrou benefício com a adição da doxorrubicina ao esquema quimioterápico.[56] Entretanto, ainda se considera o seu valor em RMS, e estudos europeus têm incluído antraciclínicos para pacientes de alto risco.[8]

No protocolo atual EpSSG 2005, os pacientes são subdivididos em quatro grupos (com oito subgrupos): baixo risco, risco padrão, alto risco e muito alto risco.

Estudo observacional: baixo risco, risco padrão e muito alto risco. O regime com vincristina e actinomicina D por 22 semanas para somente pacientes grupo clínico I, histologia embrionário, tumores menores de 5 cm em tamanho e idade menor que 10 anos.

O estudo randomizado é realizado em pacientes com alto risco, cujo objetivo é investigar o papel da intensificação de dose com doxorrubicina e da quimioterapia de manutenção com vinorelbine e ciclofosfamida por um período adicional de 6 meses (quimioterapia metronômica) (Quadro 3).[68,81]

Pacientes com doença metastática têm um prognóstico muito reservado. Vários grupos têm demonstrado que o prognóstico pode não ser uniformemente pobre. Breneman *et al.*,[17] em análise multivariada, observaram que pacientes com dois ou menos sítios de metástase e histologia embrionária têm um prognóstico relativamente melhor. Em uma análise conjunta de 788 pacientes com RMS metastático tratados nos EUA e na Europa, foram fatores adversos idade menor que 1 ano e maior que 10 anos, sítio primário desfavorável, comprometimento de osso ou medula óssea e três ou mais sítios de metástase.[82] Estes pacientes têm um prognóstico sombrio e são candidatos a novas terapias e terapias

Quadro 3. Comparação de abordagens utilizadas em estudos clínicos atuais EpSSG e COG

Variável	EpSSG	COG
Regime padrão	IVA	VAC
Duração do tratamento	Padrão: 25 semanas Em estudo manutenção de 6 meses	Padrão: 40-45 semanas 22 semanas para Baixo risco subgrupo 1
Pergunta de randomização em pacientes com doença localizada	Papel da doxorrubicina (IVA X IVADo) Papel do tratamento de manutenção com vinorelbina e ciclofosfamida	Papel do irinotecan + vincristina
Pacientes de baixo risco	VA (22 semanas) subgrupo A	VAC por 4 cursos seguido de VA
Doença metastática	IVADO + tratamento de manutenção	Irinotecan, compressão de dose (VDC-IE)
Novos agentes em investigação	Papel do bevacizumab	Papel da temozolomida e cixutumumab
Tempo da radioterapia	12 semanas	12 semanas, baixo risco; 4 semanas, risco intermediário; 20 semanas, doença metastática
Resposta VA QT indução	Influencia tratamento. Ex. opcional em subgrupo C (órbita II-III), idade e tamanho favoráveis, se RC	Não influencia tratamento
Estadiamento de linfonodos regionais em paratesticular	Radiológico (TC cortes finos)	Cirúrgico com amostragem de linfonodo em pacientes ≥ 10 anos
Estratificação de risco: idade	Idade desfavorável (> 10 anos) muda o grupo de risco	Idade não utilizada para estratificar tratamento

EpSSG = European Soft tissue Sarcoma Study Group; COG = Children's Oncology Group; VA = vincristina, actinomicina D; IVA = ifosfamida, vincristina, actinomicina D; IVADO = ifosfamida, ifosfamida, vincristina, actinomicina D, doxorrubicina; VAC = vincristina, actinomicina D, ciclofosfamida; VDC = vincristina, doxorrubicina, ciclofosfamida; IE = ifosfamida, etoposide.
Adaptado de Sultan e Ferrari.[68]

experimentais, como aumento das doses de quimioterapia, transplante autólogo de medula óssea e terapias para o alvo molecular.

SOBREVIDA APÓS RECAÍDA

Pacientes que apresentam recidiva de doença tradicionalmente obtiveram um prognóstico reservado. Entretanto, algumas crianças recidivadas podem ser ainda curadas. Características clínicas do diagnóstico e da recaída podem predizer a chance de resgate com novo tratamento. Pacientes com tumores de histologia embrionária grupo clínico I/estágio 1 ao diagnóstico, que apresentam recidiva local ou regional, são potencialmente curáveis.[83] Chisholm et al.[84] analisaram 474 pacientes com RMS não metastático incluídos no protocolo da SIOP, estudos MMT 84,89 e 95 e que apresentaram recidiva. A partir dos fatores prognósticos desenvolveram um normograma para estimar a chance de resgate. Esta ferramenta é importante para direcionar o clínico para escolha do tratamento com intenção curativa ou quando a chance de cura é mínima (<10%), tratamento experimental (estudo fase II ou fase I) ou mesmo controle de sintoma somente (cuidados paliativos).

EFEITOS TARDIOS

Com o aumento da sobrevida e cura dos pacientes, tem havido uma preocupação com os sobreviventes do tratamento do câncer infantojuvenil. As consequências a longo prazo relacionadas com o tratamento de quimioterapia, cirurgia e radioterapia podem ser muito importantes. Os sobreviventes têm maior probabilidade de ter, pelo menos, uma e, frequentemente, múltiplas condições médicas crônicas. Um Estudo sobre os efeitos médicos a longo prazo do RMS na infância e adolescência foi realizado pelo "Childhood Cancer Survival Study-CCSS". Foi um estudo retrospectivo conduzido para avaliar a incidência de condições médicas adversas em 606 sobreviventes a longo prazo de RMS. No estudo, os sobreviventes apresentaram risco elevado de desenvolver sequelas visuais, endócrinas, cardiopulmonares, neurossensoriais e neuromotores, mais de 5 anos após o diagnóstico e tratamento. Radioterapia estava associada a várias destas alterações.[69] Radioterapia está associada ao risco de segunda neoplasia maligna secundária, no campo irradiado, com um período de latência em torno de 7 anos. Radiação de tecidos moles e de ossos pode também levar à deformidade esquelética e retardo do crescimento. Radiação da pelve pode levar à infertilidade.[85]

Os pacientes devem ser acompanhados em clínica de acompanhamento a longo prazo, para que possam ser avaliadas e detectadas precocemente as possíveis complicações do tratamento e instituídas precocemente possíveis formas de terapia, visando a melhor qualidade de vida.[86]

PERSPECTIVAS FUTURAS

À medida que se tem aumentado o conhecimento da biologia do tumor, tem sido possível investigar novas drogas para o alvo molecular. O anticorpo antirreceptor do VEGF (bevacizumab) tem efeito antiangiogênico, tem sido utilizado em estudos fase II e está sendo incluído de forma randomizada no protocolo atual de estudo do EpSSG (Protocolo Bernie) para RMS metastáticos.[68] Os estudos do COG estão investigando agentes como o *tesirolimus* e cixutumumab. *Tesirolimus* é um derivado da rapamicina, membro da família de inibidor de mTOR.[87] Cixutuxumab é um anticorpo monoclonal IgG1 para IGF1R, um receptor transmembrana tirosina quinase, que promove o crescimento do tecido se ligando ao IGF-I e IGF-II.[88] Estudos em RMS metastático incluem esta medicação semanalmente isolado ou em combinação com temozolomida, juntamente com quimioterapia intensiva para RMS metastático. Os produtos das translocações cromossomiais (PAX 3 ou PAX7-FOXO1) também constituem alvos potenciais para novas abordagens de tratamento.[68]

CONSIDERAÇÕES FINAIS

Ao longo dos anos tem aumentado o conhecimento de RMS quanto aos aspectos clínicos e biológicos, resultando em uma melhora progressiva da possibilidade de cura. Entretanto, é importante enfatizar que o tratamento desta doença é muito complexo e deve ser realizado em centros especializados, que dispõem de toda a infraestrutura de laboratórios, de imagens, de tratamento oncológico e de suporte para os pacientes pediátricos. É fundamental a interação de profissionais de várias especialidades (patologia, radiologia, medicina nuclear, oncologia pediátrica, cirurgias de várias especialidades, radioterapia, assim como toda a equipe interdisciplinar). Da mesma forma, a participação em estudos cooperativos multi-institucionais é crucial para maiores possibilidades de cura com menos sequelas do tratamento. Em nosso meio, um número elevado de pacientes chega aos centros de tratamento com doença avançada, o que tem um impacto negativo no prognóstico. Todos os esforços devem ser feitos para que as crianças e adolescentes sejam diagnosticados precocemente. Retardo no diagnóstico, diagnóstico histológico errôneo, sub ou supertratamento colocam o paciente em risco de falha terapêutica ou de sequela.

REFERÊNCIAS BIBLIOGRÁFICAS

1. Malogalowkin MH, Rowland JM, Ortega JA. Rhabdomyosarcoma. In: Pochedly C. *Neoplastic diseases of childhoo*. Switzerland: Harwood Academic, 1994. p. 779-814, vol. 2, cap. 41.
2. Crist W, Gehan EA, Ragab AH et al. The third intergroup rhabdomyosarcoma study. *J Clin Oncol* 1995;13(3):610-30.

3. Crist WM, Anderson JR, Meza JL et al. Intergroup rhabdomyosarcoma study-IV: results for patients with nonmetastatic disease. *J Clin Oncol* 2001;19(12):3091-102.
4. Pappo AS, Shapiro DN, Crist WM. Rhabdomyosarcoma: biology and treatment. *Pediatr Clin North Am* 1997;44(4):953-72.
5. Pappo AS, Shapiro DN, Crist WM et al. Biology and therapy of pediatric rhabdomyosarcoma. *J Clin Oncol* 1995;13(8):2123-39.
6. Arndt CAS, Crist WM. Common musculoskeletal tumors of childhood and adolescence. *New England J Med* 1999;341(5):342-52.
7. Ruymann FB, Grovas AC. Progress in the diagnosis and treatment of rhabdomyosarcoma and related soft tissue sarcomas. *Cancer Investigation* 2000;18(3):223-41.
8. Stevens MCG, Rey A, Bouvert N et al. Treatment of nonmetastatic rhabdomyosarcoma in childhood and adolescence: third study of the International Society of Pediatric Oncology-SIOP Malignant Mesenchymal Tumor 89. *J Clin Oncol* 2005;23(12):2618-28.
9. Donaldson SS, Anderson JR. Rhabdomyosarcoma: many similarities, a few philosophical differences. [editorial]. *J Clin Oncol* 2005;23(12):2586-87.
10. Ognjanovic S, Carozza SE, Chow EJ et al. Birth characteristics and the risk of childhood rhabdomyosarcoma based on histological subtype. *Br J Cancer* 2010;102(1):227-31.
11. Grufferman S, Ruymann F, Ognjanovic S et al. Prenatal x-ray exposure and rhabdomyosarcoma in children: a report from the Children's Oncology Group. *Cancer Epidemiol Biomarkers Prev* 2009;18:1271-76.
12. Wexler L, Meyer W et al. Rhabdomyosarcoma. In: Pizzo P, Poplack D. (Eds.). *Principles and practice of pediatric oncology.* 6th ed. Philadelphia: Lippincott Williams & Wilkins 2011. p. 923-53.
13. Wu HY, Snyder HM 3rd, Womer RB. Genitourinary rhabdomyosarcoma: which treatment, how much, and when? *J Pediatr Urol* 2009 Dec.;5(6):501-6.
14. Koscielniak E, Morgan M, Treuner J. Soft tissue sarcoma in children: prognosis and management. *Paediatr Drugs* 2002;4(1):21-28.
15. Ferman SE. Análise de sobrevida de pacientes pediátricos portadores de rabdomiossarcoma: 18 anos de experiência do Instituto Nacional de Câncer – RJ [tese]. São Paulo: Faculdade de Medicina, 2006. Acesso em: 2012-10-23. Disponível em: <http://www.teses.usp.br/teses/disponiveis/5/5141/tde-01062007-105149/>
16. Ferman SE, Gerardin M, Land P et al. O diagnóstico tardio do rabdomiossarcoma. *Pediatria (São Paulo)* 2006;28(2):109-16.
17. Breneman JC, Lyden E, Pappo AS et al. Prognostic factors and clinical outcomes in children and adolescents with metastatic rhabdomyosarcoma – A report from the intergroup rhabdomyosarcoma study IV. *J Clin Oncol* 2003;21(1):78-84.
18. Fajardo-Gutiérrez A, Sandoval-Mex AM, Mejía-Aranguré JM et al. Clinical and social factors that affect the time to diagnosis of Mexican children with cancer. *Med Pediatr Oncol* 2002;39(1):25-31.
19. Pollock BH, Jeffrey PK, Teresa JV. Interval between symptom onset and diagnosis of pediatric solid tumors. *J Pediatr* 1991;119:725-32.
20. Rodrigues KE, Camargo B. Diagnóstico precoce do câncer infantil: responsabilidade de todos. *Rev Assoc Med Bras* 2003;49(1):29-34.
21. Parham DM, Barr FG. Embryonal rhabdomyosarcoma. In: Fletcher CDN, Unni KK, Mertens F. *Tumours of Soft Tissue and Bones.* Pathology and Genetics. Lyon: IARC, 2002. p. 146-52, cap. 6.
22. Anderson JR, Ruby E, Link M et al. Identification of a favorable subset of patients (pts) with metastatic (MET) rhabdomyosarcoma (RMS): a report from the Intergroup Rhabdomyosarcoma Study Group (IRSG). *Proceedings Am Soc Clinl Oncol* 1997;16:A1836, 510a.
23. Qualman SJ, Coffin CM, Newton WA et al. Intergroup Rhabdomyosarcoma Study: update for pathologists. *Pediatr Dev Pathol* 1998;1(6):550-61.
24. Kumar S, Perlman E, Harris CA et al. Myogenin is a specific marker for rhabdomyosarcoma: Na immunohistochemical study in paraffin-embedded tissues. *Modern Pathology* 2000;13(9):988-93.
25. Sebire NJ, Malone M. Myogenin and MyoD1 expression in paediatric rhabdomyosarcomas. *J Clin Pathol* 2003;56(6):412-16.
26. Barr F. Molecular genetics and pathogenesis of rhabdomyosarcoma. *J Pediatric Hemat Oncol* 1997;19(6):483-91.
27. Faria P, Beckwith JB, Mishra K et al. Focal versus diffuse anaplasia in wilms tumor—new definitions with prognostic significance: a report from the national wilms tumor study group. *Am J Surg Pathol* 1996;20(8):909-20.
28. Kodet R, Newton WA, Hamoudi AB et al. Childhood rhabdomyosarcoma with anaplastic (pleomorphic) features. *Am J Surg Pathol* 1991;17(5):443-53.
29. Newton WA, Gehan EA, Webber BL et al. Classification of rhabdomyosarcomas and related sarcomas. Pathologic aspects and proposal for a new classification - an Intergroup rhabdomyosarcoma study. *Cancer* 1995;76(6):1073-85.
30. Kelly KM, Womer RB, Sorensen PH et al. Common and variant gene fusions predict distinct clinical phenotypes in rhabdomyosarcoma. *J Clin Oncol* 1997;15(5):1831-36.
31. Sorensen PH, Lynch JC, Qualman SJ et al. PAX3-FKHR and PAX7-FKHR gene fusions are prognostic indicators in alveolar rhabdomyosarcoma: a report from the children's oncology group. *J Clin Oncol* 2002;20(11):2672-79.
32. Crist W, Anderson J, Maurer H et al. Preliminary Results for Patients with Local/regional Tumors Treated on the Intergroup Rhabdomyosarcoma Study-IV (1991-97). *Proc Am Soc Clin Oncol* 1999;18:555ª, (abstr 2141).
33. Oliveira AM, Fletcher CDM. Molecular prognostication for soft tissue sarcomas: are we ready yet? *J Clin Oncol* 2004;22(20):4031-34.
34. Williamson D, Missiaglia E, de Reyniès A et al. Fusion gene-negative alveolar rhabdomyosarcoma is clinically and molecularly indistinguishable from embryonal rhabdomyosarcoma. *J Clin Oncol* 2010;28(13):2151-58.
35. Burke M, Anderson JR, Kao SC et al. Assessment of response to induction therapy and its influence on 5-year failure-free survival in group III rhabdomyosarcoma: the Intergroup Rhabdomyosarcoma Study-IV experience—a report from the Soft Tissue Sarcoma Committee of the Children's Oncology Group. *J Clin Oncol* 2007;25(31):4909-13.
36. Ferrari A, Miceli R, Meazza C et al. Soft tissue sarcomas of childhood and adolescence: the prognostic role of tumor size in relation to patient body size. *J Clin Oncol* 2009;27(3):371-76.
37. Dasgupta R, Rodeberg DA. Update on rhabdomyosarcoma. *Semin Pediatr Surg* 2012 Feb.;21(1):68-78.
38. Serable H, Witte D, Shimada H et al. Molecular differential pathology of rhabdomyosarcoma. *Gens Chromosomes Cancer* 1989;1:23-35 apud Anderson J, Gordon A, Pritchard-Jones K et al. Genes, chromosomes, and rhabdomyosarcoma. *Gens Chromosomes Cancer* 1999;26:275-85.
39. O'Shea PA. Myogenic tumors of soft tissue. In: Coffin CM, Dehner LP, O'Shea PA. *Pediatric soft tissue tumors.* Baltimore, Maryland: Williams and Wilkins, 1997. p. 214-53, Cap. 7.
40. Lopes LF, Simpson AJG. Noções básicas de biologia molecular aplicadas à oncologia pediátrica. *Oncol Pediátr* 1999;5:61-69.
41. Meyer WH, Spunt SL. Soft tissue sarcomas of childhood. *Cancer Treat Rev* 2004 May;30(3):269-80.
42. Neville BHL, Andrassy RJ, Lobe TE et al. Preoperative staging, prognostic factors and outcome for extremity rhabdomyosarcoma: a preliminary report from the intergroup rhabdomyosarcoma study IV (1991-1997). *J Pediatr Surg* 2000;35(2):317-21.
43. Olive D, Flamant F, Zucker JM et al. Paraaortic lymphadenectomy is not necessary in the treatment of localized paratesticular rhabdomyosarcoma. *Cancer* 1984;54(7):1283-87.
44. Ferrari A, Bisogno G, Casanova M et al. Paratesticular rhabdomyosarcoma: report from the Italian and German Cooperative Group. *J Clin Oncol* 2002;20(2):449-55.
45. Wiener ES, Lawrence W, Hays D et al. Retroperitoneal node biopsy in paratesticular rhabdomyosarcoma. *J Pediatr Surg* 1994;29(2):171-77; discussion 178.
46. Kumar R, Shandal V, Shamin S. Clinical applications of PET and PET/CT in pediatric malignancies. *Expert Review of Anticancer Therapy* 2010;10:755-68.
47. Mody RJ, Bui C, Hutchinson RJ et al. FDG PET Imaging of childhood sarcomas. *Pediatric Blood Cancer* 2010;54:222-27.
48. Maurer HM, Beltangady M, Gehan EA et al. The intergroup rhabdomyosarcoma study-I. A final report. *Cancer* 1988;61(2):209-20.
49. Lawrence W, Hays D, Heyn R. Lymphatic metastases with childhood rhabdomyosarcoma. *Cancer* 1987;60:910-15.
50. Lawrence W, Anderson JR, Gehan EA et al. Pretreatment TNM staging of childhood rhabdomyosarcoma: a report of the intergroup rhabdomyosarcoma study group. children's cancer study group. Pediatric Oncology Group. *Cancer* 1997;80(6):1165-70.
51. Stevens MCG. Treatment for childhood rhabdomyosarcoma: the cost of cure. *Lancet Oncol* 2005;6(2):77-84, Review.
52. Joshi D, Anderson JR, Paidas C et al. Age is an independent prognostic factor in rhabdomyosarcoma: a report from the soft tissue sarcoma committee of the children's oncology group. *Pediatr Blood Cancer* 2004;42(1):64-73.
53. Stiller CA, Stevens MC, Magnani C et al. Survival of children with soft-tissue sarcoma in Europe since 1978: Results from the EUROCARE study. *Eur J Cancer* 2001;37:767-74.
54. Rodeberg D, Arndt C, Breneman J et al. Characteristics and outcomes of rhabdomyosarcoma patients with isolated lung metástases from IRS-IV. *J Pediatrc Surgery* 2005;40:256-62.

55. Mandell L, Ghavimi F, LaQuaglia M et al. Prognostic significance of regional lymph node involvement in childhood extremity rhabdomyosarcoma. *Med Pediatr Oncol* 1990;18(6):466-71.
56. Maurer HM, Gehan EA, Beltangady M et al. The intergroup rhabdomyosarcoma study-II. *Cancer* 1993;71(5):1904-22.
57. Spunt SL, Lobe TE, Pappo AS et al. Aggressive surgery is unwarranted for biliary tract rhabdomyosarcoma. *J Pediatr Surg* 2000;35(2):309-16.
58. Ferrari A, Miceli R, Meazza C et al. Comparison of the prognostic value of assessing tumor diameter versus tumor volume at diagnosis or in response to initial chemotherapy in rhabdomyosarcoma. *J Clin Oncol* 2010;28(8):1322-28.
59. Rodeberg DA, Stoner JA, Garcia-Henriquez N et al. Tumor volume and patient weight as predictors of outcome in children with intermediate risk rhabdomyosarcoma: a report from the children's oncology group. *Cancer* 2010.
60. Bisogno G, Ferrari A, Prete A et al. Sequential high-dose chemotherapy for children with metastatic rhabdomyosarcoma. *Eur J Cancer* 2009;45(17):3035-41.
61. Dantonello TM, Winkler P, Boelling T et al. Embryonal rhabdomyosarcoma with metastases confined to the lungs: report from the CWS Study Group. *Pediatr Blood Cancer* 2011;56(5):725-32.
62. Smith LM, Anderson JR, Qualman SJ et al. Which patients with microscopic disease and rhabdomyosarcoma experience relapse after therapy? A report from the soft tissue sarcoma committee of the children's oncology group. *J Clin Oncol* 2001;19(20):4058-64.
63. Donaldson SS, Meza J, Breneman JC et al. Results from the IRS-IV randomized trial of hyperfractionated radiotherapy in children with rhabdomyosarcoma—a report from the IRSG. *Int J Radiat Oncol Biol Phys* 2001;51(3):718-28.
64. Crist WM, Garnsey L, Beltangady MS et al. Prognosis in children with rhabdomyosarcoma: a report of the intergroup rhabdomyosarcoma studies I and II. Intergroup Rhabdomyosarcoma Committee. *J Clin Oncol* 1990;8(3):443-52.
65. Meza JL, Anderson J, Pappo AS et al.: Analysis of prognostic factors in patients with nonmetastatic rhabdomyosarcoma treated on intergroup rhabdomyosarcoma studies III and IV: the Children's Oncology Group. *J Clin Oncol* 2006;24(24):3844-51.
66. Qualman S, Lynch J, Bridge J et al. Prevalence and clinical impact of anaplasia in childhood rhabdomyosarcoma: a report from the Soft Tissue Sarcoma Committee of the Children's Oncology Group. *Cancer* 2008;113(11):3242-47.
67. Gallego Melcón S, Sánchez de Toledo Codina J. Rhabdomyosarcoma: present and future perspectives in diagnosis and treatment. *Clin Transl Oncol* 2005 Jan.-Feb.;7(1):35-41.
68. Sultan I, Ferrari A. Selecting multimodal therapy for rhabdomyosarcoma. *Expert Rev Anticancer Ther* 2010 Aug.;10(8):1285-301.
69. Punyko JA, Mertens AC, Baker KS et al. Long-term survival probabilities for childhood rhabdomyosarcoma. A population-based evaluation. *Cancer* 2005;103:1475.
70. Sutow WW, Sullivan MP, Ried HL et al. Prognosis in childhood rhabdomyosarcoma. *Cancer* 1970;25:1384.
71. Daya H, Chan HS, Sirkin W et al. Pediatric rhabdomyosarcoma of the head and neck: is there a place for surgical management? *Arch Otolaryngol Head Neck Surg* 2000;126:468.
72. Michalkiewicz EL, Rao BN, Gross E et al. Complications of pelvic exenteration in children who have genitourinary rhabdomyosarcoma. *J Pediatr Surg* 1997;32:1277.
73. Martelli H, Oberlin O, Rey A et al. Conservative treatment for girls with nonmetastatic rhabdomyosarcoma of the genital tract: a report from the Study Committee of the International Society of Pediatric Oncology. *J Clin Oncol* 1999;17:2117.
74. Heyn R, Newton WA, Raney RB et al. Preservation of the bladder in patients with rhabdomyosarcoma. *J Clin Oncol* 1997;15:69.
75. Merchant MS, Mackall CL. Current aproach to pediatric soft tissue sarcomas. *Oncologist* 2009;14911:1139-53.
76. McMulkin HM, Yanchar NL, Fernandez CV et al. Sentinel lymph node mapping and biopsy: a potentially valuable tool in the management of childhood extremity rhabdomyosarcoma. *Pediatr Surg Int* 2003;19:453.
77. Neville HL, Andrassy RJ, Lally KP et al. Lymphatic mapping with sentinel node biopsy in pediatric patients. *J Pediatr Surg* 2000;35:961.
78. Oberlin O, Rey A, Anderson J et al. International Society of Paediatric Oncology Sarcoma Committee, Intergroup Rhabdomyosarcoma Study Group, Italian Cooperative Soft Tissue Sarcoma Group,German Collaborative Soft Tissue Sarcoma Group. Treatment of orbital rhabdomyosarcoma: survival and late effects of treatment—results of an international workshop. *J Clin Oncol* 2001 Jan. 1;19(1):197-204.
79. Raney RB, Maurer HM, Anderson JR et al. The Intergroup Rhabdomyosarcoma Study Group (IRSG): Major Lessons From the IRS-I Through IRS-IV Studies as Background for the Current IRS-V Treatment Protocols. *Sarcoma* 2001;5(1):9-15.
80. Malempati S, Hawkins DS. Rhabdomyosarcoma: review of the Children's Oncology Group (COG) Soft-Tissue Sarcoma Committee experience and rationale for current COG studies. *Pediatr Blood Cancer* 2012 July 15;59(1):5-10.
81. Casanova M, Ferrari A, Spreafico F et al. Vinorelbine in previously treated advanced childhood sarcomas: evidence of activity in rhabdomyosarcoma. *Cancer* 2002 June 15;94(12):3263-68.
82. Oberlin O, Rey A, Lyden E et al. Prognostic factors in metastatic rhabdomyosarcomas: results of a pooled analysis from United States and European cooperative groups. *J Clin Oncol* 2008 May 10;26(14):2384-89.
83. Pappo AS, Anderson JR, Crist WM et al. Survival after relapse in children and adolescents with rhabdomyosarcoma: A report from the Intergroup Rhabdomyosarcoma Study Group. *J Clin Oncol* 1999 Nov.;17(11):3487-93.
84. Chisholm JC, Marandet J, Rey A et al. Prognostic factors after relapse in nonmetastatic rhabdomyosarcoma: a nomogram to better define patients who can be salvaged with further therapy. *J Clin Oncol* 2011 Apr. 1;29(10):1319-25.
85. Arndt CA, Rose PS, Folpe AL et al. Common musculoskeletal tumors of childhood and adolescence. *Mayo Clin Proc* 2012 May;87(5):475-87.
86. Children's Oncology Group Long-term follow up guidelines for survivors of childhood, adolescent, and young adult cancers. Children's Oncology Group Web site. Acesso em: 21 Oct. 2012. Disponível em: <http://www.survivorshipguidelines.org/>
87. Wan X, Harkavy B, Shen N et al. Rapamycin induces feedback activation of Akt signaling through an IGF-1R-dependent mechanism. *Oncogene* 2007 Mar. 22;26(13):1932-40. Epub 2006 Sept. 25.
88. LeRoith D, Roberts Jr CT. The insulin-like growth factor system and cancer. *Cancer Lett* 2003 June 10;195(2):127-37.

Parte XI

SISTEMA NERVOSO CENTRAL

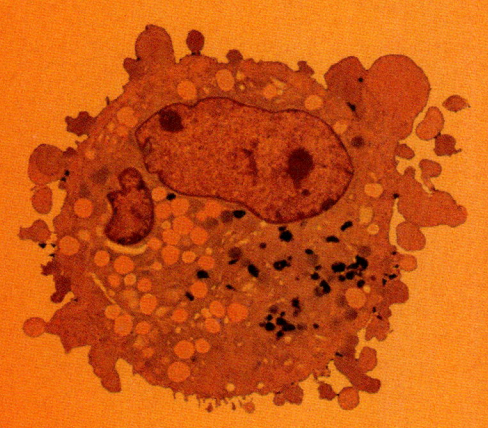

IX

CAPÍTULO 214

Classificação Histológica dos Tumores do Sistema Nervoso Central

Leila Chimelli

INTRODUÇÃO

A classificação dos tumores do sistema nervoso central, da Organização Mundial de Saúde (OMS) de 2007, inclui algumas novas variantes histológicas e novas entidades. O mais importante, em reconhecimento ao papel emergente de abordagens de diagnóstico molecular na classificação dos tumores, foi a ênfase dada ao perfil genético das neoplasias, alguns deles importantes, como fatores prognósticos e preditivos de resposta à terapêutica. Os critérios para a definição e classificação dos tipos de tumores e a padronização da nomenclatura são pré-requisitos para o progresso da oncologia clínica, ensaios de terapia multicêntrica e estudos comparativos em diferentes países. A graduação baseia-se em aspectos histológicos que indicam que a neoplasia é benigna (grau I) ou apresenta graus variáveis de malignidade (II-IV) (Quadro 1).

TUMORES ASTROCÍTICOS

Compreendem um amplo espectro de neoplasias que diferem quanto à localização no sistema nervoso central, distribuição por idade e gênero, potencial de crescimento, invasão, aspectos morfológicos, tendência à progressão e curso clínico. Distinguem-se as seguintes entidades clinicopatológicas:

Quadro 1. Graduação dos gliomas segundo a OMS, 2007

GLIOMA/GRAU	I	II	III	IV
TUMORES ASTROCÍTICOS				
Astrocitoma de células gigantes subependimário	X			
Astrocitoma pilocítico	X			
Astrocitoma pilomixoide		X		
Xantoastrocitoma pleomórfico		X		
Astrocitoma difuso		X		
Astrocitoma anaplásico			X	
Glioblastoma				X
Glioblastoma de células gigantes				X
Gliossarcoma				X
TUMORES OLIGODENDROGLIAIS				
Oligodendroglioma		X		
Oligodendroglioma anaplásico			X	
Tumores oligoastrocíticos				
Oligoastrocitoma		X		
Oligoastrocitoma anaplásico			X	
TUMORES EPENDIMÁRIOS				
Subependimoma	X			
Ependimoma mixopapilar	X			
Ependimoma		X		
Ependimoma anaplásico			X	

- Difusos:
  - Astrocitoma (grau II).
  - Astrocitoma anaplásico (grau III).
  - Glioblastoma (grau IV).
  - Variantes: glioblastoma de células gigantes e gliossarcoma.
- Circunscritos:
  - Astrocitoma pilocítico (grau I).
  - Astrocitoma pilomixoide (grau II).
  - Xantoastrocitoma pleomórfico (graus II/III).
  - Astrocitoma subependimário de células gigantes (grau I).
  - Astrocitoma/ganglioglioma desmoplásico infantil (grau I).

Astrocitomas difusos

Podem originar-se em qualquer local do sistema nervoso central, preferencialmente nos hemisférios cerebrais, são mais comuns em adultos, mostram uma infiltração difusa de estruturas cerebrais adjacentes e distantes, independente do grau histológico, e têm uma tendência a progredir para um fenótipo mais maligno. A graduação histológica é com base em atipias nucleares, atividade mitótica, celularidade, proliferação vascular e necrose, podendo ser graduados como II (baixo grau), III (anaplásico) e IV (glioblastoma).

Astrocitoma difuso de baixo grau (grau II)

Compromete, principalmente, adultos jovens (60% entre 20 e 40 anos), sendo que 10% ocorrem antes dos 20 anos. Caracteriza-se por ter células bem diferenciadas, crescimento lento, infiltração difusa de estruturas vizinhas e uma tendência a progredir para malignidade. Pode ocorrer em qualquer local do sistema nervoso central, mas, principalmente, em região supratentorial, tanto em adultos, como em crianças, seguido do tronco cerebral, principalmente em crianças, quando a progressão para malignidade é ainda mais frequente. É incomum no cerebelo, ao contrário dos pilocíticos, que ocorrem, principalmente, nessa sede. Macroscopicamente, por causa do seu aspecto infiltrativo, ele mostra apagamento dos limites entre as estruturas anatômicas, com aumento e distorção, mas não destruição das estruturas invadidas (Fig. 1). Seus limites são imprecisos e podem ter alterações císticas, ou aspecto gelatinoso. A densidade celular é baixa ou moderada, os astrócitos estão dispostos num fundo fibrilar, existe atipia nuclear, mas atividade mitótica, proliferação microvascular e necrose estão ausentes (Fig. 2). Microcistos contendo material mucinoso podem estar presentes. O índice de proliferação celular com o KI67 é menor que 5%.

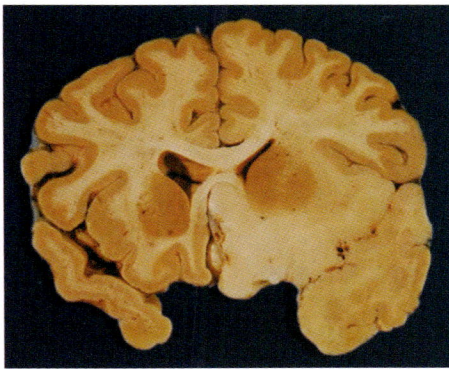

◀ **FIGURA 1.**
Astrocitoma difuso de baixo grau. Notar apagamento dos limites entre o córtex e a substância branca na base do hemisfério cerebral direito e no lobo temporal, que está aumentado em relação ao esquerdo. Os limites da neoplasia são imprecisos.

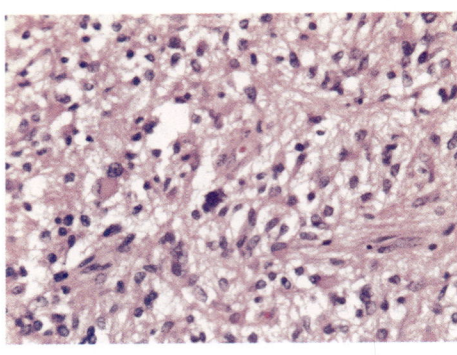

◄ **FIGURA 2.** Aspecto microscópico de um astrocitoma difuso grau II. Astrócitos neoplásicos dispostos em um fundo fibrilar, com alguns núcleos atípicos.

Astrocitoma anaplásico (grau III)

Pode originar-se de um astrocitoma de baixo grau, ou já se apresentar, na primeira biópsia, como um tumor anaplásico. A idade média de ocorrência é em torno dos 40 anos, sendo infrequente em crianças, exceto os localizados no tronco cerebral. Caracteriza-se por um aumento de celularidade e das atipias nucleares em relação ao grau II, além da presença de células em mitose, cuja quantidade deve ser avaliada em função do tamanho da amostra. O índice de proliferação celular com o Ki67 varia de 5 a 10% (Fig. 3).

Glioblastoma (grau IV)

São os tumores astrocíticos mais malignos, compostos de astrócitos neoplásicos pouco diferenciados, com áreas de proliferação vascular e necrose. É um tumor que acomete adultos, com um pico de incidência entre 45 e 70 anos. Qualquer local do sistema nervoso central pode ser acometido, mas, principalmente, as regiões frontal, parietal e occipital (Fig. 4). Os do tronco são mais comuns em crianças, e os do cerebelo e medula espinhal são raros.

Os critérios histológicos utilizados para distinguir os vários graus de astrocitomas difusos baseiam-se em celularidade, atipias celulares, células gigantes multinucleadas, presença de mitoses, que aumentam com a progressão de malignidade, além de proliferações vascular e endotelial (Figs. 5A e B) e necrose, que pode ser extensa, ou restrita, multifocal, com paliçada nuclear periférica (Fig. 5C). Altos índices de proliferação celular, determinados MIB-1/Ki67, são observados, sendo a média entre 15 a 20%. Dados de genética molecular sugerem que a maioria dos glioblastomas começa sem evidência clínica ou histológica de uma lesão precursora menos maligna, e foram designados glioblastomas primários. Manifestam-se em pacientes mais velhos (idade média 55 anos), depois de uma história clínica curta, geralmente menos de 3 meses. Ao contrário, o glioblastoma secundário desenvolve-se mais lentamente por progressão maligna de um astrocitoma difuso (grau II) ou anaplásico (grau III) e manifesta-se em pacientes mais jovens (idade média de 40 anos). Histopatologicamente, não há uma distinção clara entre esses dois tipos, mas certamente eles evoluem de vias genéticas diferentes. Os aspectos genéticos dos gliomas difusos serão descritos em outro capítulo.

Uma variante histológica do glioblastoma, o glioblastoma de células gigantes, em que predominam células bizarras, monstruosas, com múltiplos núcleos, ocorre também em adultos (média 42 anos), mas abrange uma faixa etária mais ampla que inclui as crianças. O prognóstico parece ser um pouco menos sombrio que o glioblastoma clássico. Outra variante, o gliossarcoma, acumula aspectos gliais e mesenquimais, geralmente é superficial e um pouco mais circunscrito do que o glioblastoma clássico.

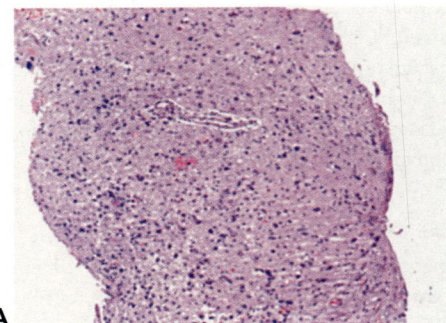
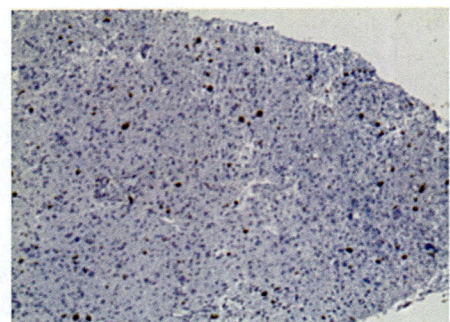
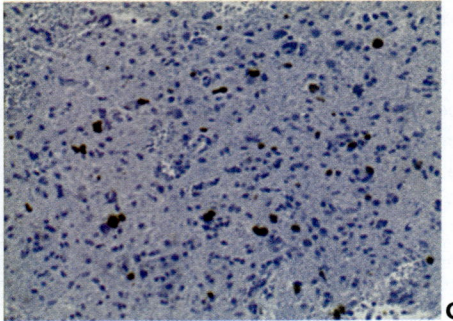

A — B — C

▲ **FIGURA 3. (A-C)** Aspecto microscópico de biópsia estereotáxica de um astrocitoma grau III. Apesar de a celularidade não estar muito aumentada nessa amostra, muitos núcleos são atípicos, há um vaso com endotélio proeminente e vários núcleos imunomarcados com o KI67 (detalhes **B** e **C**).

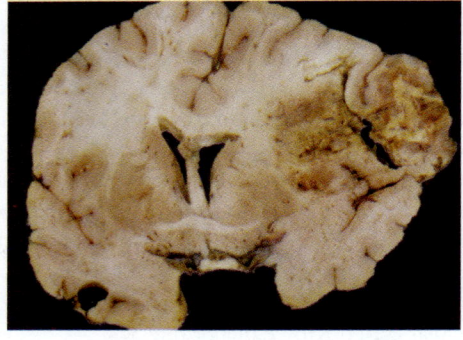

◄ **FIGURA 4.** Aspecto macroscópico de um glioblastoma no hemisfério direito – notar extensa área amarelada de necrose central, área acinzentada periférica que nos exames de imagem apresentam captação de contraste, e edema da substância branca adjacente com efeito de massa e desvio das estruturas da linha média para a esquerda.

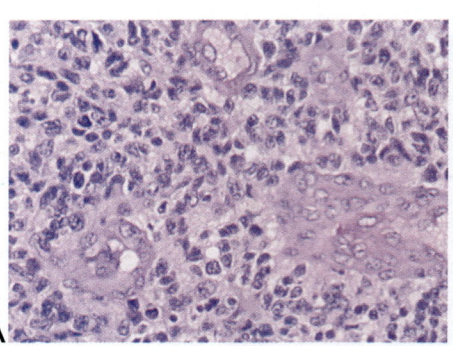
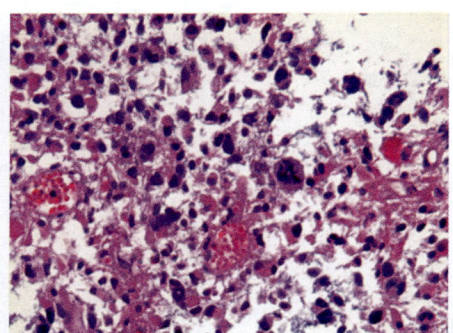
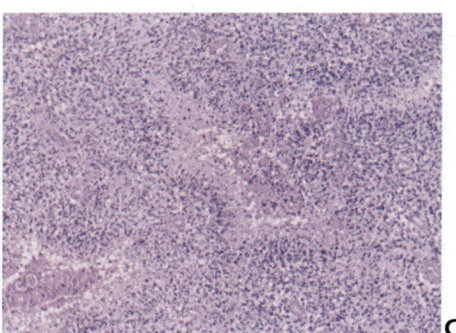

A — B — C

▲ **FIGURA 5.** Aspectos microscópicos do glioblastoma. **(A)** Celularidade aumentada com vasos exibindo proliferação endotelial. **(B)** Atipias nucleares e células de mitose. **(C)** Focos de necrose com paliçada nuclear periférica.

Gliomatose cerebral

Gliomatosis cerebri refere-se a um glioma difuso (astrocítico, oligodendrocítico ou misto) com padrão de crescimento que infiltra extensas áreas do sistema nervoso central, envolvendo pelo menos três lobos cerebrais, geralmente comprometendo ambos os hemisférios, incluindo os núcleos cinzentos profundos, podendo estender-se ao cerebelo, tronco cerebral e até mesmo a medula espinhal. O comportamento biológico na maioria dos casos corresponde ao grau III da OMS, sendo um diagnóstico que depende de correlação com os dados radiológicos.

Astrocitomas circunscritos

Incluem neoplasias que, em geral, apresentam um componente cístico, por vezes com nódulo mural, e ocorrem em geral em pacientes mais jovens. A importância de reconhecer essas neoplasias é que a ressecção completa, se for viável do ponto de vista neurocirúrgico, é desejável.

Astrocitoma pilocítico (grau I)

O astrocitoma pilocítico é circunscrito, ocorre preferencialmente em crianças e adultos jovens, e é composto de um tecido esponjoso, que se alterna com áreas mais compactas. São frequentemente císticos. É o glioma mais comum em crianças. Ocorrem em qualquer parte do sistema nervoso central, do nervo óptico ao cone medular, destacando-se o nervo óptico, o hipotálamo e o quiasma óptico, o tálamo e os núcleos da base, o cerebelo, o tronco cerebral (em geral exofítico, podendo acometer os três níveis, ao contrário dos difusos que são mais na base da ponte) e, menos frequentemente, a medula espinhal. Os do tronco cerebral, hipotálamo e tálamo podem ser predominantemente intraventriculares na época da apresentação clínica, e o local de origem pode ser difícil de definir. A captação de contraste é comum.

Macroscopicamente são, em geral, macios, cinzas, bem definidos, como um cisto (Fig. 6). A composição celular, embora heterogênea, caracteriza-se, basicamente, pela presença de feixes de astrócitos alongados, com prolongamentos finos, piloides, daí o nome da neoplasia. Tais áreas têm um fundo densamente fibrilar. Alternam-se com áreas mais frouxas, em que as células têm poucos prolongamentos, os núcleos são mais arredondados e podem apresentar atipias, que, no entanto, não são critérios para malignidade (Fig. 7). Fibras de Rosenthal e corpos granulares eosinofílicos são frequentes. Vasos com proliferação endotelial também podem ocorrer, sem indicar malignidade. Há, no entanto, raras ocasiões em que há progressão para graus mais altos, com um componente de células pequenas com atividade mitótica mais evidente.

O astrocitoma pilomixoide, introduzido nessa classificação da OMS, ocorre na região hipotálamo/quiasmática predominantemente em lactentes e crianças (idade média, 10 meses) e é caracterizado, histologicamente, por células bipolares monomórficas, em áreas com arranjo angiocêntrico, e uma matriz mixoide proeminente. Tem uma relação próxima com o astrocitoma pilocítico, mas parece ter um prognóstico menos favorável, com risco de recidivas locais e disseminação pelo líquido cefalorraquidiano, razão pela qual ele foi considerado como grau II.

Xantoastrocitoma pleomórfico (grau II)

É uma neoplasia astrocítica, com um prognóstico relativamente favorável, mais comum em crianças e adultos jovens com localização superficial nos hemisférios cerebrais (sobretudo no lobo temporal), envolvimento das meninges e aparência histológica pleomórfica que inclui células lipidizadas que expressam GFAP, circundadas por uma rica rede de fibras reticulínicas. Parecem derivar-se dos astrócitos subpiais que, normalmente, elaboram membrana basal. Foram anteriormente considerados neoplasias mesenquimais (fibroxantomas ou fibro-histiocitomas) meningocerebrais, mas com a descoberta da GFAP, reconheceu-se que as células neoplásicas são astrócitos, apesar de muitos deles apresentarem, também, um componente de células ganglionares. Apesar do prognóstico favorável na maioria dos casos, alguns sofrem transformação maligna.

Astrocitoma subependimário de células gigantes

Origina-se da parede dos ventrículos laterais, é composto de astrócitos grandes, associado à esclerose tuberosa e considerado como grau I. Ocorre principalmente nas duas primeiras décadas de vida.

Astrocitoma (ganglioglioma) desmoplásico infantil

Descrito dentre os gangliogliomas.

TUMORES OLIGODENDROGLIAIS

São, predominantemente, tumores de adultos, ocorrendo só raramente em crianças. Os tumores oligodendrogliais têm atraído muito a atenção recentemente, já que muitos têm sensibilidade à quimioterapia, ligada à deleção do cromossomo 1p e 19q, que será comentada em outro capítulo. Quanto aos aspectos histológicos, o grau II é bem diferenciado, difusamente infiltrante, localizado nos hemisférios cerebrais e composto predominantemente de células uniformes com núcleos redondos, citoplasma escasso e não identificado facilmente em algumas células, que apresentam um halo claro artefatual perinuclear (Fig. 8A). Uma vascularização delicada, consistindo em capilares ramificados, frequentemente, é observada (Fig. 8B), além de focos de calcificação. O grau III (anaplásico) apresenta aspectos histológicos de malignidade focais ou difusos e um prognóstico menos favorável. Incluem aumento de celularidade, marcada atipia citológica, alta atividade mitótica, proliferações microvascular e endotelial (Fig. 8C) e necrose. Alguns oligodendrogliomas contêm minigemistócitos, que são positivos para GFAP.

O diagnóstico de oligoastrocitoma (graus II e III) é controverso, muitas vezes subjetivo. Foi definido pela OMS como um tumor mostrando uma mistura bem evidente de dois tipos de células neoplásicas distintas, lembrando as células de um oligodendroglioma e de um astrocitoma difuso. Nos oligoastrocitomas anaplásicos há aumento de celularidade, atipia nuclear, pleomorfismo e alta atividade mitótica. Proliferação microvascular e necrose podem estar presentes. O diagnóstico diferencial com glioblastoma pode ser problemático, principalmente porque áreas oligodendroglioma-*like* podem estar presentes em glioblastomas típicos. O termo apropriado para estes tumores – glioblastoma com componente oligodendroglial – foi sugerido, podendo estar associado à sobrevida prolongada quando comparado a glioblastomas clássicos.

TUMORES EPENDIMÁRIOS

Este grupo de neoplasias origina-se do revestimento ependimário dos ventrículos cerebrais e dos remanescentes do canal central da medula espinhal. Manifestam-se, predominantemente, em crianças e adultos jovens, e seus aspectos morfológicos e biológicos variam consideravelmente (Quadro 1).

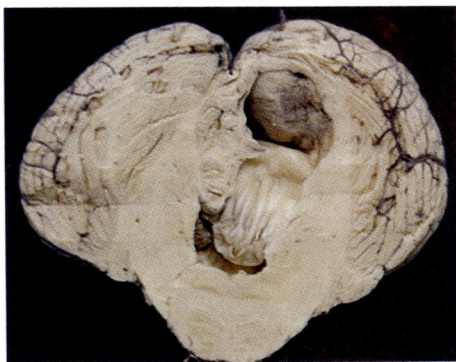

◄ **FIGURA 6.** Aspecto macroscópico de um astrocitoma pilocítico no cerebelo. Notar nódulo sólido e parede cística que se estende ao quarto ventrículo.

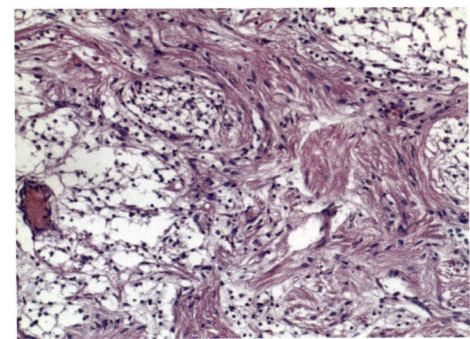

◄ **FIGURA 7.** Aspecto microscópico de um astrocitoma pilocítico. Notar padrão bifásico, constituído de áreas mais densas com astrócitos, apresentando prolongamentos alongados, alternando-se com áreas mais frouxas, menos celulares.

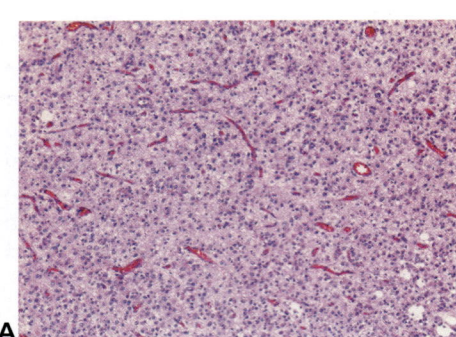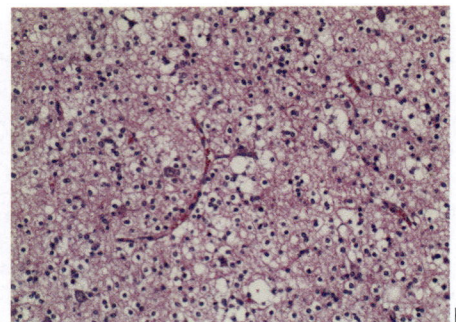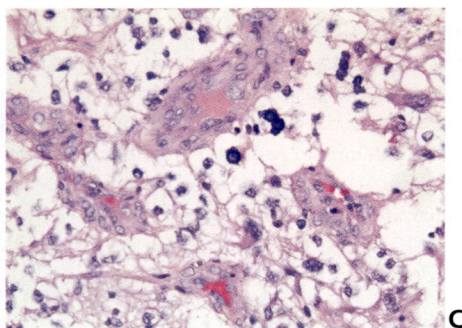

▲ **FIGURA 8.** Aspectos microscópicos do oligodendroglioma com núcleos redondos, uniformes (**A**) halo claro perinuclear e vasos finos ramificados (**B**), que no anaplásico (grau III) apresenta proliferação endotelial (**C**), além de pequenos focos de calcificação.

Ependimoma (grau II)

É o mais comum, localizado frequentemente dentro dos ventrículos e geralmente causa sintomas pelo boqueio das vias liquóricas. Predomina em crianças e adultos jovens, localiza-se, preferencialmente, na fossa posterior (IV ventrículo), sobretudo em crianças, seguido pelos ventrículos laterais (Fig. 9) e medula espinhal. Do IV ventrículo, pode estender-se para o ângulo pontocerebelar. Caracteriza-se pela presença de células em geral uniformes, com núcleos redondos ou ovais que se dispõem ao redor de vasos com prolongamentos direcionados às paredes vasculares (pseudorrosetas) (Fig. 10) ou ao redor de pequenos canais ou de um centro fibrilar, caracterizando as rosetas ependimárias. Áreas de necrose podem estar presentes, não sendo indicativas de malignidade.

Ependimoma anaplásico (grau III)

Pode desenvolver-se a partir da progressão maligna de um de baixo grau, mas em geral já tem alterações anaplásicas na primeira biópsia, caracterizadas por atipia nuclear, celularidade e atividade mitótica aumentadas, proliferação microvascular e necrose. Alto índice proliferativo, demonstrado pelo MIB1, é uma característica do ependimoma anaplásico, no entanto, ao contrário dos tumores astrocíticos, a graduação histológica não necessariamente acompanha a evolução do tumor.

Ependimoma mixopapilar (grau I)

É uma variante com a particularidade de ocorrer quase que exclusivamente na região do *filum terminale*, geralmente com um prognóstico favorável. Ocorre, mais frequentemente, em adultos jovens e caracteriza-se por uma arquitetura papilífera em meio a um estroma mixoide.

Subependimoma (grau I)

É raro, em geral achado incidental, intraventricular, de bom prognóstico, que ocorre preferencialmente em adultos. As células uniformes dispõem-se em um fundo densamente fibrilar, por vezes formando pequenos aglomerados.

TUMORES MISTOS NEURONAIS E GLIAIS OU COM COMPONENTE NEURONAL PREDOMINANTE

Gangliocitoma displásico do cerebelo (grau I)

Denominado doença de Lhermitte-Duclos, é uma neoplasia benigna caracterizada por expansão macroscopicamente visível das folhas cerebelares, geralmente em um hemisfério. O centro das folhas afetadas contém células ganglionares bizarras, lembrando células de Purkinje, e alguns neurônios granulares pequenos, enquanto a superfície é recoberta por feixes aberrantes de fibras nervosas mielínicas. A lesão é também considerada um hamartoma, já que não cresce nem se dissemina como neoplasia. Adultos jovens são os mais atingidos nessa rara lesão. Cerca de 40% dos casos estão associados à síndrome de Cowden.

Gangliocitoma/ganglioglioma (graus I/III)

São neoplasias compostas, unicamente, de células ganglionares neoplásicas maduras (gangliocitoma-grau I) ou em combinação com células gliais neoplásicas (ganglioglioma grau I ou III). São observados em pacientes de todas as idades, com uma média variando entre 8,5 e 25 anos. Ocorrem em qualquer local do sistema nervoso, como o cérebro, tronco cerebral, cerebelo, medula espinhal, nervo óptico, glândula hipófise e região da pineal. A maioria é supratentorial e envolve os lobos temporais, sendo associado a convulsões. São, em geral, tumores circunscritos, podem ser sólidos ou císticos com um nódulo mural. Um componente neuronal e glial (em geral astrocitoma pilocítico) compõe esta neoplasia, sendo a proporção de cada componente variável, podendo predominar fortemente um sobre o outro, sobretudo em pequenas amostras (Fig. 11A). As características neuronais podem variar desde células pequenas com citoplasma escasso, que lembram neuroblastos, denominadas neurócitos, até células ganglionares bem diferenciadas, com núcleos vesiculosos, nucléolos centrais evidentes e citoplasma contendo substância de Nissl (Fig. 11B). Outros achados incluem corpos hialinos ou granulares eosinofílicos. Linfócitos perivasculares são muito comuns, assim como uma rica vascularização, que pode, às vezes, ser responsável por hemorragias intratumorais espontâneas. O índice de proliferação com o KI67 é baixo (1,1 a 2,9%) no grau I, mas no ganglioglioma anaplásico (grau III) que apresenta celularidade aumentada, atipias nucleares e citoplasmáticas e focos de necrose, varia de 5 a 10%. O conhecimento e a classificação precisa dessas entidades são importantes para se evitar rádio ou quimioterapia desnecessárias, nas formas benignas e de baixo grau de malignidade.

Ganglioglioma/astrocitoma desmoplásico infantil (grau I)

Representa um tumor neuronal-glial misto, benigno, raro, que ocorre nos dois primeiros anos de vida, embora alguns casos tenham sido relatados em adultos. Apresentam sinais e sintomas de hipertensão intracraniana, macrocrania, convulsões e déficit neurológico focal. São tumores supratentoriais e comumente envolvem mais de um lobo, preferencialmente o frontal e o pa-

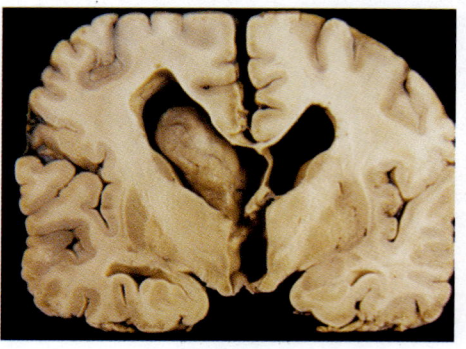

◄ **FIGURA 9.** Aspecto macroscópico de um ependimoma. Notar massa tumoral bem definida, ocupando o ventrículo lateral esquerdo.

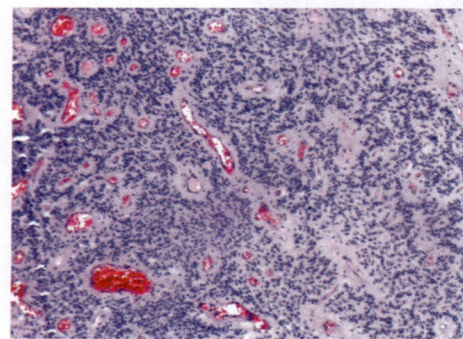

◄ **FIGURA 10.** Aspecto microscópico de um ependimoma grau II, apresentando as pseudorrosetas perivasculares típicas.

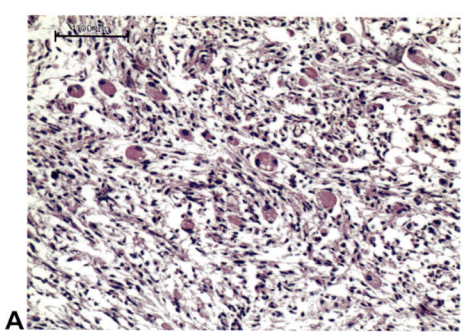 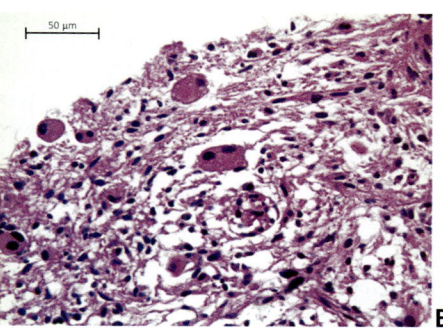

FIGURA 11. (A) Aspecto microscópico de um ganglioglioma, apresentando um componente glial com aspecto de astrocitoma pilocítico, entremeado por células ganglionares neoplásicas, algumas delas binucleadas, como pode ser visto no detalhe **(B)**.

rietal, seguido pelo temporal e, raramente, o occipital. São, em geral, volumosos, medindo até 13 cm de diâmetro, com uma porção sólida e cistos situados profundamente, uni e multiloculares, contendo líquido claro ou xantocrômico. A porção superficial sólida é extracerebral, envolve leptomeninge e córtex cerebral superficial, comumente fica aderida à dura-máter e é firme, borrachosa, cinza ou brancacenta.

Microscopicamente, é formado por astrócitos e um componente neuronal formado por pequenas células poligonais e células ganglionares típicas e atípicas. Quando falta o componente neuronal, o tumor é designado astrocitoma desmoplásico infantil. O termo desmoplásico indica a intensa fibrose (estroma rico em fibras reticulínicas) que permeia os astrócitos e, por vezes, os neurônios neoplásicos. Incluem também agregados de células pouco diferenciadas. A porção leptomeníngea do tumor consiste em astrócitos alongados, fusiformes, dispostos em fascículos, simulando tumor mesenquimal. A atividade mitótica é rara, e o índice proliferativo, baixo.

O prognóstico é, em geral, bom, com sobrevida longa ou cura por simples excisão cirúrgica.

Tumor neuroepitelial disembrioplásico (TNED) grau I

Está associado a convulsões parciais complexas intratáveis clinicamente e é curável cirurgicamente. O início dos sintomas é, em geral, antes dos 20 anos, e a maioria dos tumores ocorre nos lobos temporal e frontal, podendo ocorrer, também, em qualquer parte do córtex supratentorial. Há casos descritos no núcleo caudado e no cerebelo, além de lesões multifocais localizadas na região do terceiro ventrículo e na ponte. São intracorticais, em geral muito bem definidos, com pouco ou nenhum edema no tecido adjacente. Um pequeno número de casos tem calcificação e cistos, e podem ocorrer deformidades do calvário adjacente, atestando a sua presença por muito tempo. Ocupa uma zona limítrofe entre malformação e neoplasia, admitindo-se que tenha origem no período embrionário.

Macroscopicamente, o córtex envolvido geralmente está expandido e, embora o tumor seja predominantemente cortical, a substância branca subcortical pode estar envolvida, principalmente nos casos de localização temporal.

Histologicamente, o tumor tem aspecto multinodular e exibe o elemento glioneuronal específico, caracterizado por colunas orientadas perpendicularmente à superfície cortical, formadas por feixes de axônios revestidos por pequenas células com características de oligodendrócitos. Entre as colunas, os neurônios parecem flutuar em uma matriz fracamente eosinofílica. O tumor é constituído, portanto, de oligodendrócitos, pequenos neurônios e pequeno número de astrócitos. Focos de displasia cortical com disposição anárquica dos neurônios podem ser vistos no tecido adjacente. As seguintes variantes histológicas são atualmente identificadas, embora sua distinção não influencie o curso clínico, geralmente benigno. Forma simples. O tumor consiste apenas no elemento glioneuronal específico. Forma complexa. Nódulos gliais dão ao tumor uma arquitetura multinodular, sendo vistos em associação ao elemento glioneuronal específico e/ou focos de displasia cortical. O componente glial pode formar nódulos típicos ou ter distribuição difusa; em outros casos, lembra categorias convencionais de gliomas, em geral gliomas de baixo grau, mas pode mostrar atipias nucleares, raras mitoses, necrose e proliferação microvascular.

O acompanhamento, por longo tempo, não mostrou evidência clínica nem radiológica de recidiva e não se observou nenhum benefício com a radioterapia. Portanto, é importante o reconhecimento dessa entidade clinicopatológica para evitar tratamento agressivo.

Neurocitoma central (grau II)

Geralmente ocorre em jovens nos ventrículos laterais, na região do forame de Monro, e apresenta calcificações. A maioria dos pacientes se apresenta com sintomas de aumento da pressão intracraniana. É moderadamente celular e consiste em células arredondadas, que se alternam com ilhas de uma matriz fibrilar. Apresentam sempre evidência de diferenciação neuronal, demonstrada pela imuno-histoquímica (sinaptofisina) e microscopia eletrônica que mostra sinapses típicas. O diagnóstico diferencial é com o oligodendroglioma, ependimoma e neuroblastoma cerebral. O prognóstico após ressecção cirúrgica geralmente é favorável, embora tenham sido relatadas recidivas.

Neurocitoma extraventricular (grau II)

Refere-se à neoplasia com aspectos histopatológicos semelhantes ou idênticos aos do neurocitoma central, mas que se origina fora dos ventrículos, geralmente nos hemisférios cerebrais, mas também em outras regiões do neuroeixo. Essa variante de neurocitoma central foi incluída nessa última classificação da OMS. Como no neurocitoma central, há forte imunopositividade para sinaptofisina. A presença de necrose, proliferação vascular e elevado índice mitótico ou ressecção subtotal tem sido associada a risco aumentado de recidiva.

Tumor glioneuronal papilar (grau I)

Reconhecido como uma entidade nova, foi introduzido nessa última classificação da OMS. Origina-se na substância branca profunda, em localização periventricular, em geral com um componente cístico. Nos exames de imagem, a lesão realça com o contraste. É caracterizado pela aparência pseudopapilar, com camada única de células pequenas, cuboides, pseudoestratificadas, em torno de vasos hialinizados, associadas a coleções focais de neurócitos, misturados com células ganglionares e células com morfologia intermediária entre neurócitos e células ganglionares, que formam uma camada externa de revestimento das papilas. A imuno-histoquímica ressalta a natureza bifásica das estruturas papilares, demonstrando uma forte marcação com GFAP na camada interna e forte reatividade para marcadores neuronais (sinaptofisina ou NeuN) nas camadas mais externas. Tanto as células gliais da camada interna como as neuronais da externa são citologicamente de baixo grau, e mitoses são ausentes ou muito raras. O índice de proliferação celular com o MIB-1/Ki67 é baixo (1–2%). Embora esses tumores sejam raros, e o acompanhamento clínico seja ainda limitado, os dados atuais sobre o prognóstico são favoráveis.

Tumor glioneuronal formador de rosetas do quarto ventrículo (grau I)

Trata-se de uma nova entidade que foi incorporada dentre os tumores mistos gliais e neuronais de baixo grau. É raro, encontrado exclusivamente na fossa posterior, origina-se na linha média, geralmente ocupando uma fração substancial do quarto ventrículo, e é visto na ressonância como uma massa sólida, circunscrita com captação heterogênea de contraste. Ocorre, mais frequentemente, em adultos que se apresentam com cefaleia, ataxia, ou hidrocefalia, causada por obstrução do fluxo liquórico. Microscopicamente, é um tumor bifásico, com os componentes gliais e neurocíticos claramente definidos espacialmente, o componente neurocítico com uma população homogênea de células claras pequenas, que se arranjam, seja com um padrão de roseta, com espaços centrais grandes, seja com papilas em volta de vasos centrais. Um componente microcístico com uma matriz extracelular mucinosa também pode estar presente. O componente glial é sólido e composto de células com prolongamentos fibrilares que lembram aqueles de um astrocitoma pilocítico, e pode ter, também, um padrão semelhante a oligodendroglioma. O aspecto é de baixo grau, mitoses são raras, e não apresenta um padrão invasivo, com um índice de proliferação com o Ki67 de 1 a 3%.

Liponeurocitoma cerebelar (grau II)

Esta neoplasia incomum, descrita inicialmente como meduloblastoma lipomatoso, passou a fazer parte da classificação da OMS em 2000, com o nome de liponeurocitoma cerebelar, por ocorrer, exclusivamente, no cerebelo de adultos (idade média 50 anos). Caracteriza-se por aglomerados de células lipidizadas, lembrando adipócitos em um fundo composto de células neoplásicas pequenas com aspecto morfológico de neurócitos. Estas expressam marcadores neuronais (sinaptofisina e MAP-2), a atividade mitótica é baixa ou ausente, e o índice de proliferação celular é baixo (1-3%), sendo o prognóstico favorável.

Paraganglioma do *filum terminale* (grau I)

É raro e ocorre, geralmente, em adultos. Origina-se do *filum terminale* ou, às vezes, de uma raiz da cauda equina. É benigno, com baixo índice de recidiva após ressecção aparentemente completa. Macroscopicamente, é um tumor intradural, extramedular, encapsulado, nodular, róseo-acinzentado, com certa frequência, contendo focos de hemorragia recente e antiga. Microscopicamente, é constituído por células pequenas, arredondadas ou poligonais, com citoplasma eosinófilo finamente granular e núcleos arredondados ou ovalados com nucléolos inconspícuos, em geral, sem atipias e com poucas figuras de mitose. As células arranjam-se em ninhos ou lóbulos circundados por células satélites alongadas ou estreladas, isoladas, denominadas células sustentaculares, e separados por delicado estroma ricamente vascularizado, às vezes de aspecto angiomatoso.

TUMORES DO PLEXO COROIDE

Papiloma do plexo coroide (grau I)

Origina-se do epitélio do plexo coroide dos ventrículos cerebrais. É benigno, tem crescimento lento e pode causar sintomas por bloqueio do liquor, mas a ressecção cirúrgica geralmente é curativa. Ocorre, mais frequentemente, na infância, sobretudo no primeiro ano de vida. É circunscrito, tem aspecto papilífero, semelhante à couve-flor. Histologicamente, apresenta estrutura papilar, constituída de delicado tecido conectivo fibrovascular coberto por camada única de células epiteliais semelhantes ao plexo coroide normal, mas tende a ser mais celular.

Papiloma do plexo coroide atípico (grau II)

Distingue-se do anterior pela atividade mitótica aumentada, podendo haver, também, um certo pleomorfismo nuclear e apagamento da estrutura papilar. Cirurgia curativa ainda é possível, mas a probabilidade de recidiva parece ser mais elevada.

Carcinoma do plexo coroide (grau III)

É a variante maligna, mostra aspectos anaplásicos e geralmente invade as estruturas vizinhas, sendo frequente a metástase por via liquórica. É muito menos frequente do que a variante benigna.

TUMORES EMBRIONÁRIOS (GRAU IV)

Constituem uma grande e importante fração dos tumores pediátricos. As seguintes entidades histológicas podem ser identificadas, todas compostas de células indiferenciadas, mas com padrões variáveis de diferenciação divergente, tendo sido proposto o termo "tumor neuroectodérmico primitivo (PNET)" para agrupar estas neoplasias, embora ainda se mantenha o nome pelo qual elas são classicamente conhecidas, mesmo porque há alterações genéticas e resposta à quimiorradioterapia próprias a algumas delas, como, por exemplo, no meduloblastoma, que diferem do PNET supratentorial e do pineoblastoma.

Meduloblastoma

É um tumor maligno embrionário invasivo do cerebelo, que ocorre preferencialmente em crianças, com tendência à diferenciação neuronal e a metastatizar por via liquórica. Pode diferenciar-se em outras linhagens (músculo, melanina). Suas principais características foram descritas no capítulo de neoplasias pediátricas. Macroscopicamente, alguns são firmes, outros macios, podendo também ser hemorrágicos. Histologicamente, o clássico é densamente celular, com núcleos hipercromáticos e citoplasma escasso, podendo observar-se rosetas neuroblásticas e alta atividade mitótica. A variante nodular/desmoplásica tem abundante reticulina e colágeno, caracteriza-se por massas mais bem definidas, lobuladas que exibem zonas pálidas com pouca celularidade, livres de reticulina. Estas zonas têm uma tendência à diferenciação neuronal, o que parece estar relacionado com um curso menos agressivo do que o meduloblastoma clássico. Foram também introduzidas nessa classificação as variantes com extensa nodularidade, o meduloblastoma de células grandes e o anaplásico. O meduloblastoma com extensa nodularidade está intimamente relacionado com o meduloblastoma desmoplásico/nodular, e foi anteriormente designado 'neuroblastoma cerebelar', exibindo uma acentuada expansão da arquitetura lobular, graças ao fato de que as zonas livres de reticulina tornam-se anormalmente grandes e ricas em neuropilo.

O meduloblastoma anaplásico é caracterizado por acentuado pleomorfismo nuclear e alta atividade mitótica, muitas vezes com formas atípicas. Progressão histológica do clássico ao anaplásico pode ser observada, mesmo dentro da mesma biópsia.

A variante de grandes células apresenta células geralmente esféricas com núcleos arredondados, cromatina ampla e nucléolos centrais proeminentes.

As duas últimas variantes têm consideráveis sobreposições citológicas, sendo inclusive agrupadas sob o ponto de vista prognóstico (desfavorável), como uma categoria (células grandes/anaplásico). Ao contrário, o meduloblastoma nodular/desmoplásico e com extensa nodularidade pertence a um grupo com prognóstico mais favorável. Acrescentam-se aos aspectos histológicos dados clínicos (idade), cirúrgicos e alterações genéticas, como a amplificação do myc, mutações no cromossomo 17q entre outras.

Neuroblastoma cerebral

É um tumor maligno embrionário da infância, preferentemente supratentorial, composto de células primitivas, com capacidade de diferenciação neuronal e, eventualmente, de formar células ganglionares (ganglioneuroblastoma). É também volumoso e pode conter cistos, calcificação, necrose e hemorragia.

Ependimoblastoma

É um tumor neuroectodérmico primitivo raro, altamente maligno que ocorre em crianças e neonatos. É volumoso, supratentorial e pode ou não estar relacionado com os ventrículos. Apresenta rosetas ependimoblásticas com múltiplas camadas, formando anéis celulares concêntricos em torno de uma luz. Dispõe-se em meio às células indiferenciadas. O índice mitótico é alto.

PNET supratentorial

É um tumor embrionário no compartimento supratentorial, incluindo a região supraselar, composto de células neuroepiteliais indiferenciadas ou pouco diferenciadas com capacidade de diferenciação divergente para linhagem neuronal, glial (astrocitária, ependimária) muscular e melanótica.

Duas outras entidades devem ser mantidas separadas, pois têm uma histologia distinta e também parecem evoluir de diferentes vias genéticas.

Meduloepitelioma

É raro, altamente maligno, ocorre no período neonatal, predominantemente antes dos 5 anos. Pode acometer o compartimento supra ou infratentorial, é volumoso e determina aumento da pressão intracraniana. Caracteriza-se por um neuroepitélio, pseudoestratificado, semelhante a um tubo neural embrionário.

Tumor teratoide rabdoide atípico

É um tumor raro, a idade varia de fetos a 18 anos, com média de 20 meses. Localiza-se no cerebelo (38%), ângulo pontocerebelar, com ou sem envolvimento do tronco e do cerebelo (10,5%), pineal (4,25%), medula espinhal (3,1%), tronco cerebral (2,1%), região suprasselar (1%), sendo que 2,15% dos casos são multifocais. A tendência a se originar no ângulo pontocerebelar com invasão secundária de estruturas vizinhas é um aspecto frequente destes tumores que dão metástases por via liquórica com frequência.

É um tumor embrionário composto de células rabdoides, com ou sem áreas de PNET típico, tecido epitelial e mesênquima neoplásico, o que o distingue dos outros tumores embrionários. A atividade mitótica é alta e exibe áreas de necrose. As células rabdoides em geral expressam vimentina e EMA, e, menos frequentemente, a actina de músculo liso. Muitos mostram neurofilamento, GFAP (sobretudo as células neuroectodérmicas primitivas, que, ocasionalmente, também mostram desmina) e ceratina (nas áreas epiteliais). O índice proliferativo (MIB-1) é muito alto (50-80%).

O prognóstico é ruim (grau IV), ainda pior do que o meduloblastoma, com óbito, em geral, no primeiro ano após o diagnóstico. Embora sua histogênese ainda seja obscura, uma alteração genética única foi documentada em 90% dos tumores, que é uma monossomia ou deleção do cromossomo 22. O gene envolvido (hSNF/INI1) localiza-se no cromossomo 22q11.2. A ausência do INI1 pode ser detectada com método imuno-histoquímico.

TUMORES DA REGIÃO DA PINEAL

Os tumores do parênquima pineal originam-se dos pineócitos ou de seus precursores embrionários. Pineoblastoma é a forma maligna, embrionária, pouco diferenciada (grau IV), com muitos aspectos em comum com o meduloblastoma ou outros tumores neuroectodérmicos primitivos. Podem ocorrer em qualquer idade, são mais frequentes em crianças ou nas duas primeiras décadas de vida. Frequentemente dão metástase via liquórica e têm um prognóstico ruim.

O pineocitoma ocorre numa faixa etária mais alta, as células são mais diferenciadas e têm melhor prognóstico.

Foi introduzido na última classificação o tumor da pineal com diferenciação intermediária, pineocitoma/pineoblastoma.

O tumor papilar da região pineal (grau II/III) foi recentemente descrito. Manifesta-se em crianças e adultos (idade média 32 anos), é relativamente grande (2,5-4 cm) e bem circunscrito. Histologicamente, é caracterizado por uma arquitetura papilar e células epiteliais com imunorreatividade para citoqueratina e, focalmente, GFAP. O comportamento biológico é variável.

Outros tumores localizados na região da glândula pineal, mas que não se originam de pineócitos ou seus precursores incluem o astrocitoma e os tumores das células germinativas, entre eles o germinoma e o teratoma.

OUTROS TUMORES NEUROEPITELIAIS

A classificação da OMS introduziu um grupo denominado "outros tumores neuroepiteliais", anteriormente "tumores de origem incerta" que incluem o astroblastoma, o glioma cordoide do terceiro ventrículo e o glioma angiocêntrico.

Esse último ocorre, predominantemente, em crianças e adultos jovens (idade média no momento da cirurgia, 17 anos), com epilepsia refratária ao tratamento clínico, localiza-se, superficialmente, no córtex frontoparietal e temporal, bem como a região do hipocampo. É uma neoplasia estável, ou cresce lentamente (grau I). Apresenta células monomórficas bipolares com disposição angiocêntrica e imunorreatividade para EMA, GFAP, proteína S-100 e vimentina.

TUMORES DAS MENINGES

Destacam-se aqui os tumores de células meningoteliais (meningiomas) e os demais tumores mesenquimais das meninges.

Os meningiomas apresentam os seguintes subtipos histológicos:

- Meningotelial (Fig. 12).
- Fibroso (fibroblástico).

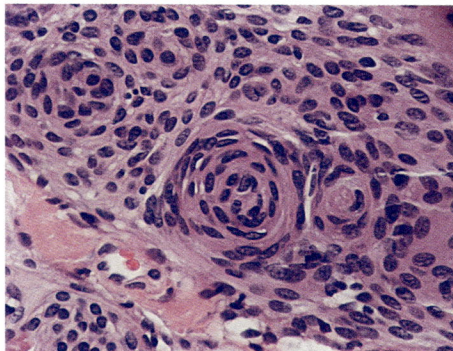

FIGURA 12. Aspecto microscópico típico de um meningioma meningotelial, apresentando células aracnóideas com limites celulares imprecisos, por vezes dispostas de forma concêntrica como novelos.

- Transicional (misto).
- Psamomatoso.
- Angiomatoso.
- Microcístico.
- Secretor.
- Rico em linfócitos e plasmócitos.
- Metaplásico.
- Cordoide.
- De células claras.
- Atípico.
- Papilar.
- Rabdoide.
- Anaplásico (maligno).

A maioria é grau I, mas alguns subtipos histológicos estão associados à maior probabilidade de recidiva, tendo sido graduados como grau II, entre eles, o meningioma de células claras e o meningioma cordoide, além do atípico. Meningiomas rabdoides foram considerados grau III (além do papilar e do anaplásico), já que a maioria deles tem aspectos histológicos de malignidade e segue um curso agressivo. Os meningiomas de graus II e III são considerados com maior risco de recidiva ou crescimento agressivo. Os índices de proliferação, como a marcação pelo MIB-1/Ki67, também são úteis para estimar a probabilidade de recidiva de meningiomas, embora não devam ser usados para estabelecer o grau do meningioma; fornecem informação prognóstica independente, devendo ser informados separadamente no laudo histológico. A invasão cerebral, apesar de ter sido por muito tempo considerada um critério de malignidade, foi agora caracterizada mais como um aspecto de estadiamento do tumor do que um critério para estabelecer um grau inerente de malignidade, já que a presença de invasão cerebral em meningiomas benignos aumenta a probabilidade de recidivas, semelhante àquela dos meningiomas atípicos. Grande parte dos meningiomas apresenta receptores de progesterona em suas células.

Dentre os diversos tumores mesenquimais das meninges, que não serão abordados nesse capítulo, destacam-se o hemangiopericitoma/tumor fibroso solitário. Outra neoplasia relacionada com as meninges é o hemangioblastoma, cuja topografia predominante é o cerebelo, podendo também acometer a medula espinhal.

NEOPLASIAS DOS NERVOS CRANIANOS E PARAESPINHAIS

- Schwannoma (neurilemoma, neurinoma).
  - Celular.
  - Plexiforme.
  - Melanótico.
- Neurofibroma.
  - Variante plexiforme.
- Perineurioma.
- Perineurioma maligno.
- Tumor da bainha do nervo periférico maligno.
  - Variantes epitelioide, com diferenciação mesenquimal, melanótico, com diferenciação glandular.
- Tumores melanocíticos primários:
  - Melanocitose difusa.
  - Melanocitoma.
  - Melanoma maligno.
  - Melanomatose meníngea.

Neoplasias hematopoéticas também ocorrem no sistema nervoso central. Destacam-se os linfomas primários do sistema nervoso, que são, em geral, do tipo difuso de grandes células B, podendo estar ou não associados à imunodeficiência e à infecção com vírus *Epstein-Barr*.

Tumores de células germinativas incluem o germinoma, carcinoma embrionário, tumor de saco vitelino, coriocarcinoma, o teratoma e o tumor misto de células germinativas. Localizam-se na linha média, preferencialmente na região da pineal, mas também na região suprasselar.

Os tumores da região selar incluem o craniofaringioma (adamantinomatoso e papilar), tumor de células granulares, pituicitoma e o oncocitoma de células fusiformes da adeno-hipófise.

Tumores metastáticos para o sistema nervoso central são frequentes, destacando-se os seguintes sítios primários: mama, pulmão, pele (melanoma), estômago e intestino entre outros.

BIBLIOGRAFIA

Brat DJ, Scheithauer BW, Eberhart CG *et al.* Extraventricular neurocytomas: pathologic features and clinical outcome. *Am J Surg Pathol* 2001;25:1252-60.

Broholm H, Madsen FF, Wagner AA *et al.* Papillary glioneuronal tumor—a new tumor entity. *Clin Neuropathol* 2002;21:1-4.

Burger PC, Scheithauer BW. *Tumors of the central nervous System. AFIP Atlas of tumor pathology.* Series 4. Washington, DC: ARP, 2007. p. 596.

Ellison D, Love s, crimellil, harding B, Lowe JS, Vinters HV, Brandner S, Yong WH. Neuropathology: a reference Text of CNS Pathology 3rd ed. St. Louis: Mosby, 2013.

Kim YH, Nobusawa S, Mittelbronn M *et al.* Molecular classification of low-grade diffuse gliomas. *Am J Pathol* 2010;177:2708-14.

Kros JM. Grading of gliomas: the road from eminence to evidence. *J Neuropathol Exp Neurol* 2011;70(2):101-9.

Louis DN, Ohgaki H, Weistler OD *et al. WHO Classification of tumours of the central nervous system.* 4th ed. Lyon, France: IARC, 2007. p. 309.

Paulus W. GFAP, Ki67 and IDH1: perhaps the golden triad of glioma immunohistochemistry. *Acta Neuropathol* 2009;118:603-4.

Preusser M, Dietrich W, Czech T *et al.* Rosette-forming glioneuronal tumor of the fourth ventricle. *Acta Neuropathol (Berl)* 2003;106:506-8.

Riemenschneider MJ, Jeuken JWM *et al.* Molecular diagnostics of gliomas: state of the art. *Acta Neuropathol* 2010;120:567-84.

Rosenblum MK. The 2007 WHO classification of nervous system tumors: newly recognized members of the mixed glioneuronal group. *Brain Pathol* 2007;17:308-13.

Trembath D, Miller CR, Perry A. Gray zones in brain tumor classification. Evolving Concepts. *Adv Anat Pathol* 2008;15:287-97.

CAPÍTULO 215

Biologia Molecular dos Gliomas

Clarissa Seródio da Rocha Baldotto

INTRODUÇÃO

Gliomas são os tumores cerebrais mais frequentes em adultos e incluem uma grande variedade de tipos histológicos e graus de malignidade. A verdadeira origem celular dos gliomas ainda é desconhecida. Entretanto, alguns estudos pré-clínicos sugerem que podem derivar de células-tronco neurais ou células progenitoras, que sofrem transformação neoplásica. O fato é que, a despeito de sua origem celular, a classificação se baseia, essencialmente, em aspectos morfológicos, principalmente nas similaridades entre as células neoplásicas e as células gliais normais, somadas a algumas particularidades estruturais. Por esta razão, a classificação dos gliomas, além de não ser facilmente reprodutível, costuma ser alvo de controvérsias entre patologistas.[1]

Esta classificação, fundamentada pelas definições da Organização Mundial de Saúde (OMS),[2] atualmente também é responsável por definir o prognóstico e orientar a terapêutica a ser utilizada. Apesar de largamente empregada, a classificação da OMS é questionada de forma recorrente, em razão da dificuldade para se obter concordância entre diferentes patologistas e, principalmente, por discrepâncias na evolução de tumores com a mesma classificação. Dessa forma, a possibilidade de encontrar outras características que auxiliem na melhor identificação dos subtipos tumorais e, principalmente, que possam predizer prognósticos e respostas a terapias vem ganhando grande relevância nos meios clínicos e científicos.

O sucesso das terapias-alvo específicas em outros tipos de tumores vem estimulando a pesquisa de biomarcadores também em gliomas. Observamos nos últimos anos um aumento consistente no volume de informações sobre a biologia molecular dos gliomas, algumas já com aplicabilidade clínica, mas a maioria ainda em fase investigacional. Nesta seção serão descritas algumas vias e características principais. Apesar das dificuldades ainda presentes, há um consenso de que o entendimento dos gliomas, a partir de suas bases moleculares, é imperativo e delineará o futuro da abordagem destas neoplasias.

BIOLOGIA MOLECULAR E CLASSIFICAÇÃO DOS GLIOMAS

Como a maior parte dos tumores, os gliomas se desenvolvem a partir de uma série de alterações genéticas cumulativas. Nos últimos anos, o conhecimento de algumas destas alterações permitiu a criação de classificações moleculares dos gliomas, que futuramente terão o potencial de substituir a atual classificação morfológica. Uma das principais classificações propostas parte do princípio de que os chamados gliomas secundários, ou seja, aqueles que normalmente derivam de um glioma de baixo grau,[2] teriam uma origem celular distinta, com alterações moleculares precoces específicas (Fig. 1).

Mais frequentes e com um comportamento clínico mais agressivo, os gliomas *de novo* ou primários são originados a partir de uma série de modificações complexas genéticas e epigenéticas, envolvendo vias de sina-

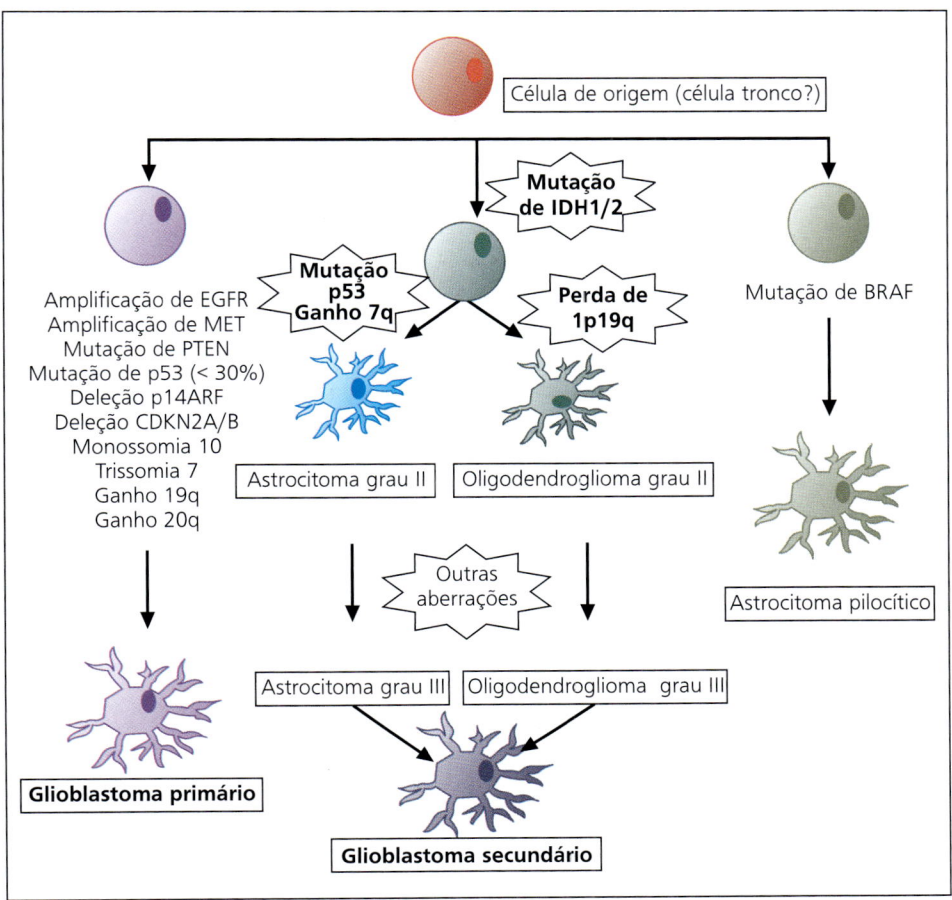

◀ **FIGURA 1.** Classificação molecular dos gliomas.

lização importantes. Comumente não apresentam mutação no gene p53, mas amplificação do gene EGFR (receptor do fator de crescimento epidérmico) e mutação de PTEN.[3,4] A mutação no gene da enzima IDH (isocitrato desidrogenase) também não costuma estar presente. Ao nível cromossomial, é frequente a trissomia do cromossomo 7 e a monossomia do 10, assim como ganhos de 12p, 19q e 20q.[5] Como mencionado anteriormente, gliomas secundários teriam, desde o início, mutações de IDH1, ou com menor frequência de IDH2, sugerindo uma origem comum.[6] A partir daí, seria possível, através de sucesssivas alterações genéticas, distinguir duas linhagens: uma oligodendroglial e outra astrocítica. Mutações do gene p53 e perda da heterozigose em 17p são vistas em mais de 50% dos astrocitomas grau II. Também é frequente ganho em 7q. Ao contrário, tumores oligodendrogliais apresentam, normalmente, codeleção de 1p19q. Os tumores oligoastrocíticos seriam um misto de ambas as linhagens. Os astrocitomas de grau III, adicionalmente, apresentam outras modificações, provavelmente sequenciais, como perdas dos genes supressores tumorais *CDKN2A, CDKN2B* e p14^{ARF} em 9p21 e deleções nos cromossomos 6, 11p, 22q entre outros. Tumores mais comuns na população pediátrica, os astrocitomas pilocíticos, também teriam origem em uma linhagem separada, com predominância de mutações de BRAF.[7] Esta classificação explica com mais propriedade o prognóstico distinto de tumores primários e secundários, a despeito de algumas vezes receberem a mesma classificação segundo a OMS.

Um segundo modelo de classificação, também bastante promissor, foi derivado do projeto *Cancer Genome Atlas Network*, uma iniciativa do Instituto Nacional de Câncer Americano para catalogar e entender anormalidades genéticas determinantes na oncogênese. O glioblastoma é um dos tumores prioritários no projeto.[8] Embora as análises ainda estejam em andamento, dados preliminares foram capazes de subdividir os glioblastomas em quatro subtipos, com base em diferentes perfis de expressão e aberrações genéticas (Fig. 2).

O primeiro subtipo apresenta células com alto índice de proliferação e foi denominado "clássico". Tumores neste grupo apresentaram ganhos uniformes no cromossomo 7, acompanhados de perdas no cromossomo 10, além de perdas focais no cromossomo 9p21.3. Estes eventos genéticos levam à amplificação de EGFR e perda dos genes e PTEN e *CDKN2A*. Este subtipo parece ser mais sensível à quimioterapia e radioterapia. Eles também parecem ter expressão aumentada de precursores neurais e marcadores de células-tronco, como proteínas das vias de sinalização Notch e Sonic-hedgehog. O segundo grupo, chamado "mesenquimal", é definido por um perfil de expressão associado à angiogênese e a células mesenquimais. Frequentemente, têm inativação de NF1, p53 e PTEN, superexpressão de MET e CHI$_3$L$_1$, assim como de marcadores astrocíticos. Estes tumores apresentam resposta a terapias mais agressivas e podem, potencialmente, responder melhor a inibidores de angiogênese, Ras e PI3K. O subtipo "proneural" tem um perfil de expressão genética que lembra a ativação genética do desenvolvimento neuronal, com alta expressão de genes do desenvolvimento oligodendroglial (PDGFRA, OLIG2, etc.) e proneuronal (SOX, DCX etc.). Neste grupo, os pacientes são mais jovens e superexpressam ou têm amplificação/mutação de genes que codificam o PDGFRA (receptor do fator de crescimento derivado de plaquetas – α) e mutação de IDH1. Este achado sugere que os glioblastomas secundários devem pertencer a este grupo. A sobrevida foi um pouco melhor neste subtipo, embora estes tumores sejam menos responsivos à quimioterapia e à radioterapia. O último subtipo, chamado "neural" apresenta uma assinatura genética semelhante ao tecido cerebral normal. Esta classificação vem sendo mais bem estudada e tem o potencial de identificar terapias mais apropriadas de acordo com cada subtipo.[9,10]

METILAÇÃO DO PROMOTOR DO MGMT (O^6-METILGUANINA-DNA METILTRANSFERASE)

O gene de MGMT, localizado no cromossomo 10q26, frequentemente é silenciado pela hipermetilação de seu promotor em gliomas difusos. Esta alteração epigenética parece reduzir os níveis de expressão de MGMT. A proteína MGMT é uma enzima reparadora de DNA, que remove irreversivelmente grupamentos alquil da posição O^6 de uma guanina modificada, para seu resíduo de cisteína. Os agentes alquilantes, principais drogas no tratamento dos gliomas, atuam principalmente introduzindo estes grupamentos alquil, causando danos ao DNA da célula tumoral e indução de apoptose.[11] Portanto, pacientes com tumores com baixos níveis de MGMT seriam, teoricamente, mais sensíveis à ação de agentes alquilantes, como a temozolamida. Muitos estudos sugerem realmente que os níveis de expressão e o *status* de metilação de MGMT podem correlacionar-se com a resposta ao tratamento quimioterápico em gliomas.[12,13] Entretanto, o estudo mais importante publicado não foi capaz de determinar um valor realmente específico preditivo de resposta à quimioterapia ou radioterapia em pacientes com gliomas de alto grau. Avaliando uma coorte de pacientes incluídos em um grande estudo clínico (ERTC/NCIC 22981/26981),[14] observou-se que a sobrevida mediana foi superior nos pacientes com presença da metilação do gene MGMT (18,2 *versus* 12,2 meses, redução do risco de morte de 0,45, p < 0,001), verificada em cerca de 40% dos casos. As taxas de sobrevida global mediana para os pacientes com gene MGMT metilado e tratados com radioterapia e temozolamida e radioterapia isolada foram de 21,7 e 15,3 meses, respectivamente. Por outro lado, a taxa de sobrevida global mediana para os pacientes com gene MGMT não metilado foi inferior, independente se tratados com radioterapia e temozolamida (12,7 meses) ou radioterapia isolada (11,8 meses).[15] Assim, a metilação de MGMT possui, sem dúvida, um valor prognóstico, e há apenas uma sugestão de que possa ser preditiva de resposta a alquilantes. Esta correlação prognóstica foi confirmada na análise molecular do estudo RTOG 0525, que comparou temozolamida adjuvante em doses tradicionais ao tratamento em dose densa. A presença de metilação de MGMT não foi capaz de determinar a melhor terapia, mas identificou, mais uma vez, um grupo de melhor prognóstico.[16]

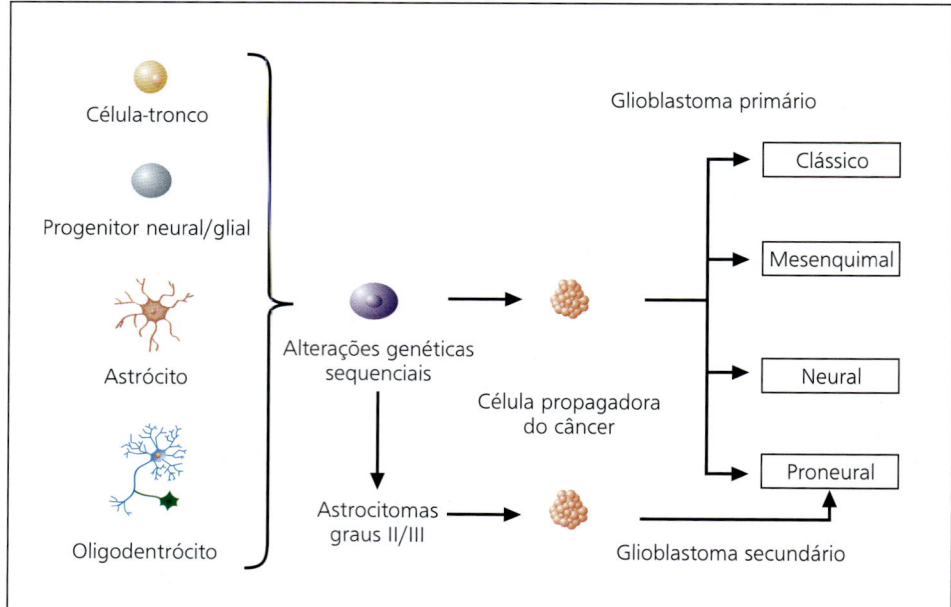

FIGURA 2. Classificação dos glioblastomas com base no sequenciamento genético.

Ainda há uma controvérsia em relação ao melhor método para avaliação do *status* de MGMT. Em geral, utiliza-se PCR (reação de polimerase em cadeia) específica para metilação, em que o DNA extraído é tratado com bissulfito de sódio, resultando na substituição da citosina não metilada por uracila. *Primers* específicos para áreas ricas em CpG não metiladas e metiladas no promotor de MGMT são, então, utilizados, para amplificar as sequências modificadas de DNA. Este teste pode ser feito em blocos de parafina, mas depende da quantidade e qualidade do material. Outros fatores, como especificidade do *primer*, qualidade do tratamento com bissulfito e condições de realização da PCR, também podem influenciar os resultados.[17] Com isso, outras técnicas, como pirossequenciamento e MS-MLPA, também vêm sendo avaliadas.[18] Como a metilação do promotor de MGMT silencia a transcrição gênica e consequentemente a síntese proteica, a avaliação do marcador por meio de imuno-histoquímica também foi avaliada. Entretanto, esta técnica mostrou uma ampla heterogeneidade intertumoral e pouca correlação com a técnica atualmente padrão.[19]

Outra aplicabilidade do *status* de promotor de MGMT seria na predição da chamada pseudoprogressão tumoral. A probabilidade de pseudoprogressão, avaliada em um estudo retrospectivo, em pacientes com metilação do MGMT, foi de 91,3% (IC de 95%, 72 a 99%), enquanto a probabilidade de progressão precoce foi de 59% em pacientes com tumores não metilados (IC de 95%, 38 a 76%). Coincidentemente, a presença de pseudoprogressão foi considerada fator prognóstico favorável. O tempo livre para progressão foi superior nos pacientes com pseudoprogressão, quando comparado aos pacientes sem sinal de piora, após o final do tratamento multimodal concomitante (20,7 *versus* 11,4 meses; p = 0,001). As taxas de sobrevida mediana também foram superiores para os pacientes com pseudoprogressão em comparação àqueles que não apresentaram piora da imagem, de acordo com a ressonância magnética ao final da quimiorradioterapia, e com aqueles com progressão precoce da doença (38,0 *versus* 20,2 *versus* 10,2 meses; p < 0,0001).[20]

DELEÇÃO DE 1P/19Q

Observações empíricas sugeriram, inicialmente, que pacientes com oligodendrogliomas anaplásicos apresentavam respostas mais favoráveis ao tratamento quimioterápico. Em seguida, foi documentado que oligodendrogliomas com perda do braço curto do cromossomo 1 (1p) eram mais sensíveis ao tratamento com procarbazina, lomustina e vincristina (PCV). Mais ainda, que quando combinada à perda do braço longo do cromossomo 19 (19q) a sobrevida era ainda maior.[21] Esses resultados vêm sendo repetidos e parecem ter correlação, também, com outros agentes quimioterápicos, como a temozolamida, e com a radioterapia. Portanto, a codeleção de 1p/19q parecer ser mais um indicativo de suscetibilidade aos tratamentos, do que preditor de um tipo específico de terapia.[22] Tornou-se também a marca registrada dos tumores de origem oligodendrogliais, uma vez que seja identificada em cerca de 80-90% dos oligodendrogliomas grau II, 50-70% dos oligodendrogliomas grau III e apenas 20-30% dos oligoastrocitomas. Estas regiões cromossômicas foram extensamente mapeadas, com vários candidatos a genes supressores tumorais identificados. Entretanto, de forma interessante, nenhum gene especificamente determinante da oncogênese foi até hoje apontado. Aparentemente, tumores com codeleção de 1p/19q também apresentam com maior frequência mutação de IDH1/2 e p53 selvagem, sendo este grupo "triplo positivo" uma população com prognóstico ainda mais favorável. Há dois métodos principais para a determinação da perda de 1p e 19q: ensaios de perda de heterozigose por PCR e FISH (hibridização *in situ* por fluorescência). Os resultados parecem ser similares, mas por limitações técnicas, embora possa ser um método lento, o FISH é mais utilizado.[23]

O significado da perda de 1p/19q foi avaliado em grandes estudos clínicos, envolvendo oligodendrogliomas. Pelo menos dois deles confirmaram o valor prognóstico desta alteração molecular, e um potencial valor preditivo. Como os estudos não recrutaram os pacientes com base na alteração molecular, mas pela histologia, não foi possível definitivamente comprovar o valor preditivo de resposta específica aos agentes quimioterápicos.[24,25] Mas de uma forma geral, os clínicos tendem a utilizar esta informação em sua decisão terapêutica. Por exemplo, embora ainda seja alvo de debates, há uma tendência em se atrasar a radioterapia em pacientes portadores de oligodendroglioma anaplásico com perda de 1p/19q. Em pacientes com oligodendrogliomas de baixo grau, a presença da codeleção também foi associada a melhor prognóstico em pacientes tratados com quimioterapia. Em um estudo retrospectivo, com pacientes tratados apenas com cirurgia, por sua vez, esta correlação não foi observada.[26] Ainda assim, alguns clínicos optam por observar pacientes assintomáticos com deleção de 1p/19q, esperando uma boa resposta na recidiva e tratar pacientes sintomáticos, com o mesmo argumento de uma boa resposta à terapia. Recentemente, foram apresentados os resultados do estudo EORTC 26951, que randomizou pacientes portadores de oligodendroglioma anaplásico para o tratamento com radioterapia adjuvante isolada ou seguida de quimioterapia com PCV. Houve aumento da sobrevida global na população em geral, com a adição da quimioterapia. Entretanto, em pacientes sem a codeleção de 1p/19 q, a sobrevida mediana foi semelhante entre os dois grupos (21 meses com radioterapia *versus* 25 meses para a combinação; p = 0,19).[27] Este dado sugere um real valor preditivo da alteração molecular, podendo ser mais um passo no caminho do tratamento personalizado.

MUTAÇÕES DE ISOCITRATO DESIDROGENASE (IDH)

A isocitrato desidrogenase é uma enzima NADPH-dependente que participa no ciclo do ácido cítrico. Mutações somáticas no gene que o codifica foram identificadas pela primeira vez em 2008, em uma análise que sequenciou geneticamente 22 glioblastomas. Todas as mutações foram descritas no códon 132 (R132), localizado no sítio de ligação do substrato de IDH1, e são mais frequentes em glioblastomas secundários e em pacientes jovens.[28] Logo em seguida, outros estudos identificaram esta alteração genética na maior parte dos gliomas difusos de baixo grau (grau II) e anaplásicos (grau III). Em alguns casos onde a mutação de IDH1 não foi encontrada, havia uma mutação no aminoácido análogo (R172) no gene de sua isoforma mitocondrial IDH2.[29] Desde a primeira descrição, muitos estudos evidenciaram um papel prognóstico positivo independente para a presença de ambas as mutações de IDH.[29,30] Em gliomas difusos mutados, mais de 90% das mutações são do tipo R132H (G395A). Até o momento, não há evidências de que o tipo de mutação de IDH1 faça diferença no prognóstico (R132H *versus* não R132H). Entretanto, ao contrário do forte papel prognóstico, não parece haver uma relação entre a presença de mutações de IDH1 e resposta à quimioterapia em gliomas.[30] Como esta alteração genética levaria à oncogênese, ainda é motivo de debate. É possível que as mutações de IDH1 acarretem um aumento da formação 2-hidroxiglutarato, que pode ser uma substância oncogênica. Também postula-se que a redução da atividade catalítica de IDH poderia levar a níveis aumentados do fator de transcrição do HIF-α (fator induzido por hipóxia), que sabidamente facilita o crescimento tumoral.[23] Análises prévias sugerem que esta mutação seja um evento bem precoce na evolução tumoral, afetando precursores de células gliais, podendo ser até mesmo um pré-requisito para a ocorrência da perda de 1p/19q. As mutações de IDH 1 são raras em outros tumores gliais, como astrocitomas pilocíticos e ependimomas.[31]

Vários métodos podem ser utilizados para a detecção de mutações de IDH1/2. Mais recentemente, anticorpos monoclonais foram desenvolvidos, permitindo a pesquisa desta alteração por imuno-histoquímica, facilitando bastante o processo. Atualmente a pesquisa de mutação de IDH1/2 já vem sendo utilizada como método auxiliar para o diagnóstico, principalmente na diferenciação entre glioblastomas primários e gliomas secundários e de baixo grau. Também parece haver grande utilidade na identificação de células tumorais infiltrantes, diferenciando-as de células reacionais, facilitando a análise de biópsias pequenas.[32]

ALTERAÇÕES DA VIA DE EGFR (RECEPTOR DO FATOR DE CRESCIMENTO EPIDÉRMICO)

A via do EGFR sempre desperta bastante interesse, à medida que temos drogas-alvo já bem conhecidas que modulam esta via, com comprovada eficácia em outros tipos de tumores (p. ex.: mama, pulmão). O chamado EGFR (ou Her-1) constitui parte de uma família de receptores com atividade tirosina-quinase, cujo gene está localizado no cromossomo 7p12. Talvez seja o gene mais frequentemente amplificado ou superexpresso em glioblastomas, sendo observado em até 40% dos casos. O rearranjo de EGFR também é bastante comum, sendo a variante mais comum o EGFRvIII, que consiste em uma deleção *in-frame* de 801 pares de base nos éxons 2-7, resultando em uma proteína truncada, constitutivamente ativada, sem o domínio de ativação pelos ligantes. Esta variante pode ser identificada em 20-30% de glioblastomas primários em geral e 50-60% dos glioblastomas com amplificação de EGFR. A presença de amplificação de EGFR/EGFRvIII é altamente indicativa de alto grau de malignidade e de um pior prognóstico, principalmente quando evidenciada em gliomas de baixo grau.[7]

As terapias antiEGFR pareceram inicialmente promissoras. Um estudo mostrou que a coexpressão de PTEN e EGFRvIII se correlacionava com maior sensibilidade ao inibidor de tirosina-quinase erlotinibe. Da mesma forma, a hiperexpressão de EGFR, combinada à ausência de fosforilação de B/AKT sugeria os mesmos resultados. Entretanto, estudos avaliando a combinação de erlotinibe com temozolamida não mostraram resultados muito animadores.[23,33,34] Portanto, atualmente, não há indicação de investigação de alterações nesta via para definição terapêutica.

A variante III de EGFR não está presente em tecidos normais, tornando-se um potencial alvo para a imunoterapia. Estudos recentes avaliaram a adição à quimiorradioterapia de uma vacina antipeptídeo de EGFRvIII (CDX-110). Houve um aumento de sobrevida livre de progressão e sobrevida global em pacientes portadores de glioblastoma portadores da variante III de EGFR. Estes resultados ainda são preliminares, e encontra-se em andamento um estudo de fase III para determinar a eficácia da nova medicação em uma população selecionada.[35]

Além das alterações moleculares aqui descritas, muitas outras já foram identificadas e vêm sendo analisadas e validadas. A pesquisa translacional vem determinando, sem dúvida, inúmeros avanços no melhor entendimento das neoplasias do sistema nervoso central. Em um futuro próximo, teremos uma série de biomarcadores de diagnóstico, prognóstico e principalmente preditivos de respostas a diferentes terapias, prontos para o uso clínico. Mais importante, o conhecimento da oncogênese dos gliomas permitirá também um avanço no desenvolvimento de novas drogas, potencialmente mais eficazes e menos tóxicas. Neste sentido, a criação de grupos cooperativos vem ganhando grande importância, acelerando o passo para alcançarmos uma terapia mais sofisticada, personalizada com base em perfis moleculares.

REFERÊNCIAS BIBLIOGRÁFICAS

1. Figarella-Branger D, Colin C, Coulibaly B et al. Histological and molecular classification of gliomas. *Rev N Eurol* (Paris) 2008;164(6-7):505-15.
2. Louis DN, Ohgaki H, Wiestler OD et al. The 2007 WHO classification of tumours of the central nervous system. *Acta Neuropathol* 2007;114:97-109.
3. Kleihues P, Ohgaki H. Primary and secondary glioblastomas: from concept to clinical diagnosis. *Neuro-oncol* 1999;1:44-51.
4. Ohgaki H, Kleihues P. Genetic pathways to primary and secondary glioblastoma. *Am J Pathol* 2007;170:1445-53.
5. Toedt G, Barbus S, Wolter M et al. Molecular signatures classify astrocytic gliomas by IDH1 mutation status. *Int J Cancer* 2011 Mar. 1;128(5):1095-103.
6. Yan H, Parsons DW, Jin G et al. IDH1 and IDH2 mutations in gliomas. *N Engl J Med* 2009;360:765-73.
7. Riemensschneider MJ, Jeuken JWM, Wesseling P et al. Molecular diagnostics of gliomas: state of the art. *Acta Neuropathol* 2010;120:567-84.
8. The Cancer Genome Atlas Research Network. Comprehensive genomic characterization defines human glioblastoma genes and core pathways. *Nature* 2008;455:1061-68.
9. Verhaak RGW, Hoadley KA, Purdom E et al. An integrated genomic analysis identifies clinically relevant subtypes of glioblastoma characterized by abnormalities in PDGFRA, IDH1, EGFR and NF1. *Cancer Cell* 2010;17:98-110.
10. Van Meir EG, Hadjipanayis CG, Norden AD et al. Exciting New Advances in Neuro-Oncology: the avenue to a cure for malignant glioma. *CA Cancer J Clin* 2010;60:166-93.
11. Esteller M, Garcia-Foncillas J, Andion E et al. Inactivation of the DNA-repair gene MGMT and the clinical response of gliomas to alkylating agents. *N Engl J Med* 2000;343:1350-54.
12. Jaeckle KA, Eyre HJ, Townsend JJ et al. Correlation of tumor O6 methylguanine-DNA methyltransferase levels with survival of malignant astrocytoma patients treated with bis-chloroethylnitrosourea: a Southwest Oncology Group study. *J Clin Oncol* 1998;16:3310-15.
13. Martinez R, Schackert G, Yaya-Tur R et al. Frequent hypermethylation of the DNA repair gene MGMT in long-term survivors of glioblastoma multiforme. *J Neuro-oncol* 2007;83:91-93.
14. Stupp R, Mason WP, van den Bent MJ et al. Radiotherapy plus concomitant and adjuvant temozolomide for glioblastoma. *N Engl J Med* 2005;352:987-96.
15. Hegi ME, Diserens AC, Gorlia T et al. MGMT gene silencing and benefit from temozolomide in glioblastoma. *N Engl J Med* 2005;352:997-1003.
16. Aldape KD et al. RTOG 0525: molecular correlates from a randomized phase III trial of newly diagnosed glioblastoma [abstract]. *J Clin Oncol* 2011;29:abstr LBA 2000.
17. Fraga MF, Esteller M. DNA methylation: a profile of methods and applications. *Biotechniques* 2002;33:632, 634, 636-49.
18. Jeuken JW, Cornelissen SJ, Vriezen M et al. MS-MLPA: an attractive alternative laboratory assay for robust, reliable, and semiquantitative detection of MGMT promoter hypermethylation in gliomas. *Lab Invest* 2007;87:1055-65.
19. Preusser M, Charles Janzer R, Felsberg J et al. Anti-O6-methylguanine-methyltransferase (MGMT) immunohistochemistry in glioblastoma multiforme: observer variability and lack of association with patient survival impede its use as clinical biomarker. *Brain Pathol* 2008;18:520-32.
20. Brandes AA, Franceschi E, Tosoni A et al. MGMT promoter methylation status can predict the incidence and outcome of pseudoprogression after concomitant radiochemotherapy in newly diagnosed glioblastoma patients. *J Clin Oncol* 2008;26:2192-97.
21. Cairncross JG, Ueki K, Zlatescu MC et al. Specific genetic predictors of chemotherapeutic response and survival in patients with anaplastic oligodendrogliomas. *J Natl Cancer Inst* 1998;90:1473-79.
22. Brandes AA, Tosoni A, Cavallo G et al. Correlations between O6-methylguanine DNA methyltransferase promoter methylation status, 1p and 19q deletions, and response to temozolomide in anaplastic and recurrent oligodendroglioma: a prospective GICNO study. *J Clin Oncol* 2006;24:4746-53.
23. Jansen M, Yip S, Louis DN. Molecular pathology in adult gliomas: diagnostic, prognostic and predictive markers. *Lancet Neurol* 2010;9:717-26.
24. Van den Bent MJ, Carpentier AF, Brandes AA et al. Adjuvantprocarbazine, lomustine, and vincristine improves progression-freesurvival but not overall survival in newly diagnosed anaplasticoligodendrogliomas and oligoastrocytomas: a randomizedEuropean Organisation for Research and Treatment of Cancerphase III trial. *J Clin Oncol* 2006;24:2715-22.
25. Cairncross G, Berkey B, Shaw E et al. Phase III trial of chemotherapy plus radiotherapy compared with radiotherapy alone for pure and mixed anaplastic oligodendroglioma: Intergroup Radiation Therapy Oncology Group Trial 9402. *J Clin Oncol* 2006;24:2707-14.
26. Weller M, Berger H, Hartmann C et al. Combined 1p/19q loss in oligodendroglial tumors: predictive or prognostic biomarker? *Clin Cancer Res* 2007;13:6933-37.
27. Van Den Bent MJ, Hoang-Xuan K, Brandes AA et al. Long-term follow-up results of EORTC 26951: a randomized phase III study on adjuvant PCV chemotherapy in anaplastic oligodendroglial tumors (AOD). *J Clin Oncol* 2012;30(Suppl; abstr 2).
28. Parsons DW, Jones S, Zhang X et al. An integrated genomic analysis of human glioblastoma multiforme. *Science* 2008;321:1807-12.
29. Yan H, Parsons DW, Jin G et al. IDH1 and IDH2 mutations in gliomas. *N Engl J Med* 2009;360:765-73.
30. van den Bent MJ, Dubbink HJ, Marie Y et al. IDH1 and IDH2 mutations are prognostic but not predictive for outcome in anaplastic oligodendroglial tumors: a report of the European Organization for Research and Treatment of Cancer Brain Tumor Group. *Clin Cancer Res* 2010;16:1597-604.
31. Watanabe T, Nobusawa S, Kleihues P et al. IDH1 mutations are early events in the development of astrocytomas and oligodendrogliomas. *Am J Pathol* 2009;174:1149-53.
32. Horbinski C, Kofler J, Kelly LM et al. Diagnostic use of IDH1/2 mutation analysis in routine clinical testing of formalin-fixed, paraffin-embedded glioma tissues. *J Neuropathol Exp Neurol* 2009;68:1319-25.
33. Mellinghoff IK, Wang MY, Vivanco I et al. Molecular determinants of the response of glioblastomas to EGFR kinase inhibitors. *N Engl J Med* 2005;353:2012-24.
34. Haas-Kogan DA, Prados MD, Tihan T et al. Epidermal growth factor receptor, protein kinase B/Akt, and glioma response to erlotinib. *J Natl Cancer Inst* 2005;97:880-87.
35. Heimberger AB, Sampson JH. The PEPvIII-KLH (CDX-110) vaccine in glioblastoma multiforme patients. *Expert Opin Biol Ther* 2009;9:1087-98.

CAPÍTULO 216

Imagem Avançada no Diagnóstico e na Avaliação da Resposta Terapêutica dos Gliomas

Lara A. Brandão

INTRODUÇÃO

Gliomas e metástases são os tumores parenquimatosos mais comuns do sistema nervoso central do adulto. A cada ano 51.410 novos tumores primários e 190 mil novas metástases são diagnosticados nos Estados Unidos.[1]

Com a evolução da neuroimagem, métodos avançados capazes de avaliar a celularidade tumoral, tais como a difusão e a espectroscopia de prótons, bem como estimar a densidade capilar e a integridade da barreira hematoencefálica, tais como a perfusão e a permeabilidade capilar respectivamente, têm sido cada vez mais utilizados no diagnóstico e na avaliação da resposta terapêutica dos gliomas (Figs. 1 a 4).

PRINCIPAIS APLICAÇÕES DOS MÉTODOS AVANÇADOS DE NEUROIMAGEM NOS GLIOMAS

1. Diferenciar glioma de alto grau × metástase solitária.
2. Estimar o grau e o prognóstico dos gliomas.
3. Diagnosticar precocemente degeneração anaplásica no glioma de baixo grau.
4. Avaliar melhor a extensão do tumor.
5. Estimar o local ideal para biópsia.
6. Avaliar a resposta terapêutica.

Diferenciar glioma de alto grau × metástase solitária

Enquanto muitas metástases cerebrais se apresentam como lesões múltiplas e de fácil diagnóstico pela neuroimagem, em aproximadamente 50% dos casos nos deparamos com uma lesão única, cuja distinção com glioma primário de alto grau é difícil pela tomografia computadorizada (TC) e pela ressonância magnética convencional (RMc) com contraste (Fig. 5).[2]

Outro fator que pode dificultar a distinção é o fato de que em mais da metade das vezes a metástase cerebral é a primeira manifestação da doença maligna e não há tumor primário conhecido.

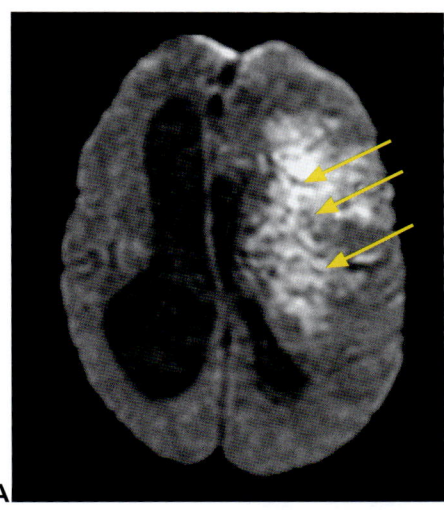
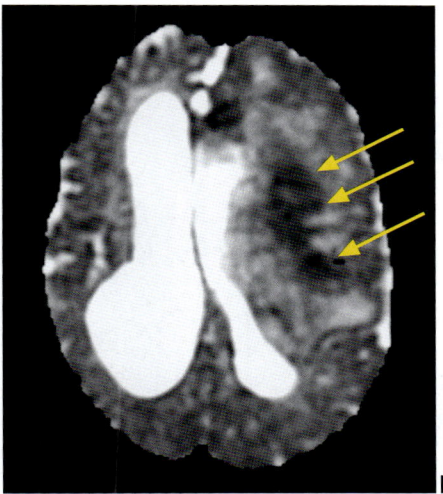

▲ **FIGURA 1.** Difusão e mapa de coeficiente de difusão aparente (ADC map). Glioma de alto grau frontoparietal esquerdo com áreas de difusão restrita, sinal alto na difusão (**A**) e baixo no mapa de ADC (**B**), indicando alta celularidade.

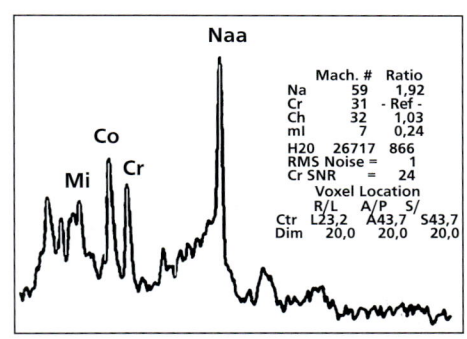

▲ **FIGURA 2.** Curva de espectroscopia de prótons. Metabólitos cerebrais usuais: Naa = N-acetil-aspartato; Cr = creatina; Co = colina; Mi = mioinositol.

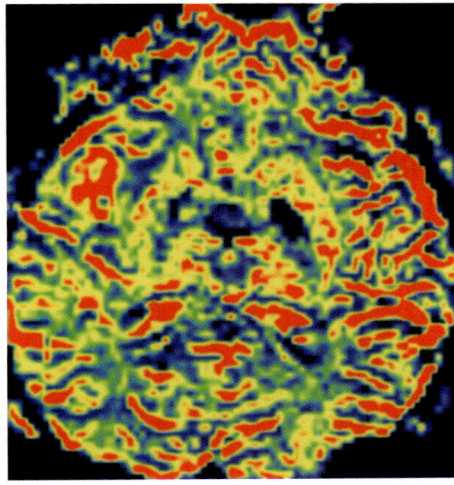

◄ **FIGURA 3.** Mapa de perfusão ou volume sanguíneo cerebral relativo.

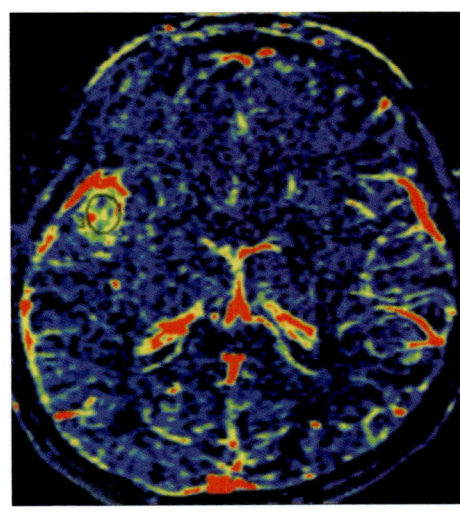

◄ **FIGURA 4.** Mapa de permeabilidade capilar.

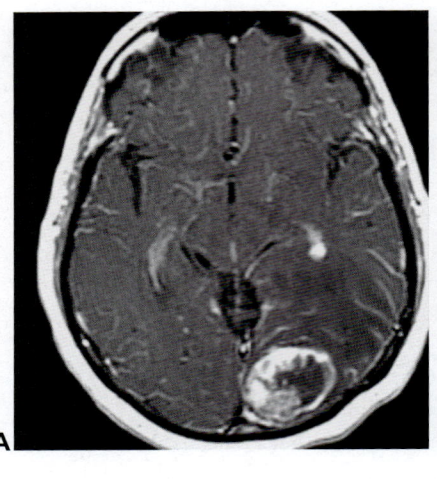 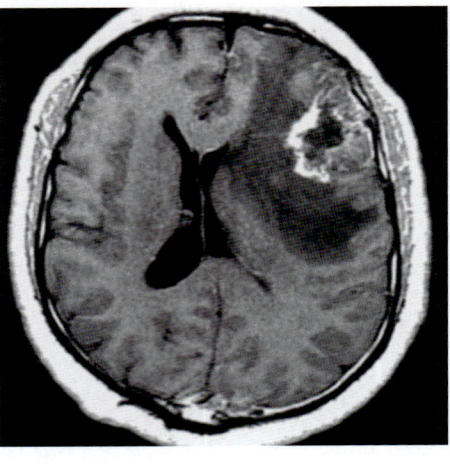

◀ **FIGURA 5. (A)** Metástase de câncer de pulmão; **(B)** glioblastoma multiforme (GBM). O aspecto da metástase e do GBM na ressonância convencional é bastante semelhante e caracterizado por lesões com realce periférico de contraste e área central de necrose.

Veja, a seguir, como os métodos avançados de neuroimagem podem ser úteis na distinção entre metástase solitária e glioma primário de alto grau.

Difusão

O parênquima cerebral ao redor do glioma primário de alto grau é frequentemente infiltrado por células tumorais, enquanto o parênquima ao redor da lesão metastática contém apenas edema vasogênico, apresentando comportamento nos estudos de difusão e difusão tensorial semelhante ao do liquor. Por esse motivo, a medida da difusividade no parênquima ao redor da metástase é muito maior do que a medida da difusividade no parênquima ao redor do glioblastoma multiforme (GBM) (Fig. 6).[3] Pela mesma razão, a medida da anisotropia fracionada será menor no parênquima perimetástase (ou seja, mais próxima da medida da anositropia do liquor) do que no parênquima ao redor do glioma, com valores médios de anisotropia de 0,181 ± 0,049 ao redor da lesão metastática e 0,248 ± 0,063 ao redor do glioma (Figs. 7 e 8).[2]

Perfusão

Mapas de perfusão obtidos através de sequências rápidas que duram entre 60 segundos e 1 minuto e meio são capazes de oferecer estimativa da densidade capilar de uma lesão.

Quando nos deparamos com uma lesão solitária captante de contraste, o mapa e a curva de perfusão podem ser bastante úteis na distinção entre metástase solitária e glioma primário de alto grau. Se a perfusão da lesão for baixa, podemos praticamente excluir o diagnóstico de glioma de alto grau e sugerir metástase solitária como diagnóstico mais provável (Fig. 9).[2]

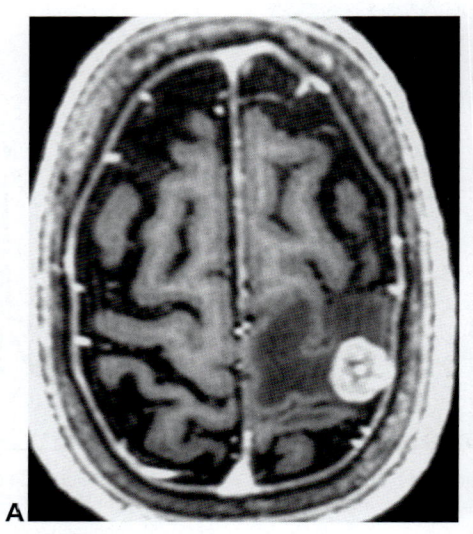 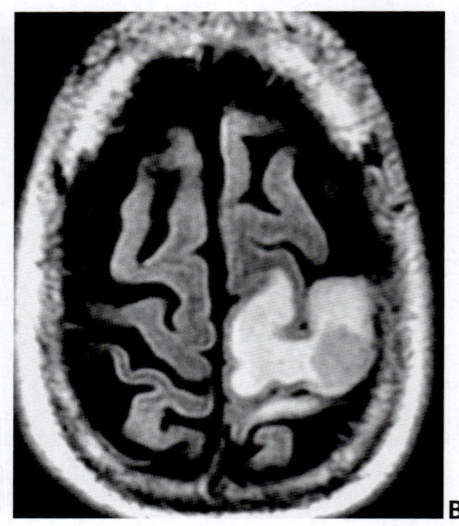

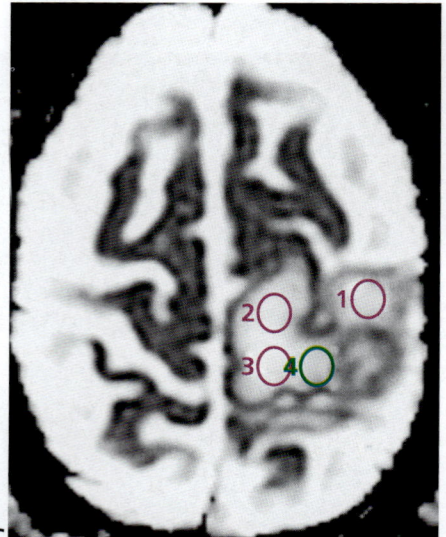

ROI	Avg.	%
1	0,00170	108
2	0,00185	117
3	0,00184	117
4	0,00157	100

◀ **FIGURA 6.** Metástase solitária × GBM – medida da difusividade. Masc., 59 anos, com hemiparesia direita há 1 mês. Lesão única parietal esquerda, com realce de contrate **(A)** e importante edema perilesional **(B)**. Metástase solitária? GBM? A medida da difusividade média no parênquima ao redor da lesão **(C)** mostra-se bastante alta, com valores semelhantes aos do liquor **(D)**, sugerindo o diagnóstico de metástase solitária, confirmado na cirurgia.

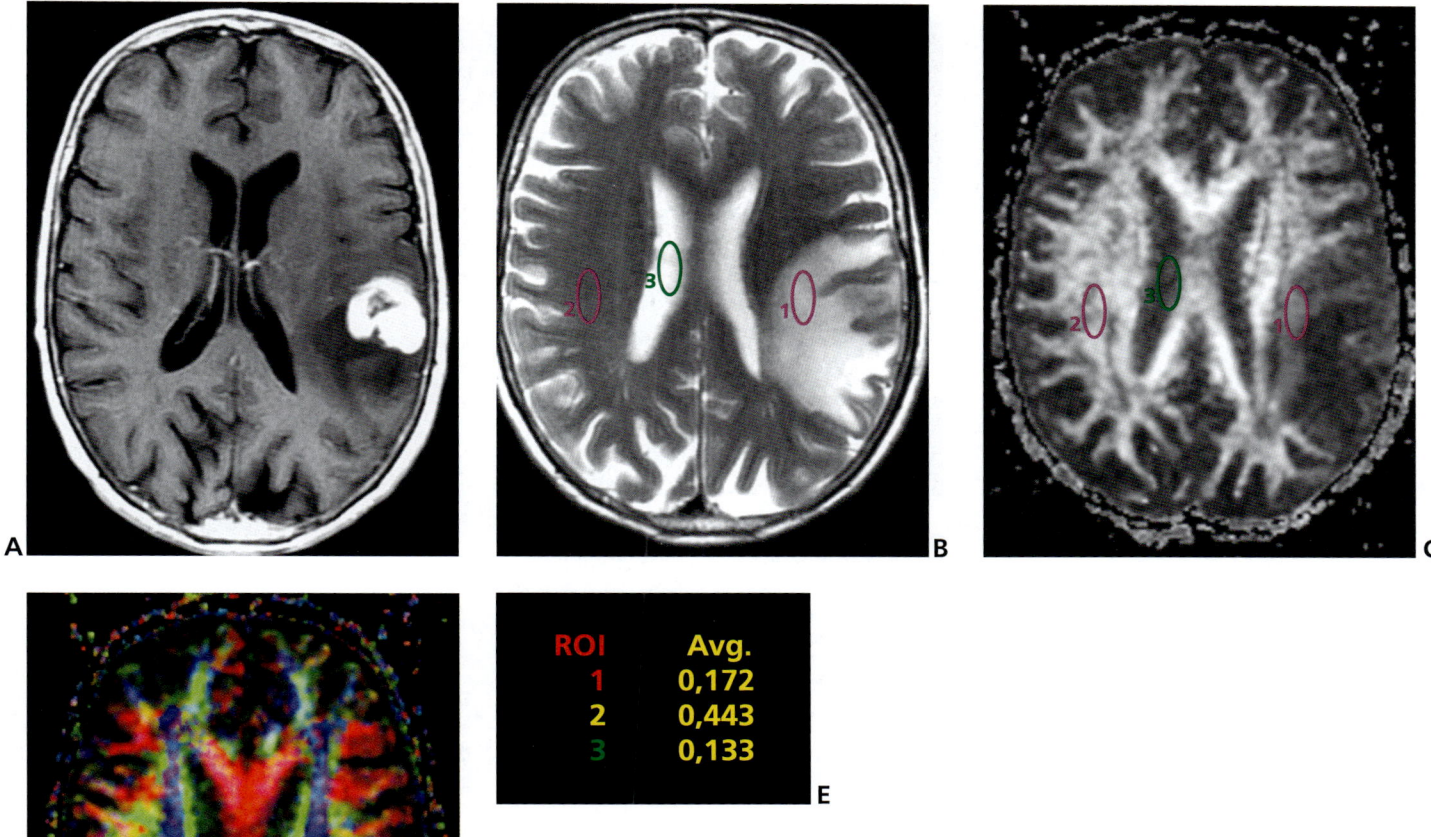

◄ **FIGURA 7.** Metástase solitária × GBM – medida da anisotropia (AF). Fem., 66 anos, com parestesia à direita e fala enrolada. Metástase solitária com realce de contraste (**A**) e extenso edema perilesional (**B**). A medida da anisotropia fracionada perimetástase (ROI número 1) é baixa (0,172), próximo ao valor encontrado no ventrículo lateral direito (0,133). (**B**) Axial T2; (**C**) mapa de anisotropia fracionada; (**D**) mapa direcional; (**E**) valores de anisotropia fracionada.

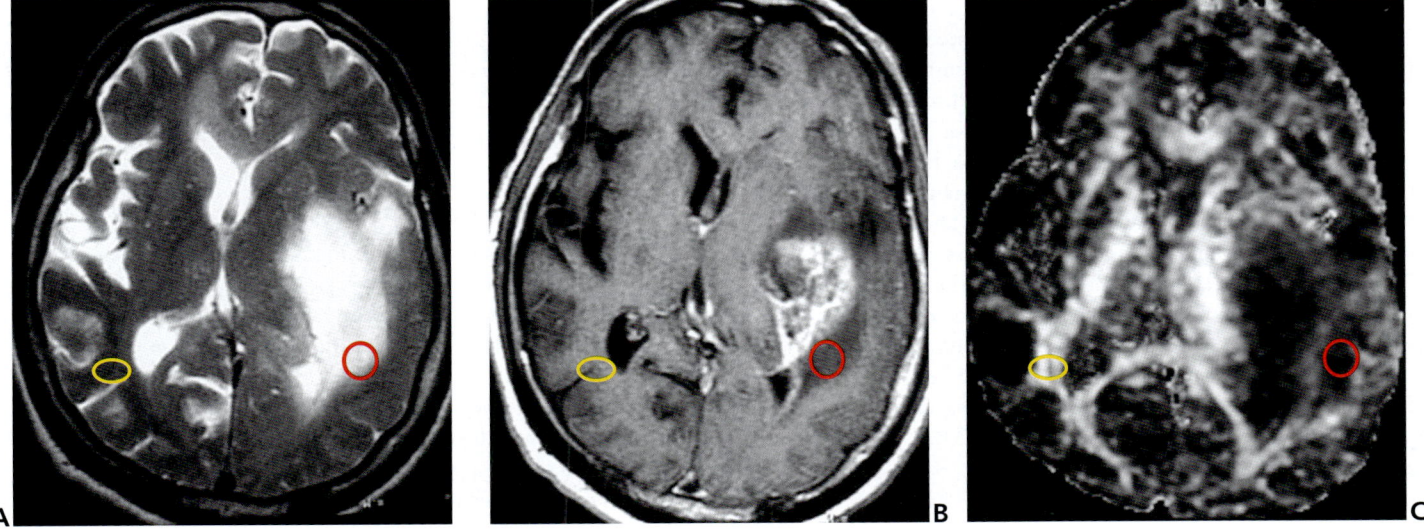

◄ **FIGURA 8.** Metástase solitária × GBM – medida da anisotropia fracionada (AF). A medida da AF no parênquima ao redor do GBM (ROI vermelho) mostra-se maior (0,231) do que no parênquima perimetástase (Fig. 7). (**A**) Axial T2; (**B**) axial com contraste; (**C**) mapa de anisotropia fracionada e (**D**) valores de anisotropia fracionada.

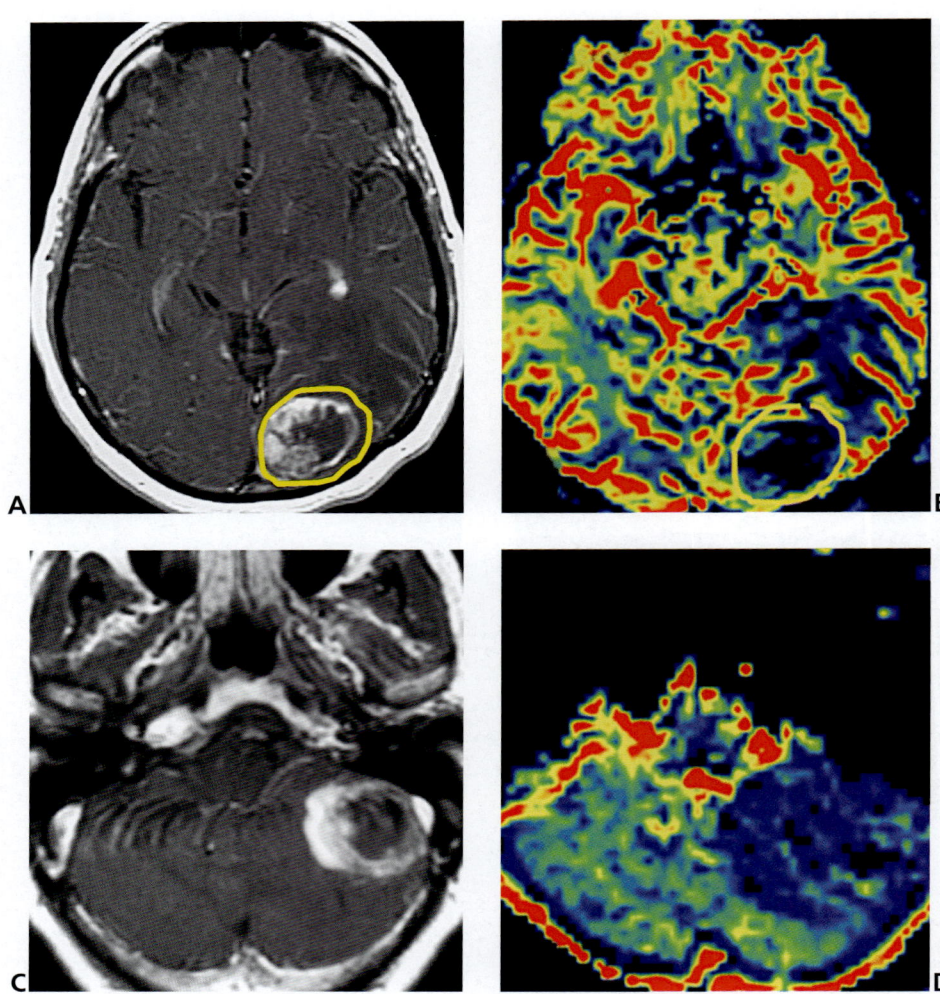

◀ **FIGURA 9**. Metástase solitária × GBM – mapa de perfusão. (**A** e **B**) - Fem., 63 anos, diagnosticada com Ca de pulmão há 1 ano e meio. Apresenta hemianopsia nasal e temporal esquerda. Metástase solitária occipital esquerda (**A**) com perfusão fria ou reduzida (**B**). (**C** e **D**) Masc., 59 anos diagnosticado com Ca de próstata há 2 anos. Agora com metástases ósseas, tonteira e cefaleia. Notar metástase solitária cerebelar esquerda (**C**) com perfusão baixa (**D**).

Por outro lado, aumento perfusional indicando alta densidade capilar pode ser observado tanto na metástase solitária quanto no glioma primário de alto grau. Neste caso, é importante avaliar a extensão da anomalia perfusional: no glioma primário, infiltração do parênquima peritumoral pelo tumor é comum, de modo que aumento perfusional pode ser visto, estendendo-se além da área de realce de contraste na lesão (Figs. 10 A e B). Por outro lado, metástases não infiltram o parênquima em adjacência. Dessa forma, o aumento perfusional estará restrito à lesão captante de contraste (Figs. 10 C e D). A medida da perfusão peritumoral é considerada mais útil na distinção entre glioma primário e metástase solitária do que medida da perfusão tumoral.[4]

Além do comportamento da lesão no mapa de perfusão, o padrão da curva obtida no pós-processamento dos estudos de perfusão também é útil na distinção entre glioma primário de alto grau e metástase solitária, já que expressa a permeabilidade da lesão.[5] Metástases não possuem barreira hematoencefálica, já que não são lesões próprias do encéfalo. Dessa forma, a permeabilidade das metástases é bem alta e após a passagem do gadolínio pelo leito capilar, representado pela queda na curva de perfusão, não observamos retorno da curva à linha de base (Fig. 11A). Já no GBM, o retorno da curva à linha de base é bem mais significativo (Fig. 11B). Se o percentual de recuperação de sinal da curva em relação à linha de base for baixo, menor do que 66%, GBM pode ser excluído com 100% de especificidade.[5]

Espectroscopia

A análise espectral da metástase solitária e do glioma primário do sistema nervoso central (SNC) pode mostrar padrões superponíveis quando o *voxel* é posicionado na lesão (Figs. 12 e 13). Para diferenciar metástase solitária de glioma primário de alto grau, o *voxel* deve ser posicionado no parênquima ao redor da lesão. Enquanto gliomas são lesões invasivas que frequentemente mostram aumento de colina no parênquima ao redor, lesões metastáticas tendem a ser mais encapsuladas e, tipicamente, não mostram sinais de infiltração tumoral no parênquima ao redor (Figs. 14 e 15).[6-9]

Aumento da perfusão e da colina no parênquima peritumoral indica glioma × metástase com alta especificidade.[10-12]

Permeabilidade capilar

Estudos mais modernos de permeabilidade capilar, método capaz de estimar o estado da barreira hematoencefálica (BHE), mostram que a permeabilidade encontra-se alta nos gliomas agressivos, como GBM, assim como nas metástases (Figs. 16 e 17). O aumento da permeabilidade capilar nestas lesões está relacionado com significativo comprometimento da BHE no GBM e ausência de BHE na metástase.

Na experiência do autor até a presente data, nenhum GBM mostrou permeabilidade baixa, enquanto algumas metástases mostraram esse comportamento (Fig. 18). Podemos então supor que, se a permeabilidade for baixa, metástase é um diagnóstico mais provável do que GBM. Mais estudos, porém, são necessários para confirmar estes achados.

Estimar o grau e o prognóstico dos gliomas

A aparência radiológica de um tumor na ressonância convencional nem sempre é confiável para obter informação precisa com relação à angiogênese ao nível capilar, já que impregnação de contraste deve-se, especialmente, à ruptura da BHE, mais do que à proliferação capilar propriamente dita.[4]

Sabemos que cerca de 33% dos gliomas de *alto grau* não realçam, e aproximadamente 20% dos gliomas de *baixo grau* realçam (Figs. 19 e 20).[13] Dessa forma, podemos concluir que impregnação de contraste não tem relação precisa com grau tumoral.

Para estimativa mais acurada do grau tumoral, utilizamos os métodos funcionais: difusão, espectroscopia de prótons, perfusão e permeabilidade capilar.

Difusão

Há uma relação inversa entre o sinal no mapa de coeficiente de difusão aparente (ADC map) e a celularidade e relação núcleo/citoplasma da lesão: quanto mais baixo o sinal no mapa de ADC, maior a celularidade e a relação núcleo/citoplasma da lesão e, portanto, maior o grau tumoral.[14-19] Compare o comportamento dos gliomas grau II e grau IV na sequência de difusão e no mapa de coeficiente de difusão aparente (Figs. 21 e 22).

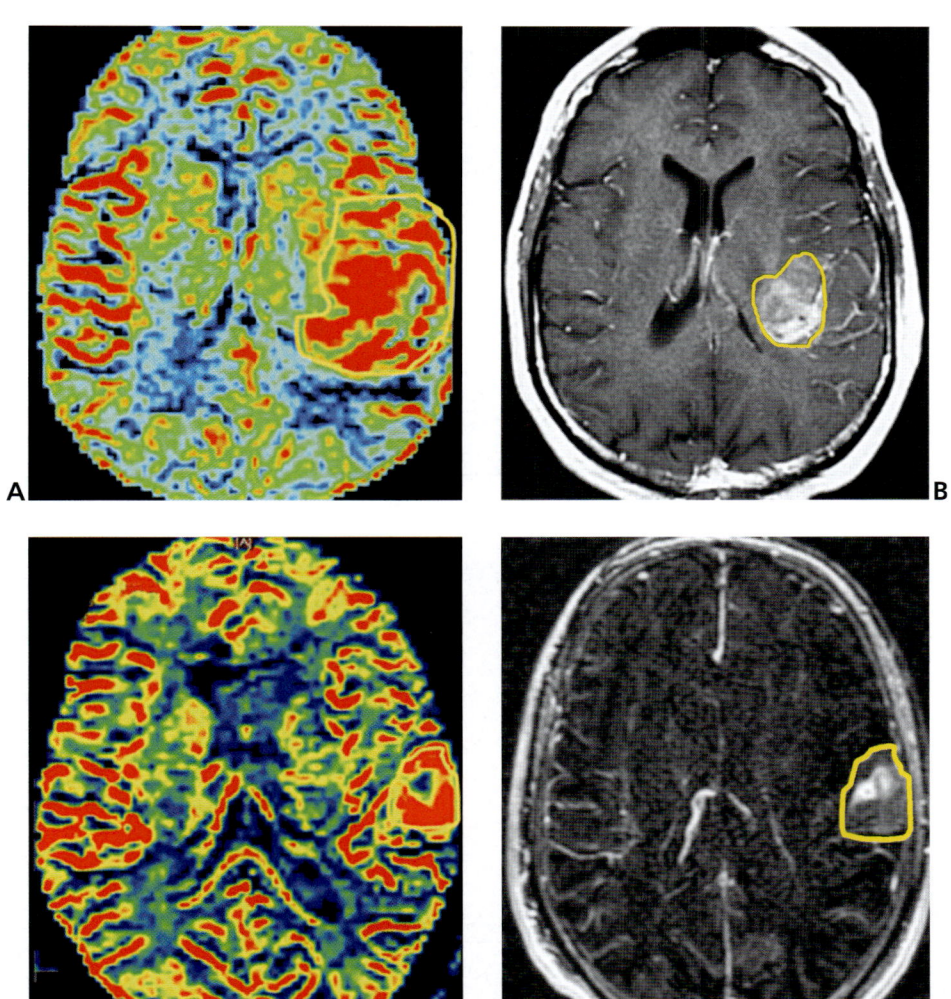

◀ **FIGURA 10.** Metástase solitária × GBM – mapa de perfusão. No GBM a área de aumento perfusional (**A**) se estende além da área de impregnação de contraste (**B**), caracterizando infiltração tumoral. Por outro lado, na metástase o aumento perfusional (**C**) coincide com a área de realce (**D**), já que metástases não infiltram o parênquima em adjacência.

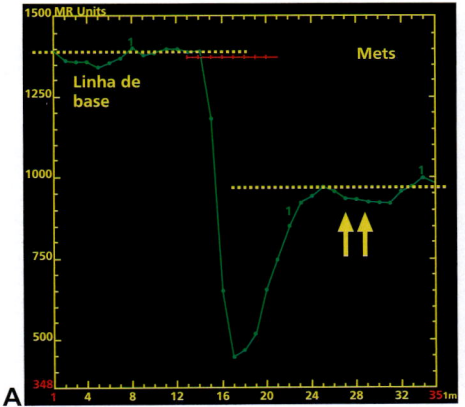 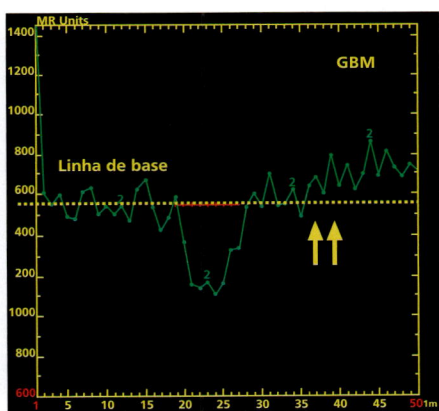

◀ **FIGURA 11.** Metástase solitária × GBM – curva de perfusão. (**A**) Curva de perfusão de lesão metastática mostra que após a queda (passagem do contraste) o retorno à linha de base é pobre (setas) em virtude da alta permeabilidade da lesão. (**B**) Curva de perfusão do GBM mostra melhor retorno à linha de base (setas).

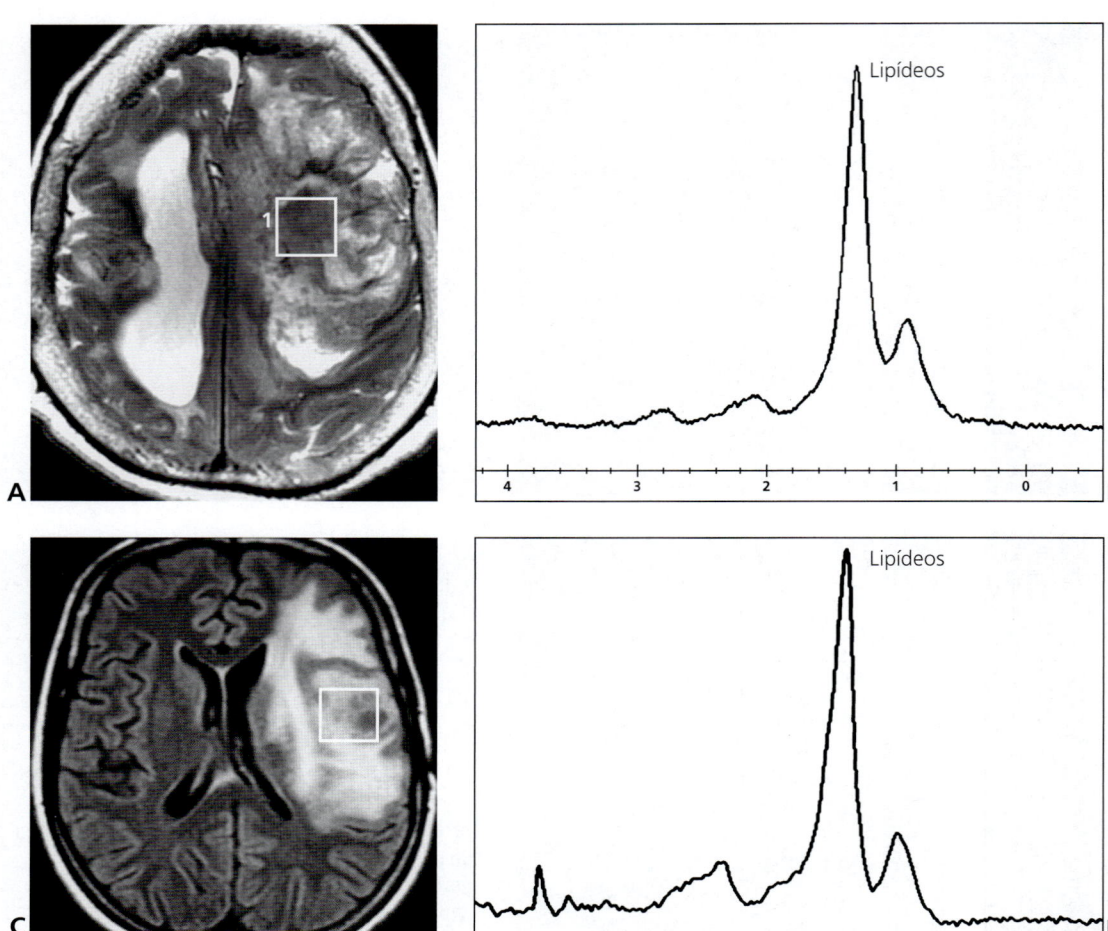

◀ **FIGURA 12.** Metástase solitária × GBM – espectroscopia. (**A** e **B**) GBM. (**C** e **D**) Metástase de câncer de mama. Em ambos os casos a espectroscopia (**B** e **D**) mostra pico exuberante de lipídeos. Nenhum outro metabólito é encontrado.

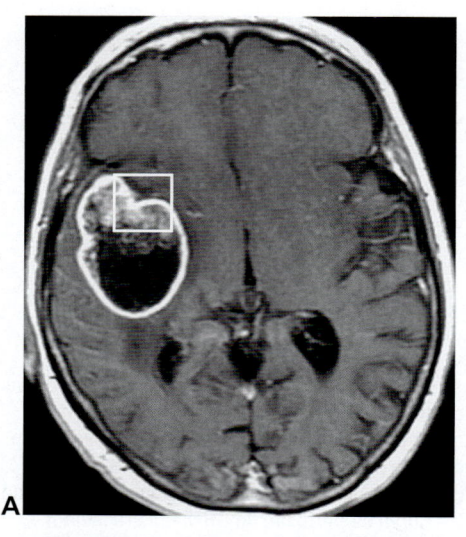
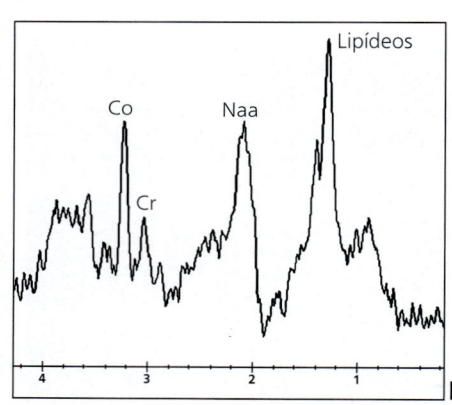
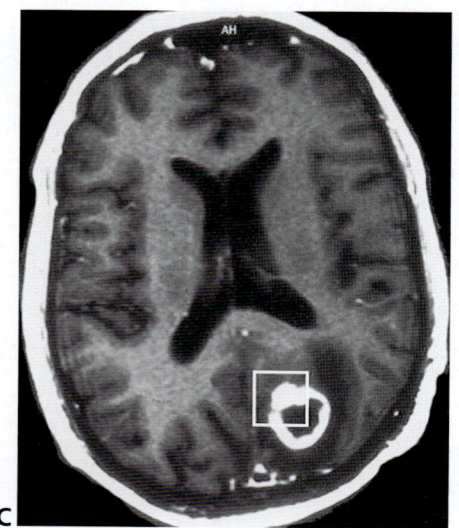
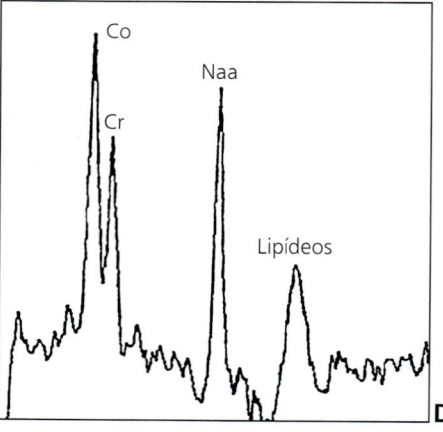

◀ **FIGURA 13.** Metástase solitária × GBM – espectroscopia. (**A** e **B**) GBM. (**C** e **D**) Metástase. Em ambos os casos a espectroscopia (**B** e **D**) mostra aumento dos lipídeos e aumento da colina e das relações Co/CR e Co/Naa.

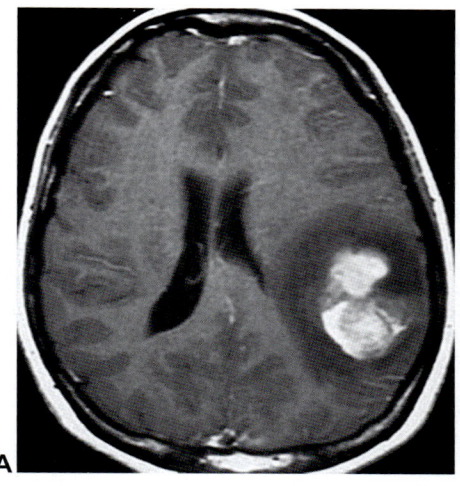 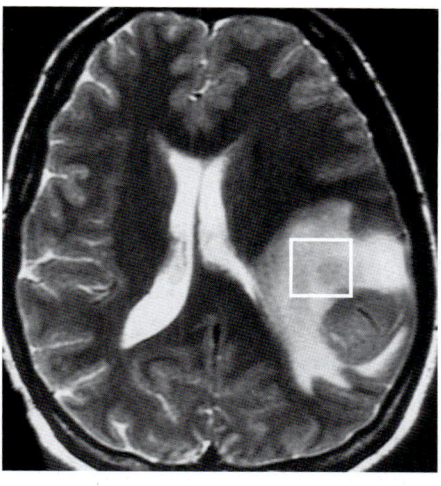 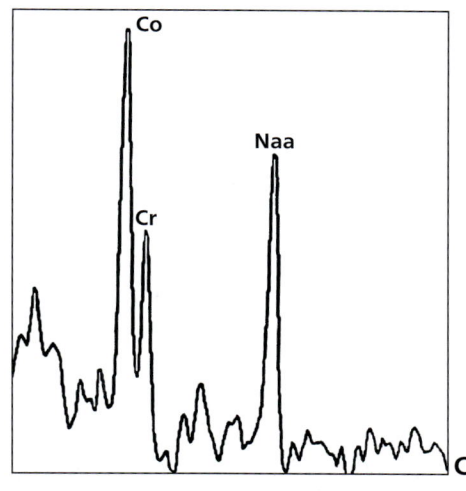

▲ **FIGURA 14.** Metástase solitária × GBM – espectroscopia. (**A**) Fem., 39 anos, com disartria eventual, apresentando lesão solitária com realce de contraste, podendo representar GBM ou metástase solitária. Com o voxel posicionado na área de hipersinal em T2 ao redor do nódulo de realce (**B**) notamos aumento da colina e das relações colina/creatina e colina/Naa (**C**) indicando infiltração tumoral, consistente com o diagnóstico de GBM, confirmado na cirurgia.

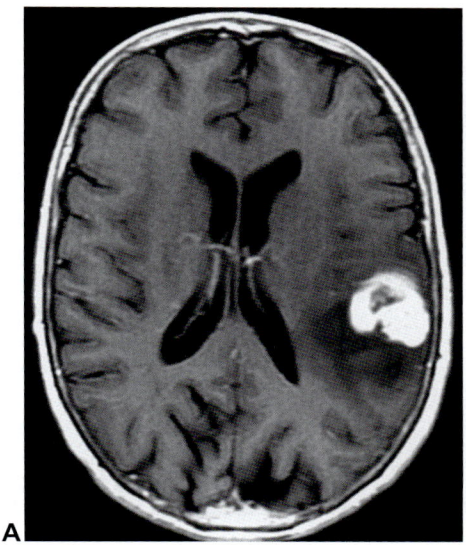 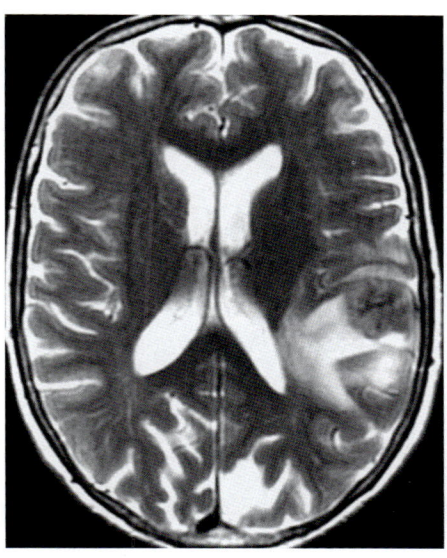 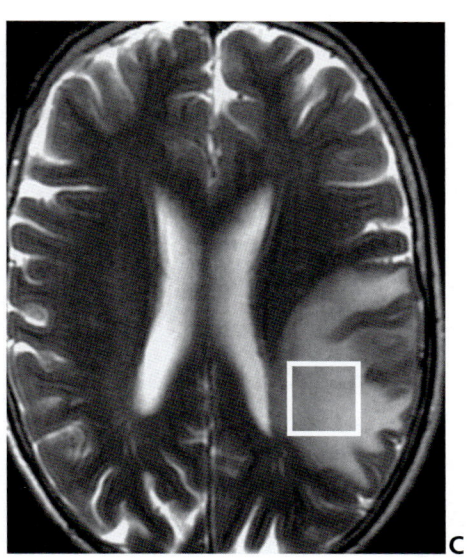

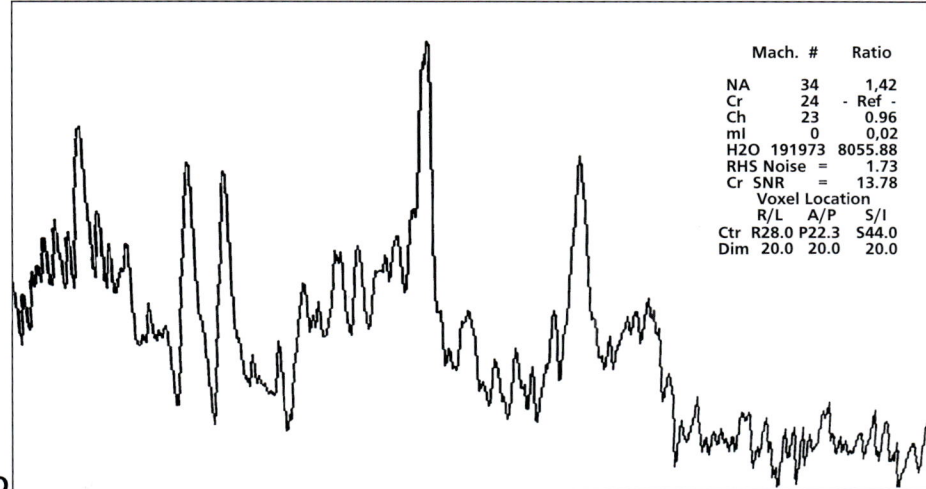

◄ **FIGURA 15.** Metástase solitária × GBM – espectroscopia. Lesão solitária com realce de contraste (**A**) e edema perilesional (**B**). Com o voxel posicionado na área hipersinal em T2 ao redor do nódulo de realce (**C**) não identificamos aumento da colina (**D**) que possa sugerir infiltração tumoral. Diagnóstico final: metástase solitária.

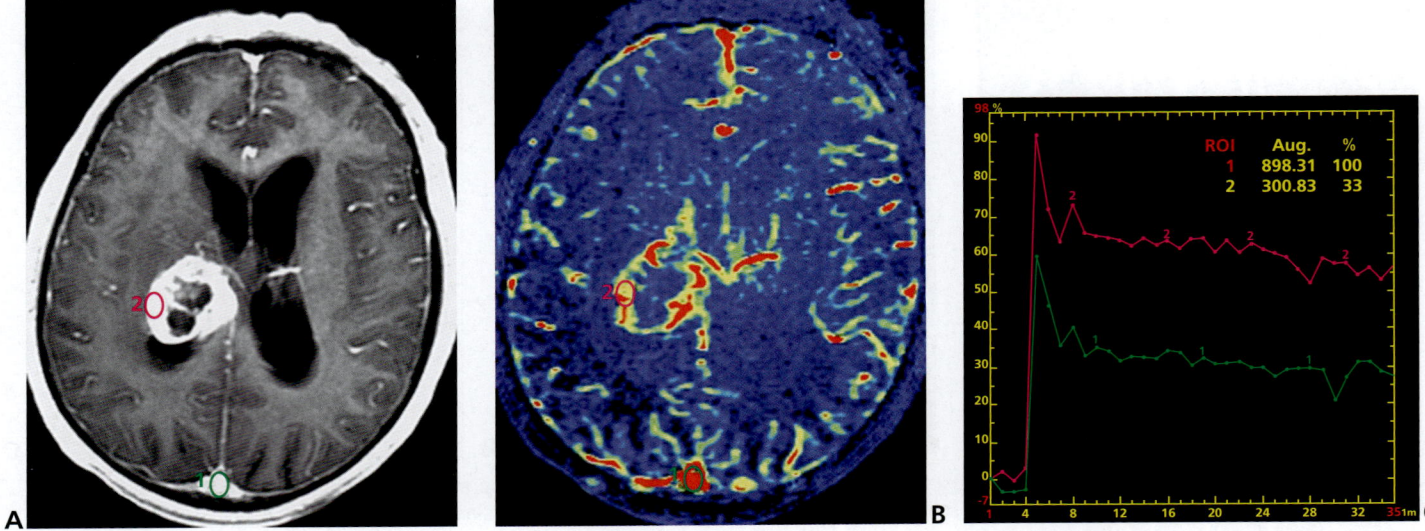

▲ **FIGURA 16.** GBM – permeabilidade capilar. GBM com realce periférico de contraste (**A**) e permeabilidade alta (**B** e **C**), representada pelo aspecto amarelado/vermelho no mapa (**B**) e ascensão rápida da curva de permeabilidade (**C** – curva verde) quando comparada ao vaso (**C** – curva rosa).

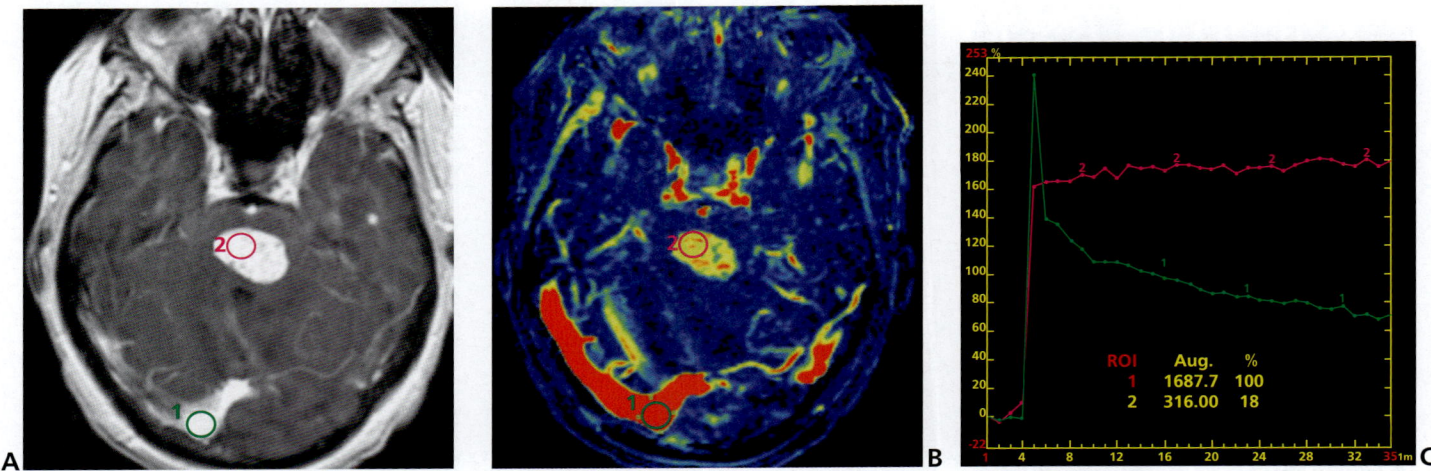

▲ **FIGURA 17.** Metástase – permeabilidade capilar. Metástase de câncer de colo de útero, comprometendo a ponte (**A**) com permeabilidade alta no mapa (**B**) e na curva (**C**).

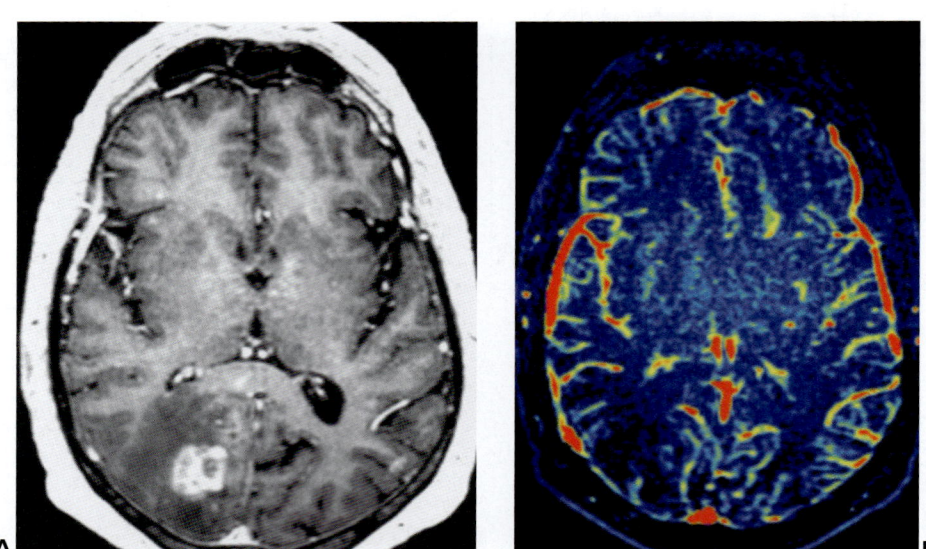

◄ **FIGURA 18.** Metástase – permeabilidade capilar. Metástase de câncer de pulmão com realce de contraste (**A**) e sem aumento apreciável da permeabilidade (**B**).

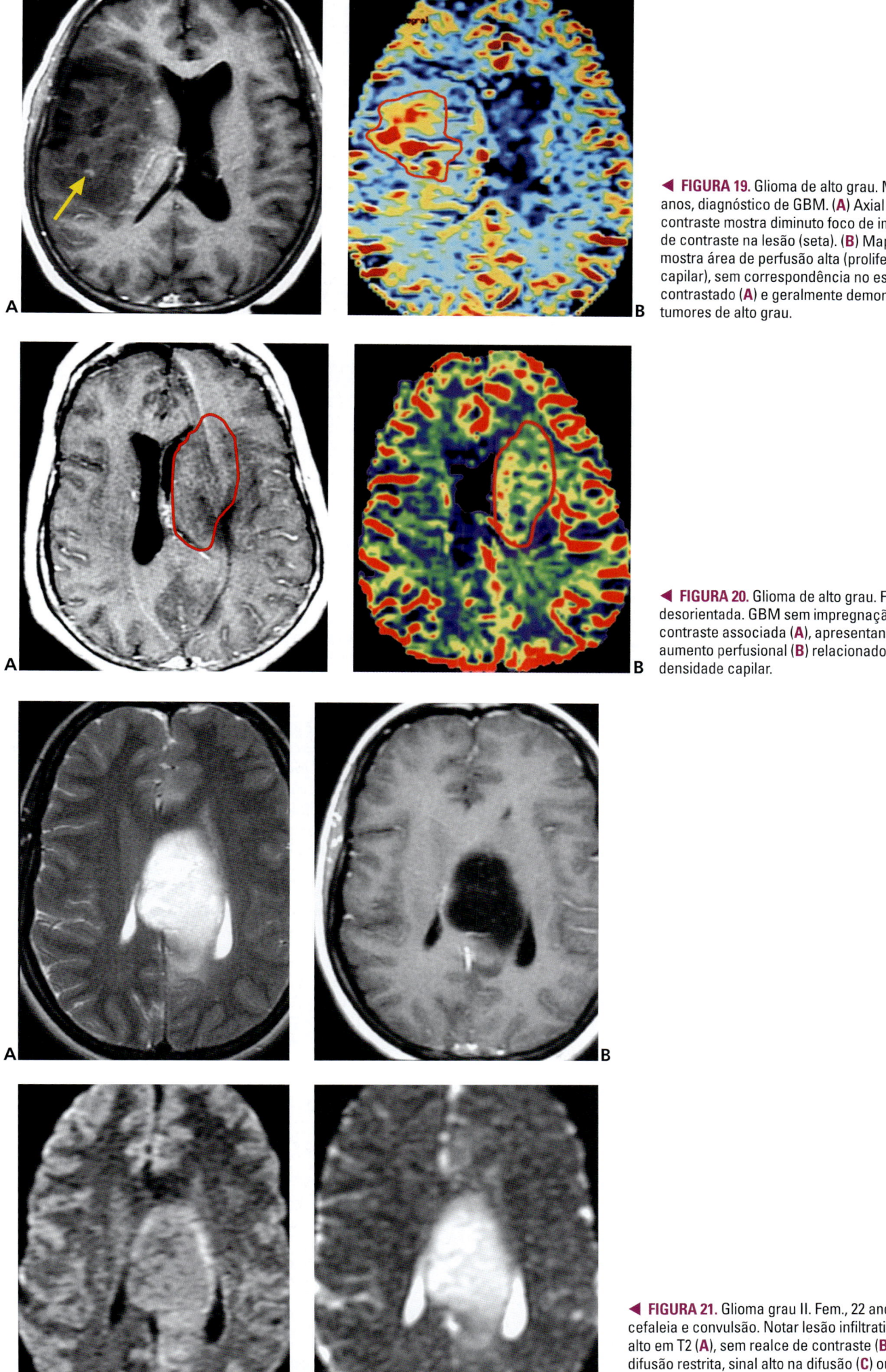

◀ **FIGURA 19.** Glioma de alto grau. Masc., 68 anos, diagnóstico de GBM. (**A**) Axial com contraste mostra diminuto foco de impregnação de contraste na lesão (seta). (**B**) Mapa de perfusão mostra área de perfusão alta (proliferação capilar), sem correspondência no estudo contrastado (**A**) e geralmente demonstrada em tumores de alto grau.

◀ **FIGURA 20.** Glioma de alto grau. Fem., 62 anos, desorientada. GBM sem impregnação de contraste associada (**A**), apresentando importante aumento perfusional (**B**) relacionado com alta densidade capilar.

◀ **FIGURA 21.** Glioma grau II. Fem., 22 anos, com cefaleia e convulsão. Notar lesão infiltrativa com sinal alto em T2 (**A**), sem realce de contraste (**B**). Não há difusão restrita, sinal alto na difusão (**C**) ou baixo no mapa de coeficiente de difusão aparente (**D**), sugerindo lesão de baixa celularidade. A biópsia confirmou glioma grau II.

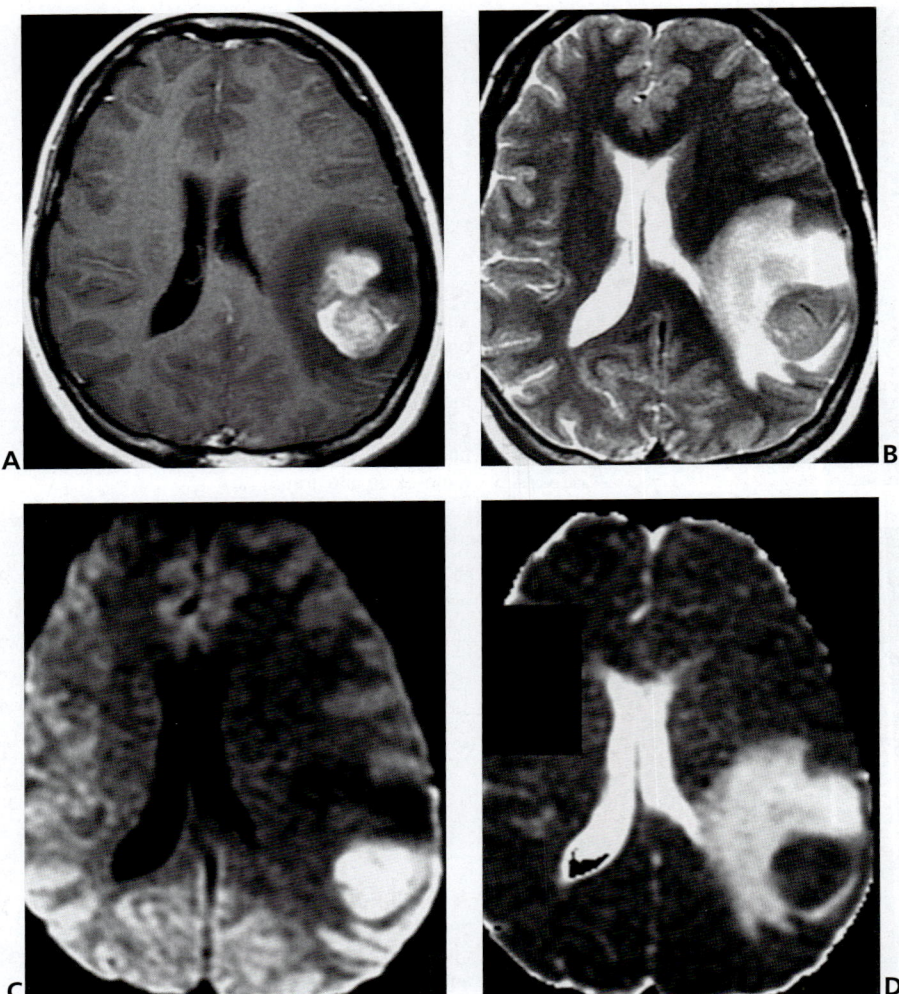

◀ **FIGURA 22.** Glioma grau IV. Fem., 39 anos, disartria eventual. Notar lesão captante de contraste frontoparietal esquerda (**A**), com sinal isointenso em T2 (**B**) e difusão restrita – sinal alto na difusão (**C**) e baixo no mapa de coeficiente de difusão aparente (**D**), indicativo de alta celularidade e alta relação núcleo/citoplasma. Diagnóstico final: GBM.

Espectroscopia de prótons

Os metabólitos encontrados na espectroscopia de prótons podem ser usados para estimativa do grau e prognóstico dos gliomas.[20]

Estudos mostram que a acurácia da espectroscopia na estimativa do grau tumoral é em torno de 96%.[21]

Metabólitos úteis na estimativa do grau tumoral:

1. **N-acetil-aspartato (Naa)**: é marcador de número e viabilidade neuronal – está normal ou discretamente reduzido nos gliomas de baixo grau e significativamente reduzido nos gliomas mais agressivos (Figs. 23 a 26).
2. **Colina (Co)**: aumento dos níveis de colina correlaciona-se com proliferação e densidade celular. Aumento de colina tem relação com a presença do marcador de celularidade Ki67 nos gliomas, estando diretamente relacionado com o grau tumoral.[22,23] Os maiores aumentos de colina ocorrem nos gliomas mais agressivos, ou seja, de alta celularidade (Figs. 24 e 25). Nos gliomas de baixo grau, o aumento da colina é geralmente discreto (Fig. 23). Já no GBM, apesar de representar o mais agressivo dos tumores primários do SNC, o aumento de colina geralmente é inferior ao detectado nos gliomas grau III (Figs. 24 a 26).[24] Este achado provavelmente está relacionado com extensa necrose no GBM.[25] Há, inclusive, casos em que apenas aumento significativo dos lipídeos é demonstrado na análise espectral do GBM, e nenhum aumento de colina ou nenhuma alteração metabólica é identificada (Fig. 12A e B).

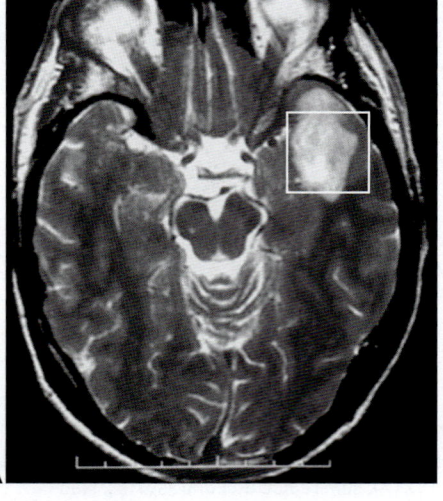
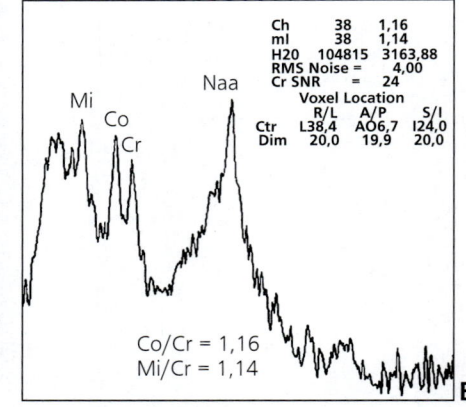
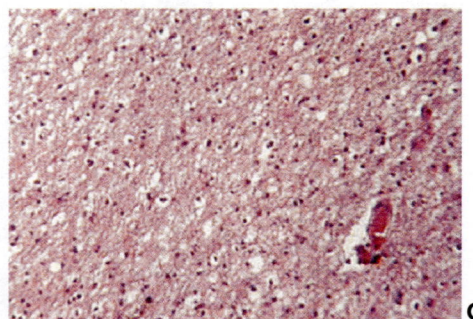

▲ **FIGURA 23.** Glioma grau II. Masc., 51 anos – cefaleia temporal esquerda. Notar lesão circunscrita temporal esquerda, com sinal alto em T2 (**A**). A análise espectral (**B**) mostra um padrão que lembra uma curva normal (comparar com Fig. 2): não há redução apreciável do Naa, indicando densidade neuronal relativamente preservada; há elevação apenas discreta da relação colina/creatina (1,16), indicando lesão de baixa celularidade. O principal achado na curva é o aumento do mioinositol (relação Mi/Cr maior que 1), sugerindo glioma de baixo grau, confirmado pela patologia-astrocitoma grau II (**C**. Cortesia Dra. Leila Chimelli).

3. **Creatina (Cr)**: está relacionada com metabolismo energético, e sua redução indica má oxigenação do tumor, sugerindo que este tumor, provavelmente, responderá mal à radioterapia. As maiores reduções do Naa e da Cr ocorrem nos gliomas mais agressivos (Figs. 24 a 26).
4. **Mioinositol (Mi)**: é marcador de astrócitos, costuma estar elevado nos astrocitomas de baixo grau e reduzido nos de alto grau (Figs. 23 a 26).[24,26,27] Elevação do mioinositol pode ser o único achado da espectroscopia do astrocitoma de baixo grau.[28]
5. **Lipídeos (lip)**: indicam necrose, sua presença está relacionada com maior agressividade e pior prognóstico (Fig. 12A e B e Fig. 26).[29] Lipídeos são também o principal achado espectral das metástases (Fig. 12C e D).

Embora frequentemente relacionados com necrose em gliomas agressivos (GBM) e metástases, lipídeos também podem ser encontrados no astrocitoma pilocítico (Fig. 27).

6. **Lactato (lac)**: está relacionado com glicólise anaeróbia e costuma aumentar em tumores mais agressivos, como no glioblastoma multiforme (Fig. 28).
7. **Glicose**: tumores mais agressivos e, portanto, com maior atividade metabólica irão apesentar menores níveis de glicose na espectroscopia.[29]

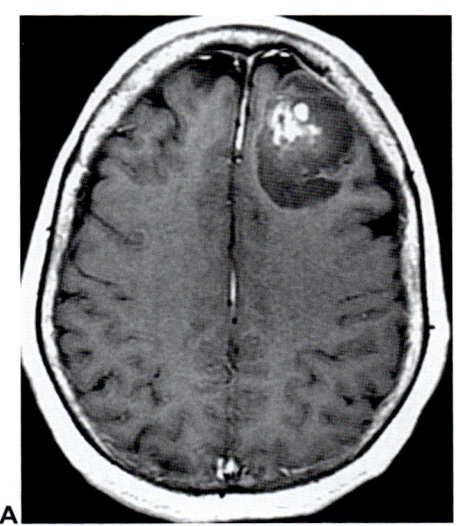
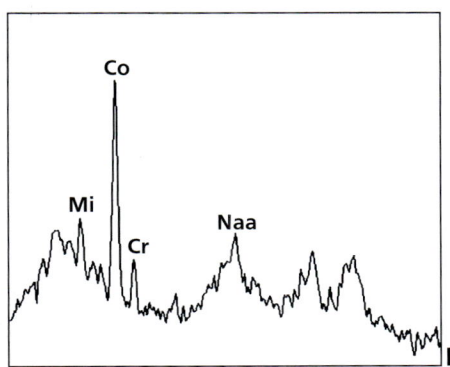

◀ **FIGURA 24.** Glioma grau III. Lesão circunscrita frontal esquerda, com discretos focos de impregnação de contraste (**A**). A curva espectral desta lesão é bastante diferente da curva do glioma de baixo grau (Fig. 23). O pico do Naa está bastante reduzido (**B**), indicando significativa perda neuronal, os níveis de creatina e mioinositol também estão reduzidos, o que é usual em lesões mais agressivas. Há importante aumento da colina (**B**), mais uma vez sugerindo neoplasia de alto grau, confirmada pela patologia (oligodendroglioma anaplásico).

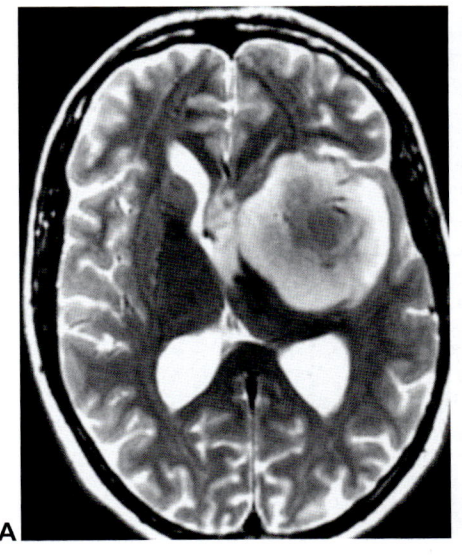
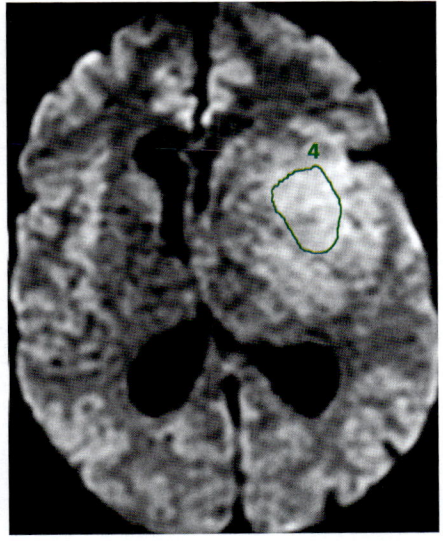
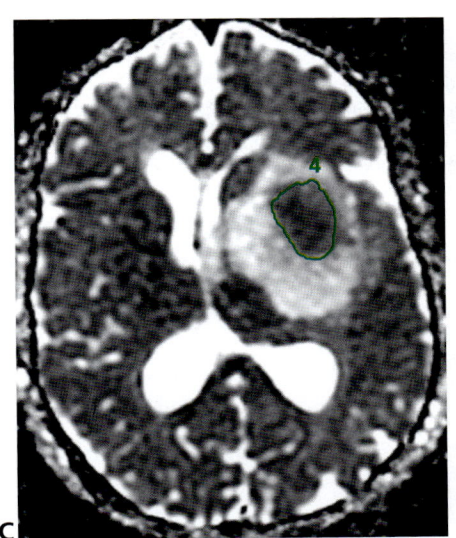
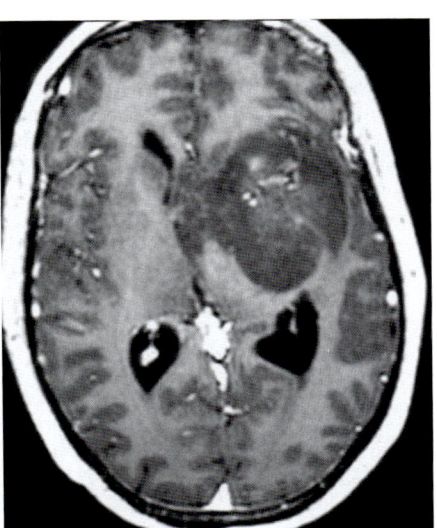

◀ **FIGURA 25.** Glioma grau III. Fem., 41 anos, apresentando depressão e cefaleia. Massa sólida frontotemporal esquerda com área central de isossinal em T2 (**A**) sinal alto na difusão (**B**) e baixo no mapa de coeficiente de difusão aparente (**C**) indicando alta celularidade. Não há realce de contraste (**D**). *(Continua.)*

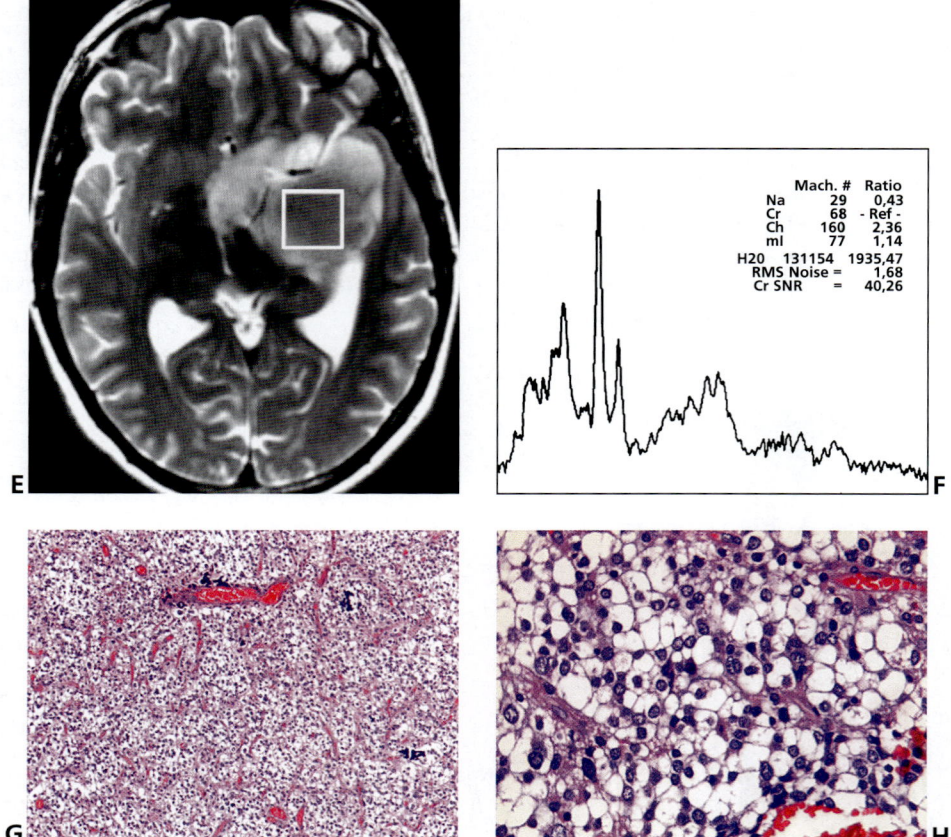

▲ **FIGURA 25.** *(Cont.)* A espectroscopia (**E** e **F**) mostra importante aumento da colina e das relações Co/Cr e Co/Naa, mais uma vez indicando lesão de alta celularidade. A patologia (**G** e **H**) confirma glioma grau III. (Cortesia Dra. Leila Chimelli.)

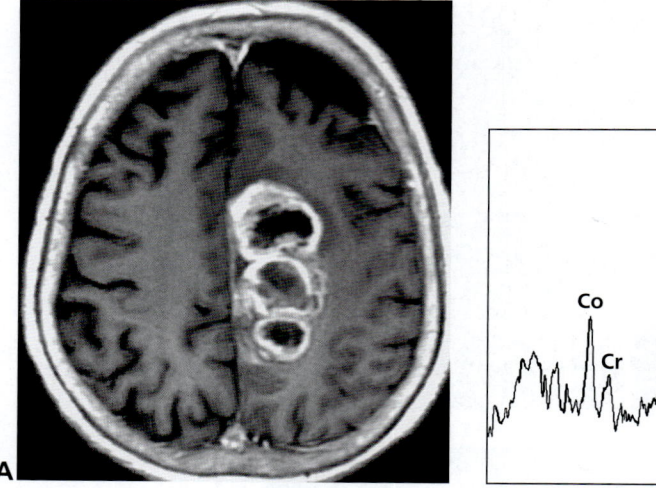
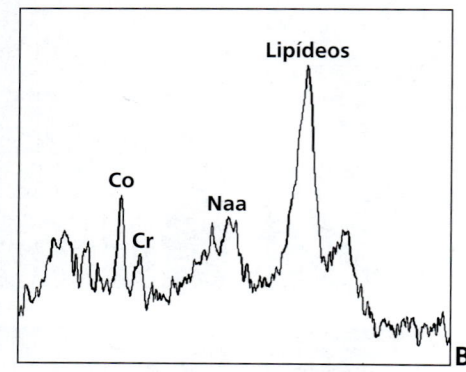

▲ **FIGURA 26.** Glioma grau IV: (**A**) GBM com áreas de necrose e realce periférico de contraste. A análise espectral (**B**) mostra aumento da colina e das relações colina/creatina e colina/Naa indicando alta celularidade. A colina não está tão elevada quanto no glioma grau III (Figs. 24 e 25), já que no GBM há necrose, determinando significativo aumento dos lipídeos, metabólito dominante na curva.

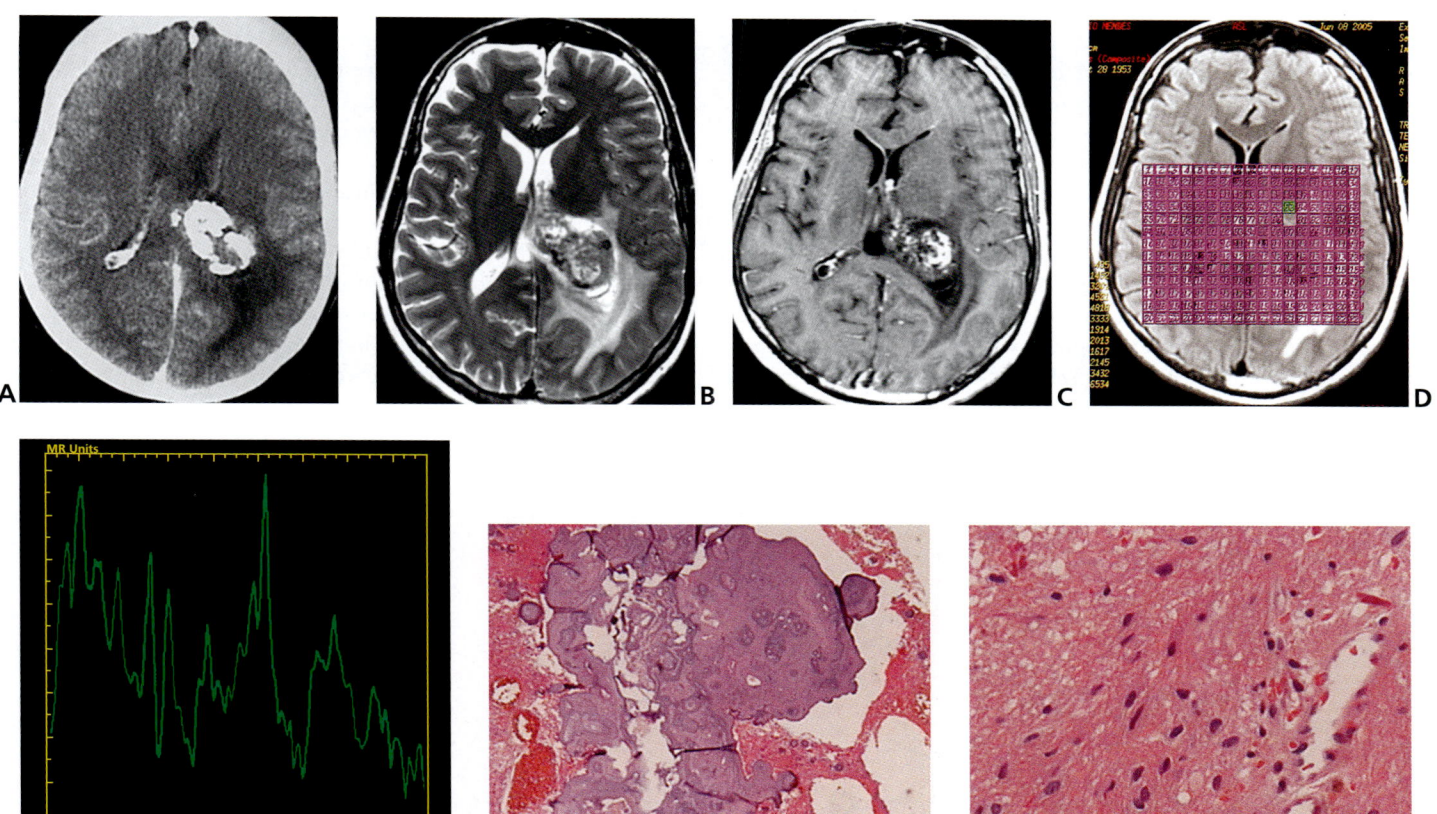

▲ **FIGURA 27.** Astrocitoma pilocítico: masc., 51 anos, com hemiparesia direita há 24 horas. Suspeita de AVE. (**A**) Lesão heterogênea, parietal esquerda, com calcificação extensa na tomografia. (**B**) Componentes císticos e edema perilesional em T2. (**C**) Realce heterogêneo de contraste na lesão. (**D** e **E**) Espectroscopia multivoxel demonstra aumento da colina e dos lipídeos, simulando neoplasia de alto grau. (**F** e **G**) Patologia mostra achados compatíveis com astrocitoma pilocítico. (Cortesia do Dr. Sergio Romano.)

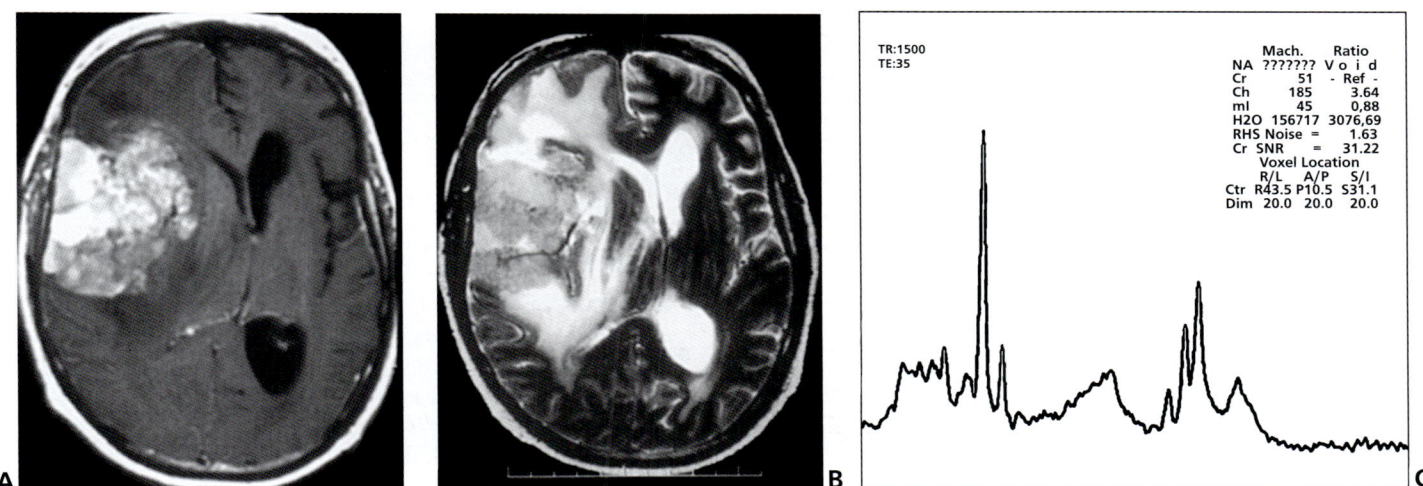

▲ **FIGURA 28.** GBM. (**A**) Lesão frontal direita com realce não homogêneo de contraste. (**B**) Importante edema/infiltração ao redor. (**C**) A espectroscopia mostra achados típicos do GBM: aumento da colina, importante redução do Naa, creatina e mioinositol e pico de lipídeos e lactato.

Perfusão

No mapa de perfusão, as áreas mais vermelhas e amarelas são áreas "quentes", ou de alta densidade capilar, enquanto as áreas mais azuis são áreas "frias", ou de perfusão reduzida (baixa densidade capilar). Perfusão baixa em lesão tumoral primária do SNC tem valor preditivo de 100% em excluir glioma de alto grau,[30] devendo sugerir glioma grau II (Fig. 29).

Por outro lado, perfusão alta é achado típico em gliomas de alto grau (graus III e IV), mas um número significativo de gliomas de baixo grau (grau II) pode ter perfusão alta (Figs. 30 a 32).[30]

Gliomas de baixo grau que apresentam perfusão alta têm velocidade de progressão mais rápida e pior prognóstico do que os gliomas de baixo grau com perfusão baixa (Figs. 29 e 32).[31,32] O estudo de perfusão pode ser capaz de diferenciar doença estável de doença em progressão nos pacientes com gliomas de baixo grau.[31]

Permeabilidade capilar

Enquanto a perfusão oferece uma estimativa da densidade capilar, isto é, da proliferação vascular, os estudos de permeabilidade capilar por ressonância magnética permitem avaliar o estado da barreira hematoencefálica (BHE).[33]

Há forte correlação entre a medida da permeabilidade capilar e o grau tumoral.[34,35] Nos tumores muito agressivos, como no glioblastoma multiforme (GBM), há significativo comprometimento da BHE, de modo que a permeabilidade capilar está aumentada. Dessa forma, o gadolínio injetado no vaso transfere-se rapidamente para o tecido tumoral, através da BHE doente. Este aumento da permeabilidade resulta em áreas vermelhas e amarelas no mapa de permeabilidade e curva de ascensão rápida, indicando rápida chegada do contraste no tecido tumoral (Fig. 33).

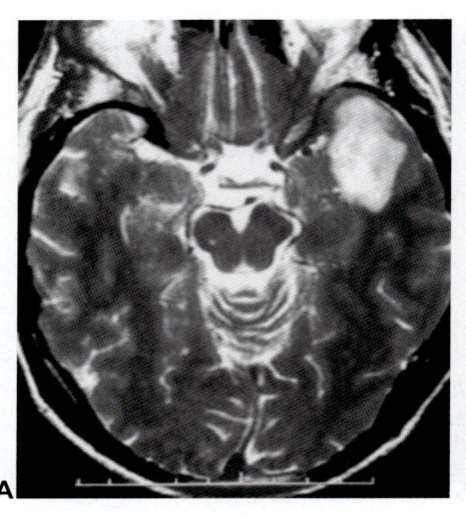
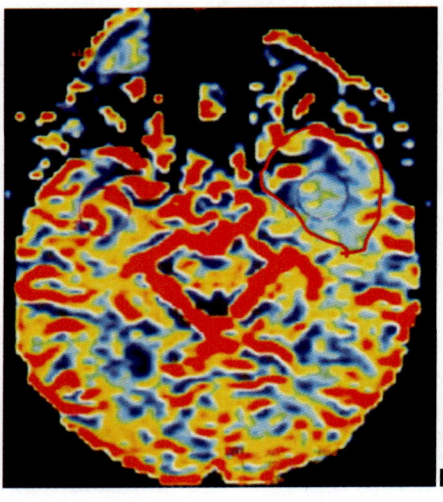

◀ **FIGURA 29.** Glioma grau II (baixo grau). Mesmo paciente da Figura 23: notar lesão circunscrita com hipersinal em T2 (**A**) e baixa densidade capilar. (**B** – mapa de perfusão.)

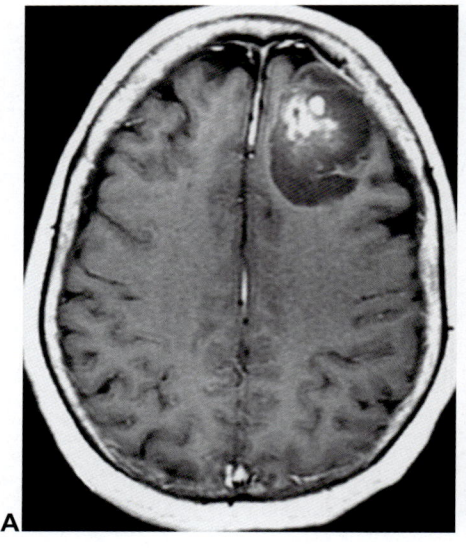
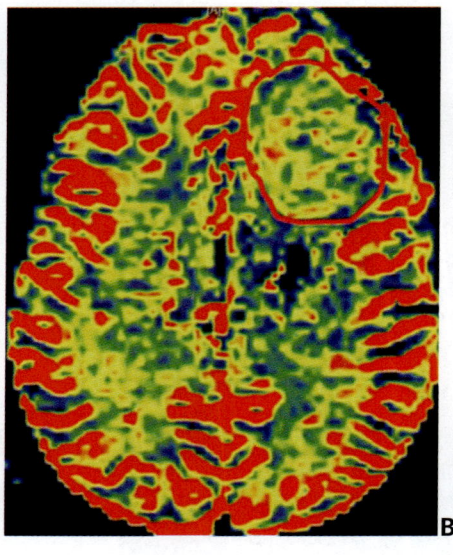

◀ **FIGURA 30.** Glioma grau III (anaplásico). Mesmo paciente da Figura 24: notar lesão frontal esquerda com discretos focos de realce de contraste (**A**) e aumento da densidade capilar (**B** – mapa de perfusão.)

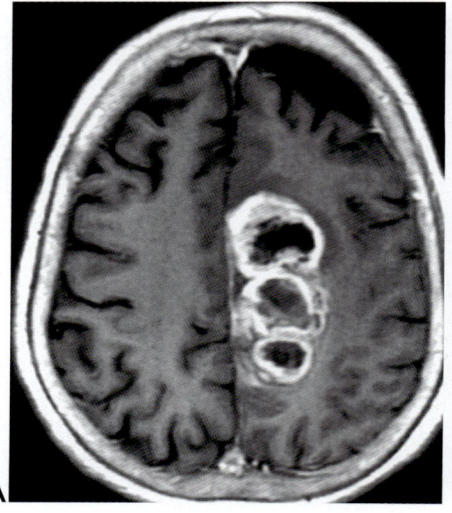
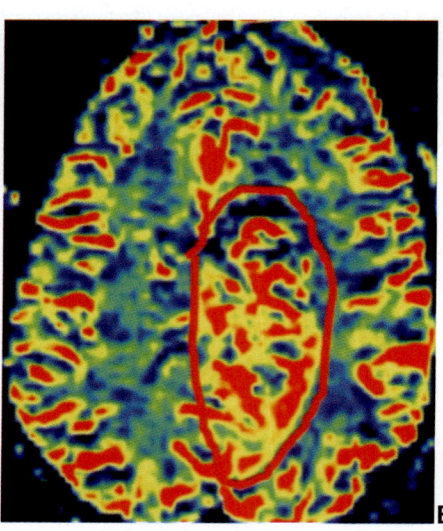

◀ **FIGURA 31.** Glioma grau IV (GBM). Mesmo paciente da Figura 26: notar lesão expansiva com realce heterogêneo e áreas de necrose de permeio (**A**) e significativo aumento perfusional (**B**).

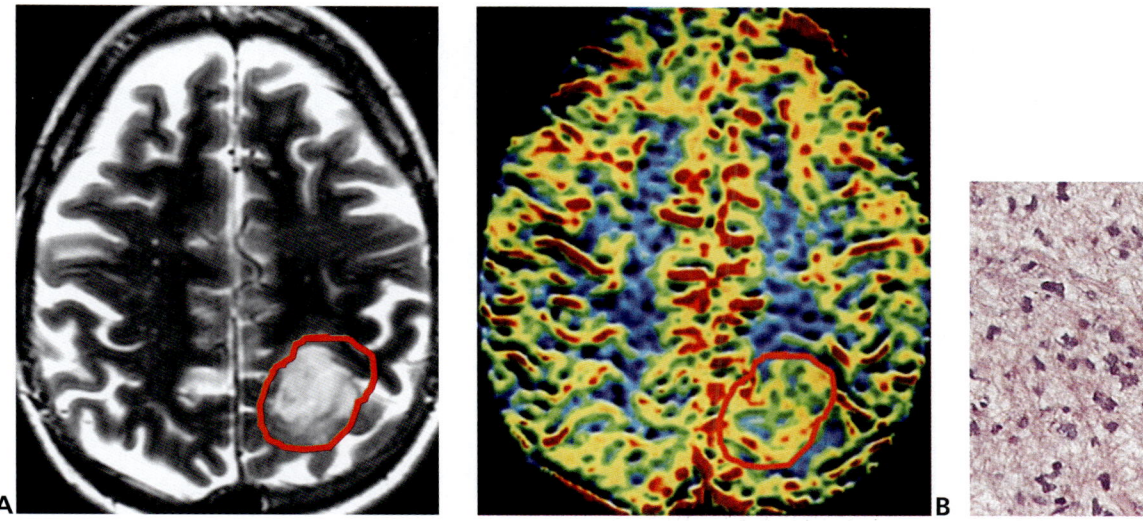

▲ **FIGURA 32.** Glioma grau II. Fem., 1 episódio de convulsão. Notar lesão circunscrita parietal esquerda com hipersinal em T2 (**A**) e perfusão alta (**B**). Patologia compatível com glioma grau II (**C** – cortesia do Dr. Sergio Romano).

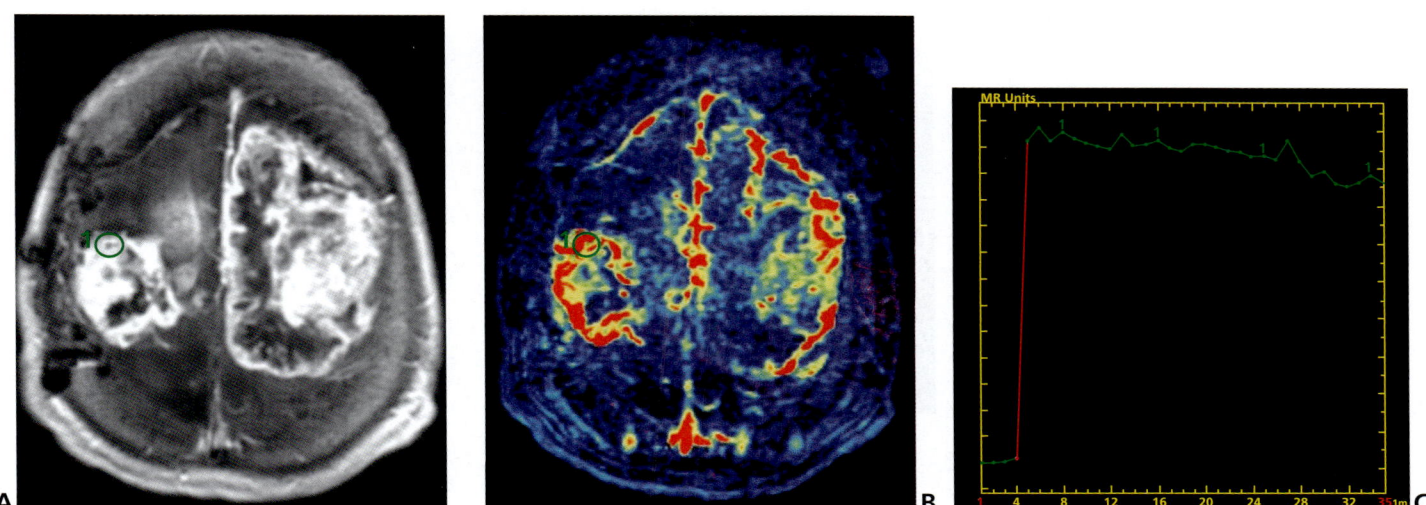

▲ **FIGURA 33.** GBM – estudo de permeabilidade capilar. Fem., 64 anos. GBM bilateral com realce heterogêneo de contraste (**A**) e permeabilidade alta no mapa (áreas vermelhas e amarelas em (**B**) e rápida ascenção da curva (**C**). Notar o padrão de ascensão vertical da curva indicando que tão logo o contraste seja injetado atinge rapidamente o tecido tumoral (permeabilidade alta).

Nos tumores de baixo grau (grau II) a BHE está menos comprometida, e a permeabilidade capilar é baixa (Fig. 34).

Aumento da permeabilidade capilar é um achado comum em gliomas anaplásicos (grau III), mas a permeabilidade destes tumores pode ser baixa, semelhante à observada no glioma grau II (Fig. 35).

Apesar da superposição dos achados entre gliomas graus II e III, diferenças estatisticamente significativas da permeabilidade são demonstradas entre gliomas grau IV e gliomas de menor grau (graus III e II).[35,36]

Perfusão e permeabilidade capilar, isoladamente ou em combinação, mostram bom poder discriminativo na distinção entre gliomas de alto e baixo graus, com sensibilidade e especificidade maiores que 90%.[35]

Para aumentar a confiabilidade na estimativa do grau tumoral, devemos usar uma abordagem multifuncional com difusão, espectroscopia, perfusão e permeabilidade capilar, e não um método isoladamente.

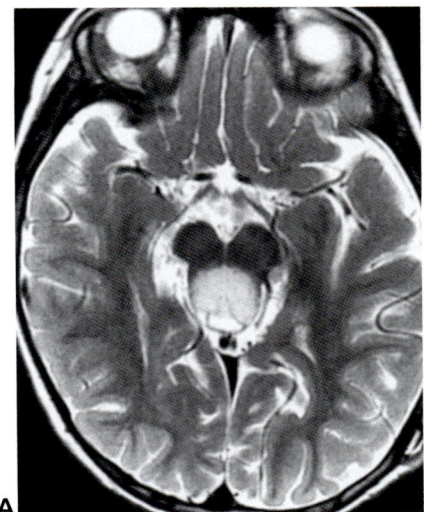
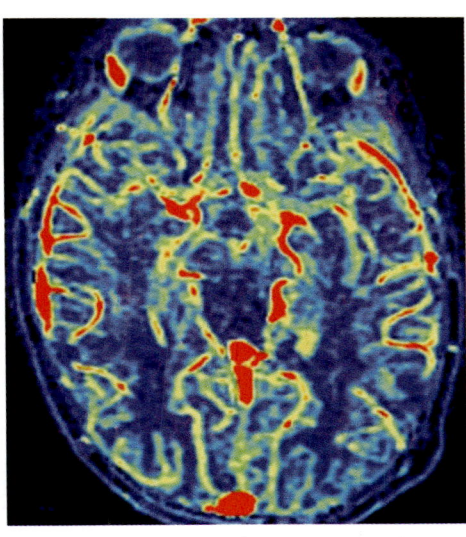

◀ **FIGURA 34.** Glioma de baixo grau, estudo de permeabilidade capilar. Lesão mesencefálica (**A**) com permeabilidade capilar baixa (**B**).

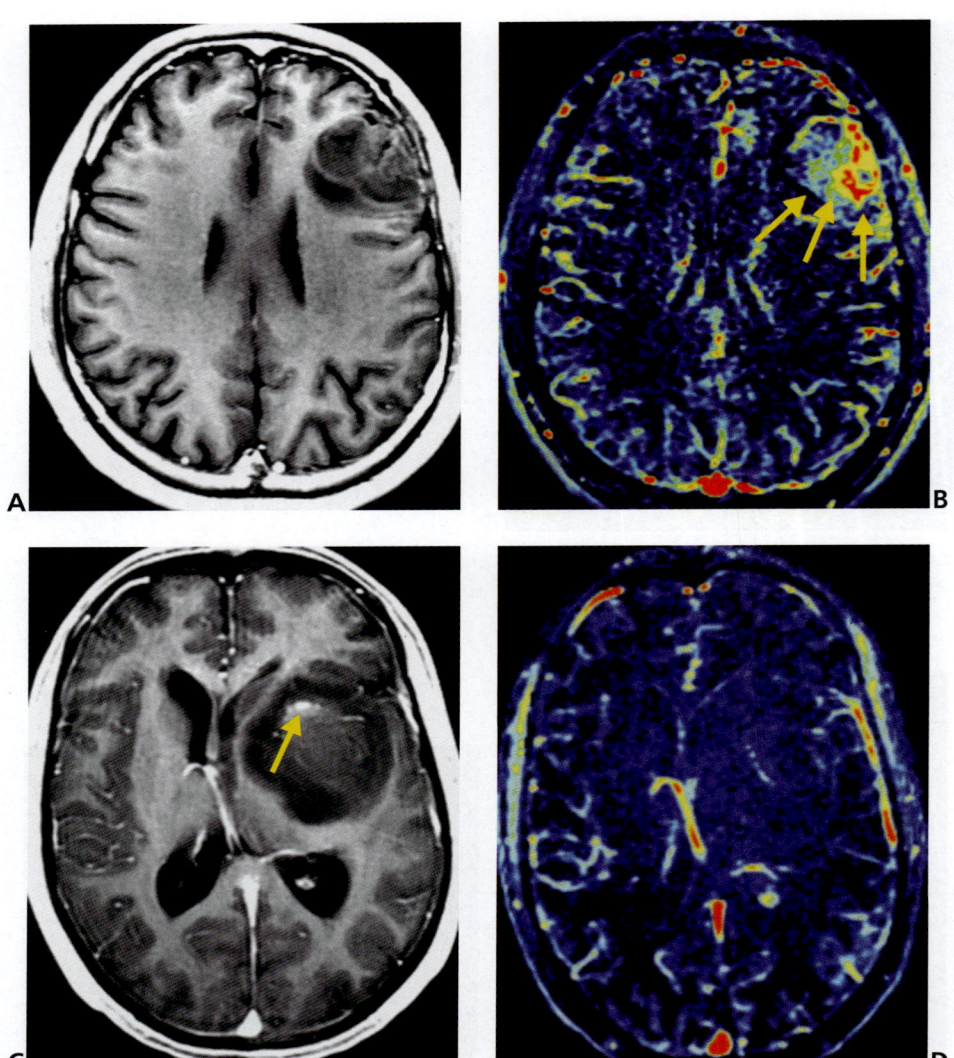

◀ **FIGURA 35.** Glioma grau III – permeabilidade.
(**A** e **B**) Masc., 27 anos, glioma anaplásico (grau III) frontal à esquerda, sem realce de contraste (**A**) e com permeabilidade alta (setas em **B**).
(**C** e **D**) Fem., 41 anos, cefaleia e depressão – glioma anaplásico (grau III) com diminuto foco de realce de contraste (seta em **C**) e permeabilidade capilar baixa (**D**).

Diagnosticar precocemente degeneração anaplásica no glioma de baixo grau

Gliomas de baixo grau tratados conservadoramente devem ser acompanhados com difusão, espectroscopia, perfusão e permeabilidade capilar, já que sinais de degeneração anaplásica podem surgir antes, no estudo funcional, quando comparado à ressonância convencional (Fig. 36A-H).

Durante o acompanhamento de um glioma de baixo grau, o aparecimento de área de difusão restrita no interior da lesão indica degeneração anaplásica (Fig. 36I-J).[37] Da mesma forma, aumento da colina em estudos seriados indica proliferação celular (Fig. 36K-L).

Sabemos, ainda, que o aumento perfusional, relacionado com a proliferação capilar, pode preceder em até 12 meses o surgimento de impregnação de contraste no tumor, ajudando a sugerir, precocemente, degeneração anaplásica.[38] Recomenda-se, portanto, que a perfusão seja usada de rotina no acompanhamento dos gliomas de baixo grau tratados conservadoramente.

Avaliar melhor a extensão do tumor

Gliomas de alto grau frequentemente se estendem além da área de impregnação de contraste demonstrada na ressonância convencional. Dessa forma, áreas de aumento perfusional, indicando proliferação capilar e áreas de aumento da colina indicando proliferação celular podem ser vistas no parênquima ao redor da área de realce de contraste nos gliomas de alto grau, definindo melhor a real extensão do tumor e auxiliando no planejamento terapêutico (Figs. 37 e 38).

Podemos dizer que a espectroscopia de prótons e a perfusão apreciam melhor a real extensão de um tumor de alto grau do que a ressonância convencional com contraste.[39,40]

Estimar o local ideal para biópsia

A biópsia de uma lesão tumoral nem sempre é realizada na área de maior celularidade da lesão, podendo subestimar o grau tumoral.[20]

O local ideal para biópsia é mais bem indicado pelo estudo funcional, já que a área de maior proliferação capilar e de maior celularidade, e, portanto, a área de maior atividade tumoral nem sempre coincidem com a área de maior impregnação de contraste (Fig. 39).

O mapa de permeabilidade capilar também pode ser útil em sugerir o local ideal para biópsia numa lesão tumoral heterogênea (Fig. 40).[34]

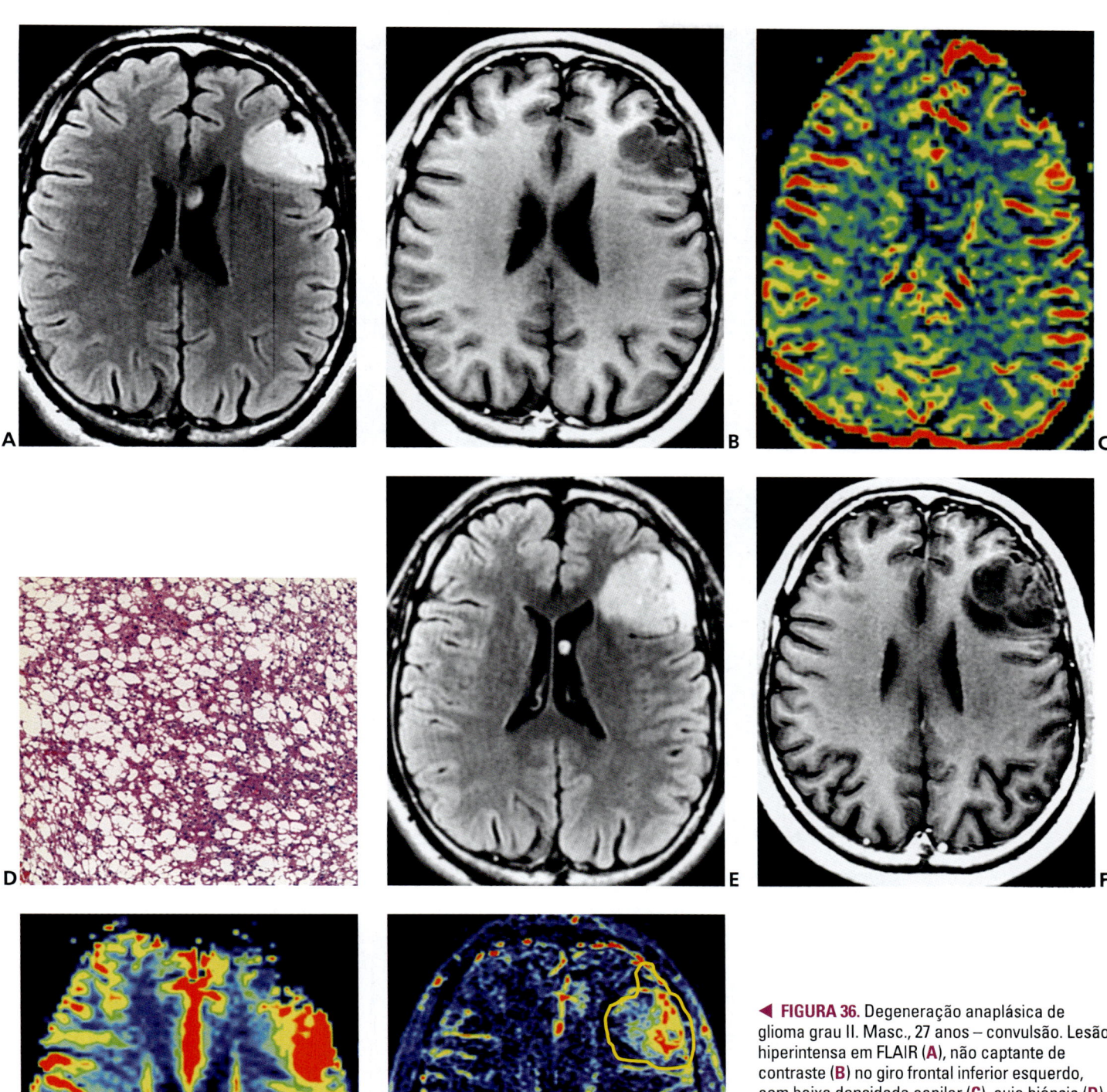

◄ **FIGURA 36.** Degeneração anaplásica de glioma grau II. Masc., 27 anos – convulsão. Lesão hiperintensa em FLAIR (**A**), não captante de contraste (**B**) no giro frontal inferior esquerdo, com baixa densidade capilar (**C**), cuja biópsia (**D**) indicou glioma de baixo grau II (**D** – notar espaços claros, com poucas células – cortesia Dra. Leila Chimelli). Exame de controle 9 meses depois (**E**) mostra discreto crescimento da lesão. Apesar da ausência de realce de contraste (**F**), nota-se o surgimento de área de significativo aumento perfusional (**G**) e da permeabilidade capilar (**H**), indicando proliferação capilar e comprometimento da BHE, respectivamente, sugerindo degeneração anaplásica. *(Continua.)*

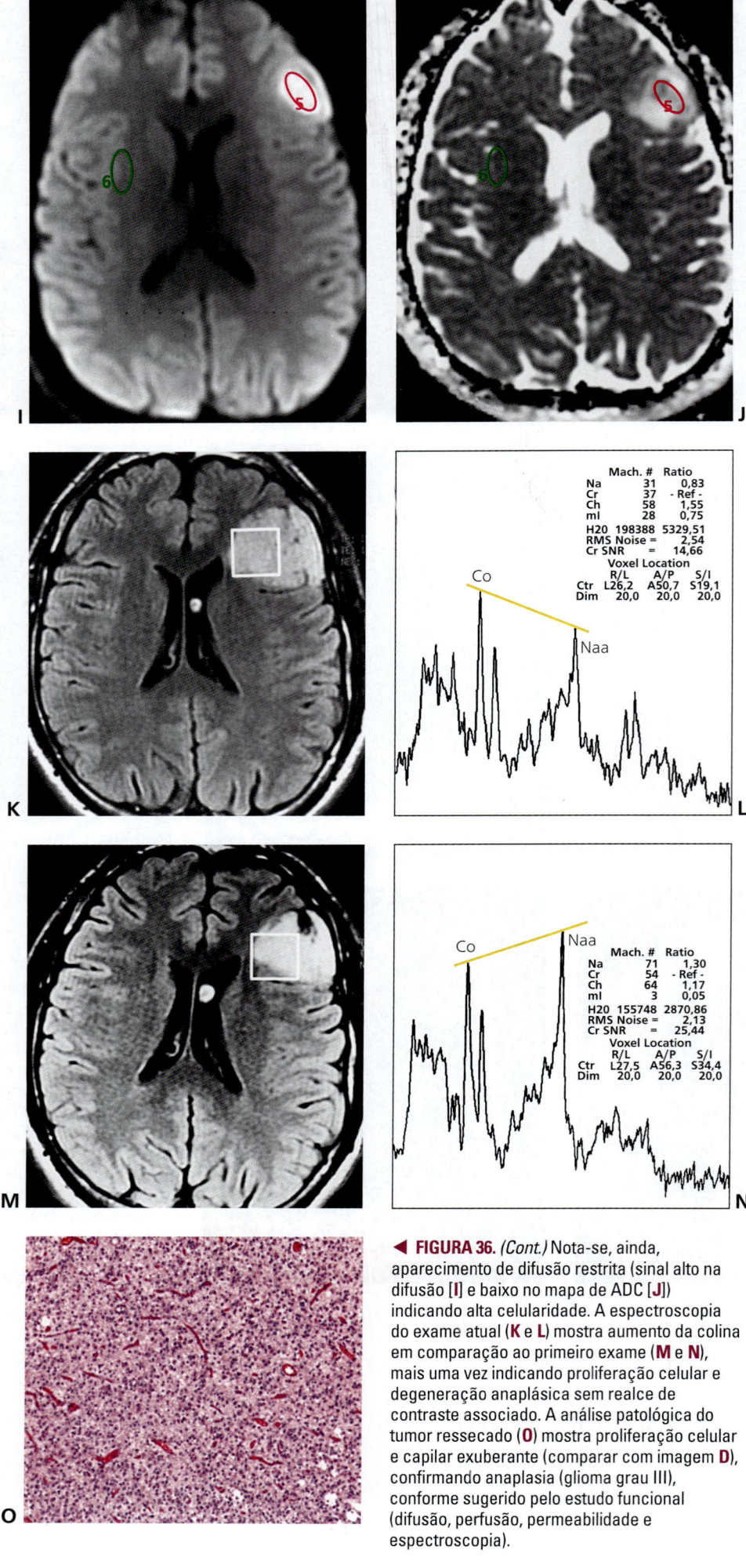

◀ **FIGURA 36.** *(Cont.)* Nota-se, ainda, aparecimento de difusão restrita (sinal alto na difusão [**I**] e baixo no mapa de ADC [**J**]) indicando alta celularidade. A espectroscopia do exame atual (**K** e **L**) mostra aumento da colina em comparação ao primeiro exame (**M** e **N**), mais uma vez indicando proliferação celular e degeneração anaplásica sem realce de contraste associado. A análise patológica do tumor ressecado (**O**) mostra proliferação celular e capilar exuberante (comparar com imagem **D**), confirmando anaplasia (glioma grau III), conforme sugerido pelo estudo funcional (difusão, perfusão, permeabilidade e espectroscopia).

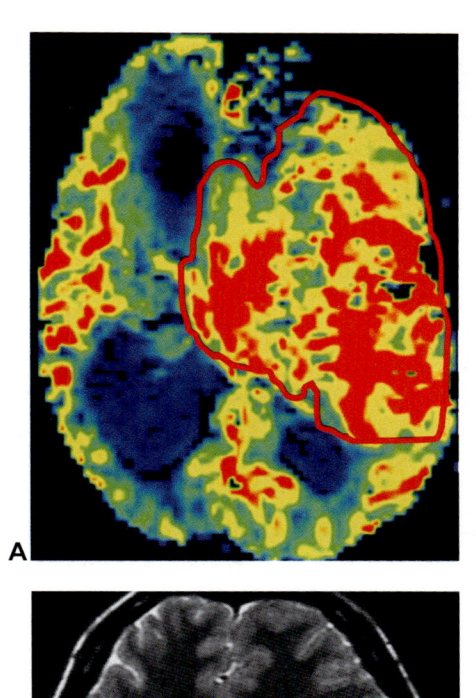
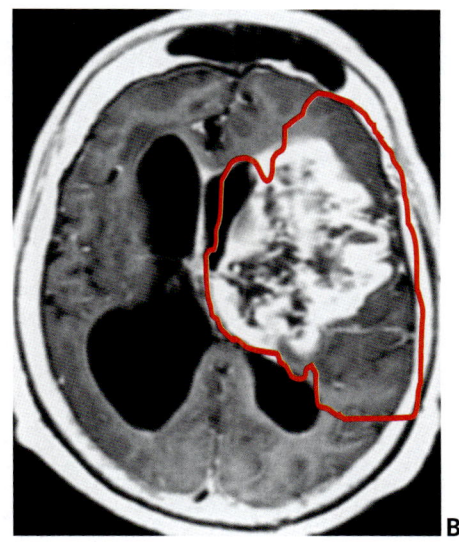
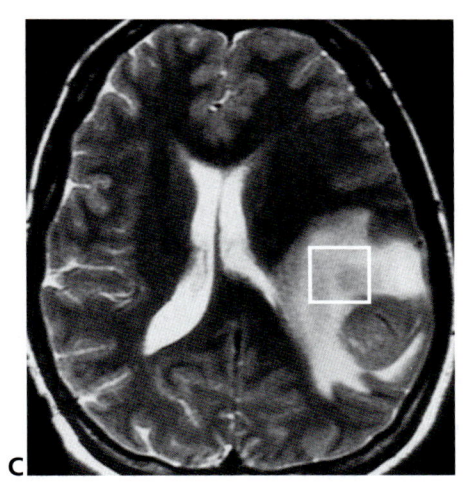
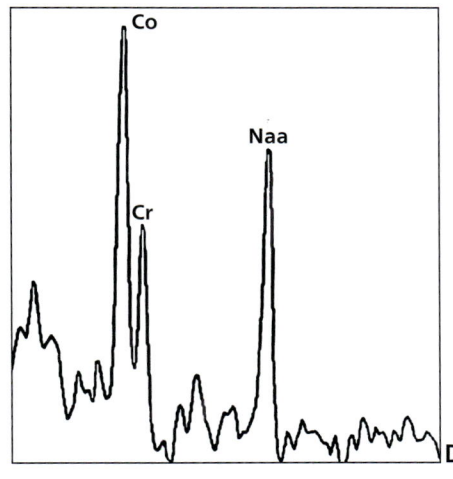

◀ **FIGURA 37.** Extensão tumoral do GBM. Notar como a área de aumento perfusional (**A**) se estende além da área de realce de contraste (**B**) documentando melhor a verdadeira extensão tumoral. (**C** e **D**) GBM em mulher de 39 anos. A análise da área de hipersinal em T2 (**C**) ao redor do nódulo tumoral sólido mostra infiltração tumoral caracterizada por aumento da colina (**D**) compatível com infiltração no parênquima peritumoral.

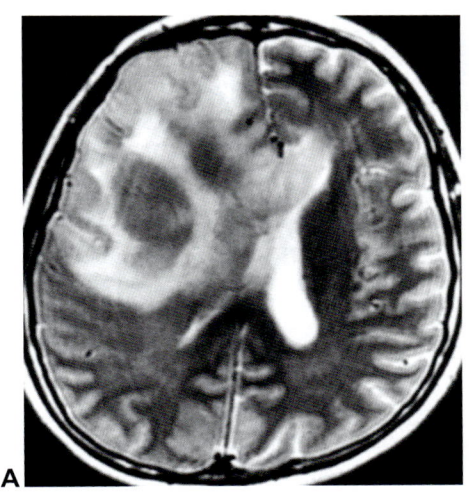
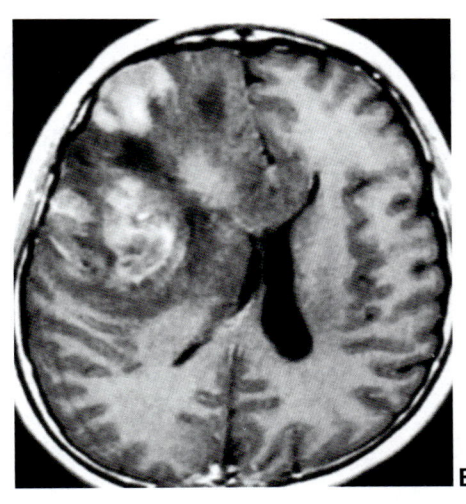
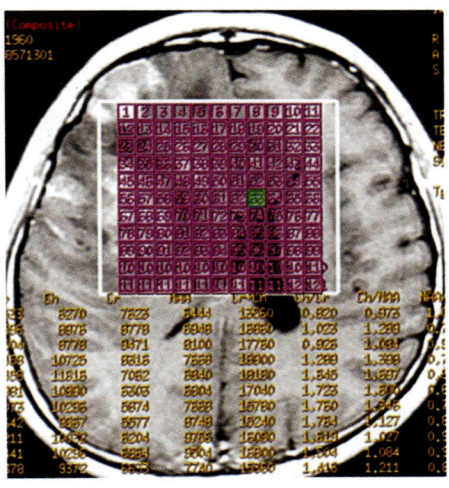
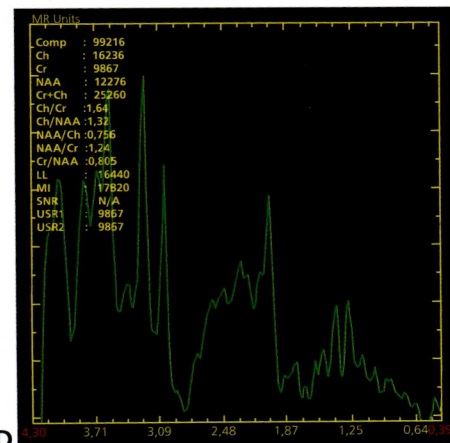
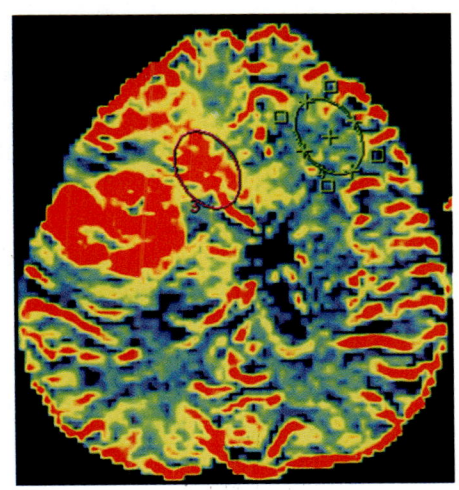

◀ **FIGURA 38.** Extensão tumoral. Fem., 48 anos, com diagnóstico de GBM. Notar grande lesão infiltrativa frontal direita, atravessando a linha média (**A**) e com realce heterogêneo de contraste (**B**). Espectroscopia multivoxel (**C**) mostra sinais de infiltração tumoral em área que não capta contraste (**B**), caracterizada pelo aumento da colina e das relações Co/Cr e Co/Naa (**D**). Nota-se, inclusive, aumento perfusional associado (**E**).

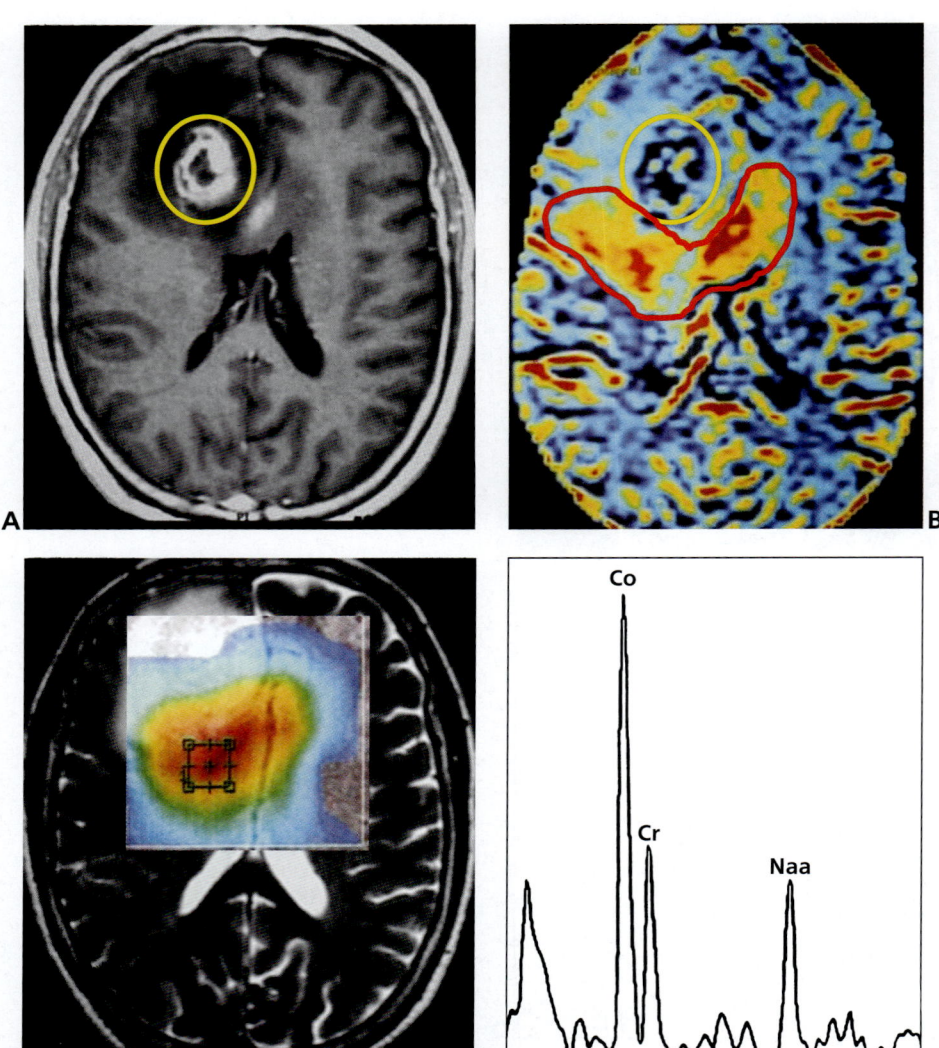

◀ **FIGURA 39.** Guiar biópsia. Masc., 47 anos, pós-op. de lesão frontal há 3 meses – patologia inconclusiva. Notar área de realce de contraste (círculo em **A**) sem aumento perfusional (**B**), devendo representar alteração pós-cirúrgica. Profundamente à alteração pós-cirúrgica, notam-se área de aumento perfusional (halo vermelho em **B**) e aumento da colina (**C** e **D**), sem realce apreciável de contraste (**A**), indicando que o local ideal para a biópsia não coincide, necessariamente, com a área de maior realce na lesão.

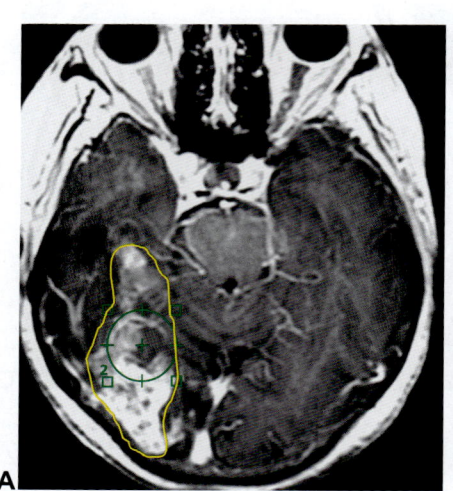
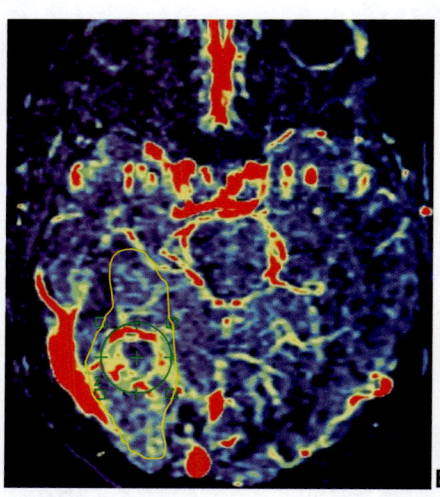

◀ **FIGURA 40. (A e B)** Guiar biópsia. Notar a área de permeabilidade aumentada (círculo verde) de permeio ao GBM (amarelo). Esta área de maior comprometimento da BHE representa, provavelmente, a área de maior malignidade na lesão e, portanto, o local ideal para biópsia.

Avaliar a resposta terapêutica

A ressonância convencional sozinha, frequentemente, não é capaz de discriminar entre alteração relacionada com o tratamento e recidiva tumoral.[41]

Os critérios de MacDonald[42] tradicionalmente usados na avaliação da resposta terapêutica dos gliomas de alto grau consideram que aumento significativo (de pelo menos 25%) da área de realce de contraste é marcador confiável de progressão tumoral. Entretanto, há várias limitações relacionadas com o uso desses critérios[43] como, por exemplo, o fato de que impregnação de contraste é inespecífica e pode representar alteração relacionada com o tratamento com temozolamida (pseudoprogressão), alteração vascular, actínica ou progressão tumoral verdadeira. Por outro lado, redução ou desaparecimento do realce nem sempre representa resposta terapêutica, já que pode estar relacionado com o tratamento com antiangiogênicos.

Há dois recursos de imagem importantes que podem ajudar na interpretação da impregnação de contraste observada no leito tumoral durante e após tratamento com cirurgia, radio e/ou quimioterapia:

- *Ressonância no pós-operatório imediato (24-48 h da cirurgia):* como o tecido de granulação captante de contraste só se desenvolve 48 a 72 horas após a cirurgia, realce de contraste no leito cirúrgico observado nas primeiras 24 a 48 horas (pós-operatório imediato) indica tumor residual (Fig. 41).[42]
- *Estudo funcional com ressonância magnética:* utilizar técnicas avançadas de ressonância, como difusão, espectroscopia, perfusão e permeabilidade capilar, para aumentar a confiabilidade na distinção entre tumor residual/recidivante × alteração relacionada com o tratamento (Fig. 42).[42]

O tratamento do glioblastoma multiforme com temozolamida e antiangiogênicos pode resultar em pseudofenômenos conhecidos como pseudoprogressão e pseudorresposta, respectivamente. As técnicas avançadas de neuroimagem podem ter papel importante no diagnóstico destas condições.

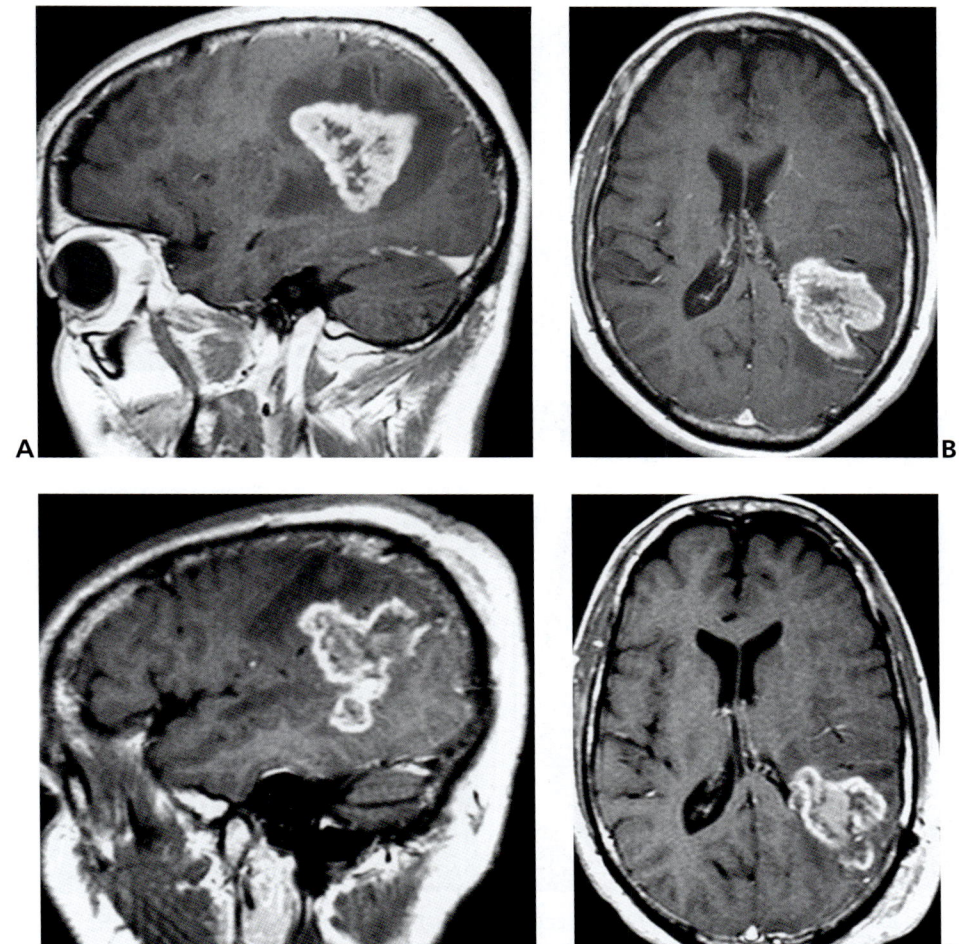

◀ **FIGURA 41.** Avaliação pós-operatória. Masc., 50 anos, com déficit motor e de fala e cefaleia acentuada. Lesão expansiva com área central de necrose e realce periférico de contraste (**A** e **B**) compatível com GBM. (**C** e **D**) Ressonância obtida 48 horas após a cirurgia mostra realce de contraste no leito cirúrgico, indicando tumor residual.

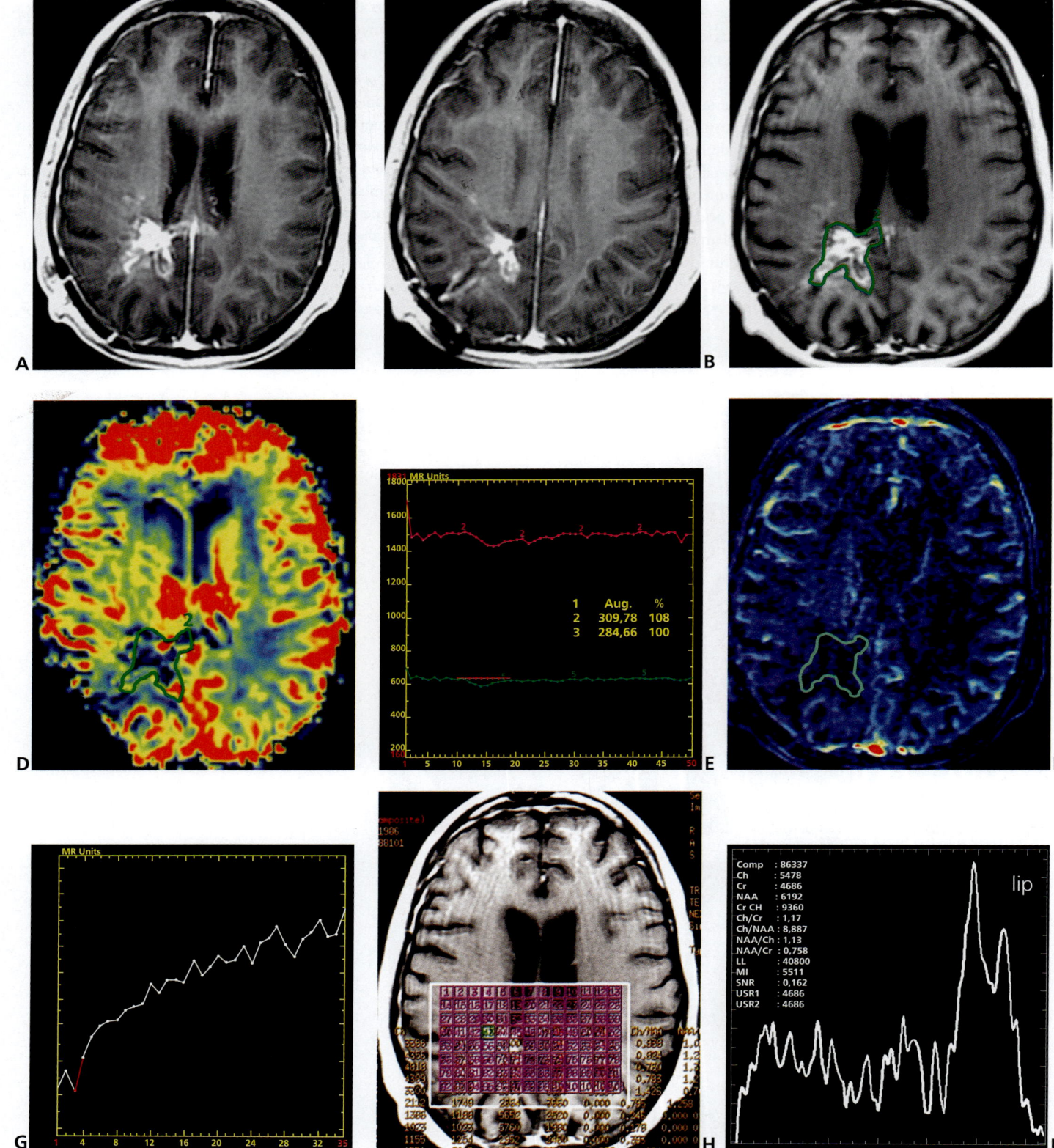

▲ **FIGURA 42.** Avaliação da resposta terapêutica. Fem., 24 anos. Ressonância realizada 7 meses após finalizado tratamento de GBM com cirurgia, RT (33 sessões), QT com temozolamida, inalação de álcool perílico e cortisona. Notar impregnação irregular de contraste nas margens da cavidade cirúrgica, podendo representar tumor residual e/ou alteração relacionada com o tratamento (**A** e **B** – axial T1 com contraste). A área de realce de contraste (**C**) apresenta perfusão baixa (**D** e **E**) e permeabilidade baixa (**F**), com curva de permeabilidade com ascensão lenta e gradual (**G**), achados que sugerem alteração actínica. A espectroscopia multivoxel (**H**) mostra apenas evidência de necrose (aumento dos lipídeos – **I**), sem aumento associado da colina que possa sugerir proliferação celular, mais uma vez indicando que a área de realce no leito cirúrgico representa alteração relacionada com o tratamento.

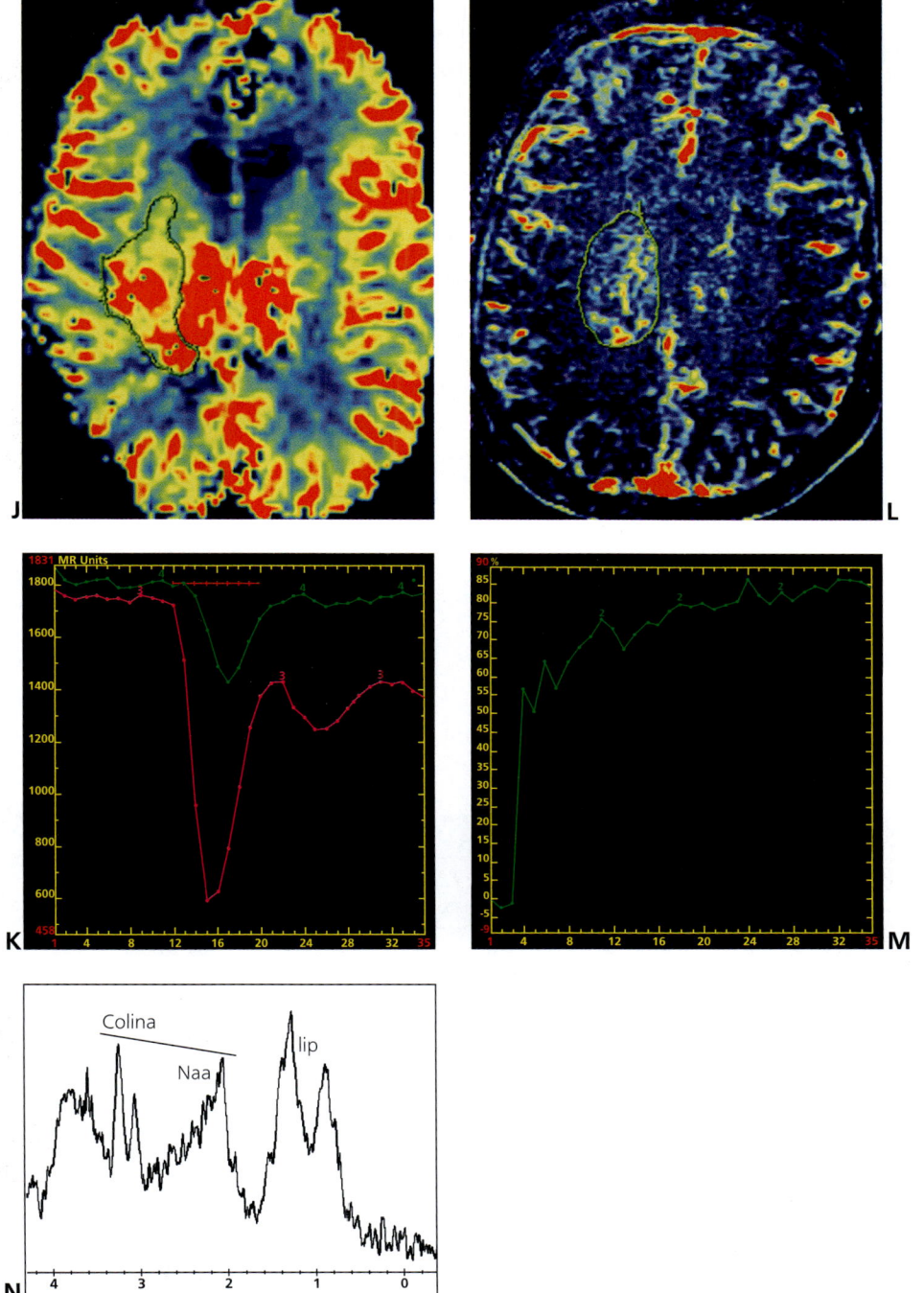

▲ **FIGURA 42.** *(Cont.)* Exame repetido 4 meses depois mostra agora sinais de neoplasia recidivante caracterizada pelo aumento perfusional (**J** e **K**) e da permeabilidade capilar (**L** e **M**), bem como da colina (**N**) na espectroscopia.

Pseudoprogressão

O fenômeno da pseudoprogressão ocorre em cerca de 20 a 30% dos pacientes diagnosticados com GBM, submetidos a tratamento com radioterapia (RT) e quimioterapia (QT) com temozolamida (TMZ).[44,45]

A pseudoprogressão caracteriza-se pelo aumento da área de impregnação de contraste observado nos primeiros 3 a 6 meses depois de completada a radioterapia (RT) (ou RT + QT), que eventualmente regride sem qualquer mudança no tratamento.

Na maioria das vezes, não há qualquer manifestação clínica associada ao evento, que tende a estabilizar com 3-6 meses.[45]

De acordo com os critérios de RANO,[42] o aumento da área de realce de contraste, num tumor tratado com RT e QT, somente pode ser considerado progressão tumoral verdadeira se ocorrer fora do leito tumoral.

Se o aumento do realce ocorrer no leito tumoral, a distinção radiológica entre pseudoprogressão e progressão tumoral verdadeira pode ser realizada de duas formas:

- *Ressonâncias seriadas:* a impregnação de contraste relacionada com pseudoprogressão tende a desaparecer com 3 a 6 meses.
- *Estudo funcional:* estudos recentes sugerem que a perfusão é mais alta na progressão verdadeira do que na pseudoprogressão (Figs. 43 e 44).[46-48]

Da mesma forma, podemos supor que aumento da permeabilidade capilar deve sugerir progressão verdadeira.

Pseudorresposta

Agentes antiangiogênicos, como o bevacizumab, inibidores do fator de crescimento endotelial, são utilizados como drogas de segunda linha no tratamento do GBM, sendo indicados para tratamento do GBM recorrente.

Estudos publicados mostram que glioblastomas com mais necrose e, portanto, difusão mais facilitada são os que mais se beneficiam do tratamento com bevacizumab.[49]

Drogas antiangiogênicas atuam estabilizando e normalizando a BHE, de modo que acentuada redução do realce de contraste pode ser vista tão cedo quanto um ou dois dias após o início do tratamento, sugerindo resposta radiológica.[42,50,51] Da mesma forma, o mapa de permeabilidade capilar mostrará redução ou normalização da permeabilidade, antes aumentada na lesão de alto grau (Fig. 45).

Redução, ou mesmo desaparecimento, do realce de contraste nos pacientes em uso de antiangiogênico indica mais provavelmente normalização da BHE e não efeito antitumoral verdadeiro. De acordo com os critérios de RANO,[42] para ser considerada resposta terapêutica verdadeira, a redução do realce deve persistir por pelo menos 4 semanas após suspensão do antiangiogênico.

No paciente em tratamento com antiangiogênico, o realce de contraste e o comportamento da lesão nos estudos de perfusão e permeabilidade capilar são parâmetros imprecisos para estimativa da resposta terapêutica, pois são falsamente normalizados pelo uso da medicação.

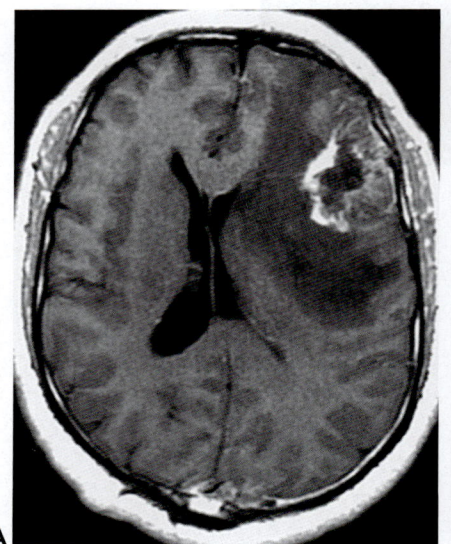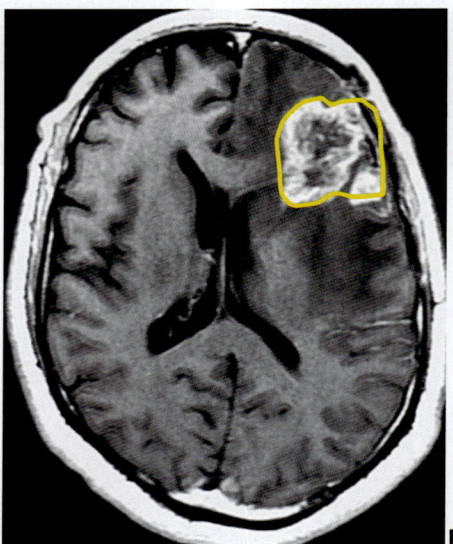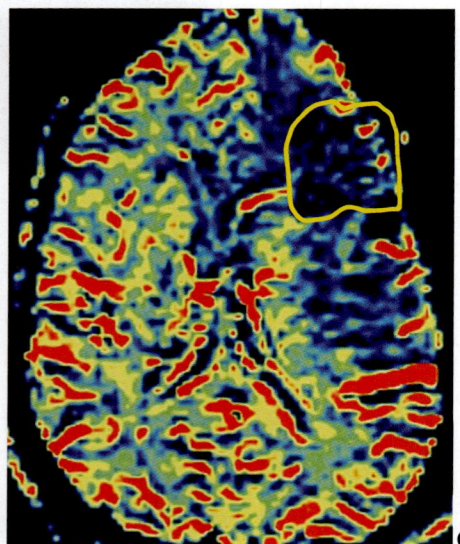

▲ **FIGURA 43.** GBM com necrose central (**A**), com aumento do tamanho da área de realce 2 meses após cirurgia + RT + QT com TMZ (**B**). A perfusão é fria (**C**), sugerindo pseudoprogressão.

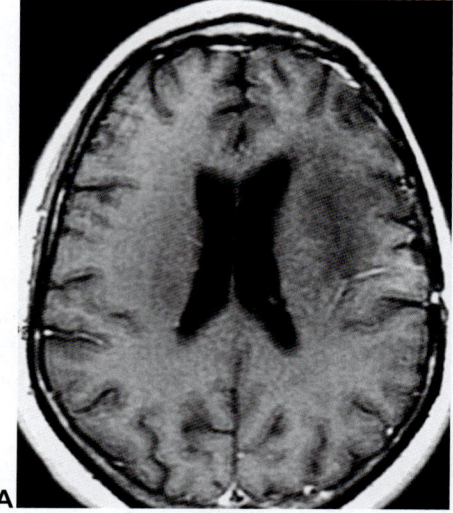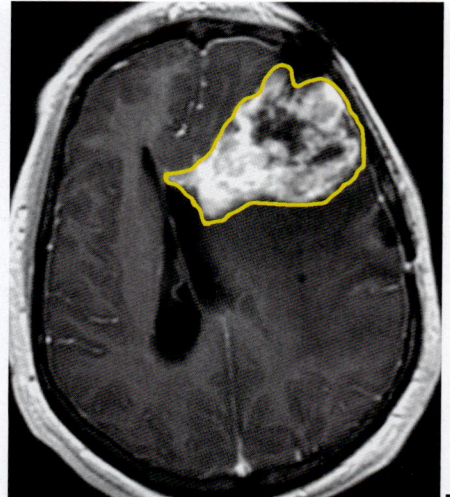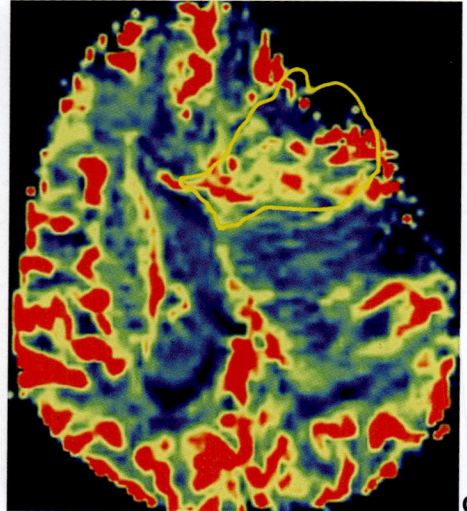

▲ **FIGURA 44.** Glioma de alto grau sem realce de contraste (**A**) apresentando aumento de tamanho e realce 2 meses após cirurgia, RT e QT com TMZ (**B**). A perfusão mostra-se muito aumentada (**C**), caracterizando progressão verdadeira.

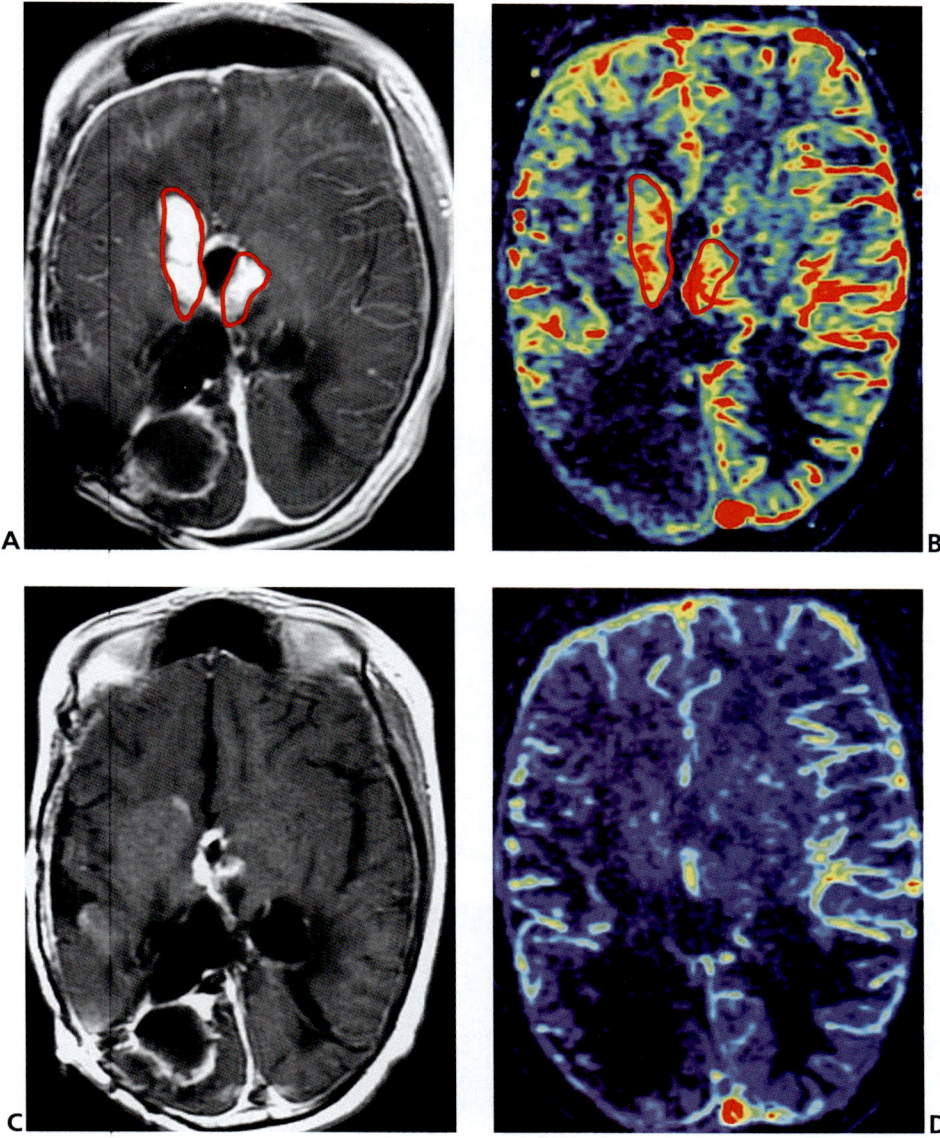

▲ **FIGURA 45.** Uso de antigiogênico. Neoplasia agressiva recidivada após várias cirurgias e QT, apresentando realce de contraste (**A**) e alta permeabilidade (**B**). Durante o tratamento com bevacizumab notamos redução da área de realce (**C**) e normalização da permeabilidade (**D**), provavelmente representando pseudorresposta (efeito da medicação antiangiogênica).

Dessa forma, para estimar a resposta terapêutica, devemos observar se, apesar da redução ou desaparecimento do realce de contraste, houve aumento da lesão nas outras sequências de ressonância (T2, FLAIR...) e/ou surgimento de áreas de difusão restrita que possam representar alta celularidade e, portanto, progressão tumoral (Fig. 46).

Áreas de restrição a difusão que surgem durante o tratamento com bevacizumab e progridem em exames seriados sugerem neoplasia não captante em progressão.

Em alguns estudos, aparecimento da difusão restrita precedeu o aparecimento de realce de contraste em pacientes em tratamento com bevacizumab, sendo indicador precoce de recidiva tumoral.[49,52,53]

TRATOGRAFIA E BOLD

Além dos métodos funcionais úteis na caracterização da lesão tumoral e na avaliação da resposta terapêutica, como difusão, espectroscopia, perfusão e permeabilidade capilar, métodos modernos de mapeamento anatômico, como tratografia e BOLD, podem ser usados na fase pré-operatória, para oferecer ao neurocirurgião informação quanto à relação do tumor com tratos eloquentes de substância branca e com o córtex eloquente em adjacência.

Enquanto gliomas de baixo grau tendem a deslocar os tratos de substância branca adjacentes, gliomas de alto grau frequentemente infiltram e/ou destroem esses tratos (Figs. 47 a 49).[54]

O deslocamento do trato é o padrão mais útil para o neurocirurgião e pode ajudar a planejar melhor a intervenção cirúrgica.[55] Por outro lado, se o tumor destruiu o trato adjacente, nenhuma preocupação adicional existe em relação à preservação desse trato durante a cirurgia.

Além do mapeamento da substância branca, o córtex eloquente adjacente ao tumor pode ser demonstrado utilizando a técnica BOLD. Esta técnica pode ser usada para mapear o córtex sensitivo-motor, o córtex da linguagem, bem como o córtex visual. Dentre todos, o mapeamento considerado mais acurado e com melhor correspondência com a eletroestimulação peroperatória é o do córtex sensitivo-motor. Quando a distância entre o córtex ativado e a lesão tumoral é superior a 1 cm, o prognóstico para a ressecção cirúrgica é geralmente bom (Fig. 50).

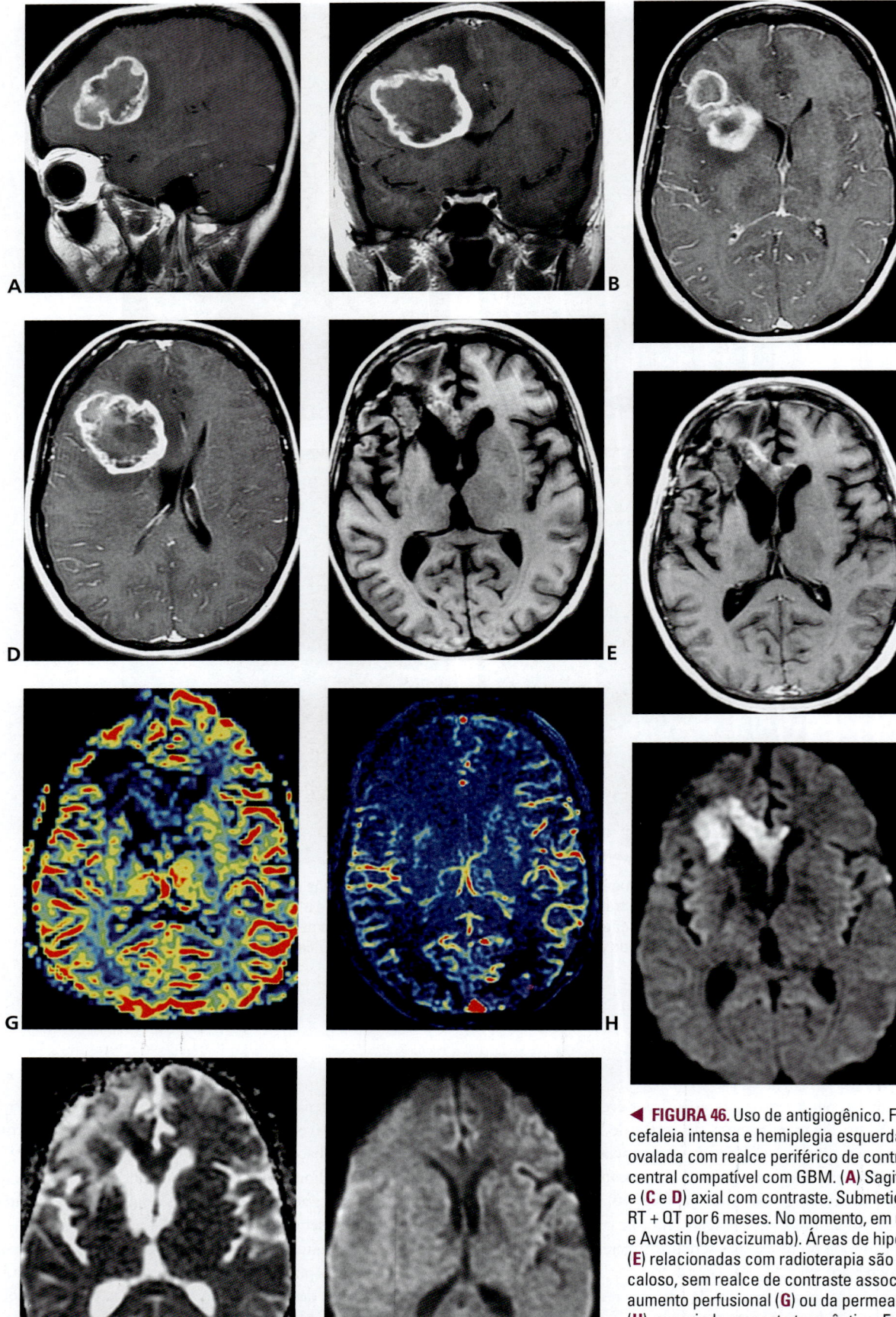

◀ **FIGURA 46.** Uso de antigiogênico. Fem., 48 anos – cefaleia intensa e hemiplegia esquerda. Notar lesão ovalada com realce periférico de contraste e necrose central compatível com GBM. (**A**) Sagital, (**B**) coronal e (**C** e **D**) axial com contraste. Submetida à cirurgia, RT + QT por 6 meses. No momento, em uso de Temodal e Avastin (bevacizumab). Áreas de hipersinal em T1 (**E**) relacionadas com radioterapia são vistas no corpo caloso, sem realce de contraste associado (**F**). Não há aumento perfusional (**G**) ou da permeabilidade capilar (**H**), sugerindo resposta terapêutica. Entretanto, áreas de difusão restrita (sinal alto na difusão [**I**] e baixo no mapa de ADC [**J**]) são demonstradas no lobo frontal direito e joelho do corpo caloso no exame atual (**I** e **J**) em comparação ao exame anterior ao tratamento com Avastin (difusão – **K**) indicando surgimento de áreas de alta celularidade e representando a única evidência radiológica de progressão tumoral.

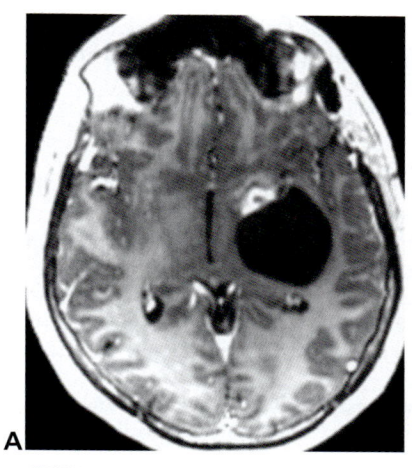 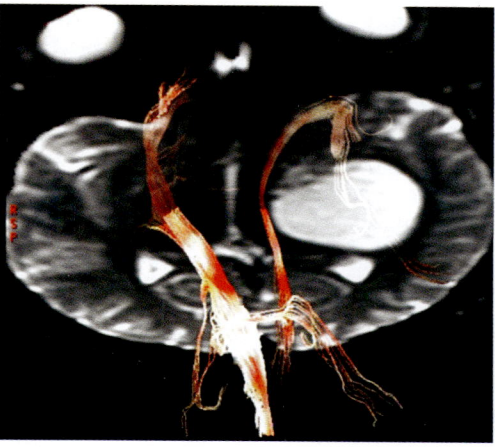 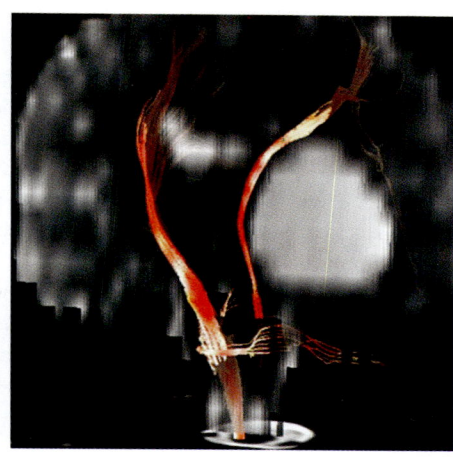

▲ **FIGURA 47.** Tratografia – trato deslocado. Masc., 18 anos. Astrocitoma pilocítico com componentes cístico e sólido (**A**) determinando rechaço medial do trato corticoespinhal ipsilateral. (**B** e **C** – tratografia.)

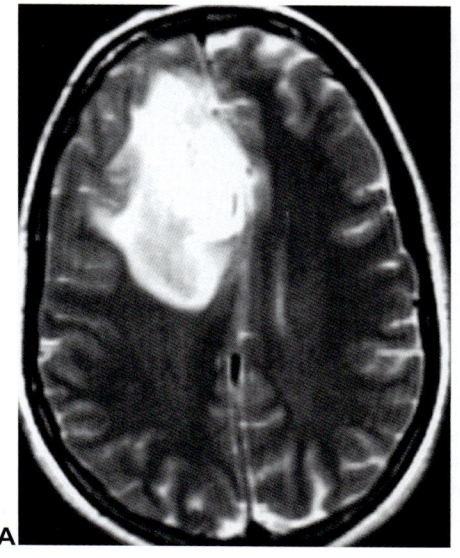 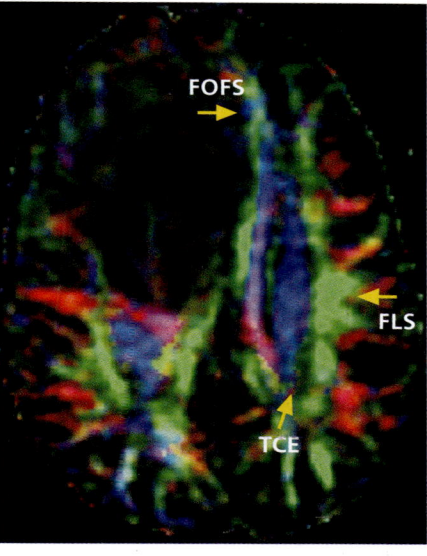

◄ **FIGURA 48.** Tratografia – trato infiltrado. Fem., 34 anos. Astrocitoma anaplásico com sinal alto em T2 (**A**), infiltrando o fascículo occipitofrontal superior (FOFS), trato corticoespinhal (TCE) e fascículo longitudinal superior (FLS) à direita (**B**). Notar os fascículos com aspecto usual à esquerda.

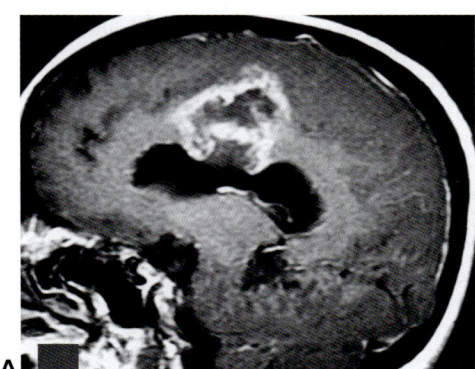 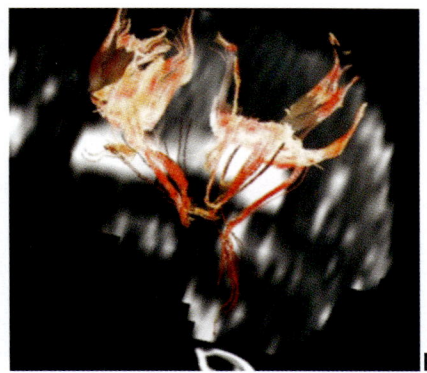 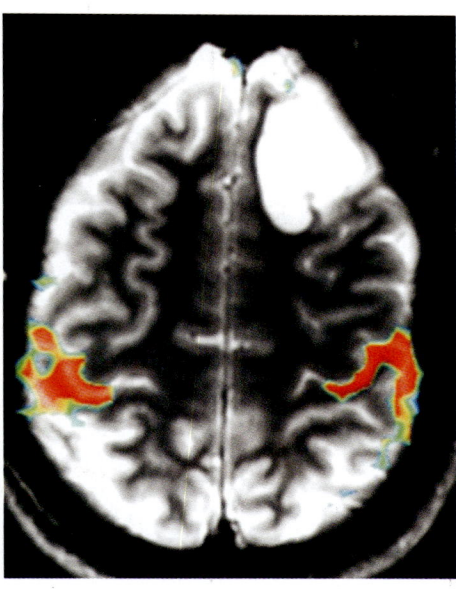

▲ **FIGURA 49.** Tratografia – trato destruído. GBM com área de necrose (**A** – sagital T1 com contraste) destruindo parcialmente o corpo do corpo caloso. (**B** – tratografia.)

▲ **FIGURA 50.** Técnica BOLD. Notar ativação bilateral do córtex sensitivo-motor (vermelho). A distância do córtex ativado até a lesão tumoral frontal esquerda é maior do que 1 cm, indicando bom prognóstico para ressecção.

CONCLUSÃO

Através de técnicas avançadas de neuroimagem, como difusão, espectroscopia, perfusão e permeabilidade capilar, podemos estimar, de modo mais acurado, o grau dos gliomas, definir melhor sua extensão e o local ideal para biópsia, sugerir degeneração anaplásica em gliomas de baixo grau em acompanhamento, antes mesmo do surgimento de impregnação de contraste na lesão e avaliar com maior precisão a resposta terapêutica dos gliomas.

Métodos modernos de mapeamento da substância branca, como a tratografia e de mapeamento do córtex eloquente, como o BOLD, também podem ser usados para melhor planejamento cirúrgico.

Podemos concluir, dessa forma, que a neuroimagem contribui sobremaneira na avaliação pré-operatória e da resposta terapêutica dos gliomas.

REFERÊNCIAS BIBLIOGRÁFICAS

1. CBTRUS (2008) Statistical report. Primary brain tumors in the US; 2007-2008.
2. Young GS, Setayesh K. Spin-echo echo-planar perfusion MR imaging in the differential diagnosis of solitary enhancing brain lesions: distinguishing solitary metastases from primary glioma. *AJNR* 2009 Mar.;30:575-77.
3. Lu S, Ahn D, Johnson G et al. Peritumoral diffusion tensor imaging of high-grade gliomas and metastatic brain tumors. *AJNR* 2003 May;24:937-41.
4. Bulakbasi N, Kocaoglu M, Farzaliyev A et al. Assessment of diagnostic accuracy of perfusion MRi in primary and metastatic solitary malignant brain tumors. *AJNR* 2005 Oct.;26:2187-99.
5. Cha S, Lupo JM, Chen MH et al. Differentiation of glioblastoma multiforme and single brain metastasis by peak height and percentage of signal intensity recovery derived from dynamic susceptibility-weighted contrast-enhanced perfusion MR imaging. *AJNR* 2007 June-July;28:1078-84.
6. Fan G. Sun B. Wu Z et al. In vivo single-voxel proton MR spectroscopy in the differentiation of high-grade gliomas and solitary metastases. *Clin Radiol* 2004;59:77-85.
7. Law M, Cha S, Knopp EA et al. High-grade gliomas and solitary metastases: differentiation by using perfusion and proton spectroscopic MR imaging. *Radiology* 2002 Mar.;222(3):715-21.
8. Chiang IC, Kuo YT, Lu CY et al. Distinction between high-grade gliomas and solitary metastases using peritumoral 3-T magnetic resonance spectroscopy, diffusion, and perfusion imagings. *Neuroradiology* 2004;46:619-27.
9. Ricci R, Bacci A, Tugnoli V et al. Metabolic findings on 3T 1H-MR spectroscopy in peritumoral brain edema. *AJNR Am J Neuroradiol* 2007 Aug.;28(7):1287-91.
10. Burtscher IM, Skagerberg G, Geijer B et al. Proton MR spectroscopy and preoperative diagnostic accuracy: an evaluation of intracranial mass lesions characterized by stereotactic biopsy findings. *AJNR* 2000 Jan.;21(1):84-93.
11. Al-Okaili RN, Krejza J, Wang S et al. Advanced MR imaging techniques in the diagnosis of intraaxial brain tumors in adults. *Radiographics* 2006 Oct.;26(Suppl 1):S173-89.
12. Weber MA, Zoubaa S, Schlieter M et al. Diagnostic performance of spectroscopic and perfusion MRI for distinction of brain tumors. *Neurology* 2006 June 27;66(12):1899-906.
13. Maia Jr AC, Malheiros SM, da Rocha AJ et al. MR cerebral blood volume maps correlated with vascular endothelial growth factor expression and tumor grade in nonenhancing gliomas. *AJNR* 2005 Apr.;26:777-83.
14. Herneth AM, Guccione S, Bednarski M. Apparent diffusion coefficient: a quantitative parameter for in vivo tumor characterization. *Eur Radiol* 2003;45(3):208-13.
15. Rodallec M, Colombat M, Krainik A et al. Diffusion-weighted-MR imaging and pathologic findings in adult cerebellar medulloblastoma. *J Neuroradiol* 20,04;31(3);234-37.
16. Guo AC, Cummings TJ, Dash RC et al. Lymphomas and high-grade astrocytomas: comparison of water diffusibility and histologic characteristics. *Radiology* 2002;224(1):177-83.
17. Hayashida Y, Hirai T, Morishita S et al. Diffusion-weighted imaging of metastatic brain tumors: comparison with histologic type and tumor cellularity. *AJNR* 2006;27(7):1419-25.
18. Hayashida Y, Hirai T, Morishita S et al. Diffusion-weighted imaging of metastatic brain tumors: comparison with histologic type and tumor cellularity. *Neuroimag Clin N Am* 2006;16:169-92.
19. Maier SE, Mamata H. Diffusion imaging of brain tumors. In: Newton HB, Jolesz FA. (Eds.). *Handbook of neuro-oncology neuroimaging*. Amsterdam: Elsevier, 2008. p. 239-47.
20. Brandão L, Domingues R. Intracracianl neoplasms. In: *MR Spectroscopy of the brain*. Lippincott Raven, 2003. p. 130-67.
21. Hollingworth W, Medina LS, Lenkinski RE et al. A systematic literature review of magnetic resonance spectroscopy for the characterization of brain tumors. *AJNR* 2006 Aug.;27:1404-11.
22. Gill SS, Thomas DG, Van Bruggen N et al. Proton MR spectroscopy of intracranial tumours: in vivo and in vitro studies. *J Comput Assist Tomogr* 1990;14(4):497-504.
23. Hourani R, Horská A, Albayram S et al. Proton magnetic resonance spectroscopic imaging to differentiate between nonneoplastic lesions and brain tumors in children. *J Magn reson Imaging* 2006;23(2):99-107.
24. Howe FA, Barton SJ, Cudlip SA et al. Metabolic profiles of human brain tumors using quantitative in vivo 1H magnetic resonance spectroscopy. *Magn Reson Med* 2003 Feb.;49:223-32.
25. Preul MC, Leblanc R, Caramanos Z et al. Magnetic resonance spectroscopy guided brain tumor resection: differentiation between recurrent glioma and radiation change in two diagnostically difficult cases. *Can J Neurol Sci* 1998;25:13-22.
26. Palasis S. *Utility of short TE MR spectroscopy in determination of histology, grade and behavior of pediatric brain tumors*. Presented at the 39th Annual Meeting of the American Society of Neuroradiology, Boston, Apr. 2001.
27. Castillo M, Smith JK, Kwock L. Correlation of myo-inositol levels and grading of cerebral astrocytomas. *AJNR* 2000;21:1645-49.
28. Majós C, Aguilera E, Alonso J et al. Proton Mr spectroscopy improves discrimination between tumor and pseudotumoral lesion in solid brain masses. *AJNR* 2009;30:544-51.
29. Majós C, Bruna J, Julià-Sapé M et al. Proton MR spectroscopy provides relevant prognostic information in high-grade astrocytomas. *AJNR Am J Neuroradiol* 2011 Jan.;32(1):74-80.
30. Lev MH, Ozsunar Y, Henson JW et al. Glial tumor grading and outcome prediction using dynamic spin-echo MR susceptibility mapping compared with conventional contrast-enhanced MR: confounding effect of elevated rCBV of oligodendrogliomas [corrected]. *AJNR* 2004 Feb.;25:214-21.
31. Bisdas S, Kirkpatrick M, Giglio P et al. Cerebral blood volume measurements by perfusion-weighted MR imaging in gliomas: ready for prime time in predicting short-term outcome and recurrent disease? *AJNR* 2009 Apr.;30:681-88.
32. Smith AB, Dillon WP, Lau BC et al. Radiation dose reduction strategy for CT protocols: successful implementation in neuroradiology section. *Radiology* 2008 May;247(2):499-506.
33. Cha S. Update on brain tumor imaging: from anatomy to physiology. *AJNR* 2006 Mar;27(3):475-87.
34. Roberts HC, Roberts TP, Brasch RC et al. Quantitative measurement of microvascular permeability in human brain tumors achieved using dynamic contrast-enhanced MR imaging: correlation with histologic grade. *AJNR* 2000 May;21:891-99.
35. Patankar TF, Haroon HA, Mills SJ et al. Is volume transfer coefficient (K(trans)) related to histologic grade in human gliomas? *AJNR* 2005 Nov./Dec.;26:2455-65.
36. Cha S, Yang L, Johnson G et al. Comparison of microvascular permeability measurements, K (trans), determined with conventional steady-state T1-weighted and first-pass T2*-weighted MR imaging methods in gliomas and meningiomas. *AJNR* 2006 Feb.;27:409-17.
37. Holodny AI, Makeyev S, Beattie BJ et al. Apparent diffusion coefficient of glial neoplasms: correlation with fluorodeoxyglucose-positron-emission tomography and gadolinium-enhanced MR imaging. *AJNR* 2010 June;31(6):1042-48.
38. Danchaivijitr N, Waldman AD, Tozer DJ et al. Low-grade gliomas: do changes in rCBV measurements at longitudinal perfusion-weighted MR imaging predict malignant transformation? *Radiology* 2008 Apr.;247(1):170-78.
39. Mikkelsen T, Hearshen D. *Magnetic resonance spectrscopy. in handbook of neuroncology neuroimaging*. Elsevier 2008. p. 257-63, cap. 28.
40. Weber MA, Zoubaa S, Schlieter M et al. Diagnostic performance of spectroscopic and perfusion MRI for distinction of brain tumors. *Neurology* 2006;66:1899-906.
41. Weber MA, Zoubaa S, Schlieter M et al. Diagnostic performance of spectroscopic and perfusion MRI for distinction of brain tumors. *AJR* 2009 Feb.;192.
42. Wen PY, Macdonald DR, Reardon DA et al. Updated response assessment criteria for high-grade gliomas: response assessment in neuro-oncology working group. *J Clin Oncol* 2010 Apr. 10;28(11):1963-72.

43. van den Bent MJ, Vogelbaum MA, Wen PY et al. End point assessment in gliomas: novel treatments limit usefulness of classical Macdonald's Criteria. *J Clin Oncol* 2009 June 20;27(18):2905-8.
44. Brandsma D, Stalpers L, Taal W et al. Clinical features, mechanisms, and management of pseudoprogression in malignant gliomas. *Lancet Oncol* 2008 May;9(5):453-61.
45. Brandsma D, van den Bent MJ. Pseudoprogression and pseudoresponse in the treatment of gliomas. *Curr Opin Neurol* 2009 Dec.;22(6):633-38.
46. Mangla R, Singh G, Ziegelitz D et al. Changes in relative cerebral blood volume 1 month after radiation-temozolomide therapy can help predict overall survival in patients with glioblastoma. *Radiology* 2010 Aug.;256(2):575-84.
47. Tsien C, Galbán CJ, Chenevert TL et al. Parametric response map as an imaging biomarker to distinguish progression from pseudoprogression in high-grade glioma. *J Clin Oncol* 2010 May 1;28(13):2293-99.
48. Gahramanov S, Raslan AM, Muldoon LL et al. Potential for differentiation of pseudoprogression from true tumor progression with dynamic susceptibility-weighted contrast-enhanced magnetic resonance imaging using ferumoxytol vs. Gadoteridol: a pilot study. *Int J Rad Oncol Biol Phys* 2011 Feb.;79(2):514-23.
49. Pope WB, Kim HJ, Huo J et al. Recurrent glioblastoma multiforme: ADC histogram analysis predicts response to bevacizumab treatment. *Radiology* 2009 July;252:182-89.
50. Batchelor TT, Sorensen AG, di Tomaso E et al. AZD2171, a pan-VEGF receptor tyrosine kinase inhibitor, normalizes tumor vasculature and alleviates edema in glioblastoma patients. *Cancer Cell* 2007 Jan.;11(1):83-95.
51. Vredenburgh JJ, Desjardins A, Herndon JE 2nd et al. Bevacizumab plus irinotecan in recurrent glioblastoma multiforme. *J Clin Oncol* 2007 Oct. 20;25(30):4722-29.
52. Friedman HS, Prados MD, Wen PY et al. Bevacizumab alone and in combination with irinotecan in recurrent glioblastoma. *J Clin Oncol* 2009 Oct. 1;27(28):4733-40.
53. Kreisl TN, Kim L, Moore K et al. Phase II trial of single-agent bevacizumab followed by bevacizumab plus irinotecan at tumor progression in recurrent glioblastoma. *J Clin Oncol* 2009 Feb. 10;27(5):740-45.
54. Jellison BJ, Field AS, Medow J et al. Diffusion tensor imaging of cerebral white matter: a pictorial review of physics, fiber tract anatomy, and tumor imaging patterns. *AJNR Am J Neuroradiol* 2004 Mar.;25(3):356-69.
55. Laundre BJ, Jellison BJ, Badie B et al. Diffusion tensor imaging of the corticospinal tract before and after mass resection as correlated with clinical motor findings: preliminary data. *AJNR* 2005 Apr.;26(4):791-96.

CAPÍTULO 217

Tratamento Cirúrgico dos Tumores Encefálicos Primários no Adulto

Daniel Dutra Cavalcanti ■ Maurício Mansur Zogbi ■ Paulo Niemeyer Filho

INTRODUÇÃO

A neuro-oncologia teve grande desenvolvimento nos últimos anos, em decorrência do progresso e maior conhecimento em todas as áreas que a envolvem. No diagnóstico por imagens, a ressonância magnética funcional e a difusão auxiliam na preservação de áreas eloquentes, enquanto novas sequências auxiliam a classificar a patologia dessas lesões com maior índice de acerto. O estudo dos tratos, os mapeamentos sensitivo-motor e da linguagem, associados à precisa localização anatômica, permitem hoje um planejamento cirúrgico adequado. Na área cirúrgica, o desenvolvimento e estabelecimento de novas ferramentas e procedimentos, como o endomicroscópio confocal a *laser*, cirurgia guiada pela fluorescência do ácido 5-aminolevulínico (5-ALA), aspirador ultrassônico, neuronavegador, ultrassom de uso peroperatório, e a ressonância nuclear magnética (RNM) intraoperatória aumentaram muito a segurança e a extensão das ressecções, auxiliadas pelos mapeamentos cortical e subcortical de áreas eloquentes com estimulação elétrica.

Apesar de todo progresso recente, os gliomas malignos continuam incuráveis. Atualmente, o objetivo do tratamento multidisciplinar dos gliomas, que inclui cirurgia, rádio e quimioterapia, é melhorar o déficit neurológico e aumentar a sobrevida, mantendo-se a melhor qualidade de vida possível. A cirurgia ainda é a etapa terapêutica mais importante para o prognóstico dessas lesões, estando a extensão da ressecção tumoral diretamente relacionada com a sobrevida do paciente. O grande progresso recente da biologia molecular e da genética no final dos anos 1990 renovou o interesse no tratamento dos gliomas, como exemplo quando foi demonstrado que a perda alélica do braço curto do cromossomo 1 (1p) e do braço longo do cromossomo 19 (19q) nos oligodendrogliomas era importante marcador prognóstico para maior sobrevida. Desde então, criaram-se novas perspectivas de tratamento, novos alvos terapêuticos, elevando-se a perspectiva de cura futura.

GLIOMAS CEREBRAIS NO ADULTO

Os gliomas são tumores primários do sistema nervoso central, que nos adultos são mais frequentes nos hemisférios cerebrais, e que variam de malignidade segundo o grau de anaplasia, presença de necrose e a localização. Existem alguns fatores de risco para o desenvolvimento de gliomas, entre eles, altas doses de radiação (Figs. 1 e 2), algumas síndromes hereditárias e idade avançada. Um estudo neuroepidemiológico da Universidade da Califórnia (UCSF) demonstrou, curiosamente, que existe uma relação inversa entre alergias e nível de IGE no soro com o risco de formação de glioma. Outro achado significativo observado pelo Estudo de Glioma em adulto, da área da Baía de São Francisco, é que existem duas regiões-chave de variações herdadas nos cromossomos 9p21 e 20q13.3. Esses achados foram confirmados por dados da Clínica Mayo, confirmando que essas duas variantes do CDKN2B e RTEL1 estão associadas à susceptibilidade para glioma de alto grau.

Estudos recentes sugerem a relação entre as células-tronco neurais, localizadas na zona subventricular, e o desenvolvimento desses gliomas. Lim *et al.* observaram que os glioblastomas multiformes que apresentavam contato com a zona subventricular tinham maior probabilidade de serem multifocais, já ao diagnóstico, e de apresentarem recidiva a distância da lesão inicial. Os gliomas constituem uma doença heterogênea, com diferenças clínicas e genéticas apesar de terem a mesma patologia. Nos gliomas de grau II, as diferenças podem ser explicadas, em parte, pelas variações genéticas, especialmente as deleções dos cromossomos 1p e 19q, que prenunciam um melhor prognóstico. Existe uma relação entre um padrão genético específico e a localização dos gliomas de grau II, em especial os tumores de localizações frontal e insular. A proporção de codeleção do 1p e 19q nos tumores da ínsula é significativamente menor que nas demais regiões.

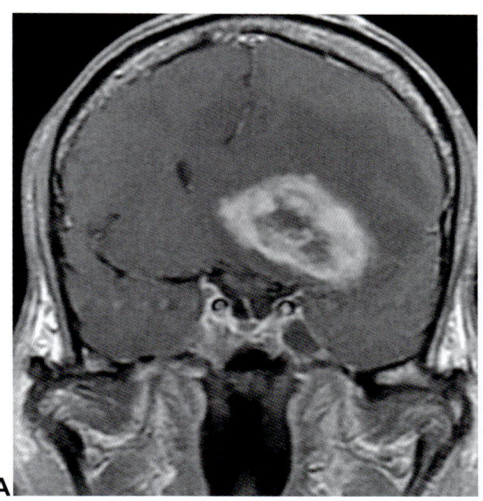
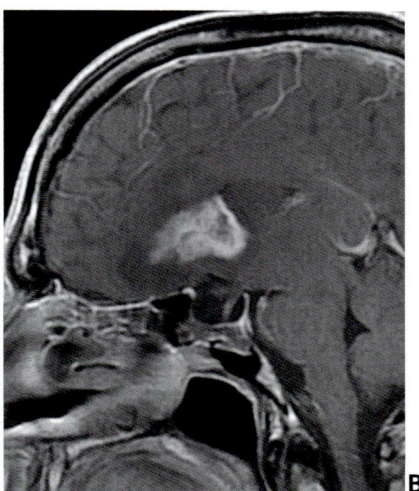

▲ **FIGURA 1. (A e B)** Paciente MSS, operado de macroadenoma da hipófise, produtor de GH, em janeiro de 1977, seguido de RT. Em junho de 2010, confusão mental e diagnóstico de glioblastoma multiforme (GBM) na região irradiada.

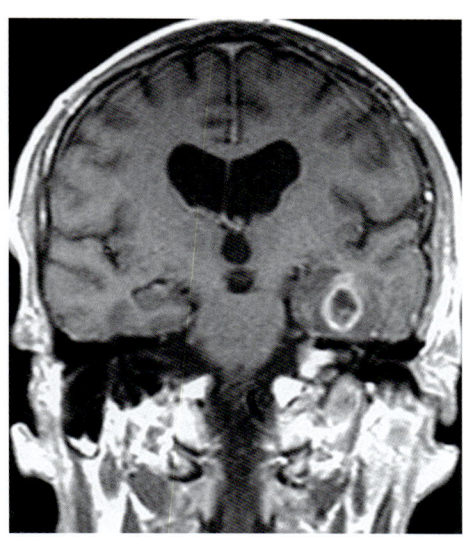

▲ **FIGURA 2.** Paciente, 68 anos, com GBM temporal esquerdo, submetido a tratamento de tumor do acústico por *Gamma Knife*, 8 anos antes. Veem-se ambos os tumores no mesmo corte da ressonância.

Os gliomas cerebrais foram classificados em graus de malignidade, de I a IV, em bases histopatológicas e critérios clínicos estabelecidos pela Organização Mundial de Saúde (OMS). Os gliomas de baixo grau (I e II) crescem muito lentamente, dispõem de uma histologia benigna, com baixo índice de proliferação e pouca angiogênese; a invasão cerebral ocorre de uma forma lentamente progressiva. Os gliomas de grau I são lesões encontradas na infância, em geral de linha média, muitas vezes curáveis cirurgicamente, e que raramente tornam-se malignas. O comportamento biológico, portanto, é diferente dos gliomas de grau II, que são tumores hemisféricos, do adulto jovem, incuráveis e que podem evoluir para degeneração anaplásica de graus III e IV. Estudos genéticos sugerem que esses tumores grau I não têm relação com os demais, e que devem ser tratados separadamente. Os gliomas difusos de graus II, III e IV representam o dia a dia da neuro-oncologia e o desafio dos cirurgiões e oncologistas.

A cirurgia é etapa fundamental no tratamento dos gliomas. Com exceção dos gliomas de grau I, que podem ser curados cirurgicamente, os demais permanecem incuráveis, mas a remoção cirúrgica radical é fator decisivo na sobrevida e na qualidade de vida desses pacientes. A impossibilidade de cura cirúrgica dos gliomas de graus II, III e IV pode ser atribuído ao fenômeno da migração celular, em que as células neoplásicas deslocam-se pelo espaço extracelular, distanciando-se da massa original, o que impede a ressecção completa dessas lesões. Esse fenômeno leva à recidiva, muitas vezes a distância, e cria as chamadas lesões multifocais (Fig. 3). Pela mesma razão podemos assistir à piora neurológica progressiva do paciente já operado, sem que haja massa visível ou sinais de recidiva, o que indica que a doença infiltrativa contribui muito para a evolução insatisfatória dos gliomas. No início do século XX, Dandy, inicialmente, e outros neurocirurgiões, em seguida, realizaram a hemisferectomia como tentativa de cura dos glioblastomas (astrocitoma IV) e, ainda assim, esses pacientes vieram a falecer no prazo convencional, de aproximadamente 1 ano, por recidiva no outro hemisfério. Apesar disso, com o advento do tratamento multidisciplinar, Lacroix et al. mostraram que o prognóstico desses tumores é melhor quando a ressecção atinge 98% da massa, melhorando assim as condições para o tratamento de rádio e quimioterapia, que visam resíduo tumoral e às células migratórias. Os gliomas superficiais apresentam melhor prognóstico que os profundos, e isso se deve, em grande parte, à maior facilidade de ressecção radical.

Gliomas de grau I

Dentre os gliomas de grau I estão principalmente os astrocitomas pilocíticos, que representam os tumores cerebrais benignos mais comumente encontrados em crianças e adultos jovens, e os gliomas mais raros, como o astrocitoma subependimário de células gigantes, o glioma angiocêntrico, o astroblastoma, o ganglioglioma e os tumores neuroepiteliomatosos disembrioplásicos (DNETs).

Os astrocitomas pilocíticos são tumores de crescimento lento que geralmente surgem em crianças e adultos jovens, afetando preferencialmente o cerebelo, tronco cerebral, nervos ópticos e região do terceiro ventrículo. Muitas vezes manifestam-se com um nódulo mural dentro de um cisto, podendo haver invasão das leptomeninges, o que não constitui um fator de prognóstico negativo (Fig. 4). Representa 6% de todos os tumores intracranianos, sendo que 80% deles são cerebelares. As duplicações do oncogene BRAF localizado no *locus* 7q34, resultando em um aumento da sinalização das quinases ativadas por mitógenos (MAK), representam achado marcante, sendo definidas como lesão inicial para desenvolvimento desses tumores.

Microscopicamente, as fibras de Rosenthal, que são massas eosinofílicas brilhantes, compactadas, de filamentos intermediários gliais, são as principais características histológicas do astrocitoma pilocítico, embora não sejam uma constante, nem uma característica patognomônica. Sua atividade mitótica, proliferação vascular e focos de necrose não têm o mesmo significado prognóstico ruim como quando presente em astrocitomas difusos. Outra característica importante são os corpos granulares eosinofílicos, além de ser positivo para proteína glial fibrilar ácida (GFAP) e proteína S-100 na imuno-histoquímica.

Como outros tumores cerebrais, os astrocitomas pilocíticos podem causar cefaleia, náuseas e vômitos, geralmente resultado de aumento da pressão intracraniana; além disso, dependendo da sua localização, estes tumores podem causar outros sintomas, como síndromes cerebelares, perda visual, exoftalmia, convulsões, afasias, alterações graduais no humor ou de personalidade e perda de memória.

Estudos de imagem são o componente-chave para o diagnóstico. As sequências de RNM T1, T2 e FLAIR, assim como o T1 com gadolínio são usadas para fornecer as imagens tumorais e de estruturas adjacentes.

Em virtude de os astrocitomas pilocíticos estarem entre os tumores cerebrais mais benignos em crianças, alguns pacientes podem ser observados com RNM e não tratados. Caso o tumor sofra alterações, ou os sintomas tornem-se significativos, indica-se cirurgia, ou, em casos de tumores inextirpáveis, a radioterapia. A ressecção cirúrgica total de um astrocitoma pilocítico resulta em excelente prognóstico, com sobrevida a longo prazo livre de doença maior que 90% (Fig. 5). Crianças sem tumor residual na imagem pós-operatória não necessitam de terapia adjuvante. Imagens seriadas são utilizadas no acompanhamento; na verdade, como essas células tumorais têm baixa proliferação, somente 27% das lesões residuais apresentarão recidiva, e aproximadamente a mesma proporção de pacientes apresentará regressão de remanescentes. Todavia, recidiva tardia é observada em menos de 10% em pacientes com ressecção total confirmada por imagem pós-operatória imediata. No caso de grande volume residual, está indicada nova abordagem cirúrgica precoce. O acompanhamento do tratamento com irradiação pode ter efeitos deletérios sobre o desenvolvimento neurofuncional de crianças, sendo raramente indicada pela baixa recidiva deste tumor. A quimioterapia fica reservada como adjuvante para crianças menores que 5 anos, quando a radioterapia não é aceitável.

Entre os gliomas de grau I mais raros, alguns merecem uma consideração especial. Embora nosso conhecimento de sua ontogenia, patologia e nosologia seja incompleto, é importante distingui-los dos gliomas mais comuns. Esses tumores têm crescimento lento, são geralmente hemisféricos e se manifestam por epilepsia. A utilização de rotina de imuno-histoquímica e, em alguns casos, de marcadores moleculares e genéticos pode ser essencial para o diagnóstico destes tumores. Uma das constatações frequentes que ajudam a identificar gliomas incomuns é a presença de células que expressam antígenos neuronais, ou apresentam uma citoarquitetura que os separa dos tipos de gliomas mais conhecidos. A variabilidade citológica não é suficiente para merecer uma nova classe de diagnóstico, pois a variabilidade na morfologia das células é comum em gliomas.

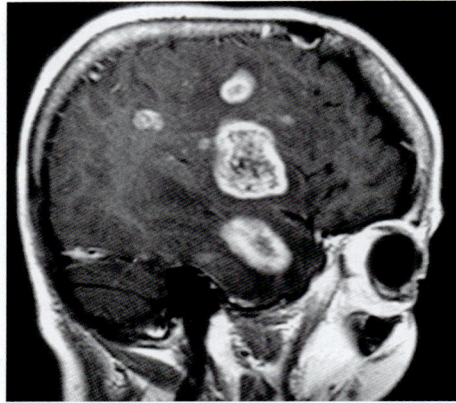

◀ **FIGURA 3.** GBM multifocal.

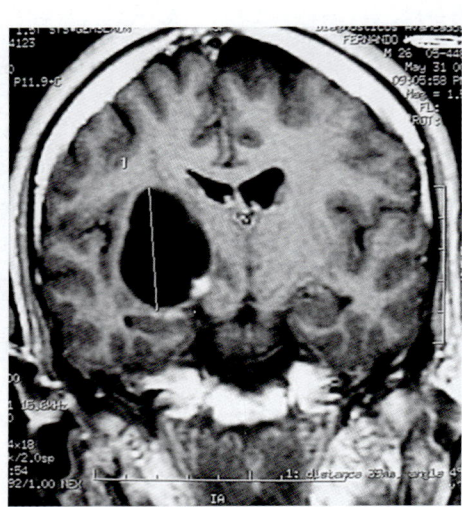

◀ **FIGURA 4.** Paciente com astrocitoma pilocítico, do tálamo, com nódulo mural.

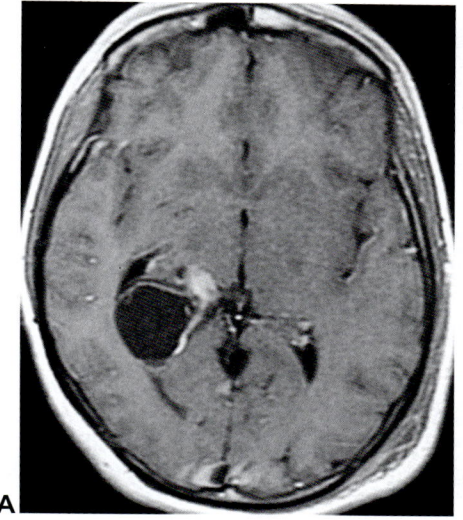 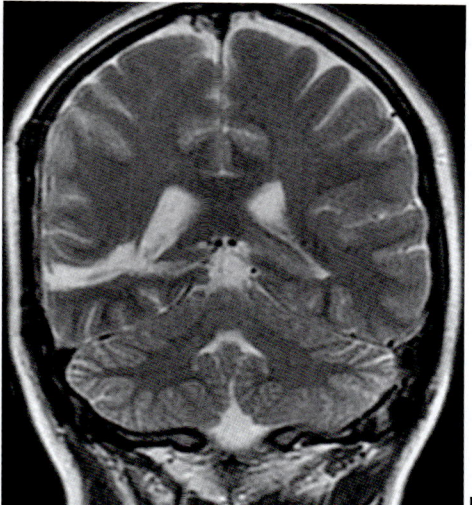 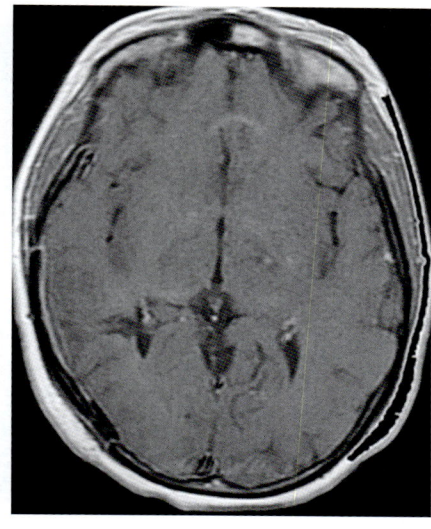

▲ **FIGURA 5. (A)** Paciente com astrocitoma pilocítico na região pulvinar do tálamo. **(B)** Remoção pelo sulco temporal inferior. **(C)** Aspecto pós-operatório.

Astrocitomas subependimários de células gigantes geralmente ocorrem em pacientes com esclerose tuberosa. Achados histopatológicos típicos são lâminas sólidas e pseudorrosetas perivasculares de células grandes, gemistocísticas e poligonais. São tipicamente lesões intraventriculares que raramente causam sintomas, a menos que obstruam o fluxo liquórico através do forame de Monro. A esclerose tuberosa é uma facomatose, autossômica dominante, associada a retardo mental, convulsões e adenomas sebáceos cutâneos. Outros achados incluem a pigmentação da pele alterada, fibromas subungueais e tumores do baço, pâncreas e retina. A história natural do astrocitoma subependimário de células gigantes revela um crescimento lento, com pouco risco para malignização. Estes tumores têm uma aparência característica na RM; o de um tumor intraventricular em um paciente com esclerose tuberosa conhecido. Em lactentes, a ultrassonografia transcraniana pode ser útil no acompanhamento das dimensões ventricular e tumoral. A esclerose tuberosa está associada a anomalias cardíacas, e uma avaliação cardíaca é uma parte importante do planejamento pré-operatório, especialmente em crianças.

Os astrocitomas subependimários de células gigantes podem obstruir o forame de Monro, causando hidrocefalia obstrutiva. O tratamento primário é cirúrgico, objetivando-se a ressecção completa, com cautela, em razão de sua extensão subependimária. Quando a ressecção total mostra-se muito perigosa, a ressecção subtotal é adequada, pois geralmente o crescimento tumoral é lento e raramente agressivo. A sobrevida a longo prazo é maior que 80%, e a recidiva, baixa. Não há definição na literatura sobre o papel da radioterapia; já a quimioterapia com nitrosureias é reservada para crianças muito pequenas. O uso recente de sirolimus ou everolimus tem revelado redução e controle do volume tumoral, sendo terapias promissoras de primeira linha para essa lesão. Se a cirurgia não for possível ou se a hidrocefalia persistir após a ressecção do tumor, derivações ventriculares podem ser necessárias.

O ganglioglioma é um tumor neuroepitelial pouco frequente do sistema nervoso central, caracterizado inicialmente por Perkins, em 1926. Representa 0,8% dos tumores do sistema nervoso central e 1,3% dos tumores cerebrais. São lesões histopatologicamente benignas, bem diferenciadas, que podem ocorrer em qualquer lugar no sistema nervoso central, sendo mais frequentes no lobo temporal (até 85%), em pacientes jovens, com transtornos convulsivos (são os tumores mais comumente encontrados na epilepsia do lobo temporal). A idade média de apresentação varia de 8 a 25 anos. Essas lesões são corticossubcorticais, com componente cístico, e raramente produzem edema cerebral. A convulsão é o sintoma de apresentação mais comum, com história a longo prazo, variando de 6 a 25 anos.

Há relatos de gangliogliomas na medula espinhal, tronco cerebral e cerebelo. Os gangliogliomas malignos ou anaplásicos são ainda mais raros e podem ocorrer como resultado da transformação maligna de uma lesão preexistente ou *de novo*, estando dentro da mesma faixa etária de suas formas benignas, e são classificados pela OMS como de grau III. A característica histopatológica do grau I é de grupos de neurônios grandes e multipolares com características displásicas, sem necrose e com índice de proliferação MIB-1 muito baixo (< 5%).

A ressecção cirúrgica também é o tratamento de escolha para essas lesões. Os gangliogliomas de grau I têm excelente prognóstico a longo prazo após ressecção total. A localização dessas lesões também dita o prognóstico; 95% dos pacientes com gangliogliomas hemisféricos permaneceram livres da doença após 5 anos de acompanhamento, enquanto somente 53% com lesões no tronco cerebral permaneceram livre de recidiva após 3 anos. Pacientes submetidos a ressecções subtotais têm que ser acompanhados mais de perto pela maior chance de recidiva e progressão que outros gliomas de grau I. A radioterapia somente tem indicação na recidiva em que nova ressecção não seja possível.

Tumores gliais disembrioplásicos (DNETs) são benignos, de elementos glioneuronais, geralmente supratentoriais e de base cortical, inicialmente descritos em 1988 por Daumas-Duport e Scheithauer. Os DNETs são caracteristicamente indolentes e associados à epilepsia crônica. Eles são encontrados em crianças e adultos jovens, com história de epilepsia e idade média de apresentação de crises de 9 anos, com maior frequência no lobo temporal. Embora tenham baixa incidência, são mais comumente observados em centros de tratamento cirúrgico da epilepsia. Imagens de RNM demonstram uma lesão basicamente cortical, com múltiplos pequenos cistos, que expande um giro, geralmente no lobo temporal. Uma característica significativa é a ausência de efeito de massa. A principal característica na histopatologia é o elemento glioneuronal, composto de colunas de grupos de axônios alinhados, com pequenas células semelhantes a oligodendrócitos positivas para proteína S-100 e negativas para GFAP.

A cura do tumor e controle das crises com a ressecção cirúrgica total mostra que a ressecção é a melhor opção de tratamento, não havendo papel para terapia adjuvante, mesmo em tumores com ressecção subtotal. É fundamental a diferenciação entre DNET e oligodendroglioma para evitar expor os pacientes à terapia adjuvante agressiva.

Gliomas de grau II

Os gliomas de grau II, também chamados de gliomas de baixo grau, são tumores de evolução lenta, porém malignos e incuráveis. São, em geral, astrocitomas ou oligodendrogliomas, apresentam uma incidência anual de 1,5-1,8 por 100.000 habitantes, representando 15% de todos os tumores cerebrais nos adultos. Ocorrem de forma bifásica, com um pico na infância (entre 6 a 12 anos) e em adultos jovens, por volta dos 35 a 40 anos, com o sexo masculino representando cerca de 60% dos casos. Esses tumores são hemisféricos e têm preferência pelos lobos temporal, frontal, em especial nas áreas motoras suplementares, e pela ínsula. Em séries recentes, aproximadamente 83% dos tumores estavam localizados em áreas eloquentes motoras ou da fala. A sua localização e evolução determinam o quadro clínico e, por serem tumores infiltrantes de evolução lenta que sempre apresentam envolvimento do córtex, em geral manifestam-se por convulsões, sendo o sintoma de apresentação em 50 a 80% dos casos (Fig. 6). Essas lesões, que migram através dos tratos de substância branca, frequentemente envolvem áreas cerebrais críticas, ditas eloquentes, e podem manifestar-se também por déficit neurológico pro-

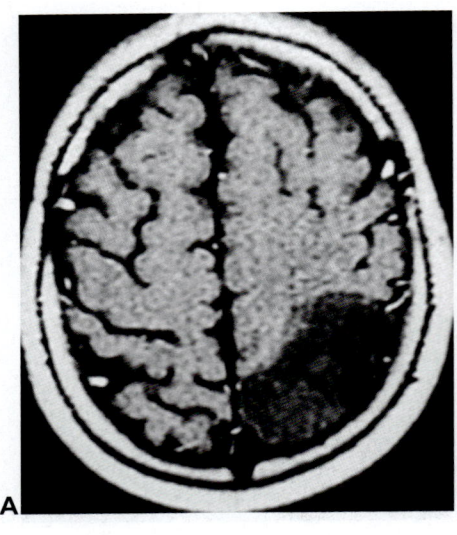
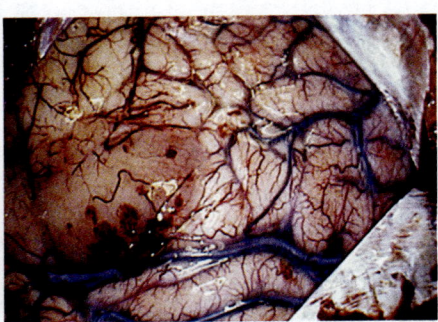

FIGURA 6. (A) Glioma de grau II parietal esquerdo. Lesão hipointensa em T1, sem captação de contraste. **(B)** Aspecto visual da lesão.

gressivo, como sintomas visuais, hemiparesias, alterações sensitivas e distúrbios da linguagem. Esses tumores evoluem, ao longo dos anos, com mutações em seu genoma, inicialmente no gene p53, transformando-se, invariavelmente, em tumores de grau III e, finalmente, IV, também chamados glioblastomas secundários. Os principais tipos histológicos incluem o astrocitoma de baixo grau (fibrilar, protoplásmico e gemistocístico), o oligodendroglioma e o aligoastrocitoma misto.

Fatores prognósticos

A epilepsia é a manifestação clínica mais frequente da doença, ocorrendo em 70-90% desses pacientes, predizendo um prognóstico mais favorável. Há uma relação inversa entre o risco de crise e a taxa de crescimento tumoral. As crises são mais frequentes nos oligodendogliomas que nos astrocitomas de grau II.

O retorno das crises após cirurgia radical sugere o crescimento da lesão, assim como o recrudescimento das crises, após período de estabilização pós-rádio e quimioterapia, sugere a malignização com transformação anaplásica.

Vários fatores podem aumentar o risco de malignização, como idade, envolvimento de área eloquente, volume tumoral, tipo histológico e perfil genético. O principal fator é a idade acima de 40 anos, sendo o tempo de progressão do tumor inversamente proporcional à idade no diagnóstico, e também o índice proliferativo celular tumoral é maior acima dessa idade. A sobrevida de um paciente com oligodendroglioma é, em geral, de 10-15 anos, enquanto os astrocitomas apresentam sobrevida de 5-10 anos. Grandes tumores, que se estendem por mais de um lobo cerebral, e que por vezes cruzam a linha média, também são associados à menor sobrevida e maior índice de malignização. Com base em dois grandes estudos randomizados, multicêntricos, envolvendo mais de 600 pacientes, a EORTC (European Organization for Research and Treatment of Cancer) desenvolveu uma escala prognóstica. Pacientes com gliomas de grau II, que apresentem três ou mais dos fatores a seguir, são considerados de risco para transformação maligna 1:

1. Paciente acima de 40 anos.
2. Déficit neurológico no diagnóstico.
3. Lesão maior que 6 cm.
4. Histopatológico astrocitoma.
5. Tumor cruzando a linha média.

Pacientes com apenas dois desses fatores são considerados como de bom prognóstico, com sobrevida média de 7,7 anos. Na presença de três a cinco desses fatores, a sobrevida média reduz para 3,2 anos.

A taxa de crescimento também influi no prognóstico, observando-se uma sobrevida média de 5,1 anos nos tumores que apresentam taxa de crescimento de 8 mm/ano ou mais, e 15 anos quando a taxa é menor que 8 mm/ano.

O perfil genético do tumor também é importante para o prognóstico. A deleção do 1p e 19q nos oligodendrogliomas anaplásicos aponta para um prognóstico favorável, independente do tratamento a ser adotado. A mesma deleção prediz a sensibilidade a alguns agentes quimioterápicos (nitrosureia e temozolomida) em gliomas de baixo grau. Por outro lado, deleções do p16/CDKN2A (9p21), perda da heterozigosidade do 10q e amplificações do fator de crescimento epidérmico (EGFR), na ausência da perda do 1p e 19q, estão associadas à baixa sobrevida. A metilação do promotor O^6-metilguanina DNA metiltransferase (MGMT), frequentemente observada nos gliomas de baixo grau, também prediz resposta à quimioterapia. Mutações inesperadas no códon 132 da enzima isocitrato desidrogenase (IDH1) foram encontradas em 77% dos gliomas de grau II, estando associadas a um melhor prognóstico. Já a metilação do gene de supressão tumoral PTEN (homólogo da fosfatase e tensina), observado em 50% dos pacientes com tumores de grau II, indica uma progressão e transformação maligna precoce.

Tratamento

O tratamento dessas lesões é controverso, já que a cura cirúrgica é impossível, em decorrência do caráter infiltrante e migratório desses tumores, e a tentativa de remoção completa da massa implica no risco de sequelas. A maioria desses pacientes abre o quadro clínico com crises convulsivas e tem o exame neurológico normal. A evolução insidiosa do tumor permite que esses pacientes levem a vida normal, por vários anos, assintomáticos ou com crises convulsivas, por vezes bem controladas, o que faz com que o tratamento conservador seja frequentemente recomendado. O paciente é medicado com anticonvulsivantes e acompanhado com exames de imagens periódicos, reservando-se o tratamento cirúrgico para uma fase em que haja suspeita de degeneração anaplásica, crescimento excessivo, sintomático ou epilepsia de difícil controle. As convulsões, quando mal controladas, têm um impacto negativo na qualidade de vida desses pacientes, provocando deterioração cognitiva e, por vezes, morbidade significativa. A ressecção completa da lesão pode levar à eliminação das convulsões em até 80% dos casos. A literatura recente exibe um grande número de estudos cirúrgicos, constatando que a ressecção extensa está significativamente associada ao aumento global da sobrevivência, atrasando a transformação maligna. Assim, a ressecção máxima, com a preservação de áreas eloquentes, é atualmente a primeira opção terapêutica a considerar nos gliomas de baixo grau (Fig. 7).

No outro extremo da controvérsia terapêutica está a sugestão da chamada "extirpação supratotal", com base em estudo utilizando amostras de biópsia, que mostrou que a RM convencional subestima a extensão real dos gliomas de baixo grau, uma vez que as células tumorais estão presentes para além da área de anormalidade visível, em até 20 mm. Assim, Yordanova *et al.*, tentando ultrapassar essa margem, propuseram a extirpação para além dos limites de tumor visível, até o ponto em que a estimulação elétrica provocasse sintomas. Os resultados mostraram índices elevados de complicações, chegando à piora neurológica em 60% dos casos. Ainda que considerados transitórios, esses resultados desaconselham o procedimento.

Biópsia estereotáxica

A biópsia estereotáxica tem indicações limitadas, restritas às lesões difusas, como a gliomatose, que se estende por todo o hemisfério cerebral, por vezes invadindo hemisfério oposto, ou para lesões irressecáveis em

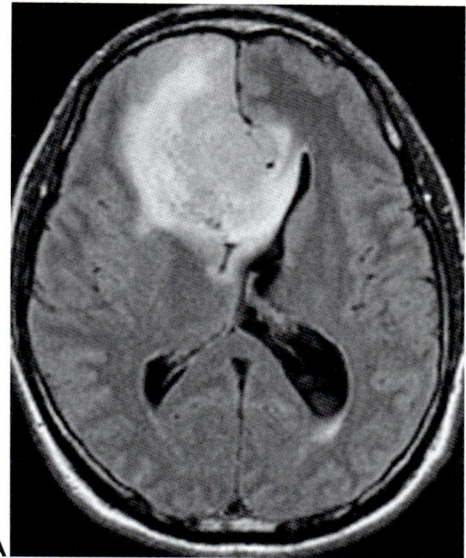 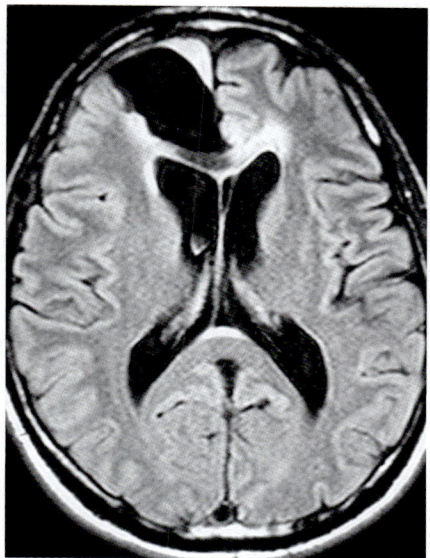 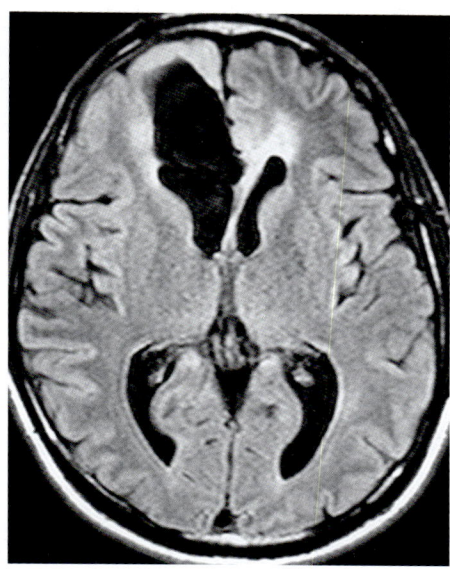

▲ **FIGURA 7. (A)** Astrocitoma de grau II – imagens em *Flair*. **(B e C)** Remoção completa da massa, observando-se infiltração do corpo caloso.

áreas eloquentes, ou, ainda, em pacientes sem condições clínicas de serem submetidos à cirurgia (Fig. 8).

Como os pequenos fragmentos de tecido obtidos pela biópsia estereotáxica não representam a totalidade da massa, há um índice elevado de falsos resultados. Estudo recente mostra 11% de tumores de grau II diagnosticados como III, e 28% de gliomas de grau III classificados como II. Para reduzir essa margem de erro, devem-se utilizar as diversas sequências de RNM mais a espectroscopia para localizar possíveis focos de anaplasia e orientar a biópsia para esses pontos. A integração das imagens metabólicas com a biópsia estereotáxica aumenta a precisão e possibilidade de se obter material mais representativo e adequado para a classificação tumoral e programação terapêutica.

Pré-operatório

A RNM é o exame indispensável para uma adequada investigação anatômica e fisiológica da lesão. As informações da espectroscopia, do estudo de difusão, perfusão e demais provas funcionais são necessárias ao diagnóstico do tumor de baixo grau. A seguir, para o planejamento cirúrgico desses tumores é fundamental a avaliação anatômica pela ressonância magnética para precisar sua localização, volume, proximidade com áreas eloquentes e relação com os feixes longos. A extensão da ressecção dependerá, em parte, dessas informações.

Visto que o paciente pode sobreviver muitos anos, a qualidade de vida é um fator crítico em portadores destas lesões, e o limite cirúrgico deve ser o risco de acentuar ou acrescentar algum déficit ao paciente.

São consideradas áreas eloquentes no cérebro, aquelas essenciais para realizar funções neurológicas básicas, como o córtex sensitivo-motor, o córtex da linguagem e estruturas subcorticais, como os núcleos da base e a cápsula interna. Esses tumores frequentemente preservam a função neural nesse processo de lenta infiltração ou, por vezes, induzem à reorganização cortical. A conduta terapêutica para esses tumores ainda é motivo de discussão, principalmente no que diz respeito ao papel da ressecção. Ainda que não haja evidência científica indiscutível, estudos retrospectivos sugerem que a ressecção radical aumenta a sobrevida. Além disso, a ressecção é recomendável para reduzir sintomas de efeito de massa, controlar crises epilépticas, fornecer material para estudo histopatológico e genético da lesão, além de reduzir o número de células passíveis de transformação maligna. Face à localização comum de gliomas de baixo grau em locais eloquentes, a ressecção total muitas vezes é difícil. Na verdade, mesmo que anteriormente tenham sido observados mecanismos de plasticidade do cérebro, permitindo remapeamento funcional, por vezes levando a uma abordagem cirúrgica de múltiplos estágios, na maior parte do tempo não é possível alcançar uma remoção verdadeiramente completa do glioma de baixo grau.

Nas últimas décadas, vários equipamentos foram acrescentados ao arsenal neurocirúrgico, que hoje conta com ultrassom peroperatório, neuronavegador, aspirador ultrassônico, estimulador cortical e, em poucos serviços, RNM na sala cirúrgica, endomicroscópio confocal a *laser* e microscópio cirúrgico dotado de filtro para ressecções guiadas pela fluorescência do 5-ALA. Essa tecnologia deve estar disponível, e o cirurgião deve sentir-se confortável com seu uso a fim de maximizar as remoções e reduzir os riscos de sequelas.

Tumores em áreas eloquentes

As áreas eloquentes do cérebro representam uma limitação para extirpação completa desses tumores. A identificação dessas áreas não é inteiramente segura apenas pelos estudos anatômicos e funcionais pré-operatórios. O mapeamento dessas áreas pela estimulação elétrica cortical peroperatória permite uma ressecção mais ampla dessas lesões com menor risco de sequelas (Fig. 9A).

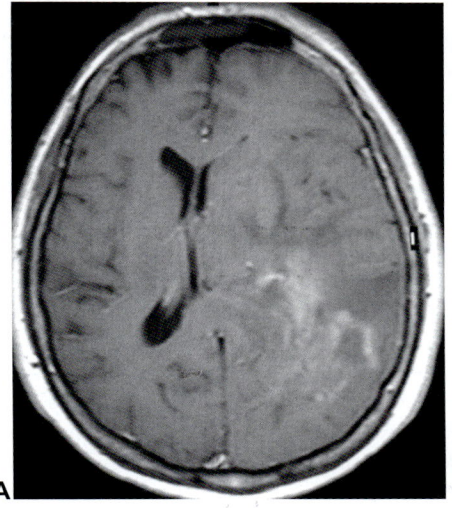 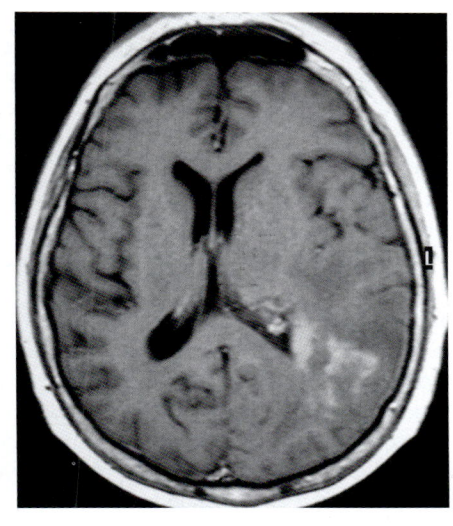

◀ **FIGURA 8. (A)** Glioma de grau II difuso, submetido à biópsia estereotáxica. **(B)** Melhora pós-radioterapia.

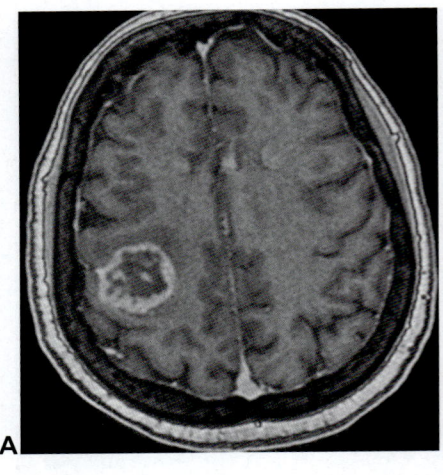
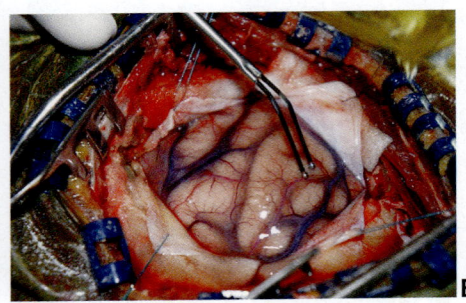

◀ **FIGURA 9. (A)** Tumor (GBM) subcortical próximo à área motora. **(B)** Mapeamento da área motora com estimulação elétrica cortical.

O mapeamento de áreas motora, cortical e subcortical pode ser feito pela estimulação elétrica com paciente anestesiado, sem relaxamento muscular. Usamos eletrodo bipolar com afastamento de 5 mm entre as pontas, e realizamos um procedimento padrão de estimulação de corrente bifásica, com frequência de pulso de 60 Hz, com duração de pulso de 1 ms e amplitude de 1,5 a 4 mA (Fig. 9B). A duração do estímulo deve ser de, no mínimo, 4 segundos, e confirmado o resultado, repetindo-se o estímulo por 3 vezes, com intervalos. Para evitar convulsão nos pacientes acordados, o estímulo não deve ser repetido 2 vezes no mesmo lugar, seguidamente. As convulsões, caso ocorram, em geral são bem controladas com irrigação de solução salina fria. Caso não controlem, deve-se administrar propofol IV. Durante a ressecção tumoral, prosseguimos com a estimulação da substância branca subcortical, mantendo os mesmos parâmetros de estimulação.

Obtendo-se a resposta motora, seja cortical ou subcortical, devemos interromper a ressecção neste ponto. Sempre que possível, deve-se observar uma margem de 0,5 a 1 cm da área estimulada para evitar a sequela neurológica. A estimulação elétrica permite uma ressecção mais ampla e segura, mas não é absoluta.

A cirurgia de mapeamento da linguagem é possibilitada pela anestesia local do couro cabeludo, para que os pacientes estejam completamente acordados durante o teste intraoperatório, podendo ser utilizada lidocaína a 1%, com adrenalina 1:100.000, para bloquear os nervos supraorbitário, temporoauricular e occipital.

Locais onde a estimulação induz a interrupção na fala, erros na nomeação ou leitura são designados como áreas de linguagem eloquente. O mapeamento motor pode ser feito com o paciente sob anestesia geral ou acordado. Locais onde a estimulação evoca movimentos detectados visualmente ou eletromiograficamente, na face ou nos membros, são designados como áreas motoras eloquentes. Estudos de mapeamento intraoperatório mostraram tecido funcional dentro dos limites do tecido tumoral, em tumores gliais de baixo e alto graus. Um estudo recente usando imagens de RNM confirmou atividade funcional dentro de gliomas de baixo grau. Em pacientes com tecido funcional localizado dentro do tumor, e que se submeteram à ressecção total bruta, houve novos déficits neurológicos no pós-operatório.

Para otimizar a remoção do tumor, com preservação da função, todas as ressecções são conduzidas até que estruturas eloquentes sejam encontradas ao redor da cavidade cirúrgica, deixando-se preservada, sempre que possível, pequena margem de segurança de 0,5-1 cm de tecido.

Para ser confirmado como local de linguagem, as áreas responsivas devem ser testadas meticulosamente pelo menos 3 vezes, em separado. Durante o mapeamento direto do cérebro, alguns casos isolados de anomia podem ocasionalmente ser encontrados, e a interpretação desse fenômeno é complexa.

O controle das vias aéreas é uma preocupação constante na craniotomia com paciente acordado, com especial apreensão para o edema cerebral induzido por hipercapnia, apesar da incidência de menos de 1%. A cirurgia com paciente acordado não tem a unanimidade, e há controvérsias quanto a seus benefícios. Duffau *et al.* constataram que 6,5% dos pacientes operados com craniotomia acordados apresentaram déficits permanentes *vs.* 17% com anestesia geral. No entanto, *Gupta et al.* observaram mais complicações neurológicas pós-operatórias com craniotomia acordado e não com anestesia geral.

A ausência de resposta à estimulação elétrica cerebral em áreas eloquentes nem sempre garante a ausência de disfunções pós-operatórias; 11,4% dos pacientes acordados (4/35) nesta série demonstraram no pós-operatório déficits neurológicos transitórios, apesar de estimulação negativa *vs.* 13,6% no estudo da Bernstein *et al.*

Em resumo:

- Lesões difusas: devem ser pesquisadas áreas suspeitas de grau mais elevado e biopsiadas nesses pontos. Se confirmada a anaplasia segue-se tratamento com radioterapia e quimioterapia. Se o tumor for de grau II, independentemente da deleção dupla 1p/19q, sugerimos temozolamida.
- Lesões focais: definida como restrita a um ou dois lobos e com discretas margens nas imagens em Flair. Devem ser feitos estudos com imagens fisiológicas e funcionais, além da tractografia.
- Para tumores em áreas eloquentes em que se prevê a retirada de menos de 50% da massa, recomendamos a biópsia estereotáxica, seguida, eventualmente, de RT e/ou QT.
- Para tumores eloquentes em que a retirada pode ser maior que 50%, devem ser utilizadas técnicas de mapeamento intraoperatório.

Orientação pós-operatória

No pós-operatório, realizamos exame de RNM nas primeiras 24 horas para avaliar a extensão da ressecção e possíveis sangramentos. Nunca reoperamos nos dias seguintes para remoção de resíduos, ainda que seja preconizado por outros cirurgiões. Entendemos que os riscos de sequelas e as dificuldades de nova cirurgia não justificam o pouco benefício que poderia advir. Os resíduos, em geral, representam áreas infiltrativas, mal identificadas visualmente, e, portanto, sem limites definidos. A presença de resíduos é a regra nesses tumores, e a RNM intraoperatória deverá reduzir muito a presença de alguns resíduos evitáveis (Fig. 10).

O estudo histopatológico, imuno-histoquímico e genético desses tumores é o passo seguinte para sabermos o grau de agressividade, taxa de crescimento e prognóstico. Para os casos de baixo risco, com menos de 3 pontos na tabela de prognóstico, com perfil genético tumoral favorável, presença da deleção do 1p/19q e ausência de metilação do PTEN, a simples observação é a primeira medida. Diante da lenta progressão desses casos, em especial pacientes abaixo de 40 anos, assintomáticos, temos mantido a observação com imagens periódicas, decidindo-se por algum tratamento diante de alguma mudança expressiva, seja na clínica, crescimento excessivo ou alterações fisiológicas nas imagens de ressonância. Alguns desses pacientes são reoperados para nova citorredução e, a seguir, iniciar o tratamento complementar. Nos pacientes de risco limítrofe, acima de 40 anos, ou com mais de três pontos na tabela de prognóstico, ou ainda com metilação do PTEN, a temozolamida tem sido preconizada, independentemente da deleção do 1p/19q, acrescida da radioterapia, se persistir a progressão. Ainda não há evidência conclusiva de que a radioterapia deva ser indicada de início após biópsias ou remoções subtotais, devendo ser reservada para doenças recorrentes ou progressão apesar do uso da temozolamida. No caso da gliomatose, a radioterapia deve seguir a biópsia.

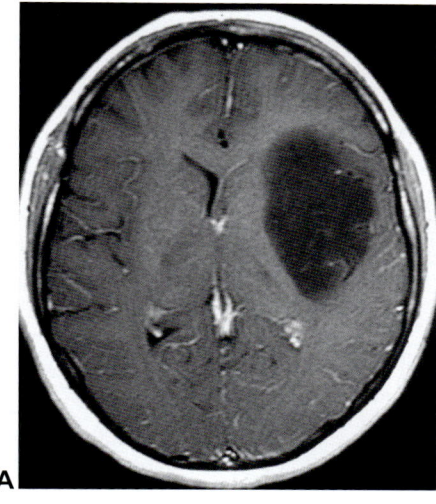 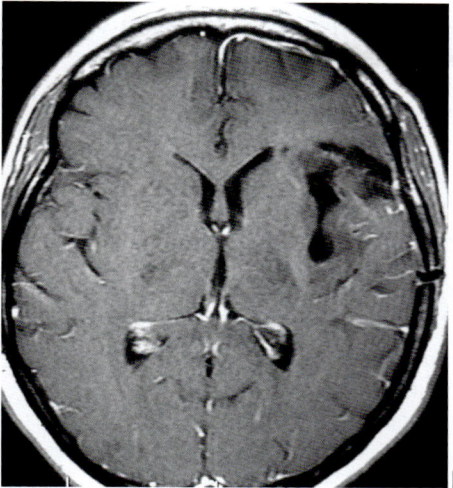 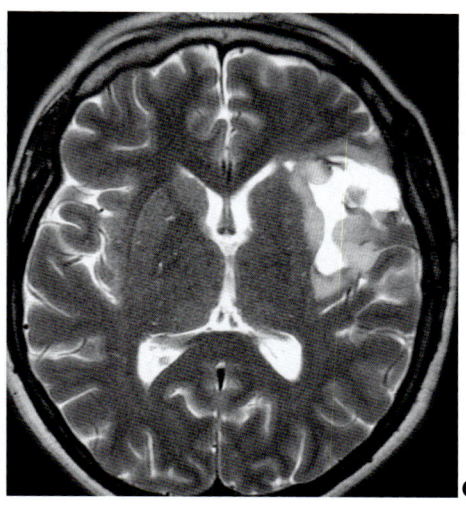

▲ **FIGURA 10. (A)** Glioma de grau II Insular. Imagens em T1. **(B e C)** Aspecto pós-operatório com remoção da massa e persistência de infiltração periférica em T1 e T2.

Gliomas de altos graus – III e IV

Os gliomas de alto grau são os tumores primários mais comuns e mais malignos do sistema nervoso central, representando 80% de todos os gliomas do adulto. A maior incidência desses tumores ocorre entre a 7ª e 9ª décadas de vida, e com o crescimento da população nessa faixa etária sua incidência vem aumentando. São mais frequentes como lesão solitária nos hemisférios cerebrais. O primeiro caso de ressecção de um glioma foi relatado por Rickman Godlee, em 1884 e, desde então, houve pouco progresso no resultado dos tratamentos. A sobrevida média de 16-18 meses é muito parecida com a obtida há 20 anos. O termo glioblastoma, que se refere aos gliomas de grau IV da OMS, foi introduzido por Mallory, em 1914; é o tumor mais comum e letal entre todos os gliomas.

Os gliomas de grau III, astrocitomas ou oligodendrogliomas, chamados anaplásicos, são também considerados de alto grau, ainda que tenham um prognóstico um pouco melhor, e devem ser tratados agressivamente, tendo em vista que irão progredir para IV a médio prazo. Esses gliomas de grau III se diferenciam do IV no exame histopatológico apenas por não apresentarem necrose no material estudado. Os oligodendrogliomas anaplásicos que apresentam deleção dos genes 1p e 19q constituem um grupo de melhor prognóstico, e podem ser tratados inicialmente apenas com a temozolamida, com alguns pacientes sobrevivendo até 10 anos. A idade é um fator determinante também para evolução dos tumores de grau III, havendo muito pouca diferença da sobrevida média quando comparado aos pacientes com glioblastoma multiforme (GBM) após os 60 anos. Dois grupos de GBMs (glioma IV), primários e secundários, têm sido descritos, com base em dados clínicos e genéticos. O GBM primário, ou *de novo*, surge sem evidência de tumor de baixo grau preexistente, em geral da sexta década de vida em diante, com quadro clínico de curta duração. Nestes tumores, encontra-se a amplificação do gene receptor do EGFR, em 40% dos casos. Ao contrário, GBMs secundários tendem a ocorrer em pacientes mais jovens, < 45 anos, por transformação maligna de gliomas de graus II e III. Histologicamente, o GBM é caracterizado por alta celularidade, importante pleomorfismo celular, atipias nucleares, atividade mitótica, proliferação microvascular com trombose e necrose. As alterações genéticas típicas desses GBMs secundários são as mutações dos genes TP 53 e do IDH 1 e 2.

Estudos recentes mostram a relação dos GBMs com as células-tronco neurais da região subventricular, não apenas sugerindo sua origem na mutação dessas células, mas também prevendo seu comportamento biológico. Os gliomas, que apresentam relação com a zona subventricular ou que infiltram o córtex, tendem a ser multifocais, já no diagnóstico, e tendem a recidivar à distância da lesão primária. Os gliomas que não apresentam relação com a zona subventricular tendem a recidivar ao redor de 2 cm da lesão original. Múltiplos gliomas podem ser categorizados como multifocais, se houver uma fonte de disseminação com uma trajetória estabelecida, como as comissuras cerebrais, líquido cefalorraquidiano ou extensões por lesões satélites (Fig. 11). Estas fontes de disseminação podem ser demonstradas em RNM em T2. Os gliomas multicêntricos, porém, são separados e não apresentam ligações através das rotas citadas (Fig. 12).

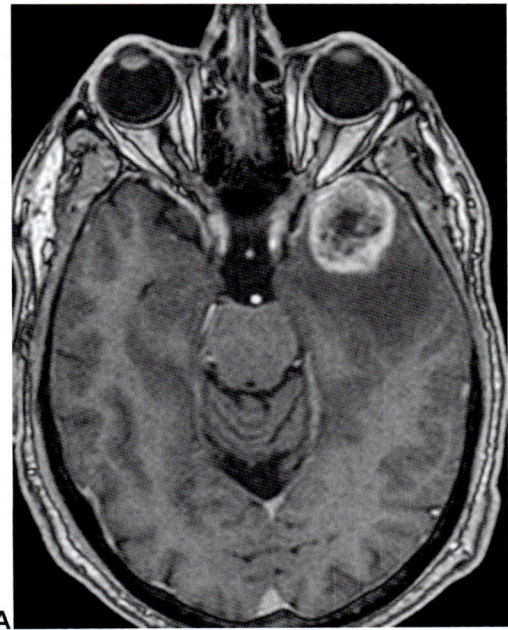 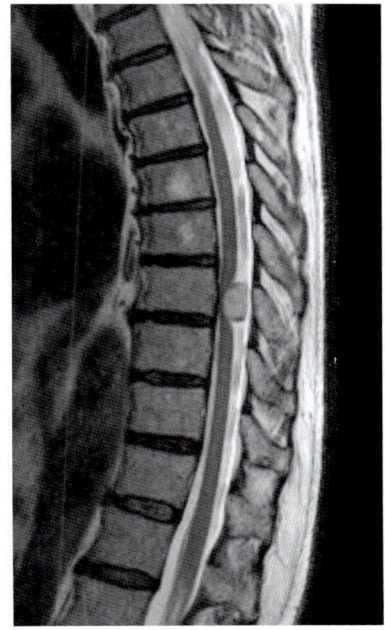 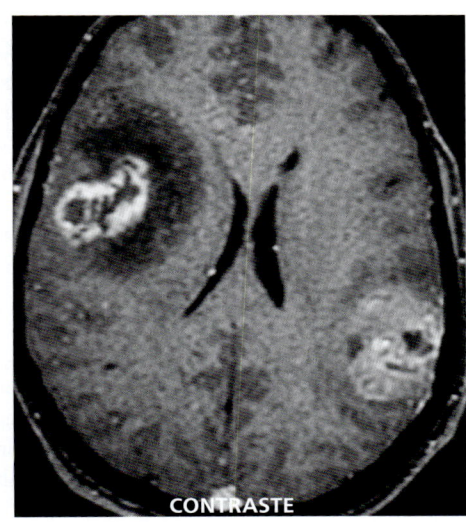

▲ **FIGURA 11. (A)** GBM temporal esquerdo. **(B)** Metástase intrarraquiana de GBM. Difusão pelo líquido cefalorraquidiano.

▲ **FIGURA 12.** Glioblastoma multicêntrico.

O fenômeno migratório das células neoplásicas gliais torna impossível a cura cirúrgica dessas lesões. Dandy, em 1928, deixou isso claro, ao remover o hemisfério cerebral de um paciente na tentativa de curá-lo de um glioblastoma, e constatar a mesma sobrevida, de 18 meses, por recidiva no hemisfério oposto.

Apesar disso, ainda hoje se busca a remoção completa da massa como primeiro passo do tratamento, não mais com intuito de cura, mas de reduzir a população celular e melhorar a eficácia do tratamento complementar. O princípio cirúrgico de ressecção completa da lesão com margens livres é praticamente impossível no cérebro, em decorrência da proximidade das áreas eloquentes. A tecnologia disponível atualmente permite ressecções mais seguras, mas nem sempre completas. Os objetivos da cirurgia de um glioma de alto grau são o aumento da sobrevida, melhora dos sintomas, redução citológica, diagnóstico histológico e classificação molecular.

Trabalho de Lacroix, em 2001, preconiza extirpação de 98% desses tumores para que haja benefício de sobrevida. Estudo posterior de Berger mostrou que há benefício para sobrevida do paciente se ao menos 65% da lesão for retirada. Existe controvérsia quanto a evidências conclusivas que apoiariam a ressecção agressiva para prolongar a sobrevida de pacientes com tumores de alto grau. Boon-Chuan Pang, em 2007, comenta o trabalho de Lacroix, referindo que com a ressecção radical, os resultados divulgados são de sobrevida média de 13 meses, com 3 meses a menos no idoso (> 65 anos). Esses dados, argumenta, sofreram seleção, já que pacientes com prognóstico ruim não foram operados. Mesmo nos casos de aparente benefício de sobrevida, isso só ocorreu com extirpação acima de 98%.

As lesões múltiplas, multifocais ou multicêntricas, apresentam pior prognóstico com indicação, em geral, apenas de biópsia. O grupo do M.D. Anderson mostrou que, mesmo nesses casos, a cirurgia pode fazer diferença, com melhores resultados naqueles pacientes que se submeteram a craniotomias múltiplas, no mesmo procedimento. O uso de múltiplas craniotomias, durante uma única cirurgia, foi descrito por Bindal *et al.*, para a ressecção de múltiplas metástases cerebrais, sem estar associado ao aumento da mortalidade ou complicações. Os pacientes com GBM que não receberam tratamento viveram por 7,5 meses após o diagnóstico radiológico estabelecido. Os resultados obtidos no M.D. Anderson Cancer Center demonstram que a média de sobrevida em pacientes com GBMs multicêntricos submetidos a craniotomias múltiplas, na mesma cirurgia, foi de 12,9 meses, enquanto em pacientes com lesões multifocais foi de 9,6 meses. Porém, foi vista uma diferença significativa de sobrevida entre os pacientes com lesões multifocais e uma lesão isolada.

Ainda que alguns questionem o efeito direto da cirurgia no aumento da sobrevida desses pacientes, a cirurgia, sem dúvida, tem papel importante no tratamento, ao criar boas condições para rádio e quimioterapia, realizando a citorredução, ao melhorar a qualidade de vida do paciente, normalizando a pressão intracraniana e permitindo a suspensão do corticoide, ao reverter, em muitos casos, o déficit neurológico motor ou de linguagem, e oferecer material para o diagnóstico histológico, molecular e planejamento terapêutico.

O progresso da biologia molecular, o mapeamento genético desses tumores, a identificação de marcadores moleculares e a pesquisa de novos alvos terapêuticos começam a produzir um tratamento racional e com melhores resultados para determinados subgrupos de tumores. Ainda que agrupados histológica e genericamente como gliomas de alto grau, a subclassificação molecular, em desenvolvimento, já mostra que existem diferenças e variações previsíveis nas respostas terapêuticas. Este é o caminho do controle futuro da doença e, possivelmente, da cura.

Prognóstico e seleção de pacientes

A idade e a qualidade de vida pré-operatória, avaliada pela Escala de *Performance* de Karnofsky (KPS), são os dois fatores prognósticos mais relevantes. Pacientes jovens e independentes funcionalmente, com KPS acima de 70, apresentam melhores resultados de sobrevida (Quadro 1). Um importante trabalho conjunto multi-institucional que envolveu várias universidades americanas, chamado Glioma Outcome Project, 2003, analisou o tratamento de 788 pacientes com gliomas de graus III e IV.

Quadro 1. Escala de Karnofsky

Capaz de exercer uma atividade normal e ao trabalho; nenhum cuidado especial é necessário	100	Normal sem queixas, sem evidência de doença
	90	Capaz de exercer uma atividade normal, com pequenos sinais ou sintomas da doença
	80	Atividade normal com esforço, alguns sinais ou sintomas da doença
	70	Cuidados para si, incapaz de exercer uma atividade normal ou para fazer um trabalho ativo
Impossibilitado de trabalhar, capaz de viver em casa e cuidar de necessidades mais pessoais; quantidade variável de assistência necessária	60	Requer assistência ocasional, mas é capaz de cuidar mais de suas necessidades pessoais
	50	Requer considerável assistência e cuidados médicos frequentes
	40	Com deficiência; requer cuidados e assistência especiais
	30	Com deficiência grave, a hospitalização é indicada, embora a morte não seja iminente
Incapaz de cuidar de si mesmo, requer equivalente de cuidados institucionais ou hospitalares; a doença pode estar progredindo rapidamente	20	Muito doente, a hospitalização necessária; tratamento de suporte ativo necessário
	10	Moribundos; processo fatal progredindo rapidamente
	0	Morte

Seus resultados mostraram que a sobrevida média dos pacientes com gliomas de grau III e aqueles com GBM foi de 87,9 semanas e 70,9 semanas, respectivamente, para pacientes entre 20 e 40 anos de idade. Foi de 85 e 53,1 semanas, respectivamente, para pacientes entre 41 e 60 anos, e 31,3 e 36,1 semanas, respectivamente, para pacientes acima de 60 anos de idade. Quanto maior a idade, menor a diferença de sobrevida observada entre o grau III e o GBM. Outros fatores, como localização profunda da lesão e presença de necrose, são indícios negativos. Pacientes com este devastador tumor apresentam uma média de sobrevida de aproximadamente 12 meses. Contudo, com os avanços nos tratamentos cirúrgico e complementares, a média de sobrevida não foi substancialmente melhorada na última década. O componente-chave da qualidade de vida é a independência funcional. Um tratamento com sucesso deve-se ao prolongamento da independência funcional.

A qualidade de vida funcional, pré e pós-operatória imediata, está associada ao prolongamento da sobrevida, sobretudo no pós-operatório imediato. Uma sobrevida ruim leva pacientes e médicos a questionarem se uma terapia agressiva realmente deve ser objetivada, caso comprometa o prolongamento da independência funcional, sendo esta talvez mais importante do que o tempo de sobrevivência.

Vários estudos têm demonstrado que os pacientes idosos apresentam piores prognósticos. Adicionalmente, em pacientes mais idosos, são creditados a ocorrência de tumores com mais mutações, dando a estes tumores uma maior agressividade e infiltração.

Porém, alguns pacientes mais idosos podem ter benefícios em tratamentos mais agressivos. Estudos recentes mostram que a idade absoluta não é por si só um fator significativo na sobrevida, enquanto o KPS menor que 80, volume tumoral acima de 4 cm, doença pulmonar obstrutiva crônica e déficit motor, de linguagem ou cognitivo, pré-operatórios, estão associados à diminuição da sobrevida.

Biópsias estereotáxicas

Várias séries concordam que a sobrevida dos pacientes submetidos à biópsia é menor do que a dos pacientes submetidos à ressecção por craniotomia. Entretanto, não há consenso, já que alguns autores questionam a seleção de casos mais graves para serem submetidos à biópsia. Diante dos indícios de melhores resultados com a remoção da massa, cria-se uma dificuldade para realização de trabalhos comparativos, sendo eticamente questionável encaminhar para biópsia um tumor superficial que pode ser ressecado. Outrossim, só podemos indicar para cirurgia um paciente com tumor com possibilidades de ressecção.

O diagnóstico histológico preciso depende do tamanho da amostra de material patológico. Isso é especialmente verdadeiro para os resultados falso-negativos, estimado em 10% das biópsias. Jackson *et al.* relatam desacordo de 38% entre a biópsia e o resultado final pós-ressecção da lesão, em 81 pacientes.

Várias séries atuais mostram que o resultado e a sobrevida são melhores quando a ressecção da lesão é total, o que afasta a biópsia seguida de radioterapia como tratamento de primeira linha. As biópsias atualmente estão restritas aos gliomas difusos, multifocais, ou inoperáveis.

Avaliação pré-operatória

O estudo anatômico com RNM é importante na definição da extensão da lesão e das estruturas envolvidas, especialmente áreas eloquentes que podem ser avaliadas pela técnica BOLD. Entretanto, a captação de contraste em forma anelar, frequente nesses tumores, por vezes não é suficiente para diferenciar de um abscesso, doença desmielinizante ou radionecrose. As imagens com estudo fisiológico são importantes e, além do diagnóstico, podemos predizer pelo número de *voxels* com lipídio elevado, pelo aumento do índice proliferativo avaliado pelo nível de colina em relação ao N-acetil-aspartato, e combinando essas informações com o grau de celularidade, com base no coeficiente de difusão aparente, quais glioblastomas devem ter pior prognóstico. Podemos usar, ainda, o coeficiente de difusão aparente e a anisotropia fracionada para diferenciar histologicamente entre astrocitoma e oligodendroglioma. O estudo da difusão pode mostrar a permeabilidade, através da dinâmica da captação do contraste, e também o volume e fluxo sanguíneo regional. As imagens de tensor-difusão mostram as vias motoras descendentes, que podem ser incorporadas, com outras informações, à estação de neuronavegação e relacionadas com o tumor.

Os pacientes que apresentam hipertensão intracraniana e déficits neurológicos focais podem melhorar com a descompressão cirúrgica, que desfaz as distorções e compressões sobre suas vias longas e áreas eloquentes. Esses pacientes, que podem beneficiar-se da descompressão, em geral são identificados pela melhora pré-operatória com o uso de 16 mg/dia de dexametasona.

Considerações intraoperatórias

É importante que haja na equipe um neuroanestesista, enfermagem treinada e neuropatologista disponível. Todos os equipamentos auxiliares devem ser utilizados para ampliar a ressecção com segurança, tais como microscópio, neuronavegador, ultrassom, aspirador ultrassônico, endoscópio, e, se possível, RNM intraoperatória.

Um avanço recente é a ressecção tumoral guiada por fluorescência, que vem se difundindo pela segurança que oferece ao diferenciar visualmente o tecido patológico do normal. O conceito é fundamentado na observação que as células neoplásicas produzem e acumulam protoporfirina IX fluorescente após a administração do ácido 5-aminolevulínico (5-ALA), ao contrário do parênquima normal. A protoporfirina IX (PpIX) emite luz vermelho-violeta quando estimulada com luz azul, podendo ser facilmente visualizada com microscópio cirúrgico integrado com um filtro para excitação num intervalo de comprimento de onda de 400 a 410 nm e visualização no intervalo de 620 a 710 nm. Estudo neuropatológico mostra que 98,8% do tecido fluorescente é anormal. O 5-ALA, entretanto, ainda não está liberado para uso no Brasil e nos EUA, sendo amplamente utilizado na Europa.

A endomicroscopia confocal a *laser* intraoperatória é uma ferramenta extremamente recente, que se utiliza de imagens por fluorescência através da aplicação direta de agentes fluorescentes na interface tecido cerebral/tumor ou sobre as peças cirúrgicas imediatamente retiradas. Um pequeno endomicroscópio rígido de 150 mm de comprimento e diâmetro de 6,3 mm com um *scanner* a *laser* é colocado sobre o tecido e permite leitura histopatológica em tempo real. Tal método auxilia na identificação de invasão tumoral em tecido cerebral, propiciando a extensão da ressecção.

O neuronavegador é muito útil para a programação da craniotomia, permitindo precisar os limites do tumor, o ponto mais superficial, e o melhor ângulo de entrada no crânio e na lesão, baseando-se na correlação em tempo real com imagens de TC ou RNM (Figs. 13 e 14). Após o deslocamento cerebral, que ocorre durante a remoção tumoral e a perda liquórica, o neuronavegador perde sua precisão e passamos, então, a utilizar o ultrassom, que oferece imagem precisa, em tempo real, orientando a localização de cavidades císticas, por vezes múltiplas, e pontos de áreas sólidas (Fig. 15).

O aspirador ultrassônico é indispensável para a remoção desses tumores; com sua ponta vibratória, irrigação e aspiração, permite agilidade e precisão na extirpação, preservando vasos maiores que possam estar envolvidos pelo tumor.

O mapeamento de áreas eloquentes com estimulação elétrica dá segurança ao cirurgião para prosseguir, principalmente quando já obteve resposta e identificou as áreas a serem preservadas. A RNM intraoperatória, ainda não disponível na maioria dos serviços, deverá ser um diferencial para evitar a surpresa dos resíduos tumorais inesperados.

A abordagem cirúrgica deve ser feita no ponto mais superficial e distante de área eloquente. Se necessária deve ser feita a dissecção de sulcos ou cissuras que permitam essa aproximação, evitando a lesão desnecessária de tecido cerebral. O mapeamento das áreas eloquentes deve ser realizado, se houver proximidade, e todo tecido patológico visível deve ser removido sob o controle final do ultrassom.

Considerando que os pacientes com glioma de alto grau têm curta sobrevida, é fundamental que a cirurgia não acrescente nenhum déficit neurológico, do contrário, qualquer ganho que possa haver com o esvaziamento cirúrgico será perdido pela morbidade e queda na qualidade de vida.

Em nossos pacientes, planejamos a ressecção visando à obtenção de material para exames histopatológico e molecular, e a remoção do tumor da maneira mais ampla possível, limitando a agressividade da remoção aos riscos de produzir piora neurológica no paciente e, com isso, atrasar o início da rádio e quimioterapia.

Manejo pós-operatório

É recomendável que se avalie a amplitude da ressecção com RNM nas primeiras 48 horas do pós-operatório, antes que o edema, alterações cicatriciais e distúrbios de barreira hematoencefálica se desenvolvam, acentuando o extravasamento de contraste e gerando imagens de difícil interpretação. Devem ser repetidas as imagens funcionais, em especial, o estudo de difusão para afastar lesão isquêmica pós-operatória na presença de novo déficit. Essas lesões, que também passarão a captar contraste nos dias seguintes, serão identificadas pelo exame precoce. Berger *et al.* propuseram que a ressecção deve ser considerada total quando não há nenhum sinal residual de anormalidade; subtotal com menos de 10 mL de resíduo; ou parcial com mais de 10 mL de tumor residual.

O estudo histopatológico deve ser acrescido de pesquisa de marcadores moleculares, tais como metilação da MGMT, IDH1 e 2, receptor de fator de crescimento endotelial (RFGE), fator de crescimento derivado de plaquetas (PDGF) e PTEN, que auxiliam na previsão de resposta terapêutica. Phillips, em 2006, mostrou a importância da subclassificação molecular na presença de tumores de alto grau com mesmo aspecto histológico, diferenciando os anaplásicos dos GBMs.

A seguir da etapa cirúrgica, o paciente deve iniciar terapia complementar sob orientação do neuro-oncologista, que decidirá pela rádio ou quimioterapia, ou ambas, conforme o aspecto histológico e o perfil genético do tumor. Atualmente, o tratamento padronizado para o astrocitoma anaplásico é a radioterapia pós-operatória; já no caso do GBM inclui-se a cirurgia seguida da irradiação e quimioterapia com temozolamida concomitantes.

No curso do tratamento e acompanhamento clínico, exames de RNM com espectroscopia, perfusão e difusão devem ser repetidos periodicamente para identificar recidivas, pseudoprogressões e radionecrose.

Convulsões estão presentes em 50 a 80% dos pacientes à apresentação; já epilepsia desenvolve-se em até 20% dos pacientes. As crises devem ser prevenidas e/ou tratadas principalmente com fenitoína, por sua disponibilidade nas formulações oral e intravenosa. Porém, Weller *et al.* notaram recentemente que pacientes com GBM manejados com ácido valproico apresentaram melhor evolução que aqueles sem anticonvulsivante ou com outras drogas. O ácido valproico, então, pode afetar a sobrevida dos pacientes com glioma, graças a diversos mecanismos, principalmente por aumentar a biodisponibilidade de temozolamida pela redução do *clearance* do metabólito que metila DNA.

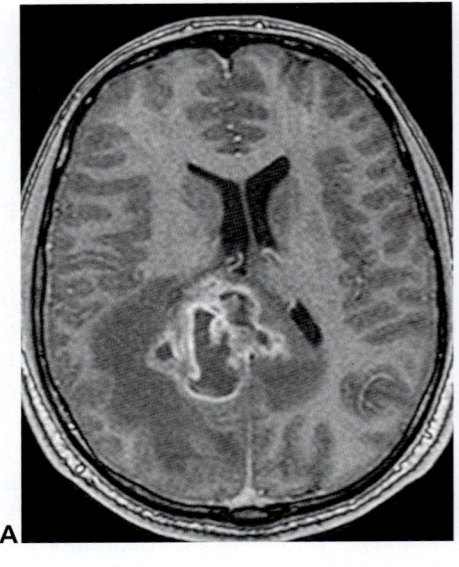
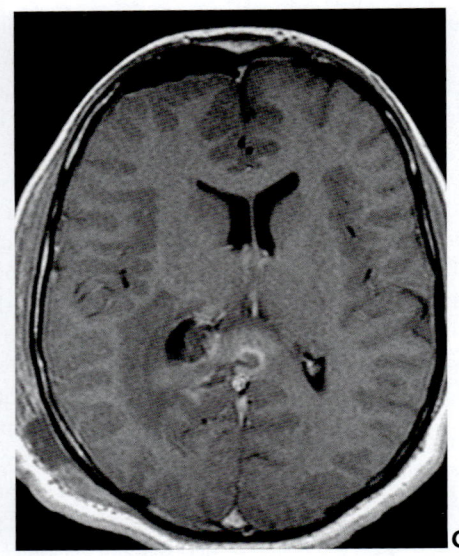

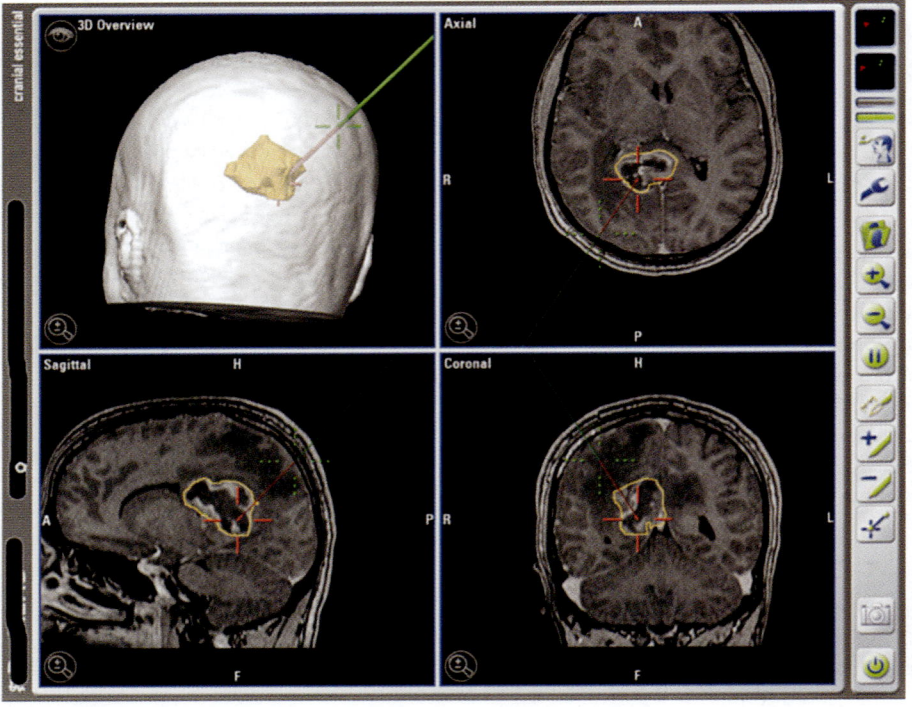

◄ **FIGURA 13. (A)** Glioblastoma do corpo caloso com maior massa à direita. **(B)** Planejamento da abordagem cirúrgica, através do lobo parietal, com o neuronavegador. **(C)** Aspecto pós-operatório de 24 horas.

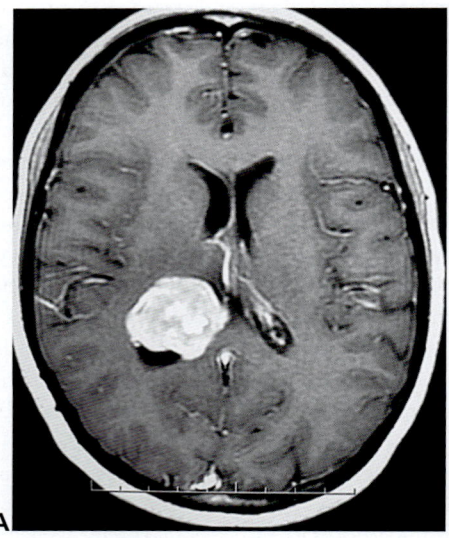
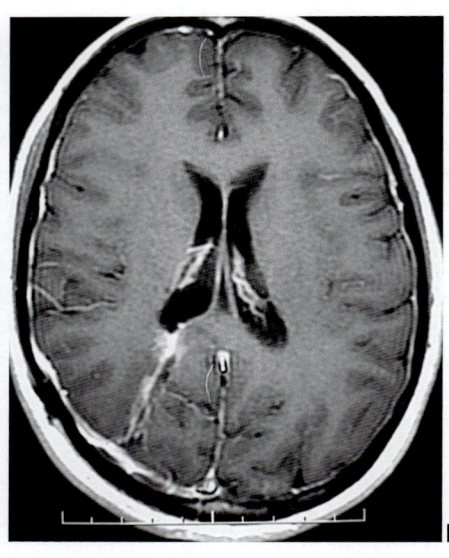

◄ **FIGURA 14. (A)** Meningioma intraventricular. **(B)** Acesso cirúrgico guiado pelo neuronavegador.

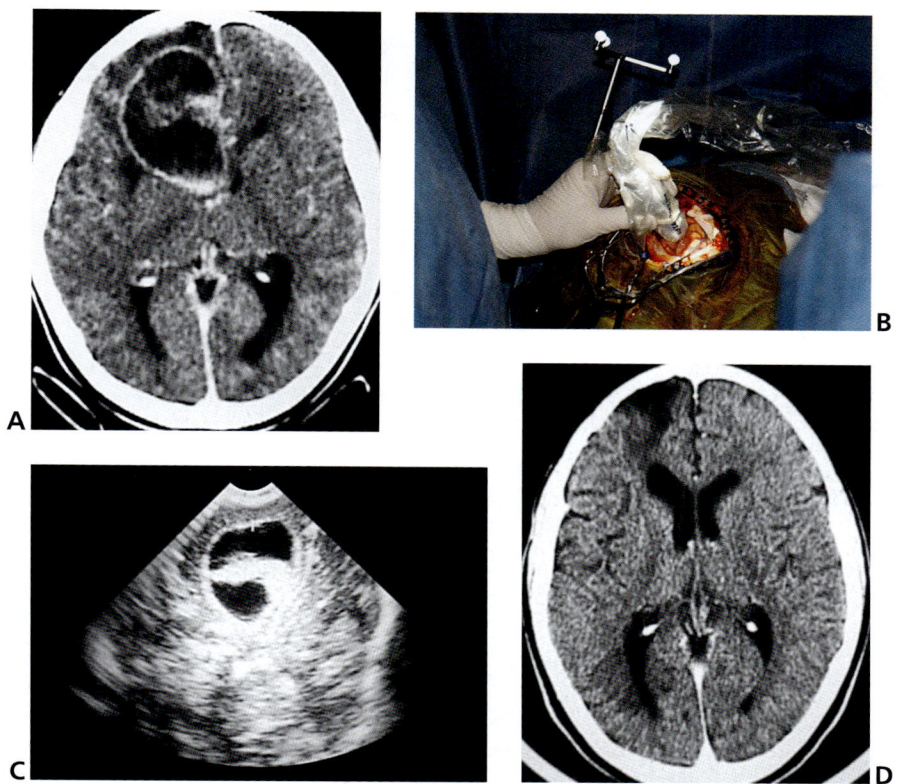

◄ **FIGURA 15.** (**A**) Ressonância com GBM frontal direito. (**B**) Ultrassom em uso, vendo-se a antena do neuronavegador ao lado. (**C**) Imagem do ultrassom peroperatório, em tempo real, semelhante à ressonância. (**D**) Imagem pós-operatória com remoção completa.

RECIDIVAS

As recidivas devem ser diferenciadas de pseudoprogressão e radionecrose (Figs. 16 e 17). É preciso estudo funcional com RNM e, por vezes, PET-*scan* para o diagnóstico preciso. As recidivas, e também as radionecroses sintomáticas, devem ser consideradas e avaliadas individualmente para novo tratamento cirúrgico, já que não há conduta definida para esses casos. É preciso que as lesões ainda sejam localizadas, que o paciente ainda mantenha boa qualidade de vida e, principalmente, que haja possibilidade de nova terapia complementar, já que apenas com a cirurgia haverá nova recidiva precoce, e a sobrevida será muito curta. Alguns pacientes podem beneficiar-se de uma terceira intervenção, se mantiverem essas condições.

A recidiva do GBM é associada a prognóstico ruim, com 9% de sobrevida em 6 meses, sem progressão da doença, e 14% de sobrevida total em

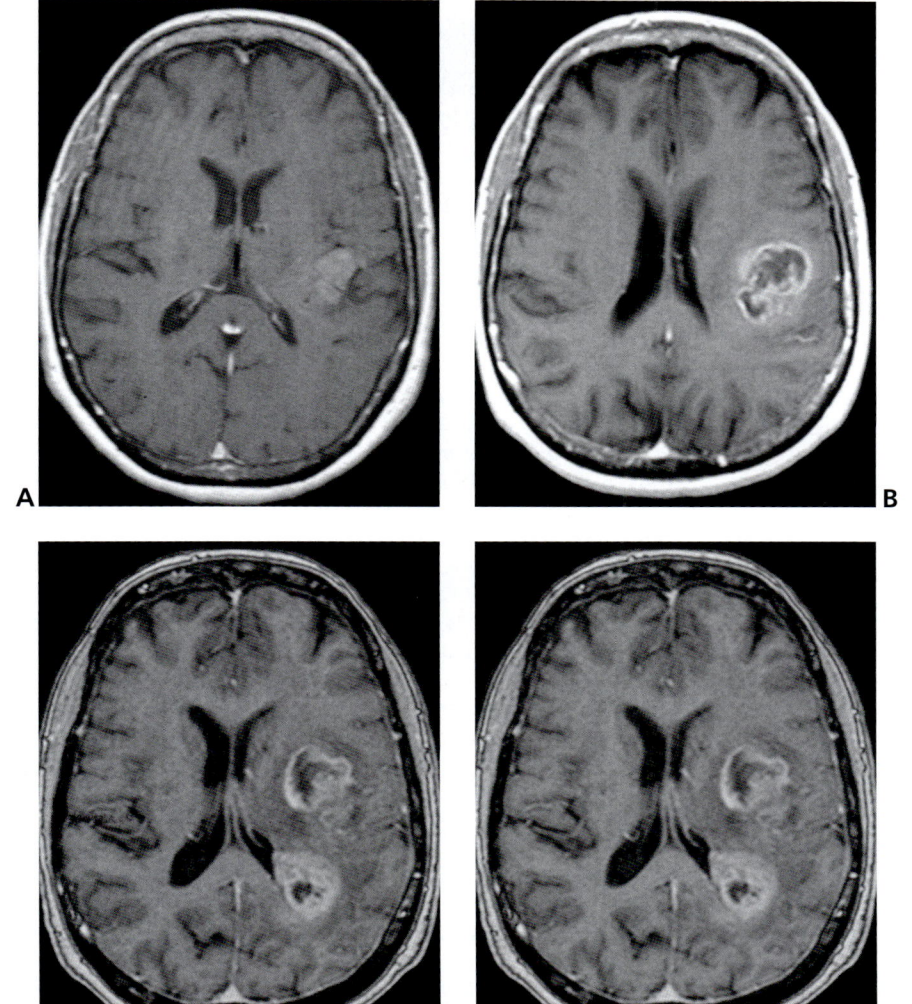

◄ **FIGURA 16.** (**A**) Oligodendroglioma anaplásico com deleção do 1p-19q. (**B**) Após dois meses do início de temozolamida, paciente apresentou piora da imagem sem repercussão clínica. (**C**) Após, mais de 30 dias, redução espontânea da lesão, compatível com pseudoprogressão. (**D**) Após um ano, degeneração para GBM multifocal.

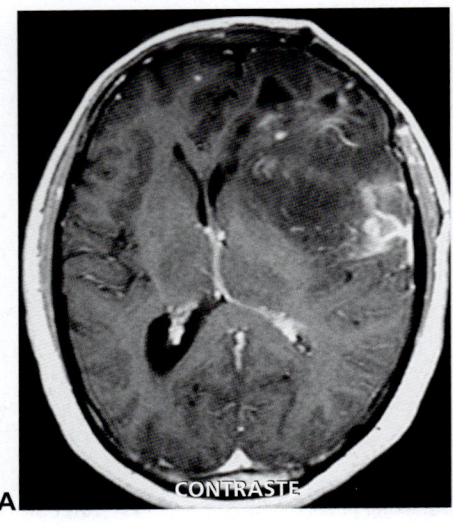 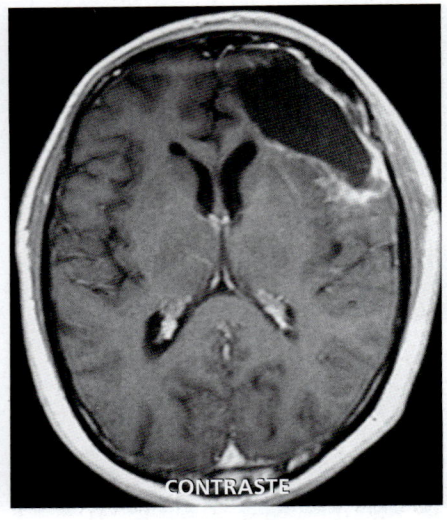

◀ **FIGURA 17. (A)** Oligodendroglioma anaplásico III, recidivante, com grande efeito de massa. Paciente em bom estado geral, com hipertensão intracraniana. **(B)** Imagem após reoperação com remoção da lesão e controle da hipertensão.

12 meses, com quimioterápico citotóxico tradicional. Nova craniotomia também está relacionada com prognóstico ruim, com sobrevida de 3 a 5 meses.

Os GBMs são tumores altamente vascularizados e que apresentam uma elevada expressão de fatores pró-angiogênicos, em especial o Fator de Crescimento Endotelial Vascular (VEGF). Estudos clínicos com bevacimzumab (BV), anticorpo monoclonal antiVEGF, mostraram bons resultados iniciais no tratamento de pacientes com GBMs recidivantes, evitando o crescimento da massa ao impedir a sua angiogênese. Os bons resultados pressionaram a liberação pelo FDA, tornando-se a droga de escolha nos GBM recidivantes. Ainda assim, esses tumores voltam a progredir, e o prognóstico dos pacientes reoperados após progressão durante uso de BV é desconhecido. Trabalho recente do grupo de São Francisco, comparando pacientes que recidivaram em uso da BV, antes de reoperar, com pacientes que foram reoperados, antes de iniciar a BV, e pacientes que nunca tomaram BV, mostra que o primeiro grupo evoluiu pior, ou seja, os que usaram BV antes de operar tiveram menor sobrevida. Considerando a sobrevida total, a partir do diagnóstico, não houve diferença entre os grupos, sugerindo que esse grupo de pior evolução estivesse numa fase avançada da história natural da doença. Esses pacientes com uso pré-operatório de BV apresentaram também maiores complicações cirúrgicas. A falência do tratamento com BV indica prognóstico ruim e, portanto, devemos ser cautelosos com a indicação de reoperação para esse grupo de pacientes, que tem expectativa de curta sobrevida e maiores riscos cirúrgicos.

O VEGF tem papel importante na cicatrização de feridas cirúrgicas, com elevação de sua expressão a partir do terceiro dia de pós-operatório e permanecendo elevado até 24 semanas. Esses níveis correspondem ao aumento da microcirculação na região operada. O BV, portanto, além de inibir, positivamente, a angiogênese tumoral, interfere negativamente, com a cicatrização das feridas cirúrgicas, aumentando o risco de complicações. Ampla pesquisa clínica de fase II para GBM recidivante mostrou 4-6% de complicações em feridas cirúrgicas quando o BV é administrado no pós-operatório, o que não é significativamente diferente do grupo-controle, sem BV. Entretanto, outro estudo (Wiemels, 2009) com menor grupo de pacientes que fizeram uso do BV pré-reoperação mostra que tiveram 29% de complicações cicatriciais, contra 10% dos pacientes sem a medicação. Esses números não alcançaram significância estatística, mas mostraram uma tendência. Já o mesmo estudo em pacientes submetidos à terceira craniotomia mostraram 44% de complicações cicatriciais, com BV, contra 9% sem. Esses números foram de significância estatística.

Recomenda-se, portanto, retardar o uso do BV por 2-4 semanas após biópsia estereotáxica, e de 4-6 semanas após craniotomia. Como a eliminação de anticorpos circulantes é mais lenta que as drogas tradicionais, a vida média do BV é relativamente longa, de aproximadamente 20 dias. Em pacientes sob tratamento com BV, é recomendável que se retarde uma nova cirurgia, em até 30 dias, da última dose do BV.

BIBLIOGRAFIA

Abrey LE, Louis DN, Paleologos N *et al.* Survey of treatment recommendations for anaplastic oligodendroglioma. *Neuro-oncology* 2007;9:314-18.

Albert FK, Forsting M, Sartor K *et al.* Erly postoperative magnetic resonance imaging after resection of malignant glioma: objective evaluation of residual tumor and its influence on regrowth and prognosis. *Neurosurgery* 1994;34:45-60; discussion 60-1.

Alonso M, Hamelin R, Kim M *et al.* Microsatellite instability occurs in distinct subtypes of pediatric but not adult central nervous system tumors. *Cancer Res* 2001;61:2124-28.

Ammirati M, Vick N, Liao Y *et al.* Effect of the extent of surgical resection on survival and quality of life in patients with supratentorialglioblastomas and anaplastic astrocytomas. *Neurosurgery* 1987;21:201-6.

Ballman KV, Buckner JC, Brown PD *et al.* The relationship between sixmonth progression-free survival and 12 month overall survival end points for phase II trials in patients with glioblastoma multiforme. *Neuro Oncol* 2007;9(1): 29-38.

Barnholtz-Sloan JS, Maldonado JL, Williams VL *et al.* Racial/ethnic differences in survival among elderly patients with primary glioblastomas. *J Neuro-oncol* 2007;85:171-80.

Baum G, Fisher B, Watling C *et al.* Adult supratentorial low-grade glioma: long-term experience at a single institution. *Int J Radiat Oncol Biol Phys* 2009;75:1401-7.

Baumert BG, Stupp R. Low-grade glioma: a challenge in therapeutic options: the role of radiotherapy. *Ann Oncol* 2008;19(Suppl 7):217-22, VII.

Berger MS, Deliganis AV, Dobbins J *et al.* The effect of extent of resection on recurrence in patients with low grade cerebral hemisphere gliomas. *Cancer* 1994;74:1784-91.

Berger MS, Ojemann GA. Intraoperative brain mapping technique in neuro-oncology. *Stereptactic Funct Neurosurg* 1992;58(1-4):153-61.

Berger MS, Rostomily RC. Low grade gliomas: functional mapping resection strategies, extent of resection, and outcome. *J Neuro-oncol* 1997;34:85-101.

Bevilacqua G, Sarnelli R. Ganglioglioma of the spinal cord. A case with a long survival. *Acta Neuropathol* 1979;48:239-42.

Bindal RK, Sawaya R, Leavens ME *et al.* Surgical treatment of multiple brain metastases. *J Neurosurg* 1993;79:210-16.

Bose D, Meric-Bernstam F, Hofstetter W *et al.* Vascular endothelial growth factor targeted therapy in the perioperative setting: implications for patient care. *Lancet Oncol* 2010;11:373-82.

Boulton M, Bernstein M. Outpatient brain tumor surgery: innovation in surgical neuro-oncology. *J Neurosurg* 2008;108:649-54.

Brada M, Viviers L, Abson C *et al.* Phase II study of primary temozolomide chemotherapy in patients with WHO grade II glioma. *Ann Oncol* 2003;14:1715-21.

Brandes AA, Franceschi E, Tosoni A *et al.* Temozolamide concomitant and adjuvant to radiotherapy in elderly patients with glioblastomas: correlation with MGMT promoter methylation status. *Cancer* 2009;115:3512-18.

Brem H, Piantadosi S, Burger PC *et al.* Placebo-controled trail of safety and efficacy of intraoperative controlled delivery by biodegradable polymers of chemotherapy for recurrent gliomas. *Lancet* 1995;345:1008-12.

Brogna C, Gil Robles S, Duffau H. Brain tumors and epilepsy. *Expert Rev Neurother* 2008;8(6):941-55.

Brown PD, Ballman KV, Rummans TA et al. Prospective study of quality of life in adults with newly diagnosed high-grade gliomas. *J Neuro-oncol* 2006;76:283-91.

Burklund CW, Smith A et al. Language and the cerebral hemispheres. *Neurology* 1977;27:627-33.

Cairncross JG, Ueki K, Zlatescu C et al. Specific genetic predictors of chemotherapeutic response and survival in patients with anaplastic oligodendrogliomas. *J Natl Cancer Inst* 1998;90:1473-79.

Chaichana K, Paker S, Olivi A et al. A proposed classification system that projects outcomes based on preoperative variables for adult patients with glioblastoma multiforme. Clinical article. *J Neurosurg* 2010;112:997-1004.

Chaichana KL, Chaichana KK, Olivi A et al. Surgical outcomes for older patients with glioblastoma multiforme: preoperative factors associated with decreased survival. *J Neurosurg* 2011;114:587-94.

Chang EF, Clark A, Jensen RL et al. Multiinstitutional validation of the University of California at San Francisco low-grade glioma prognostic scoring system. *J Neurosurg* 2009;111:203-10.

Chang EF, Clark A, Smith JS et al. Function mapping-guided resection of low-grade gliomas in enloquent areas of the brain: improvement of long-term survival. *J Neurosurg* 2011;114:566-73.

Chang EF, Potts MB, Keles GE et al. Seizure characteristics and control following resection in 332 patients with low-grade gliomas. *J Neurosurg* 2008;108(2):227-35.

Chang SM, Parney IF, Huang W et al. Patterns of care for adults with newly diagnosed malignant gliomas. *JAMA* 2005;293:557-64.

Clark AJ, Butowski NA, Chang SM et al: Impact of bevacizumab chemotherapy on craniotomy wound healing. *J Neurosurg* 2011;114:1609-16.

Clark AJ, Lamborn KR, Butowski NA et al. Neurosurgical management and prognosis of patients with glioblastoma that progresses during bevacizumab treatment. *Neurosurgery* 2012;70:361-70.

Cuccia C, Zuccaro V, Sosa G et al. Subependymal giant cell astrocytoma in children with tuberous sclerosis. *Child's Nervous System* 2003;19(4):232-43.

Curran Jr WJ, Scott CB, Horton J et al. Recursive partitioning analysis of prognostic factors in three Radiation Therapy Oncology Group malignant gliomas trials. *J Natl Cancer Inst* 1993;85:704-10.

Dandy WE et al. Removal of right cerebral hemisphere for certain tumors with hemiplegia. *JAMA* 1928;90(11):823-25.

Danks RA, Aglio LS, Gugino LD et al. Craniotomy under local anesthesia and monitored conscious sedation for the resection of tumors involving eloquent cortex. *J Neuro-oncol* 2000;49(2):131-39.

Daumas-Duport C, Scheithauer BW, Chodkiewicz JP et al. Dysembryoplastic neuroepithelial tumor: a surgically curable tumor of young patients with intractable partial seizures. Report of thirty-nine cases. *Neurosurgery* 1988;23:545-56.

Daumas-Duport C, Scheithauer BW, Chodkiewicz JP et al. Dysembryoplastic neuroepithelial tumor: a surgically curable tumor of young patients with intractable partial seizures. Report of thirty-nine cases. *Neurosurgery* 1988;23(5):545.

Davies FG, Preston-Martin S. Russell e Rubenstein's pathology of tumors in the nervous system. In: Bigner DD, Mc Lendon RE, Bruner JM. (Eds.). *Pathology of the nervous system*. London: Arnold, 1998.

De Haan R, Horn J, Limburg M et al. A comparison of five stroke scales with measures of disability, handicap, and quality of life. *Stroke* 1993;24:1178-81.

DeAngelis LM. Brain tumors. *N Engl J Med* 2001;344:114-23.

Devaux BC, O'Fallon JR, Kelly PJ. Resection, biopsy, and survival in malignant glial neoplasms. A retrospective study of clinical parameters, therapy, and outcome. *J Neurosurg* 1993;78:767-75.

Djalilian HR, Shah MV, Hall WA. Radiographic incidence of multicentric malignant glimas. *Surg Neurol* 1999;51:554-58.

Duffau H, Capelle L, Denvil D et al. Functional recovery after surgical resection of low grade gliomas in eloquent brain: hypothesis of brain compensation. *J Neurol Neurosurg Psychiatry* 2003;74:901-7.

Duffau H, Gatignol P, Mandonnet E et al. Intraoperative subcortical stimulation mapping of language pathways in a consecutive series of 115 patients with Grade II glioma in the left dominant hemisphere. *J Neurosurg* 2008;109:461-71.

Duffau H, Lopes M, Arthuis F et al. Contribution of intraoperative electrical stimulations in surgery of low grade gliomas: a comparative study between two series without (1985-96) and with (1996-2003) functional mapping in the same institution. *J Neurol Neurosurg Psychiatry* 2005;76:845-51.

Duffau H. Awake surgery fo nonlanguage mapping. *Neurosurgery* 2010;66:523-29.

Duffau H. Lessons from brain mapping in surgery for low-grade glioma: insights into associations between tumour and brain plasticity. *Lancet Neurol* 2005;4:476-86.

Elder JB, Chiocca EA. Low Karnofsky Performance Scale escore and glioblastoma multiforme. *J Neurosurg* 2011;115:217-19.

Englot DJ, Berger MS, Barbaro NM et al. Predictors of seizure freedom after resection of supratentorial low-grade gliomas. *J Neurosurg* 2011;115:240-44.

Eschbacher J, Martirosyan NL, Nakaji P et al. In vivo intraoperative confocal microscopy for real-time histopathological imaging of brain tumors. *J Neurosurg* 2012;116(4):854-60.

Fisher BJ, Naumova E, Leighton CC et al. Ki-67: a prognostic factor dor low-grade glioma? *Int J Radiat Oncol Biol Phys* 2002;52:996-1001.

Fisher JL, Schawartzbaum JA, Wrensch M et al. Epidemiology of brain tumors. *Neurol Clin* 2007;25:867-90, VII.

Fonseca CO. *Patogenese molecular e estratégica terapêutica dos gliomas*. Rio de Janeiro: EdUFF, 2005.

Forsyth B, Shaw PA, Scheithauer EG et al. Supratentorial pilocytic astrocytomas. A clinicopathologic, prognostic, and flow cytometric study of 51 patients. *Cancer* 2006;72(4):1335-42.

Fried I, Kim JH, Spencer DD. Limbic and neocortical gliomas associated with intractable seizures: a distinct clinicopathological group. *Neurosurgery* 1994;34:815-24.

Friedman HS, Prados MD, Wen PY et al. Bevacizumab alone and in combination with irinotecan in recurrent glioblastomas. *J Clin Oncol* 2009;27:4733-40.

Gehan EA, Walker MD. Prognostic factors for patients with brain tumors. *Natl Cancer Inst Monogr* 1977;46:189-95.

Godard S, Getz G, Delorenzi M et al. Classification of human astrocytic gliomas on the basis of genes expression: a correlated group of genes with angiogenic activity emerges as a strong predictor of subtypes. *Cancer Res* 2003;63(20):6613-25.

Godard S, Getz G, Delorenzi M et al. Classification of human astrocytic gliomas on the basis of gene expression: a correlated group of genes with angiogenic activity emerges as a strong predictor of subtypes. *Cancer Res* 2003;63:6613-25.

Gozé C, Rigau V, Gilbert L et al. Lack of complete 1p19q deletion in a consecutive series of 12 who grade II gliomas involving the insula: a marker of worse prognosis? *J Neuro-oncol* 2009;91(1):1-5.

Greig NH, Ries LG, Yancik R et al. Increasing annual incidence of primary malignant brain tumors in the elderly. *J Natl Cancer Inst* 1990;82:1621-24.

Gupta DK, Chandra PS, Ojha BK et al. Awake craniotomy *versus* surgery under general anesthesia for resection of intrinsic lesions of enloquent cortex-a prospective randomized study. *Clin Neurol Neurosurg* 2007;109:335-43.

Gutin PH, Iwamoto FM, Beal K et al. Safety and efficacy of bevacizumab with hypofractionated stereotactic irradiation for recurrent malignant gliomas. *Int J Radicat Oncol Biol Phys* 2009;75:156-63.

Hassaneen W, Levine NB, Suki D et al. Multiple craniotomies in the management of multifocal and multicentric glioblastoma. *J Neurosurg* 2011;114:576-84.

Hegi ME, Diserens AC, Gorlia T et al. MGMT Gene silencing and benefit from temozolomide in glioblastoma. *N Engl J Med* 2005;352:997-1003.

Hess KR, Broglio KR, Bondy ML. Adult gliomas incidence trends in United States, 1977-2000. *Cancer* 2004;101:2293-99.

Hess KR, Broglio KR, Bondy ML. Adult gliomas incidence trends in United States, 1977-2000. *Cancer* 2004;101:2293-99.

Hollen PJ, Gralla RJ, Kris MG et al. Measurement of quality of life in patients with lung cancer in multicenter trials of news therapies. Psychometric assessment of the Lung Cancer Symptom Scale. *Cancer* 1994;73:2087-98.

Jackson RJ, Fuller GN, Abi-Said D et al. Limitations of stereotactic biopsy in the initial management of gliomas. *Neuro-oncol* 2001;3:193-200.

Jawahar A, Weilbaecher C, Shorter C et al. Multicentric glioblastoma multiforme determined by positron emission tomography: a case report. *Clin Neurol Neurosurg* 2003;106:38-40.

Jones A, Kocialkowski DT, Liu S et al. Tandem duplication producing a novel oncogenic BRAF fusion gene defines the majority of pilocytic astrocytomas. *Cancer Res* 2008;68(21):8673-77.

Karamitopoulou E, Perentes E, Probst A et al. Ganglioglioma of the brain stem: neurological dysfunction of 16-year duration. *Clin Neuropathol* 1995;14:162-68.

Karim AB, Afra D, Cornu P et al. Randomized trial on the efficacy of radiotherapy for cerebral low-grade glioma in the adult. European Organization for Research na Treatment of Cancer Study 22845 with the Medical Research Council study BRO4: na ínterim analysis. *Int J Radiat Oncol Biol Phy* 2002;52:316-24.

Karim AB, Maat B, Hatlevoll R et al. A randomized trial on dose-response in radiotion therapy of low-grade cerebral glioma: European Organization for Research and Treatment of Cancer (EORTC) Study 22844. *Int J Radiat Oncol Biol Phys* 1996;36:549-56.

Keles GE, Lamborn KR, Berger MS. Low grade hemispheric gliomas in adults: a critical review of extent of resection as a factor influencing outcome. *J Neurosurg* 2001;95:735-45.

Khajavi K, Comair YG, Prayson RA et al. Childhood ganglioglioma and medically intractable epilepsy. *Pediatr Neurosurg* 1995;22(4):181-88.

Kim SK, Wang KC, Cho BK. Intractable seizure associated with brain tumor in childhood: lesionectomy and seizure outcome. *Childs Nerv Syst* 1995;11:634-38.

Kiwit JC, Floeth FW, Bock WJ. Survival in malignant glioma: analysis of prognostic factors with special regard to cytoreductive surgery. *Zentralbl Neurochir* 1996;57:76-88.

Klein M, Engelberts NH, van der Ploeg HM et al. Epilepsy in low-grade gliomas: the impact on cognitive function and quality of life. *Ann Neurol* 2003;54:514-20.

Krueger DA, Care MM, Holland K et al. Everolimus for subependymal giant-cell astrocytomas in tuberous sclerosis. *N Engl J Med* 2010;363(19):1801-11.

Kumar I, Staton CA, Cross SS et al. Angiogenesis, vascular endothelial growth factor and its receptors in human surgical wounds. *Br J Surg* 2009;96:1484-91.

Lacroix M, Abi-Said D, Fourney DR, et al: A multivariate analysis of 416 patients with glioblastoma multiforme: prognosis, extent of resection, and survival. *J Neurosurg* 2001;95:190-98.

Laigle-Donadey F, Martin-Duverneuil N, Lejune J et al. Correlations between molecular profile and radiologic pattern in oligodendroglial tumors. *Neurology* 2004;63(12):2360-62.

Lamborn KR, Chang SM, Prados MD. Prognostic factors for survival of patients with glioblastoma: recursive partitioning analysis. *Neuro Oncol* 2004;6:227-35.

Laws ER, Parney IF, Huang W et al. Survival following surgery and prognostic factord for recently diagnosed malignant glioma: data from the Glioma Outcomes Project. *J Neurosurg* 2003;99:467-73.

Li WW, Talcott KE, Zhai AW et al. The role of therapeutic angiogenesis in tissue repair and regeneration. *Adv Skin Wound Care* 2005;18:491-502.

Lim DA, Cha S, Mayo MC et al. Relationship of glioblastoma multiforme to neural stem cell regions predicts invasive and multifocal tumor phenotype. *Neuro-oncol* 2007;9(4):424-29.

Louis DN, Ohgaki H, Wiestler OD et al. (Eds.). *World Health Organization classification of tumours of the central nervous system.* Lyon: IARC, 2007.

Louis DN, Ohgaki H, Wiestler OD et al. *WHO classification of tumours of the central nervous system.* 4th ed. Lyon, France: IARC, 2007.

Lu JF, Bruno R, Eppler S et al. Clinical pharmacokinetics of bevacizumab in patients with solid tumors. *Cancer Chemother Pharmacol* 2008;62:779-86.

Maldonado IL, Moritz-Gasser S, Champfleur NM et al. Surgery for gliomas involving the left inferior parietal lobule: new insights into the functional antomy provided by stimulation mapping in awake patients. *J Neurosurg* 2011;115:770-79.

Mallory FB. *Principles of pathologic histology.* Philedelphia: WB Saunders, 1925.

Marijnen CA, van den Berg SM, van Duinen SG et al. Radiotherapy is effective in patients with glioblastoma multiforme with a limited prognosis and in patients above 70 years of age: a retrospective single institution analysis. *Radiother Oncol* 2005;75:210-16.

Marina O, Eng M, Suh JH et al. Treatment outcomes for patients with glioblastoma multiforme and a low Karnofsky Performance Scale escore on presentation to a tertiary care institution. *J Neurosurg* 2011;115:220-29.

Martirosyan NL, Cavalcanti DD, Eschbacher JM et al. Use of *in vivo* near-infrared laser confocal endomicroscopy with indocyanine green to detect the boundary of infiltrative tumor. *J Neurosurg* 2011;15(6):1131-38.

Matz PG, Cobbs C, Berger MS. Intraoperative cortical mapping as a guide to the surgical resection of gliomas. *J Neuro-oncol* 1999;42:233-45.

Mohan DS, Suh JH, Phan JL et al. Outcome in elderly patients undergoing definitive surgery and radiation therapy for supratentorial glioblastoma multiforme at a tertiary care institution. *Int J Radiat Oncol Bil Phys* 1998;4:981-87.

Muragaki Y, Chernov M, Maruyama T et al. Low-grade glioma on stereotactic biopsy: how often is the diagnosis accurate? *Minim Invasive Neurosurg* 2008;51:275-79.

Ngwenya LB, Chiocca EA. Extent of resection. *J Neurosurg* 2011;115:1-2.

Nitta T, Sato K. Prognostic implications of the extent of surgical resection in patients with intracranial malignant gliomas. *Cancer* 1995;75:2727-31.

Nunez OM, Seol HJ, Rutka JT. The role of surgery in the management of intracranial gliomas: current concepts. *Indian J Cancer* 2009;46:120-26.

Ohgaki H, Dessen P, Jourde B et al. Genetic pathways to gliobastoma: a population– based study. *Cancer Res* 2004;64:6892-99.

Ojemann JG, Miller JW, Silbergeld DL. Preserved function in brain invaded by tumor. *Neurosurgery* 1996;39:253-59.

Pace A, Vidiri A, Galiè E et al. Temozolomide chemotherapy for progressive low-grade glioma: clinical benefits and radiological response. *Ann Oncol* 2003;14:1722-26.

Pallud J, Varlet P, Devaux B et al. Diffuse low-grade oligodendrogliomas estend beyond MRI-defined abnormalities. *Neurology* 2010;74:1724-31.

Parmar HA, Hawkins C, Ozelame R et al. Fluid-attenuated inversion recovery ring sign as a marker of dysembryoplastic neuroepithelial tumors. *J Comput Assist Tomogr* 2007;31:348-53.

Parsons DW, Jones S, Zhang X et al. An integrated genomic analysis of human glioblastomas multiforme. *Science* 2008;321:1807-12.

Perkins O. Ganglioglioma. *Arch Pathol Lab Med* 1926;2:11-17.

Peruzzi P, Bergese S, Viloria A et al. A retrospective co-hort-matched comparison of conscious sedation *versus* general anesthesia for supratentorial glioma resection. *J Neurosurg* 2011;114:633-39.

Phillips HS, Kharbanda S, Chen R et al. Molecular subclasses of high-grade glioma predict prognosis, delineate a pattern of disease progression, and resemble stages in neurogenesis. *Cancer Cell* 2006;9:157-73.

Piepmeier J, Christopher S, Spencer D et al. Variations in the natural history and survival of patients with supratentorial low-grade astrocytomas. *Neurosurgery* 1996;38:872-79.

Plate KH, Breier G, Weich HA et al. Vascular endothelial growth factor is a potential tumour angiogenesis factor in human gliomas *in vivo*. *Nature* 1992;359(6398):845-48.

Plate KH, Breier G, Weich HA et al. Vascular endothelial growth factor is a potential tumour angiogenesis factor in human gliomas *in vivo*. *Nature* 1992;359:845-48.

Porensky P, Chiocca A. Use of 5-aminolevulinic acid for visualization of low-grade gliomas. *J Neurosurg* 2011;115:737-39.

Quinn JA, Reardon DA, Friedman AH et al. Phase II trail of temozolomide in patients with progressive low-grade glioma. *J Clin Oncol* 2003;21:646-51.

Rickert CH, Strater R, Kaatsch P et al. Pediatric high-grade astrocytomas show chromosomal Imbalances distinct from adult cases. *Am J Pathol* 2001;158:1525-32.

Roberts DW, Valdes PA, Harris BT et al. Coregistered fluorescence-enhanced tumor resection of malignant glioma: relationships between 5-aminolevulinic acid-induced protoporphyrin IX fluorescence, magnetic resonance imaging enhancement, and neuropathological parameters. *J Neurosurg* 2011;114:595-603.

Sacko O, Lauwers-Cances V, Brauge D et al. Awake craniotomy vs surgery under general anesthesia for resection of supratentorial lesions. *Neurosurgery* 2011;68:1192-99.

Sampson JH. Low-grade glioma. *J Neurosurg* 2011;114:563-65.

Sanai N, Alvarez-Buylla A, Berger MS. Neural stem cells and the origino f gliomas. *N Engl J Med* 2005;353(8):811-22.

Sanai N, Berger MS. Glioma extent of resection and its impact on patient outcome. *Neurosurgery* 2008;62:753-66.

Sanai N, Polley MY, McDermott MW et al. An extent of resection threshold for newly diagnosed glioblastomas. *J Neurosurg* 2011;115:3-8.

Sanai N, Snyder LA, Honea NJ et al. Intraoperative confocal microscopy in the visualization of 5-aminolevulinic acid fluorescence in low-grade gliomas. *J Neurosurg* 2011;115:740-48.

Sawaya R. Extent of resection in malignant gliomas: a critical summary. *J Neuro-oncol* 1999;42:303-5.

Scalley JR. Ganglioglioma of the cerebellum: angiographic findings. *Rocky Mountain Med J* 1976;73:80-82.

Schag CC, Heinrich RL, Ganz PA. Karnofsky performance status revisited: reliability, validity, and guidelines. *J Clin Oncol* 1984;2:187-93.

Schiffbauer H, Ferrari P, Rowley HA et al. Functional activity within brain tumors: a magnetic source imaging study. *Neurosurgery* 2001;49:1313-21.

Scoccianti S, Magrini SM, Ricardi U et al. Radiotherapy and temozolomide in anaplastic astrocytoma: a retrospective multicenter study by the Central Nervous System Study Group of AIRO (Italian Association of Radiation Oncology) *Neuro Oncol* 2012;14(6):798-807.

Sherman JH, Moldovan K, Yeoh K et al. Impact of temozolomide chemotherapy on seizure frequency in patients with low-grade gliomas. *J Neurosurg* 2011;114:1617-21.

Sheth RD. Adolescent issues in epilepsy. *J Child Neurol* 2002;17(Suppl2):2S23-27.

Skirboll SS, Ojemann GA, Berger MS et al. Functional cortex and subcortical white matter located within gliomas. *Neurosurgery* 1996;38:678-85.

Sloan AE. Surgery for glioblastoma multiforme. *J Neurosurg* 2011;114:585-86.

Smith JS, Chang EF, Lamborn KR et al. Role of extent of resection in the long-term outcome of low-grade hemispheric gliomas. *J Clin Oncol* 2008;26:1338-45.

Smith JS, Chang EF, Lamborn KR et al. Role of extent os ressection in the long-term outcome of low-grade hemispheric gliomas. *J Clin Oncol* 2008;26:1338-45.

Smith JS, Perry A, Borell TJ et al. Alterations of chromossome arms 1p and 19q as predictors of survival in oligodendrogliomas, astrocytomas, and mixed oligoastrocytomas. *J Clin Oncol* 2000;18:636-45.

Smits A, Duffau H et al. Seizures and the natural history of World Health Organization Grade II Gliomas: a review. *Neurosurgery* 2011;68:1326-33.

Stefanik DF, Fellows WK, Rizkalla LR et al. Monoclonal antibodies to vascular endothelial growth factor (VEGF) and the VEGF receptor, FLT-1, inhibit the growth of C6 glioma in a mouse xenograft. *J Neuro-oncol* 2001;55(2):91-100.

Stummer W, Tonn J, Maximillian H et al. Counterbalancing risks and gains from estended resections in malignant glioma surgery: a supplemental analysis from the randomized 5-aminolevulinic acid glioma resection study. *J Neurosurg* 2011;114:613-23.

Stupp R, Dietrich PY, Kraljevic SO et al. Promising survival for patients with newly diagnosed glioblastoma multiforme treated with concomitant radiation plus temozolomide followed by adjuvant temozolomide. *J Clin Oncol* 2002;20:1375-82.

Sung T, Miller DC, Hayes RL et al. Preferential inactivation of the p53 tumor suppressor pathway and lack of EGFR amplification distinguish de novo high grade pediatric astrocytomas from de novo adult astrocytomas. *Brain Pathol* 2000;10:249-59.

Tait MJ, Petrik V, Loosemore A et al. Survival of patients with glioblastoma multiforme has not improved between 1993 and 2004: analysis of 625 cases. *Br J Neurosurg* 2007;21:496-500.

Taphroon MJ, Klein M. Cognitive déficits in adult patients with brain tumours. *Lancet Neurol* 2004;3:159-68.

Taylor MD, Bernstein M. Awake craniotomy with brain mapping as the routine surgical approach to treating patients with supratentorial intra-axial tumors: a prospective trial of 200 cases. *J Neurosurg* 1999;90(1):35-41.

Uchida K, Mukai M, Okano H et al. Possible oncogenicity of subventricular zone neural stem cells: case report. *Neurosurgery* 2004;55(4):977-78.

Valdés AP, Leblond F, Kim A et al. Quantitative fluorescence in intracranial tumor: implications for ALA-induced PpIX as an intraoperative biomarker. *J Neurosurg* 2011;115:11-17.

Van den Bent MJ, Reni M, Gatta G et al. Oligodendroglioma. *Crit Rev Oncol Hematol* 2008;66(3):262-72.

Vergani F, Martino J, Goze C et al. WHO Grade II Gliomas and Subventricular Zone: Anatomic, Genetic, and Clinical Considerations. *J Neurosurgery* 2011;68(5):1293-99.

Vuorinen V, Hinkka S, Farkkila M et al. Debulking or biopsy of malignant glioma in elderly people – A randomized study. *Acta Neurochir (Wien)* 2003;145:5-10.

Watanabe T, Katayama Y, Yoshino A et al. Aberrant hipermethylation of p14ARF and O6-methylguanine-DNA methyltransferase genes in astrocytoma progression. *Brain Pathol* 2007;17:5-10.

Weller M, Gorlia T, Cairncross JG et al. Prolonged survival with valproic acid use in the EORTC/NCIC temozolomide trial for glioblastoma. *Neurology* 2011;77(12):1156-64.

White JC, Liu CT, Mixter WJ. Focal epilepsy; a statistical study of its causes and the results of surgical treatment; epilepsy secondary to intracranial tumors. *N Engl J Med* 1948;238:891-99.

Whittle IR, Borthwick S, Haq N. Brain dysfunction following "awake" craniotomy, brain mapping and resection of glioma. *Br J Neurosurg* 2003;17:130-37.

Wiemels JL, Wilson D, Patil C et al. IgE, allergy, and risk of glioma: update from the San Francisco Bay Area Adult Glioma Study in the temozolomide era. *Int J Cancer* 2009;125:680-87.

Wiencke JK, Zheng S, Jelluma N et al. Methylation of the PTEN promoter defines low-grade gliomas and secondary glioblastoma. *Neuro Oncol* 2007;9:271-79.

Winger MJ, Macdonald DR, Caincross JG. Supratentorial anaplastic gliomas in adults. The prognostic importance of extent of resection and prior low-grade glioma. *J Neurosurg* 1989;71:487-93.

Wrensch M, Jenkins RB, Chang JS et al. Variants in the CDKN2B and RTEL 1 regions are associated with high-grade glioma susceptibility. *Nat Genet* 2009;41(8):905-8.

Wrensch M, Jenkins RB, Chang JS et al. Variants in the CDKN2B and RTEL 1 regions are associated with high-grade glioma susceptibility. *Nat Genet* 2009;41(8):905-8.

Wrensch M, Minn Y, Chew T et al. Epidemiology of primary brain tumors: current concepts and review of literature. *Neuro Oncol* 2002;4:278-99.

Wrensch M, Rice T, McMillan MR et al. Diagnostic, treatment, and demographic factors influencing survival in a population-based study of adult glioma patients in the San Francisco Bay Area. *Neuro Oncol* 2006;8(1):12-26.

Yan H, Parsons W, Genglin J et al. IDH1 and IDH2 mutations in gliomas. *N Engl J Med* 2009;360:765-73.

Yang L, Morland TB, Schmits K et al. A prospective study of loss of consciousness in epilepsy using virtual reality driving simulation and other vídeo games. *Epilepsy Behav* 2010;18:238-46.

Yordanova YN, Moritz-Gasser S, Duffau H. Awake surgery for WHO Grade II gliomas within "noneloquent" areas in the left dominant hemisphere: toward a "supratotal" resection. *J Neurosurg* 2011;115:232-39.

Zaatreh MM, Firlik KS, Spencer DD et al. Temporal lobe tumoral epilepsy: characteristic and predictors of surgical outcome. *Neurology* 2003;61:636-41.

Zentner J, Wolf HK, Ostertun B et al. Gangliogliomas: clinical, radiological, and histopathological findings in 51 patients. *J Neurol Neurosurg Psychiatry* 1994;57:1497-502.

CAPÍTULO 218

Tratamento Cirúrgico dos Tumores Encefálicos Primários na Infância

Gabriel Mufarrej ■ Ana Paula de Almeida Barbosa
Maria Anna Paes Barreto Soares Brandão ■ Leila Chimelli

ASTROCITOMA CEREBELAR

O astrocitoma cerebelar é um tumor benigno bastante comum na infância, correspondendo a aproximadamente 35% de todos os tumores da fossa posterior e 10% de todos os tumores intracranianos no grupo pediátrico e 8% dos gliomas. A maioria dos astrocitomas cerebelares na criança pertence a um tipo histológico denominado pilocítico, que é classificado como grau I pela OMS. Estas lesões não têm predileção por sexo e são diagnosticadas quase que exclusivamente em crianças e adultos jovens. O prognóstico destes tumores é bom, sendo a taxa de sobrevida em 10 anos de 100%. A cirurgia radical é o tratamento de eleição, e é considerada curativa.

Apresentação clínica

A forma mais comum de apresentação é como uma síndrome de hipertensão intracraniana com hidrocefalia, porém, também podemos encontrar sinais de compressão de tratos longos, nervos cranianos, do tronco cerebral ou uma síndrome cerebelar. O fluxo liquórico pode estar interrompido em vários locais, incluindo o aqueduto de Sylvius, quarto ventrículo, forames de Luschka ou Magendie e cisternas de base.

O sintoma mais comum é cefaleia acompanhada de náuseas e vômitos, seguido de ataxia, que pode ser de tronco nos tumores medianos; ou apendicular, quando o tumor se localiza no hemisfério cerebelar.

Papiledema ocorre em aproximadamente 90% dos casos, e quando essa situação se prolonga, pode levar à atrofia óptica e perda visual.

Raramente o astrocitoma cerebelar sangra e, quando isso acontece, não é uma hemorragia massiva.

Investigação diagnóstica

A tomografia computadorizada (TC) define o diagnóstico na maioria dos casos (Fig. 1). O astrocitoma cerebelar costuma se apresentar como uma massa intra-axial mediana ou hemisférica, com um proeminente componente cístico, com um nódulo mural ou como um cisto de parede heterogênea e espessa, ou ainda como uma massa sólida com ou sem microcistos. Os tumores císticos tendem a se localizar nos hemisférios cerebelares, enquanto os sólidos são vistos com maior frequência na linha média. Na TC sem contraste, a parte sólida do tumor geralmente é hipodensa. A captação de contraste é irregular (Fig. 2). Áreas de calcificação podem existir. A captação de contraste pela parede do cisto geralmente identifica a cápsula como neoplásica e deve alertar ao cirurgião para a necessidade de se tentar ressecá-la.

A imagem de ressonância magnética é muito importante, por ter melhor resolução e ser multiplanar, ajuda a delinear as margens do tumor e suas relações com as estruturas adjacentes para melhor planejamento cirúrgico. Na ressonância magnética (RM), a aparência do astrocitoma cerebelar é variável. Em geral, as partes sólidas aparecem como massas hipointensas nas sequências em T1, e como massas hiperintensas nas sequências em T2 (Fig. 3). O nódulo mural ou as partes sólidas captam contraste paramagnético, enquanto a parede cística pode ou não captar.

Patologia

Os astrocitomas cerebelares têm comportamento biológico benigno, crescimento lento e são massas bem delimitadas.

Três formas de astrocitoma são reconhecidas: o astrocitoma cístico com nódulo mural é responsável por metade de todos os astrocitomas cerebelares pediátricos; tumores com uma borda sólida e um centro necrótico que correspondem a 40 a 45%, e apenas 10% são tumores sólidos. A hemorragia tumoral é rara, e calcificações podem ser vistas.

O astrocitoma pilocítico (grau I) é circunscrito, frequentemente cístico, em geral macio, cinza, bem definido, podendo estar associado a componentes císticos. A composição celular, embora heterogênea, caracteriza-se, basicamente, pela presença de feixes de astrócitos alongados, com prolongamentos finos, piloides, daí o nome da neoplasia. Tais áreas têm um fundo densamente fibrilar. Alterna-se com áreas mais frouxas, em que as células têm poucos prolongamentos, os núcleos são mais arredondados e podem apresentar atipias, as quais, no entanto, não são critérios para malignidade. Fibras de Rosenthal e corpos granulares eosinofílicos são frequentes. Vasos com proliferação endotelial também podem ocorrer, sem indicar malignidade. Há, no entanto, raras ocasiões em que há progressão para graus mais altos, com um componente de células pequenas com atividade mitótica mais evidente.

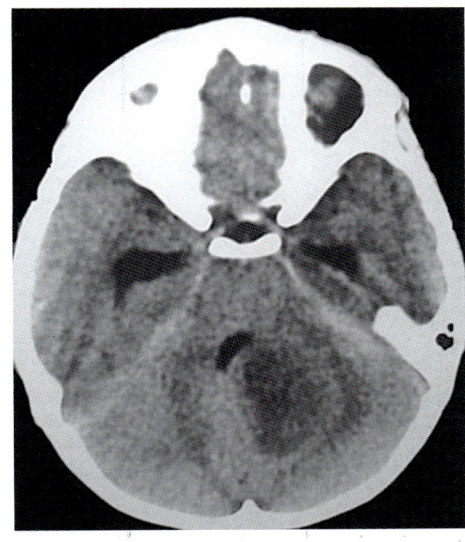

▲ **FIGURA 1.** Astrocitoma da fossa posterior com típica localização extraventricular.

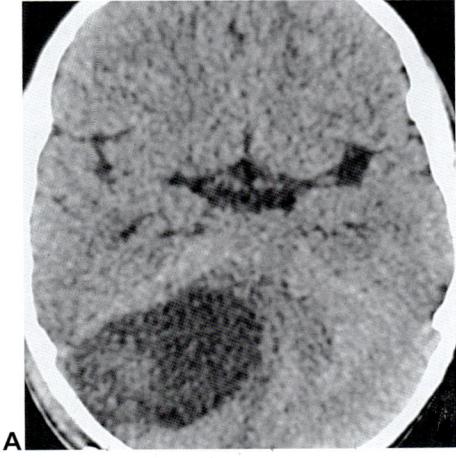 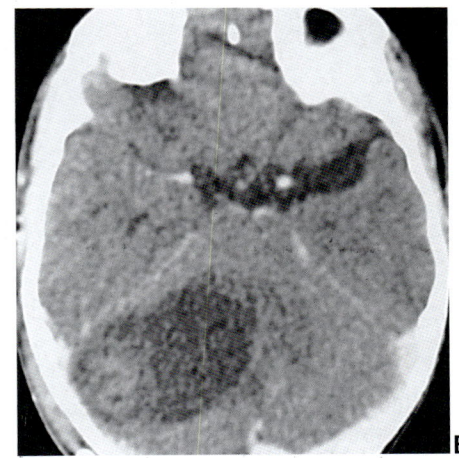

▲ **FIGURA 2.** (A e B) TC sem e com contraste venoso, mostrando um realce discreto do nódulo mural em um astrocitoma situado no hemisfério cerebelar direito.

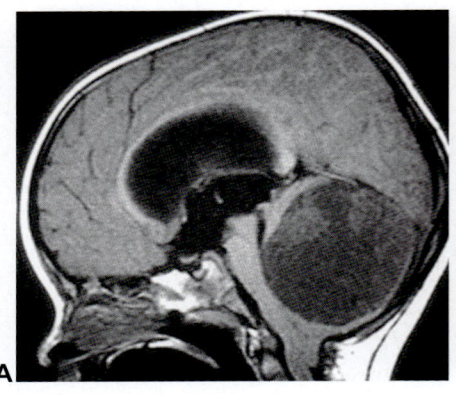 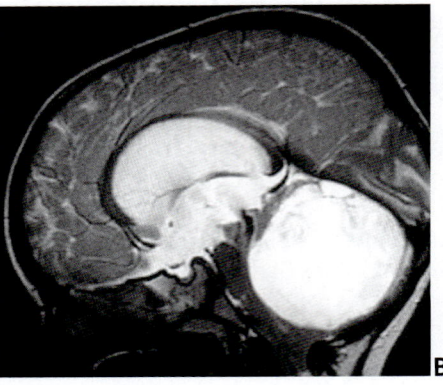

◀ **FIGURA 3. (A e B)** RM demonstrando volumoso astrocitoma cerebelar com importante compressão do tronco cerebral e do aqueduto de Sylvius, proporcionando hidrocefalia supratentorial.

Tratamento

Frequentemente, as crianças com tumor de fossa posterior apresentam-se bastante debilitadas, muitas vezes desidratadas por causa dos vômitos repetidos. O tratamento inicial visa a restabelecer o equilíbrio hidreletrolítico e controlar os sintomas de hipertensão intracraniana. A administração de dexametasona, na maioria dos casos, alivia a cefaleia, náusea e vômitos em 12 a 24 horas.

O tratamento da hidrocefalia é bastante controverso. Alguns indicam a utilização de drenagem ventricular externa, ou mesmo o implante de derivação ventrículo-peritoneal (DVP) antes da ressecção tumoral. No caso da DVP, além de o paciente ficar exposto ao risco de desenvolver uma hérnia ascendente, este também fica dependente do sistema de derivação, muitas vezes de forma desnecessária, já que com a remoção completa do tumor, as vias liquóricas ficam desobstruídas.

Muitos autores defendem a realização de terceira ventriculostomia endoscópica antes da abordagem do tumor como forma de controle da hidrocefalia. Christian Saint-Rose *et al.*, em um estudo retrospectivo, concluíram que a terceira ventriculostomia endoscópica é uma forma segura de tratamento da hidrocefalia associada a tumores da fossa posterior. Quando esta é realizada antes da ressecção tumoral, além de resolver a hipertensão intracraniana, também previne a ocorrência de hidrocefalia após a remoção do tumor.

Outra opção para o tratamento da hidrocefalia naqueles pacientes que apresentam os ventrículos muito dilatados é realizar uma trepanação óssea em região parietal posterior, inserir um catéter ventricular e deixá-lo fechado, imediatamente antes de iniciar a craniotomia para remoção de tumor, de modo a se ter fácil acesso ao ventrículo em caso de necessidade. Este catéter pode ser retirado nos primeiros dias de pós-operatório. Ou, ainda, pode-se realizar apenas a trepanação e deixar para puncionar o ventrículo somente se necessário, inclusive no período pós-operatório.

Para a cirurgia, o paciente deve ser posicionado de acordo com a preferência do cirurgião, levando em conta sua experiência. Nós geralmente posicionamos o paciente em decúbito lateral, de modo que a maior porção do tumor fique orientada para cima (Fig. 4). As crianças menores de 3 anos têm a cabeça fixada no suporte de Sugita, enquanto as maiores utilizam o sistema de três pinos de fixação (suporte de Mayfield), com a cabeça em flexão para melhor exposição da fossa posterior.

A incisão cutânea mediana se estendendo da protuberância occipital externa até o início da região cervical dá acesso às lesões da linha média da fossa posterior, porém, se o tumor for totalmente lateralizado, a incisão para-mediana ou retromastóidea deve ser usada. A musculatura suboccipital é dividida com o eletrocautério, e o osso é removido por meio de uma craniotomia (Fig. 5) que se inicia logo abaixo do seio transverso até a porção mais inferior da fossa posterior, cruzando o forame magno. A dura-máter é aberta em Y e, em crianças pequenas, clipes metálicos podem ser usados para oclusão de lagos venosos, incluindo o seio circular.

O objetivo da cirurgia é a ressecção completa do tumor. Nos tumores medianos, uma incisão longitudinal na porção inferior do vérmis cerebelar deve ser feita, a fim de podermos encontrar na superfície tumoral, e a partir daí, realizar a descompressão através da retirada de pequenos fragmentos por vez, ou mesmo utilizando o aspirador ultrassônico. Nos tumores laterais, a incisão deve ser transversa, de forma a separar as folhas do cerebelo e assim localizar a superfície tumoral (Fig. 6). O conteúdo líquido do cisto deve ser aspirado. A ultrassonografia transoperatória pode ser útil para localizar lesões subcorticais. O microscópio cirúrgico é necessário para separar o tumor de estruturas, como os pedúnculos cerebelares e tronco cerebral. No caso de tumores sólidos da linha média, o tronco cerebral pode estar infiltrado e, neste caso, a ressecção total se torna inviável. Nos tumores císticos, quando existe captação de contraste pela sua cápsula, esta deve ser removida. Após uma rigorosa hemostasia, a dura-máter deve ser fechada de maneira hermética, de forma a evitar o surgimento de fístula liquórica. Em seguida, o retalho ósseo é recolocado, e os demais planos fechados.

Está indicada nas primeiras 72 horas de pós-operatório a realização de uma TC ou RM, a fim de determinar a extensão da ressecção cirúrgica e detectar possíveis sangramentos no leito tumoral. Não devemos solicitar o

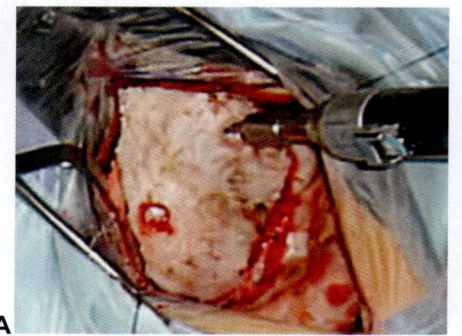 

▲ **FIGURA 4.** Decúbito lateral esquerdo para a abordagem de tumor da fossa posterior. Podemos observar uma pequena incisão parietal direita que servirá de acesso à ventriculostomia peroperatória.

▲ **FIGURA 5. (A e B)** Realização da craniotomia suboccipital mediana para a abordagem de processo expansivo do cerebelo.

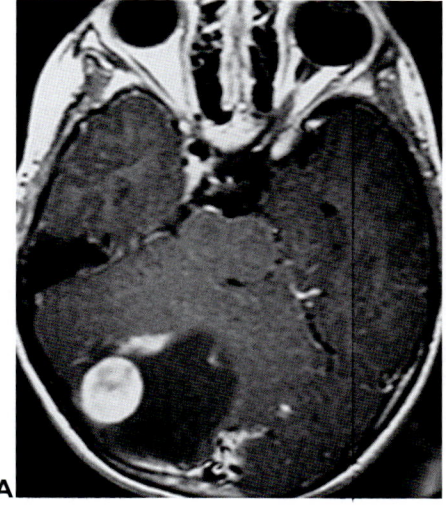 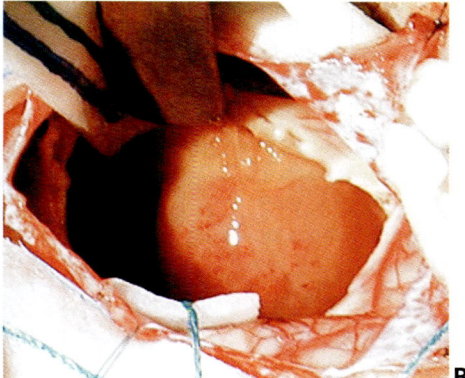 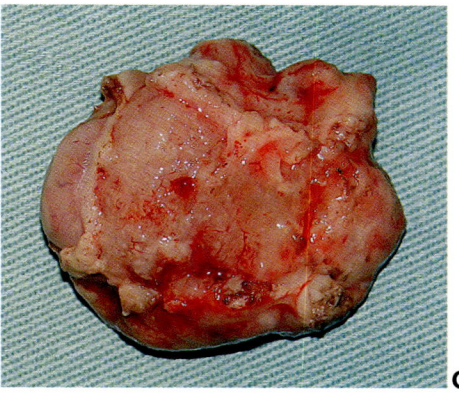

▲ **FIGURA 6. (A-C)** Astrocitoma situado no hemisfério cerebelar direito. Na visão cirúrgica, é possível observarmos o nódulo mural típico que foi totalmente extirpado.

exame tardiamente, já que entre o 3º e o 5º dia começam a surgir alterações inflamatórias e neovascularização induzidas pelo procedimento cirúrgico, que captam contraste e dificultam a interpretação do resultado.

Complicações

Além das complicações comuns a qualquer procedimento neurocirúrgico, deve-se ter especial atenção àquelas relacionadas com circulação liquórica, entre elas a fístula liquórica e a formação de pseudomeningocele. Com o objetivo de evitá-las, todo esforço deve ser feito para conseguir um fechamento hermético da dura-máter usando, se necessário, enxerto de fáscia lata, pericrânio ou materiais sintéticos e cola de fibrina. No período pós-operatório, punções lombares seriadas podem ser realizadas para controle da pseudomeningocele.

Meningite asséptica também pode ser observada no pós-operatório, e pode estar relacionada tanto com o extravazamento do líquido do cisto tumoral quanto com sangramento no espaço subaracnóideo. Neste caso, o paciente apresenta cefaleia, rigidez de nuca e febre. É autolimitada, e os sintomas melhoram com corticosteroides.

Mutismo cerebelar é uma complicação relativamente rara que se caracteriza por um déficit motor importante de fala, associada à cirurgia de lesões cerebelares. Múltiplos estudos sugerem que o mutismo cerebelar ocorre, principalmente, em lesões da linha média. Sua fisiopatologia não está esclarecida, porém, possíveis causas são vasospasmo e isquemia associados a edema, levando à interrupção das conexões do núcleo denteado, que pode contribuir para a disartria atáxica tão severa que cause o mutismo. À medida que o edema regride, a perfusão sanguínea melhora o mutismo, evolui para uma forma mais branda de disartria. Porém, o estudo de Huber et al., que acompanharam crianças por pelo menos 5 anos, demonstrou que este distúrbio não se resolve completamente e é uma sequela que pode se estender por vários anos na forma de disartria e fala arrastada.

Embora o cerebelo esteja associado a funções motoras, alguns estudos já comprovaram seu papel na coordenação e regulação de processos cognitivos, emocionais e comportamentais. A síndrome cerebelar cognitiva afetiva se caracteriza pelo comprometimento cognitivo, dificuldade de linguagem e mudanças na personalidade. Sinais comuns são: irritabilidade, agitação e crises de choro. Na série de Daszkiewicz com 162 crianças, apenas 3% necessitaram de educação especial, demonstrando que a doença e seu tratamento não resultam em sequelas que comprometam a qualidade de vida do paciente.

Prognóstico

O prognóstico é muito bom para a maioria dos pacientes portadores de astrocitoma cerebelar, e é o mais favorável entre os tumores gliais. A transformação maligna é rara. O fator prognóstico mais importante é a extensão da ressecção (Fig. 7). Quando esta é subtotal, deixa o paciente exposto ao risco da progressão da doença, independente da histologia da lesão. O comprometimento do tronco cerebral está relacionado com um pior prognóstico, assim como com a presença de características histológicas indicativas de malignidade.

Na série de Hideki Ogiwara et al., com 101 crianças, a taxa de sobrevida em 10 anos foi de 100%, e o percentual livre de recidiva ou progressão foi de 71,3% no mesmo período. O intervalo médio entre a cirurgia e a recidiva foi menor entre os pacientes com tumores sólidos, com extensão para estruturas vitais, ou tumores comprometendo o quarto ventrículo. Nestes grupos, a progressão ocorreu em até 5 anos após a cirurgia; mas nesta mesma série, um paciente com tumor cístico submetido à ressecção total apresentou recidiva 8 anos após o tratamento original. Por isso os autores sugerem acompanhamento com exame de imagem por 8 a 10 anos.

Quando a recidiva ou progressão tumoral ocorre, uma segunda cirurgia deve ser considerada. Porém, já foi claramente demonstrado que o comportamento do astrocitoma cerebelar é imprevisível. Estudos radiológicos mostram que tumores parcialmente ressecados podem permanecer de tamanho inalterado por vários anos, ou mesmo regredir. Então, considerando a alta taxa de regressão espontânea e o crescimento lento destes tumores, quando existe infiltração no tronco cerebral ou do pedúnculo cerebelar, é prudente acompanhar com exames radiológicos e postergar a cirurgia a fim de evitar déficits neurológicos.

A radioterapia continua controversa, mas é usada esporadicamente em pacientes com ressecção subtotal ou doença recorrente. A rádio e

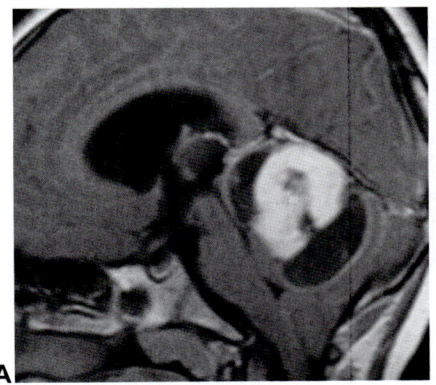 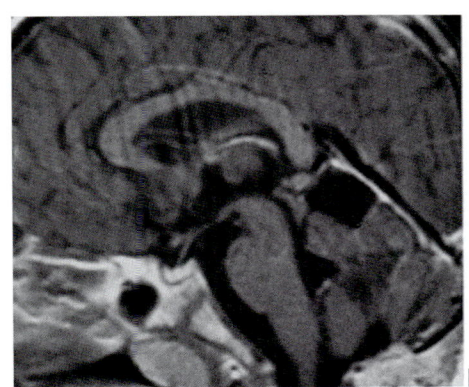

◄ **FIGURA 7. (A)** RM sagital contrastado evidenciando típico astrocitoma cerebelar, de localização intraparenquimatosa, causando obstrução do aqueduto e hidrocefalia. **(B)** Após a remoção total da lesão é possível visualizarmos a patência do aqueduto cerebral, com resolução da hidrocefalia.

quimioterapia podem ser efetivas em raros casos, quando a cirurgia não controla adequadamente o crescimento tumoral. Considerando seus efeitos colaterais, como, por exemplo, a transformação maligna e a radionecrose, a radioterapia não deve ser indicada de forma rotineira.

Não há consenso com relação ao período de acompanhamento destes pacientes. Alguns autores sugerem que para pacientes submetidos à ressecção subtotal, uma RM seja solicitada a cada 6 meses nos primeiros dois anos; depois, uma vez ao ano nos próximos 3 anos e, depois, um exame a cada 2 anos, quando ainda existir lesão residual. Hideki Ogiwara *et al.* recomendam um esquema bastante parecido, mas que se estende por 8 a 10 anos, já que foram relatadas recidivas tardias. Segundo estes autores, os pacientes que tiveram seus tumores totalmente ressecados também devem ser acompanhados pelo menos por 5 anos.

EPENDIMOMA

Os ependimomas se originam da camada ependimária que recobre os ventrículos cerebrais e o canal central da medula espinhal, manifestando-se em crianças e adultos jovens. Os ependimomas podem ser encontrados em localização supratentorial (Fig. 8), infratentorial (Fig. 9), e também acometendo a medula espinhal e cauda equina. Esses tumores tendem a alcançar grande tamanho, frequentemente afetando estruturas importantes e vitais, como o tronco cerebral, nervos cranianos e estruturas periventriculares, em razão disso geralmente impõe um grande desafio ao cirurgião. Tem existido uma grande evidência da importância do grau da extirpação cirúrgica nos ependimomas, porém, a extirpação radical pode estar associada à morbidade, e isto pode tornar impossível a remoção total da lesão. Terapias coadjuvantes, como quimioterapia e radioterapia, têm sido usadas no tratamento das lesões residuais, porém, as taxas de recidiva são altas.

Epidemiologia

Ependimomas compreendem o terceiro tumor pediátrico mais comum encontrado na fossa posterior, seguindo o meduloblastoma e o astrocitoma, constituindo 5-14% de todos os tumores intracranianos em crianças, e correspondendo a aproximadamente 9% de todos os tumores intracranianos abaixo dos 20 anos de idade. A incidência de ependimoma nos Estados Unidos é de 2,3 por milhão/ano. Em crianças, 90% dos ependimomas são de localização intracraniana, estando dois terços destes situados na fossa posterior; os 10% restantes de localização intraespinal. Aproximadamente 50% dos ependimomas pediátricos são identificados em crianças abaixo dos 5 anos de idade. São tumores duas vezes mais comuns em meninos. As crianças apresentam prognóstico pior quando comparadas aos adultos, sendo ele especialmente reservado nos casos abaixo de 1 ano de idade. As lesões supra e infratentoriais apresentam curso clínico pior quando comparadas às lesões de medula espinhal e cauda equina.

Genética

Alterações genéticas têm sido identificadas nos ependimomas por técnicas citogenéticas, como: *restriction fragmente length polymorphisms* (RFLPs), *polymerase chain reaction* (PCR), análise de DNA microssatélite e fluorescense *in situ hybridization* (FISH). Através dessas técnicas, deleções têm sido encontradas nos cromossomos 1, 6, 1, 16, 17 e 22. Essas alterações são mais frequentemente encontradas nos cromossomos 17 e 22, sendo mais vistas no cromossomo 22 e, menos frequentemente, no 17. Um estudo realizado por Haken *et al.* revelou que as alterações do cromossomo 17 são mais comuns nos ependimomas pediátricos e as do cromossomo 22, nos ependimomas encontrados nos adultos, especialmente associado à neurofibromatose tipo 2 (NF-2). Mutações do gene p53 têm sido associadas à iniciação e progressão de gliomas. Nos ependimomas, a mutação do p53 é rara, porém, essa mutação pode desempenhar um papel na patogênese dos ependimomas malignos.

Patologia

Ependimomas, macroscopicamente, são lesões tipicamente bem demarcadas, o que proporciona uma grande vantagem para o cirurgião na tentativa de uma extirpação total. Na fossa posterior, essas lesões se originam no epêndima que reveste o assoalho do IV ventrículo. Com o crescimento progressivo do tumor, ele ocupa todo o ventrículo, alcançando o espaço subaracnóideo do ângulo pontocerebelar ou a cisterna magna, através dos foramens de Luschka e Magendie, respectivamente (Fig. 10). Os ependimomas que apresentam essas características de crescimento através dos orifícios de saída do quarto ventrículo foram chamados, por Courville e Broussalian, de ependimomas plásticos. Os ependimomas supratentoriais costumam ser lesões bem demarcadas e que se localizam frequentemente no parênquima cerebral. Eles são derivados de células ependimárias ectópicas que se deslocaram da camada ventricular durante o desenvolvimento embrionário. No interior das lesões podem ser encontradas áreas de calcificações, cistos e focos de hemorragia. A classificação inicial foi proposta por Bailey, em 1924, dividindo o tumor das células ependimárias em ependimomas e ependimoblastomas com base nos graus de diferenciação celular. Várias outras classificações foram feitas no século passado. Histologicamente, a Organização Mundial de Saúde classifica atualmente os subependimomas e o ependimoma mixopapilar em grau I, o ependimoma em grau II e o ependimoma anaplásico em grau III. O ependimoblastoma é um tumor altamente maligno e hoje em dia é classificado como sendo um PNET.

Microscopicamente, a característica diagnóstica dos ependimomas é a presença das rosetas ependimárias. As rosetas são formadas pelo arranjo radial de células poligonais com bordas bem definidas que criam um lúmen central. Blefaroblastos também são encontrados entre as rosetas. Outra marcante característica dos ependimomas é a presença das rosetas perivasculares ou pseudorrosetas, e estas são vistas em maior número do

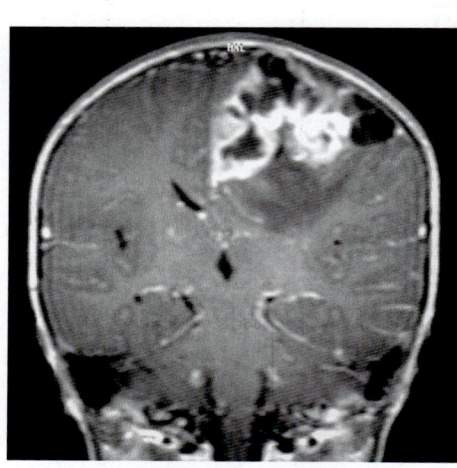

▲ **FIGURA 8.** RM exibindo ependimoma supratentorial parassagital.

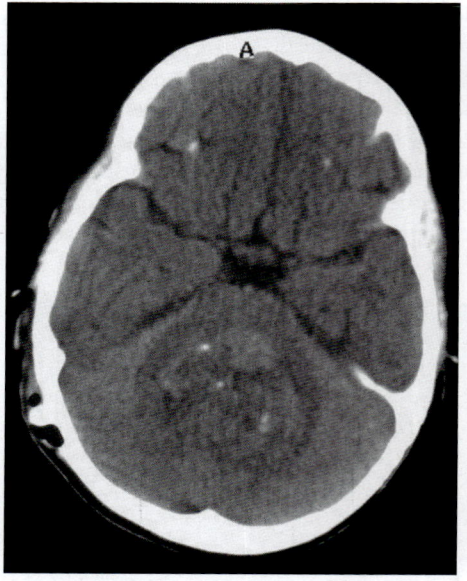

▲ **FIGURA 9.** TC do crânio sem contraste, exibindo lesão ocupando o IV ventrículo, apresentando calcificações.

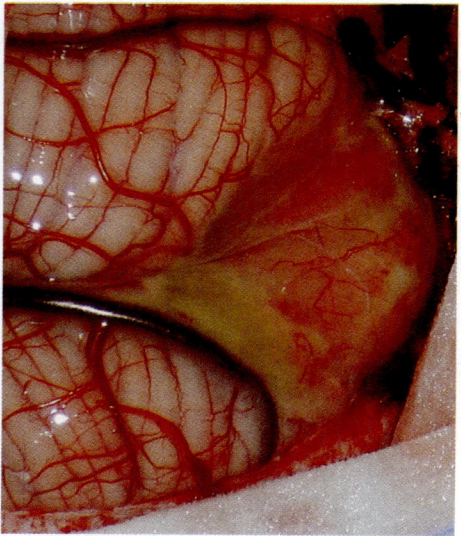

▲ **FIGURA 10.** Típica imagem de um ependimoma exteriorizando-se através do forame de Magendie.

que as próprias rosetas ependimárias. A característica das pseudorrosetas é a presença de um vaso sanguíneo no centro das células ependimárias, que formam a pseudorroseta ou roseta perivascular.

Apresentação clínica

Os ependimomas supratentoriais costumam ter um ritmo de crescimento lento e, graças a isso, encontram-se bastante volumosos no momento do diagnóstico. Os sinais e sintomas geralmente são resultantes do aumento da pressão intracraniana em razão do grande volume alcançado por estas lesões. Por essa razão, nos ependimomas supratentoriais, o sinal mais frequente é o edema de papila óptica, e o sintoma mais comum, a cefaleia. Também podem ser observadas mudanças do estado mental, letargia, vômitos, convulsões e sinais focais.

A apresentação clínica nos ependimomas infratentoriais depende da localização do tumor e da idade da criança. No que se refere à localização, quando localizados no ângulo pontocerebelar, podem proporcionar paresia de alguns pares cranianos, torcicolo, que pode ser uma manifestação clínica de herniação da tonsila cerebelar, diplopia e até mesmo meningismo. Quando localizados no quarto ventrículo, produzem sinais e sintomas de hipertensão intracraniana à custa da hidrocefalia obstrutiva que se encontra presente em 90% dos casos, associada a edema de papila óptica. Em virtude da hipertensão intracraniana, a cefaleia aparece frequentemente e de uma forma crescente em intensidade, sendo mais intensa durante o sono ou ao amanhecer, muitas vezes acordando a própria criança. Observam-se, também, estrabismo convergente, vômitos, geralmente não precedidos de náuseas, e síndrome cerebelar. Os vômitos são mais frequentemente vistos nos ependimomas do que em outros tumores da fossa posterior, graças ao envolvimento direto do assoalho do IV ventrículo onde está localizada a área postrema. Em crianças abaixo de 2 anos de idade, podemos observar sinais inespecíficos, como irritabilidade, vômitos, letargia, macrocefalia com fontanela tensa e abaulada; nestas crianças, também pode observar-se parada ou regressão psicomotora. A duração dos sintomas, geralmente, é menor do que seis meses no tempo do diagnóstico, com 50% das crianças com duração dos sintomas inferior a 1 mês.

Diagnóstico

Os ependimomas podem ser diagnosticados pela tomografia computadorizada e ressonância magnética. As crianças que são admitidas nas unidades de emergência são inicialmente submetidas à tomografia computadorizada do crânio. Esta modalidade radiológica é acessível e rápida, identificando prontamente a tumoração e a sua possível associação à hidrocefalia. Na fase pré-contraste, os ependimomas se comportam isodensos ou hiperdensos em relação à substância cinzenta, podendo exibir áreas de calcificações e cistos. O ependimoma é o tumor da fossa posterior da criança que mais calcifica, sendo as calcificações evidentes em até 50% dos casos (Fig. 11). À tomografia, após a administração venosa de contraste, apresentam, frequentemente, um realce heterogêneo (Fig. 12).

A ressonância magnética proporciona imagens multiplanares com excelente resolução de imagem e com uma grande informação de detalhes em relação à localização e extensão da lesão, e, principalmente, em relação à invasão do assoalho do IV ventrículo (Fig. 13A). Caracterizam-se por serem lesões, em geral, bastante heterogêneas, em decorrência da presença de calcificações, sangramento intratumoral, deposição de hemossiderina, vasos, cistos e até mesmo necrose. Nas imagens ponderadas em T1 e T2 são heterogêneos, sendo geralmente iso ou hipointensos em T1, e hiperintensos em T2. A sequência *FLAIR* é ideal para se identificar a interface entre o tumor e o liquor. Após a administração de contraste, pode ocorrer uma captação não homogênea na maioria das vezes (Fig. 13B). Em geral, os ependimomas apresentam alta perfusão, especialmente os anaplásicos. A permeabilidade capilar também costuma estar muito aumentada, graças ao significativo comprometimento da barreira hematoencefálica nestes tumores, principalmente nos de alto grau. A difusão não costuma ser tão facilitada como dos astrocitomas e nem tão restrita como dos meduloblastomas. Entretanto, quando anaplásicos, podem ter difusão bastante restrita em razão da alta celularidade. Os valores do coeficiente de difusão aparente, em geral, são intermediários entre o astrocitoma pilocítico e o meduloblastoma.

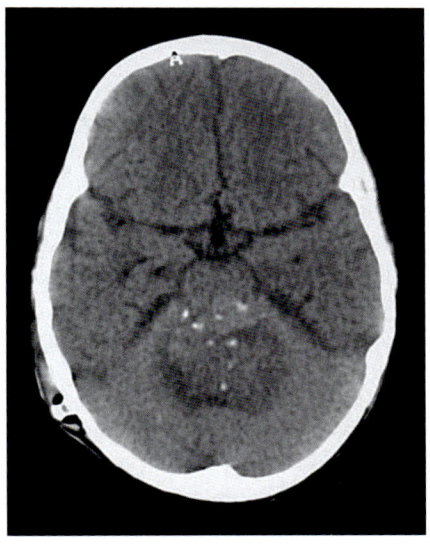

◀ **FIGURA 11.** Tumor intraventricular isodenso, exibindo inúmeras calcificações.

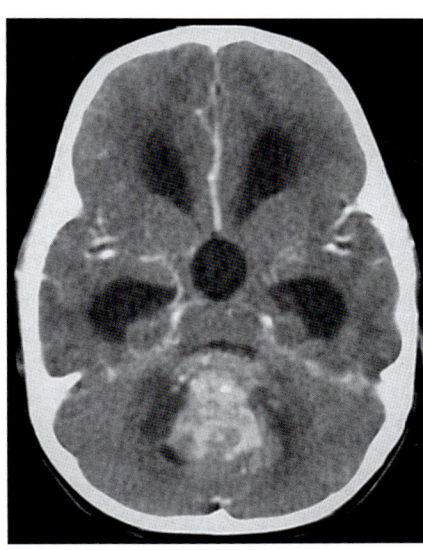

◀ **FIGURA 12.** TC demonstrando realce heterogêneo após a administração de contraste venoso.

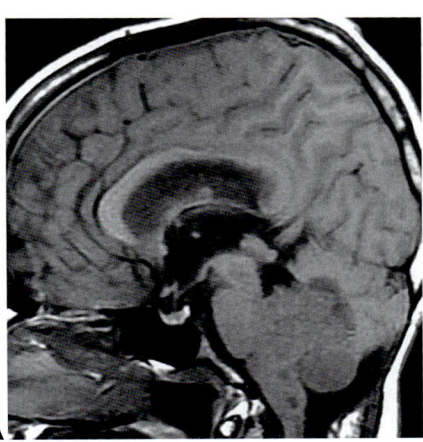

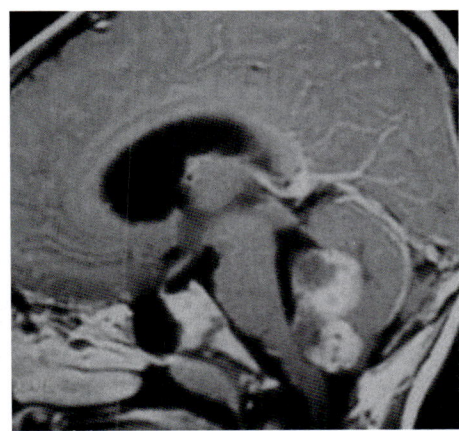

◀ **FIGURA 13. (A)** Típico ependimoma exteriorizando-se pelo forame de Magendie, alcançando a cisterna magna. Nota-se invasão do tronco cerebral. **(B)** Captação heterogênea do contraste, não se observando invasão do assoalho do IV ventrículo.

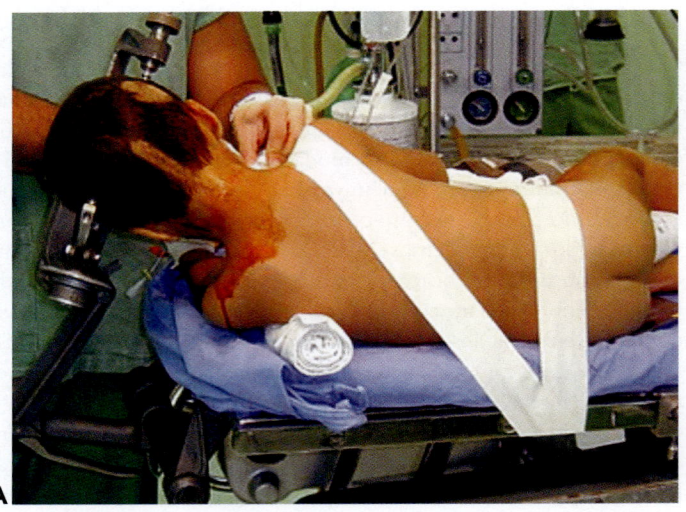 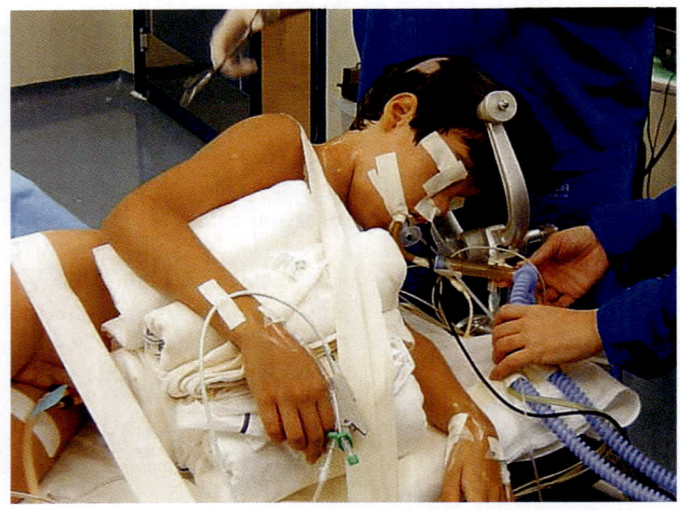

▲ **FIGURA 14. (A e B)** Posição em decúbito lateral adotada para todos os tumores que ocupam o vérmis cerebelar e o IV ventrículo. Caracteriza-se por ser uma posição cômoda tanto para o cirurgião, como para os anestesiologistas. Observe fácil acesso às vias aéreas, assim como para aos acessos venosos.

Tratamento cirúrgico

O ependimoma é uma doença cirúrgica, e a extensão da ressecção cirúrgica é considerada o fator prognóstico mais significativo, em razão disso, o benefício de uma extirpação total da lesão tem conduzido a abordagens cirúrgicas mais agressivas, auxiliadas pelo aspirador ultrassônico, ultrassonografia peroperatória, neuronavegação, monitorização dos nervos cranianos e também o uso de ressonância magnética peroperatória.

Os ependimomas infratentoriais cursam com hidrocefalia supratentorial (obstrutiva) que frequentemente é resolvida após a remoção da lesão expansiva que causava a obstrução do IV ventrículo, não sendo necessário, na maioria das vezes, tratamento secundário para a hidrocefalia. Porém, em algumas situações, essa dilatação ventricular precisa ser tratada antes da abordagem direta da lesão situada na fossa posterior, e isso ocorre quando não podemos operar a lesão no momento do diagnóstico. Quando a hidrocefalia precisa ser tratada, a melhor opção é através da realização de uma terceira ventriculocisternostomia endoscópica. Evitamos ao máximo a colocação de uma derivação ventriculoperitoneal, em virtude do risco de sangramento intratumoral, herniação transtentorial ascendente consequente a uma possível hiperdrenagem, e também pela diminuição do espaço liquórico que envolve a lesão no ventrículo, o que pode tornar a ressecção mais difícil e com maior risco de lesão no assoalho do IV ventrículo. Sempre que possível, após ter sido feito o diagnóstico de uma lesão expansiva na fossa posterior, procuramos conduzir essa criança com tumor o mais rápido possível para o centro cirúrgico, dessa maneira, poderemos poupar a realização da neuroendoscopia, evitando, assim, uma anestesia e um procedimento cirúrgico adicional. Quando temos a chance de poder operar a lesão, logo após o seu diagnóstico ter sido feito, realizamos uma ventriculostomia frontal ou parietal, colocando-se um cateter ventricular e drenando-se pequena quantidade de liquor, nesse momento, colhemos amostra liquórica para a pesquisa de células neoplásicas. Esse cateter permanece fechado após a cirurgia, e geralmente é retirado no segundo dia de pós-operatório, após a realização de um exame de imagem. Nos casos em que temos o tumor da fossa posterior, sem estar associado a uma grande dilatação, realizamos apenas a trepanação parietal, seguindo-se abertura dural, não realizando a colocação do cateter ventricular.

Os pacientes com lesões situadas na fossa posterior, seja no caso dos ependimomas, ou nos outros tumores da linha média cerebelar, são operados, seguindo-se a rotina do prof. Paulo Niemeyer, na posição em decúbito lateral, colocando-se para cima o lado para onde a lesão mais se insinua. Essa posição tem-se mostrado extremamente vantajosa tanto para o cirurgião como para a equipe de anestesiologistas, e até mesmo para o próprio paciente (Fig. 14A). O cirurgião adota uma posição bastante confortável, operando sentado e com um campo cirúrgico sempre limpo, pois o decúbito lateral proporciona uma drenagem espontânea do sangramento, não ocorrendo acúmulo de sangue no leito tumoral, como acontece na posição pronada. No decúbito lateral, o cirurgião obtém também uma visualização ideal do assoalho do IV ventrículo e do aqueduto cerebral. Os anestesiologistas são bastante agraciados com esta posição cirúrgica, pois têm um fácil acesso às vias aéreas, uma monitorização facilitada e também uma grande praticidade na administração de medicações (Fig. 14B). Todas essas vantagens, tanto para o cirurgião como para os anestesiologistas, não são possíveis quando o paciente encontra-se na posição pronada.

A abordagem cirúrgica para os ependimomas da fossa posterior depende da localização onde eles se encontram. Os ependimomas que se situam ocupando o IV ventrículo são abordados por uma incisão cutânea mediana do ínion até a apófise espinhosa de C2, seguindo-se craniotomia mediana suboccipital, incluindo abertura do forame magno (Fig. 15). Dependendo da extensão do ependimoma através do forame de Magendie, será necessária a retirada do arco de C1. Nos casos em que a lesão ocupa o IV ventrículo e, graças ao seu grande tamanho, alcança o ângulo pontocerebelar, realizamos a mesma incisão mediana, porém arqueada em sua extremidade superior, dirigindo-se em direção ao processo mastoide homolateral, realiza-se, então, uma craniotomia mediana, estendendo-se até a região retrossigmóidea. Através desta craniotomia estendida lateralmente, conseguiremos abordar tanto a lesão situada no IV ventrículo, quanto a situada no ângulo pontocerebelar. Para as lesões que ocupam o ângulo pontocerebelar, realiza-se uma craniotomia retrossigmóidea também em decúbito lateral, com o lado para cima onde se encontra a lesão (Fig. 16).

Para as lesões situadas na linha média, realizamos a abertura da dura-máter em Y, atravessando-se o forame magno em direção a C1, pois essas lesões têm uma forte tendência a se estenderem além da cisterna magna em direção a um nível cervical superior. Sugiro um estudo de angiorressonância magnética para o estudo dos seios venosos da fossa posterior, pois em crianças pequenas, a dura-máter da fossa posterior pode ser extremamente vascularizada, podendo causar grande dificuldade em sua abertura, com profuso sangramento.

Como procedimento inicial, devemos observar se o tumor ocupa a cisterna magna ou encontra-se escondido pelo vérmis cerebelar. Quando a cisterna magna está ocupada pela lesão, realizamos a dissecção da aracnoide, identificando e isolando ambas as artérias cerebelares posteroinferiores. Com o tumor exposto e livre da aracnoide, podemos cuidadosamente levantá-lo, identificando e protegendo o assoalho do IV ventrículo com um delicado fragmento de dreno de Penrose coberto com Gelfoam. Valorizamos a colocação do fragmento de penrose graças à sua característica antiaderente sobre o tecido nervoso, especialmente sobre o assoalho do IV ventrículo. Nunca colocamos o cotonoide diretamente sobre qualquer superfície encefálica, pois no momento de sua remoção, podem ocorrer pequenas lesões da superfície de contato. Para as lesões totalmente situadas no interior do IV ventrículo,

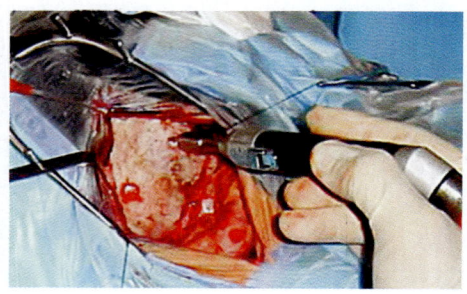

◄ **FIGURA 15.** Realização de craniotomia mediana suboccipital cruzando o forame magno em sua margem inferior.

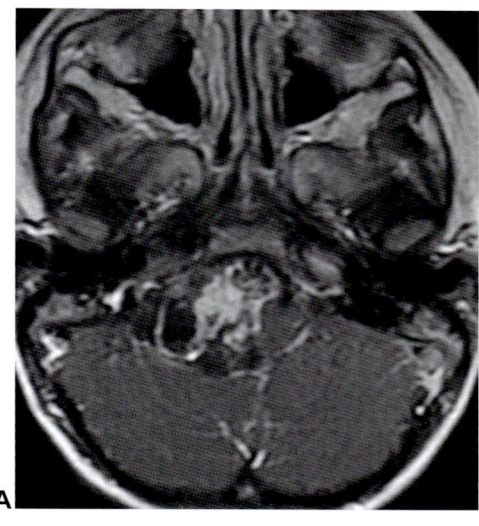
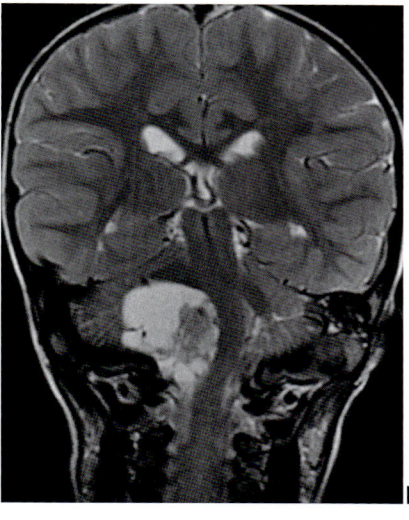

◄ **FIGURA 16. (A e B)** Ependimoma lateral ocupando a cisterna do ângulo pontocerebelar e cisterna magna. O envolvimento dos nervos cranianos com o tumor proporciona uma grande dificuldade em relação à possibilidade de uma extirpação radical.

realizamos o afastamento bilateral das tonsilas cerebelares, seguindo-se abertura longitudinal da porção inferior do vérmis cerebelar. Após a identificação da lesão, fazemos a abordagem direta através de sua superfície dorsal. Inicialmente, é realizado um esvaziamento intratumoral, reduzindo-se, dessa maneira, o volume total do tumor. Com a criação de uma grande cavidade intratumoral, torna-se possível a dissecção da superfície externa da lesão, quando geralmente consegue-se uma interface ideal de descolamento. O maior desafio cirúrgico é quando os ependimomas implantam-se no assoalho do IV ventrículo, e isto ocorre em aproximadamente 20% dos pacientes com ependimomas infratentoriais. Nestes casos de invasão do assoalho ventricular, não insistimos em retirar totalmente a lesão, apenas realizamos coagulação com bipolar no local do implante da lesão.

Na grande maioria dos casos, é possível a remoção de toda a lesão, obtendo-se um esvaziamento total do IV ventrículo, sendo possível visualizar o aqueduto cerebral totalmente livre da obstrução, o que garante o livre trânsito da circulação liquórica e consequente resolução da hidrocefalia obstrutiva (Fig. 17A-E). Após a retirada da lesão, inicia-se uma fase extremamente importante da cirurgia que consiste na realização da hemostasia cirúrgica, feita com coagulação bipolar e lavagem com soro fisiológico morno. Eventualmente, usamos, na menor quantidade possível, hemostáticos à base de celulose ou similar. Procuramos realizar a coagulação direta com bipolar de qualquer ponto sangrante, evitando-se ao máximo a colocação de hemostáticos manufaturados. Após rigorosa hemostasia, iniciamos o cuidadoso fechamento da dura-máter, minimizando, ao máximo o risco de fístula liquórica. O que impede a fístula liquórica é o fechamento hermético da meninge, e não o uso de cola de fibrina sobre a sutura. A seguir, coloca-se o fragmento ósseo que foi removido pela craniotomia suboccipital realizada no momento da abertura (Fig. 17F). A osteossíntese minimiza o risco de

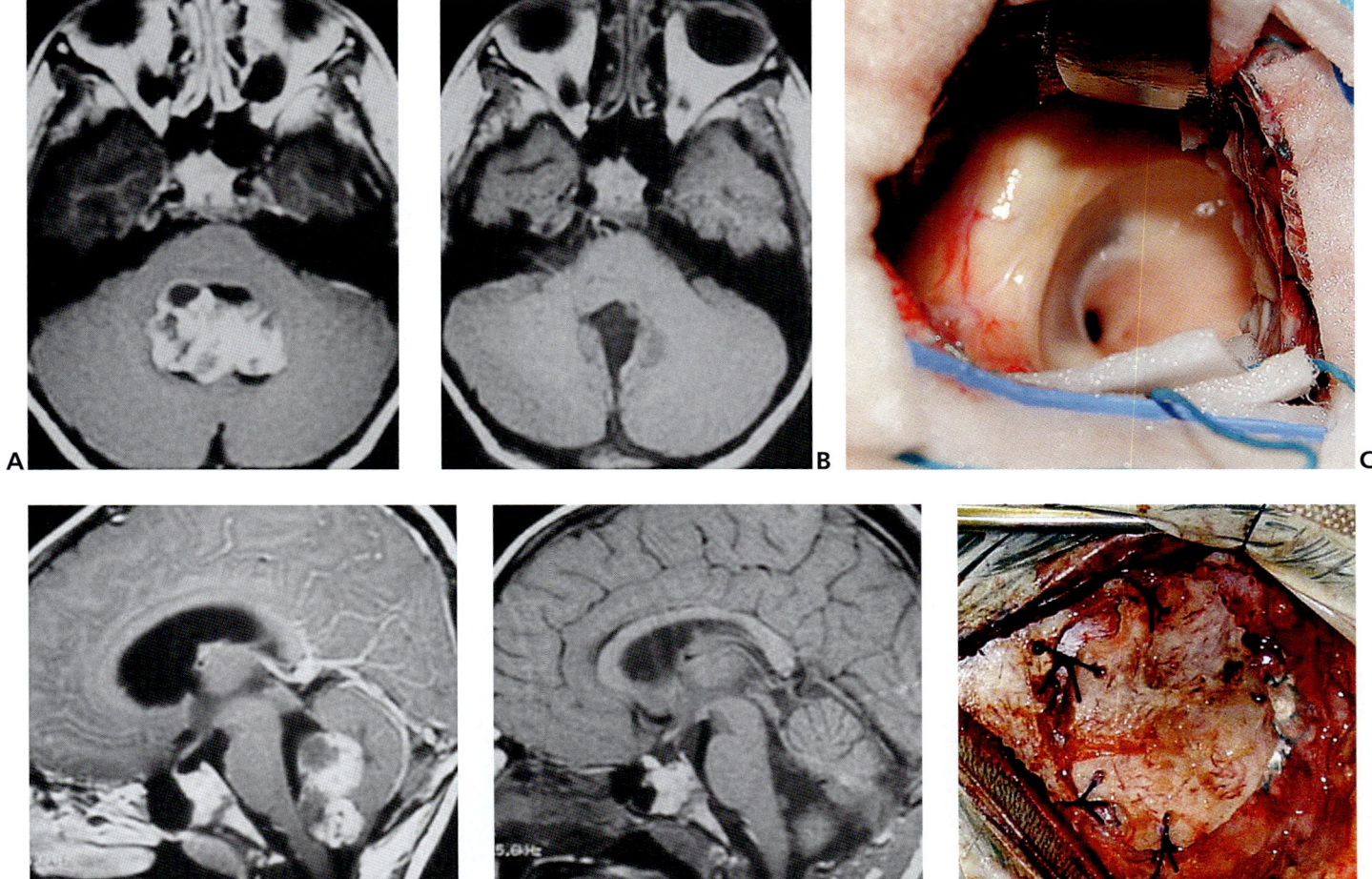

▲ **FIGURA 17. (A)** IV ventrículo livre com liberação do aqueduto cerebral após extirpação total da lesão situada na cavidade ventricular.
(B e C) Pré-operatório e pós-operatório em T1 axial com contraste venoso, observando-se extirpação total da lesão que ocupava o IV ventrículo.
(D e E) Pré e pós-operatório sagital T1 com contraste venoso, observando-se remoção total da lesão. **(F)** Osteossíntese suboccipital após fechamento hermético da dura-máter.

nucalgia e de pseudomeningocele, além de facilitar a reabertura nos casos que necessitam reoperação. Os músculos suboccipitais são fechados em múltiplas camadas.

No primeiro dia do período pós-operatório, realizamos um exame de imagem que avaliará o grau de extensão da extirpação cirúrgica, a presença ou não de hematoma na cavidade cirúrgica e a presença possível de lesão residual. Tratando-se de ependimoma, quando existe doença residual possível de ser extirpada, realizamos uma reoperação (*second look surgery*), após um protocolo de quimioterapia ter sido aplicado com o intuito de reduzir a lesão e facilitar a remoção da doença residual, pois sabemos que uma extirpação incompleta pode explicar o prognóstico ruim quando se trata de ependimomas infratentoriais.

CONCLUSÃO

O resultado de crianças com ependimoma da fossa posterior tem melhorado muito nas duas últimas décadas. Ependimomas correspondem a 10% das neoplasias intracranianas infantis, sendo aproximadamente 50% dos casos identificados em crianças abaixo de cinco anos. Dois terços dos pacientes com ependimoma intracraniano se apresentam com tumor da fossa posterior, e mais de 85% das crianças demonstram doença localizada no momento do diagnóstico. Múltiplos fatores têm importante papel no resultado, incluindo a localização do tumor, se existe ou não invasão do assoalho do IV ventrículo, o grau histopatológico da lesão, a idade do paciente, o uso ou não de terapia coadjuvante e, principalmente, o grau da extirpação cirúrgica, sendo este o principal fator na determinação do prognóstico. Os ependimomas localizados no ângulo pontocerebelar têm pior prognóstico do que os localizados na linha média. Isto se justifica pelo grau de dificuldade existente em relação a uma extirpação total nos ependimomas laterais. A doença recorrente no local do tumor primário é muito comum, nestes casos, a melhor opção de tratamento continua sendo a reoperação. Doença metastática intracraniana ou medular (Fig. 18) é uma situação gravíssima, que ensombrece muito o prognóstico, principalmente por tratar-se de uma lesão não cirúrgica. A remoção cirúrgica da lesão permanece como a melhor modalidade de tratamento, porém, os ependimomas continuam sendo um grande desafio para neurocirurgiões e oncologistas. A resposta à terapia coadjuvante é imprecisa, apesar de uma sensibilidade reduzida à radioterapia, esta continua sendo indicada a ser realizada no local da doença primária. Somente recomendamos a irradiação do neuroeixo nos casos de doença metastática na época do diagnóstico. A quimioterapia tem sido aplicada principalmente em crianças com menos de três anos e que não podem ser submetidas à radioterapia, e também em crianças maiores com doença microscopicamente disseminada. Os resultados com quimioterapia não têm sido satisfatórios, e as crianças clamam ansiosamente por protocolos mais efetivos.

MEDULOBLASTOMA

Descrito esporadicamente desde o final do século XIX, e há mais de 70 anos considerada uma entidade específica por Bailey e Cushing, o meduloblastoma é um tumor embrionário maligno que ocorre primariamente na infância.

Em 1973, em decorrência de sua semelhança com características histológicas e clínicas de outros tumores do sistema nervoso central, recebeu a designação de PNET (tumores neuroectodérmicos primitivos). Esses tumores incluem: retinoblastoma, pineoblastoma, neuroblastoma, esthesioblastoma. Apesar de o conceito de PNET ter sido amplamente aceito, havia uma dúvida crescente quanto a sua origem celular única. Estudos posteriores evidenciaram diferenças entre as características moleculares do meduloblastoma e PNET supratentorial. Neste aspecto, o termo meduloblastoma como uma entidade distinta passou a ser preferível ao termo PNET da fossa posterior.

Apesar de haver avanços significativos no diagnóstico e tratamento desta doença nos últimos 20 anos, vários problemas terapêuticos permanecem, considerando-se a sobrevida e a sequela. O tratamento do meduloblastoma tem sido altamente especializado, e uma abordagem multidisciplinar atualmente é necessária.

Epidemiologia

Em crianças, o MB é o tumor cerebral maligno mais comum, compreendendo 15 a 20% dos tumores intracranianos e 30 a 55% dos tumores da fossa posterior. A incidência deste tumor é de, aproximadamente, 6,5 por milhão de criança entre 0 e 14 anos por ano. Essa taxa aumenta para 8 milhões por ano, se agruparmos crianças de 1 a 9 anos. O pico de incidência ocorre na primeira década de vida com uma idade média ao diagnóstico de 5 a 7 anos e uma relação masculino/feminino de 2:1.

Muitas vezes, está associado a síndromes familiares cancerígenas, como da síndrome de Gorlin, síndrome de Turcot e ataxia-telangiectasia.

Clínica

A história clínica é tipicamente breve, de 6 a 12 semanas. Graças a sua localização, a hidrocefalia obstrutiva se desenvolve precocemente, levando a sintomas de hipertensão intracraniana, como cefaleia, náuseas e vômitos (Fig. 19). Sinais comuns são: papiledema, ataxia, nistagmo e paresia da musculatura ocular extrínseca.

Os sintomas mais frequentes são vômito (88%), cefaleia (79%), regressão psicomotora (60% em crianças abaixo de 3 anos), sintomas psicológicos (27%), estrabismo (26%) e astenia (25%). Em 1/3 das crianças com menos de 3 anos, o diagnóstico é feito apenas quando apresentam os sinais de hipertensão intracraniana, mas também podem apresentar irritabilidade, letargia ou macrocrania progressiva. Encontramos também ataxia de tronco e ataxia apendicular.

Metástases espinhais podem produzir dorsalgia, retenção urinária ou paraparesia. São encontradas em 40% dos casos, mais comumente nos níveis torácico e lombossacro. O mecanismo de disseminação é pouco estudado, porém, as metástases são biologicamente semelhantes ao tumor primário.

Disseminação leptomeníngea é comum com taxas de 11 a 43%. Para se investigar metástase leptomeníngea, fazemos uma análise do liquor para pesquisa de células neoplásicas durante a ressecção cirúrgica ou 2 semanas após (Fig. 20).

De todos os tumores pediátricos do sistema nervoso central, o meduloblastoma é o que tem maior propensão à disseminação extraneural (5%) para osso, fígado, medula óssea, peritônio e pulmão. E quando ocorrem, geralmente são letais.

Em condição pós-operatória, podemos encontrar o mutismo cerebelar em até 29%, porém, isso costuma ser transitório, podendo durar até 16 semanas, com início de 48 a 72 horas. É atribuído à disfunção bilateral do núcleo denteado, e segundo estudos recentes, ao tamanho de massa tumoral maior que 5 cm^3.

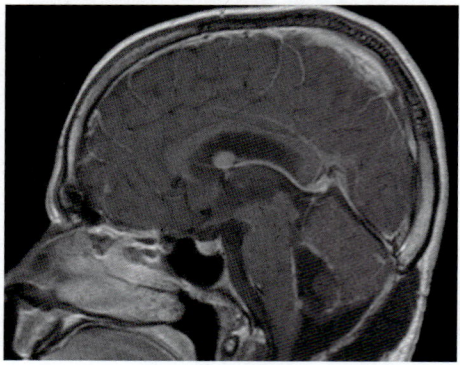

◀ **FIGURA 18.** Ependimoma da fossa posterior com implante no assoalho do IV ventrículo (bulbo), e doença disseminada onde observa-se nódulo metastático na topografia do forame de monro.

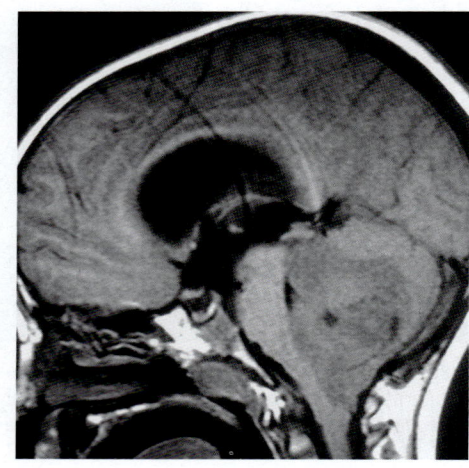

◀ **FIGURA 19.** Hidrocefalia obstrutiva em um caso de meduloblastoma.

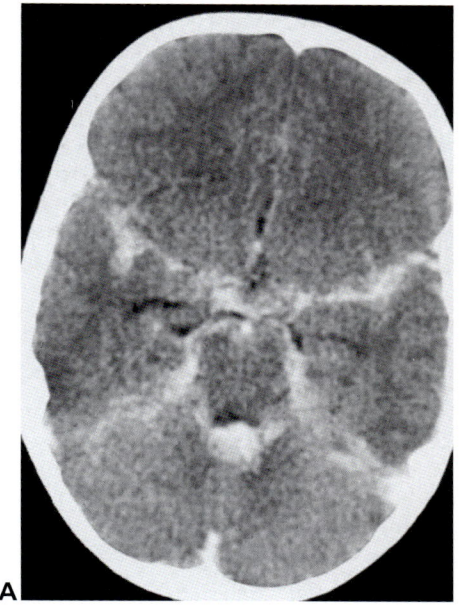
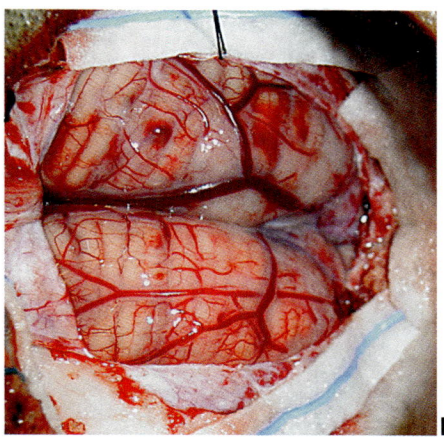

◀ **FIGURA 20. (A e B)** Disseminação leptomeníngea em um meduloblastoma.

Diagnóstico neurorradiológico

A tomografia computadorizada de crânio muitas vezes é o primeiro exame realizado, graças a sua disponibilidade nos setores de emergência dos hospitais (Fig. 21). Porém, o diagnóstico radiológico é feito também pela RM de crânio (Fig. 22). De uma forma geral, o meduloblastoma se apresenta como uma massa sólida captante de contraste, na linha média (75 a 90%); a maioria se originando do vérmis, estando associado ou não à hidrocefalia. Localizações hemisféricas (10 a 15%) estão associadas a uma idade maior e histologia desmoplásica.

De uma forma mais específica, encontramos:

- Na TC de crânio sem contraste, a característica típica do meduloblastoma é uma massa homogênea, mediana, bem definida. Graças a sua alta celularidade, as células tumorais com citoplasma denso e escasso e núcleo hipercromático são quase sempre hiperdenso ou isodenso em comparação ao tecido circunjacente. Edema peritumoral vasogênico ocorre em 90 a 95% dos casos, sendo geralmente leve a moderado. Com a administração de contraste, a maioria dos meduloblastomas capta o contraste difusamente e homogeneamente, mas captação parcial também tem sido relatada. Calcificações podem ser encontradas em até 20% e cistos ou necrose e regiões não captantes de contraste, em aproximadamente 50%. A presença de hemorragia intratumoral raramente é vista.

- Na ressonância magnética, a aparência dos meduloblastomas é variável. Tipicamente, aparecem como uma massa redonda, levemente lobulada, iso ou hipointensa em T1 (Fig. 23). Em T2, as porções sólidas e heterogêneas são frequentemente hipo ou isointensa, comparado à substância cinzenta. Esta aparência parece estar relacionada com a alta celularidade do tumor (hipointenso) e com os cistos e calcificações (heterogeneidade). A captação de contraste está geralmente presente, mas pode variar em grau, indo do difuso e homogêneo para o focal e desigual (Fig. 24). Captação leptomeníngea, mimetizando meningioma, pode ser encontrada nos meduloblastomas hemisféricos excêntricos em razão da reação desmoplásica das meninges subjacentes. Cistos podem ser encontrados em 50% dos meduloblastomas e são tipicamente pequenos e múltiplos. Cistos solitários e isolados são menos fre-

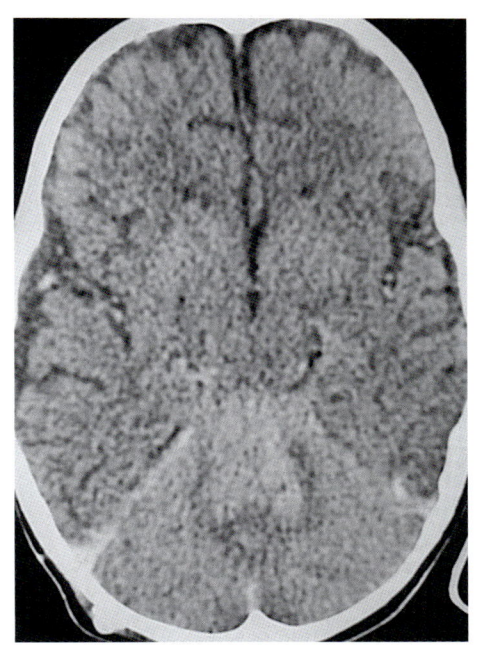

◀ **FIGURA 21.** TC de crânio com contraste observa-se discreta captação pela lesão.

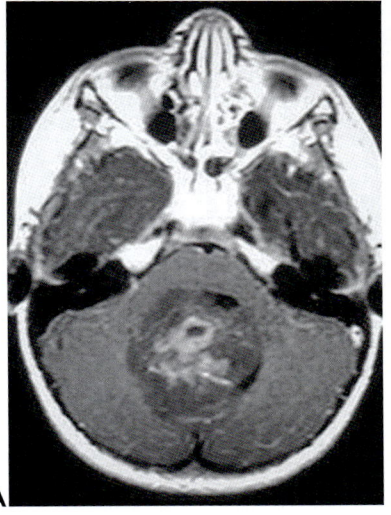
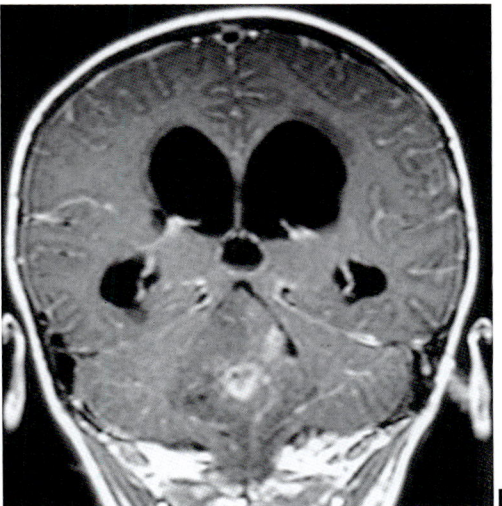

▲ **FIGURA 22. (A e B)** RM demonstrando captação heterogênea do meio de contraste.

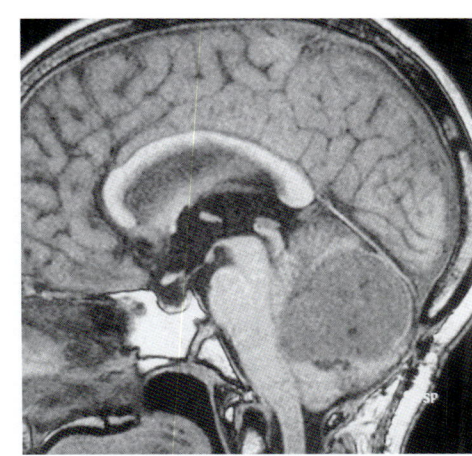

▲ **FIGURA 23.** Lesão hipointensa em T1 na fase sem contraste venoso.

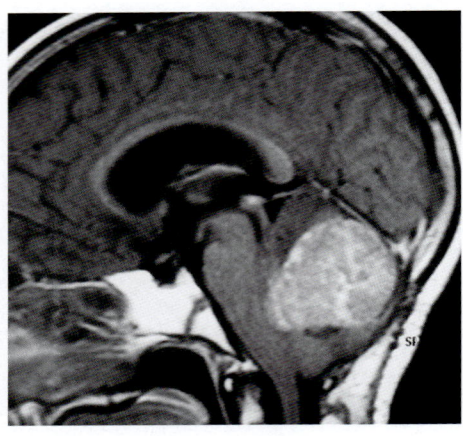

◄ **FIGURA 24.** Corte sagital com lesão bastante captante de contraste e com possível invasão do tronco cerebral.

quentes, 5-15% dos casos. A disseminação para as vias liquóricas é comum, e pode ser mais bem vista nas sequências em T1 após a injeção de contraste. A localização mais comum de metástases é: ventrículos laterais, assoalho do terceiro ventrículo e regiões subfrontais.

- Espectroscopia por ressonância é uma técnica não invasiva, pela qual se pode obter o perfil bioquímico do tecido cerebral (Fig. 25). É útil no diagnóstico diferencial dos tumores localizados na fossa posterior e na distinção entre recidiva tumoral e necrose pós-terapia. O N-acetilaspartato (Naa) é um marcador de densidade e viabilidade neuronal, estando diminuído nas lesões tumorais, supostamente em decorrência da substituição dos neurônios por células neoplásicas. O pico da Colina (Co) reflete o *turn over* da membrana celular e está aumentado nos processos em que existe hipercelularidade, como em tumores. O mioinositol (mL) é considerado um marcador de célula glial. Alterações deste pico são encontradas em distúrbios de osmolaridade, em doenças de substância branca e em neoplasias de baixo grau, como astrocitoma grau II. A creatinina (Cr) é considerada relativamente constante mesmo sob certas condições patológicas, sendo, dessa forma, utilizada como referência interna. O lactato (Lac), que em situações normais está ausente ou em pequena quantidade, é considerado produto do metabolismo anaeróbio da glicose, estando aumentado em tumores, graças à falta de respiração oxidativa. Dessa forma, os achados típicos da espectroscopia de prótons para neoplasias primárias são redução no pico de Naa, elevação dos picos de Co e mL, e detecção do pico de LAC. Em geral, a espectroscopia de prótons dos tumores cerebrais mostra picos de colina altos e picos de NAA reduzidos. Os meduloblastomas mostram uma razão Naa/Co de 0,17 +/- 0,29 e uma razão Cr/Co de 0,32 +/- 0,19. Apresenta também uma redução na relação Naa/Cr em 83,3% dos casos e um aumento na relação Co/Cr em 100% dos casos. Suas relações entre Co/Cr e Co/Naa são maiores que os astrocitomas pilocíticos.
- TC/RM espinhal com contraste serve para pesquisa de metástases. O estadiamento é feito tanto para o estudo no período pré-operatório como 2 a 3 semanas após a cirurgia.

Patologia

Todos os MBs são considerados grau IV pela Organização Mundial de Saúde.

Macroscopicamente, o tumor é frequentemente de cor rosa-acinzentado, macio, homogêneo e algumas vezes cístico ou hemorrágico.

O MB compreende um conjunto de subtipos de tumor com características clínicas e moleculares diversas, que juntos formam o tumor mais maligno da juventude. Estes tumores parecem originar-se no interior do cerebelo, com 25% originando das células precursoras dos neurônios granulares (*granule neuron precursor cels* – GNPCs) após ativação aberrante da via de *Sonic Hedgehog* (subtipo SHH). Os processos patológicos que dão origem à heterogeneidade entre os subtipos de meduloblastoma ainda não estão estabelecidos.

Classicamente, segundo a classificação da Organização Mundial de Saúde em 2007, temos:

- *MB clássico (90%):* formado por células pequenas indiferenciadas, densamente agrupadas com núcleo hipercromático, citoplasma escasso, inconstantemente agrupadas em rosetas Homer-Wright; algumas vezes chamado de tumor azul.
- *MB desmoplásico/nodular (6%):* é uma variante similar ao tipo clássico, apresentando glomérulos ou os chamados "*pale Islands*" (feixes dispersos de colágeno e áreas menos celulares), que representam zonas de maturação neuronal; exibe um padrão núcleo/citoplasma reduzido, matriz fibrilar e células uniformes com aparência neurocítica. Estes nódulos são circundados por células ativas mitoticamente, densamente agrupadas, que produzem uma rede densa intercelular de fibras reticulina-positivas. São mais comuns em adultos e possuem um prognóstico controverso, podendo ser menos agressivo.
- *MB de células gigantes/anaplásico (LCA) (4%):* apresentam núcleos pleomórficos e/ou grandes e redondos, com alta atividade mitótica. O nucléolo é proeminente, e o citoplasma, eosinofílico. Nos poucos casos relatados, todos eram do sexo masculino. São mais agressivos do que o clássico, e se assemelham aos atípicos tumores teratoide-rabdoide do cerebelo, mas têm características criptogenéticas e fenotípicas diferentes.
- *MB com extensiva nodularidade (MBEN):* 3%; é uma variante nodular rara. Apresenta uma arquitetura lobular expandida, graças ao fato de as zonas livres de reticulina tornarem-se alongadas e ricas em tecido. Ocorre em crianças mais jovens, geralmente menores de três anos, porém apresentam melhor prognóstico. Em 40% dos casos, está associado à síndrome de Gorlic.

Biologia molecular

As alterações genéticas moleculares podem ser divididas em três grupos:

1. **Alterações cromossomiais não aleatórias:** deleção consistente no marcador 17p (35 a 40%.) e isocromossomo 17q (i17q), que combina com a perda do 17p e ganho do 17q. Esta alteração é a mais comum dos MB, facilmente detectada por técnicas de hibridização *in situ*, está associada a um pior prognóstico.

   O tipo nodular/desmoplásico e variante LCA também estão associados a alterações cromossomiais específicas. Deleções de 9q são observadas em até 40% dos MBs desmoplásicos, e ocorrem raramente no tipo clássico. Amplificação dos oncogenes MYCC e MYCN ocorre predominantemente no tipo LCA, e geralmente estão associados a um pior prognóstico.

2. **Informação do perfil genético:** A. ZIC e NSCL1 são os principais genes relacionados com MB.

3. **Anomalias no sinal das vias de transdução:** a tumorogênese do MB é fortemente relacionada com a desregulação das vias de trans-

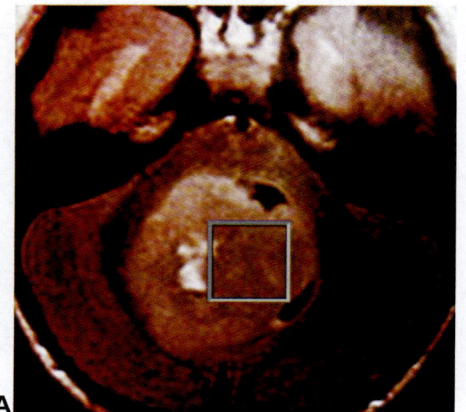
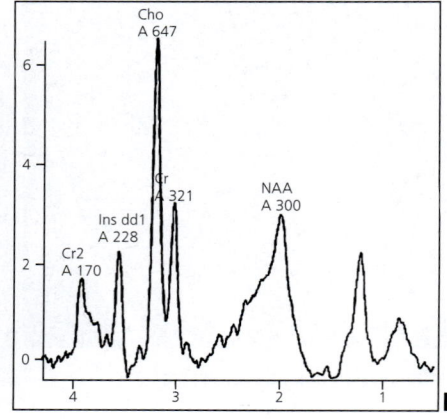

◄ **FIGURA 25.** (**A**) Espectroscopia em um meduloblastoma, demonstrando alto pico de colina (**B**).

dução envolvidas no desenvolvimento normal do cerebelo. A proliferação das células precursoras granulares (GNP) é fisiologicamente regulada pela via de *Sonic Hedgehog* (SHH–*sonic Hedgehog signalling*).

Outras vias adicionais de sinalização têm sido implicadas na patogênese dos MBs, como a de Wnt e Notch. Aproximadamente 8% dos MBs têm inativação da mutação do gene PTCH, que é um inibidor da via de Hedgehog, e desempenha um importante papel no desenvolvimento cerebelar. A via Wnt é ativada em 10% dos MBs por mutações na betacatenina que ativa a via de transdução Wnt, removendo sítios críticos de fosforilação inibitória. A utilização de imuno-histoquímica foi mostrada para detectar a acumulação nuclear de betacatenina em 18-25% dos MBs, e a presença deste marcador biológico indicando a ativação da via de Wnt prevê um resultado favorável no tratamento dos MBs.

Há evidências sugerindo que um subgrupo de células do MB possui um tipo de célula-tronco (CD133) que serve como fenótipo, dirigindo o crescimento tumoral, com grande habilidade também para formar tumores.

Estadiamento

O estadiamento e subsequente estratificação de risco são cruciais no manuseio dos MBs. A classificação atual do estadiamento requer análise do liquor e RM do cérebro e medula com e sem gadolínio.

Tradicionalmente, os pacientes com MB são divididos num grupo padrão e de alto risco, de acordo com a apresentação clínica, presença de metástase (M1-M4 segundo a classificação de Chang) ou doença residual (> 1,5 cm^2), visto na RM dentro de 24 a 72 horas após a exérese tumoral, de forma a orientar a terapia coadjuvante.

De uma forma esquematizada, temos a seguinte estratificação de risco:

1. **Pacientes risco-padrão**: sem tumor residual na RM pós-operatória e resultados negativos de liquor. Sobrevida de 5 anos é maior que 5% e sobrevida livre de progressão é de 50%.
2. **Pacientes de alto risco**: tumor residual volumoso, > 1,5 cm^2 no pós-operatório e disseminação para o cérebro, medula ou liquor. Apresenta pior prognóstico e uma sobrevivência livre de doença de 35 a 50%.
3. **Pacientes com risco intermediário**: pobremente caracterizado.

Sessenta a 70% das crianças menores que 3 anos são atribuídas ao grupo de risco padrão. Pacientes de alto risco incluem aqueles da categoria de disseminação e aqueles que não tiveram uma boa ressecção tumoral.

Tratamento

O tratamento de escolha é a extirpação cirúrgica total, seguida por radioterapia cranioespinhal e quimioterapia, pois os MBs são altamente radiossensíveis e moderadamente quimiossensíveis (Fig. 26). A quimioterapia é altamente recomendada em pacientes de alto risco e menores que 3 anos.

A maioria das crianças diagnosticadas com câncer hoje em dia espera ser curada. O meduloblastoma é um exemplo de doença que se beneficiou bastante nas últimas décadas, com o avanço do diagnóstico por imagem, técnicas cirúrgicas e quimioterapia combinada. Há 50 anos, era considerada uma doença incurável, mas hoje em dia, aproximadamente 70% das crianças são curadas. E, em um estudo alemão mais recente, usando quimioterapia combinada com metrotexato intraventricular, resultou em 83% de sobrevida em cinco anos livre de doença. Entretanto, acredita-se que chegamos ao benefício máximo com a terapia citotóxica e estratificação de risco.

A terapia a longo prazo apresenta uma grande toxicidade. Para aumentar a taxa de cura e diminuir a toxicidade, há um grande interesse em incorporar a terapia biológica-alvo (*biologic targeted therapy*) no tratamento dos MBs. Usando técnicas sofisticadas com base no genoma, vários grupos independentes de pesquisadores têm relatado métodos de classificação molecular nos últimos anos.

Evidência de que o MB não é uma entidade única, mas um grupo complexo de tumores moleculares distintos está aumentando. Esses achados sugerem que o tratamento futuro dos MBs será orientado de acordo com a biologia molecular, levando idealmente a uma maior chance de cura com mínima toxicidade e reduzida morbidade. Este prospecto reforça a importância da triagem clínica, mesmo se esses tratamentos inovadores requiserem a transferência destes pacientes para centros especializados. Similarmente, o desenvolvimento de unidades de terapia de prótons terá um efeito significativo no manuseio destes pacientes jovens, que provavelmente se beneficiarão destas técnicas modernas de radiação.

Quando pensamos no tratamento dos pacientes portadores de MB devemos:

1. Avaliar a possibilidade de reduzir tanto a dose da radiação quanto o volume da radioterapia na fossa posterior pela intensificação modesta da quimioterapia nos pacientes de risco padrão.
2. Determinar se a intensificação da quimioterapia ou radioterapia pode melhorar o prognóstico dos pacientes de alto risco.
3. Definir marcadores moleculares e biológicos que indiquem melhor prognóstico.

De uma forma esquemática temos:

- Tratamento de pacientes > 3 anos:
  - Pacientes com risco padrão? → Radioterapia + quimioterapia.
  - Pacientes com alto risco? → Altas doses de quimioterapia e radioterapia.

Crianças menores de 3 anos, antigamente, apresentavam uma sobrevivência menor, possivelmente graças ao atraso no diagnóstico, risco cirúrgico aumentado, aumento da toxicidade do tratamento em decorrência de radioterapia ou o subtratamento e a possível biologia tumoral mais agressiva. Atualmente, vários grupos reconhecem o papel da alta dose de quimioterapia nestes pacientes, retardando ou eliminando o uso da radioterapia.

Tratamento cirúrgico

1. **Manuseio da hidrocefalia:** para solucionarmos o problema da hidrocefalia, temos, basicamente, três opções:
   A) *III ventriculostomia endoscópica:* Utilizada alguns dias antes ou no mesmo procedimento da exérese tumoral.
   B) *DVE:* é uma boa opção a ser utilizada somente no período pós-operatório, por 24 a 48 horas. É indicada quando existe a possibilidade de exérese total da massa tumoral com restabeleci-

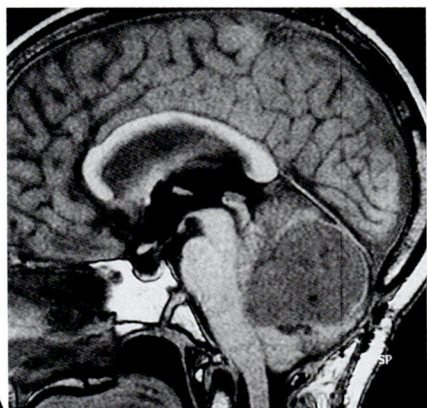
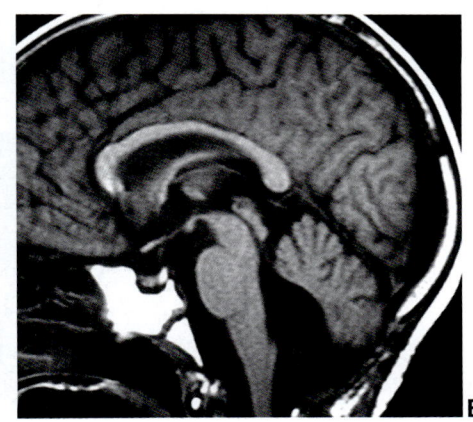

◀ **FIGURA 26.** (**A** e **B**) Corte sagital pré e pós-operatório, demonstrando remoção total do tumor.

mento das vias liquóricas. Algumas vezes optamos por deixar somente o catéter ventricular fechado, de forma a abrir somente se houver necessidade, isto é, no caso de o paciente apresentar sinais de hipertensão intracraniana.

C) **DVP:** 30 a 40% das crianças necessitam de *shunts* permanentes. Porém, muitas vezes, é utilizado nos centros em que não há possibilidade de uma intervenção cirúrgica precoce. Realiza-se, então, uma cirurgia com colocação do sistema de derivação ventrículo-peritoneal para aliviar os sintomas de hipertensão intracraniana graças à hidrocefalia, e num segundo tempo, faz-se a exérese tumoral.

2. **Cirurgia do meduloblastoma:** a ressecção cirúrgica é a parte fundamental do tratamento dos MBs. O papel do neurocirurgião, neste caso, é remover o máximo de massa tumoral possível, deve ser feito todo o esforço possível para se alcançar uma extirpação total da lesão (Fig. 27). Fatores que impedem a completa ressecção são: invasão do tronco cerebral, geralmente no assoalho do quarto ventrículo, e extensão supratentorial importante.

Na maioria das vezes, a criança é posicionada em decúbito lateral, com a cabeça fletida, fixa em suporte de três pinos (Sugita ou Mayfield), com exceção para as crianças com menos de 3 anos (Fig. 28). Preferimos esta posição em decorrência do melhor acesso dos anestesistas às vias aéreas, e ao melhor escoamento do sangue do campo operatório.

Realiza-se, então, uma incisão cutânea na linha média, estendendo-se do ínion até aproximadamente o nível de C5/C6; incisão esta que se dirige aos planos mais profundos, subcutâneo, ligamento nucal, fáscia e musculatura cervical posterior, com posterior exposição do osso occipital e arco posterior de C1, após o afastamento das bordas da pele e musculatura cervical. Em seguida, realiza-se uma craniotomia occipital com o craniótomo, cujo limite superior é o seio transverso, limites laterais à mastoide (nem sempre necessitando ir até esse limite, ficando na dependência do tamanho da massa tumoral); e limite inferior ao forame Magno (Fig. 29). Na grande maioria das vezes, não há necessidade da retirada do arco posterior de C1, a não ser que o tumor se estenda até o nível cervical. Classicamente, realizamos a abertura da dura-máter em Y, com rebatimento das bordas da mesma. Em virtude da presença de lagos durais e muitas vezes do seio circular em crianças muito novas, há necessidade do uso de clipes vasculares. Realizamos, então, a abertura da cisterna magna. Neste ponto, algumas vezes já conseguimos visualizar a massa tumoral, em sua porção inferior. Seguimos com uma divisão da parte inferior do vérmis com retração progressiva do mesmo, de forma a expor as partes dorsal e lateral do tumor. O tumor frequentemente é altamente vascularizado, macio e friável, sendo ressecado com sucção ou aspiração ultrassônica. A principal parte do tumor deve ser ressecada rapidamente para controlar a perda de sangue. Quando ocorre a invasão do pedúnculo e assoalho do IV ventrículo, é necessária muita atenção para não ocasionar déficit permanente. Uma meticulosa hemostasia é realizada após exérese tumoral, seguido de um fechamento hermético da dura-máter, que muitas vezes necessita de plástica com o uso de fáscia lata ou substituto de dura-máter. O *flap* ósseo é reposicionado e fixado em sua posição e, em seguida, há o fechamento hermético da musculatura e fáscia cervical e subcutâneo e pele. Com a realização de uma boa hemostasia, não há necessidade de se colocar dreno.

O pós-operatório é sempre realizado no CTI, e uma TC de controle é realizada em 24 a 48 horas.

Prognóstico

Mecanismos atuais para prognóstico clínico e estratificação incluem fatores clínicos (idade, presença de metástases e extensão da ressecção) e subgrupos histológicos (clássico, desmoplásico, histologia de anaplasia e células gigantes).

São indicadores de prognóstico ruim:

1. Idade precoce (principalmente menores de 3 anos), porém, crianças com menos de 3 anos com histologia desmoplásica representam um grupo de baixo risco em que a eliminação da radioterapia é uma estratégia apropriada.
2. Doença metastática encontrada em até 40% das crianças na ocasião do diagnóstico e, na maioria, quando há recidiva. O mecanismo de disseminação através do liquor é pouco estudado; porém, metástases encontradas são similares ao tumor primário.
3. Inabilidade de ressecção total com massa residual > 1,5 cm^2 em pacientes com doença localizada;
4. Diferenciação histológica ao longo da glia, epêndima ou linha neuronal.

Historicamente, o subtipo nodular e desmoplásico têm melhores taxas de sobrevivência, possivelmente porque são mais diferenciados, têm crescimento mais lento e são mais sensíveis à QT e RT. Assim como os MBs de células gigantes, os MBs não desmoplásicos com anaplasia generalizada apresentam um pior prognóstico, se comparados a MB clássico.

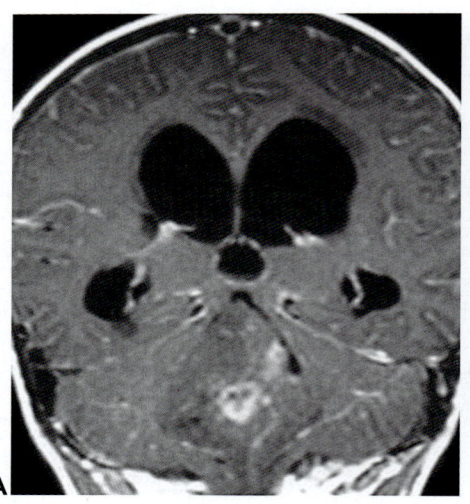
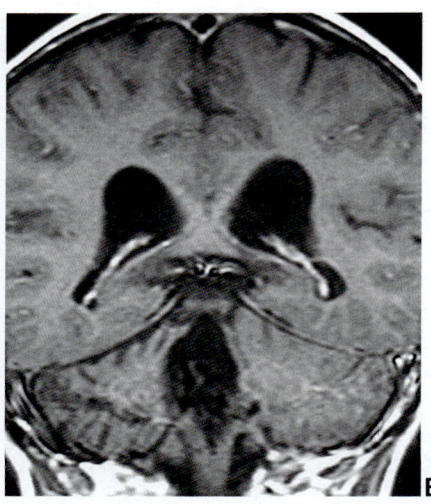

◀ **FIGURA 27. (A e B)** Corte coronal demonstrando remoção total da lesão. Condição que favorece bastante o prognóstico dessa doença.

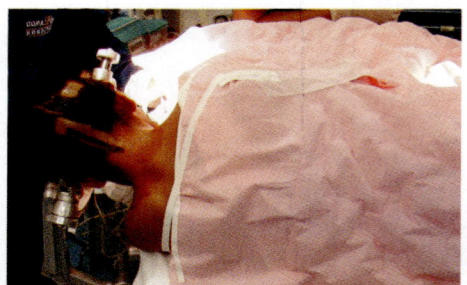

◀ **FIGURA 28.** Posição cirúrgica em decúbito lateral.

◀ **FIGURA 29.** Realização da craniotomia, que deverá cruzar o forame magno.

Quanto aos fatores biológicos, imunopositividade p53 e presença de ErbB2 foram marcadores de mau prognóstico, sendo que o primeiro é fator preditivo. Já o TrkC é um importante marcador de bom prognóstico, e sua apresentação num tumor parece compensar os efeitos deletérios de ErbB2. No entanto, seus efeitos favoráveis não são evidentes se houver doença metastática ou proteína p53 presente.

Existem outros fatores de mau prognóstico que influenciam a sobrevida do paciente, entretanto, não com tanta expressão como os já citados: infiltração do tronco encefálico pela impossibilidade de ressecção completa, a recidiva da doença em foco metastático e a não realização da RT e da QT em pacientes de alto risco.

O sexo é um importante fator prognóstico: meninas têm um prognóstico melhor. O perfil de expressão genética é altamente preditiva em resposta à terapia, prevendo o prognóstico com muito mais eficácia do que o critério de estadiamento. A habilidade dos marcadores clínicos e biológicos em prever o prognóstico atualmente está sob investigação.

Sobreviventes de longa data apresentam um grande risco de sequelas endócrina, psicológica e cognitiva permanentes, em virtude do tratamento.

Lactentes e crianças muito novas apresentam um desafio terapêutico, porque apresentam a forma mais virulenta da doença e possuem um alto risco de sequela relacionada com o tratamento.

Acompanhamento

Recidivas ocorrem em quase 75% dos casos em dois anos e, quando isto ocorre, mais da metade dos pacientes apresenta doença disseminada. O local mais comum de recidiva é a fossa posterior.

As sequelas tardias graças ao tratamento dos MBs têm sido bem documentadas. Apesar de uma variedade de fatores ter um papel no desenvolvimento das sequelas, incluindo estado neurológico pré-operatório, presença de hidrocefalia ao diagnóstico e complicações per e pós-operatória, a irradiação cranioespinhal tem sido demonstrada como a principal causa de tais sequelas. Resultados de estudos retrospectivos e prospectivos têm demonstrado que crianças que recebem irradiação cranioespinhal possuem um risco significativo de deterioração intelectual, que pode não ser notada completamente até 2 ou 3 anos do tratamento, principalmente em crianças menores de sete anos. Após 3.600 CGc de radioterapia, crianças menores de 7 anos têm um declínio de inteligência de 20 a 30 pontos.

De uma maneira geral, as sequelas tardias incluem déficits motores, sensitivos, endócrinos, cognitivos, neuropsicológico e de comportamento que podem afetar sua qualidade de vida e sua reentrada na escola e na sociedade. Em razão da complexidade destas sequelas, essas crianças necessitam de um acompanhamento multidisciplinar.

Entre as sequelas endócrinas, encontramos a deficiência de GH, que se desenvolve de 3 a 5 anos, após o fim da radioterapia, piora com o tempo e se torna irreversível. Alterações gonadais, como puberdade precoce, puberdade tardia e hipogonadismo, podem aparecer após um ano de tratamento radioterápico. O hipotireoidismo ocorre geralmente após quatro anos pós-radioterapia, e o hipertireoidismo é raro. Hiperprolactinemia é um achado frequente, e se deve à destruição do eixo hipotálamo-hipofisário ou ao hipotireoidismo, porém, pode apresentar resolução espontânea em 5-6 anos. Encontramos também deficiência de ACTH, rara, porém grave, osteopenia, obesidade, dislipidemia e síndrome metabólica. Todas estas alterações endócrinas agravam a dificuldade psicológica, uma vez que estes pacientes, quando entram na adolescência ou idade adulta, apresentam uma baixa autoestima graças a sua aparência (estatura baixa, cabelo rarefeito, obesidade...).

Em relação ao déficit cognitivo, quanto mais precoce a lesão cerebral, pior e mais generalizado é o déficit cognitivo. Este déficit pode originar-se tanto graças à sequela da rádio e quimioterapia, quanto ao manuseio primário do tumor, uma vez que o cerebelo tenha um papel importante nas funções cognitivas superiores, com conexões recíprocas com o lobo frontal, originando déficits na fala, linguagem e comunicação, função executiva, regulação de comportamento e habilidade visuoespacial.

O uso da quimioterapia e radioterapia contribui para ocorrência de tumores secundários, como meningioma, cavernomas e tumores gliais até 30 anos após o tratamento, o que justifica um *follow-up* longo.

BIBLIOGRAFIA

Auer RN, Rice GPA, Hinton GG et al. Cerebellar astrocytoma with benign histology and malignant clinical course. *J Neurosurg* 1981;54(1):128-32.

Austin EJ, Alvord Jr EC. Recurrences of cerebellar astrocytomas: a violation of Collins' Law. *J Neurosurg* 1988;68:(1)41-47.

Awaad YM, Allen JC, Miller DC et al. Deferring adjuvant therapy for totally ressected intracranial ependimoma. *Pediatr Neurol* 1996;14:216-19.

Bailey P, Cushing A. Meduloblastoma cerebelli: a common type of mid-cerebellar glioma of childhood. *Arch Neurol Psych* 1925;14:192-224.

Barkovich AJ. *Diagnostic imaging pediatric neuroradiology.* Canada: Amirsys, 2007.

Barkovich AJ. *Pediatric neuroimagins.* USA: Lippicott, Williams & Wilkins, 2000.

Barkovich AJ. Tumores intracranianos, orbitários e cervicais da infância. In: Tradução: Vasconcelos MM. *Neurorradiologia pediátrica.* 3. ed. Rio de Janeiro: Guanabara Koogan, 2002. p. 410-536.

Beebe DW, Ris MD, Armstrong FD et al. *Cognitive and adaptive outcome in low- grade pediatric cerebellar astrocytomas: evidence of diminished cognitive and adaptive functioning in national collaborative research studies.* Presented in part at the 2001 Spring meeting of the International Neuropsychological Society, Chicago, IL, February 14-17, 2001, and the 2002 Spring meeting of the International Neuropsychological Society, Toronto, Ontario, Canada, 2002 Feb. 13-16,

Berger MS. Cerebellar astrocytomas. In: Youmans JR. *Neurological surgery* 4th ed. Philadelphia: WB Saunders, 1996. p. 2593-602, vol. 4.

Bhatia R, Tahir M, Chandler CL. The management of hydrocephalus in children with posterior fossa tumors: the role of pre-resectional endoscopic third ventriculostomy. *Pediatr Neurosurg* 2009;45:186-91.

Bhatia R, Tahir M, Chandler CL. The management of hydrocephalus in children with posterior fossa tumors: The role of pre-resectional endoscopic third ventriculostomy. *Pediatr Neurosurg* 2009;45:186-91.

Biegel JA, Pollank IF. Molecular analysis of pediatric brain tumors. *Curr Oncol Rep* 2004;6(6):445-52.

Bilginer B, Narin F, Oguz KK et al. Benign cerebellar pilocytic astrocytomas in children. *Turk Neurosurg* 2011;21(1):22-26.

Boop FA. Repeat surgery for residual ependymoma. *J Neurosurg Pediatr* 2011 Sept.;8(3):244-45.

Boop FA. Repeat surgery for residual ependymoma. *J Neurosurg Pediatr* 2011 Sept.;8(3):244-45.

Bostrom A, Bostrom J, Hartmann W et al. Treatment Results in Patients With Intracranial Ependymomas. *Cent Eur Neurosurg* 2011 Aug.;72(3):127-32.

Bouras T, Sgouros S. Complications of endoscopic third ventriculostomy. A review. *J Neurosurg Pediatr* 2011;7(6):643-49.

Brandão LA. Imagem convencional dos ependimomas. 2012 Abr./Maio n 67.

Brasme JF, Chalumeau M, Doz F et al. Interval between onset of symptoms and diagnosis of medulloblastoma in children: distribution and determinants in a population-based study. *Eur J Pediatr* 2012 Jan.;171(1):25-32.

Cabral ND, Ciquini Jr O, Matushita H et al. Astrocitomas do cerebelo na infância. Experiência de 25 casos. *Arq Neuropsiquiatria* 1997;55(1):82-84.

Campbell JW, Pollack I. Cerebellar astrocytomas in children. *J Neurooncol* 1996;28(2-3):223-31.

Catsman-Berrevoets CE, Van Dongen HR, Mulder PG et al. Tumour type and size are high risk factors for the syndrome of "cerebellar" mutism and subsequent dysarthria *J Neurol Neurosurg Psychiatry* 1999;67:755-57.

Cochrane DD, Gustavsson B, Poskitt KP et al. the surgical and natural morbidity of aggressive resection for posterior fossa tumors in childhood. *Pediatr Neurosurg* 1994;20:19-29.

Cohen ME, Duffner PK. Brain tumors in children. *Neuro Clin* 1991 May;9(2):479-95.

Conway PD, Oechler HW, Kun LE et al. Importance of histologic condition and treatment of pediatric cerebellar astrocytoma. *Cancer* 1991;67:2772-75.

Courville CB, Broussalian SL. Plastic ependymomas of the lateral recess: report of eight verified cases. *J Neurosurgery* 1961;18:792-99.

Daszkiewicz P, Maryniak A, Roszkowski M et al. Long- term functional outcome of surgical treatment of juvenile pilocytic astrocytoma of the cerebellum in children. *Childs Nerv Syst* 2009;25:855-60.

Daumas-Duport C, Scheithauer B, O'Fallon J et al. Grading of astrocytomas. A simple and reproducible method. *Cancer* 1988;62:2152-65.

Dhall G. Medulloblastoma. *J Child Neurol* 2009 Nov.;24(11):1418-30.

Due-Tønnessen BJ, Helseth E, Scheie D et al. Long- term outcome after resection of benign cerebellar astrocytomas in children and young adults. Report of 110 consecutive cases. *Pediatr Neurosurg* 2002;37(2):71-80.

Dufour C, Beaugrand A, Pizer B et al. Clinical Study Metastatic Medulloblastoma in Childhood: Chang's classification revisited. *Int J Surg Oncol* 2012;2012:245385.

Ellison DW, Dalton J, Kocak M et al. Medulloblastoma: clinicopathological correlates of SHH, WNT, and non-SHH/WNT molecular subgroups. *Acta Neuropathol* 2011 Mar.;121(3):381-96.

Fonte MVM, Amaral RPG, Costa MOR et al. Meduloblastoma: correlação entre ressonância magnética convencional, difusão e espectroscopia de prótons. *Radiol Bras* 2008;41(6):373-78.

Foremam NK, Bouffet E. Ependymomas in children. *J Neurosurg* 1999 Mar.;90(3):605.

Gabriel L, Gentet JC. *Pediatric neurosurgery*. New York: Churchill Livingstone, UK, 1999.

Garcia DM, Latifi HR, Simpson JR et al. Astrocytomas of the cerebellum in children. *J Neurosurg* 1989;71(5):661-64.

Gibson P, Tong Y, Robinson G et al. Subtypes of medulloblastoma have distinct developmental origins. *Nature* 2010 Dec. 23;468(7327):1095-99.

Gilbertson R, Wickramasinghe C, Hernan R et al. Clinical and molecular stratification of disease risk in medulloblastoma. *Br J Cancer* 2001;85(5):705-12.

Greenberg MS. *Handbook of neurosurgery*. 7th ed. Tampa, 2010.

Grill J, Kalifa C, Doz F et al. A high-dose bussulfan thiotepa combination followed by autologus bone marrow transplantation in childhood recurrent epedymoma. *Pediatr Neurosurg* 1996;25:7-12.

Gunny RS, Hayward RD, Phipps KP et al. Spontaneous regression of residual low-grade cerebellar pilocytic astrocytomas in children. *Pediatr Radiol* 2005;35(11):1086-91.

Hayostek CJ, Shaw EG, Scheithauer B et al. Astrocytomas of the cerebellum. A comparative clinicopathologic study of pilocytic and diffuse astrocytomas. *Cancer* 1993;72:856-69.

Hoffman HJ. Cerebellar astrocytomas. In: Apuzzo MLJ. *Brain surgery: complications, avoidance and management*. New York: Churchill Livingstone, 1993. p. 1813-24, vol. 2.

Horn BN, Smyth M. Ependymoma. In: Gupta N, Banerjee A, Kogan DH. *Pediatric CNS tumors*. Heidelberg Germany: Springer-Verlag, 2004. p. 65-81.

Huber JF, Bradley K, Spiegler BJ et al. Long- term effects of transient cerebellar mutism after cerebellar astrocytoma or medulloblastoma tumor resection in childhood. *Childs Nerv Syst* 2006;22:132-38.

Ilgreni EB, Stiller CA. Cerebellar astrocytomas. *J Neurooncol* 1987;4(3):293-308.

Ilgreni EB, Stiller CA. Cerebellar astrocytomas: therapeutic management. *Acta Neurochirurgica* 1986;81(1-2):11-26.

Jakacki RI. Treatment strategies for high-risk medulloblastoma and supratentorial primitive neuroectodermal tumors. *J Neurosurg Pediatr* 2005 Jan.;102(1):44-52.

Karajannis M, Allen JC, Newcomb EW. Treatment of pediatric brain tumors. *J Cell Physiol* 2008 Dec.;217(3):584-89.

Keating RF, Goodrich JT, Packer RJ. *Tumors of pediatric central nervous system*. New York: Thieme Medical, 2001.

Klein DM, McCullough DC. Surgical staging of cerebellar astrocytomas in childhood. *Cancer* 1985;56:1810-11.

Klesse LJ, Bowers DC. Childhood medulloblastoma: current status of biology and treatment. *CNS Drugs* 2010 Apr.;24(4):285-301.

Kool M, Korshunov A, Remke M et al. Molecular subgroups of medulloblastoma: an international meta-analysis of transcriptome, genetic aberrations, and clinical data of WNT, SHH, Group 3, and Group 4 medulloblastomas. *Acta Neuropathol* 2012 Apr.;123(4):473-84.

Lafay-Cousin L, Bouffet E, Hawkins C et al. Impact of radiation avoidance on survival and neurocognitive outcome in infant medulloblastoma. *Curr Oncol* 2009 Dec.;16(6):21-8.

Leary SE, Olson JM. The molecular classification of medulloblastoma: driving the next generation clinical trials. *Curr Opin Pediatr* 2012 Feb.;24(1):33-39.

Leary SE, Zhou T, Holmes E et al. Histology predicts a favorable outcome in young children with desmoplastic medulloblastoma: a report from the children's oncology group. *Cancer* 2011 July 15;117(14):3262-67.

Lee CS, Huh JS, Sim K et al. Cerebellar pilocytic astrocitoma presenting with intratumor bleeding, subarachnoid hemorrhage, and suddural hematoma. *Child Nerv Syst* 2009;25:125-28.

Lee EY, Ji H, Ouyang Z et al. Hedgehog pathway-regulated gene networks in cerebellum development and tumorigenesis. *Proc Natl Acad Sci USA* 2010 May 25;107(21):9736-41.

Maksoud YA, Hahn YS, Endelhard HH. Intracranial ependymoma. *Neurosurgical Focus* 2002 Sept.;13(3):e4.

Mallucci CL. Ependymoma of posterior fossa. In: Choux M, Rocco CD, Hockley A. *Pediatric Neurosurgery*. London: Churchill Livingstone, 1999;34:665-90.

Martinez CA. *Neurooncologia pediátrica*. Imperatriz Porto Randinelli. São Paulo: Lemar, 2003. 440p.

Massimino M et al. Second look surgery for ependymoma: the italian experience. *Clin Article. J Neurosurg* 2011 Sept.;8(3):246-50.

Massimino M, Giangaspero F, Garrè ML et al. Childhood medulloblastoma. *Crit Rev Oncol Hematol* 2011 July;79(1):65-83.

Morreale VM, Ebersold MJ, Quast LM et al. Cerebellar astrocytoma: experience with 54 cases surgically treated at the Mayo Clinic, Rochester, Minnesota, from 1978 to 1990. *J Neurosurg* 1997;87(2):257-61.

Mueller S, Chang S. Pediatric brain tumors: current treatment strategies and future therapeutic approaches. *Neurotherapeutics* 2009;6(3):570-86.

Muoio VMF et al. Extraneural metastases in medulloblastoma. *Arq Neuro-Psiquiatr* 2011;69(2b):328-31.

Muoio VMF, Shinjo SO, Matushita H et al. Extraneural metastases in medulloblastoma/Mestástases extraneurais em moduloblastoma. *Arq Neuro-Psiquiatr* 2011;69(2b).

Muszynski CA, Laurent JP, Cheek WR. Effects of ventricular drainage and dural closure on cerebrospinal fluid leaks after posterior fossa tumors. *Pediatr Neurosurg* 1994;21:227-31.

Nadkarni DKI, Muzumdar DP, Goel A. Prognostic factors for cerebellar astrocytomas in children: a study of 102 cases. *Pediatr Neurosurg* 2001;35:311-17.

Nagib MG, O'Fallon MT. Posterior fossa lateral ependymoma in children. *Pediatr Neurosurgy* 1996;24:299-305.

O'Brien MS, Krisht A. Cerebellar astrocytomas. In: American society of pediatric neurosurgens. *Section of pediatric neurosurgery of the AANS Pediatric neurosurgery. surgery of the developing nervous system*. 3rd ed. Philadelphia: WB Saunders, 1994. p. 356-61.

Ogiwara H, Bowman RM, Tomita T. Long- term follow- up of pediatric benign cerebellar astrocytomas. *Neurosurgery* 2012;70:40-48.

Packer RJ, Cogen P, Vezina G et al. Medulloblastoma: clinical and biologic aspects. *Neurooncology* 1999 July 1(3):232-50.

Packer RJ, Cohen BH, Gold DR. Treatment strategies for medulloblastoma and primitive neuroectodermal tumors. *Neurosurg Focus* 1999;7(2):e1.

Palma L, Celli P, Mariottini A. Long- term follow- up of childhood cerebellar astrocytomas after incomplete resection with particular reference to arrested growth or spontaneous tumor regression. *Acta Neurochirurgica* 2004;146(6):581-88.

Park AK, Lee SJ, Phi JH et al. Prognostic classification of pediatric medulloblastoma based on chromosome 17p loss, expression of MYCC and MYCN, and Wnt pathway activation. *Neuro-Oncology* 2012;14(2):203-14.

Pencalet P, Maixner W, Saint- Rose C et al. Benign cerebellar astrocytomas in children. *J Neurosurg* 1999;90(2):265-73.

Petronio J, Walker ML. Surgical management of cerebellar tumors in children. In: Schmidek HH. Operative neurosurgical techniques: indications, methods and results. 3rd ed. Philadelphia: WB Saunders, 1995. p. 801-12, vol. 1.

Phi JH, Wang K, Park SH et al. Pediatric Infratentorial Ependymoma: Prognostic Significance of Anaplastic Histology. *J Neurooncol* 2012;106:619-26.

Poretti A, Meoded A, Huisman TA. Neuroimaging of pediatric posterior fossa tumors including review of the literature. *J Magn Reson Imaging* 2012;35:32-47.

Priller M, Pöschl J, Abrão L et al. Expression of FoxM1 is required for the proliferation of medulloblastoma cells and indicates worse survival of patients. *Clin Cancer Res* 2011 Nov. 1;17(21):6791-801.

Rausch T, Jones DT, Zapatka M et al. Genome sequencing of pediatric medulloblastoma links catastrophic DNA rearrangements with TP53 mutations. *Cell* 2012 Jan. 20;148(1-2):59-71.

Rieken S, Gaiser T, Mohr A et al. Outcome and prognostic factors of desmoplastic medulloblastoma treated within a multidisciplinary treatment concept. *BMC Cancer* 2010;10:450.

Ries L, Smith M, Gurney J et al. *Cancer incidence and survival among children and adolescents:* United States SEER Program 1975-1995, National Cancer Institute, SEER Program. Bethesda, MD: NIH, 1999. p. 99-4649.

Rivera-Luna R, Niembro-Zúñiga AM, Zarco A et al. Meduloblastoma en pediatría. Pronóstico y tratamiento en la actualidad. *Gac Méd Méx* 2007;143(5):415-20.

Rodeni CO, Suzuki DE et al. Aberrant signaling pathways in medulloblastomas: a stem cell connection Vias de sinalização aberrantes no meduloblastoma: uma conexão com célula-tronco. *Arq Neuropsiquiatr* 2010 Dec.;68(6):947-52.

Roussel MF, Hatten ME †. Cerebellum: development and medulloblastoma. *Curr Top Dev Biol* 2011;94:235-82.

Rudin CM, Hann CL, Laterra J et al. Treatment of medulloblastoma with hedgehog pathway inhibitor GDC-0449. *N Engl J Med* 2009 Sept. 17;361(12):1173-78.

Rutkowski S, Gerber NU, von Hoff K et al. Treatment of early childhood medulloblastoma by postoperative chemotherapy and deferred radiotherapy. *Neurooncol* 2009 Apr.;11(2):201-10.

Sainte-Rose C, Cinalli G, Roux FE *et al.* Management of hydrocephalus in pediatric patients with posterior fossa tumors: the role of endoscopic third ventriculostomy. *J Neurosurg* 2001;95(5):791-97.

Sainte-RoseC, Cinalli G, Roux FE *et al.* Management of hydrocephalus in pediatric patients with posterior fossa tumors: the role of endoscopic third ventriculostomy. *J Neurosurg* 2001;95(5):791-97.

Schneider Jr JH, Raffel C, McComb JG. Benign cerebellar astrocytoma of childhood. *Neurosurgery* 1992;30(1):58-63.

Schwalbe EC, Lindsey JC, Straughton D *et al.* Rapid diagnosis of medulloblastoma molecular subgroups. *Clin Cancer Res* 2011 Apr. 1;17(7):1883-94.

Sonabend AM, Ogden AT, Maier LM *et al.* Medulloblasoma: challenges for effective immunotherapy. *J Neurooncol* 2012 May;108(1):1-10.

Stosic-Opincal T, Golubicic I, Cvetkovic D *et al.* Late relapse of pediatric Medulloblastoma. *Neuroradiol J* 2006;19:583-88.

Sutton LN, Goldwein J, Perilongo G *et al.* Prognostic factors in childhood ependymomas. *Pediatric Neurosurg* 1990-1991;16:57-65.

Taylor D, James T. Rutka Molecular pathogenesis of childhood brain tumors. *J Neurooncol* 2004;70(2):203-15.

Taylor MD, Northcott PA, Korshunov A *et al.* Molecular subgroups of medulloblastoma: the current consensus. *Acta Neuropathol* 2012 Apr.;123(4):465-72.

Taylor MD, Rutka JT. Molecular pathogenesis of childhood brain tumors. *J Neurooncol* 2004;70(2):203-15.

Tomita T, Mc Lone DG, Das L *et al.* Benign ependymomas of the posterior fossa in childhood. *Pediatric Neurosci* 1988;14:277-85.

Tomita T, Rosenblatt SS. Management of hydrocephalus secondary to posterior fossa tumor in childhood. In: Matsumoto S, Tamaki N. (Eds.). *Hydrocephalus- pathogenesis and treatment.* New York: Springer –Verlag, 1991. p. 306-10.

Tomita T. *Ependymomas. Pediatric neurosurgery, surgery of the developing nervous system.* 4th ed. New York: Saunders, 2001. p. 822-34.

Varan A, Yazici N, Akalan N *et al.* Primitive neuroectodermal tumors of the central nervous system associated with genetic and metabolic defects. *J Neurosurg Sci* 2012 Mar.;56(1):49-53.

Vulcani-Freita TM, Saba-Silva N, Cappellano A *et al.* PRAME gene expression profile in medulloblastoma/Perfil de expressão do gene *PRAME* em medulobastoma. *Arq Neuro-Psiquiatr* 2011 Feb.;69(1).

Zakrzewska M, Zakrzewski K, Gresner SM *et al.* Polycomb genes expression as a predictor of poor clinical outcome in children with medulloblastoma. *Childs Nerv Syst* 2011 Jan.;27(1):79-86.

Zimmerman RA, Bilaniuk LT, Bruno L *et al.* Computed tomography of cerebellar astrocytoma. *Am J Roentgenol* 1978;130:929-33.

Zuzak TJ, Poretti A, Drexel B *et al.* Outcome of children with low- grade cerebellar astrocytoma: long-term complications and quality of life. *Childs Nerv Syst* 2008;24:1447-55.

CAPÍTULO 219

Tumores do Tronco Cerebral na Infância

Gabriel Mufarrej ■ Fernanda Oliveira de Carvalho

INTRODUÇÃO

Tumores de tronco representam 10-20% das neoplasias encontradas na população pediátrica (Fig. 1). Sua grande morbidade e mortalidade são o combustível para grande interesse das mentes dedicadas ao cuidado humano.

No século XIX, com o desenvolvimento da anestesiologia, de técnicas de assepsia e antissepsia, e do avanço técnico cirúrgico, as cirurgias só perderam espaço para cirurgias por equipe multidisciplinar, e assim houve o desenvolvimento da cirurgia para tumores.

Em 1920, orientação topográfica guiava cirurgiões de excelência, como Cushing, ao desenvolvimento de técnicas microneurocirúrgicas pediátricas, resultando na redução da mortalidade cirúrgica de 20 para 4% em 1928.

A partir deste momento, avanços progressivos tecnológicos e experiências permitiram o crescimento da microneurocirurgia, e de técnicas diagnósticas com imagens em ressonância magnética (RM), SPECT (espectroscopia) e estereotaxia.

Atualmente, as lesões de tronco podem ser diagnosticadas por imagem de forma precoce, diferenciando-as de lesões desmielinizantes. Inflamatórias/infecciosas, malformações vasculares, gliomas (difuso, cervicomedular, focal ou exofítico), ependimomas ou, raramente, oligodendrogliomas.

Estudos ao longo do tempo definiram o caminho através de vias de acessos seguros a lesões no tronco cerebral (*safe entry zones*), primariamente utilizadas na ressecção de cavernomas, através do plano de hemossiderina e, posteriormente, foram progressivamente utilizadas para ressecção dos tumores de tronco.

Acreditamos que o uso de acessos seguros e de aspiração ultrassônica do tumor com mínima ou nenhuma coagulação próxima a vasos perfurantes permite a redução da morbimortalidade deste procedimento, assegurando a indicação cirúrgica e a ressecção total ou parcial de tumores do tronco cerebral.

DISCUSSÃO

A RM oferece grande parte dos diagnósticos das lesões localizadas no tronco cerebral, subdividindo-as em duas categorias: lesões difusas e lesões focais/exofíticas.

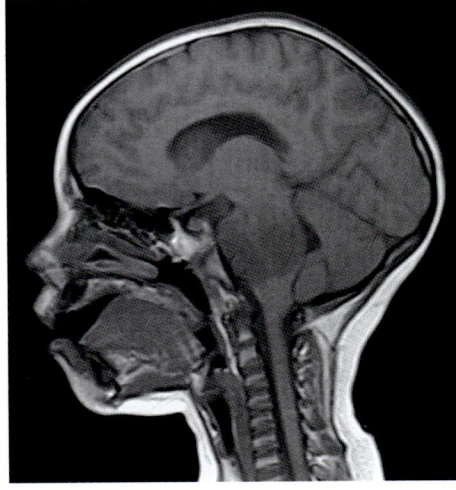

◀ **FIGURA 1.** Tumor do tronco cerebral em criança.

Tumores difusos, especialmente tumores difusos de ponte carregam pior prognóstico e, na maioria das vezes, não são lesões ressecáveis, tampouco possuem expectativa de vida maior do que um ano.

Tumores focais são, na maioria das vezes, ressecáveis, fazendo do estudo anatômico por RM instrumento fundamental para ressecções mais amplas com mínima morbidade. Lesões desmielinizantes e inflamatórias também se incluem entre as lesões difusas. Acreditamos que lesões não neoplásicas apresentam melhor prognóstico do que as neoplasias, e podem corresponder àquelas lesões de resolução espontânea ou que são curadas após antibioticoterapia.

Gliomas difusos apresentam pior prognóstico, fazendo da radioterapia associada à quimioterapia o tratamento-padrão, com melhora da qualidade de vida destes pacientes, no entanto, sem aumento significativo da expectativa de vida.

Estudos atuais sugerem diagnóstico por biópsia estereotáxica, nos casos em que há imagem atípica à RM ou história clínica não compatível com os estudos de imagem.

Apesar de a maioria dos autores acreditar que o benefício prognóstico não justifica o risco do procedimento estereotáxico, a estereotaxia oferece 93% de acurácia histopatológica, além de permitir estudo genético dos fragmentos biopsiados e o tratamento segundo terapia-alvo.

Lesões focais exofíticas são as de escolha para ressecção cirúrgica. Estudos anatômicos por RM e técnicas microneurocirúrgicas permitem ressecção total ou quase total.

TÉCNICAS CIRÚRGICAS

Acesso anterolateral ao mesencéfalo e ponte pode ser alcançado por craniotomia fronto-orbitozigomática, pelo acesso descrito por Kawase's *approach*, permitindo visualização aos mesencéfalos posterior e lateral, e pontes lateral e mediolateral.

Craniotomia clássica mediana da fossa posterior permite acesso ao quarto ventrículo e face dorsal do mesencéfalo, ponte e bulbo, além de bulbo lateral, o qual também pode ser acessado via suboccipital lateral.

Mesencéfalo ventrolateral

A face ventral do mesencéfalo pode ser acessada tanto por via subfrontal (transilviana) quanto por via transtemporal (pterional).

Acessos seguros ao tronco cerebral foram descritos por Bricolo e Turazzi como um corredor lateral à emergência do nervo oculomotor; entre a artéria cerebelar superior, a artéria cerebral posterior e medial ao trato piramidal.

Nossa experiência mostra que lesões mediais à emergência do terceiro nervo podem ser ressecadas por aspiração ultrassônica medialmente ao terceiro nervo sem sequelas, desde que respeitado o limite descrito de 0,5 cm.

Complicações desta técnica incluem oftalmoparesia secundária à manipulação do terceiro nervo craniano e hemiparesia transitória secundária a edema por manipulação do pedúnculo cerebral.

Mesencéfalo dorsal

Acessos cirúrgicos ao mesencéfalo posterior incluem o acesso infratentorial supracerebelar com variantes medial, paramediana e extremo lateral, expondo a superfície posterior e posterolateral do mesencéfalo, a lâmina quadrigêmea, além da face posterolateral superior da ponte.

O acesso occipital transtentorial oferece uma alternativa para exposição do mesencéfalo dorsal nos pacientes com fossa posterior rasa.

Utilizamos com mais frequência o acesso mediano supracerebelar infratentorial clássico, evitando, assim, a coagulação da veia cerebelar pré-central e, consequente, infarto venoso ou edema cerebral.

Após abrir a fissura cerebelomesencefálica sob magnificação microscópica, é possível visualizar os corpos quadrigêmeos, a porção posterior da cisterna Ambiens, a porção proximal do nervo troclear, a artéria cerebelosa superior e o mesencéfalo posterolateral com a veia mesencefálica lateral passando pelo sulco mesencefálico.

No mesencéfalo posterior, o sulco mesencefálico lateral representa o limite entre os colículos e o pedúnculo cerebral, seguindo acima do corpo geniculado medial e inferiormente, à direita, até o sulco pontomesencefálico. Logo, trata-se de uma via relativamente segura. Acesso ao mesencéfalo posterolateral pelo sulco mesencefálico reduz o risco de lesão aos pedúnculos cerebrais.

Uma incisão vertical neste sulco oferece um corredor estreito entre a substância negra, ventralmente, e o lemnisco medial, dorsalmente. Acreditamos que a veia mesencefália lateral, no sulco mesencefálico lateral, é um ponto de referência desta via de acesso segura ao tronco cerebral.

Quando consideramos lesões mesencefálicas mais mediais posteriores, duas vias de acesso seguras ao nível das áreas supracoliculares e infracoliculares são descritas. Bricolo as descreve como duas linhas estreitas horizontais imediatamente acima e abaixo da lâmina quadrigêmea.

As apresentações clínicas possíveis ou sequelas após esta manipulação cirúrgica podem incluir dificuldade aos movimentos sacádicos e negligência contralateral em razão de compressão do colículo superior. Hidrocefalia ocasionada pelo aqueduto; alterações pupilares (midríase, anisocoria) e déficit de acomodação, graças à compressão do núcleo de Edinger-Westphal; em virtude da compressão do núcleo do terceiro nervo, além de paresia do olhar vertical por compressão do fascículo longitudinal medial, e nistagmo torsional graças à manipulação rostral do núcleo intermédio.

Ponte ventrolateral

Lesões ventrais na ponte são um desafio cirúrgico, e geralmente requerem acessos invasivos à base do crânio. No entanto, é possível acessar a face ventrolateral da ponte, seguindo tanto acessos pterional quanto de Kawase, os quais também podem ser utilizados para exposição do mesencéfalo inferior e extensões talâmicas, pontinas, e bulbo alto. Porém, há o risco de complicações, como paresia do sexto nervo, anestesia em face por acometimento trigeminal, paresia do sétimo nervo e fístula liquórica.

A via de acesso segura descrita até a ponte lateral pertence à área peritrigeminal: entre o quinto e sexto nervos, lateral ao trato piramidal.

As sequelas cirúrgicas mais possíveis incluem paresia contralateral, sinais de acometimento do neurônio motor superior decorrente da compressão do trato corticoespinhal, paresia do sexto nervo ipsilateral, causada pela compressão de suas fibras, e perda da sensibilidade tátil contralateral do tronco e extremidades ocasionadas pela compressão do lemnisco medial. Em lesões maiores, pode ocorrer paresia hemifacial, graças à compressão do sétimo nervo, nistagmo e tremor de intenção secundários à compressão de tratos do tegmento mesencefálico.

Ponte dorsal

Lesões posteriores envolvendo a ponte e bulbo superior podem ser acessadas pelo assoalho do quarto ventrículo após uma craniotomia clássica mediana da fossa posterior, através da fissura telovelar transcerebelar bulbar ou via transvermiana.

Ao acessar o vérmis suboccipital mediano, via hemissecção é uma via alternativa a esta região, permite melhor exposição e visão mais direta à porção superior do quarto ventrículo, sendo comparável ao acesso telovelar.

Ressecção do vérmis cerebelar pode levar à ataxia de tronco e geralmente não é necessária. Alguns autores acreditam que um corredor cirúrgico pode ser maximizado dividindo a tela corióidea e o véu medular inferior, aumentando o acesso ao quarto ventrículo e todo o seu assoalho.

Não é rara a necessidade de mínima divisão do vérmis inferior, complementando o acesso telovelar. A remoção do arco posterior de C1 também é uma alternativa para ampliar este acesso.

Vias de acesso seguras ao tronco cerebral através do assoalho do quarto ventrículo foram descritas e encontradas graças à monitorização e mapeamento eletrofisiológico. Estão localizados na metade superior do assoalho do quarto ventrículo: o sulco mediano acima do colículo facial, o triângulo suprafacial e os triângulos infrafaciais.

A superfície lateral é alcançada pelo triângulo suprafacial, localizado imediatamente acima do colículo facial, entre o fascículo longitudinal medial e os pedúnculos cerebelares; ou pelo triângulo infrafacial, localizado imediatamente abaixo do colículo facial, lateral ao fascículo longitudinal medial, e limitado inferiormente pelas estrias medulares e superolateralmente pelo nervo facial.

Estes acessos são importantes para evitar a região do *calamus scriptorius* e prevenir disfagia e distúrbios cardiorrespiratórios relacionados com a lesão dos triângulos do vago e do hipoglosso.

Lesões do núcleo ambíguo e suas fibras do 9º, 10º e 11º nervos, nas proximidades do acesso, causam paresia de palato, faringe e laringe.

Lesões neste nível da ponte podem ser ressecadas completamente em 95% dos casos com bons resultados. Os déficits descritos com maior frequência são oftalmoplegia internuclear, paresia hemifacial ipsilateral por compressão do núcleo do sétimo nervo; paresia ipsilateral do sexto nervo graças à compressão nuclear, perda ipsilateral da mirada horizontal secundária ao envolvimento da formação reticular paramediana da ponte.

Um quinto dos pacientes com lesões nesta topografia necessita transitoriamente de traqueostomia ou nutrição enteral.

Bulbo ventral

Acesso a esta superfície exige uma craniotomia suboccipital lateral com ressecção do arco posterior do atlas. Tumores extremolaterais exigem drilagem parcial do terço posterior do côndilo occipital para ressecção ideal. Assim, é possível visualizar lateralmente o bulbo, a artéria vertebral, a origem e porção proximal da artéria cerebelosa posterior inferior, o 9º, 10º e 11º nervos cranianos em sua emergência retro-olivar, o hipoglosso e C1 anteriores à oliva cerebelar. A via cirúrgica segura está no sulco retro-olivar ou entre o décimo segundo nervo craniano e C1 no sulco anterolateral. No entanto, em decorrência do pequeno diâmetro do bulbo, a maioria dos tumores sintomáticos atinge a superfície e proporciona um acesso direto para ressecção sem necessidade de violar o parênquima bulbar.

Tumores do bulbo ventrolateral podem ser ressecados via "far lateral", a qual oferece uma trajetória anterolateral à porção inferior do tronco. As apresentações clínicas mais comuns nestes casos incluem paresia da língua ipsilateral decorrente da compressão do núcleo do hipoglosso; paresia do reflexo de tosse e mudança do timbre vocal, graças à compressão do núcleo ambíguo; perda contralateral da sensibilidade a dor e temperatura secundária à compressão do trato espinotalâmico; e da sensibilidade contralateral causada pela compressão do lemnisco medial em alguns casos.

Bulbo dorsal (ventricular)

O bulbo posterior geralmente é acessado por craniotomia mediana suboccipital.

Três vias de acesso seguras foram descritas por Bricolo para acesso a esta região: a fissura mediana posterior abaixo do óbex (triângulo terminal), o sulco intermédio posterior, entre os fascículos grácil e cuneiforme, e o sulco posterior lateral, entre o fascículo cuneiforme medialmente e o trato trigeminal lateralmente.

Tumores da porção superodorsal do bulbo em geral são diagnosticados com paresia da língua ipsilateral ou paresia do hipoglosso, em razão da compressão nuclear; compressão do vago pode apresentar-se com irregularidade na frequência cardíaca e/ou respiratória, ou instabilidade hemodinâmica. Alguns casos também podem apresentar incoordenação do olhar e movimento da cabeça, em razão do envolvimento do fascículo longitudinal medial ou envolvimento do trato vestibuloespinhal medial. Tumores caudais do bulbo dorsal podem causar perda ipsilateral da sensibilidade tátil graças à compressão do núcleo grácil.

Devemos considerar traqueostomia durante o mesmo tempo anestésico, nestes casos em que há paresia prévia de nervos cranianos baixos. Em nossa experiência, estes casos necessitam maior tempo de entubação, maiores índices de infecção secundários à ventilação mecânica, com a maior fração dos doentes necessitando traqueostomia.

CONCLUSÃO

Microcirurgia dos tumores de tronco em crianças, quando realizada por mãos experientes, permite ressecção maior e melhor com baixa morbidade.

Este grupo acredita na ressecção total para todas as lesões exofíticas e tumores ressecáveis.

Estudos ratificam a ressecção cirúrgica como marcador prognóstico das lesões ressecáveis do tronco cerebral, logo, devem ser incentivadas para a população pediátrica.

BIBLIOGRAFIA

Adib A. Abla, Gregory P. Lekovic, Jay D. Turner, Jean G. de Oliveira, Randall Porter, Robert F. Spetzler, Advances in the Treatment and Outcome of Brainstem Cavernous Malformation Surgery: A Single-Center Case Series of 300 Surgically Treated Patients. *Neurosurgery* 2011;68:403-415.

Ammirati M, Bernardo A, Musumeci A, Bricolo A: Comparison of different infratentorial-supracerebellar approaches to the posterior and middle incisural space: a cadaveric study. *J Neurosurg* 2002;97:922-928.

Bertalanffy H, Benes L, Miyazawa T, Alberti O, Siegel AM, Sure U: Cerebral cavernomas in the adult. Review of the literature and analysis of 72 surgically treated patients. *Neurosurg Rev* 2002;25:1-55.

Bricolo A: Surgical management of intrinsic brain stem gliomas. Op Tech *Neurosurg* 2000;3:137-154.

Broniscer A, Laningham FH, Sanders RP, Kun LE, Ellison DW, Gajjar A. Young age may predict a better outcome for children with diffuse pontine glioma. *Cancer*. 2008 Aug. 1;113(3):566-72.

Buuttner U, Buuttner-Ennever JA, Rambold H, Helmchen C: The contribution of midbrain circuits in the control of gaze. *Ann N Y Acad Sci* 2002;956:99-110.

Cantore G, Missori P, Santoro A: Cavernous angiomas of the brain stem. Intra-axial anatomical pitfalls and surgical strategies. *Surg Neurol* 1999;52:84-94.

Cappellano AM, Bouffet E, Cavalheiro S, Seixas MT, da Silva NS. Diffuse intrinsic brainstem tumor in an infant: a case of therapeutic efficacy with vinorelbine. *J Pediatr Hematol Oncol* 2011 Mar.;33(2):116-8.

Caretti V, Zondervan I, Meijer DH, Idema S, Vos W, Hamans B, Bugiani M, Hulleman E, Wesseling P, Vandertop WP, Noske DP, Kaspers G, Molthoff CF, Wurdinger T.Monitoring of tumor growth and post-irradiation recurrence in a diffuse intrinsic pontine glioma mouse model. *Brain Pathol* 2011 July;21(4):441-51. doi: 10.1111/j.1750-3639.2010.00468.x. Epub 2010 Dec. 29.

Carrie C, Negrier S, Gomez F, Thiesse P, Mottolese C, Frappaz D, Bouffet E. Diffuse medulla oblongata and pontine gliomas in childhood. A review of 37 cases. *Bull Cancer* 2004 June;91(6):E167-83.

Carrie C, Negrier S, Gomez F, Thiesse P, Mottolese C, Frappaz D, Bouffet E. Diffuse medulla oblongata and pontine gliomas in childhood. A review of 37 cases. *Bull Cancer* 2004 June;91(6):E167-83.

Chang SW, Wu A, Gore P, Beres E, Porter RW, Preul MC, Spetzler RF, Bambakidis NC. Quantitative comparison of Kawase's approach versus the retrosigmoid approach: implications for tumors involving both middle and posterior fossae. *Neurosurgery* 2009 Mar.;64(3 Suppl):44-51; discussion 51-2.

Chen L, Zhao Y, Zhou L, Zhu W, Pan Z, Mao Y. Surgical strategies in treating brainstem cavernous malformations. *Neurosurgery* 2011 Mar.;68(3):609-20; discussion 620-1.

Cohen KJ, Broniscer A, Glod J. Pediatric glial tumors. *Curr Treat Options Oncol* 2001 Dec.;2(6):529-36.

de Oliveira JG, Lekovic GP, Safavi-Abbasi S, Reis CV, Hanel RA, Porter RW, et al: Supracerebellar infratentorial approach to cavernous malformations of the brainstem: surgical variants and clinical experience with 45 patients. *Neurosurgery* 2010;66:389-399.

Deshmukh VR, Figueiredo EG, Deshmukh P, Crawford NR, Preul MC, Spetzler RF: Quantification and comparison of telovelar and transvermian approaches to the fourth ventricle. *Neurosurgery* 2006;58(Suppl 2):ONS-202-ONS-207.

Drake CG, Peerless SJ, Hernesniemi JA: *Surgery of Vertebrobasilar Aneurysms.* London, Ontario Experience on 1767 Patients. Vienna: Springer-Verlag, 1996, p. 21-27.

Drake CG: Bleeding aneurysms of the basilar artery. Direct surgical management in four cases. *J Neurosurg* 18:230-238, 1961.

Fischbein NJ, Prados MD, Wara W, Russo C, Edwards MS, Barkovich AJ. Radiologic classification of brain stem tumors: correlation of magnetic resonance imaging appearance with clinical outcome. *Pediatr Neurosurg* 1996;24(1):9-23.

Frazier JL, Lee J, Thomale UW, Noggle JC, Cohen KJ, Jallo GI. Treatment of diffuse intrinsic brainstem gliomas: failed approaches and future strategies J *Neurosurg Pediatr* 2009 Apr.;3(4):259-69. Comment in J Neurosurg Pediatr. 2010 Jan.;5(1):140-1; author reply 141-2.

Giuliano Giliberto, Desiree J. Lanzino, Felix E. Diehn, David Factor, Kelly D. Flemm Ing, And Giusepp E Lanzino. Brainstem Cavernous Malformations: Anatomical, Clinical, And Surgical Considerations. *Neurosurg Focus* 2010;29(3):E9.

Gonçalves-Ferreira AJ, Herculano-Carvalho M, Pimentel J. Stereotactic biopsies of focal brainstem lesions. *Surg Neurol* 2003 Oct.;60(4):311-20; discussion 320.

Gonçalves-Ferreira AJ, Herculano-Carvalho M, Pimentel J..Stereotactic biopsies of focal brainstem lesions. *Surg Neurol* 2003 Oct.;60(4):311-20; discussion 320.

Goodrich JT. A millennium review of skull base surgery. *Childs Nerv Syst* 2000 Nov.;16(10-11):669-85. PubMed PMID: 11151716.

Gross BA, Batjer HH, Awad IA, Bendok BR: Brainstem cavernous malformations. *Neurosurgery* 2009;64:E805-E818.

Guzmán-De-Villoria JA, Fernández-García P, Ferreiro-Arguelles C Differential diagnosis of T2 hyperintense brainstem lesions: Part 1. Focal lesions.. *Semin Ultrasound CT MR* 2010 June;31(3):246-59.

Guzmán-De-Villoria JA, Ferreiro-Arguelles C, Fernández-García P. Differential diagnosis of T2 hyperintense brainstem lesions: Part 2. Diffuse lesions. *Semin Ultrasound CT MR* 2010 June;31(3):260-74.

Hankinson TC, Campagna EJ, Foreman NK, Handler MH. Interpretation of magnetic resonance images in diffuse intrinsic pontine glioma: a survey of pediatric neurosurgeons. *J Neurosurg Pediatr* 2011 July;8(1):97-102.

Hayward RM, Patronas N, Baker EH, Vézina G, Albert PS, Warren KE. Inter-observer variability in the measurement of diffuse intrinsic pontine gliomas. *J Neurooncol* 2008 Oct.;90(1):57-61. Epub 2008 June 28.

Heffez DS, Zinreich SJ, Long DM. Surgical resection of intrinsic brain stem lesions: an overview. *Neurosurgery* 1990 Nov.;27(5):789-97; discussion 797-8.

Kawase T, Toya S, Shiobara R, Mine T: Transpetrosal approach for aneurysms of the lower basilar artery. *J Neurosurg* 1985;63:857-861.

Krieger MD, Blüml S, McComb JG. Magnetic resonance spectroscopy of atypical diffuse pontine masses. *Neurosurg Focus* 2003 July 15;15(1):E5.

Kyoshima K, Kobayashi S, Gibo H, Kuroyanagi T: A study of safe entry zones via the floor of the fourth ventricle for brainstem lesions. Report of three cases. *J Neurosurg* 1993;78:987-993.

Leach PA, Estlin EJ, Coope DJ, Thorne JA, Kamaly-Asl ID. Diffuse brainstem gliomas in children: should we or shouldn't we biopsy Comment in Br J Neurosurg. 2008 Oct.;22(5):617-8. *Br J Neurosurg* 2008 Oct.;22(5):625. *Br J Neurosurg.* 2008 Oct.;22(5):624.

Lee BC, Kneeland JB, Walker RW, Posner JB, Cahill PT, Deck MD. MR imaging of brainstem tumors. *AJNR Am J Neuroradiol* 1985 Mar.-Apr.;6(2):159-63.

Löbel U, Sedlacik J, Reddick WE, Kocak M, Ji Q, Broniscer A, Hillenbrand CM, Patay Z. Quantitative diffusion-weighted and dynamic susceptibility-weighted contrast-enhanced perfusion MR imaging analysis of T2 hypointense lesion components in pediatric diffuse intrinsic pontine glioma. *AJNR Am J Neuroradiol* 2011 Feb.;32(2):315-22. Epub 2010 Nov. 18.

Martinez JAG, de Oliveira E, Tedeschi H, Wen HT, Rhoton AL Jr: Microsurgical anatomy of the brain stem. *Op Tech Neurosurg* 2000;3:80-86.

Massimino M, Bode U, Biassoni V, Fleischhack G. Nimotuzumab for pediatric diffuse intrinsic pontine gliomas. *Expert Opin Biol Ther* 2011 Feb.;11(2):247-56. Epub 2010 Dec. 21.

Mussi AC, Rhoton AL Jr: Telovelar approach to the fourth ventricle microsurgical anatomy. *J Neurosurg* 2000;92:812-823.

Pakrit Jittapiromsak, Andrew S. Little, Pushpa Deshmukh, Peter Nakaji, Robert F. Spetzler, Mark C. Preul, Comparative Analysis Of The Retrosigmoid And Lateral Supracerebellar Infratentorial Approaches Along The Lateral Surface Of The Pontomesencephalic Junction: A Different Perspective. *Neurosurgery* 2008;62[ONS Suppl 2]:ONS279-ONS288.

Pollack IF, Stewart CF, Kocak M, Poussaint TY, Broniscer A, Banerjee A, DouglasJG, Kun LE, Boyett JM, Geyer JR. A phase II study of gefitinib and irradiation in children with newly diagnosed brainstem gliomas: a report from the Pediatric Brain Tumor Consortium. *Neuro Oncol* 2011 Mar.;13(3):290-7. Epub 2011 Feb. 3.

Poussaint TY, Kocak M, Vajapeyam S, Packer RI, Robertson RL, Geyer R, Haas-Kogan D, Pollack IF, Vezina G, Zimmerman R, Cha S, Patay Z, Boyett JM, Kun LE. MRI as a central component of clinical trials analysis in brainstem glioma: a report from the Pediatric Brain Tumor Consortium (PBTC). *Neuro Oncol* 2011 Apr.;13(4):417-27. Epub 2011 Feb. 4.

Recalde RJ, Figueiredo EG, de Oliveira E: Microsurgical anatomy of the safe entry zones on the anterolateral brainstem related to surgical approaches to cavernous malformations. *Neurosurgery* 2008;62(3 Suppl 1):9-17.

Recinos PF, Sciubba DM, Jallo GI. Brainstem tumors: where are we today? *Pediatr Neurosurg* 2007;43(3):192-201.

Rosenfeld A, Etzl M, Bandy D, Carpenteri D, Gieseking A, Dvorchik I, Kaplan A. Use of positron emission tomography in the evaluation of diffuse intrinsic brainstem gliomas in children. *J Pediatr Hematol Oncol* 2011 July;33(5):369-73.

Schomerus L, Merkenschlager A, Kahn T, Hirsch W. Spontaneous remission of a diffuse brainstem lesion in a neonate. *Pediatr Radiol* 2007 Apr.;37(4):399-402.

Schumacher M, Schulte-Mönting J, Stoeter P, Warmuth-Metz M, Solymosi L. Magnetic resonance imaging compared with biopsy in the diagnosis of brainstem diseases of childhood: a multicenter review. *J Neurosurg* 2007 Feb.;106(2 Suppl):111-9.

Sedora-Román NI, Pendleton C, Mohyeldin A, Quiñones-Hinojosa A. Harvey Cushing's early experience with pediatric gliomas. *Childs Nerv Syst* 2011 May;27(5):819-24. Epub 2011 Feb. 2. PubMed PMID: 21287180.

Sugahara T, Korogi Y, Kochi M, Ushio Y, Takahashi M. Perfusion-sensitive MR imaging of gliomas: comparison techniques between gradient-echo and spin-echo echo-planar imaging. *AJNR Am J Neuroradiol* 2001 Aug.;22(7):1306-15.

CAPÍTULO 220

Tumores Medulares na Infância

Gabriel Mafarrej ■ Fernanda Oliveira de Carvalho

INTRODUÇÃO

Os tumores espinhais em crianças correspondem a uma gama de patologias, cada qual com prognóstico, tratamento e histologia próprios. Podem ser de origem primária ou metástases.

Correspondem a uma menor porção dos tumores que acometem o sistema nervoso central, em relação aos tumores de adultos. A razão entre tumores medulares *versus* tumores espinhais está entre 1:5 e 1:20, com média de 1:20. A etiologia também é diferente em relação aos adultos.

São tumores de clínica insidiosa, com a maioria das crianças apresentando dor como principal sintoma, assim, o diagnóstico em geral é tardio, com o estudo por ressonância magnética como técnica diagnóstica de escolha.

REVISÃO HISTÓRICA

A primeira ressecção de sucesso foi realizada em Viena, em 1907, por Anton von Eiselberg. A primeira descrição foi publicada por Charles Elsberg como técnica cirúrgica (mielotomia). Geeenwood, em 1960, com melhores resultados pós-operatórios, ratificou este tipo de tratamento. Com o avanço diagnóstico (RM) e técnico (microcirurgia), surgiu um novo ponto de revolução neste tipo de cirurgia, com drástica redução de morbimortalidade.

EPIDEMIOLOGIA

Tumores do canal espinhal correspondem a 5-10% dos tumores do sistema nervoso central (SNC) em crianças. Geralmente são benignos, bem definidos e com conteúdo cístico.

Astrocitomas anaplásicos e glioblastomas correspondem a 11 e 8,5% destas lesões e apresentam comportamento intermediário. Algumas séries mostram igual acometimento em meninas e meninos, no entanto, outros estudos mostram maior prevalência masculina. Esta pode estar relacionada com a inclusão estatística dos tumores congênitos, de predominância masculina.

Algumas séries expõem o aparecimento de 12% das lesões tumorais no primeiro ano de vida. Porém, se excluirmos as lesões congênitas, temos uma distribuição igual ao longo dos 15 anos de vida.

ACHADO CLÍNICO

Muitas crianças apresentam história insidiosa, com achados flutuantes e pouco específicos justificando o diagnóstico tardio de lesões extensas. Tal flutuação ocorre, possivelmente, em decorrência de níveis variáveis de edema peritumoral, ou à absorção de micro-hemorragias após traumas triviais.

Sintomas-chave considerados como sinais de alerta para crescimento e atividade de neoplasia medular incluem déficit motor progressivo, piora de escoliose, distúrbios da marcha, espasticidade, inclusive contraturas paravertebrais.

A clínica em geral é motora, com fraqueza, atraso de marcos motores, escoliose ou *torticollis*. Lombalgia é o sintoma mais comum (25-30% dos casos), podendo se dividir em dor espinhal, principalmente noturna (70%), radiculopatia e dor neuropática.

Alterações sensitivas são mais raras e também podem estar presentes, principalmente, em lesões com comprometimento medular. Tato protopático e epicrítico parece ser o parâmetro mais sensível para topografar o nível sensitivo, seguido por dor e temperatura.

Alterações esfincterianas estão presentes em metade dos pacientes com compressão medular severa, são sintomas tardios de tumores de crescimento lento. O diagnóstico de alterações esfincterianas é difícil antes do desfraldamento. A presença de resíduo vesical à urodinâmica sugere este diagnóstico.

Escoliose, no entanto, aparece em um quarto dos pacientes com tumores espinhais e pode ser o primeiro sinal diagnosticado nestas crianças. Já cifose, na maioria dos casos, é uma clínica tardia, secundária a lesões metastáticas ósseas vertebrais ou iatrogênicas, como consequência tardia de radioterapia ou cirurgia.

DIAGNÓSTICO

Podemos considerar o uso de imagens radiológicas simples para auxílio diagnóstico topográfico, para restringir área de estudo pela RM e orientar planejamento cirúrgico, uma vez que metade dos pacientes com tumor medular apresentam alterações à radiografia simples de coluna, por exemplo: nas escolioses e instabilidade.

Tomografias, por caracteristicamente apresentarem as melhores imagens de osso, são utilizadas para investigação de lesões ósseas e para planejamento cirúrgico através de visualização 3D.

Quando precisamos localizar uma lesão profunda, ou, nos tumores intradurais intramedulares infiltrativos para controle de ressecção peroperatória, utilizamos ultrassonografia como excelente ferramenta.

Dados funcionais e anatômicos associados à baixa exposição à radiação ionizante fazem da ressonância magnética (RM) (Fig. 1) o exame de escolha: a investigação deve incluir exame contrastado em T1 (Fig. 2) e T2, FLAIR e DT de todo o neuroeixo, visando a excluir disseminação liquórica e aumentar a sensibilidade do exame.

A RM também auxilia o diagnóstico diferencial entre lesões neoplásicas e não neoplásicas. A ausência de lesão focal sugere outras causas de

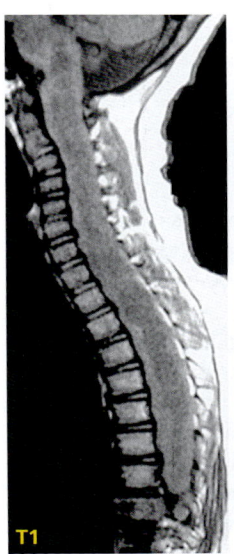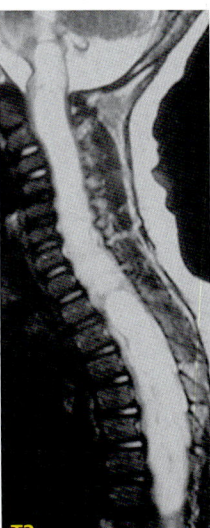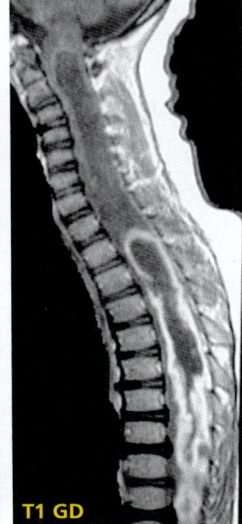

▲ **FIGURA 1.** Extenso tumor intramedular (*holocord tumor*) nas sequências T1, T2, T1GD.

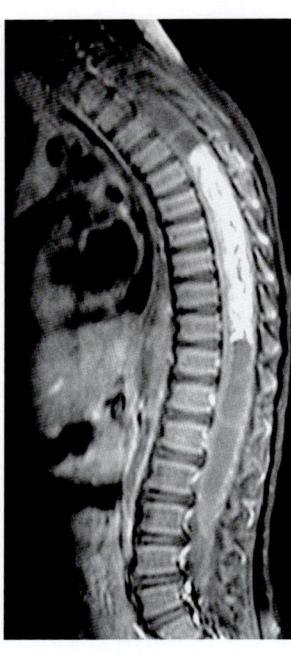

◀ **FIGURA 2.** RM demonstrando realce do contraste em um astrocitoma pilocítico, associado à extensa seringomielia.

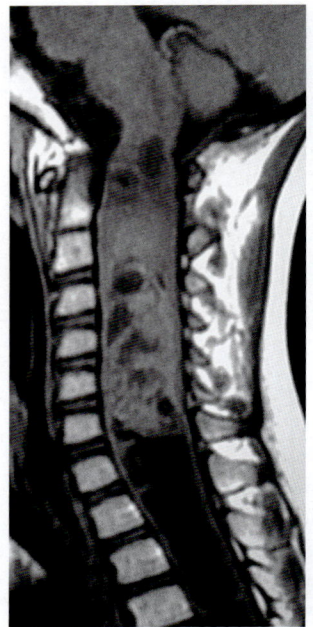

◀ **FIGURA 3.** Tumor intramedular cervical com importante expansão da medula espinhal. Nota-se importante seringomielia distal à porção sólido-cística da lesão, proximalmente é possível observar edema intramedular avançando até a região do bulbo.

quebra de barreira, como: mielite transversa, processos desmielinizantes, como esclerose múltipla, assim como processos inflamatórios agudos, encefalomielites, sarcoidose, fístula arteriovenosa com edema ou isquemia focal.

Imagens pós-operatórias podem ser um tanto desafiadoras quanto à diferenciação de novas lesões *versus* lesões secundárias à degeneração glial pós-manipulação cirúrgica, quimioterápica ou radionecrose. Nestes casos, a clínica do paciente e estudos em difusão e espectroscopia auxiliam o diagnóstico diferencial: tumores geralmente possuem componentes císticos ou de retenção liquórica (nas extremidades e que não captam contraste), e quanto mais alta a lesão (cervical *versus* torácica ou lombar), maior o risco de desenvolvimento de siringomielia.

Excepcionalmente, com imagens de baixa sensibilidade, tumores medulares podem não ser diagnosticados, no entanto clínica associada a coleções liquóricas ou hipertensão intracraniana (bloqueio liquórico pela neoplasia, por edema secundário, sangramento tumoral ou metástase subaracnóidea). Assim, hidrocefalia pode ser diagnosticada nestes casos, e nova RM de boa qualidade deve ser considerada.

Já o diagnóstico histológico não é definido por exames de imagem e, geralmente, necessita conclusão por estudo anatomopatológico de peça cirúrgica ou biópsia. Noventa a noventa e cinco por cento são lesões gliais, destes, 60% são astrocitomas pilocíticos ou anaplásicos, 30% são ependimomas com um subgrupo benigno e de topografia lombar (ependimoma mixopapilar). Tumores não gliais incluem hemangioblastomas, subependimomas, gangliogliomas, paragangliomas, linfomas, tumor neuroectodérmico primitivo (PNET), neurocitoma, oligodendrogliomas e metástases.

Ependimomas estão relacionados com neurofibromatose (NF) tipo II, enquanto astrocitomas, com NF tipo I.

PATOLOGIA

Astrocitomas medulares

Astrocitomas medulares são os tumores mais comuns nesta topografia em crianças e, em geral, são mais rostrais do que em adultos: 50% são cervicotorácicos e geralmente afetam poucos níveis, porém, podem envolver vários segmentos medulares (Fig. 3).

Geralmente causam dor e déficit focal seguido por alteração da marcha, *torticollis* e escoliose. Alterações esfincterianas são raras, em razão da predominância cervical destas lesões.

A maioria corresponde a lesões de baixo grau, WHO graus I e II (75-80%), incluindo as formas pilocítica e fibrilar de astrocitomas. Astrocitomas anaplásicos (WHO grau III) e glioblastoma multiforme (WHO grau IV) são muito mais raros, correspondendo a 20-25% e 0,2 a 1% respectivamente.

Estas lesões raramente possuem plano de clivagem bem definido em razão de suas características infiltrativas (células tumorais seguem os caminhos das expansões astrocitárias), com cistos tumorais e polares vistos em 20-40% dos casos pediátricos, e, frequentemente, acompanhados por siringomielia a montante ou jusante à lesão.

Raramente são lesões hemorrágicas. E apresentam ao estudo de imagem como lesões heterogêneas, hiperintensas em T2 e hipo ou isointensas em T1, captando contraste moderadamente ou pouco.

Estudos de acompanhamento (*follow-up*): astrocitomas de baixo grau são lesões estáveis ou de crescimento lento, difusão pode mostrar interrupção de tratos, e cistos intratumorais geralmente apresentam captação periférica de contraste. Lesões adjacentes em neuroeixo podem sugerir NF 1.

Astrocitomas pilomixoides representam um novo subtipo com características clássicas de baixo grau, no entanto, estão relacionados com a disseminação subaracnóidea mais precoce.

Ependimomas medulares

Ependimomas medulares são os segundos mais frequentes em crianças, próximo em incidência aos gangliogliomas.

Gangliogliomas apresentam hiperintensidade em T2, e hipo ou isointensidade em T1, como os astrocitomas e geralmente são excêntricos. O diagnóstico diferencial é anatomopatológico durante o pós-operatório.

Por outro lado, ependimomas geralmente são lesões centrais, ao redor do canal central, o que explica a maior incidência de sintomas sensitivos nestes casos, em decorrência da maior proximidade dos tratos espinotalâmicos.

Geralmente são lesões cervicais e também podem gerar lombalgia e déficit motor.

Ependimomas clássicos são lesões de baixo grau (WHO graus I e II), de crescimento lento. Tendem a comprimir e rechaçar o tecido adjacente, sendo tumores menos infiltrativos que astrocitomas. Assim, geralmente, há plano cirúrgico de clivagem com cistos polares de incidência comum nesses casos.

Características de hipervascularidade e microneovascularização proporcionam grande captação de contraste e maior risco de sangramento espontâneo e pós-operatório intratumoral e subaracnóideo, visualizado como captação anelar hipointensa de hemossiderina em T2 (*cap sign*).

Ependimoma mixopapilar é uma variante especial (13% dos ependimomas), com possibilidade de completa ressecção cirúrgica e melhor prognóstico. Possui diferente idade de apresentação e topografia (lombares) em relação à variante clássica. E acometem meninos com maior frequência (Fig. 4).

Tipicamente, surgem da glia do *filum terminale*, são polilobulados, preenchem o canal espinhal, podem invadir níveis adjacentes e produzir mucina.

Apresentam-se com dor lombar baixa, paresia de membros inferiores e disfunção esfincteriana.

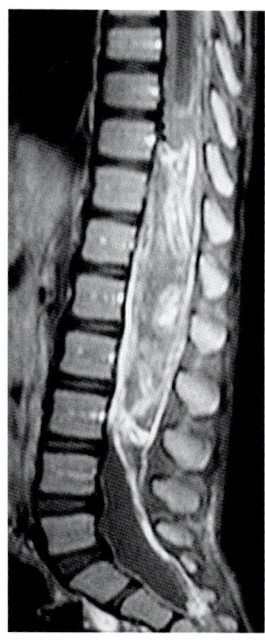

◀ **FIGURA 4.** Imagem típica do ependimoma do filamento terminal (ependimoma mixopapilar GI - OMS).

Tumores medulares não gliais

São menos frequentes e diagnosticados tardiamente, segundo clínica (diferente de astrocitoma e de ependimoma), após biópsia. Quando múltiplos, podem ser encontrados em topografia intra ou extra-axiais. Os diagnósticos diferenciais incluem linfomas, PNET, oligodendrogliomas, hemangioblastomas e metástases.

Hemangioblastomas são raros, de imagem característica e associados à síndrome de von Hippel Lindau (VHL).

Trata-se de uma síndrome genética sistêmica, caracterizada por hemoconcentração (hematócrito elevado), crescimento de vasos anormais e hemangioblastomas, justificando sua grande captação de contraste.

São tipicamente intramedulares com extensão extramedular/extradural, únicos ou múltiplos, com risco de hemorragia aracnóidea ou intramedular. E podem apresentar siringomielia, assim como edema venoso intramedular.

Utilizamos a arteriografia espinhal como o exame de maior sensibilidade para excluir múltiplas lesões.

Pacientes com metástases possuem prognóstico ruim com progressão rápida de sintomas. Estas podem ser classificadas em intramedulares e extramedulares. As intramedulares são raras e podem resultar de disseminação hematogênica ou disseminação direta leptomeníngea.

Disseminação liquórica geralmente é vista em meduloblastomas, ependimomas, astrocitomas de alto grau, germinomas e tumores do plexo coroide. A região lombar é a topografia mais comum afetada por lesões heterogêneas ou nodulares, contrastes captantes e com captação meníngea e radicular.

T1 diferencia sangramento pós-operatório e disseminação tumoral meníngea.

Tumores subaracnóideos difusos ou tumores leptomeníngeos são as lesões espinhais mais raras em crianças. Geralmente, surgem em continuidade de uma lesão na fossa posterior, como nos tumores neuroectodérmicos primitivos (PNETs), em disseminação liquórica. Tumores da fossa posterior raramente apresentam clínica medular, no entanto, quase 20% dos PNETs da fossa posterior mostram disseminação em exames de imagem ao diagnóstico. Disseminação liquórica geralmente segue os tumores neuroectodérmicos primitivos, tumores de células germinativas, ependimomas e gliomas malignos.

A histologia parece influenciar na frequência de disseminação leptomeníngea em crianças com tumores cerebrais. Civitello *et al.* relataram 2% de incidência de metástases leptomeníngeas em crianças com gliomas de alto grau, antagonizando o risco relatado de 33% de disseminação em crianças com gliomas de alto grau supratentoriais.

Leucemia é uma das lesões malignas sistêmicas que em maior frequência acometem o SNC. Meningite por leucemia é encontrada ao diagnóstico (3%) ou durante recidiva (15%) à abordagem cirúrgica, nestes casos, somente é indicada para esclarecimento diagnóstico. Disseminação aracnóidea de tumor intracraniano invariavelmente indica pior prognóstico.

TRATAMENTO

Tratamento cirúrgico via laminectomia, ou preferencialmente laminotomia, auxiliado por técnicas de aspiração ultrassônica, geralmente são preferidos em crianças com o objetivo de diagnóstico, citorredução e descompressão com mínima morbimortalidade.

Técnica cirúrgica

Utilizamos a posição prona com incisão mediana, laminotomia, durotomia, mielotomia mediana, durorrafia assistida por microscópio e laminoplastia.

Lesões cervicais altas com acometimento occipitocervical são operadas em decúbito ventral, com paciente posicionado em suporte de três pinos tipo Mayfield (maiores de 3 anos), ferradura (menores de 3 anos) ou colchão cirúrgico (bebês), sem complicações.

Realizamos, então, incisão reta mediana em topografia correspondente ao nível da lesão (em caso de lesões torácicas, a marcação cirúrgica é auxiliada por marcação pré-operatória com auxílio de imagem radiológica comum, ou, em ambiente cirúrgico por radioscopia).

Abrimos medialmente seguindo a *raphe* à fáscia muscular, minimizando o sangramento, e dissecamos de forma paraespinhal a musculatura paravertebral, expondo as lâminas correspondentes sem violar, no entanto, os elementos ligamentares posteriores.

Laminotomia é realizada com *drill* fino, preservando as facetas articulares, visando a minimizar o risco de instabilidade, tratando-se de "*holocord* tumor", realizamos laminotomia segmentada bipediculada (Fig. 5).

A durotomia se faz de medianamente seguida por reparo de seus folhetos lateralmente.

Abrimos os ligamentos denteados correspondentes aos níveis da lesão, assim como esvaziamos os cistos a montante e jusante de lesão para maior relaxamento medular, exigindo, assim, menor manipulação durante ressecção cirúrgica.

Utilizamos ultrassonografia peroperatória antes de se realizar a mielotomia, para topografar de forma exata a lesão, minimizando a extensão da mielotomia, e para acompanhar a extensão de sua ressecção nos casos infiltrativos e sem plano de clivagem.

Realizamos, então, munidos por técnicas microneurocirúrgicas, precisa mielotomia mediana, e visualizamos o tumor sob magnificação microscópica. Uma mielotomia mediana é de supraimportância (Fig. 6), mas nem sempre conseguimos visualizar o sulco mediano posterior, sendo assim, procuramos identificar o ponto médio entre os filamentos radiculares. A mielotomia deve ser restrita ao componente sólido da lesão (Fig. 7).

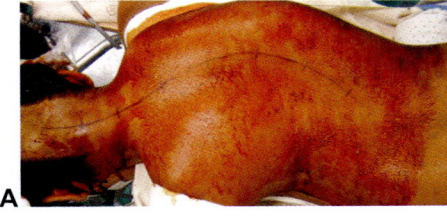

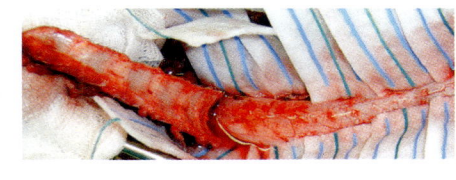
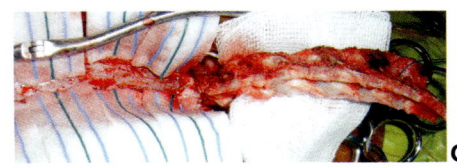

◀ **FIGURA 5. (A)** Paciente com "*holocord tumor*", identificando-se extensa incisão cutânea para a realização de laminotomia de múltiplos níveis. **(B)** Extremidade superior da laminotomia bipartida, incluindo sete lâminas vertebrais. **(C)** Extremidade distal da laminotomia bipartida incluindo seis lâminas vertebrais. **(D)** Laminoplastia de todos os segmentos laminotomizados através da fixação com fio.

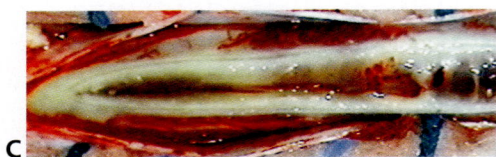

◀ **FIGURA 6.** **(A-C)** Mielotomia deve ser mediana e extremamente linear.

Procede-se, na maioria das vezes, em lesões grandes, o esvaziamento intralesional, minimizando o risco de lesões secundárias por manipulação.

Lesões pequenas, com plano de clivagem e componente cístico (p. ex.: ependimomas), podem ser ressecadas em bloco, seguindo o plano criado após a drenagem do cisto.

Durante o procedimento, utilizamos mínima coagulação, podendo utilizar como forma auxiliar de ressecção aspiração ultrassônica, diminuindo o tempo cirúrgico sem aumento de morbidade nos tumores extensos. O aspirador ultrassônico é sempre utilizado em baixa potência ultrassônica e com pouco poder de aspiração, evitando-se, assim, lesão do tecido medular.

Após o fim da ressecção, inspecionamos cavidade, aproximamos pia-máter, visando a minimizar a cavidade siringomiélica pós-operatória (Figs. 8 e 9). Revisamos, rigorosamente, a hemostasia.

Efetuamos durorrafia sob magnificação microscópica, minimizando os riscos de fístula liquórica, podendo utilizar cola biológica para assegurar fechamento.

Após a durorrafia, reposicionamos as lâminas, fixando-as com miniplacas ou fio de absorção prolongada.

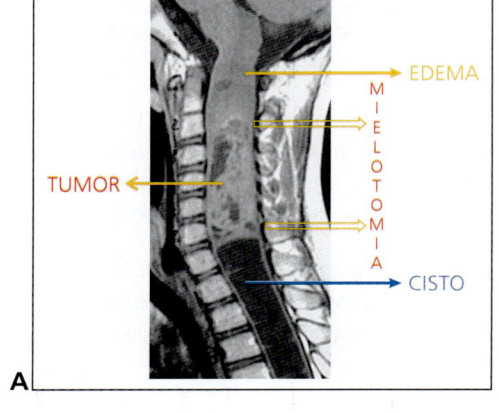
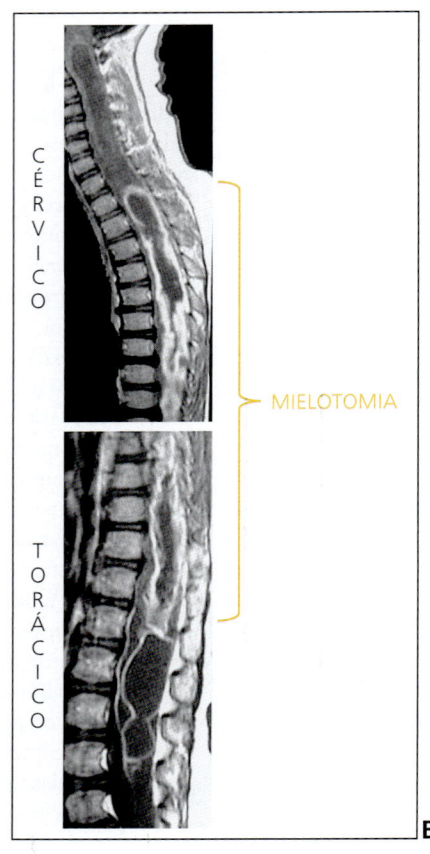

◀ **FIGURA 7. (A)** Mielotomia deve ser realizada exclusivamente sobre o conteúdo sólido da lesão tumoral. **(B)** "*Holocord tumor*" demonstrando a localização precisa da mielotomia, apenas sobre a porção captante de contraste venoso.

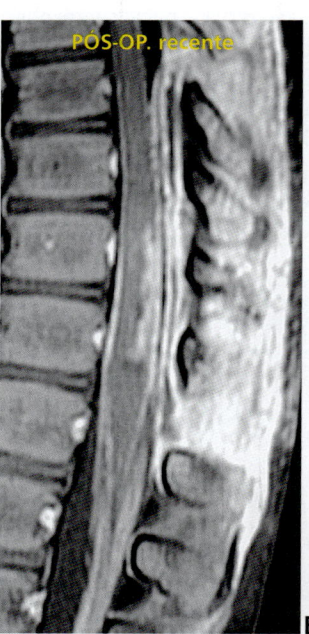
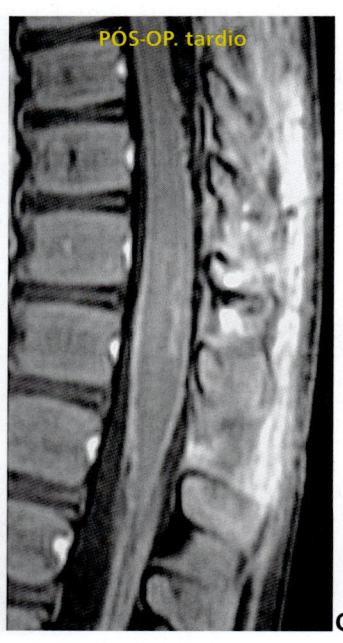

◀ **FIGURA 8. (A-C)** Astrocitoma pilocítico na topografia do cone medular, tendo sido obtida remoção total da lesão.

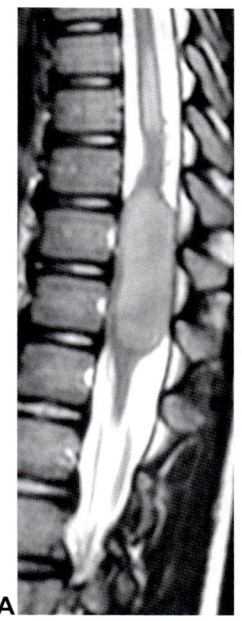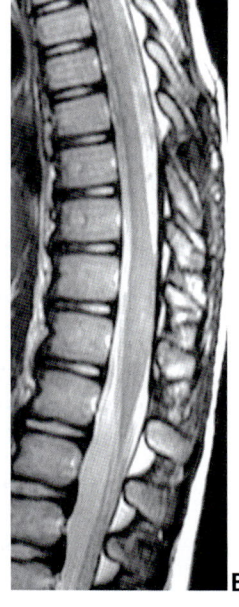

◄ **FIGURA 9.** (**A**) Astrocitoma do cone medular na sequência T2, demonstrando-se remoção total da lesão e resolução da cavidade seringomiélica. (**B**) Nota-se na imagem pós-operatória, uma reconstrução ideal dos segmentos laminotomizados.

Realizamos síntese convencional de plano muscular, subcutâneo e pele.

Nos casos cervicais extensos, mantemos órtese cervical por 3 meses de pós-operatório, visando a minimizar mobilização cervical e, assim, risco de pseudoartrose.

Após 1 mês, ou se nova deterioração tardia, fazemos controle radiológico com RM (Fig. 10).

Monitorização eletrofisiológica

O uso de monitorização eletrofisiológica na ressecção de tumores intramedulares pediátricos não prediz prognóstico. No entanto, é instrumento de muitos neurocirurgiões para obtenção contínua intraoperatória sobre a integridade dos tratos espinhais, permitindo ressecção agressiva com mínimo déficit funcional pós-operatório. O potencial sensitivo (SSEPs) estuda a função das colunas posteriores e tem função limitada, uma vez que se correlaciona pobremente com a função motora pós-operatória e, geralmente, é perdida após a mielotomia mediana.

Potencial evocado motor (MEP) proporciona informação em tempo real sobre a integridade dos tratos motores, prediz bom prognóstico neurológico e permite a identificação de déficit motor reversível peroperatório. Sua aplicação em crianças com menos de 3 anos é mais difícil, possivelmente em virtude da incompleta mielinização do trato corticoespinhal e maior vulnerabilidade das estruturas neurais à compressão.

Cifose pós-laminectomia, pescoço em ganso e escoliose são deformidades comuns na população pediátrica, de incidência inversamente proporcional à idade, e podem progredir após cirurgia de ressecção de tumores intramedulares.

Segundo Yasuoka, pacientes submetidos à laminectomia de múltiplos níveis evoluíram em 46% dos casos pediátricos menores de 15 anos e 6% dos maiores de 15 anos. Todas as crianças submetidas à laminectomia com lesões cervicais evoluíram com deformidade, 36% das laminectomias torácicas e nenhuma das laminectomias lombares evoluíram com deformidade e 11% com instabilidade.

Visando a minimizar esta morbidade, a maior parte dos cirurgiões hoje opta pelo acesso medular após laminotomia osteoplástica.

Laminotomia osteoplástica

Esta técnica visa à preservação da coluna posterior ao preservar anatomia normal.

Alguns artigos evidenciam que a laminotomia osteoplástica pode reduzir a incidência pós-operatória de deformidades espinhais, porém, não exclui esta complicação.

RM deve ser solicitada nos casos pediátricos para excluir recidiva local.

Ultrassonografia intraoperatória

Esta técnica é utilizada como instrumento para verificar a localização e extensão da ressecção cirúrgica dos tumores intramedulares, sendo de grande auxílio técnico nos casos de tumores infiltrativos, sem plano de clivagem. Usamos, rotineiramente, a ultrassonografia peroperatória em todos os tumores intramedulares, obtendo imagens em tempo real tanto no plano sagital, como no plano axial (Fig. 11).

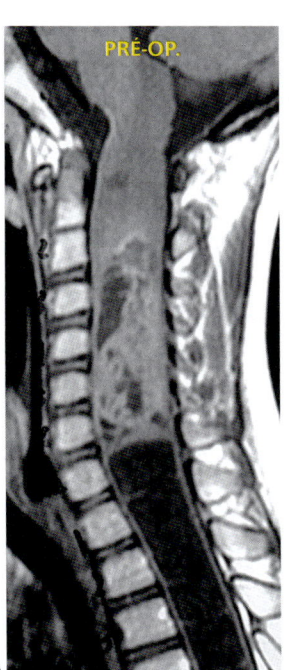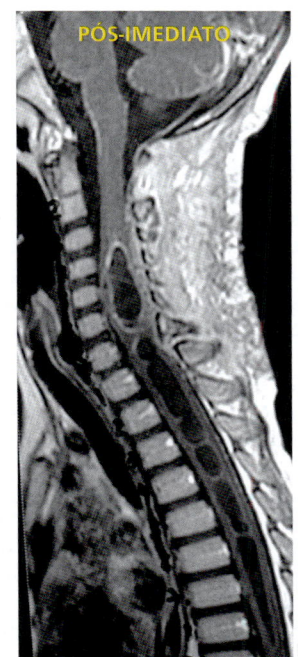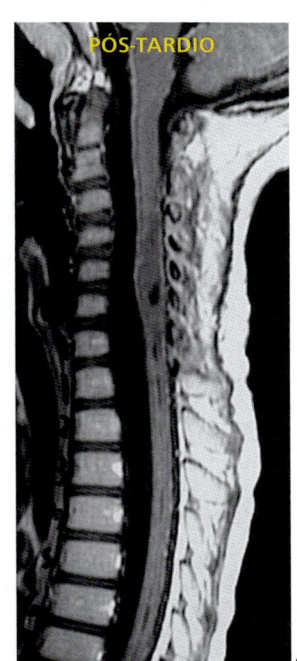

◄ **FIGURA 10.** (**A**) Pré-operatório e (**B** e **C**) pós-operatório recente e tardio de astrocitoma cervical com extensa seringomielia.

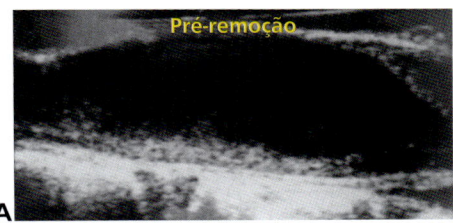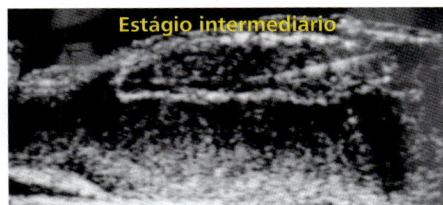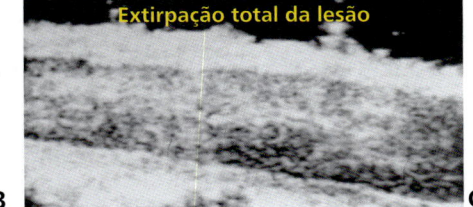

▲ **FIGURA 11.** (**A** e **B**) US peroperatória demonstrando estágios em momentos diferentes da extirpação da lesão, até obter-se a remoção total da mesma (**C**).

Radioterapia

Está indicada para tumores de alto grau, pós-ressecção cirúrgica incompleta, não havendo estudo prospectivo randomizado, incluindo sua indicação para lesões de baixo grau. Radioterapia eleva para 54-100% em 5 anos.

Quimioterapia

Não há protocolos bem definidos para lesões de baixo grau em crianças sendo fundamentados em experiência clínica ou na terapêutica de lesões intracranianas de mesma histologia. Está indicada nos casos em que é necessário atrasar a radioterapia (paciente menores de 3 anos).

PROGNÓSTICO

Os maiores preditores prognósticos dos tumores intramedulares em crianças incluem o grau histológico e o *status* neurológico pré-operatório.

Pacientes com déficit significativo pré-operatório possuem maior chance de deterioração neurológica pós-operatória. Logo, é recomendada cirurgia o mais precoce possível, ao diagnóstico, enquanto há função neurológica intacta.

Pacientes com ependimoma (WHO grau II) apresentam melhor evolução do que pacientes com astrocitoma espinhal WHO grau II. Tratamento cirúrgico oferece 88% de sobrevida nos casos de gliomas de baixo grau, e 18% em lesões de alto grau em 5 anos.

Pacientes com astrocitoma pilocítico apresentam melhor prognóstico que aqueles com ependimoma.

Outro fator prognóstico inclui a extensão da ressecção cirúrgica, resultando em maior tempo de controle livre de doença do que radioterapia após ressecção subtotal.

Reabordagem cirúrgica sempre é recomendada para lesões residuais, tornando a radioterapia desnecessária nos casos de ressecção radical.

Gangliogliomas são lesões intramedulares de evolução indolente, sem necessidade de complementação rádio ou quimioterápica após tratamento cirúrgico.

O prognóstico de pacientes com astrocitomas malignos intramedulares não está relacionado com a extensão da ressecção cirúrgica ou com a terapia adjuvante. Pacientes com esta patologia possuem sobrevida média de apenas 6-12 meses. Raros casos apresentam pequeno aumento de sobrevida sem doença após tratamento cirúrgico.

BIBLIOGRAFIA

Abbott R, Feldstein N, Wisoff JH et al. Osteoplastic laminotomy in children. *Pediatric Neurosurg* 1992;18(3):153-56.

Albright AL, Pollack IF, Adelson PD. *Principles and practice of pediatric neurosurgery*. Thieme, 2008. p. 706-20.

Allen JC, Aviner S, Yates AJ et al. Treatment of high-grade spinal cord astrocytoma of childhood with "8-in-1" chemotherapy and radiotherapy: a pilot study of CCG-945. Children's Cancer Group. *J Neurosurg* 1998;88(2):215-20.

Auguste KI, Gupta N. Pediatric intramedullary spinal cord tumors. *Neurosurg Clin N Am* 2006;17(1):51-61.

Binning M, Klimo Jr P, Gluf W et al. Spinal Tumors in Children. *Neurosurg Clin N Am* 2007;18:631-58.

Brotchi J, Dewitte O, Levivier M et al. A survey of 65 tumors within the spinal cord: surgical results and the importance of preoperative magnetic resonance imaging. *J Neurosurg* 1991;29:651-57.

Brotchi J, Noterman J, Baleriaux D. Surgery of intramedullary spinal cord tumours. *Acta Neurochir* (Wien) 1992;116(2-4):176-78.

Brotchi J. Intrinsic spinal cord tumor resection. *Neurosurgery* 2002;50:1059-63.

Brunberg JA, DiPietro MA, Venes JL et al. Intramedullary lesions of the pediatric spinal cord: correlation of findings from MR imaging, intraoperative sonography, surgery, and histologic study. *Radiology* 1991;181(2):573-79.

Cohen AR, Wisoff JH, Allen JC et al. Malignant astrocytomas of the spinal cord. *J Neurosurg* 1989;70(1):50-54.

Constantini S, Houten J, Miller DC et al. Intramedullary spinal cord tumors in children under the age of 3 years. *J Neurosurg* 1996;85(6):1036-43.

Cooper PR. Outcome after operative treatment of intramedullary spinal cord tumors in adults: intermediate and long-term results in 51 patients. *Neurosurgery* 1989;25(6):855-59.

Cristante L, Herrmann HD. Surgical management of intramedullary spinal cord tumors: functional outcome and sources of morbidity. *Neurosurgery* 1994;35(1):69-74, discussion: 74-76.

Dohrmann GJ, Rubin JM. Intraoperative ultrasound imaging of the spinal cord: syringomyelia, cysts, and tumors a preliminary report. *Surg Neurol* 1982;18(6):395-99.

Duffner PK, Horowitz ME, Krischer JP et al. Postoperative chemotherapy and delayed radiation in children less than three years of age with malignant brain tumors. *N Engl J Med* 1993;328(24):1725-31.

Epstein F. Spinal cord astrocytomas of childhood. *Prog Exp Tumor Res* 1987;30:135-53.

Epstein FJ, Farmer JP, Freed D. Adult intramedullary spinal cord ependymomas: the result of surgeryi 38 patients. *J Neurosurg* 1993;79(2):204-9.

Epstein FJ, Farmer JP, Schneider SJ. Intraoperative ultrasonography: an important surgical adjunct for intramedullary tumors. *J Neurosurg* 1991;74(5):729-33.

Fassett DR, Clark R, Brockmeyer DL et al. Cervical spine deformity associated with resection of spinal cord tumors. *Neurosurg Focus* 2006;20(2):E2.

Goh KY, Muszynski C, Teo J et al. Excision of spinal intramedullary tumors. In: Kaye A, Black P. (Eds.). *Operative neurosurgery*. London: Churchill Livingstone, 2000. p. 1947-59.

Greenwood J. Surgical removal of intramedullary tumors. *J Neurosurg* 1967;26:276-82.

Hassall TE, Mitchell AE, Ashley DM. Carboplatin chemotherapy for progressive intramedullary spinal cord low-grade gliomas in children: three case studies and a review of the literature. *Neuro Oncol* 2001;3(4):251-57.

Hoshimaru M, Koyama T, Hashimoto N et al. Results of microsurgical treatment for intramedullary spinal cord ependymomas: analysis of 36 cases. *Neurosurgery* 1999;44(2):264-69.

Houten JK, Weiner HL. Pediatric intramedullary spinal cord tumors: special considerations. *J Neurooncol* 2000;47(3):225-30.

Huisman TA. Pediatric tumors of the spine. *Cancer Imaging* 2009;9:45-48.

Innocenzi G, Salvati M, Cervoni L et al. Prognostic factors in intramedullary astrocytomas. *Clin Neurol Neurosurg* 1997;99(1):1-5.

Jallo G, Kothbauer K, Epstein FJ. Intrinsic spinal cord tumor resection: operative nuances. *Neurosurgery* 2001;49:1124-28.

Jallo GI, Freed D, Epstein FJ. Spinal cord gangliogliomas: a review of 56 patients. *J Neurooncol* 2004;68(1):71-77.

Jallo GI, Kothbauer KF, Epstein F. Intraspinal tumors in infants and children. In: Winn HR. (Ed.). *Youman's neurological surgery*. 5th ed. Philadelphia: WB Saunders, 2004. p. 3707-16, vol. 4.

Kawakami N, Mimatsu K, Kato F. Intraoperative sonography of intramedullary spinal cord tumours. *Neuroradiology* 1992;34(5):436-39.

Koeller KK, Rosenblum RS, Morrison AL. Neoplasms of the spinal cord and filum terminale: radiologic-pathologic correlation. *Radiographics* 2000;20:1721-49.

Kopelson G, Linggood RM, Kleinman GM et al. Management of intramedullary spinal cord tumors. *Radiology* 1980;135(2):473-79.

Kopelson G, Linggood RM. Intramedullary spinal cord astrocytoma versus glioblastoma: the prognostic importance of histologic grade. *Cancer* 1982;50(4):732-35.

Kothbauer K, Deletis V, Epstein FJ. Intraoperative spinal cord monitoring for intramedullary surgery: an essential adjunct. *Pediatric Neurosurg* 1997;26(5):247-54.

Kothbauer KF, Deletis V, Epstein F. Motor evoked potential monitoring for intramedullary spinal cord tumor surgery: correlation of clinical and neurophysiological data in a series of 100 consecutive procedures. *Neurosurg Focus* 1998;4(5):E1.

Kothbauer KF. Neurosurgical management of intramedullary spinal cord tumors in children. *Pediatr Neurosurg* 2007;43:222-35.

Kothbauer KF. Neurosurgical management of intramedullary spinal cord tumors in children. *Pediatr Neurosurg* 234 2007;43:222-35.

Lang FF, Epstein FJ, Ransohoff J et al. Central nervous system gangliogliomas. Part 2: clinical outcome. *J Neurosurg* 1993;79(6):867-73.

Lowis SP, Pizer BL, Coakham H et al. Chemotherapy for spinal cord astrocytoma: can natural history be modified? *Childs Nerv Syst* 1998;14(7):317-21.

Maiuri F, Iaconetta G, Gallicchio B et al. Intraoperative sonography for spinal tumors. Correlations with MR findings and surgery. *J Neurosurg Sci* 2000;44(3):115-22.

McCormick PC, Torres R, Post KD et al. Intramedullary ependymoma of the spinal cord. *J Neurosurg* 1990;72(4):523-32.

McLaughlin MP, Buatti JM, Marcus Jr RB et al. Outcome after radiotherapy of primary spinal cord glial tumors. *Radiat Oncol Investig* 1998;6(6):276-80.

McLaughlin MP, Marcus RB Jr, Buatti JM et al. Ependymoma: results, prognostic factors and treatment recommendations. *Int J Radiat Oncol Biol Phys* 1998;40(4):845-50.

McLone D. (Ed.). *Pediatric neurosurgery: surgery of the developing nervous system*. New York: Grune and Stratton, 1982. p. 529-40.

Minehan KJ, Shaw EG, Scheithauer BW et al. Spinal cord astrocytoma: pathological and treatment considerations. *J Neurosurg* 1995;83(4):590-95.

Morota N, Deletis V, Constantini S et al. The role of motor evoked potentials during surgery for intramedullary spinal cord tumors. *Neurosurgery* 1997;41(6):1327-36.

Nadkarni TD, Rekate HL. Pediatric intramedullary spinal cord tumors. Critical review of the literature. *Childs Nerv Syst* 1999;15(1):17-28.

O'Sullivan C, Jenkin RD, Doherty MA et al. Spinal cord tumors in children: long-term results of combined surgical and radiation treatment. *J Neurosurg* 1994;81(4):507-12.

Prados MD, Edwards MS, Rabbitt J et al. Treatment of pediatric low-grade gliomas with a nitrosourea- based multiagent chemotherapy regimen. *J Neurooncol* 1997;32(3):235-41.

Przybylski GJ, Albright AL, Martinez AJ. Spinal cord astrocytomas: long-term results comparing treatments in children. *Childs Nerv Syst* 1997;13(7):375-82.

Raghavendra BN, Epstein FJ, McCleary L. Intramedullary spinal cord tumors in children: localization by intraoperative sonography. *AJNR Am J Neuroradiol* 1984;5(4):395-97.

Raimondi AJ, Gutierrez FA, Di Rocco C. Laminotomy and total reconstruction of the posterior spinal arch for spinal canal surgery in childhood. *J Neurosurg* 1976;45(5):555-60.

Reimer R, Onofrio BM. Astrocytomas of the spinal cord in children and adolescents. *J Neurosurg* 1985;63(5):669-75.

Rifkinson-Mann S, Wisoff JH, Epstein F. The association of hydrocephalus with intramedullary spinal cord tumors: a series of 25 patients. *Neurosurgery* 1990;27(5):749-54, discussion: 754.

Rossi A, Gandolfo C, Morana G et al. Tumors of the spine in children. *Neuroimaging Clin N Am* 2007;17:17-35.

Samii M, Klekamp J. Surgical results of 100 intramedullary tumors in relation to accompanying syringomyelia. *Neurosurgery* 1994;35(5):865-73, discussion: 873.

Sandler HM, Papadopoulos SM, Thornton Jr AF et al. Spinal cord astrocytomas: results of therapy. *Neurosurgery* 1992;30(4):490-93.

Steinbok P, Cochrane DD, Poskitt K. Intramedullary spinal cord tumors in children. *Neurosurg Clin N Am* 1992;3(4):931-45.

Steinbok P, Hentschel SJ, Labrom RD et al. Epidural spinal tumors. In: Berger MS, Prados MD. (Eds.). *Textbook of neurooncology*. Philadelphia: Elsevier Saunders, 2005. p. 777-87.

Tachdjian MO, Matson DD. Orthopaedic aspects of intraspinal tumors in infants and children. *J Bone Joint Surg Am* 1965;47:223-48.

Wen BC, Hussey DH, Hitchon PW et al. The role of radiation therapy in the management of ependymomas of the spinal cord. *Int J Radiat Oncol Biol Phys* 1991;20(4):781-86.

Winter RB, Hall JE. Kyphosis in childhood and adolescence. *Spine* 1978;3(4):285-308.

Yasuoka S, Peterson HA, MacCarty CS. Incidence of spinal column deformity after multilevel laminectomy in children and adults. *J Neurosurg* 1982;57(4):441-45.

CAPÍTULO 221

Tratamento de Resgate dos Gliomas de Alto Grau

Fernando Cotait Maluf

INTRODUÇÃO

Estudos epidemiológicos têm demonstrado que as incidências dos tumores primários cerebrais têm aumentado nas últimas décadas,[1] sendo mais de 50% representados pelo glioblastoma multiforme (GBM). A sobrevida média de pacientes com gliomas de alto grau, em particular GBM, tem mudado modestamente nas últimas décadas, e a maior parte dos pacientes sucumbe em período menor que dois anos. Mais recentemente, a associação da radioterapia externa pós-operatória à temozolamida na dose de 150-200 mg/m^2 por 5 dias a cada 28 dias em um total de seis ciclos provocou um aumento de sobrevida global frente à radioterapia isolada em período de um e dois anos.[2] Este novo esquema de tratamento tornou-se o esquema de eleição para os pacientes com glioma de alto grau. A despeito dos avanços alcançados com temozolamida, um elevado contingente de pacientes eventualmente apresenta progressão de doença. Muitos destes pacientes apresentam ainda condição física, neurológica, e idade que permitem tratamentos de resgates. Porém, não existe um papel claro do impacto em termos de qualidade de vida, sobrevida livre de progressão, e sobrevida global dos tratamentos sistêmicos após falha aos tratamentos fundamentados em temozolamida. Surge, então, a urgente necessidade de avaliar estratégias de resgate nesta grande população de pacientes a fim de melhorar a evolução dos gliomas de alto grau recorrente. Neste capítulo descreveremos as estratégias mais utilizadas e as mais promissoras neste cenário.

QUIMIOTERAPIA COM BASE EM TEMOZOLAMIDA

Temozolomida, um alquilante oral, é um derivado da imidazotetrazina de segunda geração, que metila específicos sítios do DNA, sendo o mais importante à posição O^6 da guanina, levando à alteração da sequência de nucleotídeos e, consequentemente, apoptose. Temozolamida foi o agente mais promissor de acordo com estudos de Fase II em pacientes com doença recorrente após radioterapia.[3,4] O mecanismo principal de resistência à temozolamida é mediado pela enzima reparadora O^6-metilguanina-DNA metiltransferase (MGMT). A administração de quimioterápicos em doses baixas e diárias, posologia chamada de metronômica, tem sido associada à maior atividade antiangiogênica e, no caso da temozolamida, a uma possível forma de depletar mais eficazmente a MGMT das células tumorais.[5,6] Estudos pilotos, incluindo 12 pacientes previamente expostos à temozolamida, avaliaram a atividade e segurança da reintrodução da temozolamida na dose oral diária de 40 mg/m^2 e reportou sobrevida livre de progressão de 6 meses. Um total de dois a cinco pacientes atingiu resposta parcial e doença estável, respectivamente. Não foram reportadas toxicidades graus III e IV.[6]

Outro grupo de pacientes que potencialmente poderiam beneficiar-se do uso de temozolamida são pacientes com resposta ou doença estável durante o curso deste agente e que cuja interrupção se deu, não por progressão de doença (como no estudo anterior), mas para evitar toxicidades agudas e tardias. Neste grupo de pacientes, existe a possibilidade de ainda existir sensibilidade das células tumorais à temozolamida, quando da sua reintrodução. Avaliando este novo conceito, estudo retrospectivo incluindo 14 pacientes com história de glioma recorrente com resposta prévia à temozolamida reportou taxa de resposta e doença estável da ordem de 43% e sobrevida livre de progressão em 6 meses de 36%. Estes dados sugerem fortemente que nos pacientes com doença potencialmente "temozolamida-sensível", a reintrodução deste agente deva ser fortemente considerada.[7]

Mais recentemente, estudo prospectivo, incluindo 90 pacientes com gliomas de alto grau recorrente após tratamento prévio com radioterapia e temozolamida, avaliou a atividade e segurança de temozolamida na dose oral diária de 50 mg/m^2. O tratamento prévio dos pacientes incluídos consistia em radioterapia na dose de 60Gy em 30 frações associada à temozolamida na dose oral diária de 75 mg/m^2 por 6 semanas seguidas de temozolamida na dose de 150-200 mg/m^2 por 5 dias a cada 28 dias. O racional desta posologia de resgate avaliada, envolvendo o mesmo agente administrado durante o tratamento prévio inicial, justifica-se pela potencial propriedade antiangiogênica da administração diária e contínua da temozolamida sobre as células endoteliais tumorais bem como inibição sobre a sua recuperação associada à depleção mais eficaz de MGMT. Além disso, esta nova posologia oferece uma dose maior de temozolamida durante o mês em comparação à posologia convencional de 200 mg/m^2 por dia, por 5 dias (1.400 mg/m^2 *versus* de 1.000 mg/m^2). Os pacientes, neste estudo, foram divididos em três diferentes grupos: pacientes com progressão precoce após quimiorradioterapia, definida entre o período de 3 a 6 meses do início do tratamento; pacientes com progressão tardia após quimiorradioterapia, definida como superior a 6 meses após o período da quimiorradioterapia; pacientes que completaram quimiorradioterapia e recidivaram após 6 meses. A sobrevida livre de progressão em 6 meses para os três grupos de pacientes foi de 28,6, 9,5 e 30,4%. Para os pacientes com AA, a taxa de sobrevida livre de progressão em 6 meses foi de 42,1%. Interessante o fato que nenhuma resposta foi observada em pacientes que receberam temozolamida, como tratamento adjuvante inicial, por mais que 12 meses. O tratamento com a posologia diária de temozolamida foi bem tolerado.[5] Estes dados sugerem que, para os pacientes com glioma de alto grau recorrente expostos previamente à temozolamida, em particular, se a interrupção deste agente foi por opção do médico/paciente ou por toxicidade, deve-se considerar a reintrodução da temozolamida em posologias de usos diário e contínuo.[5,7]

OUTROS AGENTES QUIMIOTERÁPICOS

Poucos estudos avaliaram o papel de outros agentes quimioterápicos em pacientes com gliomas de alto grau após falha à temozolamida e radioterapia. A atividade de nitrosureia, como agente único, é modesta e geralmente associada à resposta inferior a 10%, taxa de sobrevida livre de progressão em 6 meses < 20% e sobrevida média entre 6 a 12 semanas.[8] Rosenthal *et al.* avaliaram, em estudo retrospectivo, a atividade de carmustina (BCNU) na dose de 130-200 mg/m^2 cada 6 semanas em 24 pacientes com gliomas de alto grau que falharam temozolamida. Neste estudo foi reportado taxa de resposta de somente 4%, sugerindo que as nitrosureias têm atividade muito limitada em pacientes que falharam a temozolamida.[9] Irinotecano (CPT-11) isolado, administrado a cada 3 semanas, foi também avaliado em 39 pacientes com astrocitoma anaplásico (AA) recorrente após temozolamida com taxas de resposta e doença estável de 23 e 41%, respectivamente. O tempo livre de progressão foi de 4,1 meses. A sobrevida livre de progressão em 6 e 12 meses foi de apenas 40 e 5%, respectivamente.[10] O resultado mais interessante de quimioterapia com base em nitrosureia veio de estudo de Fase II do grupo Italiano que avaliou a atividade e segurança do esquema de CPT-11 na dose de 175 mg/m² EV nos dias 1,8,15 e 22 associado à BCNU na dose de 100 mg/m² EV administrado a cada 6 semanas. Neste estudo a taxa de resposta parcial e de doença estável foi de 21 e 50%, respectivamente. A taxa de sobrevida livre de progressão foi de 17 semanas. Mielossupressão, síndrome colinérgica, diarreia e eventos tromboembólicos foram às toxicidades mais relevantes deste estudo.[11]

ANTIANGIOGÊNICOS

Os gliomas de alto grau apresentam uma elevada expressão do fator de crescimento do endotélio vascular (VEGF), uma proteína produzida tanto nas células tumorais quanto nas células do estroma.[12] A família do VEGF, conhecida por ser um mitógeno do endotélio vascular, é composta por cinco componentes (VEGF-A, VEGF-B, VEGF-C, VEGF-D e VEGF-E). Além destes, o fator de crescimento derivado das plaquetas (PDGF), fatores de coagulação, integrinas e fator de crescimento do fibroblasto representam proteínas associadas ao estímulo para proliferação endotelial. Os gliomas de alto grau são caracterizados por serem os tumores malignos "mais vascularizados",[13] sendo que o grau de vascularização diferencia gliomas de alto grau dos de baixo grau.

Pacientes com GBM apresentam níveis de VEGF de até 50 vezes o observado em tecidos normais.[14] Nos pacientes com GBM, a expressão do VEGF associa-se a prognóstico desfavorável.[15] A magnitude da expressão do VEGF na estrutura vascular é tão grande, que sua superexpressão é associada à mudança na anatomia vascular em relação aos tecidos cerebrais normais. Normalmente, o endotélio vascular apresenta uma a duas camadas de células endoteliais luminais, vasos sanguíneos de formato uniforme, retilíneo e com ramificações de padrão similar entre os vasos. Os vasos sanguíneos observados em pacientes com tumores de alto grau caracterizam-se por apresentarem até 10 células endoteliais por lúmen, vasos sanguíneos dilatados, por vezes de forma sacular e tortuosos. Além disso, a forma dos mesmos pode variar de acordo com a sua localização dentro do próprio tumor, e as ramificações são caracterizadas por anastomoses entre vasos menores, *shunt*s arteriovenosos e capilares gigantes. Estas alterações estruturais dos vasos são acompanhadas por aumento da permeabilidade vascular, levando ao extravasamento de fluidos e diminuição da pressão intravascular e aumento da pressão intersticial. Por esse mecanismo hidrostático, os vasos tumorais são levados ao colapso com perpetuação ainda maior da diminuição do fluxo sanguíneo com consequente necrose, evento patognomônico dos pacientes com GBM. As alterações estruturais vasculares observadas nos gliomas de alto grau e suas respectivas alterações pressóricas intravasculares e intersticiais limitam, de forma marcante, a distribuição uniforme e concentração adequada dos agentes sistêmicos, levando a mecanismos de resistência pertinentes não somente à intrínseca resistência das células tumorais a estes agentes, mas também ao fato de as drogas não conseguirem alcançar de forma efetiva as células neoplásicas (santuário tumoral).

Um dos primeiros agentes, que demonstrou ser a angiogênese peça crítica no desenvolvimento e comportamento dos gliomas e que seu bloqueio poderia representar um importante alvo terapêutico, foi a talidomida. Estudo de Fase II, incluindo 39 pacientes com glioma de alto grau (AA-14 pacientes e GBM-25 pacientes), avaliou a atividade de altas doses de talidomida administrada diariamente por via oral. Neste estudo todos os pacientes haviam recebido previamente radioterapia, e aproximadamente 50% deles já haviam sido expostos à quimioterapia. Pacientes tratados com talidomida na dose de 800 a 1.200 mg por dia apresentaram taxa de resposta parcial, mínima e doença estável de 6, 6 e 31%, respectivamente, para uma taxa de controle de doença de 43%. O tempo médio para progressão foi de 10 semanas, e a sobrevida média, de 28 semanas.[16] Apesar de a taxa de resposta, bem como tempo livre de progressão, ser de certa forma limitada, este estudo demonstrou que a talidomida, um antigo inibidor da angiogênese tumoral, foi associada à certa atividade em pacientes com glioma de alto grau recorrente. O mesmo grupo realizou um segundo estudo avaliando não somente a atividade e segurança da talidomida, mas sua atividade e segurança quando associada à quimioterapia. Neste estudo, um total de 40 pacientes com glioma de alto grau (AA-2 pacientes e GBM-38 pacientes), previamente irradiados (100%) e tratados com quimioterapia (50%), recebeu talidomida na dose de 800 a 1.200 mg/dia associado à BCNU na dose de 200 mg/m² EV a cada 6 semanas. A taxa de resposta completa, parcial, e doença estável de 3, 21 e 24%, respectivamente, para uma taxa de controle da doença em 48% dos pacientes. O tempo médio para progressão foi de 15 semanas, e a sobrevida média, de 30 semanas.[17] Do mesmo modo do observado com talidomida isolada, a combinação de talidomida e BCNU mostrou-se ativa em pacientes com glioma de alto grau.[18]

Uma nova geração de agentes com maior grau de especificidade fazia-se necessária a fim de bloquear a via do VEGF de forma mais efetiva. Bevacizumab, um anticorpo monoclonal humanizado IgG1, liga-se e inibe o VEGF-A de forma bastante específica. Bevacizumab é caracterizado por apresentar efeitos diretos contra as células endoteliais e estromais. Estudo de Fase II incluindo 16 pacientes (GBM-14 e AA-2) tratados previamente com radioterapia e temozolamida reportou taxa de resposta com bevacizumab isolado, na dose 15 mg/kg EV a cada 3 semanas de 12%.[19] De acordo com outros tumores sólidos, como câncer de mama, rim e pulmão, o bevacizumab parece ser sinérgico quando combinado a outros agentes citotóxicos. Com base nos dados pertinentes a outros tumores sólidos, o tratamento composto por antiangiogênico e um agente citotóxico foi formalmente avaliado em pacientes com gliomas de alto grau com doença recorrente após radioterapia e temozolamida. A associação de bevacizumab à quimioterapia nos tumores primários de cérebro é de especial interesse à medida que este agente antiangiogênico tem a propriedade de diminuir a permeabilidade vascular, levando ao aumento da pressão intravascular, diminuição do extravasamento de fluidos, e queda da pressão no interstício. A conjunção destes eventos evita o colapso vascular e a necrose, propiciando que agentes citotóxicos atinjam seus alvos de forma mais uniforme e em concentrações mais elevadas. Este processo tem sido classificado como "normalização vascular forçada". Além disso, a literatura sugere que agentes quimioterápicos têm maior atividade contra as células mais diferenciadas do glioma e em menor escala contra as células-tronco.[20] Estudo recente, em linhagens celulares, demonstrou que bevacizumab apresenta efeito supressor da angiogênese contra as células-tronco dos gliomas.[21] A primeira experiência clínica com bevacizumab associado a agentes citotóxicos foi publicada por Pope *et al.* em estudo que incluiu 14 pacientes com glioma de alto grau (AA-4 pacientes e GBM-10 pacientes) previamente irradiados e tratados com quimioterapia. A quimioterapia escolhida a ser combinada com bevacizumab foi CPT-11 (11 pacientes), carboplatina (dois pacientes), ou etoposídeo (um paciente). A taxa de resposta parcial e doença estável foram de 50 e 21%, respectivamente. Neste estudo, foi observado que algumas respostas aconteceram logo depois do início do tratamento em associação à redução significativa do edema.[22] O racional para escolher CPT-11 como o agente a ser combinado ao bevacizumab baseou-se no fato deste agente, por ser um inibidor da topoisomerase 1, apresenta mecanismos de citotoxicidade distintos dos alquilantes e, como consequência, pode apresentar mecanismos para sobrepor a resistência oferecida pela presença da enzima MGMT intacta. Além disso, CPT-11 está associado a uma boa penetração pela barreira hematoencefálica.

Sucedendo este estudo, o grupo da Duke University avaliou a atividade de bevacizumab na dose de 10 mg/kg EV associado à CPT-11 na dose de 340 mg/m² EV em pacientes em uso de anticonvulsivantes indutores de citocromo p450 ou 125 mg/m² EV em pacientes sem uso de anticonvulsivantes indutores de citocromo p450, ambos a cada 2 semanas em pacientes previamente tratados com radioterapia e temozolamida. Dentre os critérios de inclusão, pacientes não poderiam estar em uso de anticoagulação concomitante ou ter qualquer evidência de sangramento intratumoral previamente à entrada no estudo. Um total de 32 pacientes, 23 com diagnóstico de GBM e 9 com diagnóstico de AA, foi incluído. A idade média dos pacientes foi de 46 anos, e quase a totalidade deles apresentava KPS entre 70-80 ou 90-100. O número de tratamentos prévios foi de 2 (variando de 1 a 5) e no momento da inclusão um total de 19 pacientes estava em uso de dexametasona. A taxa de resposta completa e parcial foi de 4 e 59%, respectivamente. Somente um paciente apresentou progressão de doença na primeira avaliação. Quando separados por histologia, a taxa de resposta completa e parcial para os pacientes com GBM foi de 10 e 50%, respectivamente. Em relação aos pacientes com AA, um total de 66% atingiu resposta parcial. A sobrevida livre de progressão em 6 meses foi de 30 e 56% para os pacientes com GBM e AA, respectivamente. Nesta primeira publicação não foram relatados episódios de sangramento cerebral ou intratumoral. No entanto, um total de quatro pacientes apresentou complicações importantes, provavelmente relacionadas com o tratamento, que incluíram embolia pulmonar (dois pacientes), trombose venosa profunda (um paciente) e isquemia cerebral (um paciente). Dois pacientes foram a óbito secundário às complicações cardiovasculares (embolia pulmonar – 1 paciente, e isquemia cerebral – um paciente).[23] Em atualização desta série, incluindo 68 pacientes tratados com o esquema anterior (32 pacientes) ou com o esquema a cada 3 semanas que consistia em bevacizumab na dose de 15 mg/kg EV a cada 3 semanas associado à CPT-11 na dose de 350 mg/m² EV nos dias 1, 8, 22 e 29, a cada 6 semanas em pacientes em uso de anticonvulsivantes indutores de citocromo p450 ou 125 mg/m² EV nos dias 1,8, 22, e 29 a cada 6 semanas em pacientes sem uso de anticonvulsivantes indutores de citocromo p450 em ciclos a administrados a cada 42 dias (36 pacientes), a taxa de resposta para pacientes com GBM (n = 35) e AA (n = 33) foi de 57 e 61%, respectivamente. A taxa da sobrevida livre de progressão em 6 meses de 43 e 61%, respectivamente. A taxa de sobrevida global em 6 meses foi similar entre os braços (74 e 73%). Nesta atualização, um paciente com GBM, de um total de 35 tratados com esta combinação, apresentou sangramento cerebral. A taxa de resposta, sobrevida livre de progressão em 6 meses e toxicidade pareceu similar entre os dois esquemas de bevacizumab (a cada 2 ou 3 semanas).[24] Os autores optaram, após reverem seus dados, em seguir futuros estudos com o esquema a cada 2 semanas, justificando que a dose de CPT-11 administrada neste intervalo seria menor, facilitando o perfil de aceitabilidade dos pacientes. Neste contexto, estudo randomizado de Fase II, incluindo 167 pacientes previamente tratados com radioterapia e temozolamida, comparou bevacizumab na dose de 10 mg/kg EV com ou sem CPT-11 na dose de 340 mg/m² EV em pacientes em uso de anticonvulsivantes indutores de citocromo p450 ou 125 mg/m² EV em pacientes sem uso de anticonvulsivantes indutores de citocromo p450, ambas a cada duas semanas. Apesar de a taxa de resposta ter sido superior no braço da combinação (38 versus 28%), não houve diferença na taxa de sobrevida global ou sobrevida livre de progressão.[25] Estes dados sugerem que a quimioterapia adicionada ao bevacizumab pode aumentar a taxa de resposta sem alterar a história natural da doença, sendo reservado o tratamento combinado aos pacientes jovens, sem comorbidades e sintomáticos e bevacizumab isolado em situações que não se enquadram nas características anteriores. Em termos de segurança não existe dados da incidência de sangramento cerebral ou intratumoral com bevacizumab em pacientes em uso concomitante de anticoagulação. Estes dados encorajadores, traduzidos pela elevada taxa de resposta, devem ser vistos com certa cautela à medida que a sobrevida livre de progressão geralmente não ultrapassa 1 ano com esquemas fundamentados no bevacizumab. Outra preocupação com o esquema de bevacizumab-CPT-11 resumia-se a os resultados serem provenientes de uma única instituição, o que, de certa forma, poderia estar associado a um viés na seleção de pacientes. Esta potencial limitação, no entanto, não parece ser correta, à medida que outros grupos têm reportado taxas de resposta global de 43 a 73% com este esquema,[26,27] similares portanto aos resultados da Duke University. Por último, alguns autores têm reportado um aumento na incidência de deiscência de anastomoses cirúrgicas em gliomas recorrentes tratados com esquemas com base em bevacizumab-CPT-11 com início 4 a 6 semanas da última cirurgia e podendo ocorrer entre 2 a 6 meses do tratamento. Em todos os quatro casos reportados desta complicação, nova cirurgia corretora foi necessária.[28] Do mesmo modo, há relatos de leucoencefalopatia reversível associada ao bevacizumab, causada por uma queda brusca nos níveis circulantes de VEGF levando à disfunção endotelial e edema vasogênico da circulação cerebral posterior, em especial no lobo occipital.[29,30]

As principais questões que surgem destes importantes estudos contendo bevacizumab combinado à quimioterapia (em geral CPT-11) incluem: 1) qual seria o melhor agente citotóxico a ser combinado com bevacizumab, 2) a eficácia e segurança de combinar bevacizumab à radioterapia, 3) introdução de bevacizumab no tratamento de primeira linha, 4) a dúvida do real efeito citotóxico de bevacizumab nas células do glioma em detrimento do exclusivo efeito antiedema similar ao corticosteroide, 5) existência ou não de correlação entre a taxa de resposta com melhor qualidade de vida e sobrevida global, 6) quais seriam os fatores preditivos de resposta a fim de selecionar os melhores candidatos aos tratamentos fundamentados em bevacizumab, e 7) qual a dose terapêutica ideal de bevacizumab.

A fim de procurar responder às questões tão relevantes, estudos prospectivos em andamento planejam avaliar a eficácia e segurança de associar ao bevacizumab outros agentes citotóxicos, com maior histórico que o CPT-11, como temozolamida e BCNU. Assim como a combinação de bevacizumab à quimioterapia vem sendo objeto de intenso estudo, o mesmo aplica-se à combinação de bevacizumab à temozolamida e radioterapia. Estudo de Fase II avaliou em 12 pacientes com glioma de alto grau (GBM-10 pacientes e AA-2 pacientes), bevacizumab na dose de 10 mg/kg EV a cada 2 semanas associado à radioterapia esterotáxica na dose de 30 Gy em cinco frações em pacientes que falharam temozolamida. A taxa de resposta completa e parcial desta promissora combinação foi de 25 e 33%, respectivamente. Além destes números encorajadores, 42% dos pacientes apresentaram doença estável. Nenhum episódio de sangramento cerebral foi documentado. Este estudo está em andamento planejando incluir um número maior de pacientes para obter conclusões mais definitivas.[31] Neste âmbito, estudo randomizado planeja comparar o esquema clássico de temozolamida à radioterapia de forma concomitante seguido de temozolamida versus o mesmo esquema associado ao bevacizumab durante e após a radioterapia em combinação com temozolamida.

Bevacizumab não parece ser somente um corticosteroide de alto custo, à medida que a redução do edema e da captação de contraste é muitas vezes associada à redução volumétricas do tumor associado à duração da resposta que excede qualquer expectativa do observado efeito do corticosteroide isoladamente. Além disso, a taxa de sobrevida livre de progressão para os pacientes respondedores aos esquemas contendo bevacizumab parece ser superior à dos pacientes não respondedores, sugerindo benefício clínico. No entanto, com estas novas combinações antiangiogênicas não se sabe ao certo se a redução de tumor, pelos critérios de MacDonald, é linearmente associada à melhora dos sintomas e maior longevidade. Em relação aos fatores prognósticos e preditivos para resposta, estudo retrospectivo, incluindo 45 pacientes, foi um dos primeiros a avaliá-los em pacientes com gliomas de alto grau recorrente tratados com a combinação de bevacizumab-CPT-11. Neste estudo, a partir de blocos de parafina coletados, a avaliação pelo método de imuno-histoquímica de potenciais marcadores prognósticos e preditivos de resposta, incluindo VEGF, receptor dois do VEGFR-2, CD31, fator induzível por hipóxia, e anidrase carbônica, foi realizada. O único fator preditivo de resposta foi a presença da superexpressão da proteína do VEGF. Em pacientes com expressão alterada (definida como área positiva > 5.000 pixels/× 400 campos) a taxa de resposta foi de 90% em comparação a 50% daqueles com expressão negativa/mínima (p = 0,02). Dos fatores prognósticos para sobrevida, somente a presença de superexpressão da anidrase carbônica (definida como > 10.000 pixels/× 400 campos) foi associada a taxas de sobrevida inferiores. Fenótipos com base em genes e suas proteínas críticas nas vias de angiogênese foram também avaliados, e a presença da expressão alterada combinada do fator induzível por hipóxia (> 5.000 pixels/× 400 campos) e anidrase carbônica apontam para taxas de sobrevida extremamente pobres em comparação àqueles com expressão normal de ambos os marcadores.[32]

Outros grupos têm avaliado a combinação de bevacizumab com outros agentes. Estudo prospectivo, incluindo pacientes com GBM, avaliou a atividade de bevacizumab na dose de 10 mg/kg EV a cada duas semanas associado a etoposide oral na dose de 50 mg/m² nos dias 1 a 21 com ciclos administrados a cada 28 dias. Neste estudo, 78% dos pacientes haviam sido expostos a dois ou mais esquemas prévios de quimioterapia. A taxa de sobrevida livre de progressão em 6 meses foi de 44%, similar à observada com a combinação de bevacizumab e CPT-11. A taxa de resposta foi de 26% e de doença estável de 70%.[33] Com base no interesse de avaliar a atividade do bevacizumab combinado a novos agentes, Sathornsumetee et al. reportaram taxa de resposta de 48% com a combinação de bevacizumab na dose de 10 mg/kg EV a cada duas semanas associado à erlotinibe 200 mg por via oral em pacientes sem uso de anticonvulsivantes indutores de citocromo p 450 e 650 mg em pacientes em uso de anticonvulsivantes indutores de citocromo p 450. A sobrevida livre de progressão em 6 meses foi de 24%. Estes dados são encorajadores e abrem novas linhas de pesquisa, avaliando o papel de bevacizumab combinado a outros agentes biológicos.[34]

Para responder a questão sobre a dose terapêutica ideal de bevacizumab a ser administrada, estudo de Fase II, incluindo 44 pacientes com GBM recorrente após tratamento com quimiorradioterapia com base em temozolamida, avaliou a atividade da combinação de bevacizumab na dose de 10 mg/kg EV associado à CPT-11 na dose de 80 mg/m² EV, ambos a cada 2 semanas. A taxa de resposta foi de 50%, semelhante aos regimes contendo bevacizumab e CPT-11 em doses mais elevadas.[35] Estes dados são preliminares e devem ser avaliados em estudos prospectivos e comparativos a fim de definir a posologia ideal do bevacizumab em termos de eficácia, segurança e custos.

Outro ponto de interesse era avaliar a evolução dos pacientes que falharam a esquemas com base em bevacizumab, já que estas combinações tornaram-se esquemas de eleição para o resgate em pacientes tratados previamente com temozolamida (e refratários à mesma) e radioterapia. Estudo retrospectivo, incluindo 54 pacientes, avaliou o papel de bevacizumab combinado a um agente quimioterápico diferente em pacientes com glioma de alto grau que já haviam falhado a outro esquema quimioterápico contendo bevacizumab. O racional em se manter bevacizumab após progressão baseia-se no fato de que este agente, permitindo a "normalização forçada" dos vasos sanguíneos, ocasionaria uma concentração mais adequada e uniforme de outros agentes quimioterápicos utilizados no resgate. Dos pacientes incluídos um total de 65 e 17% apresentavam GBM e AA, respectivamente. O KPS mediano, no momento do segundo tratamento com bevacizumab, foi de 70. Um total de 39 pacientes, dos 54 analisados recebeu CPT-11 associados ao bevacizumab no tratamento de primeira linha, e o mesmo número de pacientes recebeu carboplatina combinado ao bevacizumab no tratamento de segunda linha. As toxicidades foram similares entre o primeiro e segundo tratamentos contendo bevacizumab. Nenhum paciente atingiu resposta completa ou parcial com o segundo tratamento com base em bevacizumab e um total de 51% apresentou doença estável. A sobrevida livre de progressão em 6 meses em pacientes que receberam o segundo tratamento com bevacizumab foi de somente 3%.[36] Em uma recente apresentação no Congresso de Oncologia de 2011, Reardon et al. sugerem, em metanálise envolvendo 5 estudos e 172 pacientes, que a despeito da baixa taxa de resposta da manutenção de bevacizumab associado a outro agente após progressão com tratamento com bevacizumab, exista benefício de sobrevida global em 6 meses nesta estratégia frente a descontinuar definitivamente bevacizumab (51,1 versus 35,0%, p = 0,01).

Como os resultados contendo combinações com base em bevacizumab em pacientes com doença de alto grau recorrente comparam-se à literatura?[37] Estudo com 375 pacientes compilando resultados de oito estudos de Fase II, incluindo vários agentes citotóxicos, reportou taxa de sobrevida livre de progressão em pacientes com AA e GBM da ordem de 13 e 9 semanas, respectivamente. Nesta mesma série, a taxa de sobrevida livre de progressão em 6 meses foi de 31 e 15%, respectivamente. Segundo os dados reportados pelo grupo da Duke University, a combinação contendo bevacizumab e CPT-11 foi associada, em pacientes com AA e GBM, a período livre de progressão em pelo menos duas vezes o reportado com outros agentes (30 semanas e 20 semanas, respectivamente). Do mesmo modo, a taxa de sobrevida livre de progressão em 6 meses foi aproximadamente duas vezes maior para este novo esquema em comparação a séries históricas (56 e 30%, respectivamente).[23,24] E ainda, a sobrevida global em um ano dos 35 pacientes com GBM tratados com bevacizumab-CPT-11 aparentemente foi superior ao observado no estudo compilado de Wong et al. (37 versus 21%).[25] Em acordância com estes resultados, a associação de bevacizumab ao CPT-11 foi associada à taxa de resposta de 58%, o que por si comparasse favoravelmente aos resultados de outros agentes na doença recorrente como enzastaurin,[38] cilengitide,[39] temsirolimus,[40] gefitinibe[41] e erlotinibe (Quadro 1).[42] E por fim, esta combinação aparentemente é associada a taxas de resposta maiores quando comparada a outros esquemas, contendo outros antiangiogênicos com talidomida,[16] talidomida e BCNU,[43] vatalanibe,[44] vatalanibe e temozolamida ou BCNU,[45] e imatinibe (Quadro 2).[46,47] Com base nestes resultados, dois estudos randomizados avaliam a integração do bevacizumab em concomitância à radioterapia e temozolamida seguido da integração de bevacizumab e temozolamida adjuvante.

Cilengitide é um peptídeo sintético que está ligado a αVβ3 e αVβ5 receptores da integrina, bloqueando várias vias críticas do comportamento biológico dos gliomas. As integrinas são receptores transmembrana da matriz extracelular que regulam a adesão e migração celular, e que nos gliomas em processo de franca angiogênese são, em parte, responsáveis pela migração, proliferação celular e maior sobrevida celular.[48] Estudo de Fase I, incluindo 51 pacientes com glioma de alto grau, avaliou a segurança e dose máxima tolerada de cilengitide, um inibidor do αVβ3 e αVβ5. Este agente de infusão endovenosa foi administrado em doses que variaram de 120 a 2.400 mg/m² duas vezes por semana. As toxicidades mais significativas foram trombose, mialgia e atralgia, plaquetopenia, anorexia, hipoglicemia e hiponatremia. No entanto, o tratamento foi bem tolerado e não conseguiu se estabelecer a dose máxima tolerada. Um total de 2 a 3 pacientes atingiu resposta completa e parcial, respectivamente.[49]

Enzastaurina é um potente e seletivo inibidor das proteínas quinases C (PKC)-β e AKT que parecem ser críticas no controle da via do VEGF, via esta de particular interesse no GBM por ser talvez o tumor mais "vascularizado" conhecido. A família de enzimas do PKC também influencia várias funções, incluindo o crescimento celular, proliferação e morte celular programada. Como observado com outros agentes, o uso concomitante de agentes anticonvulsivantes diminui de forma significativa os níveis séricos de enzastaurina. Estudo de Fase II, incluindo 87 pacientes tratados com enzastaurina com doses orais diárias de 500 mg, reportou taxa de resposta em pacientes com GBM de 22%. A taxa de sobrevida de livre progressão para respondedores e pacientes com doença estável foi de 5 meses. A principal toxicidade foi trombocitopenia (qualquer grau – 16% e graus III/IV – 3%). Um total de sete pacientes apresentou hemorragia intratumoral (não fatais), e destes seis apresentavam doença em progressão, e um paciente estava em resposta. Neste estudo os autores alertam para uma possível associação entre sangramento intratumoral e anticoagulação.[50] Estudo de Fase III, incluindo 266 pacientes com diagnóstico de GBM recorrente, comparou com randomização de 2:1, enzastaurina na dose de ataque no primeiro dia de 1125 mg seguido de doses orais diárias de 500 mg versus lomustina administrada por via oral na dose de 100-130 mg/m² por dia. O objetivo principal do estudo foi avaliar e

Quadro 1. Comparação de resultados: novos agentes

AUTOR	ALVO TERAPÊUTICO	AGENTE	Nº	RESPOSTA
Rich et al.[41]	EGFR	Gefitinibe	53	0%
Quatro estudos[56,57,58,59]	EGFR	Erlotinibe	145	10%
Dois estudos[46,47]	PDGF	Imatinibe	63	14%
Galanis et al.[40]	mTOR	CCI 779	65	0%
Conrad et al.[44]	VEGF	PTK 787	47	5%
Fine et al.[38]	PKC-β	Enzastaurina	24	25% (AA)
Fine et al.[38]	PKC-β	Enzastaurina	63	22% (GBM)
Nabors et al.[39]	αVβ3	Cilengitide	51	10%
Vrendeburgh et al.[23]	VEGF	Bevacizumab + CPT-11	32	63%

Quadro 2. Comparação de resultados: outros agentes antiangiogênicos

AUTOR	AGENTE	Nº	RESPOSTA
Fine et al.[16]	Talidomida	39	2%
Fine et al.[43]	Talidomida + BCNU	40	24%
Dois estudos[46,47]	Imatinibe	63	14%
Conrad et al.[44]	Vatalanibe	55	6%
Reardon et al.[45]	Vatalanibe + temozolamida ou lomustina	60	8%
Goli et al.[24]	Bevacizumab + CPT-11	68	59%

comparar a taxa de sobrevida livre de progressão entre os dois braços com força estatística de 80% com p de 0,025 (*one-sided*). Parâmetros secundários incluíram sobrevida global, resposta objetiva e toxicidade. Aproximadamente 50% dos pacientes apresentavam KPS entre 90-100, e a outra metade entre 70-80. Aproximadamente 75% dos pacientes foram incluídos neste protocolo após a primeira recidiva. O tratamento com enzastaurina foi muito bem tolerado, sendo que as toxicidades graus III/IV mais frequentes incluíram fadiga (3,6%) e trombose (1,8%). Por outro lado, o tratamento com lomustina foi associado à neutropenia e plaquetopenia graus III/IV de 20,2 e 25%, respectivamente. A taxa de resposta dos pacientes que receberam enzastaurina e lomustina foi de 2,9 e 4,3% respectivamente. A taxa de doença estável foi de 38,5 e 35,9%, respectivamente. A taxa de sobrevida livre de progressão foi de 1,51 e 1,64 meses, respectivamente (p = 0,08). A taxa de sobrevida livre de progressão em 6 meses foi de 11,0 e 18,9%, respectivamente. A taxa de sobrevida global média foi de 6,60 e 7,13 meses, respectivamente (p = 0,25). Em razão da falta de superioridade de enzastaurina sobre lomustina, este estudo foi interrompido precocemente.[51] Estes dados demonstram que enzastaurina apresenta atividade em pacientes com glioma de alto grau recorrente, porém, os dados de eficácia demonstram não ser este medicamento superior a agentes mais antigos, como a lomustina.

INIBIDOR DA TIROSINA QUINASE DO RECEPTOR DO FATOR EPIDÉRMICO

O receptor do fator de crescimento epidérmico (EGFR) está amplificado em > 40% e superexpresso em mais de 60% dos pacientes com GBM[52,53] e correlaciona-se com o grau de malignidade do tumor bem como sua resistência à radioterapia.[54] Estudo de Fase II, incluindo 53 pacientes, tratados com gefitinibe, um inibidor seletivo do EGFR, não reportou nenhuma resposta, e somente 13% dos pacientes estavam livres de progressão em período de 6 meses.[41] Em outro estudo de Fase II coordenado pelo *North American Brain Tumor Consortium* (NABTC), foi reportada taxa de resposta parcial em 13% dos pacientes após falha à radioterapia.[55] Outro agente da mesma classe avaliado foi o erlotinibe, que além de inibir o EGFR, também bloqueia o EGFRvIII, encontrado em aproximadamente 40% dos pacientes com GBM.[55] Os resultados com erlotinibe são divergentes entre os estudos. Yung *et al.* reportaram taxa de resposta de somente 4% em 48 pacientes avaliados.[56] Em acordância com estes resultados, outro estudo incluindo 45 pacientes reportou somente uma resposta.[57] E, por fim, um terceiro estudo de Fase II, incluindo 48 pacientes, reportou taxa de resposta de 8,4%, doença estável em 37,5%, e sobrevida livre de progressão em 6 meses de 17%.[58] Opostamente, o estudo de Fase II, incluindo 24 pacientes, reportou taxas de resposta parcial e doença estável mais elevadas que nos estudos anteriores (25 e 25%, respectivamente).[59] A partir destes resultados a atividade dos inibidores da tirosina quinase do EGFR parece modesta. Em parte estes números podem refletir não somente a intrínseca resistência dos gliomas de alto grau a esta classe de agentes, mas também uma limitação dos inibidores do EGFR em penetrar com concentrações adequadas à barreira hematoencefálica. Outra explicação para os limitados resultados é o fato de ainda não serem claros os fatores preditivos de resposta aos inibidores do EGFR na população de pacientes com glioma de alto grau. Estratégias futuras explorando o papel dos inibidores do EGFR no manejo dos gliomas de alto grau incluem a descoberta de potenciais fatores preditivos de resposta e prognósticos, bem como avaliação de novos agentes desta classe, como lapatinibe (inibidor do EGFR e ErbB2), AEE788 (inibidor do EGFR e VEGFR), ZD6474 (inibidor do VEGFR e EGFR) e EKB569 e cetuximabe (anticorpo monoclonal anti-EGFR). Neste âmbito estudo de Fase II avaliou, em 55 pacientes com glioma de alto grau recorrente, a atividade de cetuximabe na dose de ataque de 400 mg/m² EV seguido de 250 mg/m² semanalmente. As taxas de resposta e de doença estável foram modestas (5,6 e 29,6%, respectivamente) bem como as taxas de sobrevida livre de progressão média e em 6 meses (1,9 mês e 10%, respectivamente).[60]

INIBIDOR DA TIROSINA QUINASE DO RECEPTOR DO FATOR DE CRESCIMENTO DERIVADO DE PLAQUETAS

Imatinibe, um inibidor seletivo do receptor da tirosina quinase do Bcr-Abl, *c-kit*, c-fms e PDGF, foi avaliado em pacientes com glioma de alto grau como agente único ou associado à hidroxiureia. Imatinibe é associado à inibição de sinais de transdução e mecanismos de reparação de DNA associado à diminuição da pressão intersticial e aumento das taxas de concentração de agentes quimioterápicos, o que favorece a hipótese de um potencial sinergismo da adição de imatinibe aos agentes quimioterápicos. Um racional para associação de imatinibe à hidroxiureia deve-se ao mecanismo, deste último, da promoção de antiangiogênese quando administrada de forma contínua. Estudo de Fase II em pacientes com GBM recorrente avaliou a atividade e segurança da associação de imatinibe na dose de 400 mg por via oral 1 vez ao dia continuamente em pacientes sem uso de anticonvulsivantes indutores de citocromo p 450 ou 500 mg duas vezes ao dia em pacientes em uso de anticonvulsivantes indutores de citocromo p 450. Imatinibe foi associado à hidroxiureia na dose de 500 mg duas vezes continuamente em ambos os grupos de pacientes. Um total de 33 pacientes foi incluído. Todos os pacientes receberam previamente radioterapia e temozolamida. O número médio de tratamentos prévios foi três. A idade média dos pacientes foi de 52 anos, e todos, exceto um paciente, apresentavam KPS entre 80 e 100. A taxa de sobrevida livre de progressão em 6 meses foi de 27%. Interessante, a sobrevida livre de progressão para pacientes em uso de anticonvulsivantes indutores de citocromo p 450 (e doses de imatinibe maiores) foi superior em comparação àqueles sem uso de anticonvulsivantes indutores de citocromo p 450 (e doses menores de imatinibe) (16,6 semanas e 8,5 semanas, respectivamente). Do mesmo modo a sobrevida média foi superior no grupo de pacientes em uso de anticonvulsivantes indutores de citocromo p 450 (e doses de imatinib maiores) (56,6 semanas e 32,7 semanas). Um total de 9% dos pacientes apresentou resposta (uma completa e duas parciais). Neutropenia e plaquetopenia de grau III foram as toxicidades hematológicas mais frequentes (15 e 6%, respectivamente). Dentre as toxicidades não hematológicas de grau III mais frequentes, destacaram-se edema (6%) e aumento de transaminases (6%).[46] Em um segundo prospectivo, incluindo 30 pacientes com diagnóstico de GBM, tratados com a combinação de imatinibe na dose de 400 mg uma vez ao dia continuamente em pacientes sem uso de anticonvulsivantes indutores de citocromo p 450 ou 500 mg duas vezes ao dia em pacientes em uso de anticonvulsivantes indutores de citocromo p 450 associado à hidroxiureia na dose de 500 mg duas vezes continuamente, foram reportadas respostas objetivas em 20% dos pacientes, sendo que benefício clínico (resposta objetiva + doença estável) foi atingido por 57% dos pacientes. A taxa de sobrevida livre de progressão em 2 anos foi de 18%.[47] Um terceiro estudo de Fase II avaliou a atividade de imatinibe em associação à hidroxiureia em pacientes com glioma de alto grau. A taxa de resposta e doença estável em pacientes com GBM foi de 9 e 35%, respectivamente. A sobrevida média livre de progressão foi de 10,9 semanas e 14,4 semanas para pacientes com AA e GBM, respectivamente. A taxa de sobrevida livre de progressão em 6 meses foi de 26,3%.[61] Estudo prospectivo avaliou a atividade de imatinibe e hidroxiureia nas doses convencionais em 39 pacientes com diagnóstico de AA recorrente e reportou taxa de sobrevida livre de progressão em 6 meses de 24%. As taxas de resposta e doença estável foram de 10 e 33%, respectivamente.[62] Portanto, as conclusões destes estudos é que a combinação de imatinibe e hidroxiureia apresenta resultados consistentes em pacientes com diagnóstico de AA e GBM recorrente, devendo ser considerada como uma das opções viáveis nesta população de pacientes.

INIBIDORES DAS VIAS DO RAS/MAPK E PI3K/AKT

A ativação de uma série de receptores dos fatores de crescimento é associada ao desenvolvimento e comportamento dos gliomas. Portanto bloquear mediadores destas vias, como a via do Ras/MAPK e PI3K/Akt, representa um potencial alvo terapêutico. A farnesil-transferase está associada à transdução de sinal da via do Ras, e dois inibidores das farnesil-transferase foram avaliados em estudos clínicos. Tipifarnibe foi avaliado em estudos de Fase I/II em pacientes com glioma e demonstrou modesta atividade.[63,64] Outra via crítica na biologia dos gliomas de alto grau é representada pelo gene supressor PTEN, inativo em 40-50% dos pacientes com GBM. Este gene comumente inibe a via do PI3K/Akt, ativada geralmente pelo EGFR e PDGFR. Vários agentes que inibem o *mammalian target of rapamycin* (mTOR), uma via abaixo do PI3K/Akt, têm sido avaliados, incluindo

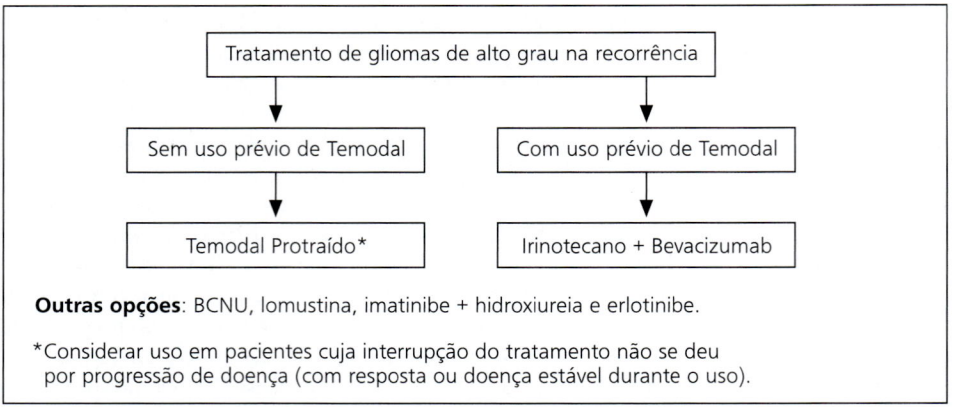

FIGURA 1. Esquema de tratamento de gliomas de alto grau na recidiva.

temsirolimus, sirolimus e everolimus. O maior estudo de Fase II avaliou em 65 pacientes com gliomas de alto grau recorrente temsirolimus na dose de 250 mg EV semanalmente. Nenhum paciente atingiu resposta, e um total de 36% dos pacientes apresentou diminuição do sinal em T2 na ressonância magnética com ou sem alteração do grau de captação de contraste. A taxa de sobrevida livre em progressão em 6 meses foi de apenas 7,8%, e a sobrevida média foi de 5,8 meses.[65]

CONCLUSÃO

Os gliomas de alto grau são tumores de evolução desfavorável que frequentemente necessitam de tratamento de resgate após falha do esquema de primeira linha. As opções de tratamento nessa fase ainda estão em estudo e têm demonstrado resultados pouco satisfatórios. O uso de temozolamida, quando esse quimioterápico não foi usado anteriormente, parece ser uma boa opção. Seu uso também deve ser considerado em pacientes que usaram temozolamida como esquema de primeira linha e interromperam o uso por toxicidade ou escolha do médico ou paciente, e neste cenário, resultados promissores têm sido vistos com o uso diário em baixas doses. Outra opção que tem demonstrado bons resultados em comparação a outros esquemas é o uso de CPT-11 e bevacizumab. Outros esquemas podem ser utilizados após falha ou toxicidade severa associadas às duas estratégias sugeridas anteriormente, com resultados aparentemente inferiores aos citados previamente. Dentre os agentes que podem ser utilizados incluímos: BCNU, lomustina, imatinibe associado à hidroxiureia, e erlotinibe. Novos estudos são necessários para avaliar os reais benefícios dos tratamentos de resgate apresentados, assim como o surgimento de novos esquemas terapêuticos efetivos.

REFERÊNCIAS BIBLIOGRÁFICAS

1. Brandes AA. State-of-the-art treatment of high-grade brain tumors. *Semin Oncol* 2003;30(Suppl 19):4-9.
2. Stupp R, Mason WP, van den Bent MJ, et al: Radiotherapy plus concomitant and adjuvant temozolomide for glioblastoma. *N Engl J Med* 2005;352:987-96.
3. Brada M, Hoang-Xuan K, Rampling R et al. Multicenter phase II trial of temozolomide in patients with glioblastoma multiforme at first relapse. *Ann Oncol* 2001;12(2):259-66.
4. Brandes AA, Ermani M, Basso U et al. Temozolomide as a second-line systemic regimen in recurrent high grade glioma: a phase II study. *Ann Oncol* 2001;12(2):255-57.
5. Perry JR, Mason WP, Belanger K et al. The temozolomide RESCUE study: A phase II trial of continuous (28/28) dose-intense temozolomide (TMZ) after progression on conventional 5/28 day TMZ in patients with recurrent malignant glioma. *J Clin Oncol* 2008;26(15S):2010.
6. Kong DS, Lee JI, Kim WS et al. A pilot study of metronomic temozolomide treatment in patients with recurrent temozolomide-refractory glioblastoma. *Oncol Rep* 2006;16(5):1117-21.
7. Franceschi E, Omuro AM, Lassman AB et al. Salvage temozolomide for prior temozolomide responders. *Cancer* 2005;104(11):2473-76.
8. Brandes AA, Tosoni A, Amista P et al. How effective is BCNU in recurrent glioblastoma in the modern era? A phase II trial. *Neurology* 2004;63:1281-84.
9. Rosenthal MA, Ashley DL, Cher L. BCNU as second line therapy for recurrent high-grade glioma previously treated with Temozolomide. *J Clin neurosci* 2004;11(4):374-75.
10. Chamberlain MC, Wei-Tsao DD, Blumenthal DT et al. Salvage chemotherapy with CPT-11 for recurrent temozolomide-refractory anaplastic astrocytoma. *Cancer* 2008;112(9):2038-45.
11. Brandes AA, Tosoni A, Basso U et al. Second-line chemotherapy with irinotecan plus carmustine in glioblastoma recurrent or progressive after first-line temozolomide chemotherapy: a phase II study of the Gruppo Italiano Cooperativo di Neuro-Oncologia (GICNO). *J Clin Oncol* 2004;22(23):4779-86.
12. Salmaggi A, Eoli M, Frigerio S et al. Intracavitary VEGF, bFGF, IL-8, IL-12 levels in primary and recurrent malignant glioma. *J Neurooncol* 2003;62:297-303.
13. Brem S, Cotran R, Folkman J. Tumor angiogenesis: a quantitative method for histologic grading. *J Natl Cancer Inst* 1972;48(2):347-56.
14. Weindel K, Moringlane JR, Marmé D et al. Detection and quantification of vascular endothelial growth factor/vascular permeability factor in brain tumor tissue and cyst fluid: the key to angiogenesis? *Neurosurgery* 1994;35(3):439-48.
15. Ferrara N, Gerber HP, LeCouter J. The biology of VEGF and its receptors. *Nat Med* 2003;9:669-76.
16. Fine HA, Figg WD, Jaeckle K et al. Phase II trial of the antiangiogenic agent thalidomide in patients with recurrent high-grade gliomas. *J Clin Oncol* 2000;18(4):708-15.
17. Fine HA, Wen PY, Maher EA et al. Phase II trial of thalidomide and carmustine for patients with recurrent high-grade gliomas. *J Clin Oncol* 2003;21(12):2299-304.
18. Baumann F, Bjeljac M, Kollias SS et al. Combined thalidomide and temozolomide treatment in patients with glioblastoma multiforme. *J Neurooncol* 2004;67:191-200.
19. Raizer JJ, Gallot L, Cohn R et al. A phase II safety study of bevacizumab in patients with multiple recurrent or progressive malignant gliomas. *J Clin Oncol* 2007;25(18S):2079.
20. Liu G, Yuan X, Zeng Z et al. Analysis of geneexpression and chemoresistance of CD133+ cancer stem cells in glioblastoma. *Mol Cancer* 2006;5:67.
21. Bao S, Wu Q, Sathornsumetee S et al. Stem cell-like glioma cells promote tumor angiogenesis through vascular endothelial growth factor. *Cancer Res* 2006;66:7843-48.
22. Pope WB, Lai A, Nghiemphu P et al. MRI in patients with high-grade gliomas treated with bevacizumab and chemotherapy. *Neurology* 2006;66(8):1258-60.
23. Vredenburgh JJ, Desjardins A, Herndon JE et al. Phase II trial of bevacizumab and irinotecan in recurrent malignant glioma. *Clin Cancer Res* 2007;13(4):1253-59.
24. Vredenburgh JJ, Desjardins A, Herndon JE et al. Bevacizumab plus irinotecan in recurrent glioblastoma multiforme. *J Clin Oncol* 2007;25(30):4722-29.
25. Friedman HS, Prados MD, Wen PY et al. Bevacizumab alone and in combination with irinotecan in recurrent glioblastoma. *J Clin Oncol* 2009;27(28):4733-40.
26. Raval S, Hwang S, Dorsett L. Bevacizumab and irinotecan in patients (pts) with recurrent glioblastoma multiforme (GBM). *J Clin Oncol* 2007;25(18S):2078.
27. Stark-Vance V. Bevacizumab and CPT-11 in the treatment of relapsed malignant glioma. *Neurooncol* 2005;7:369.
28. Chamberlain MC. Bevacizumab plus irinotecan in recurrent glioblastoma. *J Clin Oncol* 2008;26(6):1012-13.
29. Ozcan C, Wong SJ, Hari P. Reversible posterior leukoencephalopathy syndrome and bevacizumab. *N Engl J Med* 2006;354:980-82.
30. Allen JA, Adlakha A, Bergethon PR. Reversible posterior leukoencephalopathy syndrome after bevacizumab/FOLFIRI regimen for metastatic colon cancer. *Arch Neurol* 2006;63:1475-78.

31. Mohile NA, Abrey LE, Lymberis SC et al. A pilot study of bevacizumab and stereotactic intensity modulated re-irradiation for recurrent high grade gliomas. *J Clin Oncol* 2007;25(18S):2028.
32. Sathornsumetee S, Cao Y, Marcello JE et al. Tumor angiogenic and hypoxic profiles predict radiographic response and survival in malignant astrocytoma patients treated with bevacizumab and irinotecan. *J Clin Oncol* 2008;26(2): 271-78.
33. Rich JN, Desjardins A, Sathornsumetee S et al. Phase II study of bevacizumab and etoposide in patients with recurrent malignant glioma. *J Clin Oncol* 2008;26(15S):2022.
34. Sathornsumetee S, Vredenburgh JJ, Rich JN et al. Phase II study of bevacizumab and erlotinib in patients with recurrent glioblastoma multiforme. *J Clin Oncol* 2008;26(15S):13008.
35. Dresemann A, Hobbold A, Dresemann G. Bevacizumab (B) plus irinotecan (I) in progressive multiple pretreated and temozolomide (T) refractory glioblastoma multiforme (GBM): A single center experience using a low dose regimen. *J Clin Oncol* 2008;26(15S):13007.
36. Quant E, Norden AD, Drappatz J et al. Role of a second chemotherapy in recurrent malignant glioma patients who progress on a bevacizumab-containing regimen. *J Clin Oncol* 2008;26(15S):2008.
37. Wong ET, Hess KR, Gleason MJ et al. Outcomes and prognostic factors in recurrent glioma patients enrolled onto phase II clinical trials. *J Clin Oncol* 1999;17:2572-2578.
38. Fine HA, Kim L, Royce C et al. Phase II trial of LY317615 in patients with recurrent high grade gliomas. *J Clin Oncol* 2004;22(14S):1511.
39. Nabors LB, Mikkelsen T, Rosenfeld SS et al. Phase I and correlative biology study of cilengitide in patients with recurrent malignant glioma. *J Clin Oncol* 2007;25(13):1651-57.
40. Galanis E, Buckner JC, Maurer MJ et al. Phase II trial of temsirolimus (CCI-779) in recurrent glioblastoma multiforme: a North Central Cancer Treatment Group Study. *J Clin Oncol* 2005;23(23):5294-304.
41. Rich JN, Reardon DA, Peery T et al. Phase II trial of gefitinib in recurrent glioblastoma. *J Clin Oncol* 2004;22(1):133-42.
42. Raizer JJ, Abrey LE, Wen P et al. A phase II trial of erlotinib (OSI-774) in patients (pts) with recurrent malignant gliomas (MG) not on EIAEDs. *J Clin Oncol* 2004;22(14S):1502.
43. Fine HA, Wen PY, Maher EA et al. Phase II trial of thalidomide and carmustine for patients with recurrent high-grade gliomas. *J Clin Oncol* 2003;21(12):2299-304.
44. Conrad C, Friedman H, Reardon D et al. phase I/II trial of single-agent PTK 787/ZK 222584 (PTK/ZK), a novel, oral angiogenesis inhibitor, in patients with recurrent glioblastoma multiforme (GBM). *J Clin Oncol* 2004;22(14S):1512.
45. Reardon D, Friedman H, Yung WKA et al. A phase I/II trial of PTK787/ZK 222584 (PTK/ZK), a novel, oral angiogenesis inhibitor, in combination with either temozolomide or lomustine for patients with recurrent glioblastoma multiforme (GBM). *J Clin Oncol* 2004;22(14S):1513.
46. Reardon DA, Egorin MJ, Quinn JA et al. Phase II study of imatinib mesylate plus hydroxyurea in adults with recurrent glioblastoma multiforme. *J Clin Oncol* 2005;23(36):9359-68.
47. Dresemann G. Imatinib and hydroxyurea in pretreated progressive glioblastoma multiforme: a patient series. *Ann Oncol* 2005;16(10):1702-8.
48. Stupp R, Ruegg C. Integrin inhibitors reaching the clinic. *J Clin Oncol* 2007;25:1637-38.
49. Nabors LB, Mikkelsen T, Rosenfeld SS et al. Phase I and correlative biology study of cilengitide in patients with recurrent malignant glioma. *J Clin Oncol* 2007;25(13):1651-57.
50. Fine HA, Kim L, Royce C et al. Results from phase II trial of Enzastaurin (LY317615) in patients with recurrent high grade gliomas. *J Clin Oncol* 2005;23(16S):1504.
51. Fine HA, Puduvalli VK, Chamberlain MC et al. Enzastaurin (ENZ) versus lomustine (CCNU) in the treatment of recurrent, intracranial glioblastoma multiforme (GBM): a phase III study. *J Clin Oncol* 2008;26:2005.
52. Benjamin R, Capparella J, Brown A. Classification of glioblastoma multiforme in adults by molecular genetics. *Cancer J* 2003;9:82-90.
53. Kesari S, Ramakrishna N, Sauvageot C et al. Targeted molecular therapy of malignant gliomas. *Curr Neurol Neurosci Rep* 2005;5:186-97.
54. Jendrossek V, Belka C, Bamberg M. Novel chemotherapeutic agents for the treatment of glioblastoma multiforme. *Expert Opin Investig Drugs* 2003;12:1899-924.
55. Lieberman FS, Cloughesy T, Fine H et al. NABTC phase I/II trial of ZD-1839 for recurrent malignant gliomas and unresectable meningiomas. *J Clin Oncol* 2004;22:1510.
56. Yung A, Vredenburgh J, Cloughesy T et al. Erlotinib HCL for glioblastoma multiforme in first relapse, a phase II trial. *J Clin Oncol* 2004;22(14):1555.
57. Raizer JJ, Abrey LE, Wen P et al. A phase II trial of erlotinib (OSI-774) in patients (pts) with recurrent malignant gliomas (MG) not on EIAEDs. *J Clin Oncol* 2004;22(14S):1502.
58. Cloughesy T, Yung A, Vrendenberg J et al. Phase II study of erlotinib in recurrent GBM: molecular predictors of outcome. *J Clin Oncol* 2005;23:1507.
59. Vogelbaum MA, Peereboom D, Stevens G et al. Phase II trial of the EGFR tyrosine kinase inhibitor erlotinib for single agent therapy of recurrent glioblastoma multiforme: Interim results. *J Clin Oncol* 2004;22:1558.
60. Neyns B, Sadones J, Joosens E et al. A multicenter stratified phase II study of cetuximab for the treatment of patients with recurrent high-grade glioma. *J Clin Oncol* 2008;26(15S):2017.
61. Friedman HS, Quinn J, Rich J et al. Efficacy of imatinib mesylate plus hydroxyurea regimen in the treatment of recurrent malignant glioma: Phase II study results. *J Clin Oncol* 2005;23(16S):1515.
62. Desjardins A, Quinn JA, Vredenburgh JJ et al. Phase II study of imatinib mesylate and hydroxyurea for recurrent grade III malignant gliomas. *J Neurooncol* 2007;83(1):53-60.
63. Cloughesy TF, Kuhn J, Wen P et al. Two phase II trials of R115777 (Zarnestra®) in patients with recurrent glioblastoma multiforme: a comparison of patients on enzyme-inducing anti-epileptic drugs (EIAED) and not on EIAED at maximum tolerated dose respectively: a North American Brain Tumor Consortium (NABTC) Report. *Neurooncol* 2003;5:349.
64. Kesari S, Ramakrishna N, Sauvageot C et al. Targeted molecular therapy of malignant gliomas. *Curr Neurol Neurosci Rep* 2005;5:186-97.
65. Galanis E, Buckner JC, Maurer MJ et al. Phase II trial of temsirolimus (CCI-779) in recurrent glioblastoma multiforme: A North Central Cancer Treatment Group Study. *J Clin Oncol* 2005;23:5294-304.

CAPÍTULO 222

Tratamento Sistêmico de Primeira Linha dos Astrocitomas de Alto Grau

Fernando Cotait Maluf

INTRODUÇÃO

A incidência dos tumores primários cerebrais tem aumentado nas últimas décadas[1], e mais da metade dos 18.000 casos diagnosticados por ano nos Estados Unidos da América são representados pelo glioblastoma multiforme (GBM).[2] A incidência do GBM é maior em pacientes idosos, de raça branca, e do sexo masculino.[2,3] Segundo a classificação da World Health Organization (WHO), o GBM é classificado como astrocitoma grau IV, em escore que vai de I até IV.[4] Segundo a mesma classificação, os astrocitomas anaplásicos (AA) são classificados como grau III, por apresentar dentre as características principais atipia nuclear e atividade mitótica, porém, diferente dos GBMs, não apresentam necrose.

Os fatores prognósticos que se associam às taxas favoráveis de sobrevida global incluem idade jovem, bom Karnofsky desempenho *status* escore (KPS), histologia grau III ou AA, ausência de necrose extensa, pequeno ou nenhum tumor residual após a cirurgia, e glioma de alto grau secundário (de desenvolvimento a partir de glioma de baixo grau).[1,2,5,6] Este último fator prognóstico é explicado pelo fato de os gliomas de altos graus secundários apresentarem alterações moleculares distintas dos gliomas primários ou *de novo*, implicando em diferentes resultados em termos de resposta e sobrevida quando expostos aos mesmos tratamentos sistêmicos e locorregionais.

Os GBMs primários originam-se de células gliais com história clínica inferior a 6 meses e são mais comuns em pacientes com idade acima de 65 anos.[7] Por outro lado, os GBMs secundários apresentam o desenvolvimento para o grau alto em período de meses a anos, a partir dos gliomas de baixo grau preexistentes. Os GBMs primários apresentam alteração da expressão (em mais de 60% dos casos) ou amplificação (em mais de 40% das vezes) do fator de crescimento epidérmico.[8] As alterações genéticas também incluem a perda do cromossomo 10, alteração da expressão ou amplificação do gene MDM-2 e a deleção ou mutação do gene PTEN. Por outro lado, os GBMs secundários apresentam inativação da proteína do gene p53 e alteração da expressão das ligandinas e receptores do fator de crescimento derivado de plaquetas (PDGF).[7-9]

O melhor entendimento dos mecanismos moleculares que controlam o comportamento biológico dos gliomas de alto grau tem proporcionado um grande avanço no desenvolvimento e confecção dos agentes com potencial de bloquear especificamente estas importantes vias. Do ponto de vista de prognóstico, pacientes com AA apresentam taxas de sobrevida média de aproximadamente três anos, sendo que os mesmos fatores prognósticos válidos para os GBMs são também observados para os pacientes com AAs (idade, desempenho físico, extensão da ressecção, presença de histologia oligodendroglial).[10]

TRATAMENTO DE PRIMEIRA LINHA

O tratamento efetivo dos gliomas, bem como a avaliação de sua eficácia, é ainda hoje um grande desafio graças às características peculiares a estes tumores, incluindo, dentre outros, a localização no sistema nervoso central. Dentre estas características, uma das mais desafiadoras é a dificuldade em avaliar a resposta destes tumores após tratamentos sistêmicos, diferente do observado em pacientes com tumores sólidos de outros sítios primários. No caso dos tumores cerebrais, as ferramentas diagnósticas, como tomografia computadorizada e ressonância magnética de crânio, oferecem informações limitadas e, muitas vezes, imprecisas sobre a verdadeira dimensão do tumor.

O aumento na captação de contraste nos pacientes com GBM é o resultado do extravasamento de contraste pela barreira hematoencefálica que apresenta sua permeabilidade alterada nesta situação. A mesma apresenta-se alterada de modo heterogêneo nestes pacientes, fato evidenciado em estudos de necropsias que demonstraram células malignas em distâncias consideráveis das observadas nos locais de captação de contraste de acordo com os exames de imagem.[11] Além disso, o grau de captação de contraste pode ser alterado pela administração de corticosteroides e radiação, dificultando ainda mais a avaliação de resposta aos tratamentos sistêmicos.

Outra característica peculiar a estes tumores deve-se ao fato de que a lesão às estruturas locais pode ser objeto de irreversibilidade dos estados clínico e neurológico do paciente, mesmo quando ocorre resposta aos tratamentos oferecidos. Nas neoplasias de outros sítios uma considerável concentração dos agentes citotóxicos atinge o tumor. Entretanto, graças à presença da barreira hematoencefálica e das significativas alterações vasculares, uma quantidade limitada dos agentes sistêmicos alcança o tumor cerebral, e o faz de maneira não uniforme. A barreira hematoencefálica apresenta proteínas, como a glicoproteína P e ABCG2, que expulsam das células neoplásicas os agentes quimioterápicos ou biológicos como o imatinibe, por exemplo.[12,13] Além disso, o nível sérico dos agentes sistêmicos é alterado de modo importante (levando a menores concentrações) pelo uso concomitante dos agentes anticonvulsivantes indutores da enzima P450, o que, de certa forma, levanta o questionamento se os agentes avaliados em estudos clínicos anteriores não teriam sido administrados em doses baixas e ineficazes em pacientes que estavam utilizando certos anticonvulsivantes.[14]

A quimioterapia como parte do tratamento do glioma de alto grau é comumente administrada como terapia "adjuvante". Neste cenário, seu impacto é otimizado pela menor carga tumoral, sendo que existe um teórico aumento do grau de quimiossensibilidade à medida que as células remanescentes apresentam maior taxa de proliferação, maior suprimento vascular, menos hipóxia e, possivelmente, menor resistência aos agentes administrados. Apesar dos benefícios teóricos de administrar o tratamento adjuvante em vários tumores sólidos e também nos pacientes com gliomas de alto grau, vários parâmetros nestes últimos representam pontos de preocupação, tais como: a) as ressecções ideais de tumores cerebrais e, por consequência, mínima doença residual, são infrequentes nestes pacientes, onde um grande número destes, pela própria localização do tumor, idade, comorbidades e padrão infiltrativo, apresenta doença de alto volume no pós-operatório; b) os esquemas quimioterápicos mais ativos nos AAs e GBMs raramente produzem respostas completas, com taxas de resposta parcial em torno que variam de 20 a 40%.

Em virtude de todos os obstáculos observados nestes tumores, a sobrevida média de pacientes com gliomas de alto grau, em particular no GBM, tem mudado modestamente nas últimas décadas, e a maior parte dos pacientes sucumbe em período inferior a dois anos. A despeito da cirurgia não ser um procedimento com potencial curativo, ressecções ideais correlacionam-se com as melhores taxas de sobrevida.[1] Do mesmo modo, a radioterapia externa pós-operatória aumenta, de modo significativo, a sobrevida média dos pacientes com GBM frente ao tratamento de suporte somente após a ressecção do tumor cerebral.[2]

O benefício da quimioterapia adjuvante com base em nitrosoureia é mais modesto, com ganho absoluto de 6% no período de um ano, de acordo com metanálise que incluiu 3.004 pacientes (redução relativa do risco de morte de 15%, p < 0,0001).[15] Estudos procuraram demonstrar vantagem do esquema PCV (procarbazina, lomustina e vincristina) sobre carmustina (BCNU), porém, análises retrospectivas demonstraram equiparidade entre os dois esquemas.[16]

O modesto benefício da quimioterapia adjuvante com base em nitrosoureia parece ser ainda mais diluído em pacientes idosos e com diagnóstico histológico de GBM. Além disso, estudo randomizado, incluindo 674 pacientes com glioma de alto grau, comparou radioterapia pós-operatória com ou sem PCV e não demonstrou nenhum benefício da quimioterapia adjuvante.[17] Do mesmo modo, a adição de cisplatina ao BCNU não foi superior ao BCNU isolado, de acordo com estudo randomizado.[18]

Ganhos de sobrevida um pouco mais significativos foram obtidos com tratamentos locorregionais como o BCNU colocado no próprio leito tumoral através de um polímero biodegradável com liberação controlada deste agente citotóxico. O racional para o uso do tratamento locorregional reside no fato de que a administração por via local poderia sobrepor a limitação imposta pela barreira hematoencefálica, levando a níveis de concentração dos agentes mais adequados, menos efeitos colaterais sistêmicos, abordando efetivamente o maior sítio de recidiva dos gliomas, ou seja, o próprio leito tumoral e áreas vizinhas. Em estudo randomizado, incluindo 240 pacientes submetidos à cirurgia e radioterapia, houve um benefício de aproximadamente 8 semanas na sobrevida global dos pacientes que receberam BCNU administrado no leito operatório frente ao braço do placebo (13,9 *versus* 11,6 meses, p = 0,03).[19] Corroborando os resultados do estudo anterior, estudo randomizado incluindo 222 pacientes submetidos à cirurgia por glioma recorrente demonstrou benefício de 8 semanas na sobrevida global dos pacientes que receberam BCNU administrado no leito operatório frente ao braço do placebo (31 *versus* 23 semanas, p = 0,006) com menor mortalidade em 6 meses (44 *versus* 64%, p = 0,02). Porém, o tratamento com BCNU administrado localmente foi associado a maior número de complicações locais, como infecções e sangramentos.[20] Além disso, as taxas de sobrevida foram muitos desfavoráveis, e as taxas de recidiva locorregional elevadas, associando-se ao alto custo desta estratégia. O tratamento adjuvante com BCNU sistêmico foi também corroborado em pacientes com AA por estudos prospectivos e metanálises pela demonstração de um pequeno benefício em termos de sobrevida global nestes pacientes.[15,21] Frente a este cenário sombrio, o desenvolvimento de novos agentes tornava-se necessário.

QUIMIORRADIOTERAPIA COM BASE EM TEMOZOLAMIDA

Temozolomida, um alquilante oral, é um derivado da imidazotetrazina de segunda geração, que metila sítios específicos do DNA, sendo o mais importante a posição O^6 da guanina, levando à alteração da sequência de nucleotídeos e tendo como evento final a apoptose. Temozolamida foi o **agente** mais promissor no tratamento dos gliomas de acordo com estudos de fase II em pacientes com doença recorrente após radioterapia.[22,23] Estes estudos foram seguidos por outros subsequentes, avaliando o papel da temozolamida como parte do tratamento de primeira linha associado.

Temozolamida é rapidamente absorvida, não requer metabolismo hepático para sua ativação, exibe farmacocinética uniforme entre os pacientes e, principalmente, atinge concentrações no sistema nervoso central elevadas quando comparada aos outros agentes, com relação plasma-liquor de 30 a 40%.[24,25] O mecanismo principal de resistência à temozolamida é mediado pela enzima reparadora O^6-metilguanina-DNA metiltransferase (MGMT). Um dos potenciais racionais de se combinar temozolamida à radioterapia advém do potencial sinergismo entre ambas as estratégias, a fim de sobrepor os mecanismos de resistência, em particular do MGMT não metilado ou selvagem.[26]

Estudo de fase II em pacientes com GBM recorrente tratados com temozolamida na dose de 150-200 mg/m² por via oral por 5 dias a cada 28 dias reportou taxa de resposta e doença estável de 8 e 45%, respectivamente. As taxas de sobrevida livre de progressão e global em 6 meses foram de 18 e 46%, respectivamente.[27] Este estudo foi seguido de outro de fase II, incluindo 64 pacientes, tratados com radioterapia isolada na dose de 60 Gy em 30 frações *versus* a mesma radioterapia com temozolamida na dose de 75 mg/m² diária por 6 semanas seguido de temozolamida na dose de 150-200 mg/m² por 5 dias a cada 28 dias em um total de seis ciclos. Os pacientes incluídos neste estudo foram extremamente selecionados, como se observa pela idade média (52 anos), ressecção ideal (42%), e ECOG 0-1 (86%). O tratamento foi bem tolerado pela maioria dos pacientes, e 39% receberam todo o tratamento planejado, incluindo os seis ciclos de temozolamida. Um total de 6% apresentou neutropenia e plaquetopenia graus III/IV durante a fase de quimiorradioterapia. Linfopenia graus III/IV ocorreu em 79% dos pacientes. Dois pacientes dos primeiros 15 incluídos apresentaram infecção por *Pneumocystis carinii* durante a fase da concomitância em decorrência de linfopenia, o que levou alguns autores a sugerirem profilaxia com sulfametoxasol-trimetropim nesta fase do tratamento. Após introdução de profilaxia, nenhum outro episódio de infecção por *Pneumocystis carinii* foi observado. Durante o período de adjuvância, ou seja, nos seis ciclos adicionais, somente 2 e 6% dos pacientes apresentaram neutropenia e plaquetopenia graus III/IV, respectivamente. Resultados animadores foram reportados nesse estudo, com taxas de sobrevida em 1 e 2 anos de 58 e 31%, respectivamente. Este benefício foi mais pronunciado em pacientes com idade abaixo de 50 anos e submetidos à citorredução tumoral ideal.[28] Como sugestões práticas do uso de temozolamida, recomenda-se ingestão à noite, em jejum, precedida em 30 a 60 minutos por antieméticos. Sugerimos metoclopramida ou, em caso de refratariedade, granisetrona ou ondansetrona, como medicações de escolha. Também favorecemos a administração profilática de laxantes graças à constipação associada à temozolamida.

Da mesma forma, estudo randomizado incluindo 573 pacientes de idade abaixo de 70 anos com diagnóstico de glioma de alto grau comprovado histologicamente (GBM em sua grande maioria) sem tratamento sistêmico prévio comparou radioterapia isolada na dose de 60Gy em 30 frações (6 semanas) *versus* a mesma radioterapia com temozolamida na dose oral de 75 mg/m² diária por 6 semanas seguido de temozolamida na dose de 150-200 mg/m² por 5 dias a cada 28 dias em um total de seis ciclos. O objetivo principal deste estudo foi demonstrar se o braço do tratamento multimodal pós-operatório era capaz de aumentar de 12 para 16 meses de sobrevida em relação ao braço da radioterapia externa isolada. Os pacientes foram estratificados de acordo com a idade, desempenho físico (escala de WHO) e tipo de cirurgia realizada (ressecção ideal *versus* subtotal *versus* biópsia). A idade média foi de 57 anos, sendo que aproximadamente 70% dos pacientes apresentavam-se com idade igual ou acima de 50 anos. Um total de 38 e 48% dos pacientes apresentava desempenho físico, de acordo com a escala de WHO, de escores 0 e 1, respectivamente. Do mesmo modo, aproximadamente dois terços dos pacientes apresentavam escore do minimental entre 27-30. Ressecção completa e parcial foi atingida em 40 e 45% dos pacientes, respectivamente, sendo a biópsia o procedimento cirúrgico executado em uma minoria dos pacientes. Este último dado reflete uma criteriosa seleção dos pacientes incluídos neste estudo. Um total de 93% dos pacientes apresentava diagnóstico histológico de GBM, e somente 4% diagnóstico de AA. A sobrevida global média foi superior no braço tratamento multimodal frente ao braço da radioterapia externa isolada (12,1 *versus* 14,0 meses), bem como a taxa de sobrevida em dois anos (26,5% *versus* 10,4%). O risco relativo de óbito no estudo foi de 0,63 (IC 95% 0,52 a 0,75, p < 0,001), representando uma redução de 37% do risco de morte para os pacientes tratados com radioterapia e temozolamida em comparação aos tratados apenas com radioterapia. Do mesmo modo, a sobrevida livre de progressão média foi superior no braço contendo temozolamida (6,9 *versus* 5 meses) bem como a taxa de sobrevida livre de progressão em 2 anos (10,7% *versus* 1,5%). O risco relativo de progressão de doença em pacientes tratados com temozolamida em adição à radioterapia em comparação à radioterapia isolada foi de 0,54 (IC 95% 0,45 a 0,64, p < 0,001). O benefício da associação de temozolamida à radioterapia foi abrangente a todos os subgrupos, com exceção daqueles com desempenho físico muito limitado.[29]

Estes resultados foram corroborados por estudo randomizado de fase II, incluindo 130 pacientes com diagnóstico histológico de GBM sem tratamento prévio, que comparou radioterapia isolada na dose de 60 Gy em 30 frações *versus* a mesma radioterapia com temozolamida na dose oral de 75 mg/m² diária por 6 semanas seguido de temozolamida 150 mg/m² nos dias 1 a 5 e 15 a 19, a cada 28 dias, em um total de 6 ciclos. Uma proporção maior dos pacientes incluídos (em comparação ao estudo anterior[29]) apresentava características mais desfavoráveis, incluindo ressecções subótimas ou somente biópsias e KPS ≤ 80. Neste estudo, o braço que continha temozolamida foi associado a superiores taxas de tempo livre de progressão (10,8 *versus* 52 meses, p < 0,0001) e sobrevida global (13,4 *versus* 7,7 meses, p < 0,0001). As taxas de sobrevida em 1 e 2 anos foram também superiores no braço do tratamento multimodal (56,3 *versus* 15,7% e 24,9 *versus* 5,3%). Similar a outros estudos de fase II, a principal toxicidade associada à temozolamida em associação à radioterapia foi mielossupressão, porém leucopenia e plaquetopenia graus III/IV somente ocorreram em 3,5 e 5,2% dos pacientes, respectivamente. Em análise multivariada, a administração da temozolamida em conjunto com a radioterapia e depois de forma adjuvante foi associada a superiores taxas de tempo livre de progressão e sobrevida global.[30]

Como ponto de especulação, o maior benefício da associação de temozolamida à radioterapia observada nestes estudos parece ter vindo da fase concomitante. Isto foi sugerido em estudo alemão de fases I/II, incluindo 53 pacientes tratados após cirurgia com temozolamida na dose de 50 mg/m² diária por 6 semanas associada conjuntamente à radioterapia, sem o uso de temozolamida adjuvante, que reportou sobrevida média de 19 meses e sobrevida global em 2 anos de 29%.[31] Estes resultados são muitos similares aos observados no *European Organization for Research and Treatment of Cancer* (EORTC) 22981/26981.[29,32]

Apesar deste importante avanço, existe ainda uma real necessidade de se aperfeiçoarem os resultados obtidos com a associação de temozolamida e radioterapia, à medida que a sobrevida média dos pacientes ainda não ultrapassa 15 meses. Linhas terapêuticas em fase de pesquisa incluem novos esquemas contendo temozolamida,[33] Neste contexto, estudo randomizado (RTOG 0525), incluindo 833 pacientes, comparou, após a quimiorradioterapia com temozolamida, o esquema clássico de temozolamida na dose de 150-200 mg/m² por 5 dias a cada 28 dias em um total de 6-12 ciclos *versus* o esquema dose-densa na dose de 75-100 mg/m² por 21 dias a cada 28 dias em um total de 6-12 ciclos. Este importante estudo não demonstrou diferença na sobrevida livre de progressão ou global entre os dois braços, além de o braço experimental ter sido mais tóxico em termos de linfopenia grau ≥ 3 (27 *versus* 19%p = 0,008).[34] Outras estratégias para aperfeiçoar o uso de temozolamida incluem tratamentos mais prolongados,[35] adição de outros agentes (com mecanismos de ação diferentes dos observados com alquilantes) à temozolamida, e a composição de tratamentos locorregionais com os polímeros associados à temozolamida. Ainda é de extrema importância selecionar de modo mais acurado os potenciais respondedores à temozolamida daqueles com alto grau de resistência a este agente, a fim de, para este último grupo, procurar novas estratégias mais eficazes de tratamento.

O papel da quimioterapia de manutenção nos tumores sólidos, em particular nos gliomas de alto grau, é incerto. Apesar disso, estudos mais recentes têm utilizado períodos ainda mais prolongados de manutenção com temozolamida do que os observados nos estudos randomizados citados anteriormente. Esta conduta terapêutica baseia-se não somente no perfil de toxicidade favorável da temozolamida, mas também no fato de o uso crônico poder depletar de forma mais eficaz a MGMT.[36] Com base nisso, nosso grupo também tem preconizado o uso de temozolamida de manutenção em doses convencionais por dois a três anos em pacientes sem toxicidades significativas e com doença sem sinais de progressão. Vale lembrar que, além dos custos desta estratégia, existe um potencial risco, apesar de aparentemente pequeno, de leucose secundária à exposição contínua deste alquilante, que neste momento é limitado a casos isolados.[37]

FATORES PROGNÓSTICOS EM PACIENTES TRATADOS COM QUIMIORRADIOTERAPIA COM BASE NA TEMOZOLAMIDA

Torna-se imperativo, à medida que o tratamento com quimiorradioterapia com base na temozolamida tornou-se o novo padrão, definir quais são os fatores prognósticos e preditores de resposta com este tratamento mais relevante. Subsequente análise do estudo randomizado publicado por Stupp *et al*.[29] avaliou o papel de variáveis clinicopatológicas a fim de estratificar e predizer distintas taxas de sobrevida em pacientes tratados com radioterapia com ou sem temozolamida concomitante na dose de 75 mg/m² diária por 6 semanas, seguido de temozolamida 150-200 mg/m² por 5 dias, a cada 28 dias, em um total de seis ciclos. Esta classificação chamada de *Recursive Partitioning Analysis* (RPA), modificada pelo EORTC, a partir da classificação original do *Radiation Therapy Oncology Group* (RTOG), define três grupos prognósticos, como descrito a seguir. As taxas de sobrevida média para os pacientes com RPA classes III, IV e V foram de 17, 15 e 10 meses, correspondendo à sobrevida em dois anos de 32, 19 e 11%, respectivamente (p < 0,0001). Interessante que o tratamento com radioterapia em associação à temozolamida foi altamente superior à radioterapia isolada nos pacientes com RPA III, com taxas de sobrevida em dois anos de 43% frente a 20%, respectivamente (p = 0,006). O mesmo ocorreu, em menor magnitude, para os pacientes com RPA classe IV (28 *versus* 11%, p = 0,0001). O benefício do tratamento multimodal frente à radioterapia isolada em termos de sobrevida em dois anos foi limítrofe para os pacientes com RPA classe V (17 *versus* 6%, p = 0,054).[32]

Estes dados sugerem que o tratamento com quimiorradioterapia com base em temozolamida tem maior potencial de beneficiar pacientes com gliomas de alto grau de idade mais jovem e que estejam em condições físicas ideal. Opostamente, pacientes com idade igual ou superior a 50 anos com diagnóstico de GBM, em condição neurológica mais prejudicada ou submetida à biópsia somente, apresentam pequeno benefício oferecido pelo tratamento multimodal, o que de certa forma também é observado com os tratamentos com base em nitrosoureia.[32]

Explorando o papel dos fatores prognósticos além dos parâmetros clínicos que determinavam uma melhor evolução em termos de sobrevida global, analisou-se o papel prognóstico do gene O⁶-metilguanina-DNA metiltransferase (MGMT) localizado no cromossomo 10q26. Este gene é conhecido por ser responsável pela codificação da proteína reparadora de DNA com consequente remoção do grupo alquil da posição O^6 guanina. Estudos anteriores haviam sugerido que a metilação do gene MGMT estava associada à vantagem de sobrevida em pacientes tratados com agentes alquilantes, graças ao fato de que, nesses pacientes, ocorre ausência no reparo do DNA, levando à apoptose e citotoxicidade. Opostamente, a superexpressão da MGMT correlacionou-se com a resistência aos alquilantes.[38,39] Esteller *et al*. reportaram taxas de resposta de 64% (12/19) *versus* 4% (1/28), em pacientes tratados com BCNU que apresentavam metilação do gene MGMT em comparação àqueles que apresentavam este gene selvagem.[26] Do mesmo modo, Friedman *et al*. reportaram taxas de resposta à temozolamida da ordem de 60% em 36 pacientes com diagnóstico de gliomas de alto grau e com baixos níveis de MGMT (definido como < 20% das células positivas de acordo com metodologia por imuno-histoquímica) *versus* 9% em pacientes com elevados níveis de MGMT (definido como ≥ 20% das células positivas de acordo com metodologia por imuno-histoquímica).[40] A presença da metilação do gene MGMT foi avaliada, através de PCR do DNA isolado a partir do bloco de parafina, em 206 dos 573 pacientes que fizeram parte do estudo randomizado comparando radioterapia com ou sem temozolamida.[29] A sobrevida média foi superior nos pacientes com presença da metilação do gene MGMT em comparação àqueles que apresentavam este gene intacto (18,2 *versus* 12,2 meses, redução do risco de morte de 0,45, p < 0,001). As taxas de sobrevida global média para os pacientes com gene MGMT metilado e tratados com radioterapia e temozolamida e radioterapia isolada foram de 21,7 e 15,3 meses, respectivamente. Por outro lado, as taxas de sobrevida global média para os pacientes com gene MGMT intacto foram inferiores, independentes se tratados com radioterapia e temozolamida (12,7 meses) ou radioterapia isolada (11,8 meses).[29] Corroborando estes resultados, estudo prospectivo, incluindo 28 pacientes com diagnóstico de GBM (somente biopsiados), demonstrou que a presença da metilação do gene MGMT foi associada a superiores taxas de sobrevida. Neste estudo os pacientes foram tratados com temozolamida por 4 ciclos na dose de 150 mg/m² nos dias 1 a 7 e 15 a 21, a cada 28 dias, seguido de radioterapia convencional (60Gy), e seguido de 4 ciclos adicionais de temozolamida na mesma dose. Pacientes com elevada expressão de MGMT, definida como ≥ 35% por imuno-histoquímica, apresentaram inferiores taxas de resposta (7% *versus* 55%, p = 0,004), sobrevida livre de progressão (1,9 mês *versus* 5,5 meses, p = 0,009), e sobrevida global (5,0 meses *versus* 16 meses, p = 0,003) comparados aos pacientes com baixa expressão de MGMT, definida como < 35% de células positivas.[41]

Estudos vêm sendo conduzidos para avaliar a atividade de esquemas contendo temozolamida que contemplam doses por tempo mais prolongado ou doses mais elevadas em curto espaço de tempo, a fim de depletar de forma mais eficaz a MGMT das células tumorais. Estudo randomizado em andamento planeja incluir 834 pacientes, avaliando após a conclusão da radioterapia, dois esquemas contendo temozolamida: o convencional na dose de 150-200 mg/m^2 por 5 dias a cada 28 dias até um máximo de 12 ciclos *versus* o protraído por 21 dias a cada 28 dias até um máximo de 12 ciclos (RTOG/EORTC 0525).

Até o momento, estudos clínicos, utilizando esquemas alternativos com base em temozolamida, ainda não foram capazes de demonstrar superioridade sobre o esquema convencional de temozolamida e não devem ser utilizados de rotina.[41] A importância do gene MGMT faz alguns autores até questionarem, graças aos péssimos dados observados em pacientes com GBM, se devemos administrar agentes alquilantes, como BCNU ou temozolamida, quando houver ausência de metilação do promotor do gene MGMT. Como observado em estudos de fase II[41] e fase III,[29] a atividade da temozolamida nesta população de pacientes é muito modesta, porém, por outro lado, não existe uma estratégia terapêutica definida e eficaz para esta população de pacientes.

Sendo assim, linhas de pesquisa com novos agentes, com distintos mecanismos de ação, devem ser exploradas com o objetivo de sobrepor a resistência aos alquilantes causados por este gene na sua forma selvagem. Neste intuito, agentes inibidores específicos da MGMT vêm sendo avaliados em conjunção à quimioterapia, como, por exemplo, o O^6-benzilguanina que atua inativando a MGMT por servir como um substrato alternativo[42] ou O^6-(4-bromotenil) guanina.[43] Algumas questões ainda não totalmente respondidas referem-se à qual a melhor técnica para se avaliar o estado do gene MGMT (PCR *versus* imuno-histoquímica), qual o nível de corte a ser utilizado para identificar os pacientes com expressão alterada da proteína deste gene em relação à expressão normal (através da técnica de imuno-histoquímica), quais os locais das ilhas dos dinucleotídeos CG mais associadas à resposta pelos agentes alquilantes, e por final a uniformização da metodologia mais adequada e sua validação em estudos prospectivos contando com grande número de pacientes.

Outro fator prognóstico que vem sendo estudado é a presença da variante III do receptor do fator de crescimento epidérmico (EGFR). Resumidamente, esta é a mutação mais comumente observada em pacientes com superexpressão ou amplificação deste gene, observada em 25 a 33% dos pacientes com GBM. Do mesmo modo, a via do *AKT/Ras* apresenta possivelmente influência no comportamento e agressividade dos gliomas de alto grau.[44,45] Importante frisar que reguladores críticos da via de ativação do *Ras* incluem não só a variante III do EGFR, mas também o receptor do fator de crescimento epidérmico e o YKL-40.

Estes fatores foram analisados em estudo retrospectivo incluindo 649 pacientes com diagnóstico de GBM tratados com esquemas variados de radioterapia. Neste estudo, a superexpressão da proteína da variante III do EGFR, definida por ≥ 10% de acordo com imuno-histoquímica, bem como a superexpressão da proteína do gene YKL-40 foram associadas a taxas de sobrevida inferiores ($p < 0,001$). Em uma segunda análise, quando associadas a fatores prognósticos clínicos, a taxa de sobrevida global foi semelhante em pacientes com superexpressão desta proteína, independente do escore, segundo o RTOG-RPA (III a V). Por outro lado, em pacientes com ausência de superexpressão, o escore de RPA III foi associado a superiores taxas de sobrevida em comparação a RTOG-RPA IV e V ($p < 0,001$). Diferente dos dados obtidos com o estado da proteína da variante III do EGFR, tanto em pacientes com ausência ou superexpressão da proteína do YKL-40, o escore RTOG-RPA foi fator de estratificação prognóstico para sobrevida global. Pacientes neste estudo com ausência de superexpressão da variante III do receptor do fator de crescimento epidérmico e da proteína do YKL-40 apresentaram as melhores taxas de sobrevida ($p < 0,009$).[44]

Resultados de tratamento contendo temozolamida em pacientes com astrocitoma anaplásico

Os resultados promissores da associação de temozolamida à radioterapia pós-operatória em pacientes com gliomas de alto grau foram particularmente direcionados aos pacientes com GBM, e sua reprodutibilidade em pacientes com AA não é clara. Intuitivamente, o benefício do tratamento multimodal também deveria ser aplicável aos pacientes com AA, à medida que estes tumores apresentam maior grau de quimiossensibilidade em relação aos pacientes com GBM. Temozolomida na sua posologia convencional tem demonstrado atividade em pacientes com AA recorrente, segundo estudo de fase II, incluindo 162 pacientes, que reportou taxa de sobrevida livre de progressão em 6 meses de 46% associada à taxa de resposta de 35% (resposta completa 8% e resposta parcial 27%).[22] A fim de avaliar prospectivamente o papel da temozolamida no tratamento de primeira linha, o RTOG está conduzindo em estudo randomizado (RTOG-9813), com planejamento de inclusão de 454 pacientes, comparando radioterapia associada à BCNU 80 mg/m^2/dia endovenoso a cada 8 semanas administrado de forma concomitante *versus* radioterapia seguido de forma sequencial de temozolamida na dose de 150-200 mg/m^2 por 5 dias a cada 28 dias. Infelizmente, o desenho deste estudo não contemplou no braço da temozolamida sua administração concomitante à radioterapia.

Um ponto de questionamento importante para os pacientes com AA em termos de eficácia do tratamento sistêmico deve-se ao fato de que, a despeito da sua maior quimiossensibilidade, vários estudos randomizados que avaliaram o papel de as nitrosoureias associadas à radioterapia de forma sequencial não terem demonstrado benefício em termos de sobrevida para esta população de pacientes, como reportado nos estudos RTOG 94-02[46] e EORTC 26951.[47] Tais resultados diferentes dos observados no estudo EORTC 22981/26981[32] podem estar relacionados não só com diferença nos critérios de inclusão (glioma grau III-RTOG 94-02 e EORTC 26951 *versus* glioma grau IV-EORTC 22981/26981), mas também com quimioterapia utilizada (nitrosoureia-RTOG 94-02 e EORTC 26951 *versus* temozolamida-EORTC 22981/26981), tolerância ao tratamento sistêmico (pobre tolerância-RTOG 94-02 e EORTC 26951 *versus* boa tolerância-EORTC 22981/26981) e, principalmente, ao modo de combinação da quimioterapia à radioterapia (sequencial-RTOG 94-02 e EORTC 26951 *versus* concomitante e adjuvante-EORTC 22981/26981).[32,46,47] Até este momento, oferece-se para os pacientes com AA operados tratamento com radioterapia na dose de 60Gy em 30 frações concomitantes à temozolamida na dose oral de 75 mg/m^2 diária por 6 semanas seguido de temozolamida na dose de 150-200 mg/m^2 nos dias 1a 5 e 15 a cada 28 dias em um total de seis a doze ciclos com base nos dados do estudo randomizado que incluiu primariamente pacientes com GBM.[29]

Tratamento de resgate contendo temozolamida após falha à radioterapia

Temozolamida também foi avaliada em pacientes com AA recorrente em estudo de fase II, incluindo 111 pacientes tratados após a primeira recidiva, com temozolamida na dose de 150-200 mg/m^2 nos dias 1 a 5 a cada 28 dias. Todos os pacientes neste estudo foram tratados com radioterapia, e 60% receberam nitrosoureia previamente. Avaliação do diagnóstico histológico e de resposta por imagem foi realizada por comissão independente. Um total de 7 e 28% dos pacientes alcançou resposta completa e parcial, respectivamente. Doença ou resposta estável foi atingida por 64% dos pacientes. A taxa de resposta para pacientes expostos à quimioterapia prévia e para aqueles sem tratamento prévio sistêmico foi de 30 e 43%, respectivamente. Pacientes que atingiram controle da doença apresentaram melhores escores de qualidade de vida. A taxa de sobrevida livre de progressão em 6 meses foi de 48%, sendo similar para os pacientes com AA e oligoastrocitomas anaplásicos (49 e 46%, respectivamente). A sobrevida média foi de 14,5 meses.[22] Estes resultados comparam-se favoravelmente a outros agentes, como procarbazina e carboplatina em termos de resposta e sobrevida livre de progressão em 6 meses.[48-52]

Temozolamida foi avaliada em estudo randomizado de fase II em pacientes com GBM recorrente, onde foi comparada à procarbazina. Neste estudo a taxa de sobrevida livre de progressão em 6 meses foi superior no braço da temozolamida (21% *versus* 8%, $p < 0,008$).[22]

Novas combinações contendo temozolamida no tratamento de primeira linha

Como já estabelecido o novo padrão no tratamento dos gliomas de alto grau, estudos de fases I e II vêm sendo conduzidos, avaliando o papel de outros agentes associados à temozolamida e radioterapia a fim de melhorar as taxas de resposta, tempo livre de progressão e sobrevida global.

Neste intuito, Herrlinger *et al.* conduziram estudo de fase II avaliando a adição de lomustina na dose de 100 mg/m^2 no dia 1 associada à temozolamida na dose de 100 mg/m^2 nos dias 2 a 6 em associação à radioterapia no esquema convencional. Um máximo de seis ciclos de quimioterapia foi administrado em intervalos de 6 semanas. Este estudo incluiu 31 pacientes com diagnóstico de GBM e sem tratamento prévio. A toxicidade hematológica grau IV ocorreu em 16% dos pacientes, além de um caso que apresentou hepatite grau IV e um paciente que desenvolveu fibrose pulmonar. A taxa de sobrevida livre de progressão em 6 meses foi de 61,3%, e a sobrevida em 2 anos de 44,7%.[53]

Estes resultados encorajadores foram confirmados em outro estudo, incluindo pacientes com GBM julgados irressecáveis, que avaliou o papel do BCNU na dose de 150 mg/m^2 endovenoso no dia 1 associada à temozolamida 110 mg/m^2 nos dias 1 a 5.[54] O maior benefício da combinação foi observado em pacientes com metilação do gene MGMT, demonstrando que a adição de lomustina não foi capaz de reverter à resistência causada por este gene quando da sua forma selvagem. Interessante que alguns pacientes se beneficiaram após progressão com este regime do tratamento com temozolamida dose-densa 100 mg/m^2 por 7 dias a cada 14 dias.[53] Estes resultados que contemplaram a adição de uma nitrosoureia à temozolamida e radioterapia devem ser confirmados por estudos prospectivos e randomizados comparando ao braço controle de temozolamida e radioterapia.

TRATAMENTO DE PRIMEIRA LINHA NO IDOSO

Com a evolução nos tratamentos de outras patologias, como doenças cardiopulmonares e infecções, a expectativa da vida da população como um todo tende a aumentar, com consequente maior número de pacientes em risco para o desenvolvimento de neoplasias, incluindo os astrocitomas de alto grau. Como exemplo, estudo, incluindo 1.003 pacientes com diagnóstico de GBM, revelou que 9% apresentavam idade que variava entre 70 e 79 anos.[55]

O uso de quimioterapia no paciente idoso é altamente controverso, em parte porque a farmacocinética destes agentes nesta população pode ser diferente da observada em pacientes mais jovens como consequência da menor motilidade do trato gastrointestinal, menor secreção de enzimas digestivas, atrofia de mucosa e reduzida capacidade de absorção de agentes citotóxicos, como a temozolamida e lomustina.[56] Além disso, pacientes idosos podem apresentar alteração no fluxo hepático e no metabolismo oxidativo de agentes no fígado. Por exemplo, em pacientes idosos ocorre uma redução do *clearance* da citocromo P450 de 20 a 25% comparado a pacientes jovens, com consequências diretas no metabolismo de agentes anticonvulsivantes, levando a alterações no metabolismo de agentes quimioterápicos, como procarbazina e irinotecano.

Limitada capacidade da função renal e hematológica deve ser considerada, esta última podendo levar a graus mais severos de mielossupressão.

Sugere-se que existam diferenças importantes em relação à própria biologia dos gliomas de alto grau que ocorrem no idoso em comparação aos gliomas em pacientes jovens, como demonstrado por estudos *in vivo*[57] e *in vitro*[58] que indicam a ocorrência neste primeiro grupo maior grau de quimiorresistência.

Estudo retrospectivo do Memorial Sloan Kettering Cancer Center avaliou o papel do tratamento com nitrosoureia e reportou benefício estatisticamente significativo somente para os pacientes de idade menor ou igual a 65 anos. Neste estudo, pacientes com idade acima de 65 anos não alcançaram ganho com o tratamento sistêmico administrado após a cirurgia.[59] Estes dados questionam não só a magnitude do benefício ocasionado pelo tratamento sistêmico adjuvante, mas também a sua real existência na população de pacientes idosos. Estes dados contrastam com os resultados obtidos com radioterapia externa, que, quando comparado ao tratamento de suporte apenas, correlaciona-se com claro aumento de sobrevida global na população de pacientes com glioma de alto grau associado às múltiplas comorbidades e/ou idade avançada.[60]

Temozolamida apresenta um perfil de toxicidade, em particular hematológica, mais seguro que o observado com as nitrosoureias. Aparentemente, o *clearance* deste agente não é fortemente influenciado pela idade avançada e disfunções hepática e renal. Estudo prospectivo não randomizado, incluindo 79 pacientes com diagnóstico de GBM e idade acima de 65 anos, com ressecção radical (definida como tumor residual ≤ 2cm) e KPS ≥ 60, avaliou o papel da quimioterapia associada à radioterapia. Um total de 32 pacientes recebeu radioterapia isolada na dose de 59,4 Gy em 33 frações, outros 32 receberam radioterapia externa seguida de quimioterapia adjuvante com PCV, e 22 pacientes receberam radioterapia externa seguida de temozolamida. Os pacientes dos três braços apresentaram características clínicas e prognósticas em proporções semelhantes. Pacientes tratados no braço da radioterapia e temozolamida apresentaram superiores taxas de sobrevida comparadas aos pacientes que receberam radioterapia isolada (14,9 *versus* 11,2 meses, p = 0,002), e tendências a superiores taxas de sobrevida frente aos pacientes que receberam radioterapia e PCV (14,9 *versus* 12,7 meses, p = 0,09).[61] No momento, dois grupos coooperativos estão conduzindo estudo randomizado em pacientes idosos comparando radioterapia externa na dose 40 Gy em 15 frações com ou sem temozolamida.

Como conclusão, a introdução da quimioterapia com base em temozolamida associada à radioterapia deve ser individualizada na população de pacientes acima de 65 anos, sendo que fatores pertinentes à idade (65-70 anos *versus* 70-75 anos *versus* > 75 anos), presença e gravidade das comorbidades e escore de desempenho físico devem ser considerados na decisão clínica para particularização da conduta.

Outra área de intensa pesquisa na população de pacientes idosos é o tratamento exclusivo com temozolamida após a cirurgia. Estudo prospectivo de fase II avaliou a atividade de temozolamida isolada na dose de 150-200 mg/m^2 por 5 dias a cada 28 dias (como um substituto da radioterapia) em 32 pacientes maiores de 70 anos com fatores prognósticos desfavoráveis (KPS ≥ 60 e ECOG < 2) e GBM recém-diagnosticado. Nenhum tratamento prévio à exceção da cirurgia foi permitido. Dentre os pacientes incluídos, um total de 78% foi submetido somente à biópsia, 56% apresentavam KPS de 70-80, 91% já faziam uso de corticosteroides, e 63% apresentavam déficits neurológicos. Os autores reportaram taxa de resposta parcial em 31%, sendo que 50% dos pacientes obtiveram melhora do KPS e 52% tiveram sua dose de corticosteroides reduzida. Trombocitopenia e neutropenia graus III/IV foram reportadas em 6 e 9% dos pacientes, respectivamente. A sobrevida global média foi de 6,4 meses.[62] Glantz *et al.* avaliaram em 32 pacientes o mesmo esquema e reportou sobrevida média de 6 meses, o que se comparou aos resultados obtidos em 54 pacientes tratados com radioterapia isolada (4,1 meses, p = 0,19).[63,64]

A opção de se utilizar temozolamida ao invés de radioterapia deve ser individualizada, e particularmente considerada nos pacientes idosos e com elevada chance de toxicidade cerebral, como, por exemplo, em pacientes com antecedente de doenças isquêmicas cerebrais, demência, ou quando o campo da radioterapia for muito extenso. Esta estratégia está sendo avaliada por dois estudos randomizados. Estudo nórdico está comparando radioterapia externa isolada na dose de 60 Gy em 30 frações *versus* radioterapia externa isolada na dose de 34 Gy em 10 frações *versus* temozolamida na dose de 200 mg/m^2 por 5 dias a cada 28 dias por 6 ciclos após cirurgia ou biópsia. Estudo alemão em andamento randomizou pacientes com idade acima de 65 anos e diagnóstico de GBM ou AA para receber radioterapia externa isolada na dose de 54-60 Gy em frações de 1,8-2,0 Gy *versus* temozolamida por uma semana seguida de uma semana de descanso.

PSEUDOPROGRESSÃO

Um percentual significativo dos pacientes tratados com temozolamida concomitante à radioterapia apresenta, após o final do tratamento, deterioração clínica e neurológica associadas à mais evidente área de captação de contraste e aumento volumétrico da lesão. Uma proporção destes pacientes apresenta progressão de doença precoce graças ao elevado grau de resistência à quimioterapia e radioterapia. No entanto, fenômenos actínicos agudos e com repercussão clínica, talvez exacerbados pela adição concomitante de agentes quimioterápicos mais eficazes, são descritos de forma cada vez mais frequente. A lesão causada pela radioterapia no tecido cerebral apresenta como fisiopatologia uma maior permeabilidade vascular causada pela radiação, levando ao extravasamento de fluidos para o interstício e consequente edema. Estes efeitos que alteram a barreira hematoencefálica podem traduzir-se no aumento da captação de contraste observado pela ressonância magnética, através de sua maior passagem, mimetizando uma verdadeira progressão tumoral. Este fenômeno é nomeado pseudoprogressão ou necrose aguda induzida pelo tratamento.[65] Infelizmente, nenhum método diagnóstico de imagem, incluindo ressonância magnética com espectroscopia ou perfusão, é capaz de discriminar, eficazmente, pseudoprogressão de verdadeira progressão precoce de doença.

Com base nisso, alguns autores preconizam em pacientes que concluíram a quimiorradioterapia e que apresentaram algum sinal de piora clínica e/ou radiológica, manter temozolomida por dois ciclos adicionais e nova reavaliação de resposta.[66,67] Esta medida, no entanto, causa um alto grau de angústia para pacientes e familiares e, ao mesmo tempo, pode atrasar o tratamento de resgate, no caso da verdadeira progressão precoce de tumores com reconhecida elevada taxa de proliferação celular. A incidência de pseudoprogressão aparentemente é maior do que estimada anteriormente, em parte pelo fato de os pacientes viverem por mais tempo, como também, pelo maior efeito radiossensitizante observado com novos agentes, como a temozolamida. Quatro estudos reportaram, em pacientes submetidos a esquemas de tratamento multimodal com base em temozolamida, a incidência de pseudoprogressão.[67]

Interessante o fato de que além de a incidência de pseudoprogressão ser evento frequente (20% das vezes), ainda é a causa do aumento de volume da lesão tumoral após tratamento com quimiorradioterapia fundamentada em temozolamida em aproximadamente metade dos pacientes.[66] Estudo retrospectivo, incluindo 103 pacientes tratados com radioterapia *versus* a mesma radioterapia com temozolamida concomitante e adjuvante, avaliou o papel do gene MGMT, através de PCR, a fim de discriminar pseudoprogressão de verdadeira progressão precoce tumoral.[67] Neste estudo, os pacientes com aumento da área de captação de contraste receberam dois ciclos adicionais de temozolamida com nova avaliação posterior. Em caso de doença estável ou melhora, classificava-se que houve pseudoprogressão. Dos 103 pacientes incluídos, um total de 50 apresentou aumento do volume tumoral. Destes pacientes, 32 apresentaram pseudoprogressão (64%), e 18, verdadeira progressão precoce de doença (36%). O MGMT apresentou-se metilado em 66% dos pacientes com pseudoprogressão e somente em 11% dos pacientes com progressão precoce ao tratamento (p = 0,0002). O estado de promotor de MGMT pode predizer pseudoprogressão em contraste com progressão precoce. A probabilidade de pseudoprogressão em pacientes com metilação do MGMT foi de 91,3% (IC de 95%, 72 a 99%). Em contrapartida, a probabilidade de progressão precoce foi de 59% em pacientes com tumores não metilados (IC de 95%, 38 a 76%). Interessante o fato de este estudo sugerir que a presença de pseudoprogressão pode ter sido fator prognóstico favorável, até mesmo quando comparado a pacientes que apresentaram doença estável ou resposta ao final da quimiorradioterapia. O tempo livre para progressão foi superior nos pacientes com pseudoprogressão (n = 32), quando comparado aos pacientes sem sinal de piora (n = 53) após o final do tratamento multimodal concomitante (20,7 *versus* 11,4 meses; p = 0,001). Do mesmo modo, verdadeira progressão de doença foi reportada em 65,6% dos pacientes com pseudoprogressão e 86,8% dos pacientes com doença estável ou resposta ao final da quimiorradioterapia (p = 0,02). As taxas de sobrevida média também foram superiores para os pacientes com pseudoprogressão em comparação àqueles que não apresentaram piora da imagem de acordo com a ressonância magnética ao final da quimiorradioterapia e àqueles com progressão precoce da doença (38,0 *versus* 20,2 *versus* 10,2 meses; p < 0,0001). Este importante estudo sugere que em pacientes com aumento do volume tumoral após quimiorradioterapia contendo temozolamida, a presença de MGMT metilada é altamente indicativa da pseudoprogressão. Por outro lado, a ausência de metilação do MGMT não é sinal inequívoco de progressão precoce da doença.[67] Este importante estudo também sugere que pacientes com maior resposta inflamatória à quimiorradioterapia, contendo temozolamida, são aqueles que apresentam maior morte de células neoplásicas com consequente maiores taxas de sobrevida e menores taxas de progressão de doença.[67]

REFERÊNCIAS BIBLIOGRÁFICAS

1. Brandes AA. State-of-the-art treatment of high-grade brain tumors. *Semin Oncol* 2003;30(6 Suppl 19):4-9.
2. Grossman SA, Batara JF. Current management of glioblastoma multiforme. *Semin Oncol* 2004;31:635-44.
3. Uddin S, Jarmi T. *Glioblastoma multiforme*. Acesso em: 11 Ago. 2008. Disponível em: <http://www.emedicine.com/NEURO/topic147.htm>
4. Kleihues P, Burger PC, Scheithauer BW. The new WHO classification of brain tumours. *Brain Pathol* 1993;3:255-68.
5. DeAngelis LM. Chemotherapy for brain tumors—a new beginning. *N Engl J Med* 2005;352:1036-38.
6. Sandberg-Wollheim M, Malmström P, Strömblad LG et al. A randomized study of chemotherapy with procarbazine, vincristine, and lomustine with and without radiation therapy for astrocytoma grades 3 and/or 4. *Cancer* 1991;68:22-29.
7. Tysnes BB, Mahesparan R. Biological mechanisms of glioma invasion and potential therapeutic targets. *J Neurooncol* 2001;53:129-47.
8. Ohgaki H. Genetic pathways to glioblastomas. *Neuropathology* 2005;25:1-7.
9. Benjamin R, Capparella J, Brown A. Classification of glioblastoma multiforme in adults by molecular genetics. *Cancer J* 2003;9:82-90.
10. Siker ML, Chakravarti A, Mehta MP. Should concomitant and adjuvant treatment with temozolomide be used as standard therapy in patients with anaplastic glioma? *Crit Rev Oncol Hematol* 2006;60:99-111.
11. Halperin EC, Burger PC, Bullard DE. The fallacy of the localized supratentorial malignant glioma. *Int J Radiat Oncol Biol Phys* 1988;15:505-9.
12. Schinkel AH. P-Glycoprotein, a gatekeeper in the blood-brain barrier. *Adv Drug Deliv Rev* 1999;36:179-94.
13. Breedveld P, Pluim D, Cipriani G et al. The effect of Bcrp1 (Abcg2) on the in vivo pharmacokinetics and brain penetration of imatinib mesylate (Gleevec): Implications for the use of breast cancer resistance protein and P-glycoprotein inhibitors to enable the brain penetration of imatinib in patients. *Cancer Res* 2005;65:2577-82.
14. Vecht CJ, Wagner GL, Wilms EB. Interactions between antiepileptic and chemotherapeutic drugs. *Lancet Neurol* 2003;2:404-9.
15. Stewart LA. Chemotherapy in adult high-grade glioma: a systematic review and meta-analysis of individual patient data from 12 randomised trials. *Lancet* 2002 Mar. 23;359(9311):1011-18.
16. Prados MD, Scott C, Curran Jr WJ et al. Procarbazine, lomustine, and vincristine (PCV) chemotherapy for anaplastic astrocytoma: a retrospective review of radiation therapy oncology group protocols comparing survival with carmustine or PCV adjuvant chemotherapy. *J Clin Oncol* 1999;17:3389-95.
17. The medical research council brain tumour working party: randomized trial of procarbazine, lomustine, and vincristine in the adjuvant treatment of high-grade astrocytoma: A medical research council trial. *J Clin Oncol* 2001;19:509-18.
18. Grossman SA, O'Neill A, Grunnet M et al. Phase III study comparing three cycles of infusional carmustine and cisplatin followed by radiation therapy with radiation therapy and concurrent carmustine in patients with newly diagnosed supratentorial glioblastoma multiforme: Eastern Cooperative Oncology Group trial 2394. *J Clin Oncol* 2003;21:1485-91.
19. Westphal M, Hilt DC, Bortey E et al. A phase 3 trial of local chemotherapy with biodegradable carmustine (BCNU) wafers (Gliadel wafers) in patients with primary malignant glioma. *Neuro Oncol* 2003;5:79-88.
20. Brem H, Piantadosi S, Burger PC et al. Placebo-controlled trial of safety and efficacy of intraoperative controlled delivery by biodegradable polymers of chemotherapy for recurrent gliomas. The Polymer-brain Tumor Treatment Group. *Lancet* 1995;22;345(8956):1008-12.
21. Walker MD, Alexander E, Hunt WE et al. Evaluation of BCNU and/or radiotherapy in the treatment of anaplastic gliomas. A cooperative clinical trial. *J Neurosurg* 1978;49:333-43.
22. Yung WK, Prados MD, Yaya-Tur R et al. Multicenter phase II trial of temozolomide in patients with anaplastic astrocytoma or anaplastic oligoastrocytoma at first relapse. *J Clin Oncol* 1999;17:2762-71.
23. Yung WK, Albright RE, Olson J et al. A phase II study of temozolomide vs. procarbazine in patients with glioblastoma multiforme at first relapse. *Br J Cancer* 2000;83:588-93.
24. Marzolini C, Decosterd LA, Shen F et al. Pharmacokinetics of temozolomide in association with fotemustine in malignant melanoma and malignant glioma patients: Comparison of oral, intravenous, and hepatic intra-arterial administration. *Cancer Chemother Pharmacol* 1998;42:433-40.
25. Stupp R, Ostermann S, Leyvraz S et al. Cerebrospinal fluid levels of temozolomide as a surrogate marker for brain penetration. *Proc Am Soc Clin Oncol* 2001;20:59a(abstr 232).
26. Esteller M, Garcia-Foncillas J, Andion E et al. Inactivation of the DNA-repair gene MGMT and the clinical response of gliomas to alkylating agents. *N Engl J Med* 2000;343:1350-54.
27. Brada M, Hoang-Xuan K, Rampling R et al. Multicenter phase II trial of temozolomide in patients with glioblastoma multiforme at first relapse. *Ann Oncol* 2001;12:259-66.
28. Stupp R, Dietrich PY, Kraljevic SO et al. Promising survival for patients with newly diagnosed glioblastoma multiforme treated with

concomitant radiation plus temozolomide followed by adjuvant temozolomide. *J Clin Oncol* 2002;20:1375-82.
29. Stupp R, Mason WP, van den Bent MJ et al: Radiotherapy plus concomitant and adjuvant temozolomide for glioblastoma. *N Engl J Med* 2005;352:987-96.
30. Athanassiou H, Synodinou M, Maragoudakis E *et al.* Randomized phase II study of temozolomide and radiotherapy compared with radiotherapy alone in newly diagnosed glioblastoma multiforme. *J Clin Oncol* 2005;23:2372-77.
31. Combs SE, Gutwein S, Schulz-Ertner D *et al.* Temozolomide combined with irradiation as postoperative treatment of primary glioblastoma multiforme. Phase I/II study. *Strahlenther Onkol* 2005;181:372-77.
32. Mirimanoff RO, Gorlia T, Mason W *et al.* Radiotherapy and temozolomide for newly diagnosed glioblastoma: recursive partitioning analysis of the EORTC 26981/22981-NCIC CE3 phase III randomized trial. *J Clin Oncol* 2006;24:2563-69.
33. Brock CS, Newlands ES, Wedge SR, et al: Phase I trial of temozolomide using an extended continuous oral schedule. *Cancer Res* 1998;58:4363-67.
34. Gilbert MR, Wang M, Aldape KD *et al.* RTOG 0525: a randomized phase III trial comparing standard adjuvant temozolomide (TMZ) with a dose-dense (dd) schedule in newly diagnosed glioblastoma (GBM). *J Clin Oncol* 2011;29:(Suppl; abstr 2006).
35. Beier D, Hau P, Jauch T, *et al:* Long-term treatment with temozolomide in high-grade gliomas is feasible and leads to long-term survival in a significant subset of patients. In: Darell D, Bigner M (eds): *World Federation of Neuro-Oncology Meeting,* 2005 p. 316.
36. Brandes AA, Tosoni A, Cavallo G *et al.* Temozolomide 3 weeks on and 1 week off as first-line therapy for recurrent glioblastoma: Phase II study from gruppo italiano cooperativo di neuro-oncologia (GICNO). *Br J Cancer* 2006;95:1155-60.
37. Su YW, Chang MC, Chiang MF *et al.* Treatment-related myelodysplastic syndrome after temozolomide for recurrent high-grade glioma. *J Neurooncol* 2005;71:315-18.
38. Hegi ME, Diserens AC, Godard S *et al.* Clinical trial substantiates the predictive value of O-6-methylguanine-DNA methyltransferase promoter methylation in glioblastoma patients treated with temozolomide. *Clin Cancer Res* 2004;10:1871-74.
39. Hegi ME, Diserens AC, Gorlia T *et al.* MGMT gene silencing and benefit from temozolomide in glioblastoma. *N Engl J Med* 2005;352:997-1003.
40. Friedman HS, McLendon RE, Kerby T *et al.* DNA mismatch repair and O6-alkylguanine-DNA alkyltransferase analysis and response to Temodal in newly diagnosed malignant glioma. *J Clin Oncol* 1998;16:3851-57.
41. Chinot OL, Barrié M, Fuentes S *et al.* Correlation between O6-Methylguanine-DNA Methyltransferase and survival in inoperable newly diagnosed glioblastoma patients treated with neoadjuvant temozolomide. *J Clin Oncol* 2007;25:1470-75.
42. Wedge SR, Porteus JK, May BL *et al.* Potentiation of temozolomide and BCNU cytotoxicity by O(6)-benzylguanine: a comparative study in vitro. *Br J Cancer* 1996;73:482-90.
43. McElhinney RS, Donnelly DJ, McCormick JE *et al.* Inactivation of O6-alkylguanine-DNA alkyltransferase 1. Novel O6-(hetarylmethyl)guanines having basic rings in the side chain. *J Med Chem* 1998;41:5265-71.
44. Pelloski CE, Mahajan A, Maor M *et al.* YKL-40 expression is associated with poorer response to radiation and shorter overall survival in glioblastoma. *Clin Cancer Res* 2005;11:3326-34.
45. Mawrin C, Diete S, Treuheit T *et al.* Prognostic relevance of MAPK expression in glioblastoma multiforme. *Int J Oncol* 2003;23:641-48.
46. Jenkins RB, Curran W, Scott CB *et al.* Pilot evaluation of 1p and 19q deletions in anaplastic oligodendrogliomas collected by a national cooperative cancer treatment group. *Am J Clin Oncol* 2001;24:506-8.
47. Taphoorn MJ, van den Bent MJ, Mauer ME, et al: Health-related quality of life in patients treated for anaplastic oligodendroglioma with adjuvant chemotherapy: results of a European Organisation for Research and Treatment of Cancer randomized clinical trial. *J Clin Oncol* 2007;25:5723-30.
48. Rodriguez LA, Prados M, Silver P *et al.* Reevaluation of procarbazine for the treatment of recurrent malignant central nervous system tumors. *Cancer* 1989;64:2420-23.
49. Newton HB, Junck L, Bromberg J *et al.* Procarbazine chemotherapyin the treatment of recurrent malignant astrocytomas after radiation and nitrosourea failure. *Neurology* 1990;40:1743-46.
50. Yung WK, Mechtler L, Gleason MJ. Intravenous carboplatin for recurrent malignant glioma: A phase II study. *J Clin Oncol* 1991;9:860-64.
51. Warnick RE, Prados MD, Mack EE *et al.* A phase II study of intravenous carboplatin for the treatment of recurrent gliomas. *J Neurooncol* 1994;19:69-74.
52. Newlands ES, O'Reilly SM, Glaser MG, et al: The Charing Cross Hospital experience with temozolomide in patients with gliomas. *Eur J Cancer* 1996;32:2236-41.
53. Herrlinger U, Rieger J, Koch D *et al.* Phase II trial of lomustine plus temozolomide chemotherapy in addition to radiotherapy in newly diagnosed glioblastoma: UKT-03. *J Clin Oncol* 2006;24:4412-17.
54. Barrié M, Couprie C, Dufour H *et al.* Temozolomide in combination with BCNU before and after radiotherapy in patients with inoperable newly diagnosed glioblastoma multiforme. *Ann Oncol* 2005;16:1177-84.
55. Kleihues P, Sobin LH. World Health Organization classification of tumors. *Cancer* 2000;88:2887.
56. Yuen GJ. Altered pharmacokinetics in the elderly. *Clin Geriatr Med* 1990;6:257-67.
57. Rosenblum ML, Gerosa M, Dougherty DV *et al.* Age-related chemosensitivity of stem cells from human malignant brain tumours. *Lancet* 1982;1:885-87.
58. Grant R, Liang BC, Page MA *et al.* Age influences chemotherapy response in astrocytomas. *Neurology* 1995;45:929-33.
59. DeAngelis LM, Burger PC, Green SB *et al.* Malignant glioma: who benefits from adjuvant chemotherapy? *Ann Neurol* 1998;44:691-95.
60. Keime-Guibert F, Chinot O, Taillandier L *et al.* Radiotherapy for glioblastoma in the Elderly. *N Engl J Med* 2007;356:1527-35.
61. Brandes AA, Vastola F, Basso U *et al.* A prospective study on glioblastoma in the Elderly. *Cancer* 2003;97:657-62.
62. Chinot OL, Barrie M, Frauger E *et al.* Phase II study of temozolomide without radiotherapy in newly diagnosed glioblastoma multiforme in an elderly populations. *Cancer* 2004;100:2208-14.
63. Glantz M, Chamberlain M, Liu Q *et al.* Temozolomide as an alternative to irradiation for elderly patients with newly diagnosed malignant gliomas. *Cancer* 2003;97:2262-66.
64. Brandes AA, Compostella A, Blatt V *et al.* Glioblastoma in the Elderly: current and future trends. *Crit Rev Oncol Hematol* 2006;60:256-66.
65. Kumar AJ, Leeds NE, Fuller GN *et al.* Malignant gliomas: MR imaging spectrum of radiation therapy- and chemotherapy-induced necrosis of the brain after treatment. *Radiology* 2000;217:377-84.
66. Brandsma D, Stalpers L, Taal W *et al.* Clinical features, mechanisms, and management of pseudoprogression in malignant gliomas. *Lancet Oncol* 2008;9:453-61.
67. Brandes AA, Franceschi E, Tosoni A *et al.* MGMT promoter methylation status can predict the incidence and outcome of pseudoprogression after concomitant radiochemotherapy in newly diagnosed glioblastoma patients. *J Clin Oncol* 2008;26:2192-97.

CAPÍTULO 223
Linfomas do Sistema Nervoso Central

Juliane Musacchio

INTRODUÇÃO

O linfoma não Hodgkin (LNH) pode acometer o sistema nervoso central (SNC) de duas formas principais: de maneira exclusiva, quando recebe a terminologia de linfoma primário de SNC, ou como manifestação de um linfoma sistêmico, o dito envolvimento secundário de SNC pelo LNH.

LINFOMA PRIMÁRIO DE SNC

O linfoma primário de SNC é um LNH extranodal que envolve o cérebro, leptomeninges, olhos ou medula espinhal sem evidência de doença sistêmica, e representa 4% de todos os tumores de SNC.

Houve um aumento da sua incidência nos últimos anos, em especial nos anos 1990, em razão do surgimento do HIV/AIDS, pois o principal fator de risco para o seu desenvolvimento é a imunodeficiência. A maioria dos casos não relacionados com a AIDS é diagnosticada em pacientes entre 45 e 70 anos, com homens e mulheres igualmente afetados.

A patogênese da doença é desconhecida. Especula-se se a transformação maligna dos linfócitos ocorre localmente nos linfócitos que circulam pelo SNC, ou sistemicamente em uma população de linfócitos com tropismo específico pelo SNC. O vírus Epstein-Barr (EBV) parece ter uma relação causal com o linfoma primário de SNC, tanto em pacientes imunocomprometidos como imunocompetentes.

A apresentação clínica pode ser de cinco maneiras distintas: lesão intracraniana (solitária ou múltipla), lesões periventriculares ou leptomeníngeas difusas, depósito vítreo/uveal, lesão espinhal intradural e neurolinfomatose.

A maioria dos casos se apresenta com sintomas relacionados com as lesões periventriculares: déficit neurológico focal, sintomas neuropsiquiátricos (p. ex.: depressão, apatia, psicose, confusão, perda de memória, alucinação), sinais de hipertensão intracraniana (p. ex.: cefaleia), convulsões e sintomas oculares (p. ex.: visão turva).

Entre 10 a 25% dos pacientes com linfoma primário de SNC irão apresentar envolvimento meníngeo. Porém, a presença de sintomas leptomeníngeos no diagnóstico, como cefaleia progressiva, paralisia de nervos cranianos, meningismo, radiculopatia cervical/lombar e hidrocefalia, deve levar à suspeita de linfoma sistêmico.

O envolvimento do olho uni ou bilateral pode ocorrer em 15 a 25% dos pacientes com linfoma primário de SNC, que deve ser diferenciado do linfoma retro-orbitário, que é um linfoma extranodal sistêmico.

O acometimento primário da medula espinhal ocorre em menos de 1% dos pacientes com linfoma primário de SNC, e costuma manifestar-se como mielopatia. A neurolinfomatose, por sua vez, se refere à invasão linfomatosa das raízes nervosas dos nervos cranianos e espinhais, sendo de rara incidência.

A avaliação de um paciente com suspeita de linfoma primário de SNC deve incluir, além da anamnese e exame físico:

- Exames laboratoriais que incluam hemograma completo com contagem diferencial, bioquímica com funções hepática e renal e eletrólitos, desidrogenase láctica (LDH) e teste sorológico para HIV e hepatite B, pela possibilidade de reativação viral pelo uso do rituximabe.
- Avaliação oftalmológica completa com exame de lâmpada de fenda de ambos os olhos, mesmo na ausência de sintomas visuais, uma vez que linfoma ocular pode ocorrer em até 20% dos pacientes.
- Punção lombar com análise liquórica, a menos que contraindicada, pois há disseminação para o liquor em 15 a 40% dos pacientes. Deve ser realizada após uma semana da biópsia cirúrgica, para evitar resultado falso-positivo. Normalmente, com infiltração pela doença, apresenta aumento de proteína, nível de glicose normal ou baixa, e pleocitose pela presença de linfócitos, cuja clonalidade pode ser verificada pelo exame de imunofenotipagem.
- Ressonância magnética (RM) de crânio: até 70% dos pacientes imunocompetentes apresentam uma lesão solitária única, mais comumente em região periventricular. A RM de medula espinhal deve ser pedida na presença de sinais/sintomas.
- Biópsia estereotáxica da lesão é o procedimento de escolha. A vasta maioria dos linfomas primários do SNC é um linfoma agressivo ou altamente agressivo, difuso de grandes células, e quase todos de fenótipo de células B. O subtipo mais comum é linfoma difuso de grandes células B (LDGCB). Importante evitar o uso de corticoide antes do procedimento, pelo risco de desaparecimento temporário da lesão, com prejuízo do diagnóstico.
- Tomografias computadorizadas de tórax, abdome e pelve ou PET/TC, se disponível, para confirmar a ausência de doença sistêmica, uma vez que doença oculta foi encontrada em até 8% dos pacientes com suspeita inicial de linfoma primário de SNC.
- Biópsia de medula óssea unilateral.
- Ultrassonografia de testículos em homens mais idosos ou jovens com anormalidades testiculares no exame físico.
- Exame de minimental para avaliação da função cognitiva.
- Orientação sobre medidas de preservação para fertilidade de homens e mulheres em idade fértil. Dada à urgência de necessidade de tratamento, as opções para as mulheres são limitadas, mas os homens podem recorrer a um banco de esperma.

O linfoma primário de SNC tem um curso rapidamente fatal, com uma sobrevida de aproximadamente 1,5 mês a partir do diagnóstico. A sobrevida após o tratamento com radioterapia (RT) varia de 10 a 18 meses, mas aumenta para 44 meses, se utilizada quimioterapia com radioterapia ou quimioterapia isolada. Apesar de o tratamento prolongar a sobrevida, este não é curativo na maioria dos pacientes. Além disso, há tendência à recidiva que é geralmente fatal.

O tratamento quimioterápico padrão dos linfomas sistêmicos (esquema CHOP) é ineficaz e não deve ser utilizado nos pacientes com linfoma primário de SNC. A cirurgia tem um papel limitado, somente de utilidade diagnóstica.

A principal modalidade de tratamento é a quimioterapia sistêmica com medicamentos que tenham penetração em SNC, geralmente metotrexato (MTX), e a RT de SNC. Infelizmente, não há um tratamento ideal, e todos os pacientes devem ser encorajados a participarem de ensaios clínicos, se disponíveis.

Portanto, o tratamento inicial deve ser um esquema quimioterápico que contenha MTX isolado ou em combinação, com ou sem radioterapia. No entanto, o papel da RT em SNC ainda é controverso, em razão de suas complicações tardias, especialmente em idosos. A decisão terapêutica deve levar em consideração a taxa de resposta de cada tratamento e o impacto na qualidade de vida.

Nos pacientes com boa *performance status* (PS ≤ 3) e com menos de 60 anos, recomenda-se o uso de MTX, vincristina e procarbazina

Quadro 1. Protocolo de Angelis

	SEMANAS																		
	1	2	3	4	5	6	7	8	9	10	11	12	13	14	15	16	17	18	19
Metotrexato IV 2,5 g/m^2	X		X		X		X		X											
Vincristina IV 1,4 mg/m^2	X		X		X		X		X											
Procarbazina VO 100 mg/m^2/dia por 7 dias	X				X				X											
Metotrexato intra-Ommaya 12 mg		X		X		X		X		X										
Leucovorin 20 mg VO a cada 6 h por 12 doses	X		X		X		X		X											
Leucovorin 10 mg VO de 12 em 12 h por 8 doses		X		X		X		X		X										
Decadron, mg/dia por 7 dias	16	12	8	6	4	2														
RT total de SNC											X	X	X	X	X	X				
Citarabina 3 mg/m^2/dia/2 dias																	X		X	

IV = intravenoso; VO = via oral.
De Angelis *et al.*, Combination chemotherapy and radiotherapy for primary central nervous system lymphoma: Radiation Therapy Oncology Group Study 93-10. *J Clin Oncol* 2002;4643-4648.

(esquema MVP - protocolo DeAngelis) por 5 ciclos, seguida por RT de cérebro total e, posteriormente, 2 ciclos de citarabina (Quadro 1). Idealmente, monitorar o nível sérico de MTX e suspender a administração de ácido fólico com níveis menores que 0,1. O MTX não deve ser utilizado se a depuração de creatinina for menor do que 30 mL/min. Nos pacientes acima de 60 anos, reservar a RT aos casos de recidiva em decorrência do aumento de neurotoxicidade.

Com o protocolo de Angelis, dentre os 98 pacientes com linfoma primário de SNC antes do tratamento com RT, a taxa de resposta foi de 94% com 58% de remissão completa. A sobrevida livre de progressão mediana foi de 24 meses, e a sobrevida global mediana foi de 36,9 meses, sendo de 50,4 meses para os pacientes abaixo de 60 anos e de somente 21,8 meses para aqueles com mais de 60 anos. A idade foi, portanto, um fator prognóstico extremamente importante.

A RT fracionada geralmente é realizada, inicialmente, nos pacientes com contraindicação à quimioterapia em associação a corticoide, preferencialmente dexametasona iniciada na dose de 4 mg 4 vezes ao dia. Apesar da resposta rápida ao tratamento instituído, a doença tende a recidivar em mais de 90% dos pacientes no primeiro ano após o tratamento, com uma sobrevida mediana de 23 meses para aqueles com menos de 60 anos, e 6 a 8 meses para os que têm mais de 60 anos de idade.

A administração de H2-bloqueadores, cálico, vitamina D e profilaxia para pneumocistose é recomendada nos pacientes em uso de corticoide. Além disso, a dexametasona pode aumentar o metabolismo de anticonvulsivantes, como fenitoína e fenobarbital, o que requer ajustes na dose. Dessa forma, os anticonvulsivantes não devem ser prescritos de maneira profilática, somente em caso de convulsão documentada, graças à interação medicamentosa deletéria com drogas citotóxicas e o próprio corticoide.

O rituximabe, um anticorpo antiCD20, tem penetração em SNC que varia de 1 a 4%. Em um estudo de fase II, o rituximabe foi acrescentado ao esquema com MVP em 30 pacientes, e não houve diferença estatisticamente significativa de taxa de resposta ou sobrevida em comparação a controle histórico, mas a amostra é pequena, e o acompanhamento foi curto.

O rituximabe também já foi considerado para o tratamento intratecal (IT) dos pacientes com linfoma em SNC. Como ele atinge, no SNC, somente 0,1% da dose administrada por via intravenosa, foi realizado um estudo de fase I para a sua administração IT. A dose segura foi de 25 mg e, apesar de ser um estudo de fase I, foram relatadas respostas citológicas completas e melhora importante de linfoma intraocular nos pacientes.

Um outro esquema bastante promissor e recomendado nos pacientes sem contraindicações ao procedimento é a quimioterapia em altas doses/transplante autólogo de medula óssea (Fig. 1). Em um estudo fase II, com 30 pacientes onde 21 completaram o tratamento, a sobrevida global em 5 anos foi de 87%.

Após o término do tratamento, o acompanhamento destes pacientes deve ser feito a cada 3 meses nos primeiros 2 anos, quando o risco de recidiva é maior, e a cada 6 meses, a partir do terceiro ano. A partir do quinto ano, o acompanhamento deve ser anual.

Nas visitas de acompanhamento, deve ser colhida anamnese, feito exame físico, que inclua o minimental, e realizada RM de crânio. As avaliações oftamológica e liquórica devem ser feitas com base nos sinais e sintomas.

Em caso de recidiva, deve-se utilizar RT, se não foi feita anteriormente, e/ou MTX, se houve remissão completa anterior com esta medicação. Esquemas que contêm temozolomida, etoposide, tiotepa, bussulfan e/ou ciclofosfamida também podem ser utilizados.

Em relação ao prognóstico, pode-se utilizar o índice prognóstico do *International Extranodal Lymphoma Study Group* (IELSG):

1. Idade > 60 anos.
2. PS > 1.
3. LDH elevado.
4. Nível elevado de proteína no liquor.
5. Envolvimento de região periventricular, gânglios da base, sistema reticular e/ou cerebelo.

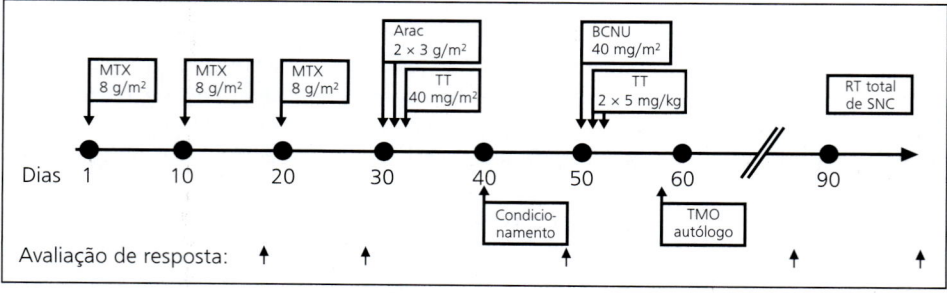

◄ **FIGURA 1.** Esquema de quimioterapia em altas doses/transplante autólogo de medula óssea (Illerhaus *et al.* High-dose chemotherapy with autologous stem-cell transplantation and hyperfractionated radiotherapy as first-line treatment of primary CNS lymphoma. *J Clin Oncol* 2006 Aug. 20;24(24):3865-70.)

Neste sistema proposto, um ponto é dado para a presença de cada um destes fatores adversos. Em 105 pacientes avaliados com todas as informações, a sobrevida global em 2 anos foi para 0 a 1, 2 a 3, 4 a 5 de 80, 48 e 15%, respectivamente. Para os 75 pacientes que utilizaram esquema com MTX em alta dose com ou sem RT, a sobrevida global em 2 anos foi de 85, 57 e 24%, respectivamente.

LINFOMA PRIMÁRIO DE SNC EM HIV/AIDS

O linfoma primário de SNC representa 15% de LNH nos pacientes infectados pelo HIV, comparado a 1% dos LNHs na população em geral.

A patogênese é fortemente relacionada com a infecção pelo EBV. A contagem de CD4 é geralmente menor que 50/μL nos pacientes afetados, sendo, portanto, considerada uma doença definidora de AIDS.

O principal diagnóstico diferencial com linfoma primário de SNC em paciente com HIV/AIDS é a neurotoxoplasmose, e naqueles pacientes com sorologia negativa para toxoplasmose, com imagem sugestiva em SNC e reação em cadeia pela polimerase (PCR) positiva para EBV no liquor, pode não ser necessária a realização de biópsia tumoral para diagnóstico.

O melhor tratamento para estes pacientes ainda não está estabelecido. A recomendação atual é RT total de SNC. A resposta é de 50 a 60% com duração de 3 a 4 meses, sendo melhor naqueles pacientes que recebem a terapia antirretroviral altamente ativa (HAART), após o diagnóstico do linfoma.

ENVOLVIMENTO SECUNDÁRIO DE SNC POR LNH

A frequência de envolvimento do SNC no LNH sistêmico varia conforme a agressividade do subtipo histológico do SNC. Cerca de 2 a 10% dos pacientes com LNH agressivo, ou seja, LDGCB terão envolvimento direto do SNC em algum momento da sua evolução. A incidência é muito maior nos linfomas altamente agressivos, como linfoma de Burkitt e linfoblástico, e menor nos pacientes com LNH indolente, como linfoma folicular.

Em muitos estudos, foi verificado aumento de envolvimento de SNC em pacientes com doença em testículos, seios paranasais, medula óssea e linfadenomegalia retroperitoneal.

Em relação a qualquer outro sítio, a associação a linfoma em SNC é controversa.

Outros importantes fatores de risco são: doença em estágio avançado, aumento dos níveis de LDH, envolvimento de mais de um sítio extranodal e alto índice prognóstico internacional (IPI).

Dessa forma, os pacientes com LNH que apresentem tais fatores de risco devem fazer profilaxia com quimioterapia IT em SNC com MADIT (MTX, citarabina e dexametasona).

No caso de doença linfomatosa em SNC, a quimioterapia IT é o principal tratamento para as lesões leptomeníngeas ou meningite linfomatosa, embora sua eficácia seja limitada, e sua superioridade ao tratamento sistêmico ainda não tenha sido estabelecida por estudos randomizados. Atualmente, três drogas são utilizadas para a quimioterapia IT: MTX, citarabina e, menos frequentemente, tiotepa.

No primeiro estudo controlado, 28 pacientes com meningite linfomatosa foram randomizados para receberem citarabina ou uma formulação lipossomal de baixa liberação da mesma medicação (DepoCyt). Foi observado que, no grupo que recebeu DepoCyt, a meia-vida foi mais longa (até 28 dias vs. 4 horas), a taxa de resposta citológica foi maior (71% vs. 15%), bem como o tempo mediano para progressão (78 vs. 42 dias), e a sobrevida mediana (100 vs. 63 dias). Com base neste estudo, o DepoCyt foi aprovado para o tratamento pelo FDA em 1999.

A citarabina lipossomal é, portanto, a formulação preferida para o tratamento dos pacientes com infiltração em SNC graças ao linfoma. A dose da citarabina lipossomal é de 50 mg IT a cada 2 semanas, com diminuição da frequência nos pacientes respondedores. No entanto, pode ocorrer um aumento da incidência de meningite química, que pode ser minimizada com o uso de dexametasona por via oral (4 mg 2 vezes ao dia) por um total de 5 dias, iniciando-se um dia antes da quimioterapia IT.

O MTX é o agente quimioterápico mais utilizado para o tratamento IT, por ser ativo às neoplasias hematológicas. No liquor, o MTX tem uma meia-vida de 4,5 horas, com declínio para níveis subterapêuticos em 4 dias. A dose utilizada é de 10 a 12 mg, 2 vezes por semana, com a administração de leucovorin oral (10 mg 2 vezes por dia durante 3 dias) para prevenção de toxicidade sistêmica, pois o MTX não é metabolizado no liquor, sendo absorvido lentamente pelo plexo coroide. Após 4 semanas, a frequência do tratamento é semanal e, então, a cada 2 semanas, nos pacientes respondedores.

No caso de *overdose* acidental maciça com a administração de MTX, pelo risco de mielopatia aguda, encefalopatia e óbito, os pacientes devem ser tratados com administração IT de glucarpidase (carboxipeptidase G2) para metabolização do MTX e, se necessária, perfusão ventriculolombar.

O tiotepa se difunde rapidamente no liquor e tem a menor meia-vida dos agentes utilizados por via IT (1 hora). A dose usual é de 10 mg, 2 vezes por semana, com redução nos pacientes respondedores. A eficácia do tiotepa IT não está tão bem estabelecida quanto a do MTX. Por isso, não se recomenda o uso do tiotepa IT, com preferência para a utilização do MTX IT e da citarabina lipossomal. O uso do tiotepa é apropriado nos pacientes que falham ao MTX, apresentam leucoencefalopatia induzida pelo MTX e naqueles que receberão radiação do sistema nervoso central (SNC) concorrente.

Por fim, a combinação dos agentes quimioterápicos para administração IT tem sido utilizada, embora a sua superioridade em relação ao agente único não tenha sido provada. Em um estudo não randomizado, 55 pacientes foram tratados com MTX ou MTX associado à citarabina e hidrocortisona. A resposta citológica foi melhor com a combinação quimioterápica (38 vs. 14%), assim como a sobrevida mediana (19 vs. 10 semanas). Sendo assim, este benefício aparente leva ao uso preferencial da terapia combinada nos pacientes de melhor risco.

Os pacientes com doença em SNC podem receber, ainda, tratamento com quimioterapia que tenha penetração em SNC (MTX e citarabina em altas doses), RT total de crânio e corticoide, de maneira análoga ao linfoma primário em SNC.

O resultado da quimioterapia em altas doses/transplante autólogo de medula óssea em tais pacientes é pior do que naqueles que não apresentam acometimento em SNC, mas se constitui em uma opção terapêutica nos pacientes com recidiva do LNH em SNC.

BIBLIOGRAFIA

Abrey LE, DeAngelis LM, Yahalom J. Long-term survival in primary CNS lymphoma. *J Clin Oncol* 1998;16:859.

Ahsan H, Neugut AI, Bruce JN. Trends in incidence of primary malignant brain tumors in USA,1981-1990. *Int J Epidemiol* 1995;24:1078.

Alvarnas JC, Negrin RS, Horning SJ et al. High-dose therapy with hematopoietic cell transplantation for patients with central nervous system involvement by non-Hodgkin's lymphoma. *Biol Blood Marrow Transplant* 2000;6:352.

Antinori A, Ammassari A, De Luca A et al. Diagnosis of AIDS-related focal brain lesions: a decision-making analysis based on clinical and neuroradiologic characteristics combined with polymerase chain reaction assays in CSF. *Neurology* 1997;48:687.

Artz AS, Somerfield MR, Feld JJ et al. American Society of clinical oncology provisional clinical opinion: chronic hepatitis B virus infection screening in patients receiving cytotoxic chemotherapy for treatment of malignant diseases. *J Clin Oncol* 2010;28:3199-202.

Boehme V, Zeynalova S, Kloess M et al. Incidence and risk factors of central nervous system recurrence in aggressive lymphoma—a survey of 1693 patients treated in protocols of the German High-Grade Non-Hodgkin's Lymphoma Study Group (DSHNHL). *Ann Oncol* 2007;18:149.

Boiardi A, Silvani A, Pozzi A, Salmaggi A. Radiotherapy at tumor recurrence in primary CNS lymphoma. *Neurology* 1998;50:1934.

Bromberg JE, Siemers MD, Taphoorn MJ. Is a "vanishing tumor" always a lymphoma? *Neurology* 2002;59:762.

Cher L, Glass J, Harsh GR et al. Therapy of primary CNS lymphoma with methotrexate-based chemotherapy and deferred radiotherapy: preliminary results. *Neurology* 1996;46:1757.

Corn BW, Donahue BR, Rosenstock JG et al. Palliation of AIDS-related primary lymphoma of the brain: observations from a multi-institutional database. *Int J Radiat Oncol Biol Phys* 1997 June. 1;38(3):601-5.

Coté TR, Biggar RJ, Rosenberg PS et al. Non-Hodgkin's lymphoma among people with AIDS: incidence, presentation and public health burden. AIDS/Cancer Study Group. *Int J Cancer* 1997;73:645.

DeAngelis LM, Seiferheld W, Schold SC et al. Combination chemotherapy and radiotherapy for primary central nervous system lymphoma: Radiation Therapy Oncology Group Study 93-10. *J Clin Oncol* 2002;20:4643.

Ferreri AJ, Blay JY, Reni M et al. Prognostic scoring system for primary CNS lymphomas: the International Extranodal Lymphoma Study Group experience. *J Clin Oncol* 2003;21:266.

Ferreri AJ, Reni M, Villa E. Therapeutic management of primary central nervous system lymphoma: lessons from prospective trials. *Ann Oncol* 2000;11:927.

Fine HA, Mayer RJ. Primary central nervous system lymphoma. *Ann Intern Med* 1993;119:1093.

Flanagan EP, O'Neill BP, Porter AB et al. Primary intramedullary spinal cord lymphoma. *Neurology* 2011;77:784.

Glantz MJ, Van Horn A, Fisher R et al. Route of intracerebrospinal fluid chemotherapy administration and efficacy of therapy in neoplastic meningitis. *Cancer* 2010;116:1947.

Grimm SA, McCannel CA, Omuro AM et al. Primary CNS lymphoma with intraocular involvement: International PCNSL Collaborative Group Report. *Neurology* 2008;71:1355.

Grisariu S, Avni B, Batchelor TT et al. Neurolymphomatosis: an international primary CNS Lymphoma Collaborative Group report. *Blood* 2010;115:5005.

Gutin PH, Levi JA, Wiernik PH et al. Treatment of malignant meningeal disease with intrathecal thioTEPA: a phase II study. *Cancer Treat Rep* 1977;61:885.

Heckmann JG, Bockhorn J, Stolte M et al. An instructive false diagnosis: steroid-induced complete remission of a CNS tumor—probably lymphoma. *Neurosurg Rev* 1998;21:48.

Hill QA, Owen RG. CNS prophylaxis in lymphoma: who to target and what therapy to use. *Blood Rev* 2006;20:319.

Hochberg FH, Miller DC. Primary central nervous system lymphoma. *J Neurosurg* 1988;68:835.

Hoffman S, Propp JM, McCarthy BJ. Temporal trends in incidence of primary brain tumors in the United States, 1985-1999. *Neurooncol* 2006;8:27.

Illerhaus G, Marks R, Ihorst G et al. High-dose chemotherapy with autologous stem-cell transplantation and hyperfractionated radiotherapy as first-line treatment of primary CNS lymphoma. *J Clin Oncol* 2006 Aug. 20;24(24):3865-70.

Illerhaus G, Marks R, Müller F et al. High-dose methotrexate combined with procarbazine and CCNU for primary CNS lymphoma in the elderly: results of a prospective pilot and phase II study. *Ann Oncol* 2009;20:319.

Karantanis D, O'Neill BP, Subramaniam RM et al. Contribution of F-18 FDG PET-CT in the detection of systemic spread of primary central nervous system lymphoma. *Clin Nucl Med* 2007;32:271.

Liang R, Chiu E, Loke SL. Secondary central nervous system involvement by non-Hodgkin's lymphoma: the risk factors. *Hematol Oncol* 1990;8:141.

MacMahon EM, Glass JD, Hayward SD et al. Epstein-Barr virus in AIDS-related primary central nervous system lymphoma. *Lancet* 1991;338:969.

Mikkelsen T, Paleologos NA, Robinson PD et al. The role of prophylactic anticonvulsants in the management of brain metastases: a systematic review and evidence-based clinical practice guideline. *J Neurooncol* 2010;96:97.

Nelson DF, Martz KL, Bonner H et al. Non-Hodgkin's lymphoma of the brain: can high dose, large volume radiation therapy improve survival? Report on a prospective trial by the Radiation Therapy Oncology Group (RTOG): RTOG 8315. *Int J Radiat Oncol Biol Phys* 1992;23:9.

Ney DE, Reiner AS, Panageas KS et al. Characteristics and outcomes of elderly patients with primary central nervous system lymphoma: the Memorial Sloan-Kettering Cancer Center experience. *Cancer* 2010;116:4605.

Plotkin SR, Betensky RA, Hochberg FH et al. Treatment of relapsed central nervous system lymphoma with high-dose methotrexate. *Clin Cancer Res* 2004;10:5643.

Raez L, Cabral L, Cai JP et al. Treatment of AIDS-related primary central nervous system lymphoma with zidovudine, ganciclovir, and interleukin 2. *AIDS Res Hum Retroviruses* 1999;15:713.

Raez LE, Patel P, Feun L et al. Natural history and prognostic factors for survival in patients with acquired immune deficiency syndrome (AIDS)-related primary central nervous system lymphoma (PCNSL). *Crit Rev Oncog* 1998;9:199.

Reni M, Zaja F, Mason W et al. Temozolomide as salvage treatment in primary brain lymphomas. *Br J Cancer* 2007;96:864.

Rock JP, Cher L, Hochberg FH et al. Central nervous system lymphomas in AIDS and non-AIDS patients. In: Yomans JR. (Ed.). *Neurological surgery*. 4th ed. Philadelphia: WB Saunders, 1995.

Rock JP, Cher L, Hochberg FH et al. Primary CNS lymphoma. In: Yomans JR. (Ed.). *Neurological surgery*. 4th ed. Philadelphia: WB Saunders, 1996. p. 2688.

Rubenstein JL, Fridlyand J, Abrey LJ et al. Phase I study of intraventricular administration of rituximab in patients with recurrent CNS and intraocular lymphoma. *Clin Oncol* 2007 Apr. 10;25(11):1350-56.

Rubin R, Owens E, Rall D. Transport of methotrexate by the choroid plexus. *Cancer Res* 1968;28:689.

Schultz C, Scott C, Sherman W et al. Preirradiation chemotherapy with cyclophosphamide, doxorubicin, vincristine, and dexamethasone for primary CNS lymphomas: initial report of radiation therapy oncology group protocol 88-06. *J Clin Oncol* 1996;14:556.

Shah GD, Yahalom J, Correa DD et al. Combined immunochemotherapy with reduced whole-brain radiotherapy for newly diagnosed primary CNS lymphoma. *J Clin Oncol* 2007 Oct. 20;25(30):4730-35.

Skiest DJ, Crosby C. Survival is prolonged by highly active antiretroviral therapy in AIDS patients with primary central nervous system lymphoma. *AIDS* 2003;17:1787.

Sonstein W, Tabaddor K, Llena JF. Solitary primary CNS lymphoma: long term survival following total resection. *Med Oncol* 1998;15:61.

Tun HW, Personett D, Baskerville KA et al. Pathway analysis of primary central nervous system lymphoma. *Blood* 2008;111:3200.

Villano JL, Koshy M, Shaikh H et al. Age, gender, and racial differences in incidence and survival in primary CNS lymphoma. *Br J Cancer* 2011;105:1414.

Voloschin AD, Betensky R, Wen PY et al. Topotecan as salvage therapy for relapsed or refractory primary central nervous system lymphoma. *J Neurooncol* 2008;86:211.

Zhu JJ, Gerstner ER, Engler DA et al. High-dose methotrexate for elderly patients with primary CNS lymphoma. *Neuro Oncol* 2009;11:211.

CAPÍTULO 224

Metástases no Sistema Nervoso Central

Clarissa Seródio da Rocha Baldotto ■ Lílian d'Antonino Faroni ■ Tomás Reinert

INTRODUÇÃO

A existência de metástases em sistema nervoso central (SNC) já é reconhecida desde, pelo menos, o século XIX.[1] Entretanto, foi somente a partir da década de 1930 que esta entidade foi efetivamente diferenciada dos tumores primários cerebrais. Desde então, foi preciso mais de um século para que a comunidade científica prestasse mais atenção ao seu tratamento. Este fato se justifica porque inicialmente metástases em SNC eram consideradas raras, e com um prognóstico muito desfavorável. Com o desenvolvimento dos métodos diagnósticos, atualmente sabemos que as metástases cerebrais são os tumores intracranianos mais frequentes em adultos. Além disso, sua incidência tem aumentado, graças a fatores, como o envelhecimento da população e melhores tratamentos para a doença sistêmica.[2]

EPIDEMIOLOGIA

As metástases de tumores sólidos podem acometer qualquer parte do SNC, como o cérebro, nervos cranianos, leptomeninges, medula espinhal e olhos. Destas regiões, o cérebro é sem dúvida a mais comum e por isso será abordada com mais detalhes neste capítulo. Metástases cerebrais são 5 a 10 vezes mais comuns do que os tumores primários cerebrais. Não se sabe, com precisão, qual sua real incidência, mas de acordo com o registro de câncer dos Estados Unidos da América de 2008, cerca de 1,5 milhão de americanos recebem o diagnóstico de câncer a cada ano e, em média 500 mil desenvolverão metástases no SNC. De uma forma geral, sua incidência tem sido estimada entre 10-30% em pacientes adultos com neoplasias metastáticas. Podem ser únicas ao diagnóstico em até 50% dos casos.[3]

Em adultos, o tipo histológico mais comumente associado a metástases cerebrais é o carcinoma. Em tese qualquer neoplasia pode gerar metástases cerebrais, entretanto em homens a causa mais comum é o câncer de pulmão, e nas mulheres o câncer de mama. Considerando individualmente cada neoplasia, o melanoma é aquela que mais está associada ao acometimento do SNC, podendo chegar a 40-60% dos casos. Outros tumores associados são cânceres renal e colorretal. Tumores, como próstata, esôfago e orofaringe, raramente estão associados a esta complicação. Em 10-15% dos casos, o sítio primário não chega a ser descoberto.[4] O comportamento também costuma variar de acordo com o sítio primário. Por exemplo, melanomas tendem a produzir múltiplas metástases, enquanto carcinomas renais geram, com uma frequência maior, metástases isoladas. Em alguns casos, como no câncer de pulmão de pequenas células, a incidência e a morbidade são tão altas, que há indicação de radioterapia profilática do crânio, com ganho de sobrevida. O Quadro 1 mostra os tumores mais comumente geradores de metástases cerebrais.[5]

Quadro 1. Sítios primários mais comuns de metástases cerebrais em adultos

Pulmão	~ 50%
Mama	15-20%
Melanoma	10-15%
Tumor de sítio primário desconhecido	10-15%
Colo e reto	2-12%
Rim	1-8%
Tireoide	1-10%

O acometimento das meninges pelo câncer é bem mais raro e costuma ser diagnosticado em 3 a 8% dos pacientes com tumores sólidos, 5 a 15% dos pacientes com leucemias e linfomas, e em 1 a 2% dos pacientes com tumores cerebrais primários. Normalmente ocorre em pacientes com doença sistêmica disseminada (80%), mas pode acontecer após um intervalo livre de doença (10%) ou até mesmo ser a primeira manifestação da neoplasia (5-10%). Raros casos de carcinomatose meníngea, sem outra evidência de neoplasia sistêmica, foram descritos.[6] Com relação aos tumores primários mais frequentes, a epidemiologia é semelhante à das metástases em cérebro.

Conforme previamente mencionado, a incidência de metástases em SNC parece estar aumentando. Em pacientes com câncer de mama, por exemplo, elas parecem ser mais frequentes em portadores de metástases pulmonares, com receptores hormonais negativos e com alta expressão de her-2. Claro que a biologia tumoral ajuda a explicar este comportamento, mas há uma sugestão de que a disponibilidade de um tratamento bloqueador de her-2 (trastuzumabe), com pouca penetração em SNC, também seja responsável. Esta droga prolonga o controle sistêmico de uma doença que seria rapidamente letal, permitindo a manifestação da metástase em SNC.[7] Em câncer de pulmão o aumento da incidência tem sido creditado a melhores métodos de diagnóstico, mas também à disponibilidade de novas terapias, que prolongam a sobrevida e controlam a doença sistêmica.[8]

PATOGÊNESE E FATORES PROGNÓSTICOS

A disseminação hematogênica parece ser o mecanismo mais comumente associado ao desenvolvimento de metástases em SNC. Assim, a localização mais frequente das lesões parenquimatosas é na transição corticossubcortical, onde termina o território das principais artérias. Nesta região há uma redução do calibre dos vasos sanguíneos, o que propiciaria o aprisionamento dos êmbolos tumorais. Como a maior parte do suprimento arterial se dá para os hemisférios cerebrais, eles são acometidos com maior frequência (cerca de 80% dos casos), especialmente a região das artérias cerebrais médias. Em seguida observamos lesões cerebelares (15%) e no tronco cerebral (5%). A haste hipofisária e o plexo coroide também podem ser acometidos, por via hematogênica, em menor frequência. Há, também, a possibilidade de disseminação venosa, como, por exemplo, tumores pélvicos (próstata e útero), que mais comumente metastatizam para a fossa posterior, através das veias pré-vertebrais. O fato é que, de alguma forma, dependendo do sítio primário pode haver uma característica típica de acometimento do SNC. O carcinoma de pequenas células de pulmão, por exemplo, geralmente se apresenta com múltiplas metástases em várias regiões cerebrais. As razões para estes diferentes padrões não são totalmente conhecidas.[9]

No caso da carcinomatose meníngea, acredita-se que as células neoplásicas possam disseminar-se para o espaço subaracnoide por diferentes maneiras: extensão direta através do parênquima cerebral; disseminação hematogênica via vasos sanguíneos aracnóideos; metástases para o plexo coroide; por contiguidade, através de metástases cerebrais, ósseas (vertebrais e cranianas), medulares subdurais ou epidurais e por via retrógrada através de nervos periféricos ou cranianos. Uma vez que as células entram no espaço subaracnóideo, elas são transportadas pelo líquido cefalorraquidiano (LCR), resultando em disseminação e implantes multifocais ao longo do neuroeixo. A infiltração tumoral é mais proeminente na base do crânio, na superfície dorsal da medula espinhal e na cauda equina. Obstrução liquórica e hidrocefalia podem ocorrer em qualquer nível do neuroeixo e resultam de depósitos tumorais que impedem a reabsorção do LCR.[10]

De uma forma geral, o prognóstico dos pacientes com metástase para SNC é ruim, com uma sobrevida mediana que fica em torno de 4 semanas, sem tratamento. Vários estudos vêm tentando identificar fatores prognósticos que auxiliem a melhor predizer a sobrevida e guiar à terapêutica. Uma análise retrospectiva, envolvendo 1992 pacientes com metástases cerebrais, publicada em 1999, mostrou que a modalidade de tratamento (esteroides, cirurgia ou radioterapia total do crânio) foi o fator com maior capacidade de predizer a sobrevida. Reposta a esteroides, *performance status* (PS), *status* da doença sistêmica, idade e número de metástases também foram fatores prognósticos independentes.[11]

Estudos mais recentes confirmaram estes achados e resultaram na criação de índices prognósticos. Um dos mais utilizados, o RPA (*Recursive Partioning Analysis*), foi desenvolvido pelo RTOG (*Radiation Therapy Oncology Group*), e dividiu os pacientes tratados com radioterapia total do crânio (RTC) em três grupos prognósticos (Quadro 2).[12]

Como este índice trata de forma um pouco imprecisa o número de metástases cerebrais, a origem primária e o *status* da doença sistêmica, um novo índice, chamado *Diagnostic Specific - Graded Prognostic Assessment* (DS-GPA), foi desenvolvido. Com base na análise de 3.940 pacientes com metástases cerebrais recém-diagnosticadas, entre 1995 e 2007, apresentaram-se critérios distintos de acordo com o sítio primário tumoral. Por exemplo, para câncer de pulmão são importantes a idade, o PS, a presença de metástases extracranianas e o número de metástases. Já para o câncer de mama, além do PS e idade é levado em consideração o subtipo histológico (com base em receptores hormonais e her-2).[13]

O prognóstico dos pacientes com acometimento meníngeo é ainda pior, associando-se ao geralmente avançado *status* do tumor primário e à dificuldade de passagem dos quimioterápicos pela barreira hematoencefálica. A sobrevida mediana é de 4 a 6 semanas sem tratamento e, com o tratamento, a sobrevida pode variar de 8 a 16 semanas, com a morte geralmente ocorrendo por disfunção neurológica progressiva. Numerosos fatores prognósticos já foram descritos (idade, sexo, duração dos sintomas, aumento de proteína no LCR), porém, a maioria é controversa. Entretanto, é comumente aceito que responderão pior ao tratamento os pacientes com PS ruim, múltiplos déficits neurológicos, doença volumosa em SNC, encefalopatia carcinomatosa e obstrução do fluxo liquórico.[14,15]

MANIFESTAÇÕES CLÍNICAS E DIAGNÓSTICAS

Metástases em SNC podem causar variados sintomas clínicos. O nível de suspeita deve ser elevado em qualquer paciente com diagnóstico de câncer, que desenvolva sintomas neurológicos. Claro que inúmeras outras causas podem ser responsáveis por este tipo de alteração, como, por exemplo, toxicidade a medicamentos, síndromes psiquiátricas, quadros demenciais, devendo sempre que possível ser descartadas. Na maioria dos pacientes, os sintomas são decorrentes da expansão da massa tumoral, associada ao edema. Menos frequentemente, podem decorrer de hemorragia cerebral, hidrocefalia obstrutiva ou embolização tumoral.[16]

Cefaleia chega a ocorrer em cerca de 40-50% dos pacientes com metástases cerebrais, principalmente quando há múltiplas lesões e acometimento da fossa posterior. A clássica cefaleia matinal não é frequente, mas quando presente é altamente sugestiva. Crises convulsivas são descritas em 10-20% dos pacientes, geralmente associadas a lesões supratentoriais.

Quadro 2. Grupos prognósticos de pacientes com metástases cerebrais tratados com radioterapia total do crânio pelo *Recursive Partioning Analysis* (RPA)

CLASSE	CARACTERÍSTICAS	SOBREVIDA
I	KPS 70 – 100% Primário controlado Idade < 65 anos Metástase cerebral exclusiva	7,1 meses
II	Todos os outros pacientes	4,2 meses
III	KPS < 70%	2,3 meses

KPS = *performance status* de Karnofsky.

Déficits cognitivos, incluindo alteração de memória e comportamento, chegam a ocorrer em 30-35% dos casos, mas são mais frequentes em quadros de encefalopatia. Outros sintomas, como déficits neurológicos focais, são altamente dependentes da localização das lesões.[17] Deve-se ter um alto grau de suspeição para o diagnóstico de carcinomatose meníngea. O achado de doença com comprometimento multifocal do neuroeixo é altamente sugestivo, porém, os pacientes podem apresentar-se com síndromes isoladas, como hipertensão intracraniana, síndrome da cauda equina e disfunção de pares cranianos. Os métodos diagnósticos mais importantes para a detecção da doença metastática na parenquimatosa são a tomografia computadorizada (TC) e a ressonância magnética (RM), sendo esta última mais sensível e, por isso, o método de escolha, sempre que possível. O aspecto mais comum na TC de crânio é de lesões nodulares com atenuação semelhante ao parênquima encefálico, com realce após a injeção venosa do contraste iodado. Sem a presença do contraste pode ficar difícil identificar as lesões, a não ser que exista grande efeito de massa ou edema perilesional. Por isso o realce pelo meio de contraste é uma característica muito importante, podendo ter dois componentes: um realce intravascular, que é visto nas imagens adquiridas logo após a injeção, e um realce extravascular, decorrente do extravasamento do contraste para o meio intersticial, pela quebra da barreira hematoencefálica, sendo mais identificado em fases tardias.[18]

Na RM, as características de imagem são de lesões isointensas ou hipointensas nas sequências ponderadas em T1 e hiperintensas nas sequências pesadas em T2 e no FLAIR (inversão-recuperação com atenuação de fluido). O edema perilesional também é caracterizado por hipersinal em T2 e FLAIR e hipossinal em T1, não infiltrando o córtex, o que auxilia no diagnóstico diferencial com tumores primários do SNC. A RM é mais sensível para detectar lesões muito pequenas, sem edema. É importante lembrar que estes achados não são absolutos, sendo que algumas metástases, como, por exemplo, de adenocarcinomas de trato gastrointestinal e melanomas, podem apresentar hipossinal nas imagens ponderadas em T2. Outras podem ainda ser císticas ou hemorrágicas. O diagnóstico diferencial das lesões metastáticas cerebrais deve ser feito principalmente com tumores primários do SNC (principalmente o glioblastoma), além de linfomas, abscessos, granulomas, radionecrose, hematomas e infartos em fase subaguda.[19] Algumas outras características podem ajudar, sendo sugestivas de lesões secundárias, como, por exemplo, presença de múltiplas lesões, localização subcortical, margens circunscritas e grande volume de edema comparado ao tamanho da lesão. Esta tentativa de diferenciação, pela imagem, é muito importante, à medida que a biópsia é raramente indicada. Geralmente indica-se biópsia nos casos duvidosos. Na maioria das vezes trata-se de lesão única, em tumores com o sítio primário controlado ou desconhecido. Pacientes com câncer de mama que apresentam uma única lesão, com base na dura-máter, são casos por vezes desafiadores, uma vez que a incidência de meningioma também é maior nesta população.[20]

Um alto índice de suspeita clínica é mandatório para diagnóstico de acometimento meníngeo secundário. Métodos diagnósticos incluem RM e/ou TC do cérebro e da medula espinhal e citologia do liquor. O principal exame é a análise liquórica. Os achados incluem aumento da pressão de abertura liquórica (maior que 20 mmH$_2$O), aumento do número de leucócitos, hiperproteinorraquia (maior que 50 mg/dL) e hipoglicorraquia (menor que 60 mg/dL). Esses parâmetros, embora sugestivos, não são conclusivos. O diagnóstico definitivo é feito pela identificação de células neoplásicas no liquor e fundamentado pelo realce meníngeo na TC ou RM de crânio. A especificidade da citopatologia no liquor é muito alta, uma vez que resultados falso-positivos são raros quando analisados por patologistas experientes. Células malignas são detectadas em 70 a 89% dos pacientes com carcinomatose meníngea. Entre os pacientes com citologia do liquor positiva, em até 45% a análise inicial pode ser negativa. Uma segunda análise aumenta a sensibilidade para até 80%, mas não há benefício em fazer novas análises após duas punções negativas.[21,22]

TRATAMENTO

O tratamento das metástases em SNC tem-se tornado mais complexo com o tempo, à medida que novas modalidades terapêuticas e um maior conhecimento da biologia molecular dos tumores tornaram-se disponí-

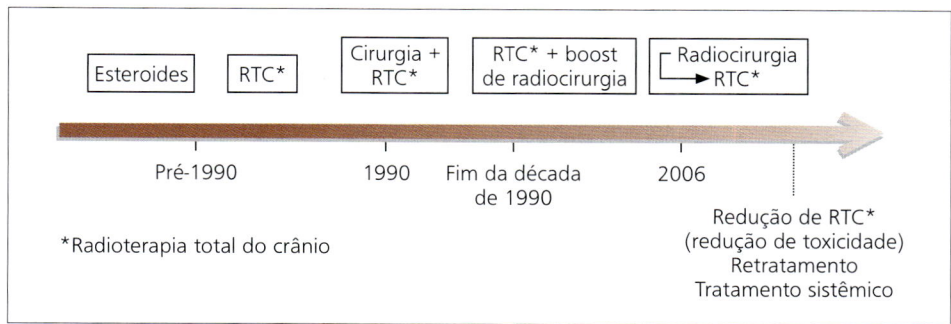

◀ **FIGURA 1.** Evolução do tratamento das metástases cerebrais.

veis. A avaliação prognóstica do paciente, assim como a origem tumoral, o número e localização das metástases são fatores decisivos para o tipo de terapêutica a ser empregada. A Figura 1 dá um panorama da evolução deste tratamento, de forma que hoje a decisão sobre a abordagem das metástases cerebrais é complexa, individualizada e multidisciplinar.

Tratamento de suporte

O tratamento de suporte envolve a prevenção e o tratamento dos sintomas físicos, emocionais e cognitivos resultantes de ambos: a presença do tumor e o próprio tratamento. Em pacientes com prognóstico muito ruim, muitas vezes é o único tratamento a ser utilizado. Nestes pacientes há um risco aumentado de infecções, trombose venosa profunda e distúrbios emocionais, que devem ser acompanhados e tratados apropriadamente. O uso de corticosteroides, principalmente a dexametasona (pelo reduzido efeito mineralocorticoide), é quase sempre necessário para controlar os sintomas do edema peritumoral. A dose pode variar de acordo com a necessidade do paciente. Pacientes assintomáticos, em tese, não devem receber corticosteroides.[23] Deve-se sempre tentar eliminar seu uso, através de uma redução gradativa da dose. Nem sempre isso é possível, sendo que alguns pacientes passam a ter necessidade crônica. Outra causa de edema cerebral é a necrose induzida pela radioterapia. Nestes casos, o uso de corticosteroides também pode ajudar a reduzir os sintomas. Outras armas terapêuticas disponíveis são a cirurgia para descompressão, oxigenioterapia hiperbárica e inibidores do fator de crescimento endotelial (VEGF).[24] Anticonvulsivantes devem ser reservados para pacientes com metástases em SNC que apresentem crises convulsivas. O uso profilático perioperatório permanece controverso, sendo na maioria das vezes não recomendado. Um dos estudos clínicos investigando esta questão foi interrompido precocemente, porque a incidência de crises convulsivas no braço controle (sem anticonvulsivantes) ficou bem abaixo do esperado.[25] É importante lembrar que a maior parte dos anticonvulsivantes, assim como a dexametasona, pode interferir com a ação de outras terapias sistêmicas.

Cirurgia

A cirurgia pode ser indicada para o alívio de sintomas, melhora do controle local e às vezes para a definição diagnóstica. O PS do paciente, a localização e o número de lesões são os fatores que, em geral, determinam se a cirurgia é apropriada. Da mesma forma, pacientes com doença sistêmica não controlada, em geral, não se beneficiam da cirurgia, por apresentarem um prognóstico mais reservado. O Quadro 3 mostra os principais fatores que são considerados na indicação de cirurgia para metástases cerebrais.

Embora não se tenha este dado de forma randomizada, aparentemente a cirurgia pode melhorar a sobrevida dos pacientes (embora seja sempre uma população altamente selecionada).

Atualmente, o uso de técnicas mais avançadas, como cirurgia guiada por imagem perioperatória, técnicas de microcirurgia, monitorização neurológica perioperatória e craniotomia com o paciente acordado vêm permitindo resultados melhores, com redução da morbimortalidade. Ao contrário das lesões primárias de SNC, as lesões metastáticas tendem ser mais bem delimitadas e circundadas por parênquima cerebral normal, permitindo uma ressecção mais completa.

Pelo menos três estudos randomizados compararam o uso de RTC isolada com a combinação de cirurgia seguida de RTC. Dois deles sugeriram um aumento de sobrevida para o tratamento combinado. Ambos avaliaram pacientes com metástases isoladas, e os conhecidos e previamente mencionados fatores prognósticos foram importantes para definir a população com maior benefício.[26,27] O racional para a adição de RTC após a ressecção seria eliminar qualquer tumor residual. Há evidências de que esta abordagem adjuvante reduz a taxa de progressão neurológica, sem alterar a sobrevida.[28] Atualmente é aceitável postergar a RTC, com o intuito de evitar a ocorrência de sintomas cognitivos decorrentes de toxicidade, principalmente em pacientes com bom prognóstico. Metastasectomias múltiplas também vêm sendo realizadas com maior frequência, principalmente em pacientes com menos de três lesões, maiores que 3 cm e com tumores sabidamente radiorresistentes (como o melanoma e o carcinoma renal). Da mesma forma, pode ser avaliada a ressecção de uma recidiva em área previamente irradiada. Estas mudanças tornaram a indicação de cirurgia para metástases cerebrais altamente individualizadas, sendo necessária uma ampla discussão entre o neurocirurgião, o radioterapeuta e o oncologista clínico.

Radioterapia

A radioterapia foi a primeira modalidade terapêutica disponível para o tratamento das lesões metastáticas em SNC, e até hoje talvez seja a mais importante. Atualmente dispomos, além da RTC, das técnicas de radiocirurgia.

Radioterapia total do crânio

Trata-se da técnica mais utilizada e a primeira a ser instituída. Tem como objetivo não só o tratamento da doença existente, mas a prevenção de novas lesões. Em pacientes com RPA classe 3 geralmente é utilizada de forma isolada. Nos pacientes com RPS classes 1/2 pode ser combinada à cirurgia ou radiocirurgia. Também há estudos tentando associar esta técnica a terapias sistêmicas, com o intuito de melhorar os resultados.[29,30]

O tratamento de crânio total é geralmente realizado com dois campos paralelos opostos, cobrindo todo o cérebro, com limite inferior em C1. Pode ser usado bloco de proteção nos olhos quando necessário. As doses mais comumente empregadas são 30 Gy em 10 frações (mais usada), 20 Gy em 5 frações (pacientes com baixa expectativa de vida ou KPS < 70) e 37,5 Gy em 15 frações (quando radiocirurgia associada). O planejamento pode ser bi ou tridimensional, com feixe de fótons de 4 a 6 MV, com uso de máscaras termoplásticas para imobilização do paciente (Fig. 2).

Quadro 3. Condições que influenciam a abordagem cirúrgica das metástases cerebrais

FATORES RELACIONADOS COM O PACIENTE
■ *Status* da doença sistêmica
■ Condições clínicas (risco cirúrgico, comorbidades, coagulação)
■ Prognóstico (p. ex.: DS-GPA)
■ Necessidade de diagnóstico da lesão
FATORES RELACIONADOS COM AS LESÕES
■ Localização, profundidade e eloquência do sítio
■ Tipo do tumor (radiossensibilidade, prognóstico)
■ Número de lesões
■ Prognóstico neurológico pós-ressecção

DS-GPA = *Diagnostic Specific-Graded Prognostic Assessment*.

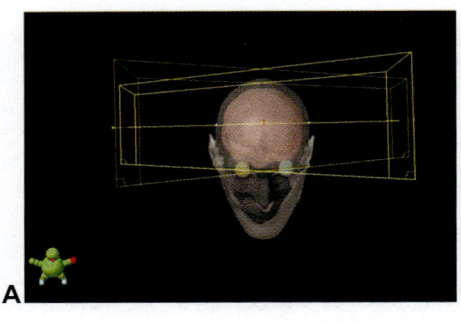
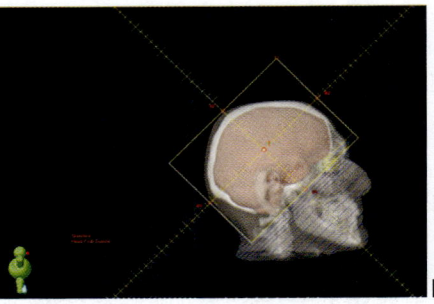

◀ **FIGURA 2. (A e B)** Visão tridimensional dos campos paralelos opostos e todo o crânio sendo tratado, com proteção do globo ocular e limite inferior em C1.

Estudos comparando 40 Gy em 20 frações, 30 Gy em 10 frações e 20 Gy em 5 frações no tratamento de todo o crânio não mostraram diferenças em controle local e sobrevida global dos pacientes, porém, quanto maior a dose por fração, maior a chance de alteração cognitiva.[31] A escolha do fracionamento irá depender da expectativa de vida de cada paciente.

A toxicidade aguda mais comum deste tratamento é alopecia total, porém náuseas, vômitos e sonolência podem ocorrer. Em paciente com sintomas neurológicos, o uso de corticosteroides é indispensável, já que o edema cerebral pode ter leve piora nas primeiras aplicações. Déficit neurocognitivo ocorre em pacientes com longa sobrevida após tratamento de todo o crânio.

Radiocirurgia

A radiocirurgia permite a aplicação de uma única dose, direcionada para uma região bem delimitada. Geralmente indicada para lesões pequenas (menores que 4 cm) e bem delimitadas. Comparada à ressecção cirúrgica, a radiocirurgia apresenta como vantagens: possibilidade de tratar áreas inacessíveis, métodos não invasivo e ambulatorial, capacidade de tratar múltiplas lesões e método geralmente mais custo-eficaz.[32] Pode ser usada de forma isolada ou combinada às outras técnicas. Também vem crescendo sua indicação como terapia de resgate.

Estudo prospectivo randomizou pacientes entre receber RTC *versus* RTC seguido de radiocirurgia. A falha local em um ano foi de 100% no primeiro grupo e de 8% com adição de radiocirurgia. A sobrevida global não teve diferença estatística.[33] Em outro estudo mais recente, também prospectivo randomizado, foi feita a mesma comparação, porém desta vez reunindo apenas pacientes com 1 a 3 metástases. Nos pacientes com um implante, RPA classe 1 e tumores menores que 2 cm, houve benefício de sobrevida global no grupo da radiocirurgia (6,5 × 4,9 meses).[34]

Quando comparamos radiocirurgia exclusiva *versus* radiocirurgia após RTC, nenhum trabalho mostra diferenças em sobrevida global. Há sempre maior benefício de controle local no restante do cérebro para o tratamento combinado, porém pacientes que falham ao tratamento exclusivo são resgatados sem prejuízo.[35] Nos trabalhos que comparam a função cognitiva destes pacientes, a radiocirurgia isolada confere melhores resultados em pacientes com até três lesões, com KPS > 70%, mesmo naqueles que necessitam de resgate. Sítio primário pulmonar é fator de melhor prognóstico em pacientes submetidos à radiocirurgia isolada.[36]

Em alguns centros, a radiocirurgia é indicada de forma adjuvante, sobre o leito tumoral, após ressecção cirúrgica, com o intuito de postergar a RTC. O benefício desta abordagem é questionável, mas pode ser útil particularmente em pacientes com tumores relativamente radiorresistentes. Nestes casos, costuma-se indicar com maior frequência a radioterapia estereotática.

O planejamento da radiocirurgia é algo mais complexo do que o tratamento do crânio total. O paciente realiza RM do tipo neuronavegação, com cortes finos e no mesmo dia realiza TC, já com o sistema de imobilização estereotático que será utilizado. Para dose única recomenda-se a utilização de *frame* fixado ao crânio do paciente, porém, as máscaras termoplásticas especiais são uma opção.

Os dois exames serão fundidos no sistema de planejamento; o médico radio-oncologista delineará o alvo a ser tratado e todos os órgãos de risco adjacentes, tais como tronco cerebral, quiasma, parênquima sadio etc. (Fig. 3). O físico médico fará o planejamento do tratamento, conferindo uma dose alta na região tumoral, com rápida queda de dose nos tecidos adjacentes. Podem ser utilizados aceleradores lineares comuns, com sistema de cones ou micro *multi-leafs*, ou aparelhos dedicados para radiocirurgia, estes pouco difundidos ainda no Brasil (Fig. 4).

A toxicidade aguda a este tratamento é infrequente, porém náuseas e vômitos podem ocorrer. Após 30 dias do tratamento é realizada nova RM para avaliação da resposta.

Para o tratamento da doença meníngea, a radioterapia pode ser usada em casos selecionados, com os seguintes objetivos: paliação de

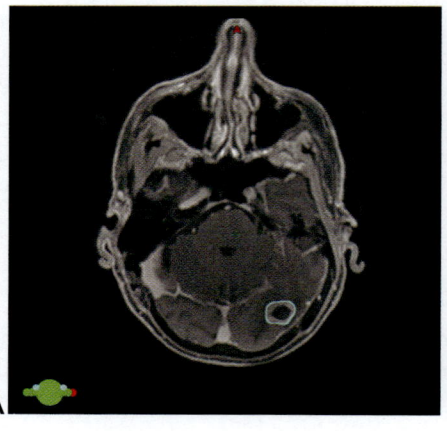
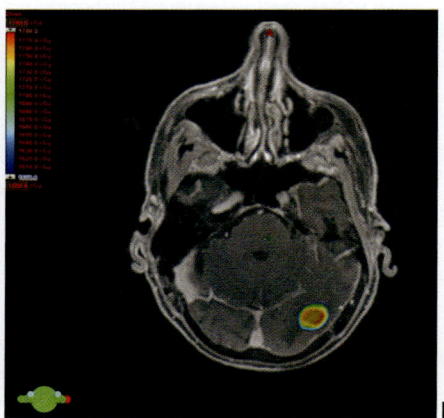

◀ **FIGURA 3.** Radiocirurgia. **(A e B)** Cortes axiais de RM mostrando o alvo delineado e a distribuição da dose, mostrando que a dose é concentrada na lesão, com dose mínima no parênquima sadio.

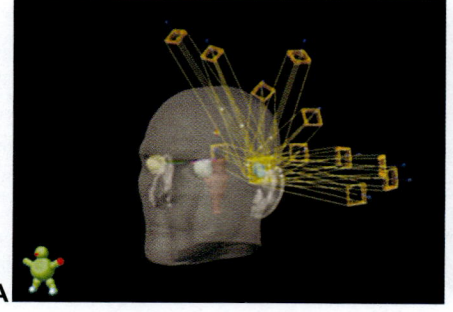
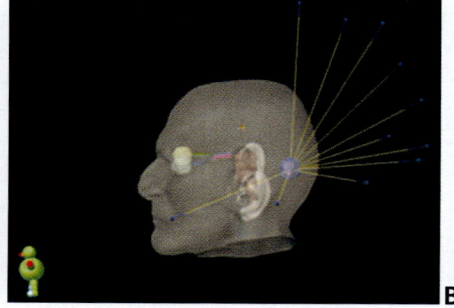

◀ **FIGURA 4.** Radiocirurgia. **(A e B)** Distribuição dos campos de tratamento em visão tridimensional do paciente, com sistema de micro *multi-leafs*.

sintomas, como na síndrome da cauda equina; diminuição de doença volumosa, incluindo metástase no parênquima cerebral coexistente; correção de anormalidades no fluxo liquórico. A radioterapia direcionada ao sítio de obstrução do liquor restaura o fluxo em 30% dos pacientes com doença medular e em 50% dos pacientes com doença intracraniana. O restabelecimento do fluxo liquórico com radioterapia seguida por quimioterapia intratecal levou ao aumento do tempo de sobrevida e diminuição das taxas de morbidade e mortalidade em decorrência da carcinomatose meníngea.[6] A radioterapia de todo o neuroeixo raramente é indicada para carcinomatose meníngea por tumores sólidos, uma vez que é associada à toxicidade importante (mielossupressão severa e mucosite grave entre outras) e não oferece chance de cura.[10]

Terapia sistêmica

A principal modalidade terapêutica sistêmica para o tratamento do câncer metastático é a quimioterapia (QT). Geralmente a utilidade da QT para metástases em SNC de tumores sólidos é limitada pela sensibilidade tumoral e pela capacidade de o medicamento ultrapassar a barreira hematoencefálica (BHE). Esta limita a passagem de moléculas grandes e hidrofílicas, como a maior parte dos quimioterápicos. Esta limitação é corroborada pelo fato de que em geral são observadas maiores respostas sistêmicas do que em SNC. Outra explicação seria o fato de que após exposição a um quimioterápico, somente os clones resistentes se disseminariam para o SNC. O número de estudos também é limitado, sendo principalmente para pacientes com cânceres de pulmão e mama, não podendo ser extrapolados para outras histologias.[37] Entre os diferentes tipos de tumores, as metástases cerebrais do câncer de pulmão de pequenas células (CPPC), tumores germinativos e linfomas parecem ser as mais quimiossensíveis, enquanto as do câncer de pulmão de não pequenas células (CPNPC) e do câncer de mama são mais resistentes. O advento da chamada terapia-alvo vem mudando gradativamente este cenário.

Estudos foram conduzidos investigando as mais variadas abordagens, desde a QT isolada, até diferentes combinações de QT e radioterapia. A temozolamida foi uma das drogas mais estudadas, pela sua reconhecida capacidade de atravessar a BHE e facilidade de administração oral. Sua atividade já foi demonstrada em pacientes com gliomas difusos e melanoma metastático.[38,39] Diversos estudos de fase II tentaram avaliar sua atividade em pacientes com metástases cerebrais, combinada à RTC. O maior deles incluiu 134 pacientes, sendo 82% com diagnóstico de câncer de pulmão. O grupo do tratamento combinado alcançou maior taxa de resposta, porém sem diferença na resposta neurológica. Houve também uma tendência ao aumento de sobrevida, sem significância estatística (8,3 *versus* 6,3 meses; $p = 0,179$).[40,41]

Especificamente com relação ao câncer de mama, os esquemas utilizados são os mesmos da terapia sistêmica, sendo sempre preferíveis aqueles que sabidamente têm maior capacidade de atravessar a BHE (capecitabina, platinas, temozolamida). A hormonoterapia não parece ter grande atividade. O lapatinibe (inibidor de tirosina quinase dos receptores de fatores de crescimento epidérmico - EGFR - 1 e 2) parece ser uma droga promissora. Sua eficácia já foi comprovada em pacientes que hiperexpressam her-2 e o fato de ser uma pequena molécula facilitaria a penetração em SNC.[42]

A neoplasia com maior número de estudos é o câncer de pulmão. São vários estudos com quimioterápicos, e a descrição detalhada de todos foge ao escopo deste capítulo. A taxa de resposta da doença intracraniana foi, de forma geral, semelhante à da doença extracraniana. Algumas das combinações já estudadas para CPNPC são: cisplatina e etoposide, carboplatina e paclitaxel, cisplatina paclitaxel e vinorelbina, gencitabina e vinorelbina. Irinotecan, fotemustina e temozolamida, embora não sejam drogas normalmente utilizadas para o tratamento do CPNPC, também foram avaliadas, produzindo diversos resultados.[37] O pemetrexede, um agente antifolato, com atividade para o adenocarcinoma, também parece ter atividade em lesões cerebrais, tendo sido relatada, em uma série de casos, 38% de resposta parcial e 31% de doença estável.[43] O bevacizumab, agente antiangiogênico utilizado na doença sistêmica, e com ação comprovada em glioblastomas, também parece ter alguma atividade em pacientes com metástases cerebrais de CPNPC. Entretanto, são dados ainda muito preliminares.[44] De qualquer forma, não há, ainda, um estudo definitivo, fase III, que aponte a melhor estratégia nesta situação.

Uma abordagem bastante promissora advém do uso de drogas com alvo molecular. No caso específico do CPNPC, a atividade de agentes antiEGFR, como o erlotinibe e o gefitinibe, em metástases cerebrais já foi comprovada. Este grau de resposta parece correlacionar-se com o *status* mutacional do paciente, assim como na doença sistêmica.[45] A Figura 5 ilustra o caso de um paciente portador de adenocarcinoma de pulmão estágio IV (metástases pulmonares, ósseas e cerebrais assintomáticas), não fumante, com uma deleção do éxon 19 de EGFR detectada.

Após 6 semanas de tratamento com um inibidor de EGFR, ele obteve resposta completa avaliada por RM de crânio. Um caso de nosso grupo, recém-publicado, sugere, também, que pacientes sintomáticos, com perfil molecular favorável, possam ser tratados com a droga-alvo, prescindindo da radioterapia como abordagem inicial.[46] Infelizmente, outras drogas com alvo molecular determinado, como o crizotinibe para pacientes com translocação de ALK, não parecem apresentar o mesmo grau de atividade e penetração na BHE.[47]

Resultados semelhantes começam a ser observados em outras neoplasias. O caso mais recente é o do melanoma, uma doença altamente quimio e radiorresistente. Em pacientes com uma mutação específica de BRAF, a droga vemurafenibe propiciou aumento de sobrevida quando comparada à dacarbazina. Relatos de casos demonstram também a possibilidade de alta atividade em pacientes com múltiplas metástases cerebrais, com tratamento prévio com radioterapia e/ou temozolamida.[48]

Com relação à disseminação meníngea, a QT é o principal tratamento, sendo a única modalidade terapêutica que pode tratar todo o neuroeixo, podendo ser administrada por via sistêmica ou intratecal. Historicamente, a QT intratecal é o tratamento padrão. Análises retrospectivas ou comparações com séries históricas sugerem que a administração de QT intratecal melhora o desfecho dos pacientes. Deve-se ressaltar que a maioria das séries exclui pacientes com estado geral muito comprometido para receber qualquer tratamento, grupo que pode compreender até um terço dos pacientes com metástase meníngea. A terapêutica intratecal deve ser oferecida tanto por via lombar ou ventricular, e oferece um tratamento compartimental seletivo com

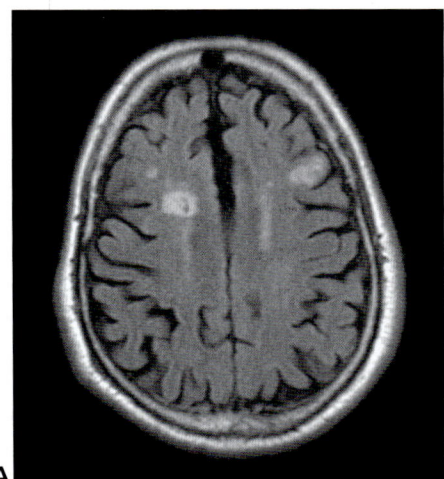
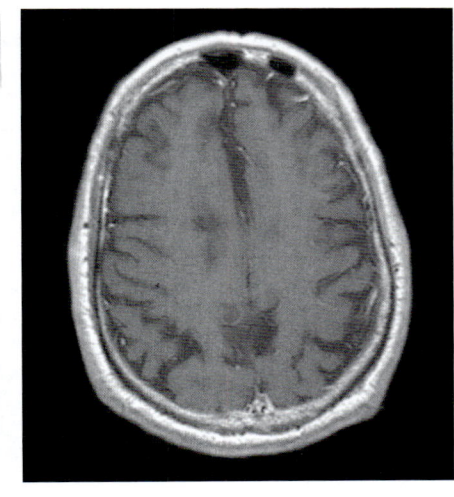

◀ **FIGURA 5.** Paciente portador de adenocarcinoma de pulmão e metástases cerebrais, com mutação sensibilizante de EGFR. **(A)** RM de crânio pré-tratamento. **(B)** RM de crânio 6 semanas após tratamento com erlotinibe.

mínimo efeito tóxico sistêmico. A implantação do cateter de Ommaya facilita a administração da droga. Metotrexato, tiotepa e citarabina são as drogas mais estudadas e frequentemente utilizadas.[10] Complicações da QT intratecal incluem aquelas associadas ao efeito tóxico das drogas e complicações relacionadas com o cateter de Ommaya, como mau posicionamento, obstrução e infecção. Meningite infecciosa ocorre em 2 a 13% dos pacientes e normalmente manifesta-se com cefaleia, febre, depressão do sensório e disfunção do cateter. O organismo mais frequentemente isolado é o *Staphylococcus epidermidis,* e o tratamento é realizado com antibioticoterapia intravenosa, com alguns autores recomendando a retirada do cateter. Mielossupressão pode ocorrer, e recomenda-se que o resgate com ácido folínico (10 mg via oral de 6/6h por 24 horas) seja realizado para diminuir esta complicação, quando utilizado o metotrexato. A meningite química asséptica ocorre em aproximadamente metade dos pacientes e manifesta-se por febre, cefaleia, náuseas, vômitos, meningismo e fotofobia. Na maioria dos pacientes o tratamento pode ser feito ambulatorialmente, com antipiréticos, antieméticos e corticosteroides.[49] Em pacientes com meningite carcinomatosa e sobrevida prolongada, a combinação de radioterapia e QT frequentemente resulta em leuconcefalopatia tardia, evidente em estudos de neuroimagem, que pode ser sintomática. Da mesma forma que para as metástases cerebrais, as drogas de alvo molecular vêm mostrando resultados provocativos para o tratamento da meningite carcinomatosa.[50]

Embora ainda acarretem um prognóstico bastante desfavorável, a presença de metástases cerebrais não é mais uma sentença de fim de tratamento. Atualmente, a individualização terapêutica, já tão importante para o controle da doença sistêmica, faz parte da abordagem das metástases em SNC. Para o maior sucesso, torna-se mister uma intensa interação multidisciplinar.

REFERÊNCIAS BIBLIOGRÁFICAS

1. Hare AW. The surgical treatment of intracranial tumors. In: Bramwell B. (Ed.). *Intracranial tumors*. Philadelphia: Lippincott, 1888. p. 254-64.
2. Park CK, Kim DG. Historical background. In: Kim DG, Lunsford LD. (Ed.). *Current and future management of brain metastasis*. Basel: Karger, 2012. p. 1-8.
3. Gavrilovic IT, Posner JB. Brain metastases: epidemiology and pathophysiology. *J Neurooncol* 2005;75(1):5-14.
4. Johnson JD, Young B. Demographics of brain metastasis. *Neurosurg Clin N Am* 1996;7(3):337.
5. Platta CS, Khuntia D, Mehta MP *et al.* Current treatment strategies for brain metastasis and complications from therapeutic techniques: a review of current literature. *Am J Clin Oncol* 2010;33:398-407.
6. Gleissner B, Chamberlain MC. Neoplastic meningitis. *Lancet Neurol* 2006;5:443-52.
7. Slimane K, Andre F, Delaloge S *et al.* Risk factors for brain relapse in patients with metastatic breast cancer. *Ann Oncol* 2004;15(11):1640.
8. Mamon HJ, Yeap BY, Jänne PA *et al.* High risk of brain metastases in surgically staged IIIA non-small-cell lung cancer patients treated with surgery, chemotherapy, and radiation. *J Clin Oncol* 2005;23(7):1530.
9. Delattre JY, Krol G, Thaler HT *et al.* Distribution of brain metastases. *Arch Neurol* 1988;45(7):741.
10. DeAngelis LM. Current diagnosis and treatment of leptomeningeal metastasis. *J Neurooncol* 1998;38:245-52.
11. Lagerwaard FJ *et al.* Identification of prognosticfactors in patients with brain metastases: a reviewof 1292 patients. *Int J Radiat Oncol Biol Phys* 1999;43(4):795-803.
12. Gaspar L *et al.* Recursive partitioning analysis(RPA) of prognostic factors in three RadiationTherapy Oncology Group (RTOG) brain metastasestrials. *Int J Radiat Oncol Biol Phys* 1997;37(4):745-51.
13. Sperduto PW, Kased N, Roberge D *et al.* Summary report on the graded prognostic assessment: an accurate and facile diagnosis-specific tool to estimate survival for patients with brain metastases. *J Clin Oncol* 2012;30(4):419.
14. Altudang K, Bondy ML, Mirza NQ *et al.* Clinicopathologic characteristics and prognostic factors in 420 metastatic breast cancer with central nervous system metastasis. *Cancer* 2007;110:2640-47.
15. Wasserstrom WR, Glass JP, Posner JB. Diagnosis and treatment of leptomeningeal metastases from solid tumors: Experience with 90 patients. *Cancer* 1982;49:759-72.
16. Clouston PD, DeAngelis LM, Posner JB. The spectrum of neurological disease in patients with systemic cancer. *Ann Neurol* 1992;31(3):268.
17. Forsyth PA, Posner JB. Headaches in patients with brain tumors: a study of 111 patients. *Neurology* 1993;43(9):1678.
18. Smirniotopoulos JG, Murphy FM, Rushing EJ *et al.* From the Archives of the AFIP: Patterns of contrast Enhancement to the brain and meninges. *Radiographics* 2007;27:525-51.
19. Martin MGM. Diagnóstico por imagem das metástases do sistema nervoso central. In: Maluf FC, Katz A, Correa S. (Eds.). *Câncer do sistema nervoso central*. São Paulo: Dêndrix, 2009. p. 359-69.
20. Schoenberg BS, Christine BW, Whisnant JP. Nervous system neoplasms and primary malignancies of other sites. The unique association between meningiomas and breast cancer. *Neurology* 1975;25(8):705.
21. Glass JP, Melamed M, Chernik NL *et al.* Malignant cells in cerebrospinal fluid (CSF): The meaning of a positive CSF cytology. *Neurology* 1979;29:1369-75.
22. Glantz MJ, Cole BF, Glantz LK *et al.* Cerebrospinal fluid cytology in patients with cancer: Minimizing false-negative results. *Cancer* 1998;82:733-39.
23. Koehler PJ. Use of corticosteroids in neurooncology. *Anticancer Drugs* 1995;6(1):19-33.
24. Carangelo B, Cerillo A, Mariottini A *et al.* Therapeutic strategy of late cerebral radionecrosis. A retrospective study of 21 cases. *J Neurosurg Sci* 2010 Mar.;54(1):21-28.
25. Forsyth PA *et al.* Prophylactic anticonvulsants in patients with brain tumour. *Can J Neurol Sci* 2003;30(2):106-12.
26. Patchell RA, Tibbs PA, Walsh JW *et al.* A randomized trial of surgery in the treatment of single metastases to the brain. *N Engl J Med* 1990;322(8):494.
27. Vecht CJ, Haaxma-Reiche H, Noordijk EM *et al.* Treatment of single brain metastasis: radiotherapy alone or combined with neurosurgery? *Ann Neurol* 1993;33(6):583.
28. Patchell RA, Tibbs PA, Regine WF *et al.* Postoperative radiotherapy in the treatment of single metastases to the brain: a randomized trial. *JAMA* 1998;280(17):1485.
29. Mornex F *et al.* A prospective randomized multicentre phase III trial of fotemustine plus whole brain irradiation versus fotemustine alone in cerebral metastases of malignant melanoma. *Melanoma Res* 2003;13(1):97-103.
30. Gaspar LE *et al.* The role of whole brain radiation therapy in the management of newly diagnosed brain metastases: a systematic review and evidence-based clinical practice guideline. *J Neurooncol* 2010;96(1):17-32.
31. Murray KJ, Scott C *et al.* A randomized phase III study of accelerated hyperfractionation versus standard in patients with unresected brain metástases: RTOG 9104. *Int J Radiat Oncol Biol Phys* 1997;39:571-74.
32. Mehta M, Noyes W, Craig B *et al.* A cost-effectiveness and cost-utility analysis of radiosurgery vs. resection for single-brain metastases. *Int J Radiat Oncol Biol Phys* 1997;39(2):445.
33. Kondziolka D, Patel A *et al.* Stereotactic radiosurgery plus whole brain radiotherapy versus radiotherapy alone for patients with multiple brain metástases. *Int J Radiat Oncol Biol Phys* 1999;45:427-34.
34. Andrews DW, Scott CB *et al.* Whole brain radiation therapy with or without stereotactic radiosurgery boost for patient with one to three brain metastases: phase III results of RTOG 9508. *Lancet* 2004;363:1665-72.
35. Tsao M, Xu W *et al.* A meta-analysis evaluating stereoctactic radiosurgery, whole brain radiotherapy or both for patients presenting with a limited number of brain metástases. *Cancer* 2012;118:2486-93.
36. Monaco EA, Faraji AH *et al.* Leukoencephalopathy after whole-brain radiation therapy plus radiosurgery versus radiosurgery alone for metastatic lung cancer. *Cancer* 2012 June 15.
37. Butowski N. Medical management of brain metastases. *Neurosurg Clin N Am* 2011;22:27-36.
38. Yung WK, Prados MD, Yaya-Tur R *et al.* Multicenter phase II trial of temozolomide in patients with anaplastic astrocytoma or anaplastic oligoastrocytoma at first relapse. *J Clin Oncol* 1999;17:2762-71.
39. Middleton MR, Grob JJ, Aaronson N *et al.* Randomized phase III study of temozolomide versus dacarbazine in the treatment of patients with advanced metastatic malignant melanoma. *J Clin Oncol* 2000;18:158-66.
40. Verger E, Gil M, Yaya R *et al.* Concomitant temozolomide (TMZ) and whole brain radiotherapy (WBRT) in patients with brain metastases (BM): Randomized multicentric phase II study. *Proc Am Soc Clin Oncol* 2003;22:101 (abstr 404).
41. Langer CJ, Mehta MP. Current management of brain metasases, with a focus on systemic options. *J Clin Oncol* 2005;23:6207-19.
42. Geyer CE, Forster J, Lindquist D *et al.* Lapatinib plus capecitabine for HER2-positive advanced breast cancer. *N Engl J Med* 2006;355:2733-43.

43. Bearz A, Garassino I, Tiseo M *et al.* Activity of Pemetrexed on brain metastases from Non-Small Cell Lung Cancer. *Lung Cancer* 2010;68(2):264.
44. De Braganca KC, Janjigian YY, Azzoli CG *et al.* Efficacy and safety of bevacizumab in active brain metastases from non-small cell lung cancer. *J Neuro-oncol* 2010;100(3):443.
45. Kim JE, Lee DH, Choi Y *et al.* Epidermal growth factor receptor tyrosine kinase inhibitors as a first-line therapy for never-smokers with adenocarcinoma of the lung having asymptomatic synchronous brain metastasis. *Lung Cancer* 2009;65(3):351.
46. de Lima Araújo LH, da Silveira JS, Baldotto CS *et al.* Erlotinib in Symptomatic Brain Metastases From a Lung Adenocarcinoma With a Sensitizing EGFR Mutation. *J Thorac Oncol* 2012;7:1059-60.
47. Camidge R, Doebele RC. TReating ALK-positive lung cancer - early success and future challenges. *Nat Rev Clin Oncol* 2012 Apr. 3;9(5):268-77.
48. Rochet NM, Kottschade LA, Markovic SN. Vemurafenib for melanoma metastases to the brain. *N Engl J Med* 2011 Dec.;365(25):2439-41.
49. Beaucesne P. Intrathecal chemotherapy for treatment of leptomeningeal dissemination of metastatic tumours. *Lancet Oncol* 2010;11:871-79.
50. Wagner M, Besse B, Balleyguier C *et al.* Leptomeningeal and medullary response to second-line erlotinib in lung adenocarcinoma. *J Thorac Oncol* 2008;5:677-79.

CAPÍTULO 225

Radioterapia em Tumores do Sistema Nervoso Central

Lisa Morikawa ■ Márcio Lemberg Reisner
Igor Migowsky Rocha dos Santos ■ Guilherme Rocha Melo Gondim

INTRODUÇÃO

Muitos avanços tecnológicos aconteceram nesta última década em radioterapia, e dentre estas inovações, podemos destacar a radioterapia conformacional tridimensional, a radioterapia cerebral estereotáxica, ou radiocirurgia e radioterapia de intensidade modulada. As técnicas atuais são mais precisas e mais eficazes. Hoje somos capazes de tratar lesões com doses mais elevadas e, ao mesmo tempo, proteger estruturas normais adjacentes, reduzindo-se, significativamente, a toxicidade tardia e, eventualmente, elevando-se o índice terapêutico. A radioterapia é parte importante no tratamento da maioria dos tumores de sistema nervoso central (SNC), sejam estes benignos ou malignos, de origem primária ou metastática. É considerado tratamento curativo em gliomas de baixo grau, meduloblastomas, tumores de células germinativas, meningiomas, adenomas hipofisários e tumores neuroectodermais primitivos. Já em gliomas malignos, a radioterapia pode prolongar a sobrevida; e mesmo como tratamento paliativo, pode ser extremamente eficaz no tratamento de metástases cerebrais e de coluna.

EVOLUÇÃO TECNOLÓGICA EM RADIOTERAPIA

A tolerância à radiação em qualquer tecido, incluindo o SNC, depende de inúmeros fatores, incluindo dose total, dose por fração, tempo total de tratamento, características do próprio paciente, qualidade da radiação (LET – *linear energy transfer)* e se há outros tratamentos sendo realizados sequencialmente ou em concomitância.

O parênquima cerebral é formado por células estáticas ou de divisão lenta, e, como consequência, os efeitos da radiação irão se caracterizar mais como reações tardias com pouco ou nenhum efeito agudo (além do edema).

Como outros tecidos de reação tardia, o parênquima normal do SNC é muito sensível à dose por fração, que geralmente é mantida na faixa de 1,8 a 2,0 Gy por dia. Em algumas situações especiais, esse fracionamento poderá ser alterado, seja hiperfracionando (reduz-se a dose por fração, porém, aumenta-se o número de frações por dia), ou hipofracionando (aumenta-se a dose por cada fração diária, reduzindo-se o tempo total de tratamento), ou mesmo combinações dos dois.[1]

A técnica de radioterapia, independentemente do esquema de dose ou fracionamento utilizado, visa a um aumento do ganho terapêutico através da melhor cobertura do volume-alvo e proteção dos tecidos sadios adjacentes.

No que tange à radioterapia externa, ela evoluiu desde a técnica convencional até a radioterapia de intensidade modulada (IMRT), com correção de posicionamento por imagens geradas pelo próprio aparelho de radioterapia (IGRT). Destacamos, a seguir, as modalidades da radioterapia externa.[2]

Técnica convencional (2D)

Foi a primeira técnica utilizada no tratamento de patologias no SNC, e remonta à época de grandes rádio-oncologistas, como Dr. Gilbert Fletcher que, já na década de 1940, desenvolvia novos métodos para tratamento de tumores cerebrais. Esta técnica é ainda utilizada em alguns centros de menor capacidade tecnológica.

A técnica 2D consiste na utilização de um limitado número de campos (tipicamente de 1 a 4), podendo-se usar blocos de uma liga metálica chamada *Cerrobend,* estes são desenhados pelo radio-oncologista em radiografias simples, obtidas no momento do planejamento. A dose é estimada por cálculos em 1 ou 2 planos, sendo calculada manualmente ou via sistema de planejamento computadorizado simples. Além da limitação dosimétrica desta técnica, existe também a dificuldade relacionada com a localização da lesão que é inferida pelo médico através de parâmetros anatômicos ósseos apenas, e muitas vezes a utilização de energia menor que 6MV. O uso de energias mais baixas (4MV e Cobalto) implica em maior gradiente de dose (que é a diferença entre a maior e a menor dose dentro da região tratada) e, consequentemente, maior potencial de dano aos tecidos sadios, e maior toxicidade.

Hoje em dia, não se recomenda mais o uso da técnica convencional (2D) para tratamento de tumores do SNC, com exceção das situações de urgência e dentro de um contexto paliativo.

Técnica conformacional

Radioterapia *conformacional* é um termo genérico que traduz a utilização de um sistema de planejamento computadorizado e entrega da radioterapia que visa a criar altas doses de radiação ao redor do tumor e doses baixas nos tecidos circunvizinhos, utilizando-se, para tal, exames de imagem do paciente, obtidas exclusivamente para esse fim. Através de imagem tomográfica de planejamento, o tratamento será calculado e simulado virtualmente, antes de o paciente ser colocado no aparelho de tratamento.

Radioterapia conformacional tridimensional (3D)

Na técnica 3D clássica, imagens tomográficas do tumor e das estruturas normais são reconstruídas tridimensionalmente para ajudar na seleção da melhor disposição de campos para um determinado tratamento, levando-se em consideração a localização do tumor, dose desejada e limites de doses aos órgãos sadios adjacentes, também chamados *organs at risk* (OAR). Pela maior precisão dos cálculos que são gerados por sofisticados sistemas de planejamento com base na reconstrução virtual do paciente, é possível a utilização de campos não coplanares, além de outros recursos para melhor otimizar a distribuição de dose e minimizar o gradiente. As doses sobre os OARs são avaliadas por gráficos de dose *versus* volume chamados Histogramas Dose-Volume (DVH). Tendo-se em mente as doses aceitáveis aos OARs no que tange às sequelas tardias indesejáveis, serão feitas modificações ao plano original até que se chegue à melhor situação possível para cada caso. Note-se bem que é um processo de tentativa e erro, também chamado de *foward planning*, que se contrapõe, e é uma das principais diferenças em relação ao IMRT que se utiliza do planejamento inverso (*inverse planning*).

A vantagem que a radioterapia 3D trouxe em relação à técnica 2D foi a possibilidade de fusão de imagem. A fusão de imagem nada mais é do que uma sobreposição de imagens, notadamente no caso de tumores de SNC entre a tomografia computadorizada (TC) de planejamento e a ressonância magnética (RM) diagnóstica (Fig. 1).

A maior parte dos sistemas de planejamento em radioterapia é calculada via TC, pois esse método fornece informação ao sistema de planejamento sobre as diferentes densidades dos tecidos interpostos entre o tumor (alvo) e o(s) feixe(s) de radiação. Através desse cálculo, consegue-se prever com alta precisão como, de fato, a radiação interage com os tecidos irradiados. O radio-oncologista faz a marcação da lesão e dos OARs na RM, mas o cálculo do tratamento será feito, utilizando-se a TC.

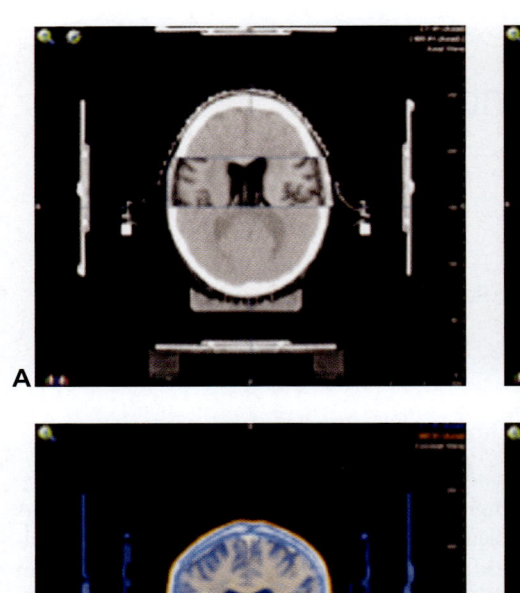

◀ **FIGURA 1. (A-D)** Fusão de imagens entre TC de planejamento e RM.

Radioterapia de intensidade modulada (IMRT)

A radioterapia de intensidade modulada é hoje a tecnologia mais avançada de radioterapia externa. Conceitualmente, ela se utiliza de múltiplos *bea mLets* de radiação com diferentes intensidades para "construir" um mapa de isodoses personalizado que englobe perfeitamente a área tumoral com altas doses de radiação.[3]

A isodose de prescrição será considerada ideal, se esta, além de englobar o tumor, for capaz de proteger os OARs adjacentes. O processo de planejamento é altamente complexo, sendo necessário um algoritmo de otimização. Em oposição ao *foward planning* do 3D, utiliza-se um *inverse planning*, onde o médico irá preestabelecer restrições de dose, ou também chamados *dose constraints*, antes de iniciar os cálculos. Basicamente, decide-se de antemão o quanto de dose é desejado na região tumoral, e o quanto de dose é tolerado pelos diversos OARs da área a ser irradiada. Assim, o sistema de otimização irá tentar, através de múltiplas interações, chegar à solução que mais se aproxima dos objetivos definidos. Em decorrência de sua versatilidade, o IMRT permite entrega satisfatória de dose em situações clínicas complexas e em alvos heterogêneos e irregulares, de modo superior à capacidade de outras tecnologias previamente disponíveis. A técnica de IMRT originalmente desenvolvida para fótons pode ser realizada com campos estáticos (IMRT convencional) ou em arcos modulados (*Volumetric Modulated Arc Therapy* ou VMAT). Mais recentemente, novos sistemas estão sendo desenvolvidos, capazes de modular a dose também com partículas carregadas, tais como prótons (*Intensity Modulated Proton Therapy* ou IMPT) e elétrons.

Vale ressaltar que a utilização de Radioterapia Guiada por Imagem (IGRT) se refere ao uso de sistemas integrados de imagens realizadas antes, durante ou após a irradiação, visando a aumentar a precisão do tratamento, e possibilitando a redução do tamanho das margens de segurança além do tumor e, consequentemente, do tamanho da área irradiada. Normalmente, o IGRT está atrelado ao IMRT, embora isso não seja sempre uma constante em todos os serviços de radioterapia. De fato, pode-se realizar IMRT sem IGRT que, embora não recomendável, é exequível.

Os tipos mais importantes de IGRT utilizados em SNC são o EPID (*Electronic Portal Imaging Devices*), e o *Cone-beam CT*. O EPID consiste em uma radiografia digital feita antes da aplicação de radioterapia, visando a corrigir quaisquer alterações de posicionamento. Essa imagem é comparada ao DRR (Digitally Reconstructed Radiograph) gerado na primeira TC de planejamento. Já o *Cone-beam CT* consiste em uma tomografia realizada pelo próprio aparelho de radioterapia, seja com MV ou KV, e tem o mesmo objetivo do EPID, muito embora seja mais acurado, permitindo a visualização de partes moles.

Radiocirurgia (SRS)

O conceito de radiocirurgia (*Stariotactic Radiosurgery* ou SRS) foi primeiramente descrito por Lars Leksell, em 1951, como uma irradiação em dose única de alvos intracranianos localizados por estereotaxia, o que, em casos selecionados, iria substituir a cirurgia.[4,5] A SRS é caracterizada pela entrega de altas doses de radiação em pequenos volumes, em um curto espaço de tempo e com elevada acurácia. Ela é realizada por uma tecnologia estereotáxica, onde a localização do alvo é com base em um sistema tridimensional de coordenadas cartesiano. Fundamentado nesse conceito, qualquer lesão intracraniana pode ser localizada com facilidade em relação a um halo de fixação, ou também chamado *frame* que é fixado à cabeça do paciente.

Inicialmente desenvolvida para aparelhos dedicados, como o *GammaKnife®* (cuja radiação provém de múltiplas fontes de cobalto), a tecnologia estereotáxica rapidamente migrou para os aceleradores lineares (LINACs), onde a técnica foi extrapolada em razão da maior disponibilidade e versatilidade destes equipamentos.

Diferentes técnicas têm sido desenvolvidas para a melhoria dosimétrica da SRS, como a utilização de *micromultileaf colimators* (colimadores de múltiplas lâminas com precisão milimétrica), para tratar de maneira mais adequada as lesões irregulares, além da possibilidade de se utilizar o IMRT para melhor modulação das isodoses.

O *Cyber-Knife®* se utiliza de um LINAC com energia de 6MV acoplado a um braço robótico de seis eixos com vários graus de liberdade, que permite a irradiação através de variadas angulações e direções, sempre focado no centro do alvo de irradiação.

Na SRS através de LINACs, um *frame* é fixado na cabeça do paciente, e usado como referencial de localização da lesão a ser tratada. Após a colocação do frame, é acoplada uma caixa de localização, que permitirá a utilização do sistema de coordenadas cartesiano.

A margem de erro deste sistema é de apenas 1 mm, permitindo uma grande acurácia no tratamento.

O termo SRS normalmente é reservado para tratamentos com doses únicas. Quando ocorre fracionamento da dose, mesmo com altas doses por fração, o termo preferido é Radioterapia Estereotáxica Fracionada (*Stereotactic Fractionated Radiation Therapy*, ou SFRT). Nos tratamentos fracionados, utiliza-se uma máscara de imobilização especial capaz de reproduzir quase a mesma precisão da imobilização oferecida pelo *frame*, com a vantagem de não ser invasivo na sua colocação (Fig. 2). Esta técnica possui uma margem de erro da ordem de 2 mm, e utiliza-se de máscara termoplástica considerada especial, graças aos sistemas de fixação em nariz e boca (*bite-block*) acoplados à mesa do LINAC (Fig. 3).

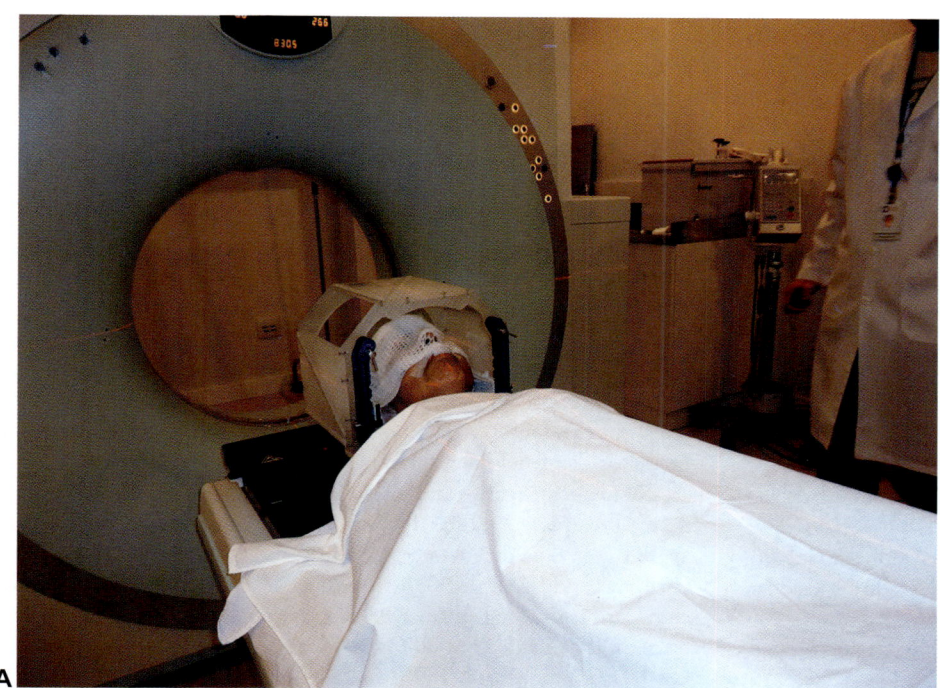

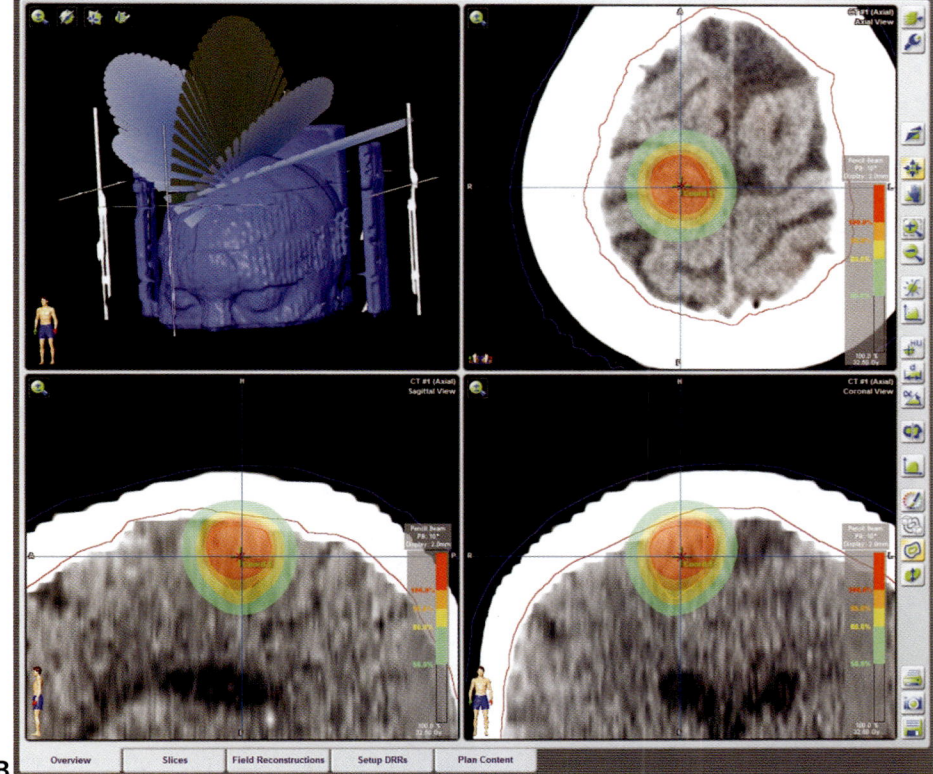

◄ **FIGURA 2. (A e B)** Sistema de fixação sem *frame*. Lesão cerebral tratada por SFRT (*Stereotactic Fractionated Radiation Therapy*).

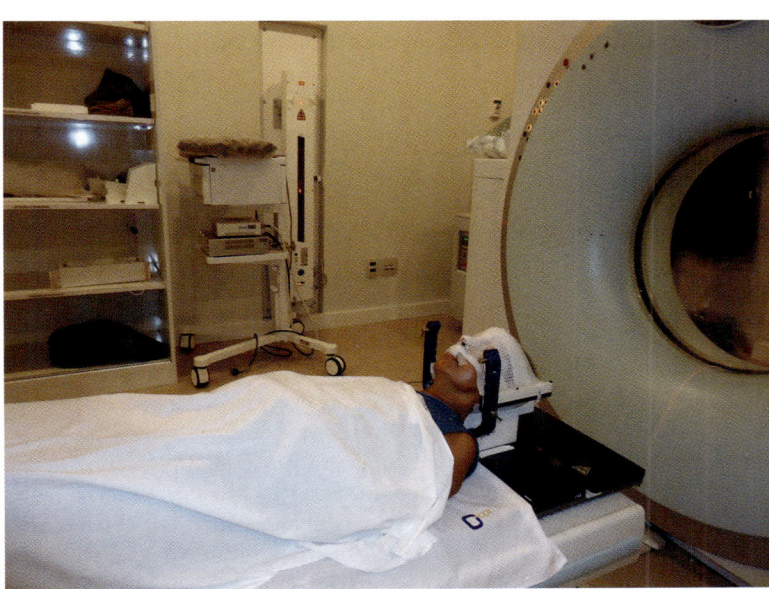

◄ **FIGURA 3.** Máscara aquaplástica especial para planejamento por estereotaxia com *Bite-block*.

Neste mesmo princípio, desenvolveu-se a Radioterapia Estereotáxica Corpórea (Stereotactic Body Radiation Theraphy ou SBRT) para lesões extracranianas, como, por exemplo, lesões medulares, e também pode ser utilizada em dose única ou fracionada. A SBRT está se difundindo rapidamente, sendo utilizada quando há necessidade de extrema precisão e altas doses por fração, em doenças malignas ou benignas como cordomas, ou em cenários de reirradiação. Pela maior mobilidade de alvos extracranianos, essa técnica é altamente dependente de sofisticados sistemas de IGRT, como o Cone-beam CT com KV, radiografias ortogonais, respiratory motion track devices e body frames.

USO DA RADIOTERAPIA NOS TUMORES MALIGNOS ENCEFÁLICOS

Gliomas malignos

A radioterapia é empregada há décadas nos pacientes portadores de gliomas malignos, após a ressecção cirúrgica ou biópsia. Os benefícios da radioterapia na melhora do controle local e da sobrevida global estão fortemente estabelecidos, e esse tratamento deve ser considerado associado ou não à quimioterapia.

Diversos ensaios clínicos demonstraram ganhos em sobrevida com o emprego da radioterapia nos gliomas malignos. O estudo BTSG 7201 (Brain Tumor Study Group)[6] randomizou pacientes em quatro braços: a) quimioterapia com Semustina; b) radioterapia exclusiva; c) radioterapia concomitante à Semustina e d) radioterapia concomitante à Carmustina. Os pacientes alocados nos braços com radioterapia exclusiva ou em combinação à quimioterapia apresentaram melhor sobrevida global. Os ganhos observados com a adição da Carmustina em relação à radioterapia exclusiva não foram estatisticamente significativos. Os resultados desse estudo foram confirmados em outras publicações subsequentes e, após serem compilados os dados de 5 ensaios clínicos das décadas de 1970, 1980 e 1990,[6-10] ficou demonstrado que a adição da radioterapia reduz o risco relativo de morte em 19%, com elevada significância estatística (p < 0,00001).

O incremento de sobrevida com a indicação da radioterapia foi inicialmente demonstrado em ensaios clínicos que empregavam a radioterapia de crânio total (Whole Brain Radiation Therapy ou WBRT). Esses resultados foram posteriormente confirmados por estudos com radioterapia em volumes reduzidos, após a evidência de que 80-90% das recidivas ocorreriam até 2 cm além do tumor primário.[11] A não inferioridade da redução do volume de tratamento foi comprovada por estudos prospectivos, e a diminuição do volume de tecido encefálico irradiado trouxe melhora no índice terapêutico. O estudo BTSG 8001[12] randomizou os pacientes para WBRT com dose de 60 Gy versus WBRT até 43 Gy, seguido de boost (reforço de dose em área restrita ao tumor ou leito tumoral acrescida de mínima margem) até 60,2 Gy. Não houve diferença no padrão de recidiva ou nas taxas de sobrevida. Resultados semelhantes foram observados em estudo japonês que randomizou os pacientes para WBRT com dose de 40 Gy seguido de boost de 18 Gy versus radioterapia com volumes reduzidos até 56 Gy. A redução do volume de tratamento resultou em sobrevida global equivalente em 2 anos (43 versus 39%). Esses trabalhos forneceram o embasamento para que a WBRT fosse amplamente abandonada nos gliomas malignos.

Havia certa controvérsia em relação ao emprego da radioterapia em certos grupos de pacientes, como nos idosos e debilitados. Esses representam uma boa parte dos pacientes portadores de gliomas malignos, e eram considerados um subgrupo em que o potencial incremento das taxas de sobrevida com a radioterapia era limitado pelo seu mau prognóstico, e, muitas vezes, esses pacientes eram tratados exclusivamente com terapia de suporte. Um ensaio clínico publicado, em 2007, randomizou pacientes com idade maior ou igual a 70 anos e KPS maior ou igual a 70% para melhor suporte clínico versus radioterapia com dose de 50 Gy em frações de 1,8 Gy/dia. A radioterapia aumentou significativamente a sobrevida mediana (29,1 × 19 semanas), sem implicar numa piora da qualidade de vida ou da neurocognição.[13] Dessa forma, foi demonstrado que a radioterapia nos gliomas malignos traz benefícios e aumenta a sobrevida global, mesmo nos subgrupos de prognóstico desfavorável, e que a maior parte dos pacientes portadores de gliomas malignos é candidata à radioterapia.

Múltiplos esquemas de radioterapia com fracionamentos alterados foram testados sem sucesso no tratamento dos gliomas malignos. Estudos testando esquemas de hiperfracionamento, ou seja, doses menores de radiação por fração com múltiplas frações realizadas por dia tiveram resultados frustrantes. Resultados mais animadores foram observados em estudos com pacientes idosos, utilizando-se de hipofracionamento, que consiste no emprego de dose maior que a convencional (1,8 a 2 Gy) por fração de radioterapia. Utilizar maiores doses por fração possui um racional interessante nos pacientes idosos e debilitados, portadores de gliomas malignos, graças ao prognóstico reservado. Um estudo canadense randomizou pacientes com mais de 60 anos e KPS maior ou igual a 50%, para radioterapia com fracionamento convencional até 60 Gy versus radioterapia hipofracionada com 15 frações de 267cGy.[14] Não houve diferença estatisticamente significativa entre os braços, e o grupo que recebeu radioterapia hipofracionada necessitou de menor intervenção nas doses de corticoterapia.

Resultados negativos foram obtidos com o escalonamento da dose de radioterapia. O estudo RTOG 74-01 randomizou pacientes para WBRT com dose de 60 Gy versus WBRT 60 Gy seguido de boost de 10 Gy, totalizando dose de 70 Gy versus 60 Gy associado à quimioterapia com Carmustina ou Dacarbazina. A sobrevida de 9,3 meses foi observada no braço tratado com 60 Gy, e 8,2 meses no braço tratado com 70 Gy.[15] Já o estudo do MRC (Medical Research Council) randomizou pacientes portadores de gliomas malignos para 45 Gy versus 60 Gy. O braço tratado com 60 Gy apresentou maior sobrevida mediana (12 versus 9 meses; p = 0,007).[16] Portanto, a dose recomendada no tratamento de gliomas malignos é de 60 Gy, e o fracionamento convencional de 1,8-2,0 Gy/dia deve ser empregado.

Outras tentativas também foram realizadas, como radioterapia associada à radiocirurgia, braquiterapia, radiossensibilizadores, partículas pesadas e prótons, todas com resultados insatisfatórios. A associação de quimioterapia à radioterapia foi testada em múltiplos estudos, porém, seus benefícios eram limitados e havia importante toxicidade. Tais resultados foram superados após a demonstração de benefício em sobrevida global do agente alquilante temozolamida, utilizado de forma concomitante e adjuvante à radioterapia.[17] O estudo fase 3 do NCI/EORTC (National Cancer Institute/European Organization for Research and Treatment of Cancer) demonstrou aumento da sobrevida mediana de 12 para 14 meses nos pacientes tratados com essa droga, e a associação de radioterapia à temozolamida tornou-se a conduta padrão nos pacientes operados por glioblastoma multiforme com idade menor de 70 anos e KPS maior ou igual a 70%. Seu uso concomitante à radioterapia nos gliomas grau 3 está em fase de investigação.

Aspectos técnicos do tratamento radioterápico

A fusão da TC de planejamento à RM diagnóstica ou pós-operatória é fortemente recomendada. Vale ressaltar que a RM pós-operatória idealmente deve ser realizada em até 72 horas. O GTV (Gross Tumor Volume) equivale à cavidade cirúrgica somado à área com realce em T1 pós-contraste (se existir) que, por sua vez, é somada à área de hipersinal em T2/FLAIR (avaliar inclusão dessa última caso a caso). O CTV (Clinical Target Volume ou região de doença subclínica) é representado pelo GTV acrescido de 2 cm, editando-se as barreiras anatômicas naturais. O PTV (Planning Target Volume) representa o volume final planejado, que é composto pelo CTV acrescido de margem de 0,5 cm para compensar incertezas dosimétricas e eventuais erros de posicionamento. A dose final recomendada é de 60 Gy, utilizando-se 1,8-2,0 Gy/dia, deve-se considerar a redução do volume irradiado após 46-50 Gy (com boost até 60 Gy). Em idosos e debilitados (> 60 anos e KPS > 50) a dose pode ser de 40 Gy em 15 frações de 267 cGy.

Gliomas de baixo grau

Os gliomas de baixo grau compõem um grupo heterogêneo de neoplasias do sistema nervoso central. Desse grupo, fazem parte, dentre outros tumores, os astrocitomas pilocíticos, os astrocitomas difusos, os oligodendrogliomas e os oligoastrocitomas. Os pacientes portadores desses tumores possuem melhor prognóstico em relação aos pacientes portadores de gliomas malignos, e a indicação da radioterapia deve ser sempre individualizada e com base no benefício, maior do que o potencial risco de complicações relacionadas com o tratamento.

O astrocitoma pilocítico é o integrante desse grupo mais bem diferenciado e de melhor prognóstico. A radioterapia possui indicação restrita nessa entidade e deve ser reservada apenas àqueles pacientes portadores de tumores sintomáticos e irressecáveis, ou em pacientes submetidos à ressecção subtotal que apresentam progressão tumoral e não são candidatos a uma nova intervenção cirúrgica. A radioterapia não possui papel após a ressecção completa, e não deve ser empregada no pós-operatório imediato nos pacientes assintomáticos, mesmo após ressecção subtotal, causada pelo longo intervalo livre de progressão desses tumores. O emprego precoce da radioterapia expõe os pacientes às suas potenciais complicações, como piora neurocognitva, segundas neoplasias e risco de desdiferenciação tumoral radioinduzida.

A radioterapia adjuvante deve ser avaliada caso a caso nos gliomas grau 2. Esse grupo de pacientes também possui uma expectativa de vida longa e suficiente para experimentar os efeitos colaterais da radioterapia. Dessa forma, o seu uso deve ser avaliado de acordo com o risco de recidiva com base em critérios clínicos, radiológicos e anatomopatológicos. Pacientes portadores de tumores com baixo risco devem ser seguidos, enquanto pacientes com critérios de alto risco devem ser considerados para a radioterapia no contexto pós-operatório. Pacientes de alto risco são aqueles portadores de três ou mais dos seguintes fatores de mau prognóstico identificados nos estudos EORTC 22844 e 22845:[18,19] histologia de astrocitoma (não pilocítico), tumor maior ou igual a 6 cm, tumor que ultrapassa a linha média, idade superior a 40 anos e presença de déficit neurológico. Pacientes portadores de astrocitomas gemistocíticos são sempre considerados de alto risco, independentemente dos outros critérios, e devem ser considerados para radioterapia imediata. Por outro lado, são fatores de bom prognóstico, a deleção 1p19q, mutação IDH-1 ou IDH-2, KPS maior ou igual a 70%, e ressecção cirúrgica completa.

O momento ideal para o início da radioterapia foi investigado separadamente pelos estudos RTOG (*Radiation Therapy Oncology Group*) 98-02[20] e EORTC 22845,[19] e ambos apresentaram resultados consistentes. O estudo do EORTC[19] randomizou pacientes para radioterapia imediata com dose de 54 Gy *versus* acompanhamento com RMs periódicas, conduta também realizada no braço de baixo risco do RTOG 98-02,[20] ambos reservaram a radioterapia para a progressão. Não houve impacto em sobrevida global (68 *versus* 65% em 5 anos) por se postergar a radioterapia, porém, os pacientes observados apresentaram menor sobrevida livre de progressão, pior controle de crises convulsivas em 1 ano, e necessitaram mais frequentemente de radioterapia de resgate. Por outro lado, esses pacientes foram poupados dos potenciais efeitos colaterais radioinduzidos até o emprego da radioterapia na recidiva.

Outro questionamento a respeito da radioterapia nos gliomas de baixo grau era se o escalonamento da dose traria um incremento nos benefícios associados à radioterapia. O estudo EORTC 22844[18] randomizou, após a abordagem cirúrgica, pacientes para radioterapia com dose de 45 Gy *versus* 59,4 Gy com frações de 1,8 Gy/dia. Não foram observadas diferenças nas taxas de sobrevida global ou livre de progressão entre os braços deste estudo. Resultados semelhantes foram obtidos no estudo fase 3 do INT/NCCTG (*Intergroup/North Central Câncer Treatment Group*),[21] que randomizou pacientes portadores de gliomas G1-2 no contexto pós-operatório (ressecção total, incompleta ou biópsia) para radioterapia na dose de 50,4 Gy *versus* 64,8 Gy com fracionamento de 1,8 Gy/dia. Não houve diferença nas taxas de sobrevida global ou livre de progressão, entretanto, o grupo tratado com maior dose apresentou maiores taxas de radionecrose (5 *versus* 2,5%). Portanto, o escalonamento de dose nos gliomas de baixo grau é atualmente proscrito.

Aspectos técnicos do tratamento radioterápico

A fusão de TC de planejamento à RM diagnóstica ou pós-operatória é fortemente recomendada. GTV = cavidade cirúrgica + área de hipersinal em T2/FLAIR (+ área com realce em T1 pós-contraste, se existir). CTV = GTV + 1 cm, editando barreiras anatômicas naturais. PTV = CTV + 0,5 cm. Dose recomendada: 50,4 Gy em 28 frações de 1,8 Gy/dia.

Metástases cerebrais

As metástases cerebrais representam a indicação mais frequente de radioterapia no sistema nervoso central. Nesta situação, a radioterapia pode ser realizada de diferentes formas, e a indicação de uma técnica utilizada *versus* outra depende de: *performance* clínica, idade do paciente, *status* da doença extracraniana, número, localização e tamanho das metástases cerebrais, além do tempo para o surgimento destas. As principais técnicas de radioterapia para o tratamento do envolvimento secundário do sistema nervoso central são: WBRT, SRS e SFRT.

A estratificação dos pacientes de acordo com o prognóstico é de fundamental importância e deve ser implementada para a definição da melhor conduta. Existem múltiplos sistemas de classificação, dos quais, destacam-se o RPA e o GPA (Quadros 1 a 3).

Após a classificação prognóstica, as condutas podem variar desde o suporte clínico com corticoterapia e drogas anticonvulsivantes para os pacientes de pior prognóstico, até terapia focal para aqueles pacientes de prognóstico mais favorável. A terapia focal pode ser realizada com abordagem neurocirúrgica, SRS ou SFRT. Nenhuma dessas técnicas demonstrou superioridade de forma prospectiva, e a opção dentre elas deve ser tomada após avaliação multidisciplinar. Em geral, indica-se abordagem neurocirúrgica, quando possível, em casos de lesão única e volumosa, com importante efeito de massa, localização em área não eloquente, pacientes jovens com bom *performance status*, pacientes que não tenham contraindicações clínicas à abordagem neurocirúrgica, e naqueles casos onde há necessidade de definição histológica. Pacientes com lesões volumosas não candidatos à abordagem cirúrgica e candidatos à terapia focal devem ser tratados com SFRT. Esses pacientes não devem ser submetidos à SRS (dose única) provocada por limitação dosimétrica e elevado risco de complicações observados nas lesões maiores do que 3 a 4 cm. Em geral, pacientes com mais de três lesões encefálicas são candidatos para WBRT, mas a terapia focal também pode ser oferecida após uma avaliação individualizada.

A WBRT é ainda considerada o tratamento padrão no manejo das metástases cerebrais. Seu uso aumenta a sobrevida global e retarda a deterioração neurocognitiva, quando comparada ao melhor suporte clínico. A WBRT é o tratamento de escolha em pacientes com RPA classe 3 e em alguns pacientes com RPA classe 2, quando a sobrevida não depende do controle da doença encefálica, mas da extensão e atividade da doença sistêmica. O fracionamento mais amplamente empregado é o de 30 Gy em 10 frações de 3 Gy. Um estudo do RTOG[22] randomizou pacientes portadores de metástases cerebrais em cinco diferentes fracionamentos: 40 Gy em 20 frações, 40 Gy em 15 frações, 30 Gy em 15 frações, 30 Gy em 10 frações, ou 20 Gy em 5 frações. As taxas de respos-

Quadro 1. Classificação de RPA para metástases cerebrais

PARÂMETRO	ESCORE		
	0	0,5	1
Idade	> 60	50-59	< 50
KPS	< 70	70-80	> 80
Número de metástases cerebrais	> 3	2-3	1
Metástases extracrânio	Presentes	Não aplicável	Ausentes

Quadro 2. Classificação de GPA para metástases cerebrais

GPA	SOBREVIDA MEDIANA (EM MESES)
3,5-4	11
3	6,9
1,5-2,5	3,8
0-1	2,8

Quadro 3. Sobrevida estimada pela classificação de GPA

Classe 1	KPS maior ou igual a 70, tumor primário controlado, idade menor que 65 anos e metástases cerebrais exclusivas	7,1 meses
Classe 2	KPS maior ou igual a 70, tumor primário descontrolado, idade maior ou igual a 65 anos e metástases cerebrais e em outras localizações	4,2 meses
Classe 3	KPS < 70	2,3 meses

ta, sobrevida, duração da resposta e tempo para a progressão foram idênticas entre os braços, entretanto, os pacientes que receberam maior dose por dia apresentaram resposta mais rápida. Deve-se considerar o fracionamento de 2 Gy por dia (convencional), nos pacientes de melhor prognóstico, na tentativa de reduzir os efeitos colaterais tardios. Técnicas modernas de radioterapia têm sido investigadas para a redução da piora neurocognitiva associada à WBRT como o IMRT com preservação do hipocampo.

A associação das diferentes modalidades disponíveis para o tratamento das metástases cerebrais muitas vezes propicia uma melhor evolução e um aumento da sobrevida dos pacientes. O nível I de evidência recomenda o uso de WBRT após a ressecção da metástase cerebral única, e foi demonstrado que a WBRT aumenta a sobrevida livre de progressão da doença encefálica, reduz as taxas de recidiva no leito cirúrgico e o número de mortes por causa neurológica, quando empregada após a abordagem neurocirúrgica comparada à observação, apenas.[23,24] Atualmente, há um aumento na indicação de tratamento focal após abordagem neurocirúrgica, através de SRS ou SFRT do leito tumoral metastático, na tentativa de poupar o paciente dos efeitos colaterais de WBRT.

Doses máximas de SRS foram definidas pelo estudo fase 1 do RTOG, um estudo de escalonamento de dose após a realização de WBRT.[25] A dose prescrita depende do tamanho das lesões a serem tratadas. Para lesões menores de 2 cm, emprega-se dose única de até 24 Gy. Para lesões entre 2 a 3 cm, recomenda-se dose única de até 18 Gy, e para lesões de 3 a 4 cm, a dose máxima recomendada seria 15 Gy. A escolha da dose leva em consideração, além do tamanho tumoral, a localização da lesão encefálica, os limites de tolerância das estruturas adjacentes, os tratamentos realizados previamente e a histologia da metástase cerebral. Múltiplos esquemas de fracionamento têm sido utilizados com SFRT, os mais comuns empregam dose de 5 a 7 Gy em 5 frações.

O emprego de SRS como *boost* após WBRT demonstrou aumento da sobrevida global em pacientes portadores de lesão encefálica única, e retardou a deterioração clínica dos pacientes com 2 a 3 lesões, quando comparada à WBRT exclusiva.[26] O uso de WBRT após a radiocirurgia para 1 a 4 lesões cerebrais aumenta a sobrevida livre de progressão encefálica, sem impacto na sobrevida global, quando a WBRT é reservada para o resgate.[27] Atualmente, há uma tendência de se postergar a WBRT para o momento de progressão; em geral, naqueles pacientes portadores de oligometástases cerebrais, em razão da maior disponibilidade dos tratamentos focais, fácil acesso aos exames de acompanhamento e receio pela piora neurocognitiva associada à WBRT. Kocher et al.[28] demonstraram que a WBRT, empregada na progressão dos pacientes operados ou submetidos à SRS por 1 a 3 metástases, proporciona sobrevida global semelhante, quando comparada ao tratamento imediatamente após o procedimento. As diferenças ocorrem apenas na sobrevida livre de progressão encefálica, que é maior no grupo submetido à WBRT imediata. Entretanto, vale lembrar que estas recidivas são potencialmente passíveis de novo tratamento de resgate, tal como nova SRS, postergando-se a WBRT, e poupando os pacientes dos efeitos colaterais associados a esse tratamento.

Germinomas

Os germinomas de sistema nervoso central representam um grupo de tumores extremamente sensíveis à radiação, sendo a radioterapia um tratamento fundamental dessa entidade. A radioterapia é empregada há tempos nos germinomas, e a avaliação da resposta à radioterapia era critério diagnóstico para essa neoplasia. As lesões suspeitas eram irradiadas com dose de 10 a 30 Gy e, caso fosse observado resposta, o diagnóstico de germinoma era firmado, prescindindo da análise histopatológica. Com o advento de modernas técnicas de imagem, biópsia estereotáxica e marcadores tumorais, essa conduta caiu em desuso.

Historicamente, os germinomas de sistema nervoso central eram tratados com irradiação de neuroeixo (CSI) na dose de 36 Gy e, posteriormente, era realizado um *boost* no tumor até 54 Gy. Tal conduta oferecia aos pacientes taxas de resposta e sobrevida livre de progressão da ordem de 90%, porém, à custa de elevada toxicidade neurocognitiva e endocrinológica. A CSI ainda é empregada nos germinomas de sistema nervoso central em alguns centros, porém, a conduta mais bem estabelecida é, inicialmente, o estadiamento com RM do neuroeixo, e a realização de CSI terapêutica apenas nos casos com acometimento dessa região. O estudo do grupo alemão MAKEI[29] demonstrou que a irradiação de CSI na dose de 30 Gy seguido de *boost* no tumor primário até 45 Gy possui eficácia semelhante à CSI com 36 Gy seguido de *boost* até 50 Gy.

Esforços foram realizados no sentido de se reduzir o volume irradiado e, consequentemente, a toxicidade do tratamento. As evidências surgiram, favorecendo apenas a irradiação ventricular total, quando comparada à WBRT, CSI ou radioterapia restrita ao tumor primário, associada ou não à quimioterapia.[30] Foi demonstrado de forma prospectiva que a irradiação ventricular total com 24 a 30 Gy seguido de *boost* no tumor primário de 40 a 50 Gy oferece aos pacientes sobrevida global em 5 anos, próxima de 90% com taxas de recaída na coluna próximas de 10%.[31]

Atualmente, a experiência com quimioterapia neoadjuvante tem crescido, e esse tratamento permite uma redução do volume tumoral pré-radioterapia. É sabido que índices de falha extremamente altos ocorrem com o emprego da quimioterapia exclusiva, mesmo após resposta tumoral completa, e a radioterapia ainda é parte fundamental no tratamento desses tumores.[32] Irradiação ventricular total seguido de *boost* no tumor primário é considerada atualmente o tratamento padrão. Qualquer tentativa de tratamento mais conservador, associado ou não à quimioterapia, deve ser realizada apenas dentro de ensaios clínicos.

Aspectos técnicos do tratamento radioterápico

A fusão de TC à RM é fortemente recomendada. Aqui, o GTV representa tumor que realça o contraste na RM de diagnóstico, antes de qualquer terapia. O CTV *boost* seria o GTV acrescido de 1,5 cm de margem. O CTV de irradiação ventricular total engloba ventrículos laterais, terceiro e quarto ventrículos, somado a 1 cm de margem. O volume ventricular utilizado para o planejamento deve ser aquele imediatamente antes à radioterapia, e não aquele ao diagnóstico. O fracionamento recomendado é de 1,5 Gy por dia. CSI é recomendada quando empregada quimioterapia neoadjuvante e não houver resposta tumoral, ou nos casos de evidências de doença metastática. A dose recomendada quando não é empregada quimioterapia é de 36 Gy no neuroeixo, seguido de *boost* até 40 a 45 Gy no tumor. A dose na doença metastática tratada com quimio é de 24 Gy no neuroeixo seguido de *boost* até 40 a 45 Gy.

Meduloblastoma e tumores neuroectodérmicos primitivos (PNETs)

A radioterapia no manejo dos PNETs de sistema nervoso central e meduloblastomas sofreu grandes mudanças nas últimas décadas, graças aos esforços dos diversos grupos colaborativos, e do advento do tratamento multimodal envolvendo a abordagem neurocirúrgica, quimio e radioterapia, e o tratamento de risco adaptado.

Os meduloblastomas atualmente são subdivididos em dois grupos de risco. São classificados como risco *standard*, aqueles pacientes maiores de 3 anos de idade portadores de tumor residual menor do que 1,5 cm² e sem evidências de metástases. Já os pacientes de alto risco seriam aqueles menores de 3 anos de idade ou portadores de tumor residual maior que 1,5 cm², ou com evidências de metástases. O tratamento padrão é iniciado com a abordagem neurocirúrgica, seguido de radioterapia de neuroeixo e *boost* na fossa posterior ou leito tumoral concomitante à quimioterapia com vincristina, seguido de quimioterapia de consolidação com PCV. Essa abordagem proporciona taxas de sobrevida livre de progressão na ordem de 90% para o grupo de risco *standard*, e 40% para os pacientes de alto risco.

O racional para a realização do tratamento adjuvante nos meduloblastomas surgiu após observação de falhas próximas a 100%, naqueles pacientes submetidos à abordagem cirúrgica exclusiva. O papel da radioterapia consiste em erradicar a doença residual no neuroeixo e na fossa posterior, com a preocupação de se proporcionar, aos pacientes, altos índices de cura associados a mínimos efeitos colaterais. Um importante estudo foi realizado por Packer et al.[33] com esse intuito. Este grupo recrutou crianças portadoras de meduloblastoma apenas de risco *standard* na tentativa de definir se era possível reduzir as doses da radioterapia de CSI da ordem de 36 Gy para 23,4 Gy, seguido de *boost* na fossa posterior até 55,8 Gy, quando realizada a quimioterapia. Os resultados em sobrevida global e livre de progressão dos pacientes tratados com CSI em menor dose foram semelhantes àqueles observados nos pacientes tratados com CSI na dose de 36 Gy. Graças aos menores efeitos colaterais desse regime, foi estabelecido um novo padrão de tratamento para os pacientes portadores de meduloblastoma de risco *standard*.

Pacientes de alto risco ainda devem ser tratados com CSI na dose de 36 Gy seguido de *boost* na fossa posterior. Tentativas também foram realizadas no sentido de reduzir a dose final do tratamento, porém, pacientes tratados com dose inferior obtiveram resultados inferiores em análises retrospectivas.[34]

A tendência atual em ambos os grupos é reduzir o volume do *boost*, que deve ser restrito ao leito tumoral, ao contrário da irradiação de toda a fossa superior. Esta técnica não impacta negativamente os resultados clínicos, e reduz os potenciais efeitos tardios.[35]

Crianças portadoras de meduloblastoma com idade inferior a 3 anos constituem um grupo desafiador, e a sobrevida dos pacientes nessa faixa etária ainda é bastante desfavorável. Reconhecidamente, a radioterapia em pacientes dessa idade provoca sequelas neurocognitivas irreparáveis e não deveria ser realizada. A conduta mais bem estabelecida para esses pacientes consiste na realização da abordagem cirúrgica seguida de quimioterapia exclusiva, reservando-se a radioterapia para as recidivas.

Os pacientes com tumores neuroectodérmicos primitivos (PNETs) supratentoriais representam grupo muito pequeno de pacientes, o que limita a realização dos estudos prospectivos. Sabe-se que esses pacientes possuem prognóstico desfavorável, que a ressecção neurocirúrgica radical ou quase completa possui impacto na sobrevida e que a radioterapia é fundamental em reduzir os riscos de recaída. A disseminação pelo neuroeixo também pode ocorrer, e a realização de CSI também deve ser realizada nesse grupo de pacientes. A quimioterapia concomitante e adjuvante frequentemente é realizada como uma extrapolação dos estudos realizados com meduloblastomas.

USO DA RADIOTERAPIA NAS METÁSTASES NA COLUNA VERTEBRAL

O manejo dos pacientes portadores de metástases na coluna vertebral tem-se modificado ao longo dos anos, com o surgimento de métodos avançados de imagem e com a evolução da radioterapia. Técnicas tradicionais e já consagradas de radioterapia têm convivido com alternativas mais sofisticadas, como a SBRT, que permite o tratamento das lesões na coluna com elevada precisão e com altas doses de radiação por fração, o que pode levar a um melhor controle álgico dos pacientes. A SBRT é um método promissor, e estudos prospectivos estão em andamento para definir o real papel dessa técnica no tratamento dos pacientes portadores de metástases na coluna vertebral. Esse tratamento pode ser utilizado em associação ou não à terapia farmacológica, abordagem cirúrgica e à terapia com radioisótopos. Essas são opções que, utilizadas isoladamente ou em conjunto, podem contribuir na melhora da dor, redução do risco de fraturas e melhora fisiológica da região afetada.

Diversos tipos de cânceres evoluem com metástases na coluna vertebral. Entretanto, a maior incidência dessas lesões ocorre em pacientes portadores de tumores de próstata e mama, e sabe-se que a radioterapia melhora o controle álgico em 60 a 90% dos pacientes. O papel da radioterapia em reduzir o risco de fratura depende das características clínicas e radiológicas das lesões de cada paciente, e escores estão disponíveis para a avaliação do risco de fratura antes da indicação do tratamento (Quadros 4 e 5).[36]

Múltiplos fracionamentos têm sido usados na radioterapia por metástases ósseas e variam desde uma única fração de 8 Gy, passando por 5 frações de 4 Gy, 10 frações de 3 Gy, até 20 frações de 2 Gy. Um ensaio clínico foi realizado com 761 pacientes, no intuito de identificar o melhor fracionamento para a radioterapia das metástases ósseas.[37] Nesse estudo, os pacientes foram randomizados em 3 braços: uma fração de 8 Gy *versus* 10 frações de 3 Gy *versus* 5 frações de 4 Gy. Não houve diferenças entre os braços em relação ao tempo para o alívio da dor, duração do alívio ou toxicidade. Porém, os pacientes tratados com dose única de 8 Gy foram mais frequentemente submetidos a um novo curso de radioterapia. Os autores desse estudo concluem que, pela maior conveniência e baixo custo, o regime com dose única de 8 Gy deve ser o utilizado na maior parte dos pacientes.

Quadro 4. Escore de Mirels para predição do risco de fratura em metástases ósseas

PARÂMETRO	ACHADOS	PONTOS
Localização	Membro superior (área que não suporta peso)	1
	Membro inferior (área que suporta peso)	2
	Peritrocantérica	3
Dor	Ausente ou leve	1
	Moderada	2
	Piora com a utilização	3
Aparência radiográfica	Blástica	1
	Mista	2
	Lítica	3
Porcentagem do diâmetro envolvido	0-33%	1
	34-67%	2
	68-100%	3

Quadro 5. Risco de fratura patológica, de acordo com a pontuação pelo escore de Mirels

ESCORE TOTAL	RISCO DE FRATURA
4-6	0%
7	4%
8	15%
9	33%
10	72%
11	96%
12	100%

Outra situação em que a radioterapia exerce importante papel é no tratamento dos pacientes portadores de compressão medular. Esse tratamento deve ser empregado após o início de corticoterapia em altas doses e, idealmente, após abordagem cirúrgica para descompressão e estabilização da coluna vertebral. Patchell *et al.* avaliaram, prospectivamente, o uso da radioterapia na dose de 30 Gy em 10 frações precedida ou não por abordagem cirúrgica de descompressão e estabilização da coluna vertebral.[38] Os pacientes operados obtiveram mais frequentemente a habilidade de deambular (62 *versus* 19%), mantiveram-na por maiores períodos (122 dias *versus* 13 dias) e necessitaram menos frequentemente de corticoterapia ou uso de analgésicos. Infelizmente, grande maioria dos pacientes não é candidata à abordagem cirúrgica, e o tratamento com corticoterapia e radioterapia é mais comumente empregado. Sabe-se que a dor precede a instalação do déficit neurológico, e a radioterapia deve ser iniciada após definido o diagnóstico de compressão medular o mais precocemente possível, na tentativa de impedir a instalação desses déficits. Os fracionamentos mais utilizados variam desde uma única fração de 8 Gy, passando por 10 frações de 3 Gy até 15 frações de 2,5 Gy.

USO DA RADIOTERAPIA EM TUMORES BENIGNOS

Adenomas hipofisários

Os tumores primários da hipófise são considerados tumores de crescimento lento e de comportamento benigno na grande maioria das vezes, sendo responsáveis por 10 a 15% dos diagnósticos de tumores primários intracranianos.

Os tumores funcionantes representam 75% dos casos, sendo o prolactinoma o tipo mais comum seguido de tumores secretores de GH e ACTH.

O adenoma de hipófise é mais comum em mulheres, com uma relação de 2,5 para cada homem e na grande maioria das vezes o tumor é originário do lobo anterior, local onde é produzido o GH, prolactina, ACTH, TSH, FSH e LH.

A classificação proposta por Hardy *et al.*[39] em 1969, e depois modificada por Wilson *et al.*[40] em 1971, descrita nos Quadros 6 e 7, que gradua

Quadro 6. Classificação de Hardy

GRAU	DESCRIÇÃO
0	Hipófise com aparência normal
I	Sela normal, microadenoma, < 10 mm
II	Sela alargada ou assimétrica, macroadenoma, > 10 mm
III	Assoalho erodido localmente. Invasão esfenoidal
IV	Assoalho erodido de forma difusa
V	Invasão do líquido cefalorraquidiano ou sangue

Quadro 7. Classificação de Wilson

	EXTENSÃO SUPRASSELAR
0	Inexistente
A	Ocupação da cisterna suprasselar
B	Obliteração do recesso do 3º ventrículo
C	Ocupação grosseira do 3º ventrículo (terço anterior)
	EXTENSÃO PARASSELAR
D	Intracranial (intradural)
E	Acometendo seio cavernoso (extradural)

e estadia os adenomas na radiografia simples de crânio, também pode ser aplicada na tomografia computadorizada e ressonância magnética. Dessa forma, podem-se separar os adenomas em micro (menores que 10 mm) e macro (maiores que 10 mm), invasivos e não invasivos.

A radioterapia é indicada como tratamento adjuvante após ressecção parcial ou de forma exclusiva, em tumores irressecáveis. Também é indicada nos casos de recidiva e em casos de prolactinomas que falharam à cirurgia e ao tratamento medicamentoso.

O tumor produtor de ACTH apresenta os melhores resultados com radioterapia, quando comparado aos outros tumores secretores.[41] Entretanto, o tumor secretor de TSH geralmente é mais agressivo, e recomenda-se a radioterapia adjuvante independente do grau de ressecção.[42]

Após a radioterapia, a prolactina e o GH podem demorar vários anos para normalizarem os seus valores. Já os níveis de ACTH normalizam em média em 1 ano após o tratamento.

A avaliação de campo visual periférico deve ser realizada no acompanhamento clínico, assim como o acompanhamento pelo endocrinologista graças ao risco tardio de pan-hipopituitarismo.

Aspectos técnicos do tratamento radioterápico

A radioterapia conformacional é o tratamento padrão dos tumores de hipófise (Fig. 4).[42-45] A dose recomendada é de 45 a 50 Gy em tumores não funcionantes, e 50,4 a 54 Gy nos tumores funcionantes.[46,47]

No tumor produtor de ACTH, pode-se prescrever dose de 50,4 Gy,[41,48] e no secretor de TSH, recomenda-se a dose de 54 Gy.[42] Durante a execução do planejamento, é importante a avaliação da dose máxima no quiasma óptico, que não deve ultrapassar a dose máxima de 60 Gy, e 2% do volume não deve receber doses maiores que 55 Gy.

Pequenas margens devem ser adicionadas do volume-alvo tumoral ou GTV para o PTV, não havendo necessidade de acrescentar margens de GTV para o CTV.

A radiocirurgia também pode ser utilizada no tratamento destes tumores, sendo prescritas doses que variam de 12 a 20 Gy para tumores não funcionantes, e 15 a 30 Gy para os funcionantes.[49-56] Nestes casos, a dose no quiasma deve ser mantida sempre abaixo de 8 Gy, para se reduzir o risco de neuropatia induzida por radiação.[57] O limite de dose no lobo temporal corresponde a V10 Gy < 10 mL, ou seja, o volume recebendo 10 Gy deve ser inferior a 10 mL.[58] Caso o tumor esteja muito próximo ao quiasma, é recomendado o tratamento em múltiplas frações. Uma queda mais rápida dos níveis hormonais poderia ocorrer com o tratamento com dose única, porém, este fato ainda não foi confirmado pela literatura.[59]

O uso de IMRT nestes casos foi descrito por Parhar et al.,[58] que demonstrou a redução de dose no lobo temporal com a utilização de cinco campos com IMRT comparado à IMRT com três campos ou radioterapia conformacional. Mackley et al.[60] avaliaram 34 pacientes que foram submetidos a IMRT em um estudo retrospectivo. O controle local foi de 90 e 100% de resposta bioquímica nos tumores secretantes.

Meningioma

O meningioma é um tumor originário das células aracnoides, dos fibroblastos durais e das células piais que formam as meninges. Corresponde a 20% dos tumores primários do sistema nervoso central, com 90% dos casos de localização supratentorial, principalmente em regiões de convexidade cerebral ou base do crânio. É o tumor benigno do sistema nervoso central mais comum em adultos.

Apresenta-se mais comumente em mulheres (relação de 2 mulheres para cada homem) e em indivíduos afrodescendentes. A sua incidência aumenta com a idade, atingindo pico máximo entre a 6ª e 7ª décadas de vida.

A etiologia permanece desconhecida, porém existem fatores de risco já comprovados, como a relação com fatores hormonais (receptores de progesterona expressados em 80% das mulheres e 40% dos homens), exposição prévia à radiação (lesões induzidas pós-radioterapia por *tinea capitis*), infecção por adenovírus ou papovírus e perda do gene supressor do cromossomo 22. O uso indiscriminado de tomografias e ressonância magnética também pode apresentar relação com meningiomas.

Os sintomas estão sempre correlacionados com a localização do meningioma, como exemplo, neuropatia craniana e ângulo pontinocerebelar, cefaleia e foice cerebral e perda visual e asa do esfenoide ou acometimento de nervo óptico.

A classificação histopatológica é um importante fator prognóstico e preditor do comportamento da doença. A classificação da Organização Mundial de Saúde (WHO) divide o meningioma em três subtipos conforme Quadro 8.

O RTOG criou um importante esquema de estratificação de risco que apresenta impacto na conduta a ser tomada atualmente, conforme Quadro 9.

Cerca de 90% dos meningiomas pertencem ao grupo de baixo risco e são classificados como Grau I, apresentando um crescimento muito lento. Quando estes tipos de tumores são completamente ressecados cirurgica-

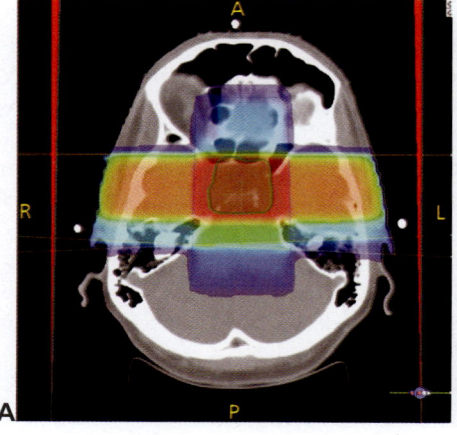
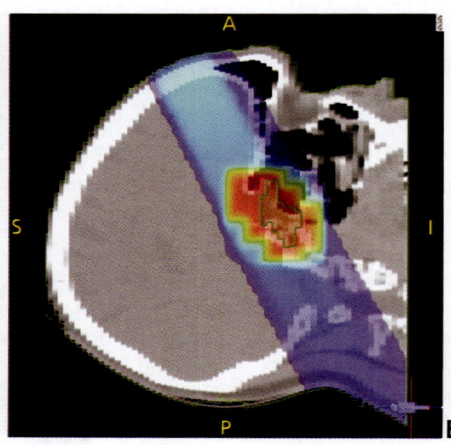

◀ **FIGURA 4.** Macroadenoma de hipófise, cortes axial (**A**) e sagital (**B**) de um planejamento utilizando radioterapia conformacional com arranjo de três campos.

Quadro 8. Classificação dos meningiomas pela Organização Mundial de Saúde (WHO)

GRAU	TIPOS TUMORAIS
I	Meningotelial, transicional, fibroso, psamomatoso, angiomatoso, microcísitico, secretório, linfoplasmocítico, e variantes metaplásicos (xantomatoso, mixoide, ósseo e cartilaginoso)
II	Atípico, cordoide, células claras
III	Anaplásico, papilar e rabdoide

Quadro 9. Estratificação de risco segundo RTOG

BAIXO RISCO	RISCO INTERMEDIÁRIO	ALTO RISCO
WHO Grau I	WHO Grau 1 recorrente	WHO Grau 2 recorrente
Ressecção total ou subtotal	WHO Grau 2 (mesmo com ressecção total)	WHO Grau 3

mente, não há necessidade de radioterapia adjuvante. Segundo Jääskeläinen et al.,[61] existe um risco de apenas 3 a 5% de recidiva local em 5 anos.

A cirurgia é o principal tratamento nos meningiomas, e o grau de ressecção tumoral, conforme descrito na classificação do RTOG, é um importante fator prognóstico que define o risco de recidiva local, conforme Quadro 10.

A ressecabilidade do tumor está relacionada com sua localização, pois tumores próximos à convexidade cerebral ou nervo olfatório apresentam maior chance de ressecção completa ao contrário de tumores em asa de esfenoide, região suprasselar ou intraventricular. Os tumores em clivo, seio cavernoso ou região petrocaval são muitas vezes irressecáveis. Milker-zabel et al.[62] demonstraram que tumores com volume superior a 60 cm³ apresentam maior taxa de recidiva local.

Pacientes com meningiomas grau I com ressecção parcial devem ser submetidos à radioterapia adjuvante em razão do ganho de controle local.[63] Soyuer et al.[64] descreveram 86 a 90% de sobrevida livre de doença em 5 anos no grupo submetido à radioterapia adjuvante *versus* 38 a 50% no grupo com ressecção parcial exclusiva (Quadro 11).

Os meningiomas graus II e III apresentam taxa de recidiva local em 5 anos após ressecção completa de 38 e 78% respectivamente. Condra et al.[63] analisaram 47 pacientes e observaram 46% de falha local em 15 anos nos meningiomas grau II. Aghi et al.[71] descreveram 48% de falha local em 10 anos nos 108 pacientes portadores de meningioma grau II. Dessa forma, a radioterapia deve ser utilizada de forma adjuvante em decorrência das elevadas taxas de falha locais, principalmente em pacientes com fatores de pior prognóstico, como sexo masculino, alta taxa de mitose e localização infratentorial ou petrocaval.

Quadro 10. Classificação prognóstica do RTOG

	FALHA LOCAL 5 ANOS	FALHA LOCAL 10 ANOS	FALHA LOCAL 15 ANOS
Ressecção total	10%	20%	30%
Ressecção parcial	30%	60%	90%

Adeberg et al.[72] verificaram o benefício da radioterapia no meningioma atípico, assim como a importância do grau como fator impactante na sobrevida global.

A radioterapia exclusiva é o tratamento padrão nos meningiomas irressecáveis. Flickinger et al.[73] observaram excelente controle local (93% em 10 anos) em análise retrospectiva de 219 meningiomas com tamanho médio de 5 cm tratados com SRS. Pollok et al.,[74] em uma análise de 251 casos, observaram taxa de controle local de 99,4% em 10 anos nos pacientes com meningiomas irressecáveis de cerca de 7 cm submetidos à SRS.

O tratamento fracionado também pode ser utilizado, principalmente quando o tumor está localizado próximo a OAR, como o nervo óptico, diminuindo o risco de amaurose. Paulsen et al.[75] publicaram uma análise de 109 pacientes com meningioma na bainha do nervo óptico, com controle local de 98% em 5 anos e preservação da visão em 90% dos casos.

Pirzkall et al.[76] demonstraram os resultados da IMRT em uma pequena série de 20 pacientes, demonstrando melhora ou estabilização do quadro neurológico em 95% dos casos e piora em apenas um paciente. Houve resposta radiológica em 25% dos casos, imagem inalterada em 75% dos casos e nenhum paciente sem piora radiológica. Milker-Zabel et al.[77] demonstraram o benefício da IMRT no tratamento de 94 pacientes com meningiomas graus I,II e III com excelente resposta local e 40% de melhora do quadro neurológico.

Radiocirurgia também deve ser utilizada, principalmente em meningiomas de até 5 cm com separação mínima de estruturas críticas de cerca de 3 mm. Em 2011, Pollok, em uma série de 251 pacientes tratados com radiocirurgia, apresentou excelentes resultados de controle local e baixas taxas de complicações, prescrevendo dose média de 15 Gy.

Segue abaixo uma série de estudos (Quadro 12).

A radiocirurgia com intensidade modulada (IMSRT) também pode ser utilizada, sendo vantajosa à medida que propicia uma maior cobertura de dose sobre o volume alvo e menor dose em estruturas circunvizinhas. A maioria dos estudos demonstra benefícios relacionados com melhor conformidade do alvo, como no estudo de Baumert et al.[88]

A radioterapia com arco modulado (VMAT) apresenta-se como uma nova opção no tratamento dos meningiomas, já sendo descrita na literatura como método superior dosimetricamente às técnicas utilizando IMRT.

Quadro 11. Meningiomas grau I: resultado de controle local (5 anos) após ressecção total (GTR), ressecção subtotal (STR) e radioterapia adjuvante (RT)

AUTOR	PACIENTES	GTR	STR	RT
Condra[63]	262	95%	83%	86%
Soyuer[64]	92	97%	38%	91%
Mirimanoff[65]	225	93%	63%	
Taylor[66]	132	96%	43%	85%
Adegbite[67]	114	90%	45%	82%
Barbaro[68]	135	96%	60%	80%
Mahmood[69]	254	98%	54%	67%
Goldsmith[70]	92			89% 98% após 1980

Quadro 12. Resultados em pacientes portadores de meningioma de base do crânio ou seio cavernoso tratados com radiocirurgia (SRS)

AUTOR	PACIENTES	VOLUME (cm³)	DIÂMETRO (cm)	ACOMPANHAMENTO (MESES)	CONTROLE LOCAL (%)	DÉFICIT NEUROLÓGICO (%)
Kurita[78]	18	–	2,34	35	86	5,9
Chang[79]	24	6,8	–	46	100	0
Chang[80]	55	7,33	–	48	98	7
Morita[81]	88	10	3,5	35	95	10,5
Liscak[82]	53	7,8	2,8	19	100	0
Roche[83]	80	5,8	–	31	93	3
Shin[84]	40	4,3	2	42	91	3
Nicolato[85]	111	8,4	–	48	97	1
Spiegelman[86]	42	8,2	–	36	98	7
Lee[87]	159	6,5	–	35	93	6,7

ASPECTOS TÉCNICOS DO TRATAMENTO RADIOTERÁPICO

O tratamento pode ser realizado com radioterapia 3D, IMRT, SFRT ou com SRS. O GTV deve ser determinado por fusão da tomografia de planejamento com a fase T1 com contraste da RM.

Nos casos de adjuvância de meningiomas grau I, o GTV deve incluir o volume pós-operatório, enquanto nos tumores graus II e III o alvo deve englobar o volume pré-operatório com base na RM.

IMRT pode ser utilizada principalmente em meningiomas próximos de estruturas críticas, como o nervo óptico, quiasma e tronco cerebral, diminuindo a dose espalhada nestes locais e, por sua vez, reduzindo as potenciais taxas de complicações ao mesmo tempo em que permite a execução da dose padrão de 50 a 54 Gy nos tumores grau I e de 59,4 a 60 Gy nos tumores graus II e III.

A dose no tratamento com SRS está relacionada com a localização do meningioma e sua proximidade com estruturas críticas, apresentando variações de 12 a 20 Gy.

COMPLICAÇÕES DA RADIOTERAPIA DE TUMORES ENVOLVENDO O SISTEMA NERVOSO CENTRAL

As complicações observadas com o emprego da radioterapia nos tumores do sistema nervoso central podem ser agudas ou subagudas/tardias. Os efeitos colaterais agudos mais comuns são alopecia, fadiga, anorexia, radiodermite, irritação do canal auditivo e otite serosa. Cefaleia, náuseas, vômitos, sonolência, convulsões e exacerbação de déficits neurológicos também podem ocorrer durante o tratamento. Efeitos colaterais tardios, como radionecrose, leucoencefalopatia, atrofia cerebral, hidrocefalia de pressão normal, disfunção endócrina, diminuição da audição, doença vascular, segundas neoplasias, alterações comportamental e cognitiva também podem ocorrer, em especial nos pacientes com maior expectativa de vida.

REFERÊNCIAS BIBLIOGRÁFICAS

1. Perez CA et al. Principles and practice of radiation oncology. Philadelphia: Lippincott Williams & Wilkins. 2008.
2. Gunderson LE et al. Clinical radiation oncology. Philadelphia: Churchill Livingstone, 2012.
3. DeMonte F et al. M.D. Anderson cancer care series: tumors of the brain and spine. Springer Science. 2007.
4. Mundt A et al. Intensity modulated radiation therapy. Toronto: BC Decker, 2005.
5. Ben Slotman et al. Extracranial sterotactic radiotherapy and radiosurgery. New York: Taylor & Francis, 2006.
6. Walker MD, Green SB, Byar DP et al. Randomized comparisons of radiotherapy and nitrosoureas for the treatment of malignant glioma after surgery. N Engl J Med 1980;303:1323-29.
7. Shapiro WR, Young DF. Treatment of malignant glioma. A controlled study of chemotherapy and irradiation. Arch Neurol 1976 July;33(7):494-50.
8. Andersen AP. Postoperative irradiation of glioblastomas. Results in a randomized series. Acta Radiol Radiat Phys Biol 1976;17:475-84.
9. Kristiansen K, Hagen S, Kollevold T et al. Combined modality therapy of operated astrocytomas grade III and IV. Confirmation of the value of postoperative irradiation and lack of potentiation of bleomycin on survival time: a prospective multicenter trial of the Scandinavian Glioblastoma Study Group. Cancer 1980;47:649-52.
10. Sandberg-Wollheim M, Malmstrom P, Stromblad LG et al. A randomized study of chemotherapy with procarbazine, vincristine, and lomustine with and without radiation therapy for astrocytoma grades 3 and/or 4. Cancer 1991;68:22-29.
11. Hochberg FH, Pruitt A. Assumptions in the radiotherapy of glioblastoma. Neurology 1980 Sept.;30(9):907-11.
12. Green SB, Byar DB, Strike TA et al. Randomized comparisons of single or multiple drug chemotherapy combined with either whole brain or whole brain plus coned-down boost radiotherapy for the post-operative treatment of malignant gliomas. (Study 8001). Proc Am Soc Clin Oncol 1986;5:135.
13. Keime-Guibert F, Chinot O, Taillandier L et al. Association of French-Speaking Neuro-Oncologists. Radiotherapy for glioblastoma in the elderly. N Engl J Med 2007 Apr. 12;356(15):1527-35.
14. Roa W, Brasher PM, Bauman G et al. Abbreviated course of radiation therapy in older patients with glioblastoma multiforme: a prospective randomized clinical trial. J Clin Oncol 2004;22:1583-88.
15. Laramore GE, Martz KL, Nelson JS et al. Radiation Therapy Oncology Group (RTOG) survival data on anaplastic astrocytomas of the brain: does a more aggressive form of treatment adversely impact survival? Int J Radiat Oncol Biol Phys 1989 Dec.;17(6):1351-56.
16. Bleehen NM, Stenning SP. A Medical Research Council trial of two radiotherapy doses in the treatment of grades 3 and 4 astrocytoma. The Medical Research Council Brain Tumour Working Party. Br J Cancer 1991;64:769-74.
17. Stupp R, Mason WP, van den Bent MJ et al. Radiotherapy plus concomitant and adjuvant temozolomide for glioblastoma. New Engl J Med 2005;352:987-96.
18. Karim AB, Maat B, Hatlevoll R et al. A randomized trial on dose-response in radiation therapy of low-grade cerebral glioma: European Organization for Research and Treatment of Cancer (EORTC) Study 22844. Int J Radiat Oncol Biol Phys 1996;36:549-56.
19. Karim AB, Afra D, Cornu P et al. Randomized trial on the efficacy of radiotherapy for cerebral low-grade glioma in the adult: European Organization for Research and Treatment of Cancer Study 22845 with the Medical Research Council study BRO4: an interim analysis. Int J Radiat Oncol Biol Phys 2002;52:316-24.
20. Shaw EG, Berkey BA, Coons SW et al. Initial report of Radiation Therapy Oncology Group (RTOG) 9802: prospective studies in adult low-grade glioma (LGG). Proc Am Soc Clin Oncol 2006;24:1500.
21. Shaw E, Arusell R, Scheithauer B et al. Prospective randomized trial of low- versus high-dose radiation therapy in adults with supratentorial low-grade glioma: initial report of a North Central Cancer Treatment Group/Radiation Therapy Oncology Group/Eastern Cooperative Oncology Group study. J Clin Oncol 2002;20:2267-76.
22. Borgelt B, Gelber R, Kramer S et al. The palliation of brain metastases: final results fo the First Two Studies by the Radiation Therapy Oncology Group. Int J Radiat Oncol Biol Phys 1980;6:1-9.
23. Patchell RA, Tibbs PA, Regine WF et al. Postoperative radiotherapy in the treatment of single metastases to the brain. JAMA 1998;280:1485-89.
24. Kalkanis SN, Kondziolka D, Gaspar LE et al. The role of surgical resection in the management of newly diagnosed brain metastases: a systematic review and evidence-based clinical practice guideline. J Neurooncol 2010 Jan.;96(1):33-43.
25. Shaw E, Scott C, Souhami L et al. Single dose radiosurgical treatment of recurrent previously irradiated primary brain tumors and brain metastases: final report of RTOG Protocol 90-05. Int J Radiat Oncol Biol Phys 2000;47:291-98.
26. Andrews DW, Scott CB, Sperduto PW et al. Whole brain radiation therapy with or without stereotactic radiosurgery boost for patients with one to three brain metastases: phase III results of the RTOG 9508 randomised trial. Lancet 2004;363:1665-72.
27. Aoyama H, Shirato H, Tago M et al. Stereotactic radiosurgery plus whole-brain radiation therapy vs stereotactic radiosurgery alone for treatment of brain metastases: a randomized controlled trial. JAMA 2006;295(21):2483-91.
28. Kocher M, Soffietti R, Abacioglu U et al. Adjuvant whole-brain radiotherapy versus observation after radiosurgery or surgical resection of one to three cerebral metastases: results of the EORTC 22952-26001 study. J Clin Oncol 2011 Jan. 10;29(2):134-41.
29. Bamberg M, Kortmann RD, Calaminus G et al. Radiation therapy for intracranial germinoma: results of the German cooperative prospective trials MAKEI 83/86/89. J Clin Oncol 1999 Aug.;17(8):2585-92.
30. Chen YW, Huang PI, Ho DM et al. Change in treatment strategy for intracranial germinoma: long-term follow-up experience at a single institute. Cancer 2012 May 15;118(10):2752-62.
31. Haas-Kogan DA, Missett BT, Wara WM et al. Radiation therapy for intracranial germ cell tumors. Int J Radiat Oncol Biol Phys 2003 June 1;56(2):511-18.
32. Calaminus G, Alapetite C, Frappaz D et al. Outcome of localized and metastatic germinoma treated according to SIOP CNS GCT 96. J Neurooncol 2008;10:420.
33. Packer RJ, Goldwein J, Nicholson HS et al. Treatment of children with medulloblastomas with reduced-dose craniospinal radiation therapy and adjuvant chemotherapy: A Children's Cancer Group Study. J Clin Oncol 1999 July;17(7):2127-36.
34. Hughes EN, Shillito J, Sallan SE et al. Medulloblastoma at the joint center for radiation therapy between 1968 and 1984. The influence of radiation dose on the patterns of failure and survival. Cancer 1988 May 15;61(10):1992-98.
35. Fukunaga-Johnson N, Lee JH, Sandler HM et al. Patterns of failure following treatment for medulloblastoma: is it necessary to treat the entire posterior fossa? Int J Radiat Oncol Biol Phys 1998 Aug. 1;42(1):143-46.
36. Mirels H. Metastatic disease in long bones: A proposed scoring system for diagnosingimpending pathologic fractures 1989. Clin Orthop Relat Res 2003 Oct.;(415 Suppl):S4-13.

37. Bone Pain Trial Working Party. 8 Gy Single Fraction Radiotherapy for the treatment of Metastatic Skeletal Pain: Randomised Comparison with a Multifraction Schedule over 12 Months of Patient Follow-Up. *Radiother Oncol* 1999;52:111-21.
38. Patchell RA, Tibbs PA, Regine WF et al. Direct decompressive surgical resection in the treatment of spinal cord compression caused by metastatic cancer: a randomised trial. *Lancet* 2005;366:643-48.
39. Hardy J. Transsphenoidal hypophysectomy: neurosurgical techniques. *J Neurosurg* 1971;34:582-85.
40. Wilson CB. Neurosurgical management of large and invasive pituitary tumors. In: Tindall GT, Collins WF. (Eds.). *Clinical management of pituitary disorders*. New York: Raven Press, 1979. p. 335-42.
41. Devin JK, Allen GS et al. The efficacy of linear accelerator radiosurgery in the management of patients with Cushing's disease. *Stereotact Funct Neurosurg* 2004;82:254-62.
42. Socin HV, Chanson P et al. The changing spectrum of TSH-secreting pituitary adenomas: diagnosis and management in 43 patients. *Eur J Endocrinol* 2003;148:433-42.
43. Brada M, Rajan B et al. The long-term efficacy of conservative surgery and radiotherapy in the control of pituitary adenomas. *Clin Endocrinol* 1993;38:571-78.
44. Breen P, Flickinger JC et al. Radiotherapy for nonfunctional pituitary adenoma: analysis of long-term tumor control. *J Neurosurg* 1998;89:933-38.
45. Grigsby PW, Simpson JR et al. Prognostic factors and results of surgery and postoperative irradiation in the management of pituitary adenomas. *Int J Radiat Oncol Biol Phys* 1989;16:1411-17.
46. Park P, Chandler WF et al. The role of radiation therapy after surgical resection of nonfunctional pituitary macroadenomas. *Neurosurgery* 2004;55:100-6.
47. McCollough WM, Marcus Jr RB et al. Long-term follow-up of radiotherapy for pituitary adenoma: the absence of late recurrence after greater than or equal to 4500cGy. *Int J Radiat Oncol Biol Phys* 1991;21:607-14.
48. Littley MD, Shalet SM et al. Long-term follow-up of low-dose external pituitary irradiation for Cushing's disease. *Clin Endocrinol* (Oxf) 1990;33:445-55.
49. Castinetti F, Taieb D et al. Outcome of gamma knife radiosurgery in 82 patients with acromegaly: correlation with initial hypersecretion. *J Clin Endocrinol Metab* 2005;90:4483-88.
50. Feigl GC, Bonelli CM et al. Effects of gamma knife radiosurgery of pituitary adenomas on pituitary function. *J Neurosurg* 2002;97(5 Suppl):415-21.
51. Liscak R, Vladyka V, Marek J et al. Gamma knife radiosurgery for endocrine-inactive pituitary adenomas. *Acta Neurochir* (Wien) 2007;149:999-1006; discussion 1006.
52. Pan L, Zhang N et al. Gamma knife radiosurgery as a primary treatment for prolactinomas. *J Neurosurg* 2000;93(Suppl 3):10-13.
53. Petrovich Z, Yu C et al. Gamma knife radiosurgery for pituitary adenoma: early results. *Neurosurgery* 2003;53:51-59; discussion 59-61.
54. Sheehan JP, Kondziolka D et al. Radiosurgery for residual or recurrent nonfunctioning pituitary adenoma. *J Neurosurg* 2002;97(5 Suppl):408-14.
55. Zhang N, Pan L et al. Radiosurgery for growth hormone-producing pituitary adenomas. *J Neurosurg* 2000;93(Suppl 3):6-9.
56. Runge MJ, Maarouf M, Hunsche S et al. LINAC-radiosurgery for nonsecreting pituitary adenomas. Long-term results. *Strahlenther Onkol* 2012 Apr.;188(4):319-25.
57. Girkin CA, Comey CH et al. Radiation optic neuropathy after stereotactic radiosurgery. *Ophthalmology* 1997;104:1634-43.
58. Parhar PK, Duckworth T et al. Decreasing temporal lobe dose with five-field intensity-modulated radiotherapy for treatment of pituitary macroadenomas. *Int J Radiat Oncol Biol Phys* 2010;78(2):379-84.
59. Brada M, Ajithkumar TV, Minniti G. Radiosurgery for pituitary adenomas. *Clin Endocrinol* (Oxf) 2004;61:531-43.
60. Mackley HB, Reddy CA et al. Intensity-modulated radiotherapy for pituitary adenomas: the preliminary report of the Cleveland Clinic experience. *Int J Radiat Oncol Biol Phys* 2007 Jan. 1;67(1):232-39.
61. Jääskeläinen J. Seemingly complete removal of histologically benign intracranialmeningioma: late recurrence rate and factors predicting recurrence in 657 patients. A multivariate analysis. *Surg Neurol* 1986 Nov.;26(5):461-69.
62. Milker-Zabel S, Zabel A, Schulz-Ertner D et al. Fractionated stereotactic radiotherapy in patients with benign or atypical intracranial meningioma: long-term experience and prognostic factors. *Int J Radiat Oncol Biol Phys* 2005 Mar. 1;61(3):809-16.
63. Condra KS, Buatti JM, Mendenhall WM et al. Benign meningiomas: primary treatment selection affects survival. *Int J Radiat Oncol Biol Phys* 1997 Sept. 1;39(2):427-36.
64. Soyuer S, Chang EL, Selek U et al. Radiotherapy after surgery for benign cerebral meningioma. *Radiother Oncol* 2004 Apr.;71(1):85-90.
65. Mirimanoff RO, Dosoretz DE, Linggood RM et al. Meningioma: analysis of recurrence and progression following neurosurgical resection. *J Neurosurg* 1985 Jan.;62(1):18-24.
66. Taylor Jr BW, Marcus Jr RB, Friedman WA et al. The meningioma controversy: postoperative radiation therapy. *Int J Radiat Oncol Biol Phys* 1988 Aug.;15(2):299-304.
67. Adegbite AB, Khan MI, Paine KW et al. The recurrence of intracranial meningiomas after surgical treatment. *J Neurosurg* 1983 Jan.;58(1):51-56.
68. Barbaro NM, Gutin PH, Wilson CB et al. The recurrence of intracranial meningiomas after surgical treatment. *Neurosurgery* 1987 Apr.;20(4):525-28.
69. Mahmood A, Qureshi NH, Malik GM. Intracranial meningiomas: analysis of recurrence after surgical treatment. *Acta Neurochir* (Wien) 1994;126(2-4):53-58.
70. Goldsmith BJ, Wara WM, Wilson CB et al. Postoperative irradiation for subtotally resected meningiomas. A retrospective analysis of 140 patients treated from 1967 to 1990. *J Neurosurg* 1994 Feb.;80(2):195-201. Review. Erratum in: *J Neurosurg* 1994 Apr.;80(4):777.
71. Aghi MK, Carter BS, Cosgrove GR et al. Long-term recurrence rates of atypical meningiomas after gross total resection with or without postoperative adjuvant radiation. *Neurosurgery* 2009 Jan.;64(1):56-60; discussion 60.
72. Adeberg S, Hartmann C, Welzel T et al. Long-term outcome after radiotherapy in patients with atypical and malignant meningiomas-clinical results in 85 patients treated in a single institution leading to optimized guidelines for early radiation therapy. *Int J Radiat Oncol Biol Phys* 2012 July 1;83(3):859-64. Epub 2011 Dec. 2.
73. Flickinger JC, Kondziolka D, Maitz AH et al. Gamma knife radiosurgery of imaging-diagnosed intracranial meningioma. *Int J Radiat Oncol Biol Phys* 2003 July 1;56(3):801-6.
74. Pollock BE. *Contemporary stereotactic radiosurgery, technique and evaluation*. Armonk, NY: Futura, 2002. p. 157-71.
75. Paulsen F, Doerr S, Wilhelm H et al. Fractionated stereotactic radiotherapy in patients with optic nerve sheath meningioma. *Int J Radiat Oncol Biol Phys* 2012 Feb. 1;82(2):773-78. Epub 2011 Feb. 6.
76. Pirzkall A, Debus J, Haering P et al. Intensity modulated radiotherapy (IMRT) for recurrent, residual, or untreated skull-base meningiomas: preliminary clinical experience. *Int J Radiat Oncol Biol Phys* 2003 Feb. 1;55(2):362-72.
77. Milker-Zabel S, Zabel-du Bois A, Huber P et al. Intensity-modulated radiotherapy for complex-shapedmeningioma of the skull base: long-term experience of a single institution. *Int J Radiat Oncol Biol Phys* 2007 July 1;68(3):858-63. Epub 2007 Mar. 26.
78. Kurita H, Sasaki T, Kawamoto S et al. Role of radiosurgery in the management of cavernous sinus meningiomas. *Acta Neurol Scand* 1997;96:297-304.
79. Chang SD, Adler JR, Martin DP. LINAC radiosurgery for cavernous sinus meningiomas. *Stereotact Funct Neurosurg* 1998;71:43-50.
80. Chang SD, Adler JR. Treatment of cranial base meningiomas with linear accelerator radiosurgery. *Neurosurgery* 1997;41:1019-27.
81. Morita A, Coffey RJ, Foote RL et al. Risk of injury to cranial nerves after gamma knife radiosurgery for skull base menin- giomas: Experience in 88 patients. *J Neurosurg* 1999;90:42-49.
82. Liscak R, Simonova G, Vymazal J et al. Gamma knife radio- surgery of meningiomas in the cavernous sinus region. *Acta Neurochir* 1999;141:473-80.
83. Roche PH, Regis J, Dufour H et al. Gamma knife radiosur- gery in the management of cavernous sinus meningiomas. *J Neurosurg* 2000;93(Suppl 3):68-73.
84. Shin M, Kurita H, Sasaki T et al. Analysis of treatment outcome after stereotactic radiosurgery for cavernous sinus meningiomas. *J Neurosurg* 2001;95:435-39.
85. Nicolato A, Foroni R, Alessandrini F et al. The role of gamma knife radiosurgery in the management of cavernous sinus meningiomas. *Int J Radiat Oncol Biol Phys* 2002;53:992-1000.
86. Spiegelmann R, Nissim O, Menhel J et al. Linear accelerator radiosurgery for meningiomas in and around the cavernous sinus. *Neurosurgery* 2002;51:1373-80.
87. Lee JYK, Niranjan A, McInerney J et al. Stereotactic radio- surgery providing long-term tumor control of cavernous sinus meningiomas. *J Neurosurg* 2002;97:65-72.
88. Baumert BG, Norton IA, Davis JB. Intensity-modulated stereotactic radiotherapy vs. stereotactic conformal radiotherapy for the treatment of meningioma located predominantly in the skull base. *Int J Radiat Oncol Biol Phys* 2003 Oct. 1;57(2):580-92.

Parte XII

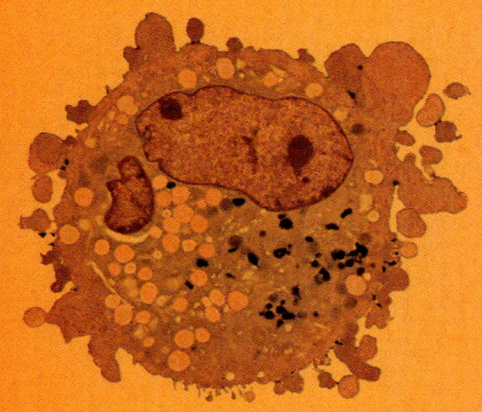

HEMATOLOGIA

XII

CAPÍTULO 226

Linfoma Não Hodgkin

Adriana Scheliga

INTRODUÇÃO

Linfomas são transformações neoplásicas de células linfoides normais, que existem predominantemente nos tecidos linfoides.[1] São morfologicamente divididos em linfomas de Hodgkin (LH) e não Hodgkin (LNH).[1] O linfoma não Hodgkin é a quarta neoplasia mais incidente nos Estados Unidos, excluindo o câncer de pele não melanoma, sendo responsável por 4% de todas as malignidades.[2] É também a nona causa de morte por câncer no sexo masculino e a sétima no sexo feminino, responsável por 5% das mortes por câncer a cada ano.[2] Para 2010, a Sociedade Americana de Câncer estimou que 65.540 pacientes teriam diagnóstico de LNH (35.380 homens e 30.160 mulheres) e que 20.210 morriam da doença.[2] A incidência vem aumentando nas últimas quatro décadas, principalmente os linfomas agressivos, o que parece ser parcialmente explicado pela maior incidência de Síndrome da Imunodeficiência Adquirida (AIDS) e pela exposição a fatores ambientais.[1] A maioria dos casos, porém, não tem ainda uma etiologia definida, sugerindo-se que fatores hereditários, ambientais, ocupacionais e dietéticos possam estar envolvidos.[1] Indivíduos acometidos por imunodeficiência hereditária, como hipogamaglobulinemia, imunodeficiência comum variável, síndrome de Wiskott-Aldrich, ataxia-teleangiectasia, têm até 25% de risco de desenvolver um LNH.[1] Além desses fatores, alguns agentes infecciosos têm sido implicados na etiopatogenia do LNH, incluindo o vírus do Epstein-Barr, vírus da imunodeficiência humana (HIV), vírus linfotrópico de células T humano tipo 1 (HTLVI), herpes-vírus tipo 8 (HHV8), vírus da hepatite C, vírus simiano 40 e a bactéria *Helicobacter pylori*.[1]

226-1 Linfoma Não Hodgkin de Alto Grau

Adriana Scheliga

A classificação mais utilizada atualmente é a da Organização Mundial de Saúde (OMS).[3,4] Desenvolvida em 1995 por membros da Sociedade de Hematopatologia e da Associação Europeia de Hematopatologistas, a classificação se baseia em dados de morfologia, imunofenotipagem, genética e informações clínicas e divide os vários tipos de neoplasias linfoides em três grandes grupos: neoplasias de células B, neoplasias de células T/NK e linfoma de Hodgkin.[3,4] Segundo a OMS, linfoma e leucemia do mesmo tipo celular são representações da mesma doença, porém em estágios diferentes de evolução.[3,4] Outra forma de classificação comumente utilizada por oncologistas clínicos e hematologistas é aquela fundamentada em relevância clínica.[1] As diferentes entidades histológicas são divididas em indolentes (com sobrevida de anos, se não tratada) agressivos (sobrevida de meses) e muito agressivos (sobrevida de semanas).[1] Os linfomas agressivos são responsáveis por cerca de 50% de todos os casos de LNH e englobam o linfoma não Hodgkin difuso de grandes células B (LDGCB), o linfoma folicular pouco diferenciado (grau 3), o linfoma de células do manto, o linfoma de células T periférico e o linfoma de grandes células anaplásico.[1]

Quadro 1. Estadiamento de Ann Arbor modificado por Costwold

ESTÁGIO	DESCRIÇÃO
I	Envolvimento de região linfonodal única ou único sítio ou órgão extralinfático (IE)
II	Envolvimento de duas ou mais regiões linfonodais do mesmo lado do diafragma (II) ou envolvimento localizado de um órgão ou sítio extralinfático (IIE)
III	Envolvimento de regiões linfonodais em ambos os lados do diafragma (III) ou envolvimento localizado de um órgão ou sítio extralinfático (IIIE) ou baço (IIIS) ou ambos (IIISE)
IV	Envolvimento difuso ou disseminado de um ou mais órgãos extralinfáticos com ou sem envolvimento linfonodal associado. Envolvimento de medula óssea ou fígado é sempre estágio IV

E = extensão contígua extranodal.

Manifestações clínicas

A avaliação do paciente com LNH inclui anamnese e exame físico.[1] A grande maioria, cerca de dois terços dos pacientes, apresenta-se com linfadenopatia e sintomas B (febre, sudorese noturna e emagrecimento), indicando doença agressiva. Aproximadamente 20% dos pacientes têm massa mediastinal e podem cursar com síndrome de veia cava superior em 3 a 8%. Já a doença extranodal é observada em cerca de 10 a 35% de todos os casos, acometendo principalmente o trato gastrointestinal. A medula óssea (MO) está infiltrada em cerca de 30 a 50% dos pacientes, mais comumente nos linfomas indolentes. O LNH pode também se apresentar como neoplasias pouco diferenciadas de sítio primário desconhecido, representando até 65% desses casos. Alguns pacientes abrem o quadro com emergências oncológicas, incluindo síndrome de lise tumoral, síndrome de compressão medular e hipercalcemia. Essas alterações podem ser fatais e devem ser prontamente reconhecidas e tratadas.[1]

Estadiamento

Os exames de estadiamento incluem hemograma completo, função renal e hepática, desidrogenase lática (LDH), beta-2 microglobulina, cálcio, ácido úrico, eletroforese de proteínas, sorologias virais (especialmente hepatite B e HIV), tomografia computadorizada (TC) de pescoço, tórax, abdome e pelve; biópsia de medula óssea (BMO) e, mais recentemente, o PET-CT.[1,5] Pacientes com doença muito agressiva, sorologia positiva para HIV, envolvimento da medula óssea, seio paranasal ou mais de um sítio de doença extranodal têm risco de acometimento do sistema nervoso central (SNC) e devem ser estadiados com ressonância nuclear magnética do crânio e citologia do líquor.[1]

O sistema de estadiamento de Ann Arbor foi desenvolvido em 1971 para o LH.[4] Esse sistema identifica os locais de envolvimento anatômico por linfoma e divide os pacientes em quatro categorias com base na extensão de disseminação da doença.[4] Apesar do LNH ter características de disseminação diferentes do LH, com envolvimento frequente de sítios extranodais e crescimento linfático sem contiguidade, o sistema de Ann Arbor modificado por Costwold permanece como método de escolha também no estadiamento do LNH (Quadro 1).[1]

Estratificação prognóstica

O mais valioso sistema de estratificação prognóstica dos pacientes com LNH é o Índice Prognóstico Internacional (IPI).[5,6] Analisando os dados de 2.031 pacientes adultos com LNH agressivo tratados com antracíclicos no período de 1982 a 1987, foram definidos cinco fatores prognósticos independentes, que eram idade superior a 60 anos, LDH elevado, *performance status* (PS) de 2 a 4, estágio III ou IV pelo sistema de Ann Arbor e envolvimento de mais de um sítio extranodal.[5,6] Com cada uma dessas variáveis somando 1 ponto em um escore de 0 a 5, os pacientes foram estratificados em quatro grupos, com taxa de resposta e sobrevida global distintos: baixo risco, intermediário-baixo, intermediário-alto, alto risco.[5,6] Para os pacientes com menos de 60 anos, apenas três fatores foram considerados preditores de desfechos e foram incluídos em um sistema especial, definido como IPI ajustado para idade (Quadro 2).

Critérios de resposta

Após o término do tratamento, os pacientes devem ser reavaliados quanto à resposta.[7] TCs de pescoço, tórax, abdome e pelve devem ser repetidas até 2 meses após o término do tratamento, mesmo que essas áreas não estejam acometidas durante o estadiamento inicial.[7] A BMO é indicada para confirmar resposta completa em pacientes com acometimento inicial da medula óssea ou com alterações hematológicas sugestivas de infiltração.[7] Recentemente, Cheson *et al.* publicaram revisão dos critérios de resposta desses pacientes, principalmente identificando o papel da tomografia com emissão de pósitrons (PET) e da imuno-histoquímica na avaliação da medula óssea.[8,9] PET tem a vantagem sobre os exames convencionais na sua capacidade de distinguir entre tumor viável e necrose em regiões de massa residual. Está indicado antes e após tratamento dos pacientes com LDGCB. Seu papel ainda permanece pouco estabelecido quando realizado durante o tratamento e no acompanhamento após o tratamento, bem como em tumores com outros tipos histológicos. Em relação à reavaliação da medula óssea, qualquer evidência de doença pela morfologia ou imuno-histoquímica deve ser considerada para tomada de decisões na prática clínica.[8,9]

Tratamento da doença localizada

Estudos prospectivos e randomizados definiram o papel da radioterapia associada à quimioterapia em pacientes com linfoma de alto grau em estágios precoces.[1] No estudo SWOG 8736, 442 pacientes com doença em estágio I, IE (inclusive doença volumosa), II e IIE (exceto doença vo-

Quadro 2. Resultados conforme o grupo de risco para todas as idades

IPI		SOBREVIDA EM 5 ANOS
Baixo	0 ou 1	70%
Intermediário-Baixo	2	50%
Intermediário-Alto	3	49%
Alto	4 ou 5	40%

lumosa) foram submetidos a randomização para receber três ciclos de CHOP (ciclofosfamida, doxorrubicina, vincristina e prednisona) seguido de radioterapia ou oito ciclos de CHOP sem radioterapia.[8,10] Com seguimento mediano de 4,4 anos, a taxa de sobrevida livre de progressão (SLP) estimada para 5 anos foi de 77 versus 64% (p = 0,03) e a taxa de sobrevida global (SG) foi de 82 versus 72% (p = 0,02), ambos favorecendo o braço do estudo com radioterapia. Em análise estratificada pelo IPI, observou-se maior taxa de SLP e SG no grupo com IPI de 0-1.[8,10] Como resultado desse estudo, quimioterapia seguida de radioterapia passou a ser o padrão no tratamento de pacientes com LNH agressivo em estágios I e II.[1] Pacientes com IPI de 2 e 3 tiveram piores desfechos com este tratamento e devem receber terapias mais agressivas.[1]

Em um estudo francês conduzido pelo GELA (Groupe d'Etude des Lymphomes de l'Adulte), 647 pacientes em estágios precoces, sem tratamento prévio, com idade menor que 61 anos e IPI de zero foram submetidos a randomização para receber três ciclos de CHOP seguido de radioterapia ou ACVBP (doxorrubicina, ciclofosfamida, vindesina, bleomicina e prednisona) em dose densa seguida de quimioterapia de consolidação com metotrexate, etoposide e citarabina.[11] Com seguimento mediano de 7,7 anos, a taxa de sobrevida livre de eventos (SLE) em 5 anos (83 versus 74%; p < 0,001) e a SG (89 versus 80%; p = 0,001) foram significativamente superiores no grupo com quimioterapia isolada.[9] Entretanto, a inclusão de pacientes com doença volumosa em estágios I e II não permite a recomendação do tratamento com o esquema de quimioterapia utilizado como padrão em pacientes com estágios iniciais.[11] Os pacientes com doença em estágio inicial, de baixo risco e sem massas volumosas devem ser tratados com três ciclos de quimioterapia seguida de radioterapia de campo envolvido.[1] Pacientes com doença volumosa ou LDH elevado podem beneficiar-se de tratamentos mais agressivos e devem, preferencialmente, ser incluídos em estudos clínicos.[1]

Tratamento de doença avançada

Desde a sua introdução em 1976, CHOP demonstrou taxa de resposta completa de 45 a 55% e taxa de cura de aproximadamente 30 a 35%.[1] Apesar do desenvolvimento de novas combinações de quimioterápicos, incluindo esquemas de segunda e terceira geração, CHOP permaneceu como esquema padrão, mais simples e mais bem tolerado.[1] Tentativas de se utilizar o transplante de medula óssea em primeira linha com terapia de altas doses também não obtiveram sucesso, em comparação com a terapia padrão de primeira linha seguida de transplante de medula óssea na recaída (Apêndice 1).[1]

Tratamento com rituximabe

O desenvolvimento das chamadas drogas-alvo obteve grande sucesso no tratamento dos linfomas agressivos. Inicialmente estudado em linfoma indolente, o anticorpo monoclonal antiCD20 rituximabe vem demonstrando benefício no tratamento de linfomas agressivos, tanto em jovens quanto na população idosa, quando associado à quimioterapia padrão.[1] O estudo GELA 98.5 avaliou seu uso em pacientes com 60 a 80 anos de idade, PS de 0 a 2, acometidos por LDGCB com pesquisa positiva para CD20 e estágio II a IV.[12] Os pacientes foram submetidos a randomização para receber oito ciclos de CHOP ou oito ciclos de CHOP com rituximabe [dose de 375 mg/m^2 de área de superfície corporal (mg/m^2 ASC) intravenoso no primeiro dia de cada ciclo]. Entre julho de 1998 e março de 2000, foram incluídos 399 pacientes tratados em 86 centros franceses. A idade mediana foi de 69 anos, 80% dos pacientes tinham PS de 0 a 1, 30% tinham doença volumosa e 75 a 80% tinham menos de dois sítios de doença extranodal. Com seguimento mediano de 24 meses, foram encontradas taxas de SLE em 2 anos de 57 versus 38% (HR 0,58; 95% IC, 0,44-0,77; p < 0,001), favorecendo o grupo do rituximabe. A SG em 2 anos também foi superior no grupo do rituximabe em relação ao grupo com CHOP isolado (70 versus 57%; HR 0,64; 65% IC, 0,45-0,89; p = 0,0007). A taxa de resposta completa (RC) foi de 52% no grupo do rituximabe e 37% no grupo sem o anticorpo monoclonal. Em análise multivariada, após ajuste para níveis de beta-2 microglobulina e dois ou mais sítios de doença extranodal, o risco de danos permaneceu estatisticamente significativo, favorecendo o uso de rituximabe. A associação mostrou-se bem tolerada, e a incidência de eventos adversos graves não foi diferente do grupo com CHOP isolado. Os autores concluíram que o tratamento padrão para pacientes idosos com linfoma agressivo e pesquisa de CD20 positiva deve ser a associação de CHOP e rituximabe por oito ciclos.[12] Em análise de 5 anos de seguimento mediano, as taxas de SLE e SG permaneceram estatisticamente significativas e superiores no grupo de rituximabe, favorecendo a associação.[12,13]

O estudo internacional MinT (Mabthera International Trial) envolveu 172 instituições em 18 países e avaliou o uso de rituximabe em pacientes com 18 a 60 anos de idade e diagnóstico de LDGCB com pesquisa positiva para CD20 e risco baixo ou intermediário.[14] Foram incluídos pacientes em estágios IX, II, III, IV, com IPI de 0 a 1 e PS de 0 a 3. Esses pacientes eram submetidos a randomização para receber tratamento com combinações de quimioterapia similares ao CHOP (CHOP-21, CHOEP-21, MACOP-B, PMitCEBO) por seis ciclos ou rituximabe associado a essas combinações por seis ciclos. Entre maio de 2000 e outubro de 2003, foram incluídos 824 pacientes. O estudo foi interrompido após a primeira análise, realizada com 15 meses de seguimento mediano e que demonstrou taxa de SLE de 84 versus 63% (p<0,0001), favorecendo o grupo com rituximabe. Em segunda análise com 34 meses, as taxas medianas de sobrevida livre de eventos (79 versus 59%; p<0,0001), sobrevida livre de progressão (85 versus 66%; p<0,0001) e sobrevida global (93 versus 84%; p = 0,0001) estimados para 3 anos foram superiores no grupo do rituximabe. Essas diferenças mantiveram-se estatisticamente significativas após ajuste para doença volumosa e IPI maior ou igual a 1 em análise multivariada. Além disso, a adição de rituximabe não aumentou a taxa de eventos adversos. No grupo que não recebeu rituximabe, observou-se benefício em taxa de SLE após a adição de etoposide a CHOP. Entretanto, não houve benefício com adição de etoposide entre os pacientes que receberam rituximabe, sugerindo que sua associação é desnecessária nesse grupo. Portanto, esquema de seis ciclos de CHOP associado a rituximabe tem sido considerado o tratamento padrão para pacientes jovens com linfoma de alto grau de bom prognóstico. Em análise de subgrupos, foi observado que um grupo favorável, com estágio II, IPI de 0 e sem doença volumosa teve taxa de SLE de 97% em 3 anos e taxa de SG de 100%. Para esse subgrupo, pela primeira vez na história do tratamento do LNH agressivo, discute-se redução do tratamento.[12] Por outro lado, pacientes com doença volumosa têm pior desfecho (SLE de 76%) e merecem inclusão em estudos clínicos.[12]

Adição de etoposide e redução de intervalo

Dois estudos alemães avaliaram o benefício da adição de etoposide e redução de intervalo de administração de CHOP em pacientes com LNH agressivo.[15,16] O NHL B1 incluiu pacientes com idade de 18 a 60 anos de bom prognóstico (com LDH normal), que foram randomizados para receber CHOP-21 (ciclos a cada 21 dias), CHOP-14 (ciclos a cada 14 dias), CHOEP-21 ou CHOEP-14.[15] Nos grupos que tinham ciclos de 14 dias, o fator estimulador de colônias foi utilizado por 10 dias a partir do quarto dia da quimioterapia. Nos grupos que receberam quimioterapia com etoposide, esse quimioterápico foi utilizado na dose de 100 mg/m^2 ASC por dia durante 3 dias em infusão intravenosa. O desenho do estudo previa análise 2 × 2 para avaliação de SLE entre os grupos com e sem etoposide e entre os grupos com ciclos a cada 2-3 semanas. Entre setembro de 1993 e junho de 2000, foram incluídos 866 pacientes tratados em 140 instituições. Mais de 97% dos pacientes tinham IPI de 0 a 1, radioterapia foi utilizada em 25%, e a intensidade mediana de dose relativa dos agentes mielossupressores foi de 98% para o grupo que recebeu CHOP-21, 97% para CHOP-14 e CHOEP-21 e 95% para CHOEP-14. Com seguimento mediano de 58 meses, foi observado benefício absoluto de 11,6% na SLE em 5 anos com a adição de etoposide (p = 0,004), enquanto o benefício com redução do intervalo dos ciclos para 2 semanas não foi estatisticamente significativo (p = 0,622). Em relação à SG, enquanto a adição de etoposide não teve benefício estatisticamente significativo (p = 0,315), a redução de intervalo esteve associada a melhor desfecho (p = 0,050; p = 0,044 em análise multivariada). Leucopenia grau 3 e 4 foi menos comum nos grupos com ciclos a cada 2 semanas e houve maior tendência cumulativa de trombocitopenia nos regimes contendo etoposide. Esses dados favorecem o uso de CHOEP sobre CHOP em pacientes jovens com LNH agressivo. Em análise exploratória (não planejada), os esquemas de quimioterapia do estudo foram comparados com CHOP-21. CHOEP-14 aumentou de forma significativa as taxas de RC, SLP, SLE e SG em relação à CHOP-21. Como o estudo incluiu apenas pacientes de bom prognóstico e a análise exploratória entre CHOEP-14 e CHOEP-21 não demonstrou acréscimo de benefício, permanece questão de debate se o custo e o risco de eventos adversos justificariam o uso de CHOEP-14 em pacientes jovens de baixo risco.[15]

O estudo NHL-B2 incluiu pacientes com idade de 61 a 80 anos e teve desenho semelhante ao NHL-B1, inclusive quanto aos braços de tratamento.[16] Foram incluídos 831 pacientes, sendo que 22% receberam radioterapia, e a intensidade mediana de dose dos agentes mielossupressores foi de 97% no grupo de CHOP-21, 93% para CHOP-14, 96% para CHOEP-21 e apenas 83% para CHOEP-14. Como consequência da interação entre os benefícios da adição de etoposide e redução de intervalo da quimioterapia, não foi possível a análise 2 × 2 conforme previsto. Portanto, foi realizada análise comparativa dos grupos experimentais em relação ao grupo de CHOP-21. Com seguimento mediano de 58 meses, apenas CHOP-14 reduziu significativamente o risco de eventos (HR 0,66; p = 0,003) e o risco de morte (HR 0,58; p < 0,001). Após correção para fatores prognósticos (LDH elevado e estágios III/IV) em análise multivariada, o benefício de CHOP-14 foi mantido. Não houve diferença na incidência de leucopenia grau 3 e 4 entre os grupos que receberam CHOP-14 e CHOP-21, e foi observada maior tendência à trombocitopenia nos grupos que receberam etoposide. Por outro lado, os pacientes que receberam CHOEP-14 tiveram maior incidência de eventos adversos grau 3 e 4, incluindo leucopenia, trombocitopenia, anemia, infecção e mucosite. O perfil de toxicidade favorável e o efeito significativo sobre os desfechos estudados qualificam CHOP-14 como regime ideal para pacientes idosos com LNH agressivo.[16]

Tratamento de resgate

O principal fator prognóstico em pacientes candidatos à terapia de resgate é a sensibilidade à quimioterapia.[1] Pacientes que são refratários ao tratamento de primeira linha têm pior prognóstico em relação àqueles que atingem remissão completa e, então, apresentam recaída.[1] É recomendado que os pacientes com recaída de doença sejam submetidos a nova biópsia, uma vez que pode tratar-se de doença indolente.[1] Para pacientes idosos, com doença extensa e PS ruim, o tratamento paliativo pode ser ideal, incluindo radioterapia e agentes quimioterápicos isolados, incluindo vincristina, citarabina, alquilantes, antracíclicos e o anticorpo monoclonal rituximabe.[1] Entretanto, a maioria dos pacientes refratários, ou em recaída, é submetida a tratamento de segunda linha com combinação de quimioterápicos. Aqueles que apresentam sensibilidade ao tratamento de segunda linha são candidatos à quimioterapia de altas doses seguida de transplante de medula óssea (TMO) autólogo.[1]

O estudo PARMA foi o primeiro a demonstrar benefício com uso de TMO no tratamento de segunda linha para LNH agressivo.[17] Esse estudo envolveu 51 centros e incluiu pacientes com LNH de grau intermediário ou alto, idade de 18 a 60 anos, em primeira ou segunda recaída, que tiveram RC mantida por, pelo menos, 4 semanas após primeira linha de tratamento baseado em antracíclico. Pacientes com envolvimento do SNC ou da MO à recaída não foram incluídos. Após dois ciclos de quimioterapia de indução com DHAP (dexametasona, cisplatina, citarabina), aqueles que tiveram resposta parcial ou completa eram submetidos a randomização para receber tratamento convencional (mais quatro ciclos de DHAP seguido de radioterapia de campo envolvido em região de tumor maior que 5 cm) ou condicionamento com BEAC (carmustina, etoposide, citarabina, ciclofosfamida e mesna) e radioterapia (se tumor maior que 5 cm a recaída ou doença extranodal) seguida de TMO. Foram incluídos 215 pacientes no período de julho de 1987 a junho de 1994. Com seguimento mediano de 63 meses, a taxa de resposta (84 versus 44%), SG (53 versus 32%) e SLE (46 versus 12%) foram superiores no grupo que se submeteu a TMO. A taxa de toxicidade foi elevada no grupo do TMO, com casos de infecções bacterianas, virais, fúngicas, toxicidade renal, hepática, cardíaca e três mortes relacionadas ao tratamento.[17]

Vose et al. analisaram retrospectivamente dados de 170 centros de transplante de países da América do Norte, América Central e América do Sul registrados pela ABMTR (Autologous Blood and Marrow Transplant Registry).[18] O objetivo era determinar a SLP e SG em pacientes com LNH agressivo e doença persistente, que nunca atingiram RC previamente ao TMO. Foram analisados os dados de 184 pacientes tratados no período de janeiro de 1989 a dezembro de 1995, com seguimento mediano de 41 meses, e foram observadas taxa de RC de 26%, resposta completa não confirmada de 18%, resposta parcial de 19%, SLP de 31% em 5 anos e SG de 37% em 5 anos após tratamento com TMO. Em análise multivariada, foram identificadas as seguintes características relacionadas a pior desfecho: resistência à quimioterapia, escore de Karnofsky menor que 80, idade maior ou igual a 55 anos, três ou mais regimes prévios de quimioterapia e não realização de radioterapia após o TMO. O estudo conclui que o tratamento com quimioterapia de altas doses seguida de TMO autólogo deve ser considerado para pacientes com LNH agressivo que nunca atingiram RC, porém que ainda são sensíveis à quimioterapia.[18]

Entre os tratamentos utilizados como indução em segunda linha, a taxa de resposta completa varia de 20 a 40% e a possibilidade de cura é de 5 a 10%.[1] Uma das combinações comumente utilizadas envolve ifosfamida, carboplatina e etoposide (ICE) e tem taxa de resposta global descrita de 66%.[1] Kewalramani et al. estudaram os desfechos de 37 pacientes submetidos a tratamento com ICE associado a rituximabe (R-ICE) seguido de quimioterapia de altas doses e TMO em estudo de fase II.[19] Os pacientes tinham de 18 a 72 anos de idade, diagnóstico de LDGCB e doença refratária ou recaída. Em comparação com base histórica de pacientes tratados com ICE seguido de TMO, foi observada superioridade de R-ICE em taxa de RC após a quimioterapia (53 versus 27%; p = 0.01).[19] Entretanto, permanece assunto de debate se esse benefício pode implicar em maior sobrevida global e sobrevida livre de progressão após TMO.[19] Mais recentemente, no décimo primeiro Congresso de Linfomas de Lugano, ocorrido na cidade do sul da Suíça, em junho de 2011, foram apresentados os resultados atualizados do estudo CORAL (Collaborative Trial in Relapsed Agressive Lymphoma) publicado em 2010 e que se propunha a comparar duas estratégias terapêuticas ((R-ICE versus R-DHAP) em pacientes com LDGCB refratários ou com recaídas. A conclusão foi que, nos pacientes que sofreram recaídas com mais de 12 meses após o diagnóstico, o tratamento prévio com rituximab não afetou a sobrevida livre de eventos (SLE). Pacientes com recaídas logo após terapia de primeira linha contendo rituximab tinham um mau prognóstico, não havendo diferença entre os efeitos da R-ICE e R-DHAP (Apêndice 1).[20]

Profilaxia de doença no SNC

Não existem estudos randomizados que confirmem o benefício da profilaxia do SNC em pacientes com LNH.[1] Entretanto, é comumente indicada para pacientes de alto risco para envolvimento do SNC como doença em estágio III ou IV, presença de sintomas B, linfonodomegalia retroperitoneal, envolvimento de medula óssea, mais de um sítio de doença extranodal, LDH elevado, níveis baixos de albumina sérica, idade superior a 60 anos, doença agressiva ou muito agressiva, IPI alto ou intermediário-alto e envolvimento testicular.[1]

Apêndice 1 Protocolos de Quimioterapia

PROTOCOLOS DE QUIMIOTERAPIA DE PRIMEIRA LINHA PARA PACIENTES COM LINFOMAS DE ALTO GRAU DE ORIGEM B

Pré-medicações
- Ondansetron 8 mg VO (ou Kytril ou Neosetron 1 mg IV).
- Dexametasona 12 mg VO (ou Dexametasona 10 mg IV).

CHOP-R
Todos os pacientes independente do estágio e da idade

DROGA	DOSAGEM	VIA DE ADMINISTRAÇÃO	DIAS DO CICLO	PERIODICIDADE
Ciclofosfamida	750 mg/m²	Intravenosa	D1	21/21 dias
Adriamicina	50 mg/m²	Intravenosa	D1	21/21 dias
Vincristina	1,4 mg/m² com um máx. de 2 mg	Intravenosa	D1	21/21 dias
Prednisona	100 mg	Via oral	D1 a D5	21/21 dias
Rituximabe	375 mg/m²	Intravenosa	D1	21/21 dias

Número total de 6 a 8 ciclos.
Se não houver nenhuma resposta clínica após dois ciclos = DESCONTINUAR e trocar para tratamento de refratário ou recidivado.

R-ICE com a ifosfamida infundindo através de bomba de infusão em 24 horas pelo catéter venoso central totalmente implantado.

Para pacientes que primariamente não podem utilizar adriamicina por complicações cardíacas.

NÃO É RECOMENDADO utilizar apenas CVP (ciclofosfamida + vincristina + prednisona) para aqueles que não possam utilizar adriamicina. Exceção feita aos pacientes cujo tratamento não tem a intenção curativa.

DROGA	DOSAGEM	VIA DE ADMINISTRAÇÃO	DIAS DO CICLO	PERIODICIDADE
Ifosfamida	5 g/m²	Intravenosa em bomba de infusão através de catéter venoso central	D1 em infusão de 24 horas	28/28 dias
Mesna	5 g/m²	Intravenosa em bomba de infusão através de catéter venoso central, no mesmo frasco que a Ifosfamida	D1 em infusão de 24 horas	28/28 dias
Etoposide	100 mg/m²	Intravenosa em 60 minutos	D1 a D3	28/28 dias
Carboplatina	AUC 5	Intravenosa em 60 minutos	D2	28/28 dias
Rituximabe	375 mg/m²	Intravenosa	D1	28/28 dias
G-CSF	300 mcg	SC	D4 a D10	28/28 dias

Número de ciclos de 4 a 6 no total.

OU

R-ICE "**modificado**" com a ifosfamida infundindo em 3 horas por 3 dias consecutivos.

Para pacientes que primariamente não podem utilizar adriamicina por complicações cardíacas e que não possuem catéter venoso central para infusão em 24 horas.

DROGA	DOSAGEM	VIA DE ADMINISTRAÇÃO	DIAS DO CICLO	PERIODICIDADE
Toifosfamida	1,6 g/m²	Intravenosa em 3 horas	D1 a D3	28/28 dias
Mesna	1,6 g/m²	Intravenosa em 3 horas, no mesmo frasco que a Ifosfamida	D1 a D3	28/28 dias
Mesna	2.000 mg	VO 2 h e 4 h após a QT	D1 a D3	28/28dias
Etoposide	100 mg/m²	Intravenosa em 60 minutos	D1 a D3	28/28 dias
Carboplatina	AUC 5	Intravenosa em 60 minutos	D2	28/28 dias
Rituximabe	375 mg/m²	Intravenosa	D1	28/28 dias
G-CSF	300 mcg	SC	D4 a D10	28/28 dias

Número de ciclos de 4 a 6 no total.

OBSERVAÇÕES:

- No primeiro tratamento com rituximabe, fazer a infusão desta em 6 horas, conforme a orientação da bula. Se não houver intercorrências na primeira infusão, fazer as demais em 90 minutos.
- Nos pacientes com Doença Bulky, em resposta completa independente do estágio e risco – encaminhar à radioterapia locorregional.
- Em RP ou RC não confirmada discutir a possibilidade de nova BO, para afastar doença resistente e avaliação para tratamento de resgate.

PROFILAXIA DO SNC

Pacientes com doença paravertebral, seios paranasais, periorbital, parameníngeo, medula óssea infiltrada com grandes células, linfoma de testículo e que obtiveram resposta completa após o término do tratamento devem receber quimioterapia intratecal com:

- Metotrexate 12 mg
  e
- Citarabina 50 mg

DROGA	DOSE	ADMINISTRAÇÃO
Metotrexate	12 mg diluídos em 6 mL de solução salina sem preservativos D1, D8 e D15	Intratecal por punção lombar ou por catéter de Omaya
Citarabina	50 mg diluídos em 6 mL de solução salina sem preservativos D4, D11 e D18	Intratecal por punção lombar ou por catéter de Omaya

- Iniciar na semana 18 do início do protocolo de tratamento.
- Manter o paciente em decúbito ventral (para as punções lombares) por 30 minutos após o procedimento.
- Modificações de doses para a QT intratecal.

NEUTRÓFILOS (/mm³)	PLAQUETAS	MODIFICAÇÃO DE DOSE
≥ 500 e/ou	≥ 40.000	Fazer 100% da dose
< 500 e/ou	< 40.000	Adiar até recuperação

- Adiar se houver mucosite oral ou araquinoidite.

1. MODIFICAÇÕES DE DOSES

I. Hematológica

Redução de dose para todos os pacientes:

NEUTRÓFILOS (/mm³)	MODIFICAÇÃO DE DOSE
≥ 800	Fazer 100% da dose
< 800	100% mais G-CSF 300 mcg diariamente × 5 dias Iniciando 7 dias após cada quimioterapia venosa

O paciente deve ser tratado com G-CSF em doses suficientes para permitir dose plena no D21 de cada ciclo. Lembrar que este é um tratamento **curativo,** portanto deve ser utilizado o fator de crescimento para que não haja atrasos do tratamento.

Transfundir sempre que necessário para que a hemoglobina esteja > 9 g/dL e as plaquetas > 20.000/mm³.

II. Neurológica (para a Vincristina)

TOXICIDADE	MODIFICAÇÃO DE DOSE
Disestesias, ou arreflexia apenas	Fazer 100% dose prevista
Dificuldades para abotoar ou escrever	70%
Neuropatia motora moderada	50%
Neuropatia motora severa	Omitir

III. Hepatotoxicidade (para Adriamicina e Vincristina)

BILIRRUBINA	MODIFICAÇÃO DE DOSES
0,2-3,5	Fazer 100%
3,5-8,5	Reduzir 50%
>8,5	Omitir a adriamicina e substituir por ciclofosfamida isolada 375 mg/m²

ATENÇÃO: essas modificações normalmente são realizadas, principalmente no primeiro tratamento. Após a hiperbilirrubinemia estar resolvida, só será necessário corrigir a adriamicina novamente, se houver reaparecimento de icterícia. Não há necessidade de se solicitar bilirrubinas em todos os ciclos.

IV. Cardiotoxicidade (apenas Adriamicina)

Quando a adriamicina não puder ser utilizada por ICC comprovada, cada dose de adriamicina poderá ser substituída por etoposide 50 mg/m² IV, no D1, e 100 mg/m² VO no D2 e D3.

V. Reativação da hepatite B

Todos os pacientes portadores de linfomas devem ser testados para o HbsAg e para o Anti-HbC. **Se ambos os testes forem (+),** os pacientes devem ser tratados com lamivudina 100 mg VO por dia, durante todo o período da quimioterapia e por mais 6 meses após seu término. Esses pacientes deverão ser também monitorados com testes de função hepática e pesquisa do DNA viral para a hepatite B a cada 2 meses. Se o DNA viral do vírus da hepatite B elevar durante a monitoração, rever com um hepatologista e considerar a suspensão da quimioterapia.

VI. Precauções

A) *Neutropenia:* febre ou outra evidência de infecção deve ser pesquisada prontamente e tratada agressivamente.
B) *Toxicidade cardíaca:* a adriamicina é cardiotóxica e deve ser utilizada com precaução, ou mesma substituída em pacientes hipertensos e com alguma disfunção cardíaca. Utilizar a dose desta medicação até, no máximo, 450 mg/m² conforme as recomendações regulares.
C) *Extravasamento:* as drogas adriamicina e vincristina podem ocasionar dor e necrose tecidual, se extravasadas. Rever via de infusão e orientações conforme *guidelines* para extravasamento.
D) *Hipersensibilidade:* se necessário, e o paciente estiver utilizando etoposide, monitorar a infusão principalmente nos primeiros 15 minutos para hipotensão.
E) *Hematúria:* pacientes em protocolo contendo ifosfamida em altas doses devem ser orientados quanto à presença de sangue na urina. Contactar imediatamente o médico para conduta de urgência.

2. EXAMES DE ACOMPANHAMENTO AO TÉRMINO DO TRATAMENTO

- No primeiro ano após o término do tratamento:
  - História e exame físico a cada 3 meses.
  - Hemograma + plaquetas a cada 3 meses.
  - Bioquímica incluindo: ureia, creatinina, sódio, potássio, glicose, DHL, ácido úrico, cálcio, beta-2 microglobulina, TGO, TGP, bilirrubinas totais e frações, proteínas totais e frações, fosfatase alcalina, gama-GT a cada 6 meses.
  - TSH, T3 e T4 livre anualmente em pacientes submetidos à radioterapia acima do diafragma.
  - Radiografia de tórax 6/6 meses – principalmente pacientes irradiados acima do diafragma.
  - TCs de tórax, abdome e pelve não são consenso – portanto, só pedir se houver suspeita de recaída.
  - Mamografia para mulheres > 40 anos, ou 8 anos após o término da terapia (o que vier primeiro) que tiverem recebido radioterapia acima do diafragma.
- Do segundo ao quinto ano após o término do tratamento:
  - História e exame físico a cada 4 meses.
  - Hemograma + plaquetas a cada 6 meses.
  - Bioquímica incluindo: ureia, creatinina, sódio, potássio, glicose, DHL, ácido úrico, cálcio, beta-2 microglobulina, TGO, TGP, bilirrubinas totais e frações, proteínas totais e frações, fosfatase alcalina, gama-GT anualmente.
- Após o quinto ano do término do tratamento, para monitorar efeitos tardios da terapia:
  - História e exame físico anual.
  - Hemograma + plaquetas anual.
  - Demais exames a critério do médico-assistente.

3. PROTOCOLOS DE RECAÍDA

Se o paciente for candidato a TMO autólogo (*stem-cell*), fazer de 4-6 ciclos de um dos protocolos a seguir, sendo necessário antes uma nova BMO para se avaliar infiltração da medula óssea e celularidade, com isso avaliando como será a coleta de *stem-cells*:

- DHAP ± rituximabe.
- ESHAP ± rituximabe.
- ICE ± rituximabe.
- GDP ± rituximabe [Cancer 2004;101(8):1835-42].

REFERÊNCIAS BIBLIOGRÁFICAS

1. Fisher RI, Mauch PM, Harris NL *et al.* Non-Hodgkin's Lymphoma. In: De Vita Jr VT, Hellman S, Rosenberg SA. *Cancer: principles and practice of oncology.* 7th ed. Philadelphia: Lippincott Williams & Wilkins, 2005. p. 1957-97.
2. Jemal A, Siegel R, Ward E *et al.* Cancer statistics 2007. *Ca Cancer J Clin* 2007;57:43-66.
3. Lee Harris N, Jaffe ES, Diebold J *et al.* World Health Organization classification of neoplastic diseases of the hematopoietic and lymphoid tissues: report of the Clinical Advisory Commitee Meeting – Airlie House, Virginia, November 1997. *J Clin Oncol* 1999;17(12):3835-49.
4. Vardiman JW, Thiele J, Arber DA *et al.* The 2008 revision of the World Health Organization (WHO) classi?cation of myeloid neoplasms and acute leukemia: rationale and important changes. *Blood* 2009 July 30;14(5):937-51.
5. Tsukamoto N *et al.* The Usefulness of 18F-fluorodeoxyglucose pósitron emission tomography (18F-FDG-PET) and a Comparison of

(18)F-FDG-PET With (67)gallium scintigraphy in the evaluation of lymphoma relation to histologic subtypes based on the World Health Organization Classification. *Cancer* 2007 Aug. 1;110(3):652-59.

6. A predictive model for aggressive non-Hodgkin's lymphoma. The international Non-Hodgkin's Lymphoma Prognostic Factors Project. *N Engl J Med* 1993;329(14):987-94.
7. Carbone PP, Kaplan HS, Musshoff K et al. Report of the committee on Hodgkin's Disease staging classification. *Cancer Res* 1971;31:1860-61.
8. Cheson BD, Hornin SJ, Coiffier B et al. Report of an international workshop to standardize response criteria for non-Hodgkin's Lymphomas. *J Clin Oncol* 1999;17:1244-53.
9. Cheson BD, Pfistner B, Juweid ME et al. Revised response criteria for malignant lymphoma. *J Clin Oncol* 2007;25:579-86.
10. Miller TP, Dahlberg S, Cassady R et al. Chemotherapy alone compared with chemotherapy plus radiotherapy for localized intermediate and high-grade non-Hodgkin's lymphoma. *N Engl J Med* 1998;339:21-26.
11. Reyes F, Lepage E, Ganem G et al. ACVBP versus CHOP plus radiotherapy for localized aggressive lymphoma. *N Engl J Med* 2005;352:1197-205.
12. Coiffier B, Lepage E, Briére J et al. CHOP chemotherapy plus rituximabe compared with CHOP alone in elderly patients with diffuse large-B-cell lymphoma. *N Engl J Med* 2002;346(4):235-42.
13. Feugier P, Van Hoof A, Sebban C et al. Long-term results of the R-CHOP in the treatment of elderly patients with diffuse large B-cell lymphoma: a study by the Groupe d'Etude des Lymphomes de l'Adulte. *J Clin Oncol* 2005;23:4117-26.
14. Pfreundschuh M, Trumper L, Osterborg A et al. CHOP-like chemotherapy plus rituximabe versus CHOP-like chemotherapy alone in young patients with good-prognisis diffuse large-B-cell lymphoma: a randomised controlled trial by the MabThera Interntional Trial (MinT) Group. *Lancet Oncol* 2006;7:379-91.
15. Pfreundschuh M, Trumper L, Kloess M et al. Two-weekly of 3-weekly CHOP chemotherapy with or without etoposide for the treatment of young patients with good-prognosis (normal LDH) aggressive lymphomas: results of the NHL-B1 trial of the DSHNHL. *Blood* 2004;104(3):626-33.
16. Pfreundschuh M, Trumper L, Kloess M et al. Two-weekly of 3-weekly CHOP chemotherapy with or without etoposide for the treatment of elderly patients with aggressive lymphomas: results of the NHL-B2 trial of the DSHNHL. *Blood* 2004;104(3):634-41.
17. Philip T, Guglielmi C, Hagenbeek A et al. Autologous bone marrow trasplantation as compared with salvage chemotherapy in relapses of chemotherapy-sensitive non-Hodgkin's lymphoma. *N Engl J Med* 1995;333:1540-45.
18. Vose JM, Zhang MJ, Rowlings PA et al. Autologous transplantation for diffuse aggressive non-Hodgkin's lymphoma in patients never achieving remission: a report from the autologous blood and marrow trasnplant registry. *J Clin Oncol* 2001;19:406-13.
19. Kewalramani T, Zelenetz AD, Nimer SD et al. rituximabe and ICE as second-line therapy before autologous stem cell trasplantation for relapsed or primary refractory diffuse large B-cell lymphoma. *Blood* 2004;103(10):3684-88.
20. Gisselbrecht C, Glass B, Mounier N et al. Salvage regimens with autologous transplantation for relapsed large B-cell Lymphoma in the rituximabe era. *J Clin Oncol* 2010;28:4184-90.

226-2 Linfoma Não Hodgkin de Baixo Grau

Adriana Scheliga

INTRODUÇÃO

O linfoma folicular (LF) compreende de 25 a 30% de todos os linfomas em adultos, sendo o tipo mais comum (75%) dos linfomas não Hodgkin (LNHs) de baixo grau. Ocorre com uma discreta predominância em mulheres, com idade mediana de 60 anos. No diagnóstico uma grande proporção se apresenta com doença avançada, sendo que de 40 a 50% se apresentam com envolvimento hepatoesplênico e de 55 a 70% com envolvimento da medula óssea. Porém, apenas 20% se apresentam com sintomas B (febre, sudorese noturna e/ou perda ponderal) ou elevação da enzima DHL. A evolução da doença geralmente é caracterizada por um curso indolente, sobrevida relativamente longa (8 a 10 anos), com resposta inicial ao tratamento que é seguida, porém, de várias recidivas, que em 20 a 60% dos casos podem ser acompanhadas de transformação do LF para histologias mais agressivas. O LF permanece como uma doença caracteristicamente incurável, apesar da revolução terapêutica observada com a introdução do anticorpo monoclonal quimérico antiCD20 rituximabe em 1997.

A terapêutica do LF pode variar desde a observação (*watchful waiting*) até quimioterapia em altas doses seguida de resgate com células-tronco periféricas, ou até mesmo, em casos muito selecionados, transplante de medula alógeno.

Um consenso sobre como devemos tratar os pacientes com LF ainda não está plenamente estabelecido. Desta forma, vários índices prognósticos clínicos foram descritos e publicados com a finalidade de se traçar um algoritmo fácil, simples e validado, semelhante aos já estabelecidos para linfomas agressivos, para auxiliar na melhor abordagem terapêutica dos LF.

DIAGNÓSTICO

A classificação atual da OMS reconhece três graus histológicos (1-3) de LF. Vários estudos têm sugerido uma correlação entre o grau histológico e a sobrevida dos LF. Embora não haja diferença na sobrevida global (SG) entre pacientes com LF grau 1 ou 2, ainda há controvérsia sobre a SG inferior em pacientes LF grau 3. Porém, a terapêutica baseada em antraciclinas nestes pacientes parece, apesar de ainda controversa, ter potencial de cura.

- Linfoma folicular graus I e II (dois terços de todos os linfomas indolentes ou de baixo grau).
- Os linfomas foliculares grau III (IIIa com centrócitos presentes e IIIb ausência de centrócitos residuais) devem ser avaliados e tratados como linfomas de alto grau.

Além do diagnóstico histológico, é recomendado que se faça a avaliação imunofenotípica para determinar o diagnóstico final. Caracteristicamente o linfoma folicular apresenta o seguinte fenótipo CD5-, CD23+/-, CD43-, CD10+/-, CD19+, CD20+, ciclina d1-, bcl-2+,bAcl6+. Essa avaliação é imprescindível para a distinção de linfoma folicular, linfoma do manto, linfoma T periférico, linfoma leucemia de células T (ATL), linfoma nasal NK/T, linfoma T angioimunoblástico, linfoma de Burkitt, linfoma linfoblástico, linfoma difuso de pequenas células (tipo LLC), nos quais a abordagem terapêutica é distinta (Quadro 1).

Exames de imagem e laboratório

- Hemograma + plaquetas.
- Bioquímica completa incluindo: ureia, creatinina, sódio, potássio, glicose, DHL, ácido úrico, cálcio, beta-2 microglobulina, TGO, TGP, bilirrubinas totais e frações, proteínas totais e frações, fosfatase alcalina, gama-GT, eletroforese de proteínas séricas com dosagens de IgG, IgM e IgA, teste de Coombs direto e indireto (para afastar anemia hemolítica comum em alguns casos).
- β-HCG em mulheres jovens no período fértil.
- Sorologias para HIV e HTLV I e II, hepatite B e C.

Quadro 1. Diagnóstico final do linfoma folicular

TIPO HISTOLÓGICO	MARCAÇÃO IMUNOFENOTÍPICA
Linfoma difuso de pequenas células	CD5+, CD23+, CD43+/-, CD10-, CD19+, CD20+(dim), ciclina d1-
Linfoma folicular	CD5-, CD23+/-, CD43-, CD10+/-, CD19+, CD20+, ciclina d1-, bcl-2+
Linfoma MALT	CD5-, CD23-/+, CD43-/+,CD10-, CD20+, ciclina d1-, bcl-2-
Linfoma de células do manto	CD5+, CD23-/+, CD10-/+, CD19+, CD20+, ciclina d1+
Linfoma difuso de grandes células B	CD3+, CD45+, CD20+
Linfoma de Burkitt	slg+, CD10+, CD20+, TdT-, Ki67+ (100%), bcl-2-
Linfoma linfoblástico B	CD10+, slg-, CD19+, CD20-/+, TdT+
Linfoma linfoblástico T	CD10-, slg-, CD19-, CD20-, CD3-/+, CD4/8+/+, TdT+, CD2+, CD7+

- Ecocardiograma bidimensional com Doppler colorido.
- ECG quando indicado (principalmente em pacientes acima de 50 anos e com comorbidades).
- Biópsia de medula óssea e aspirado unilateral.
- TC de pescoço, tórax, abdome e pelve.
- PET-CT de corpo inteiro – NÃO ESTÁ RECOMENDADO DE ROTINA.

Exames de confirmação diagnóstica

Na maioria dos casos, os pacientes encaminhados para tratamento já estão com seu diagnóstico confirmado.

Caso o paciente faça a sua primeira consulta sem o diagnóstico confirmado, a rotina é realizar uma biópsia de lesão suspeita para estudo histopatológico e imuno-histoquímico.

A realização de punção aspirativa por agulha fina (PAAF), realizada frequentemente para suspeitas de lesões epiteliais (carcinoma × linfoma), é insuficiente para diagnóstico definitivo, motivo pelo qual o paciente deverá ter uma biópsia para a conclusão diagnóstica.

Estadiamento

O estadiamento clinicopatológico na DH tem um papel importante na escolha do tratamento.

Atualmente, utilizamos o estadiamento de Ann Arbor adotado na conferência que levou o mesmo nome em 1971, estágios I, II, III e IV – A ou B (A sem sintomas sistêmicos e B com sintomas sistêmicos), e é utilizado para sítios extranodais e baço (Quadro 2).

Em 2004, o FLIPI (Follicular Lymphoma International Prognostic Index) foi publicado com o intuito de facilitar um algoritmo terapêutico, baseado em um índice prognóstico próprio para o LF. Na análise retrospectiva de uma série de casos de LF, de um grupo cooperativo internacional, várias características foram associadas ao prognóstico clínico, como idade avançada, sexo masculino, doença disseminada de acordo com a classificação de Ann Arbor, número elevado de sítios nodais e/ou envolvimento extranodal. No FLIPI, cinco parâmetros significantes foram considerados fatores prognósticos de risco para sobrevida global (Quadro 3):

1. Idade < 60 anos *versus* > 60 anos.
2. DHL (normal *versus* anormal).
3. Nível de hemoglobina < ou > 12 g/dL.
4. Estadiamento (I e II *versus* III e IV).
5. Número de sítios nodais < ou > 4.

Quadro 2. Estadiamento, segundo Ann Arbor

ESTÁGIO	ENVOLVIMENTO
1	Uma região nodal ou um sítio extranodal (1_E)
2	Duas ou mais regiões nodais, do mesmo lado do diafragma ou extensão local extranodal + uma ou mais regiões nodais do mesmo lado do diafragma(2_E)
3	Linfonodos em ambos os lados do diafragma que podem estar acompanhados por extensão extranodal (3_E)
4	Envolvimento difuso de uma ou mais regiões extranodais ou órgãos extranodais

A = Sem sintomas B

B = Presença de pelo menos um dos seguintes sintomas:

1. Perda inexplicada de peso de > 10% do peso basal dos últimos 6 meses
2. Febre inexplicada recorrente de > 38°C
3. Sudorese noturna recorrente

Quadro 3. Resultados conforme o Grupo de Risco FLIPI

FLIPI	FATORES DE RISCO	SOBREVIDA EM 5 ANOS
Baixo	0 ou 1	88%
Intermediário-baixo	2	71%
Intermediário-alto	3	58%
Alto	4 ou 5	44%

O número de sítios nodais foi definido como no modelo apresentado na Figura 1. Cada área assinalada com um quadrado representa uma região nodal. Por exemplo: duas axilas com um linfonodo cada é igual a duas regiões nodais; enquanto um linfonodo pré-auricular e supraclavicular do mesmo lado é considerado uma região nodal. Em 2009 e com o objetivo de verificar se uma coleta prospectiva de dados permitiria o desenvolvimento de um índice prognóstico mais preciso para LF, foi publicado o FLIPI2, utilizando parâmetros que não puderam ser estudados retrospectivamente e escolhendo a sobrevida livre de progressão (SLP) como principal objetivo. As variáveis utilizadas para definição do escore β_2 microglobulina acima do normal, hemoglobina < 12 g/dL, medula óssea infiltrada, idade acima de 60 anos e o maior linfonodo com > 6 cm de diâmetro representaram fatores independentes e preditivos de SLP. Os autores concluíram nesse estudo que esse novo índice, baseado em dados clínicos facilmente disponíveis, pode representar uma nova e promissora ferramenta na identificação de pacientes com LF, de diferentes riscos na era da imunoterapia.

TRATAMENTO

- *Estágios I e II não bulky* (volumoso): o tratamento deverá incluir radioterapia regional exclusiva na dose de 30 a 36 Gy. Este é um tratamento que em até 50% pode ser curativo. Quimioterapia intravenosa ou oral constitui uma alternativa aceitável. Pacientes com doença volumosa em estágios iniciais devem ser tratados como doença avançada, principalmente quando abdominal.
- *Estágios III e IV idosos e assintomáticos: watchful waiting* ou observação.
- *Estágios III e IV idosos e sintomáticos:* quimioterapia oral ou venosa com ou sem rituximabe.
- *Estágios III e IV em jovens assintomáticos e sintomáticos:* a quimioterapia intravenosa é sempre desejável, com maior sobrevida livre de recidiva resultando em prolongamento do tempo para novo tratamento. Deverá incluir, sempre que possível, o rituximabe em primeira linha, seguido de tratamento de manutenção com o anticorpo monoclonal. O tratamento deve ser considerado em pacientes assintomáticos diante da presença de massas linfonodais que ameaçam a integridade de determinados sistemas, citopenias secundárias ao linfoma ou por opção pessoal do paciente após discussão sobre as alternativas terapêuticas.

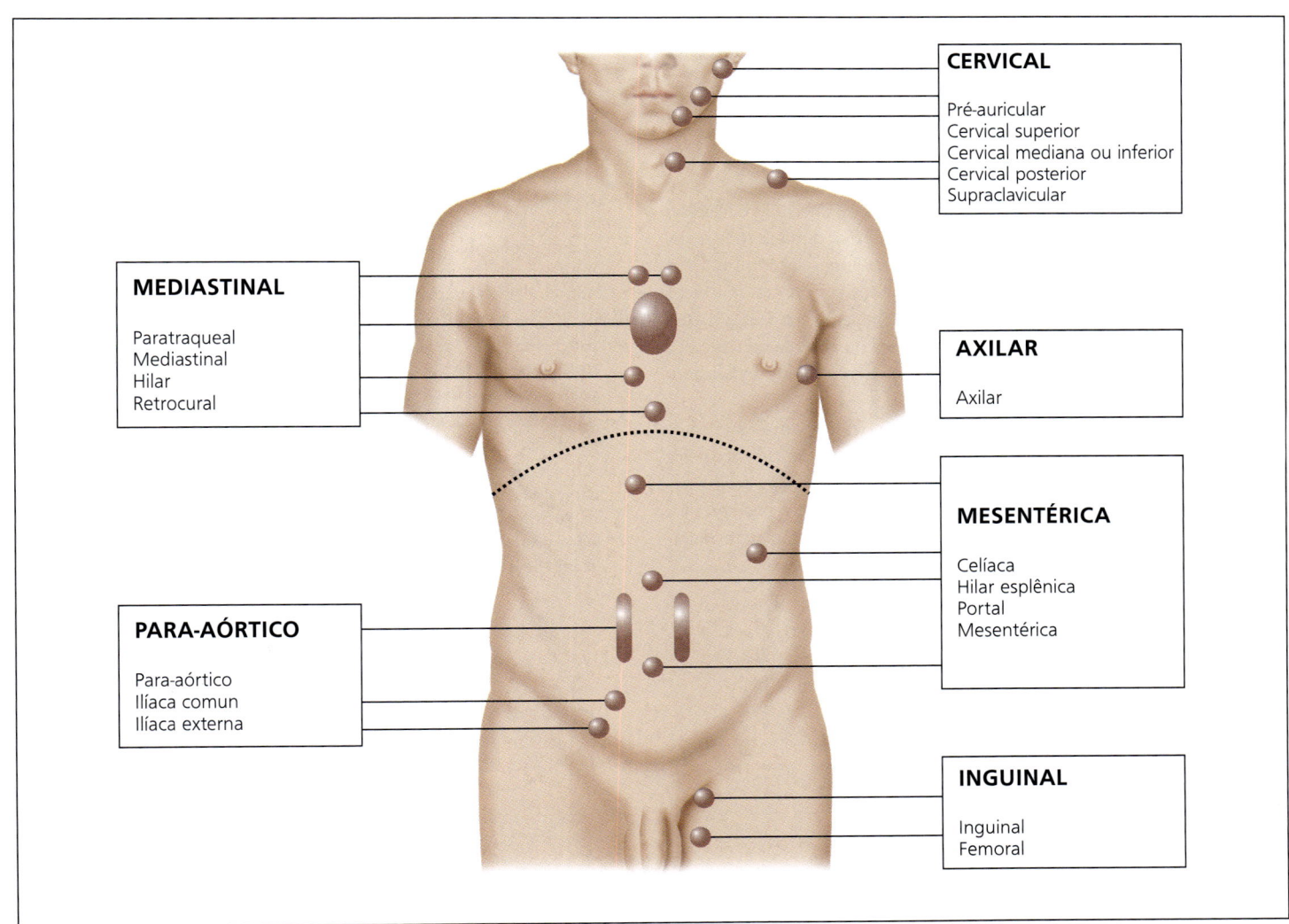

▲ **FIGURA 1.** Sítios nodais.

Recidivas

O tratamento deverá incluir quimioterapia com rituximabe seguida de manutenção com o anticorpo monoclonal. A manutenção com rituximabe no tratamento das recidivas deverá ser influenciada pelos resultados recentes do estudo PRIMA, que demonstraram um aumento da sobrevida livre de progressão para pacientes que receberam o tratamento de manutenção em primeira linha. O valor da manutenção no tratamento das recidivas deverá ser avaliado, caso a recidiva ocorra durante, ou em um intervalo inferior a 6 meses após o término do tratamento.

Protocolos de quimioterapia oral

- Clorambucil (Leukeran®) + ou – Prednisona (Meticorten®) – vários esquemas).
- Ciclofosfamida (Genuxal®) + ou – Prednisona.
- Fludarabina (Fludara®) + ou – Prednisona.

Protocolos de quimioterapia de primeira linha para pacientes com linfomas de baixo grau de origem B

- Sintomáticos e idosos que não possam fazer adriamicina:
  - COP-R ou CVP-Mabthera – total de 6 a 8 ciclos.
- Sintomáticos e jovens que possam fazer Adriamicina:
  - CHOP-R ou CHOP-Mabthera – total de 6 a 8 ciclos.
- Outras opções terapêuticas para primeira linha:
  - Rituximabe isolado.
  - Fludarabina + rituximabe.
  - FND (fludarabina + novantrone + dexametasona) + rituximabe.
- Outras opções terapêuticas para segunda linha:
  - Rituximabe isolado seguido de manutenção com rituximabe.
  - Fludarabina + rituximabe seguido de manutenção com rituximabe.
  - FND (fludarabina + novantrone + dexametasona) + rituximabe seguido de manutenção com rituximabe.

  Observações:

  1. No primeiro tratamento com rituximabe, fazer a infusão desta em 4 a 6 horas, conforme a orientação da bula. Se não houver intercorrências na primeira infusão, fazer as demais em 90 minutos.
  2. Nos pacientes com doença de Bulky, em resposta completa independente do estágio e risco, considerar a radioterapia locorregional.
  3. Reativação da hepatite B:
     - Todos os pacientes portadores de linfomas devem ser testados para o HbsAg e para o Anti-HbC. Caso positivos, os pacientes devem ser tratados com lamivudina 100 mg VO por dia, durante todo o período da quimioterapia e por mais 6 meses após seu término. Esses pacientes deverão ser também monitorados com testes de função hepática e pesquisa do DNA viral para a hepatite B a cada 2 meses. Caso seja observada elevação da carga viral do vírus da hepatite B, a suspensão do tratamento quimioterápico deve ser considerada após revisão com hepatologista.
     - Pacientes com suspeita de transformação (doença mais agressiva, sintomas sistêmicos mais pronunciados) devem ser submetidos à biópsia de um linfonodo e/ou MO (medula óssea) para confirmação. Caso seja confirmada a evolução histológica em pacientes jovens (< 60 anos), ele deverá ser tratado agressivamente e considerada para o transplante autólogo de medula óssea (TAMO).

- Abordagens terapêuticas, como a imunorradioterapia com ibritumomabe e tositumomabe, assim como novas drogas como a bendamustina e lenalidomida, hoje aprovadas e utilizadas nos Estados Unidos e Europa, para pacientes com LF, ainda não estão disponíveis no Brasil.
- A manutenção com o rituximabe é feita com uma infusão da droga uma vez a cada 2 ou 3 meses, por um total de até 24 meses
- Alguns estudos em pacientes portadores de LF demonstraram aumento de sobrevida livre de progressão e aumento de sobrevida global para pacientes que apresentam uma primeira recidiva após o tratamento inicial quando submetidos ao TAMO. A maioria desses estudos foi realizada na era pré-rituximabe. A indicação do TAMO para primeira recidiva na era do rituximabe não pode ser definida com clareza. Pacientes jovens, que apresentam uma recidiva precoce, também podem ser considerados para o transplante alógeno, utilizando-se regimes não mieloablativos, quando a opção de um tratamento potencialmente curativo, porém tóxico, for considerada.

BIBLIOGRAFIA

Ardeshna KM, Qian W, Smith P et al. An intergroup randomised trial of rituximabe versus a watch and wait strategy in patients with stage II, III, IV, asymptomatic, non-bulky follicular lymphoma (grades 1, 2 and 3a). A preliminary analysis blood. *ASH Ann Meet Abstr* 2010;116:(Abstr 6).

Ardeshna KM, Smith P, Norton A et al. Long-term effect of a watch and wait policy versus immediate systemic treatment for asymptomatic advanced-stage non-Hodgkin lymphoma: a randomised controlled trial. *Lancet* 2003;362:516-22.

Frederico M, Bellei M, Marcheselli L et al. Follicular lymphoma international prognostic index 2: a new prognostic index for follicular lymphoma developed by the international follicular lymphoma prognostic factor project. *J Clin Oncol* 2009;27:4555-62.

Hiddemann W, Kneba M, Dreyling M et al. Frontline therapy with rituximabe added to the combination of cylophosphamide, doxorubicin, vincristine, and prednisone (CHOP) significantly improves the outcome for patients with advanced-stage follicular lymphoma compared with therapy with CHOP alone: results of a prospective randomized study of the German Low-Grade Lymphoma Study Group. *Blood* 2005;106(12):3725-32.

Le Gouill S, De Guibert S, Planche L. Impact of the use of autologous stem cell transplantation at first relapse both in naive and previously rituximabe exposed follicular lymphoma patients treated in the GELA/GOELAMS FL2000 study. *Haematologica* 2011 Aug;96(8):1128-35.

Marcus RE, Solal-Celigny P, Imrie K et al. MabThera (rituximabe) plus cyclophosphamide, vincristine and prednisone (CVP) chemotherapy improves survival in previously untreated patients with advanced follicular non-Hodgkin's lymphoma (NHL). *Blood* 2006;108(146a):abstract 481.

Salles G, Seymour JF, Offner F et al. rituximabe maintenance for 2 years in patients with high tumour burden follicular lymphoma responding to rituximabe plus chemotherapy (PRIMA): a phase 3, randomised controlled trial. *Lancet* 2011;377:42-51.

Solal-Celigny P, Roy P, Colombat P et al. Follicular lymphoma international prognostic index. *Blood* 2004;104:1258-65.

van Oers MH, Klasa R, Marcus RE et al. rituximabe maintenance improves clinical outcome of relapsed/refractory follicular non-Hodgkin's lymphoma in patients both with and without rituximabe during induction: results of a prospective randomized phase 3 intergroup trial. *Blood* 2006;108(10):3295-301.

CAPÍTULO 227

Linfoma de Hodgkin (Doença de Hodgkin)

Adriana Scheliga

INTRODUÇÃO

O linfoma de Hodgkin ou doença de Hodgkin (LH/DH) é uma neoplasia maligna rara que pode envolver não só os linfonodos mas todo o sistema linfático. Em 2010, cerca de 8.490 novos casos de LH/DH foram diagnosticados, e 1.320 mortes pela doença ocorreram nos Estados Unidos.

Na maioria dos pacientes, a doença é diagnosticada entre 15 e 30 anos de idade, seguida por outro pico em adultos acima de 55 anos. Nas últimas décadas, significativos progressos ocorreram no tratamento da DH, tornando esta doença, hoje, curável em, pelo menos, 80% dos pacientes.

Com o advento de opções terapêuticas mais eficazes, as estatísticas têm demonstrado uma melhora nas taxas de sobrevida em 5 anos dos pacientes com DH, que não se pode comparar à sobrevida de nenhuma outra neoplasia maligna nas últimas quatro décadas.

Hoje o grande desafio do tratamento desta neoplasia não mais é alcançar melhores taxas de cura, uma vez que uma grande maioria dos pacientes potencialmente fica curada com uma primeira linha de tratamento, mas sim evitar a toxicidade tardia do tratamento inicial.

DIAGNÓSTICO

Mais de 75% dos novos casos de linfoma de Hodgkin (ou doença de Hodgkin – DH) são curáveis com a radioterapia e/ou combinações de quimioterapia. Desde que a seleção do tratamento dependa do estádio da doença, um estadiamento clinicopatológico cuidadoso é fundamental.

Segundo o PDQ do *National Cancer Institute* dos USA, atualizado em janeiro de 2000, os patologistas estão utilizando a modificação de Rye para a classificação de Lukes e Butler dos LH de adultos.

- Classificação de Rye:
  - Predominância linfocítica (PL).
  - Esclerose nodular (EN).
  - Celularidade mista (CM).
  - Depleção linfocítica (DL).
  - Não classificada (NC).

A doença de Hodgkin PL é uma entidade clinicopatológica de origem B, que é distinta da doença de Hodgkin clássica. O imunofenótipo típico desta doença é CD15-, CD20+, CD30- e CD45+, enquanto o perfil da doença de Hodgkin clássica é CD15+, CD20-, CD30+ e CD45-.

São, com frequência, pacientes do sexo masculino com doença em estádio inicial (em região inguinal ou cervical), geralmente SEM massas mediastinais, com sobrevida mais longa e menos falha aos tratamentos do que na doença de Hodgkin clássica.

Atualmente, a classificação REAL (*Revised European American Lymphoma Classification*) propõe a separação da doença de Hodgkin com predominância linfocítica nodular (CD15-, CD20+, CD30-) da Doença de Hodgkin clássica rica em linfócitos (CD15+, CD20-, CD30+) com base, simplesmente, nas suas diferenças imunofenotípicas.

EXAMES DE AVALIAÇÃO

História e exame físico já nas avaliações iniciais, para não perdermos a oportunidade de avaliar um paciente com doença avançada e quadros clínicos graves como a síndrome de veia cava superior e a insuficiência respiratória por grandes massas de mediastino.

- Hemograma + plaquetas.
- VHS, reticulócitos.
- Bioquímica completa incluindo: ureia, creatinina, sódio, potássio, glicose, DHL, ácido úrico, cálcio, beta-2-microglobulina, TGO, TGP, bilirrubinas totais e frações, proteínas totais e frações, fosfatase alcalina, gama-GT.
- Sorologias para HIV e HTLV-I e II, Hepatite B e C.
- ECG e ECO – quando indicado (comorbidades acima de 50 anos etc.).
- Raios X de tórax.
- TC de pescoço, tórax, abdome e pelve.
- PET-CT em casos de grandes massas ao diagnóstico (ou seja ≥ 10 cm) para diferenciação de doença residual × fibrose.
- Prova de função respiratória com DLCO (difusão do monóxido de carbono) exceto em estádio IA e IIA tratados com radioterapia exclusiva.
- BMO unilateral em casos de alterações do hemograma, estadiamento clínico III-IV ou com sintoma sistêmico.

EXAMES DE CONFIRMAÇÃO DIAGNÓSTICA

Na maioria dos casos, os pacientes encaminhados para tratamento já estão com seu diagnóstico confirmado.

Caso o paciente faça a sua primeira consulta sem o diagnóstico confirmado, a rotina é realizar uma biópsia de lesão suspeita para estudo histopatológico e imuno-histoquímico.

A realização de punção aspirativa por agulha fina (PAAF), realizada frequentemente para suspeita de lesões epiteliais (carcinoma × linfoma), é insuficiente para diagnóstico definitivo, motivo pelo qual o paciente deverá ter uma biópsia para a conclusão diagnóstica.

ESTADIAMENTO

O estadiamento clinicopatológico na DH tem um papel importante na escolha do tratamento. Atualmente, utilizamos o estadiamento de Ann Arbor, adotado na conferência que levou o mesmo nome em 1971: estádios I, II, III e IV – A ou B (A sem sintomas sistêmicos e B com sintomas sistêmicos); e é utilizado para sítios extranodais e baço (Quadro 1).

Quadro 1. Estadiamento segundo Ann Arbor

ESTÁDIO	ENVOLVIMENTO
1	Uma região nodal ou um sítio extranodal (1$_E$)
2	Duas ou mais regiões nodais do mesmo lado do diafragma ou extensão local extranodal mais uma ou mais regiões nodais do mesmo lado do diafragma (2$_E$)
3	Linfonodos em ambos os lados do diafragma que pode estar acompanhado por extensão extranodal (3$_E$)
4	Envolvimento difuso de uma ou mais regiões extranodais ou órgãos extranodais
A =	Sem sintomas B
B =	Presença de, pelo menos, um dos seguintes sintomas: 1) Perda inexplicada de peso de > 10% do peso basal dos últimos 6 meses 2) Febre inexplicada recorrente de > 38°C 3) Sudorese noturna recorrente

ÍNDEX PROGNÓSTICO EM DOENÇA DE HODGKIN AVANÇADO

O *The International Prognostic Factors Project on Advanced Hodgkin's Disease* desenvolveu um escore de sete fatores adversos:

- Albumina ≤ a 4,0 g/dL.
- Hb ≤ a 10,5 g/dL.
- Sexo masculino.
- Idade ≥ a 45 anos.
- Estádio IV.
- Leucometria de pelo menos 15.000/mm³.
- Contagem absoluta de linfócitos < 600/mm³.

Pacientes com menos de quatro fatores são considerados de baixo risco, enquanto os pacientes com quatro ou mais destes fatores são pacientes de alto risco. Mesmo assim, esses pacientes de alto risco apresentam de 42 a 51% de sobrevida livre de progressão em 5 anos com a primeira linha de tratamento.

TRATAMENTO POR ESTÁDIO

(A) *Estádio IA e estádio IIA:*
< 10 cm receberão quatro ciclos de quimioterapia com o protocolo ABVD seguido de radioterapia em campos envolvidos 25 Gy em 20 frações.

(B) *Estádio IB, IIB, doença bulky, IIIA e IIIB, IVA e IVB:*
Seis ciclos de ABVD.
Pacientes com doença mediastinal > 1/3 do diâmetro torácico interno, estádios I e II, e massa residual após quimioterapia receberão radioterapia do mediastino com 25 Gy em 20 frações.
Pacientes com doença *bulky* e resposta completa em outros sítios de doença também devem receber radioterapia da massa residual.

(C) *Casos especiais:*
Pacientes do sexo feminino com doença em estádio I, cervical alta, com tipo histológico de predomínio linfocitário (PL) ou esclerose nodular, poderão ser tratados com radioterapia exclusiva nas doses de 36 Gy em 20 frações dos linfonodos regionais ipsolaterais.
Pacientes com tipo histológico de predomínio linfocitário (PL) estádio I e II podem ser tratados com radioterapia exclusiva nas doses de 36 Gy em 20 frações dos linfonodos regionais ipsolaterais.

(D) *Doença recorrente:*
> 12 meses de sobrevida livre de progressão: 6 ciclos de C-MOPP.
< 12 meses de sobrevida livre de progressão: DHAP deve ser utilizado até que se estabeleça que o paciente apresenta doença responsiva à quimioterapia. Encaminhar, em seguida, a um Centro de Transplante de Medula Óssea, para avaliar se o paciente é candidato a transplante autólogo de medula. Se o paciente não for candidato a transplante de medula óssea, poderá ser tratado ambulatorialmente com esquema ICE; nos pacientes em segunda ou terceira recaída, considerar quimioterapia com Gencitabina isolada como tratamento paliativo (a ser definido em mesa redonda).
Comprovada resistência à quimioterapia, avaliar com a radioterapia, tratamento com TNI *(total nodal irradiation)* - com 36 Gy em 20 frações em Y invertido, englobando linfonodos abdominopélvicos em baço- seguido, 30 dias após, de irradiação em *mantle* com 36 Gy em 20 frações, englobando os linfonodos supradiafragmáticos.

EXAMES DURANTE O TRATAMENTO

Durante o tratamento quimioterápico, o paciente realiza exames de laboratório, em geral, 1 dia antes do seu tratamento seguido de consulta.

Na consulta de avaliação, antes do tratamento seguinte, são avaliados resposta ao tratamento, condições clínicas do paciente, toxicidade ao tratamento e resultados dos exames solicitados.

- Hemograma com contagem de plaquetas a cada ciclo de quimioterapia.
- Outros exames serão solicitados à medida da necessidade.
- Exames de imagem (TC e/ou RM) serão solicitados após o 4º e 6º ciclos de tratamento.
- Prova de função respiratória após o 4º ciclo de quimioterapia, ou antes na presença de sintomas. A Bleomicina deverá ser interrompida nos últimos dois ciclos, caso haja uma piora do DLCO ou capacidade pulmonar total > 15%.

EXAMES DE ACOMPANHAMENTO

- No primeiro ano após o término do tratamento:
  - História e exame físico a cada 3 meses.
  - Hemograma + plaquetas a cada 3 meses.
  - Bioquímica incluindo: ureia, creatinina, sódio, potássio, glicose, DHL, ácido úrico, cálcio, beta-2-microglobulina, TGO, TGP, bilirrubinas totais e frações, proteínas totais e frações, fosfatase alcalina, gama-GT a cada 6 meses.
  - Métodos de imagem, se necessário, caso a caso.
- Do 2º ao 5º ano após o término do tratamento:
  - História e exame físico a cada 4 meses.
  - Hemograma + plaquetas a cada 6 meses.
  - Bioquímica incluindo: ureia, creatinina, sódio, potássio, glicose, DHL, ácido úrico, cálcio, beta-2-microglobulina, TGO, TGP, bilirrubinas totais e frações, proteínas totais e frações, fosfatase alcalina, gama-GT a cada 12 meses.
- Após o 5º ano após o término do tratamento:
  - História e exame físico 1 vez por ano.
  - Hemograma + plaquetas 1 vez por ano.
  - Demais exames a critério do médico-assistente.

BIBLIOGRAFIA

Armitage JO. Early-stage hodgkin's lymphoma. *N Engl J Med* 2010;363:653-62.

Bonadonna G. Chemotherapy strategies to improve the control for Hodgkin's disease: The Richard and Hinda Rosenthal Foundation award lecture. *Cancer Res* 1982;42:4309-20.

Canellos GP, Abramson JS, Fisher DC et al. Treatment of favorable, limited-stage Hodgkin's lymphoma with chemotherapy without consolidation by radiation therapy. *J Clin Oncol* 2010;28:1611-15.

Canellos GP, Anderson JR, Propert KJ et al. Chemotherapy of advanced Hodgkin's disease with MOPP, ABVD, or MOPP alternating with ABVD. *N Engl J Med* 1992;327:1478-84.

Connors JM. Is cyclical chemotherapy better than standard four drug chemotherapy for Hodgkin's Disease? Yes. *Important Adv Oncol* 1993:189-195.

DeVita VT, Serpick AA, Carbone PP. Combination chemotherapy in the treatment of advanced Hodgkin's disease. *Ann Intern Med* 1970;73:881-95.

Eloranta S, Lambert PC, Berg JS et al. Temporal trends in mortality from diseases of the circulatory system after treatment for hodgkin. Lymphoma: a population-based cohort study in sweden.(1973 to 2006). *J Clin Oncol* 2013;31:1435-41.

Maeda LS, Lee M, Advani RH. Current concepts and controversies in the management of early stage Hodgkin lymphoma. *Leuk Lymphoma* 2011;52:962-71.

Meyer RM, Gospodarowicz MK, Connors JM et al. ABVD alone versus radiation-based therapy in limited-stage Hodgkin's lymphoma. *N Engl J Med* 2012;366:399-408.

Ng AK, Bernardo MP, Weller E et al. Longterm survival and competing causes of death in patients with early-stage Hodgkin's disease treated at age 50 or younger. *J Clin Oncol* 2002;20:2101-8.

Straus DJ. Chemotherapy only for localized Hodgkin lymphoma. *J Intern Med* 2011;270:197-205.

Swerdlow SH, Campo E, Harris NL et al. *WHO classification of tumours of haematopoietic and lymphoid tissues*. 4th ed. Lyon, France: IARC, 2008. p. 321-34.

CAPÍTULO 228
Mieloma Múltiplo

Paulo Alexandre Mora ■ Bruno de Araújo Lima França

INTRODUÇÃO

O mieloma múltiplo (MM) é uma doença caracterizada pela proliferação de um clone celular único de plasmócitos produzindo uma imunoglobulina monoclonal. Este clone se reproduz e expande na medula óssea (MO) e quase sempre resulta em extensas lesões ósseas líticas, com frequentes fraturas patológicas. O diagnóstico deve ser pensado quando houver um cenário com lesões ósseas líticas dolorosas, aumento na concentração de proteína sérica ou presença de proteína monoclonal na urina, anemia persistente de origem indeterminada, hipercalcemia sintomática ou não, ou ainda insuficiência renal aguda.[1]

Nos Estados Unidos, o MM representa 1% de todas as neoplasias e 10% dos cânceres hematológicos.[2] No Brasil não temos dados populacionais de incidência e mortalidade publicados, porém o Datasus registrou 1.414 óbitos por mieloma múltiplo no estado do Rio de Janeiro, entre 2004 e 2009 (média de 235 óbitos por ano no estado). Um estudo avaliou o perfil do MM em 16 instituições brasileiras. Dos 1.112 pacientes avaliados, no período de 1998 a 2004, havia 49,7% do sexo feminino e 50,3% do sexo masculino, com idade mediana de 60,5 anos, sendo que a maioria dos pacientes apresentava doença avançada: 76,5% em estágio III.[3]

O MM é uma doença de idosos. A idade mediana ao diagnóstico é de 66 anos, com cerca de 10% dos pacientes em idade menor que 50 anos. O risco de desenvolver mieloma é aproximadamente 3,7 vezes maior em pessoas com um familiar de primeiro grau com o diagnóstico.[4]

DIAGNÓSTICO

A maioria dos pacientes com MM apresenta sinais ou sintomas relativos à infiltração de células plasmáticas nos ossos e ao acúmulo e dano renal causado pelo excesso de proteína.[5] Os principais achados são anemia, dor óssea, elevação de creatinina, fadiga, hipercalcemia e perda ponderal. Com menos frequência podem-se encontrar parestesias, hepatoesplenomegalia, linfoadenomegalias e febre.[6]

O MM deve ser diferenciado de outras patologias do mesmo grupo por meio de dosagens séricas de proteína, avaliação quantitativa do comprometimento de medula óssea, quantificação de células plasmáticas circulantes e presença ou não de disfunção orgânica secundária, que pode ser: hipercalcemia, lesões ósseas, insuficiência renal, anemia, hiperviscosidade sérica sintomática ou amiloidose.[7]

- *Gamopatia monoclonal de significado indeterminado:* proteína monoclonal sérica < 30 g/L, plasmócitos na medula óssea (MO) < 10%, ausência de distúrbio proliferativo de células B,[8] ausência de disfunção orgânica secundária.
- *Mieloma múltiplo assintomático (ou smoldering):* proteína M sérica ≥ 30 g/L e/ou plasmócitos na MO ≥ 10%, ausência de disfunção orgânica secundária.
- *Mieloma múltiplo:* proteína M sérica e/ou urinária, PC na MO, presença de disfunção orgânica secundária.
- *Mieloma múltiplo não secretor:* ausência de proteína M sérica e/ou urinária, PC na MO ≥ 10% ou plasmocitoma, presença de comprometimento de tecido ou órgão relacionado.
- *Plasmocitoma ósseo solitário:* ausência de proteína M sérica e/ou urinária, área única de destruição óssea por plasmócitos monoclonais, investigação de esqueleto normal, ausência de disfunção orgânica secundária.
- *Plasmocitoma extramedular:* ausência de proteína M sérica e/ou urinária, tumor extramedular de PC, MO normal, investigação de esqueleto normal, ausência de tecido ou órgão relacionado.
- *Leucemia de células plasmáticas:* plasmócitos em sangue periférico ≥ 2,0 × 10^9/L em número absoluto e > 20% na contagem diferencial de leucócitos.
- *Amiloidose primária (AP):* assim como o MM, a amiloidose e a doença de deposição de cadeias leves são doenças plasmáticas proliferativas associadas à produção excessiva de cadeias leves monoclonais. Porém, o paciente com amiloidose desenvolve uma doença por depósito de amiloide nos tecidos, podendo apresentar principalmente síndrome nefrótica, insuficiência cardíaca e hepatomegalia. O diagnóstico é feito pelo achado do depósito amiloide nos tecidos – gordura abdominal, medula óssea, reto ou rim.[9]
- *Síndrome POEMS ou mieloma osteoesclerótico:* POEMS é uma sigla composta por polineuropatia, organomegalia, endocrinopatia, proteína monoclonal e anormalidades da pele (*skin*). É uma desordem monoclonal de plasmócitos com sinais de alteração do sistema nervoso periférico, doença de Castleman, organomegalias, alterações endócrinas, edema e alterações da pele.

Exames iniciais de rotina[10]

- História e exame físico.
- Hemograma completo com contagem diferencial e de plaquetas.
- Ureia, creatinina, cálcio, albumina, sódio, potássio.
- Beta-2 microglobulina, proteína C reativa.
- LDH, VHS.
- Eletroforese de proteínas séricas e imunofixação.
- Eletroforese de proteínas urinárias e imunofixação (urina 24 h).
- Proteinúria 24 h.
- Quantificação de imunoglobulinas (IgG, IgA, IgM).
- Aspirado e biópsia unilaterais de medula óssea.
- Inventário ósseo (crânio; colunas cervical, torácica, lombar; bacia; fêmures; húmeros; tórax).
- Citogenética/FISH: del 13; del 13q14; del 17p13; t (4,14) (Quadros 1 e 2).

Quadro 1. Prognóstico conforme citogenética[11]

GRUPO DE RISCO	CITOGENÉTICA	SOBREVIDA MEDIANA (MESES)
Ruim	t (4,14) t (14,16) del 17p13	24,7 meses
Intermediário	del 13q14	42,3 meses
Bom	Outros	50,5 meses

Quadro 2. Sobrevida global conforme anomalias citogenéticas em pacientes submetidos a transplante autólogo

CITOGENÉTICA	SOBREVIDA MEDIANA (MESES)
del 17p13	14,7
t (4,14)	18,3
t (11,14)	37,2
del 13q	34,4

Situações especiais

- Ressonância magnética: suspeita de compressão medular, plasmocitoma solitário ósseo, plasmocitoma extraósseo.
- Biópsia de plasmocitoma ósseo ou extraósseo.
- Medula óssea: imuno-histoquímica, citometria de fluxo, pesquisa de depósito amiloide, índice de proliferação de plasmócitos.
- Dosagem sérica de cadeias leves livres (*kappa* e *lambda*).

ESTADIAMENTO

O estadiamento pelo sistema internacional utiliza os valores iniciais de beta-2 microglobulina e albumina, além da presença ou ausência de disfunção renal (Quadro 3).[12]

Além do ISS, atualmente os pacientes também são avaliados quanto ao risco e à gravidade com base nas alterações citogenéticas, como t(4,14), t(14,16), t(14,20) e del17p13, além de hipodlipoidia e del13, todas associadas a pior prognóstico.[14]

TRATAMENTO

O tratamento do MM depende, principalmente, da condição clínica do paciente em receber um tratamento mais agressivo, que seja capaz de levar a respostas completas ou próximo a isso.[15] Ainda é utilizado o critério da idade para a decisão terapêutica, porém uma boa condição clínica, sem comorbidades relevantes, pode permitir tratamentos de primeira escolha mesmo em pacientes mais idosos.[16]

De uma forma geral, o MM assintomático é acompanhado com observação cuidadosa ou controle clínico-laboratorial (Quadro 4).

Esquemas de tratamento

- VD[20] – bortezomibe (Velcade®), 1,3 mg/m² EV, nos D1, D4, D8 e D11; dexametasona, 40 mg VO, do D1 ao D4 e do D9 ao D12 nos ciclos 1 e 2, e do D1 ao D4 nos ciclos 3 e 4), por 4 ciclos de 21 dias.
- VTD[21] – bortezomibe, 1,3 mg/m² EV, nos D1, D4, D8 e D11; dexametasona, 40 mg VO, nos D1, D2, D4, D5, D8, D9, D11 e D12; talidomida, 200 mg VO, do D1 ao D21) por 3 ciclos de 21 dias.
- MPT[22] – melfalan 4 mg/m² D1 a D7, VO; prednisona 40 mg/m² D1 a D7, VO; talidomida 100 mg/dia, VO – ciclos de 28 dias, por 6 ciclos – inicialmente. Talidomida em manutenção após 6 ciclos MPT.
- VMP[23] – bortezomibe, 1,3 mg/m² EV, nos D1, D8, D15 e D22 – 1×/semana, ciclo de 5 semanas, por 9 ciclos, ou nos D1, D4, D8, D11, D22, D25, D29 e no D32 - 2×/semana, ciclo de 6 semanas, nos ciclos 1 a 4, e nos D1, D8, D15 e D22 -1×/semana, ciclo de 6 semanas, nos ciclos 5 a 9, melfalana, 9 mg/m² VO, do D1 ao D4, prednisona, 60 mg/m² VO, do D1 ao D4.
- Lenalidomida[24] – 15 a 25 mg/dia VO, do D1 ao D21, a cada 28 dias.

Os esquemas semanais de bortezomibe parecem oferecer a mesma eficácia com menor toxicidade e maior comodidade posológica.[25] Em alguns centros, após um TMO com boa resposta há a possibilidade de um segundo transplante (*tandem*) para aumentar a chance de remissão prolongada.[26]

Avaliação de resposta ao tratamento (International Myeloma Working Group Uniform Response Criteria 2006).[27]

- *Resposta completa (RC):* imunofixações sérica e urinária negativas e desaparecimento de plasmocitoma extraósseo e ≤ 5% plasmócitos em medula óssea.
- *Resposta completa precisa:* RC conforme definido acima + razão de cadeias leves livres séricas normal, ausência de clones em medula óssea por imuno-histoquímica ou imunofluorescência.
- *Resposta parcial muito boa (VGPR):* imunofixações sérica e urinária positivas, não correspondidas em eletroforeses, ou ≥ 90% redução em proteína M sérica e proteína M urinária < 100 mg/24 horas.
- *Resposta parcial (RP):* ≥ 50% redução de proteína M sérica e ≥ 90% redução de proteína M urinária ou < 200 mg/24 horas; ≥ 50% redução na diferença entre as cadeias leves livres envolvidas e não envolvidas; ≥ 50% redução plasmócitos na medula óssea (*baseline* ≥ 30%).
- *Doença estável:* não preenche critério para RC, VGPR, RP ou progressão.
- *Progressão de doença (um ou mais critérios):*
  - Aumento ≥ 25% do *baseline*:
    - Proteína M sérica deve ser ≥ 0,5 g/dL no absoluto.
    - Proteína M urinária deve ser ≥ 200 mg/24 horas no absoluto.
    - Apenas em pacientes sem níveis mensuráveis de proteína M sérica ou urinária: a diferença entre as cadeias leves livres envolvidas e não envolvidas deve ser > 10 mg/dL no absoluto.
    - Porcentagem de plasmócitos na medula (a porcentagem absoluta deve ser ≥ 10%).
    - Desenvolvimento ou crescimento definido de novas lesões ósseas ou plasmocitomas de tecidos moles.
    - Hipercalcemia (Ca sérico corrigido > 11,5 m/dL) atribuída somente por distúrbio proliferativo de plasmócitos.
- *Recidiva clínica (um ou mais critérios):* desenvolvimento ou crescimento definido (≥ 50% e ≥ 1 cm) de plasmocitomas ou lesões ósseas; hipercalcemia (> 11,5 m/d); redução da hemoglobina de ≥ 2 g/dL; elevação de ≥ 2 mg/dL da creatinina.
- *Recidiva após RC (um ou mais critérios):* reaparecimento por imunofixação ou eletroforese de proteína M sérica ou urinária; surgimento de ≥ 5% plasmócitos na medula óssea; outros sinais de progressão (novo plasmocitoma ou lesão óssea ou hipercalcemia).

Quadro 3. International Staging System (ISS)[13]

ESTÁGIO	CRITÉRIOS	SOBREVIDA MEDIANA (MESES)
I	Beta-2M < 3,5 mg/dl Albumina ≥ 3,5 mg/dl	62
II	Nem I ou III	44
III	Beta-2M ≥ 5,5 mg/dl	29

Quadro 4. Tratamento do MM

CONDIÇÃO		OPÇÃO[17]
Plasmocitoma ósseo solitário		Radioterapia ≥ 45 Gy
Plasmocitoma extraósseo solitário		Radioterapia ≥ 45 Gy ou cirurgia
Mieloma múltiplo sintomático – Primeira linha	≤ 70 anos, *performance status* (PS) ≤ 3, boa função orgânica: FE ≥ 50%, espirometria sem alterações, AST/ALT/bilirrubinas < 2× limite superior da normalidade	Tratamento com esquema de indução (VD, VTD) seguido de quimioterapia em altas doses e resgate com células precursoras (TMO autólogo)
	Não candidato a TMO:[18] idoso, com comorbidades	VMP, MPT ou combinações de corticoide oral e agente alquilante
Mieloma múltiplo sintomático – Segunda linha	Paciente jovem com recidiva precoce após TMO	Considerar TMO alogênico
	Paciente jovem com recidiva tardia após TMO	Repetir primeira linha
	Paciente que não recebeu TMO	Oferecer TMO se preencher critérios
	Paciente idoso ou não candidato a TMO	Bortezomibe isolado, VD, lenalidomida
Suporte ao paciente	Lesões ósseas e/ou osteoporose grave	Ácido zolendrônico 4 mg IV a cada 28 dias[19]
	Anemia (Hb < 9 g/dL)	Eritropoietina 40.000 UI por semana
	Hiperviscosidade	Plasmaférese

SEGUIMENTO[28]

Plasmocitoma ósseo solitário

- Quantificação de imunoglobulinas e de proteína M (eletroforeses e imunofixações) após término da radioterapia.
- Hemograma completo.
- Inventário ósseo anual ou se sintomas.
- Biópsia de medula óssea, conforme dados e evolução clínica.
- Avaliação de proteína M (eletroforeses e imunofixações) a cada 3-6 meses, conforme indicação clínica.

Plasmocitoma extraósseo solitário

- Avaliação de proteína M (eletroforeses e imunofixações) a cada 3 meses no 1º ano, depois anual.
- TC ou RM ou PET-CT a cada 6 meses no 1º ano, depois conforme indicação clínica.
- Dosagem sérica de cadeias leves livres.

Mieloma múltiplo assintomático

- Avaliações a cada 3-6 meses.
- Cálcio, albumina, creatinina, hemograma completo, eletroforeses e imunofixações.
- Inventário ósseo anual ou se sintomas.

Mieloma múltiplo sintomático

- Pós-indução e pré-transplante:
  - Quantificação mensal de imunoglobulinas e de proteína M (eletroforeses e imunofixações).
  - Hemograma completo.
  - Creatinina, ureia, cálcio, albumina.
  - Inventário ósseo anual ou se sintomas.
  - Biópsia de medula óssea, conforme dados e evolução clínica.
  - Dosagem sérica de cadeias leves livres, quando indicada.
- Pós-transplante:
  - Quantificação a cada 3 meses de imunoglobulinas e de proteína M (eletroforeses e imunofixações).
  - Hemograma completo, creatinina, ureia, cálcio, albumina.
  - Inventário ósseo anual ou se sintomas.
  - Dosagem sérica de cadeias leves livres, quando indicada.

REFERÊNCIAS BIBLIOGRÁFICAS

1. Kariyawasan CC, Hughes DA, Jayatillake MM et al. Multiple myeloma: causes and consequences of delay in diagnosis. *QJM* 2007;100:635.
2. Siegel R, Ward E, Brawley O et al. Cancer statistics, 2011: the impact of eliminating socioeconomic and racial disparities on premature cancer deaths. *CA Cancer J Clin* 2011 July-Aug.;61(4):212-36.
3. Hungria V, Maiolino A, Martinez G et al. Multiple myeloma in Brazil: clinical and demographic feature and the utility of ISS in patients, mostly with advanced disease. *Haematologica* 2006;91(Suppl 1):96.
4. Lynch HT, Sanger WG, Pirruccello S et al. Familial multiple myeloma: a family study and review of the literature. *J Natl Cancer Inst* 2001;93(19):1479.
5. Rajkumar SV. *Clinical features, laboratory manifestations, and diagnosis of multiple myeloma.* Disponível em: <www.uptodate.com> UpToDate®, 2011.
6. Kyle RA, Gertz MA, Witzig TE et al. Review of 1027 patients with newly diagnosed multiple myeloma. *Mayo Clin Proc* 2003;78:21.
7. International Myeloma Working Group. Criteria for the classification of monoclonal gammopathies, multiple myeloma and related disorders: a report of the International Myeloma Working Group. *Br J Haematol* 2003;121:749.
8. Witzig TE, Gertz MA, Lust JA et al. Peripheral blood monoclonal plasma cells as a predictor of survival in patients with multiple myeloma. *Blood* 1996;88:1780.
9. Rajkumar SV, Dispenzieri A, Kyle RA. Monoclonal gammopathy of undetermined significance, Waldenstrom macroglobulinemia, AL amyloidosis, and related plasma cell disorders: diagnosis and treatment. *Mayo Clin Proc* 2006;81:693.
10. Smith A, Wisloff F, Samson D et al. Guidelines on the diagnosis and management of multiple myeloma 2005. *Br J Haematol* 2006;132:410
11. Orlowski RZ. Initial therapy of multiple myeloma patients who are not candidates for stem cell transplantation. *Am Soc Hematol Educ Program* 2006:338-47.
12. Greipp PR et al. International staging system for multiple myeloma. *J Clin Oncol* 2005;23:3412-20.
13. Greipp PR et al. International staging system for multiple myeloma. *JCO* 2005;23:3412-20.
14. Dispenzieri A, Rajkumar SV, Gertz MA et al. Treatment of newly diagnosed multiple myeloma based on mayo stratification of myeloma and risk-adapted therapy (mSMART): consensus statement. *Mayo Clin Proc* 2007 Mar.;82(3):323-41.
15. Barlogie B et al. Treatment of multiple myeloma. *Blood* 2004;103:20-32.
16. Reece DE. An update of the management of multiple myeloma: the changing landscape. *Hematology Am Soc Hematol Educ Program* 2005:353-59.
17. National Comprehensive Cancer Network, Practice Guidelines in Oncology 2011. Disponível em: <www.nccn.org>
18. Orlowski RZ. Initial therapy of multiple myeloma patients who are not candidates for stem cell transplantation. *Hematology Am Soc Hematol Educ Program* 2006:338-47.
19. Berenson JR et al. American Society of Clinical Oncology Clinical Practice Guidelines: The role of bisphosphonates in multiple myeloma. *J Clin Oncol* 2002;20:3719-26.
20. Harousseau JL, Attal M, Leleu X et al. Bortezomib plus dexamethasone as induction treatment prior to autologous stem cell transplantation in patients with newly diagnosed multiple myeloma: results of an IFM phase II study. *Haematologica* 2006 Nov.;91(11):1498-505. Epub 2006 Oct. 17.
21. Cavo M, Tacchetti P, Patriarca F et al. GIMEMA Italian Myeloma Network. Bortezomib with thalidomide plus dexamethasone compared with thalidomide plus dexamethasone as induction therapy before, and consolidation therapy after, double autologous stem-cell transplantation in newly diagnosed multiple myeloma: a randomised phase 3 study. *Lancet* 2010 Dec. 18;376(9758):2075-85. Epub 2010 Dec. 9.
22. Palumbo A, Bringhen S, Liberati AM et al. Oral melphalan, prednisone, and thalidomide in elderly patients with multiple myeloma: updated results of a randomized controlled trial. *Bloo* 2008 Oct. 15;112(8):3107-14. Epub 2008 May 27.
23. Mateos MV, Richardson PG, Schlag R et al.Bortezomib plus melphalan and prednisone compared with melphalan and prednisone in previously untreated multiple myeloma: updated follow-up and impact of subsequent therapy in the phase III VISTA trial. *J Clin Oncol* 2010 May 1;28(13):2259-66. Epub 2010 Apr. 5.
24. Rajkumar SV, Jacobus S, Callander NS et al. Eastern Cooperative Oncology Group. Lenalidomide plus high-dose dexamethasone versus lenalidomide plus low-dose dexamethasone as initial therapy for newly diagnosed multiple myeloma: an open-label randomised controlled trial. *Lancet Oncol* 2010 Jan.;11(1):29-37. Epub 2009 Oct. 21.
25. Mateos MV, Oriol A, Martínez-López J et al. Bortezomib, melphalan, and prednisone versus bortezomib, thalidomide, and prednisone as induction therapy followed by maintenance treatment with bortezomib and thalidomide versus bortezomib and prednisone in elderly patients with untreated multiple myeloma: a randomised trial. *Lancet Oncol* 2010 Oct.;11(10):934-41. Epub 2010 Aug. 23.
26. Attal M et al. Single versus double autologous stem-cell transplantation for multiple myeloma. *N Engl J Med* 2003;349(26):2495-502.
27. Durie BG, Harousseau JL, Miguel JS et al. International Myeloma Working Group. International uniform response criteria for multiple myeloma. *Leukemia* 2006 Sept.;20(9):1467-73.
28. Harrousseau JL, Multiple myeloma: ESMO clinical recommendations for diagnosis, treatment and follow-up. *Ann Oncol* 2007;18(S2):59-60.

CAPÍTULO 229
Leucemia Linfoblástica Aguda

Márcia Trindade Schramm ■ Bruno Terra Corrêa
Cibelli Navarro Roldan Martin ■ Yung Bruno de Mello Gonzaga ■ Adriana Scheliga

INTRODUÇÃO

A leucemia linfoblástica aguda faz parte de um grupo de neoplasias hematopoiéticas, que envolve as células da linhagem linfoide. As neoplasias linfoides são derivadas de células que normalmente se desenvolvem em linfócitos T (citotóxicos, *helper* ou reguladores) ou B (linfócitos ou células plasmáticas) e são divididas em neoplasias derivadas de precursores linfoides (leucemia linfoblástica aguda) e neoplasias de linfócitos maduros (leucemia linfocítica crônica).

As neoplasias de precursores linfoides causam defeitos que interferem na maturação celular, provocando um acúmulo de linfoblastos (células imaturas) na medula óssea e no sangue periférico e também em outros órgãos e tecidos.

De acordo com a classificação WHO (World Health Organization), o diagnóstico das neoplasias linfoides não depende da localização anatômica, mas da origem da célula tumoral, assim como de características morfológicas, imunofenotípicas e genéticas. A classificação WHO para malignidades hematológicas divide as neoplasias de precursores linfoides em duas categorias com base na linhagem celular: linfoma/leucemia linfoblástica aguda de células B precursoras e linfoma/leucemia linfoblástica aguda de células T precursoras. Essa divisão é de extrema importância, pois o prognóstico e o tratamento diferem entre as neoplasias das linhagens B e T. A leucemia linfoblástica aguda (LLA) é a leucemia mais comum na infância e corresponde a cerca de 20% das leucemias nos adultos.[1-4]

O linfoma linfoblástico é definido por massa e/ou linfonodomegalias e contagem de blastos na medula óssea menor que 20%, e a leucemia linfoblástica aguda é definida por contagem de blastos na medula óssea maior que 20%, com ou sem massa e/ou linfonodomegalias.

Cada grupo tem importância biológica e clínica. Embora alguns pacientes apresentem envolvimento linfomatoso, a maioria tem ou terá envolvimento medular mais tarde. Da mesma forma, pacientes com leucemia podem ter ou desenvolver doença extramedular. Portanto, linfoma linfoblástico e leucemia linfoblástica aguda devem ser considerados a mesma doença com apresentações clínicas diferentes.[2]

O linfoma/leucemia linfoblástica aguda B (LLA-B) origina-se na medula óssea a partir de células B precursoras, e o linfoma/leucemia linfoblástica T (LLA-T) a partir de células T precursoras, em estágios variados de diferenciação. A LLA-B é mais frequente na infância, mas também acomete adultos com idade mediana de 39 anos.[5,6]

A LLA-T é mais frequente no fim da infância, na adolescência e nos adultos jovens, com predominância masculina, e corresponde a 15% das leucemias linfoblásticas da infância e a 25% dos adultos. A incidência é de três casos por 1 milhão por ano e não varia com a etnia.[5-8]

MANIFESTAÇÕES CLÍNICAS

Os pacientes apresentam sintomas relacionados a anemia, neutropenia e trombocitopenia, em virtude da invasão medular pelas células leucêmicas, como fadiga, infecções e hemorragias, respectivamente. Sintomas B (febre, sudorese noturna e perda ponderal) geralmente estão presentes. Hepatoesplenomegalia e linfadenomegalias podem ser vistas em mais da metade dos adultos, e o envolvimento do sistema nervoso central é comum. Nas leucemias/linfomas de células T a apresentação com massa mediastinal (mediastino anterior) e derrame pleural é mais frequente, está presente em 50 a 75% dos casos e elas são *bulky* (volumoso) em sua maioria, podendo levar a complicações graves, como a síndrome da veia cava superior, derrame pericárdico e tamponamento cardíaco. Já nas leucemias/linfomas de células B essa apresentação é rara (11%), mas o envolvimento medular (43%), linfonodos e sítios extranodais, como pele (23%) e osso (26%), são mais frequentes, e o envolvimento gonadal acontece em cerca de 6% dos pacientes. Nas neoplasias T, aproximadamente 60% dos pacientes desenvolvem infiltração da medula óssea, e apesar de normal ao diagnóstico, a infiltração é associada a alta incidência de infiltração do sistema nervoso central.[8-10]

MORFOLOGIA

No sangue periférico, as células leucêmicas (linfoblastos) apresentam poucas evidências de diferenciação, e os casos com células mais uniformes, com citoplasma escasso, são classificados (classificação FAB) como LLA-L1, enquanto aqueles com blastos que apresentam grandes diferenças em tamanho, nucléolos proeminentes e maior quantidade de citoplasma são classificados como LLA-L2. O subtipo L2 é mais comum em adultos e com fenótipo T. O subtipo L3 apresenta múltiplos vacúolos no citoplasma basofílico. Esse aspecto corresponde a LLA-L3 de fenótipo B ou Burkitt (Figs. 1 a 3)

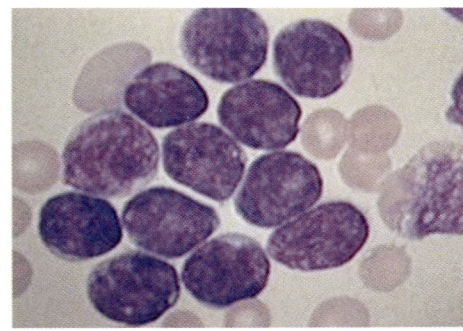

◀ **FIGURA 1.** Leucemia linfoblástica aguda L1.

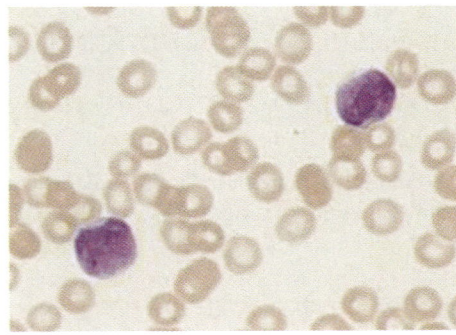

◀ **FIGURA 2.** Leucemia linfoblástica aguda L2.

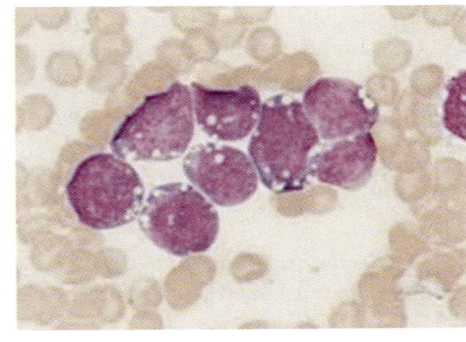

◀ **FIGURA 3.** Leucemia linfoblástica aguda L3.

O precursor B é morfologicamente indistinguível do precursor T. Em alguns casos, os blastos são tão imaturos que não se consegue distingui-los morfologicamente nem da leucemia mieloide aguda.

CITOQUÍMICA E IMUNOFENOTIPAGEM

O precursor B é morfologicamente indistinguível do precursor T. As técnicas de coloração por citoquímica, PAS (*periodic acid Schiff*), Sudan Black e mieloperoxidase, auxiliam na identificação dos subtipos de leucemia aguda, mas a imuno-histoquímica e a imunofenotipagem complementam e definem o diagnóstico.

A imunofenotipagem revela a presença de antígenos específicos nas células leucêmicas. O CD45/LCA (*leukocyte common antigen*) é um marcador pan-hematopoiético. Os marcadores de células pan-B são o CD19, CD20, CD22 e CD79a, e os marcadores pan-T são o CD2, CD3, CD5, CD7, CD43 e CD4/CD8. Os antígenos definem o estágio de diferenciação celular, da célula mais imatura para a mais madura.

LLA-B (linfócitos B)

- *Pró-B (precursor B imaturo):* HLA-DR (*human leucocyte antigen*), TdT (*terminal deoxytransferase*), CD34, CD19, CD21 e CD22c (citoplasmático). A expressão do CD22c é variável.
- *Comum (Calla):* HLA-DR, TdT, CD10, CD19, CD20 (variável), CD21 e CD22c.
- *Pré-B (precursor B maduro):* HLA-DR, TdT, CD10, CD19, CD20, CD21, CD22c e cμ (cadeia μ citoplasmática).
- *B maduro:* HLA-DR, TdT (variável), CD10 (variável), CD19, CD20, CD22c, CD79 e SmIg (imunoglobulina de superfície).

Aproximadamente 40% dos casos expressam CD34 (antígeno de *stem cell*). A coexpressão de antígenos mieloides (CD13 e CD33) é vista em cerca de 30% dos casos. A expressão desses antígenos está associada à presença de rearranjos que envolvem o gene ETV6, previamente chamado TEL, parte da t(12;21)(p12;q22), que resulta no gene de fusão ETV6-CBFA2, ou TEL-AML1. A coexpressão de CD68, CD15 e CD33 está associada a rearranjos envolvendo o gene MLL (*mixed lineage leukemia*), como a t(4;11) (11). Marcadores de células T são negativos.[10,11]

Os precursores T são positivos para CD7 e CD3 citoplasmático e de superfície e têm expressão variável de CD2, CD5, CD1a, CD4 e/ou CD8. O único marcador específico é o CD3 de superfície (CD3s).[4,11-19]

Assim como os marcadores de linfócitos B, os antígenos definem o estágio de diferenciação.

LLA-T (linfócitos T)

- *Pré-T:* HLA-DR (variável), TdT, CD3c (variável), CD5, CD7 e CD10 (variável).
- *Intermediário:* TdT, CD1a (variável), CD2, CD3s, CD7, CD10 (variável) e CD4/CD8 (variável).
- *T maduro:* TdT, CD2, CD3c, CD3, CD5, CD7, CD10 (variável) e CD4/CD8.

Aproximadamente 50% das LLA-T expressam o antígeno de células maduras CD44 e raramente expressam os antígenos CD16 e CD57, presentes em células NK.

CITOGENÉTICA

As alterações citogenéticas deste grupo de doenças estão presentes em aproximadamente 80% das leucemias linfoblásticas agudas e incluem alterações estruturais (translocações, inversões ou deleções) e numéricas. A detecção dessas alterações é feita por meio da análise citogenética e de estudos citogenéticos moleculares, incluindo o FISH (*fluorescence in situ hybridization*), e são importantes para o prognóstico.[20-23]

Algumas alterações estruturais são mais frequentes em adultos e outras em crianças e são associadas a características imunofenotípicas e comportamento clínico.

A t(9;22) está presente em 30% dos pacientes adultos com LLA e em 40 a 50% dos pacientes com idade acima de 60 anos e somente em 2 a 5% das crianças. Já a t(12;21), detectada por meio do FISH e PCR (*polymerase chain reaction*), é observada em 15 a 25% das crianças com LLA-B e em apenas 3% dos adultos. Nos lactentes menores de 1 ano, a t(4;11) é mais comum e está presente em mais de 60% dos casos.[23]

Compreendem as alterações numéricas, a hiperdiploidia, mais de 50 cromossomos; a hipodiploidia, menos de 45 cromossomos; e a pseudodiploidia.

A hiperdiploidia é mais comum em crianças, presente em 30 a 40% dos casos de LLA-B, e somente em 2 a 10% dos adultos. Está associada a bom prognóstico, principalmente aqueles com trissomias do 4, 10, 17 e 18, pois essas alterações estão associadas a t(12;21), mais comum na infância e de bom prognóstico.[23]

A hipodiploidia é menos comum (5 a 6% das leucemias e menos de 1% nas crianças com LLA-B) e está associada a prognóstico ruim.

Existem várias translocações descritas nas leucemias de células B, entre as quais três têm maior relevância e estão associadas à resposta ao tratamento.

A primeira, a t(9;22)(q34;q11.2), que produz a proteína de fusão BCR/ABL1, cromossomo *Philadelfia* (Ph), também encontrada na leucemia mieloide crônica, é mais frequente nos adultos com LLA (30%) e em 50% dos adultos com LLA-B (11%). Nas crianças, está presente em 5% dos casos. A positividade do cromossomo Ph está associada a prognóstico ruim na LLA.

Aproximadamente 80% dos pacientes com LLA-B e cromossomo Ph positivo apresentam mutações no IKZF1 (*IKAROS family zinc finger 1*), um gene repressor que regula o desenvolvimento linfoide e que pode estar associado a resistência ao imatinib, medicamento utilizado no tratamento das leucemias com Ph positivo. Alterações no IKZF1 podem estar associadas a prognóstico desfavorável, independentemente do *status* do Ph. Outras anormalidades secundárias estão associadas ao cromossomo Ph, porém sua significância ainda é controversa.

Os inibidores de tirosina quinase (imatinib, dasatinib e nilotinib) agem na proteína de fusão BCR-ABL1 e são utilizados em combinação com a quimioterapia venosa no tratamento da LLA Ph positivo, o que tem aumentado as taxas de remissão completa e sobrevida global.

A segunda translocação de maior relevância, a translocação envolvendo o 11q23, está associada a rearranjos com o gene MLL (*mixed lineage leukemia*). Aproximadamente 60 a 80% dos lactentes com LLA apresentam essa translocação, que também está associada a prognóstico ruim.

E, por último, a t(12;21)(p12;q22) e a t(1;19), que estão associadas a prognóstico mais favorável, cerca de 85-90% de sobrevida. A t(12;21) produz o gene de fusão ETV6(TEL)/RUNX1/AML1 e está sendo associada a hiperdiploidia a alteração mais comum na infância, como descrito anteriormente. Esse gene pode ser detectado em células B progenitoras durante a hematopoiese pré-natal normal em aproximadamente 1% do desenvolvimento fetal, mas só desenvolve LLA em 1% dos casos.[23-26]

Crianças com LLA e t(12;21) associadas ao fenótipo CIMP (CpG *island methylator phenotype*) podem ter risco maior de recaída.[27]

A t(1;19)(19p13.3) ocorre em, aproximadamente, 30% das crianças com LLA pré-B e é menos comum em adultos. A proteína de fusão é a TCF3/PBX1. No passado, essa translocação estava associada a uma má resposta ao tratamento, sugerindo um prognóstico ruim, como fator de risco independente. No entanto, alguns estudos (MRC/ECOG) comprovaram que esse prognóstico foi modificado com um tratamento mais intenso, melhorando as taxas de sobrevida livre de doença e sobrevida global, sendo a translocação atualmente associada a prognóstico favorável.[26]

Aproximadamente 5 a 10% dos adultos e crianças com LLA apresentam deleção do braço curto do cromossomo 9 (9p), que pode ocorrer como alteração única, mas é mais comumente encontrada como parte de um clone complexo (cariótipo complexo), em particular com a del(12p). Essa deleção é considerada fator de risco desfavorável e está associada a elevadas taxas de recaída em crianças com LLA-B.

Alterações nos genes que regulam o ciclo celular também estão presentes na LLA e podem interferir no prognóstico. As alterações mais frequentes encontradas estão no gene RB1 (retinoblastoma), p16 e TP53.

A t(9;22) e a 11q23 estão frequentemente associadas a LLA com imunofenótipo pró-B e com prognóstico desfavorável, enquanto a t(12;21) está associada à LLA pré-B comum. Outra translocação, a t(4;11), também tem importância clínica, pois confere prognóstico desfavorável. A t(8;14)(q24.1;q32) está presente no subtipo FAB LLA-L3 e também nas células tumorais do linfoma de Burkitt, sugerindo ser a mesma doença, e recebe tratamento diferente dos outros subtipos. Outras alterações menos comuns também são encontradas, como a t(2;8), t(8;22) e a t(7;9).

A t(7;9)(q34;9q34.3), que envolve o gene NOTCH1, está presente em menos de 1% dos pacientes com LLA-T, mas as mutações desse gene são mais comuns, sendo esta a oncoproteína mutada mais comum na LLA-T e com potencial importância no tratamento das doenças refratárias, visto os estudos com o uso de inibidores do NOTCH1.[23-27]

As translocações envolvendo o 11q23 são observadas em 5 a 7% dos pacientes com LLA. A mais comum é a t(4;11)(q21;q23), e a t(11;19)(q23;p13.3) é a segunda mais frequente. A t(4;11) está associada a hiperleucocitose, linhagem B, morfologia FAB L1 ou L2, imunofenótipo imaturo e coexpressão de antígenos mieloides. O gene de fusão dessa translocação é o MLL/AFF1 (AF4). Essa translocação está associada a prognóstico ruim em adultos e crianças. A taxa de remissão é de 75 e 88%, mas com sobrevida mediana livre de doença de 7 e 10 meses, respectivamente.[21,28]

Entre as crianças com LLA-T, aproximadamente 60% apresentam alterações no cariótipo, e que envolvem tanto genes receptores de células T (TCR) quanto receptores não T (não TCR). Os rearranjos dos genes TCR mais comuns envolvem os cromossomos 14 e 7. Já os rearranjos não TCR podem estar associados a uma variedade de alterações: del(6q), t(11q23) (MLL), t(14q32), trissomia do 8, mutações do NOTCH1 e do JAK1, entre outras. Mutações no NOTCH1 estão presentes em mais de 50% dos pacientes com LLA-T.[29]

DIAGNÓSTICO

O diagnóstico é feito por meio da análise da morfologia, pelo aspirado e/ou por biópsia de medula óssea e/ou biópsia do tecido envolvido, nos casos de linfoma linfoblástico; da imunofenotipagem, da citogenética/FISH e da biologia molecular pelo método RT-PCR (*reverse transcriptase-polymerase chain reaction*).

Os linfoblastos apresentam positividade para TdT e são negativos para mieloperoxidase, o que os diferencia dos mieloblastos da leucemia mieloide aguda (mieloperoxidase positivos). Os linfoblastos B se diferenciam dos linfoblastos T através da detecção dos antígenos, como descrito previamente.

A história clínica, o exame físico e os exames laboratoriais complementam o diagnóstico. Os exames laboratoriais incluem: hemograma completo com contagem diferencial (hematoscopia), função hepática e renal, eletrólitos, desidrogenase láctica, glicose, ácido úrico, proteínas, sorologias e β-HCG. O exame do HLA (*Human Leukocyte Antigen*) deve ser realizado nos pacientes candidatos a transplante de medula óssea, e a punção lombar, em todos os pacientes para a detecção de doença no sistema nervoso central. Raios X de tórax, ultrassonografia de abdome e pelve e ecocardiograma ou MUGA também são importantes.

Os pacientes em idade fértil devem ser orientados sobre o potencial efeito do tratamento quimioterápico sobre a fertilidade e encaminhados aos especialistas para aconselhamentos e condutas quanto às medidas de preservação. Orientações sobre outros efeitos tardios, como alterações cardíacas, neurológicas, endócrinas e segunda neoplasia, também devem ser fornecidas aos pacientes no momento do diagnóstico.

ESTRATIFICAÇÃO DE RISCO

A determinação do risco de recaída é realizada durante a indução de remissão, no momento da remissão completa. As principais características dos pacientes com alto risco de recaída são: leucocitose ao diagnóstico (acima de 30.000 na LLA-B ou acima de 100.000 na LLA-T), ausência de remissão completa, alterações citogenéticas específicas: t(4;11), t(9;22) ou BCR-ABL positivo, imunofenotipagem com CD10 negativo e maiores de 60 anos. Os pacientes com risco intermediário/*standard* não apresentam nenhuma das características do alto risco.

FATORES PROGNÓSTICOS

As características clínicas e laboratoriais orientam a escolha do tratamento e predizem o prognóstico destes pacientes. Idade ao diagnóstico, leucometria, características imunofenotípicas e citogenéticas e a detecção de doença residual mínima são os principais indicadores prognósticos, como discutidos anteriormente.

Alguns dos prognósticos desfavoráveis já descritos são: lactentes, adultos maiores de 60 anos, leucocitose maior que 30.000, ausência de remissão completa, translocações 11q23 envolvendo o gene MLL, t(9;22) ou t(11q23), hipodiploidia, subtipo L3, mutações no gene *Ikaros* e coexpressão mieloide.

A LLA-T nos adultos tem um prognóstico mais favorável que a LLA-B.

A identificação de alguns genes está associada à resposta terapêutica e à duração da remissão na LLA-T. O perfil de adultos e crianças é diferente e pode explicar as diferenças no prognóstico.

Alguns fatores prognósticos para LLA-T foram avaliados em um estudo com pacientes tratados prospectivamente (UKALL XII/ECOG 2993), com taxa de remissão completa de 94% e sobrevida, global de 5 anos de 48%. As variáveis prognósticas foram: sobrevida, menor para as mulheres (41 × 52%) maiores de 35 anos (38 × 52%), CD1a positivo e CD13 negativo foram associados a melhor sobrevida, e anormalidades citogenéticas complexas foram associadas a baixa sobrevida de 5 anos. Os pacientes com LLA-T são, em maior frequência, jovens e do sexo masculino e apresentam características desfavoráveis que incluem massa mediastinal, leucocitose e sistema nervoso central invadido pela doença.[28-30]

TRATAMENTO

Quando o diagnóstico de leucemia linfoblástica aguda é estabelecido, o tratamento quimioterápico deve ser iniciado com urgência e inclui várias drogas com toxicidade aceitável, visando restaurar a função medular, atingir a remissão completa e suprimir clones resistentes. Também inclui o tratamento e a prevenção da doença em sistema nervoso central (SNC) com quimioterapia intratecal. A instituição da profilaxia diminuiu a taxa de envolvimento do SNC (células leucêmicas no liquor) de 78 para 20%, segundo alguns estudos. Menos de 10% dos pacientes têm envolvimento do SNC ao diagnóstico.

Não há evidências sobre a necessidade de uma quimioterapia mais intensa, como o transplante de medula óssea, para os pacientes com SNC positivo.

O início, a intensidade e a adaptação do tratamento dependem da idade e das condições clínicas de cada paciente. Primeiramente, deve-se estabilizar o paciente e controlar as comorbidades associadas, infecções, hemorragias, hiperuricemia, desidratação, disfunção renal, anemia e trombocitopenia. A hidroxiureia é utilizada para a citorredução nos pacientes com hiperleucocitose.

Os regimes de indução utilizados são fundamentados em protocolos infantis e nenhum deles foi comparado em estudos prospectivos randomizados. Portanto, não há um regime melhor para o tratamento da LLA, e sim o que se enquadra nas características de cada paciente.

Os protocolos de tratamento utilizam várias drogas, em diferentes doses e combinações. A maioria deles contém vincristina, corticosteroide e antraciclina e profilaxia do sistema nervoso central com quimioterapia intratecal e radioterapia em crânio. Com esse regime, mais de 80% dos pacientes com diagnóstico de LLA atingem remissão completa. Alguns protocolos acrescentaram outros agentes, como ciclofosfamida, citarabina, metotrexate, 6-mercaptopurina, etoposide e teniposide, e asparaginase, mas não houve melhora nas taxas de remissão completa. No entanto, alguns demonstraram maior rapidez em atingir a remissão.[31-35]

Os regimes mais utilizados são:

- *Estudo CALGB* (*Cancer and Leukemia Group B*).[35]
- *Standard and augmented Berlin-Frankfurt-Munster* (BFM): para crianças e adolescentes com câncer.[36]
- *Hiperfracionado* (*Hyper-CVAD*): ciclofosfamida, vincristina, doxorrubicina e dexametasona alternando com altas doses de metotrexate e citarabina.[37]
- *French GRAAL-2003*: para adultos jovens.[38]

A incorporação do anticorpo monoclonal antiCD20 (rituximabe) a alguns regimes de indução da LLA tem melhorado os resultados nos pacientes adultos jovens com LLA CD20 positivo e Ph negativo. São estudos não randomizados que sugerem um benefício com a adição do rituximabe aos protocolos *Hyper*-CVAD e BFM. No entanto, outros estudos são necessários para a avaliação e comparação com outros regimes.

O tratamento visa atingir a remissão completa definida como a erradicação de células leucêmicas detectáveis (menos de 5% de blastos) na medula óssea e no sangue periférico e a restauração da hematopoiese (mais de 25% da celularidade na medula óssea e contagem normal no sangue periférico).

Os pacientes que atingem a remissão completa têm sobrevida global de 45%, e os que não atingem a remissão, de 5%. Uma vez que o paciente atinge a remissão, o tratamento pós-remissão (consolidação, intensificação e manutenção) deve continuar e tem o objetivo de eliminar doença subclínica (doença residual mínima). A sobrevida de 5 anos é de mais de 60% para esses pacientes.

O tratamento pós-indução segue de acordo com a estratificação de risco de cada paciente. Pacientes de alto risco de recaída são tratados com terapia mais agressiva, como o transplante de medula óssea, o que resulta em uma sobrevida maior (45% em 10 anos). Após o tratamento, menos da metade dos pacientes terá uma sobrevida longa livre de doença, e a maioria apresentará recaída. Mais de 25% terão doença resistente. Um terço dos pacientes recai em sítios extramedulares, como SNC, testículo, pele ou pleura.[39]

A doença é considerada refratária ou resistente quando não se atinge a remissão completa, e a recaída é definida pelo reaparecimento das células leucêmicas na medula óssea ou no sangue periférico após a remissão. Nova avaliação deve ser realizada, incluindo a tipagem HLA para os pacientes candidatos a transplante.

O tratamento de resgate (salvamento) ideal não é bem definido, e as taxas de resposta a esse tratamento variam de 30 a 50%, dependendo do regime quimioterápico primário. Se a recaída ocorre mais de 2 anos após o início do tratamento, podem-se utilizar regimes de indução semelhantes aos do tratamento inicial. Já os pacientes com doença resistente primária ou recaída durante o tratamento primário devem usar regimes diferentes. Todos os pacientes devem ser encaminhados para o transplante alogeneico de medula óssea o mais rápido possível, porém nem todos estarão aptos para o procedimento.

Os regimes de salvamento geralmente incluem citarabina em combinação com outros agentes (antracíclicos e alquilantes). Algumas drogas têm demonstrado eficácia com o uso isolado em pacientes refratários ou recaídos após pelo menos dois regimes de salvamento. São elas: neralabine em LLA-T, com taxas de remissão de 20 a 35%, e a clofarabina (em pacientes pediátricos), com 30%. No entanto, esse esquema só deverá ser utilizado se houver viabilidade para o transplante de medula óssea.

Os pacientes com LLA Ph positivo são tratados com protocolos que incluem inibidores tirosina quinase (imatinib, dasatinib). A escolha do inibidor e do esquema mais adequado, assim como o papel do transplante depois da remissão, ainda geram controvérsias e estão em estudo.

O tratamento recomendado para os pacientes com diagnóstico de LLA subtipo L3 é diferente do dos outros subtipos, pois esta é a forma leucêmica do linfoma de Burkitt e deve ser tratada com os protocolos de linfoma não Hodgkin.

A leucemia bifenotípica aguda, caracterizada pela presença de marcadores linfoides e mieloides, corresponde a menos de 5% das leucemias agudas e não há terapia padrão, mas a maioria dos pacientes é tratada com protocolos de LMA e transplante de medula óssea.

MONITORAÇÃO DURANTE O TRATAMENTO

O tratamento quimioterápico da LLA é altamente tóxico para o sistema hematopoiético. A maioria dos pacientes necessita de hospitalização tanto pelo tratamento quanto pelas complicações relacionadas a ele. O controle laboratorial e clínico deve ser realizado regularmente.

Em algumas fases do tratamento a quimioterapia pode ser interrompida em virtude de mielossupressão prolongada, complicações infecciosas e/ou toxicidades relacionadas ao tratamento.

O tratamento de suporte inclui manejo das citopenias, infecções, lise tumoral e outras complicações relacionadas ao tratamento.

Um catéter venoso central é necessário, visto a quantidade de líquidos, medicamentos, transfusões, quimioterapia e antibióticos que o paciente receberá durante todo o tratamento.

DOENÇA RESIDUAL MÍNIMA

Mais de 80% dos pacientes adultos com LLA atingem a remissão completa, e mais da metade pode ter uma sobrevida livre de doença prolongada e conseguir a "cura". Entretanto, muitos recaem e morrem.

A recaída resulta na permanência das células leucêmicas residuais que estão abaixo dos limites de detecção, que não foram detectadas após a remissão por meio dos métodos convencionais (critérios morfológicos). Esses níveis subclínicos de leucemia residual são definidos como doença residual mínima (DRM) e podem ser detectados por outros métodos mais sensíveis e predizer o prognóstico.

Várias técnicas foram estudadas para a detecção de doença residual e incluem a citogenética por FISH (*fluorescence in situ hybridization*), a citometria de fluxo e o PCR (*polymerase chain reaction*).

A análise das células leucêmicas através do PCR pode detectar uma célula diluída em 10 a 5 vezes, ou cerca de 1 a 5 blastos/100.000 células nucleadas (1 drm). A citometria de fluxo identifica expressão aberrante dos antígenos. A interpretação dos resultados foi padronizada, e o European Study Groups on Childhood and Adult ALL propôs as seguintes definições:

1. **DRM resposta completa:** nenhuma DRM detectada.
2. **DRM persistente:** presença de DRM positiva quantificável em, pelo menos, dois exames, com um tratamento no intervalo entre as duas medidas.
3. **Reaparecimento de DRM:** quando uma DRM negativa torna-se positiva.[40]

Ainda não está bem definido se a DRM pode ser utilizada para modificar a terapia e melhorar os resultados. Uma série de estudos está sendo desenvolvida para avaliar o escalonamento da intensidade do tratamento em pacientes com DRM positiva e a redução naqueles com DRM negativa. Entretanto, se a positividade da DRM persistir, mudanças devem ser feitas pelo risco potencial de recaída no futuro.[40]

REFERÊNCIAS BIBLIOGRÁFICAS

1. Harris NL, Jaffe ES, Stein H *et al.* A revised European-American classification of lymphoid neoplasms: a proposal from the International Lymphoma Study Group. *Blood* 1994;84:1361.
2. Harris NL, Jaffe ES, Diebold J *et al.* World Health Organization classification of neoplastic diseases of the hematopoietic and lymphoid tissues: report of the Clinical Advisory Committee meeting- Airlie House, Virginia, November 1997. *J Clin Oncol* 1999;17:3835.
3. Brouet JC, Rabian C, Gisselbrecht C *et al.* Clinical and immunological study of non-Hodgkin T-cell lymphomas (cutaneous and lymphoblastic lymphomas excluded). *Br J Haematol* 1984;57:315.
4. Swerdlow SH, Campo E, Harris NL *et al.* (Eds.). World Health Organization Classification of Tumours of Haematopoietic and Lymphoid Tissues. Lyon: IARC, 2008.
5. Han X, Kilfoy B, Zheng T *et al.* Lymphoma survival patterns by WHO subtype in the United States, 1973-2003. *Cancer Causes Control* 2008;19:841.
6. Soslow RA, Baergen RN, Warnke RA. B-lineage lymphoblastic lymphoma is a clinicopathologic entity distinct from other histologically similar aggressive lymphomas with blastic morphology. *Cancer* 1999;85:2648.
7. Dores GM, Devesa SS, Curtis RE *et al.* Acute leukemia incidence and patient survival among children and adults in the United States, 2001-2007. *Blood* 2012;119:34.
8. Shafer D, Wu H, Al-Saleem T *et al.* Cutaneous precursor B-cell lymphoblastic lymphoma in 2 adult patients: clinicopathologic and molecular cytogenetic studies with a review of the literature. *Arch Dermatol* 2008;144:1155.
9. Ducassou S, Ferlay C, Bergeron C *et al.* Clinical presentation, evolution, and prognosis of precursor B-cell lymphoblastic lymphoma in trials LMT96, EORTC 58881, and EORTC 58951. *Br J Haematol* 2011;152:441.

10. Khalidi HS, Chang KL, Medeiros LJ et al. Acute lymphoblastic leukemia. Survey of immunophenotype, French-American-British classification, frequency of myeloid antigen expression, and karyotypic abnormalities in 210 pediatric and adult cases. Am J Clin Pathol 1999;111:467.
11. Pui CH, Rubnitz JE, Hancock ML et al. Reappraisal of the clinical and biologic significance of myeloid-associated antigen expression in childhood acute lymphoblastic leukemia. J Clin Oncol 1998;16:3768.
12. Kitchingman GR, Rovigatti U, Mauer AM et al. Rearrangement of immunoglobulin heavy chain genes in T cell acute lymphoblastic leukemia. Blood 1985;65:725.
13. Tawa A, Hozumi N, Minden M et al. Rearrangement of the T-cell receptor beta-chain gene in non-T-cell, non-B-cell acute lymphoblastic leukemia of childhood. N Engl J Med 1985;313:1033.
14. Felix CA, Poplack DG, Reaman GH et al. Characterization of immunoglobulin and T-cell receptor gene patterns in B-cell precursor acute lymphoblastic leukemia of childhood. J Clin Oncol 1990;8:431.
15. Nachman JB, Heerema NA, Sather H et al. Outcome of treatment in children with hypodiploid acute lymphoblastic leukemia. Blood 2007;110:1112.
16. Mullighan CG, Miller CB, Radtke I et al. BCR-ABL1 lymphoblastic leukaemia is characterized by the deletion of Ikaros. Nature 2008;453:110.
17. Mullighan CG, Su X, Zhang J et al. Deletion of IKZF1 and prognosis in acute lymphoblastic leukemia. N Engl J Med 2009;360:470.
18. Pui CH, Behm FG, Downing JR et al. 11q23/MLL rearrangement confers a poor prognosis in infants with acute lymphoblastic leukemia. J Clin Oncol 1994;12:909.
19. Marks DI, Paietta EM, Moorman AV et al. T-cell acute lymphoblastic leukemia in adults: clinical features, immunophenotype, cytogenetics, and outcome from the large randomized prospective trial (UKALL XII/ECOG 2993). Blood 2009;114:5136.
20. Faderl S, Kantarjian HM, Talpaz M et al. Clinical significance of cytogenetic abnormalities in adult acute lymphoblastic leukemia. Blood 1998;91:3995.
21. Cytogenetic abnormalities in adult acute lymphoblastic leukemia: correlations with hematologic findings outcome. A Collaborative Study of the Group Français de Cytogénétique Hématologique. Blood 1996;87:3135.
22. Pui CH, Relling MV, Downing JR. Acute lymphoblastic leukemia. N Engl J Med 2004;350:1535.
23. Harrison CJ, Moorman AV, Barber KE et al. Interphase molecular cytogenetic screening for chromosomal abnormalities of prognostic significance in childhood acute lymphoblastic leukaemia: a UK Cancer Cytogenetics Group Study. Br J Haematol 2005;129:520.
24. Sun L, Heerema N, Crotty L et al. Expression of dominant-negative and mutant isoforms of the antileukemic transcription factor Ikaros in infant acute lymphoblastic leukemia. Proc Natl Acad Sci USA 1999;96:680.
25. Armstrong SA, Staunton JE, Silverman LB et al. MLL translocations specify a distinct gene expression profile that distinguishes a unique leukemia. Nat Genet 2002;30:41.
26. Crist WM, Carroll AJ, Shuster JJ et al. Poor prognosis of children with pre-B acute lymphoblastic leukemia is associated with the t(1;19)(q23;p13): a Pediatric Oncology Group study. Blood 1990;76:117.
27. Roman-Gomez J, Jimenez-Velasco A, Agirre X et al. CpG island methylator phenotype redefines the prognostic effect of t(12;21) in childhood acute lymphoblastic leukemia. Clin Cancer Res 2006;12:4845.
28. Uckun FM, Sensel MG, Sun L et al. Biology and treatment of childhood T-lineage acute lymphoblastic leukemia. Blood 1998;91:735.
29. Heerema NA, Sather HN, Sensel MG et al. Frequency and clinical significance of cytogenetic abnormalities in pediatric T-lineage acute lymphoblastic leukemia: a report from the Children's Cancer Group. J Clin Oncol 1998;16:1270.
30. Garand R, Vannier JP, Béné MC et al. Comparison of outcome, clinical, laboratory, and immunological features in 164 children and adults with T-ALL. The Groupe d'Etude Immunologique des Leucémies. Leukemia 1990;4:739.
31. Laport GF, Larson RA. Treatment of adult acute lymphoblastic leukemia. Semin Oncol 1997;24:70.
32. Hoelzer D. Treatment of acute lymphoblastic leukemia. Semin Hematol 1994;31:1.
33. Preti A, Kantarjian HM. Management of adult acute lymphocytic leukemia: present issues and key challenges. J Clin Oncol 1994;12:1312.
34. Copelan EA, McGuire EA. The biology and treatment of acute lymphoblastic leukemia in adults. Blood 1995;85:1151.
35. Hoelzer D, Gökbuget N. New approaches to acute lymphoblastic leukemia in adults: where do we go? Semin Oncol 2000;27:540.
36. Stock W, La M, Sanford B et al. What determines the outcomes for adolescents and young adults with acute lymphoblastic leukemia treated on cooperative group protocols? A comparison of Children's Cancer Group and Cancer and Leukemia Group B studies. Blood 2008;112:1646.
37. Kantarjian HM, O'Brien S, Smith TL et al. Results of treatment with hyper-CVAD, a dose-intensive regimen, in adult acute lymphocytic leukemia. J Clin Oncol 2000;18:547.
38. Huguet F, Leguay T, Raffoux E et al. Pediatric-inspired therapy in adults with Philadelphia chromosome-negative acute lymphoblastic leukemia: the GRAALL-2003 study. J Clin Oncol 2009;27:911.
39. Navarro JL, de Blas Orlando J, Ríos Herranz E et al. Philadelphia positive acute lymphoblastic leukemia 16 years after the apparent cure of acute lymphoblastic leukemia. New leukemia or late relapse? Haematologica 1998;83:855.
40. Brüggemann M, Schrauder A, Raff T et al. Standardized MRD quantification in European ALL trials: proceedings of the Second International Symposium on MRD assessment in Kiel, Germany, 18-20 September 2008. Leukemia 2010;24:521.

CAPÍTULO 230
Leucemia Mieloide Aguda

Yung Bruno de Mello Gonzaga ▪ Bruno Terra Corrêa ▪ Cibelli Navarro Roldan Martin
Márcia Trindade Schramm ▪ Adriana Scheliga

INTRODUÇÃO

A leucemia mieloide aguda (LMA) é uma doença clonal, caracterizada pela proliferação de células precursoras hematopoiéticas da linhagem mieloide. O(s) evento(s) genético(s) que desencadeia(m) essa proliferação aberrante pode(m) ocorrer em várias etapas do processo da diferenciação mieloide.

A doença acomete, principalmente, pessoas idosas, com uma mediana de idade de 72 anos.[1] Nas últimas quatro décadas, alguns progressos foram feitos no tratamento dos pacientes mais jovens mas, ainda assim, apenas cerca de 35% dos pacientes sobrevivem a longo prazo e são considerados curados da doença.[2]

A nova classificação das LMA da Organização Mundial de Saúde (OMS) incorpora dados de citogenética e biologia molecular, fatores determinantes de prognóstico e estratificação terapêutica. Para o futuro, esperam-se avanços nessa estratificação e o surgimento de novas terapias alvo-específicas, como o ácido transretinoico (ATRA), já amplamente utilizado na LMA com t(15;17).[3]

FISIOPATOLOGIA

A LMA é caracterizada pela infiltração, geralmente da medula óssea, por células blásticas de origem mieloide.

Para que haja a transformação neoplásica da célula blástica, são necessários eventos genéticos complementares, que afetem tanto a proliferação celular, quanto a capacidade de diferenciação. Um exemplo de evento genético que confere vantagem proliferativa à célula leucêmica sem afetar sua capacidade de diferenciação é a mutação ativadora do gene FLT3. Outra classe de mutação, como a translocação que envolve a fusão dos genes AML1-ETO, seria capaz de impedir a diferenciação celular.[4-6]

A infiltração medular resultante da proliferação das células blásticas leva a comprometimento da hematopoiese normal, afetando a produção de células maduras funcionais. O resultado são as citopenias, que podem levar a quadros de infecção, sangramento e anemia sintomática. Além disso, na maioria dos casos, essas células blásticas acometem o sangue periférico, podendo causar infiltrações de vários órgãos, como a pele e o SNC.

MANIFESTAÇÕES CLÍNICAS

As manifestações clínicas da LMA são inespecíficas, resultantes principalmente da redução na produção de células hematopoiéticas. Na LMA, geralmente as três séries estão afetadas, levando a sintomas relacionados a anemia, quadros infecciosos decorrentes de neutropenia e sangramentos, geralmente mucocutâneos, secundários à trombocitopenia.

Além disso, o paciente pode apresentar sinais e sintomas relacionados a infiltrações orgânicas, como lesões cutâneas (leucemia cútis), hiperplasia gengival (mais comum nos subtipos monocíticos), infiltração do SNC (raro). A presença de leucemia extramedular também pode manifestar-se na forma de um tumor de células blásticas, chamado de cloroma ou sarcoma granulocítico, geralmente associado à doença medular, mas podendo ocorrer, também, de forma isolada (Figs. 1 e 2).[7,8]

Um quadro grave, geralmente associado a elevadas contagens de leucócitos (> 50.000/mm³), é a síndrome de leucostase, causada pela obstrução da microcirculação por células blásticas e levando a manifestações pulmonares e neurológicas, com rápida evolução para insuficiência respiratória ou hemorragia cerebral se não tratado de forma agressiva e imediata com leucaférese e quimioterapia.[9]

A alteração metabólica mais frequente na LMA é a hiperuricemia, resultante de alta taxa de proliferação celular e consequente catabolismo das purinas.[10] A hipocalemia também é um achado frequente, relacionado principalmente aos subtipos monocíticos de LMA. Sua principal causa é a liberação de lisozima pelas células blásticas, especialmente após o início do tratamento quimioterápico, causando dano tubular renal.[11] A síndrome de lise tumoral não é muito frequente em pacientes portadores de LMA, mas pode ocorrer em pacientes com contagens elevadas de leucócitos e aumento de DHL.[12]

DIAGNÓSTICO

O diagnóstico da LMA é realizado através do sangue periférico ou, idealmente, pelo aspirado de medula óssea, que é submetido à análise morfológica, imunofenotípica, citogenética e molecular. A biópsia de medula óssea é geralmente dispensável como método diagnóstico, devendo ser realizada nos casos em que não é possível coleta de material adequado pela aspiração medular (aspirado seco).[13]

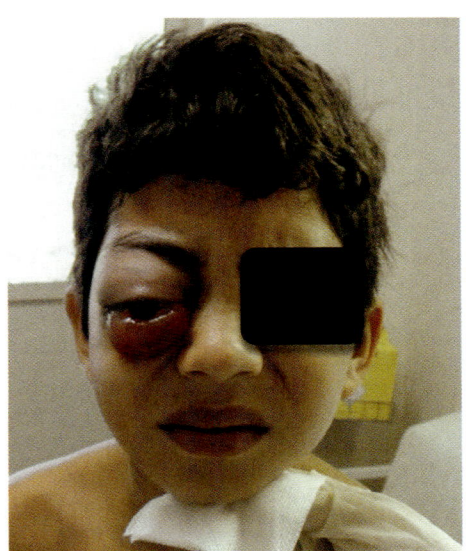

◄ **FIGURA 1.** Cloroma retro-orbitário em paciente com LMA e t(8;21).

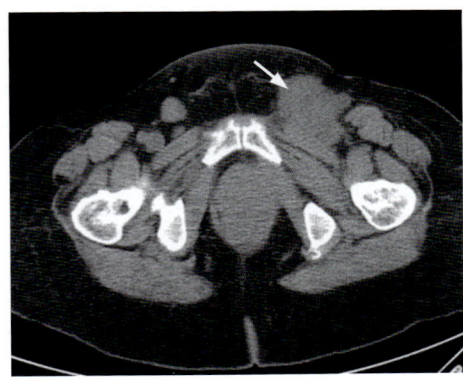

◄ **FIGURA 2.** Sarcoma granulocítico isolado de vulva (seta). O exame imuno-histoquímico evidenciou positividade para cd45 e mieloperoxidase.

Morfologia

Para o diagnóstico de LMA, uma contagem de blastos no sangue periférico ou medula óssea acima de 20% deve ser encontrada, exceto nos casos que apresentem a t(15;17), t(8;21), inv(16) ou t(16;16), em que o diagnóstico é feito independente da contagem de blastos.[14]

A classificação original da FAB reconhece três tipos de blastos mieloides, definidos por meio da quantidade de grânulos no citoplasma.[15] O bastonete de Auer, que consiste em diversos grânulos primários agregados na forma de um bastão, ocorre em 30-50% dos casos de LMA (Fig. 3).[16]

Os métodos citoquímicos para coloração ainda são utilizados para a definição da linhagem celular das células blásticas em vários centros. A detecção da mieloperoxidase ou *Sudan Black* em > 3% blastos indica linhagem mieloide, mas sua ausência não a exclui, de forma que a imunofenotipagem tornou-se o método de escolha para definição da linhagem celular.[13]

A classificação FAB distingue oito subtipos de LMA (M0 a M7), baseada em critérios eminentemente morfológicos e de citoquímica, mas foi suplantada pela classificação mais atual e abrangente da OMS.

Imunofenotipagem

A imunofenotipagem, utilizando a citometria de fluxo, é o método utilizado para determinar a linhagem da leucemia. Por intermédio da demonstração de marcadores antigênicos citoplasmáticos e de superfície é possível diferenciar a LMA da leucemia linfoblástica aguda (LLA), mesmo naqueles casos em que tal distinção não é possível através da morfologia e da citoquímica. É possível também determinar, dentro da linhagem mieloide, o grau de diferenciação celular predominante (monocítico, megacariocítico, eritroide etc.) (Quadro 1).[13,17]

Citogenética

Alterações citogenéticas são encontradas em até 55% dos casos de LMA recém-diagnosticados.[18] Algumas dessas alterações são suficientes para o diagnóstico, mesmo em casos com < 20% de blastos na medula óssea e no sangue periférico e são classificadas de acordo com a OMS, como "LMA com anormalidades genéticas recorrentes".[14]

A análise citogenética é fundamental, principalmente, para definição prognóstica, como será descrito adiante.

Análise molecular

Diversas alterações genéticas, não detectadas pela citogenética convencional, podem ser identificadas nas células neoplásicas de pacientes com LMA. As mais estudadas até o momento são as alterações do NPM1, CEBPA e FLT3, que devem avaliadas principalmente nos casos de LMA com cariótipo normal (CN), em que apresentam significado prognóstico mais definido, conforme será descrito adiante.[13]

CLASSIFICAÇÃO

A classificação atual das LMAs é aquela definida pela OMS, que agrega dados do quadro clínico, citogenética, biologia molecular e etiologia (Quadro 2).

PROGNÓSTICO

Fatores relacionados ao paciente

Entre os fatores relacionados ao paciente, a idade é o mais importante. Os pacientes acima de 60 anos, em geral, toleram mal o tratamento e apresentam uma incidência aumentada de outros fatores de mau prognóstico, como citogenética de alto risco e história prévia de mielodisplasia. Mesmo quando corrigida para esses fatores, a idade se mantém como fator prognóstico desfavorável.[19,20]

A idade cronológica, entretanto, não deve ser utilizada como parâmetro isolado para a não administração de tratamento potencialmente curativo. Essa decisão deve ser avaliada cuidadosamente levando em consideração não só a idade, mas o cariótipo do clone leucêmico, o estado geral do paciente e a presença de comorbidades.[13]

Fatores relacionados à doença

Diversos fatores relacionados à doença já foram relacionados a prognóstico desfavorável na LMA, como a contagem de leucócitos, os níveis de DHL e o subtipo FAB. Os resultados, entretanto, variam entre os estudos. O fator mais consistentemente relacionado ao prognóstico na LMA é a alteração citogenética apresentada pelo clone leucêmico. Mais recentemente, alterações genéticas detectadas apenas em nível molecular vêm mostrando impacto prognóstico, especialmente nos casos que se apresentam com cariótipo normal.

Citogenética

O cariótipo da célula leucêmica é o principal fator prognóstico em relação à resposta ao tratamento e à sobrevida. De acordo com a alteração ci-

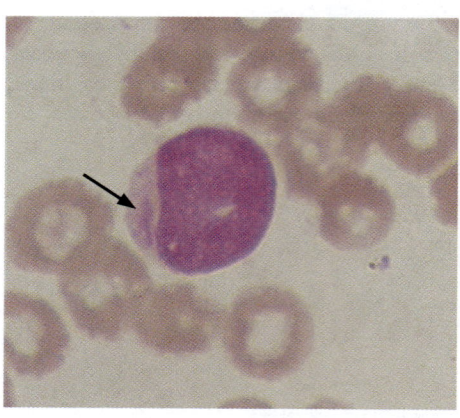

◀ **FIGURA 3.** Blasto-mieloide com bastonete de Auer evidente no citoplasma (seta).

Quadro 2. Classificação das leucemias mieloides agudas e neoplasias precursoras correlacionadas – Organização Mundial de Saúde

LMA COM ANORMALIDADES GENÉTICAS RECORRENTES
- LMA com t(8;21)(q22;q22);RUNX1-RUNX1T1
- LMA com inv(16)(p13.1q22) ou t(16;16)(p13.1q22); CBFB-MYH11
- Leucemia promielocítica aguda com t(15;17)(q22;q12); PML –RARA
- LMA com t(9;11)(p22;q23);MLLT3-MLL
- LMA com t(6;9)(p23;q34); DEK-NUP214
- LMA com inv(3)(q21q26.2) ou t(3;3)(q21;q26.2); RPN1 – EVI1
- LMA (megacarioblástica) com t(1;22)(p13;q13); RBM15 –MKL1
- LMA com mutação do NPM1
- LMA com mutação do CEBPA

LMA COM ALTERAÇÕES RELACIONADAS A MIELODISPLASIA
NEOPLASIAS MIELOIDES ASSOCIADAS A TERAPIA
LEUCEMIA MIELOIDE AGUDA, NÃO PREVIAMENTE ESPECIFICADA
- LMA com mínima diferenciação
- LMA sem maturação
- LMA com maturação
- Leucemia mielomonocítica aguda
- Leucemia monoblástica e monocítica aguda
- Leucemia eritroide aguda
- Leucemia basofílica aguda
- Panmielose aguda com mielofibrose

SARCOMA MIELOIDE
PROLIFERAÇÕES MIELOIDES RELACIONADAS À SÍNDROME DE DOWN
- Mielopoiese anormal transitória
- Leucemia mieloide associada à Síndrome de Down

NEOPLASIA DE CÉLULAS BLÁSTICAS DENDRÍTICAS PLASMOCITOIDES

Quadro 1. Marcadores imunofenotípicos nas leucemias agudas

Célula precursora	CD 45, TdT, CD34, HLA-DR
Linhagem B	CD19, CD20, CD22, CD79a, CD10
Linhagem T	CD2, CD3, CD5, CD7
Linhagem mieloide	CD13, CD33, CD117, CD15, MPO
Linhagem monocítica	CD14, CD11b, CD11c, CD64, CD36
Linhagem eritroide	Glicoforina A
Linhagem megacariocítica	CD41, CD42, CD61

CD = *Cluster* de diferenciação; TdT = desoxinucleotidiltransferase.

togenética, podemos dividir os pacientes em três grupos de risco: baixo risco, risco intermediário e alto risco.

- *Baixo risco:* inv(16) ou t(16;16); t(8;21); t(15;17).
- *Risco intermediário:* cariótipo normal(CN); tri 8; t(9;11); todas as demais que não se encaixam no grupo de baixo ou alto risco.
- *Alto risco:* cariótipo complexo (três ou mais alterações); alterações do 11q23 exceto a t(9;11); -5; 5q-; -7; 7q-; inv3; t(3;3); t(6;9).

O CN é a apresentação citogenética mais frequente nos pacientes com diagnóstico de LMA de novo, correspondendo a quase metade (cerca de 45%) dos casos.[21-23]

Alterações moleculares

Recentemente, diversas alterações genéticas detectáveis apenas por métodos moleculares vêm mostrando influência no prognóstico dos pacientes com LMA, principalmente o grupo heterogêneo representado pelos pacientes com CN. As principais são:

- *Mutação do NPM1:* a presença dessa mutação está associada a maiores taxas de resposta completa e sobrevida livre de doença no grupo de pacientes com CN.[24-27]
- *Duplicação do tandem interno do FLT3 (FLT3 ITD):* associada a pior prognóstico nos pacientes com LMA e CN. Está presente em 40% dos casos que apresentam mutação do NPM1, eliminando prognóstico favorável associado a esta mutação.[28-33]
- *Mutação do CEBPA:* associada a melhor prognóstico nos pacientes com CN.[24,34-36]
- *Mutação do KIT:* a presença dessa mutação nos pacientes com citogenética considerada de baixo risco mostrou associação com piora no prognóstico.[37-41]

A combinação de fatores prognósticos de citogenética convencional e genética molecular permite melhor estratificação de risco dos pacientes com LMA (Quadro 3).

Diversas outras alterações moleculares vêm sendo identificadas e estudadas em relação ao prognóstico e ao potencial como alvos terapêuticos, de forma que, no futuro, podemos esperar uma abordagem individualizada de acordo com a assinatura genética do clone leucêmico.[44]

TRATAMENTO

O tratamento curativo da LMA baseia-se em uma fase inicial, chamada de indução, cujo objetivo é restabelecer uma hematopoiese policlonal e o tratamento pós-indução, que objetiva erradicar a doença residual após a terapia de indução.

Pacientes jovens

Serão considerados adultos jovens os pacientes entre 18 e 60 anos. A idade cronológica, entretanto, não deve ser considerada o fator preponderante na decisão de oferecer tratamento agressivo e potencialmente curativo. Pacientes acima de 60 anos, em bom estado geral e sem comorbidades, poderão ser elegíveis para receber o tratamento.

Indução de remissão

O tratamento de indução padrão consiste na administração de uma antraciclina por 3 dias (classicamente idarrubicina 12 mg/m^2 ou daunorrubicina 60 mg/m^2), associada a 7 dias de citarabina (100-200 mg/m^2) em infusão contínua (esquema 7 + 3). Entre 60-80% dos pacientes jovens atingem remissão hematológica com esses esquemas.[13]

Um estudo recente mostrou a superioridade da daunorrubicina, na dose de 90 mg/m^2, em relação à dose comumente utilizada de 60 mg/m^2, especialmente nos pacientes com citogenética favorável e intermediária.[43]

Tratamento pós-indução

Alguma forma de tratamento pós-remissão é necessária para evitar a recaída. As principais estratégias utilizadas são a quimioterapia com altas doses de citarabina (HDAC), a quimioterapia em altas doses seguida de transplante autólogo de células-tronco hematopoiéticas (TCTH auto) e o transplante alógeno de células-tronco hematopoiéticas (TCTH alo). O tratamento pós-indução deve ser estratificado de acordo com o prognóstico, definido pelas alterações citogenéticas e moleculares.[13]

- *LMA baixo risco:* ciclos repetidos de ARA-c em altas doses (3 g/m^2/dia por 3 dias).[44] Não há vantagem do TCTHauto ou TCTH alo em primeira remissão nesse grupo de pacientes.[45,46]
- *LMA risco intermediário:* na maioria dos centros, ciclos repetidos de HDAC são utilizados, mas com resultados muitas vezes insatisfatórios. O benefício do alo-TCTH tem sido demonstrado em diversos estudos de pacientes com citogenética de risco intermediário, especialmente os que apresentam marcadores moleculares associados a mau prognóstico como a FLT3 ITD.[47,48]
- *LMA alto risco:* o alo-TCTH utilizando doador relacionado ou não a HLA compatível é considerado o tratamento de escolha nesse grupo de pacientes em razão do risco elevadíssimo de recaída e prognóstico muito desfavorável apenas com o tratamento quimioterápico ou TCTHauto.[13,22,47-49]

Pacientes idosos

Os pacientes idosos têm menor tolerância ao tratamento quimioterápico intensivo e apresentam, com maior frequência, alterações citogenéticas de alto risco, que conferem resistência à quimioterapia.[20,50]

Indução de remissão

A idade, conforme dito anteriormente, não deve ser utilizada como fator isolado para definir a elegibilidade do paciente para a quimioterapia de indução. Pacientes em bom estado geral e sem comorbidades são candidatos à terapia de indução clássica com esquema 7 + 3. Esse tratamento está associado a melhores taxas de sobrevida e qualidade de vida do que apenas o tratamento de suporte, com taxas de remissão completa de até 50%.[50] Esse benefício, entretanto, não é evidente nos pacientes que apresentem citogenética de alto risco, cuja taxa de remissão completa é inferior a 30% e a sobrevida a longo prazo < 5%.[50-53]

Portanto, pacientes acima de 60 anos, com bom estado geral, sem comorbidades e sem citogenética de mau prognóstico são candidatos à terapia de indução clássica. Pacientes fisicamente frágeis deverão ser tratados de forma paliativa. Esquemas com citarabina em baixas doses podem ser utilizados nessa população, contanto que não apresentem citogenética desfavorável.[51,54] Pacientes que apresentem cariótipo de alto risco idealmente deveriam ser encaminhados para tratamento em algum ensaio clínico.[13]

Tratamento pós-indução

Pacientes que foram considerados elegíveis para receber a indução e obtiveram remissão hematológica poderão receber novos ciclos de consolidação com o mesmo esquema.[13,20] Diversos estudos vêm mostrando bons

Quadro 3. Estratificação de risco da LMA com base nas alterações citogenéticas e moleculares

RISCO	CITOGENÉTICA	BIOLOGIA MOLECULAR
Baixo risco	Inv(16) ou t(16;16) t(8;21) t(15;17)	Cariótipo normal com mutação do CEBPA ou do NPM1 sem mutação do FLT3
Risco intermediário	Cariótipo normal tri 8 t(9;11) Outras não definidas	t(8;21) ou t(16;16) ou inv(16) com mutação do c-kit
Alto risco	Cariótipo complexo del 5, del 5q, del 7, del 7q alteração do 11q23, exceto t(9;11) inv(3); t(3;3) t(6;9)	Cariótipo normal com mutação do FLT3

resultados com o uso do TCTH alo, utilizando regime de condicionamento não mieloablativo nessa população, mas esse ainda é um tratamento considerado experimental e que deve ser realizado no contexto de estudos clínicos.[13,55-57]

TRATAMENTO DA RECAÍDA

A maioria dos pacientes que atinge remissão completa recai da LMA nos primeiros 3 anos, e o prognóstico desses pacientes é ruim. O tratamento com maior potencial curativo nesses pacientes é o TCTH alo. Um esquema quimioterápico de resgate geralmente é iniciado com o objetivo de atingir uma nova remissão hematológica, possibilitando a realização do transplante. Os principais fatores prognósticos para a obtenção de uma nova remissão são a duração da primeira remissão (< 6 meses; entre 7 e 18 meses; e > 18 meses) e a idade do paciente.[58,59] Pacientes que não possuem doador relacionado ou não têm a opção de ser submetidos a um TCTH auto, caso consigam uma segunda remissão.[60,61]

LEUCEMIA PROMIELOCÍTICA AGUDA (LPMA)

Esse subtipo de LMA será discutido separadamente em virtude de suas peculiaridades clínicas e necessidade de abordagem terapêutica diferenciada. A LPMA é um subtipo de LMA, com características clínicas e biológicas distintas. A maioria dos pacientes é jovem, apresenta-se com leucopenia e grave coagulopatia. Com raras exceções, o clone leucêmico apresenta uma translocação recíproca entre os cromossomos 15 e 17, levando à fusão dos genes PML e RARA. Essa alteração genética torna a célula leucêmica altamente sensível à inibição pelo ATRA.[62]

Trata-se de um subtipo raro entre as LMA (10-15%), mas com elevadas taxas de cura nos pacientes que sobrevivem à indução. Clinicamente, a principal manifestação é uma grave coagulopatia, que pode levar ao óbito, principalmente, por hemorragia pulmonar e cerebral. É relatada na literatura uma mortalidade precoce, principalmente relacionada a sangramentos, de cerca de 10%.[62] A coagulopatia é causada direta ou indiretamente pelos promielócitos leucêmicos, por meio da expressão de ativadores da coagulação, fibrinólise, protease e liberação de citocinas. Predomina a hiperfibrinólise, que associada à plaquetopenia resultante da infiltração medular, leva a grave quadro pró-hemorrágico.[63] Um estudo brasileiro evidenciou taxas de mortalidade precoce de 32%, o que provavelmente reflete melhor a realidade fora dos estudos clínicos.[64]

As células leucêmicas da LPMA apresentam características morfológicas distintas, com grande quantidade de grânulos no citoplasma, e as células com núcleo "em ampulheta", vistas na forma variante da LPMA (Figs. 4 e 5). Seu reconhecimento pelo hematologista deve deflagrar o início imediato do tratamento com ATRA, mesmo antes da confirmação diagnóstica por meio da citogenética e biologia molecular, com o objetivo de reverter a grave coagulopatia relacionada à doença, associada a medidas de suporte transfusional, visando otimizar a hemostasia. Pacientes que se apresentam com leucocitose (acima de 10.000/mm³) estão sob maior risco de síndrome de diferenciação e deverão iniciar quimioterapia baseada em antraciclina concomitante ao ATRA.[62,63,65]

A síndrome de diferenciação é uma síndrome clínica relacionada a diferenciação dos promielócitos leucêmicos induzida pelo ATRA, que cursa com desconforto respiratório, associada a infiltrados pulmonares, que pode ser confundida com sobrecarga de volume, infecções e hemorragia alveolar. Qualquer sinal clínico de quadro respiratório associado a infiltrados pulmonares após o início do ATRA deve levar ao início de tratamento da síndrome com dexametasona.

Adiante, segue um resumo do diagnóstico e das medidas terapêuticas na LPMA, com base no European LeukemiaNet (Quadro 4).

Quadro 4. Recomendações para o diagnóstico e o manejo da LPMA

A suspeita diagnóstica da LPMA deve ser considerada uma emergência médica. O diagnóstico deve ser confirmado por meio de citogenética [t(15;17)] e biologia molecular (PML-RARA)

MANEJO DA COAGULOPATIA
- Início imediato de ATRA após suspeita do diagnóstico
- Transfusão liberal de plaquetas, plasma e crioprecipitado, com o objetivo de manter a contagem de plaquetas > 30-50.000/mm³ e o fibrinogênio acima de 100-150 mg/dL

MANEJO DA HIPERLEUCOCITOSE (> 10.000/mm³)
- Início imediato de QT (antraciclina), antes da confirmação diagnóstica
- Evitar leucaférese (risco de hemorragia grave)
- Corticoide (profilaxia da síndrome de diferenciação): opcional

MANEJO DA SÍNDROME DE DIFERENCIAÇÃO
- Início imediato de dexametasona 10 mg EV 2×/dia à menor suspeita clínica
- Interromper o ATRA nos casos graves

TRATAMENTO DE INDUÇÃO
- ATRA associado a antraciclínico
- Manter o ATRA até a obtenção de remissão hematológica

TRATAMENTO DE CONSOLIDAÇÃO
- Padrão: três ciclos de QT com base em antraciclínicos
- Associação ao ATRA nos ciclos parece melhorar os resultados
- Pacientes de alto risco para recidiva (leucometria inicial > 10.000/mm³) e < 60 anos deverão receber ao menos um ciclo de QT com araC em dose intermediária ou alta
- A pesquisa de remissão molecular por RT-PCR deverá ser realizada ao término da consolidação

TRATAMENTO PÓS-CONSOLIDAÇÃO
- Terapia de manutenção deverá ser utilizada, caso tenha sido utilizado protocolo em que esse tratamento demonstrou benefício
- Monitorar resposta molecular a cada 3 meses
- Caso haja detecção de recaída molecular, uma nova amostra deverá ser colhida em 1-2 meses para confirmação e, caso positivo, iniciar tratamento de resgate
- Considerar profilaxia do SNC em pacientes de alto risco (leucometria inicial > 10.000/mm³)

TRATAMENTO DA RECIDIVA
- Pacientes com recaída molecular confirmada (dois PCRs consecutivos positivos) deverão iniciar tratamento de resgate imediatamente, antes da recidiva hematológica
- O trióxido de arsênico é a droga de escolha no tratamento da recidiva
- Pacientes que atingem uma segunda remissão molecular devem ser consolidados com transplante autólogo de células progenitoras hematopoiéticas
- Pacientes que não atingem uma segunda remissão molecular deverão ser tratados, idealmente, com transplante alogênico de células-tronco hematopoiéticas
- Pacientes considerados inelegíveis para o transplante alogênico ou que não possuam doador deverão receber tratamento com ciclos repetidos de trióxido de arsênico +/- ATRA +/- QT
- Pacientes com recidiva em SNC deverão receber tratamento com quimioterapia intratecal associada ao tratamento sistêmico

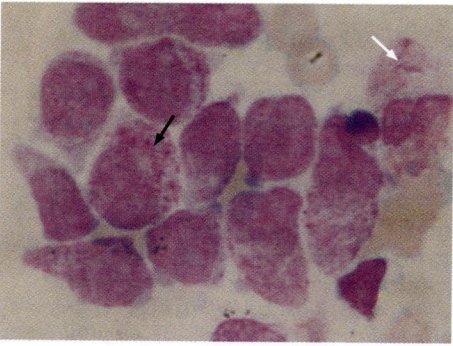

◀ **FIGURA 4.** LPMA. Promielócito leucêmico com incontáveis grânulos no citoplasma (seta preta); citoplasma de célula leucêmica contendo múltiplos bastonetes de Auer (seta branca).

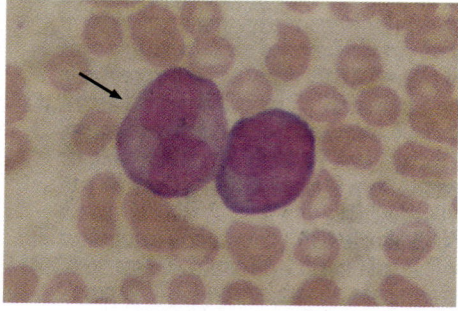

◀ **FIGURA 5.** LPMA. Célula com núcleo "em ampulheta" (seta).

REFERÊNCIAS BIBLIOGRÁFICAS

1. Juliusson G, Antunovic P, Derolf A, Lehmann S, Mollgard L, Stockelberg D et al. Age and acute myeloid leukemia: real world data on decision to treat and outcomes from the Swedish Acute Leukemia Registry. Blood 2009 Apr. 30;113(18):4179-87.
2. Rowe JM, Tallman MS. How I treat acute myeloid leukemia. Blood 2010 Oct. 28;116(17):3147-56.
3. Vardiman JW, Thiele J, Arber DA, Brunning RD, Borowitz MJ, Porwit A et al. The 2008 revision of the World Health Organization (WHO) classification of myeloid neoplasms and acute leukemia: rationale and important changes. Blood 2009 July 30;114(5):937-51.
4. Gilliland DG. Molecular genetics of human leukemias: new insights into therapy. Semin Hematol 2002 Oct.;39(4 Suppl 3):6-11.
5. Gilliland DG, Griffin JD. Role of FLT3 in leukemia. Curr Opin Hematol 2002 July;9(4):274-81.
6. Speck NA, Gilliland DG. Core-binding factors in haematopoiesis and leukaemia. Nat Rev Cancer 2002 July;2(7):502-13.
7. Bakst RL, Tallman MS, Douer D et al. How I treat extramedullary acute myeloid leukemia. Blood 2011 Oct. 6;118(14):3785-93.
8. Martinelli G, Vianelli N, De VA, Ricci P et al. Granulocytic sarcomas: clinical, diagnostic and therapeutical aspects. Leuk Lymphoma 1997 Jan.;24(3-4):349-53.
9. Wurthner JU, Kohler G, Behringer D et al. Leukostasis followed by hemorrhage complicating the initiation of chemotherapy in patients with acute myeloid leukemia and hyperleukocytosis: a clinicopathologic report of four cases. Cancer 1999 Jan.15;85(2):368-74.
10. Milionis HJ, Bourantas CL, Siamopoulos KC et al. Acid-base and electrolyte abnormalities in patients with acute leukemia. Am J Hematol 1999 Dec.;62(4):201-7.
11. Mir MA, Brabin B, Tang OT et al. Hypokalaemia in acute myeloid leukaemia. Ann Intern Med 1975 Jan.;82(1):54-57.
12. Mato AR, Riccio BE, Qin L et al. A predictive model for the detection of tumor lysis syndrome during AML induction therapy. Leuk Lymphoma 2006 May;47(5):877-83.
13. Dohner H, Estey EH, Amadori S et al. Diagnosis and management of acute myeloid leukemia in adults: recommendations from an international expert panel, on behalf of the European LeukemiaNet 2. Blood 2010 Jan. 21;115(3):453-74.
14. Wandt H, Haferlach T, Thiede C et al. WHO classification of myeloid neoplasms and leukemia. Blood 2010 Jan. 21;115(3):748-49.
15. Bennett JM, Catovsky D, Daniel MT et al. Proposals for the classification of the acute leukaemias. French-American-British (FAB) co-operative group. Br J Haematol 1976 Aug.;33(4):451-58.
16. Pearson EC. Crystal structure of Auer rods in acute myeloblastic leukaemia (AMyL). J Clin Pathol 1986 May;39(5):569-72.
17. Craig FE, Foon KA. Flow cytometric immunophenotyping for hematologic neoplasms. Blood 2008 Apr. 15;111(8):3941-67.
18. Mrozek K, Heerema NA, Bloomfield CD. Cytogenetics in acute leukemia. Blood Rev 2004 June;18(2):115-36.
19. Appelbaum FR, Gundacker H, Head DR et al. Age and acute myeloid leukemia. Blood 2006 May 1;107(9):3481-85.
20. Juliusson G, Antunovic P, Derolf A et al. Age and acute myeloid leukemia: real world data on decision to treat and outcomes from the Swedish Acute Leukemia Registry. Blood 2009 Apr. 30;113(18):4179-87.
21. Grimwade D, Walker H, Oliver F et al. The importance of diagnostic cytogenetics on outcome in AML: analysis of 1,612 patients entered into the MRC AML 10 trial. The Medical Research Council Adult and Children's Leukaemia Working Parties. Blood 1998 Oct. 1;92(7):2322-33.
22. Slovak ML, Kopecky KJ, Cassileth PA et al. Karyotypic analysis predicts outcome of preremission and postremission therapy in adult acute myeloid leukemia: a Southwest Oncology Group/Eastern Cooperative Oncology Group Study. Blood 2000 Dec. 15;96(13):4075-83.
23. Byrd JC, Mrozek K, Dodge RK et al. Pretreatment cytogenetic abnormalities are predictive of induction success, cumulative incidence of relapse, and overall survival in adult patients with de novo acute myeloid leukemia: results from Cancer and Leukemia Group B (CALGB 8461). Blood 2002 Dec. 15;100(13):4325-36.
24. Dohner K, Schlenk RF, Habdank M et al. Mutant nucleophosmin (NPM1) predicts favorable prognosis in younger adults with acute myeloid leukemia and normal cytogenetics: interaction with other gene mutations. Blood 2005 Dec. 1;106(12):3740-46.
25. Verhaak RG, Goudswaard CS, van PW et al. Mutations in nucleophosmin (NPM1) in acute myeloid leukemia (AML): association with other gene abnormalities and previously established gene expression signatures and their favorable prognostic significance. Blood 2005 Dec. 1;106(12):3747-54.
26. Schnittger S, Schoch C, Kern W et al. Nucleophosmin gene mutations are predictors of favorable prognosis in acute myelogenous leukemia with a normal karyotype. Blood 2005 Dec. 1;106(12):3733-39.
27. Thiede C, Koch S, Creutzig E et al. Prevalence and prognostic impact of NPM1 mutations in 1485 adult patients with acute myeloid leukemia (AML). Blood 2006 May 15;107(10):4011-20.
28. Whitman SP, Archer KJ, Feng L et al. Absence of the wild-type allele predicts poor prognosis in adult de novo acute myeloid leukemia with normal cytogenetics and the internal tandem duplication of FLT3: a cancer and leukemia group B study. Cancer Res 2001 Oct. 1;61(19):7233-39.
29. Kottaridis PD, Gale RE, Frew ME et al. The presence of a FLT3 internal tandem duplication in patients with acute myeloid leukemia (AML) adds important prognostic information to cytogenetic risk group and response to the first cycle of chemotherapy: analysis of 854 patients from the United Kingdom Medical Research Council AML 10 and 12 trials. Blood 2001 Sept. 15;98(6):1752-59.
30. Frohling S, Schlenk RF, Breitruck J et al. Prognostic significance of activating FLT3 mutations in younger adults (16 to 60 years) with acute myeloid leukemia and normal cytogenetics: a study of the AML Study Group Ulm. Blood 2002 Dec. 15;100(13):4372-80.
31. Frohling S, Schlenk RF, Breitruck J et al. Prognostic significance of activating FLT3 mutations in younger adults (16 to 60 years) with acute myeloid leukemia and normal cytogenetics: a study of the AML Study Group Ulm. Blood 2002 Dec. 15;100(13):4372-80.
32. Thiede C, Steudel C, Mohr B et al. Analysis of FLT3-activating mutations in 979 patients with acute myelogenous leukemia: association with FAB subtypes and identification of subgroups with poor prognosis. Blood 2002 June 15;99(12):4326-35.
33. Gale RE, Green C, Allen C et al. The impact of FLT3 internal tandem duplication mutant level, number, size, and interaction with NPM1 mutations in a large cohort of young adult patients with acute myeloid leukemia. Blood 2008 Mar. 1;111(5):2776-84.
34. Schlenk RF, Dohner K, Krauter J et al. Mutations and treatment outcome in cytogenetically normal acute myeloid leukemia. N Engl J Med 2008 May 1;358(18):1909-18.
35. Preudhomme C, Sagot C, Boissel N et al. Favorable prognostic significance of CEBPA mutations in patients with de novo acute myeloid leukemia: a study from the Acute Leukemia French Association (ALFA). Blood 2002 Oct. 15;100(8):2717-23.
36. Frohling S, Schlenk RF, Stolze I et al. CEBPA mutations in younger adults with acute myeloid leukemia and normal cytogenetics: prognostic relevance and analysis of cooperating mutations. J Clin Oncol 2004 Feb. 15;22(4):624-33.
37. Care RS, Valk PJ, Goodeve AC et al. Incidence and prognosis of c-KIT and FLT3 mutations in core binding factor (CBF) acute myeloid leukaemias. Br J Haematol 2003 June;121(5):775-77.
38. Boissel N, Leroy H, Brethon B et al. Incidence and prognostic impact of c-Kit, FLT3, and Ras gene mutations in core binding factor acute myeloid leukemia (CBF-AML). Leukemia 2006 June;20(6):965-70.
39. Cairoli R, Beghini A, Grillo G et al. Prognostic impact of c-KIT mutations in core binding factor leukemias: an Italian retrospective study. Blood 2006 May 1;107(9):3463-68.
40. Schnittger S, Kohl TM, Haferlach T et al. KIT-D816 mutations in AML1-ETO-positive AML are associated with impaired event-free and overall survival. Blood 2006 Mar. 1;107(5):1791-99.
41. Paschka P, Marcucci G, Ruppert AS et al. Adverse prognostic significance of KIT mutations in adult acute myeloid leukemia with inv(16) and t(8;21): a Cancer and Leukemia Group B Study. J Clin Oncol 2006 Aug. 20;24(24):3904-11.
42. Buccisano F, Maurillo L, Del Principe MI, Del PG, Sconocchia G, Lo-Coco F et al. Prognostic and therapeutic implications of minimal residual disease detection in acute myeloid leukemia. Blood 2012 Jan. 12;119(2):332-41.
43. Fernandez HF, Sun Z, Yao X et al. Anthracycline dose intensification in acute myeloid leukemia. N Engl J Med 2009 Sept. 24;361(13):1249-59.
44. Mayer RJ, Davis RB, Schiffer CA et al. Intensive postremission chemotherapy in adults with acute myeloid leukemia. Cancer and Leukemia Group B. N Engl J Med 1994 Oct. 6;331(14):896-903.
45. Schlenk RF, Pasquini MC, Perez WS et al. HLA-identical sibling allogeneic transplants versus chemotherapy in acute myelogenous leukemia with t(8;21) in first complete remission: collaborative study between the German AML Intergroup and CIBMTR. Biol Blood Marrow Transplant 2008 Feb.;14(2):187-96.
46. Schlenk RF, Benner A, Krauter J et al. Individual patient data-based meta-analysis of patients aged 16 to 60 years with core binding factor acute myeloid leukemia: a survey of the German Acute Myeloid Leukemia Intergroup. J Clin Oncol 2004 Sept. 15;22(18):3741-50.

47. Koreth J, Schlenk R, Kopecky KJ et al. Allogeneic stem cell transplantation for acute myeloid leukemia in first complete remission: systematic review and meta-analysis of prospective clinical trials. *JAMA* 2009 June 10;301(22):2349-61.
48. Meijer E, Cornelissen JJ. Allogeneic stem cell transplantation in acute myeloid leukemia in first or subsequent remission: weighing prognostic markers predicting relapse and risk factors for non-relapse mortality. *Semin Oncol* 2008 Aug.;35(4):449-57.
49. Basara N, Schulze A, Wedding U et al. Early related or unrelated haematopoietic cell transplantation results in higher overall survival and leukaemia-free survival compared with conventional chemotherapy in high-risk acute myeloid leukaemia patients in first complete remission. *Leukemia* 2009 Apr.;23(4):635-40.
50. Appelbaum FR, Gundacker H, Head DR et al. Age and acute myeloid leukemia. *Blood* 2006 May 1;107(9):3481-85.
51. Grimwade D, Walker H, Harrison G et al. The predictive value of hierarchical cytogenetic classification in older adults with acute myeloid leukemia (AML): analysis of 1065 patients entered into the United Kingdom Medical Research Council AML11 trial. *Blood* 2001 Sept. 1;98(5):1312-20.
52. Farag SS, Archer KJ, Mrozek K et al. Pretreatment cytogenetics add to other prognostic factors predicting complete remission and long-term outcome in patients 60 years of age or older with acute myeloid leukemia: results from Cancer and Leukemia Group B 8461. *Blood* 2006 July 1;108(1):63-73.
53. Frohling S, Schlenk RF, Kayser S et al. Cytogenetics and age are major determinants of outcome in intensively treated acute myeloid leukemia patients older than 60 years: results from AMLSG trial AML HD98-B. *Blood* 2006 Nov. 15;108(10):3280-88.
54. Burnett AK, Milligan D, Prentice AG et al. A comparison of low-dose cytarabine and hydroxyurea with or without all-trans retinoic acid for acute myeloid leukemia and high-risk myelodysplastic syndrome in patients not considered fit for intensive treatment. *Cancer* 2007 Mar. 15;109(6):1114-24.
55. Estey E, de LM, Tibes R, Pierce S, Kantarjian H, Champlin R et al. Prospective feasibility analysis of reduced-intensity conditioning (RIC) regimens for hematopoietic stem cell transplantation (HSCT) in elderly patients with acute myeloid leukemia (AML) and high-risk myelodysplastic syndrome (MDS). *Blood* 2007 Feb. 15;109(4):1395-400.
56. Aoudjhane M, Labopin M, Gorin NC et al. Comparative outcome of reduced intensity and myeloablative conditioning regimen in HLA identical sibling allogeneic haematopoietic stem cell transplantation for patients older than 50 years of age with acute myeloblastic leukaemia: a retrospective survey from the Acute Leukemia Working Party (ALWP) of the European group for Blood and Marrow Transplantation (EBMT). *Leukemia* 2005 Dec.;19(12):2304-12.
57. de Lima M, Giralt S. Allogeneic transplantation for the elderly patient with acute myelogenous leukemia or myelodysplastic syndrome. *Semin Hematol* 2006 Apr;43(2):107-17.
58. Craddock C, Tauro S, Moss P et al. Biology and management of relapsed acute myeloid leukaemia. *Br J Haematol* 2005 Apr.;129(1):18-34.
59. Breems DA, Van Putten WL, Huijgens PC et al. Prognostic index for adult patients with acute myeloid leukemia in first relapse. *J Clin Oncol* 2005 Mar. 20;23(9):1969-78.
60. Gorin NC. Autologous stem cell transplantation in acute myelocytic leukemia. *Blood* 1998 Aug. 15;92(4):1073-90.
61. Breems DA, Lowenberg B. Acute myeloid leukemia and the position of autologous stem cell transplantation. *Semin Hematol* 2007 Oct.;44(4):259-66.
62. Tallman MS, Altman JK. How I treat acute promyelocytic leukemia. *Blood* 2009 Dec. 10;114(25):5126-35.
63. Breen KA, Grimwade D, Hunt BJ. The pathogenesis and management of the coagulopathy of acute promyelocytic leukaemia. *Br J Haematol* 2012 Jan.;156(1):24-36.
64. Jacomo RH, Melo RA, Souto FR et al. Clinical features and outcomes of 134 Brazilians with acute promyelocytic leukemia who received ATRA and anthracyclines. *Haematologica* 2007 Oct.;92(10):1431-32.
65. Sanz MA, Grimwade D, Tallman MS et al. Management of acute promyelocytic leukemia: recommendations from an expert panel on behalf of the European LeukemiaNet. *Blood* 2009 Feb. 26;113(9):1875-91.

CAPÍTULO 231

Leucemia Linfocítica Crônica

Bruno Terra Corrêa ■ Cibelli Navarro Roldan Martin
Márcia Trindade Schramm ■ Yung Bruno de Mello Gonzaga ■ Adriana Scheliga

EPIDEMIOLOGIA E INCIDÊNCIA

A leucemia linfocítica crônica (LLC) é uma neoplasia linfoproliferativa crônica, e constitui o tipo mais prevalente dentre as leucemias nos países ocidentais,[1] correspondendo a 30% do total de leucemias. Nos países asiáticos a incidência é menor, correspondendo a apenas 5%.

Mais comumente encontrada após os 65 anos de idade, é raramente diagnosticada em pacientes com menos de 40 anos.[2] É mais comumente encontrada no sexo masculino, com proporção de 2:1 evidenciada em alguns estudos.[3]

A sobrevida após 5 anos do diagnóstico chega a 75,9%,[2] sendo que pode variar conforme idade, comorbidades associadas e fatores biológicos inerentes à doença. O risco de óbito por motivo relacionado à LLC eleva-se proporcionalmente ao aumento da faixa etária ao diagnóstico.

A incidência da doença dentre indivíduos da mesma família (LLC familiar) é descrita em diversos estudos, sugerindo predisposição genética ao menos em alguns pacientes. Embora aparentemente não haja diferença significativa no prognóstico e na sobrevida dentre esses indivíduos e aqueles com LLC esporádica,[4] há relatos de comportamento mais indolente da doença naqueles com LLC familiar.[5]

A exposição a fatores ambientais diversos e fatores químicos (como benzeno) ainda não tem papel claro na etiopatogenia da LLC. A radiação também não parece exercer papel importante como potencial causadora da doença. Sobreviventes à exposição à radiação em Hiroshima e Chernobyl tiveram incidência aumentada de todos os tipos de leucemia, exceto LLC.[2]

CARACTERÍSTICAS BIOLÓGICAS E FISIOPATOLOGIA

A complexidade da biologia da LLC e o entendimento de sua fisiopatologia aumentam na proporção que surgem descobertas a ela relacionadas na pesquisa básica. Algumas questões, porém, ainda não estão totalmente claras, como a célula da qual se origina a LLC e a existência de potenciais antígenos (infecciosos ou não) que possam desencadear a clonalidade na LLC.

Previamente acreditava-se que as células B da LLC acumulavam-se quase exclusivamente em virtude de sobrevida longa, e não por conta de rápida proliferação. Sabe-se agora que as células da LLC no sangue periférico migram até tecidos como medula óssea, linfonodos e baço, onde recebem estímulo proliferativo.[6] No microambiente desses tecidos, as células são apresentadas a antígenos. Os linfócitos B recrutam células deste microambiente (como macrófagos, células dendríticas foliculares, linfócitos T e outras), formando os centros proliferativos. Nesses centros as células da LLC passam a expressar marcadores de proliferação, como CD24, CD43 e CD38, além de Ki-67. Após receberem estímulo para rápida proliferação nesses centros, as células da LLC retornam ao sangue periférico, onde param de se dividir. A partir desse momento podem retornar aos centros proliferativos para novas divisões ou podem permanecer na periferia, onde podem entrar em apoptose. Há, portanto, um ciclo celular contínuo entre um estado proliferativo nos tecidos citados e um estado quiescente no sangue periférico.[6]

Ainda que se reconheça agora um claro papel proliferativo, já está definitivamente documentada a apoptose ineficaz nas células da LLC. Estas apresentam expressão aumentada de proteínas antiapoptóticas como bcl-2, mcl-1, bak e XIAP. Apresentam, ainda, diminuição de expressão de proteínas pró-apoptóticas, como bax.

Com auxílio do método de FISH, diversas alterações citogenéticas têm sido demonstradas e relacionadas à LLC. Em ordem decrescente de frequência, encontram-se deleção (13q14), trissomia do 12, deleção (11q22.3), deleção (17p13.1) e deleção (6q22.3).[2] Algumas dessas translocações estão relacionadas às mutações genéticas que geram efeito antiapoptótico, como é o caso da deleção (17p) com a mutação de TP53.

DIAGNÓSTICO

De acordo com os critérios da WHO (World Health Organization) de 2008, a LLC é uma neoplasia linfoide crônica caracterizada pela presença de, no mínimo, 5.000 linfócitos B/mm^3 no sangue periférico, sendo que a clonalidade desses linfócitos deve ser confirmada por citometria de fluxo.[7] Portanto, para diagnóstico de certeza, é necessária realização de imunofenotipagem daqueles pacientes que apresentam linfocitose periférica superior a 5.000/mm^3.

Quadro clínico

Na maior parte dos casos, os pacientes apresentam-se assintomáticos ao diagnóstico, sendo a linfocitose um achado em exames de rotina.[2,3] A substituição das linhagens hematopoéticas habituais pelos linfócitos da LLC ou a destruição periférica autoimune das hemácias e plaquetas podem gerar sintomas relativos à anemia (fadiga, palidez cutâneo-mucosa, dispneia ou taquicardia aos esforços) e plaquetopenia (petéquias, equimoses espontâneas, sangramentos mucosos). Podem ser encontrados ainda adenomegalias (assintomáticas em boa parte dos casos), esplenomegalia, hepatomegalia, sintomas constitucionais (sintomas B) como sudorese noturna, febre e emagrecimento. Pode ocorrer infiltração das células leucêmicas em diversos tecidos, como pele, tonsilas, pulmões e outros. Infecções podem ser frequentes na LLC (bacterianas em sua maioria).

Em casos em que são encontrados linfonodos de grande volume, deve-se suspeitar de transformação para linfoma não Hodgkin de alto grau (habitualmente linfoma não hodgkin de grandes células B), caracterizando a síndrome de Richter. É necessária confirmação diagnóstica por intermédio de biópsia com estudo histopatológico e imuno-histoquímico.

Outras complicações mais raras podem ser encontradas, como pênfigo, angioedema e síndrome nefrótica.

Achados laboratoriais

O achado hematológico típico é a linfocitose persistente superior a 5.000/mm^3, com hematoscopia revelando linfócitos maduros, pequenos, com citoplasma escasso, cromatina densa e sem nucléolos evidentes (Fig. 1). Podem estar presentes linfócitos maiores, com citoplasma mais abundante e cromatina menos madura com nucléolo evidente (pró-lin-

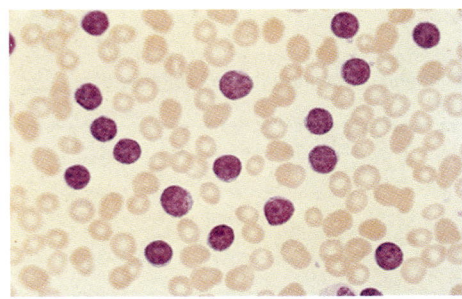

◀ **FIGURA 1.**
Linfocitose na LLC (sangue periférico).

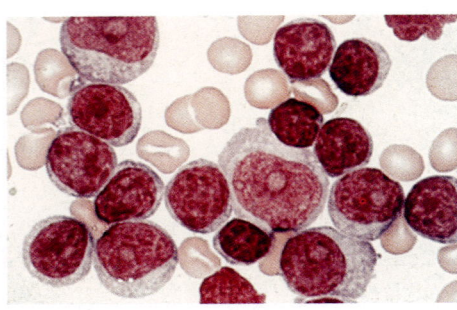

FIGURA 2. Pró-linfócitos (células com citoplasma abundante e nucléolos evidentes).

FIGURA 3. Biópsia de medula óssea (infiltração por linfócitos).

fócitos) (Fig. 2). Quando os pró-linfócitos superam a porcentagem de 55% dentre o total de linfócitos, temos o diagnóstico de leucemia pró-linfocítica.

Ainda à hematoscopia podem ser achados debris celulares, chamadas de *Smudge Cells* ou "Manchas de *Gumprecht*".

Além da linfocitose, anemia e plaquetopenia podem ser encontradas ao hemograma. Teste de Coombs direto pode estar positivo em caso de anemia hemolítica autoimune associada, quando também bilirrubina indireta e LDH poderão estar aumentados.

Hipogamaglobulinemia pode estar presente e piorar com a evolução da doença.

Imunofenotipagem

Realizada por citometria de fluxo, trata-se de método mandatório para a confirmação diagnóstica, diferenciando os linfócitos da LLC de outros presentes em diversas neoplasias linfoproliferativas ou até mesmo de linfocitoses reacionais. Habitualmente realizada em sangue periférico.

Os linfócitos da LLC são de linhagem B e expressam CD19, CD20 e CD23. Expressam, ainda, o CD5, que é um marcador de linhagem T, além de imunoglobulinas de superfície de membrana de baixa densidade. Na maioria dos casos, o CD79b tem expressão fraca ou não é expresso.[7] O marcador FMC7 é caracteristicamente negativo.

Mudanças nestes padrões durante a evolução da doença podem sugerir transformação para leucemia pró-linfocítica ou síndrome de Richter.

Citogenética

Não é considerado método diagnóstico, mas pode orientar prognóstico e tratamento.

Quando utilizado o método FISH, alterações citogenéticas podem ser encontradas em mais de 80% dos casos de LLC.[8] As alterações mais frequentemente encontradas incluem deleção do 13q, trissomia do 12, deleção do 11q, do 6q e do 17p.

Os pacientes com deleção do 13q, com trissomia do 12 e com cariótipo normal tendem a apresentar maior sobrevida quando comparados àqueles com deleção do 11q e do 17p. Os portadores desta última alteração tendem a ser mais resistentes à terapêutica padrão com alquilantes e análogos de purina.

Alterações citogenéticas adicionais podem ser adquiridas durante a evolução e o tratamento da LLC, o que poderia justificar a repetição do FISH nas mudanças para novas linhas terapêuticas (Quadro 1).[9]

Abordagem da medula óssea

Na LLC, no mínimo 30% das células nucleadas vistas ao aspirado da medula correspondem às células linfoides.

A biópsia osteomedular pode ser útil na determinação do padrão de infiltração (difuso ou não), o que teria valor prognóstico (Fig. 3).

Quadro 1. Alterações citogenéticas encontradas na LLC (ordem decrescente de frequência)

- Deleção do 13q
- Trissomia do 12
- Deleção do 11q
- Deleção do 17p
- Deleção do 6q

Atualmente, com o emprego da imunofenotipagem do sangue periférico e o desenvolvimento de fatores prognósticos mais fidedignos, deixam de ser obrigatórios o aspirado e a biópsia de medula óssea ao diagnóstico. Porém, nos casos de anemia e plaquetopenia associadas à LLC, o aspirado e a biópsia de medula óssea podem ser úteis na determinação da causa destas citopenias (infiltração medular pela leucemia ou citopenia autoimune).

Justifica-se, ainda, a abordagem osteomedular nos casos de citopenias pós-tratamento, as quais podem ter curso prolongado por uso de drogas como análogos da purina.[7]

Determinação do *status* mutacional da imunoglobulina, expressão de CD38 e ZAP-70

As células leucêmicas expressam imunoglobulinas, que podem ou não apresentar mutações somáticas no gene da região variável da cadeia pesada (IgVh). Os pacientes que revelam *status* não mutado do gene IgVh apresentam pior prognóstico, com sobrevida em torno de 8-9 anos. Aqueles que apresentam mutação do gene IgVh têm sobrevida maior, podendo ser superior a 20 anos.[10]

O marcador CD38 parece estar relacionado ao *status* não mutado do gene IgVh, embora esta ligação ainda seja controversa em alguns estudos. Ainda assim, é aceito como determinante de prognóstico desfavorável quando tem expressão positiva na LLC.

A expressão de ZAP (*zeta-associated protein*)-70, a qual pode ser detectada por citometria de fluxo ou imuno-histoquímica, determina também prognóstico desfavorável. Sua correlação com o *status* não mutado do gene IgVh foi comprovado e aceito por diferentes estudos.[10,11]

Marcadores séricos

Alguns estudos revelam que os marcadores séricos timidina-quinase e beta-2 microglobulina podem estar relacionados a pior prognóstico. Mas é ainda necessária sua comprovação em estudos prospectivos para que possam ser devidamente validados e possam passar a orientar tratamento.[7,10]

Pesquisa da mutação de TP53

As mutações no oncogene TP53, detectadas por método de biologia molecular, estão associadas a curso clínico agressivo e menor sobrevida.[12] Quando não está disponível pesquisa por biologia molecular, seus portadores podem ser identificados através da evidência da deleção do 17p pelo FISH (há associação da deleção do 17p com TP53 mutado nos casos de LLC). Este grupo de pacientes apresenta resposta bastante desfavorável aos tratamentos quimioterápicos em geral.

Sorologias para CMV, HBV, HCV e HIV

A realização de sorologias para citomegalovírus, HIV, hepatite B e C não tem valor diagnóstico ou prognóstico. Porém estas devem ser feitas ao diagnóstico, já que durante o tratamento quimio ou imunoterápico pode haver reativação ou piora do *status* dessas doenças virais.[13]

Exames circunstanciais

Em caso de anemia detectada ao diagnóstico ou durante o tratamento, deve ser realizada pesquisa de hemólise autoimune, com teste de Coombs direto, contagem de reticulócitos, LDH, bilirrubina indireta e haptoglobina.

Ultrassonografia abdominal ou tomografia computadorizada de abdome podem ser solicitadas em caso de dor abdominal inexplicada ou aumento do volume abdominal de causa não esclarecida.

DIAGNÓSTICO DIFERENCIAL

Deve ser realizado com outras neoplasias linfoproliferativas crônicas, como linfoma não Hodgkin (LNH) folicular, LNH de células do manto, LNH esplênico de células vilosas, leucemia de células pilosas (tricoleucemia), leucemia pró-linfocítica, leucemia de grandes linfócitos granulares T ou NK.

Dá-se o nome de "linfocitose B monoclonal" aos casos em que há linfocitose B clonal no sangue periférico (com a marcação imunofenotípica da LLC) em número inferior a 5.000/mm^3 e ausência de esplenomegalia, adenomegalias, linfocitose medular acima de 30% e citopenias.[2,7] A "linfocitose B monoclonal" é mais comum em idosos e pode progredir para LLC em alguns casos (pouco frequentes).

Os linfócitos patológicos do LNH linfocítico (pequenas células) e os da LLC têm em comum os mesmos marcadores. O que os difere é a apresentação clínica.[14] No LNH linfocítico predominam as adenomegalias e não há linfocitose periférica superior a 5.000/mm^3 (embora possa haver infiltração da medula óssea). O curso clínico de ambas é muito semelhante, assim como a abordagem terapêutica. A WHO, em sua última revisão (2008), classifica ambas as neoplasias linfoproliferativas crônicas como uma só entidade.

ESTADIAMENTO CLÍNICO

Publicado em 1975, o Sistema de Estadiamento Clínico de Rai[15] utilizou organomegalias, linfadenopatias e citopenias para definir cinco grupos prognósticos. Posteriormente, esse sistema foi modificado para definir três novos grupos.

Foi criado depois o Sistema de Estadiamento de Binet, baseado no número de áreas linfonodais envolvidas e citopenias, resultando em três grupos prognósticos.

Tanto o sistema de Rai quanto o de Binet determinavam não só o prognóstico, mas também identificavam quando o paciente deveria ser submetido a tratamento (Quadro 2).

Indicadores prognósticos mais recentes (ver Achados Laboratoriais) aliam-se a esses sistemas na tentativa de definição do possível curso da doença e no melhor esquema terapêutico a ser seguido.

TRATAMENTO

Indicações para início de tratamento

Os pacientes assintomáticos ao diagnóstico com estadiamento clínico Rai 0 a II ou Binet A e B não necessitam de tratamento imediato[16] e podem ficar em observação clínico-laboratorial. O tratamento precoce desses pacientes com agentes alquilantes não acarretou aumento de sobrevida.[17] Estudos estão em andamento para determinar o benefício de tratamento precoce nos pacientes com prognóstico ruim (pacientes de alto risco).

Pacientes sintomáticos com estadiamento Rai III a IV ou Binet C devem, geralmente, iniciar tratamento. Constituem, ainda, possíveis indicações para início de tratamento (Quadro 3).

Pacientes com LLC podem apresentar ao diagnóstico leucocitose severa (à custa dos linfócitos). Porém, ao contrário dos casos de leucemias agudas, as leucocitoses extremas não costumam causar sintomas na LLC e, por isso, não devem constituir, por si só, indicação para início de tratamento.

Para os pacientes que obtiveram remissão pós-tratamento e apresentam recaída, podem ser seguidos os mesmos critérios para decisão de reinício de tratamento.

Opções terapêuticas

Durante muitos anos o clorambucil e outros agentes alquilantes foram adotados de forma generalizada como primeira linha de tratamento, com ou sem adição de corticoides. O clorambucil ainda hoje é largamente utilizado, especialmente entre idosos. Como fatores favoráveis ao seu uso estão o baixo custo e a baixa toxicidade (por anos já documentada). Em contrapartida, geram baixos índices de remissão completa.[2]

Outros agentes alquilantes, como ciclofosfamida, foram (e ainda são) utilizados como tratamento por vezes combinados com outros quimioterápicos/corticoide (CVP e CHOP). Estudo de metanálise não demonstrou aumento de sobrevida dos pacientes tratados com alquilante em poliquimioterapia quando comparado ao uso de alquilante isolado.[17]

A introdução dos análogos de purina na década de 1980 trouxe novas opções de tratamento. A pentostatina é o análogo de purina menos mielotóxico, o que possibilitou estudo que combinou pentostatina e ciclofosfamida, com benefício clínico e boa tolerabilidade demonstrada em pacientes já previamente tratados.[18] Posteriormente, o mesmo grupo estudou pacientes previamente tratados adicionando rituximabe ao esquema pentostatina/ciclofosfamida, com melhora da sobrevida sem aumento de toxicidade.[19] A eficácia da cladribina como monoterapia na LLC foi comprovada em alguns estudos, com respostas semelhantes aos alquilantes,[20] porém com maior incidência de citopenias e imunossupressão, fato que desencoraja seu uso.

A fludarabina foi aprovada em 1991 para os pacientes resistentes aos alquilantes. Desde então, diversos estudos foram realizados com a fludarabina, até que em 2000 foi publicado artigo no New England Journal of Medicine[21] que comparou, como primeira linha de tratamento, fludarabina *versus* clorambucil (houve ainda um braço que utilizava fludarabina com clorambucil, abandonado pela mielotoxicidade). Os pacientes que utilizaram fludarabina obtiveram maiores índices de remissão (completa e parcial), maior tempo de duração de remissão e maior tempo livre de

Quadro 3. Possíveis indicações para início de tratamento da LLC

- Fadiga limitando atividades diárias
- Sintomas B persistindo por 2 semanas ou mais
- Massas maiores do que 10 cm ou aumento progressivo de linfonodos causando sintomas
- Baço ou fígado com aumento progressivo ou causando sintomas
- Linfocitose progressiva com aumento de 50% em até 2 meses ou "tempo de dobra linfocitária" menor que 6 meses
- Anemia hemolítica autoimune ou trombocitopenia imune com baixa responsividade à terapêutica tradicional
- Processos de paraneoplasia severa (hipersensibilidade a inseto, vasculite, miosite, entre outros) relacionados à LLC não responsivo às terapias tradicionais

Quadro 2. Sistemas de estadiamento de Raí e Binet

SISTEMA	ESTÁGIO	DEFINIÇÃO	MEDIANA DE SOBREVIDA
Estadiamento de Rai	0 – baixo risco	Somente linfocitose	11,5 anos
	I – risco intermediário	Linfocitose e linfoadenomegalias	11 anos
	II – risco intermediário	Linfocitose no sangue periférico e medula óssea com esplenomegalia e/ou hepatomegalia (com ou sem linfoadenomegalia)	7,8 anos
	III – alto risco	Linfocitose e anemia (hemoglobina < 11 g/dL ou hematócrito < 33%)	5,3 anos
	IV – alto risco	Linfocitose e trombocitopenia (contagem de plaquetas < 100.000/mm^3)	7 anos
Estadiamento de Binet	A	Aumento de até três cadeias linfoides (cervical, axilar, inguinal, baço, fígado); sem anemia ou trombocitopenia	11,5 anos
	B	Aumento de três ou mais cadeias linfoides	8,6 anos
	C	Anemia (hemoglobina < 10 g/dL) ou trombocitopenia (contagem de plaquetas < 100.000/mm^3), ou ambos	7 anos

progressão. A sobrevida global, porém, foi semelhante nos dois grupos. Esse estudo, somado a outros, levou a fludarabina a ser escolhida como primeira linha de tratamento na LLC. Em 2011, novo artigo publicado pelo mesmo autor do estudo supracitado reanalisou os pacientes envolvidos no estudo prévio e comprovou que houve maior sobrevida global no grupo que recebeu fludarabina, o que só começou a ser percebido 6 anos após o início do tratamento,[22] o que veio a comprovar a superioridade da fludarabina em todos os aspectos (exceto pela toxicidade).

Vieram, então, estudos de tratamento de primeira linha comparando fludarabina (monoterapia) com fludarabina associada à ciclofosfamida, revelando maiores índices de remissão e maior sobrevida livre de progressão para o segundo grupo, sem aumento expressivo de toxicidade.[23,24]

Posteriormente foi comprovado que a adição de rituximabe (anticorpo monoclonal antiCD20) ao esquema de fludarabina e ciclofosfamida (FCR) aumentou o índice de remissão completa e parcial, além de aumentar a sobrevida global. O benefício foi comprovado para tratamento de primeira linha e também para pacientes previamente tratados. Assim como nos outros esquemas de tratamento, a resposta foi menos favorável nos pacientes com deleção do 17p.[25]

Associação da fludarabina com ciclofosfamida e mitoxantrone (FCM) também é um esquema quimioterápico que se mostrou eficaz no tratamento da LLC. Esse esquema apresentou bons resultados em pacientes previamente tratados, porém com alto índice de neutropenia, limitando seu uso. Pode ser boa opção para segunda ou terceira linha de tratamento em pacientes jovens.[26]

Foi observado que a toxicidade do esquema FCR poderia limitar seu uso a pacientes mais jovens e sem comorbidades, o que levou ao desenvolvimento do esquema *FCR-Like*, com doses reduzidas de fludarabina e de ciclofosfamida. Foi evidenciada boa resposta, mas com menor toxicidade quando comparada ao esquema original, tornando-se uma possível opção para os pacientes idosos.[27]

Ainda para os pacientes com *performance status* (PS) desfavorável e/ou comorbidades (geralmente pacientes mais idosos), foi testado o rituximabe como monoterapia (infusões semanais em pacientes de primeira linha de tratamento e previamente tratados), com apresentação de resposta completa em 63,6%.[28]

A associação do rituximabe com quimioterápicos alquilantes vem sendo, também, uma opção terapêutica para pacientes com PS desfavorável ou com comorbidades. A bendamustina apresenta boas respostas até mesmo nos pacientes tratados previamente com outros alquilantes, com toxicidade tolerável,[29] com potencialização da resposta, quando associada ao rituximabe.[30] Essa resposta foi favorável inclusive nos pacientes previamente tratados com fludarabina, porém menos satisfatória nos pacientes com deleção do 17p.[31] A associação do rituximabe com clorambucil no tratamento de primeira linha para pacientes idosos também tem mostrado-se eficaz, com boa tolerabilidade.[32]

O anticorpo monoclonal antiCD20 de segunda geração ofatumumab mostrou-se eficaz nos casos de recaída ou de doença refratária, o que levou à sua aprovação pelo FDA (US Food and Drug Administration) para os casos refratários a esquemas que contenham fludarabina ou alentuzumab.[33] Sua associação a fludarabina e ciclofosfamida (O-FC) foi testada em estudo de fase II, como primeira linha de tratamento, com resposta total (completa + parcial) de 77%, com neutropenia detectada em 48% dos pacientes.[34]

O alemtuzumab é um anticorpo monoclonal (antiCD52) com eficácia comprovada na LLC, porém com taxas de toxicidade hematológica e imunodepressão acima das encontradas com os demais anticorpos monoclonais, ocasionando neutropenia, linfopenia e infecções na maioria dos pacientes. Tem ótima ação na diminuição dos linfócitos periféricos e medulares, porém tem ação limitada nas linfadenomegalias, especialmente nos casos de doença *Bulky* (volumoso). Tem sido habitualmente utilizada nos casos de recaída/doença refratária. Sua toxicidade motivou estudos que utilizaram doses mais baixas desse anticorpo em pacientes previamente tratados, com resposta satisfatória e maior tolerabilidade.[35,36] Seu uso em primeira linha atualmente é amplamente aceito para os pacientes com deleção do 17p, os quais não têm boa resposta com os esquemas contendo alquilantes e análogos de purina. Nesses casos, o alemtuzumab mostrou boas respostas quando associado a corticoides, como a metilprednisolona.[37] Boa resposta como primeira linha de tratamento nesses casos também foi obtida aliando-se alemtuzumab ao esquema FCR, com resposta completa de 57%.[38] Os pacientes com mutação do TP53 (deleção do 17p) devem, se possível, ser submetidos a transplante alógeno de células-tronco hematopoiéticas após o tratamento com alemtuzumab (Fig. 4).

Doença residual mínima e tratamento de manutenção

A erradicação da doença residual mínima (DRM) está assumindo importante papel no tratamento da LLC. Pacientes que têm baixo nível de DRM

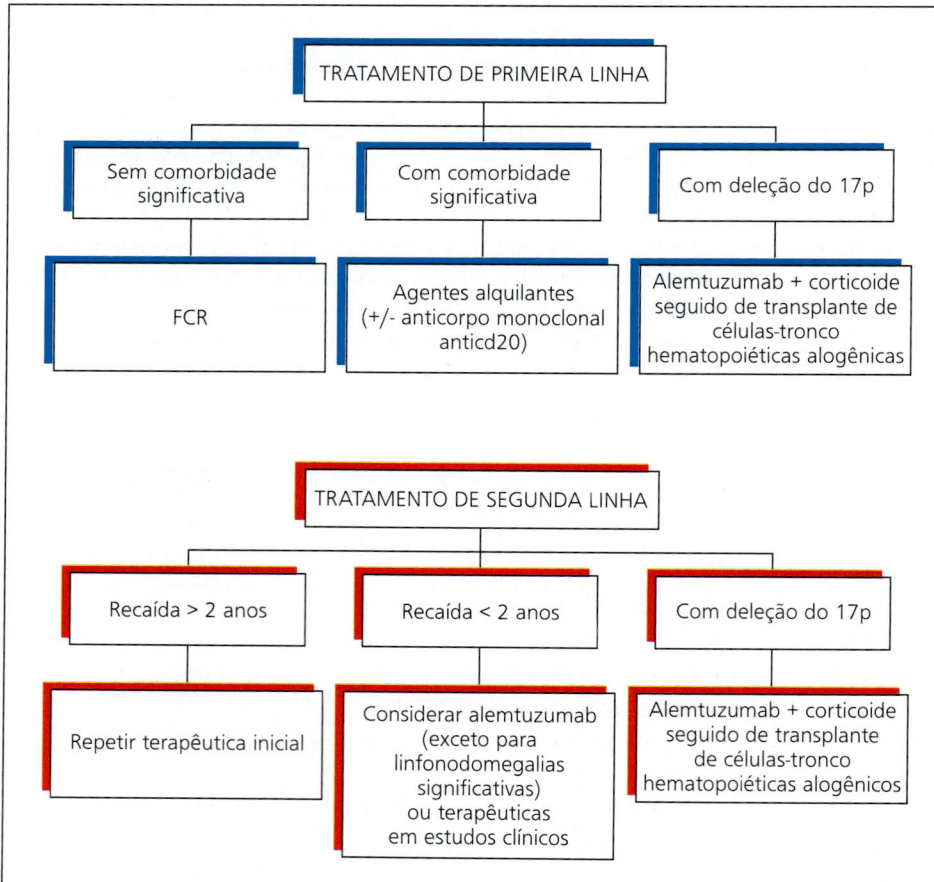

◀ **FIGURA 4.** Fluxograma de tratamento LLC.

detectada ao término do tratamento (por citometria de fluxo) tiveram índices de sobrevida livre de progressão e de sobrevida global maiores. A quantificação de DRM pode, então, assumir valor prognóstico fidedigno.[39] Visando a diminuição/eliminação de DRM, surgiram os estudos com terapêuticas de consolidação/manutenção, que têm sido realizadas com anticorpos monoclonais (rituximabe ou alemtuzumab) e lenalidomida, com resultados ainda a serem definitivamente estabelecidos.[1,40]

Transplante de células-tronco hematopoiéticas (TCTH)

A única modalidade de tratamento que oferece potencial de cura para a LLC é o TCTH alógeno, que está especialmente indicado para os pacientes de pior prognóstico, com deleção do 17p. Deve ser realizado, preferencialmente, dentro de protocolos clínicos e após abordagem terapêutica inicial com alemtuzumab associado a corticoide. O benefício do TCTH alógeno parece estar no efeito enxerto *versus* leucemia,[41] com potencial erradicação definitiva de DRM. Alguns centros de transplante utilizam imunomanipulação pós-transplante com infusão de linfócitos do doador, se ainda for detectada DRM após o transplante.[1] O uso de condicionamento atenuado (não mieloablativo) vem sendo especialmente estudado por possibilitar essa modalidade terapêutica nos pacientes mais idosos que possuam mau prognóstico.[42] Além da indicação nos casos de deleção do 17p, o TCTH alógeno pode ser considerado também em pacientes jovens nas seguintes situações: síndrome de Richter, resistência aos esquemas imunoquimioterápicos padrões, *status* não mutado da IgVh, ZAP70 positivo e doença recorrente.

Já o papel do transplante autólogo de células-tronco hematopoiéticas ainda não está bem definido. Estudo demonstrou aumento de sobrevida livre de doença para pacientes jovens que obtiveram remissão completa após o primeiro tratamento (mini-CHOP + fludarabina), com posterior consolidação com autólogo, mostrando um possível papel desse procedimento na diminuição de DRM. Ainda assim, hoje o autólogo não tem emprego justificado fora de protocolos clínicos.[43]

Possibilidades futuras de tratamento

A talidomida e a lenalidomida são drogas já utilizadas em outras patologias onco-hematológicas, com estudos mostrando possíveis benefícios também na LLC. Tais drogas têm como principais formas de ação a antiangiogênese e a imunomodulação. A lenalidomida tem mostrado efeito inclusive em pacientes previamente tratados. Porém já foram identificados efeitos colaterais que podem limitar seu uso, como mielossupressão e síndrome de lise tumoral.[44] O papel dessas drogas como monoterapia ou associadas a quimioterápicos ainda está em investigação.

O lumiliximab é um anticorpo monoclonal (antiCD23) com aparente eficácia no tratamento da LLC. Foi testado em estudo de fase I/II em combinação com o esquema FCR para pacientes previamente tratados, sem toxicidade adicional e com resultados favoráveis. Estudo de fase III está em andamento para comparação de lumiliximabe + FCR *versus* o esquema padrão atual (FCR).[45]

O navitoclax é um inibidor específico de bcl-2 (superexpresso na LLC). Sua ação, *in vitro*, causa efeito apoptótico nas células leucêmicas. Estudo de fase I mostrou boa atividade nos pacientes refratários à fludarabina, inclusive nos portadores de deleção do 17p. Estudos de fase II ainda estão em andamento.[46]

Inibidores de tirosina quinase vêm sendo testados na LLC. O imatinibe foi associado ao clorambucil em pacientes previamente tratados em estudo de fase I, com bons resultados.[47] Já o dasatinibe foi testado em estudo de fase II como monoterapia em pacientes previamente tratados com fludarabina, demonstrando também boa ação.[48]

O flavopiridol é um inibidor de quinase ciclina-dependente que vem demonstrando eficácia em estudos para tratamento da LLC previamente tratada. Visto que tem efeitos colaterais toleráveis, pode tornar-se boa opção para pacientes mais idosos.[49]

LLC E COMPLICAÇÕES AUTOIMUNES

A LLC está frequentemente associada a distúrbios imunes, particularmente as citopenias imunes, como a anemia hemolítica autoimune (AHAI) e a trombocitopenia imune (PTI).[50] A proporção de pacientes com LLC que apresenta citopenias imunes durante o curso da doença vai de 4,3 a 9,7%, sendo a AHAI a mais frequente.

A fisiopatologia destas citopenias autoimunes não está totalmente definida. Na AHAI, aparentemente as células leucêmicas têm contato com antígenos eritroides e agem como células apresentadoras desses antígenos, estimulando a ação de linfócitos T e também estimulando a produção de anticorpos policlonais por linfócitos B normais. Portanto, provoca indiretamente a hemólise autoimune, que é mediada por estes anticorpos policlonais.[50]

Na suspeita de AHAI, devem ser solicitados teste de Coombs direto, contagem de reticulócitos, LDH, haptoglobina e bilirrubinas. A LDH eventualmente pode estar elevada em razão da doença de base (LLC). A abordagem da medula óssea ajuda a diferenciar a AHAI da anemia secundária à invasão osteomedular pelas células leucêmicas. Tem sido descrita AHAI com teste de Coombs direto negativo, especialmente quando a AHAI está associada a drogas do tratamento da LLC.[51]

A possibilidade de deflagração de anemia autoimune pela terapia antileucêmica é conhecida de longa data. Assumiu nos últimos anos maior evidência, após a descrição da possibilidade de desencadeamento após o uso da fludarabina. Porém, recentes estudos mostram que o risco de desenvolvimento de AHAI não é maior com os análogos de purina quando comparados a outros quimioterápicos.[51,52] Quando associada à ciclofosfamida, a fludarabina parece desencadear número ainda menor de casos de AHAI.

Na suspeita de trombocitopenia imune (PTI), é recomendada a abordagem da medula óssea para quantificação dos megacariócitos, possibilitando desta forma descartar trombocitopenia secundária à maciça invasão osteomedular pela leucemia.

O diagnóstico diferencial das citopenias autoimunes inclui, além da infiltração maciça osteomedular pela leucemia, hiperesplenismo, citopenias secundárias ao tratamento da LLC e infecção. Há, ainda, a aplasia eritroide pura, complicação relativamente rara associada à LLC, caracterizada por anemia hipoproliferativa severa, aparentemente causada por efeitos citotóxicos provenientes de linfócitos T supressores nos precursores eritroides intramedulares.

A terapêutica de primeira escolha para os casos de citopenias autoimunes é a corticoterapia, usualmente a prednisona. Caso não haja boa resposta, outros agentes imunossupressores podem ser tentados, como o micofenolato, a ciclosporina ou a azatioprina. São ainda opções de tratamento a esplenectomia, a imunoglobulina (especialmente nos casos de PTI, em que é necessário rápido aumento da quantidade de plaquetas) e os anticorpos monoclonais (rituximabe e alemtuzumab). Novos agonistas de receptores de trombopoietina, como o eltrombopag, apresentam também eficácia nos casos de portadores de LLC com PTI.[53]

Nos pacientes com LLC em observação clínico-laboratorial, o surgimento de citopenias autoimunes não é indicativo de necessidade de início de tratamento para a doença de base. O tratamento para a LLC só está indicado nesses casos quando as citopenia imunes não respondem bem aos esquemas terapêuticos supracitados.[54]

Nos pacientes com LLC, foi evidenciada a associação de citopenias autoimunes com alguns fatores de mau prognóstico, como rápido tempo de dobra de linfócitos, ZAP 70 e CD38 positivos. Apesar dessas associações, os pacientes com citopenias autoimunes tiveram evolução clínica semelhante a dos pacientes sem essas citopenias. Portanto, aparentemente a presença de AHAI ou PTI associadas à LLC não confere pior prognóstico a seus portadores.[50,54]

O pênfigo paraneoplásico e a doença por aglutininas a frio constituem, ainda, possíveis complicações relativas à autoimunidade na LLC.

INFECÇÕES E LLC

As infecções continuam sendo a maior causa de morbidade e mortalidade dentre os pacientes com LLC. A incidência de complicações infecciosas chega a 80% dos casos,[2] estas têm etiologia multifatorial, relacionadas à doença de base (hipogamaglobulinemia, deficiência na imunidade celular e humoral, disfunção da atividade do complemento e de neutrófilos/monócitos) e às complicações ocasionadas pela terapêutica (déficit na imunidade celular, dentre outros).[55]

Idade e estadiamento avançados, doença refratária e terapêutica utilizada estão entre os fatores que determinam maior frequência e gravidade dos episódios infecciosos. Estudos demonstraram que pacientes com status não mutado de IgVh e aqueles com mutação de TP53 tiveram complicações infecciosas mais precocemente,[56] sendo que os primeiros apresentaram ainda episódios infecciosos mais graves.

As bactérias são os agentes causais mais comumente envolvidos, sendo as encapsuladas (como *Streptococcus pneumoniae* e *Haemophilus influenzae*) as encontradas com maior frequência, causando principalmente infecções de vias aéreas. São ainda encontradas, em menor número de casos, *Listeria monocytogenes*, *Nocardia* spp, *Mycobacterium* spp e *Neisseria meningitidis*.

As infecções virais são também comuns, sendo os mais implicados o herpes-vírus, o Epstein-Barr, o varicela-zóster e ainda o parvovírus B19 (este envolvido em casos de poliartrite e aplasia eritroide pura). A reativação do citomegalovírus está particularmente relacionada à terapêutica com o alemtuzumab.

Casos de infecção fúngica não são habituais nos pacientes com LLC, exceto naqueles que utilizam tratamento com corticoides ou outros imunossupressores (como nas citopenias autoimunes). A pneumonia e a meningite criptocócicas são descritas nos pacientes com LLC e costumam gerar quadros graves. Casos de candidíase invasiva e aspergilose também são descritos, principalmente nos pacientes submetidos a tratamento com análogos de purina e corticoides. Os pacientes tratados com alemtuzumab também têm maior grau de imunodepressão, com índices maiores de infecção viral e fúngica.

Pacientes que recebem alquilantes como terapêutica costumam apresentar infecções recorrentes, especialmente em trato respiratório e urinário.[57] São usualmente infecções bacterianas.

Não há consenso sobre necessidade de antibioticoprofilaxia para as infecções bacterianas em LLC. O cuidado deve ser direcionado para um rápido reconhecimento de sinais e sintomas de uma possível infecção, com rápida instituição de antibioticoterapia apropriada. Vacinas antipneumocócica, anti-*Haemophilus* e anti-influenza podem ser empregadas, embora a imunodeficiência encontrada nos pacientes com LLC possa não permitir a devida imunização.

Nos casos de esquemas terapêuticos envolvendo fludarabina (principalmente se associada à ciclofosfamida), profilaxia antiviral e para pneumocistose são normalmente utilizadas. No caso do alemtuzumab, pode ser válido, ainda, acrescentar profilaxia antifúngica ao esquema profilático para pneumocistose e antiviral. Em razão do alto índice de reativação do citomegalovírus no tratamento com alemtuzumab, alguns utilizam profilaxia com ganciclovir.[57]

O uso profilático de imunoglobulina venosa nos pacientes com hipoglobulinemia e infecções recorrentes também não é consenso. Estudo duplo-cego randomizado analisou o uso da imunoglobulina em pacientes com LLC, que apresentavam infecções recidivantes ou com hipoglobulinemia documentada. Houve diminuição da incidência de infecções bacterianas leves a moderadas, mas não houve redução no índice de infecções severas e de mortalidade. Não houve também redução no índice de infecções virais ou fúngicas.[58] O alto custo desse tipo de intervenção terapêutica limita seu uso a pacientes idosos com infecções recorrentes e doença de base ativa.[2]

REFERÊNCIAS BIBLIOGRÁFICAS

1. Ferrajoli A. Treatment of younger patients with chronic lymphocytic leukemia. *Hematology Am Soc Hematol Educ Program* 2010;2010:82-89.
2. Hoffman R, Benz Jr EJ, Shattil SJ et al. *Hematology-basic principles and practice*. 5th ed. Philadelphia: Churchill Livingstone, 2009.
3. Zago MA, Falcão RP, Pasquini R. *Hematologia-fundamentos e prática*. São Paulo: Atheneu, 2001.
4. Goldin LR, Caporaso NE. Families studies in chronic lymphocytic leukaemia and other lymphoproliferative tumors. *Br J Haematol* 2007 Dec.;139(5):774-79.
5. Goldin LR, Slager SL, Caporaso NE. Familial chronic lymphocytic leukemia. *Curr Opin Hematol* 2010 July;17(4):350-55.
6. Hillmen P. Using the biology of chronic lymphocytic leukemia to choose treatment. *Hematology Am Soc Hematol Educ Program* 2011;2011:104-9.
7. Hallek M, Cheson BD, Catovsky D et al. Guidelines for the diagnosis and treatment of chronic lymphocytic leukemia: a report from the International Workshop on Chronic Lymphocytic Leukemia updating the National Cancer Institute-Working Group 1996 guidelines. *Blood* 2008 June15;111(12):5446-56.
8. Döhner H, Stilgenbauer S, Benner A et al. Genomic aberrations and survival in chronic lymphocytic leukemia. *N Engl J Med* 2000 Dec. 28;343(26):1910-16.
9. Shanafelt TD, Witzig TE, Fink SR et al. Prospective evaluation of clonal evolution during long-term follow-up of patients with untreated early-stage chronic lymphocytic leukemia. *J Clin Oncol* 2006 Oct. 1;24(28):4634-41.
10. Furman RR. Prognostic markers and stratification of chronic lymphocytic leukemia. *Hematology Am Soc Hematol Educ Program* 2010;2010:77-81.
11. Del Principe MI, Del Poeta G, Buccisano F et al. Clinical significance of ZAP-70 protein expression in B-cell chronic lymphocytic leukemia. *Blood* 2006 Aug. 1;108(3):853-61.
12. Mougalian SS, O'Brian S. Adverse prognostic features in chronic lymphocytic leukemia. *Oncology* (Williston Park) 2011 July;25(8):692-96.
13. Yagci M, Acar K, Sucak GT et al. A prospective study on chemotherapy-induced hepatitis B virus reactivation in chronic HBsAg carriers with hematologic malignancies and preemptive therapy with nucleoside analogues. *Leuk Lymphoma* 2006;47:1608-12.
14. Campo E, Swerdlow SH, Harris NL et al. The 2008 WHO classification of lymphoid neoplasms and beyond: evolving concepts and practical applications. *Blood* 2011 May 12;117(19):519-32.
15. Rai KR, Sawitsky A, Cronkite EP et al. Clinical staging of chronic lymphocytic leukemia. *Blood* 1975;46:219-34.
16. Hallek M. State-of-the-art treatment of chronic lymphocytic leukemia. *Hematology Am Soc Hematol Educ Program* 2009;2009:440-49.
17. CLL Trialists' Collaborative Group. Chemotherapeutic options in chronic lymphocytic leukemia: a meta-analysis of the randomized trials. *J Nati Cancer Inst* 1999;91:861-68.
18. Weiss MA, Maslak PG, Jurcic JG et al. Pentostatine and cyclophosphamide: an effective new regimen in previously treated patients with chronic lymphocytic leukemia. *J Clin Oncol* 2003 Apr. 1;21(7):1278-84.
19. Lamanna N, Kalaycio M, Maslak P et al. Pentostatine, cyclophosphamide and rituximabe is an active, well-tolerated regimen for patients with previously treated chronic lymphocytic leukemia. *J Clin Oncol* 2006 Apr. 1;24(10):1575-81.
20. Robak T. New agents in chronic lymphocytic leukemia. *Curr Treat Options Oncol* 2006 May;7(3):200-12.
21. Rai KR, Peterson BL, Appelbaum FR et al. Fludarabine compared with chlorambucil as primary therapy for chronic lymphocytic leukemia. *N Engl J Med* 2000 Dec. 14;343(24):1750-57.
22. Rai KR, Hollweg A. Fludarabine versus chlorambucil: is the debate over? *Clin Lymphoma Myeloma Leuk* 2011 June;11(Suppl 1):S7-9.
23. Eichhorst BF, Busch R, Hopfinger G et al. Fludarabine plus cyclophosphamide versus fludarabine alone in first-line therapy of younger patients with chronic lymphocytic leukemia. *Blood* 2006 Feb. 1;107(3):885-91.
24. Flinn IW, Neuberg DS, Grever MR et al. Phase III trial of fludarabine plus cyclophosphamide compared with fludarabine for patients with previously untreated chronic lymphocytic leukemia: US Intergroup Trial E2997. *J Clin Oncol* 2007 Mar. 1;25(7):793-98.
25. Badoux XC, Keating MJ, Wang X et al. Fludarabine, cyclophosphamide and rituximabe chemoimmunotherapy is highly effective treatment for relapsed patients with CLL. *Blood* 2011 Mar. 17;117(11):3016-24.
26. Hendry L, Bowen A, Matutes E et al. Fludarabine, cyclophosphamide and mitoxantrone in relapsed or refractory chronic lymphocytic leukemia and low grade non-Hodgkin's lymphoma. *Leuk Lymphoma* 2004 May;45(5):945-50.
27. Foon KA, Boyiadzis M, Land SR et al. Chemoimmunotherapy with low-dose fludarabine and cyclophosphamide and high dose rituximabe in previously untreated patients with chronic lymphocytic leukemia. *J Clin Oncol* 2009 Feb. 1;27(4):498-503.
28. Wiernik PH, Adiga GU. Single-agent rituximabe in treatment-refractory or poor prognosis patients with chronic lymphocytic leukemia. *Curr Med Res Opin* 2011 Oct.;27(10):1987-93.
29. Rummel MJ, Gregory SA. Bendamustine's emerging role in the management of lymphoid malignancies. *Semin Hematol* 2011Apr.; 48(Suppl 1):S24-36.
30. Montillo M, Ricci F, Tedeschi A et al. Bendamustine: new perspective for an old drug in lymphoproliferative disorders. *Expert Rev Hematol* 2010 Apr.;3(2):131-48.
31. Montillo M. Is bendamustine an ideal partner for rituximabe in the management of relapsed chronic lymphocytic leukemia? Results of a multicenter Phase II trial. *Expert Rev Hematol* 2012 Feb.;5(1):43-46.

32. Hillmen P, Gribben JG, Follows GA et al. rituximabe plus chlorambucil in patients with CD20-positive B-cell Chronic Lymphocytic Leukemia(CLL): final response analysis of an open-label phase II study. *Blood* 2011;116:abstract 697.
33. Reagan JL, Castillo JJ. Ofatumumab for newly diagnosed and relapsed/refractory chronic lymphocytic leukemia. *Expert Rev Anticancer Therapy* 2011 Feb.;11(2):151-60.
34. Wierda WG, Kipps TJ, Dürig J et al. Chemoimmunotherapy with O-FC in previously untreated patients with chronic lymphocytic leukemia. Blood 2011 June 16;117(24):6450-58.
35. Bezares RF, Stemelin G, Diaz A et al. Multicenter study of subcutaneous alemtuzumab administered at reduced dose in patients with fludarabine-relapsed/refractory chronic lymphocytic leukemia: final analysis. *Leuk Lymphoma* 2011 Oct.;52(10):1936-41.
36. Gritti G, Reda G, Maura F et al. Low dose alemtuzumab in patients with fludarabine-refractory chronic lymphocytic leukemia. *Leuk Lymphoma* 2012 Mar.;53(3):424-29. Epub 2012 Jan. 5.
37. Pettitt AR, Jackson R, Carruthers S et al. Alemtuzumab in combination with methylprednisolone is a highly effective induction regimen for patients with chronic lymphocytic leukemia and deletion of TP53: final results of the National Cancer Research Institute CLL 206 Trial. *J Clin Oncol* 2012 Apr. 9 Epub ahead of print.
38. Parikh SA, Keating MJ, O'Brien S et al. Frontline chemoimmunotherapy with fludarabine, cyclophosphamide, alemtuzumab and rituximabe for high-risk chronic lymphocytic leukemia. *Blood* 2011 Aug. 25;118(8):2062-68.
39. Böttcher S, Ritgen M, Fischer K et al. Minimal residual disease quantification is an independent predictor of progression. free and overall survival in chronic lymphocytic leukemia: a multivariate analysis from the randomized GCLLSG CLL8 Trial. *J Clin Oncol* 2012 Mar. 20;30(9):980-88.
40. O'Brien S, Key NE. Maintenance therapy for B-chronic lymphocytic leukemia. *Clin Adv Hematol Oncol* 2011 Jan.;9(1):22-31.
41. Böttcher S, Ritgen M, Dreger P. Allogeneic stem cell transplantation for chronic lymphocytic leukemia: lessons to be learned from minimal residual disease studies. *Blood* Rev 2011 Mar.;25(2):91-96.
42. Kharfan-Dabaja MA, Bazarbachi A. Hematopoietic stem cell allografting for chronic lymphocytic leukemia: a focus on reduced-intensity conditioning regimens. *Cancer Control* 2012 Jan.;19(1):68-75.
43. Gladstone DE, Fuchs E. Hematopoietic stem cell transplantation for chronic lymphocytic leukemia. *Curr Opin Oncol* 2012 Mar.;24(2):176-81.
44. Awan FT, Johnson AJ, Lapalombella R et al. Thalidomide and lenalidomide as new therapeutics for the treatment of chronic lymphocytic leukemia. *Leuk Lymphoma* 2010 Jan.;51(1):27-38.
45. Byrd JC, Kipps TJ, Flinn IW et al. Phase I/II study of lumiliximab combined with fludarabine, cyclophosphamide and rituximabe in patients with relapsed or refractory chronic lymphocytic leukemia. *Blood* 2010 Jan. 21;115(3):489-95.
46. Roberts AW, Seymour JF, Brown JR et al. Substantial susceptibility of chronic lymphocytic leukemia to BCL2 inhibition: results of a phase I study of navitoclax in patients with relapsed or refractory disease. *J Clin Oncol* 2012 Feb. 10;30(5):488-96.
47. Hebb J, Assouline S, Rousseau C et al. A phase I study of imatinib mesylate in combination with chlorambucil in previously treated chronic lymphocytic leukemia patients. *Cancer Chemotherapy Pharmacol* 2011 Sept.;68(3):643-51.
48. Amrein PC, Attar EC, Takvorian T et al. Phase II study of dasatinib in relapsed or refractory chronic lymphocytic leukemia. *Clin Cancer Res* 2011 May 1;17(9):2977-86.
49. Stephens DM, Ruppert AS, Blum K et al. Flavopiridol treatment of patients aged 70 or older with refractory or relapsed chronic lymphocytic leukemia is a feasible and active therapeutic approach. *Haematologica* 2012 Mar.;97(3):423-27.
50. Hodgson K, Ferrer G, Montserrat E et al. Chronic lymphocytic leukemia and autoimmunity: a systematic review. *Haematologica* 2011;96(5):752-61.
51. Borthakur G, O'Brien S, Wierda WG et al. Immune anaemias in patients with chronic lymphocytic leukaemia treated with fludarabine, cyclophosphamide and rituximabe. incidence and predictors. *Br J Haematol* 2007;136(6):800-5.
52. Dearden C, Wade R, Else M et al. The prognostic significance of a positive direct antiglobulin test in chronic lymphocytic leukemia: a beneficial effect of the combination of fludarabine and cyclophosphamide on the incidence of hemolytic anemia. *Blood* 2008;111(4):1820-26.
53. Koehrer S, Keating MJ, Wierda WG. Eltrombopag, a second generation thrombopoietin receptor agonist, for chronic lymphocytic leukemia – associated ITP. Leukemia 2010;24(5):1096-98.
54. Hodgson K, Ferrer G, Pereira A et al. Autoimmune cytopenia in chronic lymphocytic leukaemia: diagnosis and treatment. *Br J Haematol* 2011 July;154(1):14-22.
55. Morrison VA. Infectious complications in patients with chronic lymphocytic leukemia: pathogenesis, spectrum of infection, and approaches to prophylaxis. *Clin Lymphoma Myeloma* 2009 Oct.;9(5):365-70.
56. Francis S, Karanth M, Pratt G et al. The effect of immunoglobulin VH gene mutation status and other prognostic factors on the incidence of major infections in patients with chronic lymphocytic leukemia. *Cancer* 2006 Sept.1;107(5):1023-33.
57. Morrison VA. Infectious complications of chronic lymphocytic leukaemia: pathogenesis, spectrum of infection, preventive approaches. *Best Pract Res Clin Haematol* 2010 Mar.;23(1):145-53.
58. Cooperative Group for the Study of immunoglobulin in chronic lymphocytic leukemia. Intravenous immunoglobulin for the prevention of infection in chronic lymphocytic leukemia. *N Engl J Med* 1988 Oct.;319(14):902-7.

CAPÍTULO 232
Leucemia Mieloide Crônica

Cibelli Navarro Roldan Martin ■ Bruno Terra Corrêa
Márcia Trindade Schramm ■ Yung Bruno de Mello Gonzaga

DEFINIÇÃO

Leucemia mieloide crônica (LMC) é uma doença mieloproliferativa originada da célula pluripotente anormal na medula óssea, sendo consistentemente associada à presença do cromossomo Philadelphia (Ph) e seu produto BCR-ABL, com tendência de evolução para leucemia aguda.[1-3]

EPIDEMIOLOGIA

A ocorrência de LMC é de 1-2 casos por 100 mil habitantes por ano e corresponde a 15 a 20% das leucemias em adultos. Há discreta predominância no sexo masculino, sendo a média de idade no diagnóstico de 50 anos e a exposição à radiação ionizante o único fator de risco conhecido. Não parece ocorrer predisposição hereditária.[2,4,5]

BIOLOGIA MOLECULAR

A anomalia citogenética da LMC ocorre na célula-tronco (*stem cell*), sendo caracterizada pela translocação dos braços longos dos cromossomos 9 (banda 34) e 22 (banda 11) com a criação de um oncogene híbrido, o cromossomo Philadelphia (Ph), t(9;22) (q34;q11) e seu produto BCR-ABL (Figs. 1 e 2). Esse oncogene responde pela síntese desregulada da proteína tirosina quinase, responsável por proliferação descontrolada das células transformadas, maturação discordante, bloqueio da apoptose e alterações na interação com a matriz celular. A proteína sintetizada é, na maioria das vezes, a P210 (em função do seu molecular de 210KDa). Entretanto, alternativamente, a fusão pode ocorrer em outras duas regiões do cromossomo 22, dando origem a proteínas com pesos moleculares distintos, a P190 (encontrada nos casos de LLA cromossomo Ph+) e a P230 (produzindo um curso mais indolente na LMC, menos de 1% dos casos).[3,6,7]

O clone neoplásico é capaz de seguir diferenciação até células maduras e ocorre preferencialmente na série granulocítica, levando ao acúmulo na medula óssea e no sangue periférico de neutrófilos, bastões, metamielócitos, mielócitos, raros mieloblastos (< 5%), basófilos e eosinófilos. O estímulo também propicia o aumento das plaquetas (trombocitose), e a anemia ocorre na dependência da evolução da doença, não sendo acentuada na fase crônica.[6,7]

ACHADOS CLÍNICOS

Os achados clínicos da LMC são dependentes da fase da doença no momento da suspeita diagnóstica. Com a atual facilidade de realização do hemograma, o mais comum é a ocorrência de pacientes oligo ou assintomáticos, com baço palpável e leucocitose persistente com desvio para a esquerda (presença de células granulocíticas jovens) na ausência de quadros infecciosos que a justifique. Oitenta e cinco por cento dos diagnósticos iniciais são realizados na fase crônica pouco sintomática.[5]

Os sintomas, quando presentes, são decorrentes do estado catabólico (perda ponderal, astenia, sudorese), da esplenomegalia que ocorre em 60-80% dos casos (desconforto no hipocôndrio esquerdo, saciedade precoce) e da anemia (fadiga, astenia, palpitação). Outros achados clínicos são pouco usuais.[5,8]

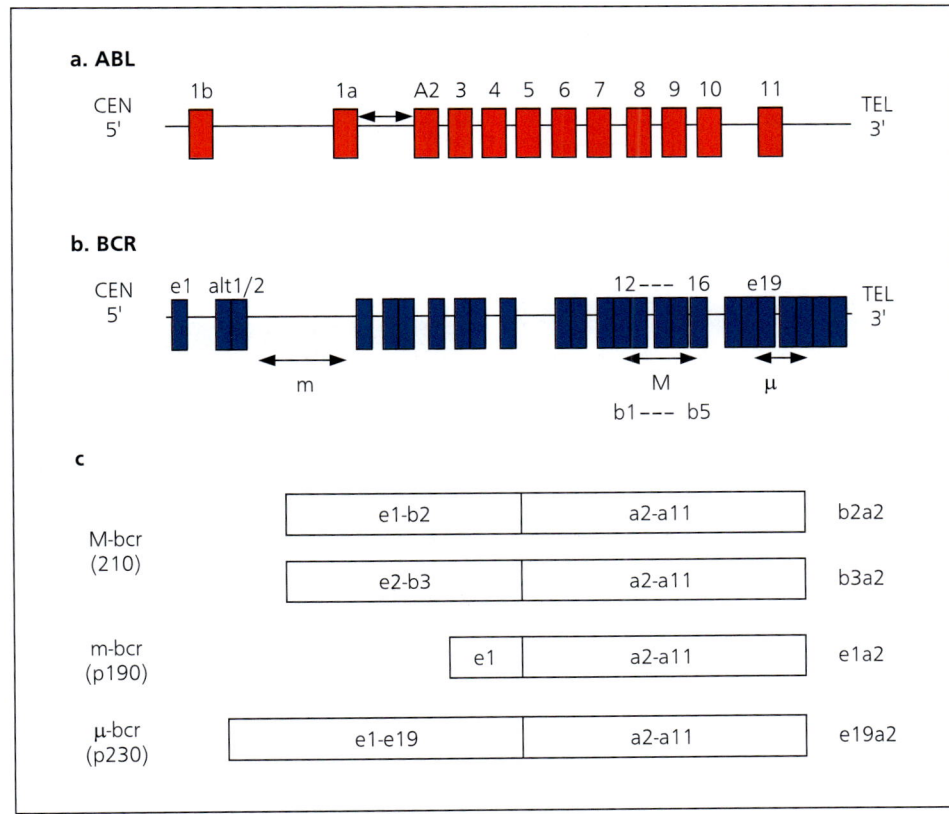

◀ FIGURA 1. Representação esquemática do gene ABL no cromossomo 9 (a) e do gene BCR no cromossomo 22 (b). Todos os éxons (caixa vermelha/azul) foram escalonados para o mesmo tamanho para maior clareza. Os números dos éxons são indicados acima da sequência de codificação, e a nomenclatura do ponto de interrupção é colocada abaixo do M-BCR (b1-b5). Os íntrons estão representados pelas linhas intervenientes. As regiões de pontos de quebra são identificadas por setas de duas pontas. As transcrições esquemáticas de fusão para a típica M-, m-, e μ bcr- são ilustradas (c), enquanto o produto da translocação é demonstrado para a direita. ©2011 UpToDate®

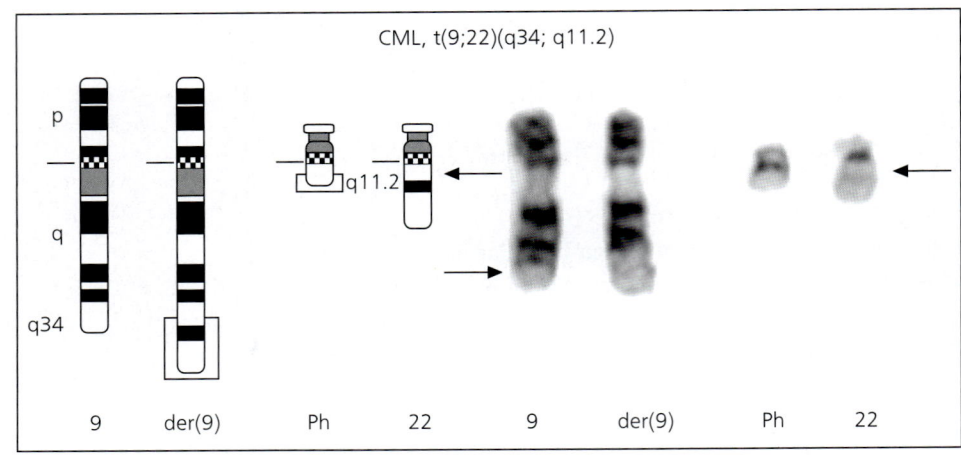

► **FIGURA 2.** Cromossomo philadelphia (Ph). Ideogramas com banda G (esquerda) e cariótipo parcial (direita) da LMC associada a translocação t(9;22) (q34; q11.2). Os pontos de quebra são indicados com setas nos cromossomos homólogos normais. Segmentos translocados são enquadrados no der (9) e ideogramas Ph. Os resultados da translocação de um cromossomo ligeiramente mais 9 [der (9)] e um mais curto do cromossomo 22 [der (22)], é o cromossomo Philadelphia (Ph). Cortesia de Athena Cherry, PhD ©2011 UpToDate®.

EXAMES LABORATORIAIS

O hemograma evidencia leucocitose à custa de granulócitos (média de 100 mil granulócitos com desvio escalonado para a esquerda). A trombocitose ocorre em 15-30% dos casos enquanto a anemia (normocrômica/normocítica) acentua-se a partir da fase acelerada. Basofilia absoluta é um achado universal nos pacientes com diagnóstico de LMC, e a leitura da lâmina não mostra displasia dos granulócitos além de uma baixa porcentagem de mieloblastos (exceto na crise blástica) (Figs. 3 e 4).[9-12]

A determinação de ácido úrico, ureia, creatinina e cálcio é importante para avaliar a presença de hiperuricemia associada a lise tumoral e consequente disfunção renal. Apesar de a LDH não ser um marcador específico, tem valor para o acompanhamento geral da resposta ao tratamento. Provas de função hepática e perfil lipídico devem ser dosados antes do início de terapêntica específica.

Na existência de irmãos consanguíneos, é importante a realização de HLA do paciente e dos irmãos. O transplante de células hematopoiéticas tem indicação em casos selecionados.

CITOGENÉTICA

A confirmação diagnóstica é feita por demonstração do cromossomo Ph em análise citogenética convencional (ideal é a cariotipagem de 20 metáfases ou mais), hibridização fluorescente in situ (FISH) ou por transcrição reversa de reação em cadeia da polimerase (RT-PCR). Noventa por cento dos pacientes demonstram a t(9;22); naqueles em que a citogenética refere "Ph negativo" é possível chegar ao diagnóstico por análise de FISH (qualitativo e quantitativo) ou RT-PCR.[8-11]

Aqueles que se mostrarem negativos para duas ou três técnicas, apesar de clínica, hemograma e mielograma compatíveis devem ser investigados para doenças associadas, como síndrome mielodisplásica ou justaposição de síndrome mielodisplásica com mieloproliferação.

Outros diagnósticos devem ser pensados conforme descrito adiante (ver Diagnósticos Diferenciais).

A citogenética tem importância não só no diagnóstico, mas na análise de arranjos cromossômicos adicionais que auxiliam na correta classificação da fase e/ou progressão da doença. Quando o aspirado de medula é seco, pode-se proceder a biópsia e a pesquisa de biologia molecular (FISH) em sangue periférico (Fig. 5).[5,6]

MORFOLOGIA – DEFINIÇÃO DE FASE

Fase crônica

O sangue periférico mostra leucocitose (12 a 100 mil leucócitos) com neutrófilos em diferentes estágios de maturação com menos de 3% de monócitos (exceto nos casos da isoforma do BCR/ABL P190) e menos de 2% de blastos. Basofilia está presente em todos os casos, eosinofilia é comum, e as plaquetas são normais ou aumentadas. A celularidade da medula óssea está elevada com proliferação e diferenciação similar àquela vista no sangue periférico, com pouca ou nenhuma displasia, menos de 5% de blastos, série eritroide usualmente reduzida em tamanho e número e megacariócitos pequenos e com núcleos hipolobulados. Células Pseudo-Gaucher e histiócitos azuis são observados em decorrência do alto *turnover* celular do clone leucêmico, e 80% dos pacientes têm redução ou ausência do ferro nos macrófagos.[5,9,13,14,15]

Fase de transformação

A definição de fase de transformação pode ser importante para avaliação de tratamento e prognóstico, mas os parâmetros utilizados para identificar essa fase são variáveis de acordo com diversos autores. Há poucos dados relevantes para definição exata de progressão de doença, sendo possível retorno à fase crônica com uso de inibidores da tirosina quinase (TKI) (ver Tratamento).[5,9,14,15]

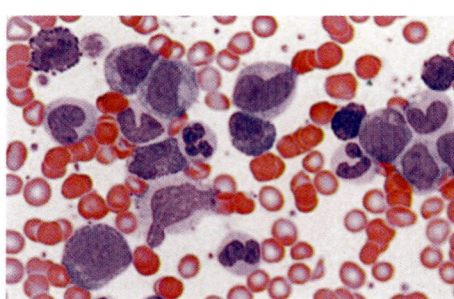

▲ **FIGURA 3.** Esfregaço de sangue periférico característico da leucemia mieloide crônica mostra basofilia e granulocitose com neutrófilos e granulócitos imaturos. Reproduzido de: McClatchey, KD, MD, DDS. Clinical Laboratory Medicine, 2nd Edition. Philadelphia: Lippincott Williams & Wilkins, 2002. Copyright ©2002 Lippincott Williams & Wilkins. ©2011 UpToDate®.

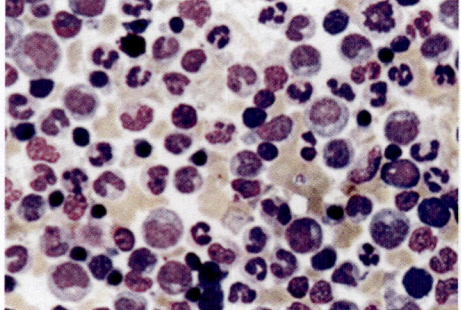

▲ **FIGURA 4.** Aspirado de medula óssea de um paciente com leucemia mieloide crônica com hiperplasia de elementos da série granulocítica (p. ex.: promielócitos e mielócitos, metamielócitos, formas de banda e granulócitos maduros). Cortesia de David S Rosenthal, MD e J Anna Mitus, MD. ©2011 UpToDate®.

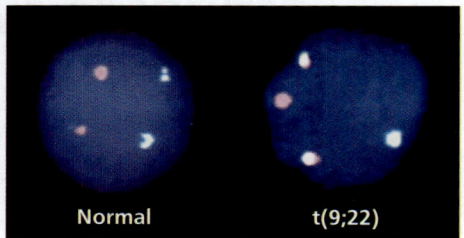

▲ **FIGURA 5.** FISH com núcleos normais e com t(9;22). Um núcleo normal (à esquerda). Na t(9;22) da célula à direita, os sinais individuais vermelho e verde correspondem a ABL normal e genes BCR, respectivamente, enquanto os dois sinais branco-amarelados de fusão correspondem ao cromossomo Ph e à translocação recíproca (cromossomo derivado 9). Foto cedida por Athena Cherry, PhD.

Fase acelerada

Definições variáveis têm sido aplicadas à fase acelerada. De acordo com a Organização Mundial de Saúde (OMS), a presença de um ou mais dos critérios relacionados a seguir indica fase acelerada:

- 10-19% de blastos no sangue periférico ou medula óssea.
- Basofilia em sangue periférico ≥ 20%.
- Plaquetas < 100.000/microL, não relacionadas à terapia.
- Plaquetas > 1.000.000/microL, que não responde à terapia.
- Esplenomegalia e leucocitose pregressivas, que não respondem à terapia.
- Evolução citogenética (anormalidades cromossômicas associadas ao cromossomo Ph+).[5,9,13,15]

Crise blástica

Nos pacientes em fase acelerada não tratados ou tratados paliativamente com bussulfan e hidroxiureia – e em alguns tratados com imatinibe – a doença evolui para uma leucemia aguda chamada crise blástica de 3 a 5 anos após o diagnóstico e 18 meses após o início da fase acelerada. A presença de um ou mais critérios define o diagnóstico de crise blástica:

- Presença de blastos (≥ 20%) no sangue periférico ou na medula óssea. Em 70% dos casos os blastos são da linhagem mieloide e os 30% restantes são linfoblastos, sendo a análise imunofenotípica recomendada em todos os casos.
- Focos de blastos na medula óssea.
- Presença de infiltrados extramedulares de blastos (cloromas). Os cloromas podem ocorrer em qualquer órgão, sendo mais comuns na pele, em linfonodos, baço, ossos e sistema nervoso central.[5,9,13,15]

DIAGNÓSTICO DIFERENCIAL

Existem outras entidades que possuem clínica semelhante a da LMC e devem ser pensadas como diagnóstico diferencial. As mais frequentes são:

Reação leucemoide

Refere-se a uma alta contagem de leucócitos, geralmente neutrófilos com desvio escalonado, instalada de forma relativamente aguda e em resposta a um evento infeccioso. Costuma estar associada a granulações tóxicas nos neutrófilos e fosfatase alcalina leucocitária baixa. Persistindo a dúvida diagnóstica, somente a citogenética ou o teste molecular podem realizar o diagnóstico diferencial, já que o aspirado de medula, em ambos os casos, é hipercelular.

Leucemia mielomonocítica juvenil (LMMJ)

É uma doença rara na infância caracterizada clinicamente por hepatoesplenomegalia, linfadenopatia, *rash* cutâneo, febre e palidez. Os pacientes demonstram uma superprodução clonal da série mieloide, normalmente monócitos, com infiltração maciça do baço, fígado e gânglios e caracteristicamente tem uma citogenética normal ou monossomia do cromossomo 7. É de extrema importância a diferenciação genética da presença ou não do cromossomo Ph, já que evolução, opções de tratamento e prognóstico são diversos para as duas patologias (LMMJ *versus* LMC).[16]

Leucemia mielomonocítica crônica (LMMC)

É uma neoplasia mielodisplásica/mieloproliferativa caracterizada pela produção excessiva de células monocíticas e neutrófilos acompanhada de anemia e/ou trombocitopenia. Diferente da LMC, a medula da LMMC evidencia proeminentes alterações displásicas em duas ou três linhagens mieloides, além da pesquisa negativa do cromossomo Ph.[16,17]

LMC atípica

É uma neoplasia mielodisplásica/mieloproliferativa que se caracteriza pela coexpressão de displasia e hiperplasia mieloide. A ocorrência é incomum e se apresenta como desafio diagnóstico geralmente em pacientes idosos com pesquisa negativa para o cromossomo Ph.[18,19]

Leucemia eosinofílica crônica

É uma rara doença clonal mieloproliferativa marcada por excesso de eosinófilos normais que infiltram maciçamente órgãos-alvo, causando danos irreparáveis. A citogenética pode ser normal ou mostrar outros arranjos genéticos diferentes da t(9;22).[18]

Outras doenças mieloproliferativas

Um pequeno número de pacientes apresenta características clínicas de uma das outras neoplasias mieloproliferativas (p. ex.: trombocitemia essencial ou policitemia vera), mas possuem cromossomo Philadelphia (Ph+) na análise citogenética. A maioria desses pacientes apresenta uma evolução consistente com LMC, incluindo eventual progressão para crise blástica, e deve ser considerada uma apresentação atípica inicial. As típicas neoplasias mieloproliferativas não LMC (policitemia vera, trombocitose essencial e mielofibrose primária) são negativas para BCR-ABL e cromossomo Ph e não respondem à terapia com imatinibe. Avaliação do cromossomo Ph por citogenética, BCR-ABL por FISH ou altos níveis de transcritos BCR-ABL por RT-PCR geralmente resolvem os casos difíceis.[18,19]

Outras leucemias Ph positivas

O cromossomo Ph é encontrado em 20-30% das leucemias linfoides agudas (LLA) dos adultos, 5-10% das LLA da infância e 1% das leucemias mieloides agudas dos adultos. Os casos podem representar evolução clonal da LMC fase crônica para crise blástica ou uma leucemia "de novo" sem relação com doença hematológica prévia. Na maioria dos casos associa-se o inibidor da tirosina quinase ao tratamento quimioterápico.[19]

TRATAMENTO E SEGUIMENTO

Tratamento da primeira fase crônica

O tratamento da LMC torna-se complexo frente às inúmeras opções de tratamentos, muitas das quais conflitantes.[19] Inúmeros fatores influenciam a escolha da terapia adequada, entre eles: a fase do diagnóstico, a existência de um irmão compatível (ou doador não aparentado), a idade, a presença de comorbidades e a resposta prévia ao uso de TKI. As primeiras opções a serem consideradas são:

- Transplante de células hematopoiéticas (TCH) (com potencial de cura).
- Uso de inibidores da tirosina quinase (TKI) (controle sem cura).[20]

Medidas gerais

As primeiras medidas a serem instituídas são: providenciar material adequado para o correto diagnóstico hematológico, citogenético e molecular e garantir as funções vitais do paciente. Proceder à citorredução até leucometria chegar a 15.000/mm^3 com: hidroxiureia (15 a 40 mg/kg/dia em 2 a 3 tomadas VO); alopurinol 300 mg/dia; hidratação oral e controle hematológico e bioquímico. No caso de pacientes com hiperleucocitose, avaliar internação e leucaférese em casos de sinais de leucostase.

Transplante de células hematopoiéticas (TCH)

Constitui-se uma opção de tratamento curativo com potencial de toxicidade e mortalidade precoce, podendo ser considerada em pacientes jovens, sem comorbidades, com doença estável e doador compatível. No entanto, como os TKI têm demonstrado controle da doença em longo prazo e boa tolerabilidade, muitos médicos e pacientes optam por não utilizar o TCH alógeno como terapia inicial. Em vez disso, utilizam os TKI e um acompanhamento cuidadoso. Entretanto o TCH continua sendo um componente importante do tratamento de pacientes que desenvolvem resistência ou intolerância aos TKI, e para aqueles que se apresentam em fase acelerada e crise blástica, sendo os resultados obtidos diretamente relacionados à fase da doença. Resultados com TCH e TKI não foram comparados diretamente em um ensaio bem concebido. No entanto, as comparações históricas notaram que o TCH está associado ao aumento da morbimortalidade em curto e longo prazos, apesar da possibilidade de cura. A probabilidade de sobrevida com TCH pode ser previsto com razoável precisão utilizando um sistema de pontuação elaborado pelo European Group for Blood and Marrow Transplantation (EBMT) (Quadro 1). Entre os pacientes com

Quadro 1. Escore de avaliação de risco para TCH em LMC – EGBMT

ITEM	CATEGORIA	ESCORE
Doador	Irmão doador com HLA idêntico	0
	Doador não aparentado	1
Fase da doença	Primeira fase crônica	0
	Fase acelerada	1
	Crise blástica ou ≥ 2ª fase crônica	2
Idade	< 20 anos	0
	20-40 anos	1
	> 40 anos	2
Sexo receptor/doador	Mesmo sexo	0
	Doadora feminina/receptor masculino	1
Tempo diagnóstico/TCH	< 12 meses	0
	> 12 meses	1

ESCORE	MORTALIDADE RELACIONADA AO TCH	SOBREVIDA GLOBAL EM 5 ANOS
0	20%	72%
1	23%	70%
2	31%	62%
3	46%	48%
4	51%	40%
5	71%	18%
6	73%	22%
7	–	–

Escore: A pontuação é de 0 a 7, com pontos marcados para cada uma das cinco categorias de risco. Houve poucos pacientes com uma pontuação adequada para avaliação de mortalidade e sobrevida no escore 7. LMC = leucemia mieloide crônica; TCH = transplante de células hematopoiéticas; EGBMT = European Group for Blood and Marrow Transplantation. (Dados de Gratwohl et al.)

LMC recém-diagnosticada na fase crônica, recomenda-se o tratamento inicial com um inibidor da tirosina quinase (TKI). O HCT pode ser considerado em circunstâncias raras, como a de um paciente jovem com um irmão doador HLA correspondente (pontuação EBMT de 0). Nessa configuração, HCT pode ser preferido, uma vez que oferece a possibilidade de cura.[21-25]

Inibidores da tirosina quinase (TKI)

Os inibidores da tirosina quinase (TKI) têm ação específica sobre a tirosina quinase implicada na patogênese da LMC. Atualmente há os TKI de primeira e segunda geração; embora não curem a doença, têm capacidade de manter um longo prazo de controle, com facilidade de posologia e efeitos colaterais administráveis. Por esses motivos tornaram-se a primeira linha de escolha para a maioria dos pacientes.[26,27]

Imatinibe

O imatinibe foi o primeiro inibidor da tirosina quinase (TKI) disponível para o tratamento de pacientes com LMC em fase crônica. Os relatos iniciais de ensaios clínicos randomizados têm demonstrado que os inibidores de segunda geração (p. ex.: o dasatinibe ou nilotinibe) produzem respostas mais rápidas e profundas que o imatinibe. No entanto, o significado clínico desses desfechos não é claro, e não há diferença na sobrevida global. A continuação do acompanhamento é necessária para confirmar se os aperfeiçoamentos observados em curto prazo com inibidores de segunda geração irão resultar em maiores benefícios em longo prazo, como a melhora da sobrevida. A escolha entre os agentes deve levar em consideração os perfis de efeitos colaterais de drogas e comorbidades do paciente.[28,29]

O estudo IRIS (International Randomized Study of Interferon and STI571) foi um estudo fase III, randomizado, aberto, multicêntrico, com dois braços (400 mg/dia por via oral) *versus* interferon (5 milhões units/m² por dia) e citarabina (20 mg/m² por dia durante 10 dias/mês) em 1.106 pacientes recentemente diagnosticados com LMC fase crônica. A análise evidenciou que imatinibe foi significativamente melhor do que o interferon e citarabina para todos os parâmetros iniciais estudados, com as seguintes estimativas em 18 meses:

- *Resposta hematológica completa:* 97 *versus* 69%.
- *Resposta citogenética maior:* 87 *versus* 35%.
- *Resposta citogenética completa:* 76 *versus* 14%.
- *Principal resposta molecular (ausência de BCR-ABL utilizando a reação em cadeia da polimerase [PCR]):* 39 *versus* 2%.
- *Sobrevivência livre de progressão:* 97 *versus* 92%.
- *Intolerância a drogas:* < 1 *versus* 25%.
- *Melhor preservação da qualidade de vida.*

Os resultados atualizados do estudo IRIS com um acompanhamento médio de 60 meses têm mostrado que os resultados com o tratamento com imatinibe têm sido duráveis:

- Os pacientes que receberam imatinibe como terapia inicial para LMC em fase crônica tiveram sobrevida global e livre de eventos de 89 e 83%, respectivamente.
- A taxa anual de progressão para fase acelerada ou crise blástica foi de 0,6% no 5º ano de terapia, que foi menor do que a observada durante os primeiros 4 anos de tratamento (1,5, 2,8, 1,6 e 0,9%, respectivamente).
- Pacientes que atingiram uma resposta citogenética completa por 12 meses após o início do imatinibe tiveram melhor sobrevida global, sem progressão para fase acelerada ou crise blástica (97 *versus* 81%) em comparação com pacientes que não alcançaram, pelo menos, uma resposta citogenética maior por 12 meses.
- Nenhum paciente que teve uma resposta citogenética completa, juntamente com uma redução de, pelo menos, 3 log nos níveis de transcritos BCR-ABL em 12 meses, tinha progredido para a crise acelerada ou blástica em 60 meses.[27,30,31]

Com bases nesses resultados o imatinibe, na dose de 400 mg/dia, obteve a aprovação como o tratamento inicial de escolha para a LMC em fase crônica, e o benefício da terapia com imatinibe parece ser semelhante em adultos mais velhos e mais jovens. Esta droga é continuada indefinidamente em pacientes que continuam a responder ao tratamento, e a resposta é avaliada com estudos moleculares, como PCR quantitativo ou FISH. Os efeitos adversos são divididos em hematológicos e não hematológicos.[27,30,31]

- *Efeitos adversos não hematológicos:* costumam ser leves ou moderados, sendo os mais comuns: náuseas, edema, cãibras musculares, erupção cutânea e diarreia, ocorrendo em aproximadamente 60, 55, 50, 30 e 30% dos pacientes, respectivamente. Caso se desenvolva uma reação adversa não hematológica, a utilização do imatinibe deve ser interrompida até o evento ser resolvido e reintroduzida logo que possível na mesma dose. Caso ocorra aumento das bilirrubinas (> 3 vezes o limite superior da normalidade) ou dos níveis de transaminases hepáticas (> 5 vezes o limite superior da normalidade), o tratamento com imatinibe deve ser descontinuado até que os níveis retornem à normalidade. O tratamento deverá ser reiniciado reduzindo a dose de 400 mg para 300 mg, a dose de 600 mg para 400 mg e a dose de 800 mg para 600 mg. As medidas são sintomáticas para controle dos sintomas nos casos de náuseas (tomar a medicação à noite ou após uma refeição leve), *rash* cutâneo (uso de anti-histamínico e/ou corticoide sem suspensão da droga, exceto em reações graves), diarreia (uso de antiespasmódicos) e retenção de líquidos (uso de diuréticos).[32]
- *Interação medicamentosa:* ocorre com cetoconazol, itraconazol, eritromicina, claritromicina, *grapefruit* (aumentam a concentração sanguínea do imatinibe) e dexametasona, fenitoína, carbamazepina, rifampicina, fenobarital e erva-de-são-joão (diminuem a concentração sanguínea do imatinibe).[32-34]
- *Efeitos adversos hematológicos:* graus 3 ou 4 de neutropenia, leucopenia, trombocitopenia ou anemia ocorrem em cerca de 35, 25, 20, e menos

Quadro 2. Ajuste da dose de imatinibe em decorrência de neutropenia e trombocitopenia

LMC – fase crônica (400 mg/d)	CAN < 1,0 × 10⁹/L e/ou plaquetas < 50 × 10⁹/L	1. Suspender imatinibe até CAN ≥ 1,5 × 10⁹/L e plaquetas ≥ 75 × 10⁹/L 2. Reiniciar imatinibe na dose anterior 3. Se houver recidiva da citopenia, repetir a etapa 1 e reiniciar com dose de 300 mg/dia
LMC – fase acelerada ou crise blástica (600 mg/d)	CAN < 1,0 × 10⁹/L e/ou plaquetas < 10 × 10⁹/L	1. Verificar se a leucemia está associada à leucemia (por mielograma ou biópsia de medula) 2. Se a citopenia não estiver relacionada à leucemia, reduzir a dose de imatinibe para 400 mg/dia 3. Se a citopenia persistir por 2 semanas, reduzir para 300 mg/dia 4. Se a citopenia persistir por 4 semanas e ainda assim não estiver relacionada à leucemia, suspender imatinibe até CAN ≥ 1,0 × 10⁹/L e plaquetas ≥ 20 × 10⁹/L, reiniciar tratamento com dose de 300 mg/dia

de 10%, respectivamente. Ajustes das doses devem ser realizados conforme o Quadro 2.[35]

Houve interesse em utilizar doses mais elevadas como tratamento inicial, pois os dados indicam respostas superiores com o uso de 600 mg/dia em doentes com LMC em fase acelerada ou blástica. Ensaios fase II não randomizados utilizando alta dose de imatinibe mostram boa tolerância, embora a redução da dose para 400 ou 600 mg/dia tenha sido necessária em cerca de um terço dos pacientes. A mielossupressão foi mais frequente do que com "dose-padrão" e pode ser controlada por meio da redução da dose ou a utilização de eritropoietina ou fator estimulante de colônias de granulócitos. Entretanto é precoce chegar a quaisquer conclusões sobre a sobrevida livre de progressão ou sobrevida global com imatinibe dose elevada, não havendo até o momento indicação para sua utilização na fase crônica.[36,37]

Outros estudos investigaram a adição de outros agentes (p. ex.: citarabina, interferon) ao imatinibe para pacientes recentemente diagnosticados com LMC. Em geral, a adição de outros agentes evidenciou alcance de respostas mais rapidamente, mas com aumento da toxicidade. Uma vez que os inibidores da tirosina quinase mais potentes foram avaliados em ensaios de fase III, há pouco interesse em combinar imatinibe com agentes citotóxicos.[37]

Os três inibidores da tirosina quinase (TKI) de segunda geração que têm sido extensamente estudados são o dasatinibe, o nilotinibe e o bosutinibe. Dasatinibe e nilotinibe foram aprovados pela agência de controle nos Estados Unidos (Food and Drug Administration) e pela ANVISA no Brasil e são amplamente utilizados para o tratamento de pacientes com intolerância ou resistência ao imatinibe (segunda linha). Ensaios de fase III comparando dasatinibe (DASISION) ou nilotinibe (ENESTnd) ao imatinibe como terapia inicial para a LMC em fase crônica demonstraram respostas mais rápidas e profundas, e com base nesses resultados, nilotinibe e dasatinibe têm conseguido a aprovação, com relativa rapidez, para o tratamento da LMC recentemente diagnosticada (primeira linha) nos Estados Unidos.[28,29,38,39]

Nilotinibe

O nilotinibe foi avaliado e aprovado, nos Estados Unidos, como tratamento de primeira linha para pacientes com LMC em fase crônica em vários ensaios clínicos de fase II e em um estudo randomizado de fase III, comparando-o com imatinibe. A dose aprovada é de 300 mg 2 vezes ao dia. O nilotinibe não foi diretamente comparado com o dasatinibe.[28,39,40]

Um estudo randomizado (ENESTnd) comparou duas doses diferentes de nilotinibe (300 mg 2 vezes ao dia ou 400 mg 2 vezes ao dia) com imatinibe (400 mg/dia) em 846 pacientes não tratados previamente com LMC em fase crônica, estratificados por índice de risco de Sokal. Em um acompanhamento médio de mais de 24 meses, o estudo obteve os seguintes resultados, comparando o uso do nilotinibe com o uso do imatinibe:

- Taxas mais elevadas de resposta molecular maior em 12 meses (44 e 43 *versus* 22%, respectivamente) e 24 meses (71 e 67, contra 44%, respectivamente).
- Maiores taxas cumulativas de resposta citogenética completa aos 24 meses (87 e 85 *versus* 77%, respectivamente).
- Taxas mais elevadas de resposta molecular completa aos 24 meses (26 e 21 *versus* 10%, respectivamente).
- Taxas significativamente mais baixas de sobrevida livre de progressão em 24 meses (2 e 2,3 *versus* 4,8%, respectivamente).
- Taxas similares de sobrevida global em 24 meses (97, 98 e 96%, respectivamente).
- As taxas mais baixas de náuseas, vômitos, espasmos musculares, diarreia e retenção de líquidos.
- Taxas mais elevadas de erupção cutânea, cefaleia, hiperglicemia, prurido e alopecia.[39,40]

O uso de nilotinibe pode estar associado ao prolongamento do intervalo QT. Há uma avaliação de risco para minimizar a ocorrência de prolongamento do intervalo QT e suas sequelas em pacientes recebendo nilotinibe. Anormalidades nos níveis de potássio e magnésio devem ser corrigidas antes do início da droga, outras drogas que podem afetar o intervalo QT devem ser evitadas, e a pesquisa de outras patologias que levem ao aumento do intervalo QT deve ser realizada. Electrocardiogramas devem ser obtidos antes do início do tratamento, após 1 semana de tratamento, com qualquer alteração da dose, e em série durante a terapia. Houve uma incidência muito baixa de eventos cardiovasculares, sem mortes, com uma incidência <1% de prolongamento do QTc significativa.[40,41]

Dasatinibe

Quando comparado com o imatinibe, dasatinibe produz respostas mais rápidas, mais profundas com um perfil diferente de efeitos colaterais. O dasatinibe não foi diretamente comparado com nilotinibe e foi aprovado nos Estados Unidos para o tratamento da LMC recentemente diagnosticada. O esquema de administração aprovado é de 100 mg uma vez ao dia. Um estudo randomizado de fase III (DASISION) com 518 pacientes com LMC em fase crônica não tratada comparou dasatinibe 100 mg por dia com imatinibe 400 mg por dia. Após um mínimo de 12 meses de acompanhamento, os pacientes atribuídos ao dasatinibe apresentaram taxas significativamente mais elevadas de resposta citogenética completa confirmada (77 *versus* 66%) e de resposta molecular maior (46 *versus* 28%). Em um seguimento médio de 14 meses, não há diferença na sobrevida livre de progressão, sobrevida livre de eventos, ou sobrevida global. O uso do dasatinibe foi associado a menores taxas de náuseas, vômitos, exantema e mialgia, contudo a taxas mais elevadas de trombocitopenia e derrame pleural. Outro estudo randomizado fase II examinou o uso de dasatinibe 50 mg 2 vezes ao dia ou 100 mg por dia em 50 pacientes não tratados previamente com LMC em fase crônica. Em um seguimento médio de 24 meses, os seguintes resultados foram relatados:

- Todos os pacientes alcançaram uma resposta hematológica completa em um tempo médio de 4 semanas (intervalo: 0,3 a 24 semanas).
- As taxas globais de resposta citogenética completa aos 12 meses foram de 100 e 95% para os braços 1 vez por dia e 2 vezes por dia, respectivamente. As taxas correspondentes de resposta molecular maior foram 71% em ambos os braços.
- Não houve diferença significativa no graus 3 e 4 de toxicidade medular por esquema de tratamento. Trinta e cinco por cento dos doentes necessitaram de reduções de dose, embora a dose mediana para todos os pacientes aos 12 meses tenha sido de 100 mg/dia. Graus 3 e 4 de toxicidade incluíram neutropenia (21%) e trombocitopenia (10%). Derrames pleurais ocorreram em 8 pacientes (13%).[29,42,43]

Definição de resposta (Quadros 3 e 4)

Quadro 3. Definição de resposta no uso da primeira linha de inibidor da tirosina quinase (TKI)

Resposta hematológica completa	*Leucócitos < 10.000 *Basófilos < 5% *Ausência de mielócito, pró-mielócito e mieloblasto na contagem diferencial *Plaquetas < 450.000 *Baço não palpável
Resposta citogenética	*Completa – sem metáfases Ph+ *Parcial – de 1 a 35% de metáfases Ph+ *Menor – 36 a 65% de metáfases Ph+ *Mínima – 66 a 95% de metáfases Ph+ *Sem resposta – > 95% de metáfases Ph+
Resposta molecular	*Transcritos BCR-ABL indetectáveis por PCR-*real time* quantitativo reação em cadeia de polinerose-*real time* em duas amostras de sangue consecutivas *Maior – razão BCR-ABL/ABL ≤ 0,1% na escala internacional

A resposta citogenética requer a avaliação de pelo menos 20 células em metáfase do aspirado de medula óssea. Se as metáfases não são obtidas ou avaliadas por análise cromossômica, a definição de resposta citogenética pode ser baseada em interfase de hibridização *in situ* fluorescente de células do sangue, desde que seja realizada em sondas de hibridização *in situ* e que, pelo menos, 200 núcleos sejam marcados. Respostas moleculares são, em geral, relatadas sobre a avaliação do sangue, não amostras de medula. Para uma avaliação padronizada da resposta molecular, a conversão de cada um dos dados de laboratório para a escala internacional é recomendada, para corrigir a variabilidade dos ensaios em laboratórios diferentes. Para permitir variações intralaboratórios, uma flutuação de menos de um *log* requer confirmação. Reproduzido de Baccarani et al.[44]

Quadro 4. Definição de resposta ideal, subideal e falha para pacientes com LMC fase crônica inicialmente tratados com imatinibe 400 mg/dia

	RESPOSTA IDEAL	RESPOSTA SUBIDEAL	FALHA
Diagnóstico	Não se aplica	Não se aplica	Não se aplica
3º mês	Resp. hematológica completa e, pelo menos, resp citogenética menor	Ausência de resp. citogenética menor	Não atingir resp. hematológica completa
6º mês	Atingir, pelo menos, resp. citogenética parcial (Ph+ < 35%)	Menos que resp. citogenética parcial (Ph+ < 35%)	Sem qualquer resp. citogenética (Ph+ > 95%)
12º mês	Atingir resp. citogenética completa	Resp. citogenética parcial (Ph+ < 35%)	Não atingir resp. citogenética parcial (Ph+ < 35%)
18º mês	Atingir resp. molecular maior	Menos que resp. molecular maior	Não atingir resp. citogenética completa
Qualquer tempo	Manter ou melhorar a resp. molecular maior	Perda da resp. molecular maior ou mutações adicionais	Perda de resp. hematológica completa, perda de resp. citogenética, mutações insensíveis ao imatinibe

Em relação às recomendações anteriores, uma nova definição de resposta ideal foi introduzida, uma definição anterior de resposta subótima é recomendada em 3 meses nos casos de resistência citogenética, uma definição anterior de falha é recomendada em 3 meses nos casos de resistência hematológica e em 6 meses nos casos de resistência citogenética; progressão clonal durante o tratamento foi identificado como fracasso do tratamento, uma deleção do braço longo do cromossomo 9 (del9q +) não é reconhecida como um aviso. Ph+: cromossomo Philadelphia positivo. Resposta molecular maior indica uma razão de BCR-ABL1 para ABL1 ou genes de limpeza de outros ≤ 0,1% na escala internacional. Reproduzido de Baccarani et al.[44]

Monitoração de resposta (Quadro 5)

Quadro 5. Monitoração da resposta ao tratamento de primeira linha[46]

Hemograma	*A cada 15 dias até obter resposta hematológica completa (RHC) *Após obter RHC, a cada 3 meses
Citogenética	*No 3º mês, no 6º mês e depois a cada 6 meses, até atingir resposta citogenética completa (RCC) *Após atingir RCC a cada 12 meses *Na suspeita de perda de resposta, falha ou achados de displasia
Molecular	*A cada 3 meses, até atingir resposta molecular maior (RMM) *Após atingir a RMM a cada 6 meses
Estudo de mutação	*Em caso de perda de resposta, falha ou resposta subideal

Reproduzido de: Baccarani et al.[44] Copyright © 2009 American Society of Clinical Oncology. Todos os direitos reservados.

Tratamento após falência da terapia inicial – resistência

Resistência primária é definida quando um paciente deixa de conseguir uma resposta desejada para o tratamento inicial e resistência secundária é quando um paciente perde a resposta inicial, sendo em última análise as recaídas. Todos os pacientes com resistência devem ser questionados cuidadosamente para garantir o uso da dose recomendada e evitar outras medicações ou suplementos de ervas que possam prejudicar a eficácia do TKI. Além disso, pacientes com resistência confirmada devem ser submetidos a análise de mutações do BCR-ABL. Embora os dados clínicos descrevendo os benefícios relativos de nilotinibe ou dasatinibe em pacientes com mutações diferentes já estejam sendo analisados, alguns dados preliminares podem ajudar a guiar a escolha da terapia no futuro. Exemplos notáveis incluem: as mutações Y253H, E255K/V e F359V/C/I são resistentes a imatinibe e nilotinibe, mas sensíveis ao dasatinibe, as mutações F317L/V/I/C, V299L e T315A são sensíveis ao nilotinibe, mas mostram sensibilidade intermediária ao imatinibe e dasatinibe, e a mutação T315I mostrou resistência a todos os inibidores da tirosina quinase (TKI) atualmente disponíveis. Para os pacientes que não são candidatos a transplante com ausência da mutação T315I recomenda-se a administração de uma segunda geração de inibidor da tirosina quinase (TKI) em vez de doses crescentes de imatinibe. A escolha do TKI de segunda geração é feita com base em perfis de efeitos colaterais desses agentes e conhecimentos de comorbidades do paciente. Para os pacientes com LMC em fase crônica, que são inelegíveis para HCT, mas têm uma contraindicação ou são intolerantes para os TKIs de segunda geração, opções de tratamento incluem o uso de interferon alfa e citarabina ou monoterapia com hidroxiureia (ver Terapias Paliativas).[40,44-46]

Para aqueles candidatos a transplante e sem a mutação T315I a maioria dos médicos recomenda um teste de um TKI segunda geração, ao mesmo tempo que avalia um possível HCT alógeno. O seguimento terapêutico depende da obtenção de uma resposta citogenética completa. Para os pacientes que não atingem uma resposta citogenética completa com uma segunda geração TKI, sugere-se o HCT em vez de continuação da segunda geração TKI ou um ensaio de outro TKI. Não há um consenso claro sobre o manejo de quem alcança uma resposta citogenética completa com um TKI segunda geração. As opções incluem HCT imediato ou acompanhamento de perto seguido por HCT ao primeiro sinal de recidiva. A idade do paciente, a disponibilidade de irmão doador e outros fatores também influenciam as equipes médicas para recomendações individuais.[45-47]

Para pacientes que possuem a mutação T315I, as opções de tratamento incluem um ensaio clínico de um agente de investigação, com possível atividade contra a mutação T315I ou com quimioterapia. Em pacientes elegíveis, recomenda-se HCT.[45-48]

Tratamento da fase acelerada

Com os avanços no tratamento da fase crônica da LMC, um menor número de pacientes (aproximadamente 7% em 5 anos) estão avançando para a fase acelerada ou crise blástica. O tratamento consiste em uma tentativa de retorno para a fase crônica. Para os pacientes com LMC recém-diagnosticada em fase acelerada, é indicado o tratamento inicial com um inibidor da tirosina quinase (TKI) em vez de HCT inicial. Especificamente, recomenda-se imatinibe 600 mg por via oral, diariamente, em vez de 400 mg por dia. Não há bons dados comparando HCT com imatinibe contínuo em pacientes que demonstram uma profunda resposta inicial ao tratamento com imatinibe. Para os pacientes com LMC em fase acelerada que são elegíveis para HCT, sugere-se referência para HCT, enquanto uma resposta máxima ao tratamento com imatinibe é buscada. Acredita-se que o HCT maximize a chance de cura. No entanto, pacientes que desejam minimizar em curto prazo a morbimortalidade podem optar por adiar o HCT até a evidência de progressão ou intolerância ao imatinibe. Tal recaída exigirá tratamento com outro TKI antes do HCT.[49-51]

Para aqueles que não são adequados para o transplante recomenda-se continuar com um inibidor da tirosina quinase indefinidamente.[49-51]

Para pacientes com LMC em fase acelerada refratários ou intolerantes ao tratamento com imatinibe que não têm uma mutação T315I, recomenda-se o uso de um inibidor de tirosina quinase de segunda geração. A escolha do agente pode basear-se em perfis de efeitos colaterais e conhecimentos de comorbidades. Sugere-se que esse tratamento seja seguido por um HCT alógeno nos pacientes elegíveis. Naqueles com a mutação T315I, as opções de tratamento são HCT alógeno ou inscrição em um ensaio clínico.[49,50]

Tratamento da crise blástica

Pacientes com LMC em crise blástica linfoide são tratados com a quimioterapia combinada, além de imatinibe. Para os pacientes com LMC recém-diagnosticada em crise blástica mieloide que são elegíveis para HCT, recomenda-se o tratamento inicial com um inibidor da tirosina quinase (TKI), imatinibe 600 mg por via oral, diariamente, em vez de HCT inicial. Esse regime é utilizado em uma tentativa para retornar o paciente para uma fase anterior e então submetê-lo ao TCH. Uma busca por um doador deve ser iniciada no momento em que crise blástica é diagnosticada. Para pacientes com LMC recém-diagnosticada em crise blástica mieloide que são inelegíveis para HCT, recomenda-se o tratamento inicial com imatinibe 600 mg por via oral, diariamente.[52,53]

Para os pacientes com LMC em crise blástica que são intolerantes ou resistentes ao imatinibe, recomendamos a administração de uma segunda geração de inibidor de tirosina quinase (TKI). Esse regime é utilizado em uma tentativa para retornar ao paciente para uma segunda fase crônica, com avaliação subsequentemente para HCT. Opções para o tratamento da recaída após HCT incluem infusão de linfócitos do doador e imatinibe, dasatinibe ou nilotinibe.[52,53]

Terapias paliativas

No passado, antes do advento nos inibidores da tirosina quinase (TKI), outros agentes foram comumente utilizados para o controle da LMC (hidroxiureia, interferon alfa, citarabina e bussulfan), com boa resposta clínica, regressão da esplenomegalia e retorno do hemograma a parâmetros aceitáveis, entretanto não curavam os pacientes, não aumentaram a sobrevida global e raramente eram responsáveis por remissões citogenéticas (alguns casos com uso do interferon). Atualmente tais drogas são reservadas como último recurso paliativo para pacientes não candidatos a transplante e intolerantes ou resistentes a qualquer dose dos inibidores de tirosina quinase.[54]

PROGNÓSTICO

Um forte preditor de prognóstico é o estágio da doença ao diagnóstico. Pacientes em fase crônica no momento do diagnóstico podem ter anos de controle com o tratamento, enquanto aqueles em fase acelerada ou crise blástica têm uma evolução pior. Essa condição se mantém inclusive naqueles pacientes do subgrupo da mutação BCR/ABL T315 L, que atualmente é resistente a todos os inibidores da tirosina quinase disponíveis, sendo a sobrevida global maior naqueles em fase crônica.[54,55]

Vários sistemas de pontuação têm sido concebidos na tentativa de se prever a evolução da doença. O mais conhecido, o escore prognóstico de Sokal, conta com quatro variáveis: tamanho do baço, porcentagem de blastos, idade e plaquetas. Os três primeiros itens se comportam como variáveis contínuas de prognóstico progressivamente pior em valores mais elevados. Outros sistemas existentes são os EUROS e o EUTOS e todos fornecem informações prognósticas úteis para pacientes com LMC tratados com inibidores da tirosina quinase – a probabilidade de atingir uma remissão citogenética é significativamente menor naqueles de alto risco. No entanto, uma vez atingida a remissão completa, todos os pacientes têm excelente prognóstico independente da classificação de risco.[55]

Atualmente, na era dos usos dos inibidores da tirosina quinase, o mais importante fator prognóstico é a resposta hematológica, citogenética e molecular ao tratamento. Os pacientes com resposta citogenética completa ao imatinibe têm 70-80% sobrevida livre de doença e 80-95% sobrevida global em 5 anos.[55,56]

REFERÊNCIAS BIBLIOGRÁFICAS

1. Tefferi A. The history of myeloproliferative disorders: before and after Dameshek. *Leukemia* 2008;22:3.
2. Vannucchi AM, Guglielmelli P, Tefferi A. Advances in understanding and management of myeloproliferative neoplasms. *CA Cancer J Clin* 2009;59:171.
3. Verfaillie CM. Biology of chronic myelogenous leukemia. *Hematol Oncol Clin North Am* 1998;12:1.
4. Sant M, Allemani C, Tereanu C et al. Incidence of hematologic malignancies in Europe by morphologic subtype: results of the HAEMACARE project. *Blood* 2010;116:3724.
5. Faderl S, Talpaz M, Estrov Z et al. The biology of chronic myeloid leukemia. *N Engl J Med* 1999;341:164.
6. Pane F, Frigeri F, Sindona M et al. Neutrophilic-chronic myeloid leukemia: a distinct disease with a specific molecular marker (BCR/ABL with C3/A2 junction). *Blood* 1996;88:2410.
7. Konopka JB, Watanabe SM, Witte ON. An alteration of the human c-abl protein in K562 leukemia cells unmasks associated tyrosine kinase activity. *Cell* 1984;37:1035.
8. Savage DG, Szydlo RM, Goldman JM. Clinical features at diagnosis in 430 patients with chronic myeloid leukaemia seen at a referral centre over a 16-year period. *Br J Haematol* 1997;96:111.
9. Swerdlow SH, Campo E, Harris NL et al. (Eds.). World Health Organization Classification of tumours of haematopoietic and lymphoid tissues. Lyon: IARC, 2008.
10. Spiers AS, Bain BJ, Turner JE. The peripheral blood in chronic granulocytic leukaemia.Study of 50 untreated Philadelphia-positive cases. *Scand J Haematol* 1977;18:25.
11. Melo JV, Myint H, Galton DA et al. P190BCR-ABL chronic myeloid leukaemia:: the missing link with chronic myelomonocytic leukaemia? *Leukemia* 1994;8:208.
12. Ravandi F, Cortes J, Albitar M et al. Chronic myelogenous leukaemia with p185(BCR/ABL) expression: characteristics and clinical significance. *Br J Haematol* 1999 Dec;107(3):581-6.
13. Shanthala Devi AM Karuna Remeshkumar. Pseudo Gauchers Cells in Chronic Myeloid Leukemia Calicut Medical Journal 2010;8(3): e 9.
14. Tefferi A. Chronic myeloid disorders: Classification and treatment overview. *Semin Hematol* 2001;38:1.
15. Cortes JE, Talpaz M, O'Brien S et al. Staging of chronic myeloid leukemia in the imatinib era: an evaluation of the World Health Organization proposal. *Cancer* 2006;106:1306.

16. Emanuel PD. Juvenile myelomonocytic leukemia and chronic myelomonocytic leukemia. *Leukemia* 2008;22:1335.
17. Niemeyer CM, Kratz C. Curr Oncol Rep 2003;5:510. Juvenile myelomonocytic leukemia. Curr Oncol Rep 2003;5:510.
18. Hernández JM, del Cañizo MC, Cuneo A et al. Clinical, hematological and cytogenetic characteristics of atypical chronic myeloid leukemia. *Ann Oncol* 2000;11:441.
19. Westbrook CA, Hooberman AL, Spino C et al. Clinical significance of the BCR-ABL fusion gene in adult acute lymphoblastic leukemia: a Cancer and Leukemia Group B Study (8762). *Blood* 1992;80:2983.
20. Lee SJ. Chronic myelogenous leukaemia. *Br J Haematol* 2000;111:993.
21. Kantarjian HM, Cortes J, Guilhot F et al. Diagnosis and management of chronic myeloid leukemia: a survey of American and European practice patterns. *Cancer* 2007;109:1365.
22. Gratwohl A, Hermans J, Goldman JM et al. Risk assessment for patients with chronic myeloid leukaemia before allogeneic blood or marrow transplantation. Chronic Leukemia Working Party of the European Group for Blood and Marrow Transplantation. *Lancet* 1998;352:1087.
23. Passweg JR, Walker I, Sobocinski KA et al. Validation and extension of the EBMT Risk Score for patients with chronic myeloid leukaemia (CML) receiving allogeneic haematopoietic stem cell transplants. *Br J Haematol* 2004;125:613.
24. McGlave P, Arthur D, Haake R et al. Therapy of chronic myelogenous leukemia with allogeneic bone marrow transplantation. *J Clin Oncol* 1987;5:1033.
25. Pavluº J, Kew AK, Taylor-Roberts B et al. Optimizing patient selection for myeloablative allogeneic hematopoietic cell transplantation in chronic myeloid leukemia in chronic phase. *Blood* 2010;115:4018.
26. Druker BJ, Talpaz M, Resta DJ et al. Efficacy and safety of a specific inhibitor of the BCR-ABL tyrosine kinase in chronic myeloid leukemia. *N Engl J Med* 2001;344:1031.
27. Palandri F, Iacobucci I, Martinelli G et al. Long-term outcome of complete cytogenetic responders after imatinib 400 mg in late chronic phase, philadelphia- positive chronic myeloid leukemia: the GIMEMA Working Party on CML. *J Clin Oncol* 2008;26:106.
28. Saglio G, Kim DW, Issaragrisil S et al. Nilotinib versus imatinib for newly diagnosed chronic myeloid leukemia. *N Engl J Med* 2010;362:2251.
29. Kantarjian H, Shah NP, Hochhaus A et al. Dasatinib versus imatinib in newly diagnosed chronic-phase chronic myeloid leukemia. *N Engl J Med* 2010;362:2260.
30. O'Brien SG, Guilhot F, Larson RA et al. Imatinib compared with interferon and low-dose cytarabine for newly diagnosed chronic-phase chronic myeloid leukemia. *N Engl J Med* 2003;348:994.
31. Kantarjian HM, Cortes JE, O'Brien S et al. Imatinib mesylate therapy in newly diagnosed patients with Philadelphia chromosome-positive chronic myelogenous leukemia: high incidence of early complete and major cytogenetic responses. Blood 2003;101:97.
32. Haouala A, Widmer N, Duchosal MA et al. Drug interactions with the tyrosine kinase inhibitors imatinib, dasatinib, and nilotinib. *Blood* 2011;117:e75.
33. Smith PF, Bullock JM, Booker BM et al. Induction of imatinib metabolism by hypericum perforatum. *Blood* 2004;104:1229.
34. Cortes J, Giles F, O'Brien S et al. Result of high-dose imatinib mesylate in patients with Philadelphia chromosome-positive chronic myeloid leukemia after failure of interferon-alpha. *Blood* 2003;102:83.
35. Deininger MW, O'Brien SG, Ford JM et al. Practical management of patients with chronic myeloid leukemia receiving imatinib. *J Clin Oncol* 2003;21:1637.
36. Cortes J, O'Brien S, Quintas A et al. Erythropoietin is effective in improving the anemia induced by imatinib mesylate therapy in patients with chronic myeloid leukemia in chronic phase. *Cancer* 2004;100:2396.
37. Preudhomme C, Guilhot J, Nicolini FE et al. Imatinib plus peginterferon alfa-2a in chronic myeloid leukemia. *N Engl J Med* 2010;363:2511.
38. Gambacorti-Passerini C, Kim DW, Kantarjian HM et al. An ongoing phase 3 study of bosutinib (SKI-606) versus imatinib in patients with newly diagnosed chronic phase chronic myeloid leukemia, Abstract 208. *Blood* 2010;116:95.
39. Kantarjian HM, Hochhaus A, Saglio G et al. Nilotinib versus imatinib for the treatment of patients with newly diagnosed chronic phase, Philadelphia chromosome-positive, chronic myeloid leukaemia: 24-month minimum follow-up of the phase 3 randomised ENESTnd trial. *Lancet Oncol* 2011;12:841.
40. Hazarika M, Jiang X, Liu Q et al. Tasigna for chronic and accelerated phase Philadelphia chromosome—positive chronic myelogenous leukemia resistant to or intolerant of imatinib. *Clin Cancer Res* 2008;14:5325.
41. Larson RA, Hochhaus A, Saglio G et al. Cardiac Safety Profile of Imatinib and Nilotinib In Patients (pts) with Newly Diagnosed Chronic Myeloid Leukemia In Chronic Phase (CML-CP): Results From ENESTnd (abstract 2291). *Blood* 2010;116:944.
42. Khoury HJ, Guilhot F, Hughes TP et al. Dasatinib treatment for Philadelphia chromosome-positive leukemias: practical considerations. *Cancer* 2009;115:1381.
43. Cortes JE, Jones D, O'Brien S et al. Results of dasatinib therapy in patients with early chronic-phase chronic myeloid leukemia. *J Clin Oncol* 2010;28:398.
44. Baccarani M, Cortes J, Pane F et al. Chronic myeloid leukemia: an update of concepts and management recommendations of European Leukemia Net. *J Clin Oncol* 2009;27:6041-51.
45. de Lavallade H, Khorashad JS, Davis HP et al. Interferon-alpha or homoharringtonine as salvage treatment for chronic myeloid leukemia patients who acquire the T315I BCR-ABL mutation. *Blood* 2007;110:2779.
46. Jabbour E, Cortes J, Kantarjian HM et al. Allogeneic stem cell transplantation for patients with chronic myeloid leukemia and acute lymphocytic leukemia after Bcr-Abl kinase mutation-related imatinib failure. *Blood* 2006;108:1421.
47. Kantarjian H, Pasquini R, Hamerschlak N et al. Dasatinib or high-dose imatinib for chronic-phase chronic myeloid leukemia after failure of first-line imatinib: a randomized phase 2 trial. *Blood* 2007;109:5143.
48. Soverini S, Hochhaus A, Nicolini FE et al. BCR-ABL kinase domain mutation analysis in chronic myeloid leukemia patients treated with tyrosine kinase inhibitors: recommendations from an expert panel on behalf of European LeukemiaNet. *Blood* 2011;118:1208.
49. O'Hare T, Eide CA, Deininger MW. Bcr-Abl kinase domain mutations, drug resistance, and the road to a cure for chronic myeloid leukemia. *Blood* 2007;110:2242.
50. Clift RA, Buckner CD, Thomas ED et al. Marrow transplantation for patients in accelerated phase of chronic myeloid leukemia. *Blood* 1994;84:4368.
51. Talpaz M, Silver RT, Druker BJ et al. Imatinib induces durable hematologic and cytogenetic responses in patients with accelerated phase chronic myeloid leukemia: results of a phase 2 study. *Blood* 2002;99:1928-37.
52. Jabbour E, Kantarjian H, O'Brien S et al. Sudden blastic transformation in patients with chronic myeloid leukemia treated with imatinib mesylate. *Blood* 2006;107:480.
53. Alimena G, Breccia M, Latagliata R et al. Sudden blast crisis in patients with Philadelphia chromosome-positive chronic myeloid leukemia who achieved complete cytogenetic remission after imatinib therapy. *Cancer* 2006;107:1008.
54. Hydroxyurea versus busulphan for chronic myeloid leukaemia: an individual patient data meta-analysis of three randomized trials. Chronic myeloid leukemia trialists' collaborative group. *Br J Haematol* 2000;110:573.
55. Sokal risk score calculator. Acesso em: 20 Feb. 2012. Disponível em: <www.roc.se/sokal.asp>.
56. Hasford J, Baccarani M, Hoffmann V et al. Predicting complete cytogenetic response and subsequent progression-free survival in 2060 patients with CML on imatinib treatment: the EUTOS score. *Blood* 2011;118:686.

Parte XIII

CUIDADOS PALIATIVOS

XII

CAPÍTULO 233

Introdução

233-1 Primórdios dos Cuidados Paliativos no INCA

Magda Côrtes Rodrigues Rezende

INTRODUÇÃO

Os primeiros anos da década de 1980 marcaram o início de um período de crescimento e recuperação do Instituto Nacional de Câncer (INCA), como órgão fundamental para a política de controle do câncer no Brasil. Em 1980, o INCA passa a receber recursos financeiros por meio da Campanha Nacional de Combate ao Câncer (CNCC), como resultado do processo de cogestão entre o Ministério da Saúde e o Instituto Nacional de Assistência Médica da Previdência Social (INAMPS).

A partir de 1982, o INCA e a CNCC buscam reorientar as ações de controle do câncer, por meio do Sistema Integrado e Regionalizado de Controle do Câncer (SIRCC), cuja estrutura técnico-administrativa passaria a ser o Programa de Oncologia (Pro-Onco) da CNCC.

PRIMEIRAS AÇÕES

Em 1986 foram iniciadas as ações que culminaram com a estruturação dos Cuidados Paliativos, oferecido pelo Hospital de Câncer IV do INCA, como se apresenta em 2012. Elas ocorreram como resposta aos questionamentos de um grupo de profissionais de diversos hospitais do Rio de Janeiro, entre eles o INCA, do Ministério da Saúde, e o Hospital de Oncologia (HO) do INAMPS.

O grupo, liderado por profissionais do HO e com o apoio do Pro-Onco, começou a acompanhar os pacientes com câncer, fora de possibilidades terapêuticas, na época denominados FPT, realizando visitas aos hospitais e clínicas de saúde de apoio para onde os doentes eram encaminhados. Tratava-se de uma iniciativa voluntária, desenvolvida com o conhecimento e o apoio da direção do Hospital. O objetivo das visitas era manter o contato com os pacientes, a fim de que não se sentissem abandonados, assim como de conhecer as condições do atendimento que recebiam nesses estabelecimentos.

Até então, ao receber o "rótulo FPT", os pacientes eram mantidos em acompanhamento ambulatorial nos setores especializados dos hospitais que os haviam tratado, ou atendidos em serviços de emergência. Quando as condições clínicas se agravavam, eram encaminhados aos hospitais ou clínicas de apoio que, geralmente, localizavam-se em bairros distantes, ou de difícil acesso, no Rio de Janeiro e em outros municípios. Erram organizados em grandes pavilhões e enfermarias, com precários recursos hospitalares, faltando inclusive medicações. Seu conceito, entre a população e o meio profissional, fazia com que grande parte dos pacientes e seus familiares os rejeitassem.

Neles, o grupo de voluntários localizou doentes que se encontravam internados há longo tempo, sem diagnóstico confirmado de câncer, tendo sido considerados FPT em vista do estado geral comprometido e a presença de lesões com "aspecto de câncer avançado". Dentre estes havia portadores de tuberculose, leichmaniose e outras doenças, que após diagnóstico foram encaminhados para tratamento. Várias famílias contatadas levaram os seus doentes para casa, onde permaneceram, fazendo acompanhamento ambulatorial no HO. A alta, no entanto, era difícil em virtude da ausência de apoio aos pacientes em domicílio.

PLANEJAMENTO DAS ATIVIDADES

Em fevereiro de 1988, particularmente entre os dias 18 e 21 daquele mês, um evento de chuvas torrenciais ocorreu na cidade do Rio de Janeiro. Como consequência, centenas de acidentes geológicos ocorreram nas encostas cariocas. Dentre os acidentes mais graves, com vítimas fatais, destacaram-se as ocorrências no Morro da Formiga, no bairro da Tijuca, no Morro Santa Marta, em Botafogo, e em Santa Tereza, onde um deslizamento catastrófico atingiu a Clínica Santa Genoveva. Nessa clínica de apoio, havia vários pacientes encaminhados pelo INCA, o que causou grande comoção e mobilização da Instituição.

Em novembro de 1988, após inúmeras reuniões coordenadas pelo Pro-Onco, foi elaborado um documento denominado Setor de Suporte Terapêutico Oncológico (STO). Nele era proposta a criação de setores de Suporte Terapêutico Oncológico (STO) nos hospitais de câncer, voltados à melhora da qualidade da assistência oferecida aos pacientes fora de possibilidade para os tratamentos especializados. Conscientes de que, a qualquer momento, a incorporação de novas tecnologias poderia oferecer novas oportunidades aos pacientes com câncer, foi acrescentada a letra "a", representando a palavra *atual*, na sigla FPT, transformando-a em FPTA.

De acordo com o documento, os STO teriam como objetivos:

- Melhorar a qualidade da sobrevida dos pacientes FPTA, pela oferta de assistência multiprofissional em níveis ambulatorial, hospitalar, domiciliar e por supervisão nos hospitais de apoio.
- Liberar os leitos do Hospital de Oncologia ocupados por pacientes FPTA, permitindo maior ocupação por aqueles que ainda se encontravam em condições de se beneficiar com as técnicas especializadas de tratamento do câncer (cirurgia, radioterapia, quimioterapia).
- Oferecer oportunidade de crescimento profissional à equipe que se iniciava naquela proposta inovadora.

Definia a rotina de funcionamento dos setores, pela equipe multiprofissional, e o fluxo de encaminhamento dos pacientes, desde as clínicas oncológicas, até o STO e dava ênfase:

- À utilização de procedimentos de suporte das funções vitais, buscando o controle dos sinais e sintomas mais frequentes, ao equilíbrio das funções nutricionais, respiratórias, cardiológicas e de eliminação, assim como a avaliação periódica das condições clinicolaboratoriais e ao controle das intercorrências.
- À atenção aos padrões de metástase ou propagação, de acordo com a história natural da doença, lançando mão de procedimentos terapêuticos especializados, sempre que necessária radioterapia antiálgica, anti-hemorrágica e em lesões ósseas em vias de fratura. Utilização de cirurgias com finalidade higiênica, descompressiva e medidas de contro-

le da dor, assim como colocação de próteses e órteses as mais diversas, de acordo com os protocolos e rotinas do STO.
- Ao suporte socioeconômico necessário para que as famílias pudessem acolher os seus pacientes, oferecendo desde os medicamentos necessários, aos materiais de consumo (gaze, esparadrapo, colchão d'água etc.) e permanentes (cadeiras de rodas, balas de oxigênio etc.).
- À necessidade de apoio ao STO pelas demais clínicas especializadas do HO e de outras instituições que encaminhassem os pacientes.
- À importância da equipe do STO, que se propunha a realizar a tarefa de assumir esse paciente, com tudo o que ainda podia ser-lhe oferecido.
- Às avaliações periódicas em relação ao custo-benefício alcançado, estabelecendo para tal, protocolos, parâmetros e sistemas de controle que seriam divulgados no decorrer do trabalho.

Nessa época, os profissionais envolvidos ainda não adotavam o termo Cuidados Paliativos, para se referir à assistência oferecida a essa clientela, o qual só veio a ser utilizado mais tarde, mas já atuava de acordo com os princípios dos mesmos.

Dentre as inúmeras dificuldades para viabilizar a proposta, defrontou-se, de imediato, com a impossibilidade de contratar pessoal para o serviço público, extensiva inclusive à CNCC. Dessa forma, buscou-se, dentro da própria instituição, e junto ao Pro-Onco, quem se motivasse pelo trabalho e se propusesse a colaborar voluntariamente. A direção do hospital disponibilizou um pequeno espaço, próximo ao ambulatório, onde foram instaladas as atividades administrativas do novo setor, sendo criado o STO do Hospital de Oncologia.

VIABILIZAÇÃO DAS ATIVIDADES

Na época, quando se discutia a má qualidade do atendimento aos FPTA, os hospitais de apoio eram sempre responsabilizados. A equipe do STO, no entanto, defendia a hipótese de que o paciente FPTA era "abandonado" muito antes de dar entrada nos hospitais de apoio. Ao ser matriculado nas instituições de tratamento especializado, muitas vezes ainda íntegro e com esperança de cura, o paciente era avaliado e tratado com recursos complexos e altamente dispendiosos, sendo feitos extensos registros. Ao concluir que os recursos haviam se esgotado, no entanto, a atenção que o cercava deixava de existir e eram encaminhados por meio de sucintos relatórios. Especialistas altamente qualificados admitiam nada mais ter a oferecer, sem qualquer orientação sobre "o que fazer".

A equipe do STO partia do princípio de que deveria haver profissionais, de diversas categorias, diretamente envolvidos com os pacientes nessa fase da doença, os quais utilizariam abordagens e parâmetros de avaliação de resultados diferentes daqueles dos serviços de tratamento oncológico especializado. Eles se dedicariam a essa nova área de conhecimento e se sentiriam gratificados profissionalmente com o atendimento oferecido a essa clientela. A assistência se estenderia ao domicílio, tanto para permitir a liberação de leitos, quanto para permitir ao paciente permanecer no ambiente familiar o maior tempo possível, em uma preocupação com a sua qualidade de vida. A família também receberia o apoio da equipe.

Em 3 de junho de 1989, como parte das medidas para viabilizar e ampliar as atividades de assistência ao FPTA, oito profissionais da equipe voluntária reuniram-se em assembleia e fundaram uma sociedade civil de direito privado, denominada Grupo Especial de Suporte Terapêutico Oncológico (GESTO). Ela se destinaria "a dar apoio assistencial multiprofissional aos pacientes oncológicos fora de possibilidade para as terapêuticas atuais e a seus familiares, não tendo fins lucrativos". Os principais temas debatidos a partir de então foram: a formalização da Sociedade, a elaboração do estatuto e a constituição da sua diretoria.

Em 26 de julho de 1989, o Estatuto do Gesto foi registrado em cartório. A Sociedade, assim formalizada, teve como primeira presidente a médica Magda Côrtes Rodrigues Rezende. Manteve as atividades desenvolvidas até então pela equipe voluntária no HO e passou a mobilizar autoridades e a comunidade, para ampliar as ações voltadas ao suporte humanizado dos pacientes. Recebeu doações em espécie, equipamentos e uma viatura, que facilitou os deslocamentos da equipe.

O GESTO respaldou a importância e a oportunidade do caminho que estava seguindo, no trabalho realizado na Inglaterra pela Dra. Cecily Saunders, uma das fundadoras do St. Christopher Hospice. Ela defendia o cuidado a esses pacientes como atribuição de uma equipe, que deveria se empenhar em aumentar a qualidade de vida restante de pacientes e familiares, que lutavam com uma doença mortal.

INSTITUCIONALIZAÇÃO DA ESTRUTURA ASSISTENCIAL

Em setembro de 1990, a Lei nº 8.080 – Lei Orgânica da Saúde - em seu Artigo 41 citava: "As ações desenvolvidas pela Fundação das Pioneiras Sociais e pelo Instituto Nacional de Câncer, supervisionadas pela Direção Nacional do Sistema Único de Saúde (SUS), permaneceriam como referencial de prestação de serviços, formação de recursos humanos e para transferência de tecnologia".[1] Era uma clara demonstração da visão e da importância política do INCA, capitaneada por seu Diretor, o Dr. Marcos Fernando de Oliveira Moraes, empossado em abril daquele ano.

Em dezembro de 1990, Dr. Marcos firmou um convênio entre o INCA – que naquela época dispunha apenas do Hospital do Câncer (HC), localizado na Praça Cruz Vermelha – e o GESTO, para implantação do STO do HC. O HO e o HC, as principais unidades públicas de tratamento oncológico, na Cidade do Rio de Janeiro, estavam assim estruturadas para oferecer assistência aos pacientes FPTA, por meio dos seus setores de STO.

Em março de 1991, Dr. Marcos com a colaboração de outros três médicos, Jayme Brandão de Marsillac, Ulpio Paulo de Miranda e Magda Côrtes Rodrigues Rezende, criou a Fundação Ary Frauzino para Pesquisa e Controle do Câncer (FAF), hoje Fundação do Câncer, com a finalidade principal de colaborar, pelos meios adequados, com o INCA.[1] As despesas que não podiam ser financiadas pelo Instituto, para oferecer assistência aos pacientes FPTA passaram, a partir de então, a ser assumidas pela Fundação.

No período de 1990 a 1996, a assistência aos pacientes FPTA no INCA foi oferecida pelos STO instalados no HO e no HC, equipados com ambulatórios, viaturas para transporte da equipe e recursos humanos, complementados com o importante apoio da FAF. Os pacientes recebiam acompanhamento em domicílio, no ambulatório, na emergência dos dois hospitais e a distância, por telefone, mas continuavam a ser encaminhados às casas de saúde de apoio, onde era mantida a supervisão, em uma tentativa de minorar as deficiências. A carência de leitos para internação destes pacientes no próprio INCA era, no entanto, tema frequente nas reuniões da equipe.

Várias mudanças estruturais ocorreram nesse período: em maio de 1991, as Campanhas de Saúde Pública e a Fundação das Pioneiras Sociais foram extintas; em setembro de 1992, o Hospital de Oncologia do INAMPS e o Centro de Ginecologia Luiza Gomes de Lemos (CGLGL) da Fundação das Pioneiras Sociais passaram a compor a estrutura do INCA. Em 27 de julho de 1993, a Lei nº 8.689 dispôs sobre a extinção do INAMPS.

A partir de 1994, as casas de saúde de apoio tornaram-se alvo da Promotoria Pública do Rio de Janeiro, tendo em vista os níveis elevados de queixas sobre a má qualidade assistencial que ofereciam. Muitos pacientes do INCA estavam internados nessas casas de saúde e, mediante o papel do Instituto perante a sociedade, tornava-se premente um posicionamento político.

Em junho de 1996, Dr. Marcos, atendendo aos anseios da sociedade e do próprio INCA, assim como as orientações do Ministério da Saúde, instituiu uma comissão designada para apresentar soluções para atendimento ao paciente em hotelaria e FPTA do INCA. Os leitos dos hospitais de apoio eram também utilizados para pacientes em tratamento prolongado no INCA.

Em 03 de outubro de 1996, após intenso trabalho, a Comissão concluiu sobre a viabilidade de instalar leitos destinados aos pacientes dos STO, em curto prazo, no então Hospital Luiza Gomes de Lemos (HLGL), antigo CGLGL. Seria feita uma adequação no 7º andar do prédio de internação, para abertura imediata de 20 leitos e, no térreo, seriam instalados o ambulatório e a emergência. Em novembro, as instalações foram inauguradas e, em dezembro, a equipe composta pelas categorias profissionais: administrativo, assistente social, enfermeiros, médicos, motorista e psicólogo, formada por meio de um processo seletivo instituído pela FAF iniciou as atividades no HLGL.

No HO e no HC foram mantidos postos avançados, funcionando de segunda a sexta-feira, onde um médico e uma assistente social recebiam os pacientes encaminhados pelas clínicas de tratamento oncológico dos hospitais do INCA, encaminhando-os ao HLGL quando demandavam internação.

O STO provisório no HLGL funcionou durante 2 anos, enquanto era construída a unidade definitiva, ao lado e no mesmo terreno do Hospital. A obra se constituiu na conclusão de um prédio, iniciado na época das Pioneiras Sociais.

Em 1998, no dia 23 de novembro, foi inaugurado o Centro de Suporte Terapêutico Oncológico, do INCA (CSTO) – uma unidade hospitalar dedicada exclusivamente aos Cuidados Paliativos. Foi construída de forma a facilitar e a ampliar os serviços oferecidos aos pacientes FPTA tratados no INCA. O novo prédio, com seis andares e 56 leitos hospitalares, dispunha de ambulatório, áreas administrativas e de conforto para pacientes e profissionais. Os serviços de apoio laboratorial, cozinha, almoxarifado e outros, possíveis de serem compartilhados, continuaram a ser oferecidos pelo HLGL.

A nova unidade manteve os princípios do trabalho até então desenvolvido pelo STO, oferecendo assistência em domicílio, ambulatorial de rotina e de emergência e a distância por telefone, 24 horas por dia. As novas instalações permitiram a ampliação das atividades assistenciais e as de formação e treinamento de profissionais de saúde, na área de Cuidados Paliativos.

O CSTO foi inaugurado na gestão de Dr. Jacob Kligerman, que tomou posse, como diretor do INCA, em setembro de 1998. Ele deu total apoio à conclusão do projeto iniciado na gestão anterior e à implantação e funcionamento da Unidade.

Em 30 de julho de 2003, os diretores e os sócios fundadores do GESTO reuniram-se em assembleia e aprovaram a extinção da sociedade, tendo em vista que o seu principal objetivo tinha sido alcançado: a institucionalização da assistência em Cuidados Paliativos, aos pacientes fora de possibilidade para as terapêuticas atuais no INCA.

AGRADECIMENTOS AOS PIONEIROS DOS CUIDADOS PALIATIVOS NO INCA

A criação dos Cuidados Paliativos no INCA contou com a participação de profissionais, voluntários leigos, pacientes e familiares, que acreditaram no sonho de tornar realidade, no INCA, de um espaço especial para os que não alcançam a cura e estão vivendo essa fase da doença.

Os agradecimentos são dirigidos aos profissionais citados a seguir, cujos nomes estão registrados nos documentos existentes no arquivo do GESTO: Alexandre Octávio Ribeiro de Carvalho; Aline Henrique Aniceto; Ana Maria da Silva Guimarães; Analice Costa de Souza; Carlos Augusto G. Boclin; Cláudia Burlá; Denilson Santana Bastos; Evaldo de Abreu; Euridice Maria de Almeida Figueiredo; Harley Leal Schetinni; Heloisa Helena Nogueira Mullulo; Jacob Kligerman; Januari da Hora Loris; João Goulart; José Alberto Pastana; José Ferreira da Silva; José Francisco Neto Rezende; Lucília Barros; Lucília Reis Pinheiro; Maria Aparecida Gondar Carrullo; Maria Helena Costa da Cruz; Maria Isabel Dias Miorim; Maria Isabel Fernandes Lima; Maria Santos Soares; Maria Tereza Barbosa da Silva; Marcos Fernando de Oliveira Moraes; Marlene Vilela; Melânia Sidorak; Milton Luiz Martins; Miriam Aparecida Teixeira; Osório Barbosa Pereira; Paulo Roberto Vasconcelos da Silva; Ronaldo Correa Ferreira da Silva; Rosyléa Neves Belém; Valéria Maria Santos Soares; Vandete Felix de Souza e Zuleiga Pereira Dias.

Os agradecimentos dirigem-se igualmente aos que atuaram nos primeiros tempos, e não há referência aos seus nomes nos documentos analisados, assim como aos que, nos anos seguintes, continuaram enfrentando a árdua tarefa de viabilizar o funcionamento da unidade e aperfeiçoá-la cada dia mais.

BIBLIOGRAFIA

A Policy Framework for Comissioning Cancer Services. *Calman report/recommendations for care services.* Consultative Document. London: Her Majesty's Stationery Office, 1994.

Bliss J, Cowley S, While A. Interprofessional working in palliative care in the community: a review of the literature. *J Interprofessional Care* 2000;14(3):281-90.

Grbich C, Parker D, Maddocks I. Communication and information needs of caregivers of adult family members at diagnosis and during treatment of terminal cancer. *Prog Palliat Care* 2000;8(6):354-50.

MacDonald N. Palliative Care – The fourth phase of cancer prevention. *Cancer Detect Prev* 1991;15:3253-55.

National Council for Hospice and Specialist Palliative Care Services. *Definition of supportive and palliative care.* London: NCHSPCS (Briefing Bulletin 11), 2002.

Payne S. Information needs for patients and families. *Eur J Palliative Care* 2002;9:112-14.

Sykes NP, Edmonds P, Willes J. *Management of advanced disease.* 4th ed. New York: Oxford University, 2004. p. 129-36.

World Health Organization. *Cancer pain relief and palliative care: report of a WHO Expert Committee.* Technical Bulletin 804. Geneva: WHO, 1990. p. 11.

233-2 INCA e os Cuidados Paliativos Atuais – Hospital do Câncer IV (HC IV), Unidade de Cuidados Paliativos

Cláudia Naylor

INTRODUÇÃO

Como produto das novas determinações políticas institucionais, fechamento das clínicas de apoio e sucesso do programa dos STOs no HC I e HC II, em 23 de novembro de 1998, o INCA inaugura, com o suporte integral da FAF, o Centro de Suporte Terapêutico Oncológico (CSTO), a partir da aquisição de uma área física própria e independente, que em 2003 passa a se chamar **Hospital do Câncer IV (HC IV)**, unidade exclusiva responsável pelo atendimento ativo e integral a pacientes portadores de câncer avançado, sem possibilidades de cura, assistidos na Instituição.

A mais nova unidade assistencial do INCA trabalha com equipes multiprofissionais em esquema interdisciplinar, com uma estrutura organizada para o atendimento aos pacientes nas modalidades de consultas ambulatoriais, assistência domiciliar e internação hospitalar, contando com um serviço de pronto atendimento próprio e de referência, 24 horas por dia, nos 7 dias da semana. Com o objetivo de facilitar a permanência do paciente em casa, o hospital disponibiliza material de conforto e todos os medicamentos necessários para controle de sintomas e bem-estar do paciente.

Sua **missão** é "promover e prover Cuidados Paliativos da mais alta qualidade, com habilidade técnica e humanitária" com foco na obtenção da melhora da qualidade de vida para seus pacientes e familiares.

Além do trabalho assistencial, o HC IV promove a formação e o treinamento de profissionais de saúde na área de Cuidados Paliativos e realiza atividades educativas junto aos cuidadores e/ou familiares que assistirão o paciente em domicílio.

Com o compromisso de alcançar e manter qualidade, a gestão administrativa atual que se iniciou em 2003 se ocupa continuamente com planos de ação para melhoras e adota métodos e indicadores de produção, desempenho e indicadores clínicos para aferição da eficiência das divisões e serviços, por meio de reuniões mensais, quando são discutidos resultados e definidas necessidades de alterações das rotinas.

Em 2004, com jovens profissionais previamente estimulados deu-se início ao Processo de Acreditação Hospitalar e após um processo de 4 anos, o HC IV tornou-se a primeira unidade assistencial do INCA e segunda do Ministério da Saúde a receber a Certificação Internacional de Acreditação pela qualidade dos serviços prestados aos usuários do Sistema Único de Saúde (SUS). Com a certificação da *Joint Commission International*, representada no Brasil pelo Consórcio Brasileiro de Acreditação, o hospital, que comemorou 10 anos de existência em 2008, passou a fazer parte de uma rede de 140 instituições em todo o mundo, que se compromete a utilizar padrões de gerenciamento e qualidade, internacionalmente reconhecidos como ótimos e acessíveis.

Atualmente, a Unidade possui em seu quadro de funcionários 212 profissionais dedicados aos Cuidados Paliativos entre médicos, nutricionistas, assistentes sociais, psicólogos, farmacêuticos, fisioterapeutas, técnicos de farmácia, enfermeiros, técnicos de enfermagem, pessoal técnico, administrativos e terceirizados.

ASSISTÊNCIA NO HC IV

Todos os pacientes encaminhados ao HC IV são necessariamente matriculados no INCA e provenientes de uma das três unidades assistenciais da instituição: Hospital do Câncer I (HC I), unidade com o maior número de especialidades médicas em suas instalações e responsável por 70% das matrículas em Cuidados Paliativos e Hospital do Câncer II (HC II) para tratamento de pacientes com tumores ginecológicos e Hospital do Câncer III (HC III), este responsável pelo tratamento de pacientes com câncer de mama, ambos representados pelos 30% das matrículas restantes no HC IV.

A assistência se estrutura como uma linha de cuidado que envolve cinco macroprocessos assistenciais: Setor de Postos Avançados (PA), Ambulatório, Assistência Domiciliar (AD), Internação Hospitalar (IH) e Serviço de Pronto Atendimento (SPA). Em todos os processos, trabalha-se com o princípio da interdisciplinaridade com equipes de referência compostas por médicos, enfermeiros, assistentes sociais, fisioterapeutas, psicólogos e nutricionistas.

O HC IV é responsável pelo acompanhamento de uma média mensal de 1.000 pacientes com câncer avançado não mais responsivo ao tratamento curativo, com uma sobrevida média de 3,2 meses. De acordo com suas condições clínicas, os pacientes são matriculados para acompanhamento inicialmente ambulatorial (57%), ou diretamente para assistência domiciliar (34%) ou internação hospitalar (9%) quando sua *performance status* está mais comprometida.

A idade média dos pacientes acompanhados na unidade é de 57 anos (21-99 anos) e em torno de 85% deles possuem até 4 anos de estudos, questão muito importante para identificação de pacientes e cuidadores que necessitarão de abordagem diferenciada por apresentarem barreiras de entendimento (Quadro 1).

As doenças mais frequentes são: câncer de cabeça e pescoço (30,5%), câncer ginecológico (20,3%), trato gastrointestinal (13,4%), câncer de pulmão (12%), câncer de mama (10,7%), pele e melanoma (6,5%), câncer genitourinário masculino (4,7%) e de retroperitônio (1,9%). Aproximadamente 3/4 dos pacientes (74,6%) apresentam doença localmente avançada, e metástases viscerais estão presentes em 55,1%. (Quadro 2).

Para a garantia de cumprimento de sua missão, o HC IV fornece todas as medicações para o controle de sintomas e materiais de conforto disponíveis gratuitamente, com a filosofia de utilização racional de recursos e a desospitalização, mantendo o paciente em sua residência com segurança, o maior tempo possível.

Setor de postos avançados (PA)

A primeira avaliação dos pacientes encaminhados para os Cuidados Paliativos ocorre nos PAs. Cada unidade de tratamento curativo do INCA (HC I, II e III) possui um setor composto por médico, assistente social e administrativo do HC IV, responsáveis por essa avaliação, que obedece a critérios estabelecidos e reconhecidos por toda a instituição: laudo histopatológico definido, diagnóstico de doença oncológica em atividade e término do tratamento com intenção curativa, orientação prévia e adequada do paciente/família pelo médico-assistente da clínica de origem, aceitação dos Cuidados Paliativos e entendimento dos seus objetivos pelo paciente e família.

A avaliação para acompanhamento em Cuidados Paliativos ocorre após o preenchimento do Sumário de Caso Clínico (SCC) (Anexo 1)

Quadro 1. Principais características sociodemográficas dos pacientes do HCIV

VARIÁVEIS	%
Idade: mediana 55 (21-99)	
RAÇA	
Branca	52,4
Parda	29,6
Negra	18
ANOS DE ESTUDO	
Sem estudo	12,8
1-4 anos	72,4
5-8 anos	11,2
> 9 anos	3,6

Quadro 2. Principais características clinicobiológicas dos pacientes do HCIV

VARIÁVEIS	%
SÍTIO PRIMÁRIO	
Cabeça e pescoço	30,5
Ginecológico	20,3
Colo de útero	12,3
Ovário	3,3
Corpo de útero	3,1
Vulva	1,6
Trato gastrointestinal	12,5
Colorretal	6,9
Estômago	4,5
Pâncreas	1,1
Pulmão	12
Mama	10,7
Melanoma	6,5
Trato Urinário	4,7
Diversos	1,5
Fígado e vias biliares	0,9
Sistema Nervoso Central (SNC)	0,4
SITUAÇÃO ATUAL DA DOENÇA (METÁSTASES)	
Localmente avançado	74,6
Vísceras	55,1
Linfonodos	31,3
Ossos	13,5
SNC	8,3

pelo médico da clínica de origem. Este, um instrumento eletrônico criado por profissionais do HC IV, que resume dados epidemiológicos, diagnósticos, modalidades de tratamento oncológico realizadas, histórico de evolução de doença, *status* do tratamento efetuado – se radical ou paliativo e as justificativas para o término do tratamento curativo e consequente encaminhamento.

No momento da avaliação, a depender do *status* funcional, condições clínicas e local de domicílio dos pacientes, eles são direcionados para a modalidade de acompanhamento mais adequada a cada situação apresentada: atendimento ambulatorial, AD ou IH com transferência entre leitos das unidades.

Neste primeiro e importante contato com a Unidade de Cuidados Paliativos são realizados esclarecimentos sobre o encaminhamento e término do cuidado curativo e fornecidas orientações formais sobre objetivos e funcionamento do HC IV, além de informações sobre direitos dos pacientes e familiares e entrega de um *kit* composto por cartilhas educativas e de orientação, construídas na unidade. Nesta oportunidade, os familiares e os cuidadores são convidados a participar do "**Projeto Família**", programa estruturado para seu suporte, constando de "Reunião de Acolhimento", treinamento "Cuide Bem do Seu Paciente" e "Reunião de Acompanhantes com o Serviço Social". Este projeto tem como objetivos dar segurança àqueles envolvidos diariamente no cuidado dos pacientes e oferecer espaços para reflexão, expressão de emoções e compartilhamento de experiências frente à situação que estão vivendo.

Atendimento ambulatorial

Nesta modalidade são atendidos em média 560 pacientes/mês que apresentam um Karnofsky *Performance Status* (KPS) mais alto, a partir de 50% ou maior, permitindo seu comparecimento ao hospital para a realização de seus cuidados.

A primeira consulta após o encaminhamento dos PAs ocorre em no máximo 6 dias, e os pacientes são reavaliados em consultas subsequentes a cada 20 dias, considerando-se que, nessa fase, a mudança ou o surgimento de novos sintomas podem ocorrer em um período de tempo relativamente curto.

O ambulatório é hoje organizado em sete salas de atendimento e uma sala interdisciplinar, esta específica para a troca de informações, discussão e tomada conjunta de decisões quanto aos cuidados, incluindo avaliação de outros especialistas (estomatoterapeuta, avaliação cirúrgica especializada, avaliação ortopédica, infectologista) e a necessidade de suporte espiritual.

Os pacientes ocupam as salas de atendimento e os profissionais se distribuem no atendimento de acordo com as necessidades clínicas definidas na discussão em equipe. O familiar/cuidador participa da consulta, recebendo informações, treinamento sobre os cuidados e obtendo esclarecimento para suas dúvidas, com marcada atuação da equipe nos aspectos relativos a cuidados com feridas tumorais, ostomias, utilização de órteses, uso seguro de medicamentos e outras orientações voltadas para a adesão do paciente e família ao tratamento.

Esta profunda modificação na dinâmica de funcionamento do ambulatório no HC IV deu-se no início de 2009, quando foi descartado o modelo clássico de ambulatório multiprofissional com salas distribuídas por categoria profissional, adotando-se um modelo de maior horizontalidade; atualmente, este é o 1º Ambulatório Interdisciplinar de todo o INCA.

Todos os pacientes recebem consulta médica e de enfermagem. As consultas de fisioterapia, nutrição, psicologia e serviço social são direcionadas por necessidades clínicas observadas e com base em indicadores clínicos identificados na consulta de 1ª vez do paciente e registrados em uma Ficha de Avaliação Interdisciplinar própria (Anexo 2), que inclui a *Edmonton Symptom Assessment Scale* (ESAS) e outras informações necessárias.

Entre os sintomas mais prevalentes destacam-se a astenia, a dor crônica e os sintomas digestivos, como constipação intestinal e hiporexia. Ostomias (p. ex.: traqueo, gastro e colostomias) estão presentes em 15% dos pacientes e 14% apresentam feridas tumorais. O Quadro 3 mostra os sintomas mais observados nos pacientes de ambulatório, que apresentam uma média de seis diferentes sintomas, simultaneamente.

Cabe destacar que existe um expressivo contingente de pacientes (30%) em atendimento ambulatorial que reside em áreas distantes do Município do Rio de Janeiro, fora da área de abrangência da AD ou em áreas de conflito ou difícil acesso no Rio de Janeiro que impossibilitam o acompanhamento no domicílio. Enquanto possível, esses pacientes comparecem às consultas. Na medida em que a doença progride e o estado geral não permite seu deslocamento, são acompanhados em ambulatório a distância, estabelecendo-se parcerias com a rede de saúde mais próxima de seu domicílio.

No ano de 2009, o número total de consultas realizadas pela equipe interdisciplinar do ambulatório foi de 19.360.

Assistência domiciliar (AD)

A AD é destinada aos pacientes com KPS < 50%, com maior dificuldade para o autocuidado. Neste processo, a equipe de saúde se programa para realizar visitas aos pacientes que, por evolução da doença e dificuldades de locomoção, não têm condições clínicas para comparecer ao HC IV. É fornecida aos pacientes que residem no município do Rio de Janeiro e municípios vizinhos, em um raio de até 80 km divididos administrativamente,

Quadro 3. Sintomas prevalentes nos pacientes ambulatoriais

SINTOMAS	%
Astenia	50
Constipação intestinal	49
Dor	46
Hiporexia	32
Disfagia	29
Xerostomia	25
Dispneia	19
Anorexia	17

Anexo 1

:: Importante
Este é um documento de valor legal, que será entregue à família do paciente. Portanto deve ser preenchido de forma adequada, sem omissão de dados, pois pode interferir na continuidade do tratamento na Unidade HC IV.
☐ Assinale o campo confirmando a leitura da mensagem.

:: Identificação

Matrícula: **Nome:**

Sexo: **Idade:**

Unidade:

Clínica de matrícula:

Clínica de encaminhamento: [- - Selecione a clínica - -]

Tipo de paciente:

:: Diagnóstico

CID: [ ]   **CID** Clique aqui para saber o CID

Segundo tumor primário: ○ Não ○ Sim [ ]

Histopatológico: ○ Não ○ Sim

Qual: [ ]   [Anatomia patológica]

Situação atual da doença / Extensão para outros órgãos:

Localmente avançada	○ Não ○ Sim	
Pulmonar	○ Não ○ Sim	
SNC	○ Não ○ Sim	
Fígado	○ Não ○ Sim	
Pleural	○ Não ○ Sim	
Linfonodos	○ Não ○ Sim	
Peritôneo	○ Não ○ Sim	
Ossos	○ Não ○ Sim	Quais? [ ]
Outras	○ Não ○ Sim	Quais? [ ]
	○ ○	

:: Tratamento especializado

Realizou tratamentos fora do INCA? ○ Não ○ Sim

Instituição: [ ]

Tratamentos: [ ]

Tipo de tratamento realizado no INCA: ○ Virgem ○ Paliativo ○ Radical

TRATAMENTOS NO INCA

Medicamentos / Doses em uso atualmente: ○ NÃO faz uso de medicação ○ Faz uso de medicações

Medicamento: [- - Selecione o medicamento - -]

Dose: [ ]   [Incluir medicamento]

Antibioticoterapia? ○ Não ○ Sim

Indicação: [ ]

Dia: [ ]

TRATAMENTOS NO INCA

Cirurgias: Nenhuma cirurgia encontrada

O paciente realizou alguma cirurgia no INCA? ○ Não ○ Sim

Descreva as cirurgias realizadas no INCA que não foram encontradas pelo sistema: (Colocar as descrições das cirurgias e as datas dos procedimentos)

[ ]

Anexo 2

FICHA DE AVALIAÇÃO INTERDISCIPLINAR - HCIV

Nome: _____ Matrícula: ☐☐☐☐☐☐☐

Sexo: ☐ F ☐ M   Data: ___/___/___   Idade: _____   Religião: _____

Cor: ☐ Branca ☐ Preta ☐ Parda ☐ Amarela ☐ Vermelha

Escolaridade: ☐ Analfabeto ☐ 1 a 4 anos ☐ 5 a 8 anos ☐ 9 a 11 anos ☐ 12 anos ou +

Renda Familiar: ☐ Sem renda ☐ <1 s.m. ☐ 1 a < 2 s.m. ☐ 2 a < 3 s.m. ☐ 3 < 5 s.m. ☐ > 5 s.m.

Benefício: ☐ Ausente ☐ Aux. Doença ☐ B.P.C. ☐ Aposentado ☐ Aposentado p/ invalidez
☐ Pensionista ☐ Em andamento

Domicílio: ☐ Próprio ☐ Alugado ☐ Cedido ☐ População de rua

Nº de cômodos: _____   Nº de moradores: _____

Cuidador: ☐ Informal ☐ Formal ☐ Ausente   Sexo: ☐ F ☐ M

Principal: _____ Grau de parentesco: _____

Secundário: _____ Grau de parentesco: _____

☐ Analfabeto ☐ Limitações cognitivas ☐ Limitações físicas ☐ Menor ☐ Idoso ☐ Barreira cultural

Qual: _____

Diagnóstico social: _____

KPS: _____

ESCALA DE EDMONTON	Dor	Cansaço	Náusea	Tristeza	Ansiedade	Sonolência	Falta de apetite	Ausência de bem-estar	Falta de ar	Outros
10										
9										
8										
7										
6										
5										
4										
3										
2										
1										
0										

em cinco subregiões: Norte, Centro-Sul, Oeste, Baixada Fluminense e grande área de Niterói.

São atendidos em média 340 pacientes/mês. Atualmente, o serviço conta com oito enfermeiros, seis médicos, uma psicóloga, duas assistentes sociais e três fisioterapeutas, distribuídos em 11 carros, que realizam em média 66 visitas diárias.

A primeira avaliação em domicílio após a transferência direta pelos PAs ou pelo Ambulatório ocorre em 3 a 4 dias, pelo médico ou enfermagem, e as visitas subsequentes ocorrem em intervalos de 4 a 5 dias, onde além das competências citadas anteriormente, podem ser indicadas a psicologia, fisioterapia ou serviço social.

Os pacientes em AD encontram-se, em sua maioria, sob Cuidados Especiais, com rápida evolução para Cuidados ao Fim de Vida e uma taxa de óbito em domicílio de 16%. Como consequência, uma atuação específica é realizada para cuidadores e familiares: são de grande importância as orientações relativas à obtenção de benefícios e às questões legais que envolvem a dinâmica familiar e o sepultamento, a prevenção de luto patológico e o suporte emocional. Uma atuação importante da equipe focaliza as questões de identificação de situações difíceis para o cuidador como sobrecarga física e emocional, cuidadores limítrofes (p. ex.: menores, idosos, déficit cognitivo), ausência de cuidador para o paciente e todas as estratégias e intervenções que devem ser realizadas para proteção do paciente e seu familiar.

A atuação da enfermagem tem grande expressão na condução e na melhora de adesão por parte do cuidador que lida com grandes de curativos e ostomias, uso de medicamentos e oxigenoterapia, destacando-se as ações voltadas para treinamento e educação, que são a base para confiança e segurança na implementação dos cuidados.

Na organização do serviço que tem sua base na atuação da enfermagem, o médico atua como um consultor. Sua visita destina-se às alterações de prescrição e inclusão de novos medicamentos, realização de procedimentos em domicílio e avaliação e indicação de novas terapias voltadas para o controle de sintomas. Diante de casos clínicos de difícil resolução, estes são discutidos no retorno da equipe ao hospital, com a consultoria médica.

Em 2009, ocorreu a implantação do "Sistema Eletrônico da Assistência Domiciliar" com a utilização de tecnologia móvel (*smartphones*) durante a consulta que teve como principais objetivos a organização do agendamento, melhor definição dos roteiros de visita e a coleta e visualização de dados sociodemográficos e clínicos inseridos em tempo real pela equipe, durante as consultas.

O sistema permitiu maior agilidade e qualidade ao serviço prestado e se constituiu em uma inovação tecnológica, gerando alertas importantes quanto a agendamentos pendentes, medicações a serem liberadas, pacientes indisponíveis para visitação por residirem em áreas de difícil acesso e aqueles com intervalos de visita superiores ao desejado.

Os pacientes acompanhados pela AD apresentam-se com o KPS mais comprometido e, como consequência, observa-se maior incidência e intensidade em alguns sintomas: astenia está presente em 100% dos pacientes, dispneia em 33%, hipoxia em 60% e anorexia em 40%. O sintoma dor apresenta-se em 40% dos pacientes e tanto sua incidência quanto intensidade mostram-se menores do que no ambulatório. Isto é explicado pelo tratamento que os pacientes inicialmente em acompanhamento ambulatorial já receberam durante seu atendimento naquele setor.

No ano de 2009, o número total de consultas realizadas pela equipe interdisciplinar da AD foi de 16.042.

Internação hospitalar (IH)

A unidade dispõe de 56 leitos para internações, divididos em quatro andares cuja finalidade principal é dar suporte clínico e controlar sintomas agudos ou exacerbados de pacientes já acompanhados no Ambulatório ou AD. A equipe interdiciplinar de saúde trabalha com o conceito de curta permanência, com o objetivo de promover o retorno do paciente ao seu domicílio, o mais breve possível.

Os pacientes com indicação de internação comumente apresentam-se com sintomas de difícil controle e necessidade de abordagem especializada (70%), incluindo avaliação ou realização de procedimentos invasivos paliativos (5%) ou são pacientes já em Cuidados ao Fim de Vida (CFV), no momento da internação (30%).

Cada andar possui equipe de referência composta por médico, enfermeira de rotina, técnicos de enfermagem, fisioterapeuta, nutricionista, assistente social e psicologia. No primeiro atendimento são preenchidos a Ficha de Avaliação Interdisciplinar da IH e o gráfico de avaliação e monitoramento diário de sintomas (ESAS), é realizada a avaliação prognóstica com registro do *Palliative Prognostic Score* (PAPScore), e, finalmente, é definido o plano de cuidados terapêuticos de acordo com os resultados dos instrumentos aplicados.

As condutas em casos mais difíceis e a adoção ou flexibilização de protocolos clínicos são tomadas em *rounds* diários interdisciplinares ou são levados para discussão em fóruns e sessões específicas.

Cuidados especiais são tomados com cuidadores e familiares, uma vez que 61% dos doentes internados evoluem para CFV.

Uma importante linha de intervenção durante o período de internação é a identificação das necessidades individualizadas de educação de familiares e cuidadores envolvidos nos cuidados diários, como manejo de grandes curativos, mobilização com minimização de riscos de fraturas, prevenção de úlceras por pressão, abordagem das ostomias e uso de medicações por via subcutânea. Para estes, a unidade disponibiliza recursos que incluem desde orientação à beira do leito, uso interativo de cartilhas, *folders* e manuais, bem como o já citado treinamento "Cuide Bem do seu Paciente".

O tempo médio de internação é de 7 dias e a taxa de ocupação hospitalar se mantém em torno de 80%.

Entre as condições clínicas com maior dificuldade de abordagem e que evoluem para a necessidade de Sedação Controlada (2,1%), destacam-se *delirium* (47,3%), dispneia terminal (26,3%), sangramentos tumorais (10,5%), a dor de difícil controle (5,3%) e sofrimento psíquico (5,3%). Observam-se ainda, casos de obstrução intestinal maligna e seu cortejo de sintomas e emergências oncológicas como responsáveis pelas indicações restantes.

Setor de pronto atendimento (SPA)

Atendimento de Emergência

O SPA funciona como setor de referência 24 h/dia para controle de intercorrências agudas ou exacerbação dos sintomas dos pacientes externos (Ambulatoriais ou em AD). Também disponibiliza plantão telefônico para orientar familiares, cuidadores e pacientes nas situações que tragam dúvidas ou insegurança no desempenho dos cuidados, além de ser responsável pela avaliação de pacientes internados, com intercorrências desenvolvidas fora do horário da rotina hospitalar.

São realizadas em torno de 370 atendimentos de urgência por mês quando os pacientes são avaliados, medicados e após um período de observação, é definida sua liberação para controle ambulatorial ou em domicílio ou internação para o controle especializado de sintomas.

No setor, são indicados e realizados procedimentos invasivos de urgência para alívio de sintomas como traqueostomias, paracenteses, toracocenteses e ligaduras de carótida entre outros.

A equipe é composta por dois médicos, uma enfermeira de rotina, dois técnicos de enfermagem e uma nutricionista, em regime de plantão. Quando necessário, são acessados profissionais da área de serviço social, psicologia, fisioterapia ou voluntários do Suporte Espiritual.

É importante ressaltar que o HC IV não disponibiliza de mecanismos sustentadores de vida, não possuindo leitos de terapia intensiva ou para realização de hemodiálise. A unidade adota uma política de "Não Ressuscitação", que é explicada à época da transferência para os Cuidados Paliativos e é de direito dos familiares e dos pacientes encaminhados aceitarem ou não.

Day care – Espaço "CuriosAção"

O primeiro *day care* do Brasil, nomeado "CuriosAção" foi inaugurado no HC IV em 2006 e desde então oferece aos pacientes, seus cuidadores e acompanhantes um espaço dentro da unidade, ao mesmo tempo lúdico e terapêutico que visa o resgate de autonomia, autoestima, motivação e possibilidade de ressocialização pelos participantes. A ambiência criada traduz uma atmosfera de conforto e liberdade, refletindo o ambiente domiciliar.

O Modelo Psicossocial é a base do acompanhamento realizado no setor, e as atividades são destinadas a pacientes internados e seus acompanhantes bem como àqueles em domicílio que queiram e possam beneficiar-se deste dia de cuidados. Esse período também pode ser aproveitado para descanso do cuidador ou para que o mesmo possa realizar suas atividades habituais, postergadas pelo desgaste diário com os cuidados ao paciente.

Neste espaço, o trabalho interdisciplinar regular de enfermeiros, assistentes sociais, psicólogos, fisioterapeutas e voluntários, incluindo a Capelania acessa as necessidades físicas básicas, de segurança e de dar e receber amor pelos pacientes e oferece oportunidade de sentir-se aceito, de liberação de sintomas estressantes, libertação do medo e resgates, sejam sociais, emocionais e espirituais.

São realizadas diversas atividades manuais e cognitivas com os pacientes e seus acompanhantes, e os impactos positivos observados são a promoção de bem-estar por intermédio da ressignificação do momento de doença, integração social e desinvestimento na doença. Isto reflete diretamente na expressiva melhora de humor e de adesão terapêutica.

Após 6 anos da inauguração, o espaço CuriosAção é hoje também aproveitado pelos pacientes de ambulatório que dependem de transporte para conduzi-los a outros municípios do Rio de Janeiro. Para os pacientes que se encontram internados e apresentam condições clínicas que não permitam sua mobilização até o setor, os profissionais disponibilizam material para que o trabalho possa ser realizado no leito, com auxílio de cuidadores e voluntários, inclusive nos finais de semana.

ENSINO E TREINAMENTO EM CUIDADOS PALIATIVOS NO INCA

O HC IV não é organizado somente como um hospital. É um centro de múltiplas atividades que envolvem profissionais, pacientes e seus familiares e representa uma referência para outros serviços, no Brasil.

A filosofia e os princípios dos Cuidados Paliativos são vivenciados diariamente, e toda sua assistência se sustenta na prática baseada em evidência e na capacitação profissional contínua e qualificada, com foco no atendimento técnico e humanitário. O investimento no programa de Educação Permanente é coerente com a missão da unidade, que recebe uma média anual de 90 profissionais das diversas regiões do país para especialização, visitas de observação, aperfeiçoamento e rodízio de residentes médicos e de enfermagem.

Atualmente, a unidade tem como missão a formação de profissionais concursados recentemente pelo INCA, na área de atuação em Cuidados Paliativos e, para isso, a Direção da Unidade organizou um "Curso de Aperfeiçoamento em Cuidados Paliativos" para a equipe interdisciplinar e especializandos/residentes da instituição, com duração de 1 ano (Quadro 4).

Uma questão central na unidade é a **humanização**, perpassando a assistência, educação continuada e ambiência, com reflexo direto nos cuidados e nas relações, responsabilidade em todas as práticas, trabalho em equipe multiprofissional de forma interdiscilpinar e informação e comunicação na construção de autonomia.

Para contemplar todas as atividades, o "Projeto de Humanização" do HC IV se insere nos diferentes processos, de diferentes maneiras, como demonstrado no Quadro 5.

Quadro 4. Atividades técnico-científicas realizadas de rotina no HC IV

ATIVIDADE	PERIODICIDADE
1. Sessão Clínica	Semanal
2. Mesa Redonda de Procedimentos Invasivos	Semanal
3. Grupo de Escritores de Artigos, Capítulos, Protocolos	Semanal
4. Sessão de Bioética	Mensal
5. Atualização Científica	Mensal
6. Seminário de Tanatologia	Bimensal
7. Seminário de Cuidados Paliativos	Bimensal
8. Sessão de Morbimortalidade	Bimensal
9. Curso de Aperfeiçoamento em Cuidados Paliativos	Ano de 2012

Quadro 5. Projeto de Humanização do HC IV

PROJETO	ATIVIDADES
Valorização da pessoa	▪ Comemoração de datas especiais (Natal, dia das mães, dia dos pais etc.) ▪ Música da unidade ▪ *Day care* "CuriosAção" ▪ "Dia do Mascote" (visita de animais)
Acolhimento	▪ Projeto Família com suas atividades ▪ Educação de cuidadores
Ambiência	▪ Conforto, privacidade, comunicação visual ▪ "Sala do Silêncio" (espaço próprio para meditação e reflexão)
Práticas terapêuticas	▪ Uso racional de recursos ▪ Resolutividade ▪ Antecipação ▪ Evitar futilidade terapêutica
Suporte espiritual	▪ Capelania

CONCLUSÃO

O primeiro passo para o desenvolvimento de uma unidade especializada em Cuidados Paliativos é a decisão de qual o melhor modelo a ser implantado, de acordo com a população a ser acompanhada, a disponibilidade de recursos (humanos, de medicamentos e materiais) e a filosofia da instituição.

No INCA, a construção de uma unidade especializada veio ao encontro das necessidades da instituição de melhorar a qualidade de vida dos pacientes com neoplasia em evolução a despeito do tratamento realizado e de liberar leitos dos hospitais especializados do INCA para o tratamento curativo.

Todas as ações realizadas pela equipe interdisciplinar desta unidade visam seu objetivo maior de **prevenção do sofrimento**, esta considerada, de forma didática, a quarta fase da prevenção de câncer.

BIBLIOGRAFIA

Brasil. Ministério da Saúde. Instituto Nacional de Câncer. *Conheça o HC IV*. Instituto Nacional de Câncer. 2. ed. Rio ed Janeiro: INCA, 2009.

Brasil. Ministério da Saúde. Instituto Nacional de Câncer. *Cuide bem do seu paciente*. Instituto Nacional de Câncer. 2. ed. Rio ed Janeiro: INCA, 2009.

Brasil. Ministério da Saúde. Secretaria Nacional de Assistência à Saúde. Instituto Nacional de Câncer – INCA. Coordenadoria de programa de controle do câncer. Pro-Onco. *O alívio da dor do Câncer*. Rio de Janeiro: Pro-Onco, 1987.

Brasil. Ministério da Saúde. Unidade de Cuidados Paliativos do Instituto Nacional de Câncer (INCA). SIEFA – Setor de Informação Estatística e Faturamento, 2009.

Bruera E, Kuehn N et al. The Edmonton Symptom Assessment System (ESAS): a simple method for the assessment of Palliative Care patients. *J Palliat Care* 1991;7:2;6-9.

Firmino F. *Lutas simbólicas das enfermeiras no processo de implantação do Centro de Suporte Terapêutico Oncológico (CSTO) do Instituto Nacional de Câncer (INCA)*. [Dissertação de Mestrado] Rio de Janeiro: UFRJ/EEAN, 2004. 130f.

Maltoni M, Nanni O, Pirovano M et al. Successful validation of the palliative prognostic score in terminally ill câncer patients. *J Pain Symptom Manage* 1999;17:240-47.

Naylor C, Medeiros P et al. *Manual de indicadores da unidade de cuidados paliativos do INCA*. Instituto Nacional de Câncer. Rio de Janeiro: INCA, 2009.

Naylor Lisbôa C. *Sobrevida em mulheres em cuidados paliativos: o uso do palliative prognostic score* (PaPScore) *em uma população de mulheres Brasileiras*. [Dissertação de Mestrado] Campinas, São Paulo: UNICAMP. 2008.

Ryan A, Carter J, Lucas J et al. You need not make a journey alone: overcoming impediments to providing palliative care in a public urban teaching hospital. *Am J Hosp Palliat Care* 2002;19:171-80.

Vinik K, Glare P. Profile and evaluation of palliative medicine consultation service within a tertiary teaching hospital in Sydney, Australia. *J Pain Symptom Manage* 2002;23:17-25.

233-3 Introdução e Princípios dos Cuidados Paliativos

Cláudia Naylor

"Todos nós vamos morrer e muitos de nós vamos ter um longo período convivendo com nossa doença fatal. Este período é valioso e merece toda atenção."

American Geriatric Society Ethics Committee, 1997

INTRODUÇÃO

Os cuidados paliativos desenvolveram-se, principalmente na Idade Média, por meio do movimento dos *hospices*, instituições com base no comando cristão estruturadas para o acolhimento e o refúgio de peregrinos feridos e em iminência de morte, ganhando gradualmente a conotação de lugar para cuidar de doentes.

A partir do século XIX, *hospices* foram construídos especificamente para o cuidado a pacientes terminais, culminando com a fundação, em 1967, do *St. Christopher's Hospice*, em Londres, que combina a tradição de compaixão dos *hospices* medievais com os conhecimentos da medicina moderna – criou-se, assim, o Modelo Moderno de Cuidados Paliativos.

O termo paliativo deriva do latim *pallium*, um manto usado pelos peregrinos para proteção, durante suas viagens. Em analogia, cuidados paliativos têm o objetivo de "proteger" a pessoa doente de qualquer sofrimento evitável, salvaguardando sua dignidade como pessoa até seus últimos momentos.

Em 1975, o termo "cuidados paliativos" foi utilizado pela primeira vez como um programa de cuidados ao paciente em fase avançada de doença e sem possibilidade de cura, pelo *Royal Victoria Hospital* de Montreal, Canadá.

Segundo a Organização Mundial de Saúde (OMS), em 1990, Cuidados Paliativos são "aqueles que consistem na assistência multidisciplinar, ativa e integral a pacientes cuja doença não responde mais ao tratamento curativo, sendo o principal objetivo a garantia da melhor qualidade de vida tanto para o paciente quanto para seus familiares, por meio do controle da dor e do alívio dos demais sintomas que o paciente possa desenvolver, atuando também em suas dimensões psicossociais e espirituais".

Os cuidados paliativos:

- Afirma a vida e considera a morte um evento natural.
- Promove alívio da dor e demais sintomas.
- Integra os aspectos psicológicos, sociais e espirituais ao aspecto clínico.
- Oferece um sistema de suporte que ajuda o paciente a viver o mais ativamente possível, até sua morte.
- Oferece um sistema de suporte para ajudar a família a enfrentar o período de doença do paciente, em seu próprio ambiente.

A transição de cuidado ativo para paliativo não é algo que aconteça em um ponto definido no tempo; é um processo gradual, e sua dinâmica é diferente para cada paciente.

Tradicionalmente, os cuidados paliativos são concentrados nos últimos dias de vida, quando os sintomas já são de difícil controle. A tarefa seria mais fácil, se pacientes recebessem-no durante sua trajetória de doença. A OMS acredita nesta assertiva expandindo a definição de cuidados paliativos em que "muitos de seus aspectos são aplicáveis mais cedo, no curso da doença, em conjunto com o tratamento anticâncer" (Fig. 1).

Assim, é importante aceitar a medicina paliativa como um componente integral do controle do câncer, devendo entrar em cena juntamente com a oncologia no manejo dos sintomas de difícil controle e alguns assuntos psicossociais relativos à doença.

Pacientes que ainda estão relativamente saudáveis e estão sob tratamento oncológico têm como prioridade a cura de sua doença ou pelo menos o prolongamento de sua vida, sendo mais tolerantes a considerável grau de desconforto.

Com a evolução da doença, a intervenção do médico paliativista torna-se mais essencial. Gradualmente, as prioridades desses pacientes

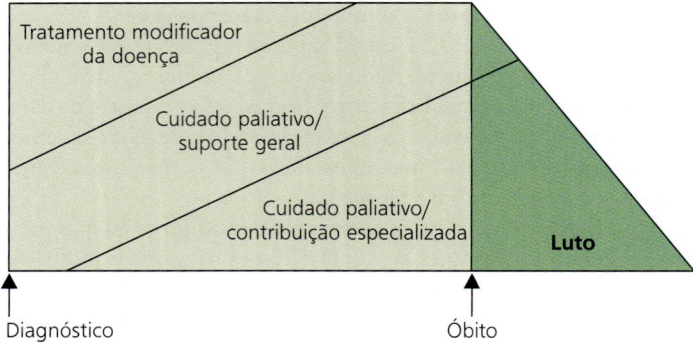

▲ **FIGURA 1.** Cuidados paliativos, segundo a OMS.

mudam, e o controle dos sintomas que causam seu sofrimento neste último período de sua vida, assume maior importância.

PRINCÍPIOS DOS CUIDADOS PALIATIVOS

Os cuidados ao paciente que está morrendo estendem-se bem além do controle da dor e demais sintomas. Inclui suporte ao paciente que tenta ajustar-se ao declínio de sua capacidade física e lamenta em antecipação a perda de sua família, amigos, profissão e tudo o que lhe é familiar. Inclui, também, o suporte à família que tenta se ajustar ao fato de que um deles está morrendo.

Certos princípios gerais regem o tratamento de pacientes com câncer avançado. A maioria destes princípios é simplesmente uma questão de boa prática médica, demandando uma ênfase particular no contexto dos cuidados paliativos.

Comunicação

Não importa o quanto experientes sejam os profissionais de saúde, a comunicação com o paciente e seus familiares pode ser um desafio. Aceitando este desafio e refletindo neste contato, profissionais continuarão a desenvolver ferramentas de comunicação que irão transformar-se em melhora de seus cuidados e satisfação profissional.

Há uma particular necessidade para a boa comunicação no período dos cuidados paliativos, especialmente no período em torno da morte; pacientes que estão morrendo se comunicam cada vez mais por meios não verbais.

Comunicação deve ser um processo criativo. Não é possível estar perfeitamente preparado para toda e qualquer situação. No entanto, alguns pontos-chave devem ser levados em conta:

- Explorar expectativas, experiência familiar e crenças sobre a doença.
- Reconhecer as escolhas do paciente sobre o que e com quem ele quer se comunicar.
- Fazer uma abordagem sem julgamento, com qualidade e empatia genuínas.
- Comunicar "más notícias" reconhecendo ser este um processo que caminha no passo do paciente.
- Identificar o processo de negação por intermédio de uma cuidadosa análise e exclusão de fatores culturais e religiosos. Nem sempre é apropriado tentar quebrar o processo de negação.
- Manter-se atento e checar regularmente as mudanças das necessidades do paciente e seu cuidador.

Time multiprofissional

O conceito de time multiprofissional teve sua aceitação como essencial em cuidados paliativos a partir do final dos anos 1960. É um conceito dinâmico que está crescendo e mudando com o especialismo, e o termo interdisciplinar está ganhando maior uso.

> *"... trabalho multiprofissional é uma abordagem de cooperação e empreendimento para trabalhar em um ambiente no qual formas tradicionais e divisão de conhecimento e autoridade profissionais são conservados. Mais radicalmente, trabalho interdisciplinar implica na disposição em repartir e desistir da reivindicação de conhecimento e autoridade especializados sobre as necessidades do paciente que podem ser atendidas mais efetivamente por outros grupos profissionais."*

Há evidências sugerindo que compartilhar ferramentas de trabalho e informação em um time multiprofissional leva a otimizar a tomada de decisão, utilizando melhor os recursos disponíveis, a uma experiência holística mais integrada de como cuidar dos pacientes, com maior alcance de opções e a um maior suporte e oportunidades de aprendizado para os membros do time

Controle de sintomas

Um dos princípios centrais na condução de um paciente com câncer avançado é a melhora dos sintomas físicos. O bom controle dos sintomas pode ser alcançado por meio de avaliação acurada dos fatores contribuintes para determinados sintomas, em um paciente individualmente a qualquer tempo. Os princípios gerais para a avaliação sistemática dos sintomas são sumarizadas a seguir:

- História e exame físico detalhados.
- Investigação apropriada para guiar a decisão clínica.
- Tratamento de causas potencialmente reversíveis.
- Explicação/comunicação.
- Tratamento proativo.
- Utilização de ferramentas de prescrição.
- Monitoramento regular.

História e exame físico

Os sintomas em um paciente com câncer avançado podem ser causados por:

- Própria doença.
- Tratamento.
- Debilidade geral.
- Desordens concomitantes.

Investigação apropriada

Investigações devem ser objetivadas na identificação da causa subjacente ao sintoma. Decisões quanto a investigar ou não devem ser individualizadas e tomadas no contexto da condição clínica global do paciente. Investigações mais invasivas só serão apropriadas se o paciente estiver bem o bastante para tratamento paliativo, seja este radioterapia, quimioterapia, cirurgia ou medicamentos dos quais irá efetivamente se beneficiar.

BIBLIOGRAFIA

Bliss J, Cowley S, While A. Interprofessional working in palliative care in the community: a review of the literature. *J Interprofessional Care* 2000;14(3):281-90.

Calman Report/Recommendations. *A policy framework for comissioning cancer services.* Calman Report/Recommendations for Care Services. Consultative Document. London: Her Majesty's Stationery Office, 1994.

Grbich C, Parker D, Maddocks I. Communication and information needs of caregivers of adult family members at diagnosis and during treatment of terminal cancer. *Prog Palliat Care* 2000;8(6):354-50.

MacDonald N. Palliative Care – The fourth phase of cancer prevention. *Cancer Detect Prev* 1991;15:3253-55.

National Council for Hospice and Specialist Palliative Care Services. *Definition of Supportive and Palliative Care.* London: NCHSPCS (Briefing Bulletin 11), 2002.

Payne S. Information needs for patients and families. *Eur J Palliative Care* 2002;9:112-14.

Sykes NP, Edmonds P, Willes J. *Management of advanced disease.* 4th ed. New York: Oxford University, 2004. p. 129-36.

World Health Organization. *Cancer pain relief and palliative care: report of a WHO Expert Committee.* Technical Bulletin 804. Geneva: WHO, 1990. p. 11.

CAPÍTULO 234
Sintomas mais Comuns

234-1 Controle de Sintomas – Medidas Gerais

Cláudia Naylor

"Tratamento que não promove benefícios ao paciente, pode ser ética e legalmente suspenso, e a meta da medicina passa a ser a paliação dos sintomas"

Robert Twycross

Um dos maiores princípios nos cuidados aos pacientes com doença avançada é o bom controle de sintomas, que pode ser alcançado por meio de uma acurada avaliação dos fatores contributivos para o paciente, individualmente, em qualquer período de sua doença.

Os princípios gerais para uma avaliação sistemática dos sintomas podem ser resumidos da seguinte maneira: histórico detalhado e exame clínico, investigação adequada para guiar a tomada de decisão, tratamento de causas potencialmente reversíveis, comunicação, tratamento proativo, prescrição adequada, monitoramento regular.

MEDIDAS GERAIS PARA O BOM CONTROLE DE SINTOMAS

A maioria dos pacientes e seus cuidadores beneficiam-se de uma completa explicação das razões para a ocorrência do sintoma, diminuindo uma ansiedade que pode estar contribuindo para sua piora. Tomar tempo para explicar as avaliações e listar um plano de ação podem aliviar a ansiedade.

É considerado boa prática para os profissionais de saúde discutir opções de tratamento com os pacientes e seus cuidadores, pois podem ter claras opiniões concernentes ao manejo do sintoma, que devem ser respeitadas.

TRATAMENTOS ESPECÍFICOS

Quando possível, o tratamento deve ser focado na identificação e no controle de causas reversíveis dos sintomas. Exemplificando, uma hemotransfusão para corrigir anemia sintomática ou uso de antibiótico para tratamento de infecção coexistente.

Estas decisões de tratamento precisam ser individualizadas. Alguns pacientes podem não estar bem para tolerar ou se beneficiar de tratamentos específicos, e, nessas situações, os mesmos devem ser alterados para medidas de conforto.

TRATAMENTO DOS SINTOMAS

O tratamento dos sintomas pode ser tanto não farmacológico quanto farmacológico. A abordagem não farmacológica inclui:

- Técnicas de controle de respiração para dispneia.
- Técnicas de relaxamento para ansiedade.
- Modificações na dieta para anorexia.
- Colchão para alívio de pressão em pacientes debilitados, acamados.
- Ambiência tranquila e suporte para pacientes agitados e angustiados.

PRINCÍPIOS DE PRESCRIÇÃO NA DOENÇA AVANÇADA

Há uma série de princípios básicos que guiam toda a prescrição para controle de sintomas em pacientes com câncer avançado:

- Prescrever drogas proativamente para sintomas persistentes.
- Cada nova droga deve ser avaliada no sentido de apresentar benefícios que superem em muito os efeitos colaterais, **no contexto das condições do paciente**.
- Considerar interação entre as drogas.
- Considerar a melhor via de administração.
- **Evitar polifarmácia** – parar com as drogas que não são mais apropriadas ou que não funcionaram.
- Empreender revisão regular.

As prioridades do paciente mudam quando ele está claramente morrendo. Não é obrigatório empregar tratamentos quando seu uso pode ser mais bem descrito como um prolongador do processo de morrer. Em cuidados paliativos, a meta principal do tratamento não é prolongar a vida, mas fazer a vida restante o mais confortável e significativa possível.

A questão não é tratar ou não tratar, mas qual o tratamento mais apropriado a ser dado, levando-se em conta a situação clínica, psicológica e social do paciente.

É importante manter em mente, de maneira clara, o objetivo terapêutico. Na decisão do que é mais apropriado, deve-se manter alguns pontos-chave:

- Prognóstico do paciente.
- Objetivos e benefícios de cada tratamento.
- Efeitos adversos de cada tratamento.
- Não prescrição de medicamentos para protelamento da morte.

Os sintomas aqui apresentados foram escolhidos por serem os mais prevalentes em pacientes com câncer avançado sem possibilidade de cura.

234-2 Fadiga em Pacientes Oncológicos

Cristhiane da Silva Pinto

INTRODUÇÃO

A fadiga pode ser definida como uma frequente ou persistente sensação de fraqueza ou cansaço. Pode ser ocasionada pela presença da doença ou por efeitos colaterais do tratamento. É intimamente relacionada com o *status* funcional e uma das maiores causas de impacto na qualidade de vida.

A fadiga é um dos sintomas mais comuns em pacientes com câncer (17-90%), sejam aqueles em tratamento com intenções curativas (principalmente em vigência de quimioterapia e radioterapia – cerca de 90%) sejam aqueles em cuidados paliativos (98%).[1-3]

A fadiga é também comum em pacientes com outras doenças cronicodegenerativas, como HIV, esclerose múltipla (76-92%), doença pulmonar obstrutiva crônica (47%) e insuficiência (10%).[1]

Podemos considerá-la como um sintoma universal no estágio terminal, ou seja, pacientes com prognóstico menor que 6 meses de vida.[4]

Pacientes considerados curados podem permanecer com este sintoma em graus variáveis, por meses ou até mesmo anos.

ETIOPATOGENIA

A fadiga, como vários outros sintomas avaliados em Cuidados Paliativos, é multifatorial e multidimensional, podendo ser dividida em primária e secundária (Quadros 1 e 2).[5,6]

A fadiga primária está relacionada à presença do próprio tumor, através de mecanismos periféricos de gasto de energia e mecanismos centrais de desregulação do eixo hipotálamo-pituitária-adrenal ou do metabolismo da serotonina. Está relacionada à carga elevada de citocinas pró-inflamatórias circulantes.[7-9]

A fadiga secundária é relacionada à comorbidades, como: anemia, caquexia, febre, infecções, desordens metabólicas e até mesmo uso de drogas sedativas. Dessa forma, percebe-se que é necessário o reconhecimento dos fatores predominantes em cada caso e a atuação direcionada para seu controle adequado.

Quadro 1. Fatores relacionados com a fadiga primária

FATORES RELATIVOS AO TUMOR	FATORES RELATIVOS AO HOSPEDEIRO
■ Fatores lipolíticos	■ Fator de necrose tumoral
■ Fatores proteolíticos	■ Interleucina-1
■ Degradação tumoral	■ Interleucina-6
■ Invasão do sistema nervoso central (pituitária)	

Quadro 2. Dimensão multifatorial da fadiga secundária

FADIGA	Caquexia*
	Sarcopenia
	Infecção
	Dor*
	Desidratação
	Alterações musculares
	Terapia antitumoral*
	Anemia*
	Hipóxia
	Anormalidades metabólicas
	Depressão/ansiedade
	Citocinas circulantes*
	Distúrbios autônomos
	Alterações endócrinas
	Comorbidades
	Efeitos colaterais de drogas*

*Causas mais comuns.

O diagnóstico precoce e adequado, avaliando-se todas as dimensões da fadiga, e uma atuação rápida e precisa são mandatórios para o bom controle deste sintoma.

Cabe salientar que, por ser um sintoma multidimensional, apresentando-se tanto na dimensão física quanto na cognitiva,[5] é comum os pacientes relatarem falta de atenção, déficit de memória e de raciocínio, e esses relatos não podem ser desprezados quando avaliamos o contexto geral. Dessa forma, podemos dividir a fadiga em três formas prevalentes:

- Cansaço progressivo e redução da capacidade funcional.
- Fraqueza generalizada, dificuldade para iniciar uma atividade.
- Fadiga mental, comprometimento da concentração, perda de memória.

Existem, atualmente, várias ferramentas e questionários utilizados para o diagnóstico, avaliação e abordagem da fadiga nos pacientes oncológicos, muitas das quais necessitam de validação em nosso país.[10-12] Mesmo com a ausência de uma ferramenta específica no momento da consulta, algumas perguntas simples podem levar o profissional médico a diagnosticar a presença de fadiga e nortear a melhor forma de acompanhamento.

Perguntas importantes

1. Você se apresenta diariamente ou frequentemente com:
   A) Fadiga?
   B) Diminuição de energia?
   C) Necessidade de suspender ou diminuir atividades habituais?
   D) Maior necessidade de descanso?
2. Você apresenta:
   A) Diminuição da concentração, da memória e/ou do interesse?
   B) Fraqueza generalizada?
   C) Insônia ou hipersonia?
   D) Necessidade de recuperação intensa a exercício moderado?
   E) Dificuldade para atividades de vida diária (AVDs)?
3. Os sintomas causam sofrimento?
   A) Tente quantificar o impacto que gera na vida do paciente.
4. Os sintomas causam prejuízo ao convívio social ou a realização de atividades laborativas?

Em nosso sistema nervoso, a ação de neurotransmissores está ligada à realização de atividades importantes para o indivíduo, modulando sua capacidade cognitiva e funcional. Substâncias que alterem essa ação são responsáveis muitas vezes por mudanças significativas na qualidade de vida do paciente. Podemos avaliar na Figura 1, um esquema simplificado da atuação dos neurotransmissores.

FADIGA × SÍNDROME DE ANOREXIA E CAQUEXIA (SAC)

Embora estas duas entidades estejam frequentemente interligadas, podem existir separadamente. É muito comum associar a fadiga aos pacientes que apresentam caquexia em progressão, mas cabe lembrar que muitos pacientes eutróficos podem apresentar fadiga em graus variados (ex.: pacientes com neoplasia de mama), e em vários casos, ela pode ser a queixa principal. As particularidades da SAC serão abordadas em capítulo específico.

SARCOPENIA[13]

A sarcopenia é a perda muscular esquelética, primeiramente descrita por Rosemberg em 1989.

Sabe-se que indivíduos normais após os 40 anos têm uma perda fisiológica de 5% de massa muscular esquelética a cada década. A perda de fibras do tipo II (anaeróbicas de contração rápida) pode representar uma redução de 20-50%.

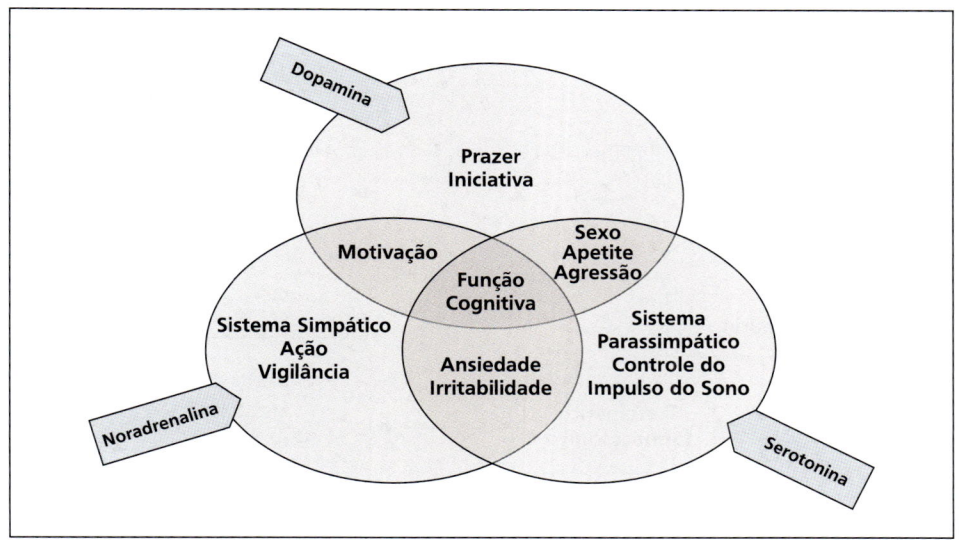

◀ **FIGURA 1.** Ação de neurotransmissores.

Essa perda muscular é mais comum em homens e mais intensa nos membros inferiores.

A sarcopenia está relacionada com a redução dos hormônios sexuais (por isso, seu aumento acima dos 40 anos), inatividade física (perda do estímulo de produção muscular ocasionado pelo estiramento das fibras), alterações nutricionais (perda de substrato para a formação de proteínas) e comorbidades, como: DPOC, doença renal crônica, câncer, insuficiência cardíaca etc.

A sarcopenia gera a fadiga, pois o indivíduo apresenta perda de força para realizar atividades, o que acaba ocasionando um estado de inatividade que piora progressivamente a sarcopenia. Este círculo vicioso necessita ser quebrado para que a perda de massa muscular e a fadiga sejam minimizadas.

Reposição hormonal e prática regular de exercícios físicos tem se mostrado eficazes na prevenção e no tratamento da sarcopenia.

■ TRATAMENTO

Abordagem geral

A primeira abordagem deve ser relacionada à frequência de ocorrência e a severidade/intensidade, do sintoma. A fadiga costuma ser conhecida como "sintoma surdo", pois, muitas vezes, fica esquecido mediante a presença de sintomas mais aterradores, como dor, dispneia, sangramentos, vômitos etc. Por esse motivo, é de suma importância que o profissional não deixe de perguntar ao paciente, questões que avaliem a capacidade funcional e cognitiva. Deve-se sempre questionar o impacto que a fadiga causa na vida do paciente, e trabalhar para melhorar ou manter sua autonomia de cuidado pelo maior tempo possível.[14]

Após a detecção de sua presença, intensidade e frequência, faz-se necessário avaliar os fatores associados e quais são aqueles passíveis de controle ou redução. É habitual que a fadiga esteja associada a outros sintomas e, muitas vezes, é o controle destes sintomas o responsável direto na melhora do quadro. Essa multiplicidade de sintomas presentes nos pacientes de Cuidados Paliativos é um complicador para o profissional que não compreende sua interligação e a necessidade de abordagem em conjunto. O tratamento deve ser direcionado de acordo com o tipo de fadiga.[15]

No caso da fadiga secundária, o objetivo maior é a correção dos fatores causais, quando isso for possível (ex.: anemia/hemotransfusão; depressão/antidepressivos etc.).[16]

Para facilitar o tratamento da fadiga, podemos dividi-lo de acordo com o algoritmo demonstrado na Figura 2.

Tratamento não farmacológico

No tratamento não farmacológico oferecemos orientações capazes de modificar o gasto energético dos pacientes e a ansiedade e tristeza ocasionadas pela perda progressiva do vigor. A abordagem prioritária é da equipe de Fisioterapia e Psicologia.

São ensinados exercícios leves e contínuos, capazes de melhorar o condicionamento físico do paciente, bem como formas alternativas de realizar determinadas atividades do dia a dia com menor gasto de energia (ex: tomar banho sentado em uma cadeira).[17,18]

Algumas técnicas de relaxamento também são utilizadas, visando melhor adequação da respiração e do sono. É importante lembrar que a insônia, a ansiedade e a depressão estão intimamente relacionadas com a fadiga nos pacientes em Cuidados Paliativos e estas técnicas são eficazes no controle desses sintomas.

Tratamento farmacológico

O tratamento da fadiga primária é principalmente guiado por várias medicações, com destaque aos psicoestimulantes, como metilfenidato, modafanil, premolina e donazepil.[19]

Acetato de Megestrol

O Acetato de Megestrol (AM) foi inicialmente desenvolvido como contraceptivo, e seu uso para pacientes com neoplasia de mama foi liberado pelo FDA em 1967.

Atua sobre as células tumorais hormônio-dependentes, possuindo efeitos inibidores do crescimento celular. Foi observado, durante o tratamento de pacientes com neoplasias de mama e endométrio, um aumento expressivo do apetite e do ganho de peso, sendo assim, seu efeito orexígeno passou a interessar pesquisadores e profissionais de saúde. Em 1993 foi aprovado pelo FDA para o uso em pacientes com SAC pelo HIV.

O mecanismo de ação sugere inibição de citocinas pró-inflamatórias, principalmente TNF-α via neuropeptídeo Y.

Atualmente existem vários estudos na população de pacientes oncológicos, que evidenciam significativo aumento do apetite, diminuição das náuseas, aumento do ganho de peso e da qualidade de vida. A maioria, porém, não comprova aumento de massa muscular.

Artigos publicados sugerem benefício do AM quando comparado ao placebo. As doses variaram entre 160 mg/dia a 1.600 mg/dia, com dose média de 400 mg/dia, como mostra extensa revisão sistemática publicada em 2004.[20]

Em dois estudos recentes, realizados em ratos, observou-se que o AM não só aumentou o apetite, diminui as náuseas/vômitos, melhorou o ganho de peso, bem como proporcionou ganho de massa muscular (resultados significativos estatisticamente). O AM influenciou positivamente no *turn-over* muscular e aumentou a captação de aminoácidos bem como sua utilização para a formação de proteína muscular. Os estudos mostraram inclusive, aumento da massa muscular cardíaca, com aumento da contratilidade miocárdica. Estes resultados ainda não foram reproduzidos em humanos.[21,22]

O início de ação se dá após de uma semana, podendo estender-se por cerca de 4 meses, o que indica seu uso para pacientes com prognóstico maior que 40 dias.

Os efeitos colaterais, que muitas vezes podem ser responsáveis pela suspensão do tratamento, incluem:

- Hipertensão arterial sistêmica.
- Hiperglicemia.

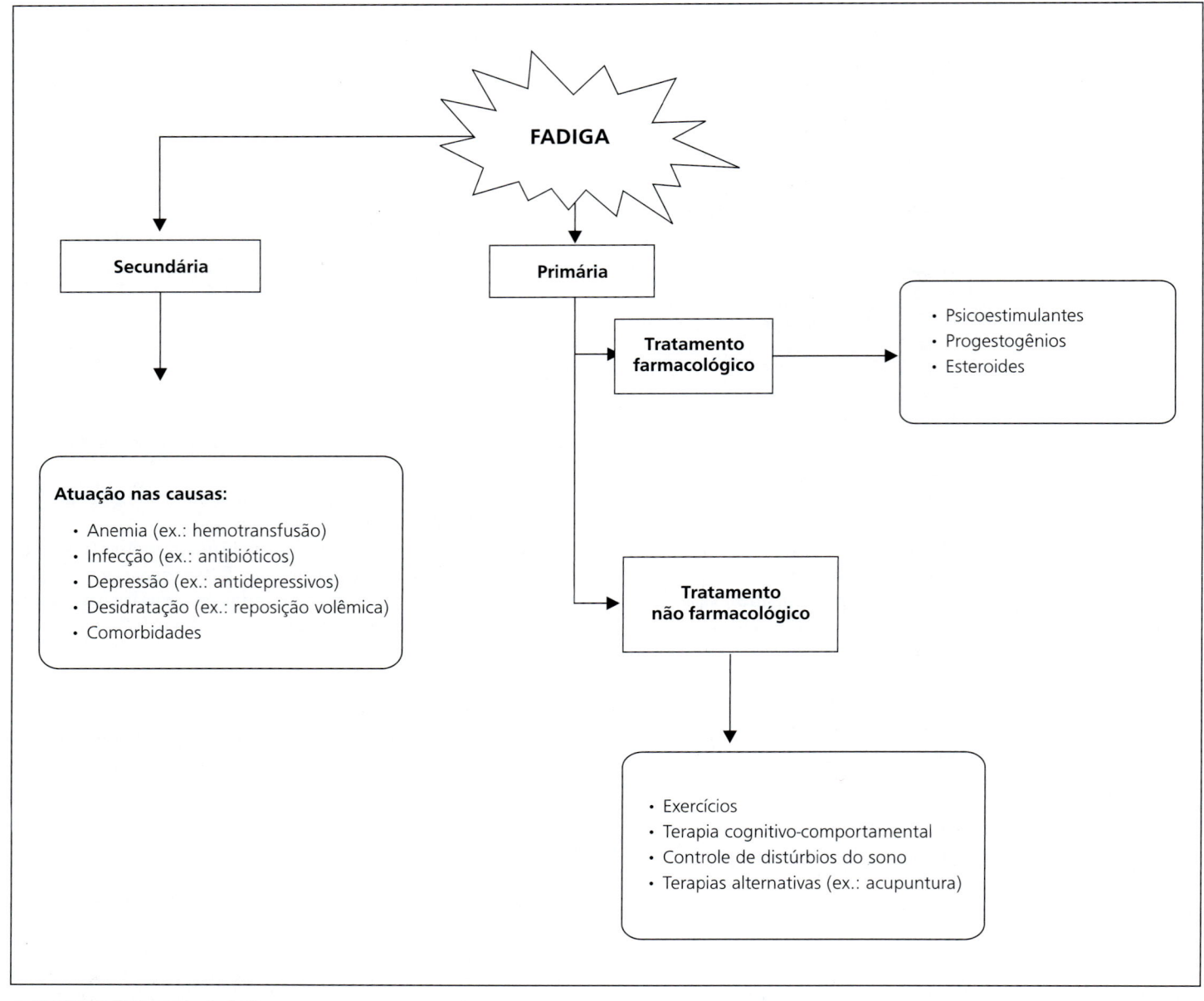

▲ FIGURA 2. Tratamento da fadiga.

- Fenômenos tromboembólicos.
- Retenção de líquidos.
- Sangramento vaginal.
- Insuficiência adrenal aguda.

Corticosteroides[23]

Os corticoides são utilizados frequentemente em pacientes com SAC que apresentam prognóstico inferior a 30 dias, pois seu efeito de ação é rápido, porém limitado a cerca de 4 semanas. Aumentam o apetite, diminuem as náuseas e aumentam o ganho de peso (sem ganho de massa muscular).

Utiliza-se a dexametasona na dose de 4-8 mg/dia e a metilprednisolona na dose de 5 mg a cada 8 h. Não existem muitos estudos com o uso da prednisona.

O mecanismo de ação também é no neuropeptídeo Y inibindo as citocinas circulantes (IL-1, IL-6 e TNF-α).

Seu efeito de ação é similar ao dos progestogênios.

Os efeitos colaterais são:

- Hipertensão arterial.
- Hipertrigliceridamia.
- Hiperglicemia.
- Alopecia.
- Edema periférico.
- Síndrome de Cushing (quando em altas doses ou por tempo prolongado).

Talidomida

Medicação de uso restrito em nosso país, por seus efeitos comprovadamente teratogênicos.

Inicialmente utilizada para a hiperêmese gravídica, passou a ser usada para o eritema nodoso dos pacientes com reação hansênica em 1997.

Atualmente é utilizada para o tratamento do mieloma múltiplo e alguns linfomas, principalmente quando surgem manifestações cutâneas, como o prurido por infiltração de pele.

A talidomida é um ácido glutâmico com efeito imunomodelador e anti-inflamatório. Inibe a produção de citocinas e interfere na angiogênese e no crescimento tumoral.

As doses utilizadas variam de 50 mg a 200 mg/dia.

Estudos têm evidenciado prevenção da perda de peso, diminuição da insônia e aumento do apetite. Outros benefícios, resultantes de sua ação anti-inflamatória também podem ser significativos, como o controle da dor.

Em estudo de fase II realizado para avaliação da titulação do uso de Talidomida para a SAC, 64% dos indivíduos que completaram pelo menos duas semanas do uso da medicação tiveram melhora do apetite. Além disso, pode-se observar melhora da saciedade precoce, dor, insônia e qualidade de vida. Os efeitos colaterais foram insignificantes para a maioria.[24]

Os efeitos colaterais mais frequentes, além da teratogenicidade, são:[24]

- Digestivos: xerostomia, constipação.
- Vasculares: tromboembolia, arritmias, hipotensão, edema.
- Neurológicos: neuropatia periférica, sonolência, tremores.

- Hematológicos: neutropenia, trombocitopenia.
- Dermatológicos: eritema, síndrome de Steven-Johnson.

Metilfenidato[25-29]

O metilfenidato é uma substância psicoestimulante derivada da anfetamina.

O seu mecanismo de ação é a potencialização dos receptores monoaminérgicos na fenda sináptica, bloqueando a captação de dopamina e facilitando a degradação das catecolaminas.[30]

Possui metabolização hepática e excreção renal. Sua meia-vida é curta (aproximadamente 2 h) e a biodisponibilidade oral varia de 11 a 52%.

O metilfenidato melhora a capacidade cognitiva dos pacientes que fazem uso de grandes doses de opioides, pois reduz a sedação opioide-induzida.

É bastante utilizado na depressão de pacientes em Cuidados Paliativos, pois tem início de ação mais rápido que dos antidepressivos comuns, o que é muito importante quando tratamos pacientes com prognóstico curto (< 40 dias).

O tratamento deve iniciar-se com 5-10 mg pela manhã, com titulação gradativa, podendo chegar a dose máxima de 60 mg/dia, dividido em uma dose pela manhã e outra na hora do almoço.

Os efeitos colaterais, que muitas vezes restringem o uso, são:

- Cefaleia.
- Taquicardia.
- HAS, insônia.
- Agressividade/agitação.
- Psicose.
- Náuseas e xerostomia.

Modafinil[26,31]

Foi aprovado pelo FDA em 1998.

Age na via de inibição do GABA, promovendo a degradação dos neurotransmissores excitatórios nos centros de regulação sono-vigília, no sistema nervoso central.

Apresenta metabolização hepática, excreção renal e meia-vida de cerca de 15 horas.

Assim como o metilfenidato, reduz a sedação opioide-induzida.

Inicia-se o tratamento com doses de 200 mg/dia, podendo-se chegar ao máximo de 400 mg/dia.

Os efeitos colaterais principais são:

- Agitação.
- Insônia.
- Náusea e diarreia.

Pemolina[19]

Apresenta mecanismo de ação similar ao Metilfenidato.

A maioria dos estudos é focado principalmente na fadiga de pacientes com HIV/AIDS.

Não existem muitos estudos utilizando a pemolina em pacientes oncológicos.

Seu uso é limitado pela potencial Hepatotoxicidade.

Donepezil[19]

Inibidor da Acetilcolinesterase no sistema nervoso central.

O donapezil é utilizado preferencialmente no tratamento de pacientes com doença de Alzheimer.

Não apresenta eficácia significativa na sedação opioide-induzida.

Apresenta meia-vida prolongada, aproximadamente 70 horas, e uma necessidade alta de ligação à proteína plasmática (96%), o que pode ser problemático na população de pacientes em Cuidados Paliativos.

A posologia adequada é de 5 a 10 mg/dia (dose noturna).

Os principais efeitos colaterais são:

- Bradicardia.
- Náusea e diarreia.
- Anorexia.
- Dor abdominal.

CONCLUSÃO

Podemos concluir que embora frequente e já bem documentada em literatura, a fadiga ainda é um sintoma pouco diagnosticado, subvalorizado e cuja abordagem adequada ainda está aquém do esperado em nosso meio.

Cabe lembrar que seu controle adequado é responsável direto pela melhoria da qualidade de vida em pacientes em vigência de tratamento e naqueles em Cuidados Paliativos.

Ainda existem muitos pontos nebulosos em relação à fadiga. Estudos estão sendo realizados para o esclarecimento de suas causas e direcionamento de abordagem mais direta e eficaz. Novas drogas estão sendo testadas, inclusive relacionadas à função mitocondrial, e ainda necessitamos de tempo para esperar esses resultados. Sabe-se, porém, que o atendimento individualizado de uma equipe multidisciplinar qualificada é imperioso para um resultado positivo.

REFERÊNCIAS BIBLIOGRÁFICAS

1. Ream E, Richardson A, Alexander-Dann C. Supportive intervention for fatigue in patients undergoing chemotherapy: a randomized controlled trial. *J Pain Symptom Manage* 2006 Feb.;31(2):148-61.
2. Kim Y, Hickok JT, Morrow G. Fatigue and depression in cancer patients undergoing chemotherapy: an emotion approach. *J Pain Symptom Manage* 2006 Oct.;32(4):311-21.
3. Teunissen SC, Wesker W, Kruitwagen C et al. Symptom prevalence in patients with incurable cancer: a systematic review. *J Pain Symptom Manage* 2007 July;34(1):94-104.
4. Bennett B, Goldstein D, Friedlander M et al. The experience of cancer-Related fatigue and chronic fatigue syndrome: a qualitative and comparative study. *J Pain Symptom Manage* 2007 Aug.;34(2):126-35.
5. Doyle D, Hanks G, Cherny N et al. Oxford Textbook of Palliative Medicine. 3th ed. Oxford Universty, 2004.
6. Hwang SS, Chang VT, Rue M et al. Multidimensional Independent Predictors of Cancer-Related Fatigue. *J Pain Symptom Manage* 2003 July;26(1):604-14.
7. Yavuzsen T, Davis MP, Ranganathan VK et al. Cancer-related fatigue: central or peripheral? *J Pain Symptom Manage* 2009 Oct.;38(4):587-96.
8. Inagaki M, Isono M, Okuyama T et al. Plasma interleukin-6 and fatigue in terminally ill cancer patients. *J Pain Symptom Manage* 2008 Feb.;35(2):153-61.
9. Fernandes R, Stone P, Andrews P et al. Comparison between fatigue, sleep disturbance, and circadian rhythm in cancer inpatients and healthy volunteers: evaluation of diagnostic criteria for cancer-related fatigue. *J Pain Symptom Manage* 2006 Sept.;32(3):245-54.
10. Stein KD, Jacobsen PB, Blanchard CM et al. Further validation of the multidimensional fatigue symptom inventory-short form. *J Pain Symptom Manage* 2004 Jan.;27(1):14-23.
11. Wu HS, Wyrwich KW, McSweeney M. Assessing fatigue in persons with cancer: further validation of the wu cancer fatigue scale. *J Pain Symptom Manage* 2006 Sept.;32(3):255-56.
12. Butt Z, Wagner LI, Beaumont JL et al. Use of a single-item screening tool to detect clinically significant fatigue, pain, distress, and anorexia in ambulatory cancer practice. *J Pain Symptom Manage* 2008 Jan.;35(1):20-30.
13. Silva TAA, Frisoli Jr A, Pinheiro MM et al. Sarcopenia associada ao envelhecimento: aspectos etiológicos e opções terapêuticas. *Rev Bras Reumatol* 2006 Nov./Dez.;46(6):391-97.
14. Gupta D, Lis CG, Grutsch JF. The relationship between cancer-related fatigue and patient satisfaction with quality of life in cancer. *J Pain Symptom Manage* 2007 July;34(1):40-47.
15. Okuyama T, Akechi T, Shima Y et al. Factors correlated with fatigue in terminally ill cancer patients: a longitudinal study. *J Pain Symptom Manage* 2008 May;35(5):515-23.
16. Jacobsen PB, Garland LL, Booth-Jones M et al. Relationship of hemoglobin levels to fatigue and cognitive functioning among cancer patients receiving chemotherapy. *J Pain Symptom Manage* 2004 July;28(1):7-18.
17. Berger AM, Farr LA, Kuhn BR et al. Values of sleep/wake, activity/rest, circadian rhythms, and fatigue prior to adjuvant breast cancer chemotherapy. *J Pain Symptom Manage* 2007 Apr.;33(4):398-409.
18. Dahele M, Skipworth RJ, Wall L et al. Objective physical activity and self-reported quality of life in patients receiving palliative chemotherapy. *J Pain Symptom Manage* 2007 June;33(6):676-85.
19. Radbruch L, Strasser F, Elsner F et al. Fatigue in palliative care patients an EAPC approach. *Palliat Med* 2008;22:13.

20. López AP, Figuls MR, Cuchi GU et al. Systematic review of megestrol acetate in the treatment of anorexia-cachexia syndrome. J Pain Symptom Manage 2004 Apr.;27(4):360-69.

21. Busquets S, Serpe R, Sirisi S et al. Megestrol acetate: its impact on muscle protein metabolism supports its use in cancer cachexia et al. Clin Nutrition 2010;29:733-37.

22. Toledo M, Marmonti E, Massa D et al. Megestrol acetate treatment influences tissue amino acid uptake and incorporation during cancer cachexia. SPEN Journal 2012;7:135-38.

23. Castejón E, Lambruschini N, Meavilla SM et al. Manejo farmacológico en el síndrome anorexia-caquexia. Act Diet 2010;14(4):182-86.

24. Davis M, Lasheen W, Walsh D et al. A pase II dose titration study of thalidomide for cancer-associated anorexia. J Pain Symptom Manage 2012 Jan.;43(1):78-86.

25. Repantis D, Schlattmann P, Laisney O et al. Modafinil and methylphenidate for neuroenhancement in healthy individuals: a systematic review. Pharmacol Res 2010;62:187-206.

26. Minton O, Richardson A, Sharpe M et al. Psychostimulants for the management of cancer-related fatigue: a systematic review and meta-analysis. J Pain Symptom Manage 2011 Apr.;41(4):761-67.

27. Auret KA, Schug SA, Bremner AP et al. A randomized, double-blind, placebo-controlled trial assessing the impact of dexamphetamine on fatigue in patients with advanced cancer. J Pain Symptom Manage 2009 Apr.;37(4):613-21.

28. Hardy SE. Methylphenidate for the treatment of depressive symptoms, including fatigue and apathy, in medically III older adults and terminally III adults. Am J Geriatr Pharmacother 2009 Feb.;7(1):34-59.

29. Blockmans D, Persoons P, Van Houdenhove B et al. Does methylphenidate reduce the symptoms of chronic fatigue syndrome? Am J Med 2006;119:167.e23-30.

30. Weikop P, Yoshitake T, Kehr J. Differential effects of adjunctive methylphenidate and citalopram on extracellular levels of serotonin, noradrenaline and dopamine in the rat brain. Eur Neuropsychopharmacol 2007;17:658-71.

31. Howard P, Shuster J, Twycross R et al. Therapeutic reviews – Psychostimulants. J Pain Symptom Manage 2010 Nov.;40(5):789-95.

234-3 Síndrome de Anorexia e Caquexia no Câncer

Cristhiane da Silva Pinto ■ **Larissa Calixto-Lima**

INTRODUÇÃO

Caquexia é uma palavra derivada do grego "kakos", que significa "mau", e "hexis", que significa "estado". Etimologicamente significa, portanto, "mau estado".[1,2]

No paciente portador de neoplasia maligna, consiste na desnutrição grave acompanhada de anorexia, alterações da sensibilidade do paladar, saciedade precoce e fraqueza.[3-5] Por ter intensa relação com a anorexia, o termo síndrome de anorexia e caquexia (SAC) tem sido utilizado com frequência na prática clínica e reiteradamente descrito na literatura.

Segundo *Fearon et al.*, a SAC pode ser definida como "*uma síndrome multifatorial caracterizada pela perda contínua de tecido muscular esquelético (com ou sem perda de massa gorda associada), que não pode ser totalmente revertida pelo suporte nutricional convencional, conduzindo ao comprometimento funcional progressivo do organismo*". Ainda segundo estes autores, a fisiopatologia da caquexia manifesta-se por um balanço negativo de proteínas e energia resultante da redução da ingestão alimentar associado às modificações metabólicas induzidas pelo câncer.[2]

Embora frequentemente associada à doença disseminada em pacientes com câncer avançado, a caquexia pode estar presente em estágio iniciais da enfermidade, antes de quaisquer sinais e sintomas de malignidade.[1] No momento do diagnóstico, manifesta-se em 15 a 40% dos pacientes oncológicos, podendo chegar até 80% na doença avançada.[6] A fadiga é o sintoma mais prevalente, atingindo cerca de 74% dos pacientes, seguida por perda de apetite (53%), perda de peso (46%), alteração de paladar, vômitos e saciedade precoce (entre 20 e 23%).[2,7]

Os tumores sólidos estão mais associados com a presença de caquexia do que os hematológicos, provavelmente pelo crescimento mais indolente.[8] A síndrome é a mais comum manifestação do câncer avançado em pacientes com tumores gástricos, pancreáticos, de pulmão, próstata e cólon.[2] A localização anatômica de alguns tumores (ex.: cabeça e pescoço e trato gastrointestinal) podem interferir diretamente com a deglutição, digestão e/ou absorção de alimentos/nutrientes.

ETIOPATOGENIA

A caquexia ainda não está completamente compreendida, mas um grande número de trabalhos sugere que seu desenvolvimento em paciente com câncer é secundário à concomitância de múltiplos fatores. Sabe-se que substâncias produzidas em decorrência da presença do tumor maligno, bem como substâncias produzidas por este, podem ter papel importante na síndrome da anorexia e caquexia.[4,5,9,10] Dois fatores secretados pelo tumor já foram identificados como promotores do emagrecimento, levando ao catabolismo muscular e perda de gordura corporal.[9,11,12]

Outro importante componente na gênese da caquexia cancerosa é a anorexia. Complicação mais frequentemente associada ao câncer, este sintoma está presente em 24% dos pacientes quando do diagnóstico, atingindo 80% na doença avançada. Consiste na perda de apetite, saciedade precoce, combinação de ambas ou alteração das preferências alimentares.

A caquexia pode ser classificada em primária, relacionada às consequências metabólicas associadas à presença do tumor; ou secundária, consequente aos tratamentos, seus efeitos secundários e comorbidades associadas (Quadro 3).

Estudos recentes evidenciaram uma possível associação entre o polimorfismo no gene referente ao alelo da citocina IL10-1082 G e maior risco de desenvolvimento da caquexia cancerosa.[2,7] Mais pesquisas ainda são necessárias no campo da genética para um melhor entendimento da predisposição individual à caquexia.

ALTERAÇÕES DO METABOLISMO INTERMEDIÁRIO

Metabolismo dos carboidratos[13,14]

Pacientes com câncer apresentam alterações importantes no metabolismo da glicose, pelo uso preferencial desse nutriente como fonte de energia pelas células tumorais, que consomem de 10 a 50 vezes mais glicose do que as células normais. Além disso, também ocorre resistência periférica à insulina, o que explica a não ocorrência de hipoglicemia recorrente. Parte da energia gerada ocorre de forma anaeróbica, resultando na forma-

Quadro 3. Fatores predisponentes à SAC secundária

	ALTERAÇÕES CLÍNICAS
Alterações diretas do trato gastrointestinal	■ Xerostomia ■ Infecções de cavidade oral (ex.: candidíase, lesões herpéticas etc.) ■ Lesões tumorais de cavidade oral (dor, disfagia, odinofagia) ■ Patologias gástricas (ex.: gastrite, úlceras pépticas, neoplasias etc.) ■ Náuseas/vômitos ■ Constipação ■ Obstrução intestinal maligna
Sintomas relacionados à diminuição da ingestão de alimentos	■ Dor ■ Dispneia ■ Fadiga ■ Depressão/ansiedade ■ *Delirium*/queda do *status* neurológico
Síndromes perdedoras de proteínas	■ Síndrome de malabsorção (ex.: doença de Crohn, doença de Whipple, doença celíaca, amiloidose etc.) ■ Doenças renais (ex.: síndrome nefrótica, nefrite intersticial aguda etc.) ■ Extensas lesões de contiguidade (ex.:feridas tumorais, infecções cutâneas, pacientes grandes queimados etc.) ■ Perda para o terceiro espaço (ascite, edemas periféricos etc.) ■ Paracenteses e toracocenteses de repetição ■ Uso de medicamentos
Doenças hipercatabólicas	■ Infecção ■ Diabetes melito ■ Alterações tireoidianas (ex.: crise tireotóxica) ■ Doenças cronicodegenerativas (ex.: insuficiência renal, insuficiência cardíaca, AIDS, DPOC, doenças neurológicas – ELA, Parkinson, Alzheimer)

ção de lactato, que é transportado para fígado e novamente metabolizado através do ciclo de Cori, com maior consumo de energia, essa reconversão resulta em um consumo de seis moléculas de ATP (adenosina trifosfato). Pacientes com câncer apresentam a atividade do ciclo de Cori aumentada em 2 a 3 vezes, levando a um aumento do gasto energético diário em aproximadamente 300 calorias.

Metabolismo dos lipídios[15,16]

Pacientes com câncer apresentam níveis elevados de lipídios circulantes, ocasionados pelo Fator Mobilizador de Lipídios (*Lipid Mobilizing Factor, LMF*), substância produzida pelo tumor, que age diretamente no tecido adiposo hidrolisando os triglicerídios a ácidos graxos livres e glicerol (pelo aumento de AMPc intracelular). Nesses pacientes, o catabolismo também está relacionado ao aumento da lipólise e diminuição da lipogênese, em decorrência da queda da lipase lipoproteica e do aumento da lipase hormoniossensível, resultando em decréscimo do peso corporal. Diferentemente do que ocorre em indivíduos normais, a administração de glicose é incapaz de inibir a mobilização e a oxidação das gorduras.

Metabolismo das proteínas[17-21]

Uma das principais alterações relacionadas ao câncer é a perda da proteína corporal. Diversos fatores contribuem para este quadro:

- *Elevação da síntese de proteínas da fase aguda:* enquanto uma pessoa saudável se adapta ao jejum por meio da utilização de gordura como fonte de energia, poupando assim as proteínas corporais, no câncer, essa adaptação é ineficaz. A resposta catabólica voltada para a produção de proteínas de fase aguda ocorre as custas de um intenso catabolismo proteico, observado principalmente pela inibição da síntese de albumina.
- *Maior ativação da via ubiquitina:* responsável pela acelerada proteólise observada na caquexia do câncer, essa via envolve a utilização de energia, contribuindo para o aumento do gasto energético nos pacientes oncológicos.
- *Aumento do catabolismo proteico:* está aumentado para fornecer ao organismo, aminoácidos para a gliconeogênese, com subsequente atrofia do músculo esquelético, atrofia de vísceras e miopatia.
- *Atividade física:* a imobilidade comumente observada nos pacientes oncológicos pode ser outro fator contribuinte na supressão da síntese proteica.

Um importante fator envolvido na perda de proteína é o Fator Indutor de Proteólise (Proteolysis Inducing Factor – PIF), ele é capaz de induzir tanto a degradação como inibia síntese proteica na musculatura esquelética, além de estimular diretamente a via ubiquitina.[5]

PRINCIPAIS FATORES CAQUÍTICOS

Citocinas inflamatórias[21,22]

As citocinas são glicoproteínas produzidas em resposta ao estímulo tumoral, que atuam gerando uma grande variedade de reações fisiológicas.

Diversas citocinas de alto poder pró-inflamatório – fator de necrose tumoral alfa (TNF-α, interleucina 1 (IL-1), interleucina 6 (IL-6) e interferon gama (IFNγ) – encontram-se com seus níveis aumentados na SAC, demonstrando a concepção da síndrome como um estado inflamatório crônico no qual a reação do hospedeiro à presença do tumor aparece como o principal agente causal.

O mecanismo de ação das citocinas supracitadas, assim como sua ação sobre o metabolismo de carboidratos, proteínas e lipídios, levando ao aparecimento da caquexia neoplásica, encontram-se descritos no Quadro 4.

Alterações hormonais

Vários neuropeptídeos, centrais e gastrointestinais, interferem na regulação da ingestão dos alimentos, assim como no gasto energético em pacientes oncológicos. Alterações nos níveis dessas substâncias também contribuem para a SAC (Quadro 5).

DIAGNÓSTICO E ESTÁGIOS DA CAQUEXIA[2,23,24]

O Consenso Internacional para definição e classificação da caquexia, publicado em 2011, estabelece como critério diagnóstico para caquexia:[2]

- Perda de peso involuntária maior que 5% em 6 meses.
- Perda de peso involuntária maior que 2% em indivíduos previamente emagrecidos segundo o índice de massa corporal (IMC < 20 kg/m²).
- Sarcopenia.

Quadro 4. Mecanismo de ação das citocinas inflamatórias na caquexia cancerosa e sua interferência sobre o metabolismo de macronutrientes

CITOCINAS PRÓ-INFLAMATÓRIAS	MECANISMO DE AÇÃO NA CAQUEXIA DO CÂNCER	INTERFERÊNCIA NO METABOLISMO DE MACRONUTRIENTES		
		CARBOIDRATOS	PROTEÍNAS	LIPÍDIOS
TNF-α	Secretada por macrófagos em resposta ao crescimento tumoral Regula o sistema imunológico e estimula a liberação de proteínas de fase aguda Pode induzir morte celular e inibir crescimento tumoral Induz inflamação Inibe ação da lipoproteína lípase	↑ Gliconeogênese ↑ Glicogenólise ↑ Lactato ↓ Glicogênese	↑ Proteólise ↑ Oxidação PTN ↑ Síntese de PTN hepática	↓ Lipogênese
IL-1	Secretado por macrófagos, leucócitos, fibroblastos e células dendríticas Regula o sistema imunológico Aumentam temperatura corporal Estimulam produção de IFN-γ Antagonizam ação do NPY, induzindo saciedade e, consequentemente, menor ingestão alimentar Induz má absorção de lipídios, anorexia e perda de peso	↑ Gliconeogênese	↑ Síntese de PTN hepática	↑ Lipólise ↓ LPL
IL-6	Secretada por linfócitos T e macrófagos Um dos mediadores primários da resposta de fase aguda Atua estimulando a liberação de proteínas de fase aguda Regula crescimento celular e função imunológica	–	↑ Síntese de PTN hepática	↑ Lipólise
IFN-γ	Produzido por linfócitos após estimulação por outras citocinas como IL-1 e TNF-α Estimula função imunológica Potencializa o efeito do TNF-α Inibe ação da lipoproteína lípase	–		↑ Lipólise ↓ LPL

Adaptado de Holmes (2011),[8] Silva (2006)[9] e Palesty (2011).[11]

Quadro 5. Atuação hormonal na gênese da SAC

	AÇÃO	ESTADO FISIOLÓGICO	CAQUEXIA DO CÂNCER
Leptina	Anorexígena ↓ Apetite	↓ Níveis (proporcional a gordura corporal)	Citocinas: estimulam expressão e liberação
NPY	Orexígena ↑ Apetite	↑ Níveis (regulação retroativa)	↓ (ativado pela diminuição da leptina)
Melanocortina	Anorexígena ↓ Apetite ↑ TMB	↓ (regulação retroativa)	Citocinas: sistema permanentemente ativo
Grelina	Orexígena ↑ Apetite	↑ Níveis (regulação retroativa)	Bloqueio da resposta adaptativa ao jejum

O grupo proponente de tal critério diagnóstico estabelece também a classificação da síndrome, segundo sua severidade, em pré-caquexia, caquexia e caquexia refratária.

- A fase de pré-caquexia é, sem sombra de dúvidas, a fase ideal para iniciar o tratamento, porém, infelizmente, a maioria dos pacientes de Cuidados Paliativos se apresenta em estágio mais avançado da síndrome no momento da avaliação inicial. Nessa fase, já é possível perceber a presença de hiporexia ou anorexia, bem como alterações metabólicas (descritas anteriormente) e uma perda de peso corporal inferior a 5%. Os pacientes nessa fase devem ser acompanhados frequentemente e medidas preventivas devem ser iniciadas.
- A fase de caquexia, onde se encontram a maioria dos pacientes em Cuidados Paliativos, é representada pela redução significativa da ingesta alimentar, bem como pela presença de fatores inflamatórios sistêmicos. Essa fase pode ser caracterizada por perda de peso corporal maior que 5% ou maior que 2% se associada à presença de sarcopenia. Nessa fase, a identificação e a atuação nas causas reversíveis se fazem necessárias, sendo importante a abordagem de equipe multiprofissional.
- A caquexia refratária está relacionada a baixos índices de *Performance Status* e curta expectativa de vida. Nesse momento, são considerados ineficazes os tratamentos ativos, sendo importantes a paliação de sintomas e o apoio aos pacientes e familiares.

TRATAMENTO

Para a abordagem adequada dos pacientes com SAC, faz-se necessário, o diagnóstico diferencial entre SAC primária e secundária. Todas as causas reversíveis devem ser avaliadas e tratadas.

Neste capítulo, abordaremos apenas a SAC primária.

Terapêutica farmacológica

O arsenal terapêutico para o tratamento da SAC primária não mudou muito nos últimos anos. Medicações potencialmente orexígenas são atualmente as mais utilizadas, porém seu uso é limitado pelo tempo curto de ação, efeitos colaterais ou mesmo questões legais associadas. Novas abordagens estão sendo pesquisadas e algumas substâncias têm apresentado bons resultados *in vitro*.[24,25]

Acetato de megestrol[26]

O acetato de megestrol (AM) foi inicialmente desenvolvido como contraceptivo, e seu uso para pacientes com neoplasia de mama foi liberado pelo FDA em 1967.

Atua sobre as células tumorais hormônio-dependentes, possuindo efeitos inibidores do crescimento celular. Foi observado, durante o tratamento de pacientes com neoplasias de mama e endométrio, um aumento expressivo do apetite e do ganho de peso, sendo assim, seu efeito orexígeno passou a interessar pesquisadores e profissionais de saúde. Em 1993 foi aprovado pelo FDA para o uso em pacientes com SAC pelo HIV.

O mecanismo de ação sugere inibição de citocinas pró-inflamatórias, principalmente TNF-α via neuropeptídeo Y.

Atualmente, existem vários estudos na população de pacientes oncológicos, que evidenciam significativo aumento do apetite, diminuição das náuseas, aumento do ganho de peso e da qualidade de vida. A maioria, porém, não comprova aumento de massa muscular.

Artigos publicados, sugerem benefício do AM quando comparado ao placebo. As doses variaram entre 160 mg/dia a 1.600 mg/dia, com dose média de 400 mg/dia, como mostra extensa revisão sistemática publicada em 2004.[27]

Em dois estudos recentes, realizados em ratos, observou-se que o AM não só aumentou o apetite, diminuiu as náuseas/vômitos, melhorou o ganho de peso, bem como proporcionou ganho de massa muscular (resultados significativos estatisticamente). O AM influenciou positivamente no *turn-over* muscular e aumentou a captação de aminoácidos bem como sua utilização para a formação de proteína muscular. Os estudos mostraram, inclusive, aumento da massa muscular cardíaca, com aumento da contratilidade miocárdica. Estes resultados ainda não foram reproduzidos em humanos.[28,29]

Seu início de ação se dá após uma semana, podendo estender-se por cerca de 4 meses, o que indica seu uso para pacientes com prognóstico maior que 40 dias.

Os efeitos colaterais, que muitas vezes podem ser responsáveis pela suspensão do tratamento, incluem:

- Hipertensão arterial sistêmica.
- Hiperglicemia.
- Fenômenos tromboembólicos.
- Retenção de líquidos.
- Sangramento vaginal.
- Insuficiência adrenal aguda.

Corticosteroides[26]

Os corticoides são utilizados frequentemente em pacientes com SAC que apresentam prognóstico inferior a 30 dias, pois seu efeito de ação é rápido, porém limitado a cerca de 4 semanas. Aumentam o apetite, diminuem as náuseas e aumentam o ganho de peso (sem ganho de massa muscular).

Utiliza-se a dexametasona na dose de 4-8 mg/dia e a metilprednisolona na dose de 5 mg a cada 8 h. Não existem muitos estudos com o uso da prednisona.

O mecanismo de ação também é no neuropeptídeo Y inibindo as citocinas circulantes (IL-1, IL-6 e TNF-α).

Seu efeito de ação é similar ao dos progestogênios.

Os efeitos colaterais são:

- Hipertensão arterial.
- Hipertrigliceridamia.
- Hiperglicemia.
- Alopecia.
- Edema periférico.
- Síndrome de Cushing (quando em altas doses ou por tempo prolongado).

Canabinoides

Os canabinoides são substâncias que atuam nos receptores canabinoides, que podem ser: fitocanabnoides (derivados da *cannabis sativa* e estruturalmente relacionados ao tetra-hidrocanabinol – THC), endocanbinoides e canabinoides sintéticos, e atuam no sistema nervoso central.

Seu uso é aprovado em alguns países para o uso na SAC, principalmente de pacientes com HIV, bem como para o tratamento das náuseas e vômitos associados à quimioterapia.

Em um estudo randomizado, duplo-cego, em pacientes com AIDS e perda ponderal clinicamente significativa, o dronabinol em doses de 2,5 mg 2x/dia aumentou o apetite em 38% dos pacientes, se comparado a 8% dos pacientes que usaram placebo (P = 0,015). Aumento do peso corporal, diminuição da náusea e melhora do humor também foram relatados. Efeitos colaterais foram brandos e geralmente resolvidos com a diminuição da dose para 2,5 mg 1x/dia.[30]

Estudos estão sendo realizados nos EUA com Dronabinol (Marinol), na dose de 2,5 mg/12 h (dose máxima 20 mg/dia) e no Canadá com a Nabilona (Cesamet) na dose de 1-2 mg/dia (dose máxima de 6 mg/dia).[26]

Seu mecanismo de ação também é relacionado às citocinas circulantes. Seus efeitos colaterais são:[31]

- Sonolência.
- Euforia.
- Vertigem.
- Embotamento cognitivo.

Estudo realizado com uso prolongado de Canabinol por 12 meses apresentou melhora significativa dos pacientes em uso da substância, quando relacionados aos pacientes que usaram placebo:[31]

- Aumento do apetite 37% com canabinol e 17% com placebo.
- Ganho ponderal 22% com canabinol e 10,5% com placebo.
- Diminuição de náuseas 22% com canabinol e 4% com placebo.

Não foram observadas complicações ou adição com o uso prolongado da substância.

Hormônio do crescimento e esteroides anabolizantes[26,32]

Em indivíduos saudáveis, os derivados da testosterona (fluoximesterona, nandrolona e oxandrolona) aumentam a massa muscular e diminuem a gordura. Com base nesses resultados têm sido estudados nas populações de pacientes com SAC.

O GH mostrou-se um estimulador da síntese de proteína muscular em estados catabólicos. Seu uso é bastante frequente em pacientes com SAC por AIDS e DPOC.

A testosterona e seus derivados estimulam a síntese de proteína muscular e inibem a liberação de citocinas pró-inflamatórias mediada por macrófagos. Estudos têm mostrado o benefício desses agentes no ganho de peso, de massa muscular e nos parâmetros funcionais (melhora do KPS) em pacientes com SAC.[32] Entretanto, a maioria dos estudos ocorreu em pacientes com AIDS e DPOC. Deve-se ter cuidado com o uso dessas substâncias em pacientes com câncer de mama e próstata, pelo risco de estimulação do crescimento tumoral.

A oxandrolona é ligada 95% a proteína plasmática e relativamente resistente à biotransformação hepática, resultando em altas concentrações plasmáticas e menos risco de toxicidade. Apresenta mínimo efeito androgênico e não aumenta os níveis de estrogênio, removendo o risco de ginecomastia. As mulheres toleram bem a medicação, que é também usada para casos de osteoporose, não causa virilização. Quando administrada em baixas doses (10 mg/dia) não suprime a gonadotrofina.

Os principais efeitos colaterais da oxandrolona são:

- Elevação de transaminases.
- Diminuição do HDL.

Talidomida

Medicação de uso restrito em nosso país, por seus efeitos comprovadamente teratogênicos.

Inicialmente utilizada para a hiperêmese gravídica, passou a ser usada para o eritema nodoso dos pacientes com reação hansênica em 1997.

Atualmente é utilizada para o tratamento do mieloma múltiplo e alguns linfomas, principalmente quando surgem manifestações cutâneas, como o prurido por infiltração de pele.

A talidomida é um ácido glutâmico com efeito imunomodelador e anti-inflamatório. Inibe a produção de citocinas e interfere na angiogênese e no crescimento tumoral.

As doses utilizadas variam de 50 mg a 200 mg/dia.

Estudos têm evidenciado prevenção da perda de peso, diminuição da insônia e aumento do apetite. Outros benefícios, resultantes de sua ação anti-inflamatória também podem ser significativos, como o controle da dor.

Em estudo de fase II realizado para avaliação da titulação do uso de talidomida para a SAC, 64% dos indivíduos que completaram pelo menos duas semanas do uso da medicação, teve melhora do apetite. Além disso, pode-se observar melhora da saciedade precoce, dor, insônia e qualidade de vida. Os efeitos colaterais foram insignificantes para a maioria.[33]

Os efeitos colaterais mais frequentes, além da teratogenicidade, são:[30]

- *Digestivos:* xerostomia, constipação.
- *Vasculares:* tromboembolia, arritmias, hipotensão, edema.
- *Neurológicos:* neuropatia periférica, sonolência, tremores.
- *Hematológicos:* neutropenia, trombocitopenia.
- *Dermatológicos:* eritema, síndrome de Steven-Johnson.

Inibidores do TNF-α: Infliximab, Etanercept, Adalimumab[15]

Inibidores do TNF-α são habitualmente usados em estados inflamatórios, como artrite reumatoide e psoriática e doença de Crohn.

O estado inflamatório tem sido implicado na fisiopatologia da SAC o que torna essas medicações potencialmente benéficas nesses casos.

Estudos realizados com pacientes portadores de doenças inflamatórias que foram tratados com essa classe de drogas, evidenciaram ganho de peso significativo, bem como melhora do apetite.

Melanocortina[34]

O sistema da melanocortina está localizado no SNC, no hipotálamo, próximo ao terceiro ventrículo. Essa área é irrigada por extensa rede vascular, estando em íntimo contato com as citocinas circulantes.

O sistema é composto por:

- *Neurônios anorexígenos (POMC):* quando estimulados geram diminuição da fome, aumento da taxa de metabolismo basal e diminuição da massa magra.
- *Neurônios orexígenos (neuropeptídeo Y e AgRP):* antagonizam os POMC.
  A administração de leptina aumenta a expressão de POMC acompanhada por uma diminuição na alimentação.

Os neurônios POMC e AgRP também respondem a fatores orexígenos circulantes, como a grelina (hormônio produzido no estômago)

Estudos estão sendo desenvolvidos tanto no campo do tratamento da SAC quanto para o tratamento da obesidade e o principal efeito colateral tem sido a labilidade da pressão arterial. Embora os resultados pareçam promissores a que se lembrar, que não há estudos na população humana, apenas experimentos laboratoriais, portanto não há garantias de real benefício para nossa população de pacientes.

Grelina e agonistas da grelina[15,19]

A grelina é um hormônio com a capacidade para se ligar ao GHSR-1a no hipotálamo e estimular a libertação do hormônio do crescimento (GH).

A grelina é libertada pelas células endócrinas no antro gástrico e seus níveis crescem em relação tempo dependente a última alimentação. Como tal, é vista como um hormônio de início de refeição, mas também pode ter as propriedades de crescimento, alertando os centros reguladores do apetite no organismo em relação à disponibilidade de alimentos altamente calóricos.

Ações da grelina sobre balanço energético são mediadas, em parte, através do seu efeito sobre os centros reguladores centrais do apetite, como o sistema de melanocortina.

A grelina liga-se a GHSR-1a no núcleo arqueado e no núcleo ventromedial. No caso do sistema da melanocortina, a estimulação da grelina resulta em um aumento na expressão e a libertação do AgRP e do neuropeptídeo Y e uma diminuição na expressão do POMC.

No entanto, as ações da grelina relativas à caquexia não se limitam a estes efeitos centrais. Os efeitos adicionais são:

- *Inflamação:* o GHSR-1a é expresso nos linfócitos, e a administração de agonistas de grelina ou GHSR-1a evidenciam a diminuição da expressão de citocinas inflamatórias em monócitos e células T, diminuindo a inflamação sistêmica.
- *Cardiovascular:* aumento da pressão arterial e diminuição do débito cardíaco.
- *Armazenamento de gordura:* potentes efeitos sobre o armazenamento de gordura.
- *Motilidade gástrica:* acelera a taxa de esvaziamento gástrico.

- *Manutenção da taxa de glicose sérica no jejum:* através de ligação com receptores de GH no hipotálamo.

Estudos demonstram que pacientes com SAC apresentam níveis muito mais altos de grelina circulante do que os indivíduos saudáveis e o motivo pelo qual estes níveis elevados são incapazes de aumentar o apetite e diminuir a perda de peso é desconhecido. Altos níveis de grelina estão também relacionados a estágios avançados de doença.

Terapêutica nutricional

A intervenção assistencial em paciente com caquexia neoplásica tem por objetivo promover a qualidade de vida e aliviar os sintomas decorrentes da presença do tumor.[35] Diversas medidas dietéticas e farmacológicas podem ser utilizadas com esta finalidade e, para tanto, o plano de cuidado proposto deve envolver a equipe interdisciplinar, o paciente e sua família.[3,23]

A terapia nutricional via oral deve ser preservada sempre que possível. No entanto, a presença de efeitos colaterais ocasionados pelo tumor – nomeadamente anorexia, saciedade precoce, alteração de paladar, constipação, diarreia, disfagia e odinofagia, náuseas e vômitos – frequentemente presentes em pacientes com caquexia e câncer avançado, limitam o consumo alimentar adequado.[20] Para tanto, estratégias dietéticas (Quadro 6) podem ser utilizadas com o intuito de minimar os sintomas descritos e, consequentemente, melhorar o aporte energético-proteico.[36]

Mediante uma aceitação alimentar insuficiente, ou seja, inferior a 60% das necessidades energéticas em 5 dias, é conveniente otimizar a aceitação alimentar com o acréscimo de alimentos calóricos e proteicos ou lançar mão de suplemento industrializado nutricionalmente completo.[20,2] Este último, todavia, é desvantajoso em razão da monotonia de sabor e o alto custo.

Permanece controversa a indicação de suporte nutricional enteral nos casos em que as estratégias já citadas fracassam ou quando a utilização da via oral encontra-se impossibilitada. Segundo diretrizes da ASPEN, em estudo de August *et al.*[37] com grau de evidência B, o uso paliativo de terapia nutricional em paciente com câncer em fase terminal torna-se raramente indicado. Para Fearon *et al.*,[2] a utilização de terapia nutricional convencional não é suficiente para reverter a perda de massa muscular característica da caquexia.

Quadro 6. Estratégias terapêuticas para minimizar sintomas gastrointestinais ocasionados pelo tumor

Anorexia	Aumentar o fracionamento da dieta Melhorar a apresentação dos pratos Possibilitar a escolha das refeições Utilizar bebidas nutritivas Proporcionar ambiente agradável para as refeições
Saciedade precoce	Fracionar as refeições com lanches pequenos e em intervalos curtos Evitar bebidas durante as refeições Evitar alimentos crus Evitar preparações gordurosas
Alteração de paladar	Substituir alimentos pouco tolerados por aqueles nutricionalmente similares Temperar os alimentos com condimentos para melhorar o paladar Fornecer maior quantidade de alimentos fonte de zinco
Constipação	Aumentar a ingestão hídrica Excluir alimentos constipantes Alimentos laxantes: verduras cruas, frutas com casca, laranja com bagaço, mamão, ameixa seca, farelo de aveia, quiabo, maxixe, brócolis, vagem, berinjela, couve-flor, abóbora, feijão, pão e arroz integral
Diarreia	Aumentar a ingestão hídrica Substituir o açúcar e o mel pelo adoçante ou pela maltodextrina Excluir alimentos laxantes Excluir alimentos flatulentos como alho, cebola, repolho, brócolis, doces em geral, queijos, feijão, ervilha, bebidas gaseificadas, café, uva, melão, melancia, aveia Excluir alimentos fritos, condimentos (exceto sal) Alimentos constipantes: banana, caju, goiaba, maçã e pera sem casca, legumes cozidos, macarrão, arroz, pão branco, biscoitos e bolachas, papas de Mucilom®, Maisena®, Cremogema®, Arrozina®
Xerostomia	Ingerir pequenas quantidades de líquido frequentemente Evitar alimentos secos Dar preferência a alimentos com molhos, em forma de purê, caldos, sorvetes Utilizar alimentos ácidos, balas e gomas Espremer limão em baixo da língua
Mucosite	Aumentar ingestão hídrica Evitar alimentos em temperaturas extremas (quentes ou gelados) Excluir da dieta alimentos secos, duros, sal ou especiaria, temperos apimentados e ácidos
Disfagia e odinofagia	Preferir alimentos em consistência pastosa Utilizar o canudo para facilitar a deglutição Evitar alimentos em temperaturas extremas (quentes ou gelados) Utilizar espessantes em alimentos líquidos ou líquido-pastosos
Náuseas	Aumentar o fracionamento e diminuir o volume da dieta Evitar alimentos condimentados, gordurosos e doces Preferir alimentos secos, como torradas, biscoitos, pão Preferir alimentos em temperatura fria ou gelada Alternar refeições líquidas com as sólidas Ficar afastado da cozinha durante o preparo das refeições Comer antes de ficar com fome, pois a fome pode exacerbar as náuseas
Vômitos	Oferecer líquidos frios como água, chás e sucos Não insistir na ingestão de alimentos, se a sensação persistir

Adaptado de Calixto-Lima.[17]

Nutracêuticos no tratamento da caquexia cancerosa: ácidos graxos ômega-3

De acordo com sua composição química, os ácidos graxos dividem-se em três tipos principais: saturados (AGS), monoinsaturados (AGMI) e poli-insaturados (AGPI). Os AGPIs, de acordo com a posição da dupla ligação na molécula, se subdividem em dois tipos: ômega-6 (ω-6) e ômega-3 (ω-3). Estes são chamados de essenciais por não serem produzidos pelo organismo, sendo então necessária sua ingestão dietética.

Existem quatro famílias de eicosanoides: as prostaglandinas, os tromboxanos, as prostaciclinas (originadas pela via ciclo-oxigenase) e os leucotrienos (originados pela via lipo-oxigenase). Prostaglandinas e leucotrienos da série par 2 (PGE2) e 4 (LTE4) promovem, quando em quantidades elevadas, a inflamação. Em contrapartida, as séries ímpares 3 (PGE3) e 5 (LTE5) das mencionadas substâncias são menos inflamatórias e modulam a função imunológica de uma maneira benéfica ao organismo.

Os benefícios da utilização de ácidos graxos ω-3 em pacientes com caquexia neoplásica ainda não estão completamente estabelecidos.[19] O aumento da oferta deste imunonutriente parece estar relacionado à supressão da secreção de citocinas pró-inflamatórias IL-1, IL-6 e TNFα.[5,38] A suplementação com ω-3, particularmente EPA, também inibe a ação do PIF (Fator Indutor de Proteólise) e reduz a produção de ubiquitina – principal proteína envolvida na indução de proteólise – podendo, assim, exercer efeito inibitório sobre o catabolismo proteico no paciente com caquexia.[5,6,13]

Bruera et al. (2003) utilizaram, durante duas semanas, óleo de peixe nas doses diárias de 1,8 g de EPA e 1,2 g de DHA e não demonstrou alterações significativas no apetite, no estado nutricional e nem melhora de disfunções físicas em pacientes com câncer avançado.[39]

Bossola et al. (2007), em ensaio multicêntrico em mais de 400 pacientes com câncer, compararam a utilização do w-3 com o um estimulante de apetite (acetato de megestrol). O primeiro mostrou-se mais efetivo na melhora do apetite e da qualidade de vida; no entanto, o segundo demonstrou maior efetividade no ganho ponderal.[40]

No estudo de Inui (2002), a suplementação oral por 3 meses de cápsulas de óleo de peixe – 18% de EPA e 12% de DHA – 12 tabletes/dia, levaram à diminuição da fadiga e redução das proteínas de fase aguda pela supressão na produção de IL-6.[15]

Fearon et al. (2003), em estudo multicêntrico, randomizado e duplo-cego em 200 pacientes portadores de neoplasia de pâncreas, avaliaram os efeitos da suplementação oral de energia, proteína, w-3 e vitaminas C e E em relação ao grupo controle recebendo apenas suplementação calórico-proteica. O grupo recebendo w-3 e vitaminas antioxidantes apresentou melhora estatisticamente significativa no ganho de peso e na qualidade de vida.[41]

Mais estudos são necessários para avaliar os benefícios da suplementação de ω-3 no apetite e na caquexia do câncer; os resultados são promissores, visto que as propriedades deste AGPI minimizando a resposta inflamatória já foram largamente demonstradas.

CONSIDERAÇÕES FINAIS

Podemos concluir que a SAC é muito frequente em várias patologias e sua presença em pacientes com câncer avançado é um sinal de gravidade e mau prognóstico.

Muitos estudos estão sendo desenvolvidos para a determinação de medicações capazes de deter ou protelar o desenvolvimento da SAC, porém muito ainda há de se pesquisar.

O que podemos garantir é que para que os pacientes com SAC possam ser adequadamente abordados, é imprescindível o trabalho rigoroso de uma equipe multiprofissional capacitada.

REFERÊNCIAS BIBLIOGRÁFICAS

1. Bennani-Baiti N, Walsh Jr D. What is cancer anorexia-cachexia syndrome? A historical perspective. *Call Physicians Edinb* 2009;39:257-62.
2. Fearon K, Strasser F, Anker SD et al. Definition and classification of cancer cachexia: an international consensus. *Lancet Oncol* 2011;12:489-95.
3. Argilés JM, Olivan M, Busquets S et al. Optimal management of cancer anorexia-cachexia syndrome. *Cancer Manage Res* 2010;2:27-38.
4. Evans WJ, Morley JE, Argilés J et al. Cachexia: A new definition. *Clin Nutr* 2008;27(6):793-99.
5. Tisdale MJ. Cachexia in cancer patients. *Nature Reviews Cancer* 2002;2(11):862-71.
6. Waitzberg DL, Nardi L, Ravacci G et al. Síndrome da anorexia e caquexia em câncer: abordagem terapêutica. Dieta, nutrição e câncer. São Paulo: Atheneu, 2004. p. 334-52.
7. Consenso brasileiro de caquexia e anorexia em cuidados paliativos. *Rev Bras Cuidados Paliativos* 2011;3(3):3-42.
8. Bozzetti F, Mariani L. Defining and classifying cancer cachexia: a proposal by the SCRINIO Working Group. *JPEN J Parenter Enteral Nutr* 2009;33(4):361-67.
9. MacDonald N. Cancer cachexia and targeting chronic inflammation: a unified approach to cancer treatment and palliative/supportive care. *J Support Oncol* 2007;5(4):157-62.
10. Martgnoni ME, Kunze P, Friess H. Cancer cachexia. *Molecular cancer* 2003;2:36-39.
11. Nelson KA. The cancer anorexia-cachexia syndrome. *Sem Onco* 2000;27(1):64-68.
12. Rubin H. Cancer cachexia: its correlations and causes. *Proc Natl Acad Sci USA* 2003;100(9):5384-89.
13. Silva MPN. Síndrome da anorexia-caquexia em portadores de câncer. Anorexia-cachexia syndrome in cancer patients. *Rev Bras Cancerol* 2006;52(1):59-77.
14. Guppy M, Leedman P, Zu X et al. Contribution by different fuels and metabolic pathways to the total ATP turnover of proliferating MCF-7 breast cancer cells. *Biochem J* 2002;364:309.
15. Inui A. Cancer anorexia-cachexia syndrome: current issues in research and management. *CA Cancer J Clin* 2002;52:72-91.
16. Tisdale MJ. Cachexia in cancer patients. *Nature Reviews Cancer* 2002;2(11):862-71.
17. Holmes S. Understanding cachexia in patients with cancer. *Nursing Standard* 2010;25(21):47-56.
18. Silva MPN. Síndrome da anorexia-caquexia em portadores de câncer. Anorexia-cachexia syndrome in cancer patients. *Rev Bras Cancerol* 2006;52(1):59-77.
19. DeBoer MD. Ghrelin and cachexia: will treatment with GHSR-1a agonists make adifference for patients suffering from chronic wasting syndromes? *Mol Cell Endocrinol* 2011 June 20;340(1):97-105.
20. Palesty JA, Dudrick SJ. Cachexia, malnutrition, the refeending syndrome, and lesson from goldilocks. *Surg Clin N Am* 2011;91:653-73.
21. Argilés JM, Busquets S, García-Martínez C et al. Mediators involved in the cancer anorexia-cachexia syndrome: past, present and future. *Nutrition* 2005;21:977-85.
22. Argilés JM, Busquets S, Lopez-Soriano FJ. Cytokines in the pathogenesis of cancer cachexia. *Curr Opin Clin Nutr Metab Care* 2003;6(4):401-6.
23. Fearon KCH. Developing multimodal therapy for a multidimensional problem – Cancer cachexia. *Eur J Cancer* 2008;44(8):1124-11.
24. Declan Walsh. Medicina Paliativa. Espanha: Elsevier España, 2010.
25. Doyle D, Hanks G, Cherny NI. *Oxford Textbook of Palliative Medicine*. 3th ed. Oxford: Oxford Universty, 2004.
26. Castejón E, Lambruschini N, Meavilla SM et al. Manejo farmacológico en el síndrome anorexia-caquexia. *Act Diet* 2010;14(4):182-86.
27. López AP, Figuls MR, Cuchi GU et al. Systematic Review of Megestrol Acetate in the Treatment of Anorexia-Cachexia Syndrome. *J Pain Symptom Manage* 2004 Apr.;27(4):360-69.
28. Busquets S, Serpe R, Sirisi S et al. Megestrol acetate: its impact on muscle protein metabolism supports its use in cancer cachexia. *Clin Nutrition* 2010;29:733-37.
29. Toledo M, Marmonti E, Massa D et al. Megestrol acetate treatment influences tissue amino acid uptake and incorporation during cancer cachexia. *SPEN Journal* 2012;7:135-38.
30. Beal JE, Olson R, Laubenstein L et al. Dronabinol as a treatment for anorexia associated with weight loss in patients with AIDS. *J Pain Symptom Manage* 1995 Feb.;10(2):89-97.
31. Beal JE, Olson R, Laubenstein L et al. Long-term efficacy and safety of dronabinol for acquired immunodeficiency syndrome-associated anorexia. *J Pain Symptom Manage* 1997 July;14(1):7-14.
32. Blum D, Omlin A, Baracos V et al. Cancer cachexia: a systematic literature review of items and domains associated with involuntary weight loss in cancer. European Palliative Care Research Collaborative. *Crit Rev Oncol Hematol* 2011 Oct.;80(1):78-86.

33. Davis M, Lasheen W, Walsh D *et al.* A Phase II Dose Titration Study of Thalidomide for Cancer-Associated Anorexia. *J Pain Symptom Manage* 2012 Jan.;43(1):78-86.
34. DeBoer MD. Update on melanocortin interventions for cachexia: progress toward clinical application. *Nutrition* 2010;26:146-51.
35. Grimble RF. Nutritional therapy for câncer cachexia. *Gut* 2003;52:1391-92.
36. Calixto-lima L, Andrade EM, Gomes AP *et al.* Dietetic management in gastrointestinal complications from antimalignant chemotherapy. *Nutr Hop* 2012;27(1):65-75.
37. August DA, Huhmann MB. ASPEN clinical guidelines: nutrition support therapy during adult anticancer treatment and in hematopoietic cell transplantation. *JPEN J Parenter Enteral Nutr* 2009;33:472-500.
38. Yavuzsen T, Davis MP, Walsh D *et al.* Systematic review of the treatment of cancer – Associated anorexia and weight loss. *J Clin Oncol* 2005;23(33):8500-11.
39. Bruera E, Strasser F, Palmer JL *et al.* Effect of fish oil on appetite and other symptoms in patients with advanced cancer and anorexia/cachexia: a double-blind, placebo-controlled study. *J Clin Oncol* 2003;21(1):129-34.
40. Bossola M, Pacelli F, Tortorelli A *et al.* Cancer caquexia: it's time for more clinical trials. *Ann Surg Oncol* 2007;14(2):276-85.
41. Fearon KCH, von Meyenfeldt MF, Moses AGW *et al.* Effect of a protein and energy dense n-3 fatty acid enriched oral supplement on loss of weigth and lean tissue in cancer cachexia: a randomized double blind trial. *Gut* 2003;52:1479-86.

234-4 Náusea e Vômito

Marina Sevilha Balthazar dos Santos ■ Alessandra Zanei Borsatto

INTRODUÇÃO

A ocorrência de náusea e vômito é muito comum em oncologia, tanto nos pacientes em tratamento ativo (náusea e vômito induzidos por quimioterapia e/ou radioterapia) como também nos pacientes em cuidados paliativos exclusivos. Estão associados a grande desconforto e impactam diretamente na qualidade de vida.[1] Uma revisão sistemática que incluiu 44 estudos demonstrou que no câncer incurável a prevalência de náusea e vômitos é de 31 e 20%, respectivamente.[2] A prevalência destes sintomas também varia de acordo com o sítio primário, sendo as mais comuns as neoplasias do trato gastrointestinal e abdome – ginecológicas (42%), gástricas (36%), esofágicas (26%) e colorretais (22%). Entre as outras neoplasias, destacam-se por exemplo as pulmonares, com uma incidência de 16%.[3]

A ocorrência deste sintoma afeta as esferas física, emocional e social, agravando inclusive outros sintomas como a síndrome anorexia-caquexia, a tristeza e a dor. Isso em última instância acaba por ocasionar piora da qualidade de vida de um modo geral, que é muitas vezes bastante significativa. Considerando-se a alta prevalência e o impacto que a náusea e o vômito provocam nos pacientes oncológicos, todo profissional de saúde responsável por estes pacientes deve conhecer os principais fatores relacionados com a sua fisiopatologia, a fim de reconhecer os pacientes em maior risco e prevenir o sintoma sempre que possível, assim como oferecer as modalidades de tratamento mais eficazes disponíveis.

FISIOPATOLOGIA

A fisiopatologia da náusea e do vômito envolve mecanismos complexos, e parece estar intimamente relacionada com duas estruturas principais localizadas no sistema nervoso central: a zona de gatilho quimiorreceptora (ZGQ) e o centro do vômito (CV).[4] A primeira é uma estrutura localizada na porção caudal do quarto ventrículo, conhecida como área postrema. Decorrente de seu importante papel na gênese da êmese, ficou também conhecida como zona de gatilho quimiorreceptora. Esta sozinha não é capaz de desencadear o estímulo emético, mas o faz por meio de projeções neurais para a segunda estrutura, o centro do vômito. Este consiste em um arranjo de redes neuronais interrelacionadas, localizado na formação reticular lateral da medula. Esta área inclui o núcleo do trato solitário e o núcleo motor dorsal do vago. O primeiro reúne quatro vias aferentes neuronais de maior importância. São elas:

A) Vias periféricas (por meio dos nervos vago e esplâncnico) do trato gastrointestinal, cápsulas viscerais e superfícies parietais serosas.
B) Conexões neuronais da zona de gatilho quimiorreceptora (estrutura circunventricular localizada no quarto ventrículo, implicada em uma série de mecanismos emetogênicos).
C) Vias vestibulares do labirinto, responsáveis pela vertigem e desorientação espacial.
D) Vias corticais altas, em resposta a estímulos sensoriais (dor, visão, odores) e estímulos psicogênicos (memória, condicionamento, medo).

Portanto, compreende-se que o centro do vômito sofre estímulos provenientes do trato gastrointestinal, da circulação de drogas e citocinas, através da estimulação da zona de gatilho quimiorreceptora, do córtex cerebral, do núcleo vestibular, o que em última instância acaba por desencadear o estímulo que resulta em náusea e vômito.

Por tratar-se de um mecanismo complexo e frequentemente multifatorial, é fundamental que se faça uma boa análise das possíveis causas relacionadas com o sintoma, a fim de excluir ou tratar as causas reversíveis e direcionar corretamente o tratamento antiemético.

TIPOS DE NÁUSEA E VÔMITO

Náusea e vômito induzidos por quimioterapia

A náusea e o vômito são sintomas causadores de muito desconforto aos pacientes submetidos a tratamento oncológico, sendo inclusive os mais associados a essa condição pela população em geral, juntamente com a alopecia. Em 1996, Griffin *et al.* reportaram, em um estudo, que a náusea foi considerada pelos pacientes recebendo quimioterapia como o sintoma mais intenso experimentado por eles, e o vômito como o quinto.[5]

A introdução da classe de antieméticos de antagonistas dos receptores 5-HT3 (ondansetron, ganisetron, palonosetron) modificou de forma significativa o tratamento deste sintoma, mas em alguns pacientes, especialmente aqueles submetidos a esquemas de quimioterapia com alto potencial emetizante como cisplatina, antracíclicos, ciclofosfamida em altas doses, entre outros, o controle da náusea e do vômito ainda é um desafio.

Existem diversos mecanismos por intermédio dos quais a quimioterapia pode provocar náusea e vômito. Entre eles, destacam-se a ação direta das drogas sobre a zona de gatilho quimiorreceptora, lesão da mucosa do trato gastrointestinal, estimulação dos receptores de neurotransmissores gastrointestinais, ativação cortical direta e indireta (psicogênica), mecanismos vestibulares provocados por alterações no olfato e paladar.

A modalidade de náusea e vômito induzida pela quimioterapia pode ser dividida em aguda, tardia e antecipatória. Os dois últimos tipos são considerados os mais difíceis de serem tratados, e necessitam de uma abordagem diferenciada e frequentemente interdisciplinar. Sugestões de esquemas terapêuticos antieméticos são apresentadas na parte do tratamento.

A náusea aguda é o tipo mais comumente encontrado nos pacientes submetidos a tratamento quimioterápico, inicia-se nas primeiras horas de infusão da droga (em geral 1 a 2 horas) e pode permanecer por até 24 horas após seu término. Seu tratamento consiste na administração profilática de antieméticos imediatamente antes do início da quimioterapia e sua manutenção nos primeiros dias após o término do tratamento, sendo os principais os antagonistas do receptor 5-HT3 e corticoides. A náusea tardia ocorre 1 a 2 dias após o tratamento, tendo seu pico após 48 horas. É mais comumente vista após a administração de cisplatina, carboplatina, ciclofosfamida e doxorrubicina,[6] e seu tratamento representa um desafio. Dexametasona, ondansetrona, metoclopramida e aprepitant podem ser tentados, sozinhos ou em esquemas combinados.

A náusea antecipatória está diretamente relacionada com uma experiência prévia ruim de náusea e vômito intensos durante ou após a quimioterapia e é extremamente difícil de ser tratada. Por isso, o ideal é prescrever um tratamento antiemético generoso e eficaz desde o primeiro ciclo de quimioterapia, a fim de evitar a formação dessa memória negativa. A náusea antecipatória pode iniciar-se quando o paciente tem seu acesso venoso ativado, quando se iniciam as pré-medicações ou mesmo em casa no dia da quimioterapia. Seu tratamento consiste no uso de sedativos, como anti-histamínicos e benzodiazepínicos, do uso de hipnose, de técnicas de relaxamento, ou mesmo variação do ambiente em que a quimioterapia é administrada podem ajudar.[7-10]

Náusea crônica

Não existe definição padrão para náusea crônica, mas para fins de pesquisa considera-se quadro de náusea, sem uma etiologia reversível, com duração superior a 4 semanas. Em cuidados paliativos, podemos considerar como náusea sem um fator causal identificável, como quimio ou radioterapia, e duração superior a 1 semana.[6] É um dos sintomas mais desconfortáveis que um paciente oncológico pode experimentar e possui alta prevalência. Alguns estudos mostram taxas de até 62% em pacientes com câncer em fase terminal.[11]

Sua fisiopatologia é complexa e não tão bem estudada como na náusea e no vômito induzidos por quimioterapia, porém o centro do vômito parece estar também envolvido. Em geral, é multifatorial e os principais mecanismos envolvidos são:

A) Falência autonômica resultando em gastroparesia, que acarreta anorexia, saciedade precoce e náusea. Sua ocorrência também pode ser multifatorial e os principais fatores implicados são quimioterapia, radioterapia, doenças preexistentes como diabetes melito, síndromes paraneoplásicas, caquexia, invasão tumoral do tecido neural, drogas (opioides, anticolinérgicos), idiopática.
B) Drogas, sendo os opioides os principais vilões. Os opioides podem contribuir para a ocorrência de náusea por meio de vários mecanismos, entre eles estimulação direta da zona de gatilho quimiorreceptora, gastroparesia, constipação, aumento da sensibilidade do centro vestibular. Outras drogas também podem causar náusea, entre elas anti-inflamatórios não esteroidais, antibióticos, antidepressivos tricíclicos, suplementos de ferro, entre outras.
C) Constipação, sintoma altamente prevalente em pacientes oncológicos, especialmente aqueles com câncer avançado. Esta também é multifatorial, sendo ocasionada, principalmente, pelo uso crônico de opioides, pela imobilidade física, baixa ingestão hídrica, falência autonômica.
D) Obstrução intestinal, parcial ou total é um sintoma menos comum, porém bastante relevante como causa de náusea e vômito em pacientes com câncer terminal.

TRATAMENTO

Os objetivos do tratamento da náusea e do vômito são:

A) Atingir o completo controle do sintoma em todos os aspectos.
B) Oferecer máxima conveniência para pacientes e membros da equipe.
C) Eliminar potenciais efeitos colaterais dos agentes.
D) Minimizar o custo do tratamento com agentes antieméticos e administração de drogas.

Entre as drogas mais comumente utilizadas no tratamento da náusea e vômito, apresentaremos as principais classes e uma proposta de esquema terapêutico que pode ser utilizado em cada uma delas.

Antagonistas dos Receptores 5-HT3

Existem diversos mecanismos complexos envolvidos na fisiopatologia da náusea e do vômito, conforme já descrito anteriormente. Porém, já foi demonstrado que no caso dos vômitos agudos induzidos pela quimioterapia, a ativação dos receptores serotoninérgicos (5-HT3) desempenha um papel fundamental, ao contrário das outras síndromes eméticas como náusea crônica, tardia e antecipatória, nas quais existem diversos outros mecanismos implicados. Essa classe de drogas parece agir nos receptores serotoninérgicos periféricos localizados nos neurônios aferentes vagais. Acredita-se que a quimioterapia provoque a liberação de diversos mediadores químicos presentes em abundância no trato gastrointestinal, destacando-se a serotonina e estes mediadores atuam nos receptores periféricos gerando impulsos que em última instância ativam o centro do vômito.

Um esquema proposto para o uso dessas medicações é demonstrado a seguir:

- *Dose:* os agentes a seguir devem ser administrados 30 a 60 minutos antes da quimioterapia e possuem maior eficácia quando associados a um corticoide.
  - Ondansetron: 8 a 32 mg IV (0,125 mg/kg).
  - Ganisetron: 0,01 mg/kg IV ou 1 mg VO.
  - Dolasetron: 100 mg IV ou VO.
  - Palonosetron: 0,25 mg IV em 30 segundos, para náusea aguda e tardia.

Efeitos colaterais incluem cefaleia, constipação, elevação transitória de transaminases. Efeitos extrapiramidais não ocorrem.

Antagonistas dos receptores NK-1

Atua bloqueando a ação emetogênica da substância P nos receptores NK-1, abundantemente localizados na zona de gatilho quimiorreceptora, no núcleo do trato solitário e no trato gastrointestinal. A principal droga desta classe é o Aprepitant, e seu uso está indicado na prevenção e no tratamento da náusea induzida por quimioterapias de alto poder emetogênico, como a cisplatina. É eficaz no tratamento da náusea aguda e tardia.

- *Dose:* um esquema proposto é o de 125 mg VO no primeiro dia de quimioterapia, 1 hora antes da mesma, seguido por uma dose diária de 80 mg VO pela manhã nos 2 dias subsequentes.
- *Efeitos colaterais:* é uma droga em geral bem tolerada, e seus efeitos colaterais mais comuns incluem astenia ou fadiga.

Procinéticos

A droga mais estudada neste grupo é a metoclopramida. Ela é um derivado da procainamida, que age tanto centralmente na zona de gatilho quimiorreceptora como antagonista da dopamina, como perifericamente estimulando a contratilidade do trato gastrointestinal, prevenindo a estase gástrica. Em altas doses, a metoclopramida também bloqueia os receptores 5-HT3.

- *Dose:* 1 a 3 mg/kg IV a cada 2 horas por duas a seis doses durante e imediatamente após a quimioterapia e/ou 10 a 20 mg VO a cada 6 a 8 horas, se a estase gástrica for suspeitada.
- *Efeitos colaterais:* sedação moderada, reações distônicas (especialmente em pacientes jovens), acatisia e diarreia. A droga deve ser administrada com lorazepam, anti-histamínicos e corticosteroides para evitar esses efeitos.

Corticosteroides

São efetivos no tratamento da náusea e vômito isoladamente ou em associação aos antagonistas dos receptores 5-HT3.

- *Dose:*
  - Dexametasona: 10 a 20 mg IV, uma ou duas doses
  - Metilprednisolona: 125 mg IV, uma ou duas doses

Lorazepam

É bastante útil nos pacientes que recebem esquemas quimioterápicos altamente emetogênicos ou naqueles com náusea antecipatória ou refratária. Seu efeito amnéstico também é interessante para este grupo de pacientes.

- *Dose:* 1 a 2 mg IV ou SL, a cada 3 a 6 horas

Haloperidol

Pode ser empregado como adjuvante no tratamento da náusea e do vômito. Age como antagonista dopaminérgico, diretamente na zona de gatilho quimiorreceptora. Tem como vantagem a meia-vida longa, podendo ser empregado 1 a 2 vezes ao dia apenas. Seus principais efeitos colaterais incluem extrapiramidalismo e, mais raramente, prolongamento do intervalo QT e síndrome neuroléptica maligna.

- *Dose:* 1,5 a 5 mg/dia, VO, IV ou SC, divididos em 1 a 2 vezes ao dia

CONCLUSÃO

A náusea e o vômito estão entre os sintomas mais comumente apresentados pelos pacientes oncológicos, tanto na fase de tratamentos antineoplásicos como naqueles que se encontram em cuidados paliativos. Mediante correta identificação da causa e/ou fatores relacionados e da instituição precoce da terapêutica adequada, é possível obter-se um bom controle do sintoma na maioria dos pacientes. Isto resulta em uma significativa melhora da qualidade de vida, impactando no tratamento e na evolução clínica.

REFERÊNCIAS BIBLIOGRÁFICAS

1. Portenoy RK, Thaler HT, Kornblith AB *et al.* Symptom prevalence, characteristics and distress in a cancer population. *Qual Life Res* 1994;3:183-89.
2. Teunissen SC, Wesker W, Kruitwagen C *et al.* Symptom prevalence in patients with incurable cancer: A systematic review. *J Pain Symptom Manage* 2007;34:94-104.
3. Vainio A, Auvinen A. Prevalence of symptoms among patients with advanced cancer: An international collaborative study—Symptom Prevalence Group. *J Pain Symptom Manage* 1996;12:3-10.
4. DeVita, Hellman, and Rosenberg's Cancer: principles & practice of oncology. 8th ed. Lippincott Williams & Wilkins 2011. p. 2321-22.
5. Griffin AM, Butow PN, Coates AS *et al.* On the receiving end: patients' perceptions of the side-effects of cancer chemotherapy. *Ann Oncol* 1996;7:189.
6. Ann M. Berger, John L. Shuster, Jamie H. Principles and practice of palliative care and supportive oncology. Von Roenn. 3rd ed. 2007.
7. Morrow GR, Morrell C. Behavioral treatment for the anticipatory nausea and vomiting induced by cancer chemotherapy. *N Engl J Med* 1982;307:1476.
8. Burish TG, Jenkins RA. Effectiveness of biofeedback and relaxation training in reducing the side effects of chemotherapy. *Health Psychol* 1992;11:17.
9. Redd WH, Montgomery GH, DuHamel KN. Behavioral intervention for cancer treatment side effects. *J Natl Cancer Inst* 2001;93:810.
10. Genius ML. The use of hypnosis in helping cancer patients control anxiety, pain and emesis: a review of empirical studies. *Am J Clin Hypn* 1995;37:316.
11. Reuben DB, Mor V. Nausea and vomiting in terminal cancer patients. *Arch Intern Med* 1986;146:2021-23.

234-5 Constipação e Diarreia em Cuidados Paliativos

Teresa Cristina da Silva dos Reis

CONSTIPAÇÃO

Introdução

A constipação intestinal segue como um dos sintomas de maior prevalência na evolução de doentes oncológicos sob cuidados paliativos e fonte de grande sofrimento para os pacientes. Há incerteza sobre a escolha de opções de tratamento a partir de diferentes recomendações para a gestão da constipação e também por diferenças de prática clínica em diferentes ambientes de cuidados paliativos. O que não desperta dúvidas é o fato de a constipação ser um sintoma multifatorial e que sofre influência em sua avaliação das percepções dos pacientes.[20]

A constipação é um dos mais frequentes e persistentes efeitos da terapêutica opioide, temido por muitos pacientes e, ao contrário de outros sintomas, não é dose-dependente, e até mesmo opioides fracos e em baixas doses podem acarretar constipação.[7] Assim, prevenção e tratamento sintomático da induzida por opioides são essenciais para uma abordagem mais segura e efetiva do gerenciamento deste sintoma. Para pacientes com doença progressiva e incurável muito avançada, para quem o prognóstico é limitado e o foco de atenção recai sobre a qualidade de vida, a constipação induzida ou não por opioides continua a ser um problema clínico significativo.

Conceito

A constipação descreve a impressão subjetiva de que o conteúdo intestinal não é evacuado de forma satisfatória. Refere-se à eliminação de fezes endurecidas e de tamanho reduzido, com frequência inadequada e sensação de dificuldade à eliminação. Existe variação no peso que os indivíduos dão aos diferentes componentes desta definição, quando avaliam sua própria prisão de ventre. Eles podem introduzir outros fatores, como dor e desconforto ao defecar, flatulência, plenitude ou sensação de evacuação incompleta.[2,4,6] Por outro lado, de acordo com o Consenso Brasileiro para Constipação Induzida por Opioides, a constipação induzida por opioides está frequentemente associada à distensão abdominal, à redução dos ruídos hidroaéreos, à dor abdominal à palpação, à presença de fecaloma ao toque retal e/ou exame radiológico compatível com o quadro, em pacientes cujo hábito intestinal anteriormente não apresentava estas alterações ou que apresentam piora dos sintomas após início dos opioides, descartando-se outras causas potencialmente associadas à disfunção.

Os impactos para o paciente e a família determinam ansiedade e desconforto para toda a unidade de cuidado, com comprometimento do bem-estar e qualidade de vida, associando-se a outros sintomas gastrointestinais e neurológicos. A atenção da equipe deve rivalizar ou exceder àquela que damos à dor como um motivo de aflição nos cuidados paliativos, pois ocorre frequente aumento dos efeitos adversos na rotina de vida de um paciente como absorção inadequada de medicamentos via oral, impactação fecal, fissuras e hemorroidas, obstrução e perfuração intestinal.[3,5,6] Pacientes com fecaloma podem apresentar, ainda, distúrbios circulatórios e respiratórios além dos gastrointestinais.

Prevalência

A prevalência de constipação intestinal em pacientes de cuidados paliativos varia em diferentes pesquisas de acordo com a população de pacientes, de acordo com os muitos critérios de avaliação e definição de constipação. Estima-se uma prevalência global de 32 a 87% para doentes crônicos. Pacientes com graves morbidades clínicas e frequentes hospitalizações têm tendência a maior risco para constipação.[16] Em cuidados paliativos, é tão incidente quanto a astenia, a anorexia ou a dor, atingindo taxas de 50 a 90%.[15] Os autores chamam a atenção para em uso de opioides, 90% dos pacientes[6,14] vão desenvolver constipação, e até 50% deles não se sentiram satisfeitos com o sucesso da terapia.[15,16]

Causas

A constipação intestinal como tantos sintomas em Cuidados Paliativos é de causa multifatorial e envolve fatores orgânicos e fatores funcionais, como psicológicos, fisiológicos, emocionais e ambientais, como mostra o Quadro 7. Esses pacientes fazem uso com muita frequência de medicamentos que alteram a função intestinal e com a progressão da doença neoplásica e queda de capacidade funcional, altera-se também o grau de independência, tornando-os dependentes para autocuidado, higiene e impossibilitados de deambular. Isto determinará perda de privacidade e conforto para as evacuações, o que é um importante fator inibitório para o paciente com doença terminal.[7]

Não há recomendações para focar um ou outro fator em termos de frequência ou importância, pois, na maioria dos casos, uma combinação desses fatores contribuirá para a constipação do paciente. No entanto, cabe atentar para a grande variedade de agentes farmacológicos, e não apenas opioides, que é prescrita no gerenciamento de sintomas destes pacientes. Assim, qualquer paciente a quem se prescreve analgésicos opioides terá um elevado risco de desenvolvimento de constipação, e para ele deve ser sempre prescrita terapêutica laxativa.

A diferenciação entre a faixa normal de evacuação de um paciente e o diagnóstico de constipação nem sempre é fácil. Sabe-se que o diagnóstico hoje vai muito além da simples frequência, mas deve aliar aspectos relacionados com a satisfação ou o desconforto do paciente.[1,10]

Fisiopatologia

O desenvolvimento de constipação deve-se à alteração nas funções do cólon e nos conceitos de motilidade, continência e defecação. O cólon tem como principais funções a absorção de água, eletrólitos, vitaminas, síntese de vitamina K e B, secreção de muco para lubrificação de fezes, além do armazenamento de bolo fecal a ser eliminado.[7] Os processos de motilidade e peristalse são involuntários e diretamente influenciados pela distensão do lúmen pelas fezes. A coordenação dos movimentos pe-

Quadro 7. Causas implicadas na gênese da constipação intestinal

FATORES ORGÂNICOS	
Agentes farmacológicos Polifarmácia	Antiácidos, antiepilépticos e antieméticos (antagonistas 5-HT3), anti-hipertensivos, antiparkinsonianos, anticolinérgicos, antidepressivos, antitússicos e antidiarreicos (quando usado em excesso), diuréticos (quando causam desidratação), ferro oral, analgésicos opioides, neurolépticos
Distúrbios metabólicos	Desidratação (febre, vômitos, poliúria, a ingestão pobre de líquidos), hipercalcemia, hipocalemia, uremia, hipotireoidismo, diabetes
Distúrbios neurológicos	Tumores cerebrais, envolvimento da medula espinal, infiltração do nervo sacral, insuficiência autonômica (doença de Parkinson, esclerose múltipla, doença do neurônio motor; câncer ou diabetes)
Anormalidades estruturais	Massa tumoral pélvica, fibrose por radiação, dolorosas condições anorretais (hemorroidas, fissura anal, abscesso perianal), dor não controlada, dor incidental, megacólon
FATORES FUNCIONAIS	
Dieta	Falta de apetite, baixa ingesta alimentar, baixo teor de fibras da dieta, ingestão pobre de líquidos
Ambiente	Falta de privacidade, conforto ou assistência com higiene
Outros	Idade avançada, sedentarismo, diminuição da mobilidade, confinado à cama, depressão, sedação, incapacidade para aumentar pressão intra-abdominal

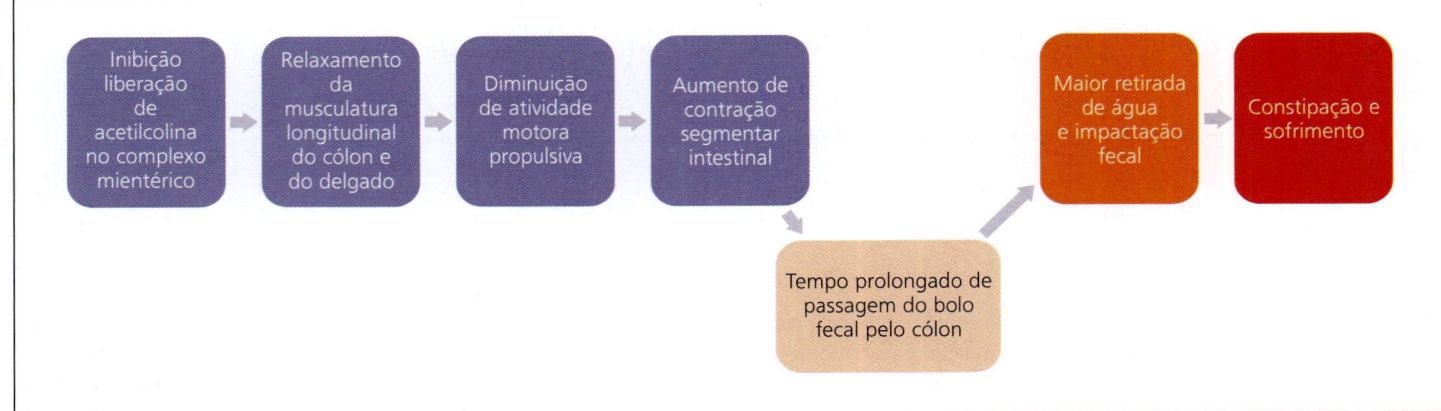

▲ **FIGURA 3.** Alterações fisiopatológias na constipação induzida por opioides.

ristálticos depende da atividade eletrofisiológica e contrátil coordenada das células musculares lisas, do estímulo neural (sistema nervoso autônomo) e de diferentes interações hormonais. Receptores adrenérgicos, muscarínicos, dopaminérgicos e opioides têm papel significativo nas modificações da motilidade intestinal e do tempo de trânsito. A peristalse consiste em duas fases: contração e relaxamento. A acetilcolina é mediadora da contração, enquanto peptídeos vasoativos são mediadores do relaxamento.[8,26] Os opioides comprometem ambas as fases, por isso, o efeito sobre a motilidade intestinal torna-se o principal mecanismo fisiopatológico da constipação intestinal.

CONSTIPAÇÃO INDUZIDA POR OPIOIDES

A constipação induzida por opioides é predominantemente mediada por receptores μ-opioide presentes no SNC, medula espinhal e parede gastrointestinal. A administração de opioides conduzirá a prolongada passagem do conteúdo intestinal pelo cólon. Esta ação provém de uma inibição da liberação de acetilcolina a partir do plexo mioentérico, determinando relaxamento da musculatura longitudinal do cólon e do intestino delgado. Posteriormente, a atividade motora propulsiva diminui. Além disso, os opioides causam aumento na contração segmentar intestinal. Isto determinará prolongado trânsito do conteúdo intestinal, levando a maior retirada de água e impactação fecal. Diminuem também as secreções intestinal, gástrica, biliar e pancreáticas. Um aumento no tônus dos esfíncteres intestinais e uma diminuição no reflexo defecatório são relatados como efeitos secundários.[10-11,13]

A Figura 3 demonstra as principais alterações de forma esquemática.

Abordagem diagnóstica

Anamnese

Muitos pacientes com antecedentes de constipação intestinal decorrente da automedicação podem não mencionar o sintoma aos profissionais de saúde ao iniciar a terapia com opioides ou qualquer outra que envolva necessidade de múltiplos medicamentos. Para prevenção ou abordagem precoce que permita resultados satisfatórios, faz-se necessária a avaliação minuciosa de todo paciente que se diga constipado, buscando dados sobre:[7]

- Hábitos intestinais anteriores.
- Dificuldade miccional.
- Ingesta de líquidos e alimentos.
- Alteração recente na medicação.
- Sintomas gastrointestinais.

Esta avaliação também deve ser feita com o paciente que não se diz constipado, mas que evacua menos de três vezes por semana ou refere evacuação incompleta. Nas duas situações devemos identificar fatores psicossociais que possam inibir o paciente e diferenciar diarreia aguda ou crônica da diarreia por transbordamento, em presença de fecaloma. O Consenso Brasileiro de Constipação Intestinal Induzida por Opioides sugere um esquema com perguntas claras (Quadro 8), que devem ser feitas ao paciente para melhor elucidação diagnóstica.

Exame físico

Como em todas as áreas de saúde, a abordagem se complementa com o exame físico, destacando: definição do KPS (Karnofsky *Performance Status*), presença de sinais de desidratação/alterações de cavidade oral, exame abdominal e inspeção perineal e alterações neurológicas. Destaca-se o papel central do toque retal para definição de fecaloma, consistência de fezes em ampola retal, tônus esfincteriano e avaliação de anormalidades estruturais por progressão tumoral, auxiliando na tomada de decisão terapêutica.

Escalas de avaliação

Na literatura, dispomos de escalas de avaliação de constipação cujo objetivo é avaliar a presença e a gravidade da constipação. Elas se constituem em ferramentas validadas para investigação e formação e são úteis para encorajar os pacientes a avaliarem suas próprias evacuações ou quando a comunicação entre o profissional de saúde e o paciente é difícil. As mais utilizadas são sumarizadas:

- Bristol Stool Form Scale.[17]
- Constipation Assessment Scale.[18]
- Constipation Visual Analogue Scale.
- Eton Scale Risk Assessment for Constipation.[19]

Na unidade IV (Cuidados Paliativos) do INCA temos rotineiramente utilizado a escala de Bristol, desde a definição do protocolo de gerenciamento desta condição em 2008.[7] Trata-se de escala de descrição de características do bolo fecal, de legibilidade e de fácil aplicação, conforme Figura 4. A esta escala agregamos os critérios de Roma III na definição da constipação intestinal. A definição formal de constipação intestinal através dos critérios de Roma III foi a primeira tentativa de abranger os sintomas de baixa frequência evacuatória e os relacionados com a dificuldade de esvaziamento do reto e, por representar critério mais uniforme, com uma faixa temporal mais próxima da realidade dos cuidados paliativos oncológicos, está sendo adotada como importante ferramenta no diagnóstico de constipação intestinal, assim como na comparação de dados ou estudos.[4,8,17]

Quadro 8. Anamnese. Constipação Intestinal

1. Qual é o hábito intestinal? Frequência, quantidade e consistência das evacuações?
2. Quando foi a última evacuação? Qual quantidade, consistência e cor das fezes? Havia presença de sangue?
3. Houve presença de algum desconforto, como dor, flatulência, cólicas, náusea, vômitos ou sensação de vontade de evacuar persistente?
4. Utiliza enemas ou laxantes com frequência? Qual a medida adotada quando apresenta prisão de ventre? Geralmente funciona?
5. Qual o tipo de alimentação? Quanto e qual o tipo de líquidos costuma tomar durante o dia habitualmente?
6. Quais as medicações atualmente em uso (tipo, dose, posologia)? Esse esquema mudou recentemente?

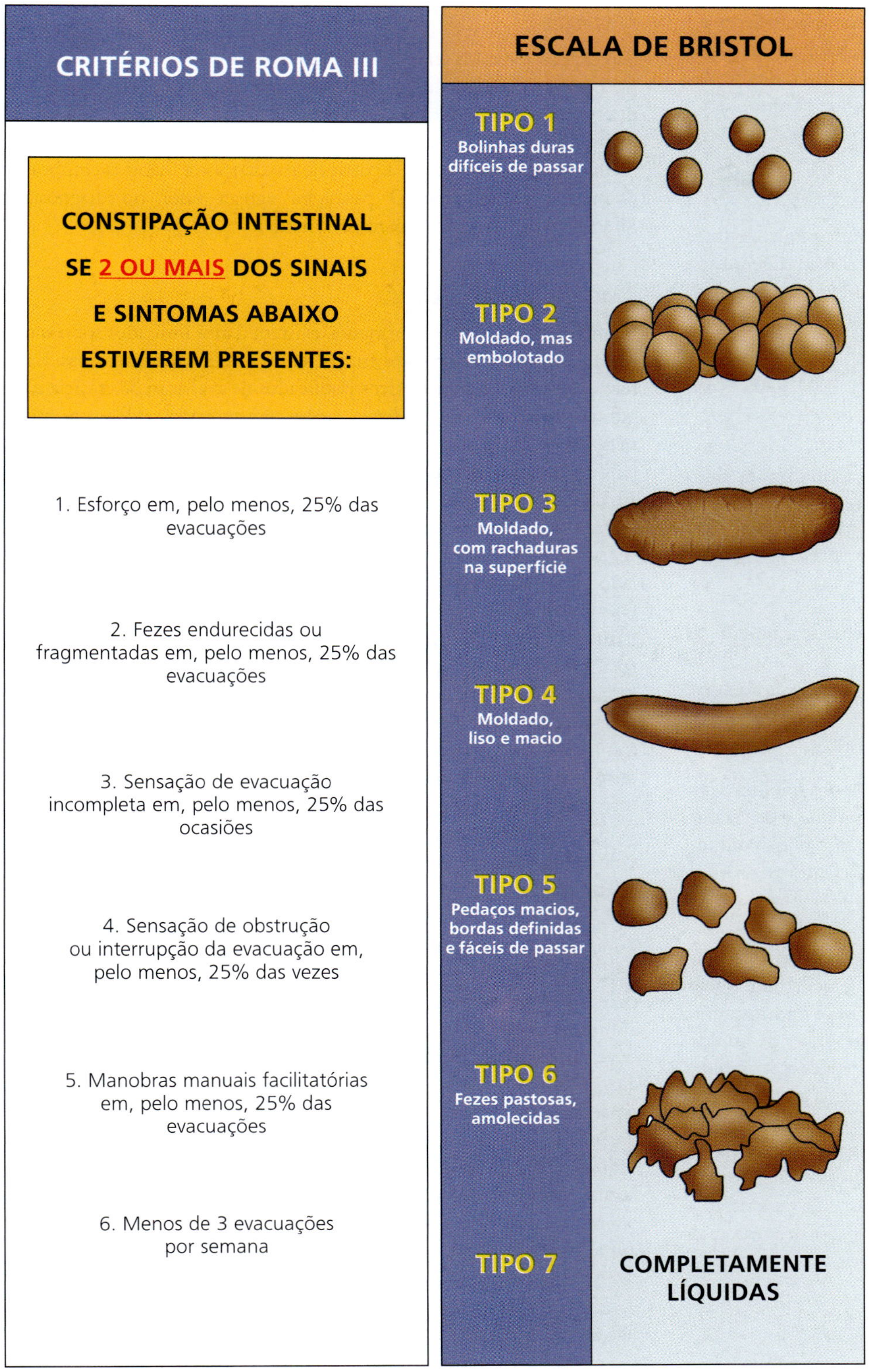

CRITÉRIOS DE ROMA III	ESCALA DE BRISTOL
CONSTIPAÇÃO INTESTINAL SE 2 OU MAIS DOS SINAIS E SINTOMAS ABAIXO ESTIVEREM PRESENTES:	**TIPO 1** — Bolinhas duras difíceis de passar
1. Esforço em, pelo menos, 25% das evacuações	**TIPO 2** — Moldado, mas embolotado
2. Fezes endurecidas ou fragmentadas em, pelo menos, 25% das evacuações	**TIPO 3** — Moldado, com rachaduras na superfície
3. Sensação de evacuação incompleta em, pelo menos, 25% das ocasiões	**TIPO 4** — Moldado, liso e macio
4. Sensação de obstrução ou interrupção da evacuação em, pelo menos, 25% das vezes	**TIPO 5** — Pedaços macios, bordas definidas e fáceis de passar
5. Manobras manuais facilitatórias em, pelo menos, 25% das evacuações	**TIPO 6** — Fezes pastosas, amolecidas
6. Menos de 3 evacuações por semana	**TIPO 7** — COMPLETAMENTE LÍQUIDAS

◀ **FIGURA 4.** Escala de Bristol e Critérios de Roma III.

Critérios de Roma III[17]

1. Constipação intestinal funcional se dois ou mais dos sinais e sintomas abaixo, presente nos últimos 3 meses, com diagnóstico inicial de pelo menos 6 meses.
   - Esforço em, pelo menos, 25% das evacuações.
   - Fezes endurecidas ou fragmentadas em, pelo menos, 25% das evacuações.
   - Sensação de obstrução ou interrupção da evacuação em, pelo menos, 25% das evacuações.
   - Manobras manuais facilitatórias em, pelo menos, 25% das evacuações.
   - Menos de três evacuações por semana.
2. Diarreia ou fezes amolecidas raramente ocorrem sem uso de laxantes
3. Não há critérios diagnósticos para síndrome de cólon irritável

Outra ferramenta relatada como útil pela literatura é um **diário** do paciente para registro da frequência da evacuação (data e hora), sintomas relacionados com a constipação (esforço, plenitude, sensação de evacuação incompleta) e frequência e dosagem de quaisquer medicamentos utilizados para alívio dos sintomas.[9,14,17]

Tratamento

A constipação intestinal é dificilmente tratada com modalidade única, em função dos aspectos multifatoriais envolvidos.[8,18] Trata-se de um dos eventos adversos associados ao uso de opioides à que raramente os indivíduos desenvolvem tolerância, e que perdura enquanto for feito uso deste fármaco. Por isso, a ação profilática é central e deve incluir tratamento laxativo não farmacológico e a educação do paciente e do cuidador, incluindo orientações sobre dieta e atividade física.[8] Esta deve ser implantada também no início do uso dos analgésicos opioides, ainda que o paciente não apresente dados para confirmação do sintoma. Caso a constipação não seja adequadamente controlada com as medidas anteriormente citadas, entra em cena, o tratamento farmacológico propriamente dito.

Os principais objetivos são restabelecer hábitos intestinais confortáveis para a satisfação do paciente, aliviar a dor e o desconforto causados pela constipação e melhorar a sensação de bem-estar, restabelecer um nível satisfatório de independência em relação aos hábitos intestinais, considerar as preferências do paciente individual e evitar o desenvolvimento de sintomas gastrointestinais, como náuseas, vômito, dor e distensão abdominal.

Tratamento não farmacológico

O tratamento deve ser conduzido por equipe multidisciplinar. As intervenções não medicamentosas incluem medidas direcionadas à educação e ao controle dos hábitos alimentares (consumo de líquidos e fibras), terapias físicas e orientações sobre exercícios, promoção de conforto e privacidade do paciente durante a evacuação, especialmente em pacientes restritos ao leito e às terapias cognitivas e psicocomportamentais.

Nutrição

A intervenção nutricional adequada contribui para minimizar os sintomas em muitos casos de constipação intestinal, por vezes reduzindo a necessidade do uso de métodos invasivos e desconfortáveis. Algumas ações da área da Nutrição são destacadas abaixo:

- Regularização das refeições.
- Estímulo a alimentação matinal que ajuda a desencadear reflexo gastrocólico.
- Suplementação de fibras, associada ao aumento da ingestão de líquidos.
- Ingestão adequada de líquidos.
- Uso de alimentos funcionais probióticos e prebióticos.

O Consenso Brasileiro de Constipação Induzida por Opioides destaca que em revisão sistemática da literatura, o uso de fibras e de laxantes mostrou efeito positivo no controle da constipação intestinal, contudo, essa mesma revisão aponta que não há evidências suficientes no momento para afirmar que fibras apresentam melhor resultado que laxantes, e se alguma classe de laxantes é superior a outra.[8,21]

Os autores relatam também que a ingestão de líquidos hidrata e amolece o bolo fecal, levando à redução do seu peso e facilitando o trânsito intestinal e a expulsão das fezes. Esta medida parece ter impacto na constipação induzida por opioides, em função da absorção de líquidos no interior das alças determinada pelo uso de analgésicos opioides. Recomenda-se a ingestão diária de 1,5 a 2 litros de água por dia.[22] Esta necessidade nem sempre é alcançada em pacientes sob cuidados paliativos que sofrem com a redução de consumo de água em função da progressão da doença, com anorexia, hiporexia, náuseas e vômitos associados. Recomenda-se cautela na adoção de terapias, cuja base de atuação seja a necessidade de boa ingestão hídrica, pelos riscos de impactação fecal e obstrução intestinal.

Fisioterapia e atividades físicas

As medidas para a prevenção e o tratamento da constipação incluem exercícios, massagem, estimulação elétrica transcutânea e acupuntura. Não foram identificados estudos que avaliassem a efetividade das duas últimas intervenções no controle da constipação intestinal induzida por opioides ou constipação crônica da doença avançada e, portanto, não há consenso para sua utilização. A falta de atividade ou a imobilidade resulta em enfraquecimento da musculatura abdominal e consequente dificuldade para aumentar a pressão intra-abdominal no ato de defecação. O aumento da frequência de atividades físicas pode melhorar a amplitude das contrações no cólon e facilitar a eliminação das fezes. Os consensos e a opinião de *experts* recomendam exercícios aeróbicos e orientações de adequado posicionamento que favoreçam a evacuação, com movimentos de prensa abdominal, dentro da faixa de tolerância dos pacientes.[8,23-25]

A massagem abdominal não funciona isoladamente e sim quando agregada a outras formas de prevenção. Esta terapia realizada na região correspondente ao intestino, com movimentos no sentido horário, com manobras de traço e rolamento da pele na região dos dermátomos de inervação sacral, durante dez sessões diárias, pode aumentar a frequência das evacuações, mas não parece influenciar significativamente no tempo de trânsito colônico segmentar e total.[8,25] É um método livre de efeitos adversos e propicia contato do cuidador/familiar de seu paciente.

Psicologia

São citados métodos terapêuticos psicológicos (hipnoterapia, psicoterapia breve psicodinâmica, interpessoal e outras), técnicas de motivação e intervenções psicoeducativas que busquem comunicação efetiva para melhor entendimento da gestão do sintoma pelo paciente e busca por melhor qualidade de vida, a partir de mudanças de hábitos comportamentais e alimentares. O psicólogo agrega valor no diagnóstico diferencial de depressão e confusão mental.

Tratamento farmacológico

Como mencionado anteriormente, existem dados limitados sobre a eficácia e segurança de laxantes em pacientes de cuidados paliativos. Existem apenas três ensaios clínicos publicados de avaliação da eficácia e segurança neste grupo de doentes, e estes têm mostrado diferenças mínimas de eficácia entre os laxativos. Geralmente, uma combinação de um emoliente e um estimulante é recomendada para a gestão da constipação em cuidados paliativos. Estimulantes de peristalse têm tendência a causar dor em cólica, a menos que acompanhado por um agente que vai amolecer as fezes. No entanto, em um paciente frágil, um agente emoliente isolado pode não ser suficiente para permitir expulsão de fezes ou pode fazê-lo somente se um volume inaceitavelmente grande for ingerido. A flatulência é um dos problemas mais comuns com lactulose. Qualquer laxante será mais eficaz se o paciente estiver bem hidratado, mas isto é cada vez mais difícil de se conseguir com a progressão da doença neoplásica. Se os agentes espessantes, como *psyllium*, metil celulose e farelo, são tomados como inadequada ingesta de água, eles podem precipitar obstrução intestinal por meio da formação de uma massa viscosa no intestino.[6,7]

Quando a constipação é diagnosticada, eliminação intestinal espontânea pode não ser possível se o impacto fecal está presente. Nestas circunstâncias, um enema ou supositório pode ser necessário. Um enema de óleo ou de fosfato é indicado para impactação com fezes duras, mas para uma massa fecal suave, supositórios podem ser adequados. Se o tratamento laxante oral é dado sozinho, uma ação intestinal deve ser esperada dentro de 3 dias. Se isso não ocorre, o uso de uma combinação de emolientes e laxantes estimulantes é essencial. A dose deve, então, ser ajustada para cima, em dose diária ou em dias alternados até que uma ação do intestino seja alcançada. Se possível, e aceitável para o paciente, exame retal para avaliação de impactação deve ser feito periodicamente durante este período de titulação e um enema ou supositório utilizado, se indicado. No entanto, com adequada titulação da dose oral, laxante pode reduzir pela metade a necessidade de intervenção retal. A ocorrência de cólica significa que a dose de laxante de emoliente deve ser aumentada em relação ao do estimulante, enquanto o desenvolvimento de extravasamento sugere uma necessidade de reduzir a dose emoliente e, talvez, aumentar a do estimulante. Dentro de cada categoria laxante, não há nenhuma evidência conclusiva para recomendar qualquer esquema terapêutico específico, pois um agente pode servir um paciente individual melhor do que outro, e flexibilidade e bom senso são necessários por parte do prescritor.

Novas terapias propõem o uso de antagonistas opioides com absorção sistêmica limitada (naloxona) e antagonistas do receptor de ação restrita à periferia (metilnaltrexona e alvimopam). Naloxona pode reverter a constipação induzida por opioides, porém predispõe a reversão da analgesia e a presença de sintomas de abstinência, mesmo em doses insuficientes para promover a evacuação. Metilnaltrexona, por sua vez, não atravessa a barreira hematoencefálica, portanto não antagoniza os efeitos centrais da morfina ou precipita síndrome de abstinência.[12] Sua administração por via subcutânea (SC) rapidamente induz evacuação em pacientes com doença avançada e constipação induzida por opioides, na dose de 0,15 mg/kg. O Alvimopam é um antagonista seletivo do receptor opioide μ que não sofre absorção gastrointestinal ou cruza a barreira hematoencefálica. Seu uso está aprovado especificamente para acelerar a recuperação gastrointestinal após ressecção intestinal.

Em resumo, a combinação de um emoliente e estimulante é recomendada e deve ser escolhida como base, mas a potência, a propensão para induzir dor em cólica e a capacidade de ingerir grandes volumes de líquido são todos fatores que devem ser cuidadosamente considerados

Quadro 9. Tratamento farmacológico e níveis de evidência científica para uso

CLASSIFICAÇÃO	LAXATIVOS ORAIS	DOSE	INÍCIO DE AÇÃO	NÍVEL DE EVIDÊNCIA
Predominantemente Emolientes	Formadores de bolo fecal (psylium e metilcelulose)	1 unid 3×/dia	12-72 h	B
	Parafina líquida	10-30 mL/dia	6-8 h	D
	Docusato sódico	100 mg 2×/dia	24-72 h	B
	Supositório de glicerina	1 unid	15-60 min	
	Clister glicerinado a 12%	500 mL	5-60 min	
Osmóticos	Macrogol ou polietilenoglicol	8-32 g/200 mL/dia	24-72 h	A
	Lactulose	10-30 mL/dia	24-48 h	A
	Laxativos salinos (leite de magnésia)	10-30 mL/noite	30 min a 3 h	B
Predominantemente Estimulantes de peristalse	Antracenos (Sene)	10 g/200 mL	6-12 h	D
	Bisacodil	10-20 mg/dia	6-12 h	A
	Picosulfato de sódio	5-10 mg/noite	6-12 h	A

*Adaptado do Consenso Brasileiro para Constipação Induzida por Opioides.

ao optarmos pela terapêutica medicamentosa para o paciente. O Quadro 9 relaciona os principais laxativos orais disponíveis e os níveis de evidência científica em sua utilização.[6,7,10]

Papel da enfermagem

Antecipação e avaliação são papéis fundamentais da equipe de enfermagem – enfermeiros estão em uma posição ideal para avaliar o risco do paciente tornar-se constipado e para avaliar a eficácia de profilaxia ou o tratamento da constipação. Determinados aspectos específicos do cuidado podem, portanto, serem monitorados e gerenciados no dia a dia pelos enfermeiros. Estes incluem uma avaliação regular dos seguintes fatores:

- Quantidade e qualidade das fezes.
- Período de tempo levado para defecar.
- Diarreia e diarreia de escape.
- Continência e incontinência.
- Eficácia de laxantes.
- Uso de terapias complementares.
- Dieta e ingestão de líquidos.
- Satisfação com fatores ambientais, como conforto e privacidade.
- Necessidade de massagem abdominal.

Cada serviço deve elaborar fluxogramas com as recomendações sobre a avaliação da profilaxia e do tratamento, que sejam utilizados como guia para todo o pessoal médico e de enfermagem envolvido na gestão de constipação em pacientes sob cuidados paliativos.

DIARREIA

Conceito

A diarreia é definida como uma condição debilitante e constrangedora, caracterizada por perda anormal de fezes amolecidas ou totalmente líquidas mais de três vezes, no período de 24h. Os doentes com diarreia não controlada correm maior risco de desidratação, desequilíbrio eletrolítico, ruptura da pele e fadiga.[16,27]

Prevalência

Menos comum, a diarreia é queixa premente em 7 a 10% dos pacientes com câncer à admissão em *hospices* e em 27% daqueles positivos para o vírus da imunodeficiência adquirida (HIV). A atenção a esses sintomas, em conformidade com preceitos clínicos de boa prática, é fundamental para melhora da qualidade de vida em pacientes com alterações de hábito intestinal. Pois embora não seja um dos sintomas mais prevalentes entre pacientes em cuidados paliativos, pode ser muito debilitante, contribuindo para a desidratação, distúrbios eletrolíticos, desnutrição, queda da imunidade e formação de úlcera por pressão.[16,27]

Etiologia

A diarreia pode ser dividida em diferentes tipos, e o tratamento irá variar dependendo da causa: se secretória, osmótica, mecânica ou por alterações de motilidade. Em cuidados paliativos, o uso excessivo de laxantes para tratamento da constipação é a causa mais comum. Os pacientes podem usar laxantes de forma irregular ou esperar até se tornarem constipados e necessitarem de grandes doses laxativas. Entre os pacientes idosos internados com doença não maligna, com constipação e impactação fecal, mais de 50% apresentam diarreia por transbordamento.[2] Outras causas incluem obstrução intestinal parcial, insuficiência pancreática, infecção por *clostridium difficile*, agentes quimioterápicos e enterite actínica. A diarreia infecciosa é especialmente comum em infecção pelo HIV (*cryptosporidia*, giardia lamblia e *histolytica* e citomegalovírus). Constipação severa e impactação fecal também podem causar diarreia por transbordamento. O Quadro 10 relaciona as causas mais comuns de diarreia em cuidados paliativos.[3,4]

Abordagem clínica

A abordagem clínica deve ser iniciada com coleta de dados em anamnese minuciosa que avalie aspectos da dieta, uso de medicamentos, laxantes, procedimentos invasivos ou cirúrgicos recentes, o tempo dos movimentos em relação à ingestão de alimentos ou líquidos e uma descrição da quantidade e da qualidade das fezes bem como a presença de sinais e sintomas que acompanhem a diarreia, como tontura, sintomas ortostáticos, letargia, cólica, dor abdominal, náuseas, vômitos, febre e sangramento retal.[29] As perguntas a serem feitas refletem as preocupações já estabelecidas quando da investigação de constipação e mencionadas anteriormente no Quadro 8.

Quadro 10. Fatores comuns associados à gênese da diarreia

Obstrução	Impactação fecal Presença do tumor Síndrome opioide
Drogas	Laxativos Antiácidos Antibióticos AINE, diclofenaco, indometacina
Má absorção	Insuficiência pancreática Gastrectomia Ressecção ileal ou colônica
Radioterapia Quimioterapia	Enterite actínica
Comorbidades	Diabetes melito, hipotireoidismo, doença inflamatória do cólon, infecção
Dieta	Álcool, frutas específicas, leite, lacticínios e produtos que contenham cafeína (café, chá, chocolate), alimentos ricos em fibras (frutas e vegetais crus, nozes, sementes, grãos integrais, legumes produtos secos); alimentos ricos em gordura (frituras, alto teor de gordura), alergias alimentares, alimentos quentes e picantes; alimentos formadores de gás

Fazem parte do exame físico e métodos diagnósticos a definição do KPS (Karnofsky *performance status*), com registro de queda abrupta em paciente estável, sinais vitais, sinais de desidratação/alterações de cavidade oral, exame abdominal e inspeção perineal, alterações neurológicas e toque retal. São úteis também exames laboratoriais com dosagens bioquímicas (balanço de eletrólitos) e coproculturas, nos casos de difícil diagnóstico ou naqueles refratários ao tratamento habitual.[27,30,31]

A diarreia, quando em vigência de algum tratamento antineoplásico deve ser entendida com evento adverso, de acordo com o estabelecido pelo *National Cancer Institute*, em 2009. Os critérios de avaliação e gravidade estão dispostos no Quadro 11.

É fundamental antes da introdução de terapia medicamentosa avaliar e descartar qualquer situação de impactação fecal (fecaloma), uso incorreto de laxativos e infecção oportunista.

Objetivos

Os principais objetivos do tratamento são restabelecer hábitos intestinais confortáveis para a satisfação do paciente, aliviar a cólica e o desconforto causados pela diarreia e melhorar a sensação de bem-estar, restabelecer um nível satisfatório de independência em relação aos hábitos intestinais, considerar as preferências do paciente individual e evitar o desenvolvimento de lesões de pele. A avaliação e a classificação da diarreia estão dispostas na Figura 5, adiante.

Princípios terapêuticos

Medidas gerais

Tentar identificar doença de base tratável.

- Promover condições favoráveis para higiene, segurança e conforto do paciente.
- Preservar a autoestima e a imagem corporal do paciente e estabelecer condições de respeito pela condição do paciente

Quadro 11. Diarreia como evento adverso

GRAU	DESCRIÇÃO
1	Aumento menor que quatro evacuações por dia do valor inicial; aumento leve na perda pela ostomia em relação ao valor basal
2	Aumento de quatro a seis evacuações por dia do valor inicial; aumento moderado na produção da ostomia em relação ao valor basal
3	Aumento de sete ou mais fezes por dia do valor inicial; incontinência; hospitalização indicada; grave aumento de perda por ostomia em relação ao valor basal; limitando autocuidado e atividades de vida diária
4	Consequências ameaçadoras da vida, intervenção urgente
5	Morte

- Instituir medidas para manutenção da integridade cutânea, principalmente se o paciente estiver acamado: troca de fralda a cada evacuação; uso de comadre na situação de continência das fezes; limpeza delicada com uso de algodão e água morna; manter a região perineal seca e protegida com pomada de óxido de zinco, manter lençóis limpos e esticados, mudar frequentemente o decúbito; fazer uso do colchão caixa de ovo.[7,8]

Medidas para diarreia leve

As principais medidas terapêuticas iniciais são:
- Assegurar uma hidratação adequada (hidratação preferencial com soro oral caseiro (WHO).
- Incentivar a ingesta de pequenos goles de líquidos, se possível.
- Descontinuar laxantes e procinéticos.
- Introduzir terapêutica medicamentosa com agente único com objetivo de inibir a motilidade intestinal.

Medidas para diarreia moderada a grave

- Assegurar uma hidratação adequada onde a forma parenteral deve ser considerada (ringer lactato).
- Incentivar ingesta de pequenos goles de líquidos se possível.
- Caso o doente esteja em uso de dieta por sonda nasoenteral ou gastrostomia, gerenciar introdução de dieta enteral por bomba infusora.
- Introduzir terapêutica medicamentosa combinada com objetivo de inibir a motilidade intestinal, reduzir secreções intestinais e promover absorção.

Tratamento não farmacológico

Ações da nutrição

- Diminuição de ingestão de fibra e manutenção de hidratação oral.
- Se houver líquido excessivo no intestino, um absorvente pode ser útil (biscoitos) aliado a redução de ingestão de líquidos por 24 a 48 horas.
- Limitar o consumo de alimentos ricos em lactose, suspender grandes volumes de refeições, alimentos gordurosos e cafeína.
- Alimentação a base de banana, arroz, maça e torradas – BRAT.
- Os carboidratos simples, como torradas ou biscoitos adicionam novamente pequenas quantidades de eletrólitos e glicose para o paciente.
- Uso de probióticos na prevenção de diarreia induzida por rotavírus e antibióticos.[4,6]

Ações da psicologia

Os autores relatam que diarreia persistente causa alterações de humor e impactos nos relacionamentos e autoestima particularmente em presença de tumores secretores. Desta forma, são recomendadas terapias de apoio e terapias específicas para enfrentamento, resgate de autoimagem e independência.

Tratamento farmacológico

O tratamento da diarreia deverá basear-se inicialmente na busca de causa específicas que sejam responsáveis pelo quadro. Sempre que possível deve-se tratar a causa e rever a terapêutica instituída. A administração de enzimas pancreáticas gastrorresistentes na esteatorreia, de colestiramina na ressecção ileal, a extração manual de um fecaloma ou a radioterapia de um tumor pélvico, são medidas especificas que poderão tratar algumas destas diarreias.

Contudo, por vezes temos de recorrer à terapêutica medicamentosa como os agentes adsorventes à base de alumínio ou os opiáceos (loperamida, difenoxilato, codeína ou morfina) que reduzem a motilidade intestinal e aumentam o tônus anal. Codeína pode causar efeitos centrais, como sonolência ou sedação, mas isso é raro com loperamida.[16]

No caso de diarreia persistente ou protraída, outros agentes não específicos, incluindo agentes absorventes, adsorventes e inibidores da prostaglandina deverão ser iniciados. As principais drogas utilizadas no tratamento da diarreia estão dispostas no Quadro 12.[30-32,36]

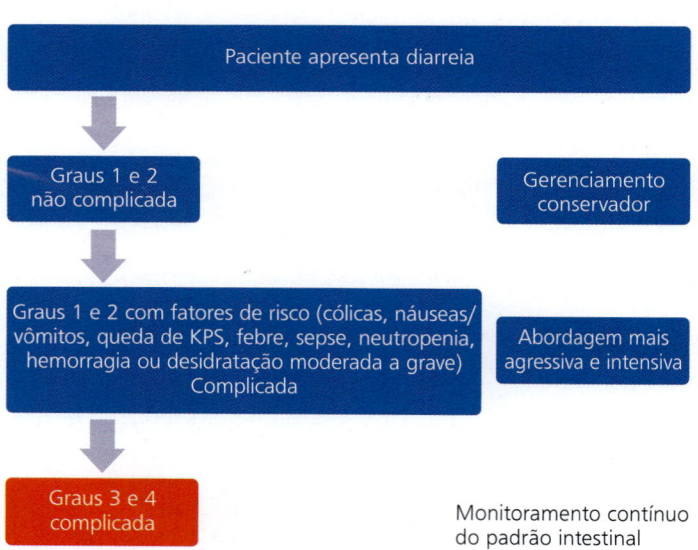

▲ **FIGURA 5.** Fluxograma de avaliação de paciente com diarreia.

Quadro 12. Terapêutica medicamentosa na diarreia

CLASSIFICAÇÃO	MEDICAMENTOS	DOSE	AÇÃO ESPECÍFICA	INÍCIO DE AÇÃO
Absorventes	Formadores de bolo fecal (psylium e metilcelulose)	1 unid 3x/dia		12-72 h
Adsorventes	Caulim + Pectina Atapulgita	2 a 6 g/cada 2 h 1,2 g inicial/até 8 g		24-48 h 18-24 h
Inibidores de prostraglandinas	Subsalicilato de bismuto Aspirina Mesalina	525 g a cada 30 min 300 mg 4/4 h 1,2 a 2,4 g/dia	Antimicrobiano (E. coli) Enterite actínica Doença de Chron	–
Opioides	Loperamida Difenoxilato Codeína	4 a 8 mg/dia 5 a 20 mg/dia 10-60 mg 4/4 h		8-16 h 6-8 h
Enzimas pancreáticas	Pancreatolipase		Insuficiência pancreática	
Inibidores de somatostatina	Octreotide	10 a 80 mcg/hora	Diarreia secretória profusa e perdas por estoma	

Agentes absorventes

Incluindo substâncias formadoras de bolo (metilcelulose e pectina) que atuam absorvendo água, gerando massa coloidal ou gelatinosa, que fornece bolo fecal de maior consistência.

Agentes adsorventes

Caracterizam-se pela capacidade de acumular moléculas em sua superfície, sendo tal capacidade tanto maior quanto a superfície disponível para adsorção, com consequente aumento de volume do bolo fecal. Encontram-se disponíveis para uso em combinação com outros agentes antidiarreicos, recomendando-se as doses de caulim, 2 a 6 g a cada 4 horas e atapulgita, 1,2 g inicial, seguida por 1,2 g cada nova evacuação, até a dose máxima de 8,4 g/dia.[34,35] O caulim + pectina pode levar até 48 horas para produzir um efeito e pode interferir com a absorção de certos medicamentos.

Inibidores de prostaglandinas

Sua ação reside na redução da secreção de água e eletrólitos pela mucosa. O subsalicilato de bismuto apresenta ação adicional antibacteriana e está indicado para tratamento de diarreia não específica (525 mg a cada 30 minutos até 5 mg/dia), enquanto a mesalazina (1,2 a 2,4 g/dia) e a aspirina (300 mg a cada 4 horas), respectivamente, estão indicadas para tratamento da diarreia decorrente de colite ulcerativa e da enterite actínica. Atentar para os riscos de efeitos colaterais associados ao uso de salicilatos.

Agentes opioides

São as principais drogas de escolha para o tratamento da diarreia em Cuidados Paliativos. Caracterizam-se por aumentar as contrações tônicas e diminuírem as contrações peristálticas, com diminuição subsequente de água e eletrólitos nas fezes. Desses, a loperamida é a droga antidiarreica de eleição, sendo seu uso recomendado em doses de 4 a 8 mg/dia (iniciar com 4 mg seguidos por 2 mg a cada evacuação, não ultrapassando a dose de 16 mg/dia).[31,32,35]

Outros[34,36]

- *Enzimas pancreáticas e bloqueadores H2:* para diarreia associada à insuficiência pancreática.
- *Colestiramina:* para controle da diarreia associada à disabsorção por obstrução biliar, ressecção ileal, doença hepática e enterite actínica. Dose: 4 g VO 3x/dia.
- *Octreotide:* pode ser eficaz na diarreia secretória associada ao tumor carcinoide, quimioterapia e AIDS. Dose: 10 a 80 mcg/h/dia SC.
- *Supercrescimento bacteriano:* norfloxacina ou amoxicilina + clavulanato.
- *Corticosteroides:* podem ser úteis para reduzir o edema na pseudo-obstrução intestinal e na enterite actínica.
- *Colite pseudomembranosa:* metronidazol ou vancomicina.

REFERENCIAS BIBLIOGRÁFICAS

1. Sykes NP. Constipation and diarrhea. In: Doyle D, Hanks GWC, Cherny N et al. (Eds.). *Oxford textbook of palliative medicine*. Oxford: Oxford University, 2004.
2. Mancini I, Bruera E. Constipation in advanced cancer patients. *Support Care Cancer* 1998;6:356-64.
3. Mancini I, Bruera E. Constipation. In: Ripamonti C, Bruera E. (Eds.). *Gastrointestinal symptoms in advanced cancer patients*. New York: Oxford University, 2002. p. 193-206.
4. Chang L. From Rome to Los Angeles – The Rome III criteria for the functional GI disorders. *Gastroenterology* 2006;130:1480-91.
5. Solano JP, Higginson IJ et al. A comparison of symptom prevalence in far advanced cancer, AIDS, heart disease, chronic obstructive pulmonary disease and renal disease. *J Pain Symptom Manage* 2006 Jan.;31(1):58-69.
6. Larkin PJ, Sykes NP, Centeno C et al. European Consensus Group on Constipation in Palliative Care. The management of constipation in palliative care: clinical practice recommendations. *Palliat Med* 2008;22:796-807.
7. Ministério da Saúde. Instituto Nacional de Câncer – INCA. *Constipação intestinal no câncer avançado*. Série Cuidados Paliativos, 2008. 1ª reimpressão.
8. Consenso Brasileiro de Constipação Induzida por Opióides. *Rev Bras Cuidados Paliativos* 2009;2(3 Supl 1).
9. Goodman M, Low J, Wilkinson S. Constipation management in palliative care: a survey of practices in the United Kingdom. *J Pain Symptom Manage* 2005;29:238-44.
10. Wanitschke R, Goerg KJ, Loew D. Differential therapy of constipation – A review. *Int J Clin Pharmacol Ther* 2003;41:14-21.
11. Kaufman PN, Krevesky B, Malmud LS et al. Role of opiate receptors in the regulation of colonic transit. *Gastroenterology* 1998;94:1351-56.
12. Shaiova L, Rim F, Friedman D et al. A review of methylnaltrexone, a peripheral opioid receptor antagonist, and its role in opioid-induced a constipation. *Palliate Support Care* 2007;5:161-66.
13. Clemens KE, Klaschik E. Managing opioid-induced constipation in advanced illness: focus on methylnaltrexone bromide. *Ther Clin Risk Manage* 2010;6:77-82.
14. Potter J et al. Symptoms in 400 patients referred to palliative care services: prevalence and patterns. *Palliat Med* 2003 June;17(4):310-14.
15. Sykes, NP. The relationship between opioid use and laxative use in terminally ill cancer patients. Palliat Med 1998;12:375–382.
16. Fallon M, O'Neill B. ABC of palliative care. Constipation and diarrhoea. *BMJ* 1997;315:1293-96.
17. Longstreth GF, Thompson WG, Chey WD et al. Functional bowel disorders. *Gastroenterology* 2006;130:1480-91.
18. McMillan SC, Williams FA. Validity and reliability of the constipation assessment scale. *Cancer Nurs* 1989 June;12(3):183-88.
19. Potter JM, Norton C, Cottenden A. *Bowel care in older people: research and practice*. London: Royal College of Physicians, 2002.
20. Brown L, Lawrie I, D'Sa VB et al. Constipation: patient perceptions compared to diagnostic tools. *Palliat Med* 2006 Oct.;20(7):717-18.
21. Tramonte SM, Brand MB, Mulrow CD et al. The treatment of chronic constipation in adults: a systematic review. *JGIM* 1997;12:15-24.
22. Santos HS. Terapêutica nutricional para constipação intestinal em pacientes oncológicos com doença avançada em uso de opiáceos: revisão. *Rev Bras Cancerol* 2002;48(2):263-69.

23. Karam SE, Nies DM. Student/staff collaboration: a pilot bowel management program. *J Gerontol Nurs* 1994;3:34-40.
24. Simmons SF, Schnelle JF. Effects of an exercise and scheduled-toileting intervention on appetite and constipation in nursing home residents. *J Nutr Health Aging* 2004;8:116-21.
25. Harrington KL, Haskvitz EM. Managing a patient's constipation with physical therapy. *Phys Ther* 2006;86(11):1511-19.
26. Guyton AC, Hall JE. Physiology of gastrointestinal disorders. In: Guyton AC, Hall JE. (Eds.). *Textbook of medical physiology*. Philadelphia: WB Saunders Company, 2001. p. 552-63.
27. Calman K, Cherny N, Doyle D. *Oxford textbook of palliative medicine*. 3rd ed. Oxford: Oxford University, 2003.
28. Waller A, Caroline NL. Diarrhea. Handbook of Palliative Care in Cancer. 2nd ed. Boston, MA: 2000. p. 223-29.
29. Perdue C. Managing constipation in advanced cancer care. *Nurs Times* 2005;101:36-40
30. Berger A. *Principles and practice of palliative care and supportive oncology*. 3nd ed. Philadelphia: Lippincott Williams & Wilkins, 2006.
31. Carter B *et al*. Bowel Care – Constipation and diarrhea. In: Downing GM, Wainwright W. (Eds.) *Medical Care of the Dying*. Victoria, BC-Canada: Victoria Hospice Society Learning Centre for Palliative Care, 2006. p. 341-62.
32. Dean M. *Diarrhea. Symptom relief in palliative care*. Oxford: United Kingdom, 2006.
33. Hatanaka V. *Obstipação e diarreia. Manual de cuidados paliativos da ANCP*. São Paulo: 2008.
34. UNIC. *Manual de Cuidados Paliativos em pacientes com câncer*. Rio de Janeiro: UNATI/UERJ, 2009
35. Saunders DC. Principles of symptom control in terminal care. *Med Clin North Am* 1982;6:1175.
36. Ruppin H. Review: loperamide—a potent antidiarrhoeal drug with actions along the alimentary tract. *Aliment Pharmacol Ther* 1987;1(3):179-90.

234-6 Obstrução Intestinal Maligna

Cláudia Naylor

INTRODUÇÃO

Obstrução intestinal maligna (OIM) é uma complicação bem conhecida e um problema complexo em pacientes com câncer avançado, especialmente de origem gastrointestinal e pélvica. Embora possa ocorrer em qualquer período da doença, ocorre com maior frequência em estágio avançado.[1]

A prevalência global de OIM oscila entre 3-15% nos pacientes com câncer, alcançando de 5-51% nos casos de câncer de ovário e 10-28% em pacientes com câncer de cólon. As neoplasias de origem primária abdominal, que com mais frequência provocam OIM, são cólon (40-25%), ovário (29-16%), estômago (19-6%), pâncreas (13-6%), bexiga (10-3%) e endométrio (11-3%). Em termos de neoplasias de origem primária extra-abdominal, que com mais frequência provocam OIM, decorrentes da infiltração peritoneal são mama (3-2%), pulmão e melanoma (3%), podendo ocorrer muitos anos após a apresentação da doença primária.[1-6] A expectativa de vida de 6 meses é de 50% nos pacientes cirúrgicos e de 8% naqueles com OIM inoperável. OIM, uma interrupção do trânsito gastrointestinal por oclusão da luz e/ou alterações da motilidade intestinal, foi definida por um grupo internacional de consenso a partir do uso de alguns critérios: a) evidência clínica de obstrução intestinal (história, exames físico e radiológico); b) obstrução distal ao ângulo de Treitz; c) presença de câncer de origem primária intra-abdominal ou câncer extra-abdominal, com claro comprometimento peritoneal; d) doença incurável.[2,7]

FISIOPATOLOGIA

O trânsito intestinal pode ser impedido por diferentes mecanismos; obstrução mecânica ou funcional, parcial ou completa e pode ocorrer em um ou muitos locais. Pode originar-se no intestino delgado (61%), no intestino grosso (33%) ou em ambos, simultaneamente (20%).[1,2,8] Nos pacientes com câncer avançado e inoperáveis, os níveis de oclusão são múltiplos em 80% dos casos e em mais de 65% há diagnóstico de carcinomatose peritoneal.[1,8] O câncer pode prejudicar o funcionamento intestinal de diversas maneiras:[3]

- Tumores intraluminais podem ocluir a luz ou agir como ponto de intussuscepção.
- Tumores intramurais podem estender-se à mucosa e obstruir a luz por comprometer o peristaltismo.
- Massas mesentéricas e de omento ou aderências tumorais podem torcer ou angular o intestino, criando uma obstrução extramural.
- Tumores infiltrantes em mesentério, musculatura intestinal, plexo celíaco podem causar alteração na motilidade intestinal.

Em uma minoria de pacientes, a obstrução está relacionada com aderências por cirurgia prévia, radioterapia (causando enterite), reações desmoplásicas à quimioterapia intra-abdominal, torção ou hérnias internas.[1,7,9,10] Em raros casos um paciente pode apresentar uma pseudo-obstrução por destruição paraneoplásica de plexo nervoso mioentérico ou íleo grave pelo uso de drogas simpaticomiméticas ou anticolinérgicas.[7,11]

Na OIM, há o estímulo às secreções gástrica, biliar, pancreática e intestinal, diminuição da reabsorção intraluminal de água e sódio e aumento de sua secreção pela mucosa intestinal. O acúmulo de secreções não absorvidas determina o grau de distensão abdominal e a atividade intestinal cólica para sobrepor o obstáculo. A atividade peristáltica aumentada e descoordenada é ineficaz, e um círculo vicioso representado por distensão-secreção-atividade motora contribui para a piora do cenário clínico. O estado hipertensivo no lúmen danifica o epitélio intestinal e ocorre uma resposta inflamatória com liberação de prostaglandinas e estímulo da ciclo-oxigenase, tanto por um efeito direto nos enterócitos quanto por reflexo neuroentérico. O aumento da pressão intraluminal também obstrui a drenagem venosa do segmento intestinal bloqueado e interfere na oxigenação, levando a isquemia da parede com possibilidade de perfuração.

O principal estímulo para a liberação de polipeptídeo intestinal vasoativo (PIV) parece ser a hipóxia causada pela distensão da luz ou mesmo pelo crescimento bacteriano excessivo. PIV é liberado na circulação portal e periférica e media alterações fisiopatológicas locais e sistêmicas, como hiperemia e edema da parede intestinal e acúmulo de fluidos na luz e causa hipersecreção e vasodilatação esplâncnica. Fluidos e eletrólitos são sequestrados para o terceiro espaço, contribuindo para a hipotensão e levando à falência sistêmica de múltiplos órgãos, causa do óbito na OIM. Sepse ocorre por translocação bacteriana, fenômeno facilitado pela pressão luminal aumentada, estase e isquemia intestinal, características da obstrução intestinal (Fig. 6).[1,2,4,7,9,12-16]

MANIFESTAÇÕES CLÍNICAS

Os diferentes níveis de obstrução determinam os padrões de sintomas, influenciando em sua apresentação, intensidade, gravidade e consequente resultado. Quanto mais alta a obstrução, mais graves os sintomas e

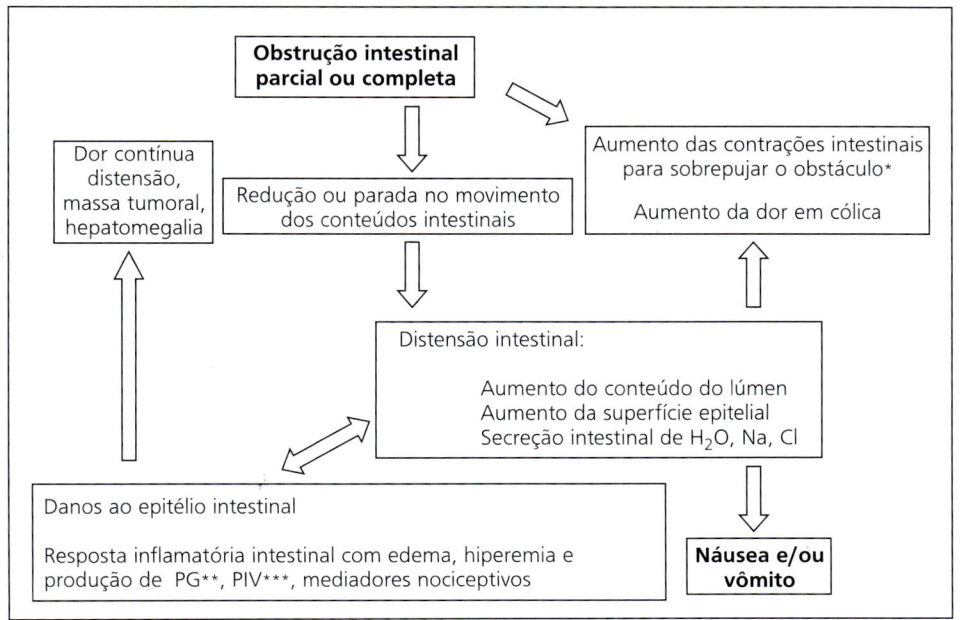

◀ **FIGURA 6.** Fisiopatologia da obstrução intestinal.
(*) = obstrução mecânica; (**) = prostaglandinas;
(***) = polipeptídeo vasoativo intestinal.

mais sutis os sinais. Dor contínua é atribuída ao crescimento de massa visceral que comprime o intestino, à distensão intestinal ou hepatomegalia, enquanto a dor tipo cólica, pela atividade para sobrepor a obstrução no intestino delgado ou grosso, pode piorar os sintomas. Diarreia paradoxal pode ocorrer como escape de fluido pela impactação fecal, resultante de atividade bacteriana (liquefação do conteúdo digestivo) e hipersecreção intestinal, geralmente no intestino grosso.

O início da OIM pode ser subagudo, com presença de dor em cólica, distensão abdominal, náuseas e vômitos que cedem espontaneamente (suboclusão). A prevalência dos sintomas quando a OIM está consolidada é náusea (100%) vômitos (87-100%), dor em cólica (72-80%), dor por distensão (56-90%) e parada de eliminação de gases e fezes nas últimas 72 h (84-93%).[1,2,4,5]

No exame físico, destaca-se a distensão abdominal, marcante nas obstruções baixas e alterações no peristaltismo. Conforme a OIM se estabelece o peristaltismo pode reduzir até sua completa abolição, auscultando-se ruídos metálicos decorrente da tensão hidroaérea. Nos pacientes com câncer avançado, associam-se também anemia (70%), hipoalbuminemia (68%), alteração hepática enzimática (62%), desidratação e disfunção renal pré renal (44%), caquexia (22%), massas tumorais abdominais palpáveis (21%) e deterioração cognitiva (23%).[8]

AVALIAÇÃO

A abordagem inicial inclui uma avaliação clínica para descartar causas agudas de obstrução e assegurar que o paciente não se apresenta em uma emergência cirúrgica. Embora a localização da obstrução possa ser determinada pela natureza e apresentação dos sintomas, é recomendado que exames de imagem adicionais sejam realizados com o intuito de determinar o plano de cuidados a ser implementado.

A radiografia simples de abdome tem especificidade e sensibilidade modestas na detecção da obstrução intestinal. A ausência de níveis hidroaéreos, dilatação de alças intestinais ou edema de alças não exclui OIM. Apesar dessas limitações, a radiografia simples de abdome é útil para avaliar constipação e sua gravidade como causa potencial de sintomas, além de permanecer como um estudo de imagem inicial importante em quase todos os pacientes com suspeita de OIM.[1,2,7,17,18]

Tomografia Computadorizada (TC) de abdome oferece uma sensibilidade diagnóstica na determinação do nível obstrutivo de 93%, mostrando uma especificidade de 100%. O diagnóstico de carcinomatose peritoneal por TC pode ser pouco preciso quando as lesões peritoneais são menores do que 0,5 cm ou se estão localizadas na pelve, no entanto, este é o primeiro estudo de imagem para pacientes com sintomas obstrutivos e história de malignidade ou massa abdominal palpável. Este exame tem o papel principal na decisão do plano de cuidados e tratamento a serem instituídos concernentes a cirurgia, endoscopia e intervenção paliativa.[1,2,7,19-22]

TRATAMENTO

O processo de tomada de decisão em todo paciente oncológico avançado requer uma avaliação individualizada, fundamentada na extensão da doença, no prognóstico global, na possibilidade de tratamentos oncológicos específicos, nas comorbidades associadas, no estado geral e nas opções particulares do paciente devidamente informado. No caso da OIM, essas premissas mantêm-se e os tratamentos possíveis são cirurgia, paliação endoscópica, descompressão por ostomia e a terapêutica paliativa sintomática clínica.

Medidas gerais

Pelo fato de a abordagem da OIM raramente ser uma emergência, tempo deve ser usado para a definição do plano de tratamento apropriado.[2,7] Reposição hidreletrolítica pelas perdas sofridas e prescrição de medicações antieméticas e analgésicas podem ser necessárias, assim como a colocação temporária de sonda nasogástrica (SNG) para drenagem da secreção gastrointestinal, redução de distensão abdominal e melhora da náusea e do vômito, enquanto a melhor abordagem é decidida e esses sintomas não são controlados com medicação. Importante frisar que a instituição da SNG é incômoda, e sua manutenção pode causar danos secundários graves, como esofagite, refluxo gastroesofágico, erosão de asa de nariz, broncoaspiração.[1,2,5,7,8,11,16]

Cirurgia

A cirurgia tem por objetivo restabelecer o trânsito digestivo. O tratamento da obstrução intestinal é primariamente cirúrgico e esta abordagem deve ser considerada em todos os pacientes com obstrução intestinal e doença maligna presente ou histórico de neoplasia; aderências benignas ocorrem em 20% dos pacientes, especialmente naqueles submetidos a radioterapia prévia. Cirurgia deve sempre ser considerada em pacientes com estado geral preservado e com nível único de obstrução. Os resultados após o procedimento dependem tanto dos critérios de seleção de pacientes que serão verdadeiramente beneficiados com a intervenção quanto da experiência e da habilidade do cirurgião, e fatores prognósticos de baixo benefício para cirurgia na OIM devem ser avaliados (Quadro 13).

O risco de cirurgia para OIM é presumivelmente mais alto do que cirurgia abdominal para outras indicações.[7,21] Os estudos sobre séries de casos cirúrgicos em OIM mostram uma mortalidade em 30 dias de 25% (9-40), uma morbidade de 50% (9-90) e uma taxa de reobstrução de 48% (39-57), com uma mediana de sobrevida de 7 meses (2-12).[3,6,7,8,9,10,16,23]

Os resultados de uma intervenção cirúrgica são melhores em pacientes com causa benigna de obstrução; não se observam benefícios nos casos de carcinomatose peritoneal.[3-12] No entanto, para pacientes com boa *performance status*, câncer de progressão lenta e uma expectativa de vida acima de 6 meses, cirurgia para descompressão por ostomia, lise de aderências, ressecção de segmento obstruído e *bypass* estão indicados.[2,7,10,24] O desafio está em identificar esses possíveis candidatos cirúrgicos como demonstrado no Quadro 13. Crucial para a tomada de decisão são os objetivos dos cuidados. Uma vez que a cirurgia paliativa carrega um baixo nível de evidência para benefício em termos de qualidade de vida e sobrevida, tempo deve ser dispendido para uma revisão criteriosa das condições clínicas do paciente, para explorar opções e clarificar expectativas e objetivos do cuidado. A família bem informada deve ser convidada a estar presente e a se envolver no processo de tomada de decisão.

Paliação endoscópica e colocação de próteses (*stents*)

A colocação de *stents* tem se intensificado nos últimos anos como uma alternativa endoscópica ao tratamento das obstruções de trato gastrointestinal (TGI). Seu uso também serve como um adjuvante à terapia cirúrgica uma vez que a descompressão endoscópica facilita a limpeza intestinal formal para uma subsequente cirurgia eletiva em tempo único.

Obstrução gástrica e de intestino delgado

São complicações comuns em pacientes com câncer de pâncreas, estômago distal, vesícula biliar e colangiocarcinoma, mas também podem resultar de metástases de câncer de ovário e neoplasias não abdominais como câncer de pulmão e mama.[2,7] Cirurgia de gastroenteroanastomose no passado era o tratamento de escolha para obstrução de passagem gástrica. No entanto, para pacientes com câncer avançado e *performance status* comprometida, a gastroenteroanastomose traz um risco significante

---

Quadro 13. Fatores prognósticos de baixo benefício para cirurgia em OIM[2,8]
Fatores prognósticos de baixo benefício para a cirurgia de obstrução intestinal maligna

- Obstrução secundária a câncer
- Tumor disseminado
- Pacientes acima de 65 anos com caquexia
- Ascite (paracenteses frequentes, com ascite > 3 l)
- Nível de albumina sérica baixo
- RXT prévia em abdome ou pelve
- Deficiência nutricional
- Massas intra-abdominais palpáveis e comprometimento de fígado
- Metástases a distância, derrame pleural ou metástases pulmonares
- Obstrução intestinal – múltiplos sítios
- Baixa *performance status*
- Laparotomia recente, demonstrando doença metastática difusa
- Metástases extra-abdominais, produzindo sintomas de difícil controle (p. ex., dispneia)

de morbimortalidade, e sua abordagem por meio da colocação de *stent* para a desobstrução do TGI é particularmente útil.[2,7,25,26]

A taxa de sucesso da técnica de colocação do *stent* é de 90% e de sucesso clínico na resolução da náusea e do vômito e do melhora da capacidade de ingerir alimentos via oral é de 75%.[26-28] As complicações mais frequentes com a colocação de *stents* são hemorragia ou perfuração (1,2%), migração do dispositivo (5%) e obstrução do *stent*, suscetível em algumas ocasiões a repermeabilização, seja por *laser* ou pela colocação de um segundo dispositivo.[1,2,7,29]

Obstrução colorretal

A inserção com êxito de um *stent* em câncer de cólon oscila entre 80-100%, e os casos em que se consegue melhora dos sintomas ocorrem em mais de 75% dos pacientes. A duração média da permeabilidade do *stent* colônico é de 106 dias, e as complicações mais frequentes desta técnica são perfuração imediata ou tardia (4,5%), migração (11%) e obstrução (12%). Muitos pacientes tratados com *stents* têm um alívio durável dos sintomas até sua morte por progressão de doença, mas reestenose é relativamente comum, geralmente causada pelo crescimento tumoral por meio dos interstícios do dispositivo ou endoluminal em seus extremos, problema abordado pela inserção de outro *stent* ou ablação por *laser*.[27,30-32] Um grande potencial para o uso do dispositivo se dá nos casos de tumor primário de cólon com menor sucesso nas obstruções causadas por compressão extrínseca decorrente do tumor pélvico localmente avançado ou metastático.[2]

Contraindicações absolutas para a colocação de *stents* são perfuração colônica ou tumoral com peritonite. Uma contraindicação relativa é um tumor retal a 2 cm da margem anal, quando sua colocação leva a tenesmo e incontinência.[7,16,33]

Gastrostomia descompressiva

Gastrostomia endoscópica percutânea ou gastrostomia cirúrgica (nos casos de pacientes com câncer de cabeça e pescoço, com trismo ou grandes feridas tumorais que impeçam a passagem do endoscópio) são uma opção para a paliação da náusea e vômito nos casos de OIM em pacientes não passíveis de cirurgia em que os sintomas não são controlados clinicamente. A alternativa seria a manutenção de SNG de demora com incômodo, efeitos secundários graves já listados.[1,2,7,34]

A gastrostomia descompressiva alivia os sintomas em 80-90% dos casos e permite a restauração de algum grau de ingesta oral por um tempo médio de 74 dias. Não há contraindicação absoluta para a gastrostomia, no entanto, ascite volumosa e massa tumoral infiltrando a parede abdominal podem dificultar o procedimento.[34] Complicações são frequentemente locais – deslocamento, sangramento, migração do catéter, peritonite e fasceíte necrosante são complicações precoces. Outras complicações são lesão da pele por descarga de conteúdo gástrico pelo óstio de colocação do catéter, vazamento de ascite e obstrução do tubo.[34,35]

Tratamento paliativo farmacológico – abordagem clínica

O tratamento farmacológico especificamente paliativo da OIM inoperável pode oferecer adequado controle de sintomas com os objetivos de aliviar a dor abdominal contínua e em cólica, reduzir os vômitos a um nível aceitável de 1 a 2 vezes por dia sem o uso de SNG, aliviar náusea, permitir mínimas ingestas de alimentos e favorecer a alta hospitalar para um acompanhamento por assistência domiciliar.[1,2,4] Recomendações clínicas práticas para a abordagem da OIM em pacientes com câncer avançado sem possibilidade de cura foram publicadas pelo *Working Group of the European Association for Palliative Care* (WGEAPC), como demonstrado na Figura 7.[2,7,8]

Mais de 80% dos pacientes com OIM apresentam dor contínua ou em cólica de alta intensidade.[1-5] A administração de analgésicos, em sua maioria opioides fortes de acordo com a Escada Analgésica da Organização Mundial de Saúde (OMS),[36] permite o adequado controle deste sintoma em mais de 80% dos casos.[36,37] A dose do opioide deve ser titulada e, de modo geral, as vias subcutânea, intravenosa, sublingual e transdérmica são de preferência pela presença de náusea e vômitos. A morfina é o primeiro opioide de eleição segundo a EAPC e a OMS, na ausência de ensaios clínicos controlados comparando os diferentes opioides nesta indicação, mas hidromorfona, fentanil, oxicodona e mesmo metadona podem ser utilizados.[38-41] Se a cólica persistir, hioscina deve ser administrada em associação.[42,43]

Náusea e vômitos são conduzidos utilizando-se dois diferentes tipos de abordagem farmacológica:

1. Administração de drogas que reduzem a secreção gastrointestinal.
2. Administração de antieméticos de atuação no sistema nervoso central (SNC), como droga única ou em associação com drogas antissecretoras.[43-47]

O tratamento desses sintomas baseia-se no uso de drogas de três grupos farmacológicos: antagonistas da dopamina, anticolinérgicos e antagonistas da serotonina (5HT3).

Os antagonistas da dopamina dividem-se em benzaminas (metoclopramida), butirofenonas (haloperidol) e fenotiazinas (clorpromazina, prometazina). A metoclopramida bloqueia os receptores da dopamina (D2) a nível

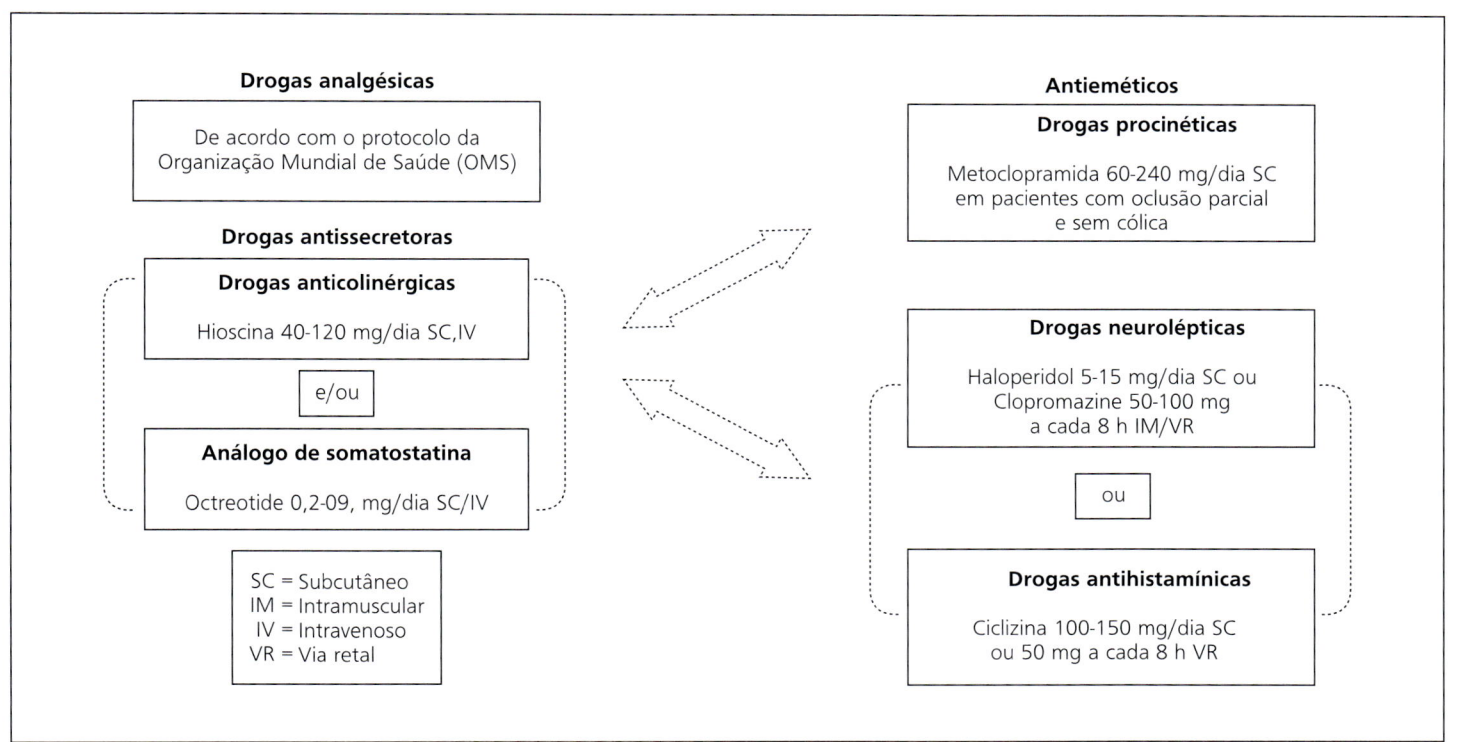

▲ **FIGURA 7.** Abordagem farmacológica para controle de sintomas.

central e periférico e em altas doses antagoniza os receptores de 5HT3. A ação mista, central e periférica, confere à metoclopramida um efeito antiemético e também procinético digestivo. Sendo assim, não deve ser utilizada com anticolinérgicos ou em pacientes com cólica e obstrução intestinal completa. Haloperidol e fenotiazinas são fármacos neurolépticos que bloqueiam os receptores de dopamina a nível unicamente central. Possuem potente ação antiemética, sem ação procinética. Dentre esses fármacos, haloperidol produz menos sonolência e efeitos anticolinérgicos, sendo o agente ideal para pacientes com náusea e delirium.[48]

Os anticolinérgicos (hioscina) exercem sua ação antiemética mediante o bloqueio da acetilcolina a nível central e periférico ou unicamente periférico, associada a claro efeito antissecretor.[1,7,49]

As drogas antissecretoras têm o objetivo de reduzir a hipersecreção intestinal e secundariamente, melhorar náusea, vômitos e dor. Tradicionalmente, usam-se as drogas anticolinérgicas por seu efeito antissecretor. Octreotide, um análogo da somatostatina com grande especificidade e um tempo de duração da ação longo (12 h), oferece um efeito antissecretor mais específico e prolongado; sua atividade farmacológica mediada pelo bloqueio da liberação do PIV compreende: redução da secreção de ácido gástrico, redução do fluxo biliar, redução da motilidade intestinal, aumento da produção de muco intestinal, inibição de secreção de enzimas pancreáticas, redução da hipervascularização esplâncnica, redução do edema da parede intestinal, aumento da absorção de água e eletrólitos e diminuição da secreção de sódio, água e cloreto no lúmen intestinal. Diferentes estudos sobre a efetividade do octreotide na OIM demonstram o alto grau de resposta antiemética e analgésica, sem efeitos adversos relevantes.[1,2,5,7,24,46,47,50]

Embora o mecanismo pelo qual os corticosteroides aliviem a OIM seja desconhecido, presume-se que ajam centralmente, além de reduzirem edema peritumoral, reduzirem água e sal na luz intestinal e terem propriedades antieméticas e analgésicas. Uma dosagem parenteral de 6-16 mg de dexametasona por dia reduz sintomas e melhora a função intestinal em 60% dos pacientes, mas não altera o prognóstico.[7,51-53] A resposta a seu uso deve ser avaliada em 4 a 5 dias, e o medicamento deve ser suspenso, se não for adequado.

O tratamento paliativo da OIM é polimodal e baseia-se no uso combinado de diferentes fármacos ativos no controle sintomático. De acordo com vários autores e com a prática clínica publicada pela *National Comprehensive Cancer Network*,[54] o tratamento inicial da OIM inoperável compreende o uso conjunto de analgesia com opioides, antieméticos, antissecretores, corticosteroides e hidratação com solução contendo eletrólitos.[1,2,45,50] Alguns autores consideram que o fentanil transdérmico ou em infusão contínua poderia ser o opioide forte de primeira linha nesta complicação, por sua menor influência na motilidade intestinal. Na OIM completa, o antiemético de primeira escolha é o haloperidol, uma vez que o efeito procinético da metoclopramida pode aumentar dor e náusea.[2] O uso de corticosteroides é recomendável por seu efeito antiemético e de redução do edema intestinal que pode facilitar uma possível resolução espontânea do quadro oclusivo.[55,56] Atualmente, a maioria dos autores recomenda utilizar octreotide precocemente ou como droga antissecretora de primeira escolha, decorrente de sua clara superioridade sobre as outras drogas anticolinérgicas.[2,45,46,50,56] Hipodermóclise é uma alternativa válida, especialmente quando se pensa em acompanhamento domiciliar para esses pacientes que requerem um volume de hidratação restrito.[7,57]

A taxa de resposta sintomática ao tratamento paliativo polimodal na OIM inoperável supera 80%.[1,2,4,5,8,46] A mediana de sobrevida nesses casos é de 1 mês e a expectativa de vida em 6 meses é inferior a 8%.[1,5]

CONCLUSÃO

Para conseguir e manter um balanço adequado entre honestidade, esperança e prevenção de procedimentos fúteis, o paciente, a família e a equipe de saúde, primeiramente, devem abordar os objetivos realísticos do paciente quanto ao tratamento. Em segundo lugar, todas as opções de tratamento incluindo cirurgia, radiologia intervencionista e medicações, devem ser discutidas, com as expectativas dos reais benefícios de cada intervenção proposta e seus riscos associados.

Nesta situação, a qualidade de vida do paciente está severamente prejudicada, e a conduta frente a estes casos requer uma avaliação muito cuidadosa a ser realizada por um time interdisciplinar experiente. A equipe deve dedicar tempo ao processo de tomada de decisão, cuja abordagem é altamente individualizada, talhada na condição clínica, prognóstico e objetivos do cuidado.

REFERÊNCIAS BIBLIOGRÁFICAS

1. Tuca A, Martinéz E, Guell E et al. Obstrucción intestinal maligna. *Med Clin* 2010;135(8):375-81.
2. Ripamonti C, Easson AM, Gerdes H. Management of malignant bowel obstruction. *Eur J Cancer* 2008;44:1105-15.
3. Miller G, Borman J, Shrier I et al. Small bowel obstruction secondary to malignant disease: an 11-year audit. *Canadian J Surg* 2000;43:353-58.
4. Tuca A, Roca R, Sala C et al. Efficacy of granisetron in the antiemetic control of nonsurgical intestinal obstruction in advanced cancer: a phase II clinical trial. *J Pain Symptom Manage* 2009;37:259-70.
5. Arvieux C, Laval G, Stefani L et al. Protocol for the treatment of malignant inoperable bowel obstruction: a prospective study of 80 cases at Grenoble University Hospital Center. *J Pain Symptom Manage* 2006;31:502-12.
6. Blair SL, Chu DZJ, Scwarrz E. Outcome of palliative operations for malignant bowel obstruction in patients with peritoneal carcinomatosis from nongynecological cancer. *Ann Surg Oncol* 2001;8:632-37.
7. Soriano A, Mellar PD. Malignant bowel obstruction: individualized treatment near the end of life. *Cleveland Clin J Med* 2011;78(3):197-205.
8. Ripamonti C, Twycross R, Baines M et al. Clinical practice recommendations for management of bowel obstruction in patients with end-stage cancer. *Support Care Cancer* 2001;9:223-33.
9. Feuer DJ, Broadley KE, Shepherd JH et al. Surgery for the resolution of symptoms in malignant bowel obstruction in advanced gynecological and gastrointestinal cancer. *Cochrane Database Syst Rev* 2000;CD002764.
10. Woolfson RG, Jennings K, Whalem GF. Management of bowel obstruction in patients with abdominal cancer. *Arch Surg* 1997;132:1093-97.
11. Saunders MD, Kimmey MB. Systematic review: acute colonic pseudo-obstruction. *Alimen Pharmacol Ther* 2005;22:917-25.
12. Hutchinson SMW, Beattie G, Shearing CH. Increased serotonin excretion in patients with ovarian carcinoma and intestinal obstruction. *Palliative Med* 1995;9:67-68.
13. Goyal RK, Hirano I. Enteric nervous system. *N Eng J Med* 1996;334:1106-15.
14. Roeland E, von Gunten CF. Current concepts in malignant bowel obstruction management. *Curr Oncol Rep* 2009;11:298-303.
15. Ripamonti C, Bruera E. Palliative management of malignant bowel obstruction. *Int J Gynecol Cancer* 2002;12:135-43.
16. Jatoi A, Podratz KC, Gill P et al. Pathophysiology and palliation of inoperable bowel obstruction in patients with ovarian cancer. *J Support Oncol* 2004;2:323-34.
17. Anthony T, Baron T, Mercadante S et al. Report of the clinical protocol committee: development of randomized trials for malignant bowel obstruction. *J Pain Symptom Manage* 2007;34:549-59.
18. Maglinte DD, Howard TJ, Lillemoe KD et al. Small-bowel obstruction: state-of-art imaging and it is role in clinical management. *Clin Gastroenterol Hepatol* 2008;6:130-39.
19. Thompson WM, Kilani RK, Smith BB et al. Accuracy of abdominal radiography in acute small bowel obstruction: does reviewer experience matter. *AJR Am J Roentgenol* 2007;188:W233-38.
20. De Bree E, Koops W, Kröeger R et al. Peritoneal carcinomatosis from colorectal or appendiceal origin: correlation of preoperative CT with intraoperative findings and evaluation of interobserver agreement. *J Surg Oncol* 2004;86:64-73.
21. D Bernardo R. Surgical management of malignant bowel obstruction: strategy toward palliation of patients with advanced cancer. *Curr Oncol Rep* 2009;11:287-92.
22. Silva AC, Pimenta M, Guimarães LS. Small bowel obstruction: what to look for. *Radiographics* 2009;29:423-39.
23. Chan A, Woodruf RK. Intestinal obstruction in patients with wide-spread intra-abdominal malignancy. *J Pain Symptom Manage* 1992;7:339-42.
24. Mangili G, Aletti G, Frigerio L et al. Palliative care for intestinal obstruction in recurrent ovarian cancer: a multivariate analysis. *Int J Gynecol Cancer* 2005;15:830-35.
25. Mercadante S. Intestinal dysfunction and obstruction. In: Walsh D. (Ed.). *Palliative medicine*. Philadelphia, PA: Saunders-Elsevier, 2009. p. 1267-75.

26. Turner J, Cummin T, Bennett A et al. Stents and stent-ability: treatment for malignant bowel obstruction. *Br J Hosp Med* (Lond) 2008;69:676-80.
27. Khot UP, Lang AW, Murali K et al. Systematic review of the efficacy and safety of colorectal stents. *Br J Surg* 2002;89:1096-102.
28. Hosono S, Ohtani H, Arimoto Y et al. Endoscopic stenting versus surgical gastroenterostomy for palliation of malignant gastroduodenal obstruction: a meta-analysis. *J Gastroenterl* 2007;42:283-90.
29. Holt AP, Patel M, Ahmed MM. Palliation of patients with malignant gastroduodenal obstruction with self-expanding metallic stents: the treatment of choice. *Gastrointest Endosc* 2004;60:1010-17.
30. Watt AM, Faragher IG, Griffin TT et al. Self-expanding metallic stents for relieving malignant colorectal obstruction: a systematic review. *Ann Surg* 2007;246:24.
31. Camunez F, Echenagusia A, Simo G et al. Malignant colorectal obstruction treated by means of self-expanding metallic stents: effectiveness before surgery and in palliation. *Radiology* 2000;216:492-97.
32. Pothuri B, Guiguis A, Gerdes H et al. The use of colorectal stents for palliation of large bowel obstruction due to recurrent gynecologic cancer. *Gynecol Oncol* 2004;95:513-17.
33. Baron TH. Interventional palliative strategies for malignant bowel obstruction. *Curr Oncol Rep* 2009;11:293-97.
34. Pothuri B, Montemarano M, Gerardi M et al. Percutaneous endoscopic gastrostomy tube placement in patients with malignant bowel obstruction due to ovarian carcinoma. *Gynecol Oncol* 2005;96:330-34.
35. Campagnutta E, Cannizzaro R, Gallo A et al. Palliative treatment of upper intestinal obstruction by gynecological malignancy: the usefulness of percutaneous endoscopic gastrostomy. *Gynecol Oncol* 1996;62:103-5.
36. World Health Organization. Cancer pain relief. 2nd ed. Geneve: WHO, 1996. p. 1-69.
37. Mercadante S. Pain treatment and outcomes for patients with advanced cancer who receive follow-up care at home. *Cancer* 1999;85:1849-58.
38. Hanks GW, Conno F, Cherny N et al. Expert Working Group of the Research Network of the European Association for Palliative care. Morphine and alternative opioids in cancer pain: the EAPC recommendations. *Br J Cancer* 2001;84:587-93.
39. Anderson SL, Shreve ST. Continuous subcutaneous infusion of opiates at the end-life. *Ann Pharmacother* 2004;38:1015-23.
40. Ripamonti C, Bruera E. Current status of patient-controlled analgesia in cancer patients. Oncology. 1997;11:373-84
41. Grond S, Radbruch L, Lehmann KA. Clinical pharmacokinetics of transdermal opioids: focus on transdermal fentanyl. *Clin Pharmacokin* 2000;38:58-89.
42. Fainsinger RL, Spachynski K, Hanson J et al. Symptom control in terminal ill patients with malignant bowel obstruction. *J Pain Symptom Manage* 1994;9:12-18.
43. De Conno F, Caraceni A, Zecca E, Spoldi E, Ventafridda V. Continuous subcutaneous infusion of hyoscine butylbromide reduces secretions in patients with gastrointestinal obstruction. *J Pain Symptom Manage* 1991;6:484-86.
44. Ventafridda V, Ripamonti C, Caraceni A et al. The management of inoperable gastrointestinal obstruction in terminal câncer patients. *Tumouri* 1990;76:389-93.
45. Mercadante S, Ripamonti C, Casuccio A et al. Comparison of octreotide and hyoscine butylbromide in controlling gastrointestinal symptons due to malignant inoperable bowel obstruction. *Support Care Cancer* 2000;8:188-91.
46. Mercadante S, Casuccio A, Mangione S. Medical treatment for inoperable malignant bowel obstruction: a qualitative systematic review. *J Pain Symptom Manage* 2007;3:217-23.
47. Mercadante S, Porzio G. Octreotide for malignant bowel obstruction: twenty years after. *Crit Rev Oncol Hematol* 2012 Sept;83(3):388-92.
48. Davis MP, Walsh D. Treatment of nausea and vomiting in advanced cancer. *Suppot Care Cancer* 2000;8:444-52.
49. Yazdi GP, Miedema BW, Humphrey LJ. High mortality after abdominal operation in patients with large volume malignant ascites. *J Surg Oncol* 1996;62:93-96.
50. Ripamonti C, Mercadante S, Groff L et al. Role of octreotide, scopolamine butylbromide and hydration in symptom controlo f patients with inoperable bowel obstruction having nasogastric tube. A prospective, randomized clinical trial. *J Pain Symptom Manage* 2000;19:23-34.
51. Glare P, Pereira G, Kristjanson LJ et al. Systematic review of the efficacy of antiemetics in the treatment of nausea in patients with far-advanced cancer. *Support Care Cancer* 2004;12:432-40.
52. Mercadante S, Ferreira P, Villari P et al. Aggressive pharmacological treatment for reversing malignant bowel obstruction. *J Pain Symptom Manage* 2004;28:412-16.
53. Feuer DJ, Broadley KE. Corticosteroids for the resolution of malignant bowel obstruction in advanced gynecological and gastrointestinal cancer. *Cochrane Database Syst Rev* 2000;CD001219.
54. Palliative Care. Practice guidelines in oncology of national comprehensive cancer network. Disponível em: <www.nccn.org>
55. Feuer DJ, Broadley KE, Shepherd JH et al. Thes Systematic review Steering Committee. Systematic review of surgery in malignant bowel obstruction in advanced gynecological and gastrointestinal cancer. *Gynecol Oncol* 1999;75:313-22.
56. Hardy JR, Ling PJ, Mansi J et al. Ptfalls on placebo controlled trials in palliative care: dexamethasone for the palliation of malignant bowel obstruction. *Palliat Med* 1998;12:437-43.
57. Steiner N, Bruera E. Methods of hydration in palliative care patients. *J Palliat Care* 1998;14:6-13.

234-7 Ascite Maligna

André Leonardo da Silva Paes ■ Daniel de Carvalho Zuza

INTRODUÇÃO

Ascite por definição é um acúmulo de líquido patológico dentro da cavidade abdominal.[1] A ascite maligna corresponde a 10% de todos os casos de ascite.[2-4] É uma manifestação de doença avançada e está associada a prognóstico ruim. Os pacientes frequentemente necessitam de tratamento sintomático e, em alguns casos, poderá haver melhora na qualidade de vida. O aparecimento e a progressão da ascite maligna estão associados à deterioração da qualidade de vida, sem haver fatores clínicos que identifiquem os pacientes que desenvolverão esta entidade perturbadora. A ascite maligna é uma condição heterogênea com vários métodos de tratamento incluindo quimioterapia sistêmica e intraperitoneal, diuréticos e paracentese terapêutica. Em nosso serviço, a terapia baseia-se, principalmente, no uso de paracenteses de alívio e diuréticos, sendo a utilização deste último, sustentada pela literatura na ausência de claros fatores preditores para resposta.

ETIOLOGIA

A ascite maligna está comumente associada a tumores intra-abdominais. Cerca de 30 a 54% dos casos estão associados a tumores primários de ovário. Neoplasias malignas do pâncreas, estômago e útero são causas habituais de tumores intra-abdominais cursando com ascite. Tumores primários extra-abdominais, como pulmão, mama e linfomas[2,5] também podem estar associados a ascite. Em aproximadamente 20% de todos os casos de ascite maligna, o tumor primário é de origem desconhecida.[2] Aproximadamente 10 a 15% de todos os pacientes com câncer de origem gastrointestinal desenvolverá ascite em algum estágio da doença.

A duração da sobrevida é pobre, em torno de 20 semanas a partir do momento do diagnóstico, o que pode variar de acordo com a origem do tumor primário.[4]

FISIOPATOLOGIA

Em indivíduos saudáveis, há um constante movimento de entrada e saída de líquido da cavidade peritoneal. A capacidade de reabsorção de líquido é maior que a produção e, como resultado, há normalmente um pequeno volume de líquido na cavidade peritoneal (aproximadamente 50 mL). O desenvolvimento da ascite é decorrente das mudanças tanto na entrada quanto na saída de líquido, resultando em acúmulo na cavidade peritoneal.[2]

Os linfáticos diafragmáticos são as principais vias de drenagem do líquido peritoneal. Os linfáticos peritoneais, do omento e o ducto torácico têm um papel menor.[2,4,6] A obstrução linfática em razão da infiltração tumoral dos linfáticos precede o desenvolvimento de ascite.[2,3] A redução no fluxo de saída de líquido da cavidade peritoneal não parece ser a única razão para a gênese da ascite, visto que a taxa de fluxo global é mais alta em pacientes com ascite maligna. O conteúdo proteico é aproximadamente 85% dos níveis plasmáticos (exsudato), enquanto o conteúdo proteico do líquido normal é em torno de 20-25% dos níveis plasmáticos (transudato). Como a albumina é um componente proeminente na ascite tumoral e acumula-se em proporção similar a encontrada no plasma, o aumento substancial do conteúdo proteico na ascite tumoral, provavelmente, deve-se ao aumento da permeabilidade dos microvasos a albumina e em menor grau a liberação de proteínas associadas ao tumor. Entretanto, a fisiopatologia não envolve somente fatores mecânicos. É importante destacar o papel das citoquinas e a função hormonal.

A presença de fator de permeabilidade vascular secretada pelo tumor, conhecido como fator de crescimento endotelial vascular (VEGF), aumenta o fluxo de líquido para a cavidade peritoneal por aumento da permeabilidade das células endoteliais.[3,5,6] Vários outros fatores de crescimento e citoquinas também têm sido implicadas como interleucina-6 e 10 e fator de necrose tumoral, porém o papel destas substâncias na patogênese da ascite não está tão esclarecido quanto o fator de crescimento endotelial vascular.[3,6]

O aumento na pressão venosa no sistema porta tem sido demonstrado em pacientes com ascite. A elevação da pressão venosa hepática produz um constante fluxo de ascite.[2,3,5] Além disso, a pressão da veia hepática correlaciona-se intimamente com a concentração de renina plasmática, cujo aumento conduz a retenção de sódio pelos rins, via sistema renina-angiotensina-aldosterona, tendo como consequência o acúmulo de água e, por conseguinte, ascite.

A concentração de renina aumentada tem sido descrita em alguns pacientes com ascite maligna, e, nestes pacientes, podemos observar uma boa resposta a espironolactona, um antagonista da aldosterona.[2,3] O que também pode ser observado na ascite relacionada com disseminação metastática hepática maciça, secundária a obstrução do sistema venoso hepático, com boa resposta aos diuréticos.

O desenvolvimento da ascite maligna é provavelmente dependente de uma combinação destes fatores.

DIAGNÓSTICO

A investigação baseia-se em:

- História clínica e exame físico.
- Radiologia.
- Citologia.
- Composição bioquímica da ascite.
- Pesquisa de marcadores tumorais.
- Laparoscopia, se necessário.

História clínica e exame físico

O principal sintoma da ascite é a distensão abdominal associada ao desconforto abdominal contínuo ou dor e anorexia, que pode ser acompanhada por náuseas e vômitos. Outros sintomas incluem: alteração da ventilação pulmonar, edema de tornozelo e diminuição da mobilidade e fadiga. Ganho ponderal pode ser comum, como resultado da retenção de líquido pela ascite. Outras vezes, podemos encontrar perda de peso como evolução da doença maligna subjacente. Os principais sinais são o aumento de volume abdominal, a macicez móvel nos flancos e a onda líquida, que pode ser observada quando da percussão abdominal. A onda de líquido parece ser o sinal físico mais específico (90%), mas o menos sensível (62%). Os outros testes foram similares com sensibilidade em torno de 80% e especificidade em torno de 65%. Uma combinação de sinais leva ao correto diagnóstico.[1,2]

Marcadores tumorais

Decorrente da baixa especificidade, os marcadores tumorais não podem ser usados para o diagnóstico de ascite. Contudo, se o marcador tumoral é específico para um tumor em particular, este pode ser útil no diagnóstico da neoplasia primária.[2] De um modo geral têm pouco valor em determinar se a ascite é de origem maligna, mas são úteis em diagnosticar a origem do tumor. Os mais utilizados são o CEA e o CA-125.

- *CEA (antígeno carcinoembrionário):* é utilizado para detectar recidiva de câncer de cólon e reto (65% dos casos estão associados a concentração de CEA > 5 ng/mL no momento do diagnóstico), mas também tem alguma expressão no câncer de mama, pulmão, pâncreas e útero.
- *CA-125 (antígeno carboidrato):* é um outro marcador que está aumentado em 80% dos pacientes com câncer de ovário. Contudo não é inteiramente específico para pacientes com aquela neoplasia tumoral e está aumentado em 45% dos casos de câncer do pâncreas, 24% no câncer de pulmão, 17% no câncer de cólon e reto e 8% no câncer de mama. Um aumento do CA-125 com CEA normal é muito sugestivo de câncer de ovário. Estas medidas podem ser úteis em mulheres com ascite maligna de causa desconhecida.

Citologia

Uma citologia positiva confirma o diagnóstico de ascite maligna. Tem especificidade de 100%, mas não é muito sensível (40 a 60%). A citologia é mais sensível para carcinomatose peritoneal[2,5,6] e quando combinada à imuno-histoquímica.

Composição bioquímica da ascite

A fibronectina1 (sensibilidade e especificidade de 100%) e o colesterol oferecem uma boa distinção entre ascite em decorrência da doença hepática ou malignidade. A origem da fibronectina no líquido ascítico não é clara e pode ser um produto de células malignas ou derivado do aumento do *turnover* do tecido conectivo adjacente ao implante neoplásico. Outras medidas, como: a dosagem de lactato desidrogenase (LDH) e o gradiente albumina soro-ascite variam em sensibilidade e especificidade. A ascite pode ser exudativa (> 2,5 g/dl) ou transudativa (< 2,5 g/dl) com base no teor de proteínas totais, porém isso pode ser dificultado por uma grande sobreposição entre ascite maligna e não maligna. Até 25% dos pacientes com cirrose podem ter níveis de proteína na ascite e 18% da ascite maligna podem ter baixos níveis de proteína.

Radiologia

A ultrassonografia abdominal é capaz de detectar pouca quantidade de líquido intra-abdominal, em torno de 100 mL. A tomografia computadorizada e a ressonância magnética são igualmente úteis. Embora o método de imagem não possa distinguir entre ascite benigna e maligna, estes métodos podem detectar simultaneamente a presença de tumor sólido primário ou metastático. A ultrassonografia transvaginal é de eficácia razoável no câncer de ovário.[1,2]

Laparoscopia

É indicada na determinação do tumor primário[2] quando lidamos com ascite de origem desconhecida.

TRATAMENTO

A conduta médica básica para tratamento de ascite maligna inclui principalmente o uso de diuréticos e paracentese terapêutica.[7]

Diuréticos

A terapêutica diurética não é tão eficaz como na cirrose hepática, e isto se deve aos diferentes mecanismos fisiopatológicos do acúmulo de líquido.[8] É provável que a pouca resposta a uma dieta de restrição de sódio também ocorra decorrente deste fato.

Pacientes com metástase hepática maciça e alto gradiente albumina soro-ascite parecem ter uma melhor mobilização de líquido ascítico com diuréticos, comportando-se similarmente como um paciente cirrótico. Contudo, pacientes com carcinomatose peritoneal podem produzir ascite em razão da obstrução do fluxo de drenagem linfática normal do peritônio. Estes pacientes não têm alta concentração de renina aldosterona e parecem ter pobre mobilização da ascite com o uso dos diuréticos. Como consequência, a perda de peso é dependente da perda de volume plasmático e da redução do edema, mais do que pelo volume da ascite. Além disso, os diuréticos podem necessitar de diversos dias para reduzir significativamente a ascite sintomática.

A espironolactona é utilizada na dose inicial de 100-150 mg por dia e é aumentada progressivamente até que a resposta clínica seja alcançada ou até que haja alteração clínica ou bioquímica que impeça novo aumento. Deve-se monitorar a função renal e eletrólitos regularmente. É prevista a associação de furosemida na dose de 40-80 mg por dia, para evitar o aumento adicional da espironolactona e consequente risco de hipercalemia. Uma vez alcançada a resposta, pode ser possível reduzir o diurético para uma dose terapêutica de manutenção.[2,3,5,9]

Paracentese terapêutica

É indicada para pacientes com ascite com sintomas de pressão abdominal, como: desconforto ou dor abdominal, dispneia ou ortopneia. Trata-se de uma boa opção para o alívio, embora temporário, em 90% dos casos de ascite maligna.[2,3]

É um procedimento relativamente seguro feito às cegas desde que haja um grande volume de líquido detectado clinicamente. Contudo, alguns pacientes com ascite septada ou gelatiniforme, massa tumoral volumosa, aderências secundárias a cirurgia intra-abdominal ou quimioterapia podem necessitar do auxílio da ultrassonografia ou da tomografia.[2]

A utilização da tomografia computadorizada para inserção de um cateter temporário para drenagem mostrou melhor resultado do que a ultrassonografia abdominal em distinguir massa intra-abdominal de líquido ascítico em casos de ascite septada.[8]

Possíveis complicações da paracentese incluem peritonite secundária, embolia pulmonar, hipotensão, perfuração intestinal e fístula peritoneocutânea.[2] A rápida remoção de grandes volumes de ascite causa movimentação de líquido entre os compartimentos, levando a redução no volume sanguíneo efetivo, diminuição da função renal e hiponatremia dilucional. Eventualmente, é necessário expandir o compartimento intravascular durante a paracentese de alívio de grandes volumes. Drenagem acima de 10 L/dia de líquido ascítico mostra-se segura com a reposição com solução coloide. A paracentese terapêutica com expansão do volume plasmático é efetiva no alívio dos sintomas da ascite tensa, mas pode levar hipoproteinemia e exposição do paciente a complicações infecciosas.[2,3]

Shunts peritoneovenosos

São sistemas projetados para que o fluido peritoneal volte à circulação através da veia cava superior. Fornecem efeito paliativo dos sintomas em 64 a 77% dos casos de ascite maligna. Complicações são citadas em 25% das situações e as mais frequentes são a obstrução do *shunt*, insuficiência cardíaca transitória, coagulopatia, disseminação tumoral, embolia pulmonar, trombose da veia cava superior, fibrose peritoneal com consequente obstrução intestinal e sepse. Eventual disseminação de células tumorais pode levar a metástase maciça. O procedimento tem alta taxa de mortalidade e morbidade e custo elevado. Existem dois tipos de *shunts*, o de Le Veen e o de Denver. O Le Veen drena líquido ascítico para veia cava superior por uma abertura da válvula de sentido unidirecional a uma pressão de 3 cm H_2O. Com o *shunt* de Denver, as válvulas se abrem em um gradiente de pressão positiva de 1 cm H_2O impedindo o refluxo. Uma vez que não se observa diferença na sobrevida ou na qualidade de vida entre pacientes tratados com paracentese abdominal repetida e aqueles tratados com *shunt* peritoneovenoso, a paracentese terapêutica representa uma alternativa lógica ao *shunt*. A utilização deste fica restrita àqueles pacientes com ascite maligna de origem não gastrointestinal, quando outros tratamentos falharam ou quando os pacientes são prognosticados para sobrevida maior que 3 meses.[2-6]

Dreno permanente

O implante de dreno permanente intra-abdominal tipo tubular ou *pigtail* pode prevenir a necessidade de paracenteses repetidas e causa poucos distúrbios hidreletrolíticos, evitando o risco potencial de disseminação tumoral e coagulopatia associada ao *shunt* peritoneovenoso. Há um risco significativo de infecção (38%) e hipotensão sintomática (5%). Fornece alívio sintomático com duração média de 52 dias, período após o qual tende a obstruir ou tornar-se desfuncionalizante. Deve ser considerado naqueles pacientes que desenvolvem severo distúrbio hidreletrolítico após paracenteses repetidas, nos quais o *shunt* peritoneovenoso está contraindicado.[3]

Terapêutica sistêmica

Quando o paciente desenvolve ascite maligna secundária a um tumor primário, que responde a quimioterapia sistêmica e seu *performance status* permite, esta deve ser instituída. Como exemplo, citamos as pacientes com carcinoma de ovário, que frequentemente desenvolvem ascite ainda em estágios I e II da doença. Em todos estes pacientes, a quimioterapia sistêmica é fundamental para o tratamento. Sobrevida de 5 anos em 50% dos casos pode ser alcançada nos estágios I e II da doença, mesmo quando a ascite está presente e se traduz em melhora da qualidade de vida.

Alguns centros têm utilizado a quimioterapia intraperitoneal, que envolve a administração de quimioterápicos diretamente na cavidade peritoneal. Geralmente utilizada em um grande volume de líquido (maior que 2 L) com a finalidade de alcançar adequada distribuição, é indicada no per e pós-operatório, na presença de doença residual mínima e na doença metastática. É contraindicada na ascite septada.[2,3,5]

Novos tratamentos para ascite maligna

- *Octreotide:* é um análogo da somatostatina, com uso já validado no controle de vômitos e obstrução intestinal maligna, diarreia e fístulas digestivas atuam diminuindo secreções e fluidos em mucosa intestinal e aumentando a reabsorção de água e eletrólitos. Estudos mostraram alívio com doses de 200 a 600 mcg/24 h, via subcutânea, no tratamento da ascite maligna.[10]
- *Imunoterapia:* em vários centros, seguem estudos com uso de interferon alfa ou beta, fator de necrose tumoral, OK-432 (extrato do *Streptococcus piogenes* A3 em uma forma não patogênica que pode ativar as células T citotóxicas, macrófagos e células *natural killer* e produzir regressão das metástases peritoneais e ascite) e *Corynebacterium parvum*. Contudo, o uso destes agentes para tratamento da ascite maligna, especialmente a de origem gastrointestinal, necessita de melhor avaliação.
- *Radioimunoterapia:* o uso da terapia com anticorpo monoclonal introduzido intraperitonealmente tem sido usado com algum sucesso no alívio da ascite maligna.[3]
- *Inibidores da matrix metaloproteinase:* são uma família de enzimas presentes em indivíduos normais, mas produzidas em alta concentração por uma variedade de tumores, incluindo câncer de cólon, estômago e mama. Acredita-se que estas enzimas facilitem a invasão tumoral e a disseminação metastática por quebra da matrix extracelular. Este processo é revertido por inibidores da metaloproteinase, que podem exercer um efeito inibidor sobre a angiogênese e a permeabilidade vascular ou afetar diretamente o tumor, evitando a secreção de fatores de permeabilidade vascular. Há evidências de que os inibidores da metaloproteinase levam a formação do estroma extracelular em torno das células tumorais, conduzindo a necrose tumoral.[2,3,6] O uso no alívio da ascite tem sido demonstrado experimentalmente.

REFERÊNCIAS BIBLIOGRÁFICAS

1. Runyon B. Current concepts: care of patients with ascites. *N Engl J Med* 1994;330(5):337-42.
2. Parsons SL, Watson SA, Steele RJC. Malignant ascites. *Br J Surg* 1996;83:6-14.
3. Smith EM, Jayson GC. The current and future management of malignant ascite. *Clin Oncol* 2003;15:59-72.
4. Zervos E. Rosemurgy A. Management of medically refractory ascites. *Am J Surg* 2001;181:256-64.
5. Sharma S, Walsh D. Malignant ascites with diuretics. Two case reports and a review of the literature. *J Pain Symptom Manage* 1995;10(3):237-42.
6. Aslam N *et al.* Malignant ascites: new concepts in pathophysiology, diagnosis and management. *Arch Intern Med* 2001;61(22):2733-37.
7. Mercadante S, Rosa LA. Temporary drainage of symptomatic malignant ascites by a catheter inserted under computerized tomography. *J Pain Symptom Manage* 1988;15(6):374-78.
8. Lee C, Greg B. A survey of practice im management of malignant ascites. *J Pain Symptom Manage* 1998;16(2):96-101.
9. Rosenblum D, Geisinger M. Use of subcutaneous venous access ports to treat refractory ascites. *J Vasc Interv Radiol* 2001;12(11):1343-46.
10. Cairns W, Malone R. Octreotide as an agent for the relief of malignant ascites in palliative care patients. *Palliat Med* 1999;13:429-30.

234-8 Controle de Dispneia em Cuidados Paliativos

Teresa Cristina da Silva dos Reis

INTRODUÇÃO

A dispneia em pacientes com doença avançada, particularmente o câncer, é um sintoma muito comum. Sua prevalência e gravidade tendem a aumentar com a progressão da doença e a aproximação do óbito. A dispneia grave, inclusive, é uma das condições mais devastadoras de pacientes com câncer terminal e determina não só angústia física e emocional como isolamento social para os pacientes, suas famílias e seus cuidadores. Nesta etapa, a sedação é frequentemente necessária. Embora existam semelhanças clínicas, neurofisiológicas e de aspectos psicossociais com a dor, nos últimos anos não estabelecemos os mesmos avanços terapêuticos para o manejo da dispneia.

Esta falta de progresso pode-se explicar por não haver modelo animal para a dispneia e, portanto, nenhum teste *in vitro* de drogas é possível. A pesquisa clínica é limitada em pacientes com câncer intratável, pois o processo avança rapidamente e pacientes gravemente doentes não podem cumprir com algumas condições experimentais. A dispneia é multifatorial e quando "induzida" em voluntários é improvável que se consiga igualar a complexa experiência suportada por pacientes em cuidados no fim da vida.

CONCEITO

Dispneia é o termo para a sensação de falta de ar. A mais recente e ampla definição aceita foi proposta pela American Thoracic Society e tenta englobar esta amplitude definindo falta de ar como "uma experiência subjetiva de desconforto na respiração que consiste em sensações qualitativamente distintas que variam em intensidade. A experiência deriva de interação entre múltiplos fatores fisiológicos, psicológicos, sociais e ambientais e pode induzir respostas fisiológicas e comportamentais secundárias". Por ser esta uma experiência subjetiva, só o paciente está em posição de julgar a sua gravidade. Como a dor, a dispneia é um fenômeno *dual*: se por um lado, existe a percepção individual de falta de ar; por outro lado, existe a resposta individual a esta sensação. A dor pode ser figurativamente descrita como latejante, em picadas, penetrante, opressiva ou dilacerante, mas os médicos não têm uma descrição mais detalhada da dispneia para os pacientes que não seja a sensação de falta de ar. Como os pacientes podem usar palavras diferentes para descrever a sua dificuldade em respirar, neste artigo, vamos usar "dispneia", o termo grego derivado que descreve todas essas experiências como sinônimo de "falta de ar".

PREVALÊNCIA

A falta de ar é muito comum em pacientes com câncer avançado de qualquer sítio primário, ocorrendo em 90% dos pacientes com câncer de pulmão e 70% de todos os pacientes com câncer, em suas últimas semanas de vida. Também pode ser um fator importante na procura por hospital de emergência, aumentando admissões no último ano de vida, estando associada a um prognóstico ruim. Mercadante e Cherny relatam que a falta de ar intratável é importante fator de contribuição para a necessidade de sedação paliativa no fim da vida.

EXPERIÊNCIA DE DISPNEIA × TRAJETÓRIA DE DOENÇA

Dispneia é o sintoma mais comum na doença cardiopulmonar avançada de todas as etiologias. Entretanto, as trajetórias de doença e, portanto, a experiência diária de pacientes com câncer avançado e doença pulmonar obstrutiva crônica (DPOC) são situações muito diferentes. Em pacientes com DPOC, a falta de ar intratável desenvolve-se no final do curso da doença, aumentando gradualmente em gravidade durante um período de anos. Há uma longa fase pré-clínica, quando os pacientes podem não apresentar qualquer sintoma respiratório, apesar dos danos pulmonares existentes. Há, então, um período prolongado de declínio gradual pontuado por exacerbações graves, o que pode ameaçar a vida e requerer internação hospitalar frequente. Nestes casos, a falta de ar tende a ser previsivelmente associada a esforço, até o final da vida, quando ela pode, então, estar presente em repouso.

No câncer avançado, caracteristicamente, a falta de ar começa episodicamente, mas, acompanhando a rápida progressão da doença, pode estar presente constantemente, mesmo em repouso. Dispneia no câncer está relacionada com um prognóstico curto: em um estudo, a sobrevida média dos participantes foi de 19 dias. A dispneia grave frequentemente se desenvolve com rapidez em pacientes que se apresentavam bem, o que é especialmente assustador para os familiares. Enquanto a deterioração do câncer de pulmão é especialmente rápida, outros tumores podem ter um curso mais crônico, com a falta de ar tornando-se mais proeminente perto do óbito, relacionada com o declínio geral causado por caquexia e astenia. Em geral, o declínio de pacientes com câncer é mais previsível, com curva de sobrevida em queda. Igualmente, outros sintomas, como a dor, podem ser tão ou mais debilitantes do que a dispneia em alguns pacientes.

ANSIEDADE E FALTA DE AR

Não há consenso sobre a magnitude de contribuição da ansiedade na sensação de falta de ar – alguns acham que episódios de falta de ar podem desencadear ansiedade, outros acreditam que a ansiedade precipita a falta de ar. Existe, entretanto, uma forte relação entre falta de ar e ansiedade. A identificação das vias cerebrais começou a esclarecer como as dimensões sensoriais e afetivas podem fornecer gatilhos para dispneia e de que maneira isto pode ser importante para alguns pacientes.

O fato é que muitas estratégias que ajudam a reduzir a dispneia em pacientes com doenças malignas e não malignas incorporam o controle da ansiedade. Estudos de neuroimagem e psicofísicos estão, agora, ajudando a avaliar a contribuição de angústia e ansiedade para a gênese da dispneia. A RMN tem demonstrado que a tonsila, parte do sistema límbico que está associado ao medo e à emoção, é ativada com falta de ar "induzida". Como a dor, a falta de ar tem componentes sensoriais (intensidade) e afetivos (emocional), que podem ser gerenciados por diferentes estratégias. Em dois estudos de Von Leupoldt e autores, avaliando voluntários normais em quem a dispneia foi induzida artificialmente, aumentando o trabalho de respiração, o componente afetivo de dispneia foi reduzido por distração dos participantes. A intensidade da sensação não foi afetada. Estratégias que são úteis no manejo de falta de ar no câncer e DPOC podem não melhorar a intensidade dos sintomas ou estimular a tolerância, mas aumentam a sensação de domínio do paciente sobre a falta de ar, reduzindo, assim, o medo e a angústia associados.

APOIO A CUIDADORES/FAMÍLIA

A falta de ar pode ser aterrorizante, não só para o paciente, mas também para quem vê e cuida de um ser amado que sofre com falta de ar. Como o paciente torna-se mais doente, a gravidade da falta de ar e de angústia pode trazer um impacto negativo sobre a vida do membro cuidador/família. A experiência dos familiares é de ansiedade grave e impotência, enquanto eles testemunham o sofrimento de seus parceiros que sofrem de falta de ar. Assim, compreender o conceito de abordagem holística em falta de ar é essencial para avaliar o impacto da falta de ar sobre a vida dos cuidadores.

Muitos estudos têm confirmado que a falta de ar é um sintoma particularmente preocupante para pacientes e seus familiares. Episódios de falta de ar devem ser muito assustadores, uma vez que muitos pacientes descrevem como se estivessem se afogando ou se sufocando até a morte. Também o medo de falta de ar pode levar o paciente a restringir a atividade física, o que, por sua vez, leva a um generalizado descondicionamento muscular. Este pode ser mais um fator na geração da resposta ergorreceptora, com maior probabilidade de induzir falta de ar quando o paciente tem de se mobilizar.

Emergem evidências indicando que é essencial identificar as necessidades psicológicas dos cuidadores como indivíduos, não apenas como parentes. A experiência de viver com alguém com falta de ar intratável ou grave pode causar problemas que não são separados da sobrecarga física do cuidar, especialmente ansiedade, e familiares e cuidadores podem ter seus próprios medos individuais e carga emocional associados ao sintoma.

NEUROFISIOLOGIA E FISIOPATOLOGIA

A neurofisiologia da dispneia é complexa e mal compreendida, mas é claro que há alguma similaridade com a gênese da dor intratável. Ambas são experiências somatopsíquicas decorrentes da interação de múltiplos receptores em vários níveis do sistema nervoso central e, portanto, suscetíveis à modulação por fatores fisiológicos e psicológicos. A dispneia engloba tanto a percepção da sensação do paciente e sua reação à sensação. A respiração normal é uma atividade sensório-motora que envolve um centro controlador respiratório no tronco cerebral. Este funciona principalmente para atender às necessidades metabólicas, manter a homeostase sanguínea e o equilíbrio ácido-base por meio de mecanismos de *feedback* negativo. O centro respiratório integra uma variedade de atividades aferentes, incluindo a de mecanorreceptores nos músculos respiratórios, dos quais o diafragma é o mais importante, vários receptores sensoriais nos pulmões e vias aéreas e quimiorreceptores nos corpos carotídeos e superfície ventral da medula (Fig. 8). Todos os sinais são processados na região bulbopontina do cérebro para produzir uma saída que ajusta a velocidade e a profundidade da respiração.

Uma rede mais alargada de áreas suprapontinas do cérebro, incluindo o córtex motor e o cerebelo, promove o controle 'comportamental' que ativa as funções de controle voluntário, os reflexos de proteção, como a tosse e a influência emocional no circuito respiratório. Estas influências suprapontinas atuam por meio da modulação do centro respiratório no tronco cerebral ou influenciam neurônios motores diretamente. Em estados patológicos, há uma incompatibilidade entre o que o corpo necessita e que o sistema respiratório pode fornecer. O centro percebe que a respiração é insuficiente para atender às exigências, e esse descompasso dispara a sensação de falta de ar.

Portanto, a ventilação alveolar é principalmente uma função autônoma, que em humanos saudáveis é inconscientemente regulada via quimiorreceptores sem causar sensações desagradáveis. A respiração predominantemente reage aos sinais que são retransmitidas de quimiorreceptores periféricos para o centro respiratório no bulbo. Esses receptores são muito sensíveis a uma elevação da pressão arterial parcial de CO_2 ($PaCO_2$) e reagem menos sensivelmente a uma diminuição no pH arterial e pressão arterial parcial de O_2. Mesmo com uma pequena variação de $PaCO_2$, há um aumento imediato no volume corrente para alcançar uma normalização da $PaCO_2$. Se isso não for possível, a dispneia desenvolve-se rapidamente.

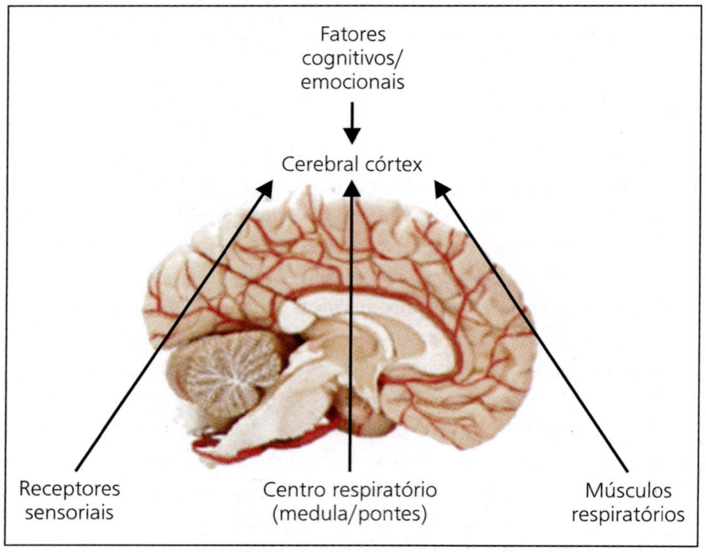

Terapias utilizadas em cuidados paliativos para aliviar a falta de ar são algumas vezes parcialmente bem-sucedidas em controlar este sintoma. É importante reverter o que é potencialmente reversível dependendo da condição física e do *Performance Status* do paciente, bem como da condição psicológica e preferências pessoais. Abordagem de diferentes parâmetros (como tratamento de derrame pleural ou anemia, redução da ansiedade do paciente e apoio ao cuidador) podem gerar um alívio significativo.

PATOGÊNESE

Nos últimos anos, os complexos mecanismos subjacentes à experiência de falta de ar foram elucidados utilizando técnicas de fisiologia pulmonar, teste ergométrico, neuroimagem e pesquisas qualitativas. Dispneia em câncer é o resultado final de muitos caminhos de mudanças fisiopatológicas descritos acima que ocorrem em pacientes que tenham envolvimento tumoral torácico, comorbidades (p. ex.: DPOC ou cardiopatias), deterioração muscular decorrente da caquexia, descondicionamento relacionado com a imobilidade e os efeitos do envelhecimento. As principais causas de dispneia decorrem da alteração na relação entre o comando central da respiração e os mecanismos de resposta do sistema respiratório, determinando:

- Aumento da demanda ventilatória (hipoxemia, hipercapnia, anemia).
- Impedância ventilatória anormal com aumento no esforço respiratório para vencer obstáculos mecânicos.
- Transtornos de trocas gasosas com diminuição da pO_2 de oxigênio (pressão parcial) e/ou aumento da $PaCO_2$ (arterial pressão parcial de CO_2).
- Anormalidades de musculatura respiratória.

Em estágios avançados do câncer, especialmente quando há caquexia, existe uma combinação destes fatores. A irritação do centro respiratório em razão da ação de diferentes receptores intra e extratorácicos e fatores subjetivos, como ansiedade ou medo também funcionam como gatilhos. Podem ser citados, também, a distorção e o estímulo de mecanorreceptores, a fraqueza muscular, a paralisia do nervo frênico e a presença de tumores restritivos de parede como causa de exacerbação. É comum encontrar espirometria anormal onde até 50% podem ser hipóxicos e 20% são possuidores de falha cardíaca/arritmia.

Papel dos *drives* químicos e/ou neurológicos

Os *drives* que controlam a respiração normal e que podem ser alterados na evolução da doença são hipercapnia e hipóxia. A hipercapnia é detectada principalmente nos quimiorreceptores medulares (e parcialmente em corpos carotídeos) e a hipóxia é detectada nos corpos carotídeos.

Quimiorreceptores

Os quimiorreceptores medulares centrais respondem rapidamente às alterações de pH, que refletem de perto a pCO_2 arterial. Receptores periféricos do corpo carotídeo respondem principalmente à diminuição de pO_2 e também são sensíveis à diminuição do pH arterial, oscilações respiratórias de pCO_2, o aumento da temperatura do sangue e estimulantes químicos.

Drives neurológicos periféricos

Os receptores periféricos que são importantes para a regulação da respiração e da patogênese da dispneia incluem os mecanorreceptores da parede torácica e diafragma, receptores de estiramento nas vias aéreas e J-receptores no parênquima pulmonar. Estes centros enviam sinais aferentes ao cérebro sobre a capacidade da bomba respiratória e os pulmões para fornecer a ventilação necessária para o atual nível de atividade. No DPOC, há hiperinsuflação e complacência reduzida dos pulmões e estes contribuem para a tolerância reduzida ao exercício e dispneia em exercício. Os J-receptores são estimulados por um aumento da pressão pulmonar e fluidos, como, por exemplo, na insuficiência cardíaca e na embolia pulmonar.

Outro conjunto de receptores que foi recentemente alardeado como relevante em situações de dispneia crônica é o de ergorreceptores. Eles detectam alterações metabólicas e de lactato/subprodutos e podem

▲ **FIGURA 8.** Representação gráfica do centro respiratório.

provocar falta de ar aos mínimos esforços. Eles são provavelmente regulados na presença de descondicionamento, por exemplo, quando os pacientes tornam-se mais acamados com o avanço da doença.

Papel do centro respiratório na expressão de dispneia

Recentes técnicas de imagem e neurovasculares tentam lançar luzes sobre como a respiração é controlada em áreas consciente e subconsciente do cérebro. Sinais aferentes de músculos do tórax e do diafragma passam para a medula, daí para o tálamo e terminam no córtex somatossensorial. Pensa-se que esta via pode mediar o componente sensorial ou intensidade da dispneia. Sinais das vias aéreas e pulmões também são transmitidos via vagal para a medula, daí para a tonsila, o tálamo e o córtex cingulado. Esta via tem sido pensada como a do controle comportamental ou via afetiva, que traz o dissabor de conscientização da dispneia.

O centro respiratório medular que coordena a respiração normal e a resposta à doença e onde circulam produtos químicos é, na verdade, um complexo conjunto de estruturas, incluindo os grupos ventral e dorsal respiratório, centro pneumotáxico e o complexo de pré-Bötzinger. Este último é provavelmente o centro onde se origina o ritmo respiratório. Ele é rico em neurônios que são sensíveis aos opioides, GABA, serotonina e outros neurotransmissores.

Receptores opioides nestas áreas estão envolvidos intimamente com a regulação da respiração e também da sensação de dispneia. Eles mediam a resposta ventilatória às variações na tensão de CO_2. Drogas terapêuticas opioides inicialmente podem causar depressão dose-dependente da frequência ventilatória (bradipneia) com um aumento do volume corrente. Com doses mais altas, o volume-minuto cai, levando à hipoventilação e hipercapnia. Estudos recentes têm demonstrado que quando os opioides são utilizados com cuidado e titulados adequadamente ao nível de dispneia, mesmo quando a frequência respiratória cai, não há comprometimento ventilatório significativo. O perigo surge quando as drogas opioides são administradas em doses excessivas em comparação às necessidades do paciente ou quando há risco de ventilação reduzida com embotamento do *drive* ventilatório de hipercapnia, trazendo como consequência aguda a insuficiência respiratória hipercápnica.

Outros fatores

Como o câncer, DPOC e insuficiência cardíaca geralmente surgem em pessoas mais idosas é relevante considerar os efeitos do envelhecimento sobre a função respiratória e a sensação de falta de ar. Estes incluem: diminuição da elasticidade pulmonar e de força muscular respiratória levando à redução na capacidade vital, aumento de retenção de ar e diminuição da troca gasosa, atenuada resposta ventilatória à hipóxia e hipercapnia, mas aumento da resposta ventilatória ao exercício. Os recentes avanços na compreensão da natureza da caquexia, que ocorre em muitos pacientes com câncer avançado, têm identificado falhas na força muscular da parede torácica e do diafragma como fatores adicionais na patogênese da dispneia. Tem sido demonstrado que o TNF-alfa pode deprimir força muscular diafragmática e contratilidade da fibra diretamente.

ABORDAGEM CLÍNICA

A falta de ar em pacientes com câncer avançado é tipicamente multifatorial em causa e multidimensional no impacto. Assim, é necessário que os médicos integrem esse raciocínio em sua avaliação se quiserem fornecer cuidados mais adequados. Muitos fatores podem modular a gravidade e a intensidade da falta de ar, o que significa que há um grande número de abordagens pelas quais os médicos podem, potencialmente, reduzir a severidade do sintoma. A avaliação de pacientes com falta de ar deve incluir inicialmente um histórico detalhado: se o paciente estiver extremamente ofegante, pode ser útil para fazer isso com o cuidador, com o paciente concordando ou a adição de frases mais curtas quando necessário. A avaliação deve conter o desenvolvimento físico, psicológico e domínios sociais do impacto da falta de ar e o *status* de doença conhecida, juntamente com uma análise adequada para:

1. Excluir qualquer causa reversível da falta de ar.
2. Avaliar o impacto do sintoma na vida dos pacientes e cuidadores.

Mesmo quando há componentes reversíveis à falta de ar em pacientes com câncer avançado, pode ser difícil aliviar a falta de ar completamente. Portanto, um plano de gestão deve incluir estratégias que englobam isso. Os pacientes e os cuidadores precisam de informações completas sobre os benefícios potenciais, bem como riscos de qualquer intervenção a ser realizada. A interação de causas psicossociais, ambientais e fisiológicas pode modular a intensidade e a gravidade da sensação, levando a respostas fisiológicas e comportamentais secundárias. Algumas destas respostas como ansiedade, pânico, medo ou falta de ar podem provocar piora e se tornar um obstáculo no controle da falta de ar. Na gestão de tais casos, o médico sozinho não vai resolver a falta de ar. Assim, questões psicossociais subjacentes precisam ser abordadas na avaliação de causas. (Quadro 14).

DIAGNÓSTICO

Exames laboratoriais, gasometria arterial, imagens radiográficas e testes de função pulmonar podem ser úteis para entender a etiologia da dispneia, mas não são necessários para o seu diagnóstico. O autorrelato do paciente é a única medida necessária para detectar a presença deste sintoma muito desagradável.

Entretanto, é importante distinguir clinicamente dispneia de outros tipos de padrão respiratório anormais, especialmente taquipneia associada ao aumento da taxa metabólica, como a febre, a falta de ar associada a acidose metabólica, a cetose diabética, a hiperventilação associada à perturbações de pânico, a respiração de Cheyne-Stoke, alternando com períodos de hipopneia ou mesmo apneia. É útil pedir ao paciente para classificar a gravidade da falta de ar utilizando uma escala de graduação. Isto pode estabelecer uma base e ajudar a monitorar a resposta a intervenções clínicas e não farmacológicas. A maioria dos pacientes com função cognitiva normal pode descrever o sintoma verbalmente (leve-moderada-grave) ou numérica (0-10), onde 10 é a pior experiência de falta de ar possível.

Na história clínica, é útil fazer um diagnóstico diferencial, por exemplo, relação com atividade física, decúbito (p. ex.: ortopneia com insuficiência cardíaca), dispneia paroxística com palpitações e lipotímia e embolia pulmonar. Características importantes do exame físico podem

Quadro 14. Causas de dispneia

Comprometimento de VAS	Compressão extrínseca do tumor Tumor endobrônquico Doença pulmonar obstrutiva crônica (asma, DPOC) Fístulas
Comprometimento parenquimatoso	Tumor Metástase Linfangitedisseminada Pneumonia/atelectasia Enfisema
Pleura	Envolvimento pleural Derrame pleural
Sistema vascular	Embolia pulmonar Síndrome da veia cava superior
Sistema neuromuscular	Comprometimento do diafragma (compressão) Infiltração de nervo frênico Infiltração de parede torácica Síndromes paraneoplásicas (miastenia *gravis*, Síndrome de Lambert-Eaton) Desnutrição/fadiga/fraqueza muscular
Patologias extrapulmonares	Derrame pericárdico/tamponamento Doença coronariana Anemia Ansiedade/depressão Ascite Infecção Fraturas
Sequelas do tratamento	Pneumonite ou fibrose pós-radioterapia Fibrose secundária à QT Cardiomiopatia pós-QT Complicações de pneumectomia/lobectomia Reações ao uso de progestágenos

incluir detecção de anemia, cianose central, sinais de insuficiência cardíaca, broncospasmo, consolidação pulmonar e derrame pleural. A menos que o paciente esteja agônico e considerando sua adequada prognosticação, temos a obrigação de investigar e diagnosticar causas patológicas tratáveis e reversíveis (Quadro 15). Alguns exames úteis no diagnóstico podem ser utilizados para monitorar o progresso da intervenção. Lembrar que devemos sempre afastar a dispneia por causas iatrogênicas, como depressão respiratória induzida por drogas e sequelas de tratamento quimioterápico ou radioterápico com intenção paliativa.

MENSURAÇÃO

Ao invés de ser apenas um processo patológico para o paciente, a falta de ar pode ser sinal de uma experiência, que interliga o seu medo e o medo do passado, presente e futuro. Ela está intimamente relacionada com ansiedade e pode tocar em questões existenciais. Sua gravidade e impacto são individuais para cada paciente. Tem sido demonstrado que a falta de ar pode não só ter um impacto físico mas, também emocional e social. Abernethy fala em um novo modelo de "Falta de Ar Total". Ela transpõe o modelo de "dor total" para o campo da dispneia e usa este para tratar a experiência dos pacientes desse sintoma nos domínios físico, psicológico, social e espiritual. Portanto, aproximando-se falta de ar, a partir de uma visão holística é necessário que se tenha uma avaliação exata do seu impacto na vida dos pacientes. Isto é essencial para incorporar diferentes estratégias farmacológicas e não farmacológicas de gerenciamento a fim de apoiar o paciente e a sua família.

Uma barreira importante na avaliação e no tratamento paliativo de falta de ar tem sido a falta de instrumentos de avaliação comum. Uma revisão sistemática demonstrou que não há nenhuma ferramenta que possa ser considerada como o padrão ouro para a avaliação da falta de ar. Aspectos como questões existenciais e angústia do cuidador nunca foram incluídos em qualquer das ferramentas.

A combinação de uma ferramenta uni e multidimensional é necessária para a avaliação holística da dispneia, o que não temos com uma ferramenta unidimensional, como o EVA (escala visual analógica) ou a escala modificada de Borg, que podem ser utilizadas para a avaliação clínica de falta de ar ou para avaliar o efeito de uma intervenção. Entretanto, se o foco é mais no impacto sobre a qualidade de vida dos pacientes, uma ferramenta multidimensional deve ser considerada como *Lung Cancer Sympton Scale* ou questionários específicos como *Cancer Dispnea Scale* (CDS). Como a população de cuidados paliativos é muito heterogênea, com pacientes que estão sendo afetados por uma ampla gama de doenças e em pontos diferentes de suas trajetórias de doença, é essencial que os estudos de validação tentem abranger esses aspectos. No Brasil e em países de língua portuguesa, utilizamos a Escala ESAS (*Edmonton Sympton Assessement Scale*). O padrão ouro para diagnóstico de dispneia é o autorrelato do paciente. Não há outra medida confiável e objetiva do distúrbio. Medidas de frequência respiratória, saturação e gasometria arterial não estão correlacionados e não mensuram adequadamente a dispneia. Por exemplo, os pacientes podem ser hipoxêmicos, mas não dispneicos, ou dispneicos, mas não hipoxêmicos.

Quadro 15. Condições que podem ser tratadas especificamente

Broncospasmo	Broncodilatadores Corticoides/fisioterapia
Infecção	Antibióticos/fisioterapia
Derrame pleural	Toracocentese Pleurodese
Anemia	Hemotransfusão
Linfangite carcinomatosa (RX + creptações finas+ severidade do quadro)	Corticoides Broncodilatadores Diuréticos
Obstrução de VAS (estridor, batimento de asa do nariz)	Radioterapia *Stent*/Laserterapia Corticoides Traqueostomia
SVCS	RXT Corticoides/diuréticos/morfina
Ascite	Paracentese/diuréticos

TRATAMENTO

O gerenciamento do sintoma deve idealmente ser direcionado para aliviar ou eliminar a causa subjacente da falta de ar, incluindo comorbidades – sempre que possível. Assim, deve-se considerar broncodilatadores e terapia com esteroides nas exacerbações de patologias crônicas e benignas de vias aéreas, correção de anemia e antibióticos para bronquite ou pneumonia. É importante não aumentar a carga hídrica do paciente nem utilizar inadequadamente recursos com situações do cuidado no fim da vida.

Terapia voltada para o tumor

Oncologistas estão cientes do papel dos tratamentos antineoplásicos para amenizar os sintomas respiratórios. No câncer do pulmão, radioterapia pode reduzir a dispneia e trazer alívio para tosse, hemoptise e emergência como síndrome de compressão da veia cava superior, terapias endobrônquicas como implante de *stent*, braquiterapia e *laser* podem ser úteis para casos selecionados. *Stents* das vias aéreas superiores podem ser muito úteis em casos de compressão traqueal produzindo estridor. Pacientes com suspeita ou comprovada linfangite carcinomatosa – que pode causar extrema falta de ar, fadiga e pânico – podem apresentar melhora com uso de corticosteroide (dexametasona 16 mg/dia).

Derrame pleural e pericárdico

Dispneia, tosse e desconforto no peito em pacientes com câncer de pulmão avançado são, muitas vezes, causados por um derrame pleural. Até 50% dos pacientes com doença metastática são diagnosticados com efusão pleural durante o decurso da sua doença. Para pacientes com um prognóstico pobre, cujas efusões reacumulam lentamente, a melhor abordagem é com toracocentese terapêutica, repetidas conforme necessário. Para os pacientes com maior sobrevida esperada, terapias mais definitivas são as de escolha.

Historicamente, a pleurodese é a melhor escolha após a reexpansão pulmonar, usando talco ou tetraciclina, com 80% de sucesso no controle de recidiva. No entanto, dados sugerem a superioridade a longo prazo de catéteres tunelizados e totalmente implantados que não só aliviam efetivamente os sintomas como permitem atendimento ambulatorial e domiciliar.

Tratamento medicamentoso

Após o tratamento de patologias específicas (broncodilatadores, diuréticos, controle de infecção), é essencial iniciar sintomáticos, se o paciente não respondeu ao tratamento inicial e torna-se claro o diagnóstico de dispneia por progressão de doença em parênquima pulmonar. As principais drogas utilizadas no controle de dispneia são os opioides e os benzodiazepínicos.

Opioides

Em comparação com outros sintomas, a dispneia é experimentada como risco de vida. Uma terapia consistente antecipatória é, portanto, uma prioridade, entretanto, mesmo diretrizes geralmente aceitas para tais tratamentos não estão disponíveis. Isto é também verdadeiro para o uso de opioides para o tratamento de dispneia.

A principal indicação para uso dessas substâncias em pacientes de cuidados paliativos é a dor e seu uso para controle nestas condições em pacientes com câncer é indiscutível. O uso de opioides para o tratamento de dispneia foi mencionado na literatura em 2001, mas a Organização Mundial da Saúde continua a contraindicar o uso de opioides fortes para o tratamento de desordens obstrutivas crônicas. Essa recomendação pode ser vista como uma causa provável para uma relutância geral em utilizar opioides para o tratamento da dispneia, mesmo em pacientes sem DPOC. Entretanto, há muitas evidências dos benefícios do uso de opioides. Foi evidenciado um aumento estatisticamente significativo de efeito positivo dos opioides sobre a sensação de falta de ar, efeito este maior para opioides orais ou parenterais do que para os opioides administrados por via nebulização, que não eram melhores do que o placebo. Os opioides determinam diminuição da dispneia induzida pelo exercício e aumentam a tolerância ao exercício em pacientes com COPD.

Opioides são capazes de reduzir a resposta do centro de regulação respiratório a um aumento na $PaCO_2$. A administração de opioides causará um pequeno aumento na ventilação quando a $PaCO_2$ está aumentando, decorrente da maior tolerância para o aumento da $PaCO_2$. Depressão respiratória com aumento da $PaCO_2$ e subsequente diminuição da PaO_2 é um temido efeito adverso do uso terapêutico de opioides fortes.

É em razão deste mecanismo bem comprovado de depressão respiratória causada por opioides, que se levantam preocupações quanto à administração segura a pacientes com distúrbios de ventilação ou quando não estão associados a dispneia. Em 1954, pesquisadores publicaram um estudo que ilustrava que os opioides foram capazes de causar retenção de CO_2 e depressão respiratória. É em grande parte devido a estes resultados que opioides fortes têm sido utilizados com grande relutância. A *American Thoracic Society*, no entanto, declarou que o uso de opioides não é contraindicado para o tratamento de dispneia crônica. Eles recomendam uso criterioso e terapia individualizada por razões de segurança. Entretanto, têm havido evidências na literatura que justificam o uso de opioides em pacientes dispneicos sob cuidados paliativos.

Em princípio, uma dose terapêutica sistêmica baixa é recomendada para o gerenciamento de dispneia. Estudos de Walsh e Bruera confirmam a influência positiva do tratamento de opioides sobre a função respiratória, mostrando que a intensidade da dispneia diminuiu significativamente após a aplicação subcutânea de opiáceos, com uma diminuição muito significativa da frequência respiratória. Um trabalho relatou que, especialmente em pacientes dispneicos virgens de opioides, não houve aumento no PCO_2 e nem depressão respiratória, como é amplamente temida.

Há, portanto, inúmeras evidências, de pesquisas e estudos clínicos de que as drogas opioides podem aliviar a sensação de falta de ar e também trazer muitos outros benefícios subjetivos e objetivos. Além disso, os opioides reduzem a dor que normalmente contribui para a restrição da parede torácica ou movimentos do diafragma. Na insuficiência ventricular esquerda, o uso de opioides pode melhorar o consumo de oxigênio. Os medicamentos opioides mais utilizados são a morfina e fora do Brasil alguns de seus sintéticos análogos, como hidromorfona ou oxicodona.

Embora seja claro que os opioides podem ajudar na dispneia relacionada com o câncer, algumas questões ainda permanecem em relação à dose inicial ideal, regime, escolha de opioides, opções de rodízio ou formulação de liberação. Para o início do tratamento, a dose deve ser iniciada com morfina, 5 mg por via oral ou 2,5 mg SC, repetido a cada 2-4 h, se necessário, sendo titulada em uma base diária até que o paciente esteja confortável ou se desenvolvam efeitos colaterais indesejáveis.

Para pacientes que já estão em uso de opioides para controle da dor, é razoável oferecer doses para resgate "conforme necessário" com acréscimos de 25-50% ao que já estava sendo utilizado para controle álgico (Quadro 16). Em longo prazo, o tratamento pode ser associado aos incômodos efeitos adversos – notadamente constipação e xerostomia, que se não forem preventivamente tratados, comprometem a qualidade de vida.

Embora existam receptores opioides nas vias aéreas, não há nenhuma evidência convincente de que esses possam mediar a sensação de dispneia. Uma revisão sistemática não encontrou benefício de nebulização de opioides para controle do sintoma.

Quadro 16. Terapia com opioides

Dispneia leve	Morfina 5 mg VO a cada 4 h Codeína 30 mg VO a cada 4 h	Nas crises agudas oferecer dose equivalente a cada 1-2 h, conforme necessário
Dispneia grave	Morfina 5 mg VO a cada 4 h Oxicodona 5 mg VO a cada 4 h Hidromorfona 1 mg VO a cada 4 h Para pacientes com doença pulmonar grave, como DPOC, iniciar esquema com 50% das doses acima	Nas crises agudas oferecer dose equivalente a cada 1-2 h, conforme necessário Titular aumentos de 50-100% a cada 24 h, conforme necessário Titular aumentos de forma mais conservadora, com 25% da dose a cada 24 h, conforme necessário

Ansiolíticos

Benzodiazepínicos são recomendados para o controle de dispneia, mas as evidências para apoiar o seu benefício ainda são escassas. Os benzodiazepínicos mais usados são diazepam, lorazepam e midazolam. Sua ação é mediada principalmente por trabalhar sobre os receptores GABA-érgicos. Eles podem ser usados como sedativos, hipnóticos, relaxante muscular, ansiolíticos e anticonvulsivantes. Em doses normais, eles não afetam a respiração, mas em doses mais elevadas pode deprimir um pouco de ventilação. Estudos mostram que os benzodiazepínicos provavelmente causam menos sonolência do que os opioides quando administrado a pacientes dispneicos, daí os autores recomendarem o uso como terapia de segunda ou terceira linha em um indivíduo, quando opioides e outras medidas não farmacológicas falharam.

A adição de midazolam à morfina para o controle da dispneia no câncer no final da vida também foi avaliada. No entanto, a dose inicial para muitos pacientes (5 mg a cada 4 horas) foi superior à recomendada em outros *guidelines*.

As drogas benzodiazepínicas são úteis se há um componente significativo de ansiedade associada à dispneia e especialmente quando ataques de pânico ocorrem em antecipação de qualquer atividade. Drogas de ação mais curta, como o lorazepam, são as preferidas e podem ser utilizadas por via sublingual para minimizar os picos de ansiedade. Para os pacientes que experimentam episódios graves de falta de ar, por exemplo, com obstrução das vias aéreas, linfangite carcinomatosa, uso subcutâneo, contínuo ou intermitente de midazolam pode ser muito útil. Em condições habituais, a dose normal do midazolam deve ser iniciada com 2,5 mg/dia e gradualmente titulada, diariamente, para reduzir o pânico sem causar indevida sedação. Diazepam deve ser evitado por causa de sua meia-vida prolongada. Embora não haja evidência de que os benzodiazepínicos modifiquem a sensação de dispneia *per se*, como há com opioides, resultados sugerem que a combinação de benzodiazepínicos com opioides pode ser melhor do que qualquer droga isolada. Adição de levomepromazina ou haloperidol é recomendada pelos autores se o medo, ao invés de ansiedade, torna-se uma sensação esmagadora (Quadro 17). Este último tem excelente ação em caso de dispneia associada a alucinações e delírios.

O tratamento da ansiedade, portanto, tem um papel importante em um subconjunto de pacientes para quem é um componente importante da angústia. Para esses pacientes, os benzodiazepínicos podem ser prescritos com segurança em doses adequadas, prescritos em conjunto com opioides, sem medo de depressão respiratória quando as orientações sejam seguidas.

Furosemida nebulisada

Em contraste com a falta de efeito dos opioides na nebulização, a inalação de furosemida tem sido demonstrada em vários estudos de dose única para resultar em broncodilatação e redução de falta de ar. Furosemida é um diurético de alça comumente prescrito e usado em pacientes com insuficiência cardíaca, edema pulmonar, ascite e edema. O benefício de furosemida inalada no controle de falta de ar foi postulado pela primeira vez por Shimoyama e Shimoyama (2002), que publicou uma pequena série de casos de pacientes com câncer terminal. Quando inalada, a furosemida forma uma névoa que tem uma variedade de ações no parênquima pulmonar, entre elas inibir a tosse e proteger contra estímulo de broncoconstrição. Estas ações não são uma explicação adequada de alívio para falta de ar na ausência de asma ou outras doenças pulmonares. Estudos indicam que o alívio da falta de ar pode ser mediado pela modulação dos aferentes sensoriais por

Quadro 17. Terapia ansiolítica

ANSIOLÍTICOS	DOSE DE ATAQUE	DOSE DE MANUTENÇÃO
Lorazepam	0,5 -1 mg/h VO até controle de pânico	0,5-1 mg VO ou SL cada 4-6 h
Diazepam	5-10 mg/h VO até controle de pânico	5-10 mg VO cada 6-8 h
Midazolam	0,5 mg IV a cada 15 min até controle de pânico	2,5 mg/dia em Infusão SC ou IV titulada diariamente
Clonazepam	–	0,25-2 mg VO ou SL cada 12 h

estímulo de receptores J ou receptores em musculatura estriada pulmonar. Mostrando-se eficaz, furosemida inalada seria um tratamento simples e de baixo custo que não provoca sedação e nem apresenta extensos efeitos colaterais. A dose eficaz é de 20-40 mg, que na absorção sistêmica é muito baixa para causar diurese significativa. Aguardamos estudos maiores e randomizados, para melhor avaliação da droga.

Corticosteroides

Os corticosteroides são importantes adjuvantes no tratamento de broncospasmo, síndrome da veia cava superior, linfangite carcinomatosa e pneumonite por radiação. Broncodilatadores como salbutamol e ipratrópio podem tratar broncospasmo reversível. O salbutamol ultimamente tem sido isolado para estudos clínicos. O S-isômero parece ser pró-inflamatório, assim um purificado R-isômero (levalbuterol) foi introduzido clinicamente. De igual modo, estudos em asma indicam que o R-isômero pode induzir a broncodilatação com uma menor concentração de salbutamol racêmico e, consequentemente, tem menos efeitos adrenérgicos. As metilxantinas podem ter um papel na broncodilatação, bem como melhorar contratilidade diafragmática em pacientes altamente selecionados. Embora os estudos clínicos não abordem esta questão, a contratilidade melhorada pode ser importante, dada a baixa pressão inspiratória máxima comumente vista em pacientes com câncer. Estes valores baixos implicam em fraqueza de musculatura respiratória. A janela terapêutica estreita entre efeitos terapêuticos e adversos das metilxantinas pode limitar a sua utilização clínica.

Os médicos, entretanto, devem ter a certeza de não somente atribuir a dispneia à evolução do câncer, mas avaliar e tratar todas as comorbidades subjacentes, especialmente nesta população que convive com elevada taxa de doenças cardiopulmonares relacionadas com o tabaco.

Oxigenoterapia

Evidências de ensaios clínicos randomizados sugerem que tanto o oxigênio como o ar fresco podem reduzir dispneia em pacientes com câncer. Parece que não é a correção de hipoxemia, que é importante, mas sim o fluxo de gás direcionado. Pacientes hipóxicos podem não estar dispneicos e se assim estiverem, corrigindo a hipóxia não necessariamentese controla a falta de ar. O mecanismo da ação de oxigênio é incerto e pode estar relacionado com a ativação do nervo trigêmeo ou refrigeração de receptores no trato respiratório superior.

Não ausência de fatores preditivos que identifiquem a população que se beneficia de oxigenoterapia, esta modalidade deve ser resguardada a pacientes que têm significativa queda de saturação em repouso ou de esforço (< 90%) e desconfortáveis, que não obtiveram alívio com uso do ventilador. Para manter comunicação de voz e reduzir a xerostomia associada, o oxigênio pode ser disponibilizado por cânulas nasais, a menos que altas taxas de fluxo sejam obrigatórias. Deve-se lembrar que o uso demasiado de oxigênio pode desencadear dependência a esta modalidade, mas também é contraindicado em altas taxas para pacientes com DPOC avançada, que podem estar em risco de insuficiência respiratória por hipercapnia.

Em dispneia grave associada a câncer, uma mistura de hélio com oxigênio ("heliox") pode dar alívio mais rápido do que com o oxigênio isolado. Tem sido muito utilizado em pacientes com obstrução de vias aéreas como uma manobra de ponte até definitivo tratamento. Um estudo randomizado avaliou efeitos do heliox *versus* oxigênio enriquecido em 12 pacientes com câncer de pulmão e dispneia aos esforços. Heliox a 28% (72% de hélio e 28% de oxigênio) reduziu dispneia aos esforços e aumentou tanto a capacidade de exercício e saturação de oxigênio, em repouso e durante o esforço. Este é ainda um trabalho preliminar, que carece de maiores desdobramentos.

Tratamento não medicamentoso

Por causa do incômodo de efeitos colaterais (e custos) de drogas ou oxigenoterapia, e entendendo o papel da ansiedade na manutenção da dispneia, é útil para oferecer ao paciente abordagens não médicas que possam aliviar o sintoma. Alguns pacientes respondem bem ao uso estruturado de técnicas de relaxamento e musicoterapia. O emprego destas técnicas foca na manutenção da independência e do autocontrole, estando associadas a reduzido risco de depressão e aumento da qualidade de vida em pacientes com doença crônica. Isto é importante em um sintoma que tem um rápido início, que é provavelmente exacerbado pela ansiedade que inicia, e quando nem serviços de emergência estão disponíveis. Uma das estratégias mais úteis que um médico pode ofertar é para ouvir a experiência do paciente (e seus cuidadores) durante um episódio de dispneia e escrever um "plano de falta de ar" com eles, incorporando estratégias farmacológicas e não farmacológicas. Esta abordagem pode ter um imediato impacto sobre a ansiedade do paciente como pacientes e cuidadores, que começam a exercer algum controle sobre uma situação difícil. Há evidências no incentivo a utilização dos seguintes tratamentos: ventilador, treinamento de redução da ansiedade, reabilitação física e ventilação não invasiva. Outros melhoram com o emprego de técnicas que incluam o controle da respiração, explorando estratégias de ritmo e estabelecimento de metas de atividades diárias.

Por outro lado, é importante destacar que intervenções psicoeducacionais são menos apropriadas do que terapia farmacológica para aqueles pacientes em cuidado no fim da vida, por causa da excessiva fadiga física e mental, resguardando-se esta terapia para pacientes com *melhor performance status* e bom desempenho cognitivo (Fig. 9).

Ventilação

Tem sido demonstrado que o resfriamento facial nas áreas inervadas pelo segundo e terceiro ramos do nervo trigêmeo pode enviar estímulos sensoriais para reduzir a sensação de falta de ar, e sua possível eficácia em pacientes foi relatada. Schwartzstein *et al.* (1987) demonstraram pela primeira vez que o ar frio dirigido contra as bochechas ou seja face, mucosa nasal e faringe, pode reduzir significativamente a falta de ar. Embora o oxigênio historicamente tenha sido amplamente utilizado para o controle de falta de ar, estudos têm demonstrado que o oxigênio não tem agregado vantagem sobre ar normal na melhora do sintoma.

Não há efeitos adversos. O ventilador é de baixo custo, não chama a atenção para o usuário e é simples de usar. É ideal para uso em um plano terapêutico de falta de ar. É útil, portanto, proporcionar ao paciente ventiladores portáteis próximos a sua cabeceira e permitir a circulação do ar por meio da abertura de janelas.

Treinamento de redução de ansiedade

Medo e ansiedade estão associados a câncer e falta de ar, e os pacientes e cuidadores precisam de ajuda para encontrar maneiras de controlar essas emoções angustiantes. Médicos precisam ter cuidado ao abordar o paciente ou o cuidador. Devem usar estratégias de averiguação como: "Algumas pessoas me disseram que sentiam um pouco de pânico durante uma falta de ar ou ataque. Você já se sentiu assim?"

Ansiedade em si pode precipitar e agravar a sensação de falta de ar. É contraproducente dizer a um paciente sem fôlego para 'ficar calmo ou não entrar em pânico', sendo mais útil rotineiramente encorajá-lo a integrar um plano de gerenciamento de sua própria falta de ar. O método precisa agregar pacientes e familiares na filosofia do cuidado e ser iniciado preventivamente antes de crises graves de dispneia. Existe uma variedade de métodos diferentes para induzir relaxamento durante os ataques de falta de ar: a respiração diafragmática para reduzir a hiperventilação, terapia cognitivo-comportamental (TCC), técnicas de auto-hipnose, relaxamento muscular progressivo, visualização e imaginação guiada, musicoterapia e meditação. Estas técnicas podem ajudar os pacientes a ganhar confiança e algum controle sobre sua respiração e, com isso, compensar o ciclo vicioso de falta de ar e ansiedade (Fig. 11) Existem muitos outros métodos. A chave do sucesso é adequar a técnica ao paciente.

Estimulação elétrica neuromuscular (NMES)

É a aplicação de estímulos elétricos a um grupo de músculos para estímulo nervoso e retreinamento muscular, ensinando-o a funcionar novamente. NMES produz contrações musculares de alta intensidade simulando baixa repetição. Eles aumentam a potência muscular, um processo passivo que pode dar aos pacientes o incentivo para manter atividade física. Estudos de

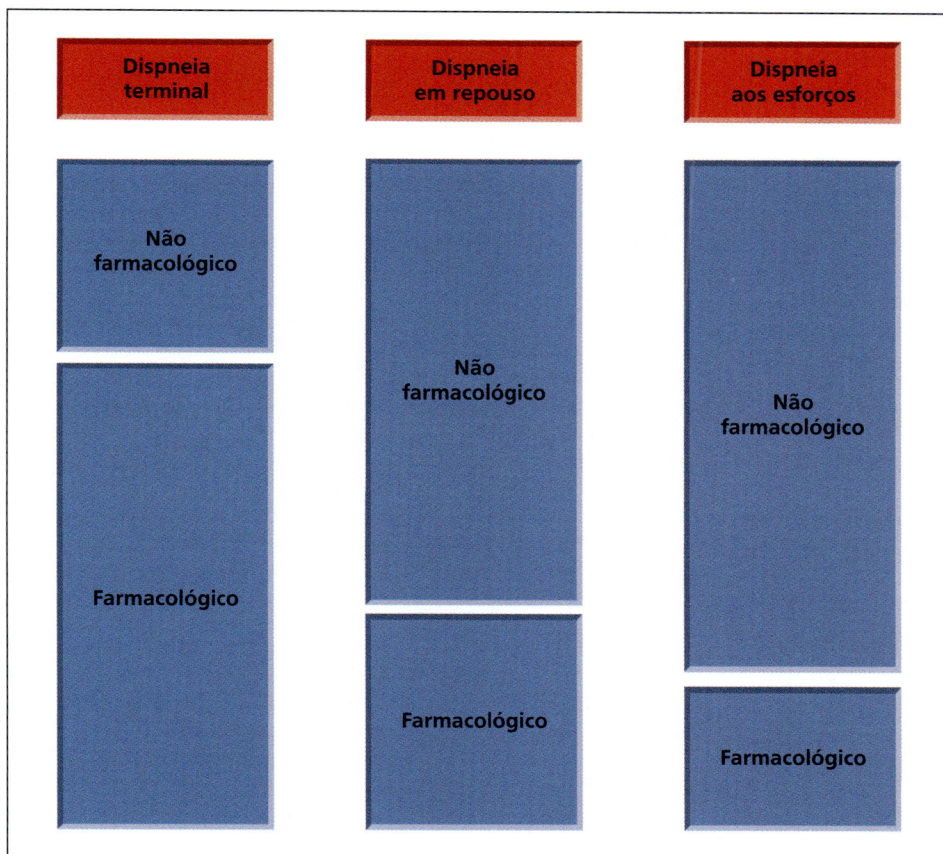

◀ **FIGURA 9.** Contribuição da abordagem farmacológica e não farmacológica no tratamento da dispneia, de acordo com a severidade e o prognóstico.

NMES foram realizados em pacientes com DPOC em que descondicionamento e fraqueza muscular periférica são conhecidos por serem grandes contribuintes de falta de ar. Embora treinamento físico seja um componente chave na reabilitação pulmonar, pacientes com DPOC avançada podem achar que é difícil participar de tal programa. NMES foi testada neste grupo de pacientes, com boa resposta. O mesmo princípio pode ser aplicado a pacientes com falta de ar por evolução neoplásica. Em serviços de intervenção, em que uma abordagem multimodal é utilizada no controle de dispneia, NMES é parte do tratamento.

Grupos de exercício/reabilitação física

A fadiga é um sintoma comum em pacientes com câncer avançado. Fadiga pode estar intimamente associada à dor e falta de ar em pacientes com câncer avançado. Ela pode afetar a qualidade de vida em grande medida, causando sofrimento psíquico. Já se demonstrou que a maioria dos pacientes com câncer, na sua fase paliativa, descreve a fadiga como o "mais problemático" dos sintomas e/ou como o "mais grave sintoma" que os afetam. Como demonstrado na Figura 10, há uma estreita relação de fadiga, especialmente fadiga de membros inferiores em pacientes com doenças cardiorrespiratórias não malignas, como DPOC e insuficiência cardíaca. Isto pode ser decorrente do descondicionamento muscular, que altera níveis de pCO_2 e lactato, que, então, podem influenciar a respiração. Está bem estabelecido que a reabilitação pulmonar pode reduzir a dispneia e melhorar a qualidade de vida em pacientes com DPOC, mesmo aqueles que são gravemente incapacitados. O trabalho na DPOC sugere que descondicionamento físico exacerba a dispneia. Portanto, o exercício e o controle da fadiga são parte dos programas pulmonares de reabilitação, e o papel da fisioterapia se reviste de grande importância no controle deste sintoma.

Embora o efeito do exercício e reabilitação seja pouco investigado em pacientes com câncer avançado, os princípios utilizados em programas de reabilitação pulmonar para doença não maligna crônica podem ser aplicados a pacientes com câncer. Estudos mostraram que a reabilitação pulmonar envolvendo exercícios aeróbicos curtos foi benéfica para grupos heterogêneos de populações de pacientes, especialmente aqueles com sintomas pulmonares. O último demonstrou que o grupo que realizava exercícios tinha mais vigor e menos sofrimento emocional em comparação com aqueles que eram menos ativos.

Em pacientes com câncer é fundamental para incentivar a atividade física e mental, neutralizar o efeito de bem intencionadas orientações para descansar. Um programa de exercício individual, modificado de acordo com a progressão da doença, pode ser útil no controle do sintoma.

CONCLUSÃO

Falta de ar continua sendo um sintoma difícil de controlar, mesmo quando os pacientes estão recebendo máximo de terapia médica. Assim, a gestão do sintoma pode ser melhorada incorporando abordagens para enfrentar as diferentes causas fisiopatológicas de dispneia, que abrangem uma combinação de estratégias farmacológicas e não farmacológicas para apoiar pacientes com falta de ar intratável. Clínicas pioneiras no cuidado de pacientes com câncer desenvolveram intervenções de enfermagem "para melhorar a falta de ar". Os resultados suportam que os pacientes experimentaram melhoras na falta de ar, no *performance status* (desempenho físico) e estado emocional. Muitas áreas são, hoje, lideradas pelo fisioterapeuta e enfermeiros, em que abordagens não farmacológicas são usadas para gerenciar este sintoma intenso e devastador de pacientes com câncer.

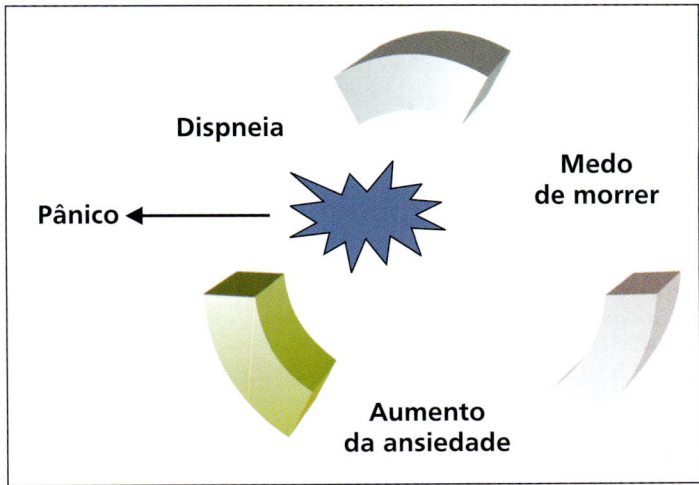

▲ **FIGURA 10.** Dispneia – gatilho para o pânico.

A dispneia continua a ser um sintoma que inflinge grande sofrimento e, muitas vezes, é impossível de gerenciar com sucesso. Uma avaliação cuidadosa do paciente com o melhor diagnóstico possível da(s) causa(s) de falta de ar determina reversão ou melhora dos sintomas, pois para pacientes com bom *performance status* a paliação farmacológica nem sempre é o primeiro passo.

O tratamento medicamentoso deve ser aliado a uma estratégia para aumentar o domínio do paciente sobre os sintomas e reduzir a angústia, melhorando a qualidade de vida para os cuidadores, o que se refletirá em impacto significativo sobre a qualidade de vida do paciente e bem-estar da família. Isto pode ser alcançado com uma sistemática e multifacetada abordagem a este sintoma complexo, utilizando a melhor evidência atualmente disponível.

Até garantirmos progresso terapêutico futuro no controle de dispneia, os médicos precisam garantir gerenciamento ativo do sintoma. As estratégias necessitam de constante revisão, porque a condição clínica do paciente com câncer muda muito rapidamente. Em condições de refratariedade, impõe-se a indicação de sedação controlada para garantia de conforto e resolução do sintoma.

BIBLIOGRAFIA

Abernethy A *et al*. Effect of palliative oxygen versus room air in relief of breathlessness in patients with refractory dyspnoea: a double-blind, randomized controlled trial. *Lancet* 2010;376:784-93.

Abernethy A, Wheeler J. Total dyspnoea. *Curr Op Supportive Palliat Care* 2008;2:110-13.

Ahmedzai S. Palliation of respiratory symptoms. In: Doyle D, Hanks GWC, MacDonald N. (Eds.). Oxford textbook of palliative medicine. 2nd ed. Oxford: Oxford Medical Publications, 1998. p. 583-616.

Ahmedzai SH *et al*. A double blind, randomised, controlled phase II trial of Heliox28 gas mixture in lung cancer patients with dyspnoea on exertion. *Br J Cancer* 2004;90:366-71.

American Thoracic Society Dyspnea. Mechanisms, assessment and management: a consensus statement. *Am J Respir Crit Care Med* 1999;159:321-40.

Banzett RB, Moosavi SH. Dyspnea and pain: similarities and contrasts between two very unpleasant sensations. *APS Bulletin* 2001;11:1-6.

Bausewein C *et al*. Measurement of breathlessness in advanced disease: a systematic review. *Respir Med* 2006;101:399-410.

Bausewein C, Booth S, Gysels M *et al*. Nonpharmacological interventions for breathlessness in advanced stages of malignant and non-malignant diseases. *Cochrane Database of Syst Rev* 2008;(2):CD005623.

Bausewein C, Higginson I. Measurement of dyspnoea in the clinical rather than the research setting. *Curr Op Support Palliat Care* 2008;2:95-99.

Bausewein C, Higginson IJ. Individual breathlessness trajectories do not match summary trajectories in advanced cancer and chronic obstructive pulmonary disease: results from a longitudinal study. *Palliat Med* 2010;24:777-78.

Bausewein C, Malik F, Booth S *et al*. Recent developments in managing breathlessness International researchers' meeting on Breathlessness in London, November 2006. *Progress in Palliative Care* 2007;15(6):279-84.

Booth S *et al*. Breathlessness in cancer and chronic obstructive pulmonary disease: using a qualitative approach to describe the experience of patients and carers. *Palliat Support Care* 2003;1:337-44.

Booth S *et al*. Does oxygen help dyspnea in cancer patients? *Am J Respir Crit Care Med* 1996;153:1515-18.

Booth S *et al*. The impact of a breathlessness intervention service (BIS) on the lives of patients with intractable dyspnoea: a qualitative phase 1 study. *Palliat Support Care* 2006;4:287-93.

Booth S, Moosavi SH, Higginson IJ. The etiology and management of intractable breathlessness in patients with advanced cancer: a systematic review of pharmacological therapy. *Nat Clin Pract Oncol* 2008;5:90-100.

Booth S. Improving research methodology in breathlessness—a meeting convened by the MRC Clinical Trials Unit and Cicely Saunders Foundation. *Palliat Med* 2006;20:219-20.

Bredin M *et al*. Multicentre randomised controlled trial of nursing intervention for breathlessness in patients with lung cancer. *BMJ* 1999;318:901-4.

Brown ML *et al*. Lung cancer and dyspnea: the patient's perception. *Oncol Nurs Forum* 1986;13:19-24.

Bruera E, MacEachern T, Ripamonti C *et al*. Subcutaneous morphine for dyspnea in cancer patients. *Ann Intern Med* 1993;119:906-7.

Bruera E, Macmillan K, Pither J *et al*. Effects of morphine on the dyspnea of terminal cancer patients. *J Pain Symptom Manage* 1991;5(6):341-44.

Bruera E, Neumann CM. Assessment of dyspnoea in clinical practice and audit. In: Ahmedzai SH, Muers MF. (Eds.). *Supportive care in respiratory disease*. Oxford: Oxford University, 2005. p. 135-43.

Cachia E, Ahmedzai S. Breathlessness in cancer patients. *Eur J Cancer* 2008;44:1116-23.

Carrieri-Kohlman V, Dudgeon D. Multidimensional assessment of dyspnea. In: Booth S, Dudgeon D. (Eds.). *Dyspnoea in advanced disease*. Oxford: Oxford University, 2006. p. 19-37.

Cherny NI, Portenoy RK. Sedation in the management of refractory symptoms: guidelines for evaluation and treatment. *J Palliat Care* 1994;10:31-34.

Clemens K *et al*. Symptomatic therapy of dyspnea with strong opioids and its effect on ventilation in palliative care patients. *J Pain Symptom Manage* 2007;4:473-81.

Cranston JM, Crockett A, Currow D. Oxygen therapy for dyspnoea in adults. Cochrane *Database Syst Rev* 2008;(3):CD004769.

Demmy T. Comparison of in-dwelling catheters and talc pleurodesis in the management of malignant pleural effusions. Chicago, IL: Presented at ASCO 2010 June 4-8.

Dudgeon D *et al*. The Edmonton Symptom Assessment Scale (ESAS) as an audit tool. *J Palliat Care* 1999;15:14-19.

Dudgeon DJ *et al*. Physiological changes and clinical correlations of dyspnea in cancer out patients. *J Pain Symptom Manage* 2001;21:373-79.

Dudgeon DJ, Lertzman M. Dyspnea in the advanced cancer patient. *J Pain Symptom Manage* 1998;16:212-19.

Eaton T *et al*. Ambulatory oxygen improves quality of life of COPD patients: a randomized controlled study. *Eur Respir J* 2002;20:306-12.

Escalante CP *et al*. Identifying risk factors for imminent death in cancer patients with acute dyspnea. *J Pain Symptom Manage* 2000;20:318-25.

Fainsinger RL *et al*. A multicentre international study of sedation for uncontrolled symptoms in terminally ill patients. *Palliat Med* 2000;14:257-65.

Galbraith S, Fagan P, Perkins P *et al*. Does the use of a handheld fan improve chronic dyspnea? a randomized, controlled, crossover trial. *J Pain Symptom Manage* 2010;39:831-38.

Gillette MA, Schwartzstein RM. Mechanisms of dyspnea. In: Ahmedzai SH, Muers M. (Eds.). *Supportive care in respiratory disease*. Oxford: OUP 2005. p. 93-122, cap. 6.

Handley DA, Tinkelman D, Noon M *et al*. Dose-response evaluation of levalbuterol versus racemic albuterol in patients with asthma. *J Asthma* 2000;37:319-27.

Higginson I, McCarthy M. Measuring symptoms in terminal cancer: are pain and dyspnea controlled? *J R Soc Med* 1989;82:264-67.

Jennings AL *et al*. A systematic review of the use of opioids in the management of dyspnoea. *Thorax* 2002;57:939-44.

Laude EA *et al*. The effect of helium and oxygen on exercise performance in chronic obstructive pulmonary disease: a randomized crossover trial. *Am J Respir Crit Care Med* 2006;173:865-70.

McCannon J, Temel J. Comprehensive management of respiratory symptoms in patients with advanced lung cancer. *J Support Oncol* 2012;10:1-9.

Mercadante S, Intravaia G, Villari P *et al*. Controlled sedation for refractory symptoms in dying patients. *J Pain Symptom Manage* 2009;37:771-79.

Moosavi SH *et al*. Suprapontine control of breathing. In: Ward DS *et al*. (Eds.). *Lung biology in health and disease: pharmacology and pathophysiology of the control of breathing series*. New York: Taylor and Francis Group 2005. p. 71-102, vol 202.

Morelot-Panzini C *et al*. Dyspnea as a noxious sensation: inspiratory threshold loading may trigger diffuse noxious inhibitory controls in humans. *J Neurophysiol* 2007;97:1396-404.

Muers MF. Opioids for dyspnoea. *Thorax* 2002;57:922-23.

Navigante AH, Cerchietti LCA, Castro MA *et al*. Midazolam as adjunct therapy to morphine in the alleviation of severe dyspnoea perception in patients with advanced cancer. *J Pain Symptom Manage* 2006;31:38-42.

O'Driscoll M *et al*. The experience of breathlessness in lung cancer. *Eur J Cancer Care* (Engl) 1999;8:37-43.

Parsons LM, Egan G, Liotti M *et al*. Neuroimaging evidence implicating cerebellum in the experience of hypercapnia and hunger for air. *PNAS* 2001;4:2041-46.

Reuben DB, Mor V. Dyspnea in terminally ill cancer patients. *Chest* 1986;89:234-36.

Roberts DK *et al*. The experience of dyspnea in late-stage cancer. *Cancer Nurs* 1993;16:310-20.

Sherwood P *et al*. A cognitive behavioral intervention for symptom management in patients with advanced cancer. *Oncol Nurs Forum* 2005;32:1190-98.

Simon ST, Higginson IJ, Booth S *et al*. Benzodiazepines for the relief of breathlessness in advanced malignant and non-malignant diseases in adults. Cochrane Database Syst Rev 2010;(1):CD007354.

Solano JP *et al*. A comparison of symptom prevalence in far advanced cancer, AIDs, heart disease, chronic obstructive pulmonary disease and renal disease. *J Pain Symptom Manage* 2006;31:58-69.

Stulbarg MS, Adams L. Manifestations of respiratory disease. In: Murray JF, Nadel JA (Eds.). *Textbook of respiratory medicine*. Pennsylvania: WB Saunders1994;2:513-14.

Tanaka K, Akechi T, Okuyama T *et al.* Development and validation of the cancer dyspnoea scale: a multidimensional, brief, selfrating scale. *Br J Cancer* 2000;82:800-5.

Thomas RJ, Von Gunten F. Clinical management of dyspnea. *Lancet Oncology* 2002;3:223-28.

Thomas S, Bausewein C, Higginson I *et al.* Breathlessness in cancer patients – Implications, management and challenges. *Eur J Oncol Nurs* 2011;15(5):459-69.

Tremblay A, Michaud G. Single-center experience with 250 tunnelled pleural catheter insertions for malignant pleural effusion. *Chest* 2006;129(2):362-68.

Von Leopoldt A *et al.* Attentional distraction reduces the affective but not the sensory dimension of perceived dyspnea. *Respir Med* 2006;101:839-44.

Von Leopoldt A *et al.* The impact of emotions on the sensory and affective dimension of perceived dyspnea. *Psychophysiology* 2006;43:382-86.

Von Leupold A, Dahme B. Cortical substrates for the perception of dyspnoea. *Chest* 2005;128:345-54.

Walker LG *et al.* Current provision of psychosocial care within palliative care. In: Lloyd-Williams M. (Ed.). *Psychosocial issues in palliative care*. Oxford: Oxford University, 2003. p. 49-65.

Walsh TD. Opiates and respiratory function in advanced cancer. *Recent Results Cancer Res* 1984;89:115-17.

Wilcock A, Walton A, Manderson C *et al.* Randomised, placebo controlled trial of nebulised furosemide for breathlessness in patients with cancer. *Thorax* 2008;63:872-75.

234-9 Feridas Neoplásicas Malignas

Alessandra Zanei Borsatto ■ Marina Sevilha Balthazar dos Santos

INTRODUÇÃO

Lesões cutâneas são, em sua maioria, fonte de estresse para o paciente e sua família, independente da sua etiologia. Na maioria das feridas, a meta é a cicatrização, sendo sinônimo de sucesso no tratamento. Quando causadas pelo câncer e à medida em que a possibilidade de cura esgota-se, a ferida neoplásica maligna (FNM) tende a progredir em dimensão e sintomas, interferindo diretamente na qualidade de vida do paciente.

Na maioria das vezes, as feridas extensas e volumosas associadas a sintomas como dor, odor, sangramento e exsudato abundante, necessitando de trocas frequentes de curativo, trazendo intenso desconforto e sofrimento ao paciente e à família.

Estudo multicêntrico descritivo e transversal, realizado com pacientes com feridas neoplásicas malignas utilizando o *Mc Gill Quality of Life Questionnaire (MQOL)* e o *Malignant Fungating Wound Assessment Toll (MFWAT)*, evidenciou significância estatística com correlação negativa entre idade, frequência da troca do curativo, dor, sangramento, mal odor, desconforto do curativo, sintomas associados à ferida e à qualidade de vida.[1]

Sendo a qualidade de vida o principal objetivo dos cuidados paliativos, parece fundamental a apropriação de conhecimentos relacionados com o manejo dessas lesões, para o adequado controle de seus sintomas.

DEFINIÇÃO E NOMENCLATURA

Feridas neoplásicas malignas (FNM) são aquelas causadas pela infiltração de células malignas no tecido epitelial como resultado do crescimento tumoral.[2] Podem ser originárias do tumor primário de pele, como carcinomas e melanomas; de metástases a distância; de invasão direta da pele por tumores provenientes de estruturas mais profundas e de implante acidental em procedimentos diagnósticos e cirúrgicos.[3]

Mais raramente, lesões malignas podem originar-se de feridas crônicas (úlcera de Marjolin), como úlceras por pressão, úlceras venosas e queimaduras, sendo mais comum em pacientes maiores de 50 anos que convivem com a ferida por 25 a 40 anos. Essa condição é mais frequente em mulheres, e os sinais que sugerem a malignização da ferida são aparecimento de dor ou sua intensificação, odor fétido e alterações nas características, volume ou aparência do exsudato. A biópsia é mandatória para a confirmação diagnóstica da úlcera da Marjolin.[4-6] Já nas FNM em geral, o diagnóstico baseia-se principalmente na história clínica e nas características da lesão.

Na literatura, diversos termos denominam essas feridas, como lesões vegetantes malignas; lesões tumorais; feridas malignas; lesões fungoides; feridas tumorais e feridas neoplásicas malignas. Optou-se por utilizar o último termo, feridas neoplásicas malignas, por apreender o acometimento cutâneo e a característica maligna da lesão.

Na língua inglesa, ainda mais termos são utilizados: *fungation wound; ulcerating malignant wound; fungation tumours; malignant wounds; malignant cutaneous wounds; malignant fungation wounds; ulcerated and fungation malignant tumors; smelly tumours* e *ulcerating metastatic skin lesions*.

EPIDEMIOLOGIA

Dados mundiais e nacionais sobre a prevalência das feridas neoplásicas malignas são pouco conhecidos. Estima-se que 5 a 10% de pacientes com câncer metastático apresentam feridas neoplásicas malignas nos últimos 6 meses de vida,[7] sendo mais comum no câncer de mama, mas também encontrado em câncer de pele, cabeça e pescoço, vulva e bexiga.[8]

Estudo realizado nos Estados Unidos avaliou dados do registro das feridas neoplásicas malignas em um hospital em 10 anos. De 7.316 pacientes, 367 (5%) apresentavam esse tipo de lesão. Desses, 337 eram oriundas de metástase, 38 de invasão local direta e 8 de ambas.[9]

A análise do mesmo estudo demonstrou a seguinte distribuição topográfica: mama (70,7%) e melanoma (12%) em mulheres, e melanoma (32,3%), pulmão (11,8%) e colorretal (11%) em homens.[10]

Embora o Brasil não possua dados sobre a prevalência desse tipo de ferida, é possível compreender a sua magnitude, considerando os dados divulgados pelo Instituto Nacional de Câncer em relação às estimativas da doença para o ano de 2012/2013 no país. O estudo aponta aproximadamente 518.510 novos casos de câncer, incluindo pele não melanoma e 385 mil casos novos, excluindo esse tipo.[11]

No sexo masculino, os mais incidentes serão o câncer de pele não melanoma (63 mil), seguido de próstata (60 mil), pulmão (17 mil), cólon e reto (14 mil) e estômago (13 mil). No sexo feminino, serão os tumores de pele não melanoma (71 mil), mama (53 mil), colo do útero (18 mil), cólon e reto (16 mil) e pulmão (10 mil).[11]

CLASSIFICAÇÃO

As feridas neoplásicas malignas podem ser classificadas das seguintes maneiras:[12]

- Quanto a origem:
  - Primária: origina-se do tumor primário.
  - Metastática: origina-se em um local de metástase.
- Quanto a aparência:
  - Fungosa: aparência semelhante a couve-flor.
  - Ulcerativa: aparência de crateras.
  - Fungosa ulcerativa: apresenta ambos os aspectos.

FISIOPATOLOGIA

Três eventos compõem a formação das feridas neoplásicas malignas: o crescimento tumoral, a neovascularização e a invasão da membrana basal das células sadias. Essa última etapa desenvolve-se com a atração das células tumorais para a base da membrana, seguida da degradação da base da membrana por meio de proteases e outras enzimas e movimentação do tumor por pseudopodia (protrusão tumoral atraído por moléculas da matriz celular alteradas pela proteólise). Todo esse processo é alimentado pela (neo)angiogênese.[13]

A invasão tumoral, quando ocorre por extensão direta nas estruturas da pele, inicialmente se manifesta como um processo inflamatório como edema, rubor, calor e aumento da sensibilidade. A pele pode apresentar aspecto de casca de laranja, e com o crescimento tumoral pode ulcerar. No caso de doença metastática, as células neoplásicas disseminam-se via sanguínea e/ou linfática ou por meio dos planos teciduais aos órgãos, incluindo a pele.[14-16]

Inicialmente, essas lesões iniciam-se como nódulos bem demarcados variando de alguns milímetros a vários centímetros, de consistência e coloração variadas, de vermelho-escuro a marrom ou preto, geralmente indolores. Com o avanço da doença, esses nódulos tendem a ulcerar, exsudar e causar dor,[17] surgindo uma ferida comumente exofítica. A ferida prossegue se desenvolvendo com a evolução da doença neoplásica, a menos que algum tratamento oncológico seja realizado e obtenha sucesso.

ESTADIAMENTO

Em 1999, as enfermeiras Haisfield-Wolfe e Baxendale-Cox propuseram o sistema de estadiamento das feridas neoplásicas malignas descrito no Quadro 18:[13]

Quadro 18. Estadiamento das feridas neoplásicas malignas

Estágio	
Estágio 1	Pele íntegra; tecido de coloração avermelhada ou violácea; nódulo visível e delimitado; assintomático
Estágio 1N	Ferida fechada ou com abertura superficial por orifício de drenagem de exsudato límpido, de coloração amarelada ou de aspecto purulento. Tecido avermelhado ou violáceo, ferida seca ou úmida. Dor ou prurido ocasionais. Sem odor, tumelizações ou formação de crateras
Estágio 2	Ferida aberta envolvendo derme e epiderme; ulcerações superficiais, por vezes friáveis e sensíveis à manipulação. Exsudato ausente ou em pouca quantidade. Intenso processo inflamatório ao redor da ferida. Dor e odor ocasionais sem tunelizações, pois não alcançam tecido subcutâneo
Estágio 3	Ferida que envolve derme, epiderme e tecido subcutâneo com áreas de ulcerações. São friáveis, ulceradas ou vegetativas, podendo apresentar tecido necrótico liquefeito ou sólido e aderido, odor fétido e exsudato abundante. Não ultrapassam o subcutâneo. Podem apresentar lesões satélites em risco de ruptura. Tecido ao redor de coloração avermelhada ou violácea, porém o leito da ferida encontra-se predominantemente de coloração amarelada
Estágio 4	Ferida invadindo profundas estruturas anatômicas; por vezes, não se visualiza seu limite. Geralmente com exsudato abundante, odor fétido e dor. Tecido ao redor de coloração avermelhada ou violácea, e o leito da ferida encontra-se predominantemente de coloração amarelada

AVALIAÇÃO GERAL

A avaliação do paciente portador de ferida neoplásica maligna deve contemplar os aspectos físicos e psicossociais vivenciados por ele e por sua família/cuidador, já que a presença da ferida é capaz de relembrar o *status* da doença e o sofrimento envolvido. Os aspectos psíquicos frequentemente envolvidos são sensação de mutilação, alteração da autoimagem, rejeição de si mesmo, perda da autoestima, medo, perda da esperança, diminuição da libido, isolamento social, depressão, repugnância, vergonha, culpa e negação.[18]

A avaliação holística permite não somente promover um manejo efetivo dos sintomas físicos e psicossociais, mas compreender que as respostas aos tratamentos propostos para o controle dos sintomas podem variar.

O acompanhamento do paciente com ferida neoplásica maligna requer uma equipe interdisciplinar capaz de acompanhar os aspectos físicos, psicológicos, sociais e espirituais envolvidos.

A depender do *performance status* e da capacidade de autocuidado, paciente e cuidador devem ser treinados para o manejo adequado da lesão no domicílio, já que a maioria delas apresenta múltiplos sintomas, especialmente nos últimos meses de vida.

Além dos aspectos psicossociais já citados, faz-se necessário a avaliação da ferida quanto a:

- *Localização:* lesões em região de cabeça e pescoço podem, por exemplo, trazer risco de erosão de grandes vasos, alterações na imagem corporal, necessidade de via alimentar acessória e/ou traqueostomia; feridas em mama podem vir acompanhadas de alterações na sexualidade, linfedema e comprometimento do plexo braquial, com dor e alterações na mobilidade do membro; as feridas em genitália, onde são comuns as fístulas, também podem cursar com alterações na sexualidade e dificuldades para sentar-se devido a dor.
- *Aspecto:* fungoide, ulcerativa, fungoide ulcerativa, plana.
- *Tamanho:* mensuração das dimensões da ferida proporciona ao profissional acompanhar a sua progressão.
- *Estadiamento:* permite o acompanhamento do grau de comprometimento tecidual e do acometimento de estruturas profundas.
- *Presença de tecido necrótico*: a presença de necrose de coagulação e liquefação estão associadas ao maior risco de infecção, aumento do exsudato e odor.
- *Presença de fístula(s) e/ou tunelizações:* definidas como uma comunicação anormal entre duas estruturas/órgãos, podem ser originárias de complicações cirúrgicas, infecciosas, de radioterapia ou derivada da própria progressão da doença. Podem ser encontradas nas FNM de qualquer topografia, sendo muito comuns em região de cabeça e pescoço e pélvica. Os princípios para o manejo das fístulas são:[19]
  - Prevenção de escoriação/maceração da pele com a aplicação de produtos que promovam barreira.
  - Utilização de dispositivos coletores de estomias para coletar o efluente, sempre que possível.
  - Manejo do odor nesses dispositivos com a utilização de neutralizadores de odor em *spray* e filtros.
  - Controle do efluente com reposição quando necessário.
  - Manutenção da autonomia do paciente, autocuidado e socialização. Quando a adaptação de dispositivos coletores não é possível, coberturas absortivas devem ser utilizadas com o cuidado de proteger a pele ao redor com produtos de barreira.[19]
- *Pele perilesional*: a área adjacente à ferida deve ser avaliada quanto ao seu comprometimento pela doença neoplásica/extensão da ferida tumoral; pode apresentar-se fragilizada decorrente da radioterapia prévia, inflamação causada por extensão tumoral e utilização frequente de adesivos.[17] Além disso, há o risco de maceração e dermatites pelo excesso de umidade, podendo trazer desconforto e sintomas como prurido e infecção fúngica.

A higienização da pele e utilização de barreiras de diversos tipos protegem a pele periferida da agressão proveniente do excesso de exsudato e dos adesivos. Opções são os cremes a base de óxido de zinco, protetores cutâneos *spray* ou loção, placas de hidrocoloide e filmes.

AVALIAÇÃO E MANEJO DOS SINAIS E SINTOMAS

Cirurgia, radioterapia, quimioterapia e hormonoterapia são descritos como modalidades de tratamentos das feridas neoplásicas malignas, reduzindo o seu tamanho/volume com consequente melhora dos sintomas.[19] Contudo, o risco-benefício deve ser avaliado, e a terapia tópica específica deve ser sempre utilizada para o controle dos sintomas.[12]

Durante o tratamento antineoplásico, essas lesões podem apresentar boa evolução, culminando com a cicatrização da área afetada. Contudo, com a suspensão da terapia e a evolução da doença, geralmente a ferida recidiva aumentando a morbidade do paciente.[19]

A conduta terapêutica deve ser individualizada, considerando que a meta principal deixa de ser a cicatrização – que é improvável – e passa a ser o conforto do paciente, a prevenção e o controle dos sintomas.[12]

Para as feridas crônicas em geral, o termo "preparo do leito da ferida" é comumente utilizado como um conjunto de atividades que objetivam otimizar a cicatrização através do controle da colonização/infecção; manejo da necrose – desbridamento; manejo do exsudato; correção de disfunções celulares e restauração do balanço bioquímico. No caso das feridas neoplásicas malignas, as duas últimas atividades não se aplicam e todas as outras estão indicadas quando contribuem para o controle dos sintomas e para a melhora da qualidade de vida.[19]

A seguir, serão descritos os tratamentos para os sinais/sintomas mais comuns relacionados com as feridas neoplásicas malignas.

Odor

A colonização/contaminação da ferida é frequente em razão da presença de necrose tumoral, oriunda da escassa perfusão tecidual. Microrganismos aeróbios e principalmente anaeróbios contaminam essas feridas.[13] Entre os aeróbios destacam-se pseudomonas aeruginosa e *stafilococcus aureus*. Contudo, os anaeróbios como as bacterioides são mais frequentes, sendo responsáveis pelo odor característico dessas feridas, já que liberam ácidos graxos voláteis (ácido acético, caproico, entre outros) como produto final de seu metabolismo. A interação entre os microrganismos aeróbios e anaeróbios resulta na liberação dos gases putrescina e cadaverina que também contribuem para o odor fétido dessas lesões.[13]

A avaliação do odor deve ser criteriosa, pois se trata de um sintoma que compromete a qualidade de vida e traz alterações importantes na vida social do paciente, especialmente quando de forte intensidade. Para uma avaliação mais objetiva, levando-se sempre em consideração a sensibilidade do paciente e da família, devemos utilizar escalas para a avaliação. A seguir, as três mais conhecidas (Quadros 19 a 21).

O manejo do odor nas feridas neoplásicas malignas representa um grande desafio para os profissionais. Apesar dos esforços engendrados, o

Quadro 19. Avaliação do odor de acordo com o protocolo multidisciplinar de tratamento de feridas e estomias do Hospital de apoio de Brasília

GRAU I	GRAU II	GRAU III
Odor sentido ao abrir o curativo	Odor sentido ao se aproximar do paciente, sem abrir o curativo	Odor sentido no ambiente sem abrir o curativo. Caracteristicamente forte e/ou nauseante

ANCP, 2009.[12]

Quadro 20. Avaliação do odor segundo Ashford et al.

ODOR	DESCRIÇÃO
0	Sem odor
1	Odor não ofensivo, discreto
2	Odor ofensivo, porém tolerável
3	Odor ofensivo e insuportável

Ashford R, 1984.[20]

Quadro 21. Avaliação do odor segundo Baker e Haig

ODOR	DESCRIÇÃO
Forte	Cheiro evidente que envolve todo o ambiente, mesmo com o curativo intacto e fechado
Moderado	O odor se dispersa no ambiente no momento em que o curativo é removido
Discreto	O odor é sentido quando o cliente está em local fechado no momento da remoção do curativo
Sem odor	Quando não há nenhum odor no ambiente e nem quando o curativo é removido

Edwards J, 2000.[21]

seu controle completo, muitas vezes, é limitado pelo tamanho da lesão, quantidade de tecido necrótico e volume do exsudato.

Antimicrobianos sistêmicos e/ou tópicos e coberturas de carvão são amplamente citados como opções terapêuticas para o seu controle. Adicionalmente, o desbridamento pode melhorar a eficácia do antimicrobiano ou torná-lo desnecessário.[19]

Antimicrobianos sistêmicos reduzem a colonização bacteriana, com consequente redução da produção de seus metabólitos voláteis.[19] O metronidazol é um derivado imidazólico que atua sobre os microrganismos anaeróbios e, por esse motivo, é uma droga útil no controle do odor de feridas tumorais.[22]

Antimicrobianos tópicos como coberturas impregnadas com prata e metronidazol gel são alternativas ao uso dos sistêmicos.[19] Contudo, há evidência da produção de biofilme pelas colônias de bactérias que as protegem da sua ação e dos antissépticos.[23]

O metronidazol tópico nas concentrações de 0,75 e 0,8% é efetivo no controle do odor das feridas neoplásicas malignas, como demonstrado na prática clínica, sem os efeitos colaterais observados na terapia sistêmica. Seu nível de evidência científica é 2B com grau de recomendação B.[24]

Caso não haja disponibilidade da apresentação em gel, pode-se, alternativamente, utilizar a solução injetável ou comprimidos macerados sobre a ferida.[22]

A prata é um metal que, ao interagir com o exsudato da ferida se torna ativo, liberando prata iônica, capaz de provocar mudanças estruturais na parede celular bacteriana e desnaturar o seu DNA e RNA, reduzindo a colonização da ferida.[23]

Coberturas de carvão ativado agem como filtros do odor adsorvendo suas moléculas e impedindo sua dispersão. Contudo, perde a sua eficácia quando úmidos, o que pode limitar o seu uso nessas feridas.[19]

O tecido necrótico na ferida é foco de colônias de bactérias que o metaboliza, gerando o que se conhece por desbridamento natural autolítico, responsável pela remoção desse tecido. Buscando intensificar a remoção de tecidos não viáveis, alguns métodos de desbridamento são utilizados como o cirúrgico, o enzimático, o mecânico e o autolítico. Em feridas crônicas em geral, a remoção de tecidos necrosados é mandatória para que a cicatrização ocorra. Já nas feridas tumorais malignas, o desbridamento objetiva reduzir a contaminação da ferida e, consequentemente, o mal odor.

Caso seja proposto, o método deve ser selecionado levando-se em consideração o estado geral do paciente e o benefício do procedimento, considerando que o aumento do exsudato é uma consequência esperada.[19]

Exsudato

A presença do exsudato em qualquer ferida crônica é considerada normal, oriunda da fase inflamatória do processo cicatricial. Contudo, nas feridas neoplásicas malignas, há a tendência de produção excessiva do exsudato decorrente da permeabilidade capilar anormal e secreção de fator de permeabilidade vascular pelas células tumorais.[7]

O volume excessivo requer inúmeras trocas diárias de curativo, desgastando o paciente e o cuidador, aumentando os custos e os riscos no manejo da lesão e macerando a pele periferida. Feridas secas são mais raras, porém merecem atenção em razão do risco de aderência da cobertura e consequente sangramento. O aspecto do exsudato (seroso, seropurulento, serosanguinolento, purulento) fornece informações importantes sobre o grau de contaminação bacteriana da ferida e se relaciona ao odor.

O seu controle efetivo reduz os custos, a sobrecarga do paciente e do cuidador e proporciona maior nível de independência durante o dia.[19]

As coberturas devem ser indicadas levando-se em consideração o seu poder absortivo em relação ao volume drenado pela ferida. Espumas de poliuretano e alginatos (com ou sem prata) estão indicadas para feridas neoplásicas malignas altamente exsudativas. Apesar de inicialmente mais dispendioso do que gazes ou absorventes simples, podem reduzir os custos gerais relacionados com a realização do curativo várias vezes ao dia e aumentar o conforto do paciente.[17]

Cuidado especial deve-se ter com a aderência das coberturas no leito da ferida, preferindo, sempre que possível, as não aderentes. Como exemplos temos a gaze vaselinada ou impregnada com petrolatum como cobertura primária e compressas absorventes ou gazes secas como secundária.[17] A frequência de troca depende da saturação da cobertura.

A utilização de absorventes femininos como cobertura secundária pode ser interessante por razão da sua alta capacidade absortiva e isolamento proporcionado pelo material plástico, dificultando o vazamento do exsudato.

Sangramento

A lesão de capilares tumorais oriundos da angiogênese leva ao sangramento de difícil controle, pois a função plaquetária no tumor está alterada. Além disso, a proliferação tumoral leva a erosão de vasos sanguíneos.[13]

Os tecidos viáveis nas feridas neoplásicas malignas tendem a ser friáveis e facilmente sangrantes à manipulação ou espontaneamente. A melhor estratégia para evitar os sangramentos dessas lesões é a prevenção por meio da retirada delicada do curativo com irrigação abundante, uso de coberturas não aderentes e manutenção da umidade no leito da ferida. Em lesões com baixa exsudação, o uso de hidrogel pode evitar a aderência,[17] assim como as gazes impregnadas com *petrolatum*.

Em caso de sangramento ativo, pressão direta por 10 a 15 minutos deve ser a intervenção imediata. A utilização de gelo local pode auxiliar na hemostasia. Outras opções são os agentes hemostáticos a base de gelatina absorvível, esponjas de colágeno, alginato e celulose regenerada oxidada. Pequenas áreas de sangramento podem ser controladas com nitrato de prata em bastão. A utilização de adrenalina tópica também é encontrada na literatura, contudo os riscos de efeitos sistêmicos devem ser levados em consideração.[17]

O ácido épsilon-aminocaproico atua facilitando a coagulação por inibição competitiva da ativação do plasminogênio e pela inibição da plasmina. Ocorre redução da atividade fibrinolítica da plasmina, aumentando a eficiência hemostática do coágulo, com importante redução da perda sanguínea. Apresentação disponível via oral e endovenosa.[25]

A radioterapia anti-hemorrágica pode estar indicada em caso de sangramento espontâneo por erosão de vasos.[19]

Sangramentos mais intensos podem necessitar de cauterização cirúrgica.[3] Em caso de sangramentos vultuosos não controlados acompanhados de agitação, desespero e angústia do paciente, a sedação controlada deve ser considerada.[22]

Dor

O tumor pode comprimir estruturas e terminações nervosas, causando dor e alterações de mobilidade.[13] Sua presença pode ser contínua ou apenas no momento da realização do curativo, devendo ser avaliada quanto a sua localização, intensidade, qualidade, peridiocidade, fatores que a piora ou alivia etc.

O tratamento deve seguir as recomendações para o tratamento da dor oncológica. Em caso de dor associada a realização do curativo, considerar o uso do gelo e medicação sistêmica antes do procedimento. O curativo deve ser realizado delicadamente e, ao final, reavaliar a necessidade de analgesia.[22]

Coberturas não aderentes e manutenção da umidade da lesão protegem as terminações nervosas expostas, reduzindo a dor.[3] Lidocaína tópica pode auxiliar no controle da dor relacionada com o curativo. Deve ser aplicada na ferida após a remoção da cobertura, para que o procedimento seja realizado com o efeito anestésico superficial.[17]

Opioides tópicos são capazes de se ligar aos receptores opioides periféricos, auxiliando no controle da dor. O sulfato de morfina (1 mg) misturado em hidrogel amorfo (1 mg) tem sido descrito como opção no controle da dor nas FNM.[18]

Quimioterapia, radioterapia, hormonoterapia ou a combinação dessas modalidades de tratamento podem reduzir o volume tumoral, diminuindo a pressão exercida sobre os nervos e outras estruturas.[3]

Terapias complementares como imaginação dirigida e relaxamento auxiliam no controle da ansiedade e estresse vivenciados pelos pacientes, repercutindo no controle da dor.[18]

Prurido

Causado principalmente pela liberação de histaminas proveniente do intenso processo inflamatório,[13] pode também estar associado ao excesso de exsudato, alergia a(os) produto(s) utilizado(s) e infecção fúngica.

O tratamento deve ser realizado considerando a(s) causa(s). Em caso de alergia a qualquer componente do curativo, suspender o agente alergênico, substituindo-o; rever o plano de curativo (produtos e intervalo) no caso de prurido por excesso de umidade. A utilização de dexametasona creme 0,1% também deve ser considerada, assim como a terapia sistêmica em caso de persistência do sintoma.[22] Candidíase cutânea é a infecção fúngica mais comum e pode ser tratada com sulfadiazina de prata a 1%, nistatina creme ou terapia sistêmica a depender da gravidade.[22]

REFERÊNCIAS BIBLIOGRÁFICAS

1. Lo SF, Hayter M, Hu WY et al. Symptom burden and quality of life in patients with malignant fungation wounds. *J Adv Nurs* 2012;68(6):1312-21.
2. Collier M. The assessment of patients with malignant fungating wounds-holistic approach: Part 1. *Nurs Times* 1997;93(44 Suppl):1-4.
3. Naylor W. Part 1: symptom control in the management of fungating wounds. *World Wide Wounds* 2002.
4. Malheiro E, Pinto A, Choupina M et al. Marjolin ulcer of the scalp: case report and literature review. *Ann Burns Fire Disasters* 2001;14(1). Citado em: 08 Mar. 2012. Disponível em: <http://www.medbc.com/annals/review/vol_14/num_1/text/v14n1p39.htm>
5. Esther RJ, Lamps L, Schwartz HS. Marjolin ulcers: secondary carcinomas in chronic wounds. *J Southern Orthopaedic Assoc* 1999;8(3):181-87.
6. Hill BB, Sloan DA, Lee EY et al. Marjolin's ulcer of the foot caused by nonburn trauma. *South Med J* 1996;89(7):707-10.
7. Haisfield-Wolfe ME, Rund C. Malignant cutaneous wounds: a management protocol. *Ostomy Wound Manage* 1997;43(1):50-56, 62, 64-66.
8. Dowsett C. Malignant fungation wounds: assessment and management. *Br J Community Nurs* 2002;7(8):394-400.
9. Lookingbill D, Spangler N, Sexton F. Skin involvement as the presenting sign of internal carcinoma: a retrospective study of 7316 cancer patients. *J Am Acad Dermatol* 1990;22(1):19-26.
10. Lookingbill D, Spangler N, Helm KF. Cutaneous metastasis in patients with metastatic carcinoma: a retrospective study of 4020 patients. *J Am Acad Dermatol* 1993;29:228-36.
11. Brasil. Instituto Nacional de Câncer José Alencar Gomes da Silva. *Estimativa 2012: incidência de câncer no Brasil*. Rio de Janeiro: INCA, 2011.
12. Brasil. Academia Nacional de Cuidados Paliativos. *Manual de cuidados paliativos*. Rio de Janeiro: Diagraphic, 2009.
13. Haisfield-Wolfe ME, Baxendale-Cox LM. Staging of malignant cutaneous wounds: a pilot study. *Oncol Nur Forum* 1999;26(6):1055-64.
14. Schwartz RA. Cutaneous metastatic disease. *J Am Acad Dermatol* 1995;33:161-82.
15. Cohen PR. Skin clues to primary and metastatic malignancy. *Am Fam Physician* 1995;51:1199-204.
16. Wilson V. Assessment and management of fungating wounds: a review. *Br J Community Nurs* 2005;10:S28-34.
17. Seaman S. Management of malignat fungating wounds in advanced cancer. *Semin Oncol Nurs* 2006;22(3):185-93.
18. PCT tissue viability team. *Management of fungating wounds 2009*. Citado em: 10 Fev. 2012. Disponível em: <http://www.glospct.nhs.uk/pdf/policies/clinical/cp12dfungatingwounds_jan2007.pdf>
19. Hanks G, Cherny NI, Christakis NA et al. *Oxford textbook of palliative medicine*. 4th ed. Oxford: Oxford University, 2010.
20. Ashford R, Plant G, Maher J et al. Double-blind trial of metronidazole in malodorous ulcerating tumours. *Lancet* 1984;1(8388):1232-33.
21. Edwards J. Managing malodorous wounds. *JCN on line* 2000;14(4).
22. Brasil. Instituto Nacional de Câncer. *Tratamento e controle de feridas tumorais e úlcera por pressão no câncer avançado*. Rio de Janeiro: INCA, 2009.
23. Hampton S. Malodours fungating wounds: how dressings alleviate symptoms. Br J Community Nurs 2008;13(6):S31-38.
24. Santos CM da C, Pimenta CAM, Nobre MRC. A systematic review of topical treatments to control the odor of malignant fungating wounds. *J Pain Symptom Manage* 2010;39(6).
25. Ácido épsilon aminocaproico. [Bula]. Rio de Janeiro: NIKKHO.

234-10 Complicações Orais e Cuidados com a Boca

Cristhiane da Silva Pinto

NOTAS GERAIS

Alterações de cavidade oral são complicações comuns em pacientes com câncer avançado, seja por ação direta do tumor primário e/ou seu tratamento, seja por modificações sistêmicas gerando desequilíbrio orgânico. Estas alterações causam grande impacto na qualidade de vida, com considerável morbidade, mudando tanto o aspecto físico quanto psicológico do paciente. Ocorre mudança na capacidade de alimentação (fator que contribui para anorexia e caquexia) e, psicologicamente, na capacidade de comunicação (por alterações anatômicas do aparelho fonador e pela angústia relacionada com algumas lesões faciais desfigurantes).

O cuidado é normalmente subestimado, já que muitas vezes, as queixas são consideradas de menor importância quando comparadas com quadros mais agudos e de maior complexidade (p. ex.: obstrução intestinal, uremia, dor, dispneia etc.), sendo muitas vezes conhecidas como: "tópicos órfãos em Cuidados Paliativos" (Quadros 22 e 23).

O exame periódico é de suma importância para diagnóstico precoce de complicações e pode ser dificultado por:

- Alterações anatômicas decorrentes do tratamento cirúrgico, radioterápico ou da progressão do próprio tumor.
- Presença de catéteres ou sondas, que podem funcionar como complicadores, pois alteram a dinâmica do órgão, causam ressecamento e podem servir como sítio de infecção (aderência de microrganismos aos materiais).

Os problemas mais comumente encontrados são:

- Xerostomia.
- Candidose.
- Infecções virais.
- Estomatite/mucosite.
- Alterações locais: trismo, infecções, necrose tumoral.
- Alterações do paladar.

Que serão abordadas em detalhes adiante.

XEROSTOMIA

Definição

Sensação subjetiva de boca seca.

É um dos cinco sintomas mais prevalentes em pacientes com câncer, principalmente em pacientes terminais (29-77%), normalmente ocasionado pela diminuição na quantidade de saliva ou pela mudança bioquímica de sua estrutura. Dificulta a mastigação, a deglutição e a fala, tornando-se grande causa de morbidade em pacientes com câncer avançado (Quadro 24).

Saliva

- Ajuda na mastigação.
- Proteje a mucosa.

Principais funções

- Lubrificação.
- Atividade antimicrobiana (IgA, lizoenzimas).
- Remineralização dentária.
- Limpeza.
- Digestão (glicídios/carboidratos).

> **Atenção!**
> A glândula salivar é composta por células que secretam a mucina e as responsáveis pela secreção serosa. Pacientes submetidos à radioterapia cervicofacial tendem a apresentar saliva espessa e mucoide, pois as células secretoras de mucina são mais resistentes à radiação ionizante

Quadro 22. Fatores importantes na anamnese

FATORES LOCAIS	FATORES SISTÊMICOS

- Higiene oral (métodos e produtos usados)
 - Doenças dentárias
 - Próteses dentárias (tipo, métodos de limpeza)
 - Presença de dor local
 - Hemorragias
 - Ulcerações
 - Xerostomia
 - Alterações no paladar
 - Disfagia
 - Presença de tumorações locais
 - Cirurgia/quimioterapia e radioterapia prévias
 - Oxigenoterapia/padrão respiratório
 - Presença de infecções
	- Medicamentos:
	   • Corticosteroides
	   • Antibióticos
	   • Quimioterapia
	 - Desidratação
	 - Caquexia
	 - Diabetes
	 - Hipotireoidismo
	 - Doenças imunológicas
	 - Estado nutricional

Modificado de Oxford.

Quadro 23. Fatores importantes no exame físico

- Equipamento para exame:
  - Luvas
  - Lanterna
  - Abaixador de língua
1. Exame externo dos lábios, grau de abertura da boca
2. Remoção de próteses
3. Observar o estado das seguintes estruturas:
   - Palato mole e duro
   - Pilares da faringe
   - Bordas internas das bochechas
   - Lojas tonsilianas
   - Língua
   - Conservação dentária

Modificado de Oxford.

Quadro 24. Fatores indutores de alteração salivar

SECREÇÃO NORMAL DE SALIVA	ANSIEDADE

Secreção reduzida de saliva	- Induzido por drogas
	   • Anticolinérgicos
	   • Anti-histamínicos
	   • Anti-hipertensivos
	 - Desidratação
	   • Diabetes melito
	   • Diarreia/vômitos/hemorragias
	   • Baixa ingesta de fluidos

Lesão de glândula salivar	- Radioterapia - Síndrome de Sjögren - Cálculos - Sarcoidose - Parotidite - Agenesia de Parótida

Tratamento da xerostomia

- Anamnese adequada (nunca subestimar a queixa do paciente).
- Identificação de causas removíveis (principalmente medicamentosa).
  - Analgésicos opioides.
  - AINES.
  - Inibidores de bomba de prótons.
  - Corticoides.
  - Diuréticos.
  - Antidepressivos.
  - Antipsicóticos.
  - Anti-histamínicos.
  - Agonistas H2.
  - Benzodiazepínicos.
  - Bloqueadores de canais de cálcio.
- Cuidado com a dentição (dieta e limpeza/flúor).

> **Lembrar!!**
> - Pacientes com tumores de cavidade oral apresentam doença de gengiva ocasionada por dificuldades anatômicas à limpeza adequada e mudança de flora habitual
> - No Brasil, a população de menor condição socioeconômica não tem acesso periódico ao dentista, sendo comum a má conservação dentária mesmo antes da doença, que é agravada pela dieta irregular, tabagismo e etilismo

- Ausência de abordagem ideal.
- Estímulo mastigatório.
- Agentes farmacológicos.

Estimuladores de secreção de saliva × substitutos da saliva

A) Estimuladores de secreção de saliva
- Pilocarpina (alcaloide):
  - Agonista muscarínico-colinérgico.
  - Musculatura lisa e tecido exócrino.
  - Principal indicação: xerostomia como efeito colateral de drogas.
  - Principal efeito colateral: sudorese.
  - Doses de 5 mg 3×/dia são normalmente efetivas e com baixo risco de efeitos colaterais.
  - Contraindicações: doença cardiovascular, hipertensão instável, úlceras gástricas, asma severa, glaucoma e irite aguda.
- Ácido cítrico:
  - Um dos primeiros preparos a ser recomendado.
  - Sob forma de pastilhas ou gomas de mascar.
  - Potencial de degeneração dentária.

B) Substitutos da saliva:
- Não há substituto ideal.
- Efeito limitado ao tempo de uso.
- Sabores e texturas indesejáveis.

Carboximetilcelulose	×	Derivados da mucina
Sorbitol ou xilitol		Viscosidade e tensão superficial semelhantes à saliva humana
Grande viscosidade		Contém flúor, ajudando na prevenção de cáries

> **Obs.:** O uso da acupuntura no tratamento da xerostomia.
> - Resultados preliminares
> - Estudo com 52 pacientes com xerostomia resistente à pilocarpina após RXT para tumores de cabeça e pescoço
> - Cerca de 2/3 dos pacientes apresentaram melhora
> - 3 pontos em pavilhão auricular
> - 1 ponto na face radial do dedo indicador
> - Início de salivação em 15-20 minutos (eletroestimulação é desnecessária) - duração de 30-60 minutos
> - Consultas semanais
> - Seguimento prorrogado de acordo com a resposta
> - Pacientes sem resposta em 3 meses - tratamento interrompido

CANDIDÍASE ORAL

- Comensais em 40 a 60% dos adultos saudáveis.
- *Candida albicans*: responsável pela maioria das infecções.
- Outra espécies: C. *glabrata*, C. *tropicalis*, C. *krusei* e C. *parapsilosis*.
- A quantidade de leveduras está aumentada em tabagistas e pacientes com deterioração dentária.
- Fatores predisponentes:
  - Baixo KPS.
  - Diabetes melito.
  - Higiene oral precária (próteses, alteração microbiana).
  - Uso de antibióticos, esteroides e drogas citotóxicas.
  - Xerostomia.
  - Alterações bioquímicas na saliva.
  - Pacientes terminais.
  - Quimioterapia.
  - Radioterapia (para tumores de cabeça e pescoço) – de 8 a 94%.
  - Diminuição da mecânica da cavidade oral (comatosos, pacientes com sonda alimentar, trismo).

Achados clínicos

- Candidíase pseudomenbranosa:
  - Placas brancas friáveis com base granuloeritematosa.
  - Relacionada com a higiene precária, tabaco, má conservação dentária e dieta rica em carboidratos.
- Candidíase eritematosa:
  - Localização mais comum: dorso de língua.
  - Relacionada com o uso de antibióticos, esteroides e HIV.
- Candidíase hiperplásica:
  - Indistinguível da leucoplaquia.
  - Placas aderidas em comissuras e dorso da língua (bilaterais).
  - Diagnóstico pela biópsia.
  - Displasia pré-maligna em aproximadamente 50% dos casos.

Diagnóstico

- Exame físico.
- Exame direto.
- Cultura.
- Biópsia.

Tratamento

A) Tópico:
- Nistatina.
- Anfotericina B.
- Miconazol.

B) Sistêmico:
- Cetoconazol – hepatotóxico.
- Fluconazol – resistência.
- Itraconazol – Itraconazol.
  Cetoconazol – 200 a 400 mg/dia, VO, por 7 a 14 dias.
  Fluconazol – 100 a 400 mg/dia, VO, por 7 dias.
  Itraconazol – 200 mg/dia, VO, por 7 dias.

Obs.: Pacientes com câncer avançado – frequência maior de C. *glabrata* e C. *krusei*.

INFECÇÕES VIRAIS

Em pacientes imunossuprimidos e em Cuidados Paliativos, a infecção viral de relevância clínica é a abaixo descrita:

Herpes simples

- Vírus DNA pertencente à família Herpes *viridae*.
  - Subdividido em dois tipos:
    - HSV-1: transmitido por secreções orais.
    - HSV-2: transmitido por secreções genitais.

Quadro clínico

Normalmente secundária à infecções bacterianas, apresentando-se habitualmente sob forma labial (vesículas sob base eritematosa).

Em pacientes imunodeficientes, pode apresentar-se como:

- Reativações atípicas.
- Lesões intraorais.
- Reações sistêmica severas (incluindo febre, mal-estar geral, adenopatia).
- Sessenta e cinco por cento de pacientes com leucemia e 85% após QT (estomatite).
- Pacientes em cuidados paliativos: úlceras orais agudas e dolorosas.

Diagnóstico

- Cultura.
- Detecção rápida de antígenos (PCR).

Tratamento

- A droga de escolha é o Aciclovir 200-400 mg, VO, 5× ao dia por 7 dias. Quando há grande extensão ou gravidade, esta dose pode ser aumentada para 15-30 mg/kg/dia, IV, de 8/8 h por 7-14 dias.
- Valaciclovir 500 mg, 2 vezes ao dia, por 5 dias.
- Em caso de resistência ao Aciclovir, somente pode ser usado o Foscarnet, IV, 120 mg/kg/dia, dividido em 3 doses diárias, por 14-21 dias.
- O aciclovir tópico está indicado apenas em lesões labiais de pequena monta.

ESTOMATITE/MUCOSITE

Etiologia

Geralmente ocasionadas por drogas citotóxicas (methotrexato, 5FU, Vimblastina). Ocorre em 40% dos pacientes em quimioterapia. Estas drogas fazem toxicidade direta pela inibição não seletiva nas mitoses das células do epitélio oral, gerando atrofia e ulcerações nos locais não queratinizados.

Geralmente ocorre de 5-7 dias após o ciclo de quimioterapia e em até 2 semanas da fração de radioterapia.

Quadro clínico

- Eritema + Edema → ulcerações dolorosas que normalmente acometem todas as mucosas, com diferentes graus de gravidade.
- Mucosite severa:
  - Limita suporte nutricional (já precário em paciente com câncer avançado).
  - Dificulta higiene oral.
  - Aumenta o risco de: infecção sistêmica (solução de continuidade), dor e sangramento.
  - Maior incidência quando o tratamento antineoplásico é feito em:
    - Altas doses.
    - Infusão contínua.
    - Combinação de QT e RXT.

Tratamento

- Assegurar via para hidratação e medicamentos.
- Analgesia adequada sistêmica e tópica (mistura de xilocaína gel + nistatina).
- Suspensão de fatores causais (p. ex.: QT, RXT).

> **Obs.:** Pacientes com dor oral ocasionada por variados tipos de lesão podem ter o alívio deste sintoma fazendo o uso tópico de:
> 1. Xilocaína spray 10% (4×/dia)
> 2. Xilocaína gel 2% – 5-15 mL de 4/4 h
>
> Higiene oral:
> 1. Solução salina 0,9% – 10 mL após as refeições
> 2. Clorexedine 0,2% – 10 mL 4×/dia
> 3. Bicarbonato de sódio – 10 mL 4×dia
> 4. Cetilperidino – 10 mL
>
> **Importante lembrar:**
> 1. Os dentes e as próteses dentárias devem ser escovados, pelo menos, 2×/dia
> 2. As próteses devem ficar imersas em solução antisséptica no período noturno

ALTERAÇÕES DE PALADAR

Cerca de 25-50% dos pacientes com câncer apresentam alterações de paladar em graus variáveis, que geralmente se intensificam nos pacientes com doença avançada e uso de grande quantidade de medicamentos. Podem ser de três tipos:

- Redução (hipognosia).
- Distorção (disgnosia).
- Ausência (agnosia).

Principais causas

- Xerostomia.
- Distúrbios metabólicos.
- Estomatite.
- Infecções.
- Alterações locais – destruição de papilas gustativas (cirurgia, crescimento tumoral).
- Alterações em SNC (tálamo) ou periférico (5º, 7º, 9º e 10º pares cranianos).
- Tabagismo.
- Deficiência de zinco (mais comum no câncer de pulmão e leucemias – reposição: 25 mg 3×/dia, nas refeições).
- Radioterapia (alterações ocorrem em doses > 20 Gy).
- Medicamentos (p. ex.: opioides, anticolinérgicos, antidepressivos etc.).

INFECÇÕES BACTERIANAS

- Normalmente representadas por abcessos e fístulas.
- Em pacientes com câncer de cabeça e pescoço podem representar até 45% da causa de óbito e 22% de febre de origem obscura.
- Normalmente estes pacientes têm história de etilismo, que ocasiona uma diminuição da quantidade de IgA salivar, aumentando a predisposição a infecções.
- Na maioria das fezes, a infecção é causada por Gram – (Enterobacter, P. aeruginosa).

Tratamento

Antibioticoterapia específica para cada patógeno.

SIALORREIA

Salivação excessiva (podendo levar a desconforto e embaraço social).

Causas

- Dor oral (p. ex.: úlcera aftosa).
- Irritação local.
- Drogas (lítio, inibidores da colinesterase, agonistas colinérgicos).
- Psicose.
- Epilepsia.
- Ressecção radical de mandíbula.
- Lesões tumorais que impeçam o fechamento da boca.

Tratamento:

- Anticolinérgicos (p. ex.: hioscina).
- Drogas que causem xerostomia.

HALITOSE

Odor fétido originado da eliminação de ácidos voláteis por VO.

Causas

- Doenças da cavidade oral:
  - Higiene oral precária.
  - Doença periodontal, placa bacteriana.
  - Câncer de cavidade oral.
  - Sangramento gengival, gengivite ulcerativa necrosante aguda.
  - Gengivoestomatite.

- Doenças do trato respiratório:
  - Infecção nasal, de seios da face, faringe e pulmões.
  - Abcesso tonsilar.
  - Rinite crônica, rinofaringite.
  - Câncer de faringe e laringe com necrose tumoral.
  - Bronquiectasia, abcesso pulmonar.
  - Tumor de pulmão abcedado.
- Doenças do trato digestório:
  - Divertículo de esôfago, hérnia de hiato, estase gástrica.
  - Estenose pilórica com dificuldade de esvaziamento gástrico.
  - Alterações da secreção ou composição da bile.
- Falência metabólica:
  - Cetoacidose diabética.
  - Uremia.
  - Insuficiência hepática.
- Drogas:
  - Que geram xerostomia ou alterações de paladar.
  - Antineoplásicos (com complicações orais).
  - Antibióticos.
- Alimentos:
  - Carne vermelha, peixes.
  - Cebola.
  - Alho.
  - Rabanetes.
  - Repolho.

Tratamento

- Medidas gerais:
  - Higiene oral.
  - Adequação de dieta.
  - Redução/suspensão do consumo de álcool e tabaco.
  - Cuidados dentários.
- Medidas específicas:
  - Oral e respiratório.
- Antibióticos tópicos ou sistêmicos:
  - Tratamento da xerostomia.
  - Tratamento do sangramento oral.
  - Tratamento da estase gástrica.
- Pró-cinéticos:
  - Suspender sempre que possível drogas predisponentes.

CONCLUSÃO

Pacientes em Cuidados Paliativos apresentam alterações orais ocasionadas por múltiplos fatores, o que normalmente dificulta a abordagem e piora o prognóstico.

São imunossuprimidos pela doença e muitas vezes por seu tratamento, bem como pelo tratamento utilizado no controle de sintomas para pacientes com doença em progressão (p. ex.: corticosteroides).

É importante termos em mente que uma boa anamnese e exame físico, são capazes de diagnosticar precocemente estas complicações, o que implica sem dúvidas em uma maior chance de sucesso no tratamento.

Estudos iniciais com terapêuticas alternativas, como a acupuntura, vem mostrando-se cada vez mais frequentes, o que só vem a somar nesses casos.

Devemos sempre lembrar que a queixa do paciente nunca deve ser subestimada e nem confundida com estados de ansiedade e depressão comuns em pacientes de Cuidados Paliativos.

BIBLIOGRAFIA

Davies AN, Brailsford SR, Beighton D. Oral candidosis in advanced cancer. *J Pain Symptom Manage* 2008 May;35(5).

Davies AN, Broadley K, Beighton D. Xerostomia in patients with advanced cancer. *J Pain Symptom Manage* 2001 Oct.;22(4).

Elad S. Luboshitz-Shon N, Cohen T et al. A randomized controlled trial of visible. light therapy for the prevention of oral mucositis. *Oral Oncol* 2011;47:125-30.

Forner L, Hyldegaard O, von Brockdorff AS et al. Does hyperbaric oxygen treatment have the potential to increase salivary flowrate and reduce xerostomia in previously irradiated head and neck cancerpatients? A pilot study. *Oral Oncol* 2011;47:546-51.

Johnstone PAS, Niemtzow RC, Riffemburg RH. Acupuncture for xerostomia. *Cancer* 2002 Feb. 15;94(4).

Langmor SE, Grillone G, Elackattu A et al. Disorders of Swallowing:Palliative Care. *Otolaryngol Clin North Am.* 2009 Feb.;42(1):87-105, ix.

Mercadante S. Dry mouth and palliative care. *Eur J Palliative Care* 2002;9(5).

Mouth Care. In: Ventafridd V, Ripamonte C, Sbanotto A et al. (Eds.). *Oxford textbook of palliative medicine*. Oxford: Oxford University, 2001. p. 692-707.

Raber-Durlacher JE, Elad S, Barasch A. Oral mucositis. *Oral Oncol* 2010;46:452-56.

Schechter M, Marangoni DV. *Doenças infecciosas conduta diagnóstica e tratamento*. 2nd ed. Rio de Janeiro: Guanabara Koogan, 1998.

Senn HJ. Orphan topics in supportive care: how about xerostomia? *Support Care Cancer* 1997;5:261-62.

Specht L. Oral complications in the head and neck radiation patient. *Support Care Cancer* 2002;10:36-39.

Sweeney P, Bagg J. The mouth and palliative care. *Am J Hospice Palliative Care* 2000 Mar./Apr.;17(2).

Vissink A, Mitchell JB, Baum BJ. Clinical management of salivary gland hypofunction and xerostomia in head. and. neck cancer patients: successes and barriers. *Int J Radiat Oncol Biol Phys* 2010;78(4):983-91.

Wong PC, Dodd MJ, Miaskowski C et al. Mucositis pain induced by radiation therapy. *J Pain Symptom Manage* 2006 July;32(1).

234-11 Insuficiência Renal em Cuidados Paliativos

Cristhiane da Silva Pinto

RIM

O rim possui três funções básicas: excretória, manutenção do equilíbrio acidobásico e endócrina. Destas, duas fazem do rim um órgão vital:

Função excretória

A taxa de filtração glomerular (TGF) normal varia em torno de 80-120 mL/min.

O rim funciona como um filtro orgânico, sendo responsável pela eliminação de substâncias nocivas derivadas do metabolismo. Dessas substâncias merecem destaque:

- *Ureia:* metabolismo hepático das proteínas/reabsorção tubular.
- *Creatinina:* tecido muscular/produção diária constante/eliminação renal/não possui frações reabsorvidas – é 100% excretada/inversamente proporcional à TFG.

> "*Clearance* de Creatinina": ClCr = (140 – idade) × peso/72 × Crpl
> É o ideal para IR em fase inicial (Cr < 2)

Azotemia × Uremia

- *Azotemia:* aumento plasmático das escórias nitrogenadas, retratado pelo aumento sérico da ureia e da creatinina. Normalmente surge quando a TFG está por volta de 40% do normal.
- *Uremia:* sinônimo de síndrome urêmica.

Manutenção do equilíbrio hidreletrolítico e acidobásico

Os níveis séricos de Na^+, k^+, a osmolaridade e o pH são precisamente regulados pelo rim. Tal controle é feito pela reabsorção e secreção tubulares, que dependem de uma TFG mínima. O sistema tubular é formado por vários seguimentos com células funcionalmente diferentes, que têm suas ações moduladas por hormônios como a angiotensina II, a aldosterona, o peptídeo natriurético atrial e o ADH.

INSUFICIÊNCIA RENAL AGUDA (IRA)

Definição

Disfunção renal rápida (dias ou semanas) e progressiva. Diagnóstico eminentemente laboratorial na maioria dos casos, pois os sintomas só aparecem na disfunção grave.

Etiologia

- Pré-renal: ocasionada pela diminuição do fluxo sanguíneo renal. Normalmente ocorre quando a pressão sistólica está entre 60-120 mmHg. Suas principais causas são:
  - Hipovolemia.
  - Choque.
  - Cirrose hepática com ascite.
  - ICC.
- Renal: lesão do parênquima renal, gerando mau funcionamento apesar de um fluxo sanguíneo normal e um sistema uroexcretor pérvio. A causa mais comum de lesão renal crônica é o comprometimento glomerular, enquanto a lesão aguda é o comprometimento tubular.
- Pós-renal: obstrução do sistema uroexcretor, geralmente cursa com oligúria ou anúria, mas pode apresentar poliúria.
- Patologias obstrutivas.

Apresentações clínicas

Síndrome urêmica

Conjunto de sinais e sintomas ocasionados pelo acúmulo de grande quantidade de escórias nitrogenadas. Normalmente os níveis de ureia estão maiores que 150 mg/dl e os de creatinina maiores que 5,0 mg/dl. Os sinais e sintomas irão variar de acordo com o sistema acometido, veremos os mais frequentes a seguir:

- Sistema nervoso:
  - Periférico: comprometimento sensitivo ocasionando neuropatia periférica, soluços incoercíveis (irritação de nervo frênico).
  - Central: encefalopatia (sonolência/agitação psicomotora/convulsões/coma).
- Coração: pericardite urêmica (dor precordial ou retoesternal de caráter pleurítico, presença de atrito na ausculta. Derrame pericárdico hemorrágico podendo evoluir para tamponamento).
- Hemostasia: o principal distúrbio é a disfunção plaquetária, número normal, porém função alterada (sangramento em sítios de punção/HDA/AVE hemorrágico).
- TGI: não são sintomas normalmente graves, mas devem ser bastante valorizados para o diagnóstico clínico de uremia. Os mais comuns são: hiporexia, náuseas, vômitos, diarreia.

Síndrome hipervolêmica

Na insuficiência renal com oligoanúria, há retenção de H_2O e NaCl, aumentando a volemia. A gravidade dependerá da velocidade de instalação. Os sinais e sintomas são:

- Hipertensão arterial sistêmica: altos níveis, difícil controle, necessidade muitas vezes de diálise de urgência.
- Edema agudo de pulmão: insuficiência ventricular esquerda (mais comum em pacientes previamente cardiopatas).
- Edema periférico.

Desequilíbrio hidreletrolítico e acidobásico

Os distúrbios mais comuns e suas principais implicações são:

- *Hipercalemia:* redução da eliminação de K^+ → parada cardiorrespiratória por assistolia ou fibrilação ventricular.
- *Hiponatremia:* retenção de H_2O livre é maior que a de Na^+.
- *Acidose metabólica:* retenção de ácidos não voláteis. Pode ser grave com pH chegando a valor < 7,10, gerando risco de arritmia ventricular ou choque por vasodilatação e baixa resposta as catecolaminas.
- *Hiperfosfatemia e hipocalcemia:* parestesia, tetania, convulsões e coma.

Conduta diagnóstica

- História de oligúria e/ou anúria.
- Síndrome urêmica ou hipervolêmica.
- Azotemia.

Diferenciação entre IRA e IRC

- *Avaliação de exames prévios:* escórias prévias normais evidenciam IRA, escórias prévias aumentam evidenciam a IRC.
- *Níveis plasmáticos de Ur e Cr × intensidade de sintomas:* pacientes com doença crônica toleram níveis mais altos de escórias.
- *Presença de anemia ou osteodistrofia renal:* sinais de IRC.
- *USG:* tamanho renal, relação corticomedular, textura do parênquima.

Tratamento

- Específico:
  - Pré-renal: corrigir volemia.

- Pós-renal: corrigir a causa primária da obstrução ou proporcionar novo caminho para a drenagem de urina (catéter vesical de demora, catéter duplo J, cistostomia, ureterostomia, nefrostomia).
- Renal: tratamento das causas específicas.
■ Tratamento de suporte:
  - Controle da dieta: deve ser diminuído o aporte de proteínas.
  - Controlar balanço hidreletrolítico e acidobásico.
  - Transformar IRA oligúrica em não oligúrica: a oligúria por lesão renal deve ser tratada com diuréticos, os mais utilizados são: furosemida e manitol.
  - Diálise: nos casos de medidas conservadoras não surtirem os efeitos desejados, podemos dispor da terapia dialítica para melhorar as condições do paciente e evitar complicações fatais.

Indicações de diálise:

- Encefalopatia, neuropatia
- Pericardite
- Sangramento urêmico
- EAP refratário
- HAS severa
- Hipercalcemia severa refratária ou recorrente
- Acidose metabólica refratária ou recorrente aumento progressivo da creatinina ou Cr >10 mg/dL

Uremia e cuidados paliativos

Em pacientes com câncer avançado, a IRA é normalmente ocasionada pela obstrução ureteral bilateral. O envolvimento retroperitoneal é responsável por 75% dos casos. A Obstrução Ureteral Maligna (OUM) pode ocorrer por extensão direta de tumores primariamente abdominopélvicos (com compressão mecânica e/ou invasão do ureter) ou metástases linfonodais de tumores de outros sítios. A OUM pode apresentar várias manifestações como: dor em flanco, hematúria, febre, sepse e piúria e com a piora do quadro obstrutivo, oligúria, anúria e/ou uremia podem estar presentes.

Entre as causas renais podemos destacar a lesão parenquimatosa ocasionada pelo tratamento quimioterápico: L-asparginase, azacytadina, carboplatina, cisplatina, hidroxiureia, ifosfamida, methotrexato, mitomicina.

Uma importante consideração na hora de decidirmos o tratamento dos pacientes com OUM é o *performance status* (PS).

Uma variedade de terapias pode ser usada:

Farmacológica

Agentes antineoplásicos (p. ex.: cisplatina), hormonais e corticosteroides (em altas doses diminuem o edema, melhorando o fluxo urinário e, muitas vezes, a função renal). Não estão indicados para pacientes com deterioração rápida da função renal.

Radioterápica

A efetividade da radioterapia para a paliação nos casos de OUM tem sido demonstrada em uma variedade de tumores. Doses cumulativas giram em torno de 10 a 75 Gy, com resposta em torno de 70%. Efeitos colaterais como diarreia, náuseas e vômitos são comuns, e a duração da resposta e o efeito na sobrevida não são bem definidos.

Abordagem urológica

Podem ser procedimentos endoscópicos, percutâneos, subcutâneos ou por cirurgia aberta.

A intervenção adequada nos pacientes com doença avançada não é bem definida. As indicações na maioria dos estudos evidenciam consenso nos casos de hidronefrose bilateral, obstrução ureteral unilateral com insuficiência renal e pionefrose unilateral. As contraindicações incluem idade, falência renal severa, prognóstico reservado da doença, tipo de tumor (p. ex.: melhor prognóstico no câncer de próstata do que no de mama).

Entre os procedimentos mais usados estão os catéteres colocados por via retrógrada endoscópica (Duplo J) e as nefrostomias. A colocação do catéter duplo J é considerada o procedimento de primeira linha para a OUM, sucesso em aproximadamente 40% dos casos. Quando o tumor primário é de bexiga, colo de útero ou próstata, a abordagem é frequentemente dificultada pelo bloqueio ou distorção anatômica dos orifícios ureterais e, nesses casos, a nefrostomia percutânea (NP) torna-se o procedimento de escolha, que pode ser realizada na maioria dos casos. A vida média para esses procedimentos varia de 8 a 19 meses, e está intimamente relacionada com o tipo de tumor e o estágio da doença. A mortalidade associada a esses procedimentos é normalmente irrelevante. Complicações incluem infecção, hemorragia, obstrução ou deslocamento dos catéteres.

A NP paliativa em pacientes com câncer de colo uterino localmente avançado recidivado tem maior benefício nas pacientes com PS entre 1 e 3 no momento da indicação do procedimento. Os resultados de sobrevida parecem mais desfavoráveis em pacientes com PS 4 e doença metastática associada. A normalização da função renal não é garantida neste grupo de pacientes, e as complicações do procedimento são frequentes.

A cirurgia de *bypass* é realizada normalmente no primeiro tempo cirúrgico de uma cirurgia maior. Nesses casos, os ureteres são deslocados e colocados em um segmento intestinal (íleo, jejuno, cólon). A mortalidade da cirurgia é de 7% (sepse 50%, IAM 29%). As indicações para o procedimento são: exenteração pélvica, fístula vesicovaginal, obstrução ureteral, bexiga neurogênica, incontinência urinária. Na atualidade, esse procedimento vem perdendo terreno para os procedimentos percutâneos e endoscópicos, menos cruentos e com um melhor prognóstico.

Entre as neoplasias que mais cursam com obstrução urinária estão:

- Colo de útero (com ou sem fístula retovaginal).
- Próstata.
- Bexiga.
- Reto/cólon.
- Linfonodomegalia (linfomas, metástases de tumores de TGI e pélvico).

Obs.: A radioterapia pode causar obstrução por fibrose pélvica ou retroperitoneal.

Problemas a serem resolvidos (Fig. 11)

Antecipação:

■ Protocolo de acompanhamento:
  - Identificar pacientes propensos a IR.
  - Laboratório básico e USG pélvica admissionais.
  - Acompanhamento frequente e individualizado.

Controle dos sintomas:
■ Otimizar realização de nefrostomias:
  - Fluxo para a realização do procedimento.
  - Particularidades dos pacientes em cuidados paliativos.
■ Utilização de resinas de troca para hiperpotassemia.
■ Hemodiálise.

A hemodiálise é uma controvérsia na maioria dos estudos sobre Cuidados Paliativos, evidenciando que o bom senso é sempre o maior aliado nesses casos. Pacientes com um KPS alto podem beneficiar-se de algumas sessões para o controle de sintomas graves, enquanto são preparados para um procedimento definitivo de derivação. A contraindicação passa a ser consenso quando relacionada com pacientes com KPS baixo e quando há a necessidade de mantê-la por longo prazo.

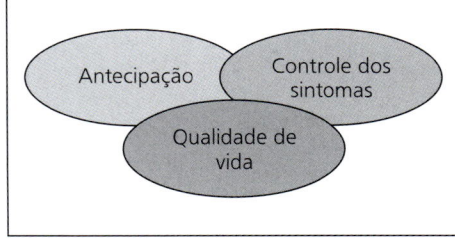

◄ **FIGURA 11.** Tríade dos cuidados paliativos de qualidade de vida em pacientes com propensão à insuficiência renal obstrutiva.

BIBLIOGRAFIA

Brenner BM. (Ed.). *The kidney.* 5th ed. Philadelphia: WB Saunders, 1996. p. 929-98.

Culkin DJ, Wheeler JS, Marsans RE et al. Percutaneous nephrostomy for palliation of metastatic ureteral obstruction. *Urology* 1987;30:229-31.

Doyle D, Hanks G, Macdonald N. (Eds.). *Genitourinary disorders in palliative care. Oxford textbook of palliative medicine.* Oxford: Oxford University, 1993. p. 415-22.

El-Tabey NA, Osman Y, Mosbah A et al. Bladder cancer with obstructive uremia: oncologic outcome after definitive surgical management. *Urology* 2005;66(3):531-35.

Engel CL, Pereira AHD. *O clínico e a nefrologia.* Rio de Janeiro: Medlivros, 1999. p. 219-86.

Hancock KC, Copeland LJ, Gershenson DM et al. Urinary conduits in gynecologic oncology. *Obstet Gynecol* 1986 May;67(5):680-84.

Lameire N, Van Biesen W, Vanholder R. Acute renal failure. *Lancet* 2005 Jan. 29;365:(9457):417-30. Disponível em: <www.thelancet.com>

Lusenti T, Fiorini F, Barozzi L. Obstructive uropathy and acute renal failure due to ureteral calculus in renal graft: a case report. *J Ultrasound* 2009;12:128-32.

O'Donnell PD. (Ed.). *Ureteral obstruction. Geriatric urology.* Boston: Little, Brown, 1994. p. 372-73.

Oefelein MG. Prognostic significance of obstructive uropathy in advanced prostate cancer. *Urology* 2004;63(6):1117-21.

Pinto CS, Dienstmann R, Pereira MT et al. *Nefrostomia percutânea paliativa em pacientes com câncer de colo uterino recidivado ou avançado.* Instituto Nacional do Câncer (INCA) - HC IV - Rio de Janeiro, Brasil. I Simpósio Internacional de Cuidados Paliativos e Dor, Out. 2004.

Rose PG, Shamshad A, Whitney CW et al. Impact of hydronephrosis on outcome of stage IIIB cervical cancer patients with disease limited to the pelvis, treated with radiation and concurrent chemotherapy: a gynecologic oncology group study. *Gynecol Oncol* 2010;117:270-75.

Siddiqui MM, Scott McDougal W. Urologic assessment of decreasing renal function. *Med Clin N Am* 2011;95:161-68.

Smith P, Bruera E. Management of malignant ureteral obstruction in the palliative care setting. *J Pain Symptom Manage* 1995 Aug.;10(6):481-86.

Takai N, Nasu K, Miyakawa I. Management of patients with carcinoma of the cervix with anuric renal failure. *Int J Gynecol Obstet* 2005;88:156-57.

Watkinson AF, A'Hern RP, Jones A et al. The role of percutaneous nephrostomy in malignant urinary tract obstruction. *Clin Radiol* 1993;47:32-35.

234-12 Síndromes Metabólicas

Cristhiane da Silva Pinto

O corpo humano é basicamente formado por proteínas e água. A água é distribuída entre o meio extracelular (EC - 1/3) e o intracelular (IC - 2/3). O meio EC é subdividido em intersticial (2/3) e intravascular (1/3).

BALANÇO HÍDRICO

O balanço hídrico é composto pelo somatório de todo o líquido que entra, menos o somatório do líquido que sai. Em adultos hígidos, com rins e centro da sede normais, não há dificuldades em se manter o equilíbrio.

Obs.: Idosos, pacientes acamados, comatosos ou com doença de SNC, podem ter o centro da sede defeituoso, acarretando importante alteração no balanço hídrico.

Conceitos importantes:[1]

- *Osmolaridade:* é a concentração do soluto em uma solução aquosa (285-295 mOsm/L). Os solventes tendem a se transferir do meio hipotônico para o hipertônico, com a intenção de igualar a pressão osmótica
- *Crenação:* é a diminuição do volume celular por saída de água
- *Edema:* é o aumento do volume celular por entrada excessiva de água
- *K^+:* o principal soluto do meio intracelular
- *Na^+:* o principal soluto do meio extracelular

Na reposição volêmica devemos calcular a tonicidade do líquido a fim de avaliar corretamente o tipo de infusão a ser feita. Esta tonicidade é baseada na natremia (135-145 mOsm/L).[2]

- *Soro glicosado (5, 10, 20%):* no líquido EC a concentração de glicose varia de 80-200, o que não contribui para aumentar a osmolaridade, pois é rapidamente metabolizada.
- *Soro fisiológico 0,9%:* osmolaridade de 308 mOsm/L (solução hipertônica).
- *Salina 0,45%:* osmolaridade de 154 mOsm/L.
- *Salina hipertônica 3%:* osmolaridade de 1.026 mOsm/L.
- *Ringer Simples:* osmolaridade de 310 mOsm/L.
- *Ringer lactato:* osmolaridade de 272 mOsm/L.

```
1 g de NaCl = 17 mEq de Na+ e 17 mEq de Cl⁻  ⎫
1 g de KCl = 13 mEq de K+ e 13 mEq de Cl⁻    ⎬ mEq/500 mL × 2 = mOsm/L
                                              ⎭

Salina 0,45% (500 mL) – SF 0,9% 250 mL + água destilada 250 mL
Salina 3% (500 mL) – SF 0,9% 250 mL + NaCl 20% 50 mL
```

Pacientes com dieta zero necessitam de cerca de 400 kcal/24 h, o que pode ser fornecido com 2.000 mL de SG 5%.

DESIDRATAÇÃO

É a diminuição de fluidos orgânicos e pode ser dividida em:[2]

- Desidratação intracelular (aumento do Na^+ sérico):
  - Sudorese excessiva.
  - Diurese osmótica.
  - Diarreia osmótica.
  - Hiperpneia.
  - Diabetes insípido.

- Desidratação extracelular (hiponatremia ou Na^+ sérico normal):
  - Vômitos recorrentes.
  - Poliúria.
  - Diarreia secretória.
  - Hemorragias.
  - Perda para o terceiro espaço.

Atenção!!!

Anasarca: caso especial de hipovolemia, em pacientes com hipoalbuminemia (alb < 3,0) e hipoproteinemia (PTN < 5,0), diminuindo a pressão coloidosmótica e fazendo a migração dos fluidos do intravascular para o interstício[3]

A volemia é controlada basicamente por dois mecanismos fisiológicos distintos, que se relacionam entre si e são sistemas hormonais complexos. Abaixo veremos um modelo simplificado destes sistemas:

Sistema renina/angiotensina/aldosterona

↓ do fluxo sanguíneo renal → liberação de renina → transformação de angiotensina em angiotensina II → ↑ da reabsorção de Na^+ e H_2O no túbulo contorcido proximal, vasoconstrição e liberação de aldosterona → retenção de Na^+ e H_2O no túbulo contorcido distal.[4]

Sistema adrenérgico

↓ na pressão dos barorreceptores → ↑ na liberação de adrenalina e noradrenalina nas sinapses → ↑ da contratilidade miocárdica e frequência cardíaca, vasoconstrição, débito cardíaco e resistência vascular periférica.[4]

HIPERNATREMIA

Definição

É considerada quando temos valores de Na^+ > 145 mEq/L e diabetes insípido.[1]

- *Diabetes insípido (DI):* perda da capacidade de concentração urinária, por redução do ADH circulante (DI central) ou resistência renal ao ADH (DI nefrogênico). Gerando, assim, hipernatremia e poliúria aquosa (Osm urinária < 250 mOsm/L ou densidade urinária < 1.010).
- *Hipernatremia grave:* Na^+ > 157 mEq/L.

Manifestações clínicas

- Sonolência ou agitação psicomotora.
- Confusão mental.
- Convulsões.
- Posturas tônicas (descerebração).
- Torpor/coma/morte.

A diminuição aguda de H_2O no SNC, ocasionada pela hiponatremia aguda, pode ocasionar ruptura de vasos, gerando hemorragias.

Causas (Quadros 25 e 26)

Quadro 25. Principais causas de hipernatremia[1]

- Sudorese acentuada
- Grandes queimaduras
- Exercício intenso
- Hiperpneia
- Diarreia osmótica
- Diurese osmótica
- Soluções hipertônicas
- Rabdomiólise
- Hiperaldosteronismo
- Diabetes insípido
- Hipodipsia primária

Quadro 26. Principais causas de diabetes insípido[1]

CENTRAL	NEFROGÊNICO
■ Cirurgia de hipófise/hipotálamo	■ Anemia falciforme
■ Trauma cranioencefálico	■ Furosemida
■ Encefalopatia pós-anóxica	■ Lítio
■ Craniofaringioma	■ Hipercalcemia crônica
■ Sarcoidose/histiocitose X	■ Hipocalemia severa
■ Etanol	■ Insuficiência renal
■ Idiopática	

Tratamento

- Soluções hipotônicas.
- *DI*: restrição de sal e proteínas.
- *DI central*: reposição hormonal (vasopressina/desmopressina).
- *DI nefrogênica*: diuréticos tiazídicos (aumenta a reabsorção de Na^+, ureia e H_2O no TCP, diminuindo os solutos excretados e bloqueando a absorção de NaCl nos seguimento diluidores de urina (aumentando a concentração urinária).[3]

HIPONATREMIA

Definição

É o distúrbio hidreletrolítico mais comumente encontrado em pacientes idosos, acamados e com câncer avançado, tendo seu grau e suas implicações variando com o seu tempo de instalação, seu diagnóstico e suas causas.[5-8]

Pode ser definido por:

- Sódio plasmático < 135 mEq/L (Na^+ normal = 135-145 mEq/L).

Osmolaridade efetiva

- $2\times[Na^+]$ + [glicose]/18.
- $2\times[Na^+]$ = 280 mOsm/L.
- [Glicose]/18 = 5 mOsm/L.
- Regulada pela secreção de ADH pelo hipotálamo.
- ADH ação no túbulo coletor no néfron distal onde aumenta a permeabilidade a água.
- Hiposmolaridade inibe a secreção de ADH aumentando a diluição urinária.

Tipos e causas de hiponatremia

1. Hiponatremia hipertônica (Osm > 295 mOsm/L):
   - Hiperglicemia.
   - Uso de manitol.
   - Terapia com glicerol.

2. Hiponatremia isotônica (Osm > 275-295 mOsm/L):
   - Hiperlipidemia.
   - Hiperproteinemia (mieloma múltiplo).

3. Hiponatremia hipotônica
   a) Pacientes hipovolêmicos
      - Perdas renais (Na urinário > 20 mEq/L):
        - uso de diuréticos;
        - nefrite intersticial;
        - deficiência de mineralocorticoide.
      - Perdas extrarrenais:
        - vômitos;
        - diarreia;
        - suor;
        - perda para o terceiro espaço.
   b) Pacientes euvolêmicos
      - Sódio urinário > 20 mEq/L:
        - SIADH;
        - hipotireoidismo;
        - deficiência de glicocorticoide;
        - dor/emoção e estresse;
        - doenças crônicas;
        - ICC leve/moderada + diuréticos.
      - Sódio urinário < 10 mEq/L:
        - polidipsia psicogênica;
        - iatrogenia (fluidos hipotônicos IV).
   c) Pacientes hipervolêmicos
      - Sódio urinário <10 mEq/L:
        - ICC;
        - cirrose;
        - síndrome nefrótica;
        - hipoalbuminemia;
      - Sódio urinário> 20 mEq/L:
        - IRA;
        - IRC.

SIADH

Esta síndrome foi descrita na década de 1950 e tem sido utilizada para descrever a maioria dos casos de hiponatremia pós-cirurgia de hipófise.

A SIADH responde por 14 a 40% dos casos de hiponatremia e a causa mais comum de hiponatremia normovolêmica, bem como o fator etiológico mais usual de hiponatremia em pacientes hospitalizados.[9]

É considerada uma das síndromes paraneoplásicas mais comuns. As neoplasias parecem sintetizar ou secretar o ADH ou a molécula pré-pró-vasopressina, e seu diagnóstico é de exclusão.[9]

Os critérios para SIADH são:

- Hiponatremia < 135 mEq/l.
- Osmolaridade < 280 mOsm/L.
- Aumento de volume plasmático.
- Hiponatremia hipotônica.
- Osmolaridade urinária > 200 mOsm/L.
- Elevado Na urinário > 20 mmol/L.

Causas de SIADH (Quadro 27)

Quadro 27. Principais causas de SIADH[9,10]

DROGAS	DOENÇAS DO SNC
Vasopressina	Encefalite
Desmopressina	Meningite
Ocitocina	*Delirium tremens*
Ciclofosfamida	Trauma
Clofibrato	Abcesso cerebral
IMAO	Tumor cerebral
Antidepressivos tricíclicos	Trombose de seio cavernoso
Carbamazepina	Porfiria
Alcaloides da Vinca	Esclerose múltipla
Clorpropramida	Hemorragia subdural
AINES	Síndrome de Guillan-Barré
Colchicina	
Barbitúricos	
Diuréticos tiazídicos	
DOENÇAS PULMONARES	**NEOPLASIAS**
Pneumonia	Pulmão
Abcesso pulmonar	Pâncreas
Tuberculose	Timoma
Aspergilose	Linfoma
DPOC	Mesotelioma
Carcinoma broncogênico	Bexiga
	Próstata

Sinais e sintomas

- Ocasionados pela hiposmolaridade (120-135 mOsm/L).
- Glicemia normal e Na < 120 mEq/L: Osm < 245 mOsm/L.
- Edema celular (intoxicação hídrica).
- Maior sensibilidades nos neurônios.

Hiponatremia aguda
- Cefaleia.
- Náuseas.
- Sonolência.
- Convulsões.
- Torpor.
- Coma.

Hiponatremia crônica
- Eliminação de solutos.

Tratamento

- Reposição volêmica (hipovolemia e insuficiência suprarrenal).
- Restrição hídrica (ICC, cirrose, IR, SIADH).
  - Ingesta < 800 mL/dia + restrição de isotônicos.
- Reposição lenta em hiponatremia crônica:
  - Evitar mielinólise pontina* (crenagem).
    *Na hiponatremia crônica (instalação > 48 h), o SNC inicia um processo de equilíbrio com o meio, por meio da perda progressiva de solutos intracelulares (neurônio). A reposição rápida torna o meio hipertônico em relação à célula, que perde líquido e morre (crenagem).[11]
- Reposição em hiponatremia grave:
  - Solução salina 3%.
  - Déficit = $0,5 \times peso \times (125 - [Na]pl)$.
  - Volume de reposição = $0,97 \times peso \times (125 - [Na]pl)$.
  - Tempo de reposição (h) = $(125 - [Na]pl) \times 2$.

HIPOCALEMIA

Definição

É definida pela concentração de K^+ < 3,5 mEq/L.
A perda urinária normal de potássio é de 5 mEq/L.

Causas (Quadro 28)

Quadro 28. Principais causas de hipocalemia[1]

- Baixa ingesta ou administração de K^+
- Vômitos, diarreia, perda pelo TGI
- Poliúria
- Diuréticos tiazídicos ou de alça
- Hipomagnesemia
- Hiperaldosteronismo
- Anfotericina B, aminoglicosídeos
- Hidrocortisona em altas doses
- Síndrome de Bartter
- Acidose tubular renal tipo I e II
- Alcalemia
- Insulinoterapia (p. ex.: tratamento da cetoacidose diabética)
- Hiperestímulo adrenérgico
- Tratamento de anemia megaloblástica
- Tratamento da neutropenia
- Hipotermia
- Pseudo-hipocalemia
- Paralisia hipocalêmica periódica

Diagnóstico

Deve ser feito por meio da dosagem do potássio urinário.[3]
K^+ urinário < 25 mEq/L em 24 h: perda extrarrenal.
K^+ urinário > 25 mEq/L em 24 h: perda renal.

Sinais e sintomas

Normalmente surgem quando o K^+ sérico é < 2,5 mEq/L.

- Taquiarritmias atriais/ventriculares.
- Bloqueios da condução cardíaca.
- Disfunção muscular esquelética (paresia, parestesia, cãibras etc.).
- Íleo paralítico.
- Onda T aplainada e aumentada.
- Aumento da onda U.
- Desaparecimento da onda T.
- Onda P apiculada e alta.

Tratamento

Déficit de K^+ = $350 \times (4 - K^+ sérico)$.

Quando a hipocalemia é severa devemos fazer a reposição parenteral e de preferência com SF 0,45%, pois o SG 5% não é ideal, já que a glicose estimula a liberação de insulina, levando à piora inicial da hipocalemia.

Na hipocalemia leve e moderada, a reposição deve ser de 4-6 g/dia (60-80 mEq/L) mais a reposição mínima diária.

Na hipocalemia severa (K^+, 2,5 mEq/L) a reposição deve ser de 20-40 mEq/L/h (normalmente em veia profunda).

Pacientes de Cuidados Paliativos, habitualmente desenvolvem hipocalemia leve/moderada, de instalação lenta, ocasionada pela ingesta pobre, vômitos e diarreia, bem como o uso prolongado de corticosteroides.

HIPERCALEMIA

Definição

Definida como o K^+ sérico. 5,0 mEq/L.

A aldosterona é o hormônio regulador da calemia, ela é liberada pela suprarrenal, mediante o estímulo ocasionado pela elevação da calemia aumentando a secreção tubular de K^+. A maior parte do K^+ é excretado pelos rins, enquanto uma pequena parte é eliminada por secreção colônica (que pode aumentar em casos especiais, como a IRC).

Causas (Quadro 29)

Quadro 29. Principais causas de hipercalemia[1]

- Sobrecarga excessiva
- Pseudo-hipercalemia
- Insuficiência renal
- Hipovolemia severa
- Hipoaldosteronismo
- Acidose tubular renal tipo IV
- Aumento do catabolismo
- Diuréticos poupadores de K^+
- IECA
- β-bloqueadores
- Descompensação metabólica diabética
- Acidose metabólica
- Exercício extenuante
- Cirurgia cardíaca
- Intoxicação digitálica
- Transfusão de sangue estoque por longo tempo
- Paralisia periódica hipercalêmica

Sinais e sintomas

Dependem da magnitude e da velocidade de instalação da hipercalemia.
Surgem quando o K^+ está > 6,0 (instalação rápida) ou > 7,0 (subaguda/crônica).

- Fibrilação ventricular.
- Bradiarritmias e bloqueios.
- Assistolia.
- Fraqueza muscular (paresia ou paralisia).
- Alterações no ECG:
  - Ondas T apiculadas.
  - Alargamento do QRS.
  - Achatamento da onda P.

Tratamento

- *Gluconato de cálcio 10%:* 10-20 mL em infusão lenta (2-3 min). Protege o sistema de condução cardíaca dos efeitos nocivos do K⁺.
- *Glicoinsulinoterapia:* 10 UI de insulina regular + 100 mL de glicose a 50%.
- *NaHCO₃ intravenoso:* 50 mEq (50 mL) infundidos em 5-15 min e repetido em 30 min.
- *Furosemida:* utilizada em paciente que apresentam débito urinário ou protraído.
- *Resina de troca:* por VO aumenta a eliminação de K⁺ pelas fezes.

HIPERCALCEMIA

Metabolismo fisiológico do cálcio e fosfato

Antes de falarmos deste frequente distúrbio metabólico, é fundamental relembrarmos sucintamente o controle fisiológico da calcemia e da fosfatemia. No organismo humano, o principal reservatório é o tecido ósseo, onde tais elementos se depositam sob a forma de cristais de hidroxiapatita. O cálcio e o fosfato sérico são controlados pela ação de três processos: a absorção intestinal, a reabsorção óssea e a excreção renal. Ambos controlados por dois hormônios: o paratormônio (PTH), produzido pelas células das glândulas paratireoides e a vitamina D ativa (calcitriol), produzida nas células tubulares proximais dos rins.

O PTH aumenta a calcemia e reduz a fosfatemia, pois aumenta a reabsorção óssea de Ca^{++} e fosfato, mediante a ativação dos osteoclastos. Como efeito temos a retirada de Ca^{++} e fosfato do osso para o plasma. Além disso, age nos rins, reduzindo a excreção de Ca^{++} e aumentando a de fosfato; este último responsável pelo seu efeito hipofosfatêmico. O PTH também aumenta a produção renal de vitamina D ativa.

A ação da vitamina D resulta na elevação da calcemia e fosfatemia, ela age diretamente na mucosa intestinal, aumentando a absorção de cálcio e fosfato da dieta. A vitamina D ativa tem um efeito permissivo na ação do PTH no osso, porém existem outros efeitos não muito bem conhecidos. Por fim, a vitamina D age na paratireoide inibindo a produção de PTH, gerando, assim, um *feedback* negativo.

Controle da calcemia

Após um excesso de Ca^{++} da dieta, há um aumento inicial da calcemia, que inibe diretamente a secreção do PTH. A redução do PTH acarreta três efeitos: redução da reabsorção óssea de Ca^{++}, permitindo uma maior fixação do cálcio no tecido ósseo; diminuição da excreção renal de Ca^{++} e redução da secreção renal de Vitamina D ativa com consequente diminuição da absorção intestinal de Ca^{++}. Esses três efeitos contribuem para a normalização da calcemia. Em relação ao fosfato, apesar do baixo nível de PTH reduzir a excreção deste elemento, a redução da Vitamina D ativa diminui a absorção do mesmo, com isso, seus níveis permanecem constantes. Uma carência de Ca^{++} na dieta acarreta o mecanismo contrário do citado acima.

Relação entre a albumina e o Ca⁺⁺ sérico

O Ca^{++} circulante está 50% ligado a albumina, portanto seus níveis interferem diretamente na calcemia. Porém, as alterações da albuminemia não interferem nos níveis plasmáticos de Ca^{++} livre (o que realmente tem importância fisiológica). Para termos noção da real concentração de Ca^{++} livre devemos calcular o Ca^{++} corrigido:

$$Ca^{++} \text{corrigido} = Ca^{++} \text{ sérico} + [(4 - alb) \times 0,8]$$

Alterações da calcemia relacionadas com o câncer

A hipercalcemia é uma das desordens metabólicas mais associadas ao câncer, ocorrendo estimativamente em 10-20% dos pacientes com câncer avançado e em 1-3% dos pacientes internados por outras causas.[12] Bastante relacionada com os tumores de cabeça e pescoço, onde sinalizam mau prognóstico, com sobrevida em torno de 2 meses [13]. Entre os tumores mais relacionadas estão:

- *Tumores sólidos:* p. ex.: pulmão e mama.
- *Neoplasias hematológicas:* p. ex.: mieloma múltiplo.

A principal causa de hipercalcemia induzida pelo câncer está associada ao aumento da reabsorção óssea com mobilização para o fluido extracelular e secundariamente o *clearance* renal inadequado do Ca^{++}[14].

Dois tipos de hipercalcemia têm sido descritos: osteolítica e humoral. A osteolítica é diretamente ocasionada pela destruição óssea, seja por tumores primários ou metastáticos. A humoral é mediada pela secreção de fatores pelas células tumorais, sem evidência de doença óssea.

Entre os fatores secretados pelo tumor, temos a proteína PTH-*like*, uma sequência de aminoácidos semelhante ao PTH que liga-se aos mesmos receptores, tanto no osso como no rim, alterando a homeostase do Ca^{++}, elevados níveis dessa proteína têm sido encontrados em pacientes com tumores sólidos.[15] Outros fatores também podem ocasionar a hipercalcemia, fator transformador do crescimento alfa e beta (TGF – *transforming growth factor*), interleucina-1, fator de necrose tumoral alfa e beta (TNF) e interleucina-6, pois agem ativando os osteoclastos.[16]

Fatores predisponentes

A imobilização está relacionada com o aumento da reabsorção de Ca^{++} do osso.

Anorexia, náuseas e vômitos exacerbam a desidratação, reduzindo a excreção renal de Ca^{++}.

Terapia hormonal (estrogênios, antiestrogênios, androgênios e progestogênios).

Diuréticos tiazídicos aumentam a reabsorção renal de Ca^{++}.

Incidência relacionada com o tipo de câncer[17]

Tipos de tumor	Percentagem de ocorrência
Pulmão	27,3%
Mama	25,7%
Mieloma múltiplo	7,3%
Tumores de cabeça e pescoço	6,9%
Primário desconhecido	4,7%
Linfoma/leucemia	4,3%
Renal	4,3%
Gastrointestinal	4,1%

Manifestações clínicas

Existe uma pequena correlação entre a intensidade dos sintomas e a concentração sérica de cálcio. A suspeita diagnóstica é muitas vezes dificultada pela não especificidade dos sintomas, que muitas vezes podem ser atribuídos a doenças crônicas e terminais.[18] Dividiremos a seguir os sintomas pelo sítio acometido:

A) *Sintomas neurológicos:* o cálcio tem ação na liberação de neurotransmissores, seu aumento vai diminuir a excitabilidade neuromuscular, gerando hipotonicidade e fraqueza nos músculos estriados, além de diminuição dos reflexos profundos, podendo levar posteriormente à diminuição da capacidade respiratória.
No SNC, podemos ter: alterações de personalidade, delírio, disfunção cognitiva, desorientação, discurso incoerente, sintomas psicóticos e alucinações. A progressão no aumento dos níveis séricos pode levar à estupor ou coma. A cefaleia pode ocorrer pelo aumento da proteína no líquor e pode gerar vômitos e piora da desidratação.
B) *Sintomas cardiovasculares:* está associada ao aumento da contratilidade e irritabilidade miocárdicas. No ECG, podemos ter: baixa condução, prolongamento do intervalo P-R, afilamento do complexo QRS, encurtamento do intervalo Q-T, encurtamento ou ausência do segmento S-T.

Está associada ao aumento à sensibilidade dos efeitos farmacológicos dos digitais.

Com o aumento dos níveis de Ca^{++}, poderão ocorrer bradiarritmias e bloqueios que poderão culminar em PCR por assistolia.

C) *Sintomas gastrointestinais:* estão provavelmente relacionados com a ação de depressão que a hipercalcemia causa no sistema nervoso autonômico do TGI, resultando na hipotonicidade da musculatura lisa. O aumento da secreção gástrica de ácidos intensifica os sintomas de anorexia, náuseas e vômitos, que são piorados também pelo aumento do volume gástrico residual. A constipação pode ser agravada pela desidratação que acompanha a hipercalcemia e ocasiona dor abdominal que, muitas vezes, pode ser confundida com abdome agudo.

D) *Sintomas renais:* a hipercalcemia causa um defeito tubular reversível, resultando na perda da capacidade de concentração urinária e poliúria, o que piora a desidratação e seus sinais e sintomas. A diminuição da reabsorção proximal do sódio, magnésio e potássio geram perda de sal e água, ocasionando desidratação celular e hipotensão. A insuficiência renal pode ocorrer como resultado da diminuição na TFG, sendo um fator complicador para os pacientes com mieloma. A hipercalcemia da doença maligna não está associada à nefrolitíase ou nefrocalcinose, pois não há hipercalciúria.

E) *Sistema ósseo:* pode resultar de metástases osteolíticas ou gerar reabsorção óssea por meio da mediação humoral com fraturas patológicas, deformidade e dor.

Diagnóstico

Laboratorial

É considerada hipercalcemia quando o Ca^{++} sérico encontra-se > 10,2 mg/dL com albumina sérica < 4.

É importante também monitorarmos a função renal, bioquímica básica e, quando possível, os níveis de PTHrP e 1,25 di-hidroxi vitamina D.

Anamnese

- Início e velocidade de instalação dos sintomas.
- Evidências radiográficas de doença óssea.
- Tratamentos recebidos (p. ex.: tamoxifeno).
- Uso de digoxina.
- Uso de diuréticos tiazídicos, vitamina A e/ou D, sais de lítio.
- Comorbidades que predispõem a imobilidade ou desidratação.

Exame físico

Deve passar pelas alterações básicas e pelos principais sinais dos sistemas mais acometidos (já relacionados anteriormente).

Tratamento

O tratamento da hipercalcemia sintomática tem como primeiro foco a correção da desidratação e o aumento da excreção renal de Ca^{++}. Em um primeiro momento, é tratada com vigorosa hidratação venosa com fluidos isotônicos seguidos da administração de diuréticos. Essa abordagem nem sempre é efetiva na correção dos níveis séricos além de haver a necessidade de cautela para evitar o excesso de fluidos.

Hipercalcemia moderada

Níveis séricos de Ca^{++} corrigido < 12 mg/dL.

A opção principal é a hidratação vigorosa e a observação, principalmente nos pacientes assintomáticos.

Nos pacientes sintomáticos procederemos como na hipercalcemia severa.

Hipercalcemia severa

Níveis séricos > 12 mg/dL

A hidratação vigorosa com solução salina 0,9% é o primeiro passo (o volume varia de 3.000 mL a 6.000 mL nas primeiras 24 h).

Diuréticos de alça (furosemida) são a escolha, pois induzem à hipercalciúria pela inibição da reabsorção de Ca^{++} na porção ascendente da alça de Henle, porém não devem ser administrados antes da expansão do volume plasmático. As doses devem ser moderadas (20-40 mg IV a cada 12 h), pois doses muito altas geram hipofosfatemia, hipocalcemia e hipomagnesemia.

Inibidores da reabsorção óssea

Bifosfonatos

O uso dos bifosfonatos tem-se tornado o principal tratamento no manejo da hipercalcemia induzida pelo câncer.

São substitutos dos carbonados do pirofosfato. Reduzem o número de osteoclastos nos sítios de alta reabsorção óssea, inibem a expansão dos osteoclastos, bem como a diferenciação de seus precursores.[19]

Um obstáculo na rotina do uso de bifosfonatos em pacientes com câncer avançado é que os bifosfonatos orais têm baixa biodisponibilidade e podem causar toxicidade gastrointestinal. O uso venoso gera a necessidade de internação hospitalar (mesmo que por curto período) e dificulta a realização nos pacientes de acompanhamento domiciliar.[20]

Podem estar associados à osteonecrose da mandíbula com ou sem intervenções dentárias prévias.[21]

Devemos, também, avaliar que nem todos os pacientes com câncer avançado e hipercalcemia apresentarão melhora na qualidade de vida, com a administração dos bifosfonatos. Pois, muitas vezes, em fazes tardias da doença não haverá benefício, já que o caos metabólico instalado acabará sendo o mecanismo de morte do paciente. Para sabermos quais pacientes se beneficiarão do tratamento é imprescindível que avaliemos o prognóstico, já que algumas dessas medicações podem apresentar efeitos colaterais significativos e os nossos recursos são finitos.

Pamidronato

É o mais utilizado para a correção da hipercalcemia, por ser um dos mais conhecidos e eficazes na redução dos níveis séricos de Ca^{++}. Não é tolerado pela via subcutânea na maioria dos casos, sendo, portanto, de administração exclusivamente venosa até que estudos clínicos mais significativos venham a ser realizados.

- Dose: 60-90 mg em 500 mL de SF0, 9% – correr em 2-4 h.
- Início do efeito ocorre em 3-4 dias.
- Efeito máximo em 7-10 dias.
- Duração do efeito de 7-30 dias.
- É recomendado um mínimo de 7 dias entre uma dose e outra.
- Efeitos adversos incluem:
  - Elevações da temperatura corporal (nas primeiras 24-36 h).
  - Náuseas, anorexia, dispepsia e vômitos (infusão rápida).
  - Hipofosfatemia e hipomagnesemia.
  - Hipocalcemia (geralmente assintomática).
  - Dor óssea.

Zolendronato

É o bifosfonato que permite a mais rápida infusão e os resultados mais frequentes e duradouros.[22]

- Dose de 4-8 mg em 100 mL de SF 0,9% ou SG 5% em 15 min.
- Início de ação nas primeiras 24 h.
- Duração média do efeito de 30-40 dias.
- Induz à normocalcemia em cerca de 80% dos casos.
- Não tem relação com o citocromo P450.
- Doses de manutenção podem ser feitas a cada 3-4 semanas.

Clodronato

Potente bifosfonato tanto para a hipercalcemia quanto para a dor óssea. A dose habitual é de 1.500 mg. Estudos vêm demonstrando que sua utilização pela via subcutânea pode torná-lo futuramente o melhor bifosfonato para o uso em *Cuidados Paliativos*. Porém, ainda não existe consenso quanto ao volume utilizado (variando entre 50-1.000 mL), ao tipo de fluido para a diluição (SF 0,9% e SG 5% – parecem ser ambos satisfatórios), ao tempo de infusão e ao sítio de escolha; tornando necessários mais estudos clínicos.

Drogas não bifosfonatas

Calcitonina

É um peptídeo hormônio secretado por células especializadas da tireoide e paratireoides. Normalmente secretada quando há níveis séricos altos de

Ca⁺⁺. Rapidamente inibe a saída de cálcio e de fósforo do osso, enquanto diminui a reabsorção renal de Ca⁺⁺.

- Início do tratamento 4 UI/kg por dose a cada 12 h (SC ou IM).
- Escalonamento em 2 dias para 8 UI/kg a cada 12 h.
- Dose máxima de 8 UI/kg a cada 6 h.
- O efeito dura apenas alguns dias.
- Normalmente bem tolerada, tem como efeitos adversos:
  - Náuseas.
  - Dor abdominal em cólica.
  - *Flush* cutâneo.

Plicamicina

É um inibidor RNA da síntese dos osteoclastos. Tem-se mostrado eficaz na reabsorção óssea *in vitro* e é clinicamente efetivo na presença ou ausência de metástases ósseas.

- O início de ação ocorre 12 h após dose única de 25 a 30 µg/kg.
- A resposta máxima ocorre em 48 h e pode persistir por 3-7 dias.
- Doses únicas são geralmente bem toleradas.
- A administração rápida está associada a náuseas e vômitos.
- Doses altas e frequentes podem gerar trombocitopenia, disfunção plaquetária, diátese hemorrágica, elevação de transaminases, nefrotoxicidade, hipofosfatemia, reações cutâneas e estomatite.

Obs.: Esta substância não está presente em muitos estudos e não é utilizada no Brasil.

Nitrato de gálio

- Interfere com a bomba de prótons adenosina-trifosfato-dependente da membrana dos osteoclastos.
- Usado em infusão contínua por 5 dias (200 mg por metro cúbico de superfície corporal por dia).
- Possui potencial médio de nefrotoxicidade que pode piorar quando feito em conjunto com outras drogas nefrotóxicas (p. ex.: aminoglicosídeos e anfotericina B).

Obs.: Esta substância não está presente em muitos estudos e não é utilizada como rotina no Brasil.

A hipercalcemia, geralmente, é uma complicação tardia da doença maligna, seu aparecimento significa fator de piora prognóstica. Agentes hipocalcêmicos têm pequeno ou nenhum efeito na diminuição da mortalidade em pacientes com câncer avançado. Tem-se observado que cerca de 50% dos pacientes com hipercalcemia morre dentro de 1 mês, enquanto 75% morre em até 3 meses do início da hipercalcemia.[23]

REFERÊNCIAS BIBLIOGRÁFICAS

1. Engel CL, Pereira AHD. O clínico e a nefrologia. Rio de Janeiro: Medlivros, 1999. p. 219-86.
2. Kokko JP. Disorders of fluid en eletrolyte and acid-base balance. In: Bennett JC, Plum F. (Eds.). *Cecil textbook of medicine*. Philadelphia: WB Saunders, 1996. p. 525-43.
3. Singer GG, Brenner BM. Fluid and eletrolyte disturbances. In: Faucy AS, Braunwald E, Isselbacher KJ *et al*. (Eds.). *Harrison's principles of internal medicine*. 14th ed. New York: McGraw-Hill, 1998. p. 265-77.
4. Brenner BM. (Ed.). The Kidney. 5th ed. Philadelphia: WB Saunders, 1996. p. 929-98.
5. Cadnapaphornchai MA, Scherier RW. Pathogenesis and management of hyponatremia. *Am J Med* 2000;109:688-92.
6. Liamis G, Milionis H, Elisaf M. A review of drug-induced hyponatremia. Am J Kidney Dis 2008 July;52(1):144-53.
7. Martínez JM. Hiponatremia: clasificación y diagnóstico diferencial. Endocrinol Nutr 2010;57(Suppl 2):2-9.
8. Waikar SS, Mount DB, Curhan GC. Mortality after hospitalization with mild, moderate, and severe hyponatremia. *Am J Med* 2009 Sept.;122(9):857-69.
9. Naves LA *et al*. Distúrbios na secreção e ação do ADH. *Arq Bras Endocrinol Metab* 2003 Ago.;47(4).
10. Nelson KA, Walsh D, Abdullah O *et al*. Common complications of advanced cancer. Semin Oncol 2000 Feb.;27(1):34-44.
11. Baker EA, Tiar Y, Adler S *et al*. Blood-brain barrier disruption and complement activation in the brain following rapid correctionof chronic hyponatremia. Exp Neurol 2000;165;221-30.
12. Metabolic Emergencies. In: De Vita Jr VT, Hellmans S, Rosenberg AS. (Eds.). *Cancer principles and practice of oncology*. 5th ed. Philadelphia, PA: Lippincott-Raven, 1997. p. 2486-93.
13. Penel N, Berthon C, Evererd F *et al*. Prognosis of hypercalcemia in aerodigestive tract cancers: study of 136 recent cases. *Oral Oncol* 2005;41:884-89.
14. Rodland KD. The role of the calcium sensing receptor in cancer. *Cell Calcium* 2004;35(3):291-95.
15. Truong NU, deB Edwardes MD, Papavasiliou V *et al*. Parathyroid hormone-related peptide and survival of patients with cancer and hypercalcemia. Am J Med 2003 Aug. 1;115(2):115-21.
16. Motellón JL, Javier Jimenéz F, de Miguel F. Relationship of plasma bone cytokines hypercalcemia in cancer patients. *Clin Chimica Acta* 2000;302:59-68.
17. Lang-Klummer J. Hypercalcemia. In: Groenwald SL, Goodman M, Foggi MH *et al*. (Eds.). *Cancer nursing: principles and practice*. 4th ed. Sudbury, Mass: Jjones and Barlett, 1997. p. 684-701.
18. Iwase M, Takemi T, Manabe M *et al*. Hypercalcemic complication in patients with oral squamous cell carcinoma. Int J Oral Maxillofac Surg 2003;32:174-80.
19. Zimering MB. Effect of intravenous bisphosphonates on release of basic fibroblast growth factor in serum of patients with cancer-associated hypercalcemia. *Life Sciences* 2002;70:1947-60.
20. Roemer-Bécwe C, Vigano A, Romano F *et al*. Safety of subcuteneous clodronate and efficacy in hypercamcemia in malignancy: a novel route of administration. *J Pain Symptom Manage* 2003 Sept.;26(3).
21. Sarathy AP, Bourgeois SL, Goodell GG. Biphosphonate-associated osteonecrosis of de jaws an endodontic treatment: two case reports. *J Endod* 2005 Oct.;31(10):759-63.
22. Zoledronic acid: a new parenteral biphosphonate – Edward C. Li and Lisa E. Davis – Clinical Therapeutics vol. 25 no.11 2003.
23. Hypercalcemia-leukocytosis syndrome associated with lung cancer. Hiraki A, Ueokaa H, Takatab I *et al*. *Lung Cancer* 2004;43:301-7.

CAPÍTULO 235

Terapia Subcutânea

Maria Fernanda Barbosa ■ Eliete Farias Azevedo

HISTÓRICO SOBRE O USO DA VIA SUBCUTÂNEA

A utilização da via subcutânea (SC) para a infusão de líquidos em grande volume é uma prática conhecida há mais de 100 anos e foi descrita com êxito durante a epidemia de cólera que assolou a Europa no século XIX. A hipodermóclise, termo utilizado para descrever tal prática, foi um sucesso na experiência de tratamento aos doentes naquela ocasião e, em 1895, foi empregada na epidemia de cólera na Índia, com efeitos benéficos aos doentes.[1,2] Em 1903, a hipodermóclise foi amplamente utilizada em ambiente hospitalar para tratar pacientes desidratados e citada em um relatório escrito em 1921, que defendeu seus benefícios e a possibilidade de evitar as dificuldades, o incômodo e a impraticabilidade da técnica de perfusão IV e de outras técnicas alternativas.[3] Em crianças, as descrições sobre a via SC como a alternativa no intuito de minimizar o desconforto da punção venosa datam de 1949.[4]

Apesar de seu uso inicial bem-sucedido na primeira metade do século XIX, a técnica caiu em descrédito decorrente dos relatos, por volta de 1950, de complicações graves relacionadas com sobrecarga hídrica e choque circulatório ocorridos após infusão SC de grandes volumes de soluções sem eletrólitos – provocando uma migração de eletrólitos para o local da hipodermóclise.[5] Um dos relatos mais conhecidos envolveu uma criança de 13 meses de idade, internada com desidratação, que recebeu líquidos por via SC, utilizando uma mistura de três partes de solução de glicose a 5% para duas partes de água destilada. Poucas horas depois, a criança desenvolveu hiponatremia grave, convulsões e morte subsequente.[3] A prática da hipodermóclise foi, então, suspensa após divulgação e notificação de outros relatos desastrosos decorrentes de infusões aplicadas não necessariamente no tecido SC, mas que alcançaram também o tecido muscular. Outro fator que contribuiu para o desuso dessa técnica foi a facilidade de aplicação de infusões pela via IV.[3-5]

A partir da análise desses relatos de complicações, considerou-se que o problema não era a hipodermóclise em si, mas seu uso inadequado com soluções hipotônicas ou hipertônicas e em casos de desidratação grave.[3]

Por volta de 1980, o uso da via SC para a administração de medicamentos e infusões retornou à prática clínica, por meio de estudos publicados, orientando seu uso para os pacientes em cuidados paliativos (CP) e idosos. Foi dada ênfase às questões técnicas relacionadas com a restrição de volumes, medicamentos, tempo de infusão e aos cuidados de enfermagem, além de criteriosa descrição de suas vantagens, desvantagens, indicações, contraindicações e limitações.[3,6,7] Desde então, esta prática vem sendo estudada e utilizada pela geriatria e pela oncologia paliativa, principalmente pelas características de fragilidade capilar de seus pacientes.[8]

Os termos hipodermóclise ou hidratação subcutânea são citados referindo-se sempre à administração de infusões para o tratamento de desidratação. Quando essa via é utilizada para administração de medicamentos, consideram-se os termos via subcutânea ou terapia subcutânea, sendo que muitos autores utilizam também o termo via subcutânea referindo-se a infusões.[9,10]

VIA SUBCUTÂNEA E OS CUIDADOS PALIATIVOS

Em um contexto global em que se observa o envelhecimento da população e o aumento das doenças crônico-degenerativas, a exemplo do câncer, é razoável que se discuta cada vez mais sobre os métodos alternativos, como a via SC, para a administração de medicamentos e soluções de reidratação quando as vias parenteral e oral apresentam-se de forma restrita ou associada à contraindicação de procedimentos invasivos, como a dissecção venosa e a introdução de catéteres.[9]

A via de administração para a terapêutica farmacológica em CP foi discutida em revisão da literatura na qual foram consideradas as indicações, as limitações e os principais aspectos da relação farmacocinética e farmacodinâmica.[11] Concluiu-se que a via de escolha para a administração de opioides foi a via oral (VO), e que em algumas situações clínicas de indisponibilidade dessa via de administração, as vias alternativas sublingual, retal, subcutânea, intravenosa e espinhal deveriam ser avaliadas.

Na adequação da melhor via de administração da terapêutica medicamentosa, o objetivo do conforto deve prevalecer, com prioridade para as vias menos invasivas e menos dolorosas.[12] Tem-se na VO a forma menos invasiva, mais confortável, de maior aceitabilidade, de menores riscos para esse procedimento, sendo, por isso, considerada a via de escolha para administração de medicamentos, inclusive em CP. Em publicações atuais sobre o tema, a VO foi preferível a qualquer outra via de administração de medicamentos para os opioides,[13] entretanto, encontrou-se argumentação de que a biodisponibilidade dos opioides é menor por VO, quando comparada com a via parenteral.

Além de fatores farmacológicos do medicamento, muitos pacientes em CP sofrem com sintomas severos que se apresentam ao mesmo tempo. Em adição, a presença de tumores invasivos, de procedimentos cirúrgicos que alteram o trajeto da VO, o comprometimento dos reflexos de deglutição e alterações no nível de consciência são situações nas quais a utilização da VO torna-se um risco. Associado a isso, as condições de hidratação e nutrição alteradas pela inapetência, o desinteresse pelos alimentos, a baixa ingestão alimentar e hídrica, a perda ponderal, a depleção do tecido magro e adiposo e, consequentemente, a caquexia, afetam negativamente as condições de rede venosa.

Nos pacientes em CP, cuja doença de base já foi alvo de tratamentos agressivos pela quimio e radioterapia, as condições de acesso venoso para continuidade do tratamento oncológico em CP apresentam-se comumente frágeis e difíceis.[14] Diante desse quadro de alterações das condições da rede venosa e do difícil acesso periférico, a via de administração parenteral SC torna-se a opção de primeira escolha a fim de viabilizar a terapêutica medicamentosa e a manutenção de níveis adequados de hidratação, caso se faça necessário, já que a via SC é a recomendação da OMS para o tratamento de dor no câncer desde 1986.[15]

ASPECTOS FISIOLÓGICOS DO TECIDO SUBCUTÂNEO E PARÂMETROS FARMACOCINÉTICOS

Por ser uma membrana de revestimento de toda a superfície corporal, a pele tem a capacidade para manter a integridade do corpo, protegê-lo contra as agressões externas, absorver e excretar líquidos, regular a temperatura corporal, absorver a radiação ultravioleta e metabolizar vitaminas (como a vitamina D, por exemplo). Nela estão contidas a epiderme, a derme e a hipoderme (ou tecido SC), sendo a hipoderme a camada mais profunda da pele, constituída de densas conexões e tecido adiposo, abrigando os principais vasos sanguíneos linfáticos, as glândulas e os nervos.[16]

A principal função do tecido SC é o depósito nutritivo de reserva energética, que funciona como isolante térmico e protetor mecânico do organismo às pressões e traumatismos externos. Seu efeito de enchimento facilita a mobilidade da pele sobre as estruturas subjacentes e sua distribuição corporal depende dos fatores: idade, hereditariedade e gênero.[16,17] Dentre esses componentes estruturais, o tecido SC também é dotado de capilares sanguíneos, o que lhe confere a viabilidade de receberem fluidos e medicamentos com previsão de absorção rápida dos fármacos, uma vez que esses serão absorvidos e transferidos do espaço SC para a circulação pelos mecanismos de difusão e perfusão, necessitando ultrapassar apenas as células endoteliais.[18] Quando essa transferência de líquidos ocorre em uma velocidade de 1 mL por minuto, a absorção ocorre sem edema importante.[19,20]

A absorção pela via SC possibilita uma concentração sérica estável do medicamento e impede picos plasmáticos que determinam o possível aparecimento de efeitos colaterais indesejáveis. Se for utilizada uma infusão contínua, o perfil de absorção mais lento evita que a concentração plasmática caia a níveis insuficientes para o ressurgimento de sintomas indesejáveis.[18]

A vascularização do tecido SC abriga em torno de 6% do débito cardíaco e permite uma taxa de absorção muito similar à da administração intramuscular (IM) dos medicamentos, atingindo concentrações séricas menores, mas com tempo de ação prolongado e superior às vias IV e IM, conforme Figura 1.[21] Essa via também pode ser depositária de formas farmacêuticas que liberam pequenas e constantes quantidades de fármaco durante certo período de tempo.[22]

USO DA VIA SUBCUTÂNEA E SUAS IMPLICAÇÕES

O uso da via SC tem sido discutido como uma prática segura, sem graves complicações, de manuseio e manutenção simples quando são observados os procedimentos técnicos e as compatibilidades entre as soluções.[23] A administração de medicamentos por essa via tem sido estudada com resultados satisfatórios de tolerância e possibilidade de administração de medicamentos simultaneamente. Nesses estudos, a via SC alcançou níveis séricos semelhantes aos obtidos por via IV.[24,25]

Considerando, ainda, aspectos de boa tolerância, a via SC provoca um desconforto mínimo ao paciente e baixo risco de complicação local. Esse fator vantajoso, associado ao menor grau de limitação pelas opções diferenciadas dos sítios de punção (preferencialmente distante de articulações), além da baixa incidência de infecção, falam em favor de uma maior aceitabilidade dessa prática pelo paciente, sua família e a equipe de saúde.[7,26] Existem outras vantagens creditadas ao uso da via SC, como a possibilidade de interrupção da infusão SC a qualquer momento sem o risco de complicações como, por exemplo, formação de coágulos, trombose de vaso ou tromboflebites.[26,27]

Por sua efetividade, segurança e facilidade de manejo em ambiente domiciliar, a via SC possibilita a alta precoce do paciente, reduz o custo da instalação e manutenção do acesso, em comparação com a via IV, pois os materiais necessários são relativamente pouco onerosos quando comparados com outros tipos de punções e exige-se menos horas de supervisão técnica da equipe de enfermagem.[10,20]

Diferente dos dispositivos empregados para a punção IV, que precisam ser substituídos em novas punções, em média a cada 3 dias, a cânula de téflon tem maior durabilidade sem trazer complicações ao paciente, em média por 7 dias ou mais, evitando, assim, a necessidade de rodízio. O dispositivo SC permanece em contato direto com o tecido de gordura e não com a corrente sanguínea.[7] Portanto, é razoável que o rodízio entre os sítios de punção aconteça em um intervalo de tempo maior, respeitando-se a distância mínima de 5 cm do local da punção anterior, levando em consideração as condições clínicas do paciente, as características ambientais do dispositivo.[23]

Dentre as desvantagens e as limitações encontram-se, principalmente, as situações de emergência, como: falência circulatória, desequilíbrio hidreletrolítico e desidratação severa, em que se deseja uma velocidade de infusão rápida e reposição com alto volume de fluidos, os resultados esperados são insatisfatórios, decorrentes das características de absorção mais lenta do tecido SC.[20,26-28]

A absorção também pode apresentar-se reduzida quando há comprometimento da irrigação no sítio de infusão, por exemplo, em presença de edemas e hematomas, já que os fluidos são absorvidos por difusão capilar.[14]

Dentre as principais contraindicações para a utilização dessa via estão os distúrbios de coagulação e as condições de edema e anasarca que são fatores dependentes de avaliação clínica.

Pacientes com distúrbios de coagulação devem ser poupados de qualquer procedimento invasivo que imponha maior risco de sangramento. Da mesma forma, nas condições de edema e anasarca, considera-se que já existe um acúmulo de líquidos no espaço extracelular, associado à redução na capacidade de absorção, o que determina a não aplicação de qualquer terapêutica que agrave ainda mais essa condição.[3,29,30]

Com exceção dos pacientes com as contraindicações acima descritas, o uso da via SC é indicado para o tratamento de pacientes de qualquer idade para quem a VO e a via IV não são indicadas, estão indisponíveis ou após tentativas de insucesso com outras vias de administração.[10] Esse benefício estende-se aos pacientes com câncer avançado em CP, ressaltadas as indicações e contraindicações que devem basear-se em avaliações individualizadas, privilegiando as capacidades e possibilidades de acordo com o perfil e a necessidade de cada paciente.

Os riscos de complicações sistêmicas como a hiper-hidratação e a sobrecarga cardíaca são mínimos, já que podem ser monitorados ao longo do período da infusão com suspensão do uso imediatamente após a detecção de qualquer dessas alterações.[28]

Quanto às complicações locais, os estudos garantem que são raras e podem manifestar-se como sinais de irritação local nas primeiras 4 horas, sendo recomendada a troca do sítio de punção, caso haja persistência por tempo superior ao esperado. Outros fatores que levam à descontinuidade do uso incluem os sinais flogísticos (edema, calor, eritema persistente e dor no local da infusão), endurecimento, hematoma, necrose do tecido (complicação tardia), sinais de infecção (presença de febre e calafrio), cefaleia e ansiedade.[14,28]

O uso da via SC para a administração de infusões, também conhecido como hipodermóclise está indicado para a prevenção ou o tratamento da desidratação leve e moderada em pacientes com intolerância ou dificuldade para ingestão de líquidos por VO: náuseas e vômitos incoer-

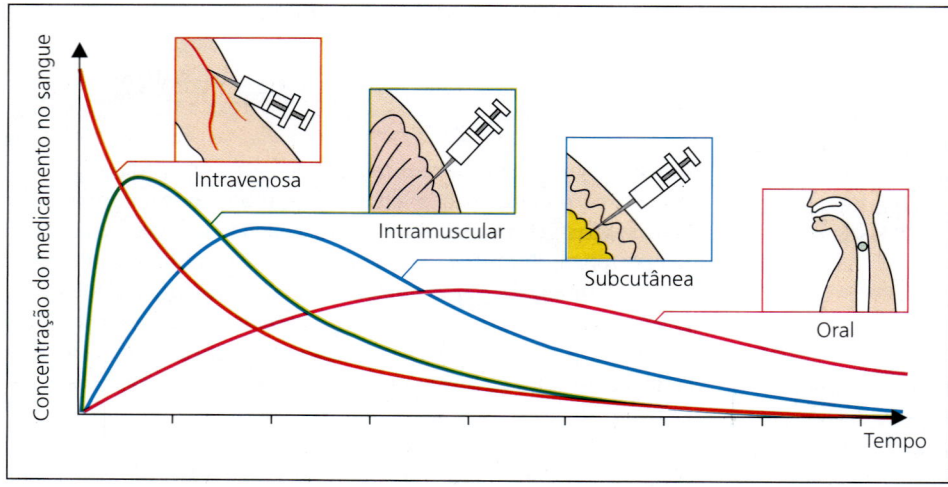

◀ **FIGURA 1.** Variação da concentração do medicamento na corrente sanguínea conforme o tempo e a via de administração. (Fonte: Lüllmann H, Mohr K. Farmacologia Texto e Atlas. 4ª ed., Editora Artmed. Porto Alegre, 2004, p. 46-47.)

cíveis, diarreia, obstrução do trato gastrointestinal por neoplasia e estados de confusão mental.[3,20]

O benefício do uso da via SC pode ser estendido para o tratamento de desidratação em qualquer ambiente em que a terapia de hidratação seja necessária, incluindo os serviços de emergência, internação e ambulatório. Essa prática tem sido particularmente útil em cenários em que a terapia IV não é possível ou praticável, como lares de idosos, instituições de cuidados de longa permanência e em assistência domiciliar, evitando a internação hospitalar do paciente.[10,31]

Atualmente, em instituições de saúde voltadas ao atendimento a pacientes em CP, a via SC tem sido utilizada para a hidratação como medida preventiva aos sintomas de desidratação e outras complicações, tão logo se observe uma redução de ingestão hídrica por VO.[8,29,32]

Algumas instituições estão começando a explorar a via SC como uma alternativa para o tratamento de desidratação moderada a grave em pacientes que não estão em estado de choque, enquanto a equipe busca estabelecer o acesso IV.[10] O conceito é que, nos casos em que for determinado que um paciente necessita da via IV, porém no qual o alcance do acesso vascular seja difícil, estabeleça-se inicialmente o acesso e administração de fluidos por via SC, a fim de melhorar as condições de hidratação geral, facilitando o alcance de um subsequente acesso vascular.

A escolha dos locais para a instalação do dispositivo de punção deve levar em consideração a direção da drenagem linfática, preferencialmente o canal linfático formado pela veia jugular interna, veia subclávia e gânglios axilares, seguido da cadeia linfática para-aórtica e gânglios inguinais.[33] Dessa forma, são descritas como preferenciais as seguintes regiões topográficas: a região deltóidea, a região anterior do tórax, a região escapular, a região abdominal e a face anterior e lateral da coxa.[34] A tolerância de cada região para a infusão varia conforme as condições gerais de cada paciente e o volume a ser infundido.

Para serem administrados pela via SC,[14] recomendam que todos os medicamentos estejam na forma líquida e diluídos em água para injeção ou soro fisiológico 0,9%, em uma diluição de, pelo menos, 100%, ou seja, 1 mL de medicamento em 1 mL de diluente. Essa indicação se fundamenta na perspectiva de minimizar os riscos de intolerância local por possíveis alterações das características físico-químicas quando outros diluentes são empregados para a administração dos medicamentos.

Em revisão narrativa da literatura a fim de identificar evidências científicas sobre diluentes de medicamentos para a administração SC, concluiu-se que existe uma grande lacuna na literatura sobre esse tema. Os estudos foram de baixo nível de evidência, de acordo com a classificação adotada, sendo, em sua maioria, orientações baseadas em opinião de especialistas.[35]

Os medicamentos com baixa solubilidade em água e, por isso, veiculados em soluções oleosas como propilenoglicol, não apresentam bom perfil de segurança para utilização por via SC, em função do dano que estas soluções podem causar ao tecido.[36] Apresentam tais características, os seguintes medicamentos: diazepam, diclofenaco e fenitoína, entre outros. Outras soluções incompatíveis com a via SC são aquelas com extremos de pH, pois apresentam risco aumentado de precipitação ou irritação local.[37]

MEDICAMENTOS ADMINISTRADOS POR VIA SUBCUTÂNEA

Muitos medicamentos utilizados para administração por via SC não foram licenciados junto aos órgãos fiscalizadores nacionais para utilização por esta via. Esta prática depende do conhecimento do clínico sobre as características dos medicamentos, quanto a compatibilidade com o sítio e é classificada como utilização *off-label*.

A utilização de medicamentos sem diluição apresenta-se como causa frequente de danos teciduais. Os diluentes mais indicados são água para injeção e solução fisiológica a 0,9%.[38]

O conhecimento das características físico-químicas dos medicamentos e soluções é fundamental para a administração por meio da via SC com segurança e eficácia para o paciente em CP. Em muitos casos, esse é o último recurso não agressivo e pouco invasivo disponível, decorrente das condições limitadas dos acessos para a terapêutica medicamentosa nesses pacientes.

Vários estudos destacam que os medicamentos comumente utilizados pela via SC incluem: atropina, clonazepam, clonidina, clorpromazina, dexametasona, escopolamina, fenobarbital, fentanil, furosemida, granisetrona, haloperidol, hidrocortisona, insulina, ketamina, metadona, metilprednisolona, metoclopramida, midazolam, morfina, naloxona, octreotide, omeprazol, ondansetrona, oxicodona, prometazina, ranitidina, tramadol, dentre outros.[14,25,39-41]

ADMINISTRAÇÃO DE ANTIBIÓTICOS POR VIA SUBCUTÂNEA

A experiência clínica no tratamento de infecções em pacientes em CP ainda é pouco documentada na literatura científica. Porém, nesses indivíduos, os processos infecciosos são frequente causa de morbidade e mortalidade, principalmente quando associados ao uso de cateteres, sondas, imobilização física prolongada, comprometimento cognitivo, o que aumenta a susceptibilidade aos microrganismos causadores de infecção.[42]

Os parâmetros farmacocinéticos e clínicos de alguns antibióticos por via SC foram avaliados em estudos e convergiram para a conclusão de que essa via oferece suporte satisfatório para a absorção e a manutenção de níveis plasmáticos terapêuticos no organismo. Apesar da entrada na circulação sistêmica de forma mais lenta, sua disponibilidade final não foi afetada, trazendo resultados satisfatórios no tratamento de algumas infecções.[43]

Em revisão integrativa da literatura,[43] foram encontrados 10 antibióticos administrados por via SC: Ertapenem, Ceftriaxona, Cefepime, Teicoplanina, Ampicilina, Tobramicina, Amicacina, Netilmicina, Gentamicina e Sisomicina, sendo Ceftriaxona o antibiótico mais estudado. A eficácia terapêutica foi satisfatória por via SC, considerando os parâmetros farmacocinéticos, quando comparados com as vias intravenosa e intramuscular, variando de um estudo para o outro de acordo com características da população estudada, dose e concentração do antibiótico. A confirmação da eficácia terapêutica por parâmetros clínicos foi avaliada em um estudo sobre ceftriaxona com melhora dos sintomas clínicos dos pacientes.

Sobre a tolerância local, constatou-se que, quanto maior a diluição do antibiótico, melhor a tolerância. Exceto a tobramicina, todos os aminoglicosídeos foram associados a lesões graves com evolução para necrose tecidual. A baixa tolerância reforça a restrição de uso apenas para essa classe de antibióticos. Para ampicilina e ertapenem não se observou intolerância local. Em relação à teicoplanina, observou-se que a tolerância local foi boa: apenas um relato de dor e eritema quando se utilizou água para injeção como diluente. Com cefepime, foram observados dois casos de edema leve com eritema seguido de mínima dor e um caso de prurido local. Para ceftriaxona com 2 g associada a lidocaína a 1%, observou-se dor e necrose tecidual; com 0,5 g não se observou intolerância alguma e com 1 g observou-se boa tolerância, porém em todos os casos com placebo salino ou hialuronidase prévios houve queixa de dor.

As previsões de eficácia terapêutica e a boa tolerância constatada para os antibióticos por via subcutânea sugerem uma possibilidade a ser considerada, quando se deseja uma via de administração parenteral alternativa. Entretanto, recomenda-se cautela e avaliação criteriosa decorrente da lacuna existente sobre o uso de antibióticos por via subcutânea em pacientes em CP e suas necessidades e condições específicas. Embora os dados evidenciados fortaleçam a tomada de decisão para a implementação da assistência, faz-se necessária à realização de mais estudos com nível de evidência forte e de boa qualidade metodológica que comprovem ou refutem a efetividade desses antibióticos por via subcutânea para os pacientes em CP.

Uma vez que um antibiótico é selecionado para o tratamento de uma infecção, o objetivo da terapia é distribuir esse medicamento no local da infecção em concentrações suficientes para inibir ou matar os microrganismos. No tratamento da maioria das infecções graves, acredita-se que são necessárias concentrações de antibiótico no local da infecção que excedam a MIC do microrganismo infectante. Os índices de maior sucesso têm sido observados quando o antibiótico está em uma concentração constante para que o objetivo seja alcançado.[44] Assim, o tratamento das infecções mais graves requer administração parenteral de agentes antimicrobianos, pois a maioria dos antibióticos mais potentes disponíveis não é suficientemente bem absorvida pelo trato gastrointestinal para atingir níveis séricos e teciduais terapêuticos.[45]

Conclui-se, portanto, que a administração por VO não é suficientemente confiável para o tratamento de infecções potencialmente graves ou potencialmente fatais. Sempre que possível, a administração parenteral por via IV, é geralmente preferida em relação à via IM, não só pelo conforto do paciente, mas porque a taxa de absorção a partir do músculo pode ser irregular, dependendo da perfusão local. Outra consideração favorecendo a administração IV em detrimento da via IM ou VO é que, para a mesma dose, o pico sérico é geralmente maior após a administração IV, se o medicamento é administrado durante um tempo relativamente curto. Isso ocorre porque os níveis séricos são dependentes não só da dose, mas também da taxa de absorção e da via de administração.[46]

Essa mesma linha de raciocínio para a limitação da via IM pode ser extrapolada para a via SC, pelas características similares já consideradas em relação aos seus parâmetros farmacinéticos. A partir destas considerações, entende-se claramente que a via parenteral de escolha para o tratamento de infecções em pacientes graves é a via IV em detrimento das outras vias de administrações parenterais.

Apesar de o objetivo da antibioticoterapia no CP ter uma finalidade terapêutica sintomática secundária, também pode aumentar a sobrevida do paciente e melhorar sua qualidade de vida, à medida que diminui a dor e o desconforto característicos dos processos infecciosos. No entanto, a decisão pelo uso de antibióticos em CP deve ser pautada por princípios que valorizem a qualidade de vida e o alívio dos sintomas desagradáveis, evitando os extremos da omissão e da obstinação terapêutica.[47,48]

■ REFERÊNCIAS BIBLIOGRÁFICAS

1. Dall'Olio G. Epidemia di colera asiatico del 1886 a Venezia. Esperienze di cura con l'ipodermoclisi. *Italian J Laborat Med* 2009;5(3):227-32.
2. Slesak G et al. Comparison of subcutaneous and intravenous rehydration in geriatric patients: a randomized trial. *J Am Geriat Soc* 2003;51(2):155-60.
3. Lopez JH, Reyes-Ortiz CA. Subcutaneous hydration by hypodermoclysis. *Review Clin Gerontol* 2010;20(2):105-13.
4. Yap LKP, Tan SH, Koo WH. Hypodermoclysis or subcutaneous infusion revisited. *Singapore Med J* 2001;42(11):526-29.
5. Barua P, Bhowmick BK. Hypodermoclysis – A victim of historical prejudice. *Age and Ageing* 2005;34:215-17.
6. Noble-Adams R. Dehydration: subcutaneous fluid administration. *Br J Nurs* 1995;4(9):488-94.
7. Sasson M, Schvartzman P. Hypodermoclysis: an alternative infusion technique. *Am Family Physician* 2001;64(9):1575-78.
8. Palacios RH. Utilidad de la utilización de la vía subcutánea en la estrategia de atención al paciente com demência em fase avanzada. *Rev Española de Geriat Gerontol* 2009;44(S2):37-42.
9. Scales K. Use of hypodermoclysis to manage dehydration. *Nurs Older People* 2011;23(5):16-22.
10. Spandorfer PR. Subcutaneous rehydration: updating a traditional technique. *Pediat Emerg Care* 2011;27(3):230-36.
11. Ripamonti C, Zecca E, De Conno F. Pharmacological treatment of cancer pain: alternative routes of opioid administration. *Tumori* 1998;84(3):289-300.
12. Cardoso MGM. Controle da dor. In: ANCP. *Manual de cuidados paliativos.* Rio de Janeiro: Diagraphic, 2009. p. 86-103, parte II.
13. Radbruch L, Hoffmann-Menzel H, Kern M et al. Hospice pharmaceutical care: the care for the dying. *Eur J Hosp Pharm* 2012;**19**:45-48.
14. Azevedo EF, Barbosa MF. Hipodermóclise: um método alternativo para a administração de fluidos e medicamentos pela via subcutânea. In: ANCP. *Manual de Cuidados Paliativos.* Rio de Janeiro: Diagraphic, 2009. p. 186-94, parte IV.
15. World Health Organization. *Cancer pain relief.* Geneva: WHO, 1996.
16. Azulay RD, Azulay DR, Azulay-Abulafia L. A pele: estrutura, fisiologia e embriologia. In: *Dermatologia.* 5. ed. Rio de Janeiro: Guanabara Koogan, 2011.
17. Maklebust J, Sieggreen M. Skin anatomy and physiology. In: Maklebust J, Sieggreen M. *Pressure ulcers: guidelines for prevention and nursing management.* 3rd ed. Pennsylvania, EUA, 2000. p. 1-12.
18. Golan DE et al. *Princípios de farmacologia: a base fisiopatológica da farmacoterapia.* 2. ed. Rio de Janeiro: Guanabara Koogan, 2009. p. 28-57, cap. 3-4.
19. Brasil. Ministério da Saúde. Instituto Nacional de Câncer. Série Cuidados Paliativos. *Terapia subcutânea no câncer avançado.* Rio de Janeiro, 2009, 32 p.
20. Walsh G. Hypodermoclysis – An alternative method for rehydration in long-term care. *J Infusion Nurs* 2005;28(2):123-29.
21. Da Poian SH, Caraceni A. Administração subcutânea de opióides. *Rev Bras Anestesiol* 1991;41:267-71.
22. Fuchs FD, Wannmacher L, Ferreira MBC. *Farmacologia clínica: fundamentos da terapêutica racional.* 3. ed. Rio de Janeiro: Guanabara Koogan, 2006.
23. Girondi JB, Waterkemper R. A utilização da via subcutânea como alternativa para o tratamento medicamentoso e hidratação do paciente com câncer. *Rev Mineira de Enfermagem* 2005;9(4):348-54.
24. Negro S et al. Compatibility and stability of tramadol and dexamethasone in solution and its use in terminally ill patients. *J Clin Pharm Ther* 2007;32(5):441-44.
25. Tanguy-Goarin C, Cogulet V. Drugs administration by subcutaneous injection within palliative care. *Therapie* 2010;65(6):525-31.
26. Lybarger EH. Hypodermoclysis in the home and long-term care settings. *J Infusion Nurs* 2009;32(1):40-44.
27. Harb G et al. Safety and pharmacokinetics of subcutaneous ceftriaxone administered with or without recombinant human hyaluronidase (rHuPH20) versus intravenous ceftriaxone administration in adult volunteers. *Curr Med Res Opin* 2010;26(2):279-88.
28. Dalal S, Bruera E. Dehydration in cancer patients: to treat or not to treat. *J Supportive Oncol* 2004;2(6):467-87.
29. Galriça Neto I. Utilização da via subcutânea na prática clínica. *Rev Soc Portuguesa Med Interna* 2008;15(4):277-83.
30. Thomas DR et al. Understanding clinical dehydration and its treatment. *J Am Med Direc Assoc* 2008;9(5):292-301.
31. Ibor P, Adriá JM, Marin M. Vía subcutánea: una vía de administración alternativa de medicamentos en asistencia domiciliaria a pacientes terminales. *Colômbia Médica* 2006;37(3):219-22.
32. Tine S et al. Assessment of subcutaneous infusions relevance in a long-term care setting. *Pharmacien Hospitalier* 2009;44(177):70-74.
33. Dugas R. La voie sous-cutanée. Une alternative utile en soins palliatifs. *Canadian Family Physician* 2001;47:266-67.
34. Khan M, Younger G. Promoting safe administration of subcutaneous infusions. *Nurs Standard* 2007;21(31):50-56.
35. McLeod F, Flowers C. A practical guide for nurses in diluent selection for subcutaneous infusion using a syringe driver. *Int J Palliative Nurs* 2006;12(12):558-65.
36. Sweetman SM. *The complete drug reference.* 35th ed. USA: Pharmaceutical, 2007. p. 438, 447, 889.
37. Dardaine-Giraud V, Lamandé M, Constans T. L'hypodermoclyse: intérêts et indications en gériatrie. *La Revue de Médicine Interne* 2005;26:643-50.
38. NHS – Guidelines for the use of subcutaneous medications in palliative care, 2011.
39. Fonzo-Christe C et al. Subcutaneous administration of drugs in the elderly: survey of practice and systematic literature review. *Palliative Medicine* 2005;19:209-19.
40. Herndon CM, Fike DS. Continuous Subcutaneous infusion practices of United State hospices. *J Pain Symptom Manage* 2001;22(6):1027-34.
41. NHS – Lanarkshire palliative care guidelines for the use of subcutaneous medications, 2009.
42. Mieras AS, González SS, Esteva EM. Antibióticos por vía subcutánea en pacientes que precisan cuidados paliativos. *Med Clin* 2007;129(6):236-37.
43. Azevedo EF. *Administração de antibióticos por via subcutânea: uma revisão integrativa da literatura.* Dissertação (Mestrado). Escola de Enfermagem de Ribeirão Preto. Universidade de São Paulo, Ribeirão Preto, 2011. 159f.
44. Tavares W. *Manual de antibióticos e quimioterápicos antiinfecciosos.* 3. ed. São Paulo: Atheneu, 2001.
45. Goodman LS, Gilman AG. As bases farmacológicas da terapêutica. 11 ed. Rio de Janeiro: McGraw-Hill, 2010.
46. Hessen MT, Kaye D. Principles of selection and use of antibacterial agents in vitro activity and pharmacology. *Infect Dis Clin North Am* 2000;14(2).
47. Lam PT et al. Retrospective analysis of antibiotic use and survival in advanced cancer patients with infections. *J Pain Symptom Manage* 2005;30(6,):536-43.
48. White P et al. Antimicrobial use in patients with advanced cancer receiving hospice care. *J Pain Symptom Manag* 2003;25(5):438-43.

CAPÍTULO 236

Cuidados no Fim da Vida

Teresa Cristina da Silva dos Reis

INTRODUÇÃO

A fim de cuidarmos de pacientes no final da vida, é essencial o diagnóstico de proximidade da morte. No entanto, este diagnóstico é muitas vezes complexo. Em um ambiente hospitalar, em que a cultura é muitas vezes centrada sobre a cura, procedimentos invasivos desnecessários, investigações e tratamentos podem ser efetuados à custa do conforto do paciente. Constitui-se em uma importante competência, saber identificar os sinais e os sintomas que permitem diagnosticar a fase de cuidados no fim da vida, ou seja, reconhecer que o doente encontra-se nas últimas horas ou dias de vida. A clareza deste prognóstico orienta a equipe na reavaliação sistemática do plano individual de cuidados, ajustando-o à nova condição do doente e promovendo a melhor qualidade de fim de vida possível.

Cuidados no fim da vida são cuidados multidisciplinares que devem ser instituídos em pacientes onde o óbito é irreversível e esperado. São cuidados específicos e ativos, compatíveis com as necessidades do paciente e da família.

O doente em cuidados no fim da vida é aquele cuja sobrevida estimada é de horas ou dias efetuada com base na sintomatologia e evidências clínicas que apresenta. Nesta fase, acontecem alterações clínicas e fisiológicas, com rápido declínio clínico, podendo surgir novos sintomas ou verificar-se um agravamento dos sintomas existentes. Em pacientes com câncer, os seguintes sinais estão associados ao processo de morrer: o paciente torna-se acamado, apresenta-se semicomatoso, é capaz de ingerir pequenos goles de líquidos apenas e não é capaz de tomar medicamentos por via oral.

Assim, a assistência prestada ao paciente nesta fase representa um componente importante dos cuidados paliativos, visto que sintomas excruciantes podem ser alarmantes e acarretar muito sofrimento para pacientes e familiares. O "fim da vida" é um período importante de ser reconhecido prospectivamente, porque, entre outras coisas, o tipo de cuidados médicos que se recebe durante este período deve ser diferente dos cuidados médicos recebidos em outros pontos da vida. O elemento mais importante no diagnóstico de proximidade da morte é o entendimento da equipe interdisciplinar de que o paciente tende a morrer. Se a equipe estiver em desacordo, objetivos opostos de cuidados pode determinar manejo precário e confuso do paciente.

Em 1965, a importância da possibilidade de se conseguir antever quando a morte vai ocorrer foi estudada por Glaser e Strauss (Payne, 2004). Concluíram que só é possível planejar bons cuidados ao doente em fim de vida, uma vez que seja possível predizer quando a morte vai acontecer. Os autores deste estudo categorizaram estas predições em três tipos:

1. É possível ter certeza sobre o período em que a morte vai acontecer.
2. Para alguns doentes o grau de certeza é inferior, mas é possível estabelecer um intervalo de tempo em que a morte vai ocorrer e, por último.
3. Os casos em que não é possível determinar qual vai ser o momento da morte, promove na equipe de saúde dificuldade em lidar com a situação.

A possibilidade de o doente saber que a morte está próxima permite-lhe em outras culturas fazer escolhas como o lugar e o modo como pretende que esse momento aconteça. Na sociedade brasileira, entretanto, este ainda não é um tópico discutido. Para os profissionais é importante este conhecimento para que possam prestar os cuidados adequados, no momento certo, uma vez que a oportunidade é única e não se repete.

Afinal, diante da perspectiva do óbito, o que muda no planejamento do cuidado do paciente? É fundamental a avaliação criteriosa do benefício de qualquer terapia, a definição do impacto dos efeitos adversos relacionados com a terapia, impedir qualquer possibilidade de prolongamento de sofrimento, para diante da inversão de expectativas curativas, podermos exercer plenamente a máxima "antes de tudo não fazer o mal". Em alguns casos, estes pacientes podem estar inconscientes (coma, morte cerebral, etc.), em outros casos, podem permanecer lúcidos sofrendo com o desconforto físico (dor, dispneia, úlceras por pressão, disfunções gastrointestinais) e/ou psicológico (ansiedade, estresse, perda da dignidade). Este diagnóstico, se corretamente feito, deve ser precedido de ampla discussão, até a obtenção do consenso dentro da equipe médica, de comum acordo com o paciente ou seu representante e atentando para os princípios de bioética clínica aplicada.

DEFINIÇÃO

O paciente em cuidados no fim da vida é definido como sendo aquele cuja condição é irreversível, independentemente de ser tratado ou não, e que apresenta uma alta probabilidade de morrer em um período relativamente curto de tempo. O final da vida é considerado como o período que precede o processo de morte natural de um indivíduo e que é improvável que seja evitado por qualquer conduta médica.

Em uma perspectiva temporal, se adequadamente prognosticado, a literatura sinaliza este período como o que antecede o óbito em 48 a 72 h.

OBJETIVOS DOS CUIDADOS

Dado o curto tempo de evolução, os principais objetivos são o controle agressivo de sintomas, a instituição de medidas de conforto, a prevenção de novos problemas mediante prescrição regular e de resgate, suspensão ou não adoção de intervenções fúteis ou medidas inapropriadas, apoio psicológico e espiritual e atenção à família, antes e após a morte do paciente.

Evolução nos últimos dias

Um doente em cuidados no fim da vida apresenta, geralmente, um conjunto de alterações fisiológicas que ajudam a predizer e a limitar sob o ponto de vista temporal esta fase (Quadro 1).

Mantendo-se o critério de mínima invasão e adequada alocação de recursos, todo esforço deverá ser feito para que o doente, em sua fase final de vida, não sofra. Toda a medicação deve ser utilizada nesse sentido. Independentemente da condição do doente, deve-se ter o cuidado para que seu sofrimento seja reduzido ao mínimo, pois contra esse procedimento não há como se levantar críticas ou objeções.

Quando internar?

Grande parte das situações no final da vida pode ser acompanhada em domicílio, desde que com o apoio de equipes de saúde multidisciplinares treinadas nesse sentido. No entanto, existem situações que impedem que isto aconteça (Quadro 2).

Quadro 1. Exemplos de alterações nos pacientes em cuidados no fim da vida

- Deterioração evidente e progressiva do estado físico, acompanhada de oscilação do nível de consciência e dificuldades na comunicação. Habitualmente, o doente passa a maior parte ou a totalidade do dia acamado (fraqueza e fadiga extremas)
- Dificuldade progressiva na ingestão e deglutição, com origem na debilidade crescente ou nas alterações do estado de consciência, com desinteresse pelos alimentos (anorexia, disfagia para sólidos e líquidos e desidratação)
- Falência de múltiplos órgãos (traduzida na diminuição da diurese, retenção urinária, aparecimento de edemas periféricos e ronqueira), acompanhada, por vezes, de falhas no controle dos esfíncteres e de alterações da temperatura corporal e da coloração da pele (livores e cianose)
- Evidência e/ou percepção emocional, verbalizada ou não, da proximidade da morte
- Sintomas psicoemocionais como angústia, agitação, crises de medo ou pânico manifestados de acordo com a gravidade do estado do doente
- Sintomas físicos variáveis de acordo com a patologia de base

Quadro 2. Situações que impedem o acompanhamento domiciliar

- Presença de sintomas de difícil controle (como dor, dispneia, agitação)
- Claudicação e sobrecarga dos cuidadores
- Pedido expresso do doente ou familiares depois de devidamente ponderado com a equipe de saúde
- Inexistência ou inaptidão evidente dos cuidadores para prestar cuidados

Dois terços dos pacientes com câncer são capazes de tomar medicação analgésica até as últimas 24 h de vida, mas 84% deles necessitarão de algum tipo de medicação administrada por via parenteral, durante seu último dia. A queda de sensório aliada a impossibilidade de acesso oral para medicação é uma das maiores causas de internação nos últimos dias. Frisamos, entretanto, que o planejamento do cuidado antes de qualquer hospitalização, melhora o tratamento no fim da vida. Além de adequada avaliação prognóstica e de comunicação eficaz, é também prioritária a inclusão do paciente e família nas decisões do cuidado.

DIAGNÓSTICO

Ao reconhecer os últimos dias do paciente, é importante:

1. Excluir e tratar condições clínicas reversíveis que ocasionam queda brusca do *performance status*, particularmente:
   - Patologias cardiorrespiratórias.
   - Infecções oportunistas.
   - Distúrbios hidreletrolíticos, como hipercalcemia e hiponatremia.
   - Condições de súbito comprometimento cognitivo como intoxicação opioide e/ou por outras drogas psicoativas.
   - *Delirium* tratável, ocasionado por desconforto por retenção urinária ou fecaloma.
2. Otimizar prescrição médica, instituindo esquema terapêutico mínimo composto por drogas essenciais, identificando e corrigindo situações de polifarmácia.
3. Excluir futilidade terapêutica, suspendendo ou não introduzindo condutas que efetivamente não revertem o quadro clínico e não trazem benefício para o paciente.
4. Considerando-se a fragilidade capilar e a priorização do conforto para evitar punções dolorosas e repetitivas, escolher vias de administração de medicamentos, confortáveis para o paciente.

Prevalência de sintomas

Conforme mencionado, vários sintomas podem-se exacerbar ou surgir nos últimos dias de vida do paciente. Grande parcela destes, já foi abordada no módulo "Controle de Sintomas", como dor, náuseas e vômitos, assim, abordaremos aqueles que mais incomodam os familiares nas últimas 48 h de vida do paciente e são fonte de sofrimento para todos. Cabe destacar que a frequência dos sintomas pode variar em alguns estudos, conforme Quadro 3.

Quadro 3. Frequência de sintomas nos últimos 3 dias de vida

Confusão mental	55%
Respiração ruidosa/estertor	45%
Agitação	43%
Dor	26%
Dispneia	25%
Náuseas e vômitos	14%

Adaptado de F. Nauck *et al.* ELP Care, 2000.

Controle de sintomas

Dispneia

A **dispneia** é um sintoma que provoca muita ansiedade no doente e na família e constitui uma experiência que, tal como a dor, é subjetiva. Nos cuidados no fim da vida nem sempre é possível apurar a etiologia, habitualmente multifatorial, assim sendo, o objetivo do tratamento consiste em diminuir a percepção da sensação de falta de ar e a ansiedade associada.

As medidas não farmacológicas são fundamentais e devem acompanhar sempre as farmacológicas.

- É importante que o doente não permaneça sozinho
- O ambiente deve estar arejado, podendo ser de extrema utilidade a abertura de uma janela ou a colocação de um ventilador, desde que o fluxo de ar esteja a alguma distância do doente
- Cabeceira elevada a 45° para propiciar conforto e menor risco de broncoaspiração
- O uso de um ventilador torna-se agradável para o doente, e, ao fazê-lo, o familiar sente que desenvolve uma tarefa que promove alívio do sintoma e, portanto, de grande utilidade

Fonte: Gonçalves e Pires *in* Portela e Neto, 1999

As medidas farmacológicas devem incluir opioides, benzodiazepínicos e oxigenoterapia. Podemos considerar a prescrição de anticolinérgicos (para redução de secreção em árvore brônquica) e fenotiazinas. A oxigenoterapia pode ser utilizada em doentes hipoxêmicos que evidenciem melhora do sintoma, embora não exista evidência científica de que a sua utilização seja eficaz. Além disso, pode acarretar alguns inconvenientes: incômodo provocado pelas máscaras e xerostomia. Uma vez que a taquipneia e a ansiedade estão geralmente presentes no doente dispneico, parece ser útil reduzir o ritmo respiratório e diminuir a ansiedade, a fim de reduzir a percepção de falta de ar, por meio da utilização de opioides e benzodiazepínicos de meia-vida longa como diazepam (para uso oral) ou meia-vida curta, como o midazolam (uso parenteral). O midazolam, em *bolus* ou em infusão subcutânea contínua, é o fármaco de eleição.

A dose pode variar uma vez que estes fármacos podem já ser utilizados ou não no mesmo doente com intuito analgésico.

Estertor

O reflexo da tosse e a mobilidade dos cílios da árvore respiratória estão diminuídos nas últimas horas ou dias de vida pelo que se verifica a acumulação das secreções da árvore traqueobrônquica, resultando em uma respiração ruidosa à passagem do ar. O **estertor** é um sinal muito frequente e pode ser considerado como patognomônico nos últimos dias, surgindo em alto percentual (50 a 96%) de pacientes no final da vida. A presença de secreções em árvore respiratória é um forte preditor de morte (76% falecem em 48 h do surgimento do sintoma). É difícil avaliar o impacto deste sinal, já que a maior parte dos doentes que o apresentam não se encontra consciente para que seja possível avaliar o benefício da implementação de medidas para tratar ou reduzir.

Não esqueça!

O estertor provoca muita ansiedade na família, principalmente pelo receio de que o ruído respiratório esteja relacionado com a possibilidade de o doente sufocar. Assim, torna-se muito importante que o profissional esclareça a família sobre as causas que condicionam este problema e explique que não existe risco de sufocação! (Neto, 2006)

O enfermeiro assume um papel importante no controle do doente com estertor, começando pelas informações e esclarecimentos que deve prestar à família. São intervenções importantes também o posicionamento do doente em decúbito lateral ou semilateral, com a cabeceira do leito elevada (aproximadamente 45°) e com a cabeça levemente fletida no sentido de facilitar a drenagem das secreções que se acumulam na orofaringe. Pode ser útil a remoção das secreções manualmente, recorrendo a um *kit* de cuidados orais ou compressa e espátula.

É frequente a referência à aspiração, quer por parte da família, quer por parte dos profissionais. Esta terapia só deve ser utilizada quando se verificam secreções em quantidade abundante ou quando estas se encontram acumuladas na orofaringe, sem que o doente as consiga expelir e quando não é possível removê-las manualmente. Neste caso, pode-se proceder a uma aspiração suave da cavidade oral.

As medidas farmacológicas devem ser instituídas o mais precocemente possível, uma vez que não atuam sobre as secreções já existentes. Assim que o doente entra em fase de cuidados no fim da vida, deverão ser tomadas medidas preventivas, como a prescrição de terapêutica de resgate e a avaliação sistemática de controle do sintoma. Os fármacos de eleição são os anticolinérgicos (escopolamina, butilescopolamina ou brometo de ipatrópio), sendo os mais utilizados a butilescopolamina (até 120 mg/dia por via subcutânea, em *bolus* ou perfusão contínua) e o brometo de ipatrópio inalado.

> **Importante:**
> - As drogas citadas são muito úteis no acúmulo de secreção em vias aéreas superiores, mas não ajudam no caso de secreção em árvore pulmonar basal, edema agudo pulmonar ou pneumonia
> - Hidratação com fluidos intravenosos pode aumentar a intensidade deste sintoma, motivo pelo qual pode ser usada, mas com muita cautela!

Delirium

A maioria dos doentes apresenta sonolência intensa nos últimos dias ou horas de vida, podendo mesmo manifestar sinais de coma profundo, com ausência de reflexo palpebral. As alterações ou flutuações do estado de consciência são frequentes, à medida que a deterioração do estado geral do doente vai-se instalando. Algumas séries apontam para prevalência entre 70 a 80% de doentes com alterações da vigília e cognição nos últimos dias ou horas, podendo os demais pacientes manter um nível razoável de consciência até perto dos últimos momentos. O *delirium* é considerado um fator prognóstico independente de sobrevida em cuidados paliativos. Sua prevalência aumenta para 44% em pacientes com câncer terminal e, eventualmente, para 83% dos pacientes durante seus últimos dias. Diante de um quadro de *delirium*, é fundamental perceber se estamos diante de uma situação terminal ou, pelo contrário, pode-se tratar de quadros reversíveis associados à intoxicação opioide e distúrbios hidreletrolíticos. A instalação de um quadro de *delirium* constitui fonte de estresse para a família e para a equipe prestadora de cuidados, uma vez que o mais comum é o do tipo hiperativo. O papel do enfermeiro é muito importante no controle deste tipo de sintomas.

É útil rever medicações que possam potencializar a agitação e propiciar ambiente tranquilo, com pouca iluminação e baixo ruído. Entre as drogas utilizadas para o tratamento, os neurolépticos são os mais utilizados principalmente o haloperidol (5-10 mg/dia até de 8/8 h). Sempre que se desejar um fármaco mais sedativo, pode-se recorrer ao uso da levomepromazina e da clorpromazina. É importante referir que esta última não pode ser administrada por via subcutânea, pelo que é menos utilizada nesta fase. Em cuidados paliativos, os benzodiazepínicos são também usados para o tratamento do *delirium* terminal, bem como ansiolíticos, relaxantes musculares e anticonvulsivantes. São frequentemente utilizados o lorazepam, o diazepam (2,5 a 5 mg 1 a 2×/dia) e o midazolam (15 mg/noite).

Uso de medicações

A incidência desses sintomas nas últimas 48 h demonstra a necessidade de prescrição antecipada para melhor cuidado destes pacientes. Devem constar orientações claras para administração de doses de resgate ou "SOS" em caso de agudização de dor, dispneia, agitação ou surgimento de secreção em vias aéreas superiores.

Evitando-se incorrer em situações de polifarmácia, as medicações devem ser reconsideradas quanto à necessidade de serem mantidas na prescrição (Quadro 4). Segue no Quadro 5, um esquema terapêutico mínimo recomendado para os últimos dias de vida, com o intuito de controlar o pacote de sintomas que assolam o paciente no final da vida.

Quanto às vias de administração, dependerá da situação clínica e da característica do medicamento. A via subcutânea é uma opção simples, factível, segura e eficiente, que pode, inclusive, ser utilizada em domicílio. A via intramuscular e as várias punções necessárias para manutenção de acesso intravenoso tornam estas opções desconfortáveis e dolorosas.

ANOREXIA E DISFAGIA DOS ÚLTIMOS DIAS

O desinteresse por alimentos sólidos e líquidos é uma importante característica do doente em cuidados no fim da vida. Esta situação constitui fonte de grande preocupação para os familiares, que receiam que a falta de alimento condicione a morte do doente, deixando a sensação de que tudo deve ser feito para retorno do ato de alimentar. É frequente a solicitação de hidratação venosa/ou a introdução de sonda nasoentérica. Outro dado importante é que sintomas relacionados com uma situação de desidratação em um indivíduo saudável, como sede, xerostomia, fadiga, náuseas, anorexia, sonolência e confusão são frequentes em doentes no fim da vida, mesmo que não estejam desidratados. A cetose resultante da anorexia pode conduzir o doente a uma sensação de bem-estar. Alguns autores defendem que nas últimas horas de vida, a desidratação pode estimular a libertação de endorfinas, que contribuem para o conforto do doente. Nutrição artificial, portanto, não deve ser considerada como um aspecto apropriado de cuidados de conforto no final da vida. A equipe deve intensificar apoio ao familiar/cuidador – unificando o discurso sobre os aspectos nutricionais e esclarecendo que:

- Anorexia é evolução natural da doença.
- Não há percepção de fome nesta fase.
- Alimentação nesta fase é sinônimo de gasto de energia.
- Boca seca não é sinônimo de desidratação.
- Em algumas situações, para maior conforto do paciente, é recomendado não nutrir, limitar a nutrição ou suspendê-la completamente.
- É importante deixar claro que a tentativa de alimentar o doente em cuidados ao fim de vida, pode incorrer no risco de broncoaspiração.

Quadro 4. Medicações não essenciais no final da vida

DROGAS NÃO ESSENCIAIS (SUSPENDER)	DROGAS PREVIAMENTE ESSENCIAIS (CONSIDERAR SUSPENSÃO)
Anti-hipertensivos	Esteroides
Antidepressivos	Hormônios tireoideanos
Laxativos	Hipoglicemiantes
Protetor de mucosa gástrica	Insulina
Anticoagulantes	Diuréticos
Antibióticos	Antiarrítmicos
Ferro	
Vitaminas	
Albumina	

Adaptado de Oxford Textbook of Palliative Medicine, 2005.

Quadro 5. Esquema terapêutico mínimo preconizado para os últimos dias de vida

CLASSE	DROGA	VIAS	DOSE
Opioide	Morfina	PO, PR, SC, IV	5-10 mg
Anticolinérgicos	Hioscina (buscopan)	SC, IV, IM	10-20 mg
Antiemético/ ansiolítico	Haloperidol	SC, IV, IM	0.5-1.0 mg
Sedativo	Midazolan	SC, IV	5-15 mg
	Diazepan	IM, IV, PR	2.5-10 mg

Adaptado de Oxford Textbook of Palliative Medicine, 2005.

A família pode confrontar os profissionais de saúde, solicitando a administração de hidratação venosa. A equipe deve esclarecer os familiares informando que a hidratação artificial pode contribuir para o aumento de edemas periféricos, aumento das secreções traqueobrônquicas e pode intensificar a sensação de dispneia. Deste modo, os cuidadores conseguem entender que forçar a ingesta de alimentos não vai alterar a progressão da doença, podendo até prejudicar o doente quando o reflexo de deglutição está ausente. Devemos conscientizar os familiares de que, neste momento, o objetivo central dos cuidados é a promoção do conforto e que eles podem assumir um importante papel colaborando com a equipe terapêutica na implementação de medidas como a hidratação da mucosa oral.

GERENCIAMENTO DE CONFORTO

No que se refere às **medidas de conforto**, a fase de fim da vida corresponde a um momento em que os objetivos do cuidado a prestar se resumem em um só: proporcionar o máximo de conforto possível. São ações fundamentais:

1. A **prevenção de úlceras de pressão**. No doente no fim da vida, o risco de solução de continuidade da pele está acrescido pela debilidade, imobilidade e caquexia. Este risco deve continuar a ser monitorado pela equipe de enfermagem, como anteriormente. A adoção de materiais e técnicas que contribuam para a prevenção e/ou a minimização do problema deve ter lugar o mais precocemente possível. Nesta fase, a frequência com que o doente é posicionado deixa de ser determinada pelo objetivo de prevenção da úlcera de pressão (ou agravamento das existentes), mas assume-se como sendo a promoção do máximo conforto possível. É importante vigiar sinais de dor incidental ou desconforto. Pode ser necessário administrar analgesia antes de procedimentos, como: curativos, posicionamento e cuidados de higiene
2. A fadiga extrema ou a perda do controle dos esfíncteres podem conduzir o doente à condição de incontinência para urina e fezes, pelo que é importante manter a pele limpa e seca. A **disfunção urinária**, quer sob a forma de retenção, quer sob a forma de incontinência, é observada em cerca de 50% dos doentes nas últimas 48 horas de vida. No que se refere à eliminação intestinal, a constipação é frequente. Não devem ser tomadas medidas invasivas, a não ser que o doente manifeste sinais de desconforto. É fundamental monitorar a eliminação vesical, pois bexigoma é causa frequente de agitação e sofrimento, podendo ser necessário o cateterismo de alívio.
3. A diminuição da ingestão de alimentos e líquidos caracteriza a fase de final de vida e a **xerostomia** é um sintoma frequente, que pode agravar a capacidade do doente de se comunicar verbalmente. Torna-se muito importante manter a hidratação das mucosas: oral, nasal e conjuntiva. Estas medidas contribuem para a diminuição de sensação de sede, reduzir a halitose e o risco de solução de continuidade.
4. Quando o doente não é capaz de pestanejar, a conjuntiva deve ser hidratada com gel oftálmico lubrificante a cada 3 ou 4 horas, ou com soro fisiológico a cada 15 a 30 minutos.

Importante:
- Higiene/Proteção ocular com gaze embebida em água destilada, ou colírio hidratante – 4/4 horas
- Higiene/Hidratação oral – 4/4 horas
- Proteção da pele com películas em áreas de atrito e/ou coxins
- Hidratação da pele 12/12 horas
- Manutenção do paciente limpo e seco
- Mudança de decúbito de 6/6 horas (avaliando a tolerância do paciente)
- Atenção para agitação por bexigoma e/ou fecaloma
- Aquecer o corpo (se necessário)
- Acomodar no leito de forma confortável (verificando dobraduras, umidade, objetos perdidos)
- Aspirar VAS, se necessário
- Lateralizar a cabeça se roncos laríngeos

APOIO PSICOSSOCIAL E ESPIRITUAL

No cuidado ao doente no fim da vida é fundamental:

- Oferecer suporte psicológico à família, especialmente àqueles membros mais mobilizados emocionalmente.
- Intervir nas situações de desorganização familiar mobilizadas pela percepção de iminência de morte.
- Identificar os membros da família que apresentam fatores de risco para o desenvolvimento de luto complicado.
- Identificar os cuidadores com condições emocionais para acompanhar o paciente no processo de finitude. Sinalizar claudicação e sobrecarga de cuidador principal e identificar junto à rede de apoio acompanhante apto para permanecer nesta fase.
- Clarificar para a equipe as reações emocionais mais prevalentes da família e do paciente frente à iminência de morte.
- Certificar-se se paciente/familiar desejam a presença de um representante religioso de sua escolha ou de um capelão.
- Estar aberto para questões espirituais requeridas pelo paciente e familiar.
- Perceber, em uma fase inicial, quais informações foram transmitidas ao doente e família, para que depois seja possível planejar a forma como serão comunicadas novas informações.
- Estar atento à possibilidade de o paciente experimentar um sintoma de difícil controle (dor ou dispneia) maximizado por questões e pendências emocionais a resolver e sobre o pós-óbito. O profissional deve responder de forma realista às questões colocadas e assegurar ao doente a sua disponibilidade para esclarecer dúvidas futuras.
- Disponibilizar suporte pós-óbito aos familiares e cuidadores que necessitarem (presencial ou por contato telefônico).

FUTILIDADE TERAPÊUTICA NO CUIDADO NO FIM DA VIDA

Um dos conflitos mais frequentes na prática clínica diária em CP é o de decidir, junto com o paciente e a família ou seu responsável, que condutas ou estratégias de cuidados devam ser tomadas na situação de óbito iminente ou, quando medidas clínicas se mostram incapazes de controlar os sintomas. A ação profissional deve ser pautada na atenção e no respeito aos princípios bioéticos de beneficência, não maleficência, autonomia e justiça, com uma adequada e racional utilização de recursos na instituição dos cuidados.

Torna-se importante, portanto, tecer um comentário sobre medidas ordinárias e extraordinárias, proporcionadas e desproporcionadas, e medidas úteis e fúteis. Alguns médicos costumam utilizar os termos "medidas ordinárias" para tratamentos aceitáveis ou padronizados, normalmente de baixo custo, pouco invasivas, convencionais e tecnologicamente simples e "medidas extraordinárias" para condutas novas ou experimentais, normalmente caras, invasivas, heroicas e de tecnologia complexa. Ainda que haja discordâncias em relação à utilidade dessa terminologia, entende-se que, em uma decisão de suspensão de medidas de suporte vital, não existem diferenças morais intrínsecas entre as categorias de tratamento. A maioria dos autores considera que, quando houver um consenso sobre a irreversibilidade do estágio da doença de um paciente terminal (morte inevitável) e a concordância do paciente ou seu representante, a prioridade será o princípio da não maleficência, sendo consideradas ordinárias apenas as condutas que manterão o paciente em situação confortável. O termo "tratamento fútil" encontra espaço entre as definições de medidas extraordinárias e tratamentos desproporcionais, em que "tratamentos desproporcionais" seriam aqueles que, embora possam trazer algum benefício, o fazem à custa de muito sofrimento, altos custos e pobres resultados finais. Já a definição de fútil, de acordo com Schineiderman, pode ser entendida como o tratamento que, mesmo repetido várias vezes, não tem a chance de trazer benefícios ou atingir seus objetivos.

A maior discussão nestes últimos anos, no que tange os cuidados de pacientes terminais, gira em torno do conflito entre "o prolongamento desnecessário da vida por meio de técnicas invasivas e tratamentos impessoais" e "os cuidados e terapias paliativas dispensados com o paciente que poderiam limitar o acesso a tratamentos caros, porém potencialmente eficazes". Estes questionamentos fizeram surgir um novo conceito, denominado "qualidade de fim de vida", cujo objetivo é determinar maior conforto para estes pacientes e seus familiares.

Nos pacientes em cuidados no fim da vida, há que se redefinir prioridades no planejamento terapêutico, sendo de fundamental importância a identificação de condições clínicas que possam ser potencialmente reversíveis com métodos minimamente invasivos, o tratamento de condições clínicas que determinam agitação, como dor, retenção urinária, secreções orotraqueais, impactação fecal, náusea, ansiedade e reações adversas medicamentosas, mas também a retirada ou não introdução de tratamentos que considerarmos fúteis.

Nesta situação, incluímos como tratamento fútil a hemotransfusão, linhas de antibioticoterapia para tratamento de infecção refratária, nutrição e hidratação artificiais, uso de drogas anabolizantes, vitaminas, hipotensores e hipoglicemiantes orais, conforme tabela abaixo. Os procedimentos cirúrgicos invasivos não são alternativas viáveis para controle de sintomas nesta fase, uma vez que, em função de um caos metabólico presente em condições de proximidade da finitude, se transformam em condutas que não conseguem atender objetivos fisiológicos e não colaboram para melhora de qualidade de vida do paciente.

Em todas as situações em que com adequado gerenciamento de sintomas, à luz de evidências científicas e utilizando todos os recursos disponíveis, não obtivermos controle e conforto do paciente, nos deparamos com a refratariedade de um sintoma. Tal sintoma é chamado de refratário, o que significa que não pode ser controlado, apesar dos esforços agressivos com as terapias-padrão, e sem induzir efeitos colaterais inaceitáveis.

Uma abordagem para controle que se impõe neste momento é a sedação controlada. Embora não exista uma definição universalmente aceita de sedação controlada, esta é geralmente definida como o uso de medicamentos não opioides monitorados, que pretende induzir variados graus de inconsciência, mas não a morte, para o alívio de insuportáveis sintomas que trazem sofrimento ao doente nos seus últimos dias de vida.

Este tema será assunto de módulo próprio neste tratado.

Objetivos de cuidado no paciente em cuidados no fim da vida
- Medidas de conforto:
  - Meta 1: avaliar medicamentos prescritos e descontinuar drogas não essenciais
  - Meta 2: as medicamentos necessários serão prescritos para via subcutânea de forma regular e "SOS" para controle de dor, agitação, secreção de vias aéreas superiores, náuseas, vômitos
  - Meta 3: suspender intervenções inadequadas (exames de sangue, antibióticos, fluidos intravenosos ou drogas, modificar regimes de sinais vitais)
- Questões psicológicas e discernimento:
  - Meta 4: avaliar capacidade de comunicação de paciente e familiar
  - Meta 5: avaliar necessidade de apoio espiritual para paciente e família
- Comunicação com a família ou outros:
  - Meta 6: identificar como as pessoas da família ou outros envolvidos devem ser informados da morte iminente do paciente
  - Meta 7: plano de cuidados explicado e discutido com paciente e família
  - Meta 8: permitir que familiares ou outras pessoas envolvidas expressem sua compreensão do plano de cuidados

Adaptado de Liverpool Care Pathway for the Dying Patient

CONCLUSÃO

Importante:
- Muitos pacientes morrem de forma indigna com sintomas não controlados
- O diagnóstico de proximidade de morte é uma habilidade clínica importante e que deve ser exercitada
- Recursos devem ser disponibilizados para permitir aos doentes morrer com dignidade em um ambiente de sua escolha
- Um dos principais objetivos da especialista em cuidados paliativos deve ser capacitar profissionais de saúde para cuidar de pacientes terminais

BIBLIOGRAFIA

Doyle D, Hanks G, Cherny N et al. (Eds.). *Oxford textbook of palliative medicine*. 3rd ed. New York: Oxford University, 2004.

Ellershaw J, Ward C. Care of the dying patient: the last hours or days of life. *BMJ* 2003 Jan.;4(326):30-34.

Ellershaw J, Wilkinson S et al. *Care of Dying, a pathway to excellence*. New York: Oxford University, 2003.

Ferris F, Gunten CF, Emanuel LL. Ensuring competency in end. of. life care: controlling symptoms. *BMC Palliative Care* 2002 July;30(1):45-56.

Furst C J, Doyle D. The terminal phase. In: Doyle D, Hanks GMC, Cherney N et al. (Eds.). *Oxford textbook palliative medicine*. 3rd ed. New York: Oxford University, 2005. p. 1119-31.

Gama GM, Barbosa A. Delirium. In: Barbosa A, Neto I. (Eds.). *Manual de cuidados paliativos*. Lisboa: Faculdade de Medicina da Universidade de Lisboa, 2006. p. 277-93.

Gambles M, Stirzaker S, Jack BA et al. The Liverpool Care Pathway is hospices: an exploratory study of doctor and nurse perceptions. *Int J Palliative Nurs* 2006;12(9):414-21.

Glare P, Dikman A, Goodman M. Symptom control in of the dying. In: Ellershaw J, Wilkinson S. *Care of Dying, a pathway to excellence*. New York: Oxford University, 2003. p. 42-61.

Gonçalves F, Monteiro C. Sintomas respiratórios no cancro avançado. *Medicina Interna* 2000;7(4):225.

Hennezel M, Jean-Yves L. *A arte de morrer*. Lisboa: Notícias, 2000.

Jack BA, Gamble M, Murphy D et al. Nurses' perceptions of the LCP for the dying patient in a acute hospital setting. *Int J Palliative Nurs* 2003;9(9):375-81.

Kinder C, Ellershaw J. How to use the Liverpool Care Pathway for the dying patient? The development, role, and integration of integrated care pathway in modern day health care. In: Ellershaw J, Wilkinson S. (Eds.). *Care of Dying, a pathway to excellence*. New York: Oxford University, 2003. p. 11.

Murphy D, Bolger M, Agar R. Best practice for care in the last days of life. Working with older people. *Brighton* 2007;11(3):25-28.

Neto IG. Agonia. In: Barbosa A, Neto I. (Eds.). *Manual de cuidados paliativos*. Lisboa: Faculdade de Medicina da Universidade de Lisboa, 2006. p. 295-308.

Neto IG. Princípios e filosofia dos cuidados paliativos. In: Barbosa A, Neto I. (Eds.). *Manual de cuidados paliativos*. Lisboa: Faculdade de Medicina da Universidade de Lisboa, 2006. p. 27-52.

Pellett C. Provisionof the end of life care community. *Nurs Standart* 2009;24(12):35-40.

Simon ST, Martens M, Sachse M et al. Care of dying in the hospital: initial experience with the Liverpool Care Pathway (LCP) in Germany. *Dtsch Med Wochenschr* 2009 July;134(27):1399-404.

Twycross R, Wilcock A. Symptom management in advanced cancer. 3rd ed. Oxon: Brithish Library, 2003.

Wilkinson S, Mula C. Communication in care of the dying. In Ellershaw J, Wilkinson S. (Eds.). *Care of Dying, a pathway to excellence*. New York: Oxford University, 2003. p. 74-89.

Emanuel L, Ferris F, Von Guntes C et al. *The last hours of living: practical advice for clinicians, 2008*. Disponível em: <http://www.medscape.com/viewprogram/580>

CAPÍTULO 237

Sedação Controlada

Teresa Cristina da Silva dos Reis

INTRODUÇÃO

Durante a última década, a medicina paliativa percorreu um longo caminho em termos de controle dos sintomas no final da vida. No entanto, alguns doentes terminais (15 a 36%) ainda experimentam grande sofrimento como resultado de sintomas que são difíceis de controlar ou são refratários às terapias convencionais.

Em situações como esta e presumindo que todos os recursos terapêuticos foram aplicados por uma equipe médica adequadamente treinada, pode ser ofertada uma estratégia outrora tradicionalmente conhecida como sedação terminal e hoje melhor definida como **sedação controlada**.

A sedação paliativa tem sido descrita apropriadamente como fonte de debate ético incansável. Entretanto, em equipes bem treinadas, é considerada como uma modalidade de tratamento eficaz para o gerenciamento de sintomas refratários quando os esforços agressivos deixam de propiciar alívio para o sofrimento.

TERMINOLOGIA

O termo *"sedação terminal"* foi introduzido por Enck, em 1991. Desde então, vários pesquisadores têm expressado sua insatisfação com este termo, principalmente porque ele cria a impressão de que o objetivo da sedação é induzir a morte. Como este não é o caso, exceto nas situações de mau uso, como uma *overdose* intencional, alguns têm argumentado que o termo sedação *paliativa* seria mais apropriado. Este termo descreveria melhor o verdadeiro objetivo de tentar aliviar ou atenuar sintomas extraordinariamente difíceis. O termo *sedação paliativa* foi introduzido pela primeira vez em um artigo de Materstvedt e Kaasa, 2000. Em 2001, o termo *"terapia de sedação paliativa"* também foi utilizado. Outros termos que foram usados no lugar de sedação terminal incluem *"sedação para sofrimento intratável no morrer"* e *"sedação no fim da vida"*.

Entendendo que os benefícios da sedação se aplicam também fora do contexto do fim da vida, na Unidade de Cuidados Paliativos do INCA, preferimos utilizar o termo **"sedação controlada"**, como defendido por MERCADANTE, em 2009. Os autores utilizam o termo "sedação controlada para os sintomas intratáveis". Neste contexto, o termo "controlado" significa que as modalidades leves, profunda, intermitente ou contínua são dependentes de indicação clínica específica e que monitoramento rigoroso deve ser realizado para mudar o grau de sedação, de acordo com a necessidade, destacando aqui a experiência do paliativista.

No termo "sedação" está implícito a administração (controlada) de drogas para diminuir o nível de consciência. Sintomas "intratáveis" referem-se a uma condição clínica que não respondeu ao tratamento, induzindo grande sofrimento ao paciente e para o qual a sedação é o último recurso. Portanto, avaliação clínica é mandatória para evitarmos graves erros diagnósticos e de prognosticação.

CONCEITOS

Sedação paliativa

De acordo com a definição proposta pela Associação Europeia para Cuidados Paliativos (EAPC), **sedação paliativa** é o uso de medicamentos sedativos para aliviar o sofrimento intolerável nos últimos dias de vida. Uma definição mais específica afirma que corresponde ao uso de medicamentos não opioides para controlar os sintomas refratários na morte. Um recente painel de especialistas estabeleceu algumas recomendações detalhadas sobre terminologia e definições de indicações, tomada de decisão e consentimento informado, aspectos culturais e éticos, níveis de sedação, drogas utilizadas, resultados de monitoramento e decisões associadas de não tratamento. Diretrizes produzidas pela NORWEGIAN MEDICAL ASSOCIATION (NMA) definem sedação paliativa como "a depressão farmacológica do nível de consciência, a fim de aliviar o sofrimento que não pode ser aliviado com qualquer outro recurso". Outros autores propõem que seja "a sedação intencional de um paciente que sofre com incontroláveis e refratários em seus últimos dias de vida, a ponto de quase ou completa inconsciência, podendo manter-se até a morte, mas sem intencionalmente causar a morte".

Refratariedade

A Associação Europeia de Cuidados Paliativos (EAPC) também caracteriza refratariedade como sendo a condição em que diante de um sofrimento intolerável decorrente de sintomas físicos não controlados, existe uma falta de outros métodos para a paliação e alívio dentro de período de tempo aceitável, coexistindo ainda efeitos adversos inaceitáveis.

PREVALÊNCIA

Existe uma grande divergência na literatura no que diz respeito à prevalência de sedação controlada. Estas grandes variações devem-se à profusão de conceitos, inclusão de diversas formas de sedação, divergências no entendimento do que seja sintoma "refratário" ou "sofrimento existencial", aos diferentes contextos em que os estudos são realizados (atendimento domiciliar, unidades de cuidados paliativos, equipes de consultoria), características da legislação dos países, experiência e progresso local no controle dos sintomas e cultura na qual o estudo foi realizado.

Adotando a seguinte definição de que a sedação controlada trata-se da "administração intencional de drogas sedativas em dosagens e combinações necessárias para reduzir a consciência de um paciente com doença terminal, tanto quanto necessário para adequadamente aliviar um ou mais sintomas refratários", outras diferenciações (moderada/profunda, contínua/intermitente) poderão ser feitas, colaborando para a fidedignidade dos dados coletados e melhor definição da prevalência.

CLASSIFICAÇÃO

De Graeff e Dean, em 2007, definiram vários níveis de sedação controlada que ajudam com o entendimento deste conceito definindo-a como leve, intermediária e profunda.

A sedação profunda e contínua, apesar de drástica, é muitas vezes a melhor opção, decorrente do fato de que as abordagens com níveis menos intensos (leve e intermediária) nem sempre reduzem o sofrimento a um nível inferior que seja aceitável para o paciente. No Quadro 1, descrevemos as classificações mais utilizadas nos dias atuais.

QUESTÕES BIOÉTICAS

Sedação controlada continua sendo uma prática desconfortável. Como deliberadamente induzimos o paciente a um sono profundo, durante o

> **Quadro 1. Classificações da sedação**
>
> 1. Quanto à intensidade
>   - *Sedação superficial:* mantém um nível de consciência no qual o paciente ainda pode comunicar-se com parentes, amigos e equipe interdisciplinar. Também chamada *consciente* ou *sedação moderada*, pois a depressão do nível da consciência é suficiente para despertar intencionalmente a um comando verbal e/ou a um leve estímulo tátil
>   - *Sedação profunda:* há uma total inconsciência do paciente. O paciente reage com dificuldade a estímulo doloroso
> 2. Quanto à temporalidade
>   - *Sedação intermitente:* é aquela que permite períodos de alerta do paciente
>   - *Sedação contínua:* o paciente permanece continuamente inconsciente até a morte

qual os pacientes não recebem alimentos ou água (e são suspensas ou não adotadas outras medidas consideradas fúteis para o momento) e do qual a maioria não acorda, a sedação evoca questões éticas e tem sido descrita como a eutanásia lenta. Alguns questionamentos são colocados a seguir.

O que significa qualidade de vida e autonomia neste contexto?

A permanente remoção de consciência é um corte pessoal de liberdade. Nesse caso, o paciente não é mais capaz de fazer escolhas autônomas, de experimentar o mundo ao redor dele ou qualquer contato com seus familiares. A vida do paciente é puramente biológica, pois ele está vivo, mas não tem vida social. Qualidade de vida é um valor fundamental dentro do campo da medicina paliativa e é fundamental em todas as medidas de tratamento. Mas em que sentido poderia a sedação profunda e contínua (SPC) em um paciente morrendo ser dito para promover a sua qualidade de vida quando não podem mais experimentar todos os aspectos da vida? Este estado também tem sido descrito como "morte social".

Em sedação, o paciente perde sua autonomia, outro valor-chave dentro do campo da medicina paliativa. Fazer isso significa que este valor também é rejeitado ou violado? Um paciente é (competente) autônomo quando sua capacidade de tomada de decisão é respeitada e quando lhe é dada a oportunidade de consentir ou recusar a SPC. Assim, a perda de autonomia ocorreria depois que tal consentimento fosse dado, ou seja, o valor de ser capaz de exercer autonomia é perdido após o início da sedação. O paciente que tem autonomia optou por não mais sê-lo. Este é o preço que ele está disposto a pagar em troca de uma situação tolerável ou confortável.

Consideremos, entretanto, que a maioria dos pacientes elegíveis para tal tratamento será provavelmente incapaz de exercer sua autonomia, pois apresentam comprometimento cognitivo severo induzido pela doença ou por drogas utilizadas no tratamento. Até que ponto pode tal decisão ser uma decisão autônoma, mesmo quando o paciente não apresenta deficiência cognitiva? Pode o paciente ser considerado como apto para exercer o seu livre arbítrio, se o sofrimento físico é tão extremo e parece não haver outra escolha senão a sedação?

Por estes motivos, crescem nos grandes polos de cuidados paliativos, correntes que defendem não somente a comunicação clara e participação no planejamento de cuidado, mas também um maior estímulo à definição de diretrizes antecipadas, na qual o paciente deixa claro antecipadamente seu desejo em relação a esta e outras situações, de modo que sua escolha não sofra o impacto do sofrimento físico insuportável.

Destaca-se que quando falamos em remoção permanente de consciência, isto não significa permanente no sentido irreversível. A remoção de consciência pode ser revertida. Dentro deste quadro, há um consenso generalizado de que a sedação controlada é moralmente aceitável, quando a decisão de instituí-la é clinicamente proporcional, quando a decisão está de acordo com o desejo do paciente ou o desejo presumido e o médico não tem intenção de encurtar a vida do paciente.

Decisões de não tratamento associadas

Estas decisões devem ser consideradas individualmente para cada paciente, tendo em conta os desejos do paciente e sua situação antes de a sedação ser iniciada. Se um paciente apresenta sinais de morte iminente (p. ex.: perda de apetite, diminuição da ingesta de alimentos/líquidos) antes da sedação, então parece irresponsável e antiético dificultar o processo natural de morrer pela administração artificial de alimentos ou líquidos durante sedação. Além disso, é considerado um tratamento fútil para pacientes que sofrem de caquexia. Isto, em combinação com os resultados de trabalhos que mostram que a sobrevivência de pacientes sedados não é menor do que o dos pacientes não sedados, sugere que a sedação controlada não tem comprovado efeito de abreviação de sobrevida, refutando o argumento de que a sedação paliativa é uma forma de eutanásia lenta.

Sedação no sofrimento intolerável

Em alguns países ocidentais, a sedação por razões que não a gestão de sintomas puramente físicos é uma ocorrência comum. Nestas situações, a angústia psicológica decorrente da maneira peculiar e cultural de lidar com a doença terminal, em que a negação e a rejeição do diagnóstico são predominantes, é o cerne desta situação.

Um painel internacional definiu que o sofrimento intolerável é determinado pelo paciente, quando diante de um sintoma que ele afirma não querer suportar. De posse desta definição subjetiva de sofrimento intolerável parece contraditório, restringir o acesso à sedação para aqueles pacientes cujo sofrimento é principalmente psicológico ou existencial. A abordagem desenvolvida recentemente é que o sofrimento existencial busca a terapia de dignidade. Como aplicar corretamente isto na prática clínica?

Definições mais objetivas de sofrimento existencial no final de vida incluem conceitos de perda de significado pessoal, perda de propósito da vida, medo da morte, desespero, angústia, desesperança, percepção de ser um fardo para os outros, perda de desamparo, dignidade e traição. Assim, a complexidade da compreensão da natureza do não físico é agravada pela inclusão de conceitos psicoespiritual na definição de sofrimento existencial.

Embora médicos paliativista estejam geralmente conscientes da importância de tratar o sofrimento existencial, esta ação não é frequentemente incluída no foco do planejamento da assistência, por dúvidas na abordagem e diagnóstico adequado da condição.

A sedação profunda e contínua pode encurtar a sobrevida?

Uma revisão sistemática com a participação de 29 especialistas mostrou que a sedação é adequadamente utilizada nos últimos dias de vida, não existindo abreviamento de sobrevida. No entanto, mesmo que a encurtasse e presumindo que isso poderia ser demonstrado tanto em casos individuais ou estatisticamente, a doutrina do duplo efeito poderia fornecer embasamento ético para isso.

Princípio ético do duplo efeito

A sedação controlada deve seguir os princípios do duplo efeito e proporcionalidade. O princípio de proporcionalidade é respeitado quando reduzimos o nível de consciência apenas o suficiente para aliviar o sofrimento refratário.

O princípio ético do duplo efeito respalda os profissionais quando afirma que uma ação é eticamente permitida se for boa em si mesma, se a intenção é produzir um bom efeito e se o bom efeito (no caso, o alívio sintomático) não pode ser atingido sem os riscos de um efeito indesejável (p. ex.: a morte do doente.) Deve existir um balanço favorável entre o bom e o mau efeito.

Esclarecimento e consentimento dos pacientes e familiares

Antes do início de qualquer forma de sedação, os familiares precisam estar bem informados sobre os sinais que podem ocorrer durante o processo de morte, a forma escolhida para sedação, como os sintomas serão monitorados e as ações tomadas pela equipe em caso de recidiva dos sintomas. Algumas preocupações são expressas em trabalhos pelos familiares:

- A necessidade de ser informado da mudança de condição clínica do paciente.
- Entender o que está sendo feito a um paciente e por quê.
- Ter a certeza de conforto do paciente

Assim, a equipe deve pró-ativamente repetir informações ou fornecer informações adicionais que podem efetivamente resolver estas preocupações e fornecer ações de apoio contínuo e específico. O consentimento informado torna-se, nestes casos, obrigatório no contexto de uma decisão compartilhada, para melhorar o nível de comunicação com os familiares, particularmente quando o paciente é incapaz de discutir a decisão, sublinhando a importância da boa comunicação e educação sobre a prática da sedação paliativa

DIRETRIZES PARA A TOMADA DE DECISÃO

Seleção de pacientes

A sedação DEVE ser considerada quando: a) o paciente é portador de doença fora de possibilidades curativas e em estágio terminal; b) a morte é iminente e esperada dentro de dias ou horas; c) o paciente está sofrendo os sintomas agudos refratários a qualquer terapia; d) intervenção imediata é necessária para aliviar os sintomas refratários; e) o consentimento é obtido do paciente ou seu familiar/procurador; f) a retirada de hidratação e nutrição artificial é discutida com os próprios; g) as famílias são informadas que o paciente provavelmente não vai recuperar a consciência e vai morrer em função da evolução da doença; h) a sedação é induzida pelo uso de uma droga não opioide para controlar os sintomas refratários; i), podendo ocorrer a morte, é explicado que esta não é a intenção do procedimento, mas que não mais é possível alcançar o controle adequado de sintomas excruciantes, sem o risco de abreviação de vida do paciente.

Circunstâncias onde NÃO devemos instituir a sedação controlada: a) avaliação inadequada do paciente em que causas potencialmente reversíveis de sofrimento não são adequadamente tratadas; b) situações em que antes de recorrer à sedação, há uma impossibilidade de discutir com médicos especialistas no alívio dos sintomas; c) diante da sobrecarga de profissional que se apresenta cansado e frustrado com os cuidados de um paciente sintomático e complexo; d) Situações em que a demanda por sedação é gerada pela família do paciente e não o paciente, quando este pode opinar sobre as decisões de cuidado.

Principais indicações

Os sintomas mais comuns incluem presença de agitação e/ou *delirium*, dispneia, dor e convulsões. Situações emergenciais podem incluir hemorragia maciça, asfixia não abordável por outros métodos, dispneia grave ou dor de intensidade intolerável.

Avaliação

A avaliação deve excluir deterioração aguda causada por uma complicação tratável relacionada ou não à doença, como: *sepsis*, um evento metabólico reversível, toxicidade medicamentosa e outros como derrame pleural, tamponamento cardíaco, obstrução ureteral, superior, obstrução das vias aéreas, obstrução gastrointestinal, sangramento urinário ou pressão intracraniana elevada.

Do nível de sedação

Em geral, o nível de sedação deve ser o mais baixo necessário para proporcionar alívio adequado de sofrimento. Em algumas situações, sedação intermitente ou superficial geralmente deve ser tentada em primeiro lugar. Para alguns pacientes, um estado de "sedação consciente", em que a capacidade de responder a estímulos verbais é mantida, pode proporcionar alívio adequado sem perda total das funções de interação.

As doses podem ser tituladas para baixo para reestabelecer lucidez após um intervalo quando se concordou em reavaliar o paciente, suas condições clínicas e preferências em relação à sedação ou para permitir interações familiares pré-planejadas.

Sedação profunda deve ser adotada quando a sedação moderada é ineficaz. A sedação profunda contínua pode ser selecionada em primeiro lugar se:

1. O sofrimento é intenso.
2. O sofrimento é definitivamente refratário.
3. A morte é antecipada em algumas horas ou alguns dias.
4. O desejo do paciente é explícito.
5. Estamos diante de um evento catastrófico e limitador de vida, como hemorragia maciça ou asfixia.

TERAPIA MEDICAMENTOSA

Os benzodiazepínicos reduzem a ansiedade e causam amnésia, têm um efeito sinérgico sedativo e antipsicótico com opioides, são anticonvulsivantes e podem ajudar a prevenir o desenvolvimento de convulsões. Entretanto, podem causar agitação paradoxal e depressão respiratória.

O midazolam é o agente mais comumente utilizado. É uma droga de ação curta por causa da redistribuição rápida, portanto, a administração por infusão contínua é geralmente necessária para manter um efeito sustentado.

- *Vantagens:* rápido início. Pode ser administrado por via intravenosa (IV) ou subcutânea (SC).
- *Dose inicial:* 0,5-1 mg/h, 1-5 mg, conforme necessário.
- *Dose eficaz usual:* 1-20 mg/h.

Outras drogas como lorazepam, flunitrazepam, agentes anestésicos como propofol também podem ser utilizadas, mas não são adequadas para titulação como o midazolam.

Pacientes em uso prévio de opioides para controle de dor ou dispneia não devem ter o esquema interrompido e sim convertido para administração parenteral. Morfina NÃO é droga de eleição para sedação.

CONTROLE EVOLUTIVO

Sempre que possível, a sedação deve ser iniciada por um médico e uma enfermeira juntos. De preferência, deve ser realizada ou supervisionada por médicos com a liderança e a experiência em cuidados no fim da vida, de modo a reforçar o peso da intervenção e a mensagem de excelência de que, dentro do tratamento paliativo, é uma prioridade. Inicialmente, o paciente deve ser avaliado, pelo menos, uma vez em cada 20 minutos até que a sedação adequada seja alcançada e, subsequentemente, pelo menos, três vezes por dia.

A gravidade do sofrimento, nível de consciência e efeitos adversos relacionados com a sedação (como delírio, agitação ou aspiração) devem ser avaliadas regularmente.

As doses dos medicamentos devem ser aumentadas ou gradualmente reduzidas para um nível em que o sofrimento seja atenuado com um mínimo de supressão dos níveis de consciência e efeitos indesejáveis, com documentação da justificativa para mudanças e resposta a estas manobras. O nível de consciência é avaliado pela resposta do paciente a estímulos, agitação ou atividade motora e expressão facial. Exemplos de escalas para ajudar a avaliar a dor e o sofrimento em pacientes com consciência reduzida são escala de *Ramsay*, *Richmond Agitation Sedation Scale* (RASS), *Critical-Care Pain Observation Tool* (CCPOT), etc. Mercadante *et al.* propõem o uso da *Communication Capacity Scale* (CCS).

O tempo relativamente curto entre o início da sedação e a morte é consistentemente relatado na faixa entre 24 e 72 horas, indicando que a necessidade de sedação é um indicador de morte iminente e não uma causa de morte prematura. Entretanto, autores já mostraram também que pacientes que foram sedados tiveram uma maior sobrevida quando comparados com pacientes que não foram sedados.

GERENCIAMENTO DE CUIDADOS

Quando a sedação se destina a ter curto prazo, todos os esforços devem ser feitos para preservar a estabilidade fisiológica. O nível de sedação e rotina de monitoramento de parâmetros fisiológicos, como frequência cardíaca, pressão arterial e saturação de oxigênio devem ser monitorados regularmente, inclusive com adoção de manobras de reversão medicamentosa (antagonista), se previamente acordado.

Quando o objetivo do atendimento é para assegurar o conforto até a morte para um paciente, os únicos parâmetros críticos para observação são relativos ao conforto. Observações da frequência cardíaca, pressão arterial e temperatura não contribuem para os objetivos de cuidado e devem ser interrompidos. A frequência respiratória é monitorada principalmente para assegurar a ausência de angústia respiratória e taquipneia. Uma vez que titulação descendente da droga, coloca o paciente em risco de sofrimento continuado, isto não é recomendado para paciente em cuidados ao fim de vida.

Em todos os casos, a equipe de cuidados deve manter o mesmo nível de tratamento digno e humano, como antes da sedação. Este nível de cuidados inclui higiene bucal, proteção e saúde ocular, higiene e cuidados de úlceras por pressão, bem como apoio aos familiares e cuidados ambientais.

EFICÁCIA E SEGURANÇA

Artigos mostram a eficácia e a segurança da sedação controlada para o tratamento de sofrimento refratário. Morita informou que a sedação controlada aliviou adequadamente os sintomas em 83% dos casos. Controle total dos sintomas ocorreu entre 60 minutos a 48 horas após a sedação ser iniciada. Quarenta e nove por cento dos pacientes despertaram apenas uma vez depois de terem entrado em sedação profunda. O tempo para sedação, no entanto, foi significativamente menor quando o midazolam foi utilizado em comparação com o fenobarbital. Estudos sugerem que dosagens mais elevadas de midazolam podem ser necessárias em pacientes jovens, com boa função hepática, em pacientes pré-expostos a midazolam e em pacientes que necessitam de sedação de longa duração. Chater et al. relataram uma taxa de sucesso de 90-92% e Chiu et al. relataram que, em 71% dos casos, os médicos estavam satisfeitos com os resultados da sedação controlada. Barbitúricos muitas vezes resultam em instabilidade cardiovascular e, portanto, são menos adequados. Em alguns estudos, o haloperidol é listado como um sedativo e descrito como sendo usado para iniciar sedação paliativa. Haloperidol, porém, não é um sedativo e, portanto, não deve ser usado para induzir sedação.

Em muitos dos trabalhos, o midazolam é a droga de escolha para induzir a sedação. Estado de sedação, no entanto, não pode ser fundamentado apenas na dosagem da droga, porque o intervalo de dose eficaz varia muito em pacientes. Portanto, é importante que as dosagens sejam avaliadas individualmente e tituladas com base no histórico médico do paciente, reação aos benzodiazepínicos e a intensidade de sintomas refratários do paciente. Assim, a sedação controlada exige que os profissionais envolvidos devam ser competentes e com experiência clínica adequada.

Importante:

- A sedação controlada é um tratamento em resposta a sintomas incontroláveis e refratários, que usa a sedação intencional de um doente terminal normalmente até a morte, para propiciar conforto, impossível com outra terapia
- O sofrimento existencial nem sempre é facilmente identificado e, portanto, deve ser abordado adequadamente
- Por estes motivos, a sedação controlada como uma resposta apropriada para o sofrimento existencial intratável continua a ser um tema controverso

BIBLIOGRAFIA

Braun TC, Hagen NA, Clark T. Development of a clinical practice guideline for palliative sedation. *J Palliat Med* 2003;6:345-50.

Chater S, Viola R, Paterson J et al. Sedation for intractable distress in the dying survey of experts. *Palliat Med* 1998;12:255-69.

Cherny NI, Portenoy RK. Sedation in the management of refractory symptoms. *J Palliat Care* 1994;10:31-38.

Cherny NI, Radbruch L. The Board of EAPC: European Association for Palliative Care (EAPC) recommended framework for the use of sedation in palliative care. *Palliat Med* 2009;23:581-93.

Cherny NI. Commentary: sedation in response to refractory existential distress: walking the fine line. *J Pain Symptom Manage* 1998;16:404-6.

Chiu TY, Hu WY, Lue BH et al. Sedation for refractory symptoms of terminal cancer patients in Taiwan. *J Pain Symptom Manage* 2001;21:467-72.

Cowan JD, Walsh D. Terminal sedation in palliative medicine definition and review of the literature. *Support Care Cancer* 2001;9:403-7.

De Graeff A, Dean M. Palliative sedation therapy in the last weeks. *J Palliat Med* 2007;10:67-85.

Enck RE. Drug-induced terminal sedation for symptom control. *Am J Hosp Palliat Care* 1991;8:3-5.

Fainsinger RL, Landman W, Hoskings M et al. Sedation for uncontrolled symptoms in a South African hospice. *J Pain Symtpom Mange* 1998;16:145-52.

Fainsinger RL, Waller A, Bercovici M et al. A muticentre international study of sedation for uncontrolled symptoms in terminally ill patients. *Palliat Med* 2000;14:257-65.

Gelinas C, Fillion L, Puntillo KA et al. Validation of the critical-care pain observation tool in adult patients. *Am J Crit Care* 2006;15:420-27.

Guidelines of the Norwegian Medical Association on Palliative Sedation. Acesso em: 21 Feb. 2009. Disponível em: <http://www.legeforeningen.no/index.gan?id=145733& subid=0>

Kohara H, Ueoka H, Takeyama H et al. Sedation for terminally ill patients with cancer with uncontrollable physical distress. *J Palliat Med* 2005;8:20-22.

Materstvedt L. Deep and continuous palliative sedation (terminal sedation): clinical-ethical and philosophical aspects. *Lancet* 2009;10:622-27.

Materstvedt LJ, Clark D, Ellershaw J et al. Euthanasia and physician-assisted suicide: a view from an EAPC Ethics Task Force. *Palliat Med* 2003;17:97-101, discussion 102-79.

McCormick R. *Doing evil to achieve good*. Chicago: Loyola University, 1978; Hoose B. Proportionalism. The American Debate and its European Roots. Washington: Georgetown University, 1987.

Mercadante S et al. Controlled sedation for refractory symptoms in dying patients. *J Pain Symptom Manage* 2009;37:771-79.

Mercadante S, De Conno F, Ripamonti C. Propofol in terminal care. *J Pain Symptom Manage* 1995;10:639-42.

Morita T, Chinone Y, Ikenaga M et al. Efficacy and safety of palliative sedation therapy: a multicenter,prospective, observational study conducted on specialized palliative care units in Japan. *J Pain Symptom Manage* 2005;30:320-28.

Morita T, Chinone Y, Ikenaga M et al. Ethical validity of palliative sedation therapy: a multicenter, prospective, observational study conducted on specialized palliative care units in Japan. *J Pain Symptom Manage* 2005;30:308-19.

Morita T, Tsunoda J, Inoue S et al. Communication capacity scale and agitation distress scale to measure the severity of delirium in terminally ill cancer patients: a validation study. *Palliat Med* 2001;15:197-206.

Morita T, Tsunoma J, Inoue S et al. Effects of high dose opioids and sedatives on survival in terminally ill cancer patients. *J Pain Symptom Manage* 2001;21:282-89.

Rjetjens JA, van Delden JJM, van der Heide A et al. Terminal sedation and euthanasia. A comparisonof clinical practice. *Arch Intern Med* 2006;166:749-53.

Rousseau P. Palliative sedation in the management of refractory symptoms. *J Support Oncol* 2004;2:181-86.

Sessler CN, Gosnell MS, Grap MJ et al. The Richmond Agitation–Sedation Scale: validity and reliability in adult intensive care unit patients. *Am J Respir Crit Care Med* 2002; 166:1338-44.

Shaiova L. Case presentation: terminal sedation and existential distress clinical conference. *J Pain Symptom Manage* 1998;16:403-4.

Sykes N, Thorns A. The use of opioids and sedatives at the end of life. *Lancet Oncol* 2003;4:312-18.

CAPÍTULO 238
Anemia e Hemotransfusão em Cuidados Paliativos

Teresa Cristina da Silva dos Reis ■ Lucia Cerqueira Gomes

INTRODUÇÃO

O termo "anemia" foi utilizado pela primeira vez no século XIX para descrever a palidez da pele e membranas mucosas. Em 1854, Welcher descobriu que pacientes anêmicos tinham menos glóbulos vermelhos (hemácias). Aproximadamente 40 anos depois, Carnot e Deflandre lançaram a hipótese de que um fator circulante era responsável pela produção de RBC e que a sua concentração no sangue aumentava em resposta a anemia ou altitude elevada. Em 1948, Bonsdorff e Jalavisto descobriram que o hormônio circulante responsável pela produção aumentada de RBC afetava apenas as células eritroides, assim, eles o denominaram de eritropoetina (EPO).

A anemia é uma condição comum em pacientes com câncer avançado sob Cuidados Paliativos e sua correção, com atenuação dos sintomas e sinais dela decorrentes, por meio do uso de transfusão de concentrado de hemácias, é um cuidado ativo que podemos promover para melhora da qualidade de vida destes pacientes.

A incidência da anemia no câncer é variável e depende do tipo de malignidade, do estágio e da duração da doença, da intensidade da terapia curativa prévia e de possíveis intercorrências clínicas ou intervenções cirúrgicas prévias. Taxas de prevalência de anemia na população de pacientes com câncer avançado variam de 60 a 80% em homens e 68% em mulheres de acordo com os critérios da OMS, sendo que a doença metastática óssea, o mieloma múltiplo e outras malignidades hematológicas são frequentes condições associadas ao desenvolvimento da anemia.

A anemia leve ou moderada é frequentemente vista em pacientes com CA avançado e subtratada nesta população, em parte porque raramente constitui risco de vida e também porque até recentemente, o efeito negativo da fadiga decorrente era agravado por ausência de tratamentos e associado à percepção de que este era um sintoma que deveria ser aceito pelo paciente, cuidador e profissional de saúde. No entanto, melhorar a abordagem desses sintomas tornou-se uma prioridade nos cuidados paliativos oncológicos ao longo dos últimos anos. Sua alta prevalência na população com câncer e seus efeitos negativos sobre a qualidade de vida do paciente têm servido de motivação aos prestadores de cuidados de saúde para compreender melhor as causas e as opções de tratamento destes sintomas.

DEFINIÇÃO

Anemia é conceituada como a diminuição da concentração de hemoglobina e da contagem global de hemácias circulantes. O (NCI) dos EUA considera como níveis normais de hemoglobina valores entre 12 e 16 g/dL para mulheres e 13 a 18 g/dL para homens. Uma escala de graduação da anemia relacionada com o câncer foi estabelecida pelo NCI e pela Organização Mundial da Saúde (OMS), que adotam critérios similares para classificar sua toxicidade, como disposto no Quadro 1. Similarmente, Cella et al. definem anemia leve como níveis de hemoglobina entre 10 e 11,99 g/dL, anemia moderada entre 8,00 a 9,99 g/dL e intensa com níveis de hemoglobina < 8.00 g/dL.

FISIOPATOLOGIA

A anemia relacionada com o câncer avançado pode ter seus mecanismos agrupados em três categorias principais, a saber: diminuição na produção de hemácias funcionais, aumento da destruição de hemácias e perda sanguínea (Quadro 2). Entretanto, a anemia em pacientes com câncer avançado é multifatorial e pode estar relacionada com sangramento, hemólise, insuficiência renal, deficiências nutricionais, mecanismos da doença crônica, sequelas de tratamento ou uma combinação de todos estes.

Quadro 1. Escala de graduação de anemia

GRAU	SEVERIDADE	WHO	NCI
0	Nenhuma	> 11 g/dL	Normal*
1	Leve	9,5-10,9 g/dL	10 - normal
2	Moderada	8,0-9,4 g/dL	8,0-9,9 g/dL
3	Severa	6,5-7,9 g/dL	6,5-7,9 g/dL
4	Risco de vida	< 6,5 g/dL	< 6,5 g/dL

Nível de hemoglobina em g/dL.
*14-18 g/dL para homens e 12-16 g/dL para mulheres.

Quadro 2. Causas mais frequentes de anemia no câncer avançado

- Diminuição ou supressão da produção por infiltração de medula óssea
- Liberação de citocinas que causam sequestro de ferro ou diminuição na produção e sobrevida das hemácias
- Perda sanguínea crônica ou aguda em sítios tumorais

A deficiência de ferro, ácido fólico (5 a 10%) e vitamina B12 (12 a 27%) são fatores que impedem a produção de hemácias de boa qualidade. Efeitos adicionais que também podem exacerbar a presença de anemia e são relacionados com a evolução da doença maligna são as deficiências nutricionais em função da síndrome anorexia-caquexia, alteração no estado de coagulabilidade e hemólise mediada por resposta imune anticorpo-hospedeiro.

Morfologicamente, a anemia relacionada com o câncer assemelha-se ao mecanismo de anemia por doença crônica cuja intensidade acompanha o estágio da doença em que se apresenta. Inicialmente, tende a ser hiporregenerativa, normocítica e normocrômica, com níveis séricos de eritropoetina elevados, mas não tão altos quanto os observados na anemia por deficiência de ferro ou na anemia hemolítica. Observam-se também níveis reduzidos de ferro sérico e baixa saturação de transferrina, mas com níveis normais ou elevados de ferritina. Durante a fase terminal, com a progressão da doença, torna-se de padrão hipocrômico e microcítico, em função da liberação de inúmeros fatores inflamatórios e citocinas como interleucina 1 e fator de necrose tumoral (FTN) que impedem a formação de colônias eritroides e diminuem a produção de eritropoetina.

Lembramos que pacientes com câncer avançado e em fase terminal, em menor proporção, podem apresentar padrão de anemia macrocítica por falhas/destruição de medula óssea, deficiência de B12/ácido fólico determinadas por cirurgias prévias de aparelho gastrointestinal, desnutrição e doença hepática metastática, bem como anemia normocítica e normocrômica nos casos de perda sanguínea aguda.

SINTOMATOLOGIA

A anemia acarreta sequelas físicas, cognitivas e sociais que variam entre os indivíduos. Os principais sintomas de anemia em pacientes com câncer avançado e perda aguda sanguínea são taquicardia, hipotensão ortostática e dispneia.

Entretanto, em pacientes terminais com anemia crônica, mecanismos compensatórios se desenvolvem para corrigir a reduzida disponibi-

Quadro 3. Sinais e sintomas comuns de anemia severa

■ Dispneia	■ Convulsão
■ Fadiga	■ Palidez
■ Astenia	■ Tontura
■ Dor torácica	■ Irritabilidade
■ Taquicardia	■ Hipotermia
■ Insônia	■ Perda de apetite

Dados de Loney and Chernecky, 2000.

lidade de hemoglobina e hipóxia consequente. Ocorre um aumento de débito cardíaco e vasoconstrição periférica para desviar sangue da pele, membranas mucosas e extremidades e conservá-los para os principais órgãos, como cérebro e coração. Assim, sintomas clínicos de anemia variam com a capacidade deste indivíduo se adaptar às condições de resposta a perda aguda ou redução da produção de hemácias.

Os sintomas relacionados com a anemia moderada e severa são dispostos no Quadro 3 e os profissionais de saúde devem ser capazes de reconhecer estes sintomas precocemente na sua evolução e iniciar pronta e eficazmente a abordagem que melhor se adequa ao KPS (*Karnofsky Performance Status*) e estado clínico do paciente sob Cuidados Paliativos Oncológicos. Pacientes portadores de falha cardíaca têm pouca margem de compensação, e os idosos podem apresentar alteração cognitiva.

São relatados ainda graus variados de depressão, perda de libido e impotência em pacientes com terapia antineoplásica ainda em curso. A intensidade dos sintomas varia de acordo com o nível de hemoglobina, velocidade de instalação da anemia, idade, comorbidades associadas, extensão da doença maligna e tratamentos específicos realizados.

Avaliação clínica do paciente anemiado

No exame físico do paciente com sinais e sintomas de anemia devemos destacar (Fig. 1):

- Definição do *Karnofsky performance status* (KPS) do paciente, como medida de avaliação prognóstica aliada aos fatores laboratoriais e físicos, para considerarmos risco-benefício de qualquer terapia a ser iniciada.
- Avaliação do *status* mental do paciente.
- Verificação de sinais vitais (pressão arterial, frequência cardíaca e respiratória) e detecção de alterações em possíveis portadores de falha de bomba cardíaca como *pulsus alternans*, ritmo de galope, dilatação de vasos cervicais em repouso e ruídos de base pulmonar, com indicação de avaliação radiológica, se necessário.

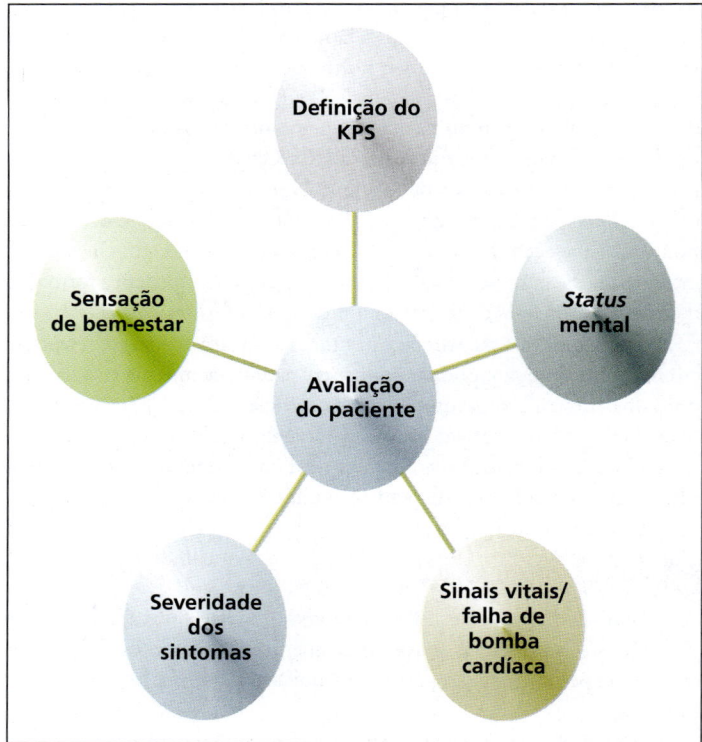

▲ **FIGURA 1.** Pontos-chave na avaliação.

- Avaliação e mensuração dos sintomas relacionados com a anemia com utilização da Escala de Edmonton (ESAS - *Edmonton Symptom Assesment System*) destacando-se a fadiga e o registro de impacto da anemia na sensação de bem-estar do doente.
- Registro dos efeitos anteriores de hemotransfusão prévia.

DIAGNÓSTICO

O diagnóstico inicial de anemia em pacientes com câncer avançado, com sobrevida avaliada em até 6 meses deve priorizar uma história clínica e exame físico minuciosos, com realização de exames laboratoriais de fácil execução e documentação, solicitados pelo médico na avaliação inicial do paciente (Quadro 4). Adotando os princípios de antecipação de sintomas, o paciente deverá ser reavaliado regularmente, de acordo com o *performance status* ou surgimento de sintomas.

Achados laboratoriais, que falam a favor da anemia de doença crônica ou por evolução de doença em pacientes com CA avançado, são ferro sérico baixo, ferritina baixa e baixa capacidade de ligação do ferro. Macrocitose e hipersegmentação neutrofílica sugerem anemia por deficiência de folato, que pode estar presente em 1/3 dos pacientes com tumores avançados gastrointestinais.

ABORDAGEM TERAPÊUTICA

Transfusão de hemoderivados

A transfusão de hemoderivados é uma prática médica comum, empregada ostensivamente no tratamento da anemia, nos últimos 50 anos. Avaliação da adequada indicação e efetividade do uso de sangue em pacientes com câncer e mais ainda, naqueles sob cuidados paliativos, é agora identificada como uma prioridade também pela *American Joint Commission on Acreditation of Health Care Organizations*.

Entretanto, não existem *guidelines* bem definidos para a utilização ou não de hemotransfusão nestes pacientes. Assim, as decisões para indicar ou não utilizar a transfusão de concentrados de hemácias são muito influenciadas por atitudes e ponto de vista pessoal da equipe médica. Por esta razão, as práticas de transfusão variam significativamente e não raro são consideradas como totalmente desnecessárias, incorrendo em tratamento fútil.

A anemia em pacientes com câncer avançado deve ser tratada quando os sintomas aparecem e prejudicam a qualidade de vida do paciente. Entretanto, em pacientes portadores de câncer terminal com expectativa de vida de até 6 meses no qual sintomas como fadiga e dispneia podem estar relacionados com a evolução da doença, o papel da hemotransfusão como agente de alívio e controle de sintomas e melhora da qualidade de vida de pacientes, ainda é muito discutido.

Alguns autores mostram que o efeito sobre o nível de hemoglobina e controle de dispneia pode ser falho, entretanto, naqueles que registram a avaliação do impacto sobre o bem-estar do paciente, a resposta tem sido positiva, o que pode sugerir um benefício psicológico. Com efeito, a avaliação global de bem-estar do doente parece refletir atitudes e crenças em relação a um tratamento que se presume ser eficaz, tal como a transfusão.

Transfusões oferecem a vantagem de um aumento imediato nos níveis de hemoglobina diante de uma perda aguda e pode manter os níveis de hemoglobina por cerca de 3 semanas. Entretanto, vários fatores limitam a utilidade da abordagem em pacientes com CA avançado: quase sempre implica em hospitalização, seu efeito é apenas transitório, o fornecimento de bolsas de hemácias é limitado, e a transfusão envolve muitos riscos (Quadro 5), com reações secundárias agudas e tardias que variam de intensidade e severidade. A efetividade da hemotransfusão pode ainda diminuir após frequentes aplicações face à aloimunização e produção de anticorpos. Especialmente em pacientes idosos, tanto a anemia quanto a sobrecarga de ferro podem comprometer a qualidade de vida.

Quadro 4. Exames laboratoriais no diagnóstico de anemia no câncer avançado

■ Hemograma completo	■ Ferritina
■ Nível de hemoglobina	■ Dosagem de Fe sérico
■ Volume corpuscular médio	■ LDH
■ Contagem de reticulócitos	■ Albumina sérica
■ Leucócitos	■ Provas de função renal
■ Linfócitos	■ Bilirrubina total e frações

Quadro 5. Riscos relacionados com a transfusão de hemácias
- Incompatibilidade
- Reação febril
- Transmissão de infecções
- Sobrecarga circulatória
- Tromboflebite
- Riscos especiais de maciça transfusão
- Hipotermia
- Intoxicação por citrato
- Alterações de coagulação
- Dissociação de curva de oxigênio

Assim, o paciente portador de câncer avançado, como qualquer outro, deverá ser transfundido com indicações específicas e bem estabelecidas, que efetivamente revertam em benefício real para o mesmo. Indicações questionáveis e transfusões desnecessárias têm sido vistas em pacientes terminais e particularmente naqueles em cuidado no fim da vida, redundando em riscos e utilização inadequada de um recurso terapêutico finito.

Eritropoetina

Nos últimos 10 anos, difunde-se cada vez mais o uso da eritropoetina, como opção mais fisiológica no controle da anemia relacionada com o câncer ou como sequela de seu tratamento. Estudos multicêntricos mostram que a alfaeritropoetina tem demonstrado eficácia clínica com aumento do nível de hemoglobina e diminuição da necessidade de hemotransfusão, sugerindo impactos positivos na qualidade de vida independentemente de tipo tumoral e resposta. Dados recentes sugerem que os pacientes em vigência de tratamento antineoplásico podem-se beneficiar de tratamento da anemia mais cedo do que tem sido comum na prática clínica. Os efeitos positivos do tratamento com alfaeritropoetina podem também se estender a melhoras na sobrevida.

Entretanto, desvantagens de eritropoetina recombinante incluem seu custo, sua eficácia em poucos pacientes e a demora de 4-8 semanas antes de o benefício máximo ser alcançado.

Assim, trabalhos relatam que 30% dos pacientes não respondem à terapia e esta é considerada de alto risco e alto custo para pacientes com câncer avançado e/ou terminal e *performance status* comprometido, como vemos descrito abaixo:

- Aumento de eventos tromboembólicos (1,5 a 16%) em pacientes acamados, com mobilidade reduzida, alterações de coagulabilidade, história prévia de tromboembolismo, uso de esteroides e portadores de hipertensão arterial.
- Presença de hipertensão arterial e vômitos em pacientes com falha renal (2,9 a 7,9%).
- Aumento de mortalidade e progressão tumoral em pacientes com tumores de mama, cabeça e pescoço, pulmão não pequenas células e linfoides.
- Anemia por aplasia de células vermelhas.

Para estes pacientes, a transfusão de hemácias segue como opção de tratamento, para alívio rápido de sintomas em pacientes bem selecionados.

TRATAMENTO DA ANEMIA EM PACIENTES COM CÂNCER AVANÇADO SOB CUIDADOS PALIATIVOS

Transfusão de concentrado de hemácias

Duas são as principais indicações de transfusão de hemácias em pacientes com CA avançado e sob cuidados paliativos:

- Hemorragia aguda com repercussão hemodinâmica.
- Anemia sintomática crônica.

Nas duas situações, o objetivo é aumentar o suporte de oxigênio tecidual pelo aumento do teor de oxigênio no sangue. Em pacientes com câncer, as indicações devem ser realizadas com base na avaliação clínica da sobrevida do paciente e por dados objetivos como valor de hemoglobina e hematócrito e transporte de oxigênio, *performance status* e severidade de sintomas relacionados com a anemia e relatados pelo paciente.

A decisão de iniciar o tratamento com uso de transfusão sanguínea fundamentada apenas em valores de hemoglobina ou hematócrito não é adequada, pois os pacientes jovens toleram níveis baixos sem sintomas e pacientes mais idosos e com multimorbidades podem desenvolver severos sintomas com reduções menores nos níveis de hemoglobina. Assim, o nível crítico de hemoglobina considerado para indicar hemotransfusão em anemia crônica **sintomática** de pacientes com câncer avançado com bom KPS permanece incerto.

Autores sugerem 8,0 g/dL. A maioria dos trabalhos de níveis abaixo de 5,9 g/dL costuma ser relacionados com alterações de estado cognitivo e comprometem definitivamente qualidade de vida, quando o decréscimo dá-se de forma rápida.

Entretanto, hemotransfusão envolve muitos riscos, que podem ser evitados ou minimizados (Quadro 5). Reações adversas como febre e urticária estão presentes em 5-10% e 3-5% de todos os pacientes transfundidos, respectivamente. Outras reações são infecção sanguínea e sequelas graves como síndrome de angústia respiratória aguda, síndrome de resposta inflamatória sistêmica e, mais raramente, morte súbita relacionada com a lesão pulmonar aguda, hemólise, doença enxerto-hospedeiro e infusão incorreta.

Correção de outras causas reversíveis

Em pacientes com expectativa igual ou superior a 06 meses, bom *performance status*, os sintomas de anemia também podem ser paliados também com correção de outras formas de anemia passíveis de correção, como a deficiência de ferro, ácido fólico e vitamina B12, detectáveis por padrão de anemia macrocítica. Considerar as seguintes medidas terapêuticas:

- Reposição de ácido fólico e vitamina B12.
- Suplementação de ferro.

Em todos os pacientes, diante da perda aguda sanguínea considerar medidas para controle de perda sanguínea aguda e crônica a depender do sítio de sangramento. Nesta fase, intensifica-se a possibilidade de um evento hemorrágico de grande magnitude e que é a causa de morte dos pacientes em 6% dos pacientes com câncer terminal na Comunidade Europeia. O uso de medidas medicamentosas como o ácido transanêmico ou ácido épsilon aminocaproico e o etamsilato são alternativas de controle.

Tratamento não farmacológico

As terapias incluem a otimização de fluidos, abordagem nutricional e do equilíbrio eletrolítico, melhoras no padrão de sono, uso de terapia reparadora (p. ex.: jardinagem e meditação) e exercícios. Das estratégias não farmacológicas disponíveis, a atividade física oferece a evidência mais forte de valor em aliviar a fadiga relacionada com o câncer.

Os benefícios fisiológicos do exercício sobre a fadiga incluem a diminuição da frequência cardíaca de repouso e pressão arterial, o uso eficiente da energia, fortalecimento muscular e promoção de sono reparador. Do ponto de vista psicossocial, o exercício diminui os níveis de hormônio do estresse, aumenta a sensação de bem-estar do paciente, transmite uma sensação de controle, substitui a fadiga comum a resposta saudável para os efeitos do tratamento e fornece uma oportunidade de comungar com a natureza.

HEMOTRANSFUSÃO EM PACIENTES TERMINAIS

Pacientes com doença em estágio terminal (sobrevida até 6 meses) desenvolvem anemia lentamente e toleram baixos níveis de hemoglobina com surgimento de poucos sintomas, na maioria dos casos. Desta forma, em doentes terminais, é difícil apurar se as transfusões sanguíneas são benéficas para a paliação dos sintomas e quais os pacientes que se beneficiariam de hemotransfusão. Nestes pacientes, o objetivo é melhorar a qualidade de vida.

Em trabalhos multicêntricos, a transfusão ofereceu benefícios no alívio de sintomas como dispneia, fadiga e melhora da sensação de bem-estar, mantendo-se por 2 semanas após a transfusão.

De acordo com MONTI, em uma casuística na qual dispneia intensa e fadiga estiveram presentes em 29% dos pacientes transfundidos, controle de sintomas só foi alcançado em 50% dos pacientes e com sobrevida curta para aqueles que não encontraram benefícios. Os autores estudaram 246 pacientes terminais internados para cuidados críticos em uma unidade de cuidados paliativos (60% morreram durante a mesma internação, uma média de 49 dias após a transfusão) e relataram melhora subjetiva de bem-estar após a transfusão de sangue em 51,4% dos casos, sem relação significativa com os níveis de hemoglobina pré-transfusão ou alteração de *status* funcional (KPS). A influência da transfusão de sangue não estava relacionada com a gravidade da dispneia ou fadiga. Os resultados sugeriram que, se transfusões são administradas durante as últimas 4 semanas de vida, estas são altamente passíveis de se tornarem em um procedimento fútil que não influencia a qualidade de vida.

Pacientes, em estágio terminal, foram relatados como de alto risco para hemotransfusão, quando esta é indicada com base apenas nos valores de hemoglobina sugeridos pelo NCI ou OMS. Alguns autores documentaram que:

- Pacientes com câncer terminal em hospitais de cuidado convencional são três vezes mais transfundidos que aqueles sob cuidados em *hospices*.
- As taxas de transfusão nas últimas 7 semanas de vida do paciente com câncer são mais altas (27%) em hospitais de cuidado convencional do que em serviços de assistência domiciliar e *hospices* (4 e 8%, respectivamente). A falta de eficácia de transfusões em pacientes doentes terminais e nas últimas semanas de vida pode estar relacionada com o fato de que, a contribuição de níveis baixos de hemoglobina para a doença do paciente, no contexto do prognóstico reservado, parece ter menor importância e, por conseguinte, pode não influenciar o seu bem-estar subjetivo. Melhores resultados só poderão ser alcançados com seleção criteriosa de pacientes (Quadro 6).
- Carecemos, ainda, de uma adequada correlação entre níveis séricos de hemoglobina e presença e severidade de sintomas e, por conseguinte, de melhor definição do momento oportuno para uma transfusão realmente eficaz no controle de sintomas.

Em outro estudo, os autores avaliaram o efeito da transfusão de sangue no controle dos sintomas em 112 pacientes com câncer avançado que apresentavam um valor médio de hemoglobina de 7,1 g/dL e receberam um número médio de 3,7 unidades de concentrado de hemácias. A diferença média entre o valor de hemoglobina e o valor de referência após a primeira unidade de sangue foi 1,75 g/dL e depois da segunda unidade foi 1,43 g/dL. Controle dos sintomas foi mantido por um período médio de resposta de 18,5 dias após cada transfusão. A sobrevida média dos pacientes foi de 3 meses, sendo que uma semana após a transfusão, houve excelente controle dos sintomas em relação à qualidade de vida.

Assim, alguns trabalhos sugerem que nível de hemoglobina < 7 mg/dL, acompanhado de sintomas como angina, falha de bomba cardíaca e dispneia, sangramento ativo com repercussão hemodinâmica ou seguido de sintomas de hipovolemia, deterioração funcional (queda abrupta de KPS que comprometa atividades diárias) podem servir como referência e como um padrão para tomada de decisão e adequada indicação de transfusão de hemoconcentrados nestes pacientes.

Quando interromper esquemas de hemotransfusão?

Em termos simples, transfusões devem ser interrompidas ou não indicadas, quando as metas clínicas já não podem ser cumpridas. Os parâmetros clínicos ou fisiológicos que irão ditar o ponto final de uma série de transfusão de hemoderivados incluem: perda sanguínea superior a possível substituição (como a erosão de artéria carótida por tumor), KPS ≤ 30%, incapacidade de obter acesso venoso e incapacidade para compatibilizar amostra sanguínea decorrente de anticorpos.

Parâmetros relacionados com a experiência clínica do profissional que determinam a inutilidade de transfusões em curso incluem: correta avaliação de proximidade do óbito, falha da transfusão em atingir os objetivos esperados para a melhora da astenia, fadiga e dispneia.

Contraindicações

São consideradas contraindicações para indicação de hemotransfusão: hemotransfusão prévia sem benefício relatado pelo paciente/família e pacientes sob cuidados ao fim da vida com tempo de vida esperado < 2 semanas.

CONCLUSÃO

O sangue e todo o seu processo de aquisição para uso em transfusão são onerosos para a sociedade. Não é um recurso a ser considerado como um bem adquirido utilizado de forma liberal, sem responsabilização e desperdiçado. A partir de uma perspectiva social, o custo de sangue deve ser avaliado, incluindo os vários custos envolvidos: doadores, custo de produção de componentes do sangue para transfusões, custo de transfusão de logística e de preparação nos hospitais, custo de gestão e de controle efetivo de hemotransfusões, custo do tratamento de eventos adversos relacionados com a transfusão e custos do tratamento de doenças transmitidas por transfusão.

Assim, ao tratar anemia em pacientes com cuidados paliativos com transfusão de concentrados de hemácias, fatores como o custo-benefício e os riscos associados ao grau de invasão dos tratamentos devem ser considerados. Não há dúvida de que a investigação em busca de alternativas à transfusão de sangue merece grande atenção. Em paralelo, precisamos definir corretamente o uso estratégico de transfusão de sangue e agentes eritropoéticos para atender melhor as diferentes necessidades clínicas, psicológicas e éticas do heterogêneo grupo de pacientes anemiados com câncer. O objetivo do tratamento da anemia sob medida para um paciente com câncer terminal tem de ser avaliado de forma individualizada, à beira do leito, considerando os riscos e benefícios, por um médico experiente em conjunto com as preferências do paciente e valores. Caso contrário, nós tratamos a anemia, mas não o paciente.

BIBLIOGRAFIA

Ahmedzai SH. Supportive, palliative and terminal care. In: Cavalli F, Hansen H, Kaye SB. (Eds.). *Textbook of medical oncology.* 2nd ed. London: Dunitz, 2000. p. 665-89.

Cella D, Dobrez D, Glaspy J. Control of cancer-related anemia with erythropoietic agents: a review of evidence for improved quality of life and clinical outcomes. *Ann Oncol* 2003;14:11-519.

Douglas SP, Crook ED, Reynolds MD *et al.* There is power in the blood: a case discussing ethical issues of utility of resources. *Am J Med Sci* 2001;322:145-50.

Dunn A. Anemia at the end of life: prevalence, significance, and causes in patients receiving palliative care. *J Pain Symptom Manage* 2003;26(6):1132-39.

Eagleton HJ, Littlewood TJ. Update of the clinical use and misuse of erythropoietin. *Curr Hematol Rep* 2003;2:109-15.

Elderly patients are being left out of critical cancer research and not offered the best treatment options. *Ann Oncol* 2002;13:1693-94.

Loney M, Chernecky C. Anemia. *Oncol Nurs Forum* 2000;27:951-62.

Ludwig H, Van BS, Barrett-Lee P *et al.* The European Cancer Anaemia Survey (ECAS): a large, multinational, prospective survey defining the prevalence, incidence, and treatment of anaemia in cancer patients. *Eur J Cancer* 2004;40:2293-306.

Ludwig H. Anaemia in elderly patients with cancer: Focus on chemotherapy-induced anaemia. *J Geriat Oncol In press.*

Ludwig H. Anemia of hematologic malignancies: what are the treatment options. *Semin Oncol* 2002;29(Suppl 8):45-54.

Monti M, Castellani L, Berlusconi A *et al.* Use of red blood cell transfusions in terminally ill cancer patients admitted to a palliative care unit. *J Pain Symptom Manage* 1996;12(1):18-22.

Parker Wiliams EJ. Investigation and management of anaemia. *Medicine* 2004;32:14-20.

Tanneberger S, Pannuti F, Mirri R *et al.* Hospital-at-home for advanced cancer patients within the framework of the Bologna Eubiosia project: an evaluation. *Tumori* 1998;84:376-82.

Quadro 6. Seleção adequada de pacientes para hemotransfusão

- Critérios relacionados com o paciente
  - Estado cognitivo: alerta e orientado
  - *Status* cardiovascular e pulmonar estável
  - Capacidade de comunicação preservada
  - Acesso venoso satisfatório
  - Perfil ambulatorial (KPS > 50%)
  - Sem restrição de idade
  - Consentimento livre e esclarecido
  - Sem relatos prévios de reações transfusionais
- Critérios do cuidador
  - Consentimento do cuidador
  - Cuidador adulto e competente
- Critérios da avaliação médica
  - Anemia sintomática
  - Apropriada indicação

Dados de Kaaron Benson, 2006.

Índice Remissivo

Entradas acompanhadas por um f ou q em itálico indicam figuras e quadros respectivamente.

5-FU (5-Fluorouracil), 331

A

AAPR (Amputação Abominoperineal do Reto), 879, 880
AAPREL (Amputação Abominoperineal do Reto Extraelevadora), 880
Ablação
  intersticial, 896
    técnicas de, 896
      complicações, 896
      indicações, 896
      resultados, 896
  percutânea, 315f, 316f
  tumoral, 315
    na metástase hepática, 315, 316
      dos tumores, 315, 316
        de cólon e reto, 315
        neuroendócrinos, 316
    no hepatocarcinoma, 315
Abordagem
  das lesões mamárias, 1095-1113
    Core biópsia, 1105, 1106
      por mamografia, 1105, 1106
      por US, 1105, 1106
    mamotomia, 1105, 1106
      por mamografia, 1105, 1106
      por US, 1105, 1106
    PAAF, 1105, 1106
      por mamografia, 1105, 1106
      por US, 1105, 1106
    palpáveis, 1095-1102
      avaliação, 1097, 1098
        diagnóstica, 1100
        do tecido, 1099
        inicial, 1097
        por imagem, 1098
      etiologia, 1095
      teste triplo, 1100
    procedimentos invasivos, 1107-1112
      guiados por RM, 1107-1112
Abscesso
  perianal, 233f
  pulmonar, 672
Acesso(s)
  fronto-orbitotemporal, 534
  transcranial, 534
  vasculares, 165
    na cirurgia oncológica, 165
  venoso, 1715-1717
    biocompatibilidade, 1715
    catéter venoso, 1715
      de longa permanência, 1715
    catéter venoso central, 1717
      de inserção periférica, 1717
    complicação, 1717
    histórico dos catéteres, 1715

ACG (Atipias de Células Glandulares), 1322
  colpocitologia de, 1324f
    conduta para mulheres com, 1324f
ACI (Artéria Carótida Interna), 541
Acidose
  láctica, 236
ACIP (Comitê de Aconselhamento em Práticas de Imunização)
  do CDC, 270
ACR (*American College of Radiology*), 1035
  BI-RADS®, 280, 1063
    committee, 1063
ACRIN (*The National CT Colonography Trial of the American College of Radiology Imaging Network*), 288
Acrometástase
  de tumor, 388f
  do pulmão, 388f
ACS (Sociedade Americana de Câncer), 287
ACTH (Hormônio Adrenocorticotrófico), 84
ADC (Coeficiente Aparente de Difusão), 296
ADE (Adenocarcinoma), 110f, 486, 625, 646f
  com células em anel de sinete, 123f
  de parótida, 482f, 491f
    direita, 491f
      volumoso, 491f
    esquerda, 482f
  de próstata, 158f, 159f
    IMRT por, 159f
      com irradiação pélvica, 159f
  de pulmão, 307f
    em estadiamento, 307f
  do intestino delgado, 815
  do processo uncinado, 125f
  intramucoso, 96f
    sequência de RE de, 96f
  invasor, 1322
  metastático, 127f
  pancreático, 929-939
    biologia molecular no, 930
    da cauda do pâncreas, 938
      tratamento do, 938
    diagnóstico, 931, 932
      clínico, 931
      por imagem, 932
    do corpo do pâncreas, 938
      tratamento do, 938
    duodenopancreatectomia no, 937, 939
      controvérsias, 937
      de tumores não periampulares, 939
    estadiamento, 933
      AJCC, 933
    estágio, 934
    fatores de risco, 929
    fatores prognósticos, 934
    JPS, 934
    laparoscopia, 933
    marcadores tumorais, 931
    metástases, 934

    patologia, 931
    progressão gênica, 930
      modelo da, 930
    síndromes hereditárias, 930
    tratamento, 934
      cirúrgico, 936
        procedimento de Whipple, 936
      tumor primário, 934
Adenoma
  adrenocortical, 972
    tratamento, 972
Adenose
  na mama, 1050
ADH (Hormônio Antidiurético), 84
AFP (Alfafetoproteína), 162
  uso clínico, 78
AFX (Fibroxantoma Atípico), 341
AG (Adenocarcinoma Gástrico), 744f, 795
  estadiamento de, 799q
    AJCC, 799q
  fatores de risco, 795q
Agente(s)
  alquilantes, 151, 243
  antimicrotúbulos, 152, 153q
  quimioterápicos, 1518, 222q
    e efeitos adversos relevantes, 222q
      ao período peroperatório, 222q
    usados em câncer ginecológico, 1518
      alcaloides da vinca, 1520
      alquilantes, 1518
      antibióticos, 1520
      antimetabólicos, 1519
      antraciclinas, 1520
      compostos platínicos, 1518
      taxanos, 1521
AIDS (Síndrome da Imunodeficiência Humana), 122, 355, 363, 1903
  linfoma de SNC em, 1879
    primário, 1879
AIH (Autorização de Internação Hospitalar), 18
AINE (Anti-Inflamatória Não Esteroide), 331
AIS (Adenocarcinoma *in situ*), 1318, 1322
AJCC (*American JointCommittee on Cancer*), 60, 357
  estadiamento, 358q
  sistema do, 380q
    de estadiamento, 380q
    dos tumores ósseos malignos, 380q
AJEG (Adenocarcinoma da Junção Esofagogástrica), 785-792
  características clinicopatológicas, 786
  classificação de Siewert, 785
  epidemiologia, 785
  estadiamento, 786
    TNM, 786q
  fatores de risco, 785
  patologia, 785
  tratamento, 786, 787
    adjuvante, 788

I-1

cirúrgico, 787
endoscópico, 786
neoadjuvante, 788
paliativo, 792
QT, 789
  adjuvante, 789
  isolada, 789
    versus cirurgia, 789
  neoadjuvante, 790
RQT, 789, 790
  adjuvante, 789
  neoadjuvante, 790, 791
    versus QN, 791
Albinismo, 333
Aloenxerto
de banco de ossos, 380*f*
reconstrução com, 380*f*
  associado a autoenxerto fibular, 380*f*
  resultado radiográfico da, 380*f*
ALT (Retalho Livre Anterolateral da Coxa), 210
marcação do, 210*f*
Alta Complexidade
em oncologia, 17*q*
  no SUS, 17*q*
evolução da, 17*q*
  na rede de atenção oncológica, 17*q*
Alteração(ões)
borderline, 1051
  na mama, 1051
    cicatriz radiada, 1051
    HDA, 1051
    LIN, 1051
    papiloma, 1051
das mamas, 1038
  funcionais, 1038
    benignas, 1038
epigenéticas, 47
genéticas, 47
  nas células neoplásicas, 47
moleculares comuns, 625
  em câncer de pulmão, 625
    em pRb, 625
    em TP53, 625
    LOH 3p, 625
Ameloblastoma, 446
aspecto tomográfico de, 451*f*
de células granulares, 448*f*
de mandíbula, 452*f*, 453*f*, 454*f*
  de ramo ascendente, 453*f*
  gigante, 452*f*
de maxilar direito, 450*f*
  com invasão da órbita, 450*f*
de seio maxilar, 477*f*, 448*f*
  direito, 448*f*
  esquerdo, 447*f*
em ângulo, 448*f*
  da mandíbula, 448*f*
maligno, 447
multiloculado, 448*f*
  em côndilo, 448*f*
    da mandíbula, 448*f*
  em processo coronoide, 448*f*
    da mandíbula, 448*f*
recidivado, 447*f*
ressecção de, 446*f*, 451*f*
  aspecto tomográfico após, 451*f*
  com adelgaçamento e perfuração, 446*f*
    das camadas ósseas, 446*f*
tratamento, 449*f*
  aspecto cirúrgico de, 449*f*
AML (Actina de Músculo Liso), 361
Ampliação
na mamografia, 1028
  compressão e, 1028
    associação entre, 1028

AMS (Assembleia Mundial da Saúde), 37
Analgesia
na doença avançada, 1568
  de colo uterino, 1568
peroperatória, 1702
Análogo(s)
da platina, 151
Anastomose(s)
clampes de, 208*f*
coloanal, 846
  com bolsa colônica, 846
  em J, 846
terminolateral, 208*f*
  da veia renal, 208*f*
    na veia cava inferior do rato, 208*f*
ANCA (Anticorpos Contra o Citoplasma de Neutrófilos), 88
Anemia
em cuidados paliativos, 2033-2036
  abordagem terapêutica, 2034
  definição, 2033
  diagnóstico, 2034
  em câncer avançado, 2035
  fisiopatologia, 2033
  sintomatologia, 2033
  tratamento da, 2035
Anestesia
em oncologia, 215-219
  avaliação pré-anestésica, 215
  considerações gerais, 215
  especialidades cirúrgicas, 216
    abdominal, 216
    cabeça e pescoço, 217
    neurocirurgia, 218
    pediátrica, 218
    pélvica, 216
  procedimentos, 216
    ambulatoriais, 216
    fora do centro cirúrgico, 216
para adulto, 587
  na traqueostomia, 587
pediátrica, 1701-1703
  para cirurgia abdominal de grande porte, 1701-1703
  protocolos de conduta na rotina de, 1701-1703
Anexo(s) Cutâneo(s)
tumores malignos dos, 338
  cânceres das glândulas, 338
    apócrinas, 338
    écrinas, 338
    sebáceas, 338
  carcinomas do pelo, 339
Angioendotelioma
papilar, 363
  intralinfático, 363
Angiogênese, 48
etapas da, 48*f*
proteínas relacionadas à, 48
Angiossarcoma, 377, 561
de couro cabeludo, 561*f*
de partes moles, 363
ANS (Agência Nacional de Saúde), 249
Ansiedade
transtorno de, 253
  diagnóstico de, 253
  intervenção psicológica, 255
    resultados da, 255
  tratamento da, 254, 255*q*
    drogas usadas no, 255*q*
Antibioticoterapia
profilática, 1701
terapêutica, 1701
Anticorpo(s)
contra antígenos tumorais, 50

identificação através de, 50
  de proteínas específicas, 50
monoclonais, 154
Antígeno(s)
tumorais, 50
  anticorpos contra, 50
Antimetabólicos, 151
Antimetabólitos, 243
ANVISA (Agência Nacional de Vigilância Sanitária), 37
Aorta
abdominal, 207*f*
  de rato *Winstar*, 207*f*
    microanastomose da, 207*f*
    secção da, 207*f*
do rato, 208*f*
  seccionada, 208*f*
    com clampes de anastomose, 208*f*
invasão da, 675
APAC (Autorização de Procedimentos de Alta Complexidade), 18
APBI (Irradiação Acelerada Parcial da Mama)
indicação de, 1279
  cuidados, 1279
modalidade ideal de, 1275
pacientes adequadas para, 1277*q*
  com precauções, 1277*q*
pacientes não adequadas para, 1278*q*
potenciais vantagens da, 1276
APC (Polipose Adenomatosa Coli), 834
APS (Atenção Primária à Saúde), 40
AR (Artrite Reumatoide), 88, 243, 244
Área(s)
de baixa atenuação de permeio, 280*f*
  no lobo superior do pulmão, 280*f*
    direito, 280*f*
de consolidação, 280*f*
  com broncogramas aéreos, 280*f*
Arquitetura
da mama, 1033
  distorção focal da, 1033
Arsênico
e câncer de pulmão, 622
Artéria
carótida, 582
  invasão da, 582
    no esvaziamento cervical, 582
esplênica, 125*f*
  lesão sem interface nítida com a, 125*f*
  de corpo pancreático, 125*f*
Artrite
paraneoplásica, 89*q*
  diagnóstico de, 89*q*
  fatores associados ao, 89*q*
Artropatia(s), 88
Asbesto
câncer de pulmão e, 622
exposição ao, 734*q*
  duração da, 734*q*
fibras de, 735*q*
  classificação das, 735*q*
ASC (Células Escamosas Atípicas), 1321
ASC-H (Células Escamosas Atípicas em que Não se Pode Excluir Lesão de Alto Grau)
colpocitologia de, 1323*f*
  conduta para mulheres com, 1323*f*
manejo de mulheres com, 1322
Ascite
maligna, 1990-1992
  diagnóstico, 1990
  etiologia, 1990
  fisiopatologia, 1990
  tratamento, 1991
na doença avançada, 1573
  de ovário, 1573
ASCO (Sociedade Americana de Oncologia Clínica), 53, 283

ASC-US (Células Escamosas Atípicas de Significado Indeterminado), 1321
   colpocitologia de, 1323f
      conduta para mulheres com, 1323f
   manejo de mulheres com, 1322
Askin
   tumor de, 727
Aspecto(s) Controverso(s)
   na cirurgia oncológica, 166
      TVP, 166
      opioides, 167
      proteção da ferida operatória, 167
      transfusão de sangue, 167
Aspecto(s) Ético(s)
   da prática oncológica, 21-26
      código de ética médica 2010, 24
         principais pontos do, 24
      consentimento, 25
         esclarecido, 25
         livre, 25
      cuidados paliativos, 26
         ética em, 26
      médicos, 22
         deveres dos, 22
         direitos dos, 22
      paciente oncológico, 23
         direitos do, 23
      princípios fundamentais, 21
         bioética, 21
         deontologia, 21
         diceologia, 21
         ética, 21
            e oncologia, 22
            médica, 21
            moral, 21
      sigilo médico, 24
         prontuário médico, 24
Aspirado
   cístico, 130f
      avaliação da viscosidade do, 130f
Asplenia
   funcional, 270
Assimetria
   da mama, 1033
      difusa, 1033
      focal, 1033
Aster e Coller
   classificação de, 164
      carcinoma de cólon e reto, 164
Astrocitoma
   apresentação clínica, 1833
   cerebelar, 1833
   complicações, 1835
   de alto grau, 1869-1874
      tratamento sistêmico de primeira linha dos, 1869-1874
         no idoso, 1873
         pseudoprogressão, 1873
         RQT com base em temozolamida, 1870
            fatores prognósticos em, 1871
   investigação diagnóstica, 1833
   patologia, 1833
   prognóstico, 1835
   tratamento, 1834
Atipia
   epitelial, 1017
      plana, 1017
ATM (Articulação Temporomandibular), 541
ATM (*Ataxia-Telangectasia Mutated*), 157
ATP (Trifosfato de Adenosina), 152
Autoenxerto
   fibular, 380f
      reconstrução com, 380f
         associado a aloenxerto, 380f
AVE (Acidente Vascular Encefálico), 552
Azul de Toluidina
   fragmento de pele corado com, 71f, 74f
      cortado por congelação, 71f, 74f

B

β-HCG (Gonadotrofina Coriônica Humana)
   uso clínico, 78
Bactéria(s)
   e câncer de cólon, 819
Baixa Atenuação
   de permeio, 280f
      no lobo superior do pulmão, 280f
         direito, 280f
Balanço
   hídrico, 2013
Balanite
   ceratótica, 1605
   xerótica, 1605
      obliterante, 1605
Banco de Osso(s)
   aloenxerto de, 380f
Barreira(s)
   mucosas, 270
      lesão de, 270
Base do Crânio
   tumores da, 549-556
      anatomia, 549
      complicações, 555
         fatores que implicam nas, 556q
         incidência de, 556q
         locais, 556q
         pós-operatórias, 556q
      fatores prognósticos, 555
      histologia, 549
      modalidade de tratamento, 550
Base(s) Biomolecular(es)
   aplicadas à ginecologia oncológica, 1353-1366
      câncer ginecológico, 1353-1355, 1357, 1358
         biologia molecular do, 1353-1355
         genética no, 1357-1358
      marcadores tumorais, 1363-1365
         em ginecologia, 1363-1365
      tumores ginecológicos, 1359-1361
         fatores prognósticos em, 1359-1361
BCLC (*Barcelona Clinic Liver Cancer*), 315
bEGF (Fator de Crescimento Fibroblástico Básico), 48
Bevacizumabe, 1253, 1521
   e CEO, 1541
Bexiga
   câncer de, 178, 1673-1680
      acompanhamento clínico, 1680
      carcinoma urotelial musculoinvasor, 1676
         tratamento no, 1676
      classificação, 1674
      diagnóstico, 1673
      epidemiologia, 1673
      estadiamento TNM, 1674q
      estratificação de risco, 1674
      etiologia, 1673
      fatores de risco, 1673
      metastático, 1680
      quadro clínico, 1673
      tratamento dos tumores, 1675
         T1, 1675
         TA, 1675
         TIS, 1675
      tratamento paliativo, 1680
      tumor musculoinvasivo, 1680
         tratamentos conservadores, 1680
      VC no, 178
Bilobectomia, 657
Bioética, 21
Biologia Molecular
   em oncologia, 43-51
      ácidos nucleicos, 49
         detecção de sequências específicas de, 49
         hibridação, 49
      alterações epigenéticas, 47
      angiogênese, 48
         etapas da, 48f
         proteínas relacionadas à, 48

      aplicações da, 51
         para prevenção, 51
         para tratamento, 51
      câncer, 44, 47
         causas do, 44
         origem do, 47
      células neoplásicas, 44, 47
         alterações genéticas nas, 47
         propriedades das, 44
      genes supressores de tumor, 50
         marcadores que expressam os, 50
      genética do tumor, 44
      marcadores tumorais, 48, 49
         detecção de, 49
      mutações epigenéticas, 47
      oncogene, 46, 50
         marcadores que expressam os, 50
      progressão tumoral, 45
      proteínas específicas, 50
         identificação através de anticorpos de, 50
      TSG, 46
         selecionados, 46q
Biomarcador(es), 155
Biópsia(s)
   com *punch*, 330
   de congelação, 484
      do câncer, 484
      de glândula salivar, 484
   de nódulo pulmonar, 314f
   de SPM, 367-370
      estadiamento, 368
      exames de imagem, 367
      fatores prognósticos, 370
      incisional, 367
      PET, 368
      PET-CT, 368
      por agulha grossa, 367
      por PAAF, 367
   excisional, 330
   guiada por RMM, 1059
   incisional, 330
   percutâneas, 313, 314f
   pericárdica, 751
      por toracoscopia, 751
      por toracotomia, 751
   pleural, 744f
   saucerização, 330
   shave, 330
   transjugulares, 313, 314f
BI-RADS® (*Breast Image Reporting and Data System*), 1035
   classificação, 1047q, 1063-1085
      em mamografia, 1063-1085
         capítulo guia, 1065
         categorias, 1063, 1066
            de avaliação, 1066
            para avaliação, 1063
         organização do laudo, 1066
         termos de exame, 1065
      em RM, 1063-1085
         captação não massa, 1081q
         categorias BI-RADS®, 1084
         léxico, 1079
         localização das lesões, 1083q
         partes do BI-RADS®, 1079
      em US, 1063-1085
         achados ultrassonográficos, 1070
         classificação em categorias, 1075
         descrição do léxico, 1069
   do ACR, 280
Bloqueador
   neuromuscular, 1703
      e antagonismo, 1703
BLS (Biópsia do Linfonodo Sentinela), 1199-1203
   e análise histopatológica, 1200
   em determinados contextos clínicos, 1201
      CMM, 1201

em CDIS, 1202
em cirurgia prévia, 1202
axilar, 1202
em LMI, 1202
mamária, 1202
em doença multicêntrica, 1202
em gestantes, 1202
em QN, 1201
grandes tumores, 1201
da mama, 1201
na cirurgia, 1199
do câncer de mama, 1199
papel na, 1200
da IHQ, 1200
no CLI, 1201
da RT-PCR, 1200
pós-QN, 1207-1209
pré-QN, 1207-1209
Boca
anastomótica, 102
recidiva em, 102
câncer de, 429-443
avanços tecnológicos, 442
diagnóstico/terapia, 442
biologia molecular, 431
características clínicas, 431
quadro clínico, 431
regiões anatômicas, 431
comportamento biológico, 431
controvérsias, 441
manejo da mandíbula, 442
manejo do pescoço, 441
diagnóstico, 432
epidemiologia, 429
estadiamento, 433
etiologia, 430
fatores preditivos prognósticos, 433
histórico, 429
prognóstico, 442
tratamento por estágios, 434
aspectos transoperatórios, 437
considerações gerais, 434
do andar inferior, 436
do andar superior, 435
reconstrução, 438
tumores recidivados, 437
Bócio
multinodular, 417f
de tireoide, 417f
Bormann
classificação de, 796f
para CG avançado, 796f
Breslow
classificação de, 398q
Broncograma(s)
aéreos, 280f
área de consolidação com, 280f
Broncoplastia
em manga, 658
lobectomia com, 658
BT (Braquiterapia)
3D, 1556
de HDR, 159
de LDR, 159
de SPM, 375
elegibilidade para, 1278
critérios de, 1278
no retinoblastoma, 1729
para tumores cervicais, 582
irressecáveis, 582
BTA (Antígeno Tumoral da Bexiga), 162
Butchart
sistema de, 737q
de estadiamento, 737q
BV-RMM (Biópsia a Vácuo Guiada pela Ressonância Magnética de Mama), 1060

C

CA
de reto, 231f
metástases pulmonares de, 231f
múltiplas, 231f
CA (Carcinoma Adrenocortical)
avaliação hormonal, 973
estadiamento, 973
estudos radiológicos, 973
patogênese, 972
esporádico, 973
síndromes genéticas, 972
quadro clínico, 973
tratamento, 973
cirúrgico, 973
sistêmico, 974
CA (Ceratose Actínica), 337
CA 125 (Antígeno do Câncer 125), 162
uso clínico, 79
CA 15-3 (Antígeno do Câncer 15-3), 162
uso clínico, 79
CA 19-9 (Antígeno do Câncer 19-9), 163
uso clínico, 79
CA 27-29
uso clínico, 79
CAB (Carcinoma Bronquioloalveolar), 306
Cabeça
câncer de, 143, 595-599
preservação de órgão em, 595-599
alvo molecular, 596
estudo com terapia de, 596
avanços na RXT, 597
casos ilustrativos, 598
era da quimiorradioterapia, 598
fatores prognósticos na, 598
principais estudos, 595, 596
com quimiorradioterapia concomitante, 595
com terapia sequencial, 596
QT de indução, 596
terapia nutricional em indivíduos com, 143
submetidos ao tratamento cirúrgico, 143
exame geral da, 503
melanoma da, 349
primário, 349
neoplasias de, 62, 586
traqueostomia na, 586
pancreática, 127f, 129f
lesão da, 127f, 129f
císticas, 129f
neoplásica, 127f
reconstrução de, 601-616
craniana, 614
da cavidade oral, 614
da nasofaringe, 614
da orelha, 602
da orofaringe, 614
do couro cabeludo, 602
do terço médio da face, 614
formas de, 601
enxertia, 601
retalhos, 602
frontal, 602
mandibulares, 615
manejo pós-operatório, 615
microcirúrgicas, 613
nasal, 609
occipital, 602
opções reconstrutivas em, 613q
preferenciais, 613f
perioral, 610
periorbitária, 605
tumores, 601
cutâneos, 601
outros, 601
tumores de, 141, 765
epiteliais malignos, 765

CACON (Centro de Assistência de Alta Complexidade em Oncologia), 16
CAE (Conduto Auditivo Externo), 539
ressecção local do, 543
Calcificação(ões), 1065
descrição das, 1073
Calcineurina
inibidores da, 243
Calcitonina, 163
CAM (Cistoadenoma Mucinoso), 127, 129
Canal Anal
câncer de, 877-880
agentes virais, 878
anatomia, 877
cirurgia de resgate, 880
epidemiologia, 877
estadiamento, 878
do UICC, 879q
excisão local, 879
fatores de risco, 878
história natural da doença, 877
QT, 879
quadro clínico, 878
diagnóstico, 878
RXT, 879
tratamento, 879
Canal Secundário
neoplasia de, 132f
intraductal, 132f
Câncer(es)
abdominal, 144
terapia nutricional em indivíduos com, 144
submetidos ao tratamento cirúrgico, 144
causas do, 44
como sequela da infecção, 1347
por HPV, 1347
corpo uterino, 1407-1420
de endométrio, 1047-1414
fatores, 1407, 1409
de risco, 1407
prognóstico, 1409
rastreamento, 1408
manifestações clínicas, 1408
diagnóstico, 1408
carcinogênese do, 1408
tratamento cirúrgico, 1411
preservação da fertilidade, 1412
RXT adjuvante, 1412
QT adjuvante, 1413
doença recidivada, 1414
seguimento, 1414
de linhagens diversas, 1417-1420
epidemiologia, 1417
fatores de risco, 1417
histologia, 1417
manifestações clínicas, 1418
diagnóstico, 1418
avaliação pré-cirúrgica, 1419
estadiamento, 1419
tratamento cirúrgico primário, 1419
terapia adjuvante, 1419
recidiva, 1420
doença metastática, 1420
seguimento, 1420
da orelha, 539-547
características clínicas, 539
complicações, 545
intraoperatórias, 545
pós-operatórias, 545
diagnóstico, 540
discussão, 542
epidemiologia, 539
estadiamento clínico, 541
da Universidade de Pittsburgh, 541q
etiologia, 539
prognósticos, 546
quimioterapia, 546

resultados, 546, 547
RXT, 546
tratamento, 541
   cirúrgico, 542
   do pescoço, 545
das glândulas, 338, 973q
  apócrinas, 338
  écrinas, 338
  sebáceas, 338
  suprarrenal, 973q
   estadiamento TNM para, 973q
de bexiga, 178, 1673-1680
  carcinoma urotelial musculoinvasor, 1676
   tratamento no, 1676
  classificação, 1674
  diagnóstico, 1673
  epidemiologia, 1673
  estadiamento TNM, 1674q
  estratificação de risco, 1674
  etiologia, 1673
  fatores de risco, 1673
  quadro clínico, 1673
  tratamento dos tumores, 1675
   TIS, 1675
   TA, 1675
   T1, 1675
  tumor musculoinvasivo, 1680
   acompanhamento clínico, 1680
   metastático, 1680
   tratamento paliativo, 1680
   tratamentos conservadores, 1680
  VC no, 178
de boca, 429-443
  avanços tecnológicos, 442
   diagnóstico/terapia, 442
  biologia molecular, 431
  características clínicas, 431
   quadro clínico, 431
   regiões anatômicas, 431
  comportamento biológico, 431
  controvérsias, 441
   manejo da mandíbula, 442
   manejo do pescoço, 441
  diagnóstico, 432
  epidemiologia, 429
  estadiamento, 433
  etiologia, 430
  fatores preditivos prognósticos, 433
  histórico, 429
  prognóstico, 442
  tratamento por estágios, 434
   aspectos transoperatórios, 437
   considerações gerais, 434
   do andar inferior, 436
   do andar superior, 435
   reconstrução, 438
   tumores recidivados, 437
de cabeça e pescoço, 143, 595-599
  alvo molecular, 596
   estudo com terapia de, 596
  avanços na RXT, 597
  casos ilustrativos, 598
  era da quimiorradioterapia, 598
   fatores prognósticos na, 598
  principais estudos, 595, 596
   com quimiorradioterapia concomitante, 595
   com terapia sequencial, 596
   quimioterapia de indução, 596
  terapia nutricional em indivíduos com, 143
   submetidos ao tratamento cirúrgico, 143
de canal anal, 877-880
  agentes virais, 878
  anatomia, 877
  cirurgia de resgate, 880
  epidemiologia, 877
  estadiamento, 878
   do UICC, 879q

excisão local, 879
fatores de risco, 878
história natural da doença, 877
QT, 879
quadro clínico, 878
  diagnóstico, 878
RXT, 879
tratamento, 879
de cólon, 45f, 94, 146, 150f, 173, 302f, 819-829
  causas, 819
  diagnóstico, 821
   colonoscopia, 822
   CTC, 822
   EBDC, 822
   PSOF, 821
   RF, 822
   teste DNA fecal, 821
  doença metastática, 829
   tratamento radical de, 829
  epidemiologia, 819
   taxa de mortalidade, 819q
  estadiamento, 823
   TNM, 823q
  estágios na evolução do, 45f
  fatores de risco, 819
  genética, 819
   bactérias, 819
   dieta, 819
   estilo de vida, 820
   etilismo, 820
   história familiar, 821
   medicamentos, 820
   obesidade, 820
   resistência à insulina, 820
   tabagismo, 820
  manifestações clínicas, 821
  metástase de, 302f
  metastático, 828
   tratamento do, 828
  prevenção, 821
  sequência na evolução do, 150f
   de mutações genéticas, 150f
  tratamento adjuvante, 826
  tratamento cirúrgico, 824
   avaliação de acompanhamento, 826
   mortalidade após ressecção, 826
   preparo pré-operatório, 824
   recidiva após ressecção, 826
   ressecção de múltiplos órgãos, 826
   situações especiais, 825
   técnicas operatórias, 824
  tratamento endoscópico no, 94
   análise histopatológica, 97
   indicações de RE, 95
   métodos de ressecção, 95
   tratamento cirúrgico, 98
   vigilância pós-ressecção, 98
  VC no, 173
de endométrio, 175, 1390, 1481, 1509-1515, 1531-1537
  apresentação clínica, 1532
  CMI, 1481
  diagnóstico, 1532
  epidemiologia, 1531
  estadiamento, 1532
  estadiamento do, 1390q, 1391q
   sistema FIGO, 1390q
   sistema TNM, 1391q
  estratificação de risco, 1533
  fatores de risco, 1531
  metastático, 1535
  na doença, 1531-1537
   recidivada, 1531-1537
   metastática, 1531-1537
  patologia, 1531
  prognóstico, 1532, 1537
  rastreamento, 1532

  recidivado, 1535
  seguimento, 1537
  tratamento adjuvante, 1531-1537
  tratamento cirúrgico, 1532
  valor da linfadenectomia no, 1509-1515
   não realização da, 1510
   realização seletivamente da, 1511
   de rotina, 1513
  VC no, 175
de esôfago, 120f, 145, 169, 775-782
  anatomia, 776
  apresentação clínica, 776
  diagnóstico, 777
  estadiamento, 777
   ficha de, 778q
  etiologia, 775
  ilustrações ecoendoscópicas de, 120f
  patologia, 776
  tratamento, 779
   acompanhamento, 781
   adjuvante, 780
   cirúrgico, 779
   complicações das esofagectomias, 780
   endoscópico, 779
   esofagectomia de resgate, 781
   neoadjuvante, 781
   paliativo, 781
   QT, 781
   RQT radical exclusiva, 781
   RXT, 780
  VC no, 169
de glândula salivar, 479-491
  biologia molecular, 482
  características clínicas, 482
  casuística do INCA, 487
  comportamento biológico, 482
  estadiamento, 487
  fatores preditivos prognósticos, 487
  frequência de tumores malignos menores de, 482q
   por sítios anatômicos, 482q
   por tipo histológico, 482q
  investigação diagnóstica, 483
  malignidade, 485q
   graus histológicos de, 485q
  marcadores tumorais, 483
  principais tipos de tumores de, 481q
   classificação histológica dos, 481q
  prognóstico, 491
  tipos histológicos, 485
  tratamento por estágios, 487
de hipofaringe, 511-518
  anatomia, 511
  biologia molecular, 512
  características clínicas, 511
  comportamento biológico, 512
  controvérsia, 517
  diagnóstico precoce, 518
  estadiamento, 512, 513q
   do pescoço, 513q
   e metástases a distância, 513q
   sistema TNM, 513q
   estágios do, 513q
   sistema TNM, 513q
  etiologia, 511
  fatores preditivos prognósticos, 512
  investigação diagnóstica, 512
  prevenção, 518
  prognóstico, 518
  quimioterapia, 517
  RXT, 517
  tratamento, 513
de laringe, 499-509
  anatomia, 500
  biologia molecular, 503
  características clínicas, 503
  comportamento biológico, 503
  em idosos, 509

epidemiologia, 499
estadiamento, 504
　classificação de TNM, 505q
estágio I, 504
　TI N0 M0, 504
estágio II, 504
　TII N0 M0, 504
estágio III, 506
　TIII N0 M0, 506
estágio IV, 508
　TIV N0 M0, 508
etiologia, 500
extensão da doença, 504
investigação diagnóstica, 503
opções terapêuticas, 504
recidivado, 509
taxa de mortalidade do, 499f, 500f
　bruta, 499f, 500f
de mama, 289, 902, 986, 989-993, 1001-1002,
　1005-1007, 1009-1013, 1015-1057,
　1091-1093, 1141-1169, 1171-1197, 1199,
　1251-1273, 1275-1299
　controvérsias no, 937
　associado à gravidez, 1163-1165
　　amamentação, 1164
　　apresentação, 1163
　　　anatomopatológica, 1163
　　　clínica, 1163
　　conduta obstétrica, 1164
　　contracepção, 1164
　　fertilidade, 1165
　　métodos diagnósticos, 1163
　　prognóstico, 1165
　　tratamento, 1164
　biologia molecular do, 989-993
　　adesão celular, 992
　　angiogênese, 991
　　aplicações clínicas, 993
　　apoptose reduzida, 990
　　ciclo celular, 989
　　classificação de Sorlie, 992
　　fatores de crescimento, 991
　　　e receptores, 991
　　genes de supressão tumoral, 990
　　oncogenes, 990
　　proteinases, 992
　　receptores esteroídicos, 991
　　regulação do crescimento celular, 989
　　replicação do DNA, 989
　cirurgia do, 1199
　　BLS na, 1199
　detecção precoce de, 1045f
　　RMM na, 1045f
　em idosas, 1151-1159
　　fatores, 1152
　　　histopatológicos, 1152
　　　prognósticos, 1152
　　manifestações, 1151
　　　clínicas, 1151
　　　radiológicas, 1151
　　planejamento terapêutico, 1153
　　prognóstico, 1152
　　tratamento, 1154, 1157
　　　locorregional, 1154
　　　sistêmico, 1157
　em jovens, 1141-1149
　　biologia molecular, 1143
　　definição, 1141
　　diagnóstico, 1143
　　epidemiologia, 1141
　　prognóstico, 1146
　　qualidade de vida, 1147
　　rastreamento, 1141
　　tratamento, 1144
　estadiamento do, 1009-1013
　　avaliação, 1009-1012
　　　de metástases, 1013

　　do tumor primário, 1011
　　linfonodos regionais, 1012
　　sistêmica, 1010
　linfonodos, 1009
　revisões no, 1011
　UJCC, 1012q
　genética e, 1001-1002
　　alterações epigenéticas descritas no, 1002
　　alterações genéticas, 1001
　　　relacionadas com a transmissão
　　　　hereditária, 1001
　　　somáticas, 1001
　　expressão gênica descritas no, 1002
　　　alterações de níveis de, 1002
　lesões precursoras do, 1015-1017
　　atipia epitelial plana, 1017
　　de células colunares atípicas, 1017
　　proliferativas, 1015, 1016
　　　ductais, 1016
　　　intralobulares, 1016
　　　sem atipias, 1015
　metástase hepática de, 902
　multicentricidade no, 1167-1169
　　abordagem axilar, 1168
　　prognóstico, 1169
　　teorias do desenvolvimento, 1167
　multifocalidade no, 1167-1169
　　abordagem axilar, 1168
　　prognóstico, 1169
　　teorias do desenvolvimento, 1167
　rastreamento do, 289
　　mamografia, 290
　　RM, 291
　　ultrassonografia, 290
　tratamento cirúrgico do, 1171-1197
　　após terapia neoadjuvante, 1185-1191
　　CMLA, 1181-1183
　　conservador, 1171-1176
　　radical, 1179-1180
　　recidiva local, 1195-1196
　　　após cirurgia conservadora, 1195-1196
　tratamento radioterápico no, 1275-1299
　　intraoperatória, 1275-1282
　　no carcinoma in situ, 1285
　　pós-cirurgia conservadora, 1287-1291
　　pós-mastectomia, 1293-1298
　tratamento sistêmico do, 1251-1273
　　hormonal adjuvante, 1271-1272
　　metastático, 1267-1269
　　QN, 1263-1264
　　QT adjuvante, 1259-1262
　　terapia-alvo, 1251-1254
　valor da cintilografia no, 1091-1093
　　avaliação de doença a distância, 1092
　　cirurgia radioguiada para diagnóstico, 1092
　　　de lesões subclínicas, 1092
　　diagnóstico, 1091
　　pesquisa do LNS, 1091
　valores dos marcadores tumorais no, 1005-1007
　　marcadores tumorais, 1007
　　　circulantes, 1007
　　　séricos, 1007
　　testes de avaliação molecular tecidual, 1005
de nasofaringe, 521-526
　biologia molecular, 522
　características clínicas, 521
　comportamento biológico, 522
　controvérsia, 525
　estadiamento, 523
　　classificação TNM, 523q
　investigação diagnóstica, 523
　prognóstico, 525
　tratamento, 523
de orofaringe, 493-497
　biologia molecular, 494
　características clínicas, 494
　diagnóstico, 494

　epidemiologia, 493
　estadiamento, 494
　　classificação de TNM, 495q
　etiologia, 493
　prognóstico, 495
　tratamento, 495
de ovário, 175, 1353, 1357, 1391, 1392q,
　1435-1458, 1482, 1505-1508, 1541-1542
　CMI, 1482
　biologia molecular do, 1353
　estadiamento do, 1391q, 1392q
　　sistema FIGO, 1391q
　　sistema TNM, 1392q
　não epitelial, 1455-1458
　　células germinativas, 1455
　　　tumores malignos de, 1455
　　cordão sexual, 1457
　　　tumores derivados do, 1457
　　estroma, 1457
　prática clínica do, 1357
　tumores ovarianos, 1435-1439
　terapia-alvo no, 1541-1542
　　bases moleculares do, 1541
　　CEO, 1541
　　　bevacizumabe e, 1541
　QTIP no, 1505-1508
　　complicações secundárias a, 1506
　　controvérsias no uso da, 1507
　　definição, 1505
　　justificativa para uso da, 1506
　　manuseio clinico, 1505
　VC no, 175
　　avaliação, 175
　　　do cisto, 175
　　　da massa anexial, 175
　　tumores, 175
　　　borderline, 175
　　　de baixo potencial de malignidade,
　　　　1435-1439
　　　em estágio precoce, 175
　　　em estágio avançado, 176
de pâncreas, 145, 172, 930
　biologia molecular no, 930
　VC no, 172
de pele não melanoma, 329-342
　abordagem geral do, 330
　　criocirurgia, 331
　　curetagem, 330
　　eletrocauterização, 330
　　ressecção cirúrgica, 330
　　RXT, 332
　　terapias, 331
　　　fotodinâmica, 331
　　　tópicas, 331
　CBC, 333
　CEC, 336
　diagnóstico, 329
　　biópsia, 330
　　dermatoscopia, 329
　　exame clínico, 329
　lesões pré-malignas, 332
　　albinismo, 333
　　ceratose, 332
　　　arsênica, 332
　　　crônica cicatricial, 332
　　　de radiação crônica, 332
　　　térmica, 332
　　corno cutâneo, 332
　　EV, 332
　　XP, 332
　outros, 339
　　doença metastática cutânea, 342
　tumores malignos, 3380
　　dos anexos cutâneos, 338
de pênis, 1605-1614, 1617-1622
　aspectos moleculares do, 1617-1622
　　alteração da proteína p53, 1621

alterações citogenéticas, 1617
atividade da telomerase, 1621
IHQ em, 1620
papel do vírus, 1620
proteínas da apoptose BAX e BCL-2, 1621
cirurgia paliativa, 1613
higiênica, 1613
diagnóstico, 1607
epidemiologia, 1606
estadiamento, 1608
sistema de classificação, 1608q
estratificação do, 1608q
por risco de metástases regionais, 1608q
por tipo histológico, 1608q
etiologia, 1606
forma de apresentação, 1608
histologia, 1608
história natural, 1606
lesões cutâneas, 1605
pré-malignas, 1605
linfadenectomia, 1612
por via aberta, 1612
linfonodos inguinais, 1610
abordagem dos, 1610
QT, 1614
tratamento, 1609
do tumor primário, 1609
VEIL, 1612
de pulmão, 31, 176, 285, 306, 619-702
biologia molecular, 625-632
alterações moleculares comuns, 625
em não tabagistas, 628, 629q
em tabagistas, 626, 629q
perspectivas, 632
condições especiais, 691-701
CPCNP oligometastático, 699-701
síndrome de compressão da VCS, 695-698
tumor de Pancoast, 691-694
CPCP, 703-706
estudos atuais, 705
tratamento da doença, 703
limitada, 703
extensa, 704
tratamento da recaída, 705
diagnóstico, 633-652
quadro clínico, 633-644
ressecção pulmonar, 650-652
de pulmão, 31, 176, 285, 306, 619-702
avaliação pré-operatória para, 650-652
epidemiologia, 621-623
fatores de risco, 621
arsênico, 622
asbesto, 622
cromo, 622
fumante passivo, 622
hidrocarbonetos aromáticos policíclicos, 622
níquel, 622
outras fibras minerais, 622
poluição atmosférica, 622
radônio, 622
relacionados com o hospedeiro, 622
sexo, 622
sílica, 622
tabagismo, 621
fatores genéticos, 623
estadiamento, 633-652
por imagem, 646-649
quadro clínico, 633-644
ressecção pulmonar, 650-652
avaliação pré-operatória para, 650-652
magnitude do problema, 621
no Brasil, 623
PET/TC em, 306
rastreamento do, 285
avaliação do, 286q

tratamento, 655-688
cirúrgico, 655-677
quimioterapia no, 680-682
RXT, 683-688
VC no, 176
de reto, 6, 7, 94, 146, 174, 833-857
acompanhamento clínico, 857
apresentação clínica, 837
carcinogênese, 833
CCR hereditário, 834
classificação histológica, 833
definição, 833
diagnóstico, 837
estadiamento, 837
TNM, 838, 839q
fatores de risco, 834
morfologia, 833
no Brasil, 6, 7
quimioprevenção, 836
rastreamento, 835
tratamento endoscópico no, 94
análise histopatológica, 97
indicações de RE, 95
métodos de ressecção, 95
tratamento cirúrgico, 98, 174
vigilância pós-ressecção, 98
tratamento, 839, 849
cirúrgico, 839
da doença avançada, 854
da recidiva local, 853
neoadjuvante, 849
quimioterápico, 852, 855
adjuvante, 852
paliativo, 855
VC no, 174
de rim, 177, 1661-1663
aspectos moleculares do, 1661-1663
descoberta de novos marcadores, 1662
genética dos CCR, 1661
perfil imuno-histoquímico, 1663
VC no, 177
de tireoide, 417-427
complicações, 425
do tratamento cirúrgico, 425
controvérsias no, 426
esvaziamento de cadeia lateral no CBDT, 426
extensão do tratamento cirúrgico dos CBDT, 426
iodoterapia complementar para CBDT, 426
melhor abordagem cirúrgica, 427
PAAF de neoplasia folicular, 426
diagnóstico, 417
categorias diagnósticas, 419
estadiamento clínico, 419
grupamento por estágios clínicos, 420
linfonodos regionais, 419
pTNM, 419
regras para classificação, 419
tipos histológicos, 419
prognóstico, 425
tratamento, 420
carcinoma indiferenciado/anaplásico, 424
CBDT, 420
CCH, 421
CMT, 424
estratificação de risco, 421
fatores moleculares do CBDT, 423
de tuba uterina, 1391, 1392q
estadiamento do, 1392q
sistema FIGO e TNM, 1392q
de uretra, 1625-1626
patologia, 1625, 1626
no homem, 1625
na mulher, 1626
estadiamento TNM, 1625q
de vagina, 1303-1307
doenças precursoras do, 1303-1307
NIVA, 1306

doenças precursoras do, 1303-1307
diagnóstico, 1431
histologia do, 1431q
prognóstico, 1432
tratamento, 1432
NIVA, 1432
grupamento por estágio, 1432q
estadiamento do, 1394q, 1431
sistema FIGO/TNM, 1394q
de vesícula biliar, 905-908
diagnóstico, 906
epidemiologia, 905
estadiamento, 906
fatores de risco, 905
histologia, 905
manifestações clínicas, 905
patogênese, 905
tratamento, 906
de vulva, 1303-1307
doenças precursoras do, 1303-1307
NIV, 1303
inicial, 1421-1424
doença, 1425-1428
localmente avançada, 1425-1428
metastática, 1425-1428
recidivada, 1425-1428
estadiamento do, 1393q
sistema FIGO, 1393q
sistema TNM, 1393q
desenvolvimento do, 53f, 1357q
risco de, 53f, 1357q
por mutação específica, 1357q
desnutrição e, 142
do colo do útero, 1389, 1395-1404
inicial, 1395-1398
tratamento do, 1395-1398
cervical, 1400-1404
localmente avançada, 1400-1404
do estômago, 6, 93, 795-805
apresentação clínica, 796
avaliação pré-tratamento, 797
classificação, 798
diagnóstico, 796, 797
epidemiologia, 795
estadiamento, 798
fatores de risco, 795
no Brasil, 6
patologia, 795
tratamento, 800
adjuvante, 802
cirúrgico, 800
do estágio IV, 803
tratamento endoscópico no, 93
avaliação pós-ressecção, 94
da úlcera actínica, 94
indicações, 93
vigilância, 94
do intestino delgado, 814
ADE, 815
estadiamento, 814
de TNM, 814q
fatores, 814
de risco, 814
protetores, 814
GIST, 816
linfoma, 817
tumores carcinoides, 815, 816
metastáticos gastrointestinais, 816
tumores metastáticos, 817
do osso temporal, 539-547
características clínicas, 539
complicações, 545
intraoperatórias, 545
pós-operatórias, 545
diagnóstico, 540
discussão, 542
epidemiologia, 539

estadiamento clínico, 541
  da Universidade de Pittsburgh, 541q
etiologia, 539
prognósticos, 546
quimioterapia, 546
resultados, 546, 547
RXT, 546
tratamento, 541
  cirúrgico, 542
  do pescoço, 545
do sistema digestório, 31
  de esôfago, 31
  gástrico, 31
em homens, 32
  de próstata, 32
em mulheres, 32
  de colo uterino, 34
  de endométrio, 32
  de mama, 33
epidemiologia do, 3-11, 141
  abordagens da pesquisa, 7
    erros em estudos epidemiológicos, 11
    estudos, 8, 9
      ecológicos, 9
      experimentais, 9
      observacionais, 8
    metanálise, 10
    revisão sistemática, 10
    tipos de estudos, 7
  medidas da magnitude do, 3
    determinantes, 3q
    incidência, 5
    mortalidade, 3
    sobrevida, 6
  ocorrência no Brasil, 3
    incidência, 5
    mortalidade, 3
    sobrevida, 6
evolução do, 44f
  estágios na, 44f
ginecológico, 1353-1355, 1357, 1358, 1459-1461, 1463-1465, 1501-1516, 1517-1585
  biologia molecular do, 1353-1355
    de colo uterino, 1354
    de endométrio, 1353
    de ovário, 1353
    perspectivas, 1355
  conservação da fertilidade em, 1463-1465
  controvérsias no manuseio do, 1501-1516
  gravidez e, 1459-1461
    de colo uterino, 1459
    de endométrio, 1460
    de ovário, 1461
    sarcomas uterinos, 1461
    tecnologias de reprodução assistida, 1461
  genética no, 1357, 1358
    prática clínica do câncer, 1357, 1358
      de ovário, 1357
      de endométrio, 1358
    laparotomia de intervalo no CEO avançado, 1501-1503
  oncossexologia no tratamento do, 1579-1585
    câncer de endométrio, 1531-1537
    drogas usadas em ginecologia oncológica, 1517-1521
    linfadenectomia no câncer de endométrio, 1509-1515
    nas NEO, 1523-1528
    princípios básicos da, 1517-1521
    QTIP no câncer de ovário, 1505-1508
    sequelas no, 1579-1585
    terapia-alvo no câncer de ovário, 1541-1542
  QT em, 1517-1543
  RXT no, 1545-1557
    avanços recentes da, 1555-1557
    princípios da RXT pélvica, 1545-1552

tratamento paliativo no, 1559-1577
  dor e paliação, 1559-1565
  qualidade de vida, 1575-1577
  paliação em doença avançada, 1567-1570, 1573-1574
    de colo uterino, 1567-1570
    de ovário, 1573-1574
  sobrevida em, 1575-1577
hereditário, 54
  síndromes de, 54
    principais, 54q
infantojuvenil, 1705, 1706
  intervenção do serviço social, 1705, 1706
  reflexões acerca da, 1705, 1706
manifestações cutâneas do, 85
no Brasil, 6, 7
  incidência de, 6
  sobrevida, 7
origem do, 47
pancreático, 929qm 933q, 934
  classificação para, 933q
    da JPS, 933q
  controvérsias no, 937
    sobre duodenopancreatectomia, 937
  fatores para, 929q, 934
    de risco, 929q
  prognóstico, 934
  tratamento do, 934
    cirúrgico, 934
    procedimento de Whipple, 934
particularidades do paciente com, 221
  sistema, 221
    cardiovascular, 221
    endócrino, 222
    hematológico, 221
    neurológico, 222
    neuromuscular, 22
    respiratório, 221
    urinário, 222
patologia no, 57-65
  IHQ, 57-65
    das células do microambiente tumoral, 65
      das neoplasias, 65
    das células tumorais, 62, 64
      das neoplasias hematológicas, 64
      dos tumores sólidos, 62
    diagnosticando o EBV, 61
    diagnóstico das neoplasias, 57
    no LNS, 60
  por HPV, 1347f
prevenção de, 51
  biologia molecular para, 51
    aplicações da, 51
pulmonar, 699-701
  de células não pequenas, 699-701
  oligometastático, 699-701
rastreamento do, 285-291
  através dos métodos de imagem, 285-291
    de mama, 289
    de pulmão, 285
    do CCR, 287
renal, 1651-1659
  características, 1651
    clínicas, 1651
    patológicas, 1651
  classificação, 1652
    das lesões, 1652q
    de Bosniak, 1653q
  diagnóstico, 1651
  epidemiologia, 1651
  estadiamento, 1653
  exame físico, 1651
  fatores de risco, 1651
  massas renais, 1653
    sólidas, 1653
  sintomatologia, 1651

tipos histológicos, 1653
  principais, 1653
tratamento, 1655
  alternativo, 1658
  cirúrgico, 1655
  do CCR, 1658
    metastático, 1658
      tratamento do, 1658
    terapia para, 1659
      adjuvante, 1659
      neoadjuvante, 1659
    tumor de Wilms, 1659
    tratamento sistêmico do, 1659
retal, 848, 854
  localmente avançado, 854
    e irressecável, 854
    e potencialmente ressecável, 854
  videolaparoscopia no, 848
suscetibilidade ao, 53
  polimorfismo genético e, 53
tratamento de, 51
  biologia molecular para, 51
    aplicações da, 51
trombose na criança com, 1695-1697
  impacto da trombose, 1695
    no câncer, 1695
  fatores de risco, 1695
  manejo clínico, 1696
  tratamento, 1696
Candidíase
  hepatoesplênica, 273
  oral, 2007
    achados clínicos, 2007
    diagnóstico, 2007
    tratamento, 2007
Cânula
  tipos de, 591
CAP (Complexo Areolopapilar)
  reconstrução, 1221
Caquexia
  neoplásica, 89
Carcinogênese, 149
  HPV e, 1335-1340
    estrutura do, 1335
    fatores de risco, 1337
    infecção pelo, 1336
      resposta do hospedeiro à, 1336
    vacina contra, 1337
      mecanismo de ação das, 1337
      princípio das, 1337
      recomendações atuais, 1338
      vacinação profilática, 1339
  mamária, 985-987
    câncer de mama, 986
    como distúrbio hormonal, 986
    fatores de risco, 986
  mutações, 53
    herdadas, 53
    somáticas, 53
Carcinoma(s)
  adenoide cístico, 209f, 483f, 486
    de glândula salivar, 483f
      menor, 483f
    de seio maxilar esquerdo, 209f
      maxilarectomia total em, 209f
  ameloblástico, 449, 454f
  basocelular, 210f
    avançado, 210f
      de couro cabeludo, 210f
  cervical, 1398
    invasivo, 1398
  cutâneos, 330q
  de células, 414, 482f
    acinares, 482f, 486
      de polo inferior de parótida direita, 482f
    sebáceas, 414

de cólon, 825
  em jovens, 826
  no idoso, 826
  transverso, 825
    cirurgia para, 825
de cólon/reto, 764
de coto cervical, 1398
  remanescente, 1398
de cúpula vaginal, 1398
  pós-histerectomia inadequada, 1398
de glândula salivares, 486q
  classificação TNM dos, 486f
de grandes células, 637
de mama, 386f, 764, 1054, 1127-1170, 1285
  CIM, 1054
  in situ, 1285
    RXT no, 1285
  invasivo, 1127-1170
    CLI, 1131-1132
    câncer de mama, 1141-1169
      associado à gravidez, 1163-1165
      em idosas, 1151-1159
      em jovens, 1141-1149
      multicentricidade no, 1167-1169
      multifocalidade no, 1167-1169
    CIM, 1137-1139
    doença de Paget, 1133-1135
  medular, 1054
  metástase de, 386f
  mucinoso, 1054
  tubular, 1054
do pelo, 339
do timo, 714
  de células pequenas, 714
do tipo células pequenas, 637, 638q
  estadiamento do, 638q
ductal, 1042f
epidermoide, 158f, 211f, 212f, 407f, 408f, 430f, 431f, 438f, 460f, 493f, 512f-514f, 530f, 531f, 595f, 646f
  cutâneo, 408f
  da conjuntiva bulbar, 531f
  de assoalho da cavidade oral, 212f
    e língua, 212f
  de borda lateral direita, 430f
    de língua, 430f
  de cavidade oral, 431f
  de face, 407f
  de hipofaringe, 512f
    metástase cervical de, 512f
  de lábio inferior, 431f
  de loja tonsiliana, 493f
  de pálpebra inferior, 530f
  de parede do seio piriforme, 514f
    lateral, 514f
    medial, 514f
  de parede posterior, 513f
    de hipofaringe, 513f
  de região ulnar, 211f
    ressecado, 211f
  do colo uterino, 158f
  do seio piriforme, 514f
    organograma de tratamento do, 514f
  primário, 460f
    de mandíbula, 460f
    tratamento inicial de, 595f
    fluxograma do, 595f
escamocelular, 540f
  do CAE, 540f
escamoso, 637
hepatocelular, 280f
indiferenciado/anaplásico, 424
  em mulher, 425f
  lâmina de, 425f
lobular, 291f
  infiltrante, 291f
medular, 424f
  lâmina de, 424f
mucoepidermoide, 484f, 486
  de glândula parótida esquerda, 484f
    de baixo grau, 484f
neuroendócrino, 319f
odontogênico, 459
  de células claras, 459
    aspecto clínico, 459f
papilífero, 422f
  carcinogênese do, 423f
  de tireoide, 422f
    adolescente com, 422f
  primário, 459, 460f
    intraósseo, 459, 460f
      de células escamosas, 459, 460f
pulmonar, 655-677, 744
  com derrame pleural, 744f
  metastático ipsilateral, 744f
  tratamento cirúrgico do, 655-677
    abordagem cirúrgica, 669
    abordagens minimamente invasivas, 663
    aspectos clínicos e fisiológicos dos candidatos, 656
    cirurgia paliativa na doença irressecável, 672
    cirurgia robótica, 663
    considerações sobre o estadiamento, 655
    CTVA, 663
    princípios cirúrgicos básicos, 656
    ressecção dos linfonodos mediastinais, 661
    ressecções alargadas, 672
    resumo histórico, 655
    tipos de ressecção pulmonar, 657
    videotoracoscopia, 663
sebáceo, 414f
  em pálpebra inferior, 414f
tímico, 713
  tipos histológicos, 713q
    principais, 713q
urotelial, 1665-1669
  do trato urinário alto, 1665-1669
    apresentação clínica, 1666
    classificação, 1667
    diagnóstico, 1666
    epidemiologia, 1665
    estadiamento TNM, 1667q
    fatores, 1665, 1667
      de risco, 1665
      prognósticos, 1667
    fisiopatologia, 1665
    noções histológicas, 1665
    tratamento, 1667
verrucoso, 430f
  de mucosa jugal, 430f
Carcinomatose
  peritoneal, 231f, 854
Cardiopatia
  e cirurgia oncológica, 222
    não cardíaca, 223
      de baixo risco, 223
      de risco moderado, 223
      ou alto, 223
      não emergencial, 223
Carinectomia(s), 673
Carótida
  ruptura de, 583
    no esvaziamento cervical, 583
CAS (Cistoadenoma Seroso), 127, 128f
Categoria(s)
  de avaliação, 1066
    BI-RADS, 1066
Catéter(es)
  implante de, 324
    duplo J, 324
    venoso profundo, 324
      por acesso periférico, 324
  infecções relacionadas com, 274
  Pig Tail, 233f
    em drenagem biliar externa, 233f

Cavidade
  laríngea, 502f
    interna, 502f
  oral, 571f
    sarcoma da, 571f
      criança com, 571f
CBC (Carcinoma Basocelular), 329, 405, 407f, 529, 539, 551
  aspectos clínicos, 334
    esclerodermiforme, 334
    infiltrativo, 334
    micronodular, 334
    nodular, 334
    superficial, 335
  considerações terapêuticas, 335
  da concha da orelha, 540f
    esquerda, 540f
  em pálpebra inferior, 530f
  etiologia, 333
  fisiopatologia, 334
  no dorso, 334f
  nodular, 334f, 408f
    em região nasal, 408f
  pigmentado, 335f
  primário, 409f
  prognóstico, 335
  seguimento, 336
  superficial, 335f
  tipo esclerodermiforme, 408f
    recidivado, 408f
    em pálpebras, 408f
CBDT (Carcinoma Bem Diferenciado de Tireoide)
  esvaziamento no, 426
    de cadeia lateral, 426
  fatores moleculares, 423
  iodoterapia complementar para, 426
  tratamento, 420, 426
    cirúrgico, 426
      extensão do, 426
    em idosos, 423
    estratificação de risco, 421
    na adolescência, 422
    na infância, 422
CC (Câncer de Colo Uterino), 34
  biologia molecular do, 1354
  gravidez e, 1459
  LNS no, 1467-1472
    definição, 1467
    detecção do, 1468
      fatores que influenciam a, 1468
    drenagem linfática do, 1467
    técnicas de identificação do, 1468
  VC no, 174
CC (Colangiocarcinoma), 133, 913-920
  apresentação clínica, 913
  diagnóstico, 914
  distal, 917q, 947
    clínica, 949
    diagnóstico, 949
    epidemiologia, 949
    estadiamento, 917q, 949
      TNM, 917q
    fatores de risco, 949
    marcadores tumorais, 949
    tratamento, 951
  epidemiologia, 913
  estadiamento, 915
  etiologia, 913
  fatores de risco, 913
  imagem ecoendoscópica de, 134f
  intra-hepático, 916q
    estadiamento TNM, 916q
  patogênese molecular, 914
  patologia, 914
  peri-hilar, 916q
    estadiamento TNM, 916q

prognóstico, 920
TH em, 980
tratamento, 915
    algoritmos de, 917f
    cirúrgico, 917
    controvérsias, 918
    paliativo, 919
    quimioterápico, 918
    radioterápico, 918
    ressecabilidade, 917
    critérios de, 917
CC (Craniocaudal)
  incidência, 1026, 1027f
    na mamografia, 1026, 1027f
CCE (Carcinoma de Células Escamosas), 625
CCGT (Câncer de Células Germinativas do Testículo)
  alterações no, 1601
    citogenéticas, 1602}
    genéticas, 1601
    geniturinárias, 1601
      associação das, 1601
    moleculares, 1601
  epigenética e o, 1602
  hereditariedade nos, 1601
CCH (Carcinoma de Células de Hürthle)
  tratamento, 421
CCM (Carcinoma de Células de Merkel), 339
  cirurgia, 413
  prognóstico, 413
  RXT, 413
  TNM, 339q
CCM (Cirurgia Conservadora da Mama), 1187, 1221
  recidiva local após, 1195-1196
    diagnóstico, 1195
    fatores de risco, 1195
    tratamento, 1196
  RXT após, 1287-1291
    aspectos técnicos, 1289
    cadeias linfáticas, 1289
      abordagem de, 1289
    estudos comparativos, 1287
    fatores prognósticos, 1288
    sequelas de tratamento, 1291
    situações especiais, 1290
CCR (Câncer Colorretal), 819
  hereditário, 834
  incidência de, 820f
CCR (Câncer de Cólon e Reto), 142, 146
  PET/TC de, 307
CCR (Carcinoma Colorretal)
  rastreamento do, 287
    CTC, 287
    EO, 287
    com duplo contraste, 287
CCR (Carcinoma de Células Renais), 486, 765
  metástase hepática de, 902
    metatático, 1658
      tratamento do, 1658
      terapia para, 1659
        adjuvante, 1659
        neoadjuvante, 1659
CCR (Citorredução Cirúrgica), 190
  padrão de, 191q
CDC (Centro de Prevenção e Controle de Doenças)
  ACIP do, 270
CDI (Carcinoma Ductal Infiltrante), 386f, 1127-1129
  fatores prognósticos, 1128
  histologia, 1127
  história natural, 1127
CDI (Carcinoma Ductal Invasivo), 1053, 1127
CDIS (Carcinoma Ductal in situ), 1016, 1019, 1020f, 1115-1121
  BLS em, 1202

classificação, 1115
diagnóstico, 1118
fatores prognósticos, 1117
LNS no, 1205-1206
  epidemiologia, 1205
  PLS e, 1205
patologia, 1115
tratamento, 1118
  cirúrgico, 1118
  complementar, 1118
  sistêmico, 1119
CDT (Carcinoma Diferenciado da Tireoide), 309
  acompanhamento de, 309f
CEA (Antígeno Carcinoembrionário), 163
  uso clínico, 79
CEC (Carcinoma Espinocelular), 406, 486, 499, 529, 539, 775
  aspectos clínicos, 336
    recidivas, 37
    risco de metástases, 337
  considerações terapêuticas, 337
  de couro cabeludo, 410f
    recidivado, 410f
    metástase de, 410f
  de pele, 202f, 410f
    da região cervical, 410f
  de região nasal, 409f
  em área de cicatriz de queimadura, 332f
    no dorso, 332f
  em pele, 550f
    da região nasofronto-orbitária, 550f
  etiologia, 336
  fisiopatologia, 336
  in situ, 337
    CA, 337
    DB, 337
  invasivo, 337
  prognóstico, 337
  seguimento, 338
  TNM, 330q
CECCP (Carcinomas Espinocelulares em Cabeça e Pescoço), 522
Célula(s)
  cancerosas, 44
  colunares, 1017
    atípicas, 1017
      lesões de, 1017
  do microambiente tumoral, 65
    das neoplasias, 65
    estudo imuno-histoquímico das, 65
  em anel de sinete, 123f
    ADE com, 123f
  germinativas, 719q, 764, 1455
    classificação de, 719q
      do consenso internacional, 719q
    do ovário, 1455
      tumores malignos de, 1455
    tumores de, 764
      testiculares, 764
  neoplásicas, 44, 47
    alterações genéticas nas, 47
    propriedades das, 44
  pequenas e redondas, 61f
    neoplasia de, 61f
    estudo imuno-histoquímico de, 61f
  principais linfomas de, 60q
    imunofenótipo dos, 60q
      B maduras, 60q
      NK, 60q
      T maduras, 60q
  renais, 903
    carcinoma de, 903
      metástase hepática de, 903
  tumorais, 62, 64, 1517
    estudo imuno-histoquímico das, 62, 64
      das neoplasias hematológicas, 64
      dos tumores sólidos, 62

    volume de, 1517
      importância na QT do, 1517
Cemento-Ossificante
  fibroma, 473
Centro Oncológico
  importância do, 166
    nos resultados oncológicos, 166
CEO (Câncer Epitelial de Ovário), 1442-1453
  avaliação, 1443, 1447
    pré-operatória, 1443
    pré-tratamento, 1447
  avançado, 1501-1503
    laparotomia de intervalo no, 1501-1503
      contraindicações, 1503
      definição, 1501
      histórico, 1501
      indicações, 1503
      novo estudo conduzido pela EORTC, 1502
      revisão sistemática da *Cochrane Library*, 1502
  bevacizumabe e, 1541
  cirurgia, 1443
  diagnóstico, 1443
  estadiamento, 1449
  estágio avançado, 1447-1453
  estágio inicial, 1442-1445
  fatores, 1442, 1443
    de proteção, 1443
    de risco, 1442
  patogênese, 1442
  sintomas, 1443
  tratamento, 1444, 1449
    adjuvante, 1444
  vias de disseminação, 1449
Ceratoacantoma, 339
Ceratose
  arsênica, 332
  crônica cicatricial, 332
  de radiação crônica, 332
  térmica, 332
C-erbB-2, 163
CES (Câncer de Esôfago), 31
  no Brasil, 6
  tratamento do, 93, 100-104
    endoscópico, 93
      como tratamento exclusivo, 93
      indicações de REM, 93
    próteses autoexpensíveis no, 100-104
      contraindicações, 100
      em situações especiais, 102
      indicações, 100
      resultados, 103
      técnicas de introdução, 100
CFD (Células Foliculares Dendríticas), 60
CFM (Conselho Federal de Medicina), 26
CG (Câncer Gástrico), 144, 171, 792
  avançado, 796f
    classificação de Bormann, 796f
  biomarcadores em, 805q
  estágio IV, 803
    tratamento do, 803
      cirurgia paliativa, 803
      de primeira linha, 804
      de segunda linha, 804
      métodos endoscópicos, 804
      perspectivas futuras, 805
      QP, 804
      RXT paliativa, 804
  metástase hepática de, 903
  potências em, 805q
  precoce, 797f
    classificação japonesa, 797f
CGD (Câncer Gástrico Difuso), 802
CGDH (Câncer Gástrico Difuso Hereditário), 802
CGIS (Câncer Gastrointestinal Superficial)
  tratamento endoscópico do, 91-98
    colo, 91-98
    esôfago, 91-98

estômago, 91-98
   RE, 91
     métodos, 91
   reto, 91-98
CGP (Câncer Gástrico Precoce), 802
CGS (Câncer Gastrointestinal)
   tratamento endoscópico do, 91-108
     CGIS, 91-98
       cólon e reto, 94
       esôfago, 93
       estômago, 93
       RE, 91
Ch (Colina), 298
   aumento do nível de, 298f
CHC (Carcinoma Hepatocelular), 883-888
   aspectos patológicos, 883
   desenvolvimento do, 884q
     grupos de risco para, 884q
   diagnóstico, 883
   embolização, 316
   estadiamento, 886
   etiologia, 883
   prognóstico, 888
   quimioembolização, 316
   TH em, 977
     estadiamento, 978
     indicação ao transplante, 978
     particularidades, 978
     variante fibrolamelar, 979
   tratamento do, 318, 886
     cuidados paliativos, 888
     injeção percutânea, 887
       de etanol, 887
     medicamentoso, 888
     novas tecnologias no, 318
     QETA, 887
     radioablação, 887
     ressecção, 886
     TH, 887
Choi
   critérios de, 303
Ciáglia
   método de, 593f
     com introdução do fio-guia, 593f
     e dilatação progressiva, 593f
Cicatriz
   de queimadura, 332f
     no dorso, 332f
       CEC em área de, 332f
   radiada, 1051
     na mama, 1051
   radial, 1016
CID (Código Internacional de Doenças), 24
CIM (Carcinoma Inflamatório da Mama), 1054, 1137-1139, 1187
   biologia molecular, 1138
   características clinicopatológicas, 1138
   definição, 1137
   diagnóstico, 1138
     diferencial, 1138
   epidemiologia, 1137
   tratamento, 1139
     local, 1139
Cintilografia
   óssea, 1092
   valor da, 1091-1093
     no câncer de mama, 1091-1093
       avaliação de doença a distância, 1092
       cirurgia radioguiada para diagnóstico, 1092
         de lesões subclínicas, 1092
       diagnóstico, 1091
       pesquisa do LNS, 1091
Cirurgia Oncológica
   por laparoscopia, 169q
     recidiva em portais após, 169q
   princípios de, 161-167

aspectos controversos, 166
   TVP, 166
   opioides, 167
   proteção da ferida operatória, 167
   transfusão de sangue, 167
avaliação do paciente, 164
cirurgião oncológico, 166
   papel do, 166
conceitos, 161
   graduação histopatológica, 161
   grau histológico, 161
   operabilidade *versus* ressecabilidade, 161
estadiamento, 164
   outras classificações, 164
histórico, 161
importância nos resultados oncológicos, 166
   da especialização do cirurgião, 166
   do centro oncológico, 166
lise tumoral, 165
marcadores tumorais, 162
   AFP, 162
   BTA, 162
   CA 125, 162
   CA 15-3, 162
   CA 19-9, 163
   calcitonina, 163
   CEA, 163
   C-erbB-2, 163
   cromogranina A, 162
   HCG, 162
   histórico, 162
   K-ras, 163
   LDH, 163
   p53, 163
   PSA, 163
metastático, 165
   acessos vasculares, 165
reabilitação, 165
   e reconstrução, 165
terapias cirúrgicas, 165
   citorredução, 165
   definitiva, 165
   paliativo, 165
   primária, 165
tipos de, 162
   tumor residual, 162
TNM, 164
   regras gerais, 164
   símbolos adicionais, 164
Cirurgia(s)
   abdominal, 216, 1701-1703
     de grande porte, 1701-1703
       rotina de anestesia pediátrica para, 1701-1703
       protocolos de conduta na, 1701-1703
   axilar, 1202
     prévia, 1202
     BLS em, 1202
   de cabeça e pescoço, 217, 395-403
     melanoma cutâneo em, 395-403
       avanços tecnológicos, 401
         diagnóstico, 401
         terapia, 401
       biologia molecular, 396
       características clínicas, 396
       comportamento biológico, 396
       estadiamento, 397
       fatores preditivos prognósticos, 397
       investigação diagnóstica, 397
       prognóstico, 402
       tratamento, 398
   de Hartmann, 847
   de SPM, 375
   do câncer de mama, 1199
     BLS na, 1199
   do LNS, 1199-1211
     BLS, 1199-1203
       pós-QN, 1207-1209
       pré-QN, 1207-1209

     na gestação, 1211
     no CDIS, 1205-1206
       epidemiologia, 1205
       PLS e, 1205
   em ginecologia oncológica, 1459-1500
     câncer de colo uterino, 1467-1472, 1473-1479
       cirurgia conservadora em, 1473-1479
       LNS no, 1467-1472
     câncer ginecológico, 1459-1461, 1463-1465
       conservação da fertilidade em, 1463-1465
       gravidez e, 1459-1461
     CMI em, 1481-1486
     massas pélvicas, 1489-1492
       achados inesperados, 1489-1492
     TR, 1473-1479
     tumores ginecológicos, 1493-1499
       exenteração pélvica em, 1493-1499
   hand-assisted, 924
     como vantagem para conversão, 924
   mamária, 1202
     prévia, 1202
     BLS em, 1202
   paliativa, 672
     na doença irressecável, 672
   para carcinoma, 825
     de cólon, 825
       transverso, 825
   para MPM, 739
     decorticação, 739
     e RXT, 739
     pleurectomia, 739
     pleurodese, 739
     pneumonectomia, 739
       extrapleural, 739
   pediátrica, 218
   pélvica, 216
   radioguiada, 1092
     para diagnóstico, 1092
       de lesões subclínicas mamárias, 1092
   robótica, 663, 667, 1484
   traqueostomia nas, 587
Cirurgião
   especialização do, 166
     importância da, 166
       nos resultados oncológicos, 166
   oncológico, 166
     papel do, 166
Cirurgião Oncológico
   formação do, 225-227
     habilitação, 225-227
       como fator prognóstico, 225-227
CISH (Hibridização *in situ* Colorimétrica), 60
Cisto(s)
   de duplicação, 117
     EE-PAAF de, 117
   mamários, 1039, 1048, 1050
     complicados, 1048
     oleoso, 1050
   ósseo, 477, 727
     aneurismático, 477, 727
       de parede torácica, 727
   pancreáticos, 132q
     características dos, 132q
       epidemiológicas, 132q
       morfológicas, 132q
Citogenética, 53-55, 355
   câncer hereditário, 54
     síndromes de, 54
       principais, 54q
   carcinogênese, 53
     mutações, 53
       herdadas, 53
       somáticas, 53
   oncologia personalizada, 55
   polimorfismo genético, 53
     e suscetibilidade ao câncer, 53

Citoqueratina(s)
  expressão de, 58-59q
    nas neoplasias epiteliais, 58-59q
      mais comuns, 58-59q
  pesquisa de, 1016q
Citorredução, 165
Clampes
  de anastomose, 208f
Clark
  classificação de, 398q
CLI (Carcinoma Lobular Infiltrante), 1131-1132
  patologia, 1131
  quadro, 1132
    clínico, 1132
    imagenológico, 1132
  tratamento, 1132
CLI (Carcinoma Lobular Invasivo), 1053
  papel da IHQ no, 1201
CLIP (Carcinoma Lobular Invasor Pleomórfico), 1131
CLIS (Carcinoma Lobular *in situ*), 1016, 1019, 1021, 1131
  conduta, 1121
  patologia, 1119
  pleomórfico, 1022
  tratamento, 1120
CLISP (Carcinoma Lobular *in situ* Pleomórfico), 1121
Clister
  opaco, 231f
    de *stent*, 231f
      em sigmoide, 231f
    de tumor, 231f
      de sigmoide, 231f
Cloroquina, 243
Clostridium difficile
  diarreia associada ao, 273
CMI (Cirurgia Minimamente Invasiva), 169
  em ginecologia oncológica, 1481-1486
    câncer, 1481
      de endométrio, 1481
      de ovário, 1482
    CC, 1481
    cirurgia robótica, 1484
    considerações importantes em, 1486
    linfadenectomia laparoscópica, 1483
      extraperitoneal, 1483
    massas anexiais, 1482
    single port, 1484
CMLA (Câncer de Mama Localmente Avançado), 1185
  diagnóstico do, 1183q
    sumário de, 1183q
  tratamento cirúrgico do, 1181-1183
    diagnóstico, 1181
    epidemiologia, 1181
    fatores prognósticos, 1181
    recomendações, 1183
    sobrevida, 1183
    tratamento, 1182
      neoadjuvante, 1182
  tratamento do, 1183q
    sumário de, 1183q
CMM (Câncer de Mama Masculino)
  BLS em, 1201
CMM (Carcinoma Microinvasor de Mama), 1123-1125
  diagnósticos diferenciais do, 1123q
CMT (Carcinoma Medular da Tireoide), 417
  abordagem cirúrgica, 427
  tratamento, 424
CNF (Carcinoma de Nasofaringe), 521
  fatores prognósticos no, 526q
    análise de, 526q
CNPCP (Carcinoma de Não Pequenas Células de Pulmão)
  com SVCS, 239f

Cochrane Library
  revisão sistemática da, 1502
Código
  de ética médica 2010, 24
    principais pontos do, 24
Colecistite, 232
Colectomia
  parcial, 825
    esquerda, 825
  subtotal, 825
  total, 825
Colo de Útero
  câncer de, 6, 1395-1404
    cervical, 1400-1404
      localmente avançada, 1400-1404
    inicial, 1395-1398
      tratamento do, 1395-1398
    no Brasil, 6
Colo Uterino
  carcinoma epidermoide do, 158f
  como conduzir doenças pré-invasivas, 1321-1330
    AGC, 1322
    AIS e invasor, 1322
    ASC, 1321
    HSIL, 1326, 1328
      com carcinoma epidermoide invasor, 1328
      com microinvasão, 1328
    LSIL, 1325
    manejo inicial, 1324
    visão geral, 1321-1330
  doença avançada de, 1567-1570
    paliação em, 1567-1570
      analgesia, 1568
      câncer de, 1567
      cuidados paliativos, 1567
      curso natural da doença, 1567
      fístulas, 1570
      obstrução urinária, 1568
      sangramento, 1569
  IHQ no, 1372
  lesões pré-malignas, 1309-1318
    colposcopia, 1309
    exame citopatológico, 1312
  tumores do, 1361
    sobrevida de, 1361q
Cólon
  câncer de, 6, 7, 45f, 94, 146, 150f, 173, 819-829
    causas, 819
    diagnóstico, 821
      PSOF, 821
      colonoscopia, 822
      CTC, 822
      EBDC, 822
      RF, 822
      teste DNA fecal, 821
    doença metastática, 829
      tratamento radical de, 829
    epidemiologia, 819
      taxa de mortalidade, 819q
    estadiamento, 823
      TNM, 823q
    estágios na evolução do, 45f
    fatores de risco, 819
    genética, 819
      bactérias, 819
      dieta, 819
      estilo de vida, 820
      etilismo, 820
      história familiar, 821
      medicamentos, 820
      obesidade, 820
      resistência à insulina, 820
      tabagismo, 820
    manifestações clínicas, 821
    metastático, 828
      tratamento do, 828

    no Brasil, 6, 7
    prevenção, 821
    sequência na evolução do, 150f
      de mutações genéticas, 150f
    tratamento adjuvante, 826
    tratamento cirúrgico, 824
      avaliação de acompanhamento, 826
      mortalidade após ressecção, 826
      preparo pré-operatório, 824
      recidiva após ressecção, 826
      ressecção de múltiplos órgãos, 826
      situações especiais, 825
      técnicas operatórias, 824
    tratamento endoscópico no, 94
      indicações de RE, 95
      métodos de ressecção, 95
      análise histopatológica, 97
      vigilância pós-ressecção, 98
      tratamento cirúrgico, 98
    VC no, 173
  obstrução do, 231
Colonografia
  endoluminal, 287f
Colonoscopia
  colocação por, 232f
    de *stent*, 232f
      em sigmoide, 232f
  no câncer, 822, 838
    de cólon, 822
    virtual, 822
    do reto, 838
  óptica, 289f
    incompleta, 289f
Coloplastia, 846, 847f
Colostomia
  úmida, 203f
    em alça, 203f
      associada a hemicorporectomia, 203f
Colposcopia, 1309
  ablação por *laser*, 1311
  biópsia, 1311
  características específicas, 1310
  conização, 1311, 1312
    com bisturi frio, 1312
    por *laser*, 1311
  crioterapia, 1311
  curetagem endocervical, 1311
  LEEP/LETZ, 1311
Coluna
  vertebral, 676
    invasão da, 676
COMICE (*Comparative Effectiveness of MRI in Breast Cancer Trial*), 1172
Complexo
  laríngeo, 501f
    musculatura do, 501f
      extrínseca, 501f
  laringotraqueal, 585
Complicação(ões) Oral(is), 2006-2009
  alterações de paladar, 2008
  candidíase oral, 2007
  estomatite/mucosite, 2008
  infecção viral, 2007
  infecções bacterianas, 2008
  notas gerais, 2006
  sialorreia, 2008
  xerostomia, 2006
Compressão
  localizada, 1027
    e associação, 1028
      associação entre, 1028
    na mamografia, 1027
  medular, 237
  síndrome de, 237
Condiloma(s)
  acuminados, 1343f

tratamento baseado em evidências, 1349-1351
   cirúrgico, 1349-1351
      biópsia pré-tratamento, 1349
      crioterapia, 1350
      eletrocauterização, 1350
      excisão, 1351
      indicações, 1349
      laser, 1351
      perspectivas, 1351
   combinados, 1351
   médico, 1349-1351
      biópsia pré-tratamento, 1349
      IFN-α, 1350
      imiquimod, 1350
      indicações, 1349
      perspectivas, 1351
      podofilina, 1349
      podofilotoxina, 1349
      sinecatequinas, 1350
      TCA, 1349
   prevenção, 1351
Condilomatose
   anal, 1344*f*
   vulvar, 1344*f*
Condroma, 472
   de parede torácica, 727
Condrossarcoma, 385
   características clínicas, 463
   clássico, 385*f*
      do úmero direito, 385*f*
   de parede torácica, 727
      anterior, 727*f*
   de partes moles, 365
      mixoide, 365
   definição, 463
   epidemiologia, 463
   extraesquelético, 365
   imagem, 463
   localização, 463
   mesenquimal, 365
   patologia, 464
   prognóstico, 464
   secundário, 385*f*
      a osteocondroma, 385*f*
      de fêmur, 385*f*
   tratamento, 386, 464
Congelação
   exame de, 1367-1369
      peroperatório, 1367-1369
         na oncoginecologia, 1367-1369
   exame por, 71-75
      método de, 73
         indicações do, 73
         limitações do, 73, 74
      técnica de, 71*f*, 74*f*
         de fragmento de pele, 71*f*, 74*f*
            corado com azul de toluidina, 71*f*, 74*f*
Conjuntiva
   bulbar, 531*f*
      carcinoma epidermoide da, 531*f*
Consentimento
   livre, 25
   e esclarecido, 25
Conservação
   da mama, 1188
      técnicas cirúrgicas, 1188
Constipação
   em cuidados paliativos, 1977
   por opioides, 1978
Contact
   incidência, 1027
      na mamografia, 1027
Contaminação
   ambiental, 30
      como fator de risco, 30
Coração
   e câncer de pulmão, 634

Cordão
   sexual, 1457
      tumores derivados do, 1457
Core Biópsia
   guiada por US, 1105-1106
      e mamografia, 1105-1106
         abordagem pré-biópsia, 1105
         complicações, 1105
         documentação, 1106
         escolha do método guia, 1105
         escolha do procedimento, 1105
         fragmentos adequados, 1105
         procedimento após abordagem, 1106
Corno
   cutâneo, 332, 1605
Corpo
   pancreático, 111*f*, 125*f*, 126*f*, 128*f*
      lesão de, 111*f*, 128*f*, 129*f*
         cística, 111*f*, 128*f*
         sem interface nítida, 125*f*
            com a artéria esplênica, 125*f*
         sólida, 126*f*
            heterogênea, 126*f*
            hipoecoica, 126*f*
   uterino, 1359, 1407-1420
      tumores de, 1359
         de endométrio, 1359
      câncer de, 1407-1420
         de endométrio, 1047-1414
         de linhagens diversas, 1417-1420
CP (Câncer de Próstata), 1629-1638
   aspectos moleculares do, 1645-1649
      busca por resultados, 1648
      perspectivas na, 1648
      genes no, 1645
   bifosfonatos, 1638
   BT, 1634
   crioterapia, 1634
   diagnóstico, 1629
      biópsia prostática, 1629
      PSA, 1629
      toque retal, 1629
   epidemiologia, 1629
   estadiamento, 1630
      clínico, 1631*q*
         sistema de, 1631*q*
   fatores de risco, 1629
   HIFU, 1635
   localizado, 1633
      tratamento do, 1633
         PRL, 1634
         RP, 1633
   localmente avançado, 1635
      tratamento do, 1635
         RP, 1635
         RXT, 1635
   metastático, 1637
      tratamento do, 1637
   observação, 1634
   patologia, 1630
      ASAP, 1630
      CP, 1630
      PIN, 1630
   QT, 1638
   RXT, 1634
   tratamento, 1635, 1638
      da coluna vertebral, 1638
      de resgate, 1635
         após cirurgia, 1635
         após RXT, 1635
   vacina, 1638
   VC no, 177
   vigilância ativa, 1634
CP (Câncer Procoagulante), 85
CP (Carcinomatose Peritoneal), 189
   de origem colorretal, 196
   de origem gástrica, 197

CPCNP (Carcinoma Pulmonar de Células Não Pequenas), 625, 646
   RXT, 683
      BT endobrônquica, 685
         de alta taxa de dose, 685
      decisão terapêutica, 683
      fatores para, 683
      doença, 683
         inicial, 683
         localmente avançada, 683
         metastática, 684
      fracionamentos alterados, 684
      irradiação cerebral, 684
         como profilaxia de metástases, 684
      técnicas recomendadas, 684
      tratamentos recomendados, 683
   tratamento do, 644
CPCP (Câncer Pulmonar de Células Pequenas), 625, 646, 703-706
   estudos atuais, 705
   recaída, 705
      tratamento da, 705
      panorama, 705
   RXT, 687
      decisão terapêutica, 687
      fatores para, 687
      técnicas, 688
         desejadas, 688
         minimamente recomendadas, 688
   tratamento do, 645, 703, 704
      extensa, 704
         estudos recentes, 704
         inibidores de topoisomerase, 04
         panorama, 704
         PCI, 705
      limitada, 703
         cirurgia, 704
         panorama, 703
         QT, 704
         RXT, 704
CPER (Endoscopia das Vias Biliares), 118
CPNPC (Câncer de Pulmão Não Pequenas Células), 155
   SBRT por, 159*f*
CPRE
   após colocação de *stent*, 232*f*
   em via biliar, 232*f*
CQCT (Convenção-Quadro para o Controle do Tabagismo), 37
CR CC0 (Citorredução Completa), 189
CR CC1 (Citorredução Quase Completa), 189
CR (Citorredução)
   alterações como preditor de, 193*q*
      do intestino delgado, 193*q*
      do mesentério, 193*q*
   e HIPEC, 189-198
      casuística pessoal, 198
      CP, 196
         de origem colorretal, 196
         de origem gástrica, 197
      critério, 192, 193
         de elegibilidade, 192, 193
         de inelegibilidade ao tratamento, 192
      cuidados peroperatórios, 198
      curva de sobrevida, 198
         influência da, 198
      experiência pessoal, 197
      ICP, 190
      indicações, 192
      morbidade da, 198
      mortalidade da, 198
      MPM, 194
      PMP, 193
      resultados, 192
      sarcomatose peritoneal, 195
   nos portadores de MPM, 194*f*

C-RADS (*Colonography Reporting and Data System*), 288
Craniotomia
　frontotemporal, 534
　única, 554f
Crescimento
　do tumor primário, 633
　　no câncer de pulmão, 633
　　　sinais do, 633
　　　sintomas do, 633
　estimulação autócrina do, 47f
Criança
　com câncer, 1695-1697
　　trombose na, 1695-1697
　　　fatores de risco, 1695
　　　impacto da trombose no câncer, 1695
　　　manejo clínico, 1696
　　　tratamento, 1696
Cricotireoidostomia(s), 585-593
　por punção, 593
　técnica cirúrgica, 592
Criocirurgia
　do câncer de pele, 331
　　não melanoma, 331
Criostato
　micrótomo no, 72f
　　visão do, 72f
　　visão parcial do, 72f
Crista
　ilíaca, 211
　　retalho livre de, 211
CRM (Conselho Regional de Medicina), 24
Cromo
　e câncer de pulmão, 622
Cromogranina A, 162
CT (Câncer do Testículo), 1589-1598
　aspectos moleculares do, 1601-1603
　　alterações no CCGT, 1601
　　　genéticas, 1601
　　　moleculares, 1601
　　　tratamento quimioterápico, 1603
　　　　sensibilidade ao, 1603
　conduta nos tumores, 1593
　　não seminomatosos, 1593
　　　indicações da LNRP, 1596
　　　opções terapêuticas, 1596q
　　seminomatosos, 1593
　desvantagens da QT, 1597
　　pré-linfadenectomia, 1597
　diagnóstico, 1590
　epidemiologia, 1589
　estadiamento, 1590, 1591q
　　agrupado, 1591q
　　sistema de, 1590q
　estágios clínicos avançados, 1597
　　conduta nos, 1597
　fatores de risco, 1589
　linfadenectomia, 1596, 1597
　　vantagens da, 1596, 1597
　　　pré-QT, 1597
　sintomatologia, 1589
　tipos histológicos, 1591
　　principais, 1591
　　　seminomas, 1591
　　　tumores não seminomatosos, 1592
　TNST, 1598
　　disseminados, 1598
　　　prognóstico nos, 1598
　　　fatores prognósticos nos, 1598
　tratamento, 1590, 1598
　　inicial, 1590
　　　acompanhamento após, 1593
　　quimioterápico, 1598
CTC (Colonografia por Tomografia Computadorizada), 287
　achados de, 288q
　　categorização para os, 288q
　no câncer de cólon, 711

CTG (Câncer de Testículo Germinativo), 1589
CTV (Risco para Doença Subclínica), 597
CTVA (Cirurgia Torácica Videoassistida), 176, 663
Cuidado(s)
　com a boca, 2006-2009
　　alterações de paladar, 2008
　　estomatite/mucosite, 2008
　　infecções bacterianas, 2008
　　notas gerais, 2006
　　　infecção viral, 2007
　　sialorreia, 2008
Cuidado(s) Paliativo(s), 1947-2036
　ascite maligna, 1990-1992
　　diagnóstico, 1990
　　etiologia, 1990
　　fisiopatologia, 1990
　　tratamento, 1991
　atuais, 1952-1957
　　INCA e os, 1952-1957
　　　assistência no HC IV, 1952
　　　ensino em, 1957
　　　Hospital do Câncer IV, 1952-1957
　　　treinamento em, 1957
　　　unidade de cuidados paliativos, 1952-1957
　complicações orais, 2006-2009
　　alterações de paladar, 2008
　　candidíase oral, 2007
　　estomatite/mucosite, 2008
　　infecção viral, 2007
　　infecções bacterianas, 2008
　　notas gerais, 2006
　　sialorreia, 2008
　　xerostomia, 2006
　constipação em, 1977
　　por opioides, 1978
　controle da dispneia em, 1993
　　abordagem clínica, 1995
　　ansiedade, 1193
　　　e falta de ar, 1193
　　apoio a cuidadores/família, 1993
　　conceito, 1993
　　diagnóstico, 1995
　　experiência de dispneia, 1993
　　　versus trajetória de doença, 1993
　　fisiopatologia, 1994
　　mensuração, 1996
　　neurofisiologia, 1994
　　patogênese, 1994
　　prevalência, 1993
　cuidados com a boca, 2006-2009
　　alterações de paladar, 2008
　　candidíase oral, 2007
　　estomatite/mucosite, 2008
　　infecção viral, 2007
　　infecções bacterianas, 2008
　　notas gerais, 2006
　　sialorreia, 2008
　　xerostomia, 2006
　diarreia em, 1981
　　como evento adverso, 1982
　　gênese da, 1981
　　　fatores comuns associados à, 1981
　ética em, 26
　fadiga em pacientes oncológicos, 1962-1965
　　etiopatogenia, 1962
　　tratamento, 1963
　FNM, 2002-2005
　　avaliação, 2003
　　　dos sinais, 2003
　　　dos sintomas, 2003
　　　geral, 2003
　　classificação, 2002
　　definição, 2002
　　estadiamento, 2002
　　fisiopatologia, 2002
　　manejo, 2003
　　　dos sinais, 2003
　　　dos sintomas, 2003

　　nomenclatura, 2002
　indução dos, 1958-1959
　　comunicação, 1958
　　controle de sintomas, 1959
　　time multiprofissional, 1958
　insuficiência renal em, 2010-2011
　　IRA, 2010
　　rim, 2010
　náusea e vômito, 1974-1975
　　fisiopatologia, 1974
　　tipos de, 1974
　　tratamento, 1975
　no INCA, 1949-1951
　　primórdios do, 1949-1951
　　　agradecimentos aos pioneiros dos, 1951
　　　estrutura assistencial, 1950
　　　　institucionalização da, 1950
　　　planejamento das atividades, 1949
　　　primeiras ações, 1949
　　　viabilização das atividades, 1950
　OIM, 1985-1988
　　avaliação, 1986
　　fisiopatologia, 1985
　　manifestações clínicas, 1985
　　tratamento, 1986
　pediátricos, 1699
　princípios dos, 1958-1959
　　comunicação, 1958
　　controle de sintomas, 1959
　　time multiprofissional, 1958
　SAC no câncer, 1967-1972
　　diagnóstico, 1968
　　estágios da caquexia, 1968
　　etiopatogenia, 1967
　　metabolismo intermediário, 1967
　　　alterações do, 1967
　　principais fatores caquíticos, 1968
　　tratamento, 1969
　síndromes metabólicas, 2013-2018
　　balanço hídrico, 2013
　　desidratação, 2013
　　hipercalcemia, 2016
　　hipercalemia, 2015
　　hipernatremia, 2013
　　hipocalemia, 2015
　　hiponatremia, 2014
　　SIADH, 2014
　sintomas mais comuns, 1961
　　bom controle de, 1961
　　　medidas gerais para, 1961
　　princípios da prescrição, 1961
　　　na doença avançada, 1961
　　tratamento, 1961
　　　dos sintomas, 1961
　　　específicos, 1961
Cunha
　ressecção em, 661
Curetagem
　do câncer de pele, 330
　　não melanoma, 330
Custo(s)
　do diagnóstico por imagem, 283
　em oncologia, 283
CV (*Cleavage*)
　incidência, 1026, 1027f
　na mamografia, 1026, 1027f

D

DA (Dissecção Axilar), 1199
DB (Doença de Bowen), 336, 337
DCNTs (Doenças Crônicas Não Transmissíveis), 16, 18
　enfrentamento de, 13
　　política para o, 13
　fatores de risco em comum de, 13q
DEB (*Drug-Eluting Beads*), 318, 319

Decanulação
   programada, 591
Decorticação, 739
Deiscência
   no esvaziamento cervical, 583
Delirium, 255
   tratamento do, 256
Deontologia
   princípios fundamentais, 21
Depressão
   diagnóstico de, 251
   fatores de risco para, 250
   maior, 252*q*
      síndrome *versus*, 252*q*
         de comportamento de doença, 252*q*
   respiratória, 239
      por opioides, 239
   tratamento da, 252
Dermatoscopia, 329
Derrame(s)
   pericárdico, 229*f*, 751*q*
      características do, 751*q*
   pleurais, 230, 743*q*, 744*f*
      bilateral, 744*f*
         por SVCS, 744*f*
      causas de, 743*q*
         malignos, 743*q*
         paraneoplásico, 743*q*
DES (Dissecção Endoscópica da Submucosa), 91, 96, 801
   colônica, 97*f*
Descompressão
   cirúrgica, 753
      do pericárdio, 753
Desidratação, 2013
Desnutrição
   e câncer, 142
Detecção
   de marcadores tumorais, 49
      amplificação de DNA, 49
         de segmentos específicos de, 49
         pela PCR, 49
      de sequências específicas, 49
         de ácidos nucleicos, 49
            hibridação, 49
               in situ, 50
               northern blotting, 50
               southern blotting, 50
DFSP (Dermatofibrossarcoma Protuberante), 341, 373, 375, 413, 560
DH (Doença de Hodgkin), 305
Diafragma
   e câncer de pulmão, 634
Diarreia
   associada ao *Clostridium difficile*, 273
   em cuidados paliativos, 1981
      como evento adverso, 1982
      gênese da, 1981
         fatores comuns associados à, 1981
Diceologia
   princípios fundamentais, 21
Diclofenaco, 331
DIEAP (Retalho com Base em Vasos Perfurantes do Músculo Reto Abdominal), 210*f*
DIEP (*Deep Inferior Epigastric Perforator Flap*)
   efeitos no, 1225
      da RXT, 1225
Dieta
   como fator de risco, 30
   e câncer de cólon, 819
Diferenciação
   sarcomas com, 364, 365
      incerta, 365
         de células claras, 366
         epitelioide, 366
         sinovial, 365
         SPM alveolar, 366
      muscular, 364
         RMSs, 364
            alveolar, 364
            embrionário, 364
            pleomórfico, 364
      neural, 365
Difusão, 295
   sequências de, 296*f*, 297*f*
      combinação de, 296*f*, 297*f*
DII (Doença Inflamatória Intestinal), 821
Dilatação
   ductal, 1033
      isolada, 1033
      na mamografia, 1033
DISAT (Departamentos da Saúde do Trabalhador), 197
Displasia
   fibrosa, 726
      de parede torácica, 726
Dispneia
   controle da, 1993
      abordagem clínica, 1995
      ansiedade, 1193
         e falta de ar, 1193
      apoio a cuidadores/família, 1993
      conceito, 1993
      diagnóstico, 1995
      experiência de dispneia, 1993
         versus trajetória de doença, 1993
      fisiopatologia, 1994
      mensuração 1996
      neurofisiologia, 1994
      patogênese, 1994
      prevalência, 1993
   e câncer de pulmão, 633
Dispositivo(s)
   de ventilação, 1702
   de via aérea, 1702
Disseminação
   do câncer de pulmão, 634
      extratorácica, 635
         sinais do, 635
         sintomas do, 635
      locorregional, 634
         sinais do, 634
         sintomas do, 634
Distorção
   arquitetural, 1106
   da arquitetura, 1033
   focal, 1033
Distúrbio(s)
   hematológicos, 85
   metabólicos, 83
      hipercalcemia, 83
      hiperglicemia, 85
      hipocalcemia, 84
      hipocalemia, 84
      hipoglicemias, 85
      hiponatremia, 84
         pela SIADH, 84
   neurológico, 202*f*
      congênito, 202*f*
DLA (Dissecção dos Linfonodos Axilares), 1091
DMARDs (Drogas Modificadoras do Curso da Doença), 243
Doença(s)
   avançada, 1567-1570, 1573, 1574
      paliação em, 1567-1570, 1573, 1574
         de colo uterino, 1567-1570
         de ovário, 1573, 1574
   de Hand-Schuller-Christian, 478
   de Paget, 1133-1135
      da mama, 1133-1135
         diagnóstico, 1133
         diagnóstico diferencial, 1134
         estadiamento, 1134
         etiopatogenia, 1133
         prognóstico, 1135
         tratamento, 1134
   difusas, 88
      do tecido conectivo, 88
   hepática, 977
      crônica, 977
         TH em, 977
   invasiva, 1367-1458
      câncer, 1395-1404, 1407-1420, 1421-1429, 1430-1433, 1435-1458
         de colo de útero, 1395-1404
         de corpo uterino, 1407-1420
         de ovário, 1435-1458
         de vagina, 1430-1433
         de vulva, 1421-1429
      estadiamento dos tumores ginecológicos, 1389-1394
         segundo FIGO/TNM, 1389-1394
      exame peroperatório de congelação, 1367-1369
         na oncoginecologia, 1367-1369
         relevância da IHQ, 1371-1381
   irressecável, 672
      cirurgia paliativa na, 672
   metastática, 342, 368, 402*f*, 829, 854
      avaliação de, 368
         PET na, 368
         PET-CT na, 368
      cutânea, 342
      metacrônica, 855
         irressecável, 855
      para linfonodos, 402*f*
      sincrônica, 854, 855
         irressecável, 855
         ressecável, 854
      tratamento radical de, 829
   multicêntrica, 1202
      BLS em, 1202
   neurológicas, 587
      traqueostomia nas, 587
   nodal, 350
      regional, 350
         RXT no manejo da, 350
   pré-invasiva, 1015-1023, 1303-1351
      câncer de mama, 1015-1017
         lesões precursoras do, 1015-1017
      condilomas, 1349-1351
         tratamento baseado em evidências, 1349-1351
      do colo uterino, 1321-1330
         como conduzir, 1321-1330
      HE epitelial, 1331-1333
      HPV, 1335-1340, 1343-1348
         e carcinogênese, 1335-1340
         sequelas clínicas da infecção por, 1343-1348
      lesões pré-invasivas, 1019-1022
         tratamento das, 1019-1022
      lesões pré-malignas, 1309-1318
         do colo uterino, 1309-1318
      precursoras do câncer, 1303-1307
         de vulva, 1303-1307
         de vagina, 1303-1307
   residual, 282
   sistêmicas, 728
      manifestações de, 728
         na parede torácica, 728
   trofoblástica, 1374
      gestacional, 1374
Dor
   abdominal, 233
      em pacientes neutropênicos, 233
   e paliação, 1559-1565
   paciente oncológico com dor, 1559
      avaliação da, 1559
      classificação da, 1560, 1561*q*
      etiologia da, 1561*q*
      mensuração da, 1560
      tratamento, 1562

pós-operatória, 1703
  tratamento da, 1703
DPAM (Adenomucinose Peritoneal Disseminada), 193
DPD (Di-hidropirimidina Desidrogenase), 152
DPEM (Doença de Paget Extramamária), 340
DPM (Derrame Pericárdico Maligno), 749-754
  avaliação diagnóstica, 749
    diagnóstico, 750
      citológico, 750
      histopatológico, 750
    métodos de imagem, 749
  características, 749, 751*q*
    clínicas, 749
  tratamento, 752
    descompressão cirúrgica, 753
    esclerose pericárdica, 752
    QT intrapericárdica, 753
DPN (Derrame Pleural Neoplásico), 743-746
  causas de, 743*q*
  complicações, 746
  diagnóstico, 743
    apresentação clínica, 743
    características do líquido, 744
    exames de imagem, 743
    procedimentos, 744
  patogênese, 743
  prognóstico, 746
  tratamento, 745
    drenagem torácica tubular, 745
      fechada, 745
    pleurectomia, 746
    sistêmico, 746
    toracocentese, 745
DPOC (Doença Pulmonar Obstrutiva Crônica), 37
DR (Doença Reumática), 87
  drogas modificadoras da, 243-245
    coestimulação de linfócitos T, 245
      medicamento inibidor da, 245
    IL-6, 245
      inibidor do receptor da, 245
    imunobiológicos, 243-245
    medicamentos, 244
      anti-CD20, 244
    neoplasia, 243-245
      medicamentos biológicos e, 244
    pacientes sem história prévia de malignidade, 243
      malignidade em, 243
      uso de imunossupressores em, 243
    risco de terapia imunossupressora em
      neoplasia, 245
      atual, 245
      passada, 245
    TNF, 244
      medicamentos antagonistas do, 244
    tratamento sugerido, 245
  Drenagem
    abscesso hepático, 323*f*
    biliar, 233*f*, 320, 321*f*
      externa, 233*f*
        catéter *Pig Tail* em, 233*f*
      interna, 321*f*
        com implante de prótese/*stent*, 322*f*
      percutânea, 320, 321*f*
        externa, 321*f*
        interna-externa, 321*f*
    linfática, 1467
      do colo uterino, 1467
    percutânea, 322, 323*f*
      catéter *pig-tail* na, 323*f*
      de abscessos, 322
      de coleções, 322
      por técnica coaxial, 323*f*
    torácica, 745
      tubular, 745
        fechada, 745
DRM (Doença Residual Mínima), 1922

Droga(s)
  modificadoras da DR, 243-245
    coestimulação de linfócitos T, 245
      medicamento inibidor da, 245
    IL-6, 245
      inibidor do receptor da, 245
    imunobiológicos, 243-245
    medicamentos, 244
      anti-CD20, 244
    neoplasia, 243-245
      medicamentos biológicos e, 244
    pacientes sem história prévia de malignidade, 243
      malignidade em, 243
      uso de imunossupressores em, 243
    risco de terapia imunossupressora em
      neoplasia, 245
      atual, 245
      passada, 245
    TNF, 244
      medicamentos antagonistas do, 244
    tratamento sugerido, 245
  que afetam a radiosenssibilidade, 159
  usadas em ginecologia oncológica, 1517-1521
    princípios básicos da QT e, 1517-1521
      abordagens para tratamento, 1517
      e toxicidade, 1517
      agentes quimioterápicos comumente usados, 1518
      importância do volume de células tumorais, 1517
      outros quimioterápicos também utilizados, 1521
DSM (*Diagnostic and Statistical Manual of Mental Disorder*)
  III, 250
  IV, 251
Dukes
  classificação de, 164
    carcinoma do reto, 164
Duodeno
  tumores do, 943
    apresentação clínica, 943
    epidemiologia, 943
    fatores de risco, 943
    investigação diagnóstica, 945
    patogênese, 943
Duodenopancreatectomia
  controvérsias sobre, 937
    no câncer pancreático, 937
  para tratamento, 939
    de tumores, 939
      não periampulares, 939
DWISB (Difusão com Supressão do Sinal do Corpo), 297

E

EBDC (Enema Baritado com Duplo Contraste), 822
EBER-ISH (Hibridização *in situ* para os RNAs Não Codificantes do Vírus Epstein-Barr), 61
  dupla marcação por, 62*f*
EBV (Vírus Epstein-Barr), 521
  diagnosticando o, 61
  padrões de latência do, 61*q*
    nas diferentes neoplasias, 61*q*
ECOG (*Eastern Cooperative Oncology Group*), 596
Ecografia
  no câncer do reto, 838
    endorretal, 838
ECT (Eletroconvulsoterapia), 253, 256
EDA (Endoscopia Digestiva Alta), 112, 117, 777
  no câncer de estômago, 797
Edema
  de pálpebra, 530*f*
    superior, 530*f*

EE (Ecoendoscopia)
  na prática oncológica, 109-137
    camadas visualizadas, 109*f*
      do TGI, 109*f*
    CC, 133
    EE-PAAF, 112
    impacto clínico da, 109*q*
      representação percentual do, 109*q*
    indicações, 111
    linfoma gástrico, 122
    LSE, 112
      do TGI, 112
    neoplasia, 120, 121, 122, 134
      de reto, 134
      esofagiana, 120
      gástrica, 121
      sólida do pâncreas, 122
    profundidade visualizada, 109*f*
    transdutores, 109
      e imagem produzida, 110*f*
      linear, 110*f*
      radial, 110*f*
    tumores císticos, 127
      do pâncreas, 127
    via, 111, 112
      transduodenal, 111
      transesofágica, 112
      transgástrica, 112
EE-PAAF (Punção Aspirativa por Agulha Fina Guiada por Ecoendoscopia), 110
  citologia, 112
    convencional, 112
    de monocamada, 112
  desempenho da, 133*q*
    em lesões sólidas pancreáticas, 133*q*
    suspeitas, 133*q*
  imagem ecoendoscópica da, 127*f*
    de lesão hepática, 127*f*
      com neoplasia de pâncreas, 127*f*
  microbiópsias, 112, 113*f*
  para lesões císticas, 128*q*
    do pâncreas, 128*q*
EETR (Ecoendoscopia Transretal), 134
EGFR (Receptor do Fator de Crescimento Epidérmico), 151, 160, 336, 429, 483, 596
  mutação do, 79
  uso clínico da, 79
EL (Elastografia), 126
Eletrocauterização
  do câncer de pele, 330
    não melanoma, 330
ELM (Microscopia Epiluminescente), 329
EMA (Antígeno de Membrana Epitelial), 361
Embolização
  CHC, 316
  metástases hepáticas, 319
    de tumores, 319
      colorretais, 319
      neuroendócrinos, 319
  portal, 319, 320*f*, 895
Emergência(s) Oncológica(s), 235-241
  cardiovasculares, 239
    veia cava superior, 239
      síndrome de, 239
  cirúrgicas, 229-234
    aspectos paliativos da, 233
    complicações abdominais, 230
      colecistite, 232
      dor abdominal, 233
        em pacientes neutropênicos, 233
      infecções anorretais, 233
      obstrução, 230, 232
        biliar, 232
        do cólon, 231
        do intestino delgado, 231
        gástrica, 231
      perfuração, 232

sangramento gastrointestinal, 233
complicações torácicas, 229
derrame pleural, 230
tamponamento pericárdico, 229
sepse, 230
por cateter venoso de longa permanência, 230
endocrinometabólicas, 235
acidose láctica, 236
hipercalcemia, 235
hiponatremia, 236
SLT, 237
hematológicas, 235
hiperviscosidade, 235
leucostase, 235
sangramentos, 235
infecciosas, 240
febre, 240
neutropenia, 240
neurológicas, 237
compressão medular, 237
síndrome de, 237
hipertensão intracraniana, 238
meningite carcinomatosa, 238
metástase cerebral, 238
psiquiátricas, 240
pânico, 240
ataque agudo de, 240
respiratórias, 239
depressão por opioides, 239
prega vocal, 239
paralisia de, 239
EMI (Esofagectomia Minimamente Invasiva), 169
EMT (Excisão Mesorretal Total), 841
Endométrio
câncer de, 32, 175, 1353, 1358, 1047-1414, 1460 1531-1537
apresentação clínica, 1532
biologia molecular do, 1353
carcinogênese do, 1408
diagnóstico, 1408, 1532
doença recidivada, 1414
epidemiologia, 1531
estadiamento, 1532
estratificação de risco, 1533
fatores, 1407, 1409, 1531
de risco, 1407
prognóstico, 1409
gravidez e, 1460
manifestações clínicas, 1408
metastático, 1535
na doença, 1531-1537
metastática, 1531-1537
recidivada, 1531-1537
patologia, 1531
prática clínica do, 1358
preservação da fertilidade, 1412
prognóstico, 1532, 1537
QT adjuvante, 1413
rastreamento, 1408, 1532
recidivado, 1535
RXT adjuvante, 1412
seguimento, 1414, 1537
tratamento, 1411, 1531-1537
adjuvante, 1531-1537
cirúrgico, 1411, 1532
VC no, 175
tumores de, 1359
Enneking
sistema de, 379q
de estadiamento, 379q
dos tumores ósseos malignos, 379q
Enterocolite
neutropênica, 273
Enucleação
procedimento de, 537f
técnica operatória, 535

EO (Enema Opaco)
com duplo contraste, 287
na detecção de CCR, 287
EORTC (Organização Europeia para Pesquisa e Tratamento de Câncer)
novo estudo conduzido pela, 1502
EP (Embolia Pulmonar), 221
Ependimoma
apresentação clínica, 1837
diagnóstico, 1837
epidemiologia, 1836
genética, 1836
patologia, 1836
tratamento, 1837
cirúrgico, 1837
Epidemiologia
do câncer, 3-11
abordagens da pesquisa, 7
erros em estudos epidemiológicos, 11
estudos, 8, 9
ecológicos, 9
experimentais, 9
observacionais, 8
metanálise, 10
revisão sistemática, 10
tipos de estudos, 7
medidas da magnitude do, 3
determinantes, 3q
incidência, 5
mortalidade, 3
sobrevida, 6
ocorrência no Brasil, 3
incidência, 5
mortalidade, 3
sobrevida, 6
Escalpo
defeitos do, 602f
reconstrução oncológica dos, 602f
Escaneamento
radial, 110f
método de, 110f
Esclerose
pericárdica, 752
ESF (Estratégia Saúde da Família)
implantação de rastreamento da, 40
intervenções por meio da, 40
Esofagectomia(s)
no câncer de esôfago, 780, 781
complicações das, 780
pós-operatórias, 780
de resgate, 781
Esôfago
câncer do, 120f, 145, 169, 775-782
anatomia, 776
apresentação clínica, 776
diagnóstico, 777
estadiamento, 777
ficha de, 778q
etiologia, 775
ilustrações ecoendoscópicas de, 120f
patologia, 776
tratamento, 779
acompanhamento, 781
adjuvante, 780
cirúrgico, 779
complicações das esofagectomias, 780
endoscópico, 779
esofagectomia de resgate, 781
neoadjuvante, 781
paliativo, 781
QT, 781
RQT radical exclusiva, 781
RXT, 780
VC no, 169
divisões anatômicas do, 776f
drenagem linfática do, 776f
e câncer de pulmão, 634

neoplasias do, 62, 121f, 281f
inferior, 121f
linfonodos paraesofagianos em, 121f
próteses de, 100q
autoexpansíveis, 100q
características gerais das, 100q
relações anatômicas do, 776f
Espectroscopia, 298
Esplenectomia
funcional, 270
Esqueleto
tumores vasculares do, 468
hemangioendotelioma, 468
ESS (Sarcoma Estromal Endometrial), 1417
Estabelecimento(s) de Saúde
natureza jurídica dos, 15q
produção no SUS em 2010 por, 15q
ambulatorial, 15q
hospitalar, 15q
no Brasil, 15q
distribuição dos, 15q
por natureza jurídica, 15q
por tipo, 15q
Estadiamento, 368
AJCC, 358q, 409q
dos tumores cutâneos, 409q
não melanomas, 409q
clínico, 369, 399q, 419
do câncer de tireoide, 419
grupamento por estágios clínicos, 420
linfonodos regionais, 419
pTNM, 419
regras para classificação, 419
tipos histológicos, 419
de ADE, 307f, 933
pancreático, 933
AJCC, 933
de pulmão, 307f
de câncer, 433, 487, 494, 504, 512, 638, 644f, 646-649, 777, 823, 837-839q, 878, 879q, 932q
de boca, 433
de cólon, 823
TNM, 823q
de esôfago, 777
ficha de, 778q
de glândulas salivares, 487
de hipofaringe, 512
de laringe, 504
de orofaringe, 494
de pulmão, 638, 644f, 646-649
por imagem, 646-649
do canal anal, 878, 879q
UICC, 879q
do reto, 837
TNM, 838, 839q
pancreático, 932q, 933q
clínico, 932q
radiológico, 932q
TNM, 933q
de CC, 915
de melanoma cutâneo, 397
clinicopatológico TNM, 398q
de MPM, 737
proposta de sistema de, 737q
com base em sobrevida, 737q
segundo UICC, 738q
sistema de Butchart, 737q
TNM, 737q
de neoplasia, 308f
de reto, 308f
de SPM, 357
dos sarcomas, 572q
de partes moles, 572q
por grupos, 572q
dos tumores ginecológicos, 1389-1394
segundo FIGO/TNM, 1389-1394
câncer, 1389
de endométrio, 1390

de ovário, 1391, 1392q
de tuba uterina, 1391, 1392q
de vagina, 1393
de vulva, 1391, 1393q
do colo do útero, 1389
trofoblásticos gestacioanais, 1393
dos tumores ósseos malignos, 379q
sistema de, 379q
de Enneking de, 379q
do AJCC, 380q
outras classificações, 164
de Aster e Coller, 164
carcinoma de cólon e reto, 164
de Dukes, 164
carcinoma do reto, 164
de Robson, 165
tumor renal, 165
de Turnbull *et al.*, 164
carcinoma de cólon e reto, 164
patológico, 369
sistema TNM, 164, 916q, 917q
de CC, 916q, 917q
distal, 917q
intra-hepático, 916q
peri-hilar, 916q
regras gerais do, 164
símbolos adicionais, 164
Estágio(s)
da evolução do câncer, 44f, 45f
de cólon, 45f
Esteatonecrose, 1051f
Estenose(s)
anastomóticas, 102
sem doença residual, 102
Estesioneuroblastoma
extenso, 553f
Estilo de Vida
e câncer de cólon, 820
Estômago
câncer de, 6, 93, 795-805
apresentação clínica, 796
avaliação pré-tratamento, 797
classificação, 798
diagnóstico, 796, 797
epidemiologia, 795
estadiamento, 798
fatores de risco, 795
no Brasil, 6
patologia, 795
tratamento endoscópico no, 93
avaliação pós-ressecção, 94
da úlcera actínica, 94
indicações, 93
vigilância, 94
tratamento, 800
adjuvante, 802
cirúrgico, 800
do estágio IV, 803
estações linfonodais do, 799q, 800f
classificação das, 799q
localização das, 800f
lesão de, 123f
infiltrativa, 123f
ulceroinfiltrativa, 123f
irregular, 123f
migração para o, 102f
de prótese esofágica, 102f
neoplasias do, 62
Estomaterapia
em oncologia, 861-874
ações em, 865
em pacientes oncológicos, 865
bases legais da, 861
no Brasil, 861
desempenho da expertise, 862
tecnologia no, 862
direitos dos ostomizados, 872
declaração dos, 872

método de controle intestinal em estomizados, 872
processo reabilitatório através do, 872
trajetória da, 861
no mundo, 861
Estomatite/Mucosite
etiologia, 2008
quadro clínico, 2008
tratamento, 2008
Estridor
e câncer de pulmão, 633
Estrogênio
receptores de, 79
uso clínico de, 79
Estroma, 1457
ESTS (*European Society of Thoracic Surgeons*), 761
Estudo(s)
ecológicos, 9
epidemiológicos, 7, 11
tipos de, 7, 11
de erro em, 11
experimentais, 9
imuno-histoquímico, 61f, 62, 64, 65
das células do microambiente tumoral, 65
das neoplasias, 65
das células tumorais, 62, 64
das neoplasias hematológicas, 64
dos tumores sólidos, 62
de neoplasia de células pequenas, 61f
e redondas, 61f
observacionais, 8
de caso-controle, 8
de coorte, 8
transversais, 9
revisão sistemática, 10
e metanálise, 10
Esvaziamento
cervical, 402f, 577-584
biologia molecular, 583
cervicofacial, 578f
classificação dos, 578q
classificação TNM da UICC, 579q
complicações, 582
deiscência, 583
fístula quilosa, 583
infecção, 582
necrose, 583
parestesia, 583
queda do ombro, 583
ruptura de carótida, 583
sangramento/hematoma, 582
seroma, 582
trombose de veia jugular interna, 583
controvérsias, 579
abordagem do nível IIB, 582
abordagem do pescoço, 579
BT para tumores cervicais irressecáveis, 582
condutas no pescoço, 579
invasão de artéria carótida, 582
LNS, 580
metástase cervical com primário desconhecido, 581
tratamento de resgate em pescoço positivo, 580
watchful waiting versus esvaziamento seletivo, 582
diagnóstico, 579
histórico, 577
incisões, 579
tipos de, 580f
lateral, 578f
radical, 578f
supraomo-hióideo, 402f, 578f
esquerdo, 402f
ETH (Esofagectomia Trans-Hiatal), 780
Ética
em cuidados paliativos, 26

médica, 21, 24
código 2010 de, 24
principais pontos do, 24
e oncologia, 22
princípios fundamentais, 21
Etilismo
e câncer de cólon, 820
ETM (Excisão Total do Mesorreto), 174
ETR (Ecografia Transretal), 844
ETT (Esofagectomia Transtorácica), 780
EUS (Ultrassonografia Endoscópica), 777
EUSOMA (Sociedade Europeia de Mastologia), 290
EV (Epidermodisplasia Verruciforme), 322
Evisceração, 536
Evolução
estágios na, 44f, 45f
do câncer, 44f, 45f
de cólon, 45f
Ewing
sarcoma de, 727
de parede torácica, 727
tumores da família, 383
Exame
citopatológico, 1312
realização de, 1312
periodicidade, 1312
população-alvo, 1312
de imagem, 367
tumor primário, 367
radiografia simples, 367
RM, 367
TC, 367
peroperatório, 1367-1369
de congelação, 1367-1369
na oncoginecologia, 1367-1369
por congelação, 71-75
aspectos históricos, 71
Excisão
local, 844, 845q
transanal, 844, 845q
critérios de indicação, 845q
Exenteração
pélvica, 847, 1493-1499
em tumores ginecológicos, 1493-1499
complicações, 1498
contraindicações, 1495
indicações, 1493
princípios, 1495
seleção da paciente, 1494
técnica cirúrgica, 1495
técnica operatória, 536
Exposição
á luz solar, 31
como fator de risco, 31

F

F (Fator Tecidual), 52
Fadiga
em pacientes oncológicos, 1962-1965
etiopatogenia, 1962
tratamento, 1963
Família
como paciente, 262-263
em psico-oncologia, 262-263
câncer infantil, 263
vivência no processo de adoecimento, 262
FAN (Fator Antinuclear), 88
Faringe
anatomia da, 493f
Fator(es) de Risco, 29-34
câncer, 31, 32
de pulmão, 31
do sistema digestório, 31
de esôfago, 31
gástrico, 31
em homens, 32
de próstata, 32

em mulheres, 32
  de colo uterino, 34
  de endométrio, 32
  de mama, 33
contaminação ambiental, 30
dieta, 30
exposição á luz solar, 31
infecção, 30
metais pesados, 30
tabagismo, 29
vírus, 30
FDG (Fluoro-2-desoxiglicose), 305, 368
Febre
  e câncer de pulmão, 633
Febre, 240
  tumoral, 89
Fêmur
  osteocondroma de, 385f
    condrossarcoma secundário a, 385f
Feocromocitoma
  características tumorais, 974
  diagnóstico, 974
  prognóstico, 975
  quadro clínico, 974
  testes radiológicos, 974
  tratamento, 975
    adrenalectomia, 975
    cirúrgico, 975
    RXT, 975
    sistêmico, 975
Ferida
  operatória, 167
    proteção da, 167
Fertilidade
  cirurgia da conservação da, 1463
    em câncer ginecológico, 1463
      preservação da, 1463
        estratégias para, 1463
          por localização primária, 1463
  feminina, 1577
    e câncer ginecológico, 1577
Fibroadenoma, 1039, 1048
Fibro-histiocitoma
  maligno, 359, 560
    com células gigantes, 359
    inflamatório, 359
    pleomórfico, 359
Fibroma(s)
  ameloblástico, 458
    aspecto, 458f, 459f
      cirúrgico, 459f
      radiográficos, 459f
      tomográfico, 458f
    características, 459f
  de parede torácica, 728
  desmoplásico, 472
  ossificante, 473, 474f
    apresentação clínica, 473f
    juvenil, 473, 474f
      agressivo, 473
      maxilar, 473f
    ressecção de, 474f
Fibrossarcoma, 361, 560
  ameloblástico, 459
    aspecto clínico, 459f
    características, 459f
  epitelioide esclerosante, 362
  infantil, 361
Fíbula
  retalho livre de, 210
    osteomiocutâneo, 210
Fígado
  e câncer de pulmão, 635
  efeito no, 895
    da QT, 895
  neoplasias do, 172
    VC nas, 172

FIGO (Federação Internacional de Ginecologia e Obstetrícia), 1389
Fim da Vida
  cuidados no, 2023-2027
    apoio, 2026
      espiritual, 2026
      psicossocial, 2026
    conforto, 2026
      gerenciamento de, 2026
    definição, 2023
    diagnóstico, 2024
    futilidade terapêutica no, 2026
    objetivos dos cuidados, 2023
    últimos dias, 2025
      anorexia dos, 2025
      disfagia dos, 2025
FISH (Hibridização *in situ* por Fluorescência), 1185
Fístula(s)
  anastomóticas, 102
    sem doença residual, 102
  esofagorrespiratória, 102
    maligna, 102
  na doença avançada, 1570
    de colo uterino, 1570
  quilosa, 583
    após esvaziamento cervical, 583
FNCLC (*French Federation of Cancer Centers*), 356
  escore conforme, 357q
    de diferenciação tumoral, 357q
      dos SPMs, 357q
    sistema da, 357q
    de graduação, 357q
FNM (Feridas Neoplásicas Malignas), 2002-2005
  avaliação, 2003
    dos sinais, 2003
    dos sintomas, 2003
    geral, 2003
  classificação, 2002
  definição, 2002
  estadiamento, 2002
  fisiopatologia, 2002
  manejo, 2003
    dos sinais, 2003
    dos sintomas, 2003
  nomenclatura, 2002
Fossa Nasal
  melanoma de, 550f
FPCD (Fase Pré-Clínica Detectável pelo Teste), 285
FPTO (Fora de Possibilidade Terapêutica Oncológica), 189
Fragmento de Pele
  aspectos microscópicos de, 71f
    após inclusão em parafina, 71f
      corado com H&E, 71f
    técnica de congelação, 71f
      corado com azul de toluidina, 71f
Fumante(s)
  leves, 41
    aconselhamentos com, 41
    intervenções com, 41
  passivo, 622
    câncer de pulmão em, 622
Fundamento(s)
  da oncologia mamária, 985-1013
    câncer de mama, 989-993, 1001, 1002, 1005-1007, 1009-1013
      biologia molecular do, 989-993
      estadiamento do, 1009-1013
      genética e, 1001, 1002
      valores dos marcadores tumorais no, 1005-1007
    carcinogênese mamária, 985-987
    metástases, 995-999
      biologia molecular das, 995-999

G

Ganglioneuroblastoma(s), 721
Ganglioneuroma(s), 721
Gastrectomia(s)
  exemplos de, 144f
  videolaparoscópica, 801
Gastrinoma(s), 125f, 964
Gastroduodenopancreatectomia, 146f
GBM (Glioblastoma Multiforme), 1861
GD (Grande Dorsal)
  músculo, 1215, 1227-1232
    anatomia do, 1227
    reconstrução mamária com, 1215, 1227-1232
    retalho do, 1227-1232
  reconstrução com, 1227, 1228
    contraindicações de, 1228
    indicações de, 1227
Genética
  no câncer ginecológico, 1357, 1358
  prática clínica do câncer, 1357, 1358
    de endométrio, 1358
    de ovário, 1357
Gestação
  LNS na, 1211
    epidemiologia, 1211
    PLS e, 1211
  no câncer localmente avançado, 1403
Gestante(s)
  BLS em, 1202
Ginecologia Oncológica
  bases biomoleculares aplicadas à, 1353-1366
    câncer ginecológico, 1353-1355, 1357, 1358
      biologia molecular do, 1353-1355
      genética no, 1357, 1358
    marcadores tumorais em, 1363-1365
      AFP, 1363
      β-HCG, 1363
      CA 125, 1364
      CA 15-3, 1364
      CA 27-29, 1364
      CA 72-4, 1363
      catepsina D, 1364
      CEA, 1364
      C-ErbB2, 1365
      cyfra 21.1, 1363
      inibina, 1363
      MCA, 1363
    tumores ginecológicos, 1359-1361
      fatores prognósticos em, 1359-1361
  cirurgia em, 1459-1500
    câncer de colo uterino, 1467-1472, 1473-1479
      cirurgia conservadora em, 1473-1479
      LNS no, 1467-1472
    câncer ginecológico, 1459-1461, 1463-1465
      conservação da fertilidade em, 1463-1465
      gravidez e, 1459-1461
    CMI em, 1481-1486
      câncer, 1481
        de endométrio, 1481
        de ovário, 1482
      CC, 1481
      cirurgia robótica, 1484
      considerações importantes em, 1486
      linfadenectomia laparoscópica, 1483
        extraperitoneal, 1483
      massas anexiais, 1482
      single port, 1484
    massas pélvicas, 1489-1492
      achados inesperados, 1489-1492
    TR, 1473-1479
    tumores ginecológicos, 1493-1499
      exenteração pélvica em, 1493-1499
  drogas usadas em, 1517-1521
    princípios básicos da QT e, 1517-1521
      abordagens para tratamento, 1517
      e toxicidade, 1517

agentes quimioterápicos comumente usados, 1518
importância do volume de células tumorais, 1517
outros quimioterápicos também utilizados, 1521
GIST (Tumores Estromais Gastrointestinais), 155, 303, 368, 809-812
categorias de risco no, 115q
diagnóstico, 809
do intestino delgado, 816
EE-PAAF de, 113
epidemiologia, 809
gástrico, 114f
aspecto ecoendoscópico do, 114f
aspecto do, 810f
endoscópico, 810f
ressecção de, 810f
laparoscópica, 810f
metástase hepática de, 901
patologia, 809
avaliação do risco, 810q
potencial de malignidade, 809q
estimativa do, 809q
taxa de sobrevida livre de, 115q
duodenal, 115q
gástrico, 115q
tratamento, 809, 811, 812
da doença, 809, 811
metastática, 811
não metastática, 809
da recidiva, 812
Glândula(s)
cânceres das, 338
apócrinas, 338
écrinas, 338
sebáceas, 338
suprarrenais, 635, 971-976
e câncer de pulmão, 635
neoplasias da, 971-976
adenoma adrenocortical, 972
CA, 972
feocromocitoma, 974
incidentaloma de, 971
metástases suprarrenais, 975
tireoide, 585f
relações com a, 585f
da traqueia, 585f
Glândula(s) Salivar(es)
câncer de, 479-491
biologia molecular, 482
características clínicas, 482
casuística do INCA, 487
comportamento biológico, 482
estadiamento, 487
fatores preditivos prognósticos, 487
frequência de tumores malignos menores de, 482q
por sítios anatômicos, 482q
por tipo histológico, 482q
investigação diagnóstica, 483
malignidade, 485q
graus histológicos de, 485q
marcadores tumorais, 483
principais tipos de tumores de, 481q
classificação histológica dos, 481q
prognóstico, 491
tipos histológicos, 485
tratamento por estágios, 487
carcinomas de, 486q
classificação TNM dos, 486q
Glicocorticoide, 243
Glioma(s)
alterações, 1785
da via de EGFR, 1785
biologia molecular dos, 1783
cerebrais, 1817
no adulto, 1817

classificação dos, 1783
de alto grau, 1861
tratamento de resgate dos, 1861
antiangiogênicos, 1862
inibidor da tirosina quinase, 1865
do EGFR, 1865
do PDGF, 1865
inibidores das vias, 1865
do PI3K/AKT, 1865
do RAS/MAPK, 1865
outros agentes quimioterápicos, 1861
QT com base em temozalina, 1861
deleção de 1p/19q, 1785
métodos avançados de neuroimagem nos, 1787
principais aplicações dos gliomas, 1787
mutações de IDH, 1785
promotor do MGMT, 1784
metilação do, 1784
resposta terapêutica dos, 1787
avaliação da, 1787
diagnóstico, 1787
imagem avançada no, 1787
tratografia, 1811
e bold, 1811
Globo Ocular, 529-538
características, 529
ressecção de lesões, 536
com auxílio de microscópio, 536
tratamento, 533
Glote, 504-506, 508
Glucagonoma(s), 964
Granuloma
central, 474
de células gigantes, 474
apresentação clínica, 474f
multiloculado, 474f
ressecção de, 475f
eosinofílico, 478, 728
Gravidez
câncer de mama associado à, 1163-1165
amamentação, 1164
apresentação, 1163
anatomopatológica, 1163
clínica, 1163
conduta obstétrica, 1164
contracepção, 1164
fertilidade, 1165
métodos diagnósticos, 1163
prognóstico, 1165
tratamento, 1164
e câncer ginecológico, 1459-1461
de colo uterino, 1459
de endométrio, 1460
de ovário, 1461
sarcomas uterinos, 1461
tecnologias de reprodução assistida, 1461
GRE-T1 (*Gradiente-Echo* T1), 297
GST (Gastrectomia Subtotal), 144, 800
GT (Gastrectomia Total), 144, 800
GTV (Volume Tumoral Grosseiro), 597

H

H&E (Hematoxilina-Eosina)
fragmento de pele corado com, 71f, 74f
cortado após imersão em parafina, 71f, 74f
Halitose
causas, 2008
tratamento, 2009
Hamartoma(s)
mesenquimais, 728
de parede torácica, 728
Hand-Schuller-Christian
doença de, 478
Hand-Walking (Andar com as Mãos)
membros superiores com coordenação para, 204f
paciente adaptado com os, 204f

HB (Hepatoblastoma), 979, 1743-1749
anatomopatologia, 1743
apresentação clínica, 1743
epidemiologia, 1743
estadiamento, 1745
metástases, 1749
métodos diagnósticos, 1745
novos rumos, 1749
tratamento, 1747
HBOC (Síndrome de Câncer de Mama e Ovário Hereditária), 1357
HBPM (Heparina de Baixo Peso Molecular), 85
HCG (Gonadotrofina Coriônica Humana), 162
HDA (Hiperplasia Ductal Atípica), 1016, 1019
na mama, 1051
HDR (Alta Taxa de Dose)
BT de, 159
HE (Hiperplasia Endometrial)
epitelial, 1331-1333
classificação, 1332
complexa, 1332
com atipias, 1332
sem atipias, 1332
simples, 1332
histopatologia, 1331
Hemangioendotelioma
composto, 363
de palato, 468f
ressecção de, 468f
epidemiologia, 468
epitelioide, 363, 979
TH em, 979
histologia do, 468f
kaposiforme, 362
patologia, 468
prognóstico, 469
retiforme, 362
tratamento, 469
Hemangioma(s)
de parede torácica, 728
EE-PAAF de, 116
em região orbitária, 534f
anterior, 534f
ressecção transconjuntival, 534f
esofagiano, 116f
correlação da imagem em, 116f
endoscópica e ecoendoscópica, 116f
Hemangiopericitoma, 360
Hematoma
na mama, 1051
no esvaziamento cervical, 582
Hemicolectomia
direita, 824
esquerda, 825
Hemicorporectomia, 201-205
associada a colostomia úmida, 203f
em alça, 203f
aspecto final da, 203f
casos de, 201f
complicações, 204
indicações, 202
condições não neoplásicas, 202
neoplasias, 202
planejamento, 202
intraoperatório, 203
derivações, 203
intestinal, 203
urinária, 203
fechamento, 203
reconstrução, 203
secção, 203
da coluna lombar, 203
de grandes vasos, 203
pré-operatório, 202
pós-operatório, 204
reabilitação, 204
resultados, 205

Hemoptise
  e câncer de pulmão, 633
  maciça, 672
Hemotransfusão, 2033-2036
  em cuidados paliativos, 2033-2036
    abordagem terapêutica, 2034
    definição, 2033
    diagnóstico, 2034
    fisiopatologia, 2033
    sintomatologia, 2033
  em pacientes terminais, 2035
Hepatectomia
  videolaparoscópica, 923-926
    aspectos técnicos, 924
    definições, 923
    indicação, 924
    perspectivas, 925
    resultados, 925
Hepatocarcinoma, 316f, 317f
  ablação no, 315
Hepatonavegação
  intraoperatória, 925f
    instrumentos para, 925f
Hepatopata
  tumor no, 977
    diagnóstico do, 977
      em acompanhamento clínico, 977
Hepatopatia
  crônica, 280f
    imagem de, 280f
      paciente com sinais de, 280f
HER2 (Receptor 2 do Fator de Crescimento Epidérmico Humano), 153, 483
  uso clínico, 79
HHV8 (Herpes-Vírus Humano tipo 8), 340, 362, 1903
Hidratação, 1701
Hidrocarboneto(s) Aromático(s)
  policíclicos, 622
    e câncer de pulmão, 622
Hidroxicloroquina, 243
HIPEC (Quimioterapia Intraperitoneal Hipertérmica)
  CR e, 189-198
    casuística pessoal, 198
    CP, 196
      de origem colorretal, 196
      de origem gástrica, 197
    critério, 192, 193
      de elegibilidade, 192, 193
      de inelegibilidade ao tratamento, 192
    cuidados peroperatórios, 198
    curva de sobrevida, 198
      influência da, 198
    experiência pessoal, 197
    ICP, 190
    indicações, 192
    morbidade da, 198
    mortalidade da, 198
    MPM, 194
    PMP, 193
    resultados, 192
    sarcomatose peritoneal, 195
  drogas utilizadas, 197q
  equipamento para, 191f
  técnica de, 189, 192f
    racional da, 189
      da hipertermia, 189
      da QTIP, 190
      sinergismo entre hipertermia e QT, 190
    tipos de, 190
Hipercalcemia, 83, 235, 2016
Hipercalemia, 2015
Hiperglicemia, 85
Hipernatremia, 2013
Hipernefroma, 765

Hiperplasia
  atípica, 1019
  nodular, 280f
  focal, 280f
Hipertensão
  intracraniana, 238
Hiperviscosidade, 235
Hipocalcemia, 84
Hipocalemia, 84, 2015
Hipofaringe
  câncer de, 511-518
    anatomia, 511
    biologia molecular, 512
    características clínicas, 511
    comportamento biológico, 512
    controvérsia, 517
    diagnóstico precoce, 518
    estadiamento, 512, 513q
      do pescoço, 513q
      e metástases a distância, 513q
      sistema TNM, 513q
    estágios do, 513q
      sistema TNM, 513q
    etiologia, 511
    fatores preditivos prognósticos, 512
    investigação diagnóstica, 512
    prevenção, 518
    prognóstico, 518
    QT, 517
    RXT, 517
    tratamento, 513
  carcinoma de, 512f
    epidermoide, 512f
      metástase cervical de, 512f
  parede posterior da, 513
    carcinoma epidermoide de, 513f
      videolaringoscopia do, 513f
    tumores da, 513
  reconstrução da, 515f
    parcial, 515f
  subsítios da, 511f
    videolaringoscopia dos, 511f
Hipoglicemia(s), 85
Hiponatremia, 236, 2014
  pela SIADH, 84
Histerectomia(s)
  para câncer cervical, 1397q
    principais diferenças nas, 1397q
      anatomocirúrgicas, 1397q
  radical, 1397
  técnica, 1397
Histiocitose
  de Langerhans, 477, 728
  X, 477
Histologia
  lobular, 1187
    neoadjuvância em, 1187
História Familiar
  e câncer de cólon, 821
HIV (Vírus da Imunodeficiência Humana), 336, 355, 493, 877, 1903
  linfoma de SNC em, 1879
    primário, 1879
HLA (Hiperplasia Lobular Atípica), 1016, 1019, 1021
HNPCC (Câncer Colorretal Hereditário Sem Polipose), 819, 834
Homem(ns)
  câncer em, 32
  de próstata, 32
Hormonoterapia
  neoadjuvante, 1186, 1264
Hospedeiro
  fatores relacionados com o, 622
    câncer de pulmão e, 622
HPV (Papilomavírus Humano), 30, 34, 333, 336, 429, 877, 1309
  câncer por, 1347f

  e carcinogênese, 1335-1340
    estrutura do, 1335
    fatores de risco, 1337
    infecção pelo, 1336
      resposta do hospedeiro à, 1336
    vacina contra, 1337
      mecanismo de ação das, 1337
      princípio das, 1337
      recomendações atuais, 1338
      vacinação profilática, 1339
  infecção por, 1343-1348
    sequelas clínicas da, 1343-1348
      câncer, 1347
      lesões pré-neoplásicas, 1345
      verrugas genitais, 1344
  lesões relacionadas com o, 1606
    no pênis, 1606
  rastreio do, 1346f
    alterações celulares no, 1346f
HSIL (Lesão Intraepitelial de Alto Grau), 1316, 1326
  colpocitologia de, 1328f, 1329f
    conduta para mulheres com, 1328f, 1329f
      até 20 anos, 1329f
    não podendo excluir, 1328
      carcinoma epidermoide invasor, 1328
      microinvasão, 1328
HTLVI (Vírus Linfotrópico de Células T Humano tipo 1), 1903
Humor
  transtorno do, 250
    depressão, 250
      diagnóstico de, 251
      fatores de risco para, 250
      tratamento da, 252
    por condição médica geral, 250
    por substância, 250
    sem outra especificação, 250
  síndrome, 252
    de comportamento de doença, 252
  suicídio em pacientes com câncer, 252
    fatores de risco de, 252

I

IASLC (*International Association for the Study of Lung Cancer*), 656
ICP (Índice de Carcinomatose Peritoneal), 189, 190, 191f, 193
Idosa(s)
  câncer de mama em, 1151-1159
    fatores, 1152
      histopatológicos, 1152
      prognósticos, 1152
    manifestações, 1151
      clínicas, 1151
      radiológicas, 1151
    planejamento terapêutico, 1153
    prognóstico, 1152
    tratamento, 1154, 1157
      locorregional, 1154
      sistêmico, 1157
Idoso(s)
  câncer em, 509
    de laringe, 509
IDSCRC (Sistema Internacional de Documentação do Câncer Colorretal), 833
I-ELCAP (*Early Lung Cancer Action Project* Internacional), 286
IESS (*Intergroup Ewing's Sarcoma Study*), 384
IGRT (Radioterapia Guiada por Imagem), 157, 158, 1556
IHQ (Imuno-histoquímica), 57-65, 355
  diagnosticando o EBV, 61
  estudo das, 62, 64
    células tumorais, 62, 64
      das neoplasias hematológicas, 64
      dos tumores sólidos, 62

do microambiente tumoral, 65
    das neoplasias, 65
no diagnóstico das neoplasias, 57
    hematológicas, 58
    indiferenciadas, 57
    tumores sólidos, 57
no LNS, 60
papel da, 1200
    na avaliação do LS, 1200
    no CLI, 1201
    relevância da, 1371-1381
        no trato genital feminino, 1371
            colo uterino, 1372
            doença trofoblástica gestacional, 1374
            ligamento largo, 1381
            ovário, 1375
            peritônio, 1375
            trompas uterinas, 1381
            útero, 1373
            vagina, 1371
            vulva, 1371
IL-6 (Interleucina 6)
    receptor da, 245
    inibidor do, 245
ILD (Intervalo Livre de Doença), 763
Imagem em Oncologia
    de hepatopatia crônica, 280f
        paciente com sinais de, 280f
    funcional, 295-299
        difusão, 295
        espectroscopia, 298
        perfusão, 297
        RM, 297
            de corpo inteiro, 297
    fundamentos do diagnóstico por, 279-283
        custos, 283
        da anatomia à fisiologia, 282
        escolha do método, 282
        métodos de imagem, 279
            verdadeiro papel dos, 279
        multidisciplinaridade, 279
        outras limitações, 281
            avaliação lonfonodal, 281
            doença residual, 282
            irressecabilidade, 281
            recidiva local, 282
        solicitação de exames, 282
        subespecialidade, 279
Imagem
    mamária, 1065
        termos de exame de, 1065
            calcificações, 1065
            casos especiais, 1065
            massas, 1065
        métodos diagnósticos por, 1025-1093
            classificação do BI-RADS, 1063-1085
                em mamografia, 1063-1085
                em RM, 1063-1085
                em US, 1063-1085
            mamografia, 1025-1034
            PET-Scan, 1087-1089
            e mama, 1087-1089
            RMM, 1045-1061
            US, 1035-1043
                nas lesões mamárias, 1035-1043
                valor da cintilografia, 1091-1093
                    no câncer de mama, 1091-1093
Imiquimod, 331
IMPACT (*Italian Multicenter Polyps Accuracy CTC study*), 288
Implante(s)
    de catéter, 324
        duplo J, 324
        venoso profundo, 324
            por acesso periférico, 324
    de filtro de veia cava inferior, 324
    de silicone, 1058

dentário, 442
    osteointegrados, 442
    efeitos no, 1225
        da RXT, 1225
    PICC LINE, 324
    reconstrução com, 1213
        de mama, 1213
IMRT (Radioterapia com Intensidade Modulada), 157, 158, 597, 1555
    com irradiação pélvica, 159f
    por ADE de próstata, 159f
Imunidade
    adaptativa, 270
        comprometimento da, 270
            associado à terapia antineoplásica, 270
    inata, 269
        comprometimento da, 269
            associado à terapia antineoplásica, 269
Imunobiológico(s), 243-245
Imunodisfunção
    associada ao câncer, 269
Imunofenótipo
    das principais neoplasias, 61q
        hematológicas, 61q
            com morfologia básica, 61q
    dos principais linfomas, 60q
        de células, 60q
            B maduras, 60q
            NK, 60q
            T maduras, 60q
Imunossupressor(es)
    malignidade e uso de, 243
        em pacientes sem história prévia de malignidade, 243
            agentes alquilantes, 243
            antimetabólitos, 243
            cloroquina, 243
            glicocorticoide, 243
            hidroxicloroquina, 243
            inibidores da calcineurina, 243
            leflunomide, 243
            metotrexate, 243
            micofenolato mofetil, 243
            rapamicina, 243
            sirolimus, 243
            sulfassalazina, 243
INCA (Instituto Nacional de Câncer), 17, 32, 37, 40, 249, 305, 417
    cuidados paliativos no, 1949-1951
        atuais, 1952-1957
            assistência no HC IV, 1952
            ensino em, 1957
            Hospital do Câncer IV, 1952-1957
            treinamento em, 1957
            unidade de cuidados paliativos, 1952-1957
        primórdios do, 1949-1951
            agradecimentos aos pioneiros dos, 1951
            estrutura assistencial, 1950
                institucionalização da, 1950
            planejamento das atividades, 1949
            primeiras ações, 1949
            viabilização das atividades, 1950
    experiência do, 894
Incidência(s)
    básicas, 1026
        na mamografia, 1026
            CC, 1026
            contact, 1027
            CV, 1026
            LM, 1027
            ML, 1026
            MLO, 1026
            P, 1026
            perfil interno, 1027
            RCC, 1027
            XCC, 1026

de câncer, 5
    no Brasil, 6
        colo de útero, 6
        cólon, 6
        esôfago, 6
        estômago, 6
        mama feminina, 6
        próstata, 6
        pulmão, 6
        reto, 6
        RHC, 6
Incidentaloma(s), 422
    de suprarrenal, 971
        acompanhamento, 972
        pacientes com, 972q
            avaliação dos, 972q?
        patologias associadas, 971q
        principais causas de, 971q
            características radiológicas das, 971q
        tratamento dos, 972
Indiferenciação
    celular, 1601
    genes associados à, 1601
Indução
    dos cuidados palioativos, 1958-1959
        comunicação, 1958
        controle de sintomas, 1959
        time multiprofissional, 1958
Infância
    na infância, 1849-1851
        do tronco cerebral, 1849-1851
            discussão, 1849
            técnicas cirúrgicas, 1849
        medulares, 1853-1858
            achado clínico, 1853
            diagnóstico, 1853
            epidemiologia, 1853
            patologia, 1854
            prognóstico, 1858
            revisão histórica, 1853
            tratamento, 1855
    sarcomas na, 571-576
        comportamento biológico, 571
        estadiamento, 572
        investigação diagnóstica, 572
        prognóstico, 575
        tratamento, 573
    traqueostomia na, 589
        complicações, 589
            imediatas, 590
            pós-operatórias, 590
            tardias, 590
            transoperatórias, 589
        pós-operatório, 589
        técnica cirúrgica, 589
    tumores na, 1849-1851
        do tronco cerebral, 1849-1851
Infecção(ões)
    anorretais, 233
    bacterianas, 2008
        tratamento, 2008
    como fator de risco, 30
    no esvaziamento cervical, 582
    no paciente oncológico, 269-275
        fatores predisponentes, 269
            anatômicos, 269
            asplenia funcional, 270
            comprometimento da imunidade adaptativa, 270
                associado à terapia antineoplásica, 270
                associado à terapia antineoplásica, 269
            esplenectomia funcional, 270
            imunodisfunção associada ao câncer, 269
            lesão de barreiras mucosas, 270
        prevenção das, 274
        principais infecções, 270
            de pele, 274

de tecido celular subcutâneo, 274
do SNC, 273
do trato geniturinário, 274
gastrointestinais, 273
neutropenia febril, 270
relacionadas com catéteres, 274
respiratórias, 271
por HPV, 1343-1348
sequelas clínicas da, 1343-1348
câncer, 1347
lesões pré-neoplásicas, 1345
verrugas genitais, 1344
viral, 2007
herpes simples, 2007
INH (Instituto Nacional de Saúde), 6
consenso da, 115q
pra classificar GIST, 115q
por categorias de risco, 115q
Inibidor(es)
da calcineurina, 243
de tirosinoquinase, 152, 154q
de topoisomerase, 152, 153q, 1521
Injeção
percutânea, 887
de etanol, 887
Insuficiência
renal, 2010-2011
em cuidados paliativos, 2010, 2011
IRA, 2010
rim, 2010
Insulinoma(s), 125f, 964
Intervenção
psicológica, 255
no transtorno de ansiedade, 255
resultados da, 255
Intestino Delgado
câncer do, 814
ADE, 815
estadiamento, 814
de TNM, 814q
fatores, 814
de risco, 814
protetores, 814
obstrução do, 231
tumores do, 813-817
carcinoides, 815, 816
metastáticos gastrointestinais, 816
distúrbios hidreletrolíticos, 813
dor abdominal, 813
emagrecimento, 813
GIST, 816
linfoma, 817
linhagens benignas, 813
adenomas, 813
hemangiomas, 813
leiomiomas, 813
lipomas, 813
pólipos inflamatórios, 813
metastáticos, 817
obstrução, 813
sangramento, 813
volvo, 813
Invasão
neurovascular, 370
óssea, 370
IORT (Radioterapia Intraoperatória), 1556
IPOS (*International Psycho-Onchology Society*), 249
IRA (Insuficiência Renal Aguda), 2010
apresentações clínicas, 2010
conduta diagnóstica, 2010
definição, 2010
e IRC, 2010
diferenciação entre, 2010
etiologia, 2010
tratamento, 2010
uremia, 2011
e cuidados paliativos, 2011

IRLM (*International Registry of LungMetastases*), 762
grupos prognósticos, 763q
Irressecabilidade, 281
ISNR (Inibidores Duplos da Recaptação da Serotonina e Noradrenalina), 253
Isquemia
de parte lombar, 204f
da incisão, 204f
da hemicorporectomia, 204f
de pele, 204f
retalho que permite cobrir área de, 204f
robusto e amplo, 204f
ISRS (Inibidores Seletivos da Recaptação da Serotonina), 253
IT- knife (*Insulation Tipped Diatermic Knife*)
sequência com, 92f
técnica com, 91

J

Janela
pericárdica, 751
JEEG (Junção Esofagogástrica), 776
Jejuno
retalho livre de, 211, 213f
Jovem(ns)
câncer de mama em, 1141-1149
biologia molecular, 1143
definição, 1141
diagnóstico, 1143
epidemiologia, 1141
prognóstico, 1146
QV, 1147
rastreamento, 1141
tratamento, 1144
JPS (*Japanese Pancreas Society*), 933, 934
JPS (Síndrome de Polipose Juvenil), 834

K

Karnofsky
índice de, 164q
avaliação do paciente pelo, 164q
K-ras, 163
mutação do, 80
uso clínico da, 80
KS (Sarcoma de Kaposi), 340, 363, 377
KSHV (Sarcoma de Kaposi associado do Herpesvírus), 340

L

LADG (Gastrectomia Distal Laparoscópica Assistida), 171
Langerhans
histiocitose de, 477, 728
Laparoscopia
cirurgia oncológica por, 169q
recidiva em portais após, 169q
na oncologia, 177
urológica, 177
ressecções do reto por, 174q
sobrevida global para, 174q
Laringe
câncer de, 499-509
anatomia, 500
biologia molecular, 503
características clínicas, 503
comportamento biológico, 503
em idosos, 509
epidemiologia, 499
estadiamento, 504
classificação de TNM, 505q
estágio I, 504
TI N0 M0, 504
estágio II, 504
TII N0 M0, 504

estágio III, 506
TIII N0 M0, 506
estágio IV, 508
TIV N0 M0, 508
etiologia, 500
extensão da doença, 504
investigação diagnóstica, 503
opções terapêuticas, 504
recidivado, 509
taxa de mortalidade do, 499f, 500f
bruta, 499f, 500f
e suas sub-regiões, 502f
esqueleto cartilaginoso da, 501f
corte sagital do, 501f
vista posterior do, 501f
inervação da, 500f
musculatura da, 502f
intrínseca, 502f
Laudo
organização do, 1066
LC (Células de Langerhans), 331
LCE (Líquido Cerebroespinhal), 238
LCs (Linfomas Cutâneos), 340
LDGCB (Linfoma Difuso de Grandes Células B), 64, 305, 877
LDH (Desidrogenase Lática), 163
LDR (Baixa Taxa de Dose)
BT de, 159
LE (Laparoscopia Estadiadora), 798
Leflunomide, 243
Leiomioma
EE-PAAF de, 115
gástrico, 115f
aspecto do, 115f
ecoendoscópico, 115f
endoscópico, 115f
histológicos, 115f
Leiomiossarcoma(s), 342, 364, 376, 1417
EE-PAAF de, 115
LES (Lúpus Eritematoso Sistêmico), 243
Lesão(ões)
0-Ip, 95f
anecoida, 117f
alongada, 117f
arredondada, 111f
com conteúdo anecoico, 111f
cística renal, 280f
com nodulação sólida, 280f
cística, 111f, 117f, 130f
de corpo pancreático, 111f, 130f
uniloculada macrocística, 130f
colônica, 96f
tipo O-Is, 96f
de Kudo, 96f
cutâneas, 413f
ressecção de, 413f
da pele, 347
sem envolvimento juncional, 347
sem melanoma primário, 347
de barreiras mucosas, 270
de células gigantes, 474
de corpo pancreático, 125f, 126f
sem interface nítida, 125f
com a artéria esplênica, 125f
sólida, 126f
hipoecoica, 126f
heterogênea, 126f
de estômago, 123f
infiltrativa, 123f
ulceroinfiltrativa, 123f
irregular, 123f
de seio maxilar, 575f
do subcutâneo, 347
sem envolvimento juncional, 347
sem melanoma primário, 347
em rebordo alveolar, 430f
inferior, 430f
com invasão de assoalho, 430f

em região nasogeniana, 399*f*
   direita, 399*f*
esclerosante, 1016
   complexa, 1016
expansiva suprarrenal, 281*f*
   esquerda, 281*f*
gástrica, 122*f*
   polipoide, 122*f*
hepática, 127*f*, 280*f*
   com neoplasia de pâncreas, 127*f*
      EE-PAAF de, 127*f*
   nodular, 280*f*
      hipervascular, 280*f*
infiltrativa, 135*f*
   de reto médio, 135*f*
intraconais, 529*f*
linfoepitelial, 123*f*
malar esquerda, 400*f*
mamárias, 1095-1113
   abordagem das, 1095-1113
      Core biópsia, 1105-1106
      mamotomia, 1105-1106
      PAAF, 1105-1106
      palpáveis, 1095-1102
         procedimentos invasivos, 1107-1112
            guiados por RM, 1107-1112
melanocítica, 395*f*
   ulcerada, 395*f*
mucinosa, 130*f*
multipigmentada, 396*f*
na mamografia, 1028
   assimetria, 1033
      difusa, 1033
      focal, 1033
   dilatação ductal, 1033
      isolada, 1033
   distorção focal da arquitetura, 1033
   microcalcificações, 1032
   neodensidade, 1033
   nódulo, 1030
   outras, 1033
não invasivas da mama, 1115-1126
   manejo das, 1115-1126
      CDIS, 1115-1121
      CMM, 1123-1125
não nodulares, 1047*q*
   avaliação de, 1047*q*
      RMM na, 1047*q*
não polipoides, 95
neoplásica, 127*f*
   da cabeça pancreática, 127*f*
pancreáticas, 131, 133*q*
   punção ecoguiada das, 131
   sólidas, 133*q*
      EE-PAAF em, 133*q*
papilíferas, 1015
polipoides, 95, 134*f*
   de reto superior, 134*f*
precursoras, 1015-1017
   do câncer de mama, 1015-1017
      atipia epitelial plana, 1017
      de células colunares atípicas, 1017
      proliferativas, 1015, 1016
         ductais, 1016
         intralobulares, 1016
         sem atipias, 1015
pré-invasivas, 1019-1022
   tratamento das, 1019-1022
      CDIS, 1019
      HDA, 1019
      hiperplasia atípica, 1019
      NL, 1021
pré-malignas, 332, 1020*f*
   ceratose, 332
      arsênica, 332
      crônica cicatricial, 332
      de radiação crônica, 332
      térmica, 332

proliferativas, 1022*f*
   atípicas, 1022*f*
      conduta nas, 1022*f*
ressecção da, 400*f*, 536
   cirúrgica, 400*f*
   com auxílio de microscópio, 535
      enucleação, 535
      evisceração, 536
      exenteração, 536
tumoral, 101*f*
   residual, 101*f*
      pós quimiorradioterapia, 101*f*
ulcerada, 430*f*
   infiltrante, 430*f*
Letterer-Siwe, 478
Leucemia
   de parede torácica, 729
Leucoplaquia, 1605
Leucostase, 235
Léxico
   achados associados, 1081
   avaliação cinética, 1083
   descrição do, 1069
      US, 1069
   foco-focos, 1079
   localização, 1081
   nódulo, 1078
   realce, 1080
   não massa, 1080
LH/DH (Linfoma Hodgkin/Doença de Hodgkin), 1903, 1913
   avançado, 1914
      índex prognóstico em, 1914
   diagnóstico, 1913
   estadiamento, 1913
      segundo Ann Arbor, 1913
   exames, 1913, 1914
      de acompanhamento, 1914
      de avaliação, 1913
      de confirmação diagnóstica, 1913
      durante tratamento, 1914
   tratamento por estágio, 1914
LHc (Linfoma de Hodgkin Clássico), 64
   microambiente tumoral no, 64*f*
      avaliação do, 64*f*
Ligamento
   largo, 1381
      IHQ no, 1381
LIN (Neoplasia Intraepitelial Lobular), 1051
LINACs (Aceleradores Lineares), 159
Linfadenectomia, 842
   axilar, 350
   cervical, 350
   estendida, 842
   extensão da, 801
   inguinal, 178, 1612*q*, 1613*q*
      complicações associadas à, 1612*q*
         incidência de, 1612*q*
      minimamente invasiva, 178
      videoendoscópica, 1613*q*
         morbidade da, 1613*q*
   inguinoilíaca, 350
   laparoscópica, 1483
      extraperitoneal, 1483
   lateral, 842
   mediastinal, 662, 663
      à direita, 662
      à esquerda, 663
   no câncer de endométrio, 1509-1515
      valor da, 1509-1515
      de rotina, 1513
      não realização da, 1510
      realização seletivamente da, 1511
   por via aberta, 1612
   no câncer de pênis, 1612
   radicalidade da, 938*q*
      pancreatoduodenectomia segundo a, 938*q*

Linfangioma
   EE-PAAF de, 116
Linfocintilografia, 843
   pré-operatória, 1469
Linfócito(s)
   T, 245
      coestimulação de, 245
      medicamento inibidor da, 245
Linfoma(s)
   de Burkitt, 466
      características clínicas, 465
      epidemiologia, 465
      etiologia, 465
      imagem, 465
      localização, 465
      patologia, 466
      prognóstico, 466
      tratamento, 466
   de Hodgkin, 306*f*
      estadiamento de, 306*f*
         PET/TC para, 306*f*
   de loja tonsiliana, 493*f*
      direita, 493*f*
   de parede torácica, 729
   do intestino delgado, 817
   gástrico, 122
   imunofenótipo dos, 60*q*
      de células, 60*q*
         B maduras, 60*q*
         NK, 60*q*
         T maduras, 60*q*
   PET/TC de, 305
Linfonodo(s)
   cervicais, 399
      tratamento dos, 399
   estadiamentos, 641, 642*f*
   exame peroperatório no, 1368
      de congelação, 1368
   paraesofagianos, 121*f*
      em neoplasia, 121*f*
         de esôfago inferior, 121*f*
   regionais, 348, 350, 419
      estadiamento dos, 348
         cirúrgico, 348
      metástase para, 350
         manejo da, 350
      ressecção dos, 661
      mediastinais, 661
         linfadenectomia mediastinal, 662, 663
Linfonodomegalia
   mediastinal, 110*f*
      punção ecoguiada de, 110*f*
   secundária, 282*f*
Lipoblastoma(s)
   de parede torácica, 728
Lipoenxertia, 1248
Lipoma(s)
   de parede torácica, 728
   EE-PAAF de, 116
   gástrico, 116*f*
      aspectos do, 116*f*
         ecoendoscópico, 116*f*
         endoscópicos, 116*f*
Lipossarcoma(s), 376, 561
   bem diferenciado, 360
   de células redondas, 360
   desdiferenciado, 360
   mistos, 360
   mixoide, 360
   pleomórfico, 360
Líquen
   escleroso, 1605
Líquido
   pericárdico, 751
      estudo do, 751
Lise
   tumoral, 165
Livermetsurvey, 896

LLA (Leucemia Linfoblástica Aguda), 1919-1922
  citogenética, 1920
  citoquímica, 1920
  diagnóstico, 1921
  DRM, 1922
  estratificação de risco, 1921
  fatores prognósticos, 1921
  imunofenotipagem, 1920
  manifestações clínicas, 1919
  morfologia, 1919
  tratamento, 1921
    monitoração durante o, 1922
LLC (Leucemia Linfocítica Crônica), 269, 1931-1936
  características, 1931
    biológicas, 1931
  complicações autoimunes, 1935
  diagnóstico, 1931, 1933
    diferencial, 1933
  epidemiologia, 1931
  estadiamento clínico, 1933
  fisiopatologia, 1931
  incidência, 1931
  infecções e, 1935
  tratamento, 1933
LM (Médio-Lateral)
  incidência, 1027
  na mamografia, 1027
LMA (Leucemia Mieloide Aguda), 65, 1925-1928
  classificação, 1926
  diagnóstico, 1925
  fisiopatologia, 1925
  LPMA, 1928
  manifestações clínicas, 1925
  prognóstico, 1926
  tratamento, 1927
    da recaída, 1928
LMC (Leucemia Mieloide Crônica), 1939-1945
  achados clínicos, 1939
  biologia molecular, 1939
  citogenética, 1940
  definição, 1939
  diagnóstico diferencial, 1941
  epidemiologia, 1939
  exames laboratoriais, 1940
  morfologia, 1940
    definição de fase, 1940
  prognóstico, 1945
  seguimento, 1941
  tratamento, 1941
LMI (Linfonodos da Mamária Interna)
  BLS em, 1202
LNH (Linfoma Não Hodgkin), 305, 1877, 1903-1912
  de alto grau, 1904-1908
    critérios de resposta, 1904
    estadiamento, 1904
      de Ann Arbor modificado por Costwold, 1904q
    manifestações clínicas, 1904
    profilaxia de doença no SNC, 1906
    protocolos de QT, 1907-1908
      de primeira linha, 1907
      de recaída, 1908
      exames de acompanhamento, 1908
        ao término do tratamento, 1908
      modificações de doses, 1908
      observações, 1907
      profilaxia do SNC, 1907
    tratamento da doença, 1904, 1905
      avançada, 1905
      localizada, 1904
    tratamento de resgate, 1906
  de baixo grau, 1910-1912
    diagnóstico, 1910
    tratamento, 1911
LNM (Linfonodo Metastático), 93
LNRP (Linfadenectomia Retroperitoneal), 1595

LNRP-L (Linfadenectomia Retroperitoneal Laparoscópica), 1595
LNS (Linfonodo Sentinela), 580, 843
  cirurgia do, 1199-1211
    BLS, 1199-1203
      pré-QN, 1207-1209
      pós-QN, 1207-1209
    na gestação, 1211
      epidemiologia, 1211
      PLS e, 1211
    no CDIS, 1205-1206
      epidemiologia, 1205
      PLS e, 1205
  IHQ no, 60
  no câncer de colo uterino, 1467-1472
    definição, 1467
    detecção do, 1468
      fatores que influenciam a, 1468
    drenagem linfática do, 1467
    técnicas de identificação do, 1468
  positivo, 350
    manejo dos pacientes após, 350
LOAS (Lei Orgânica da Assistência Social), 24
Lobectomia, 657
  com broncoplastia, 658
  em manga, 658
Loja Tonsiliana
  carcinoma de, 493f
    epidermoide, 493f
  direita, 493f
  linfoma de, 493f
  lesão de, 497f
  ressecção de, 497f
LPMA (Leucemia Promielocítica Aguda), 1928
LSE (Lesões Subepteliais), 111, 112, 113f
  abordagens das, 119f
    algoritmo para, 119f
  cistos de duplicação, 117
  gastroduodenais, 119q
    recomendações em, 119q
  GIST, 113
  hemangioma, 116
  investigada, 120f
    por EE, 120f
    por estudo anatomopatológico, 120f
      da peça operatória, 120f
  leiomioma, 115
  leiomiossarcoma, 115
  linfangioma, 116
  lipoma, 116
  neoplasia neuroendócrina, 117
  paraganglioma gangliocítico, 118
  subcárdica, 112f
  TCG, 116
LSIL (Lesão Intraepitelial de Baixo Grau), 1315, 1325
  colpocitologia de, 1327f
    conduta para mulheres com, 1327f
      até 20 anos, 1327f
LST (Lesão tipo Espraiamento Lateral), 95
Luz Solar
  exposição à, 31
  como fator de risco, 31

M

MAC (Média e Alta Complexidade)
  atenção especializada de, 14
Magnitude
  do câncer, 3
    medida da, 3
      determinantes, 3q
    no Brasil, 3
Malignidade
  e uso de imunossupressores, 243
  em pacientes sem história prévia de malignidade, 243
    agentes alquilantes, 243

    antimetabólitos, 243
    cloroquina, 243
    glicocorticoide, 243
    hidroxicloroquina, 243
    inibidores da calcineurina, 243
    leflunomide, 243
    metotrexate, 243
    micofenolato mofetil, 243
    rapamicina, 243
    sirolimus, 243
    sulfassalazina, 243
Mama(s)
  adiposas, 1030f
    predominantemente, 1030f
  alterações funcionais das, 1038
    benignas, 1038
  câncer de, 33, 289, 902, 986, 989-993, 1001, 1002, 1005-1007, 1009-1013, 1015-1057, 1091-1093, 1141-1169, 1171-1197, 1199, 1251-1273, 1275-1299
    associado à gravidez, 1163-1165
      amamentação, 1164
      apresentação, 1163
        anatomopatológica, 1163
        clínica, 1163
      conduta obstétrica, 1164
      contracepção, 1164
      fertilidade, 1165
      métodos diagnósticos, 1163
      prognóstico, 1165
      tratamento, 1164
    biologia molecular do, 989-993
      adesão celular, 992
      angiogênese, 991
      aplicações clínicas, 993
      apoptose reduzida, 990
      ciclo celular, 989
      classificação de Sorlie, 992
      fatores de crescimento, 991
        e receptores, 991
      genes de supressão tumoral, 990
      oncogenes, 990
      proteinases, 992
      receptores esteroídicos, 991
      regulação do crescimento celular, 989
      replicação do DNA, 989
    cirurgia do, 1199
      BLS na, 1199
    detecção precoce de, 1045f
      RMM na, 1045f
    em idosas, 1151-1159
      fatores, 1152
        histopatológicos, 1152
        prognósticos, 1152
      manifestações, 1151
        clínicas, 1151
        radiológicas, 1151
      planejamento terapêutico, 1153
      prognóstico, 1152
      tratamento, 1154, 1157
        locorregional, 1154
        sistêmico, 1157
    em jovens, 1141-1149
      biologia molecular, 1143
      definição, 1141
      diagnóstico, 1143
      epidemiologia, 1141
      prognóstico, 1146
      QV, 1147
      rastreamento, 1141
      tratamento, 1144
    estadiamento do, 1009-1013
      avaliação, 1009-1012
        de metástases, 1013
        do tumor primário, 1011
        linfonodos regionais, 1012
        sistêmica, 1010

linfonodos, 1009
revisões no, 1011
UJCC, 1012q
genética e, 1001-1002
    alterações epigenéticas descritas no, 1002
    alterações genéticas, 1001
        relacionadas com a transmissão hereditária, 1001
        somáticas, 1001
    expressão gênica descritas no, 1002
        alterações de níveis de, 1002
lesões precursoras do, 1015-1017
    atipia epitelial plana, 1017
    de células colunares atípicas, 1017
    proliferativas, 1015, 1016
        ductais, 1016
        intralobulares, 1016
        sem atipias, 1015
metástase hepática de, 902
multicentricidade no, 1167-1169
    abordagem axilar, 1168
    prognóstico, 1169
    teorias do desenvolvimento, 1167
multifocalidade no, 1167-1169
    abordagem axilar, 1168
    prognóstico, 1169
    teorias do desenvolvimento, 1167
rastreamento do, 289
    mamografia, 290
    RM, 291
    ultrassonografia, 290
tratamento cirúrgico do, 1171-1197
    após terapia neoadjuvante, 1185-1191
    CMLA, 1181-1183
    conservador, 1171-1176
    radical, 1179, 1180
    recidiva local, 1195, 1196
        após cirurgia conservadora, 1195, 1196
tratamento radioterápico no, 1275-1299
    intraoperatória, 1275-1282
    no carcinoma *in situ*, 1285
    pós-cirurgia conservadora, 1287-1291
    pós-mastectomia, 1293-1298
tratamento sistêmico do, 1251-1273
    hormonal adjuvante, 1271, 1272
    metastático, 1267-1269
    QN, 1263, 1264
    QT adjuvante, 1259-1262
    terapia-alvo, 1251-1254
valor da cintilografia no, 1091-1093
    avaliação de doença a distância, 1092
    cirurgia radioguiada para diagnóstico, 1092
    de lesões subclínicas, 1092
    diagnóstico, 1091
    pesquisa do LNS, 1091
valores dos marcadores tumorais no, 1005-1007
    marcadores tumorais, 1007
        circulantes, 1007
        séricos, 1007
    testes de avaliação molecular tecidual, 1005
carcinoma de, 386f, 1285
in situ, 1285
    RXT no, 1285
metástase de, 386f
cirurgia conservadora da, 1187, 1195, 1196
    recidiva local após, 1195, 1196
        diagnóstico, 1195
        fatores de risco, 1195
        tratamento, 1196
conservação da, 1188
    técnicas cirúrgicas, 1188
densa, 290f, 1029f
    predominantemente, 1029f
doença de Paget da, 1133-1135
    diagnóstico, 1133
        diferencial, 1134
    estadiamento, 1134
    etiopatogenia, 1133
    prognóstico, 1135
    tratamento, 1134
lesões não invasivas da, 1115-1126
    manejo das, 1115-1126
        CDIS, 1115-1121
        CMM, 1123-1125
neoplasias da, 63
PET/TC e, 1087-1089
    avaliação, 1088
        de doença a distância, 1088
        do tratamento, 1088
    diagnóstico, 1087
    estadiamento linfonodal, 1088
    futuro do, 1089
    prognóstico, 1088
tratamento conservador da, 1247-1249
    cirurgia reconstrutora no, 1247-1249
        alterações na mama após, 1247
        com retalhos a distância, 1248
        com retalhos locais, 1247
        complicações, 1248
        lipoenxertia, 1248
        técnicas de, 1247
        utilização de pedículos, 1248
tumores de, 309, 386f, 1201
    BLS em, 1201
    metástase de, 386f
    PET/TC nos, 309
MammoSite, 1276
técnicas do, 1281
    de aplicação, 1281
    de retirada, 1281
Mamografia, 290, 1025-1034
classificação BI-RADS® em, 1063-1085
    capítulo guia, 1065
    categorias, 1063, 1066
        de avaliação, 1066
        para avaliação, 1063
    organização do laudo, 1066
    termos de exame, 1065
de rastreamento, 291f
    normal, 291f
indicações da, 1025
    diagnóstica, 1025
    para rastreamento, 1025
lesões na, 1028
    assimetria, 1033
        difusa, 1033
        focal, 1033
    dilatação ductal, 1033
        isolada, 1033
    distorção focal da arquitetura, 1033
    microcalcificações, 1032
    neodensidade, 1033
    nódulo, 1030
    outras, 1033
padrão mamário, 1028
técnica, 1026
    incidências básicas, 1026
    manobras, 1027
    qualidade, 1026
Mamotomia
guiada por US, 1105-1106
e mamografia, 1105-1106
    abordagem pré-biópsia, 1105
    complicações, 1105
    documentação, 1106
    escolha do método guia, 1105
    escolha do procedimento, 1105
    fragmentos adequados, 1105
    procedimento após abordagem, 1106
Mandibulotomia
para acesso, 497f
    ao tumor de orofaringe, 497f
    paramediana, 524f
        acesso por, 524f
        de lesão de teto da nasofaringe, 524f
Manifestação(ões)
paraneoplásicas reumatológicas, 87
    artropatias, 88
    doenças difusas, 88
        do tecido conectivo, 88
    etiopatogenia, 88
    síndromes, 88
        reumáticas paraneoplásicas, 88
    vasculíticas, 88
Manipulação
endócrina, 154
Manobra(s)
na mamografia, 1027
    ampliação, 1028
        e compressão, 1028
    angular, 1028
    compressão localizada, 1027
    RL, 1028
    RM, 1028
    Rol, 1028
    TAN, 1028
Marcador(es)
moleculares, 370
que expressam, 50
    os oncogenes, 50
    os TSGs, 50
tumorais, 48, 49, 77-80, 162, 483, 798, 931, 1363-1365
    detecção de, 49
    em ginecologia, 1363-1365
        AFP, 1363
        β-HCG, 1363
        CA 125, 1364
        CA 15-3, 1364
        CA 27-29, 1364
        CA 72-4, 1363
        catepsina D, 1364
        CEA, 1364
        C-ErbB2, 1365
        cyfra 21.1, 1363
        inibina, 1363
        MCA, 1363
    perspectivas futuras, 80
    uso clínico, 77
        AFP, 78
        β-HCG, 78
        CA 125, 79
        CA 15-3, 79
        CA 19-9, 79
        CA 27-29, 79
        CEA, 79
        HER2, 79
        mutação, 80
            do EGFR, 80
            do KRAS, 80
        PSA, 78
        receptores, 79
            de estrogênio, 79
            de progesterona, 79
tumores-específicos, 57q
    padrões de marcação, 57q
Marjolin
úlcera de, 202f, 332f
MASCC (*Multinational Association of Supportive Care in Cancer*), 270
escore, 270q
    da neutropenia febril, 270q
Massa(s), 1065
anexiais, 1482
    CMI, 1482
descrição da, 1070
palpável, 1042f
    na mama, 1042f

pélvicas, 1489-1492
   achados inesperados, 1489-1492
      diagnóstico, 1489
      tratamento, 1490, 1491
         valor do ginecologista oncológico no, 1490
Mastectomia
   poupadora, 1180
      de papila, 1180
      de pele, 1180
   radical, 1179
      indicações, 1179
      modificada, 1179
         à Madden, 1179
         à Patey, 1179
      RXT após, 1293-1298
         após QN, 1295
         CCM, 1295
            recidiva após, 1295
         estudos investigando, 1293
            randomizados, 1293
         recidiva locorregional, 1295, 1296
            conduta na, 1295
         reconstrução mamária, 1296
            RXT após, 1296
         risco de recidiva locorregional, 1294
         RXT pré-operatória, 1295
         técnicas de, 1297
   simples, 1180
      indicações, 1180
   subcutânea, 1180
   técnicas cirúrgicas, 1189
Mastite
   aguda, 1050
   não puerperal, 1050
Material(is)
   aloplásticos, 1223
   expansores, 1223
   implantes, 1223
Maxilarectomia
   de infraestrutura, 439f, 456f
      para ressecção de tumor, 439f
         de palato, 439f
         reconstrução após, 456f
   de meso, 489f
      no carcinoma adenoide cístico, 489f
      de glândula salivar menor, 489f
   total, 209f
      em carcinoma adenoide cístico, 209f
      de seio maxilar esquerdo, 209f
MB (Meduloblastoma), 1757-1760
   acompanhamento, 1845
   clínica, 1840
   diagnóstico, 1841
      neurorradiológico, 1841
   epidemiologia, 1757, 1840
   estadiamento, 1843
   fatores prognósticos, 1759
   grupos de risco, 1759
      classificação em, 1759
   histologia, 1757
   prognóstico, 1844
   quadro clínico, 1757
   síndromes hereditárias, 1757
   tratamento, 1759, 1843
Mediastino
   neoplasias do, 707-723
      do timo, 707-714
         carcinoma de células pequenas, 714
            oat cel, 714
         tumores, 707, 713, 714
            carcinoides, 713
            de origem epitelial, 707
            neuroendócrinos, 713
            raros, 714
      NCG, 717-720
         classificação, 717
         diagnóstico, 717

etiologia, 717
não seminomas, 719
seguimento, 720
seminomas, 718
teratomas, 718
   imaturos, 718
   maduros, 718
tumores neurogênicos, 721, 722
   diagnóstico, 721
   sintomatologia, 721
   tipos mais comuns, 721
   tratamento, 721
Medicamento(s)
   antagonistas, 244
      do TNF, 244
   anti-CD20, 244
   biológicos, 244
      e neoplasia, 244
      utilizados em reumatologia, 244q
         aprovados no Brasil, 244q
   e câncer de cólon, 820
   inibidor da coestimulação, 245
      de linfócitos T, 245
Médico(s)
   deveres dos, 22
      responsabilidade profissional, 23
   direitos dos, 22, 23
Melanoma, 64, 345-353, 765
   avançado, 396f
      de lábio superior, 396f
   cutâneo, 345, 347, 395-403
      biologia do, 345
      em cirurgia de cabeça e pescoço, 395-403
         avanços tecnológicos, 401
            diagnóstico, 401
            terapia, 401
         biologia molecular, 396
         características clínicas, 396
         comportamento biológico, 396
         estadiamento, 397
         fatores preditivos prognósticos, 397
         investigação diagnóstica, 397
         prognóstico, 402
         tratamento, 398
      maligno, 402q, 403q
         de cabeça e pescoço, 402q, 403q
      manejo clínico do, 347
         estadiamento cirúrgico, 348
         espesso, 348
         in situ, 348
         primário fino, 348
         T1a, 348
         T2a, 348
         T2b, 348
         T3a, 348
         T4a, 348
         T4b, 348
   de coroide, 531f, 532f
      de olho direito, 532f
      enucleação por, 531f
   de couro cabeludo, 401f
   de espessura intermediária, 349
      seguimento dos, 349
   de fossa nasal, 550f
   distribuição anatômica, 346
   epidemiologia, 345
      distribuição, 345
         por idade, 345
         por sexo, 345
      mudanças na incidência, 345
   etiologia, 346
   fatores, 346, 347
      de risco, 346
      prognósticos, 347
   lesões, 347
      sem envolvimento juncional, 347
      da pele, 347
      de subcutâneo, 347

maligno, 395f
manejo da metástase, 349, 350
   a distância, 350
   em trânsito, 349
   para linfonodo regional, 350
      após sentinela positivo, 350
      com metástase regional palpável, 350
      RXT na doença nodal regional, 350
membros, 349
   infusão de, 349
   perfusão de, 349
metástase de, 350, 902
   hepática, 902
   regional, 350
      acompanhamento, 350
metastático, 351
   RXT para, 351
PET/TC nos, 309
prevenção, 346
   manejo dos pacientes, 346
      com numerosos nevos displásicos, 346
primário, 346, 349
   conhecido, 347
      lesões sem, 347
      da pele, 347
      de subcutâneo, 347
   diagnóstico do, 346
   manejo do, 349
      considerações especiais no, 349
   recidiva local, 349
      manejo da, 349
   recidivado, 209f
      no pé direito, 209f
   sateliose, 349
      manejo da, 349
   screening, 346
      manejo dos pacientes, 346
         com numerosos nevos displásicos, 346
subtipos de, 347
tratamento sistêmico do, 352
   adjuvante, 352
   da doença metastática, 352
tumores tipo, 399q
   estágios dos, 399q
   grupamento por, 399q
Membrana
   mucosa, 349
      melanoma de, 349
      primário, 349
Meningioma
   de assoalho orbitário, 535f
Meningite
   carcinomatosa, 238
Merkel
   tumor de, 339
Mesenquimoma(s)
   de parede torácica, 728
Metal(is)
   pesados, 30
      como fator de risco, 30
Metástase
   a distância, 350, 643f
      estadiamento, 643f
      manejo da, 350
   biologia molecular das, 995-999
      células-tronco tumorais, 996
         implicações, 996
      TEM, 995
   cerebral, 238, 699
   cervical, 512f, 581
      com primário desconhecido, 581
      de carcinoma epidermoide, 512f
         de hipofaringe, 512
   de carcinoma, 386f
      de mama, 386f
   de tumor, 386f, 387f, 729
      de mama, 386f

de parede torácica, 729
de rim, 387f
em trânsito, 349
   manejo da, 349
extra-hepáticas, 893
   concomitantes, 893
extratorácicas, 701
   outras, 701
hepática, 308f, 319, 320f, 891-898, 901-904
   de neoplasia de reto, 308f
   de origem colorretal, 891-898
      tratamento das, 891-898
   de origem não colorretal, 901-904
      avaliação, 901
      câncer de mama, 902
      carcinoma de células renais, 903
      CG, 903
      GIST, 901
      melanoma, 902
      sarcoma, 903
      TNE, 902
   de tumores, 319
      colorretais, 319
      neuroendócrinos, 319
   sincrônicas, 894
   ressecção de, 894
linfáticas, 422f
   cervicais, 422f
ósseas, 386
   escore de Mirel, 387q
pulmonar, 699, 755-766, 894
   ressecção hepática em, 894
   tratamento cirúrgico das, 755-766
      abordagem cirúrgica, 759
         aspectos técnicos, 759
      apresentação clínica, 756
      aspectos fisiopatológicos das, 755
      avaliação pré-operatória, 759
      considerações por tipo histológico, 764
      diagnóstico, 756
      fatores prognósticos, 762
      linhas gerais, 758
      metastasectomia pulmonar, 763
         seguimento radiológico após, 763
      perspectivas futuras, 765
      seleção dos pacientes, 759
      tratamento não cirúrgico, 757
         considerações sobre, 757
   recorrentes, 895
      ressecção hepática para, 895
   regional, 350
      pacientes com, 350
         acompanhamento para, 350
      palpável, 350
         manejo do melanoma com, 350
   suprarrenal, 700, 975
Metastasectomia
   pulmonar, 762q, 763
      seguimento radiológico após, 763
      vias de acesso para, 762q
Metastático
   cirurgia oncológica, 165
      acessos vasculares, 165
Metotrexate, 243
MIBG (Metaiodobenzilguanidina), 964
Micofenolato
   mofetil, 243
Microambiente Tumoral
   das neoplasias, 65
      células do, 65
         estudo imuno-histoquímico das, 65
   no LHc, 64f
      avaliação do, 64f
Microanastomose(s)
   da aorta abdominal, 207f
   da veia cava, 207f
      inferior, 207f

técnicas de, 208
   nervosa, 208
   vascular, 208
Microcalcificação(ões), 1106
   na mamografia, 1032
      distribuição das, 1033f
      forma das, 1032f
Microcarcinoma(s), 422
Microcirurgia Reconstrutora
   princípios de, 207-213
      áreas de aplicação, 208
      cuidados pós-operatórios, 211
      e complicações, 211
      e perspectivas futuras, 213
      retalhos microcirúrgicos, 209
         ALT, 210
         antebraquial, 209
         de crista ilíaca, 211
         de jejuno, 211
         do músculo GD, 209
         músculo reto abdominal, 209
         osteomiocutâneo de fíbula, 210
         TRAM/VRAM, 209
         do músculo grácil, 211
      técnicas de microanastomose, 208
         nervosa, 208
         vascular, 208
      treinamento em, 207
         material específico, 207f
         microscópio cirúrgico para, 207f
Microscópio
   cirúrgico, 207f
   para treinamento, 207f
Micrótomo
   visão do, 72f, 73f
      no criostato, 72f
      para corte, 73f
         de blocos de parafina, 73f
Mielomeningocele, 202f
Minissonda(s), 110f
Mirel
   escore de, 387q
Mixofibrossarcoma, 361, 376
Mixoma
   odontogênico, 452, 456f
      do trígono retromolar, 456f
         aspecto clínico do, 456f
         histologia do, 456f
         peça cirúrgica de, 456f
ML (Médio-Lateral)
   incidência, 1026
   na mamografia, 1026
MLN (Metástase Linfonodal), 91
MLO (Médio-Lateral Oblíqua)
   incidência, 1026, 1027f
   na mamografia, 1026, 1027f
MM (Mieloma Múltiplo), 1915-1917
   características clínicas, 467
   diagnóstico, 1915
   epidemiologia, 467
   estadiamento, 1916
   etiologia, 467
   imagem, 467
   localização, 467
   patologia, 468
   prognóstico, 468
   seguimento, 1917
   tratamento, 468, 1916
MMC (Mitomicina C), 190
Moral
   princípios fundamentais, 21
Mortalidade
   de câncer, 3
      fonte de dados, 3
   por câncer no Brasil, 4, 5q
      taxas padronizadas de, 5q
      tendência da, 4f, 5f

Morte
   com dignidade, 259-261
      cuidados, 260
         no fim da vida, 260
         paliativos, 260
      pacientes em estágio avançado, 259
         familiares, 259
         sintomas, 259
MPM (Mesotelioma Peritoneal Maligno), 194, 733-740
   complicações graves, 738q
      fatores de risco para, 738q
   CR nos portadores de, 194f, 195q
      e HIPEC, 195q
   diagnóstico, 736
   difuso, 736f
   epidemiologia, 733
   estadiamento, 737
      proposta de sistema de, 737q
         com base em sobrevida, 737q
         segundo UICC, 738q
         sistema de Butchart, 737q
         TNM, 737q
   latência, 733q
   mortalidade cumulativa por, 734q
   patologia, 734
   prognóstico, 738
   tratamento, 738
      cirurgia, 739
      e RXT, 739
      cuidados paliativos, 740
      multimodal, 739, 740q
         terapia cirúrgica no, 740q
      QT, 738
      RXT, 739
      terapia, 739, 740
         fotodinâmica, 740
         molecular, 739
Mucossectomia, 96
Mulher(es)
   câncer em, 32
      de colo uterino, 34
      de endométrio, 32
      de mama, 33
Multicentricidade
   no câncer de mama, 1167-1169
      abordagem axilar, 1168
      prognóstico, 1169
      teorias do desenvolvimento, 1167
Multifocalidade
   no câncer de mama, 1167-1169
      abordagem axilar, 1168
      prognóstico, 1169
      teorias do desenvolvimento, 1167
Múltipla(s) Metástase(s)
   pulmonares, 231f
      de CA, 231f
      de reto, 231f
Musculatura
   extrínseca, 501f
      do complexo laríngeo, 501f
   intrínseca, 502f
      da laringe, 502f
   orbitária, 530f
      espessamento da, 530f
Músculo
   GD, 1215
      reconstrução com, 1215
   retalho livre do, 209, 211
      GD, 209
      grácil, 211
      reto abdominal, 209
Mutação(ões)
   epigenéticas, 47
   genéticas, 150f
      sequência de, 150f
         na evolução do câncer de cólon, 150f

hereditárias, 53
somáticas, 53
uso clínico da, 80
do EGFR, 80
do KRAS, 80

N

Não Seminoma(s)
conceitos gerais, 719
diagnóstico, 719
tratamento, 719
Não Tabagista(s)
câncer de pulmão em, 628
alterações moleculares, 628, 629q
aspectos terapêuticos, 631
definição, 628
epidemiologia, 628
Nasofaringe
câncer de, 521-526
biologia molecular, 522
características clínicas, 521
comportamento biológico, 522
controvérsia, 525
estadiamento, 523
classificação TNM, 523q
investigação diagnóstica, 523
prognóstico, 525
tratamento, 523
Náusea e Vômito, 1974, 1975
fisiopatologia, 1974
tipos de, 1974
tratamento, 1975
NCAM (Molécula de Adesão da Célula Neural), 133
NCCN (*National Comprehensive Cancer Network*), 283
critérios do, 1357q
para solicitação dos testes genéticos, 1357q
BRCA1, 1357q
BRCA2, 1357q
NCDB (*National Cancer Data Base*), 422
NCG (Neoplasia de Células Germinativas)
do mediastino, 717-720
classificação, 717
diagnóstico, 717
etiologia, 717
não seminomas, 719
seguimento, 720
seminomas, 718
teratomas, 718
imaturos, 718
maduros, 718
NCI (*National Cancer Institute*), 655
norte-americano, 356
Necrose
após esvaziamento cervical, 583
em retalho cervical, 583f
gordurosa, 1050
na mama, 1050
Nefrostomia, 324f
percutânea, 324
NEM (Neoplasia Endócrina Múltipla), 417
NEO (Neoplasias Epiteliais de Ovário)
QT nas, 1523-1528
avaliação inicial, 1523
doença avançada, 1525, 1526
novas drogas em primeira linha, 1525
segunda linha de, 1526
estadiamento, 1523
recidiva da doença, 1526
tratamento, 1524-1526
adjuvante, 1524
avaliações durante o, 1526
final do, 1526
neoadjuvante, 1525
Neodensidade
da mama, 1033

Neoplasia(s), 243-245
cística, 130f
mucinosa, 130f
colorretais, 62
da glândula suprarrenal, 971-976
adenoma adrenocortical, 972
CA, 972
feocromocitoma, 974
incidentaloma de, 971
metástases suprarrenais, 975
da mama, 63
da parede torácica, 725-731
tumores, 725-731
aspectos clínicos, 725
classificação, 726
diagnóstico, 725
metástases, 729
tratamento, 729
da vesícula biliar, 173
VC nas, 173
de cabeça, 62, 586
e pescoço, 62, 586
traqueostomia nas, 586
de células pequenas, 61f
e redondas, 61f
estudo imuno-histoquímico, 61f
de pâncreas, 127f
lesão hepática em, 127f
EE-PAAF de, 127f
de parótida, 488f
manejo das, 488f
algoritmo para, 488f
de partes moles, 63
de reto, 134, 308f
estadiamento de, 308f
de submandibular, 488f
manejo das, 488f
algoritmo para, 488f
de vias biliares, 173
VC nas, 173
do esôfago, 62, 121f, 281f
inferior, 121f
linfonodos paraesofagianos em, 121f
do estômago, 62
do fígado, 172
VC no, 172
do mediastino, 707-723
do timo, 707-714
carcinoma de células pequenas, 714
oat cel, 714
tumores, 707, 713, 714
carcinoides, 713
de origem epitelial, 707
neuroendócrinos, 713
raros, 714
NCG, 717-720
classificação, 717
diagnóstico, 717
etiologia, 717
não seminomas, 719
seguimento, 720
seminomas, 718
teratomas, 718
imaturos, 718
maduros, 718
tumores neurogênicos, 721, 722
diagnóstico, 721
sintomatologia, 721
tipos mais comuns, 721
tratamento, 721
do sistema nervoso central, 64
epiteliais, 58-59q
mais comuns, 58-59q
expressão de citoqueratinas nas, 58-59q
esofagiana, 120
gástrica, 121
IIa + IIc, 121f

geniturinárias, 63
ginecológicas, 63, 765
hematológicas, 61q, 64
células tumorais das, 64
estudo imuno-histoquímico das, 64
com morfologia blástica, 61q
imunofenótipo das, 61q
IHQ no diagnóstico das, 57
hematológicas, 58
indiferenciadas, 57
tumores sólidos, 57
intraductal, 132f
de canal secundário, 132f
lobular, 1016
malignas, 141f, 486
taxa de mortalidade por, 141f
da cavidade oral, 141f
da faringe, 141f
da laringe, 141f
medicamentos biológicos e, 244
neuroendócrina, 117
ósseas, 63
padrões de latência nas, 61q
do EBV, 61q
pericárdicas, 733-754
DPM, 749-754
pleurais, 733-754
DPN, 743-746
MPM, 733-740
pulmonares, 62
sólida, 122, 125f
do pâncreas, 122, 125f
estágios diferentes de, 125f
tipos diferentes de, 125f
NESCP (Neoplasia Epitelial Sólido-Cística Pseudopapilífera), 127, 131
Neurilemoma, 721
Neuroblastoma, 1731-1739
apresentação clínica, 1732
classificação, 1735q
patológica, 1735q
de parede torácica, 721
diagnóstico, 1733
epidemiologia, 1731
estadiamento, 1733
INSS, 1733
definição do, 1733q
etiologia, 1731
fatores, 1734, 1735
de risco, 1734q
definidos por imagem, 1734q
moleculares, 1735
prognósticos, 1734
grupos de risco, 1734
definição de, 1734q
estratificação de, 1734
investigação, 1732
clínica, 1732
laboratorial, 1732
patogênese, 1731
patologia, 1731
síndromes paraneoplásicas, 1732
tratamento, 1736
Neurocirurgia, 218
Neuroestimulador
de nervo periférico, 490f, 491f
transoperatório com uso de, 490f
de parotidectomia, 490f
Neurofibroma(s), 721
Neurofibrossarcoma
cervicofacial, 574f
volumoso, 574f
Neuronavegação, 552f
Neuropreservação
autonômica, 843
pélvica, 843

Neutropenia, 240
  B, 271q
    episódios febris associados, 271q
      bactérias frequentes nos, 271q
    febril, 270, 271q
      avaliação da, 270q
        escore MASCC para, 270q
      tratamento ambulatorial em, 271q
        critérios de inclusão para, 271q
      tratamento da, 272f
        algoritmo simplificado do, 272f
Nevo(s)
  displásicos, 346
    numerosos, 346
      manejo dos pacientes com, 346
NIC (Neoplasia Intraepitelial Cervical), 1303, 1309, 1316
NIE (Neoplasia Intraepitelial Endometrial), 1333
NIEB (Neoplasia Intraepitelial Biliar), 914
NIMP (Neoplasia Intraductal Mucinosa Papilífera), 127, 129
  de pâncreas, 131f
    comparação evolutiva de, 131f
Níquel
  e câncer de pulmão, 622
NIV (Neoplasia Intraepitelial de Vulva), 1421
  achados clínicos, 1304
  classificação, 1303
  epidemiologia, 1304
  patologia, 1304
  terminologia, 1303
  tratamento, 1304
NIVA (Neoplasia Intraepitelial Vaginal)
  classificação, 1306
  diagnóstico, 1306
  epidemiologia, 1306
  etiologia, 1306
  tratamento, 1307
NL (Neoplasia Lobular), 1016, 1021f
  CLIS, 1021
    pleomórfico, 1022
  conduta, 1021
  HLA, 1021
NOC (N-Compostos), 31
Nódulo(s)
  avaliação de, 1047q
    RMM na, 1047q
  com PAAF de neoplasia folicular, 426
    importância do, 426
  core biópsia de, 1106
    guiada por US, 1106
    e mamografia, 1106
  hepáticos, 892f
  mamário, 280f
    de contorno espiculados, 280f
      BI-RADS 5, 280f
  na mamografia, 1030
    contorno dos, 1031f
    densidade dos, 1032f
    forma dos, 1031f
    limites dos, 1031
  PAAF de, 1105
    guiada por US, 1105
    e mamografia, 1105
  pulmonar, 281f, 301f
    espiculado, 281f
  sólido, 280f
    com sinal hiperintenso em T2, 280f
      com wash-out, 280f
        hipervascular, 280f
  tireoidiano, 418f
    com microcalcificações, 418f
      USG de, 418f
NPID (Neoplasia Papilar Intraductal), 914
NPL (Nefrectomia Parcial Laparoscópica), 177
NPSs (Nódulos Pulmonares Solitários), 306, 637, 756
NPT (Nutrição Parenteral Total), 166

NRL (Nefrectomia Radical Laparoscópica), 177
NSCLC (Câncer de Pulmão de Não Pequenas Células), 306
NSE (Enolase Neuroespecífica), 365
NSLT (*National Lung Screening Trial*), 286
Nutrição em Oncologia
  abordagem nutricional nos principais tumores, 141-147
    em indivíduos adultos, 141-147
  câncer, 141
    desnutrição e, 142
    epidemiologia do, 141
  plano terapêutico nutricional, 143
  terapia nutricional, 143, 144
    em indivíduos com câncer, 143, 144
      CCR, 143
      abdominal, 144
  tumores, 141
    abdominais, 142
    de cabeça e pescoço, 141
NY-ELCAP (*Early Lung Cancer Action Project* em Nova Iorque), 286

O

OAH (Osteoartropatia Hipertrófica), 89
Obesidade
  e câncer de cólon, 820
Obstrução
  biliar, 232
  do cólon, 231, 825
    direito, 825
    esquerdo, 825
  do intestino delgado, 231
  gástrica, 231
  intestinal, 230f, 1573
    em alça fechada-volvo, 230f
    na doença avançada, 1573
      de ovário, 1573
    níveis hidroaéreos na, 230f
  tumoral, 848
    tratamento da, 848
  urinária, 1568
    na doença avançada, 1568
      de colo uterino, 1568
ODG (Gastrectomia Distal Aberta), 171
Odontoma, 445
  complexo, 446f
  na região posterior da mandíbula, 446f
  ressecado, 446f
OIM (Obstrução Intestinal Maligna), 1573, 1985-1988
  avaliação, 1986
  fisiopatologia, 1985
  manifestações clínicas, 1985
  tratamento, 1986
Ombro
  queda do, 583
    após esvaziamento cervical, 583
  síndrome do, 583f
OMS (Organização Mundial de Saúde), 26, 29, 37, 58, 61, 301
  recomendações da, 301f
Oncogene(s), 46
  marcadores que expressam os, 50
Oncogênese
  mecanismo da, 43f
Oncoginecoligia
  exame peroperatório na, 1367-1369
    de congelação, 1367-1369
      aplicações, 1367
      indicações, 1367-1369
      limitações, 1367-1369
      método, 1367
Oncologia
  anestesia em, 215-219
    avaliação pré-anestésica, 215

considerações gerais, 215
    especialidades cirúrgicas, 216
      abdominal, 216
      cabeça e pescoço, 217
      neurocirurgia, 218
      pediátrica, 218
      pélvica, 216
    procedimentos, 216
      ambulatoriais, 216
      fora do centro cirúrgico, 216
  biologia molecular em, 43-51
    ácidos nucleicos, 49
      detecção de sequências específicas de, 49
      hibridação, 49
    alterações epigenéticas, 47
    angiogênese, 48
      etapas da, 48f
      proteínas relacionadas à, 48
    aplicações da, 51
      para prevenção, 51
      para tratamento, 51
    câncer, 44, 47
      causas do, 44
      origem do, 47
    células neoplásicas, 44, 47
      alterações genéticas nas, 47
      propriedades das, 44
    genes supressores de tumor, 50
      marcadores que expressam os, 50
    genética do tumor, 44
    marcadores tumorais, 48, 49
      detecção de, 49
    mutações epigenéticas, 47
    oncogene, 46, 50
      marcadores que expressam os, 50
    progressão tumoral, 45
    proteínas específicas, 50
      identificação através de anticorpos de, 50
    TSG, 46
      selecionados, 46q
  estomaterapia em, 861-874
    ações em, 865
      em pacientes oncológicos, 865
    bases legais da, 861
      no Brasil, 861
    desempenho da expertise, 862
      tecnologia no, 862
    direitos dos ostomizados, 872
      declaração dos, 872
    método de controle intestinal em estomizados, 872
      processo reabilitatório através do, 872
    trajetória da, 861
      no mundo, 861
  ética e, 22
  pediátrica, 178, 1693-1694, 1709-1713
    aspectos gerais em, 1693-1694
      anatomia patológica, 1693
      tríade oncológica pediátrica, 1693
    pesquisa clínica em, 1709-1713
      assuntos regulatórios, 1712
      estudo clínico, 1710
    VC em, 178
  personalizada, 55
  PET/TC em, 305-310
    aplicações clínicas, 305
      câncer de pulmão, 306
      CCR, 307
      linfoma, 305
      melanoma, 309
      tumores, 309
        de cabeça e pescoço, 309
        de mama, 309
        ginecológicos, 309
    perspectivas futuras, 310
    RXT, 309

radiologia intervencionista em, 313-325
  ablação tumoral, 315
  drenagem biliar, 320
    percutânea, 320
  embolização, 316
    CHC, 316
  procedimentos diagnósticos, 313
    biópsias, 313
      percutâneas, 313
      transjugulares, 313
    punções percutâneas, 313
  procedimentos realizados em serviço de, 322
    drenagem percutânea, 322
      de abscessos, 322
      de coleções, 322
    implante, 324
      de catéter duplo J, 324
      de catéter venoso profundo por acesso periférico, 324
      de filtro de veia cava inferior, 324
    nefrostomia percutânea, 324
  quimioembolização, 316
    CHC, 316
    embolização portal, 319
    metástases hepáticas de tumores, 319
      colorretais, 319
      neuroendócrinos, 319
TH em, 977-981
  CC, 980
  CHC, 977, 979
    variante fibrolamelar, 979
  doença hepática crônica, 977
  HB, 979
  hemangioendotelioma epitelioide, 979
  legislação brasileira, 980
  TNE, 979
    metástases hepáticas de, 979
  tumorigênese, 977
urológica, 177
  laparoscopia na, 177
Oncologia Clínica
  princípios de, 149-156
    carcinogênese, 149
    história da QT, 149
    tratamento clínico, 150
      biomarcadores, 155
      mecanismos de resistência tumoral ao, 154
      principais categorias de, 150
Oncologia Mamária
  fundamentos da, 985-1013
    câncer de mama, 989-993, 1001, 1002, 1005-1007, 1009-1013
      biologia molecular do, 989-993
      estadiamento do, 1009-1013
      genética e, 1001, 1002
      valores dos marcadores tumorais no, 1005-1007
    carcinogênese mamária, 985-987
    metástases, 995-999
      biologia molecular das, 995-999
Oncologia no Brasil
  políticas de saúde em, 13-18
    composição do sistema de saúde, 14
    para enfrentamento de DCNT, 13
    SUS, 14
      assistência oncológica no, 17
      câncer no, 16
      estruturação do, 14
      financiamento do, 14
      funcionamento do, 14
Oncossexologia
  no tratamento do câncer ginecológico, 1579-1585
  sequelas no, 1579-1585
    cuidados com as sequelas, 1581
    diagnóstico, 1581
    dores pélvicas, 1584

histórico, 1579
infecções geniturinárias de repetição, 1584
psicológicas, 1584
Ooforectomia
  profilática, 844
Opacidade
  localizada, 231*f*
Opioide(s)
  depressão por, 239
    respiratória, 239
  na cirurgia oncológica, 167
Órbita, 529-538
  características, 529
  pseudotumor de, 531*f*
  ressecção de lesões, 536
    com auxílio de microscópio, 536
  tratamento, 533
    abordagem, 533, 534
      extraorbitária, 534
      orbitária, 533
Orbitotomia
  anterior, 533, 534
    transconjuntival, 534
    transcutânea, 534
  lateral, 534
    medial, 534
      lateral, 534
      transconjuntival, 534
  posteroinferior, 534
  transcutânea sem osteotomia, 533*f*
    para ressecção completa, 533*f*
    da tumoração, 533*f*
Orelha
  câncer da, 539-547
    características clínicas, 539
    complicações, 545
      intraoperatórias, 545
      pós-operatórias, 545
    diagnóstico, 540
    discussão, 542
    epidemiologia, 539
    estadiamento clínico, 541
      da Universidade de Pittsburgh, 541*q*
    etiologia, 539
    prognósticos, 546
    QT, 546
    resultados, 546, 547
    RXT, 546
    tratamento, 541
      cirúrgico, 542
      do pescoço, 545
  externa, 539
  reconstrução da, 603
    defeitos, 604
      auriculares completos, 605
      da concha, 604, 606*f*
      da hélice, 604
      de dois terços inferiores, 605
      do lóbulo, 604
      do polo superior, 605
Orofaringe
  câncer de, 493-497
    biologia molecular, 494
    características clínicas, 494
    diagnóstico, 494
    epidemiologia, 493
    estadiamento, 494
      classificação de TNM, 495*q*
    etiologia, 493
    prognóstico, 495
    tratamento e, 495
Osso Temporal
  câncer do, 539-547
    características clínicas, 539
    complicações, 545
      intraoperatórias, 545
      pós-operatórias, 545

diagnóstico, 540
discussão, 542
epidemiologia, 539
estadiamento clínico, 541
  da Universidade de Pittsburgh, 541*q*
etiologia, 539
prognósticos, 546
QT, 546
resultados, 546, 547
RXT, 546
tratamento, 541
  cirúrgico, 542
  do pescoço, 545
Osso(s)
  e câncer de pulmão, 635
Osteoblastoma, 471
Osteocondroma, 472
  de fêmur, 385*f*
    condrossarcoma secundário a, 385*f*
  de parede torácica, 726
Osteoma, 471
  de mandíbula, 472*f*
    ressecção de, 472*f*
  osteoide, 471
Osteossarcoma, 381, 764
  características clínicas, 464
  de parede torácica, 727
  de partes moles, 365
  definição, 464
  distal, 380*f*
    de fêmur, 380*f*
      ressecção ampla de, 380*f*
  epidemiologia, 464
  extraesquelético, 365
  imagem, 464
  localização, 464
  metástases, 465
  patologia, 464
  prognóstico, 465
  tratamento sistêmico do, 388
    complicações do, 390*q*
    doença, 388, 389
      localizada, 388
      metastática, 389
    QT, 390
      toxicidade da, 390
  tratamento, 465
Ovário(s)
  câncer de, 175, 1353, 1357, 1391, 1392*q*, 1435-1458, 1461, 1541-1542
    biologia molecular do, 1353
    estadiamento do, 1391*q*, 1392*q*
      sistema FIGO, 1391*q*
      sistema TNM, 1392*q*
    gravidez e, 1461
    não epitelial, 1455-1458
      células germinativas, 1455
        tumores malignos de, 1455
      cordão sexual, 1457
        tumores derivados do, 1457
      estroma, 1457
    prática clínica do, 1357
      genética ma, 1357
    terapia-alvo no, 1541-1542
      bases moleculares do, 1541
      CEO, 1541
        bevacizumabe e, 1541
    tumores ovarianos, 1435-1439
      de baixo potencial de malignidade, 1435-1439
  VC no, 175
    avaliação, 175
      da massa anexial, 175
      do cisto, 175
      em estágio avançado, 176
    tumores, 175
      borderline, 175
      em estágio precoce, 175

doença avançada de, 1573-1574
  paliação em, 1573-1574
    ascite, 1573
    obstrução intestinal, 1573
IHQ no, 1375
tumores de, 1360
  epiteliais, 1360
  Pnão epiteliais, 1360
V (Perfil Externo)
  incidência, 1026
    na mamografia, 1026
  interno, 1027
    incidência, 1027
      na mamografia, 1027

P

p53, 163
PAAF (Punção Aspirativa por Agulha Fina), 367, 418, 777
  de câncer, 484
    de glândula salivar, 484
  de carcinoma papilífero, 418*f*
    lâmina de citologia de, 418*f*
  de neoplasia folicular, 426
    importância do nódulo com, 426
  guiada por US, 1105, 1106
    e mamografia, 1105, 1106
      abordagem pré-biópsia, 1105
      complicações, 1105
      documentação, 1106
      escolha do método guia, 1105
      escolha do procedimento, 1105
      fragmentos adequados, 1105
      procedimento após abordagem, 1106
Paciente(s)
  neutropênicos, 233
    dor abdominal em, 233
Paciente(s) Oncológico(s)
  avaliação do, 164*q*
    pelo índice de *karnofsky*, 164*q*
  direitos do, 23
  implicações peroperatórias no, 221-223
    cirurgia oncológica, 222
      cardiopatia e, 222
      particularidades do, 221
        e do tratamento, 221
      visita pré-anestésica, 221
        mudança no papel da, 221
  indicações de RXT em, 157*q*
  infecções no, 269-275
    fatores predisponentes, 269
      anatômicos, 269
      asplenia funcional, 270
      comprometimento da imunidade adaptativa, 270
        associado à terapia antineoplásica, 270
      comprometimento da imunidade inata, 269
        associado à terapia antineoplásica, 269
      esplenectomia funcional, 270
      imunodisfunção associada ao câncer, 269
      lesão de barreiras mucosas, 270
    prevenção das, 274
    principais infecções, 270
      de pele, 274
      de tecido celular subcutâneo, 274
      do SNC, 273
      do trato geniturinário, 274
      gastrointestinais, 273
      neutropenia febril, 270
      relacionadas com catéteres, 274
      respiratórias, 271
PAF (Polipose Adenomatosa Familiar), 373, 819, 834
Paget
  doença de, 1133-1135
    da mama, 1133-1135
      diagnóstico diferencial, 1134

      diagnóstico, 1133
      estadiamento, 1134
      etiopatogenia, 1133
      prognóstico, 1135
      tratamento, 1134
Paliação
  dor e, 1559-1565
  em doença avançada, 1567-1570, 1573, 1574
    de colo uterino, 1567-1570
      analgesia, 1568
      câncer de, 1567
      cuidados paliativos, 1567
      curso natural da doença, 1567
      fístulas, 1570
      obstrução urinária, 1568
      sangramento, 1569
    de ovário, 1573, 1574
      ascite, 1573
      obstrução intestinal, 1573
Pancoast
  tumor de, 634, 691-694
    diagnóstico, 691
      apresentação clínica, 691
      exames complementares, 691
    e câncer de pulmão, 634
    estadiamento, 691
    tratamento, 692
      cirúrgico, 693
      histórico, 692
      prognóstico, 693
      terapêutica atual, 693
Pâncreas
  câncer de, 145, 172
    VC no, 172
  neoplasia do, 122, 125*f*
    sólida, 122, 125*f*
      estágios diferentes de, 125*f*
      tipos diferentes de, 125*f*
  TNE do, 962
    apresentação clínica, 963
    diagnóstico, 963
    tratamento, 964
  tumores císticos do, 127
    CAM, 129
    CAS, 127
    de Frantz, 131
    lesões pancreáticas, 131
      punção ecoguiada das, 131
    neoplasia epitelial sólido-cística, 131
      pseudopapilífera, 131
    NIMP, 129
Pancreatoduodenectomia
  segundo a radicalidade, 938*q*
    da linfadenectomia, 938*q*
Pânico
  ataque agudo de, 240
Papila
  duodenal, 232*f*
    stent em, 232*f*
  tumores de, 952
    avaliação pré-operatória, 953
    estadiamento, 954
    manifestações clínicas, 953
    patologia, 953
    prognóstico, 955
    tratamento, 955
Papillon
  técnica de, 845
Papiloma, 1041
  na mama, 1051, 1052*f*
Parafina
  inclusão em, 71*f*, 74*f*
    fragmento de pele cortado após, 71*f*, 74*f*
    corado com H&E, 71*f*, 74*f*
Paraganglioma
  gangliocítico, 118

Paralisia
  de prega vocal, 239
  e câncer de pulmão, 634
    do nervo, 634
      frênico, 634
      laríngeo recorrente, 634
Parede
  torácica, 634
    e câncer de pulmão, 634
    neoplasias da, 725-731
    tumores de, 725-731
      aspectos clínicos, 725
      classificação, 726
      diagnóstico, 725
      metástases, 729
      tratamento, 729
Parênquima
  pancreático, 124*f*
    imagens ecoendoscópicas do, 124*f*
  tipo de, 1048*q*
Parestesia
  após esvaziamento cervical, 583
Parotidectomia
  com esvaziamento cervical, 489*f*
    pós-operatório tardio de, 489*f*
  superficial direita, 487*f*
    com esvaziamento cervical, 487*f*
    upper-neck, 487*f*
  superficial, 490*f*
  total, 489*f*
  transoperatório de, 490*f*
    com uso do neuroestimulador, 490*f*
    de nervo periférico, 490*f*
Parte(s) Mole(s)
  neoplasias das, 63
PAS (Ácido Periódico de Schiff), 383
Patologia no Câncer
  exame por congelação, 71-75
    aspectos históricos, 71
    método, 73
      indicações do, 73
      limitações do, 73, 74
    procedimento, 72
  exame por peroperatório, 71-75
    aspectos históricos, 71
    procedimento, 72
  IHQ, 57-65
    das células do microambiente tumoral, 65
    das neoplasias, 65
    das células tumorais, 62, 64
      das neoplasias hematológicas, 64
      dos tumores sólidos, 62
    diagnosticando o EBV, 61
    diagnóstico das neoplasias, 57
    no LNS, 60
Pavilhão
  auricular, 539
PCI (Radioterapia Profilática do Crânio), 703, 705
PCLO (*Prostate, Colorectal, Lung and Ovarian Cancer*), 286
PCP (*Pneumocystis jirovecii*), 273
PCR (Reação em Cadeia da Polimerase)
  amplificação pela, 49, 77
  de DNA, 49, 77
PDGF (Receptores do Fator de Crescimento Derivado de Plaquetas), 1862, 1869
Pele
  câncer de, 329-342
    não melanoma, 329-342
      abordagem geral do, 330
      CBC, 333
      CEC, 336
      diagnóstico, 329
      doença metastática cutânea, 342
      lesões pré-malignas, 332
      outros, 339
      tumores malignos dos anexos cutâneos, 338

carcinoma de, 202f
   espinocelular, 202f
infecções de, 274
Penectomia
  parcial, 1609
  total, 1610
Pênis
  câncer de, 1605-1614, 1617-1622
    aspectos moleculares do, 1617-1622
      alteração da proteína p53, 1621
      alterações citogenéticas, 1617
      atividade da telomerase, 1621
      IHQ em, 1620
      papel do vírus, 1620
      proteínas da apoptose BAX e BCL-2, 1621
    cirurgia paliativa, 1613
      higiênica, 1613
    diagnóstico, 1607
    epidemiologia, 1606
    estadiamento, 1608
      sistema de classificação, 1608q
      estratificação do, 1608q
        por risco de metástases regionais, 1608q
        por tipo histológico, 1608q
    etiologia, 1606
    forma de apresentação, 1608
    histologia, 1608
    história natural, 1606
    lesões cutâneas, 1605
      pré-malignas, 1605
    linfadenectomia, 1612
      por via aberta, 1612
    linfonodos inguinais, 1610
      abordagem dos, 1610
    QT, 1614
    tratamento, 1609
      do tumor primário, 1609
    VEIL, 1612
Perelman
  ressecção de, 760f
    de precisão, 760f
Perfuração, 232
  tumoral, 848
    tratamento da, 848
Perfusão, 297
  esquema da, 192f
  sistema de, 191f
  tecidual, 297f
    capilar, 297f
  técnica de, 297f, 298f
Pericárdio
  descompressão do, 753
    cirúrgica, 753
Pericardiocentese, 750
Pericardioscopia, 751
Peritônio
  IHQ no, 1375
Pescoço
  câncer de, 143, 595-599
    preservação de órgão em, 595-599
      alvo molecular, 596
        estudo com terapia de, 596
      avanços na RXT, 597
      casos ilustrativos, 598
      era da quimiorradioterapia, 598
        fatores prognósticos na, 598
      principais estudos, 595, 596
        com quimiorradioterapia concomitante, 595
        com terapia sequencial, 596
        QT de indução, 596
    terapia nutricional em indivíduos com, 143
      submetidos ao tratamento cirúrgico, 143
  clinicamente, 399, 401
    negativo, 399
    positivo, 401
  exame geral do, 503

melanoma do, 349
  primário, 349
neoplasias de, 62, 586
  traqueostomia na, 586
reconstrução de, 601-616
  cervicais, 613
  da laringe, 614
  da orofaringe, 614
  formas de, 601
    enxertia, 601
    retalhos, 602
  mandibulares, 615
  manejo pós-operatório, 615
  microcirúrgicas, 613
  opções reconstrutivas em, 613q
    preferenciais, 613f
  tumores, 601
    cutâneos, 601
    outros, 601
tratamento do, 545
  no câncer, 545
  da orelha, 545
  do osso temporal, 545
tumores de, 141, 765
  epiteliais malignos, 765
Pesquisa
  epidemiológica em câncer, 7
    abordagens da, 7
      estudos, 7, 9
        ecológicos, 9
        experimentais, 9
        observacionais, 7
      metanálise, 10
      revisão sistemática, 10
      tipos de erros, 11
      tipos de estudos, 7
PET (Tomografia por Emissão de Pósitrons), 368
  no câncer do reto, 838
PET/TC (Tomografia por Emissão de Pósitrons e Tomografia Computadorizada), 368
  e mama, 1087-1089
    avaliação, 1088
      de doença a distância, 1088
      do tratamento, 1088
    diagnóstico, 1087
    estadiamento linfonodal, 1088
    futuro do, 1089
    prognóstico, 1088
  em oncologia, 305-310
    aplicações clínicas, 305
      câncer de pulmão, 306
      CCR, 307
      linfoma, 305
      melanoma, 309
      tumores, 309
        de cabeça e pescoço, 309
        de mama, 309
        ginecológicos, 309
    perspectivas futuras, 310
    RXT, 309
  no câncer, 779, 798
    de esôfago, 779
    de estomago, 798
PET-Scan, ver PET/TC
PIN (Neoplasia Intraepitelial Prostática), 32
PJS (Síndrome de Peutz-Jeghers), 834
Plano Terapêutico
  nutricional, 143
Plasmocitoma
  solitário, 466, 728
    de parede torácica, 728
    do osso, 466
      características clínicas, 467
      epidemiologia, 465
      etiologia, 465
      imagem, 467
      localização, 465

      patologia, 467
      prognóstico, 467
      tratamento, 467
Platina
  análogos da, 151
Pleura
  e câncer de pulmão, 634
Pleurectomia, 739, 746
Pleurodese, 739, 745
PLS (Pesquisa de Linfonodo Sentinela), 442, 801
  cintilografia na, 1091
  e CDIS, 1205
  na gestação, 1211
PMB (Papilomatose Múltipla Biliar), 913
PMCA (Carcinomatose Peritoneal Mucinosa), 193
PMP (*Pseudomixoma Peritonei*), 189, 193
PNET (Tumor Neuroectodérmico Periférico), 355, 383
Pneumonectomia, 659
  alargada, 673
    ao átrio esquerdo, 673
  extrapleural, 739
  intrapericárdica, 673
Pneumoperitônio, 230f
PNPCC (Política Nacional de Prevenção e Controle do Câncer), 249
Polipectomia, 95, 844
Política(s) de Saúde
  em oncologia no Brasil, 13-18
    composição do sistema de saúde, 14
    para enfrentamento de DCNT, 13
    SUS, 14
      assistência oncológica no, 17
      câncer no, 16
      estruturação do, 14
      financiamento do, 14
      funcionamento do, 14
Poluição
  atmosférica, 622
  câncer de pulmão por, 621
PPNET
  de parede torácica, 727
pPNET (Tumor Neuroectodérmico Primitivo Periférico), 728
Prática Oncológica
  aspectos éticos da, 21-26
    código de ética médica 2010, 24
      principais pontos do, 24
    consentimento, 25
      esclarecido, 25
      livre, 25
    cuidados paliativos, 26
    ética em, 26
    médicos, 22
      deveres dos, 22
      direitos dos, 22
    paciente oncológico, 23
      direitos do, 23
    princípios fundamentais, 21
      bioética, 21
      deontologia, 21
      diceologia, 21
      ética, 21
        e oncologia, 22
        médica, 21
      moral, 21
    sigilo médico, 24
      prontuário médico, 24
  EE na, 109-137
    camadas visualizadas, 109f
      do TGI, 109f
    CC, 133
    EE-PAAF, 112
    impacto clínico da, 109q
      representação percentual do, 109q
    indicações, 111
    linfoma gástrico, 122

LSE, 112
   do TGI, 112
   neoplasia, 120-122, 134
      de reto, 134
      esofagiana, 120
      gástrica, 121
      sólida do pâncreas, 122
   profundidade visualizada, 109*f*
   transdutores, 109
      e imagem produzida, 110*f*
         linear, 110*f*
         radial, 110*f*
   tumores císticos, 127
      do pâncreas, 127
Prega
   vocal, 239
      paralisia de, 239
Preservação
   da fertilidade, 1463
      estratégias para, 1463
      por localização primária, 1463
Preservação de Órgão
   em câncer de cabeça e pescoço, 595-599
      alvo molecular, 596
         estudo com terapia de, 596
      avanços na RXT, 597
      casos ilustrativos, 598
      era da quimiorradioterapia, 598
         fatores prognósticos na, 598
      principais estudos, 595, 596
         com quimiorradioterapia concomitante, 595
         com terapia sequencial, 596
         QT de indução, 596
PRL (Prostatectomia Radical Laparoscópica), 177
Procedimento(s)
   diagnósticos, 313
      biópsias, 313
         percutâneas, 313
         transjugulares, 313
         punções percutâneas, 313
      invasivos, 1107-1112
         guiados por RM, 1107-1112
            biópsia a vácuo, 1110
            biópsia de fragmento, 1107-1112
            bobina, 1108
            core biópsia, 1110
            dificuldades, 1111
            indicação, 1107
            lesões que desaparecem, 1112
            marcação pré-cirúrgica, 1107-1112
            material, 1108
            particularidades dos, 1107
            posicionamento, 1108
            técnica, 1109
            US direcionada, 1107
   oncológicos, 169*q*
      por VC, 169*q*
Proctocolectomia
   total, 146*f*
Progesterona
   receptores de, 79
   uso clínico de, 79
Progressão
   tumoral, 45
Próstata, 299
   ADE de, 158*f*, 159*f*
      IMRT por, 159*f*
         com irradiação pélvica, 159*f*
   câncer de, 6, 7, 32, 177
      no Brasil, 6, 7
      VC no, 177
Proteção
   da ferida operatória, 167
Proteína(s)
   específicas, 50
      identificação de, 50
         através de anticorpos, 50

P53, 51
RAS, 50
relacionadas à angiogenese, 48
Prótese(s)
   autoexpensíveis, 100-108
      colocação de, 103*f*
      de esôfago, 100*q*
         características gerais das, 100*q*
      metálicas, 101, 103, 105-108
         colônicas, 107*q*
         colorretais, 107
         gastroduodenais, 105
      no tratamento do CES, 100-104
         contraindicações, 100
         em situações especiais, 102
         indicações, 100
         resultados, 103
         técnicas de introdução, 100
      plásticas, 101, 104
   e extensores, 1241-1244
      reconstrução da mama com uso de, 1241-1244
         desvantagens, 1241
         indicação, 1241
         RXT *versus* implante, 1241
         seleção de pacientes, 1241
         técnica com expansores, 1242
         tempo, 1241
         tipos de, 1241
         vantagens, 1241
   esofágica, 102*f*
      migração de, 102*f*
         para o estômago, 102*f*
      obstrução da, 101*f*
         por bolo alimentar, 101*f*
   tipos de, 105*q*
Protocolo
   de Angelis, 1878*q*
Proto-Oncogene
   mecanismo de ativação de, 46*q*
PS (*Performance Status*), 800
   Zubrod, 800*q*
PSA (Antígeno Prático Específico), 32, 163
   uso clínico, 78
PSC (Pressão Sinusoidal Corrigida), 315
Pseudotumor
   de órbita, 531*f*
PSF (Programa Saúde da Família), 40
Psico-Oncologia, 247-266
   a família como paciente em, 262, 263
      câncer infantil, 263
      vivência da família, 262
         no processo de adoecimento, 262
   a morte com dignidade, 259-261
      cuidados, 260
         no fim da vida, 260
         paliativos, 260
      pacientes em estágio avançado, 259
         familiares, 259
         sintomas, 259
   cuidando de quem cuida, 264-266
      considerações iniciais, 264
      conviver, 265
         espaço compartilhado, 265
      cuidar, 264, 265
         com ato de humanidade, 265
         de si e do outro, 264
   definições, 248, 249
      e área de atuação, 248, 249
      surgimento, 249
   transtornos psiquiátricos, 250-258
      em pacientes com câncer, 250-258
         de ansiedade, 253
         do humor, 250
         mental orgânico, 255
         outros, 256
PSOF (Pesquisa de Sangue Oculto nas Fezes), 821

PTH (Paratormônio), 83, 84, 236, 475
PTHrP (Proteína Relacionada ao Paratormônio), 235
PTT (Tempo de Tromboplastina Parcial), 313
PTV (Volume-Alvo de Planejamento), 597
Pulmão
   ADE de, 307*f*
      estadiamento de, 307*f*
   câncer de, 31, 176, 285, 306, 619-702
      biologia molecular, 625-632
         alterações moleculares comuns, 625
         em não tabagistas, 628, 629*q*
         em tabagistas, 626, 629*q*
         perspectivas, 632
      condições especiais, 691-701
         CPCNP oligometastático, 699-701
         síndrome de compressão da VCS, 695-698
         tumor de Pancoast, 691-694
      CPCP, 703-706
         estudos atuais, 705
         tratamento da doença, 703
            extensa, 704
            limitada, 703
         tratamento da recaída, 705
      diagnóstico, 633-652
         quadro clínico, 633-644
         ressecção pulmonar, 650-652
            avaliação pré-operatória para, 650-652
      epidemiologia, 621-623
         fatores de risco, 621
            arsênico, 622
            asbesto, 622
            cromo, 622
            fumante passivo, 622
            hidrocarbonetos aromáticos policíclicos, 622
            níquel, 622
            outras fibras minerais, 622
            poluição atmosférica, 622
            radônio, 622
            relacionados com o hospedeiro, 622
            sexo, 622
            sílica, 622
            tabagismo, 621
         fatores genéticos, 623
         magnitude do problema, 621
         no Brasil, 623
      por imagem, 646-649
      quadro clínico, 633-644
      ressecção pulmonar, 650-652
         avaliação pré-operatória para, 650-652
      PET/TC em, 306
      rastreamento do, 285
         avaliação do, 286*q*
      tratamento, 655-688
         cirúrgico, 655-677
         QT no, 680-682
         RXT, 683-688
      VC no, 176
   tumor do, 388*f*
      acrometástase de, 388*f*
Punção(ões)
   de veia periférica, 325*f*
      para implante de catéter central, 325*f*
   ecoguiada, 110*f*, 111*q*, 114*f*, 131
      agulhas disponíveis para, 114*f*
         convencionais, 114*f*
         ProCore®, 114*f*
      das lesões pancreáticas, 131
      de linfonodomegalia mediastinal, 110*f*
      impacto na prática clínica, 111*q*
         percentual do, 111*q*
   percutâneas, 313
PVH (Pressão na Veia Hepática), 315
PVHO (Pressão da Veia Hepática Ocluída), 315

Q

QETA (Quimioembolização Transarterial), 887
QIH (Quimioterapia Intraperitoneal Hipertérmica), 854
QN (Quimioterapia Neoadjuvante)
  BLS em, 1201
  em câncer de mama, 1263-1264
    em tumores, 1263, 1264
      inoperáveis, 1263
      operáveis, 1264
    hormonoterapia neoadjuvante, 1264
QT (Quimioterapia), 141
  adjuvante, 1259-1262
    BCIR006, 1261
    como empregar, 1260
    contraindicação à, 1262
    efeitos adversos, 1262
    fatores, 1259
      de risco, 1259
      prognósticos, 1259q
    FINHER, 1261
    HER-2, 1261
      pacientes que superexpressam o, 1261
    Hera, 1261
    N9831, 1261
    NSABP B-31, 1261
    PACS-04, 1262
    tipos histológicos, 1262
  combinada, 1400
    no câncer cervical, 1400
    localmente avançado, 1400
  de indução, 596
  de SPM, 375
    adjuvante, 375
    neoadjuvante, 375
  e cirurgia, 896
    intervalo entre, 896
  efeito da, 895
    no fígado, 895
  em câncer ginecológico, 1517-1543
    de endométrio, 1531-1537
    drogas usadas em ginecologia oncológica, 1517-1521
    nas NEO, 1523-1528
      avaliação inicial, 1523
      doença avançada, 1525, 1526
        novas drogas em primeira linha, 1525
        segunda linha de, 1526
      estadiamento, 1523
      perspectivas, 1528
      QTIP, 1528
      recidiva da doença, 1526
      tratamento, 1524, 1525, 1526
        adjuvante, 1524
        avaliações durante o, 1526
        final do, 1526
        neoadjuvante, 1525
    princípios básicos da, 1517-1521
    terapia-alvo no câncer de ovário, 1541-1542
  hipertermia e, 190
    sinergismo entre, 190
  história da, 149
  intra-arterial, 896
  intrapericárdica, 753
  no câncer, 487, 515, 546, 680-682, 781, 802, 879
    do canal anal, 879
    de estômago, 802
      adjuvante, 802
      neoadjuvante, 803
    de esôfago, 781
    de pulmão, 680-682
      adjuvante, 680
      neoadjuvante, 680
      paliativa, 681
    de glândulas salivares, 487
    de hipofaringe, 517
    da orelha, 546
    do osso temporal, 546
    para MPM, 738
    para retinoblastoma, 1729
      intraocular, 1729
    sistêmica, 895
      nas metástases hepáticas, 895
        de origem colorretal, 895
    toxicidade da, 390
QTIP (Quimioterapia Intraperitoneal)
  nas NEO, 1528
  no câncer de ovário, 1505-1508
    complicações, 1506
      secundárias a, 1506
    controvérsias no uso da, 1507
    definição, 1505
    justificativa para uso da, 1506
    manuseio clínico, 1505
  racional da, 190
Queda
  do ombro, 583
  após esvaziamento cervical, 583
Queimadura
  cicatriz de, 332f
    no dorso, 332f
      CEC em área de, 332f
Querubismo, 477
Quimioembulização
  CHC, 316
  metástases hepáticas, 319, 896
    de origem colorretal, 896
  de tumores, 319
    colorretais, 319
    neuroendócrinos, 319
  partículas utilizadas na, 318f
Quimioprevenção
  no câncer do reto, 836
Quimiorradioterapia
  concomitante, 595
    principais estudos com, 595
  era da, 598
    fatores prognósticos na, 598
  pacientes submetidos à, 103
QV (Qualidade de Vida)
  e sobrevida, 1575-1577
    em câncer ginecológico, 1575-1577
      conceituação de, 1575
      fertilidade feminina e, 1577
      instrumento de avaliação de, 1576
      sexualidade e, 1576

R

Racional
  da técnica de HIPEC, 189
    da hipertermia, 189
    da QTIP, 190
    sinergismo entre hipertermia, 190
    e QT, 190
Radiação
  adjuvante, 401
  crônica, 332
    ceratose de, 332
  efeitos da, 1551
    nos tecidos normais, 1551
  endocavitária, 845
    técnica de Papillon, 845
Radioablação, 887
Radiobiologia
  princípios de, 1545
  redistribuição, 159
  reoxigenação, 159
  reparo, 159
  repopulação, 159
Radiologia Intervencionista
  em oncologia, 313-325
    ablação tumoral, 315
    drenagem biliar, 320
      percutânea, 320
    embolização, 316
      CHC, 316
      portal, 319
    procedimentos diagnósticos, 313
      biópsias, 313
        percutâneas, 313
        transjugulares, 313
      punções percutâneas, 313
    procedimentos realizados em serviço de, 322
      drenagem percutânea, 322
        de abscessos, 322
        de coleções, 322
      implante, 324
        de catéter duplo J, 324
        de catéter venoso profundo por acesso periférico, 324
        de filtro de veia cava inferior, 324
      nefrostomia percutânea, 324
    quimioembolização, 316
      CHC, 316
      metástases hepáticas de tumores, 319
        colorretais, 319
        neuroendócrinos, 319
Radiossensibilidade
  drogas que afetam a, 159
Radônio
  e câncer de pulmão, 622
RAP (Ressecção Abdominoperineal), 846
  por tumor de reto, 282f
Rapamicina, 243
RAR (Ressecção Anterior do Reto), 845
Rastreamento
  do câncer, 285-291, 835
    através dos métodos de imagem, 285-291
      de mama, 289
      de pulmão, 285
      do CCR, 287
    retal, 835
  mamografia para, 1025
RC (Ressecção Curativa), 92, 97
RCBP (Registros de Câncer de Base Populacional), 6
RCC (Caudocranial)
  incidência, 1027
    na mamografia, 1027
RCU (Retocolite Ulcerativa), 914
RCUI (Retocolite Ulcerativa Idiopática), 165
RE (Ressecção Endoscópica), 802
  complicações, 92
  de ADE, 96f
    intramucoso, 96f
    sequência de, 96f
  métodos de, 91
  realização do procedimento, 92
    ambiente para, 92
    pré-requisitos para, 92
  resultado histopatológico, 92
    como analisar, 92
  tratamento, 92
Reabilitação
  e reconstrução, 165
Receptor(es)
  da IL-6, 245
    inibidor do, 245
  uso clínico de, 79
    de estrogênio, 79
    de progesterona, 79
Recidiva em Portal(is)
  após cirurgia oncológica, 169
    por laparoscopia, 169
Recidiva
  local, 282, 373q
    análise das taxas de, 373q
      resumo dos estudos com, 373q

RECIST (Critérios de Avaliação de Reposta nos
  Tumores Sólidos – *Response Evaluation Criteria
  in Solid Tumors*), 155, 295, 301
  críticas ao, 302
  lesões-alvo, 302q
    categorias de resposta das, 302q
  lesões-não-alvo, 302q
    categorias de resposta das, 302q
  limitações do, 302
  recomendações do, 301f
  uso do, 302
    perspectivas futuras, 302
Reconstrução(ões)
  de cabeça e pescoço, 601-616
    cervicais, 613
    craniana, 614
    da cavidade oral, 614
    da laringe, 614
    da nasofaringe, 614
    da orelha, 602
    da orofaringe, 614
    do couro cabeludo, 602
    do terço médio da face, 614
    formas de, 601
      enxertia, 601
      retalhos, 602
    frontal, 602
    mandibulares, 615
    manejo pós-operatório, 615
    microcirúrgicas, 613
    nasal, 609
    occipital, 602
    opções reconstrutivas em, 613q
      preferenciais, 613f
    perioral, 610
    periorbitária, 605
  reabilitação e, 165
  tumores, 601
    cutâneos, 601
    outros, 601
  tipos de, 545
    da orelha, 545
    do osso temporal, 545
Reconstrução Mamária
  com retalho do músculo GD, 1227-1232
  com TRAM, 1233-1240
    anatomia cirúrgica, 1236
    considerações anatômicas, 1235
    considerações sobre, 1240
      e tratamento adjuvante do câncer de
        mama, 1240
    desvantagens, 1239
    histórico, 1233
    indicações, 1233
    microcirurgia, 1239
    técnica, 1237
    vantagens, 1239
  princípios da, 1213-1225
    com tecido autógeno, 1215
      areolopapilar, 1221
      com GD, 1215
      com TRAM, 1217
      oncoplástica, 1221
      retalhos locais, 1215
    efeitos da RXT na, 1225
      implantes, 1225
      TRAM, 1225
      DIEP, 1225
    história, 1213
    materiais aloplásticos, 1226
      complicações, 1224
      considerações especiais, 1225
      expansores, 1223
      implantes, 1223
      primeiro estágio, 1224
      segundo estágio, 1224
      simetrização da mama contralateral, 1224

microcirúrgica, 1221
  retalhos microcirúrgicos, 1223
  técnicas para aumentar o fluxo vascular, 1223
primeiras reconstruções, 1213
RXT antes da, 1225
RXT depois da, 1225
técnicas modernas, 1213
  autógena, 1214
    microcirúrgica, 1214
  com implantes, 1213
uso de próteses na, 1241-1244
e extensores, 1241-1244
  desvantagens, 1241
  indicação, 1241
  RXT *versus* implante, 1241
  seleção de pacientes, 1241
  técnica com expansores, 1242
  tempo, 1241
  tipos de, 1241
  vantagens, 1241
Reese Ellsworth
  classificação de, 1728q
Região Pilórica
  stent em, 231f
Relevância
  da IHQ, 1371-1381
    no trato genital feminino, 1371
      colo uterino, 1372
      doença trofoblástica gestacional, 1374
      ligamento largo, 1381
      ovário, 1375
      peritônio, 1375
      trompas uterinas, 1381
      útero, 1373
      vagina, 1371
      vulva, 1371
REM (Ressecção Endoscópica da Mucosa), 91, 801
  indicações de, 93
    no câncer de esôfago, 93
Reposição
  volêmica, 1701
Reprodução
  assistida, 1461
  tecnologias de, 1461
Resistência
  à insulina, 820
    e câncer de cólon, 820
  tumoral, 154
    ao tratamento, 154
    mecanismos de, 154
Resposta Radiológica
  avaliação de, 155
Resposta Tumoral
  avaliação da, 301-303
    através dos métodos de imagem, 301-303
      critérios de Choi, 303
      críticas ao RECIST, 302
      limitações do RECIST, 302
      perspectivas futuras para o uso do RECIST, 302
      WHO RECIST, 301
Ressecção(ões)
  alargadas, 847
    exenteração pélvica, 847
    sacrectomia, 847
  ampla, 380f
    de osteossarcoma distal, 380f
    de fêmur, 380f
  anterior, 825
    alta, 825
      no câncer de cólon, 825
  cirúrgica, 330, 400f
    da lesão, 400f
    do câncer de pele, 330
      não melanoma, 330
  craniofacial, 554f, 555f
    clássica, 554f

com reconstrução por retalho, 555f
  microcirúrgico, 555f
de lesões, 536
  com auxílio de microscópio, 535
    enucleação, 535
    evisceração, 536
    exenteração, 536
de metástases hepáticas, 894
  sincrônicas, 894
de múltiplos órgãos, 826
de precisão, 760f
  de Perelman, 760f
de tumor, 439f
  de palato, 439f
    maxilarectomia de infraestrutura para, 439f
do osso temporal, 542
  tipos de, 542
do reto, 174q
  por laparoscopia, 174q
  sobrevida global para, 174q
dos linfonodos, 661
  mediastinais, 661
    linfadenectomia mediastinal, 662, 663
extensão da, 893
hepática, 894, 895
  em metástases, 894, 895
    pulmonares, 894
    recorrentes, 895
indicações para, 892
margens de, 373q
  estudos com análise das, 373q
  resumo dos, 373q
no câncer, 826, 844
  de cólon, 826
    mortalidade após, 826
    recidiva após, 826
  do reto, 844
    técnicas de, 844
pulmonar, 650-652, 657
  avaliação pré-operatória para, 650-652
    cardiológica, 650
    cirurgia em octogenários, 652
    de ressecabilidade, 650
    inicial, 650
    tabagismo, 650
  tipos de, 657
    bilobectomia, 657
    em cunha, 661
    lobectomia, 657
    pneumonectomia, 659
    segmentectomia, 660
    sleeve lobectomy, 658
    Wedge resection, 661
Resultado(s) Oncológico(s)
  importância nos, 166
    da especialização do cirurgião, 166
    do centro oncológico, 166
Retalho(s)
  antebraquial, 210f
    planejamento do, 210f
  cutâneo, 516
    lateral de coxa, 516
  deltopeitoral, 515
  fasciocutâneo, 516
    de antebraço, 516
  livre, 515, 516
    de jejuno, 515, 516f
    gastro-omental, 516
  locais, 602, 1215
    reconstrução com, 1215
  microcirúrgicos, 1223
    para reconstrução mamária, 1223
  microcirúrgicos, 209
    principais, 209
      ALT, 210
      antebraquial, 209
      de crista ilíaca, 211

de jejuno, 211
do músculo GD, 209
do músculo grácil, 211
músculo reto abdominal, 209
osteomiocutâneo de fíbula, 210
TRAM/VRAM, 209
miocutâneo, 515f
de peitoral maior, 515f
regionais, 602
robusto e amplo, 204f
que permite cobrir área, 204f
de isquemia de pele, 204f
Retinoblastoma, 1727-1730
aspectos clínicos, 1727
bilateral, 529f, 532f
BT, 1729, 1730
criocirurgia no, 532f
diagnóstico diferencial, 1727
enucleação, 1729, 1730
gênese do, 1727
implicações clínicas, 1727
intraocular, 1728, 1729
agrupamento do, 1728
classificação, 1728q
de Reese Ellsworth, 1728q
internacional, 1728q
estadiamento do, 1728
QT para, 1729
visão geral, 1729
laserterapia no, 532f
tratamento local, 1729
de consolidação, 1729
primário, 1729
terminologia, 1729
Reto
anatomia cirúrgica do, 840
CA de, 231f
metástases pulmonares de, 231f
múltiplas, 231f
câncer de, 6, 7, 94, 146, 174, 833-857
acompanhamento clínico, 857
apresentação clínica, 837
carcinogênese, 833
CCR hereditário, 834
classificação histológica, 833
definição, 833
diagnóstico, 837
estadiamento, 837
TNM, 838, 839q
fatores de risco, 834
morfologia, 833
no Brasil, 6, 7
quimioprevenção, 836
rastreamento, 835
tratamento endoscópico no, 94
análise histopatológica, 97
indicações de RE, 95
métodos de ressecção, 95
tratamento cirúrgico, 98
vigilância pós-ressecção, 98
tratamento, 839, 849
cirúrgico, 839
da doença avançada, 854
da recidiva local, 853
neoadjuvante, 849
quimioterápico, 852, 855
adjuvante, 852
paliativo, 855
VC no, 174
médio, 135f
lesão infiltrativa de, 135f
neoplasias de, 134, 135f
diferentes estágios da, 135f
ressecções do, 174q
por laparoscopia, 174q
sobrevida global para, 174q

superior, 134, 136f
lesão polipoide de, 134f
tumor de, 136f
Retossigmoidoscópio
rígido, 231f
Retroperitônio
sarcomas primários do, 967-970
acompanhamento, 969
diagnóstico, 967
epidemiologia, 967
estadiamento, 968
patologia, 967
prognóstico, 969
sinais, 967q
sintomas, 967q
tratamento, 968
Reumatologia
medicamentos utilizados em, 244q
biológicos, 244q
aprovados no Brasil, 244q
RF (Retossigmoidoscopia Flexível), 822
RHC (Registros Hospitalares de Câncer), 6
RI (Ressecção Incompleta), 92
Rim
azotemia, 2010
versus uremia, 2010
câncer de, 177, 1661-1663
aspectos moleculares do, 1661-1663
descoberta de novos marcadores, 1662
genética dos CCR, 1661
perfil imuno-histoquímico, 1663
VC no, 177
função excretora, 2010
manutenção do equilíbrio, 2010
acidobásico, 2010
hidreletrolítico, 2010
tumor de, 387f
metástase de, 387f
RL (Manobra Rotacional)
na mamografia, 1028
RLR (Recidivas Locorregionais), 136
RM (Manobra Rotacional)
na mamografia, 1028
RM (Ressonância Magnética), 295
classificação BI-RADS® em, 1063-1085
captação não massa, 1081q
categorias BI-RADS®, 1084
léxico, 1079
localização das lesões, 1083q
partes do BI-RADS®, 1079
da mama, 291
de corpo inteiro, 297
no câncer do reto, 838
procedimentos invasivos guiados, 1107-1112
biópsia, 1107-1112
a vácuo, 1110
de fragmento, 1107-1112
bobina, 1108
core biópsia, 1110
dificuldades, 1111
indicação, 1107
lesões que desaparecem, 1112
marcação pré-cirúrgica, 1107-1112
material, 1108
particularidades dos, 1107
posicionamento, 1108
técnica, 1109
US direcionada, 1107
RMM (Ressonância Magnética de Mama), 1045-1061
achados na, 1047f
alterações benignas, 1048
adenose, 1050
cistos, 1048, 1050
complicados, 1048
oleoso, 1050
fibroadenoma, 1048

hematoma, 1051
mastite aguda, 1050
não puerperal, 1050
necrose gordurosa, 1050
tumor *phyllodes*, 1050
alterações *borderline*, 1051
cicatriz radiada, 1051
HDA, 1051
LIN, 1051
papiloma, 1051
avaliação, 1047q
de lesões nodulares, 1047q
de nódulos, 1047q
biópsia guiada por, 1059
classificação BI-RADS, 1047q
discussão, 1060
indicações pré-operatórias, 1054
cirurgia conservadora, 1054
implantes de silicone, 1058
pacientes de alto risco, 1057
QT adjuvante, 1057
resolução de casos problemáticos, 1058
tumor primário desconhecido, 1057
limitações, 1059
metodologia, 1045
não indicações de, 1058
pós-processamento, 1045
protocolo recomendado, 1045q
sem alterações, 1046f
tipo de parênquima, 1048q
tumores malignos, 1052
carcinoma, 1052, 1054
inflamatório, 1054
intraductal, 1052
medular, 1054
mucinoso, 1054
tubular, 1054
CDI, 1053
CDIS, 1052
CLI, 1053
vantagens, 1059
RMS (Rabdomiossarcomas), 364, 377, 562, 1763-1770
alveolar, 364
diagnóstico, 1765
efeitos tardios, 1770
embrionário, 364
epidemiologia, 1763
estadiamento, 1766, 1767q
etiologia, 1763
fatores prognósticos, 1766
perspectivas futuras, 1770
pleomórfico, 364, 563f
de seio maxilar, 563f
quadro clínico, 1763
sobrevida após recaída, 1770
tratamento, 1768
RNA (Ressecção Não Avaliável), 92
Robson
classificação de, 165
tumor renal, 165
Rol (Manobra Rotacional)
na mamografia, 1028
ROLL (Localização Radioguiada de Lesão Oculta), 1092
RPC (Resposta Patológica Completa), 1185
RQT (Quimiorradioterapia)
adjuvante, 802
no câncer de estômago, 802
radical exclusiva, 781
no câncer de esôfago, 781
RTLC (Retalho Transverso Lateral da Coxa), 1223
RT-PCR (Transcrição Reversa de Reação em Cadeia da Polimerase), 1940
papel da, 1200
na avaliação do LS, 1200
RTS (Retossigmoidoscopia), 134, 136

Ruptura
  de carótida, 583
    no esvaziamento cervical, 583
RXT (Radioterapia), 141, 332
  antes da reconstrução, 1225
  avanços na, 597
  avanços recentes da, 1555-1557
    no tratamento do câncer ginecológico, 1555-1557
      BT 3D, 1556
      IGRT, 1556
      IMRT, 1555
      IORT, 1556
        movimentação dos órgãos, 1555
        posicionamento, 1555
  CPCNP, 683
    BT endobrônquica, 685
      de alta taxa de dose, 685
    decisão terapêutica, 683
      fatores para, 683
    doença, 683
      inicial, 683
      localmente avançada, 683
      metastática, 684
    fracionamentos alterados, 684
    irradiação cerebral, 684
      como profilaxia de metástases, 684
    técnicas recomendadas, 684
    tratamentos recomendados, 683
  CPCP, 687
    decisão terapêutica, 687
      fatores para, 687
    técnicas, 688
      desejadas, 688
      minimamente recomendadas, 688
  de SPM, 375
    adjuvante, 375
    definitiva, 375
    neoadjuvante, 375
  depois da reconstrução, 1225
  efeitos da, 218q, 1225
    na reconstrução mamária, 1225
      DIEP, 1225
      implante, 1225
      TRAM, 1225
    tardios, 218q
  em tumores do SNC, 1889-1898
    aspectos técnicos do, 1898
    complicações da, 1898
    em tumores benignos, 1985
    evolução tecnológica em, 1889
    nas metástases na coluna vertebral, 1985
    nos tumores malignos encefálicos, 1892
  exclusiva, 1400
    no câncer cervical, 1400
      localmente avançado, 1400
  indicações de, 157q
    em pacientes oncológicos, 157q
  intraoperatória, 1275-1282
    no câncer de mama, 1275-1282
      recidiva, 1279
      critérios de elegibilidade para BT, 1278
      exames imagenológicos, 1279
      MammoSite, 1276, 1281
        aplicação do, 1281
        retirada do, 1281
      modalidade ideal de APBI, 1275
      potenciais vantagens da APBI, 1276
      resultado cosmético, 1279
      toxicidade, 1279
  no câncer, 487, 517, 546, 683-688, 780, 879, 1545-1557
    da orelha, 546
    de esôfago, 780
    de glândulas salivares, 487
    de hipofaringe, 517
    de pulmão, 683-688

do canal anal, 879
do osso temporal, 546
ginecológico, 1545-1557
  princípios da RXT pélvica, 1545-1552
    efeitos da radiação nos tecidos normais, 1551
    por sítios específicos, 1547
    radiobiologia, 1545
no carcinoma *in situ*, 1285
  da mama, 1285
    fatores que influenciam na, 1285
no manejo, 350
  da doença nodal regional, 350
para melanoma, 351
  metastático, 351
para MPM, 739
  cirurgia e, 739
pós-CCM, 1287-1291
  aspectos técnicos, 1289
  cadeias linfáticas, 1289
    abordagem de, 1289
  estudos comparativos, 1287
  fatores prognósticos, 1288
  sequelas de tratamento, 1291
  situações especiais, 1290
pós-mastectomia, 1293-1298
  após QN, 1295
  CCM, 1295
    recidiva após, 1295
  estudos investigando, 1293
    randomizados, 1293
  recidiva locorregional, 1295, 1296
    conduta na, 1295
  reconstrução mamária, 1296
    RXT após, 1296
  risco de recidiva locorregional, 1294
  RXT pré-operatória, 1295
  técnicas de, 1297
princípios de, 157-160
  avanços tecnológicos, 157
  eventos adversos, 160
  radiobiologia, 159
    redistribuição, 159
    reoxigenação, 159
    reparo, 159
    repopulação, 159
  radiosenssibilidade, 159
    drogas que afetam a, 159
  técnicas de, 158
    3D, 158
    BT, 159
    convencional, 158
    IGRT, 158
    IMRT, 158
    SBRT, 159
    SRS, 158

S

SAC (Síndrome de Anorexia e Caquexia)
  no câncer, 1967-1972
    diagnóstico, 1968
    estágios da caquexia, 1968
    etiopatogenia, 1967
    metabolismo intermediário, 1967
      alterações do, 1967
    principais fatores caquíticos, 1968
    tratamento, 1969
Sacrectomia, 847
Sangramento(s), 235
  gastrointestinal, 233
  na doença avançada, 1569
    de colo uterino, 1569
  no esvaziamento cervical, 582
  tumoral, 848
    tratamento do, 848

Sangue
  transfusão de, 167
    na cirurgia oncológica, 167
Sarcoma(s)
  aberrações relacionadas com os, 571q
    mais frequentes, 571q
  alveolar, 377, 561, 562f
    craniofacial, 562f
  cervical, 561f
    extenso, 561f
  com diferenciação, 364, 365
    incerta, 365
      de células claras, 366
      epitelioide, 366
      sinovial, 365
      SPM alveolar, 366
    muscular, 364
      RMSs, 364
        alveolar, 364
        embrionário, 364
        pleomórfico, 364
    neural, 365
  cutâneos, 340
    dos tecidos, 340, 341
      fibrosos, 341
      nervosos, 342
      vasculares, 340
  da cavidade oral, 571f
    criança com, 571f
  de células claras, 376, 1724
  de couro cabeludo, 565f
    ressecção cirúrgica de, 565f
  de Ewing, 383f, 465, 727
    características clínicas, 465
    comprometimento cortical no, 383f
    de parede torácica, 727
    epidemiologia, 465
    etiologia, 465
    imagem, 465
    localização, 465
    metástases, 466
    patologia, 466
    prognóstico, 466
    tratamento, 466
  de extremidades, 371
    linfonodos regionais, 372
      manejo de, 372
    paciente com doença avançada, 372
      manejo nos, 372
    ressecção incompleta, 371
      manejo dos tumores submetidos à, 371
    tratamento com cirurgia, 371
      e radioterapia, 371
  de partes moles, 572q
    estadiamento dos, 572q
  de retroperitônio, 372
  de tronco, 372
  em face, 551f
  endometrial, 1417
    indiferenciado, 1417
  fibroblásticos, 360
    mixoinflamatório, 361
  fibromixoide, 362
    de baixo grau, 362
  graduação de, 356
  metástase hepática de, 903
  miofibroblásticos, 360
    de baixo grau, 361
  na infância, 571-576
    comportamento biológico, 571
    estadiamento, 572
    investigação diagnóstica, 572
    prognóstico, 575
    tratamento, 573
  osteogênico, 764
  outros, 342
  pleomórfico, 376

primários, 967-970
  do retroperitônio, 967-970
    acompanhamento, 969
    diagnóstico, 967
    epidemiologia, 967
    estadiamento, 968
    patologia, 967
    prognóstico, 969
    sinais, 967q
    sintomas, 967q
    tratamento, 968
sinovial, 376
uterinos, 1419, 1420, 1461
  gravidez e, 1461
  seguimento dos, 1420
  tratamento cirúrgico dos, 1419
    primário, 1419
vasculares, 362
  angioendotelioma papilar, 363
    intralinfático, 363
  angiossarcoma, 363
    de partes moles, 363
  hemangioendotelioma, 362
    composto, 363
    epitelioide, 363
    kaposiforme, 362
    retiforme, 362
  KS, 363
Sarcomatose
  peritoneal, 195
Sateliose
  manejo da, 349
SBPO (Sociedade Brasileira de Psico-Oncologia), 249
SBRT (Radioterapia Corporal Estereotáxica), 159
  por CPNPC, 159f
SBRT (Radioterapia Estereotáxica), 352
Schwannoma, 721
SCP (Sarcomas de Cabeça e Pescoço), 559-570, 572f
  características clínicas, 559
  comportamento biológico, 560
    DFSP, 560
    angiossarcoma, 561
    fibro-histiocitoma maligno, 560
    fibrossarcoma, 560
    lipossarcoma, 561
    RMS, 562
    sarcoma alveolar, 561
    sinoviossarcoma, 561
  controvérsias, 569
  distribuição dos, 573f
    em porcentagem, 573f
      da localização, 573f
    por tipos histológicos, 573f
      sobrevida, 575f
  estadiamento, 564
  etiologia, 559
  fatores prognósticos, 567
  investigação diagnóstica, 563
  tratamento, 565
SDH (Complexo Enzimático Desidrogenase), 113
Sedação
  controlada, 2029-2032
    classificação, 2029
    conceitos, 2029
    controle evolutivo, 2031
    eficácia, 2032
    gerenciamento de cuidados, 2031
    prevalência, 2029
    questões bioéticas, 2029
    segurança, 2032
    terminologia, 2029
    tomada de decisão, 2031
      diretrizes para, 2031
SEER (*Surveillance Epidemiology and End Results program*), 422

SEER (*Surveillance, Epidemiology, and End Results*), 959
Segmentectomia, 660
Seguimento
  nas NCG, 720
    do mediastino, 720
Seio
  maxilar, 575f
    lesão de, 575f
  piriforme, 513, 514f
    carcinoma epidermoide de, 514f
      parede lateral do, 514f
      parede medial do, 514f
    organograma de tratamento do, 514f
      no SOHUST, 514f
    tumores do, 513
Seminoma(s)
  conceitos gerais, 718
  diagnóstico, 718
  tratamento, 718
Sepse
  por catéter venoso, 230
    de longa permanência, 230
Seroma
  no esvaziamento cervical, 582
Sexo
  câncer de pulmão e, 622
Sexualidade
  e câncer ginecológico, 1576
SFRT (Radioterapia Estereotáxica Fracionada), 159
SIA (Sistema de Informações Ambulatoriais), 14
SIADH (Secreção Inapropriada do Hormônio Antidiurético), 2014
  hiponatremia pela, 84
Sialorreia
  causas, 2008
  tratamento, 2008
Sibilo
  e câncer de pulmão, 633
Sigilo
  médico, 24
    prontuário médico, 24
Sigmoide
  stent em, 231f
    clister opaco de, 231f
  tumor de, 231f
    clister opaco de, 231f
Sigmoidectomia, 825
SIH (Sistema de Informações Hospitalares), 14
SIHAD (Secreção Inapropriada de Hormônio Antidiurético), 236
SIL (Lesões Intraepiteliais), 1309
Sílica
  e câncer de pulmão, 622
SIM (Sistema de Informação sobre Mortalidade), 3
Sinal(is) Ultrassonográfico(s)
  de malignidade, 1041
    clássico, 1041
Síndrome(s)
  de câncer hereditário, 54q
    principais, 54q
      genes envolvidos, 54q
      lesões associadas, 54q
      tumores associados, 54q
  de comportamento de doença, 252
    versus depressão maior, 252q
  de compressão medular, 237, 672
  de Horner, 634
    e câncer de pulmão, 634
  do ombro, 583f
  hereditárias, 355, 930
  metabólicas, 2013-2018
    balanço hídrico, 2013
    desidratação, 2013
    hipercalcemia, 2016
    hipercalemia, 2015
    hipernatremia, 2013
    hipocalemia, 2015

hiponatremia, 2014
SIADH, 2014
paraneoplásicas, 83-89, 635
  câncer, 85
    manifestações cutâneas do, 85
  caquexia neoplásica, 89
  distúrbios, 83, 85
    hematológicos, 85
    metabólicos, 83
  do tumor carcinoide, 87
  endócrinas, 635
  febre tumoral, 89
  hipercalcemia não metastática, 635
  manifestações reumatológicas, 87
    artropatias, 88
    doenças difusas do tecido conectivo, 88
    etiopatogenia, 88
    síndromes vasculíticas, 88
  neurológicas, 86, 636
  osteoartropatia hipertrófica, 636
  reumáticas, 88q
    paraneoplásicas, 88q
Sinergismo
  entre hipertermia, 190
  e QT, 190
Single port
  em CMI, 1484
Sinoviossarcoma, 561
  de alto grau, 576f
    de cavidade oral, 576f
  de membro inferior, 281f
SIPINA (Secreção Ectópica do Peptídeo Natriurético Atrial), 236
Sirolimus, 243
SISCOLO (Sistema de Informações do Câncer de Colo do Útero), 1309
Sistema
  de estadiamento, 379q, 737q
    de Butchart, 737q
    dos tumores ósseos malignos, 379q
      de Enneking, 379q
      do AJCC, 380q
  de perfusão, 191f
  no paciente com câncer, 221
    cardiovascular, 221
    endócrino, 222
    hematológico, 221
    neurológico, 222
    neuromuscular, 22
    respiratório, 221
    urinário, 222
  TNM, 164
    regras gerais do, 164
    símbolos adicionais, 164
Sistema de Saúde
  brasileiro, 14
    composição do, 14
    níveis de atenção do, 16f
    interação ideal entre os, 16f
Sistema Digestório
  câncer do, 31
    de esôfago, 31
    gástrico, 31
Sistema Nervoso
  central, 64
    neoplasias do, 64
Sítio(s) Específico(s)
  RXT por, 1547
    câncer, 1547, 1549
      cervical, 1547
      de ovário, 1551
      endometrial, 1549
      vaginal, 1550
      vulvar, 1550
SLA (Soma das Lesões Alvo), 155
Sleeve lobectomy, 658

SLPT-*like* (Síndrome Linfoproliferativa
  Pós-Transplante-*like*), 243
SLT (Síndrome de Lise Tumoral), 237
SNC (Sistema Nervoso Central)
  e câncer de pulmão, 635
  infecções do, 273
  linfomas do, 1877-1879
    envolvimento secundário de, 1879
      por LNH, 1879
    primário, 1877, 1879
      em HIV/AIDS, 1879
  metástases no, 1881, 1882
    epidemiologia, 1881
    fatores prognósticos, 1881
    manifestações, 1882
      clínicas, 1882
      diagnósticas, 1882
    patogênese, 1881
    tratamento, 1882
  tumores do, 1775-1782, 1889-1898
    classificação histológica dos, 1775-1782
      astrocíticos, 1775
      componente neuronal predominante, 1778
      da região da pineal, 1781
      das meninges, 1781
      do plexo coroide, 1780
      embrionários, 1780
      ependimários, 1777
      mistos, 1778
        gliais, 1778
        neuronais, 1778
      neoplasias dos nervos, 181
        cranianos, 1781
        paraespinhais, 1781
      neuroepiteliais, 1781
      oligodendrogliais, 1777
    RXT em, 1889-1898
      aspectos técnicos do, 1898
      complicações da, 1898
      em tumores benignos, 1985
      evolução tecnológica em, 1889
      nas metástases na coluna vertebral, 1985
      nos tumores malignos encefálicos, 1892
SNOLL (*Sentinel Node and Ocult Lesion Localization*), 1092
Sobrevida, 6
  de câncer no Brasil, 7
    cólon, 6
    mama feminina, 6
    próstata, 6
    reto, 6
SOHUST (Serviço de Oncologia do Hospital Universitário Santa Terezinha), 511
  organograma de tratamento no, 514*f*
    de carcinoma epidermoide, 514*f*
      de seio piriforme, 514*f*
SPMs (Sarcomas de Partes Moles), 355-377, 764
  biópsia de, 367-370
    estadiamento, 368
    exames de imagem, 367
    fatores prognósticos, 370
    incisional, 367
    PET, 368
    PET-CT, 368
    por agulha grossa, 367
    por PAAF, 367
  de parede torácica, 728
  diferenciação tumoral dos, 357*q*
    escores de, 357*q*
  epidemiologia, 355-358
    características, 356
      clínicas, 356
      patológicas, 356
    citogenética, 355
      translocações associadas ao, 355*q*
    classificação patológica, 355
      tipos histológicos, 356*q*

estadiamento, 357, 358*q*
fatores, 355, 357
  etiológicos, 355
  prognósticos, 357
graduação de sarcoma, 356
  sistema da FNCLC, 357*q*
investigação, 357
síndromes hereditárias, 355
  condições relacionadas a, 356*q*
tratamento dos, 358
  aspectos gerais do, 358
patologia, 359-366
  com diferenciação, 364, 365
    muscular, 364
    neural, 365
  condrossarcoma, 365
    extraesquelético, 365
  de diferenciação incerta, 365
  fibroblásticos, 360
  leiomiossarcoma, 364
  lipossarcomas, 360
  miofibroblásticos, 360
  osteossarcoma, 365
    extraesquelético, 365
  tumores fibro-histiocíticos, 359
    malignos, 359
  vasculares, 362
tratamento, 371-377
  cirúrgico, 371-374
    de extremidades, 371
    de retroperitônio, 372
    de tronco, 372
    DFSP, 373
    tumor desmoide, 373
  clínico, 375-377
    BT, 375
    cirurgia, 375
    tumor desmoide, 376
  QT, 375
    adjuvante, 375
    neoadjuvante, 375
  radioterápico, 375-377
    adjuvante, 375
    definitiva, 375
    neoadjuvante, 375
    tumor desmoide, 376
SRS (Radioterapia Guiada por Imagem), 158
SS (Síndrome de Sjögren), 243
Stent
  em papila duodenal, 232*f*
  em região pilórica, 231*f*
  em sigmoide, 231*f*
    clister opaco de, 231*f*
    colocação de, 232*f*
    por colonoscopia, 232*f*
  em via biliar, 232*f*
    colocação de, 232*f*
    CPRE após, 232*f*
Subglote, 504, 506, 507, 509
Substância(s)
  transtornos por uso de, 256
    em pacientes com câncer, 256
Suicídio
  em pacientes com câncer, 252
  fatores de risco de, 252
Sulfassalazina, 243
Supraglote, 504, 506, 508
SUS (Sistema Único de Saúde), 13, 23, 249, 290
  assistência oncológica no, 17
    atual, 17
  câncer no, 16
  distribuição orçamentária, 16*q*
    do Ministério da Saúde, 16*q*
  estruturação do, 14
  financiamento do, 14
  oncologia no, 16, 17*q*
    alta complexidade em, 17*q*

população dependente do, 15*f*
  comparativo da, 15*f*
  e com plano de saúde, 15*f*
  e com seguro provado de saúde, 15*f*
serviços oncológicos no, 18*q*
gastos federais com, 18*q*
SUV (Valor de Captação Padronizado/*Standardized Uptake Value*), 305
SVCS (Síndrome da Veia Cava Superior), 239, 672
  CNPCP, 239*f*
  de compressão, 695-698
    diagnóstico, 696
      de imagem, 696
      histopatológico, 696
    etiopatogenia, 695
    fisiopatologia, 695
    manifestações clínicas, 696
    tratamento, 697
  e câncer de pulmão, 634
SWOG (*Southwestern Oncology Group*), 596

T

Tabagismo, 37-41
  câncer de pulmão por, 621
  cessação do, 39*q*
    principais medicamentos para, 39*q*
  como fator de risco, 29
  dados epidemiológicos, 37
  direcionamentos, 40
    ESF, 40
      implantação de rastreamentos, 40
      intervenções por meio da, 40
    fumantes leves, 41
      aconselhamentos, 41
      intervenções, 41
    gerenciamento de casos, 41
      para doenças crônicas, 41
  e câncer de cólon, 820
  tratamento do, 38
    diretrizes para, 38
    clínicas, 40
Tabagista(s)
  câncer de pulmão em, 626
    alterações moleculares, 626, 629*q*
      KRAS, 626
      LKB1, 627
      TP53, 626
    aspectos terapêuticos, 627
    epidemiologia, 626
    suscetibilidade aos efeitos do tabaco, 627
      diferenças individuais na, 627
Tamponamento
  pericárdico, 229
TAN (Manobra Tangencial)
  na mamografia, 1028
TAP (Tempo de Protrombina), 313
TB (Transtorno Bipolar), 250
TC (Tomografia Computadorizada), 295
  no câncer, 797, 838
    de estômago, 797
    de abdome, 797
    de pelve, 797
    do reto, 838
TCG (Tumor de Células Granulares)
  EE-PAAF de, 116
  gástrico, 117*f*
    aspecto do, 117*f*
      ecoendoscópico, 117*f*
      endoscópico, 117*f*
TCG (Tumores Germinativos), 1751-1755
  de ovário, 1751
  sacrococcígeos, 1754
  testiculares, 1753
TDAM (Transtorno Depressivo Maior), 250
TDT (Tempo de Dobra Tumoral), 763

Tecido Celular
  subcutâneo, 274
    infecções de, 274
Tecido Conectivo
  doenças do, 88
    difusas, 88
Tecido(s)
  autógeno, 1215
    reconstrução com, 1215
      areolopapilar, 1221
      com GD, 1215
      com TRAM, 1217
      oncoplástica, 1221
      retalhos locais, 1215
  mamário, 1069
    padrão ecotextural do, 1069
  normais, 1551
    efeitos da radiação nos, 1551
  sarcomas dos, 340, 341, 342
    fibrosos, 341
    nervosos, 342
    vasculares, 340
TEM (Microcirurgia Endoscópica Transanal), 845
TEMLA (Linfadenectomia Mediastinal Estendida Transcervical), 661
Terapia
  antineoplásica, 270
    comprometimento da imunidade
      associado à, 270
        adaptativa, 270
        inata, 269
  de alvo melecular, 596
    estudos com, 596
  no câncer de pele, 331
    não melanoma, 331
      tópicas, 331
      fotodinâmica, 331
  para MPM, 739
    fotodinâmica, 740
    molecular, 739
  sequencial, 596
    principais estudos com, 596
    QT de indução, 596
  subcutânea, 2019-2022
    aspectos fisiológicos, 2019
      do tecido subcutâneo, 2019
      dos parâmetros farmacocinéticos, 2019
    via subcutânea, 2019, 2020
      administração de antibióticos por, 2021
      e cuidados paliativos, 2019
      histórico sobre o uso da, 2019
      implicações, 2020
      medicamentos administrados por, 2021
Terapia(s) Cirúrgica(s)
  citorredução, 165
  definitiva, 165
  paliativo, 165
  primária, 165
Terapia-Alvo
  no câncer de ovário, 1541, 1542
    bases moleculares do, 1541
    CEO, 1541
      bevacizumabe e, 1541
  para câncer de mama, 1251-1254
    angiogênese, 1253
      bevacizumabe, 1253
      sorafenibe, 1254
      sunitinibe, 1254
    PARP, 1254
      iniparibe, 1254
      olaparibe, 1254
    via do HER-2, 1251
      lapatinibe, 1252
      pertuzumabe, 1253
      trastuzumabe, 1252
    via do PI3K-AKT-MTOR, 1254
      everolimus, 1254

Terapia Imunossupressora
  risco de, 245
    em pacientes com neoplasia, 245
      atual, 245
      passada, 245
Terapia Nutricional
  em indivíduos com câncer, 143, 144
    abdominal, 144
    de cólon, 146
    de esôfago, 145
    de pâncreas, 145
    de reto, 146
    gástrico, 144
    CCR, 143
Teratoma(s)
  imaturos, 718
    conceitos gerais, 718
    tratamento, 718
  maduros, 718
    conceitos gerais, 718
    diagnóstico, 718
    tratamento, 718
TFD (Tratamento Fora do Domicílio), 24
TGI (Trato Gastrointestinal), 109
  camadas do, 109f
  visualizadas por EE, 109q
TGNS (Tumores Germinativos Não Seminomatosos)
  estágio I, 1596q
    protocolo de acompanhamento, 1596q
TH (Transplante Hepático), 887
  em oncologia, 977-981
    CC, 980
    CHC, 977, 979
      variante fibrolamelar, 979
    doença hepática crônica, 977
    HB, 979
    hemangioendotelioma epitelioide, 979
    legislação brasileira, 980
    TNE, 979
      metástases hepáticas de, 979
    tumorigênese, 977
Tiflite, 273
Timo
  neoplasias do, 707-714
    carcinoma de células pequenas, 714
      oat cel, 714
    tumores, 707, 713, 714
      carcinoides, 713
      de origem epitelial, 707
      neuroendócrinos, 713
      raros, 714
Timolipoma, 714
Timolipossarcoma, 714
Timoma(s)
  apresentação clínica, 708
  biópsia cirúrgica, 710
  cirurgia, 710
  classificação, 707, 708q
    histológica, 707
    TNM, 708q
  diagnóstico, 709
  doenças associadas, 709
  estadiamento dos, 708
  manifestações clínicas, 709q
  prognóstico, 712
  QT, 712
    neoadjuvante, 712
  RXT, 711
  síndrome paratímicas, 709
  sobrevida, 712
    global, 712q
    pelo estadiamento, 712q
  tratamento, 710, 712
    alternativos, 712
    da doença, 712
      metastática, 712
      recidivada, 712

Tireoide
  bócio de, 417f
    multinodular, 417f
  câncer de, 417-427
    complicações, 425
      do tratamento cirúrgico, 425
    controvérsias no, 426
      esvaziamento de cadeia lateral no CBDT, 426
      extensão do tratamento cirúrgico dos CBDT, 426
      iodoterapia complementar para CBDT, 426
      melhor abordagem cirúrgica, 427
      PAAF de neoplasia folicular, 426
    diagnóstico, 417
      categorias diagnósticas, 419
    estadiamento clínico, 419
      grupamento por estágios clínicos, 420
      linfonodos regionais, 419
      pTNM, 419
      regras para classificação, 419
      tipos histológicos, 419
    prognóstico, 425
    tratamento, 420
      carcinoma indiferenciado/anaplásico, 424
      CBDT, 420
      CCH, 421
      CMT, 424
      estratificação de risco, 421
      fatores moleculares do CBDT, 423
Tirosinoquinase
  inibidores de, 152, 154q
TLR (*Toll-Like Receptors*), 331
TMUGS (*Tumor Marker Utility Grading System*), 77
TNA (Terapia Neoadjuvante)
  no câncer cervical, 1401
    localmente avançado, 1401
  tratamento cirúrgico após, 1185-1191
    do câncer de mama, 1185-1191
      avaliação de resposta, 1187
      avaliação inicial, 1185
      CIM, 1187
      definições, 1185
      diagnóstico, 1185
      epidemiologia, 1185
      escolha do TNA sistêmico, 1186
      fatores, 1186
        preditivos, 1186
        prognósticos, 1186
      hormonoterapia neoadjuvante, 1186
      neoadjuvância em histologia lobular, 1187
      princípios para o, 1187
      tumores, 1186
        HER-2 positivos, 1186
        triplos negativos, 1186
TNE (Tumor Neuroendócrino), 117, 317, 713
  classificação dos, 118q
    pela OMS, 118q
    pelo grau de atividade, 118q
      proliferativo, 118q
    TNM, 118q
      critérios na, 118q
  colônico, 962
  colorretais, 961
    tratamento dos, 961
  de apêndice, 961, 962f
    fatores prognósticos, 962f
    tratamento dos, 961
  do intestino delgado, 961
    tratamento dos, 961
  do pâncreas, 962
    apresentação clínica, 963
    diagnóstico, 963
    tratamento, 964
  do trato gastroenteropancreático, 959-965
    apresentação clínica, 959
    diagnóstico, 959
    CRS, 960

endoscopia/colonoscopia, 959
PET-CT, 960
RM, 960
TC, 960
US, 960
epidemiologia, 959
tratamento, 960
gástrico, 117f, 960, 961q
aspecto do, 117f
ecoendoscópico, 117f
endoscópico, 117f
classificação de, 961q
tratamento dos, 960
metástases hepáticas de, 319, 902, 979
TH nas, 979
pacientes com, 118q
classificação dos, 118q
pelas características clinicopatológicas, 118q
pancreáticos, 963q
classificação dos, 963q
clínica, 963q
retal, 962
rotina para, 962f
tímicos, 713q
classificação dos, 713q
TNF (Fator de Necrose Tumoral), 190, 252
alfa, 88
medicamentos antagonistas do, 244
TNST (Tumores Não Seminomatosos Testiculares)
disseminados, 1598
prognóstico nos, 1598
fatores prognósticos nos, 1598
Topoisomerase
inibidores de, 152, 153q
Toracocentese, 745
agulha para, 744f
diagnóstica, 744f
com agulha, 744f
Tosse
e câncer de pulmão, 633
TR (Traquelectomia Radical)
cirurgia conservadora em CC, 1473-1479
acompanhamento, 1478
aspectos cirúrgicos, 1474
cerclagem, 1476
complicações obstétricas, 1477
consentimento informado, 1474
critérios de seleção, 1473
estágio, 1473
fatores, 1473, 1474
de risco, 1473
que contraindicam a TR, 1474
fertilidade, 1477
infertilidade, 1474
invasão linfovascular, 1474
ligadura, 1476
da artéria uterina, 1476
linfadenectomia, 1474
margem cirúrgica livre, 1473
morbidade, 1476
pós-operatória, 1476
transpoperatória, 1476
mortalidade, 1479
preservação ovariana, 1476
recidiva, 1479
tamanho tumoral, 1473
tipo histológico, 1473
via de acesso, 1475
abdominal, 1475
vaginal, 1475
TRAM (Retalho Transverso do Músculo Reto Abdominal), 208, 209, 1223
efeitos no, 1225
da RXT, 1225
reconstrução com, 1217
reconstrução mamária com, 1233-1240
anatomia cirúrgica, 1236

considerações anatômicas, 1235
considerações sobre, 1240
e tratamento adjuvante do câncer de mama, 1240
desvantagens, 1239
histórico, 1233
indicações, 1233
microcirurgia, 1239
técnica, 1237
vantagens, 1239
supercharge, 1223q
reconstrução mamária com, 1223q
critérios de elegibilidade, 1223q
Transdutor(es), 109
linear, 110f
radial, 110f
tipo de, 110f
e imagem EE produzida, 110f
correlação entre, 110f
Transfusão
de sangue, 167
na cirurgia oncológica, 167
Trânsito
digestório, 145f
normal, 145f
reconstruído após ressecção, 145f
do tumor em esôfago, 145f
Translocação(ões)
citogenéticas, 355q
associadas ao SPM, 355q
Transtorno(s)
ciclotímico, 250
de ansiedade, 253
diagnóstico de, 253
intervenção psicológica, 255
resultados da, 255
tratamento da, 254, 255q
drogas usadas no, 255q
depressivo, 250
menor, 250
sem outras especificação, 250
do humor, 250
depressão, 250
diagnóstico de, 251
fatores de risco para, 250
tratamento da, 252
por condição médica geral, 250
por substância, 250
sem outra especificação, 250
síndrome, 252
de comportamento de doença, 252
suicídio em pacientes com câncer, 252
fatores de risco de, 252
mental orgânico, 255
delirium, 255
tratamento do, 256
psiquiátricos, 250-258
em pacientes com câncer, 250-258
por uso de substâncias, 256
somatoforme, 257
Transversectomia, 146f
Traqueia
relações da, 585f
com a glândula tireoide, 585f
Traquelectomia
radical, 1397
Traqueostomia(s), 585-593
alternativas à, 592
cricotireoidostomia, 592
percutânea, 593
técnica cirúrgica, 593
anestesia, 587
para o adulto, 587
curativo da, 589f
decanulação programada, 591
etapa final da, 588f
histórico, 585

indicações, 586
UTI, 586
alérgicas, 586
cirurgias, 587
doenças neurológicas, 587
infecciosas, 586
inflamatórias, 586
neoplasias, 586
de cabeça e pescoço, 586
trauma, 587
localização ideal da, 587f
na infância, 589
complicações, 589
imediatas, 590
pós-operatórias, 590
tardias, 590
transoperatórias, 589
pós-operatório, 589
técnica cirúrgica, 589
nomenclatura, 585
técnica cirúrgica, 587
instrumental necessário, 587
posição do paciente, 587
tipos de cânula, 591
transtumoral, 586f
com fixação da traqueia à pele, 586f
sequência de, 586f
via aérea superior, 585
anatomia da, 585
Tratamento Cirúrgico
do câncer de mama, 1171-1197
após TNA, 1185-1191
avaliação de resposta, 1187
avaliação inicial, 1185
CIM, 1187
definições, 1185
diagnóstico, 1185
epidemiologia, 1185
escolha do TNA sistêmico, 1186
fatores, 1186
preditivos, 1186
prognósticos, 1186
hormonoterapia neoadjuvante, 1186
neoadjuvância em histologia lobular, 1187
princípios para o, 1187
tumores, 1186
HER-2 positivos, 1186
triplos negativos, 1186
CMLA, 1181-1183
conservador, 1171-1176
carcinoma infiltrante, 1173
contraindicação, 1173
evidências de segurança, 1171
fisioterapia, 1176
história, 1171
hormonoterapia, 1175
indicações, 1172
pré-operatório, 1172
prognóstico, 1175
QT, 1175
recidiva, 1175
RXT, 1175
técnica cirúrgica, 1174
tipos histológicos, 1173
radical, 1179-1180
complicações, 1180
cuidados pós-operatórios, 1180
mastectomia, 1179, 1180
poupadora de papila, 1180
poupadora de pele, 1180
radical, 1179
simples, 1180
subcutânea, 1180
posição da paciente, 1179
recidiva local, 1195, 1196
após cirurgia conservadora, 1195, 1196

Tratamento Oncológico
  VC no, 169-179
    câncer, 169
      de bexiga, 178
      de colo uterino, 174
      de cólon, 173
      de endométrio, 175
      de esôfago, 169
      de ovário, 175
      de pâncreas, 172
      de próstata, 177
      de pulmão, 176
      de reto, 174
      de rim, 177
      gástrico, 171
    em oncologia pediátrica, 178
    linfadenectomia inguinal, 178
      minimamente invasiva, 178
    neoplasias, 172, 173
      da vesícula biliar, 173
      de vias biliares, 173
      do fígado, 172
    nódulo pulmonar, 176
    oncologia urológica, 177
      laparoscopia na, 177
    procedimentos oncológicos, 169q
Tratamento Oncoplástico, 1213-1249
  cirurgia reconstrutora, 1247-1249
    no tratamento conservador, 1247-1249
      da mama, 1247-1249
    reconstrução mamária, 1213-1225, 1227-1232, 1233-1240, 1241-1244
      com retalho do músculo GD, 1227-1232
      com TRAM, 1233-1240
      princípios da, 1213-1225
      uso de próteses na, 1241-1244
        e extensores, 1241-1244
Tratamento Paliativo
  no câncer ginecológico, 1559-1577
    dor e paliação, 1559-1565
    paliação em doença avançada, 1567-1570, 1573-1574
      de colo uterino, 1567-1570
      de ovário, 1573-1574
    QV, 1575-1577
    sobrevida em, 1575-1577
Tratamento Radioterápico
  no câncer de mama, 1275-1299
    intraoperatória, 1275-1282
    no carcinoma *in situ*, 1285
    pós-cirurgia conservadora, 1287-1291
    pós-mastectomia, 1293-1298
Tratamento Sistêmico
  do câncer de mama, 1251-1273
    hormonal adjuvante, 1271-1272
      opções de tratamento, 1271
    metastático, 1267-1269
      algoritmo de tratamento, 1267
      avaliação de resposta ao tratamento, 1267
      considerações especiais, 1269
      HER-2 negativo, 1269
        QT para, 1269
      HER-2 positivo, 1269
        QT para, 1269
      hormonal, 1268
      quimioterápico, 1268
      tratamento, 1267
    QN, 1263-1264
    QT adjuvante, 1259-1262
    terapia-alvo, 1251-1254
Trato Gastroenteropancreático
  TNE do, 959-965
    apresentação clínica, 959
    diagnóstico, 959
    epidemiologia, 959
    tratamento, 960

Trato Genital
  feminino, 1371
    IHQ no, 1371
      colo uterino, 1372
      doença trofoblástica gestacional, 1374
      ligamento largo, 1381
      ovário, 1375
      peritônio, 1375
      trompas uterinas, 1381
      útero, 1373
      vagina, 1371
      vulva, 1371
Trato Geniturinário
  infecções do, 274
Trato Urinário
  alto, 1665-1669
    carcinoma urotelial do, 1665-1669
      apresentação clínica, 1666
      classificação, 1667
      diagnóstico, 1666
      epidemiologia, 1665
      estadiamento TNM, 1667q
      fatores, 1665, 1667
        de risco, 1665
        prognósticos, 1667
      fisiopatologia, 1665
      noções histológicas, 1665
      tratamento, 1667
Trauma
  traqueostomia no, 587
Trombose
  de veia jugular, 583
    interna, 583
      após esvaziamento cervical, 583
  na criança com câncer, 1695-1697
    fatores de risco, 1695
    impacto da trombose, 1695
      no câncer, 1695
    manejo clínico, 1696
    tratamento, 1696
Trompa(s)
  uterinas, 1381
    IHQ na, 1381
TS/LS (Toracoscopia/Laparoscopia), 779
TSGs (Genes Supressores de Tumor), 46
  marcadores que expressam os, 50
  selecionados, 46q
Tumor(es)
  abdominais, 142
  adenoide, 550f
    cístico, 550f
      à base do crânio, 550f
  carcinoide, 87, 713
    síndrome do, 87
  cervicais, 582, 1368
    exame peroperatório no, 1368
      de congelação, 1368
    irressecáveis, 582
      BT para, 582
  císticos do pâncreas, 127
    CAM, 129
    CAS, 127
    de Frantz, 131
    lesões pancreáticas, 131
      punção ecoguiada das, 131
    NESCP, 131
    NIMP, 129
  colorretais, 319
    metástases hepáticas de, 319
  cutâneos malignos, 405-411
    não melanoma, 405-411
      CBC, 405
      CEC, 406
      estadiamento, 406, 409q
      prognóstico, 410
      tratamento, 409

    cutâneos pouco frequentes, 413-415
      carcinoma de células sebáceas, 414
      CCM, 413
      DFSP, 413
  da base do crânio, 549-556
    anatomia, 549
    complicações, 555
      fatores que implicam nas, 556q
      incidência de, 556q
      locais, 556q
      pós-operatórias, 556q
    fatores prognósticos, 555
    histologia, 549
    modalidade de tratamento, 550
  da família Ewing, 383
  da junção, 102
    esofagogástrica, 102
    e cárdia, 102
  da parede posterior, 513
    da hipofaringe, 513
  da região subcricoide, 102
  da traqueia, 769-770
    diagnóstico, 769
    malignos, 769q
      primários, 769q
    tipos histológicos, 769
    tratamento, 770
  de Askin, 727
  de cabeça e pescoço, 141, 309
    PET/TC nos, 309
      incluindo tireoide, 309
  de células germinativas, 717q
    do mediastino, 717q
      classificação histopatológica dos, 717q
  de células gigantes, 475
    com comprometimento mandibular, 476
    ressecção de, 476f
  de esôfago, 145f
    ressecção do, 145f
      trânsito reconstruído após, 145f
  de glândulas salivares, 481q
    malignos, 482q
      por sítios anatômicos, 482q
      por tipo histológico, 482q
    menores, 487
      tratamento dos, 487
    principais tipos de, 481q
      classificação histológica dos, 481q
  de mama, 386f, 1201
    BLS em, 1201
    metástase de, 386f
  de Merkel, 339
  de orofaringe, 497f
  de ovário, 1751
  de Pancoast, 634, 691-694
    diagnóstico, 691
      apresentação clínica, 691
      exames complementares, 691
    e câncer de pulmão, 634
    estadiamento, 691
    tratamento, 692
      cirúrgico, 693
      histórico, 692
      prognóstico, 693
      terapêutica atual, 693
  de parede torácica, 725-731
    aspectos clínicos, 725
    classificação, 726
      manifestações de doenças sistêmicas, 728
      tumores primários, 726, 728
        de partes moles, 728
        ósseos, 726
    diagnóstico, 725
    metástases, 729
    tratamento, 729
  de parótida, 487
    tratamento dos, 487

de partes moles, 564q
　critério TNM para, 564q
de Pindborg, 457
　aspecto cirúrgico, 458f
　histologia, 458f
de reto, 136f, 282f
　ressecção por, 282f
　　abdominoperineal, 282f
　　superior, 136f
de rim, 387f
　metástase de, 387f
de sigmoide, 231f
　clister opaco de, 231f
desmoide, 373, 376, 728
do corpo uterino, 1368
　exame peroperatório no, 1368
　　de congelação, 1368
do endométrio, 1359
do intestino delgado, 813-817
　câncer do, 814
　carcinoides, 815, 816
　　metastáticos gastrointestinais, 816
　distúrbios hidreletrolíticos, 813
　dor abdominal, 813
　emagrecimento, 813
　linhagens benignas, 813
　　adenomas, 813
　　hemangiomas, 813
　　leiomiomas, 813
　　lipomas, 813
　　pólipos inflamatórios, 813
　metastáticos, 817
　obstrução, 813
　sangramento, 813
　volvo, 813
do pulmão, 388f
　acrometástase de, 388f
do seio piriforme, 513
encefálicos primários, 1817-1828, 1833-1845
　tratamento cirúrgico dos, 1817-1828, 1833-1845
　　na infância, 1833-1845
　　no adulto, 1817-1828
epiteliais malignos, 765
　de cabeça e pescoço, 765
fibro-histocíticos maligno, 359
　fibro-histiocitoma maligno, 359
　　com células gigantes, 359
　　inflamatório, 359
　　pleomórfico, 359
fibro-ósseos, 473
fibroso, 360
　solitário, 360
filoides, 1040
genética do, 44
ginecológicos, 1359-1361, 1389, 1493-1499
　estadiamento dos, 1389-1394
　　segundo FIGO/TNM, 1389-1394
　　exenteração pélvica em, 1493-1499
　　　complicações, 1498
　　　contraindicações, 1495
　　　indicações, 1493
　　　princípios, 1495
　　　seleção da paciente, 1494
　　　técnica cirúrgica, 1495
　fatores prognósticos em, 1359-1361
　　de colo uterino, 1361
　　de corpo uterino, 1359
　　de vagina, 1361
　　ovarianos, 1360
　　vulvares, 1359
HER-2, 1186
　positivos, 1186
intraocular, 1727-1730
lipomatoso, 360
　atípico, 360

malignos, 338, 376, 1052
　da bainha, 376
　　do nervo periférico, 376
　da mama, 1052
　　carcinoma, 1054
　　　inflamatório, 1054
　　　medular, 1054
　　　mucinoso, 1054
　　　tubular, 1054
　　CDI, 1053
　　CDIS, 1052
　　CLI, 1053
　dos anexos cutâneos, 338
　　cânceres das glândulas, 338
　　　apócrinas, 338
　　　écrinas, 338
　　　sebáceas, 338
　　carcinomas do pelo, 339
marrom, 475
misto, 486
　maligno, 486
na infância, 1849-1851, 1853-1858
　do tronco cerebral, 1849-1851
　　discussão, 1849
　　técnicas cirúrgicas, 1849
　medulares, 1853-1858
　　achado clínico, 1853
　　diagnóstico, 1853
　　epidemiologia, 1853
　　patologia, 1854
　　prognóstico, 1858
　　revisão histórica, 1853
　　tratamento, 1855
não periampulares, 939
　tratamento de, 939
　　duodenopancreatectomia para, 939
neurogênicos, 721-722
　diagnóstico, 721
　sintomatologia, 721
　tipos mais comuns, 721
　　ganglioneuroblastomas, 721
　　ganglioneuromas, 721
　　neurilemoma, 721
　　neuroblastoma, 721
　　neurofibromas, 721
　　Schwannoma, 721
　tratamento, 721
no hepatopata, 977
　diagnóstico do, 977
　em acompanhamento clínico, 977
odontogênico, 450, 455, 457
　adenomatoide, 450, 455f
　　do maxilar, 455f
　　histologia do, 455f
　　peça cirúrgica de, 455f
　ceratocístico, 455
　　histologia do, 457f
　　radiografia de paciente com, 456f
　　transoperatório de cirurgia de, 457f
　epitelial calcificante, 457
　escamoso, 457
　　acesso cirúrgico, 457f
　　aspecto clínico, 457f
　　histologia, 457f
ósseos malignos, 379-390
　condrossarcoma, 385
　da família Ewing, 383
　metástases ósseas, 386
　osteossarcoma, 381, 388
　　tratamento sistêmico do, 388
　sistema de estadiamento dos, 379q
　　de Enneking de, 379q
　　do AJCC, 380q
ósseos não odontogênicos, 463-469, 471-478
　benignos, 471-478
　　cisto ósseo aneurismático, 477
　　condroma, 472
　　doença de Hand-Schuller-Christian, 478

　　fibroma desmoplásico, 472
　　granuloma eosinofílico, 478
　　histiocitose de Langerhans, 477
　　lesões de células gigantes, 474
　　Letterer-Siwe, 478
　　osteoblastoma, 471
　　osteocondroma, 472
　　osteoma osteoide, 471
　　osteoma, 471
　　querubismo, 477
　　tumor marrom, 475
　　tumores fibro-ósseos, 473
　malignos, 463-469
　　classificação, 461
　　condrossarcoma, 463
　　linfoma de Burkitt, 466
　　mieloma múltiplo, 467
　　osteossarcoma, 464
　　plasmocitoma solitário do osso, 466
　　sarcoma de Ewing, 465
　　vasculares do esqueleto, 468
ósseos odontogênicos, 445-460
　carcinoma, 459
　　odontogênico de células claras, 459
　　primário intraósseo de células escamosas, 459
　classificação, 445
　　ameloblastoma, 446, 447
　　　maligno, 447
　　carcinoma ameloblástico, 449
　　odontoma, 445
　fibroma ameloblástico, 458
　fibrossarcoma ameloblástico, 459
　tratamento, 449
　　mixoma odontogênico, 452
　　tumor odontogênico, 450, 455, 457
　　　adenomatoide, 450
　　　cetaocístico, 455
　　　epitelial calcificante, 457
　　　escamoso, 457
ovarianos, 1360, 1367, 1435-1439
　de baixo potencial de malignidade, 1435-1439
　　acompanhamento, 1438
　　apresentação clínica, 1437
　　classificação histopatológica, 1435
　　estadiamento, 1437
　　fatores prognósticos, 1438
　　recidiva, 1439
　　tratamento, 1437
　epiteliais, 1360
　exame peroperatório no, 1367
　　de congelação, 1367
　não epiteliais, 1360
pancreático, 125f
　protrusão do, 125f
parotídeo direito, 482f
　agressivo, 482f
periampulares, 943-957
　CC distal, 947
　　clínica, 949
　　diagnóstico, 949
　　epidemiologia, 949
　　estadiamento, 949
　　fatores de risco, 949
　　marcadores tumorais, 949
　　tratamento, 951
　de papila, 952
　　avaliação pré-operatória, 953
　　estadiamento, 954
　　manifestações clínicas, 953
　　patologia, 953
　　prognóstico, 955
　　tratamento, 955
　do duodeno, 943
　　apresentação clínica, 943
　　epidemiologia, 943
　　fatores de risco, 943
　　investigação diagnóstica, 945
　　patogênese, 943

PET/TC nos, 309
  de mama, 309
  ginecológicos, 309
phyllodes, 1050
  benigno, 1050
primário, 281*f*, 317*f*, 399, 639-641*f*, 726
  de partes moles, 728
    benignos, 728
  de rim, 317*f*
  estadiamento, 639-641*f*
  ósseos, 726
    benignos, 726
    malignos, 727
  pancreático, 281*f*
  tratamento do, 399
renais, 1719-1724
  classificação de risco dos, 1722*q*
  estadiamento de, 1721*q*
  não Wilms, 1724
    sarcoma de células claras, 1724
  nefroblastoma, 1719
  TW, 1719, 1723
    bilateral, 1723
    recorrente, 1723
residual, 162, 800
  classificação do, 800
sacrococcígeos, 1754
sólidos, 57
  IHQ no diagnóstico dos, 57
submandibulares, 487
  tratamento dos, 487
testiculares, 764, 1753
  de células germinativas, 764
    não seminomatosos, 764
tipo melanoma, 399*q*
  estágios dos, 399*q*
    grupamento por, 399*q*
triplos negativos, 1186
trofoblásticos gestacionais, 1393, 1394*q*
  escore de risco dos, 1394*q*
  estadiamento do, 1394*q*
    sistema FIGO/TNM, 1394*q*
  TW, 1659
    tratamento sistêmico do, 1659
uroteliais, 1685-1689
  aspectos moleculares dos, 1685-1689
    expressão gênica global, 1688
    marcadores, 1685, 1686
      aprovados pela FDA, 1685
      de instabilidade cromossômica, 1685
      epigenéticos, 1686
      genéticos, 1686
      polimorfismo genéticos, 1688
      reparo de DNA, 1688
    proteômica, 1688
    telomerase, 1686
vaginais, 1368
  exame peroperatório no, 1368
    de congelação, 1368
vulvares, 1368
  exame peroperatório no, 1368
    de congelação, 1368
Tumoração
  cutânea, 551*f*
    com invasão de órbita, 551*f*
  ressecção completa da, 533*f*
    orbitotomia transcutânea para, 533*f*
    sem osteotomia, 533*f*
Tumorigênese
  TH em, 977
Turnbull *et al.*
  classificação de, 164
    carcinoma de cólon e reto, 164
TVP (Trombose Venosa Profunda), 85, 221
  classificação de risco de, 167*q*
  na cirurgia oncológica, 166

TW (Tumor de Wilms)
  anatomia patológica, 1719
  bilateral, 1723
  cirurgia, 1722
  diagnóstico, 1720
  epidemiologia, 1719
  estadiamento, 1720
  etiopatogenia, 1719
  fatores prognósticos, 1721
  QT, 1722
  recorrente, 1723
    novas perspectivas, 1724
  RXT, 1722
  tratamento do, 1659, 1722
    sistêmico do, 1659

U

UBSs (Unidades Básicas de Saúde), 40
UICC (União Internacional Contra o Câncer), 142, 386
  classificação TNM da, 579*q*
  estadiamento de acordo com o, 879*q*
    do câncer de canal anal, 879*q*
  estadiamento segundo, 738*q*
    para MPM, 738*q*
UIO (Ultrassonografia Intraoperatória), 892
Úlcera
  actínica, 94
    tratamento da, 94
  de Marjolin, 202*f*, 332*f*
Úmero
  direito, 385*f*
    condrossarcoma do, 385*f*
      clássico, 385*f*
UNACON (Unidade de Assistência de Alta Complexidade em Oncologia), 16
Uretra
  câncer de, 1625-1626
    estadiamento TNM, 1625*q*
    patologia, 1625, 1626
      na mulher, 1626
      no homem, 1625
US (Ultrassonografia)
  classificação BI-RADS® em, 1063-1085
    achados ultrassonográficos, 1070
      classificação em categorias, 1075
    descrição do léxico, 1069
  direcionada, 290*f*
  nas lesões mamárias, 1035-1043
    alterações funcionais das mamas, 1038
      benignas, 1038
    cistos mamários, 1039
    classificação ultrassonográfica, 1042, 1043*q*
    conduta, 1042, 1043*q*
    fibroadenoma, 1039
    outros tumores, 1041
    papiloma, 1041
    sinais clássicos de malignidade, 1041
    tumor filoides, 1040
USE (Ultrassonografia Endoscópica), 798
USM (Ultrassonografia da Mama), 290, 1069
USPSTF (Organização Americana Força-Tarefa de Serviços Preventivos), 287
Útero
  câncer de, 6
    no Brasil, 6
  IHQ no, 1373
UTI (Unidade de Tratamento Intensivo)
  traqueostomia na, 586

V

Vagina
  câncer de, 1303-1307, 1393, 1394*q*, 1431-1433
    diagnóstico, 1431
    doenças precursoras do, 1303-1307
    estadiamento do, 1394*q*, 1431
      sistema FIGO/TNM, 1394*q*
    grupamento por estágio, 1432*q*
    histologia do, 1431*q*
    prognóstico, 1432
    tratamento, 1432
      NIVA, 1432
  IHQ na, 1371
  tumores de, 1361
Validação, 370
VAMLA (Linfadenectomia Mediastinoscópica Videoassistida), 661
VAMP (Vincristina, Ametopterina, 5-Mercaptopurina e Prednisona), 149
Vascularização
  descrição da, 1073
VC (Videocirurgia)
  no tratamento oncológico, 169-179
    câncer, 169
      de bexiga, 178
      de colo uterino, 174
      de cólon, 173
      de endométrio, 175
      de esôfago, 169
      de ovário, 175
      de pâncreas, 172
      de próstata, 177
      de pulmão, 176
      de reto, 174
      de rim, 177
      gástrico, 171
    em oncologia pediátrica, 178
    linfadenectomia inguinal, 178
      minimamente invasiva, 178
    neoplasias, 172, 173
      da vesícula biliar, 173
      de vias biliares, 173
      do fígado, 172
    nódulo pulmonar, 176
    oncologia urológica, 177
      laparoscopia na, 177
    procedimentos oncológicos, 169*q*
VCS (Veia Cava Superior)
  ressecção da, 675
  síndrome de compressão da, 695-698
    diagnóstico, 696
      de imagem, 696
      histopatológico, 696
    etiopatogenia, 695
    fisiopatologia, 695
    manifestações clínicas, 696
    tratamento, 697
VEGF (Fator de Crescimento Endotelial Vascular), 48, 298, 735
VEGFR (Via do Receptor do Fator de Crescimento Epidérmico), 151
Veia
  cava inferior, 207*f*
    de rato *Winstar*, 207*f*
      microanastomose da, 207*f*
      secção da, 207*f*
  do rato, 208*f*
    anastomose da veia renal na, 208*f*
    terminolateral, 208*f*
  jugular interna, 583
    trombose de, 583
      após esvaziamento cervical, 583
VEIL (Linfadenectomia Inguinal Videoendoscópica Extensa), 1612
Verruga(s)
  genitais, 1344
Vesícula
  biliar, 173, 905-908
    câncer de, 905-908
      diagnóstico, 906
      epidemiologia, 905
      estadiamento, 906

fatores de risco, 905
histologia, 905
manifestações clínicas, 905
patogênese, 905
tratamento, 906
neoplasias da, 173
VC nas, 173
VHL (Doença de von Hippel-Lindau), 974
VHS (Velocidade de Hemossedimentação), 88
Via Biliar
colocação de *stent* em, 232*f*
CPRE após, 232*f*
Via(s)
aérea, 585
superior, 585
anatomia da, 585
biliares, 173
neoplasias de, 173
VC nas, 173
Videolaparoscopia
no câncer retal, 848
Videotoracoscopia, 663
VIP (Peptídeo Vasoativo Intestinal), 959
Vírus
como fator de risco, 30

Visita
pré-anestésica, 221
mudança no papel da, 221
VMAT (Radioterapia de Intensidade Modulada em Arco), 157
VPN (Valores Preditivos Negativos), 288
VPP (Valor Preditivo Positivo), 288
VRAM (Retalho Vertical do Músculo Reto Abdominal), 208, 209
VSR (Vírus Sincicial Respiratório), 272
Vulva
câncer de, 1303-1307, 1391, 1393*q*, 1421-1428
doença, 1303-1307, 1425-1428
localmente avançada, 1425-1428
metastática, 1425-1428
precursoras do, 1303-1307
recidivada, 1425-1428
estadiamento do, 1393*q*
sistema FIGO, 1393*q*
sistema TNM, 1393*q*
inicial, 1421-1424
diagnóstico, 1422
epidemiologia, 1421
estadiamento, 1422
manifestações clínicas, 1421
perspectivas, 1423

prognóstico, 1423
seguimento, 1423
tipos histológicos, 1422*q*
tratamento, 1422
vias de disseminação, 1422
IHQ na, 1371

W

Watchful waiting
versus esvaziamento seletivo, 582
Wedge resection, 661
WHO (*World Health Organization*), 155, 301

X

XCC (Craniocaudal Forçada)
incidência, 1026, 1027*f*
na mamografia, 1026, 1027*f*
Xerostomia
definição, 2006
saliva, 2006
estimuladores de secreção de, 2007
versus substituto da saliva, 2007
tratamento da, 2007
XP (Xeroderma Pgmentoso), 332, 396*f*, 406*f*